DANSK-ENGELSK ORDBOG

GYLDENDALS RØDE ORDBØGER

ENGELSK

Dansk-engelsk. *Af Hermann Vinterberg og Jens Axelsen*
Engelsk-dansk. *Af Hermann Vinterberg og Jens Axelsen*

FRANSK

Dansk-fransk. *Af N. Chr. Sørensen*
Fransk-dansk. *Af N. Chr. Sørensen*

ITALIENSK

Italiensk-dansk. *Af Knud Andersen og Giovanni Màfera*

LATIN

Latin-dansk. *Af Thure Hastrup*

SPANSK

Dansk-spansk. *Af Arne Koefoed og Einar Krog-Meyer*
Spansk-dansk. *Af Carl Bratli.* Forkortet og bearbejdet af
Erling Hoffmeyer og Knud Kinzi

SVENSK

Svensk-dansk. *Af Valfrid Palmgren Munch-Petersen og Ellen Hartmann*

TYSK

Dansk-tysk. *Af Egon Bork*
Tysk-dansk. *Af Egon Bork og Ernst Kaper*

FREMMEDORD

Gyldendals Fremmedordbog. *Af Sven Brüel*

ETYMOLOGI

Dansk etymologisk ordbog. *Af Niels Åge Nielsen*

PSYKOLOGI-PÆDAGOGIK

Psykologisk-pædagogisk ordbog.
Af Mogens Hansen, Poul Thomsen og Ole Varming.

DANSK-ENGELSK

ORDBOG

AF

HERMANN VINTERBERG OG JENS AXELSEN

SYVENDE REVIDEREDE OG
FORØGEDE UDGAVE
TIENDE OPLAG

GYLDENDAL

Bogen er sat med Bembo antikva i Langkjærs Bogtrykkeri
og trykt hos Nordisk Bogproduktion A. S., Haslev
Printed in Denmark 1976
ISBN 8700679410

FORORD

Ændringerne i nærværende 7. udgave er i forhold til forrige udgaves mindre gennemgribende. Der er tilføjet ca. 3000 ord og vendinger, og antallet af eksempler og forklaringer, der illustrerer brugen af de forskellige oversættelsesmuligheder, er forøget. Forældede og mindre brugte ord og vendinger er taget ud, således at udvidelsen har kunnet begrænses til 17 s. Af uregelmæssige bøjningsformer af danske ord er nu kun medtaget de usammensatte (fx *gav*, men ikke *angav*, *stod*, men ikke *opstod*). I engelske sammensatte ord er i overensstemmelse med den almindelige tendens en del bindestreger fjernet, hovedsagelig i forbindelser af substantiv + substantiv og endvidere i today, tomorrow, tonight.

Jeg har ved udarbejdelsen haft stor nytte af den nye udgave af Vinterberg og Bodelsen: Dansk-Engelsk Ordbog og for danske ords vedkommende også af Dansk Sprognævns publikationer. Af engelske kilder har jeg især benyttet Webster's Third New International Dictionary, The Concise Oxford Dictionary og The Advanced Learner's Dictionary foruden egne notater fra nyere litteratur, aviser, kataloger m.v.

En stor tak skylder jeg dr. W. Glyn Jones, University College, London, for utrættelig hjælp ved besvarelsen af forespørgsler og for mange nyttige oplysninger i den førstekorrektur, som han har vist mig den tjeneste at læse.

For god hjælp med korrekturlæsningen takker jeg også frk. Kirsten Jensenius og frk. Edith Frey, og sidstnævnte desuden for værdifuld støtte under hele arbejdet ved udskrivning af sedler, fremskaffelse af supplerende stof og renskrivning af manuskript.

Februar 1967   JENS AXELSEN

I tredje og fjerde oplag er der foretaget nogle mindre rettelser og indsat enkelte tilføjelser.

I femte, sjette og syvende oplag er desuden indføjet et tillæg sidst i bogen. Tillægget omfatter dels et udvalg af ord, som er opstået siden arbejdet med syvende udgave blev afsluttet, dels ord og udtryk, som er blevet efterlyst af brugere. Jeg benytter lejligheden til at takke alle, som har hjulpet mig med oplysninger eller kritiske bemærkninger.

I ottende og niende oplag er tillægget udvidet. I niende oplag er endvidere foretaget nogle mindre rettelser og indsat enkelte tilføjelser. Tiende oplag er et uforandret optryk.

September 1975   JENS AXELSEN

FORKORTELSER OG TEGN
ABBREVIATIONS AND SYMBOLS

♣ ...... *botanik,* botany
✠ ...... *militært,* military
⚓ ...... *maritimt,* nautical
: ...... *det vil sige,* i.e.
® ...... *reg. varemærke,* trade mark
T ...... *daglig tale,* colloquial
adj ...... *adjektiv, tillægsord,* adjective
adv ..... *adverbium, biord,* adverb
amr ..... *amerikansk,* American
anat ..... *anatomi,* anatomy
arkit .... *arkitektur, bygningskunst,* architecture
arkæol ... *arkæologi,* archaeology
ass ...... *forsikringsvæsen,* insurance
astr ..... *astronomi,* astronomy
bibl ..... *bibelsk,* biblical
biol ..... *biologisk,* biology
bl .... *blandt,* among
bl a ..... *blandt andet,* inter alia
cf .... *sammenlign,* compare
conj ..... *konjunktion, bindeord,* conjunction
d.s. ..... *det samme,* the same
d.s.s. ..... *det samme som,* the same as
egl ...... *egentlig, properly,* literally
el. ...... *eller,* or
elekt .... *elektricitet,* electricity
eng. ..... *engelsk,* English
Engl .... *England*
etc ...... *og så videre, og lignende,* etcetera
f .... *for*
fig ...... *figurligt, i overført betydning,* figurative(ly)
fk f ..... *forkortelse for,* abbreviation of
flyv ..... *flyvning,* aviation
fon ...... *fonetik,* phonetics
forst ..... *forstvæsen,* forestry
fot ...... *fotografering,* photography
geogr .... *geografi,* geography
geol ..... *geologi,* geology
glds ..... *gammeldags,* obsolescent, archaic

gram ..... *grammatik,* grammar
hist ...... *historisk,* historical
i alm .... *i almindelighed,* generally
imperf ... *imperfektum, datid,* preterite, past tense
jernb .... *jernbaneudtryk,* railway
jur ...... *jura,* law
kem ..... *kemi,* chemistry
m .... *med,* with
mat ...... *matematik,* mathematics
med. .... *lægevidenskab,* medicine
merk .... *merkantilt, handel,* commerce
meteorol .. *meteorologisk,* meteorological
mht ..... *med hensyn til,* as regards
neds ..... *nedsættende,* disparaging(ly)
ngt ...... *noget*
ogs ...... *også,* also
omtr ..... *omtrent,* approximately
part ..... *participium, tillægsmåde,* participle
perf ..... *perfektum, førnutid,* perfect
perf part . *perfektum participium,* past participle
pl .... *flertal,* plural
poet ..... *digterisk,* poetical
pron ..... *pronomen, stedord,* pronoun
præp .... *præposition, forholdsord,* preposition
præs ..... *præsens, nutid,* present
psyk .... *psykologi,* psychology
radio .... *radioudtryk,* radio
rel ...... *religiøst,* religion
sby ..... somebody
sing ..... *ental,* singular
sth ...... something
subst .... *substantiv, navneord,* substantive, noun
tandl .... *tandlægevæsen,* dentistry
tlf ...... *telefoni,* telephony
TV ..... *fjernsyn,* television
typ ...... *typografisk,* printing term
vb ...... *verbum, udsagnsord,* verb
zo ...... *zoologi,* zoology

VEJLEDENDE BEMÆRKNINGER

~ erstatter opslagsordet.

- (foran en del af et ord) erstatter den del af det foregående opslagsord, som står foran den lodrette streg |.

Forklaringer samt uregelmæssige bøjningsformer af de danske ord er angivet i parentes. Ved substantiver angives køn og flertalsform, den sidste blot ved tegnet -, hvis ordet er uforandret i flertal, fx. lam *(et -).*

★ er sat efter danske verber, som i imperfektum og perfektum participium ender på -te og -t (fx bage, bagte, bagt; bestemme, bestemte, bestemt*).*

Bøjningen af sammensatte ord er i almindelighed ikke angivet; der henvises til sidste led af sammensætningen.

Adverbier, som dannes regelmæssigt af adjektiver på begge sprog (fx. dristig, -t; bold, -ly*), er i mange tilfælde udeladt.*

Parenteser anvendes for øvrigt:

1) for at betegne, at en del af et ord eller udtryk kan medtages eller udelades efter behag, fx. gram(me); capital (letter); in the (good) old days;

2) for at betegne, at en del af et ord eller udtryk kan udskiftes med det eller de i parentesen angivne; parentesen indledes da med el.; således betegner you have no reason (el. cause) to complain, *at ordet* reason *uden væsentlig betydningsændring kan erstattes af* cause;

3) for at betegne, at en del af et ord eller udtryk efter omstændighederne må erstattes med det eller de i parentesen angivne; parentesen indledes da med komma, fx. ved fælles hjælp between them (, us, you);

4) for at vise eksempler på brugen af et ord; således: simple (fx furniture, habits), frugal (fx meal).

¹ betegner, at det følgende (danske) ord har tryk, fx. ¹gd efter = hente, rette sig efter; gå ¹efter = undersøge, opfriske.

Forklaringen af et ords forskellige betydninger gælder, når intet andet anføres, også efterfølgende afledninger af ordet.

~ replaces the headword.

- (before part of a word) replaces that part of the first word which stands before the vertical stroke |.

Explanations and irregularities in the inflexion of Danish words are given in brackets. After nouns the gender and the plural are indicated, the gender by the addition of *en* or *et*. If a noun is unchanged in the plural, this is shown by the sign -, e.g. lam *(et -)*.

★ is placed after Danish verbs forming the preterite and past participle in *-te* and *-t* (e.g. *bage, bagte, bagt; bestemme, bestemte, bestemt*).

For the inflexion of a compound see the simple form of the final element of the compound.

Adverbs formed regularly from adjectives in both languages (e.g. *dristig, -t;* bold, -ly) are often omitted.

Brackets are used further:

(i) to indicate that part of a word or expression may be either included or omitted, e.g. gram(me); capital (letter); in the (good) old days;

(ii) to indicate that part of a word or expression may be replaced by the word(s) given in brackets; the bracketed words are then preceded by *el.*; thus 'you have no reason (*el.* cause) to complain' designates that 'reason' may be replaced by 'cause' without an appreciable change of meaning;

(iii) to indicate that part of a word or expression should be replaced, as the context requires, by the word(s) given in brackets; the bracketed words are then preceded by a comma, e.g. *ved fælles hjælp* between them (, us, you);

(iv) to illustrate by examples the meaning of a word, e.g. simple (*fx* furniture, habits), frugal (*fx* meal).

¹ indicates that the following (Danish) word is stressed, e.g. ¹*gd efter* = go to fetch, act upon; *gd* ¹*efter* = go into, overhaul, touch up.

The explanations of the different meanings of a word apply, unless it is indicated otherwise, to the following derivatives of the word as well.

A

A, a *(et -'er)* A, a; *har man sagt A, må man også sige B* in for a penny, in for a pound.
II. **a! ah! oh!**
III. **a:** ~ *conto,* ~ *meta etc, se på alfabetisk plads.*
IV. **à** *præp (som hver indeholder)* of, of ... each, each containing *(fx* 2 cases of 25 bottles (each), 2 cases each containing 25 bottles); *(om pris)* at *(fx* 5 bottles at 10s. each); *(omtrentlig angivelse)* or *(fx* 3 or 4 days); *à 15 (i tennis)* fifteen all; *à la* in the manner *(el.* style) of.

ab *præp:* ~ *fabrik* ex works; ~ *lager* ex warehouse; ~ *London* delivered in London.
abbed *(en -er)* abbot. **abbedi** *(et -er)* abbey. **abbedisse** *(en -r)* abbess.
ABC *el.* abc *(en -'er) (stavebog)* spelling book, ABC book; *(begyndelsesgrunde)* ABC *(fx* the ABC of finance).
abdicere *vb* abdicate.
abdikation *(en -er)* abdication.
I. **abe** *(en -r)* monkey, *(menneske-)* ape; ⚓ mizzen.
II. **abe** *vb:* ~ *efter* mimic, ape *(fx* sby's manners); *(uden styrelse)* play the ape.
abe|fest noisy party. **-kat** monkey; *(nar)* fool; *kvæle -katten* stifle a yawn. **-kattestreger** monkey tricks. **-menneske** apeman.
aber: *der er et* ~ *derved (el. dabei)* there is a catch *(el.* a snag) in it.
Abessinien *etc, se Ætiopien etc.*
abeunge young monkey.
ablativ *(en)* the ablative.
abnorm *(afvigende fra normen)* abnormal; *(åndssvækket)* mentally deficient, abnormal. **abnormitet** *(en -er)* abnormity; mental deficiency.
A-bombe *(fk f atombombe)* A-bomb, atom *(el.* atomic) bomb.
abonnement *(et -er)* subscription; *tegne* ~ *på* take out a subscription for.
abonnements|afgift subscription; *(tlf)* telephone rental. **-aften** subscription night. **-billet, -kort** season ticket; *(amr)* commutation ticket. **-pris** subscription (price).
abonnent *(en -er)* subscriber; *(i teater)* box holder, seat holder.
abonnere subscribe *(på:* to); *(i teater)* have a box; ~ *i Tivoli* have a season ticket for Tivoli.
abonnine *(en -r)* lady *(el.* woman) subscriber.
aborre *(en -r)* perch.
abort *(en -er)* abortion, miscarriage; *kriminel* ~ criminal abortion, illegal operation; *provokeret* ~ induced abortion.
abortere *vb* miscarry, have an abortion, have a miscarriage.
Abraham: i *-s skød* in Abraham's bosom.
abrikos *(en -er)* apricot.
abrupt *adj* abrupt, curt.
Abruzzerne the Abruzzi.
absces *(en -ser)* abscess.

abscisse *(en -r)* abscissa.
absentant *(en -er)* ✗: *være* ~ be absent without leave *(fk:* AWOL).
absentere: ~ *sig* absent oneself; *(i al stilhed)* take French leave, decamp.
absint *(en)* absinth(e).
I. **absolut** *(et -ter)* Absolute.
II. **absolut** *adj* absolute; *adv* absolutely, completely, utterly *(fx* impossible); *(ganske sikkert)* certainly, definitely; *(overordentlig)* decidedly *(fx* he is d. clever); *(ved superlativ)* decidedly, far and away, easily *(fx* the best, the strongest); ~ *ablativ* ablative absolute; ~ *ikke* not at all, certainly not; *ja* ~! certainly! ~ *flertal* an absolute majority; ~ *nødvendig* absolutely necessary, indispensable; *skal du* ~ *gå? must you go? han vil* ~ *gå* he insists on going.
absolution *(en)* absolution.
absolutisme *(en)* absolutism. **absolutist** *(en -er)* absolutist. **absolutistisk** *adj* absolutist.
absorbere *vb* absorb.
absorbering, absorption *(en)* absorption.
abstinens *(en)* abstinence *(fra* from).
abstrahere *vb* abstract *(fra* from).
I. **abstrakt** *adj* abstract (fx art, reasoning); *adv* in the abstract, abstractly.
II. **abstrakt** *(et -er) (gram)* abstract (noun).
abstraktion *(en -er)* abstraction.
absurd *adj* absurd. **absurditet** *(en -er)* absurdity.
absurdum: *reducere ad* ~ reduce to (an) absurdity.
acceleration *(en)* acceleration.
accelerations|evne *(om bil)* acceleration, accelerating capacity; T pick-up. **-hastighed** acceleration.
accelerere *vb* accelerate; *-nde hastighed* increasing speed.
accent *(en -er)* accent; *tale med* ~ speak with an accent; *uden* ~ *(ɔ: uden tryk)* unaccented, unstressed; *tale engelsk uden* ~ speak English without any accent.
accentuation *(en -er)* accentuation.
accentuere *vb* accent, accentuate, stress.
accentuering *(en)* accentuation, stressing.
accept *(en -er)* acceptance; *nægte* ~ refuse acceptance. **acceptabel** *adj* acceptable.
acceptant *(en -er)* acceptor.
acceptere *vb* accept; *(en veksel)* accept, honour; *nægte at* ~ *en veksel* refuse to accept a bill, dishonour a bill *(by* non-acceptance); *i -t stand* duly accepted.
acceptering *(en -er)* acceptance.
accessionskatalog accession book.
accessit *(et)* proxime accessit, prox(ime).
accidensarbejde *(typ)* job printing.
accidenser *pl (biindtægter)* perquisites; *(typ)* job work.
accidens|sætter job compositor. **-trykker** job printer.
accise *(en -r) (lokal indførselsafgift)* octroi; *(forbrugsafgift)* excise. **accisebod** octroi (house).
accoucheur *(en -er)* accoucheur.
acetone *(en)* acetone.

acetylen *(et)* acetylene. **acetylenblus** acetylene flare.

acetylsalicylsyre acetyl-salicylic acid.

achilles|hæl, -sene, *se akilles-*.

a conto on account; ~ ~ **betaling** payment on account.

I. **ad** *præp* a) *(vejen, der følges)* by *(fx* by that road); ~ *omveje, se omvej;* ~ **søvejen** by sea; b) *(gennem åbning etc)* at, by *(fx* in at the door, enter by the door, out at *(el.* of) the window, escape by the window, in at one ear and out at the other); c) *(mål for ytring etc)* at *(fx* bark, laugh, point one's finger at); d) ~ **gangen** at a time *(fx* three at a time); e) *(m adv:)* hen ~ *aften* towards evening; hen ~ **gaden** along *(el.* down *el.* up) the street; **ned** ~ **gaden, skrænten** down the street, the slope; **op** ~ **dagen** later in the day; **op** ~ **floden** up the river; **stå lænet op** ~ **muren** lean against the wall; **gd** ~ **helvede til** go to hell; ~ **London** *til* towards London.

II. **ad** *(angående)* re; ~ **punkt 1** re point one; **ad acta, ad notam,** *etc: søges på alfabetisk plads*.

III. **ad** *adv: bære sig* ~ *etc: se verberne*.

ad acta: lægge ~ ~ file.

adams|kostume: *i* ~ in my (, his etc) birthday suit, in the altogether. **-æble** *(anat)* Adam's apple.

a dato from date.

addend *(en -er)* addend.

addere add (up); *(uden objekt)* do an addition.

addition *(en -er)* addition.

additions|stykke addition, sum. **-tabel** addition table. **-tegn** addition sign, plus, positive sign.

additiv *(et -er; adj)* additive.

adel *(en)* nobility; *(standen ogs)* aristocracy; **af** ~ of noble birth; ~ **forpligter** noblesse oblige; **rigets** ~ the peers of the realm.

adelig *adj* noble; **de -e** the nobility, the aristocracy, the nobles; **-t gods** nobleman's estate.

adels|brev patent of nobility. **-dame, -frue** noblewoman, peeress. **-frøken** nobleman's daughter, unmarried lady of noble rank. **-gods** nobleman's estate. **-herredømme** aristocratic government, aristocracy. **-kalender** peerage; *i -kalenderen (i Engl. ogs)* in Debrett. **-krone** coronet. **-mand** nobleman. **-mærke** hallmark. **-skjold** escutcheon. **-slægt** noble family. **adelstand** nobility; *(se ogs ophøje)*. **adelsår-bog** *se adelskalender*.

adenoid *adj* adenoid; **-e vegetationer** adenoids.

adfærd *(ydre optræden)* behaviour, demeanour; *(psyk)* behaviour; *(handlemåde)* conduct *(fx* brave conduct).

adfærds|forstyrrelse behaviour disorder. **-møn-ster** behaviour pattern. **-psykologi** behaviourism. **-vanskelig** maladjusted.

adgang *(en -e)* *(tilladelse til at komme ind)* admittance, admission; *(mulighed for at opnå visse goder etc)* access *(fx* access to books), facility, facilities *(fx* facilities for golf and tennis); *(vej til)* access *(fx* Switzerland has no access to the sea), approach *(fx* the only approach to the house); *(tilladelse til at nærme sig)* access *(fx* he has access to the minister); **få** ~ be admitted, obtain admission; **få** ~ **til at** ... get a chance of **-ing;** ~ **forbudt,** ~ **forbydes** *(uvedkommende)* No Admittance (except on Business), Private, *(til skov, mark etc)* Private, Trespassers will be Prosecuted; **formene en** ~ **til** refuse sby admittance to, refuse to admit sby to; **give** ~ **til** admit to, give access to; **denne eksamen giver** ~ **til** ... this degree qualifies the holder for ...; **kortet giver** ~ **til** ... the card admits the holder to ...; **betaling af en shilling giver** ~ **til** ... on payment of one shilling visitors are admitted to ...; **der er gratis** ~ admission is free; **have fri** ~ **til haven** have the run of the garden; **ingen** ~: **se** ~ **forbudt; med** ~ **til køkken** with use of kitchen; **tiltvinge sig** ~ force an entry *(til:* into).

adgangs|begrænsning restricted admission; *(ved universitet etc: numerisk)* numerus clausus; *der er* ~ admission is restricted. **-berettigelse** right of admis-

sion. **-eksamen** entrance examination. **-kort** admission *(el.* entrance) card *(el.* order). **-prøve** entrance examination. **-ret** right of admission. **-tegn** *se -kort*. **-tilladelse** admission, permission to enter.

adjektiv *(et -er)* adjective.

adjektivisk *adj* adjectival.

adjudant *(en -er)* *(regiments-)* adjutant; *(personlig)* aide-de-camp, A.D.C.

adjunkt *(en -er)* secondary school teacher, master at a grammar school, school master.

adjø good-bye.

adkomst *(en -er)* title, right, claim; **han har ingen** ~ **til** *'det* he has no right to (do) that.

adkomstdokument document of title; *(skøde etc)* title-deed.

adle *vb* ennoble, *(i Engl)* raise to the peerage; *(fig)* ennoble; **arbejde -r** *(kan gengives:)* hard work is the best patent of nobility.

ad libitum ad libitum.

adlyde *vb* obey; **ikke** ~ *(ogs)* disobey.

administration *(en -er)* administration, management; **-en** *(statens)* the Civil Service; **sætte én under** ~ deprive sby. of the control of his estate *(el.* property). **administrationsbygning** administration block.

administrativ *adj* administrative; **-e evner** administrative talents; **han har -e evner** *(ogs)* he is a good administrator; **ad** ~ **vej** by administrative means, administratively, departmentally.

administrator *(en -er)* administrator.

administrere *vb* manage, administer; **-nde direktør** managing director.

admiral *(en -er)* admiral; *(sommerfugl)* red admiral. **admiralitet** *(et)* Admiralty.

admiralsflag admiral's flag.

admiral|skib flagship. **-stab** admiral's staff.

ad notam: *tage ngt* ~ ~ take note of sth.

adoptere *vb* adopt. **adoptering, adoption** *(en)* adoption. **adoptionsbevilling** adoption order.

adoptiv|barn adopted *(el.* adoptive) child. **-fader** adoptive father. **-forældre** adoptive parents. **-moder** adoptive mother.

adr. *(fk f adresse)* c/o (= care of).

adrenalin *(et) (kem)* adrenaline; *(amr)* suprarenine. **adressat** *(en -er)* addressee.

adresse *(en -r)* *(bopæl, skriftlig henvendelse)* address; *(udskrift på brev)* address, direction; **besørge efter -n** *(merk)* forward as per address; **din bemærkning har fejl** ~ you are barking up the wrong tree; **hr. X,** ~ **hr. Y Mr X,** c/o (= care of) Mr Y. **adresse|bog** address book, *(vejviser)* directory. **-forandring** change of address. **-kort** dispatch note. **-løs** *adj* without address; unaddressed; **-e forsendelser** unaddressed mail. **-maskine** addressing machine.

adressere *vb* address; *(skib, varer)* consign.

adressering *(en)* addressing; *✥* consignment; *(udskrift)* address.

adresseringsmaskine addressing machine.

Adriaterhavet the Adriatic.

adræt *adj* active, agile, nimble. **adræthed** *(en)* activeness, agility, nimbleness.

adskille ✶ separate, take apart; *(danne adskillelse mellem)* separate, divide; *(skelne)* distinguish; *(om racer)* segregate; **-nde bindeord** disjunctive particle; ~ **sig fra** differ from.

adskillelse *(en -r)* separation; *(skelnen)* distinction; *(om raceadskillelse)* segregation; **til** ~ **fra** as distinct from, in contradistinction to.

adskillig *adj* not a little, a good deal of *(fx* trouble); **-e** several *(fx* there are several who ...; several times); **adv -(t)** not a little, a good deal, considerably *(fx* better, longer); **-t** *(subst)* several things; **-t flere** several more, a good many others.

adskilt *adj* separate, distinct, apart; *(om raceadskillelse)* segregated; **de lever** ~ **fra hinanden** they live apart (from one another); **to skarpt -e typer** two well -defined types.

adsplitte *vb* scatter, disperse.

adsprede ★ *(bortjage tanker)* chase away *(fx* his melancholy); *(more)* amuse, divert; *(forstyrre)* distract; ~ *sig* amuse oneself.

adspredelse *(en -r) (morskab etc)* amusement, pastime, recreation, diversion.

adspredt *(spredt)* scattered; *(åndsfraværende)* absent-minded, preoccupied. **adspredthed** *(en)* preoccupation, absence of mind.

adstadig *adj* sedate, sober-minded; *adv* -ly; *i et -t tempo* at a leisurely pace. **adstadighed** *(en)* sedateness, sober-mindedness.

advare warn, caution *(mod:* against), ~ *én mod at gøre ngt* warn sby. not to do sth., warn sby. against doing sth; ~ *én om at* warn sby that. **advarende** *adj* cautionary, warning; ~ *eksempel* warning, *(især om person)* dreadful example; *nogle* ~ *ord* a few words of warning.

advars|el *(en -ler)* warning, caution; *han fik en* ~ *(i sport)* he was cautioned; *lade ham slippe med en* ~ let him off with a caution; *lad dette være dig en* ~ let this be a warning to you.

advarsels|signal warning signal. **-tavle** *(for biler)* warning sign.

advent *(en)* Advent; *i* ~ in Advent.

adventist *(en -er)* Adventist.

adventivknop ⚜ adventitious bud.

abverbiel adverbial. **adverb|ium** *(et -ier)* adverb.

advis *(en) (merk)* advice (note); *ifølge* ~ as per advice. **advisere** *vb* advise, give notice, warn.

advokat *(en -er)* lawyer; *(i Engl.: juridisk rådgiver, kun berettiget til at føre sager for lavere domstole)* solicitor, *(berettiget til at procedere ved de højere domstole)* barrister, *(når en barrister optræder i retten kaldes han* counsel); *(i U.S.A. er fællesbetegnelsen for* ~*)* lawyer, attorney; *(ved skotsk og ikke-eng. ret, samt fig)* advocate; *blive* ~ *(om barrister ogs)* be called to the bar; *-erne* the counsel, *(som stand)* the legal profession, *(om barristers)* the Bar; ~ *for den anklagede* Counsel for the Defence, *(i civil sag)* Counsel for the Defendant; ~ *for sagsøgeren* Counsel for the Plaintiff.

advokat|firma firm of solicitors. **-fuldmægtig** graduate in law who assists a lawyer.

advokatorisk *adj* forensic *(fx* a person of forensic ability); *et* ~ *indlæg for* . . . a plea in advocacy of . . .

advokat|praksis legal practice. **-salær** lawyer's fee. **-standen** the legal profession; *(barristers)* the Bar.

adækvat *adj (tilsvarende)* equivalent, *(fyldestgørende)* adequate.

ae *vb* stroke, caress.

aero|drom *(en -er)* aerodrome, airport. **-dynamik** *(en)* aerodynamics. **-gram** *(et -mer)* air letter. **aero|lit** *(en)* aerolite. **-mekanik** aeromechanics. **-nautik** *(en)* aeronautics. **-nautisk** *adj* aeronautic(al). **-plan** *(et -er)* aeroplane, plane; *(amr)* airplane. **-sol** *(et -er) (fys)* acrosol. **-solpakning** aerosol bomb. **-stat** *(en -er)* aerostat. **-teknik** acrotechnics.

I. af *præp a) (materiale, oprindelse)* of *(fx* the house is built of wood; a man of humble origin);

b) *(den handlende, det virkende, ophavsmanden)* by *(fx* the house was built by an architect; he was killed by the savages with poisoned arrows; he was killed by a poisoned arrow; a novel by Galsworthy);

c) *(på grundlag af, ud fra)* from *(fx* I see from your letter that . . . ; it is easily understood from the context);

d) *(væk fra)* off *(fx* he took the lid off the box; he fell off the horse; he washed the soap off his face);

e) *(i forhold til, af* . . . *at være)* for *(fx* he is big for his age; for a foreigner he speaks English surprisingly well);

f) *(i henseende til)* of *(fx* gigantic of stature), in *(fx* weak in character), by *(fx* English by birth; a blacksmith by trade), in the way of *(fx* that is all he has in the way of clothes);

g) *(ved dato etc)* of *(fx* your letter of May 5);

h) *(om del)* of *(fx* two of these apples; most of us), out of *(fx* nine out of every ten died), in *(fx* one

in a thousand); *i ni af ti tilfælde* in nine cases out of ten;

i) *(i beskrivelse)* of *(fx* a man of enormous strength, of high rank, of the same name; a town of this size);

j) *(årsag)* of *(fx* die of hunger); from *(fx* get a cold from staying out in the rain; faint from loss of blood); with *(fx* be half-dead with fear; be down with fever; stiff with cold; wet with dew; black with soot; the man was green with envy); for *(fx* he could not speak for emotion; leap for joy); *af frygt for* for fear of; *af mangel på* for want of; *af denne grund* for this reason; *af kærlighed til* for love of; *lide af* suffer from; *lugte, smage af* smell, taste of; *stolt, træt af* proud, tired of; *han ligger syg af influenza* he is down with the flu;

k) *(motiv)* out of *(fx* he did it out of jealousy, malice, curiosity, fear); from *(fx* from politeness);

l) *(eksistensgrundlag: føde el. penge)* on *(fx* live on vegetables, on a small income); *(virksomhed)* by *(fx* live by one's pen, by teaching);

m) *(samhørighedsforhold, ejendomsforhold etc)* of *(fx* the owner of the dog; the top of the hill; a portrait of Henry VIII; the sound of wheels; the Duke of Kent; the King of Denmark; a friend of mine);

n) *(andre tilfælde)* hvad er den af? what is the big idea? *det har du rigtig godt af!* serves you right! *den skurk af en mexikaner* that scoundrel of a Mexican; *penge havde han ingen af* money he had none, he had no money; *jeg hørte det af min søster* I heard it from my sister; *jeg købte det af en mand* I bought it from a man; *det er dumt, venligt etc af dig* it is stupid, kind etc of you; *af naturen* by nature, naturally; *han gjorde det af sig selv* he did it of himself *(el.* of his own accord); *(se ogs de ord, hvormed* ~*af* forbindes).

II. af *adv (om fjernelse etc)* off *(fx* take the lid off; take off one's clothes); *fra barn af* from a child; *fra først af, se først; fra neden af* from below, from the bottom; *fra oven af* from above, from the top; *af med hatten(e)!* hats off! *blive af med* get rid of; *vi skal snart af med ham* we are going to lose him soon, he is leaving us soon; *af og til* now and again, occasionally, from time to time; *(se ogs verber med »af«).*

afart *(en -er)* variety, subspecies.

afbalancere balance; *nøjagtigt -t* exactly balanced.

afbarke *vb* bark. **afbarkning** *(en)* barking.

afbenytte *vb* use, have the use of.

afbenyttelse *(en)* use; *efter -n* after use, when done with; *overlade en ngt til behagelig* ~ put sth at sby's disposal.

afbestille ★ countermand *(el.* cancel) an *(el.* one's) order for; *(en avis)* cancel one's subscription to; ~ *en teaterbillet* cancel a seat.

afbestilling *(en -er)* countermand, counter-order, cancellation (of an order).

afbetale ★ pay by *(el.* in) instalments; ~ 50£ *på gælden* pay an instalment of £50 on the debt, pay off £50; *(se ogs afdrage).*

afbetaling *(en -er) (afdrag)* instalment; *(system)* hire-purchase system, instalment system, deferred payment (system); *tage det på* ~ get *(el.* buy) it on the instalment system *(el.* on hire-purchase).

afbetalingskontrakt hire-purchase agreement.

afbigt *(en)* apology; *gøre* ~ apologize.

afbilde *vb* depict; *(reproducere)* reproduce. **afbildning** *(en -er)* delineation; *(billede)* picture.

afblade *vb* remove leaves from, defoliate.

afblanket cleaned out, broke, high and dry.

afblege bleach (out); *-t adj* faded, discoloured.

afblomstre *(om plante)* cease flowering; *(om blomst)* wither, fade; *den har -t* it has finished flowering. **afblomstring** ceasing to flower; *(fig.)* fading.

afblænde *vb* dim; *(fotografisk)* stop down the lens; ~ *lygterne (på bil)* dim the headlights. **afblænding** *(en)* dimming; stopping down the lens. **afblændingskontakt** dimmer switch.

afblæse ★ *(give tegn til standsning)* call off *(fx* a strike); *(luftalarm)* sound the All-Clear.

afblæsning *(en -er)* calling off; *(af luftalarm)* All -Clear *(fx* the All-Clear went *(el.* was sounded) at 4.30).

afbrudt *adj* interrupted, abrupt, intermittent; *(se også afbryde).*

afbryde *(en tilstand etc)* break *(fx* the silence); *(en handling, virksomhed, samtale, talende person etc)* interrupt; *(falde ind med en bemærkning)* interpose; *(ophøre med)* interrupt *(fx* he interrupted his work to listen to me); break off *(fx* negotiations, diplomatic relations with a foreign country); discontinue *(fx* one's visits, operations); *(afskære en forbindelse)* sever *(fx* friendship); *(skære over, ogs)* cut *(fx* a wire); *(elektrisk strøm)* interrupt, switch off; *(telefonforbindelse)* cut off, *(apparatet)* disconnect; *(jernbanerejse)* break; *(knække af)* break off;

vi blev afbrudt (tlf) we were cut off; ~ *forbindelsen med et firma* sever *(el.* break off) the connexion with a firm; ~ *radioudsendelsen* interrupt the broadcast; *toggangen er afbrudt* the train service is suspended; ~ *tændingen* switch off the ignition.

afbrydelse *(en -r) (se afbryde)* breaking; interruption; breaking off, discontinuation, *(af elektrisk strøm)* interruption, switching off; *(af telefonforbindelse)* cutting off, disconnexion; *(af en rejse)* break (of a journey); breaking off; severance; *(ophold, standsning)* break, intermission, interval; *(i rejse)* break, *(amr)* stopover; *(afbrydende bemærkning)* interruption; *med -r* intermittently, off and on; *uden ~* unintermittently, without a break.

afbryder *(en -e) (elekt)* switch, (circuit) breaker; *(på radio)* (power) switch; *(af taler)* interrupter, *(ballademager)* heckler; *(til lygterne)* lamp switch. **afbryder|arm** breaker arm. **-kontakt** breaker contact, breaker point.

afbrydning *(en -er) (elekt)* switching off, putting out of circuit.

afbræk *(et)* injury, harm; *(afbrydelse)* interruption; *gøre ~ i* injure; *lide ~* be injured.

afbrænde ★ burn, burn down; ~ *fyrværkeri* let off fireworks; *-t rødvin* mulled claret; *en -t tændstik* a spent match.

afbrænder: *det var en værre ~* that was one in the eye; that was an awful let-down; what a sell!

afbrænding *(en)* burning; *(af fyrværkeri)* letting off.

afbud *(et)* apologies *(pl); sende ~* send apologies; send one's regrets, cancel the engagement; *(om deltager i sportskamp)* scratch (one's name).

afbytte *vb (i skak)* exchange.

afbælge *vb* hull, husk; *(ærter)* shell.

afbære *(om brændsel)* carry in (, up, down).

afbøde *(afværge)* ward off, parry; *(mildne)* mitigate, alleviate; *(en mangel)* make good, remedy.

afbøje turn off, *(ogs stråler)* deflect. **afbøjning** *(en)* turning, deflection, deviation.

afdampe *(tørre)* air; *(lade fordampe)* evaporate. **afdampning** *(en)* airing, evaporation.

afdanket *(afskediget)* superannuated; *(udtjent)* cast -off *(fx* coat).

afdansning *(en)* last dance. **afdansningsbal** end -of-season dance.

afdeling *(en -er) (del)* part, division, section; *(af ministerium)* division; *(af forretning)* department; *(af hospital)* department; ward; *(af fattighus)* ward; *(af fængsel)* block; *(af tropper, flåde)* unit, detachment; *(hold)* section, batch, gang; *(rum)* compartment; *(filial)* branch.

afdelings|chef head of a department; *(i ministerium, svarer i England til)* assistant secretary. **-ingeniør** sectional engineer. **-kontor** branch office. **-leder** head of a department. **-læge** *(svarer omtrent til)* senior house medical officer; *(undertiden)* deputy superintendent. **-sygeplejerske** assistant matron.

afdrag *(et -)* part-payment, instalment; *i ~ by* instalments; *renter og ~* interest and repayment. *af-*

drage pay by *(el.* in) instalments; *han havde -t £10 på køleskabet* he had paid off £10 on the refrigerator. **afdragsvis** by instalments.

afdramatisere *(i beskrivelse)* play down.

afdreje *(i drejebænk)* turn (smooth).

afdrift *(en)* deviation; ⚓ drift, leeway; *(projektils)* deflection.

afdække uncover; *(afsløre, fx statue)* unveil; *(fig)* expose; *(arkæologisk)* unearth; *(dække til)* cover.

afdækkerskak discovered check.

afdækning *(en -er) (se afdække)* uncovering; unveiling; exposure; unearthing; *(tildækning)* covering.

afdæmpe soften (down), mellow, subdue; *-t lys* subdued light.

afdæmpethed *(en)* subdued character. **afdæmpning** *(en)* softening, subdual.

afdød *adj* dead, deceased, departed; *(den) -e* the deceased; *min -e mand* my late husband.

affabel *adj* affable.

I. **affald** *(et) (rester)* refuse, waste; *(værdiløst)* rubbish; *(slagteri- etc)* offal; *(dagrenovation)* rubbish, garbage; *(madrester)* leavings; *(jern-)* scrap; *(læder-)* cuttings; *(forst)* wood refuse; *(madpavir etc)* litter.

II. **affald** *(et) (skrdning)* slope; ⚓ falling off; *støt or ~!* ⚓ keep her to!

affalds|brænde scrap wood. **-dynge** rubbish heap. **-jern** scrap iron. **-kurv** litter bin. **-kværn** *(til køkkenvask)* waste disposal unit. **-produkt** waste product; *(kem)* residual product. **-silke** waste silk. **-skakt** rubbish chute; *(amr)* garbage chute. **-spand** dust bin; *(amr)* garbage can; *(tandlæges)* waste container. **-stoffer** *(pl)* waste products.

affarende: ⚓ ~ *bredde (, længde)* latitude *(, longitude)* from; ~ *plads* place of departure.

affarve *vb* decolorize; *-t hår* bleached hair, peroxide hair. **affarvning** *(en)* decolorization.

affatte *vb* draw up, compose, write; *-t i fornærmelige vendinger* couched in insolent terms.

affattelse *(en -r)* drawing (up), composition; *(form)* wording. **affattelsesform** wording.

affedte *vb* degrease; *-t sygevat* absorbent cotton.

affeje *(fjerne)* sweep away; *(rense)* sweep; *(afvise)* snub *(fx* him), brush aside *(fx* his objections). **affejende** *adj* slighting, brusque, offhand; *adv* slightingly, brusquely, offhand. **affejning** *(en)* sweeping; snubbing.

affekt *(en -er)* passion; *bringe en i ~* excite sby; *komme (, være) i ~* get *(, be)* excited, *(vred)* fly into *(, be in)* a passion *(el.* a temper).

affektation *(en)* affectation. **affekteret** affected.

affektionsværdi sentimental value.

afficere *vb* affect; *uden at lade sig ~ (af det)* without turning a hair, without batting an eyelid.

affiks *(et -er)* affix.

affile file off; *(glatte)* file smooth; *(fig)* file, polish. **affiling** *(en)* filing; *(filspåner)* filings.

affinde: ~ *sig med* put up with; resign oneself to *(fx* one's fate); ~ *sig med forholdene* take things as one finds them; ~ *sig med sine kreditorer* compound with one's creditors. **affindelse** *(erstatning)* compensation. **affindelsessum** compensation; ~ *én gang for alle* lump sum.

affinitet *(en)* affinity.

affire ⚓ *(tov)* ease off; *(fartøj)* lower; *-de skøder* flowing sheets.

affjedre *(m fjedre)* spring; *godt -t* well sprung. **affjedring** *(en)* (spring) suspension.

affodre *(fodre)* feed. **affodring** *(en)* feeding; *(gang foder)* feed.

affolke *vb* depopulate. **affolkning** *(en)* depopulation.

affordre: ~ *en ngt* demand sth. from *(el* of) sby.

affutage *(en -r)* mounting.

affyre fire *(fx* he fired a shot *(, his gun)* at me), let off, discharge; *(rumraket)* launch; ~ *vittigheder* crack jokes. **affyring** *(en)* firing, letting off, discharge.

affyringsrampe *(for missil)* launching pad.

affældig adj decrepit, doddering. **affældighed** *(en)* decrepitude.

affærdige *(afvise)* dismiss *(fx* a person); dispose of, brush aside *(fx* his objections). **affærdigelse** *(en)* dismissal. **affærdigende** off-hand, brusque.

affære *(en -r)* affair; *-r (forretninger)* affairs, business; *en pinlig ~* an awkward business; *tage ~* intervene, step in, get busy; *Dreyfusaffæren* the Dreyfus affair.

affode * *vb* give rise to, bring about, cause.

affore * *vb* divest; *~ sig sine klæder* take off *(el* divest oneself of) one's clothes, undress, strip. **afforende** *adj* aperient, laxative; *~ middel* aperient, laxative.

afforing *(en)* motion, evacuation; *(ekskrementer)* faeces, stools *(pl)*; *hård ~* inspissated faeces; *tynd ~* thin stools *(el* faeces). **afforingsmiddel** aperient, laxative.

afgang *(en -e) (afrejse, start)* departure; *(fratræden)* retirement, resignation; *(udtømmelse)* discharge; *(formindskelse i antal)* falling off, decrease; *dødelig ~* death, decease, *(jur)* demise.

afgangs|bevis diploma; *(fra skole)* school leaving certificate. **-eksamen** school leaving examination. **-klasse** graduating class; *(i skole ogs)* top form. **-perron** departure platform. **-signal** departure signal. **-tid** time *(el.* hour) of departure.

afghaner *(en -e)* Afghan.

Afghanistan Afghanistan. **afghansk** adj Afghan.

afgift *(en -er) (til det offentlige)* duty, tax; *(indenlandsk forbrugs-)* excise, tax; *(told-)* duty; *(skat)* tax, *(kommunal)* rate; *(leje etc)* rent; *(gebyr)* fee; *(garderobe- etc)* charge; *(til forfatter, komponist, patentejer etc)* royalty; *(bropenge, vej- etc)* toll; *lægge en ~ på noget* impose a duty (, tax etc.) on sth.; *skatter og -er* taxes, rates, and dues.

afgifts|fri adj free of duty (, charge, etc.). **-frihed** *(en)* exemption from duty (, charge etc.). **-pligtig** adj liable to duty (, charge etc.), dutiable.

afgive *(aflevere, afstå)* give up, surrender; *(affyre)* fire; *(give, fremkomme med)* make, submit; *(give som udbytte)* yield, afford; *(frembyde)* furnish, afford; *(kem)* liberate; *~ beretning, ~ betænkning* submit a report, report; *~ bestilling på ngt hos én* order sth. from sby; *~ et bevis* furnish a proof; *~ en erklæring* make a declaration; *~ en forklaring (jur)* make a statement; *~ en kendelse (om nævninge)* return a verdict; *~ landområde* cede territory; *~ salut* give (el. fire) a salute; *~ sin stemme* vote, give (el. cast) one's vote; *~ varme* give off (el. emit) heat. **afgivelse** *(en) (afståelse)* surrender, cession; *(af stemme)* casting; *(af ordre)* placing.

afgjort adj *(utvivlsom)* unquestionable; *(som er gået i orden)* settled; *(udpræget)* decided; adv decidedly, definitely, certainly; *en ~ fordel* a decided advantage; *en ~ sag* a settled thing; *det er (så godt som) ~ at* it is (as good as) settled that.

afglans *(en)* reflection *(fx* a faint reflection of..).

afglatte *vb* smooth, polish.

afgnave *vb* gnaw off; *-de ben* gnawed bones.

afgnide *(fjerne)* rub off; *(rense)* rub up; *(frottere)* rub (down). **afgnidning** *(en -er)* rubbing off; rubbing up; rub-down.

afgrund *(en -e) (ogs fig)* abyss, precipice; *der er en ~ mellem deres synspunkter* their points of view are poles apart; *på -ens rand* on the brink of the precipice.

afgrænse *vb* bound, demarcate; delimit; *skarpt -t (fig)* well-defined. **afgrænsning** *(en)* demarcation.

afgrøde *(en -r)* crop, yield.

afgud idol. **afguderi** *(et)* idolatry; *drive ~ med* idolize. **afguds|billede** idol. **-dyrkelse** idolatry. **-dyrker** *(en -e)* idolater.

afgære *vb* cease fermenting.

afgøre *vb (bestemme)* decide, determine; *(strid, spørgsmål)* settle; *(betale)* settle, pay; *(konstatere)* make out *(fx* I could not make out whether the ship was German or English), tell *(fx* it is difficult to tell how it is done); *~ vort mellemværende* settle our account; *det afgør sagen* that settles it.

afgørelse *(en -r)* decision; *(bilæggelse, ordning)* settlement; *(merk)* payment, settlement; *til fuld ~ (merk)* in full settlement; *træffe ~* decide.

afgørende adj decisive *(fx* phase, step, battle); *(overbevisende)* conclusive *(fx* argument, evidence against sby.); *(endelig)* final; *sige det ~ ord* say the (decisive) word; *~ prøve* crucial test; *formanden har den ~ stemme* the chairman has a casting vote; *af ~ vigtighed* of vital *(el.* decisive) importance; *i det ~ øjeblik* at the critical *(el.* psychological) moment.

afgå *(afrejse)* start, set off, depart, leave *(til:* for); ✠ sail; *(fra embede etc)* retire; *(om ministerium)* resign; *(blive afsendt)* be forwarded, be sent off; *toget -r fra London 6.30* the train leaves London at 6.30; *~ ved døden* die, depart this life. **afgående** adj departing *(fx* ships, trains); retiring *(fx* directors); *det ~ ministerium* the outgoing Ministry.

afhandling *(en -er)* treatise, dissertation, paper; *(for doktorgraden)* thesis (for the doctorate).

afhaspe *vb* wind off, *(ogs fig)* reel off.

afhente fetch; *lade ~* send for; *pakker -s overalt i byen* parcels collected in all parts of the town.

afhentning *(en -er)* fetching; *til ~* to be called for.

afhjælpe *(råde bod på)* remedy, redress; *(et savn)* supply, relieve, meet.

afhjælpning *(en)* remedy, redress, relief; *til ~ af* for the relief of.

afholde *(lade finde sted)* hold, arrange; *(betale)* defray, pay; *(holde fra)* keep, prevent, stop *(fra:* from); *~ en koncert* give a concert; *~ kongres (, møde, valg)* hold a congress (, a meeting, an election); *~ sig fra* abstain from, refrain from; *~ sig fra at stemme* abstain (from voting); *15 afholdt sig fra at stemme (også:)* there were 15 abstentions.

afholdelse *(en)* holding *(fx* the h. of a meeting); payment *(fx* the p. of the expenses).

afholdende adj abstinent, abstemious; *(kysk)* continent. **afholdenhed** *(en)* abstinence, abstention; continence.

afholds|bevægelse temperance movement. **-drik** non-alcoholic beverage *(el.* drink), soft drink. **-ed** *(spøgende)* drawing-room oath. **-forening** temperance society. **-hotel** temperance hotel. **-løfte** (total abstinence) pledge. **-mand** teetotaller, total abstainer. **-restaurant** temperance restaurant. **-sagen** teetotalism, the temperance movement. **-øl** non-alcoholic beer; *(amr ogs)* near beer.

afholdt popular *(af:* with); *ikke ~* unpopular; *meget ~ af* a great favourite with; *gøre sig ~ blandt* endear oneself to; make oneself popular with *(el.* among).

afhopper *(en -e)* absconder, defector; *(amr ofte=)* getaway.

afhugge cut off; *~ fra* cut off from, sever from.

afhænde *vb* dispose of, sell; *(overdrage)* transfer, make over, alienate. **afhændelig** adj transferable, negotiable. **afhændelse** *(en)* disposal, realization, sale; *(overdragelse)* transference, alienation.

afhænge: *~ af* depend on. **afhængig** adj dependent *(af:* on); *være ~ af* depend on; *~ spørgesætning* dependent *(el.* subordinate) interrogative clause.

afhængighed *(en)* dependence *(af:* on); *gensidig ~* interdependence; *(se også tillæg)*.

afhængigheds|fald the objective (case). **-forhold** (state of) dependence *(til:* on); *stå i ~ til* be dependent on.

afhøre * examine, hear. **afhøring** *(en)* examination, hearing; *foretage -er* take statements *(af:* from).

afhøste *(afmeje)* cut, reap; *have -t* have finished harvesting.

afhøvle *(glatte)* plane; *(fjerne)* plane off. **afhøvling** *(en -er)* planing off; *(prygl)* thrashing.

af|ilte *vb* deoxidize. **-iltning** deoxidization.

afise *vb* de-ice, defrost.

afiser *(en -e)* defroster, de-icer.

afjasket adj bedraggled, untidy, slovenly, slipshod; *(om arbejde)* scamped.

afkald *(et)* renunciation; *give ~ (resignere)* resign; *give ~ på* renounce, give up, abandon, forego, relinquish, waive; *(skriftligt ogs)* sign away.

afkaste throw off *(fx* a yoke); *(løv)* cast, *(ham)* slough; *(indbringe)* yield; *(i kortspil)* discard; *~ en bro* demolish a bridge.

afkastning *(en) (udbytte)* yield, proceeds.

afklapse *(smække)* smack, *(afstraffe)* punish.

afklapsning *(en)* smacking; punishment.

afklare clarify; -s clarify *(fx* wait for the situation to clarify); -t ro serenity. afklaring *(en)* clarification.

afklippe cut off; *(klippe kort)* crop.

afklæde * undress, strip; *afklædt til bæltestedet* stripped to the waist.

afklædnings|nummer *(i varieté)* strip-tease (act). -rum dressing-room, cubicle.

afklædthed *(en)* nakedness, scanty dress.

afknappe *(formindske)* cut, diminish, dock.

afkog *(et)* decoction, extract. afkoge * *(udskille)* decoct; *(koge)* boil (out). afkogning decoction; boiling.

afkom *(et)* offspring; *(om avlsdyr)* progeny; *(jur)* issue; *efterlade sig ~* leave issue; *give konstant ~* breed true; *dø uden ~* die without issue.

afkonferere *vb* check off.

afkontrollere *vb* control, check off.

afkorte *(forkorte)* shorten, cut short; *(bog, skuespil etc)* abridge; *(ord)* abbreviate; *(formindske)* lessen, diminish, reduce; *(fratage)* deduct *(i:* from). afkortning *(en)* shortening; abridgment; abbreviation; reduction; deduction.

afkrist|ne *vb* dechristianize. -ning dechristianization.

afkrog out-of-the-way place, recess, remote place; *(lille ubetydelig by)* one-horse town; *i en ~ af landet (ogs)* in the backwoods.

afkrydse *vb* put a mark against; *(om post i regnskab etc)* tick off.

afkræfte *vb* weaken, enfeeble; *(gøre ugyldig)* weaken, invalidate; *(om forlydende etc)* disprove. afkræftelse *(en)* weakening, enfeeblement; *(det at gøre ugyldig)* weakening; *(af forlydende etc)* disproof.

afkræftet *adj* weakened, feeble.

afkræve: *~ en noget* demand sth. from sby.; *~ en et gebyr* charge sby. a fee.

afkulle *vb* decarbonize.

afkøbe *: ~ en ngt* buy sth. from sby.

afkøle cool; *(fryse)* refrigerate. afkøler *(en)* refrigerator. afkøling *(en)* cooling, *(kunstig ogs)* refrigeration; *(af drik)* icing.

aflad *(en)* indulgence.

aflade *vb* ⚓ ship; ✂ unload; *(elekt)* discharge; *batteriet er -t (ogs)* the battery is run down.

aflader *(en -e)* shipper, consignor. afladning *(en)* shipment; ✂ unloading; *(elekt)* discharging.

aflads|brev (letter of) indulgence. -handel sale of indulgences. -kræmmer pardoner.

aflagre *vb* mature, season; *vel -t* well seasoned.

aflagt: *dårlig ~* ill paid, underpaid; *godt ~* well paid; *~ tøj* cast-off *(el.* discarded) clothes.

aflang *adj* oblong.

aflaste *vb* *(fjerne tryk)* relieve the pressure on; *(lette)* relieve *(for:* of, from).

aflastning *(en)* relief; *til ~ af* for the relief of.

aflede *(lede bort)* divert, draw off, drain off; *(fig)* divert *(fx* his attention, suspicion from him); *(henføre til oprindelsen)* derive *(af:* from, *fx* he derived the word from Latin); *(elekt)* divert, *(til jord)* earth.

afledet *adj* derivative.

afledning *(en -er)* diversion; derivation, *(afledet ord)* derivative; *(elekt: til jord)* earthing.

aflednings|endelse derivative suffix. -grøft drain. -manøvre diversion.

aflejre deposit; *~ sig* settle. aflejring *(en -er)* depositing; *(lag)* deposit; *(bundfald)* sediment.

aflevere *vb* deliver *(fx* a letter), give up *(fx* a ticket at the barrier), hand over *(fx* exercises for

correction); *(tilbagelevere)* return *(fx* r. a book to the public library); restore; *(i fodbold)* pass; *(aflire)* reel off. aflevering *(en)* delivery; *(i fodbold)* pass.

afleveringspligt *(til bibliotek)* [statutory obligation to deliver publications to libraries]; *bog (, bøger) leveret til bibliotek ifølge ~* copyright deposit; *bibliotek hvortil der er ~* copyright library.

aflire *vb* reel off *(fx* a long speech), rattle off.

aflive *vb* kill, do away with; *(et dyr)* destroy; put away *(fx* a dog). aflivelse *(en)* killing; destruction.

aflokke elicit from, wheedle out of; *(afvinde)* obtain from; *~ tilhørerne bifald* draw applause from the audience; *~ ham en tilståelse* elicit a confession from him.

I. aflukke *(et -r)* box, compartment, cubicle; *(lukaf)* cubby-hole; *(indhegning)* close.

II. aflukke *vb* close.

aflure: *~ én en hemmelighed* find out sby.'s secret.

afluse *vb* delouse. aflusning *(en -er)* delousing.

aflyd ablaut, gradation.

aflyse * cancel, call off; *(en sportsbegivenhed)* scratch. aflysning *(en -er)* cancellation, calling off; *(af sportsbegivenhed)* scratching.

aflytning *(en) (se aflytte)* listening; tapping; monitoring. aflytte *(radio)* listen to, *(professionelt)* monitor; *~ telefonen (fra linjen)* tap the line; *(fra centralen)* listen in on the telephone; *~ éns telefon* tap sby.'s (telephone) line.

aflægge *(tage af)* take off, discard; *(opgive)* drop, leave off, discard; *~ beretning* report, make a report; *~ et besøg* pay a visit, pay a call; *~ ed, se ed; ~ et (højtideligt) løfte* make *(el.* take) a vow; *~ en prøve: se* I. *prøve; ~ regnskab* give an account; *~ en tilståelse* make a confession; *~ en uvane* get out of a bad habit; *~ vidnesbyrd* bear witness *(om:* to); *(se ogs aflagt)*.

aflægger *(en -e) (af plante)* layer; *(efterkommer)* scion, offshoot.

aflægs *adj* decrepit; *(om ting ogs)* worn out; *(forældet)* antiquated, obsolete, out of date.

aflæse * read; *(jur = aflyse)* cancel; *(om mundaflæsning)* lip-read.

I. aflæsning *(en) (af aflæse)* reading; *(mundaflæsning)* lip-reading; *(aflysning)* cancellation.

II. aflæsning *(en) (af aflæsse)* unloading; tipping; *~ af affald forbudt* shoot no rubbish, tipping prohibited.

aflæsse *(vogn)* unload, discharge, *(ved at vippe)* tip; *(vognens indhold)* dump, empty out, tip (out).

afløb *(et -)* outlet, drain; *(i kumme etc)* plug hole; *(det bortstrømmende)* outward flow, issue; *(fig)* vent, outlet; *give sine følelser ~* give vent to one's feelings. afløbs|rende *(en -r)* drain. -rør waste *(el.* discharge) pipe. -ventil discharge valve.

aflønne *vb se lønne.* aflønning *se* I. *løn.*

afløse * *(løse af, fx vagt)* relieve; *(erstatte, følge efter)* replace *(fx* Mr Brown was replaced by another teacher), succeed (to); supersede *(fx* the stagecoaches were superseded by the railway); *(ophæve mod erstatning)* commute *(fx* nearly all tithes have been commuted to a money payment). afløser *(en -e)* relief(man); *(efterfølger)* successor. afløsning *(en)* relief; *(af afgift etc)* commutation.

afløsnings|hold relief. -sum sum paid in commutation. -tid time of relief. -tropper *(pl)* relieving troops.

aflåse *vb* lock. aflåselig *adj* lockable, lock-up *(fx* garage).

afmagnetisere *vb* demagnetize; *(skibe)* degauss.

afmagre *vb* reduce, thin, *(stærkt)* emaciate; -s become thinner, lose weight, *(ved kur)* reduce, slim.

afmagring *(en)* reducing, loss of weight, *(stærk)* emaciation, slimming.

afmagrings|kur reducing treatment; *hun er på ~* she is slimming. -middel slimming remedy.

afmagt *(en)* powerlessness, impotence; *(besvimelse)* faint, swoon; *falde i ~* faint, swoon.

afmale depict *(fx* terror was depicted in his face).

afmarch ✕ march, departure.
afmarchere march off, depart; *du er helt galt -t* you have got hold of the wrong end of the stick.
afmeje *vb* cut, reap.
afmilitariseret *adj* demilitarized (*fx* zone).
afmontere *vb* dismount, dismantle; (*om mine*) disarm.
afmytologisere *vb* demythologize.
afmægtig *adj* powerless, impotent; (*besvimet*) n a faint; unconscious.
afmærke *vb* mark (out); (*med mærkesedler etc*) label; (*med kridt*) chalk out; ⚓ buoy (*fx* a wreck).
afmønstre (*søfolk*) discharge, pay off.
afmønstring (*en*) discharge, paying-off.
afmåle * measure; (*i portioner*) apportion. **afmålt** *adj* measured; (*nøje afpasset*) measured (*fx* steps); (*reserveret*) distant, reserved, aloof.
afnazificere *vb* denazify. **afnazificering** (*en*) denazification.
aforisme (*en -r*) aphorism.
afparere *vb* parry, ward off.
afpasse adapt, adjust, proportion (*efter, til:* to).
afpatruljere *vb* patrol.
afpille *vb* pluck off, pick off; *-t adj* emaciated.
afplukke *vb* pick (off), pluck off.
afpresning (*en -er*) pressing out; (*fig*) extortion; (*penge-*) blackmail. **afpresse** *vb* press out, squeeze out; (*fig*) extort from (*fx* extort a confession from him); ~ *ham et løfte* wring a promise from him; ~ *én penge* blackmail sby.
afprøve *vb* test. **afprøvning** (*en*) test(ing).
afpudse (*pudse*) clean, polish; (*pynte på*) trim; (*lægge sidste hånd på*) finish; (*mur*) rough-cast; (*fjerne*) clean off. **afpudsning** (*en*) cleaning, polishing; trimming; finish; rough-casting; *give ngt den sidste* ~ give the finishing touch to sth.
afrakket *adj* worn out, shabby; (*om person ogs*) down-at-heel, seedy.
afreagere *vb* (*psyk*) abreact; (*i ikke-fagligt sprog*) work off (*fx* one's annoyance); T blow off steam.
afredt: ~ *hår* combings (*pl*).
afregne settle (accounts) (*med* with). **afregning** (*en*) settling (of accounts); (*skriftlig*) account, statement (of account); *holde* ~ *med* settle (accounts) with. **afregnings|dag** settling day. **-kontor, -sted** clearing house.
I. **afrejse** (*en*) departure, start.
II. **afrejse** *vb* depart, start, set out, leave (*til:* for); ~ *herfra* leave here.
afretning (*en*) (*se afrette*) training; adjusting; smoothing.
afrette (*dressere*) train, (*hest ogs*) break (in); (*ma-skindel*) adjust; (*tømmer*) smooth.
Afrika Africa. **afrikander** (*en -e*) Afrikander.
afrikaner(inde) (*en*) African.
afrikansk *adj* African.
afrime *vb* defrost (*fx* a refrigerator); demist.
afringning (*en*) (*på telefon*) ring-off, ringing off.
afrive tear off (*fx* a leaf of a calendar); (*med rive-jern*) grate off; (*findele*) grind; (*glatte en mur*) smooth; (*fjerne med en rive*) rake off; ~ *en tændstik* strike a match; *en afreven tændstik* a spent match. **afrivning** (*en*) tearing off; grating off; grinding; smoothing, raking off.
afrivnings|blok pad. **-kalender** tear-off calendar.
afrunde *vb* (*ogs fig*) round off; (*fonetisk*) unround.
afrundet *adj* round, rounded; (*fig*) rounded (*fx* give a r. portrait of him); (*om stil*) well-balanced.
afrundethed (*en*) (*fig*) finish (*fx* the finish of his art).
afruste *vb* disarm. **afrustning** (*en*) disarmament.
afrustningskonference disarmament conference.
afs. *se afsender.*
afsadle *vb* unsaddle, saddle off.
afsats (*en -er*) (*klippe-, mur-*) ledge; (*trappe-*) landing; (*have-*) terrace.
afsavn (*et -*) privation, want, deprivation.
afse *vb* spare, afford (*fx* I cannot afford the time

for it; I have no time to spare today; can you spare me a few minutes?).
afsejle *vb* sail, leave; ~ *fra* sail from, leave; ~ *til* leave for. **afsejling** (*en -er*) sailing, departure.
afsejlings|flag signal for sailing, Blue Peter. **-ordre** sailing orders. **-tid** time of sailing.
afsende send (off), dispatch; (*med skib ogs*) ship; (*med post*) post, (*amr*) mail; (*penge*) remit. **afsendelse** (*en*) dispatch, sending; shipment; posting, (*amr*) mailing; remittance. **afsender** (*en -e*) sender; (*merk*) consignor; (*med skib*) shipper; (*af postanvisning*) remitter; (*radio*) transmitter; *afs* (= *afsender*) *Peter Smith (bag på brev)* From Peter Smith; (if not delivered, please) return to Peter Smith.
afsender|adresse return address. **-anlæg** transmitter. **-station** broadcasting station, transmitter.
afsides *adj* remote, out-of-the-way, solitary; (*replik*) aside; *adv* out of the way, aside, apart; *de bor meget* ~ they live in a very remote (*el.* solitary) place, T they live at the back of beyond; *gå* ~ retire, (*forrette sin nødtørft*) relieve nature; ~ *liggende* outlying; *en* ~ *replik* an aside.
afsige (*afbestille*) countermand, cancel the (*el.* one's) order for; (*forkynde, fx dom*) pronounce; ~ *dom over* pass sentence upon. **afsigelse** (*en*) (*se afsige*) countermanding, pronouncing, passing.
afsikre release the safety catch of (*fx* a pistol).
afsindig *adj* mad, demented; (*rasende*) frantic; *te sig som en* ~ behave like a madman; *blive* ~ go mad; *gøre* ~ drive mad.
afsindighed (*en*) madness.
afsjælet *adj: hans afsjælede legeme* his dead body, his body; (*poet.*) his dust.
afskaffe abolish, do away with; (*lov etc*) repeal, abrogate; (*udrydde etc*) suppress; (*ophøre at holde*) give up. **afskaffelse** (*en*) (*se afskaffe*) abolition, repeal, abrogation, suppression, giving up.
afskalle *vb* (*ærter etc*) shell, husk, peel. **afskallet** (*om væg etc*) peeling. **afskalning** (*en*) shelling, peeling; (*med.*) desquamation.
afsked (*en*) (*farvel*) leave; (*det at skilles*) parting; (*afskedigelse*) dismissal, discharge, (*af embedsmand ogs*) removal; (*fratræden*) retirement, resignation; *få sin* ~ be dismissed, be discharged, (*om embedsmand ogs*) be removed; T be sacked, be fired; *få* ~ *med pension* be discharged with a pension, be placed on the retired list; *give ham hans* ~ dismiss him, discharge him, T fire him, sack him, give him the sack; *De har Deres* ~ your services are no longer required; *søge sin* ~ send in one's resignation; *tage sin* ~ retire; resign; *tage* ~ *med* take leave of; *gå uden at tage* ~ take French leave; *til* ~ at parting; *et ord til* ~ a parting word; *ved -en* at parting, (*afrejsen*) at his (, her etc.) departure.
afskedige *vb* dismiss (*fx* d. a servant), discharge; T fire, sack, give the sack; *blive* ~ *et* = *få sin afsked*; ~ *en med pension* pension sby. off; ~ *en officer* place an officer on the retired list; (*udstøde ham af hæren*) dismiss an officer from the army; ~ *en præst* (*udstøde ham af kirkens tjeneste*) defrock a clergyman; *De er -t!* your services are no longer required! T you are fired!
afskedigelse (*en -r*) dismissal, discharge.
afskedigelsesgrund ground for dismissal.
afskediget *adj* retired (*fx* a r. headmaster); (*faldet for aldersgrænsen*) superannuated; (*om officer ogs*) half-pay; (*pensioneret*) pensioned.
afskeds|ansøgning, -begæring resignation. **-besøg** farewell visit. **-bæger** parting cup, stirrup cup. **-dag** day of parting. **-fest** farewell party. **-hilsen** farewell greeting. **-kys** parting kiss. **-salut** (*fig*) parting shot. **-scene** parting scene. **-stund** parting hour.
afskedtagen leave-taking; (*fremmøde ved afrejse*) send-off.
afskibe *vb* (*varer etc*) ship (*til:* to, for), (*tropper*) embark. **afskiber** (*en -e*) shipper. **afskibning** (*en*) shipping, shipment; embarkation.

afskibnings|dokument shipping document. **-havn** port of shipment. **-ordre** shipping order.

afskrabe *vb* scrape (off). **afskrabning** *(en -er)* scraping (off); *(hud-)* abrasion.

afskridte *vb* pace (off).

afskrift *(en)* copy, transcript; *-ens rigtighed bevidnes* I certify this to be a true copy; *tage en ~ af* make a copy of.

afskrive *vb* copy (out), make a copy of, transcribe; *(pd konto)* write off (for depreciation); *~ pd regnskab* write off in the balance sheet; *~ til dækning af tab* write off to meet losses.

afskriver *(en -e)* copyist, transcriber.

afskriverfejl error in copying, transcriber's error.

afskrivning *(en)* copying, transcription; *(pd regnskab)* provision for depreciation, writing off; *-er pd udestdende fordringer* provision for bad debts. **afskrivnings|arbejde** copying work. **-fond** depreciation reserve. **-konto** depreciation account.

afskrække *vb* deter, discourage *(fra:* from); *uden at lade sig ~ af* undeterred by. **afskrækkelse** *(en)* determent, discouragement. **afskrækkende** *adj* deterrent, discouraging; *(frastødende)* forbidding; *~ eksempel* (awful) warning; *~ pris* prohibitive price.

afskrælle *vb* peel off, remove.

afskum *(et) (slubbert)* scoundrel, rascal.

I. **afsky** *(en)* dislike *(for:* of), disgust *(for:* at), detestation *(for:* of), loathing *(for:* of, for), aversion *(for:* to, for); *fd ~ for* take a dislike to, come to loathe; *have (el. nære) ~ for* loathe; *med ~* in disgust.

II. **afsky** *vb* detest, abhor, abominate, loathe, hate.

afskyde *(affyre)* fire, let off; *(pil etc)* shoot; *(opsende)* launch *(fx* a missile); *(fjerne ved skud)* shoot off; *et afskudt gevær* a discharged rifle; *en afskudt patron* a spent cartridge.

afskyelig *adj* abominable, detestable, loathsome, hateful, odious. **afskyelighed** *(en)* abominableness, loathsomeness; *(handling)* atrocity; *(noget afskyeligt)* abomination, enormity.

afskygning *(en -er)* shade, nuance; *sagen i alle dens -er* the matter in all its aspects.

afskære *(skære af)* cut off, sever; *(afbryde)* cut (short), interrupt; *(udelukke, hindre)* cut off, prevent, preclude, debar *(fra:* from); *jeg er afskåret fra at svare* I am not in a position to answer; *~ ham fra at gøre det* prevent him from doing it; *~ ham ordet* cut him short; *~ ham tilbagetoget* cut off his retreat.

afskærme *vb* screen; *(mod radioaktiv stråling)* shield; *-de lygter (pd bil)* hooded lanterns.

afskærmning *(en)* screening.

afskår|en *adj* cut; *-ne blomster* cut flowers.

afslag *(et -)* refusal, *(barsk)* rebuff; *(i pris)* discount, reduction; *fd ~* be refused, meet with a refusal, *(i pris)* get a discount; *give én ~* refuse sby.; *give ~ i prisen* reduce the price; *give et ~ i prisen pd 2s.* knock 2s. off the price.

afslappe *vb* relax, slacken; *-s* be relaxed, relax. **afslappelse** *(en)* relaxation, slackening.

afslebet *adj* polished. **afslibe** *vb (fjerne)* grind off; *(glatte)* smooth; *(ædelsten)* cut; *(skærpe)* sharpen, grind, hone; *(fig)* give (el. put) the finishing touch to; *(om manerer)* polish. **afslibning** *(en -er)* grinding off, smoothing, cutting, sharpening, grinding, honing; putting the finishing touch to; polishing.

afslide *vb* wear (off). **afslidt** *adj* worn.

afslutning *(en) (det at tilendebringe)* closing, conclusion; *(ende)* close, conclusion, end, termination, finish; *(i skole) (omtr)* end-of-term celebration; *(ofte =)* Prize Day, Speech Day; *(indgdelse, fx af traktat)* conclusion, making; *~ af bøgerne (merk)* the balancing of the books; *~ af en handel* the conclusion of a deal; *bringe til en ~* bring to a conclusion. **afslutnings-** final, closing, terminal.

afslutte *(tilendebringe)* finish *(fx* a letter, one's work), conclude *(fx* a speech), close, bring to an end *(fx* the negotiations have been brought to an end), end, wind up *(fx* he wound up the debate),

terminate; *(traktat etc)* conclude, make; *(opgøre fx bøger)* close, balance; *~ et bo* wind up an estate; *~ en forretning* put through a deal, make (el. conclude) a bargain; *~ en kontrakt* enter into a contract; *~ et køb* effect a purchase; *~ en overenskomst* conclude an agreement. **afsluttende** *adj* final *(fx* examination).

afsløre unveil; *(røbe)* disclose; *(forbrydelse, forbryder etc)* expose *(fx* a crime, a plot, a rogue), bring to light *(fx* a conspiracy), unmask *(fx* a traitor). **afsløring** *(en -er)* unveiling; disclosure; exposure; unmasking.

afslå *vb (en anmodning)* refuse; *(høfligere)* decline; *(angreb)* repulse, repel, beat off.

afsmag *(en) (ubehagelig smag)* disagreeable taste, unpleasant after-taste; *(modbydelighed)* distaste; *have ~ for* have a distaste for.

afsmelte *vb (fedt)* render, melt down.

afsnit *(et -)* section; *(mat.)* segment; *(tids-)* period; *(i bog)* passage; *(pd side)* paragraph; *(frontafsnit)* sector; *nyt ~ (ved diktat)* new paragraph.

afsnubbet *adj* cut short; *(barsk)* curt, brief.

afsnøre *(med.)* ligate; *(arkit)* line out.

afsondre *vb (fysiol)* secrete; *(isolere)* isolate *(fx* patients), segregate *(fx* criminals from the rest of the population). **afsondret** *adj* retired *(fx* life, spot), secluded *(fx* spot); *leve ~* lead a retired life.

afsondrethed *(en)* isolation, retirement.

afsondring *(en -er) (se afsondre)* secretion, isolation, segregation; *(se ogs afsondrethed)*.

afsone: *~ en bøde* serve a sentence in lieu of a fine; *~ en straf* serve a sentence, T do time. **afsoning** *(en) (straf)* imprisonment; *~ af straffen* serving of the sentence.

afspadsere *vb: ~ to timer* forego two hours' work.

afspejle reflect; *~ sig* be reflected (i in). **afspejling** *(en)* reflection.

afspille play; *(lige efter optagelsen)* play back. **afspise** *: ~ en med* put sby. off with *(fx* I won't be put off with excuses).

afspore *vb* derail; *-t (fig)* unhinged, derailed; *blive -t* be derailed, go off (el. leave) the rails; *(om person, ogs)* become maladjusted; *(komme pd forbryderbanen)* lapse into delinquency; *-t ungdom* maladjusted young people; *(kriminel)* juvenile delinquents.

afsporing *(en)* derailment.

afspænde *** unbuckle, unclasp; *(slappe)* slacken; *(slappe 'af)* relax. **afspænding** *(en) (slappen 'af)* relaxation; *(politisk)* détente, relaxation of tension.

afspærre bar, close; *(med tove)* rope off; *(med barrikader)* barricade; *(blokere)* blockade; *et -t land* a closed country; *en -t plads* an enclosed space, an enclosure. **afspærring** barring, closing *(etc, se afspærre)*; *(det der spærrer)* barrier, bar, *(politi)* cordon. **afspærrings|system** prohibitive system, system of isolation. **-ventil** closing valve.

afstalinisere *vb* destalinize.

afstamning *(en)* descent, extraction, origin.

afstand *(en -e)* distance; *i (el. med) en indbyrdes ~ af 10 fod* at intervals of 10 feet; *spaced 10 feet apart; i nogen ~* some distance away; *i en ~ af . . . at* a distance of . . . ; *i tilbørlig ~* at a safe distance; *i ærbødig ~* at a respectful distance; *pd ~* at a distance; *tage ~ fra (fig)* dissociate oneself from.

afstands|bedømmelse estimate of (the) distance; 💥 range estimation. **-mine** 💣 non-contact mine. **-måler** *(fot* 💥) range finder. **-skive** spacer.

afstandtagen *(en) (fig)* dissociation.

afsted *se under: sted.*

afstedkomme *vb* cause, occasion, bring about.

afstemme *** *(afpasse)* harmonize, adapt, attune; *(farver)* match; *(regnskaber)* balance; *(radio)* tune in. **afstemning** *(en)* harmonization; matching; balancing; tuning in; *(stemmeafgivning)* voting, vote; *(i klub, forsforening)* ballot; *(i parlament)* division; *(skriftlig, især om rigsdagsvalg)* polling, poll; *foretage (el. skride til) ~* take a vote (, ballot etc.); *hemmelig ~* voting by ballot, secret vote; *sætte under ~* put to the vote; *afgøre sagen ved en* ~ decide the matter by a vote; ~ *ved håndsoprækning* voting by show of hands.

afstemnings|apparat *(radio)* tuner. **-skarphed** *(radio)* selectivity.

afstemple *vb* stamp; *(ugyldiggøre)* cancel.

afstempling *(en -er)* stamping; *(mærke)* stamp; *(ugyldiggørelse)* cancellation.

afstikke *(skære af)* cut off; *(grænser)* mark out, stake out, delimit; *(aftappe)* rack off; ~ *græskanterne* trim the edges (of a lawn). **afstikkende** *adj* incongruous; *(om farve)* glaring, gaudy, loud; *(om væsen, ydre)* eccentric. **afstikker** *(en -e)* detour: *(tur)* trip; *(i talen)* digression.

afstive *(støtte)* stay (up), prop up; *(væg)* shore up; *(med murværk)* buttress; *(fig: støtte)* support; *(neds)* buttress up *(fx* a weak government); *(fig: gøre fastere etc)* stiffen *(fx* a policy). **afstiver** *(en -e) (i minegang)* prop; *(støttebjælke)* shore; *(af murværk)* buttress; *(fig)* stay, prop, support.

afstraffe punish. **afstraffelse** *(en -r)* punishment.

afstrege *vb* mark off with a line, line off; *(liniere)* rule. **afstregning** *(en)* lining off; ruling.

afstribe stripe.

afstryge *(slibe)* strop, hone; *(hat)* polish, brush up; *(tændstik)* strike.

afstumpe *(gøre kortere)* dock, truncate; *(sløve)* blunt, dull. **afstumpethed** *(en)* bluntedness, blunted state, obtuseness. **afstumpning** *(en -er)* truncation, blunting.

afstøbning *(en -er)* casting; *(noget afstøbt)* cast; *tage en* ~ *af ngt* take a cast of sth.

afstøde * knock off; *(transplanteret organ)* reject: *-s (med., ☼, zo)* exfoliate.

afstøve dust. **afstøvning** *(en)* dusting.

afstå *vb* give up *(fx* one's seat to sby.), make over; ~ *fra* desist from *(fx* from doing it); *(krav, ret)* renounce, waive; ~ *landområde* cede *(el.* surrender) territory. **afståelse** *(en -r)* surrender. **afståelsessum** compensation, consideration.

afsvale *vb* cool (off); *-s (fig)* cool off *(el.* down).

afsvampe *vb* treat *(fx* seed) with fungicide. **afsvampningsmiddel** fungicide.

afsvide singe off, scorch; *(fortørre)* parch; *(korn)* blight, blast; *den afsvedne jords politik* the scorched -earth policy.

afsvække weaken, enfeeble; *(lys)* dim; *(med.)* attenuate *(fx* a virus); *(gyldigheden af)* weaken, invalidate; ~ *et udtryk* tone down an expression; *-t (om børs)* sagging, dull. **afsvæk|kelse, -ning** *(en)* weakening; dimming; invalidation.

afsværge abjure *(fx* one's faith), renounce. **afsværgelse** *(en)* abjuration, renunciation.

afsynge sing. **afsyngelse** *(en)* singing.

afsæbe *vb* soap. **afsæbning** *(en)* soaping.

afsætning *(en) (salg)* sale; *(aflejring)* depositing, *(bundfald, lag)* deposit, sediment; *(jur)* sequestration; *finde rivende* ~ sell rapidly, have a rapid sale; *ikke finde* ~ find no market.

afsætnings|forhold *pl* marketing conditions. **-marked** market, outlet. **-muligheder** *pl* marketing possibilities. **-udvalg** marketing board.

afsætte *(sælge)* sell, dispose of; *(afskedige)* dismiss, remove; *(fyrste)* dethrone, depose; *(aflejre)* deposit; *(efterlade)* leave; *(reservere)* set aside; *(tegne)* trace, draw; *(aftegne efter opmåling)* lay down, mark out, *(på landkort)* mark; *(passagerer)* drop, set down; *få afsat (varer)* dispose of, find a sale *(el.* market) for, get off one's hands; *få sin datter afsat* get one's daughter off (one's hands), marry off one's daughter; ~ *sig (aflejres)* be deposited. **afsættelig** *(salgbar)* saleable, marketable; *(fra embede)* removable. **afsættelighed** *(en)* saleableness; removability. **afsættelse** *(en) (afskedigelse)* removal, dismissal; *(af fyrste)* dethronement, deposition.

afsøge * *vb* search; ✕ reconnoitre; *TV* scan. **afsøgning** *(en)* search; reconnaissance; scanning.

2 D-E

aftage *(fjerne)* take off, remove; *(overtage)* take over; *(købe)* take, buy; *(mindskes)* decrease, decline, fall; *(om uvejr, regn, sygdom, krise etc)* abate; *(om vind)* abate, fall. **aftagelig** *adj* detachable.

aftagelse *(en)* taking off, removal; taking over; buying, purchase. **aftagen** *(en)* decrease, decline, fall; abatement; *være i* ~ be on the decline, *(ogs om måne)* be on the wane.

I. **aftagende** *(et) se aftagen*.

II. **aftagende** *adj* decreasing, declining, falling, abating, *(ogs om måne)* waning.

aftager *(en -e) (køber)* buyer, purchaser, customer. **aftagerland** importing country, export market. **aftagning** *se aftagelse; til* ~ *i maj (merk)* for delivery in May.

aftakle ☼ dismantle; *(mast)* strip.

I. **aftale** *(en -r)* agreement, arrangement; *(om at mødes)* appointment, *(amr)* date; *(hemmelig, i bedragerisk hensigt)* collusion; *efter* ~ as previously arranged; *(om medicin)* as directed; *se det en* ~ that's settled then; *træffe* ~ make an arrangement; *træffe* ~ *med* arrange with.

II. **aftale** * arrange, agree (on) *(fx* agree to act in concert; agree on a day for the next meeting); appoint *(fx* a day); *(betinge sig)* stipulate; *(at mødes)* make an appointment.

I. **aftalt** *(adj af II aftale)* arranged, agreed upon; *(om tid og sted)* appointed; ~ *spil* a put-up job, *(forbryderisk)* collusion.

II. **aftalt** *(adj af aftælle): -e penge* the exact amount.

aftapning *(en)* drawing (off), draught; *(på flasker)* bottling; *original* ~ bottled by the brewery; *(om vin)* estate bottled. **aftapningshal** *(i bryggeri)* bottling department.

aftappe *vb* draw (off); *(på flasker)* bottle.

aftegne draw, delineate; ~ *sig* be outlined, stand out *(imod* against); *(afspejle sig)* be reflected. **aftegning** *(en)* drawing, delineation; *(plet)* marking.

aften *(en -er)* evening, night; *det er ved at blive* ~ it is getting dark; *en* ~ ... one evening ...; *god* ~ good evening; *gøre sig en glad* ~ make a night of it; *i* ~ tonight; this evening; *i morgen* ~ tomorrow evening *(el.* night); *i (går) aftes* last night, yesterday evening; *i forgårs aftes* the night before last; *mod* ~ towards evening; *om -en* in the evening, at night; *kl. 10 om -en* at 10 p.m.; *at 10 in the evening; den 22. om -en* on the night of the 22nd; *fra morgen til* ~ from morning till night; *blive og spise til* ~ stay for supper; *spise til* ~ have supper; *spise en kylling til* ~ have a chicken for supper; *ud på -en* late in the evening, late at night.

aften|andagt evening prayers. **-avis** evening paper. **-bøn** evening prayer(s). **-gudstjeneste** *se aftensang*. **-kjole** evening gown; *lille* ~ *(mellemkjole)* semi-evening gown. **-klokke** evening bell, curfew; *(katolsk)* Angelus. **-kursus** evening course, evening classes; *(kommunalt, svarer til)* evening institute. **-post** evening post. **-røde** evening glow. **-sang** evening song; *(-gudstjeneste)* evensong.

aftensbord supper table; *(måltid)* supper.

aften|selskab evening party. **-skole** evening *(el.* night) school. **-skumring** twilight.

aftens|mad, -måltid supper.

aften|stjerne evening star. **-stund** evening. **-sværmer** hawk-moth. **-tur** evening walk. **-underholdning** evening entertainment; *musikalsk* ~ musical evening. **-vagt** evening duty; *(person)* person (, nurse etc) on evening duty.

aftjene *: ~ sin værnepligt* do one's military service.

aftrapning *(en) (fig)* scaling (down).

aftryk *(et -) (i blødt stof)* impression, imprint; *(trykt gengivelse)* reprint, copy; *(fot)* print; *(korrekturaftryk)* proof.

aftrykke *(trykke)* print, *(genoptrykke)* reprint *(efter:* from); *(tage aftryk af)* take an impression of.

aftrædelsesværelse pied-à-terre.

aftrædning *(en -er)* ✕ dismissal.

aftræk *(et -) (typ)* proof, pull; ✂ pulling the trigger; *(afkog)* infusion; *(af luft)* outlet, ventilation.

aftrække *(trække af)* pull off, draw off; *(typ)* strike off; *(snedkerarbejde)* smooth (with a spoke -shave); *(slibe)* set *(fx* a razor); *(ur)* adjust.

aftrækker *(en -e)* ✂ trigger *(fx* pull the trigger). a trækker|bojle trigger guard. -fjeder trigger spring.

aftrækskanal airshaft.

aftvinge: ~ *en noget* force *(el.* extort) sth. from sby.; ~ *én respekt* compel sby.'s respect.

aftvætte *vb* wash off.

aftægt *(en)*: [accommodation and support provided by the new owner of landed property for its former owner, especially by a son for his father]; *gå på* ~ *(kan gengives:)* become a pensioner.

aftælle *vb* count (off); *(se ogs* II *aftalt).*

aftørre wipe; *(fjerne)* wipe off.

afvande drain (off). afvanding *(en)* drainage.

afvandingsområde catchment area.

afvarsling *(en) (af luftalarm)* All-Clear *(fx* the All-Clear was sounded at 4.30).

afvaske wash; *(fjerne)* wash off. afvaskning *(en -er)* washing, ablution.

I. afveje *(subst):* føre *på* ~ lead astray; *komme på* ~ go astray, go wrong.

II. afveje *vb* weigh, *(i portioner)* weigh out; *(fig)* weigh *(fx* the pros and cons). afvejning *(en)* weighing (out).

afveksle *vb (skiftes)* alternate; *(variere)* vary; *-nde adj* alternating; varied *(fx* a v. landscape), varying; *adv* alternately, by turns. afveksling *(en)* alternation; change, variation, variety; *bringe* ~ *i hans tilværelse* lend variety to his existence; *til* ~, *for* -s *skyld* for *(el.* by way of) a change; *trænge til* ~ need a change.

afvende ★ *vb* avert, prevent.

afvente *vb* wait for, await.

afventende *adj* waiting, expectant; *indtage en* ~ *holdning, stille sig* ~ refuse to commit oneself, hold one's hand; ~ *politik* policy of wait-and-see.

afvige *(være uoverensstemmende)* differ, diverge, deviate *(fra:* from); ~ *fra kursen* ⚓ deviate from one's course; ~ *fra reglerne* depart from the rules. afvigelse *(en -r)* deviation, departure; *(astronomisk)* aberration. afvigende diverging; *indbyrdes* ~ divergent *(fx* opinions); ~ *læsemåde* alternative reading. afviger *(politisk)* deviationist. afvigning *(en)* ⚓ departure.

afvigte last *(fx* year).

afvikle unroll, unwind; *(tråd)* unreel; *(merk)* wind up, settle, liquidate; *(gennemføre)* get through; *blive* -t *(om sportskampe)* be played. afvikling *(en)* unrolling, unwinding, *(af tråd)* unreeling; *(merk)* winding up; settlement, liquidation; *(gennemførelse)* getting through.

afvinde win, compel *(fx* sby.'s respect); *jeg kan ikke* ~ *det interesse* I cannot see anything interesting about it.

afvise ★ *(nægte tillrang)* refuse, send away, turn away; *(afslå, sige nej til)* refuse; *(høfligere)* decline; *(med forag)* spurn, rebuff; *(forkaste)* reject, turn down; *(benådningsansøgning, sag for retten)* dismiss; overrule *(fx* an objection); *(frabede sig)* deprecate; *(modbevise)* rebut *(fx* an argument); *(nægte at anerkende)* repudiate *(fx* an accusation, a debt); *(en veksel)* dishonour; ✂ repel *(fx* an attack, the enemy); *han lader sig ikke* ~ he will not be refused, he will not take a refusal; *man kan ikke* ~ *den mulighed* one cannot exclude the possibility; ~ *tanken* refuse to entertain the idea.

afvisende *adj* unsympathetic, deprecatory; *stille sig* ~ *til* decline, refuse (to consider) *(fx* an offer), take up an unsympathetic attitude to; *være* ~ *over for ham* give him the cold shoulder.

afviser *(en -e) (afvisersten)* corner-post; *(vejskilt)* signpost; *(på bil: -vinge)* traffic indicator, direction indicator, trafficator.

---

afviser|blink flashing indicator. -vinge *se afviser.*

afvisning *(en -er) (se afvise)* refusal, sending away; rebuff; rejection, dismissal; deprecation; rebuttal; repudiation; *(af veksel)* dishonouring; ✂ repulse.

afvisningsdom *(jur)* order of dismissal.

afvæbne disarm *(fx* a disarming smile). afvæbning *(en)* disarmament.

afvænne *(fra at die)* wean; *(fra stimulanser)* cure *(fx* cure him of taking cocaine); ~ *en med noget* break sby. of a habit. afvænning *(en)* weaning; cure.

afvænningsanstalt home.

afvænningskur cure *(el.* treatment) for alcoholism (, morphinism etc).

afværge *(forhindre)* prevent; *(slag, ulykke, krig etc)* avert; ~ *et angreb* repel an attack. afværgelse *(en)* prevention; averting. afværgende *adj (fig)* deprecating *(fx* gesture).

afæske *vb:* ~ *en ngt* request sth. of sby., demand sth. *(fx* a reply) from sby.

agat *(en)* agate; *islandsk* ~ obsidian.

agave *(en -r)* agave.

age: *den der -r med stude kommer også med (kan gengives:)* slow and steady wins the race.

agent *(en -er)* agent, *(merk ogs)* representative.

agentere *vb* act as agent *(for* for).

agentur *(et -er)* agency.

ager *(en, agre)* field.

ager|brug agriculture, farming. -brugs- agricultural. -dyrkende *adj* agricultural. -dyrker *(en -e)* agriculturist, farmer. -dyrkning agriculture.

agere *vb* act, play, pose (as); ~ *døv* pretend to be deaf; ~ *landmand* play (el. act) the farmer.

agerende *de* ~ the actors.

ager|fure *(en -r)* furrow. -gåseurt ♣ corn camomile. -høne partridge. -hønsejagt partridge shooting. -jord arable land. -kål ♣ navew. -land arable land. -måne ♣ agrimony.

agern *(et -)* acorn.

ager|ranunkel ♣ corn crow-foot. -sennep ♣ charlock. -skel field boundary. -snegl common slug. -snerle ♣ field bindweed. -uld ♣ cotton-grass.

agglomerat *(et -er)* agglomerate, agglomeration.

agglutinerende agglutinative *(fx* language).

aggregat *(et -er)* aggregate.

aggression *(en)* aggression. aggressiv *adj* aggressive. aggressivitet *(en)* aggressiveness.

agio *(en)* agio, premium.

agitation *(en)* agitation, propaganda.

agitator *(en -er)* agitator, propagandist.

agitatorisk *adj* agitative, propagandist.

agitere agitate, make propaganda; *(ved påvirkning af enkeltmand)* canvass.

agn *(en)* bait; *sætte* ~ *på* bait *(fx* bait a hook).

agnat *(en -er)* agnate. agnatisk *adj* agnate, agnatic.

agnostiker *(en -e)* agnostic.

agraf *(en -fer)* agraffe, clasp.

agraman *(en -er) (af snore)* (cord) trimming; *(bort)* braiding.

agrar *(en -er)*, agrarisk *adj* agrarian.

agrément *(et -er)* agrément.

agro|nom *(en -er)* agronomist. -nomi *(en)* (science of) agriculture, agronomy. -nomisk *adj* agronomical.

agt *(en) (hensigt)* intention, purpose; *(opmærksomhed)* attention; *giv* ~! ready! *(advarsel)* caution! *give* ~ *på* pay attention to; *havde jeg magt som* ~ if I could have my way; *holde i* ~ *og ære* honour; *tage i* ~ *(:): udnytte)* avail oneself of; *tage tiden i* ~ make the most of one's time; *tage sig i* ~ beware, be cautious; *han tog sig ikke i* ~ *(ogs)* he was off his guard; *tage sig i* ~ *for* beware of; *tag Dem i* ~ *for at gøre det* take care not to do that; *det er min* ~ *at* I intend to, it is my intention to.

agte *(have agtelse for)* esteem, respect, reverence; *(have i sinde)* intend, mean *(at gøre ngt:* to do sth.); *meddele at man -r at gøre det* signify one's intention of doing it; ~ *højt* esteem highly, think much of; ~

ringe despise, hold cheap; *hvor -r De Dem hen?* where are you going? ~ *på* pay attention to; *uden at* ~ *på* regardless of; ~ *og ære* reverence.

agtelse *(en)* respect, esteem; ~ *for* respect for; *have alles* ~ be held in general esteem; *han har min* ~ I take off my hat to him; *stige (, synke) i éns* ~ rise (, fall) in sby.'s esteem; *mangel på* ~ disrespect; *med al* ~ *for ham* with all due respect to him; *med megen* ~ *Deres (i underskrift)* Yours very respectfully; *skaffe sig* ~ make oneself respected.

agten ⚓: ~ *for* astern of; *(indenbords)* abaft; ~ *for tværs* abaft the beam; ~ *fra* from astern; from abaft; ~ *om* astern of.

agter *adv* ⚓ astern, abaft, aft; ~ *ind* from astern; ~ *over*, ~ *ud* astern; *(indenbords)* abaft, aft; *det gik til* ~ *med ham* he came down in the world; *sakke* ~ *ud* ⚓ drop astern, *(fig)* lag behind; *sejle ham* ~ *ud* ⚓ leave him astern; *(fig)* leave him behind; *(se ogs agten).*

agter|dæk ⚓ quarterdeck. **-ende** ⚓ stern. **-fortøjning** ⚓ sternfast. **-ind** from astern. **-lanterne** ⚓ sternlight. **-over** astern. **-sejl** aftersail. **-skib** stern. **-skytte** *(flyv)* rear gunner. **-spejl** ⚓ stern, *(bagdel)* behind. **-spil** main capstan.

agterst *adj* aftermost; *(udenbords)* sternmost; *den -e roer* the stroke; *det -e skib* the sternmost ship.

agter|stavn, **-stævn** ⚓ sternpost; *(agterende)* stern. **-stævnsknæ** sternson. **-tov** sternfast.

agterud *se: agter.*

agtet *adj* esteemed, respected.

-agtig *-like (fx* birdlike), *-ish (fx* boyish).

agtpågivende *adj* watchful, attentive.

agtpågivenhed *(en)* watchfulness, attention.

agtværdig *adj* respectable, reputable, worthy.

agtværdighed *(en)* respectability.

agurk *(en -er)* cucumber, *(lille)* gherkin.

agurkesalat sliced cucumber (dressed with vinegar, pepper, etc.); *hvad forstår bønder sig på* ~? *(omtr* =) it is caviare to the general. **agurketiden** *(fig)* the silly season.

ah! ah! oh! **aha!** aha! oho!

ahorn *(en)* sycamore, maple.

ahøj! ⚓ ahoy!

aigu *(accent)* acute accent.

a-influenza the Asian flu.

air *(en) (fornemt væsen)* air.

ais *(et)* A sharp.

I. **ajle** *(en)* liquid manure.

II. **ajle** *vb* fertilize with liquid manure.

ajle|beholder liquid-manure tank. **-pumpe** liquid -manure pump. **-spreder** liquid-manure spreader. **-vogn** liquid-manure cart.

à jour: *føre (el. bringe)* ~ bring up to date; *holde* ~ keep up to date; *holde os* ~ *med* keep us informed *(el.* posted) as to; *holde sig* ~ *med* keep abreast of. **ajourføre** bring up to date; *ajourført (også)* updated.

ak! ah! alas!

akacie *(en -r)* acacia.

akademi *(et -er)* academy. **akademiker** *(en -e) (universitetsuddannet mand)* university man; academic; *(medlem af et akademi)* academician.

akademisk *adj* academic(al); *(teoretisk, abstrakt)* academic *(fx* discussion); ~ *borger* member of a university; ~ *borgerbrev* certificate of matriculation; ~ *dannelse* a university education; ~ *grad* university degree; ~ *kvarter* [the custom of beginning lectures a quarter of an hour after the advertised time]; ~ *uddannet* with a university education; graduate *(fx* graduate teachers).

akantus *(en)* ⚙ brankursine; *(arkit)* acanthus.

akavet *adj.* awkward, clumsy; *adv* clumsily.

akc- *se acc-.*

akeleje *(en -r)* ⚙ columbine.

Akilles|hæl Achilles' heel, vulnerable point, chink in one's armour. **-sene** Achilles' tendon.

akkeleje, *se akeleje.*

akklamation *(en -er)* acclamation; *vedtage med* ~

carry by *(el.* with) acclamation; *valgt med* ~ elected by *(el.* with) acclamation.

akklimatisere acclimatize; ~ *sig* become acclimatized. **akklimatisering** *(en -er)* acclimatization.

akkommodation *(en -er)* accommodation.

akkommodationsveksel accommodation bill.

akkommodere accommodate.

akkompagnatrice *(en -r),* **akkompagnatør** *(en -er)* accompanist.

akkompagnement *(et -er)* accompaniment *(fx* with a piano accompaniment).

akkompagnere *vb* accompany.

akkord *(en -er) (i musik)* chord; *(overenskomst)* agreement, bargain; *(om akkordarbejde)* (piecework) contract; *(merk, jur)* arrangement, composition; *(kompromis)* compromise; *anslå en* ~ strike a chord; *betaling efter* ~ payment by the piece; *frivillig* ~ voluntary composition with one's creditors; *gøre* ~ *om* make an agreement about; *få noget i* ~ get a (piecework) contract for sth.; *arbejde på* ~ do piecework; *gå på* ~ *med (kreditorer)* compound with; *gå på* ~ *med sin samvittighed* compromise with one's conscience; *slutte* ~ *(merk)* make a composition.

akkordant *(en -er)* compounder.

akkord|arbejde *(et)* piecework. **-arbejder** *(en -e)* pieceworker.

akkordere *(træffe aftale)* agree *(om:* on); *(tinge)* bargain; *(med kreditorer)* compound *(fx* he has compounded with his creditors), make a composition.

akkord|løn payment by the piece, piece rate. **-lønnet** paid by the job; on piece rates. **-pris** price contracted for, contract price. **-rejse** inclusive tour. **-sats** piece rate.

akkreditere *vb (gesandt, konsul)* accredit; *(merk)* open a credit for; ~ *mig hos ham* open a credit for me with him; *den -de* the person accredited.

akkreditiv *(et -er)* letter of credit; *-er (gesandts)* credentials *(fx* the ambassador presented his c.).

akkumulativ accumulative *(fx* shares).

akkumulator *(en -er)* (storage) battery, accumulator.

akkumulere *vb* accumulate.

akkurat *adj* accurate, *(om person ogs)* painstaking, punctual; *adv (netop)* exactly, precisely, just; *kun lige* ~ only just.

akkuratesse *(en)* accuracy, punctuality.

akkusativ *(en)* the accusative.

akkviescere *vb* acquiesce, agree tacitly; ~ *ved* acquiesce in, accept.

akkvisition *(en) (vinding)* acquisition, gain; *(forsikrings-)* acquisition (of new business).

akkvisitør *(en -er)* insurance agent.

akrobat *(en -er)* acrobat. **akrobatik** *(en)* acrobatics. **akrobatisk** *adj* acrobatic.

akromatisk *adj* achromatic.

aks *(et -)* ear (of corn); *(amr)* head; ⚙ spike; *sanke* ~ glean. **aksdannet** spicate.

akse *(en -r)* axis *(pl* axes).

I. **aksel** *(en, aksler) (skulder)* shoulder.

II. **aksel** *(en, aksler)* ⚙ axil, axilla.

III. **aksel** *(en, aksler) (hjul-)* axle; *(driv-)* shaft; *(tynd, fx på cykelhjul)* spindle. **aksel|afstand** wheel base. **-kobling** shaft coupling. **-leje** shaft bearing; *(til hjulaksel)* axle bearing.

Aksemagterne *(hist.)* the Axis Powers.

I. **akt** *(en -er)* act, ceremony; *(af skuespil)* act; *(dokument)* document; *(nøgen model)* nude; *sagens -er* the documents of the case.

II. **akt:** *erklære i rigens* ~ outlaw.

aktie *(en -r)* share; *(amr)* stock; *(aktiekapitalandel)* stock; *(se ogs -brev);* *have en* ~ *i foretagendet (fig)* have a share in the business, T be in on it; *sætte en forretning på -r* turn a business into a limited company; *hans -r stiger (fig)* his stock is rising; *tegne* ~ *i* take shares in. **aktie|bank** joint-stock bank. **-bog** register of shareholders. **-brev** share certificate, share warrant. **-børs** stock exchange. **-ejer** shareholder. **-emission** issue of shares. **-foretagende** joint-stock enterprise. **-handel** dealing in shares. **-haver** *(en -e)* shareholder. **-kapital** share capital. **-majoritet** controlling interest, majority holding; **-en** *(ogs)* the bulk of the shares. **-mægler** stockbroker. **-post** holding, block of shares. **-protokol** register of shareholders.

aktieselskab limited (liability) company, joint stock company, *(amr)* corporation; *A/S M. Smith & Co.* M. Smith & Co., Ltd., *(amr)* M. Smith & Co., Inc. *(fk f* Incorporated).

aktieselskabs|anmeldelse application for the registration of a company. **-lov** Companies Act; *(amr)* Corporation law. **-register** register of companies. **-vedtægter** articles of association (of a company).

aktie|tegning subscription (for shares). **-udbytte** dividend.

aktinie *(en -r) zo* sea anemone.

aktion *(en -er)* action, *(jur)* prosecution; *direkte* ~ direct action; *foretage en* ~ take action.

aktionskomité committee of action.

aktionsradius radius; *(om fly, kampvogn etc)* range.

aktionær *(en -er)* shareholder, stockholder.

I. **aktiv** *(et -er) (gram)* the active (voice); *(merk)* asset; *-er og passiver* assets and liabilities.

II. **aktiv** *adj* active; *i* ~ *tjeneste* on the active list; *deltage -t i* take an active part *(el. share)* in.

aktivbeholdning assets in hand. **aktivere, aktivisere** *vb* activate. **aktivist** *(en -er)* activist. **aktivitet** *(en)* activity. **aktivitetspædagogik** *(svarer til)* activity methods.

aktmæssig documentary, in due form.

aktor *(en -er)* counsel for the prosecution.

aktorat *(et -er)* (conduct of the) prosecution.

aktstykke document.

aktualisere *vb* make topical; *(ofte =)* touch up *fx* an old play).

aktualitet *(en -er)* current interest, topicality; *det har ingen* ~ it is of no interest at the present moment; *-er* topical *(el.* current) events.

aktuar *(en -er)* actuary.

aktuel topical, of current interest; current *(fx* problems); *(virkelig)* actual, existing; *blive* ~ become important; come into prominence; *det blev aldrig -t* the point never arose; *det er ikke -t, se aktualitet;* ~ *hentydning* topical allusion.

akustik *(en)* acoustics *(fx* the acoustics here are not good).

akustisk *adj* acoustic; *de -e forhold* acoustics.

akut *adj* acute *(fx* disease; the situation became acute).

akvamarin *(en -er)* aquamarine.

akvarel *(en -ler)* watercolour; *male -ler* paint in watercolour. **akvarelmaler** watercolour painter.

akvari|um *(et -er)* aquarium *(pl* aquaria).

akvavit *(en)* aquavit, akvavit.

akvædukt *(en -er)* aqueduct.

I. **al** *(en)* hard pan.

II. **al** all; *han har al mulig grund til at* he has every reason to; *uden al grund* without any reason (whatever); *al mulig lykke* every possible happiness; **alt** all; *(substantivisk el. adverbielt)* everything, all, *(hvad som helst)* anything; *alt andet* everything else; *alt andet end dum* anything but stupid; *hun er mit ét og alt* she is everything to me; *alt efter* according to; *alt efter som* according as; *alt for* (far) too, (much) too; *alt hvad* all that; *alt hvad der er dansk* everything Danish; *jeg skynder mig alt hvad jeg kan* I am hurrying as much as I can; *i alt (ved sammentælling)* total, 15 *i alt* 15 in all, a total of 15; *alt i alt* all things considered; *i ét og alt* in every respect; *ikke for alt i verden* not for (anything in) the world; *alt imedens (adv)* in the meantime, *(conj)* while; *alt menneskeligt* everything human; *alt sammen* all (of it); *når alt kommer til alt* after all, when all is said and done; *alt vel ombord* all well on board; *alt vel overvejet* all things considered; **alle** all; *(substantivisk)* everybody, all *(fx*

everybody knows that; all were happy; we were all happy); *alle andre* everybody else, *(= enhver anden)* anybody else; *alle andre end* anybody but, everybody except; *alle de andre* all the others; *alle og enhver* everybody, anybody; *én gang for alle* once for all; *én for alle og alle for én* one for all and all for one; *(merk)* jointly and severally; *alle hverdage* every weekday, on all weekdays; *alle mennesker* everybody; *alle mulige mennesker* all sorts of people; *alle sammen: se allesammen; alle som én* one and all, to a man; *alle tre* all three, the three of them; *vi alle, os alle* all of us; *alle æblerne* all the apples; *alles* everybody's, of all; *alles blikke* all eyes.

alabast *(et el. en)* alabaster.

à la carte à la carte.

à la grecque mønster meander, Greek key pattern.

alarm *(en) (larm)* noise; *(anskrig, advarsel)* alarm; *blind* ~ a false alarm; *blæse* ~ sound the alarm; *for min skyld ingen* ~ by all means! don't mind me; *slå* ~ give the alarm. **alarm|apparat** alarm. **-beredskab** readiness for instant action; *erklære Jylland i højeste* ~ declare a state of supreme emergency in Jutland; *være i* ~ *(ogs)* be on the alert.

alarmere *vb* alarm, call *(fx* call the fire brigade, the police); *-nde adj* alarming *(fx* rumours).

alarmering *(en)* alarm, alarm call.

alarm|klokke alarm bell. **-plads** alarm post. **-signal** alarm (signal). **-skud** alarm gun.

albaner *(en -e)* Albanian. **Albanien** Albania. **alban(esi)sk** Albanian.

albatros *(en -ser)* albatross.

albino *(en -er)* albino *(pl -s)*.

I. **albue** *(en -r)* elbow; *bruge -rne (ogs fig)* use one's elbows; *puffe (fortroligt) til en med -n* nudge sby.; *mase sig frem med -rne* elbow one's way.

II. **albue** *vb:* ~ *sig frem* elbow one's way.

albue|led *(et -)* elbow joint. **-rum** elbowroom. **-stød** *(fortroligt puf med a.)* nudge; *(stød på a.)* blow on the funny bone.

album *(et, -er el. -s)* album.

albumin *(et el. en)* albumin.

aldeles quite, entirely, completely, perfectly, totally, absolutely, altogether, utterly; ~ *ikke* not at all, nothing of the kind; *det vil jeg* ~ *ikke* I will do nothing of the kind; ~ *ingen grund* no reason whatever; ~ *intet* nothing at all.

alder *(en, aldre)* age; *han er lille af sin* ~ he is small for his age; *på grund af* ~ owing to age; *forud for sin* ~ precocious; *i en* ~ *af 5 år* at the age of 5; *i sin bedste* ~ in the prime of life; *i en høj* ~ at a great age; *i en meget høj* ~ in extreme old age; *i min* ~ at my time of life; *i en sen* ~ late in life; *i en tidlig (el. ung)* ~ early in life, at an early age; *det kommer med -en it* comes with increasing years; *han er på min* ~, *han er på* ~ *med mig* he is my age.

alderdom *(en)* (old) age; *høj* ~ extreme old age.

alderdoms|forsikring old age pension insurance. **-forsørgelse** old age provision. **-hjem** old people's home. **-skrøbelighed** (senile) decrepitude. **-sløvhed** senility, dotage. **-svækkelse** senile decay. **-understøttelse** old age pension.

alders|formand [oldest member who presides as chairman]. **-forskel** difference in age. **-følge** *(anciennitet)* seniority. **-grænse** age limit; *falde for -n* retire on reaching the age limit. **-klasse** age group, year. **-medicinsk** *adj* geriatric. **-rente** old age pension. **-rentemodtager** old age pensioner.

aldersstegen *adj* aged, advanced in years.

alders|tillæg increment (of salary) at regular intervals, regular increments. **-trin** age (level).

aldrende *adj* ageing.

aldrig never; ~ *mere* no more, never again; *nu eller* ~ now or never; *nu har jeg* ~ *hørt så galt!* well, I never! *næsten* ~ hardly ever; *om han er* ~ *så rig* no matter how rich he is; ~ *så snart .. før* no sooner .. than; *man skal* ~ *sige* ~ never is a strong word; *du* *har da vel* ~ .. I hope you haven't gone and ..; *det skulle da vel* ~ *være Smith?* it couldn't be Smith, could it? it couldn't be Smith, by any chance?

Aleksandria Alexandria. **aleksandriner** *(en -e)* Alexandrine. **aleksandrinsk** *adj* Alexandrian.

alen *(en -)* two feet; *(1 alen = ca. 0.627 m)*; *lægge en* ~ *til sin vækst* add one cubit to one's stature; *måle andre med sin egen* ~ measure others by one's own standard *(el. yardstick)*; *de er to* ~ *af ét stykke (fig)* they are of a piece; *(lige dårlige ogs)* one is as bad as the other.

I. **alene** *adj* alone, by oneself; *vent til vi bliver* ~ wait till we are by ourselves; ~ *for hans skyld er stykket værd at se* if only to see him you ought to go to the play; *en ulykke kommer sjældent* ~ misfortunes never come singly; *forbryderen har ikke været* ~ *om det* the criminal has not done it single-handed.

II. **alene** *adv* only, solely, alone; ~ *af den grund* for that reason alone, if only for that reason; *ene og* ~ only, exclusively, solely; *ikke* ~ .. *men også* not only .. but (also); *i København* ~ in Copenhagen alone; ~ *tanken derom* the very idea (of it).

alenlang *(fig)* interminable.

Aleuterne the Aleutians.

alf *(en -er)* elf, fairy.

alfabet *(et -er)* alphabet. **alfabetisere** *vb* alphabetize *(fx* a list). **alfabetisk** *adj* alphabetic(al); *adv* alphabetically; *ordne* ~ arrange alphabetically, alphabetize.

alfaderlig *adj* paternal.

alfagræs esparto grass, alfa grass.

alfarvej public highway.

alfastråler *pl* alpha rays.

alfe|agtig fairy(like), elfin. **-land** fairyland.

alfons *(en -er)* pimp; *(sl.)* ponce. **alfonseri** *(et)* pimping.

alforbarmende: *ih du* ~! good gracious!

alge *(en -r)* alga *(pl* algae), *(tang)* seaweed.

algebra *(en)* algebra. **algebraisk** *adj* algebraic(al). **Algeriet** Algeria.

Algier *(byen)* Algiers; *(landet)* Algeria. **algierer** *(en -e)*, **algiersk** *adj* Algerian.

algod all-good. **algodhed** supreme goodness.

alias alias, otherwise (known as).

alibi *(et -er)* alibi; *bevise sit* ~ prove an alibi; *skaffe sig et* ~ establish an alibi.

alimentant *(en -er)* [one who pays maintenance for an illegitimate child].

alimentation(sbidrag) [compulsory contribution to the maintenance of illegitimate children] *(omtr =)* payment under an affiliation order; *betale* ~ pay maintenance.

alimentationsresolution affiliation order.

alk *(en -e(r))* razorbill, razor-billed auk.

alkali *(et)* alkali. **alkalisk** *adj* alkaline.

alkohol *(en)* alcohol. **alkohol|fri** non-alcoholic *(fx* beverage); ~ *restaurant* temperance restaurant. **-holdig, -isk** *adj* alcoholic. **-iker** *(en -er)* alcoholic.

alkoholisme *(en)* alcoholism.

alkove *(en -r)* recess (containing a bed), alcove.

alkymi *(en)* alchemy. **alkymist** *(en -er)* alchemist. **alkymistisk** *adj* alchemic(al).

alkærlig all-loving.

Allah Allah.

alle *se II. al.*

allé *(alleen, alleer)* avenue.

allegori *(en -er)* allegory. **allegorisere** *vb* allegorize. **allegorisk** *adj* allegoric(al).

allegretto allegretto. **allegro** allegro.

allehelgens|aften All Saints' Eve, *(skotsk og amr)* Hallowe'en. **-dag** All Saints (Day).

I. **allehånde** *subst* allspice.

II. **allehånde** *adj* all sorts of; *se ud til* ~ look suspicious, look capable of anything.

allemands|eje common *(el.* public) property. **-pige** prostitute.

allenfals *adv* anyhow, in any case.

aller- very, by far, of all. **allerbedst** *adj* the very best, by far the best, best of all; *adv* best of all; ~ *som* just as, at the very moment when.

allerede already; *(i forbindelse med tidsbestemmelse)* even, as early as *(fx* even the ancient Romans knew it; even as a boy he could ..; as early as 5 o'clock); *(nu)* already, by now; *(endog, blot)* even; ~ *den omstændighed at* the mere fact that; ~ *dengang* even at that time; ~ *første gang* the very first time; ~ *i det tolvte århundrede* as early as the twelfth century; *det er* ~ *noget* that is always something; ~ *nu* even now; ~ *samme dag* the very same day; ~ *tanken er ubehagelig* the very idea is unpleasant; ~ *tidlig* (quite) early; *han er* ~ *tilbage* he is back already.

aller|flest *adj* for the greatest number (of); *dem er der* ~ *af* they are by far the most numerous; *i de -e tilfælde* in the vast majority of cases. **-forrest** *adj* very first, front; *adv* in the forefront. **-få** *-e* very few (people). **-først** *adj* very first; *adv* first of all; *det -e* the very first thing; *fra* ~ *af* from the very first.

allergi *(en -er) (med.)* allergy. **allergisk** *adj* allergic.

aller|helligst *adj* most holy; *det -e* the Holy of Holies. **-helst** by preference; *jeg vil* ~ *have* .. I should greatly prefer .. **-helvedes** infernal *(fx* an i. noise); *en* ~ *karl* a devil of a fellow. **-højest** highest (, tallest) of all; *(kongelig)* Royal; *den -e (= Gud)* the Most High; *i -e grad* in the highest degree. **-højst** at the (very ut)most. **-højstsamme** His (, Her) Majesty. **-kærest** *adj* dearest (of all), most beloved; *(indtagende)* dear, sweet; *adv* charmingly. **-lavest** lowest of all; *adv* at the very bottom; *den -e* the very lowest. **-mest** most of all. **-mindst** *adj* smallest (, least) of all; *adv* least of all. **-nederst** *adj* very lowest, bottom; *adv* at the very bottom; ~ *i* at the bottom of. **-nærmest:** *mine -e* those nearest and dearest to me. **-nødigst:** *det så jeg* ~ I should like that least of all. **-nødvendigst** most necessary; *mangle det -e* lack the very necessaries of life. **-nådigst** *adj* most gracious; *adv* graciously. **-ringest:** *det -e (= slet intet)* nothing at all; *(slet ikke)* not at all. **-senest** *adj* very latest, latest of all; *adv* at the very latest. **-sidst** last of all; *den -e dag* the very last day; *i den -e tid* quite recently. **-snarest** most likely. **-underdanigst** *adj* most humble; *adv* most humbly, *(underskrift)* Your Majesty's most humble and loyal subject. **-værst** worst of all. **-ærbødigst** *(underskrift)* Your most obedient servant. **-øverst** *adj* very topmost; *adv* at the very top; ~ *(oppe) i* at the very top of.

alle|sammen all of them (, you, us), every one of them (, you, us), everybody; *kære* ~ Dear everybody, Dear all. **-stedsnærværende** omnipresent, ubiquitous. **-vegne** everywhere.

alliance *(en -r)* alliance. **alliancefri** non-committed, unaligned *(fx* countries). **alliere:** ~ *sig med* ally oneself with. **allieret** allied; *subst* ally; *de allierede* the Allies.

alligator *(en -er)* alligator.

alligevel still, yet, nevertheless, for all that, all the same; *(under alle omstændigheder)* anyhow; *det er nu* ~ *rart (med svækket betydning)* it is nice, though.

allike *(en -r)* jackdaw; *fuld som en* ~ (as) drunk as a lord.

allitteration *(en)* alliteration.

allongeparyk full-bottomed wig.

allotria *pl* irrelevant matters.

all right *(meget vel)* all right! right oh! very well! O. K.; *(god nok)* all right *(fx* he is all right).

alludere *vb* allude. **allusion** *(en)* allusion.

alm. *fk f. almindelig.*

almagt omnipotence.

almanak *(en -ker)* almanac.

almen *adj* common *(fx* for the common good); general *(fx* of general interest); public; universal.

almen|befindende general condition. **-dannelse** general *(el.* liberal) education; *(folkeopdragelse)* education of the people. **-fattelig** popular. **-gyldig** of universal validity (*fx* a rule of universal validity); universal (*fx* truth). **-gyldighed** universal validity. **-heden** the public. **-menneskelig** (universally) human, common to all mankind, universal. **-nytte** public utility. **-nyttig** of public utility. **-sandhed** universal truth; (*trivialitet*) commonplace. **-skole**: *højere* ~ secondary school.

almindelig *adj* (*hyppigt forekommende*) common (*fx* experience, fault); (*omfattende flertallet el. alle*) general (*fx* the g. opinion); (*omfattende alle uden undtagelse*) universal (*fx* meet with u. acceptance); all -round; (*ubestemt, vag*) general (*fx* idea); broad; (*uden særlige ejendommeligheder*) ordinary (*fx* people, quality); (*sædvanlig*) usual (*fx* size); (*gennemsnits-*) average; (*jævn, dagligdags*) plain (*fx* food); (*fremherskende*) prevalent, prevailing; *adv* commonly; generally, currently; ordinarily; ~ *anvendt* in general use; *-e bemærkninger* generalities; ~ *brøk* vulgar fraction; ~ *dannelse* (a) general education; *langt ud over det -e* quite out of the ordinary; *-e dødelige* ordinary mortals; *til ~ forbavselse for* to the general surprise of; *den -e mand* the man in the street; *den -e mening* the general opinion; ~ *menneskeforstand* common sense; ~ *praksis* the usual practice; *en ~ regel* a general rule; *et -t rygte* a common (*el.* current) rumour; ~ *udbredt* widespread; ~ *valgret* adult (*el.* universal) suffrage.

almindelighed (*en*) generality; *-er* generalities; *i ~* generally; *i al ~, ganske i ~* generally, in a general way, broadly; *skuespil i ~* plays in general; (*sagt*) *i al ~* generally speaking.

almindeligvis *adv* generally, usually, as a rule. **almisse** (*en -r*) alms (*fx* give alms to him; ask an alms of him); (*kollektivt*) charity (*fx* live on charity). **almue** (*en*) common people, villagers; (*småbønder*) peasants. **almue|kvinde** peasant woman. **-mand** peasant. **-mål** vernacular, dialect. **-stil** rustic style. **-tribun** tribune (of the people).

almægtig almighty, all-powerful, omnipotent; *den almægtige* the Almighty; *ih du -e!* good gracious! **aloe** (*en*) ♣ aloe.

alpaka (*en*) (*dyr, uld og tøj*) alpaca. **alpe-** alpine. **alpe|hue** beret. **-jæger** ✕ chasseur alpin.

Alperne *pl* the Alps. **alpe|rose** rhododendron. **-stok** alpenstock. **-viol** cyclamen.

alrune (*en -r*) ♣ mandrake. **alrunerod** mandrake root.

alsang community singing. **alsidig** many-sided, versatile (*fx* intellect), all -round (*fx* education), comprehensive (*fx* discussion); *en ~ kost* a balanced diet. **alsidighed** (*en*) many-sidedness, versatility, comprehensiveness. **alskens** *adj* of all kinds, various. **alstyrende**: *ih du ~!* good gracious!

I. **alt** (*en -er*) (*stemme*) contralto, alto. II. **alt** (*et*) (*verdens-*) universe, world. III. **alt** (*allerede*) already. IV. **alt** *se* II. *al*.

altan (*en -er*) balcony. **altan|dør** balcony door. **-kasse** flower box; (*svarer i England til*) window box.

altbeherskende *adj* dominant, supreme, sovereign.

alter (*et, altre*) altar; *-ens sakramente* the Eucharist, the Sacrament; *gå til -s* communicate. **alter|billede** altarpiece. **-bog** service book, Book of Common Prayer. **-bord** Communion table. **-dug** altar cloth. **altereret** flurried, flustered, upset, (*amr*) het up. **alter|gang** (celebration of Holy) Communion. **-gæst** communicant. **-kalk** chalice, Communion cup. **-klæde** altar cloth; *-r* (*messe*) canonicals. **-lys** altar candle.

alternativ (*et -er*), *adj* alternative.

alternere *vb* alternate (*med* with). **alter|skammel** kneeler. **-skranke** altar rails. **-tavle** altar piece; (*med fløje*) triptych. **-trin** altar step. **-vin** Communion wine. **altfavnende** *adj* all-embracing. **altid** always; (*en anden gang*) always, later on; (*i hvert fald*) at least, always. **alting** everything; *hvorom ~ er* anyhow; however that may be. **altmuligmand** handy man, man-of-all-work. **altnøgle** alto clef.

alt|omfattende all-embracing, universal. **-opgivende** despairing, hopeless. **-opofrende** self-sacrificing, devoted. **-opslugende** absorbing, engrossing. **altruisme** (*en*) altruism. **altruist** (*en -er*) altruist. **altruistisk** *adj* altruistic; *adv* -ally. **altsammen** all (of it). **altsangerinde** contralto (singer). **altså** consequently, accordingly, therefore, so, then; *du vil ~ ikke?* so you won't? **al-tysk** pan-German. **altæa** (*en*) ♣ althea, marshmallow. **altædende** omnivorous. **aluminium** (*et*) aluminium; (*amr*) aluminum. **aluminiumfolie** aluminium foil. **alumne** (*en -r*) (*på kostskole*) boarder; (*på kollegium*) [undergraduate who is allowed free room(s) at a 'kollegium']; (*på åndssvageanstalt*) patient; (*på stiftelse*) inmate. **alun** (*en*) alum. **alun|garve** taw. **-garver** tawer. **-holdig** aluminous. **-skind** alum leather. **alverden** all the world; *hvad, hvem, hvordan i ~* what, who, how in the world (*el.* on earth); *hvorfor i ~* what ever for, why on earth. **alvidende** omniscient. **alvidenhed** (*en*) omniscience. **alvis** all-wise. **alvisdom** all-wisdom. **alvor** (*en el. et*) (*modsat spøg, sorgløshed*) seriousness; (*værdighed, strenghed*) gravity; (*iver, oprigtighed*) earnestness; (*fare, vigtighed, betydning*) seriousness, gravity (*fx* the s. (*el.* gravity) of the illness, the gravity (*el.* seriousness) of the situation); *et spøg, et andet ~* joking apart; *bevare -en* preserve one's gravity, keep a straight face; *for ~* seriously, in earnest, (*til gavns, i høj grad*) with a vengeance, really, (*for stedse*) for good; *for ramme ~* in dead earnest; *gøre ~ af* carry out; *gøre ~ af sit løfte* make good one's promise; *gøre ~ af planen* carry out (*el.* realize) the plan; *er det Deres ~?* are you serious? *det er mit ~* I am in earnest; *mon det bliver til ~ med krigen?* I wonder if there will really be a war; *denne gang er det ~* this time it is really serious.

alvorlig *adj* (*mods spøgefuld*) serious (*fx* face, writer, talk, young man); (*streng, værdig*) grave (*fx* demeanour; look very grave); (*oprigtig*) earnest (*fx* desire, endeavour, wish), serious (*fx* effort, intention); (*farlig; betydningsfuld*) serious (*fx* crisis, illness, matter, situation, step, crime, offence, reprimand), grave (*fx* matter, danger, error, mistake); severe (*fx* illness); *-(t)* *adv* seriously (*fx* take sby. seriously; seriously ill, wounded); gravely; earnestly; (*i høj grad*) thoroughly (*fx* frightened, angry), seriously (*fx* annoyed); *mene det -t* be in earnest, T mean business; ~ *talt* seriously, joking apart; ~ *vred* really (*el.* thoroughly) angry.

alvorsfuld *adj* earnest, serious, grave, solemn. **alvors|mand** solemn person, sobersides. **-ord**: *sige en et ~* give sby. a piece of one's mind. **Amager**! honest Injun! cross my heart! **amalgam** (*et*) amalgam. **amalgamere** *vb* amalgamate. **amanuensis** (*en*) assistant, amanuensis; (*universitetslærer*) lecturer, (*amr.*) assistant professor. **amatør** (*en -er*) amateur (*nedsættende*) dilettante. **amatør-** amateur (*fx* actor, photographer, theatre). **amatørfotografi** (*billedet*) amateur photograph, snap, snapshot.

amazone *(en -r)* amazon.
Amazonfloden the Amazon (River).
ambassade *(en -r)* embassy.
ambassadør *(en -er)* ambassador *(fx* the Danish
A. in London; the British A. to Denmark).
ambition *(en -er)* ambition; *honnet* ~ gentility,
social ambition.
ambolt *(en -e)* anvil; *(i øret)* incus, anvil.
ambra *(en)* ambergris; ⚘ southernwood.
ambrosia *(en)* ambrosia; ⚘ ragweed.
ambulance *(en -r)* ambulance. **ambulance|båre**
stretcher. **-maskine** *(flyv)* ambulance plane. **-soldat**
stretcher-bearer. **-station** first-aid station; ✕ casualty
clearing station.
ambulant *adj* ambulant; ~ *behandling* out-patient
treatment; ~ *bibliotek* travelling *(el.* mobile) library;
(amr) bookmobile; ~ *patient* out-patient.
amen amen; *så sikkert som ~ i kirken* as sure as fate.
Amerika America; *(ofte* =) the United States.
amerikabåd transatlantic liner. **amerikaner(inde)**
(en) American. **amerikanisere** *vb* Americanize.
amerikansk American; ~ *olie* castor oil.
a meta on joint account, on a fifty-fifty basis, for
common profit and loss.
ametyst *(en -er)* amethyst.
amfibie|båd amphibian craft. **-flyvemaskine**
amphibian (aeroplane).
amfibisk amphibian, amphibious.
amfibi|um *(et -er)* amphibium *(pl* amphibia);
(flyv) amphibian.
amfiteater amphitheatre.
amfiteatralsk *adj* amphitheatrical.
I. **amme** *(en -r)* (wet) nurse.
II. **amme** *vb* nurse, suckle.
ammestuesnak old wives' tale(s).
ammoniak *(en)* ammonia. **ammoniak|holdig**
adj ammoniacal. **-vand** ammonia water.
ammonium *(et) (kem)* ammonium.
ammunition *(en)* ammunition; *(~ + våben)* mu-
nitions. **ammunitionsdepot** ammunition dump.
amnestere: ~ *én* grant sby. an amnesty.
amnesti *(et)* amnesty; *give* ~, *se amnestere.*
amok: *gå* ~ run amuck.
Amor Cupid.
amoralsk *adj* amoral.
amorbue Cupid's bow.
amorf *adj* amorphous.
amorin *(en -er)* cupid.
amortisabel *adj* amortizable, redeemable.
amortisation *(en)* amortization, amortizement,
redemption. **amortisationsfond** sinking fund.
amortisere *vb* amortize, redeem. **amortisering** =
amortisation.
amp|el *(en -ler)* hanging lamp; *(urtepotte)* hang-
ing flower-pot.
ampere *(en -r) (elekt)* ampere, amp. **ampere|me-**
ter ammeter. **-time** ampere-hour.
ampul *(en -ler)* ampoule.
amputation *(en -er)* amputation. **amputere** *vb*
amputate. **amputering** *(en -er)* amputation.
amt *(et -er) (kan gengives:)* county. **amtmand**
[chief administrative officer of an *"amt"*], *(kan gen-*
gives:) prefect. **amts|forvalter** *(kan gengives:)* dis-
trict revenue officer. **-læge** county medical officer.
råd county council. **-rådsmedlem** county coun-
cillor. **-sygehus** county hospital.
amtstue *(kan gengives:)* inland revenue district
office.
amts|vej county road. **-vejinspektør** county
road surveyor.
amulet *(en -ter)* amulet, charm.
amøbe *(en -r)* amoeba.
I. **an** *adv: se de verber, hvormed an forbindes (fx*
lægge, slå).
II. **an** *(merk)* to.
anakronisme *(en -r)* anachronism.
anakronistisk *adj* anachronistic.

analfabet *(en -er)*, **analfabetisk** *adj* illiterate.
analfabetisme *(en)* illiteracy.
analog *adj* analogous *(med:* with).
analogi *(en -er)* analogy; *i* ~ *med* by analogy
with. **analogi|regnemaskine** analogue computer.
-slutning conclusion by analogy.
analyse *(en -r)* analysis *(pl* analyses); *(gram ogs)*
parsing. **analysere** *vb* analyse, *(gram ogs)* parse.
analytiker *(en -e)* analyst. **analytisk** *adj* analytic(al).
anamnese *(en) (med.)* anamnesis.
ananas *(en)* pineapple.
anapæst *(en -er)* anapaest. **anapæstisk** *adj* ana-
paestic.
anarki *(et)* anarchy. **anarkisk** *adj* anarchic(al).
anarkist *(en -er)*, **anarkistisk** *adj* anarchist.
anastigmat *(et)* anastigmat, anastigmatic lens.
anastigmatisk *adj* anastigmatic.
anatema *(et)* anathema.
anatom *(en -er)* anatomist. **anatomi** *(en)* anato-
my. **anatomisk** anatomic(al).
anbefal|e recommend; *(betro)* commend; *(et*
brev) register; ~ *sig (tage afsked)* take leave, retire.
-elsesværdig recommendable, to be recommended.
-ende *adj* recommendatory. **-et** *adj (om post)* registe-
red; recorded delivery.
anbefaling *(en -er)* recommendation; *(introduk-*
tion) introduction; *(for person, der søger stilling)* re-
ference *(fx* highest references); *(af brev)* registration.
anbefalings|brev *se -skrivelse.* **-gebyr** registration
fee. **-påtegning** (recommendatory) endorsement.
-skrivelse letter of recommendation.
anbringe *vb (sætte, stille)* put, place; *(påsætte)*
mount, fix, fit, *(med.)* apply; *(indlogere etc)* accom-
modate, lodge, house, put; *(bænke)* seat; *(give i for-*
varing) deposit; *(kapital)* invest; *(et stød, slag)* plant;
(sælge) place, sell; ~ *et barn i pleje* place (out) a child,
(spædbarn) put a baby out to nurse; ~ *en på et kontor*
put sby. in an office; *ilde anbragt spøg* ill-timed joke;
få en vittighed anbragt put *(el.* work) in a joke.
anbringelse *(en) (se anbringe)* putting, placing;
mounting, fixing, fitting; application; accommoda-
tion, lodging, housing; seating; depositing; invest-
ment; planting; selling.
anciennitet *(en)* seniority; *efter* ~ by seniority.
and *(en, ænder)* duck; *(historie)* hoax, canard.
andagt *(en) (religiøs)* devotion; *(opmærksomhed)*
grave *(el.* rapt) attention; *forrette sin* ~ perform one's
devotions. **andagtsbog** devotional book. **andagts-**
fuld devout. **andagtsøgende:** *en* ~ a worshipper.
ande|avl duck-breeding. **-dam** duck-pond; *den*
hjemlige ~ "the parish pump"; *bringe røre i -men*
flutter the dovecotes. **-jagt** duck-shooting, *(amr)*
duck hunting; *gå på* ~ go duck-shooting.
andel *(en -e)* share, part; *(kvota)* quota; *have ~ i*
have a share in; *jeg har ingen* ~ *(o: ansvar) deri* I have
no part in this; *min* ~ *i udbyttet* my share of the profits.
andels- co-operative *(fx* bank, movement, un-
dertaking, dairy, slaughter-house, bacon factory).
andels|haver *(en -e)* member of a co-operative
society. **-selskab** co-operative society. **-vis** pro rata.
andemad duckweed.
I. **anden, andet** *(ordenstal)* second; *andet bind*
volume two, the second volume; *anden finger på*
højre hånd first finger of the right hand; *for det andet*
secondly, in the second place; *den anden maj* (on)
the second of May, May 2(nd), 2 May; *anden præ-*
mie second prize; *af anden rang* second-rate; *andet*
ægteskab second marriage.
II. **anden, andet, andre** *pron* other *(fx* the other
book, other books); *andre (subst)* others, other
people; *andre af hans bøger* other books of his; *alle*
andre (om personer) everybody else, *(= enhver anden)*
anybody else; *alle andre end* anybody but, every-
body except; *alle de andre* all the others; *alt andet*
everything else; *alt andet end dum* anything but
stupid; *andet at bestille* other things to do *(end at:*
than *-ing)*; *blandt andet, blandt andre, se blandt; den ene*

efter den anden one after the other, one after another; det *andet* the other thing, the other one, *(det øvrige)* the rest; *det ene efter det andet* one thing after another; *det ene med det andet* what with one thing and another; en *anden* somebody else, another person; *en anden dreng (, etc)* another boy (, etc.); *en ... en anden* one ... another; *en eller anden* somebody (or other); *en eller anden dag* some day (or other); *på en eller anden måde* somehow (or other); *et eller andet sted* somewhere (or other); *en anden en (= jeg)* a fellow, a girl (, etc.); *(undertiden:)* this boy, this girl; *en og anden* some people; *fra ende til anden* from end to end, from one end to the other; *en ganske anden ...* quite a different ...; *enhver anden* anybody else; *et eller andet* something (or other); *et og andet* one or two things; *de fem andre* the five others, the other five; *hvad andet?* what else? *hvad andet end* what but; *hvem andre?* who else? *hvem andre end* who but; *ikke andet* nothing else; *ikke andet!* is that all? *ikke andet end* nothing but, only; *jeg kan ikke andet end føle* I cannot but feel, I cannot help feeling; *det kan ikke være andet* it cannot be otherwise, it cannot be helped; *jeg kan ikke være andet end taknemmelig* I cannot be other than grateful; *det kan ikke være andet end at det må ...* it must necessarily ...; *der er ikke andet at gøre end at* there is nothing for it but to, there is nothing to be done but to; **ingen** *anden* no one else; *ingen anden end* no one but; *ingen andre* nobody else, no others; *ingen andre end* none but; *intet andet* nothing else; *intet andet sted* nowhere else; *kongen anden (i kortspil)* two to the king; *meget andet* many other things; *han er blevet et andet menneske* he has become a different man; *noget andet* something (, anything) else; *noget ganske andet* something quite different, quite another thing; *med andre ord* in other words; *fra ord til andet* word by word, verbatim; *fra tid til anden* from time to time; *var der andet?* anything else? *den anden verden, se verden; vi andre* the rest of us.

anden|dagsfeber tertian fever. **-dagsgilde** *(omtr =)* second day's party. **-gradsligning** quadratic equation. **-hånds** second-hand *(fx* knowledge). **-klasses** second-class; *(-rangs)* second-rate. **-lærer** assistant teacher. **-pilot** co-pilot. **-rangs** second-rate. **-stemme** *(musik)* second; *synge ~* sing seconds *(til:* to). **-styrmand** second mate *(el.* officer).

anderledes *adj* different; *adv* otherwise, in another way, differently, *(i højere grad)* far more, much more; *~ end andre* different from others; *~ end du tror* different from what you think; *ganske ~ godt* far better; *ganske ~ vanskelig* far more difficult; *det kan nu ikke være ~!* well, that's the way it is! **anderledestænkende** those *(el.* people) who think differently.

anderumpe *(frisure)* duck-tail.

Andesbjergene the Andes.

ande|skæl *(krebs)* barnacle. **-spil** [lottery in which the prize is a duck]. **-steg** roast duck.

andet *se anden.* **andet|steds** somewhere else, elsewhere. **-stedsfra** from somewhere else. **-stedshen** somewhere else, elsewhere.

andeæg *(et)* duck's egg, duck egg.

andrage *(beløbe sig til)* amount to; *~ om* apply for. **andragende** *(et -r)* application, petition.

andre *pl af anden.*

Andreaskors (×) St. Andrew's cross.

andrik *(en -ker)* drake.

andægtig *adj* devout, devotional, pious; *(opmærksom)* attentive.

andægtighed *(en)* devoutness, devotion.

I. **ane** *(en -r)* ancestor.

II. **ane** *vb* suspect, guess, have a foreboding *(el.* a presentiment) of; *(have en fornemmelse af)* sense *(fx* that sth is wrong); *(skimte)* see faintly; *det -r jeg ikke* I have no idea; *du -r ikke, hvor svært det er!* you have no idea how difficult it is! *intet (ondt) -nde* unsuspecting; *lade ~* hint at, suggest; *man -de skibet i det*

fjerne one (, we) could just make out the ship in the distance; *uden at ~ noget* without suspecting anything, unsuspectingly.

anegalleri gallery of family portraits.

anekdote *(en -r)* anecdote.

anekdoteagtig *adj* anecdotal.

anelse *(en -r) (forudanelse)* presentiment, anticipation; *(svag forestilling)* suspicion *(fx* I had a suspicion of the truth); *(lille smule)* suspicion, touch; *bange -r* misgivings; *onde -r* forebodings, presentiments of evil; *jeg har en ~ om at ...* I have a feeling that ...; *jeg har ikke den ringeste ~ om det* I have not the slightest idea *(el.* notion).

anemomet|er *(et -re)* air-meter, anemometer.

anemone *(en -r)* anemone; *blå ~* hepatica.

anerkende * admit, own, acknowledge; *(ogs ~ godkende)* recognize *(fx* a new State, a record); *(rose)* appreciate, recognize; *~ modtagelsen af* acknowledge (the) receipt of.

anerkendelse *(en -r)* acknowledgment, recognition; *(ros)* appreciation, credit; *finde tilbørlig ~ receive* due recognition; *fortjene ~* deserve credit; *en lille ~* a small acknowledgment.

anerkendelsesværdig creditable.

anerkendende *adj* appreciative; *adv* -ly.

anerkendt *adj* acknowledged, approved, recognized; *det er almindelig ~ at* it is an accepted fact that.

aneroidbarometer aneroid barometer.

ane|række line of ancestors. **-stolt** proud of one's ancestry. **-tavle** genealogical table.

anfald *(et -)* attack *(fx* of influenza), fit *(fx* of apoplexy), access *(fx* of pain); *(om sindsstemning)* fit *(fx* of laughter, melancholy); *(om lidenskab)* outburst *(fx* of rage), spasm, paroxysm; *(fjendtligt)* attack, assault; *i et ~ af ædelmodighed* in a fit of generosity. **anfalde** attack, assail.

anfordring *(en)* demand; *på ~* on presentation, on demand.

anfægte *(gøre indtryk på)* affect; *(friste)* tempt; *(jur)* contest the validity of; *~ hans ret til at* dispute his right to; *han lader sig ikke ~ af* he remains unaffected by. **anfægtelse** *(en -r)* scruple, temptation, contestation.

anfør|e * *(befale over)* command; *(gå i spidsen for)* lead, head; *(i regnskab etc)* enter, book; *(nævne)* state, give, mention, refer to; *(påberåbe sig)* allege, urge; plead; *(citere)* quote; cite; *(opregne)* enumerate; *~ citater* quote (passages); *de -te eksempler* the examples cited above; *som lige -t* as stated above; *~ som eksempel* quote as an instance; *-ende sætning* introductory clause; *~ til sit forsvar (, sin undskyldning)* plead in one's defence (, in excuse).

anførelse *(en -r) (citat)* quotation, citation; *(meddelelse)* statement.

anførelsestegn inverted commas, quotation marks; *~ begynder (i diktat)* quote; *~ slutter* unquote; *sætte i ~* put in inverted commas.

anfører *(en -e)* leader, commander, chief; *(for sportshold)* captain.

anførsel *(en) (ledelse)* command, leadership; *under ~ af* commanded by, led by.

angelsakser *(en -e)*, **angelsaksisk** Anglo-Saxon.

anger *(en)* repentance, remorse, penitence, contrition, compunction; *føle ~ over* repent (of); *et stik af ~* a twinge of conscience.

anger|fuld, **-given** *adj* repentant, remorseful, penitent, contrite.

angina *(en)* inflammation of the throat, quinsy; *~ pectoris* angina pectoris.

angive *(nævne, opgive)* state, mention, give; *(vise, tilkendegive)* indicate; *(påstå)* allege, profess; *(melde, røbe)* inform against; *~ for højt* overstate; *~ for lavt* understate; *~ nærmere* specify; *ikke nærmere -t* unspecified; *~ prisen for* indicate the price of; *~ som grund* state as a reason; *et termometer -r temperaturforandringer* a thermometer indicates changes in temperature; *~ ham til politi|et* report *(el.* denounce) him to the police; ~ tonen *(fig)* set the tone; *(i mode)* lead *(el.* set) the fashion; ~ *varer til fortoldning* enter goods at the custom house, declare·goods.

angivelse *(en -r)* statement, *(nøjere)* specification; *(til fortoldning)* declaration, entry; *(af forbryder etc)* information.

angivende *(et)* statement.

angiver *(en -e)* informer; *optræde som* ~ turn informer. **angiveri** *(et)* informing.

angle *vb* angle *(efter:* for).

angler *(en -)* *(af den angliske stamme)* Angle.

anglicisme *(en -r)* anglicism.

anglikansk Anglican; *(amr)* Episcopalian; *den -e kirke* the Anglican *(amr* Episcopalian) Church, the Church of England.

anglisere *vb* nick *(fx* a horse, a horse's tail).

anglo-amerikansk Anglo-American.

angora- Angora *(fx* cat, goat, rabbit).

angostura *(en)* angostura (bitters).

angre *vb* regret, be sorry for, repent; *(sine synder)* repent (of); *som ikke -r, uden at* ~ unrepenting.

I. **angreb** *(et -)* attack, assault, *(storm-, rytter-)* charge, *(flyver-; indfald)* raid; *(i ord; af sygdom)* attack; *blæse til* ~ sound the attack (, charge); *rette et* ~ *imod (også fig)* attack, make an attack on.

II. **angreb** *imperf af* **angribe.**

angreben *adj* suffering *(af:* from); affected *(fx* one lung is affected); *hdrdt* ~ *af malaria* suffering from a severe attack of malaria; *det angrebne sted (med.)* the affected part.

angrebs|bevægelse offensive movement. **-krig** war of aggression. **-middel** means of attack. **-måde** method of attack. **-mål** objective. **-plan** plan of attack. **-politik** aggressive policy. **-punkt** point of attack. **-række** *(i fodbold)* forward line. **-spiller** *(i odbold)* forward.

angrebsvis: *gå* ~ *til værks* take the offensive.

angrebsvåben *pl* weapons of offence.

angrende *adj* repentant.

angribe attack, assault, *(modstander, fjender ogs)* engage, *(med stormangreb)* charge, *(med flyvere; gøre indfald i)* raid, make a raid on; *(med ord etc)* attack; *(bestride)* contest; *(med.)* attack, affect; *(skade)* injure, damage; *(om syre, rust)* attack, wear away, corrode; *(kapital)* make inroads on. **angribelig** open to criticism. **angriber** *(en -e)* *(om person)* attacker, assailant; *(ogs om stat)* aggressor *(fx* Italy was pronounced an aggressor).

I. **angst** *(en)* dread, apprehension, fear *(for:* of); *(psyk)* anxiety; *-ens kolde sved* a cold sweat.

II. **angst** *adj* afraid, anxious, alarmed; ~ *for ham* afraid of him; *(bekymret for ham)* afraid for him. **angst|fuld** *adj* anxious. **-neurose** anxiety neurosis. **-råb** cry of terror.

angå *vb* concern, regard, relate to, have reference to; *hvad* ~ *as* to, as for, as regards; *hvad det -r* as to that, as far as that goes; *hvad mig -r* as to me, as for me, in my case; *hvad* ~ *det mig?* what is that to me? *det -r ikke mig* it is none of my business.

angående *præp* respecting, regarding, concerning, about, as to; *(merk, jur)* re *(fx* your remarks re interest).

anhold|e ✶ arrest; *(pdstand)* take exception to; ~ *om* apply for; ~ *om ens hånd* ask sby.'s hand in marriage; *De er -t* you are under arrest.

anholdelse *(en)* arrest; *(beslaglæggelse)* seizure; embargo; *foretage en* ~ make an arrest; *sætte under* ~ arrest, take into custody.

anholdelsesordre warrant (for sby.'s arrest).

anhænger *(til lastvogn)* trailer.

anilin *(en el. et)* aniline. **anilinfarve** aniline dye.

animalsk *adj* animal.

animere *(tilskynde)* prompt, incite; *(oplive)* enliven. **animeret** *adj* animated *(fx* conversation); lively, *(om person)* in high spirits.

animositet *(en)* animosity, animus.

anis *(en)* ♣ anise; *(frugt)* aniseed.

I. **anke** *(en -r)* *(klage)* complaint; *(appel)* appeal.

II. **anke** *vb* complain *(over:* of); appeal.

ank|el *(en -ler)* ankle.

ankel|led ankle (joint). **-sokker** *pl* ankle socks, *(amr)* bobby socks.

anke|nævn board of appeal. **-post** *(klagepunkt)* complaint, grievance. **-protokol** complaints book.

I. **anker** *(et, ankre)* ⚓ anchor; *(i mur)* tie, anchor, cramp; *(i dynamo og magnet)* armature; *(i ur)* anchor; *drive for -et* drag one's anchor; *kappe -et* cut the cable; *kaste -et* drop the anchor; *lette* ~ weigh anchor; *ligge for* ~ be at anchor.

II. **anker** *(et, ankre)* *(hulmål)* anker; *(brugt mindre præcist)* barrel, cask.

anker|arm anchor arm. **-bevikling** coil of the armature. **-bøje** anchor buoy. **-gang** *(i ur)* anchor escapement. **-kæde** cable. **-plads** anchorage. **-spil** windlass. **-tov** cable.

I. **anklage** *(en)* accusation, *(jur ogs)* charge, indictment; *-n lød på tyveri* the charge was theft; *sætte under* ~ accuse of, prosecute for.

II. **anklage** *vb* accuse *(for:* of), charge *(for:* with).

anklage|bænk: *sidde på -en* be in the dock. **-materiale:** *et stort* ~ a mass of evidence; *der er et stort* ~ *mod ham* (ogs) there is a strong case against him. **-myndighed** *(ret til at rejse tiltale)* the power to institute prosecution; *-en (selve institutionen)* the Prosecution; *repræsentere -en* appear for the Prosecution *(el.* the Crown). **-punkt** count (of an indictment).

anklager *(en -e)* accuser; *(jur)* Counsel for the Prosecution. **anklageskrift** indictment; *udfærdige et* ~ draft an indictment.

anklage|t *(den)* **-de** the accused, the prisoner. **anklang:** *vinde* ~ *hos* meet with sympathy *(el.* approval) among.

ankomme arrive *(til:* at, *(til land el. større by)* in); *den sidst ankomne* the last arrival.

ankomst *(en)* arrival *(til:* at, *(til land el. større by)* in); *ved min* ~ on my arrival. **ankomst|hal** *(i lufthavn)* arrival hall. **-perron** arrival platform. **-tid** time of arrival.

ankre *vb* anchor; ~ *op* anchor. **ankring** *(en)* anchoring. **ankringsafgift** anchorage dues.

anlagt *perf part af* **anlægge.**

anledning *(en -er)* *(årsag)* occasion, cause, ground, reason; *(lejlighed)* occasion, opportunity; *jeg finder ingen* ~ *til at* I see no reason why I should; *give* ~ *til* be the occasion of, give occasion for, result in, cause; *i* ~ *af* on the occasion of, *(på grund af)* in consequence of, on account of, *(henvisende til)* with reference to, referring to *(fx* your inquiry); *(i forbindelse med)* in connection with; *i dagens* ~ in honour of the occasion; *i samme* ~ on the same occasion, for the same reason; *ved den ringeste* ~ on the slightest provocation.

anliggende *(et -r)* matter, affair, concern, business; *offentlige -r* public affairs; *vigtige -r* matters of importance.

anlæg *(et -)* *(fabrik, installation)* plant, works; *(fx* centralvarmeanlæg) system; *(have)* gardens, grounds, park; *(måde noget er anlagt på)* layout; *(plan, ordning)* plan, design; *(medfødt disposition)* predisposition *(for, til:* to); *(medfødt evne)* talent, aptitude *(for:* for); *(støtte)* rest; *militære* ~ military installations; *(se ogs* anlæggelse).

anlægge *(grundlægge)* found, establish; *(bygge etc)* build, construct, make; *(park, have etc)* lay out; *(forbinding etc)* apply; *(klæder, mine etc)* put on, assume, affect; *(planlægge)* plan; *(penge)* invest; ~ *sag imod* bring an action against; ~ *skæg* grow a beard; ~ *sorg* go into mourning; ~ *det synspunkt at* take up the attitude that, take the view that; *anlagt or (el. til)* fitted for; *gæstfrit anlagt* hospitably inclined; *praktisk anlagt* of a practical turn, practical; *anlagt på* intended for, calculated to; *et stort anlagt arbejde* a work planned on generous lines.

anlæggelse *(en -r) (se anlægge)* foundation, establishment, building, construction, making, laying out, application, putting on, planning, investment.

anlægs|bro jetty. **-gartner** landscape gardener. **-kapital** invested capital. **-papir** investment security. **-plads** landing stage. **-præg** *(biol)* genotype.

anløbe *vb* ⚓ call at *(fx* a port); *(afhærde, fx stål)* temper; *(forandre farve)* be oxidized, be tarnished.

anløben *adj* tarnished; *(beruset)* fuddled; *(moralsk)* shady.

anløbs|bro jetty. **-havn** port of call.

anmarch: *være i ~* be approaching; *et uvejr er i ~* a storm is coming on.

anmasse: *jeg vil ikke ~ mig* I don't want to butt in; *~ sig noget* usurp sth., arrogate sth. (to oneself).

anmasselse *(en)* arrogance; *(af noget)* usurpation.

anmassende *adj* overbearing, bumptious.

anmelde * *(bebude, meddele)* announce, notify, give notice of; *(til myndighed)* notify, report, *(til politiet)* report, *(person ogs)* inform against; *(toldpligtige varer)* enter; *(bog)* review; *(til løb, udstilling)* enter; *(til firmaregisteret)* register *(fx* the company is registered); *(patent)* apply for.

anmeldelse *(en -r)* announcement, notice; notification; *(anklage)* information; *(af toldpligtige varer)* entry; *(bog-)* review; *(til løb, udstilling)* entry; *(indtegning, fx til kursus)* application, registration.

anmeldelses|blanket application form. **-pligt** duty of notification, obligation to notify *(fx* change of address).

anmelder *(en -e) (jur)* informer; *(af bog)* reviewer.

anmeldereksemplar review copy.

anmode: *~ om* request *(fx* permission, an interview), ask for *(fx* help), solicit *(fx* a favour); *~ en om at* request *(el.* ask) sby. to; *De -s om at .. please (fx* p. acknowledge receipt of this letter), you are requested to.

anmodning *(en -er)* request; *efter ~* by request; *efter (el. pd) hans ~* at his request; *rette en ~ til ham om at* request him to; *skriftlig ~* application in writing.

anmærkning *(en -er)* remark, notice, *(note)* note, annotation; *(fodnote)* footnote; *(i skole)* bad mark *(fx* give a pupil a bad mark); *forsyne med -er* annotate.

anmærkningsprotokol black book.

annaler *pl* annals.

anneks *(et -er)* annex; *(-sogn)* parish-of-ease. **anneksion** *(en -er)* annexation. **annekskirke** chapel-of-ease. **annektere** *vb* annex; *(tilvende sig)* appropriate; *(lægge beslag pd)* monopolize.

anno in the year; *Anno Domini* anno Domini, A.D., in the year of our Lord.

annonce *(en -r)* advertisement; **T** ad; *indrykke en ~ i* insert an a. in. **annonce|agent** (advertisement) canvasser. **-bureau** advertising agency. **-indtægt** advertising revenue. **-kampagne** advertising campaign.

annoncere *vb* advertise; *(radioprogram)* announce. **annoncering** *(en)* advertising; *(af radioprogram)* announcement. **annoncør** *(en -er)* advertiser.

annuitet *(en -er)* annuity.

annullere *vb* cancel, annul.

annullering *(en)* cancellation, annulment.

anode *(en -r)* anode. **anodebatteri** anode battery.

anonym *adj* anonymous.

anonymitet *(en)* anonymity.

anorak *(en -ker)* anorak, parka.

anordne *(ordne)* arrange; *(befale)* order, ordain, decree. **anordning** *(en -er)* arrangement; *(befaling etc)* order, ordinance, decree, regulation; *(mekanisk etc)* device; *kongelig ~ (svarer til)* Royal decree; *(i England)* Order in Council.

anormal *adj* anormal, *(ofte =)* abnormal.

anretning *(en -er) (mdltid)* collation, *(ret)* course; *(borddækning)* arrangement (of a table).

anrette *(fordrsage)* cause, effect; *(mad)* serve; *~ skade* cause damage. **anretter|bord** dresser, service table. **-værelse** butler's pantry.

anråbe * ⚔ challenge; ⚓ hail; *(bede)* implore; *(pdkalde)* invoke; *~ kongen om nåde* implore the King's mercy. **anråbelse** *(en)* invocation; ⚔ challenge.

ansamling *(en -er)* accumulation.

ansat *perf part af ansætte*.

ansats *(en -er) (anlæg, tilbøjelighed)* disposition, tendency *(til:* to); *~ til hale* rudiments of a tail, a rudimentary tail.

anse *vb:* ~ for consider (to be) *(fx* I consider him (to be) a fool (, crazy); I consider it my duty to help him; consider it as done), regard as *(fx* he regards himself as a hero), look upon as, take for; *~ det for givet* take it for granted; *~ det for passende at* consider it the proper thing to; *(se ogs anset)*.

anseelse *(en)* reputation, standing, esteem, prestige; *nyde stor ~* be in high esteem; *uden persons ~* without respect of persons.

anselig *adj (statelig)* stately, impressive; *(stor)* considerable *(fx* amount).

anset *adj* distinguished, of high standing; *han er ilde ~* he has a bad reputation.

ansigt *(et -er)* face; *ar i -et* scars on the face; *han blev lang i -et* his jaw dropped *(el.* fell); *se ham lige i -et* look him full *(el.* squarely) in the face; *le ham lige op i -et* laugh in his face; *sige ham noget lige op i -et* tell him sth. to his face; *med -et mod døren* facing the door; *smile over hele -et* be all smiles, be wreathed in smiles; *~ til ~ med* face to face with; *stille en ~ til ~ med* confront sby. with; *skære -er* make faces *(ad:* at); *vise sit sande ~* show oneself in one's true colours.

ansigts|behandling facial treatment. **-farve** complexion. **-form** shape of the face. **-løftning** face-lifting. **-massage** face massage. **-muskel** facial muscle. **-træk** feature, lineament. **-udtryk** facial expression. **-vand** skin tonic.

ansjos *(en -er)* anchovy.

anskaffe: *~ sig* get, procure; *(købe)* purchase.

anskaffelse *(en)* procurement, *(køb)* purchase.

anskaffelses|omkostninger *(pl)* initial expenditure. **-pris** initial cost.

anskreven: *ilde (, vel) ~* ill- (, well-) reputed; *være ilde ~ hos* stand ill with; *være vel ~ hos* be in great favour with, stand high with.

anskrig outcry; *gøre ~* give the alarm.

anskudt wounded, *(om fugl)* winged.

anskuelig *adj.* clear, lucid; *(malende)* graphic. **anskueliggøre** *vb* illustrate, make clear. **anskuelighed** *(en)* lucidity.

anskuelse *(en -r) (mening)* view, opinion; *(intuition)* intuition; *han var af en anden ~* he took a different view of the matter; *være af den ~ at* be of (the) opinion that, consider that; *efter min ~* in my opinion; *fremsætte en ~* express a view. **anskuelsesundervisning** object lessons.

anslag *(et -) (af streng etc)* striking; *(måde at ansld pd)* touch; *(begyndelse: i musik)* preliminary notes, *(fig)* beginning, prelude; *(rænke)* design, plot; *(vurdering)* estimate, valuation; *(om vaccine)* taking; *(projektils)* impact; *et ~ mod ens liv* an attempt on sby's life; *springe ved -et (om granat)* burst on impact.

anslagsstilling ⚔ firing position; present; *bringe geværet i ~* present the rifle.

anslå *(streng, tone etc)* strike; *(vurdere)* estimate, value *(til:* at, *fx* value the house at £3000), make *(fx* what do you make it? I make it two miles); *~ for højt* overrate, overvalue, overestimate; *~ for lavt* underrate, undervalue, underestimate; *hvor gammel -r De mig til at være?* how old would you take me to be? *~ en tone (ogs fig)* strike a note.

anspore *vb* stimulate, incite, instigate, urge (on), spur (on) *(fx* urge *(el.* spur) him to do his best); *(en der er modvillig)* goad. **ansporende** *adj* stimulating; *virke ~ pd* stimulate.

anspænde * strain; *~ alle kræfter* strain every nerve; *~ sin opmærksomhed* concentrate one's attention, be intent. **anspændelse** *(en)* strain, exertion, effort; *ved ~ af ..* by straining .. **anspændt** *adj* intense (fx thought), strenuous (fx work), tense (fx face); adv (= med ~ opmærksomhed) with close attention (fx listen with close attention).

anstalt (en -er) (institution) establishment, institution; -er (foranstaltninger) arrangements, preparations; (postyr) fuss; han gør altid så mange -er he always makes such a fuss.

anstand (en) (værdighed) dignity, deportment; (sømmelighed) decorum, propriety; kede sig med ~ submit with dignity to being bored.

anstandsdame chaperon.

anstifte instigate (fx a rebellion), stir up (fx a mutiny), cause, excite. **anstiftelse** (en) instigation. **anstifter** (en -e) instigator; (af mytteri etc) ringleader.

anstigende: komme ~ roll up (fx the whole family rolled up).

anstikke (fad) broach.

anstille make, institute; ~ betragtninger over noget make (el. indulge in) reflections about sth., reflect on sth.; ~ forsøg make experiments; ~ sig syg pretend to be ill, simulate illness.

anstrenge * exert, strain; (trætte) tire; ~ sig endeavour, exert oneself (for at: to). **anstrengelse** (en -r) effort, exertion; gøre sig -r make an effort. **anstrengende** adj trying, exhausting, fatiguing, tiring. **anstrengt** adj (anspændt) intense; (kunstlet) forced (fx smile, laugh); (træt) fatigued, tired, exhausted.

anstrøg (et -) (fig) tinge, touch.

anstændig adj decent, (sømmelig ogs) proper.

anstændig|hed (en) decency, propriety. **-hedsfølelse** a sense of decency (el. propriety). **anstændigvis** adv in decency.

anstød (et) offence; give (el. vække) ~ give offence; tage ~ af take offence at.

anstødelig offensive. **anstødelighed** (en) offensiveness; (udtryk etc) offensive thing (, remark, passage etc). **anstødssten** stumbling-block.

anstå: ~ sig be proper, be suitable.

ansvar (et) responsibility, liability, (skyld) blame; bære -et for be responsible for; drage til ~ call to account, hold responsible; vil blive draget til ~ efter loven will be prosecuted; fralægge sig -et for disclaim (the) responsibility for, wash one's hands of; på eget ~ on one's own responsibility, at one's own risk (el. peril); påtage sig det fulde ~ for det assume full responsibility for it; stå til ~ for be held responsible for, be answerable for; cykler fjernes uden ~ bicycles left here will be removed; handle under ~ be prepared to accept the responsibility for one's actions.

ansvar|havende adj (kan gengives) responsible under the press law. **-lig** adj responsible (for: for; over for: to, before). **-lighed** (en) responsibility, liability.

ansvars|bevidst responsible, conscientious. **-forsikring** third party liability insurance. **-fuld** responsible; et -t hverv a task of great responsibility. **-følelse** sense of responsibility. **-løs** irresponsible, wanton.

ansætte (anslå) value, estimate, rate; (til skat) assess; (i embede etc) appoint, employ, engage; (beramme) appoint, fix; (frugt etc) set; fast ansat permanently employed; de (fast) ansatte the (permanent) staff; han er ansat hos Brown & Co. he is with Brown & Co., he is employed by (el. has a job with) Brown & Co.; ~ gagen til £500 fix the salary at £500.

ansættelse (en -r) (se ansætte) estimate; assessment; appointment, employment; ~ af et møde appointment of a meeting; fast ~ a permanent appointment; få ~ hos get a job with.

ansøge * apply, petition; ~ om apply for (fx a job); petition for; ~ om at måtte apply for permission to. **ansøger** (en -e) applicant, petitioner; (til embede etc ogs) candidate. **ansøgning** (en -er) application, petition; efter ~ on application.

ansøgningsskema application form.

antabus (et) ® antabuse.

antabuskur antabuse treatment.

antage (tilbud etc) accept; (ansætte) engage, take on; (godkende) approve (fx a plan, a scheme); (blive tilhænger af) embrace; adopt (fx an opinion); (få (en vis skikkelse)) assume (fx human shape); (formode) suppose, assume, presume, take it; få en bog (, et stykke) -t get a book (, a play) accepted; som almindelig -t as (it) is generally believed; ~ for take for; ~ et navn adopt a name; ~ sig ens sag take up sby.'s cause; ~ titel af assume the title of.

antagelig adj (tilfredsstillende) acceptable, satisfactory; (nogenlunde) tolerable; (ret stor) considerable, good-sized, fair; (sandsynlig) probable, likely; adv probably, very likely, presumably.

antagelse (en) (se antage) acceptance; engagement; approval; adoption; (formodning) supposition, assumption, hypothesis, theory; en forkert ~ a fallacy, an erroneous belief, an incorrect assumption.

antal (et) number; i ~ in number, numerically; i et ~ af to the number of, numbering; overgå i ~ outnumber; samlet ~ total (number).

Antarktis Antarctica, the Antarctic Continent.

antarktisk adj antarctic.

antaste (på gaden) accost; (trænge sig ind på) intrude upon; (rettighed etc) infringe, interfere with.

antedatere vb antedate.

antegne vb note. **antegnelse** (en -r) note.

antenne (en -r) (radio-) aerial. **antennetråd** aerial wire.

anti- anti- (fx anti-British).

antibiotik|um (et pl -a) antibiotic. **antibiotisk** adj antibiotic.

antichambrere vb dance attendance (hos: on).

anticipere vb anticipate.

antifrysevæske antifreeze.

antik (en & adj) antique; -ken Antiquity.

antikonceptionel adj contraceptive; -le midler contraceptives.

antikrist Antichrist.

antiksamling collection of antiques.

antikva Roman (letter).

antikvar (en -er) second-hand bookseller; (finere) antiquarian bookseller. **antikvar|boghandel** second-hand bookshop; (finere) antiquarian bookshop. **-boghandler** = antikvar. **antikvariat** (et -er) = antikvarboghandel. **antikvarisk** adj second-hand.

antikveret adj antiquated, obsolete, out of date. **antikvitet** (en -er) (genstand) antique; -er (kulturhistorie) antiquities. **antikvitets|handel** antique shop. **-handler** (en -e) antique dealer. **-samler** collector of antiques.

Antillerne the Antilles.

antilogaritme antilogarithm.

antilope (en -r) antelope.

antiluftskyts anti-aircraft guns (el. defences). **antiluftskytskanon** anti-aircraft gun.

antimakassar (en) antimacassar.

antimilitarist (en -er), **antimilitaristisk** adj anti-militarist.

antimon (et) antimony.

anti|pati (en) antipathy, dislike; få ~ imod take a dislike to. **-pode** (en -r) antipode. **-raket-raket** anti-missile missile, AMM. **-semit** anti-Semite. **-semitisk** anti-Semitic. **-semitisme** (en) anti-Semitism. **-septisk** adj antiseptic; ~ middel antiseptic. **-stof** (et -fer) (med.) antibody; (i fysik) antimatter. **-tankkanon** anti-tank gun. **-tese** (en -r) antithesis.

antologi (en -er) anthology.

antracit (en) anthracite.

antropolog (en -er) anthropologist.

antropologi (en) anthropology.

antræk (et) (dragt) get-up (fx a queer get-up).

Antwerpen Antwerp.

antyde vb hint, suggest, intimate; (tyde på) indicate; (om noget fremtidigt) foreshadow; (om han var vred?) det tør jeg nok ~ T you bet he was.

antydning (en -er) hint, suggestion; indication;

(smule) suggestion, touch, suspicion; *lade en ~ falde* drop a hint; *han forstår en ~* he can take a hint.

antænde * set on fire, set fire to, ignite. **antændelig** *adj* inflammable, combustible. **antændelse** *(en)* ignition.

anvende * *(bruge)* use, employ *(til:* for); *(til bestemt formål el. tilfælde)* apply *(på:* to); *(tid, penge)* sp:nd *(på, til:* on), devote *(på, til:* to); *(gøre nyttig)* utilize, turn to account; *~ sin fritid på bedste måde* turn one's leisure to the best account; *~ alle sine kræfter* exert all one's strength; *~ stor omhu på udførelsen af ngt* exercise great care in doing sth.; *kan -s på* applies to, is applicable to; *anvendt videnskab (etc)* applied science (etc). **anvendelig** *adj* of use, usable; *er ~* can be used; *~ på* applicable to. **anvendelighed** *(en)* applicability, utility.

anvendelse *(en)* employment, use, application; *bringe i ~* put to use, bring into play; *få ~ for* find a use for; *finde ~ på* apply to.

anvise * *(vise, angive)* show, indicate, point out *(en ngt:* sth. to sby.); *(tildele)* assign, allot; *(mærk)* assign; *~ en arbejde* find work for sby.; *~ én hans gage* give sby. an order for the payment of his salary; *~ på banken* draw a cheque on the bank; *~ et beløb til udbetaling* order an amount to be paid out.

anvisning *(en -er) (vejledning)* direction, instructions; *(tildeling)* assignment, allotment; *(penge-)* (cash) order; *(check)* cheque; *efter hans ~* according to his instructions.

anvisningskontor *(arbejds-)* labour exchange. **anæmi** *(en)* anaemia. **anæmisk** *adj* anaemic.

apache *(en -r)* apache.

A-pagten *(fk f Atlantpagten)* the Atlantic Pact.

apanage *(en)* apanage, civil list annuity.

aparte *adj* odd, queer; eccentric.

apati *(en)* apathy. **apatisk** *adj* apathetic.

Apenninerne the Apennines.

aperitif *(en)* aperitif.

aplomb *(en)* aplomb, self-possession, assurance.

apo|kalypse *(en)* apocalypse. **-kalyptisk** *adj* apocalyptic. **-kryf(isk)** apocryphal; *de -iske bøger* the Apocrypha.

apollinaris soda-water, Apollinaris.

apologi *(en -er)* apology.

apopleksi *(en)* apoplexy.

apoplektiker *(en -e)*, **apoplektisk** *adj* apoplectic.

apost|el *(en -le)* apostle; *-lenes gerninger* the Acts (of the Apostles); *rejse med -lenes heste* go on Shanks's mare; *-elen Paulus* St. Paul the Apostle. **apostolisk** *adj* apostolic; *den -e trosbekendelse* the Apostles' Creed.

apostrof *(en -fer)*, **apostrofe** *(en -r)* apostrophe. **apostrofere** *vb* apostrophize.

apotek *(et -er)* chemist's (shop); *(på hospital)* dispensary; *(amr)* drugstore, pharmacy. **apoteker** *(en -e)* pharmaceutical chemist; *(amr)* druggist, pharmacist. **apoteker|medhjælper** chemist's assistant. **-varer** medical drugs.

apoteose *(en -r)* apotheosis.

apparat *(et -er)* apparatus, device, instrument. **apparatur** *(et -er)* apparatus. **apparition** *(en -er) (i astronomi)* apparition; *(udseende)* appearance.

appel *(en -ler) (jur og påberåbelse)* appeal; *(navneopråb)* roll-call; *(fart)* spirit, go; *afvise en ~ (jur)* dismiss an appeal; *opretholde en ~* allow an appeal; *rette en ~ til* appeal to, make an appeal to. **appel|domstol**, **-instans** court of appeal. **appellabel** *adj* appealable. **appellant** *(en -er)* appellant.

appellere *vb* appeal *(til:* to), lodge an appeal *(til:* with); *~ en dom (i borgerlige sager)* appeal (against) a judgment; *(i straffesager)* appeal (against) a conviction; *(mod strafudmåling)* appeal (against) a sentence; *~ til hans følelser* appeal to his feelings. **appel|ret** right of appeal; *(domstol)* court of appeal. **-sag** appeal case.

appelsin *(en -er)* orange. **appelsin|fri:** *han er ikke helt ~* he has had a drop too much. **-skal** orange peel.

appendicitis *(en) (med.)* appendicitis.

appendiks *(et)* appendix, supplement.

appetit *(en)* appetite *(på, til:* for); *det giver ~ it* gives you an appetite; *spise med god ~* eat with relish. **appetit|lig** appetizing, savoury, tempting. **-løshed** loss of appetite. **-vækkende** appetizing. **-vækker** appetizer.

applaudere *vb* applaud.

applaus *(en)* applause, plaudits.

applikation *(påsyning)* appliqué (work). **applikere** *(påsy)* apply, appliqué *(på:* to).

apportere *vb* retrieve.

apposition *(en)* apposition; *stå i ~ til* be in apposition to.

appretur *(en)* finish, dressing, sizing.

approbation *(en)* approbation, approval, sanction. **approbere** approve, sanction.

april April; *den første ~* the first of April, April 1st, All Fool's Day; *narre ham ~* make him an April fool. **aprils|nar** April fool. **-vejr** April weather.

apriori, **apriorisk** *adj* a priori.

apropos by the by(e), by the way, apropos; *komme ~* be apropos, be opportune; *~ Smith ...* talking of *(el.* apropos of) Smith ...

apsis *(en -ser) (arkit)* apse.

aptering *(en -er)* fittings; ⚓ accommodation.

I. **ar** *(et -)* scar, cicatrice, seam; ⚕ **stigma;** *et ~ efter et slag* a scar from a blow.

II. **ar** *(en -)* *(mål)* are, 100 sq. metres.

ara *(en -er)* zo macaw, ara.

araber *(en -e)* Arab. **araberinde** *(en)* Arab woman. **arabesk** *(en -er)* arabesque.

Arabien Arabia. I. **arabisk** *(sproget)* Arabic. II. **arabisk** *adj* Arab, Arabian; *Den forenede -e Republik* the United Arab Republic; *-e tal* Arabic numerals.

aramæisk *(sproget)* Aramaic.

araucaria *(en, araucarier)* ⚕ araucaria.

I. **arbejde** *(et -r)* work *(fx* the work of building a house; hard work; set sby. to work); *(strengt)* labour; *(beskæftigelse)* employment, job *(fx* get a job); *(stykke ~)* job *(fx* do a job well); piece of work *(fx* a fine piece of work); *(hverv)* task *(fx* a thankless task); *(god el. dårlig udførelse)* workmanship *(fx* bad w.); *(tilvirkning)* make;

britisk ~ British make; *køb britisk ~* buy British; *få ~* get a job; *genoptage -t* resume work; *ved sine hænders ~* by the labour of one's hands; *~ og kapital* Capital and Labour; *legemligt ~* manual labour; *et litterært ~* a literary work; *nedlægge -t* (go on) strike come out (on strike); *offentlige -r* public works; *gå på ~* go to work; *spildt ~* waste of energy; *et godt stykke ~* a good piece of work; *sætte ngt i ~* put sth. in hand *(el.* into work); *sætte en i ~* set sby. to work; *søge ~* be looking for work; *være uden ~* be unemployed, be out of work; *under -t* while working; *være under ~* be in hand, be in progress.

II. **arbejde** *vb* work; *(strengt)* labour; *(fungere)* operate, function; *~ en gæld af* work off a debt; *hans bryst -de* his breast heaved; *~ med et problem* work at a problem; *~ en forretning op* work up a business; *~ over* work overtime; *~ på* work at, be engaged in; *~ sig frem* work one's way, *(om karriere)* rise from the ranks; *~ sig fri* work oneself free; *~ sig igennem* work one's way through; *~ sig ihjel* work oneself to death; *~ sig løs (om skrue etc)* work loose.

arbejder *(en -e)* worker, workman, working man; *(fabriks-)* operative, man, hand; *(land-)* labourer; *(hos bier)* worker; *-e (ogs)* working people; *faglært ~* skilled worker; *hændens -e* manual workers, manual labour; *åndens -e* brain-workers; *-ne (som klasse)* the workers, labour. **arbejder|befolkning** working-class population. **-beskyttelse** protection of workers. **-bevægelse** labour movement. **-boliger** *pl* workmen's houses; *(lejekaserner)* tenements. **-familie** working-class family. **-fører** Labour leader. **-højskole** workers' college *(el.* high school). **-klassen** the working class(es). **-kvarter** working-class district *(el.* quarter). **-partiet** the Labour Party.

arbejderske *(en -r)* woman worker.
arbejderuroligheder labour troubles.
arbejds|anvisningskontor labour exchange. **-be-sparende** labour-saving. **-bog** notebook; *(med op-gaver)* workbook. **-bord** working table; *(skrive-)* writing table, desk. **-byrde** work load. **-dag** *(daglig arbejdstid)* working-day, hours; *(hverdag)* working **-day. -deling** division of labour; *(til modarbejdelse af arbejdsløshed)* distribution of available work. **-dreng** boy. **-dygtig** *adj* fit, able-bodied. **-dygtig-hed** capacity for work, fitness. **-evne** working capacity. **-felt** *(virkefelt)* field of activity. **-folk** work-people. **-forhold** *pl* working conditions. **-formand** foreman. **-fortjeneste** earnings *(pl)*. **-fred** *(i sam-fundet)* industrial peace; *(se ogs -ro)*. **-giver** employer. **-giverforening** employers' association. **-glæde** zest; *det ødelægger ens ~* it takes all the pleasure out of one's work. **-hest** work horse, *(om person)* drudge. **-hold** shift. **-indsats** performance. **-kammerat** fellow worker, T mate. **-kamp** labour conflict. **-klædt** *adj* dressed in one's working clothes; wearing the dress of a working man.
arbejds|kraft *(evne)* capacity for work; *(arbej-dere)* labour; manpower; *mangel på ~* scarcity of labour. **-kørsel** haulage, heavy traffic. **-ledighed** *se -løshed.* **-lejr** labour camp. **-lyst** zeal, love of working. **-løn** wage(s).
arbejdsløs *adj* unemployed, out of work; *de -e* the unemployed; *gøre dem -e* throw them out of work, make them redundant.
arbejdsløshed *(en)* unemployment.
arbejdsløsheds|forsikring unemployment insurance. **-kasse** unemployment fund. **-spørgsmålet** the unemployment problem. **-understøttelse** unemployment relief, T the dole; *få ~* be on the dole. **-ø** pocket of unemployment.
arbejds|mand unskilled labourer. **-mangel** shortage of work. **-marked** labour market. **-materiale** materials. **-menneske** hard worker. **-metode** working method. **-ministerium** Ministry of Labour. **-måde** working method. **-nedlæggelse** strike.
arbejdsom *adj* industrious, hard-working. **arbejdsomhed** *(en)* industry.
arbejds|overenskomst labour agreement. **-plads** place of work; *(byggeplads)* site. **-pligt** obligation to work. **-program** working plan. **-risiko** occupational risk. **-ro**: *må jeg så få ~* can't you let me work in peace. **-seddel** (workman's) timesheet. **-skur** workmen's shed. **-sky** workshy. **-soldat** private in the Army Service Corps. **-standsning** stoppage of work; *(strejke)* strike; *(lockout)* lock-out. **-stridig-hed** labour conflict. **-studier** *pl* work studies. **-styrke** number of hands, working staff, labour force. **-søgende** *adj* in search of work, job-seeking; *(subst)* applicant, person in search of work.
arbejds|tager employee. **-tegning** workshop drawing. **-tempo** speed; *forhøjet ~* speeding-up; *nedsætte -et (som obstruktion)* go slow. **-tid** *(working)* hours; *efter -en* after hours; *kort ~* short hours. **-til-ladelse** labour permit. **-tøj** working clothes. **-udyg-tig** disabled. **-udygtighed** disablement. **-uge** working week; *40 timers ~* a 40 hour week. **-vant** experienced, accustomed to work. **-villig** *adj* willing to work; *subst (under strejke)* strike-breaker. **-vogn** cart, waggon. **-værelse** study. **-ydelse** output (of work).
arbitrage *(en) (merk)* arbitrage.
arbitrær *adj* arbitrary.
Ardennerne the Ardennes.
areal *(et -er)* area, space; *(i acres)* acreage.
arena *(en -er)* arena; *(til tyrefægtning)* bullring; *vise sig på -en (fig)* appear on the scene.
arg: *hans -este fjende* his worst enemy; *det -este skidt* utter rubbish.
Argentina Argentina.
Argentiner *(en -e),* **argentinsk** *adj* Argentine.
argot *(en)* argot, jargon.

argument *(et -er)* argument. **argumentation** *(en -er)* argumentation. **argumentere** *vb* argue, reason. **argumentering** *(en)* argumentation.
ariadnetråd (Ariadne's) clue.
arie *(en -r)* aria.
arier *(en -e)* Aryan.
arild: *fra -s tid* from time immemorial.
arisk *adj* Aryan.
aristokrat *(en -er)* aristocrat. **aristokrati** *(et)* aristocracy. **aristokratisk** *adj* aristocratic.
aritmetik *(en)* algebra. **aritmetisk** arithmetical.
I. **ark** *(en -er)* ark; *Noahs ~* Noah's Ark; *Pagtens ~* the Ark of the Covenant.
II. **ark** *(et -)* sheet; *et ~ papir* a sheet of paper.
arkade *(en -r)* arcade.
arkaiserende, arkaisk *adj* archaic.
arkipelag *(et -er), se øhav.*
arkitekt *(en -er)* architect.
arkitektonisk *adj* architectural, architectonic. **ar-kitekttegnet** architect-designed. **arkitektur** *(en)* architecture.
arkitrav *(en -er)* architrave.
arkiv *(et -er)* archive(s); *(merk)* files; *(rigs- etc)* record office. **arkivalier** *pl* documents, records. **ar-kivar** *(en -er)* archivist, keeper of the archives.
Arktis the arctic regions. **arktisk** *adj* arctic.
arkæo|log *(en -er)* archaeologist. **-logi** *(en)* archaeology. **-logisk** *adj* archaeological.
I. **arm** *(en -e)* arm; *(af lysekrone, lysestage etc)* branch; *(gas- etc)* bracket; *~ i ~* arm-in-arm; *løbe lige i -ene på* run straight into the arms of; *vi må tage det i stiv ~ (fig)* we must stick it; *krumme -en (drikke)* crook *(el. lift)* the elbow; *med et barn på -en* carrying a child on one's arm; *hun gik med ham under -en* she walked arm-in-arm with him; *han havde hende under -en* he had her on his arm; *hun tog ham under -en* she took his arm.
II. **arm** *adj* poor.
armada *(en)* armada; *den uovervindelige ~* the (Invincible) Armada.
armatur *(en -er) (tilbehør)* fittings.
arm|bind *(bandage)* bandage; *(til støtte af armen)* sling; *(som kendetegn)* armlet. **-brøst** *(en -er)* cross-bow. **-bånd** bracelet. **-båndsur** wrist watch.
armé *(en -er)* army. **armékorps** army corps.
Armenien Armenia.
armenier(inde) *(en),* **armenisk** *adj* Armenian.
armere *(bevæbne)* arm; *(pansre)* armour; *- betton* reinforced concrete, ferro-concrete.
armering *(en)* armament; *(panser)* armour.
arm|gang travelling. **-hule** armpit. **-kraft** strength of arm; *gode -kræfter* strong arms. **-læn** *(et)* arm(rest). **-lænke** chain bracelet.
armod *(en)* poverty, penury, destitution.
arm|ring arm ring. **-stage** branched candlestick. **-stol** arm chair. **-strækning** arms stretching. **-sved** body odour. **-sving** arm(s) swinging.
arne *(en -r)* hearth; *hjemmets ~* the home fires.
arnested hearth, fireplace; *(fig)* hotbed *(for: of)*.
aroma *(en -er)* aroma. **aromatisk** *adj* aromatic.
Aron Aaron.
arrangement *(et -er)* arrangement. **arrangere** *vb* arrange; organize, T get up *(fx* a dance); *(amr ogs)* fix up. **arrangør** *(en -er)* organizer.
arrest *(en -er) (beslaglæggelse)* arrest, seizure; *(af skib)* embargo; *(fængsling)* custody, detention; *(lo-kalet)* gaol (, *amr* jail), prison; *gøre ~ i ens ejendele* arrest sby.'s property; *mørk ~* imprisonment in a dark cell. **arrestant** *(en -er)* prisoner. **arrestation** *(en -er)* arrest. **arrestere** *vb* arrest, take into custody, put under arrest.
arrest|forvarer keeper of a country gaol, gaoler. **-hus** gaol, lockup. **-ordre** warrant (for an arrest).
arret *adj* scarred.
arrieregarde rearguard, rear.
arrig *adj* ill-tempered; *~ kvinde* shrew, vixen, termagant; *blive ~ på* get angry with.

arrig|skab *(en)* ill-temper, bad temper, spite. **-trold** spitfire; *(kvinde ogs)* shrew, vixen.

arrivere *(ankomme)* arrive, turn up.

arrogance *(en)* arrogance. **arrogant** arrogant.

arsenal *(et -er)* arsenal.

arsenik *(en)* arsenic. **arsenik|forgiftet** *adj* poisoned with arsenic. **-forgiftning** arsenic poisoning.

art *(en -er) (beskaffenhed)* nature, character; *(slags)* sort, kind, description; *(biologisk)* species; *(kvægrace)* breed; *i sin ~* of its kind; *-ernes oprindelse* the origin of species; *varer af forskellig ~* various kinds of goods.

arte: *~ sig* shape, develop, turn out; *drengen -r sig vel* the boy is shaping well.

arterie *(en -r)* artery. **arterie-** arterial *(fx* system).

artesisk brønd artesian well.

artig *(modsat uartig)* good, well-behaved; *(beleven)* courteous, polite; *(ret stor)* considerable *(fx* sum); *(ironisk)* nice, pretty; *vær så ~ (tilbydende)* here you are, *(tilladende)* do; by all means; *vær så ~ at* please; be so kind as to. **artighed** *(en -er)* good behaviour; courtesy, politeness; *sige hende -er* pay her compliments.

artik|el *(en -ler)* article; *(vare ogs)* commodity; *den (u)bestemte ~* the (in)definite article; *-ler for tandlæger (, etc)* dentists' (, etc.) supplies; *ledende ~ (i avis)* leader, leading article; *(amr)* editorial.

artikulation *(en -er)* articulation.

artikulere *vb* articulate.

artilleri *(et)* artillery, ordnance. **artilleri|forberedelse** artillery preparation. **-ild** artillery fire.

artillerist *(en -er)* artilleryman, gunner.

artiskok *(en -ker)* artichoke. **artiskokbund** artichoke bottom.

artist *(en -er)* artiste, music hall performer; *(amr)* vaudeville performer. **artistisk** *adj* artistic.

artistnummer turn, number, act.

artium *(en) (omtr) =)* (the examination for) the General Certificate of Education; *magister ~* master of arts, M.A.

arts|begreb specific notion. **-karakter, -mærke, -præg** specific character.

arum *(en)* ♧ arum.

arv *(en)* inheritance; *(testamentarisk)* legacy; *(fig)* heritage; *~ og miljø* heredity and environment; *få i ~* inherit, succeed to; *gå i ~ til* descend to, pass to, *(biologisk)* be transmitted to, *(fig)* be passed on to; *lade gå i ~ til* pass on to; *give ham det til ~ og eje* make him a present of it; *ved ~* by inheritance; *vedgå ~ og gæld* accept the inheritance with the assets and liabilities.

I. **arve** *(en)* ♧ scarlet pimpernel.

II. **arve** *vb* inherit, succeed to; *(biologisk)* inherit; *~ en* succeed to sby.'s property, be sby.'s (sole) heir; *~ efter* inherit from; *han -de det efter sin tante he* inherited it from his aunt.

arve|afgift death duty. **-anlæg** gene. **-berettiget** entitled to inherit. **-fjende** hereditary enemy. **-forskud** advancement. **-fæste** *(et)* copyhold. **-følge** order of succession; *(tiltrædelse af arveret)* succession. **-følgekrig** war of succession *(fx* the War of the Spanish Succession). **-lader** *(en -e)* testator, *(kvindelig)* testatrix; *(uden testamente)* intestate.

arvelig *adj* hereditary *(fx* character, monarch, disease), heritable, inheritable; *~ belastet* (afflicted) with a hereditary taint; *~ hos* hereditary in. **arvelighed** *(en)* inheritability, *(biologisk)* heredity.

arveligheds|forsker geneticist. **-forskning** genetics. **-lov** law of heredity. **-lære, -teori** theory of heredity, genetics.

arve|lod *(en)* share of (an) inheritance; *(arv)* inheritance. **-lov** *(jur)* inheritance Act; *(biol)* law of heredity. **-løs** disinherited; *gøre ~* disinherit, cut off (with a shilling). **-prins** heir presumptive (to the throne). **-ret** *(en) (ret til arv)* right of inheritance *(el.* succession), *(retsregler om arv)* law of wills and succession. **-stykke** heirloom. **-synd** original sin; *grim*

som -en as ugly as sin. **-sølv** family silver. **-tante** [aunt from whom one has expectations], rich aunt.

arving *(en -er)* heir, *(kvindelig)* heiress; *legal ~* intestate successor; *ret ~* lawful successor; *de har fået en ~ (o: et barn)* they have had a baby.

arvtager *(en -e)* heir.

I. **as** *(et) (musik)* A flat.

II. **as** *(en -er) (gud)* As *(pl* Ases).

A/S *fk f aktieselskab.*

asbest *(en)* asbestos. **asbestplade** asbestos sheet.

ascorbinsyre ascorbic acid.

ase *vb* struggle *(med* with); sweat *(med* over).

asen *(et -er) (bæst)* brute; *(fæ)* ass; *det heldige ~!* lucky beggar! *slæbe som et ~* work like a nigger.

aseninde *(en -r)* she-ass.

aseptik *(en)* aseptics. **aseptisk** *adj* aseptic.

asfalt *(en)*, **asfaltere** *vb* asphalt.

asfaltmaler *(svarer til)* pavement artist.

Asgårdsrejen *(omtr =)* the Wild Huntsman.

asiat(er) *(en)* Asian. **asiatisk** *adj* Asian *(fx* the Asian flu); Asiatic; *det -e Tyrki* Turkey in Asia.

asie *(en -r)* large cucumber.

Asien Asia.

asiet, asjet *(en -ter)* small plate *(el.* dish).

ask *(en)* ♧ ash.

aske *(en)* ashes *(pl)*; *(bestemt slags)* ash *(fx* bone ash, cigar ash); *(udglødet kul)* cinder(s); *(ulmende)* embers; *fra -n i ilden* out of the frying-pan into the fire; *lægge i ~* lay in *(el.* reduce to) ashes; *han slog -n af sin cigar* he flicked the ash off his cigar; *støv og ~* dust and ashes; *sæk og ~* sackcloth and ashes; *hans ~ blev spredt for vinden* his ashes were scattered to the winds. **aske|bæger** ash-tray. **-farvet, -grå** ash-coloured, *(om ansigt)* ashen (grey). **-onsdag** Ash Wednesday. **-pot** Cinderella. **-regn** shower of ashes.

askese *(en)* asceticism.

aske|skuffe *(en -r)* ash pan. **-spand** ash bin; ♧ ash bucket.

asket *(en -er)*, **asketisk** *adj* ascetic.

aske|træ ash tree; *(veddet)* ash wood. **-urne** cinerary urn.

asocial anti-social.

asovsk: *Det -e Hav* the Sea of Azov.

asp *(en -e)* ♧ aspen.

asparges *(en pl d. s. el. -er)* asparagus; *stikke ~ cut* asparagus. **asparges|bed** asparagus bed. **-hoved** a. tip. **-stikker** a. knife. **-top** a. green.

aspekt *(et -er)* aspect.

aspidistra *(en -er)* ♧ aspidistra.

aspirant *(en -er)* aspirant, candidate; *(på prøve)* probationer.

aspiration *(en -er)* aspiration.

aspirere *vb* aspire *(til:* to); *(en lyd)* aspirate.

aspirin *(en)* ® aspirin.

assessor *(en -er)* judge.

assimilation *(en)* assimilation. **assimilere** *vb* assimilate *(med:* to); *~ sig med* assimilate with *(el.* to).

assistance *(en)* assistance.

assistenshuset [formerly: pawnbroking establishment in Copenhagen, carried on by the State].

assistent *(en -er)* assistant; *(på kontor, fx post-)* clerk; *(sygeplejerske)* ward sister.

assistere *vb* assist *(ved:* at, in).

association *(en -er)* association.

associé *(en, associeer)* partner. **associere** *vb* associate; *~ sig (merk)* enter into partnership *(med* with).

assortere assort. **assortiment** *(et)* assortment.

assurance *(en)* insurance; *(livs- dog korrektest)* assurance. **assurance|agent** *(etc)* se *forsikringsagent etc.* **-svig** insurance fraud.

assurandør *(en -er) (om person)* insurer, insurance man; *(agent)* insurance agent; *(sø-)* underwriter; *(om selskab)* insurance company, insurer.

assurere *vb* insure; *(liv ogs)* assure; *jeg har -t* I am insured; *der var ikke -t* there was no insurance.

assyrer *(en -e)* Assyrian. **Assyrien** Assyria.

assyriolog *(en -er)* Assyriologist. **assyriologi** *(en)* Assyriology. **assyrisk** *adj* Assyrian.

asters *(en)* ⚘ aster.

astigmatisk *adj* astigmatic. **astigmatisme** *(en)* astigmatism.

astma *(en)* asthma.

astmatiker *(en -e)*, **astmatisk** *adj* asthmatic.

astrakan(skind) astrakhan.

astral- astral *(fx* spirits, lamp, body).

astringerende: ~ *middel* astringent.

astro|log *-er)* astrologer. **-logi** *(en)* astrology. **-logisk** *adj* astrologic(al). **-naut** *(en -er)* astronaut. **-nom** *(en -er)* astronomer. **-nomi** *(en)* astronomy. **-nomisk** *adj* astronomic(al).

asyl *(et -er) (fristed)* asylum, place of refuge, sanctuary; *(børnehjem)* orphanage, *(dag -)* crèche. **asylret** right of asylum.

I. **at** *(foran sætning)* that; *jeg ved, at det er umuligt* I know (that) it is *(el.* I know it to be) impossible; *jeg håber De vil undskylde at han kommer for sent* I hope you will excuse his *(el.* him) being late; *følgen af at han kom* the consequence of 'his coming; *efter at han havde set mig* after he had *(el.* after having) seen me; *jeg er bange for at jeg ikke kan komme* I am afraid (that) I shall not be able to come; *for at (ikke), se III. for k*; *der er ingen tvivl om at* there is no doubt that; *du kan stole på at* you may rely upon it that; *uden at han ved det* without his knowing it; *at det skulle hænde mig!* that such a thing should happen to me! *at jeg kunne være så dum!* how could I be so stupid! *at jeg dog ikke har gjort det før!* why haven't I done it before! *at du ikke skammer dig!* you ought to be ashamed of yourself! *så træt at han faldt om* so tired that he collapsed; *stenen er for tung til at jeg kan løfte den* the stone is too heavy for me to lift.

II. **at** *(foran infinitiv)* to; *det at skrive* writing; *han prøvede at gøre det* he tried to do it; *prøv at gøre det* try and do it, try to do it; *det er let at se* it is easy to see; *han begyndte (, elskede) at synge* he began (, loved) singing *(el.* to sing); *efter at have dikteret et brev* after dictating *(el.* having dictated) a letter; *hellere end at blive her* rather than stay here; *intetsteds at finde (, se)* nowhere to be found (, to be seen); *for at* (in order) to *(fx* in order to help him; go out to open the door); *for ikke at* (so as) not to; *i (, cm, uden, ved, etc) at ...* in (, about, without, by, etc.) **-ing;** *kunsten at bygge* the art of building; *være så venlig at* be so kind as to, be kind enough to, please; *for godt til at være sandt* too good to be true.

atavisme *(en -r)* atavism, reversion (to type).

atavistisk *adj* atavistic.

ateisme *(en)* atheism. **ateist** *(en -er)* atheist. **ateistisk** *adj* atheistic(al).

atelier *(et -er)* studio; *(systue)* workroom.

Athen Athens. **Athene** Athena.

Athen(iens)er *(en -e)*, **athen(iensi)sk** *adj*, **athenæer** *(en -e)*, **athenæisk** *adj* Athenian.

ati(sch) *int (nysen)* atishoo.

Atlanterhavet the Atlantic (Ocean).

atlanterhavserklæringen the Atlantic Charter.

Atlantpagten the Atlantic Pact.

Atlantpagtorganisationen the North Atlantic Treaty Organization, NATO.

atlas *(et -ser) (kort)* atlas.

Atlasbjergene Atlas Mountains.

atlas|blad topographic map on the scale of 1:40000. **-hvirvel** *(anat.)* atlas.

atlask *(et)* satin. **atlaskes** *adj* satin.

atlet *(en -er)* athlete. **atletik** *(en)* athletics. **atletisk** *adj* athletic.

atmosfære *(en -r)* atmosphere. **atmosfærisk** *adj* atmospheric(al); *-e forstyrrelser (i radio)* atmospherics.

atom *(et -er)* atom; *sprænge et* ~ split an atom. **atom|alderen** the Atomic Age. **-bombe** atom(ic) bomb. **-demonstrant** atomic disarmer. **-dreven** *adj* atom-powered. **-energi** nuclear *(el.* atomic) energy. **-energikommission** atomic energy

commission; *(i England)* atomic energy authority. **-forsker** nuclear physicist. **-forskning** atomic research. **-forsøg** nuclear test. **-forsøgsanlæg, -forsøgsstation** atomic energy research establishment. **-fri** nuclear-free. **-fysik** nuclear physics.

atomisme *(en)* atomism. **atomist** *(en -er)* atomist. **atomistisk** *adj* atomic *(fx* theory).

atom|kerne nucleus of an atom. **-kernefysik** nuclear physics. **-kraftværk** atomic power plant. **-krig** atomic warfare. **-ladning** *(i raket)* nuclear warhead. **-reaktor** atomic reactor. **-sprængladning** *(i raket)* nuclear warhead. **-sprængning** atomic explosion. **-stop** nuclear test ban. **-støv** radioactive *(el.* atomic) dust; *nedfald af* ~ fall-out. **-teori** atomic theory. **-ubåd** nuclear (-powered) submarine. **-vægt** atomic weight. **-våben** nuclear (*el.* atomic) weapon. **-våbenfri,** *se -fri.*

atrofi *(en)* atrophy.

attaché *(en, attacheer)* attaché. **attachere** *vb* attach; *-t ham* attached to him. **attachétaske** attaché case.

atten eighteen. **attende** eighteenth.

attentat *(et -er)* attempt, (attempted) assassination; *gøre et* ~ *på en* make an attempt on sby.'s life. **attentatmand** (would-be) assassin.

atter again, once more; ~ *og* ~ again and again, over and over (again); *nej og* ~ *nej* emphatically no.

attest *(en -er)* certificate, testimonial *(for:* of). **attestere** *vb* certify (to), attest (to); *herved -s at* this is to certify that. **attestering** *(en)* attestation.

Attika Attica. **attisk** *adj:* ~ *salt* Attic salt.

attitude *(en -r)* attitude; *stille sig i* ~ strike an attitude, pose.

attraktion *(en -er)* attraction.

attrap *(en -per)* dummy; *(for skæmt)* novelty toy.

attrapere *vb* catch, seize.

attribut *(et -ter)* attribute. **attributiv** attributive.

I. **attrå** *(en)* desire, longing, craving, thirst *(efter:* for, *efter at:* to).

II. **attrå** *vb* desire, covet. **attråværdig** desirable.

audiens *(en -er)* audience; *få* ~ *hos* obtain an audience of *(el.* with); *blive modtaget i* ~ be received in audience. **audienssal** audience room, presence chamber.

auditiv *adj* auditory; *(psyk)* auditory, audile. **auditori|um** *(et -er)* lecture room *(el.* theatre); *(tilhørerne)* audience.

auditør *(en -er)* ⚖ judge advocate.

augur *(en -er)* augur. **augur-** augural.

I. **august** *(måned)* August.

II. **August** *(fornavn)* Augustus.

auktion *(en -er)* auction, public sale, (auction) sale; *afholde* ~ hold a sale; *købe på* ~ buy at an auction; *sælge på* ~ sell by auction; *sætte til* ~ put up to auction. **auktionarius** *(en)* auctioneer. **auktionere:** ~ *bort* sell by auction.

auktions|bridge auction (bridge). **-dag** day of the sale. **-gebyr** auctioneer's fee. **-hammer** auctioneer's hammer. **-holder** auctioneer. **-katalog** sale catalogue. **-lokale** saleroom. **-plakat** notice of sale. **-pris** auction price.

aula *(en -er)* aula, great hall.

aurik|el *(en -ler)* auricula.

auspicier: *under hans* ~ under his auspices.

Australasien Australasia. **Australien** Australia; *(m omliggende øer)* Australasia. **australier(inde)** *(en)*, Australian. **australneger** Australian aboriginal, blackfellow. **australsk** *adj* Australian.

autentisk *adj* authentic; *adv* -ally.

auto *(en -er) se automobil.*

autobiografi *(en -er)* autobiography.

autodafé *(en -er)* auto-da-fé *(pl* autos-da-fé).

autodidakt *(en -er)* self-taught person.

autogensvejsning autogenous welding.

autograf *(en -er)* autograph. **autograf|jæger** autograph hunter. **-samler** autograph collector.

auto|kliché half-tone block. **-krat** *(en -er)* autocrat.

automat *(en -er) (salgs-)* slot machine, automatic (vending) machine; *(cigaret- ogs)* cigarette machine; *(gas-)* slot meter; *(telefon-)* slot telephone; *(mekanisk dukke, også fig)* automaton *(fx* he moved like an automaton). **automation** *(en)* automation.
automatisere *vb* automatize. **automatisering** *(en)* automation. **automatisk** *adj* automatic; *adv* -ally. **automatisme** *(en -r)* automatism.
automat|kafé self-service café. **-måler** slot meter, prepayment meter.
automobil *(et -er)* motor car, car, motor; *(amr også)* automobile, auto; *(drosche)* taxi; *(lastvogn)* lorry, *(amr)* truck; **køre ~** drive a car; **køre i ~** motor.
automobil|ansvarsforsikring automobile third party liability insurance. **-benzin** petrol; *(amr)* gasoline. **-briller** goggles. **-fabrik** motor works *(el.* factory). **-forsikring** motor car insurance. **-horn** motor horn. **-industri** motor industry. **-isme** *(en)* motoring. **-ist** *(en -er)* motorist. **-køler** radiator. **-kørsel** motoring. **-lygte** headlight (of a car). **-motor** *(car)* engine. **-olie** motor oil. **-ring** car tyre. **-tur** *(motor)* drive *(el.* run); *(længere)* motor tour. **-udstilling** motor show, *(amr)* automobile show. **-ulykke** motor *(el.* car) accident. **-vej** motor road. **-væddeløb** motor *(el.* car) race. **-værksted** repair shop, garage.
auto|nomi *(en)* autonomy. **-nom(isk)** *adj* autonomous. **autor** *(en -er)* author.
autoradio car radio; *(amr)* automobile radio.
autorisation *(en)* authorization. **autorisere** *vb* authorize, license. **autoritativ** *adj* authoritative. **autoritet** *(en -er)* authority. **autoritetstro** *adj* orthodox. **autoritær** *adj* authoritarian.
autostrada *(en -er)* motorway; *(tysk)* autobahn. **autotypi** *(en -er)* half-tone engraving.
autoværn crash fence.
av! oh! ouch!
avance *(en)* profit; **sælge med ~** sell at a profit. **avancement** *(et -er)* promotion, *(især gejstlig)* preferment. **avancere** *(rykke frem)* advance; *(forfremmes)* be promoted *(til:* to the rank of); *der -s efter anciennitet* promotion goes by seniority.
avanceret *pp, adj* advanced *(fx* music).
avant|garde ✕ vanguard, van, advanced guard; *(fig)* avant-garde. **-gardist** avant-gardist(e).

I. **ave:** *holde i ~* keep in check.
II. **ave** *vb* check, restrain.
avers *(en -er)* obverse, face.
aversion *(en -er)* aversion, dislike *(mod:* to); *få ~ mod* take a dislike to.
avertere *vb* advertise *(efter:* for); *~ ham i tide* let him know beforehand; *~ med ngt* advertise sth. **avertering** *(en)* advertising. **avertissement** *(et -er)* advetisement.
avet: *~ om* backwards, counter-clockwise; *danse ~ om* reverse.
avis *(en -er)* newspaper, paper; *holde en ~* take in a paper; *gå med -er* do a newspaper-round. **avis| and hoax.** **-artikel** (newspaper) article; *(kort)* paragraph. **-dreng** paper boy. **-kiosk** newsstand, *(fx på jernbanestationen)* book stall. **-læsesal** newsroom. **-mand** *(bud)* paper man, *(bladhandler)* newsagent, newsvendor, *(amr)* news dealer. **-papir** old newspapers; *(til trykning)* newsprint; *indpakket i ~* wrapped in a newspaper *(,* in newspapers). **-polemik** controversy (in the press). **-spalte** newspaper column. **-sprog** journalese. **-stof** copy *(fx* news about Royalty is good copy). **-sælger** *se under avismand (, bladhandler).*
a vista *(merk)* at sight; *~ veksel* sight bill.
avisudklip (press) cutting; *(amr)* clipping.
a-vitamin vitamin A. **avitaminose** *(en -r)* vitamin deficiency, avitaminosis.
avl *(en) (dyrkning)* growing, culture; *(opdræt)* breeding, rearing; *(afgrøde)* crop, produce.
avle *(dyrke)* grow, raise; *(opdrætte)* breed; *(afkom)* beget, procreate, engender; *(om hingst)* sire; *(fig)* beget, breed, engender. **avledygtig** procreative. **avling** *(en) se avl.*
avls|brug *(et)* farming; *(bedrift)* farm. **-bruger** farmer. **-bygninger** *pl* farm buildings. **-center** breeding-centre. **-dyr** breeding animal, breeder. **-forvalter** farm bailiff. **-gård** home farm. **-karl** farm hand. **-redskab** farm(ing) implement.
avnbøg ♣ hornbeam.
avne *(en -r)* ♣ glume; **-r** *(som affald)* chaff.
azalea *(en -er)* ♣ azalea.
Azorerne the Azores.
aztek *(en -er)*, **aztekisk** *adj* Aztec.
azur *(en)* azure. **azurblå** azure.

B

B, b *(et -'er)* B, b; *(fortegn i musik)* flat, *(tonen)* B flat; *sætte b for* (i musik) flatten.
Babel *(et)* Babel. **babelsk** *adj* Babel-like, Babylonian. **Babelstårnet** the Tower of Babel.
baby *(en -er)* baby. **baby|agtig** *adj* babyish. **-lift** carry-cot.
Babylon Babylon. **Babylonien** Babylonia.
babylonier *(en -e)*, **babylonisk** *adj* Babylonian. **baby|sprog** baby talk. **-udstyr** baby clothes, baby things; *et sæt ~* a layette.
bacille *(en -r)* bacil|lus *(pl* -li), germ, microbe.
back *(en -er el. -s) (i sport)* (full) back.
backfisch *(en -e)* flapper.
bacon *(en)* bacon; *en skive ~* a rasher. **baconside** flitch of bacon.
I. **bad** *(et -e) (indendørs)* bath; *(sø-)* bathe, swim; *(se ogs badested)*; *tage ~, se bade; tage et varmt ~* take a hot bath; *han fløjter i -et* he whistles in his bath.
II. **bad** *imperf af bede.*
bade *vb* (el. have) a bath; *(i det fri)* bathe; go bathing, go for a swim; *(del af legemet)* bathe *(fx* one's eyes, a swollen finger); *(lille barn)* bath; *(gennemvæde)* steep *(i, med:* in); *de -nde* the bathers; *der kan -s fra stranden* there is bathing from the beach;

-t i sved bathed in perspiration, in a sweat, perspiring; *-t i tårer* in (a flood of) tears.
bade|anstalt (public) baths; *(svømmebasin)* swimming pool; *(svømmehal)* swimming bath. **-bold** beach ball. **-bro** bathing jetty. **-bukser** bathing drawers, trunks. **-dragt** bathing suit; swimsuit. **-gæst** bather; holidaymaker. **-hotel** seaside hotel; *(kur-)* hydro. **-hus** bathing hut; *(på hjul)* bathing machine. **-hætte** bathing cap. **-håndklæde** bath towel. **-kar** bath (tub), tub. **-kur** cure (at a spa). **-kåbe** bathing wrap. **-liv** seaside life, (crowd of) bathers. **-mester** (bath) attendant. **-måtte** bath mat. **-ovn** geyser. **-rejse** journey to a watering place *(,* to a spa). **-rotte** beach thief. **-salt** bath salts. **-sko** bathing shoe. **-sted** *(strandbred etc)* bathing place; *(by)* seaside resort, watering place; *(kursted)* spa, hydro. **-strand** bathing beach. **-svamp** bath sponge. **-sæson** bathing season. **-tøfler** *(pl)* bath slippers; *(af træ)* clogs. **-ulykke** bathing accident; *(dødelig)* fatal bathing accident. **-vand** bath water; *kaste barnet ud med -et* throw out the baby with the bath water. **-vogn** bathing machine. **-værelse** bathroom.
badminton badminton, **badminton|bold** (badminton) shuttlecock. **-ketsjer** (badminton) racket.

badning *(en)* bathing; *drukne under* ~ be drowned while bathing. **badstue** bath; *finsk* ~ sauna.
badutspring *pl* capers.
Baffinbugten Baffin Bay.
  I. **bag** *(en) (bagside)* back; *(bagdel)* behind, seat; *(dyrs)* haunches; *(bukse-)* seat; *han har mange år på -en* he is well on in years; *binde ris til sin egen* ~ make a rod for one's own back, lay up trouble for oneself.
  II. **bag** *præp* behind, at the back of; *adv* behind; *(se ogs lys, ryg etc; ligge, stå etc)*; *have noget* ~ *sig (∶ overstået)* have left sth. behind one, have done with sth.; *[m præp:]* ~ *efter ham (om sted)* behind him; *(om tid)* after him; ~ *i* at the back of *(fx* the car); at the end of *(fx* the book); ~ *om* behind; round at the back of *(fx* the house); ~ *på* on the back of; *komme* ~ *på en* take sby. by surprise; *stå* ~ *på en sporvogn* ride on the back of a tram; ~ *ved* behind *(fx* hide behind a tree; stand behind the house; he sat behind me), at the back of *(fx* a garden at the back of the house); *der ligger ngt* ~ *ved dette (fig)* there is sth. at the bottom of this; *stille sig* ~ *ved ngt (fig)* identify oneself with sth. *(fx* a policy), endorse sth. *(fx* a statement); *det er ham der står* ~ *ved* he is the one who pulls the wires.
bag- back, rear, hind.
bagage *(en)* luggage, *(amr)* baggage. **bagage|bærer** *(en -e) (på cykel etc)* (luggage) carrier; *(på bil)* luggage rack. **-hylde**, **-net** (luggage) rack. **-rum** luggage compartment; *(i bil)* boot. **-vogn** *(i tog)* luggage van; *(amr)* baggage car.
bagaksel rear axle.
bagatel *(en -ler)* trifle; *hænge sig i -ler* make a fuss over trifles. **bagatellisere** *vb* minimize; make light of; *(neds)* pooh-pooh.
bagben hind leg; *sætte sig på -ene (fig)* cut up rough, show fight.
bagbinde: ~ *ham* pinion him, tie his hands behind his back.
  I. **bagbord** *sb* ⚓ port; *om* ~ on the port side.
  II. **bagbord** *adv* ⚓ *port; dreje roret* ~ port the helm. **bagbords** *adj* port *(fx* light, side).
bag|butik *se* I. **bag.** **-bygning** back premises. **-del** *se* I. **bag.** **-dæk** *(på bil etc)* back tyre. **-dør** back door; *lade en* ~ *stå åben for (fig)* leave a loophole for.
bage * bake; *solen bagte* the sun beat down; ~ *sovsen op* thicken the sauce; *-nde varmt* boiling *(el. baking)* hot.
bageform (baking) tin.
bagefter *adv (bagved)* behind, *(senere)* afterwards; *(for sent)* (too) late; *(om ur)* slow *(fx* five minutes slow); *(i restance)* behindhand, in arrears *(med:* with); *(mht mål, points)* down *(fx* two goals down).
bagende *(en -r)* hind part, rear end, tail-end.
bage|ovn (baking) oven. **-plade** baking-plate. **-pulver** baking-powder.
bager *(en -e)* baker; *gå til -en* go to the baker's. **bager|butik** baker's shop. **-børn** *pl: give* ~ *hvedebrød* carry coals to Newcastle.
bageri *(et -er) (værksted)* bakery, bakehouse; *(butik)* baker's (shop).
bager|jomfru girl in a baker's shop. **-lav** bakers' company. **-mester** (master) baker. **-ovn** (baking) oven. **-svend** journeyman baker.
bagest *adj* hindmost; *adv* at the back; *de -e* those at the back; ~ *i* at the back of; *-e række* the back row.
bag|fjerding hindquarter. **-flik** heelpiece, heeltap. **-flikke** *vb* heel. **-fra** from behind; *(baglæns)* backwards.
bag|gade back street, *-grund* background *(for* to); *(tæppe)* back cloth *(el.* scene); *træde i -en* recede into the background; *på* ~ *af* in the light of. **-grundsfigur** subsidiary character. **-gård** backyard; *(kan ofte gengives:* slum). **-have** *(en -r)* back garden. **-hjul** rear *(el.* hind *el.* back) wheel. **-hjulsbremse** rear-wheel brake. **-hjulstræk** *(et -)* rear-wheel drive. **-hold** *(et -)* ambush; *falde i et* ~ fall into an a.; *ligge i* ~ *efter* lie in

wait for; *lokke i et* ~ waylay, ambush. **-holdsangreb** ✗ ambush; *(fig)* stab in the back; underhand attack. **-hoved** back of the head. **-hus** back building, back premises. **-hånd** back of the hand; *(i boldspil)* back-hand; *(i kortspil)* fourth hand, last player; *have noget i -en* have something in reserve, *(overraskende)* have something up one's sleeve.
bag|i *adv* in *(el.* at) the back, behind; *et spark* ~ T a kick in the (seat of one's) pants. **-ind** in from behind.
Bagindien Further India.
bag|kappe *(i sko)* counter, stiffener. **-klog** *adj* wise after the event. **-klædning** backing. **-krop** hind part of the body; *(på insekt)* abdomen. **-lader** breech loader. **-lanterne** tail lamp. **-lem** *(et)* hind limb. **-lokale** *(i butik)* back (of a shop). **-lomme** hip pocket, *(i skøder)* coat-tail pocket. **-lygte** rear light, tail light; *(til cykel)* tail lamp.
baglæns *adj* backward *(fx* a b. jump); *adv* backwards *(fx* walk b.); *køre* ~ back, reverse, *(i jernbanevogn)* sit with one's back to the engine.
baglås: *døren er gået i* ~ the lock has jammed.
bagmand *(i geled)* the man behind, rear-rank man; *(fig)* wire-puller; *(dgerkarls)* backer.
bagning *(en -er)* baking; *en* ~ a batch.
bag|om *adv* behind, round at the back. **-op** up behind; *slå* ~ kick up. **-over** backwards; *gå* ~ fall backwards; *jeg var nær gået* ~ *(fig)* you could have knocked me down with a feather.
bag|parti hind part, *(bagdel)* hind quarters. **-perron** rear platform. **-pote** hind paw. **-på** *adv* behind, on the back. **-ring** *(på hjul)* back tyre. **-rude** rear window. **-side** back; *(af mønt etc)* reverse. **-skærm** rear mudguard. **-slag** recoil; *(fig)* repercussion; backlash; *(modgang etc)* setback; *give* ~ *(fig)* cause repercussions. **-smække** *(på vogn)* tailboard. **-stavn** stern. **-stræv** *(et)* reaction. **-stræver** *(en)* reactionary. **-sæde** rear seat; *(på motorcykel)* pillion; *sidde på bagsædet (af motorcykel)* ride pillion.
bagtale ⋆ slander, asperse, calumniate, defame. **bagtalelse** *(en -r)* slander, aspersion, calumny defamation, scandal; *-ns skole* the School for Scandal. **bagtaler(ske)** *(en)* slanderer, scandal-monger. **bagtalerisk** *adj* slanderous, calumnious.
bag|tanke ulterior motive. **-til** behind, at the back. **-trappe** back stairs. **-trop** rear party; *danne -pen* bring up the rear. **-tunge** back of the tongue. **-tungevokal** back vowel. **-tæppe** back cloth *(el.* scene). **-tøj** rear axle assembly.
bagud *adv* to the rear; *(i restance)* behindhand, in arrears *(med:* with); *betale* ~ pay in arrears; *sakke* ~ lag (behind); *slå* ~ kick (up).
bagude behind, in the rear.
bagvaske *vb* slander, calumniate, defame; *(skriftligt)* libel. **bagvaskelse** *(en -r)* slander, calumny, defamation; *(skriftlig)* libel. **bagvasker** *(en -e)* slanderer, scandal-monger.
bagved *adv* behind; *der ligger noget* ~ *(fig)* there is sth. at the bottom of this; *(se ogs* II. **bag).**
bagvej back way; *(skjult vej)* secret path; *ad -e (fig)* by underhand means; *gå -e* use u. means.
bagvendt *adj* turned the wrong way; *(fig)* awkward; *adv* the wrong way; awkwardly; *snakke* ~ talk in spoonerisms.
bag|væg back wall. **-værelse** back room.
bagværk pastry.
  I. **baisse** *(en -r)* slump, decline of the market; *spekulere i -n* bear, speculate for a fall.
  II. **baisse** *vb (spekulere à la baisse)* bear, speculate for a fall. **baissespekulant** bear.
bajadere *(en -r)* bayadere.
bajads *(en -er)* clown, *(fig)* buffoon.
bajer *(en -e)* bottle of lager; *en* ~ *(ogs)* a lager, a beer. **bajerflaske** lager bottle.
Bajern Bavaria.
bajersk Bavarian; ~ *pølse* frankfurter, T hot dog; ~ *øl* lager, *(fra Bajern)* Bavarian beer.

bajonet (en -ter) bayonet; *med opplantede -ter* with fixed bayonets. **bajonet|angreb** bayonet charge. **-fægtning** (øvelse) bayonet drill; (kamp) bayonet fighting.

I. **bak** (en) ⏚ forecastle.

II. **bak** adv ⏚ astern; (om sejl) aback; *slå* ~ reverse (the engines), (fig) reverse one's policy.

bakelit (en) ® bakelite.

bakgear reverse gear; *gå i* ~ reverse.

bakkanal (et -er) bacchanal. **bakkant** (en -er) bacchant. **bakkantinde** (en -r) bacchante. **bakkantisk** adj bacchantic.

I. **bakke** (en -r) (banke) hill, rising ground, rise, elevation; *en høj* ~ a big hill; *op ad* ~ uphill; *ned ad* ~ downhill (fx walk downhill); *det går ned ad* ~ *med ham* (fig) he is going downhill.

II. **bakke** (en -r) (til servering) tray, (af metal også) salver; (brød-) bread-basket; ⏚ mess-kit; (spiselag) mess.

III. **bakke** vb (bevæge sig baglæns) back (fx the car backed; he backed the car); (om maskine ogs) reverse, (om skib) reverse, go astern; ~ *fyrene* bank the fires; ~ *op* (støtte) back up; ~ *ud* back out.

IV. **bakke** vb (ryge) puff (på: at).

bakke|drag range of hills. **-kam** hill crest. **-land** hilly country, upland.

bakkenbart (en -er) whisker.

bakke|serviet tray cloth. **-skråning** hill side, slope. **bakket** adj hilly, undulating.

Bakkus Bacchus. **bakkusfest** Bacchanalia.

baklygte reversing lamp.

bakning (en) backing, reverse motion, reversing.

bakse vb manipulate, handle; (kanon) train; ~ *med* stagger about with, (slås med, tumle med) struggle with. **bakspejl** rear-view mirror.

bakterie (en -r) germ, bacterium (pl bacteria).

bakterie|dræbende bactericidal. **-dyrkning** cultivation of bacteria. **-fri** bacteria-free, sterile. **-krig** germ (el. bacteriological) warfare. **-kultur** culture of bacteria. **bakteriel** adj bacterial. **bakteriesygdom** bacterial disease.

bakterio|log (en -er) bacteriologist. **-logi** (en) bacteriology. **-logisk** bacteriological (fx warfare).

I. **bal** (en -ler) (billard-) ball; *gøre en* ~ pot a ball.

II. **bal** (et -er) dance; (større) ball; *på et* ~ at a dance.

balalajka (en -er) balalaika.

balance (en -r) (ogs i ur) balance; (ligevægt ogs) equilibrium; (i dampmaskine) beam; *holde -n* keep one's balance; *opgøre -n* balance the accounts; *ude af* ~ (ogs fig) off one's balance; *bringe ud af* ~ throw off one's balance. **balanceopgørelse** balance (sheet).

balancere vb balance; ~ *med ngt* balance sth.; *regnskabet -r med 530 kr.* the balance sheet amounts to kr. 530.

balancerstang balancing pole.

baldakin (en -er) canopy, baldachin.

baldame [lady at a ball]; dancer; (partner) partner.

balde (en -r) (hånd-, fod-) ball; (af sædet) buttock.

baldrian (en -er el. d. s.) ✞ valerian.

baldronning queen of the ball.

baldyre vb embroider.

Balearerne the Balearic Islands.

balje (en -r) tub; (mindre) bowl.

Balkan the Balkans. **Balkan|halvøen** the Balkan Peninsula. **-stat** Balkan State.

bal|kavaler dancer; (partner) partner; (ledsager) escort. **-kjole** dance frock. **-klædt** dressed for a dance (, a ball).

balkon (en -er) balcony; (teater)) dress-circle.

balkonversation ballroom conversation.

balkort programme.

ballade (en -r) (vise) ballad; (metrisk form; musik) ballade; (spektakler etc) row; *lave* ~ kick up a row.

ballast (en) ballast (fx sail in b.); *tage* ~ *ind* ballast. **ballaste** vb ballast. **ballastet** adj in ballast.

I. **balle** (en -r) (balje) tub; (udskældning) dressing -down; *en* ~ *kaffe* an enormous cup of coffee; *få en* ~ (ogs) be hauled over the coals, be reprimanded.

II. **balle** (en -r) (vare-) bale; *en* ~ *papir* a bale cf paper.

ballerina (en -er) ballerina.

ballet (en -ter) ballet. **ballet|danser(inde)** ballet dancer. **-korps** corps de ballet. **-mester** ballet master. **-sko** ballet shoe.

ballon (en -er) balloon; (til sprøjte etc) bulb; (syre- etc) carboy; (på fyrskib) ball. **ballon|dæk** balloon tyre. **-fart** balloon voyage. **-fører** balloonist. **-gynge** Ferris-wheel. **-opstigning** balloon ascent. **-ring** se ballondæk. **-spærring** balloon barrage. **-tyggegummi** bubble gum.

ballotere vb ballot, vote by ballot.

ballotering (en) balloting, voting by ballot.

bal|løve lion (of the ball). **-sal** ballroom.

balsam (en) balsam, balm; (lindring) balm. **balsamere** vb embalm. **balsamering** (en) embalming. **balsamisk** adj balmy, balsamic.

balsko dancing-shoe; (for mænd ogs) pump.

balstyrig adj unruly, obstreperous, refractory.

balstyrighed (en) unruliness, obstreperousness, refractoriness.

baltegn [badge or ribbon worn at a dance], (omtr =) favour.

Balticum the Baltic States. **baltisk** adj Baltic.

balust|er (et -re) (søjle) baluster. **balustrade** (en -r) balustrade.

bambus(rør) bamboo. **-stok** (bamboo) cane.

bamse (en -r) bear; (i eventyr) (Master) Bruin; (legetøjs-) teddy bear.

banal adj commonplace, trite, banal, hackneyed; *en* ~ *bemærkning* (ogs) a commonplace. **banalisere** vb hackney, render commonplace. **banalitet** (en -er) banality; (ytring) commonplace.

banan (en -er) banana. **banan|klase** bunch of bananas. **-skræl** banana skin. **-stik** (elekt) banana plug. **-vogn** banana barrow; (ofte =) fruit stall.

band (et) ban, excommunication, anathema; *lyse i* ~, *sætte i* ~ excommunicate.

bandage (en -r) (med.) bandage; (hjul-) tyre.

bandagist (en -er) truss (and belt) maker.

band|brev, -bulle bull of excommunication.

I. **bande** (en -r) gang (fx a gang of robbers); (i billard) cushion.

II. **bande** vb swear, curse; ~ *på at* swear that; *det kan du* ~ *på* you bet your life! ~ *som en tyrk* swear like a trooper.

bande|fører gang leader. **-medlem** member of a gang.

banden (en) cursing, swearing, bad language.

bandeord swear-word.

banderole (en -r) (stamped) revenue label.

bandit (en -ter) bandit, gangster, hooligan; (skældsord) ruffian, blackguard; (spøgende, fx til barn) rascal. **bandit|fjæs** hangdog face, jailbird face. **-uvæsen** racketeering, gangsterism.

bandlyse * excommunicate, anathematize; (fig) taboo. **bandlysning** (en) excommunication.

bandoler (et -er) bandoleer.

bandsat adj confounded; adv damnably.

bandstråle (en -r) anathema.

bandt imperf af binde.

bandy (en) bandy.

I. **bane** (en) (død) death; (drabsmand) slayer.

II. **bane** (en -r) (vej) course, path, track; (projektils, missils) trajectory; (planets, elektrons, satellits) orbit; (komets) orbit, track; (livs-) career; (skøjte-) rink; (væddeløbs-) running track, (til hestevæddeløb) racecourse, turf; (tennis-) court; (glide-) slide; (kegle-) skittle-alley; (fodbold-, kricket-) ground, field; (golf-) course, links; (skyde-) range; (jernbane) railway, (amr) railroad, (-linie) track, line, (-legeme) permanent way; (på ambolt, på hammer) face; (af tapet, tæppe etc) length; *af -n!* make way! *bryde nye -r* (fig) break new ground; *der er fri* ~ (jernb) the line is clear;

der er fri ~ *for reformer* the path is clear for reforms; *skaffe fri* ~ *(jernb)* clear the track; *øl i lange* -*r* lots of beer; *bringe (, komme) ind i sin* ~ *(om satellit)* bring (, go) into orbit; *tage med* -*n* go by rail; *sende pr.* ~ send by rail; *bringe på* ~ broach, bring up; *slå ind på en* ~ *(fig)* enter upon a course.
III. **bane** *vb* level, smooth, clear; ~ *vej for* open a passage for; ~ *vejen for (fig)* prepare the way for; ~ *sig vej* make one's way; -*t vej* beaten track.

bane|administration railway administration. **-arbejder** surfaceman, *(amr)* section hand; *(ved nyanlæg)* navvy. **-brydende** *adj* pioneer *(fx* work). **-bryder** *(fig)* pioneer. **-gård** (railway) station; *(amr)* depot; *på* -*en* at the railway station. **-legeme** permanent way. **-linie** railway line, track. **-mand** *(drabsmand)* slayer; *(jernbanemand)* railwayman. **-overskæring** level crossing. **-pakke** railway parcel. **-rytter** track rider. **-rømmer** cowcatcher. **-strækning** section of the (, a) line. **-sår** mortal wound.

bang! bang! *tju og* ~ hullabaloo.

bange *adj* afraid, scared, frightened, apprehensive; ~ *af sig* (naturally) timid; ~ *anelser* misgivings; *være* ~ *for (frygte)* be afraid of, *(for ens skyld)* be afraid for, be anxious about; ~ *for sit liv* afraid for one's (own) life; *jeg var* ~ *for at støde ham* I was afraid of offending him, I was afraid that I should offend him; *jeg er* ~ *for at han opdager det* I am afraid he will find out; *er han syg? jeg er* ~ *for det* is he ill? I am afraid so; *gøre* ~ frighten, scare; *du er ikke* ~*!* you have got a nerve! *meget* ~ (very) much afraid.

bangebuks *(en)* funk.
banjer(dæk) ⚓ orlop deck.
banjo *(en* -*er)* banjo *(pl* -es).
I. **bank** *(prygl)* a beating, a hiding.
II. **bank:** *over en* ~ in toto, wholesale; *alle over en* ~ wholesale, (all) indiscriminately.
III. **bank** *(en* -*er) (pengeinstitut etc)* bank; *sætte penge i* -*en* deposit money in *(el.* at) the bank; *sprænge* -*en* break the bank. **bank|afdeling** *(filial)* branch, *(afdeling i bank)* department (of a bank), **-aktie** bank share. **-anvisning** draft, cheque; *(amr)* check. **-assistent** bank clerk. **-bestyrer** bank manager. **-bog** passbook. **-boks** *(til udlejning)* safe-deposit box; *(til bankens midler)* strongroom. **-bud** bank messenger. **-direktør** bank manager. **-dækning** *(for sedler)* backing.
I. **banke** *(en* -*r) (revle)* bar; *(bakke)* hill; *(tåge-, sky-, fiske-, grund)* bank.
II. **banke** *vb (uden objekt)* knock, *(let)* tap, *(om hjerte, puls)* beat, throb, *(om ånd)* rap; *(om motor)* knock, pink; *(med objekt)* beat, knock, rap, *(let)* tap, *(prygle)* beat, flog, thrash, *(rense for støv)* beat, *(besejre)* beat; *der er* ~ *somebody is knocking; hørte du, at det* -*de?* did you hear a knock? *jeg kan ikke* ~ *det ind i hans hoved* I cannot knock it into his head; ~ *på (døren)* knock (at the door); ~ *på barometret* tap the barometer; -*nde tindinger* throbbing temples; ~ *en pibe ud* knock out a pipe; ~ *under bordet (svarer til:)* touch wood.
banke|altan airing balcony. **-kød** *(svarer til:)* stewed beef.
banken *(en)* knock(ing); *(se ogs* **bankning**).
I. **bankerot** *(en* -*ter)* bankruptcy, failure.
II. **bankerot** *adj* bankrupt; *spille (el. blive)* ~ go bankrupt; *erklære sig* ~ *(jur)* file a petition in bankruptcy; *være* ~ be (a) bankrupt.
bankesignaler *pl (fx fra indespærret)* tapping.
banket *(en* -*ter) (festmåltid)* banquet.
bankeånd rapping spirit.
bank|forbindelse bank (connexion), banker(s). **-forretning** banking transaction; *(firma)* banking firm. **-fuldmægtig** *(omtr* =) senior bank clerk. **-garanti** banker's guarantee.
bankier *(en* -*er)* banker. **bankierfirma** banking firm.
bank|indskud bank deposit. **-kasserer** bank cashier; teller. **-konto** bank account. **-krak** bank

failure. **-lån:** *optage et* ~ obtain a loan from a bank. **-mand** bank employee; *(bankier etc)* banker.
bankning *(en) (se* II. *banke)* knocking, tapping; rapping; beating; *(i motor)* knocking, pinking.
bank|note bank note. **-provision** banker's commission. **-rente** interest (rate); *(diskonto)* bank rate. **-virksomhed** banking. **-væsen** banking (system).
bankør *(en* -*er)* banker.
banner *(et* -*e)* banner, standard.
bantam *(en* -*er)* bantam. **bantamvægt** bantam weight.
baptist *(en* -*er)*, **baptistisk** *adj* Baptist.
I. **bar** *(en* -*er) (udskænkningslokale)* bar.
II. **bar** *adj* bare, *(nøgen, ubevokset ogs)* naked; *(uden hår, fjer ogs)* bald; *(lutter)* sheer, pure; *med* -*e arme (, ben)* bare-armed (, -legged); *blot og* ~ mere; *blot og* -*t (adv)* merely; -*t brød* dry bread; *begynde på* ~ *bund* start from scratch; *stå på* ~ *bund* be destitute; *politiet står på* ~ *bund (i sagen)* the police are without a clue; the police have nothing to go on; *i* ~ *figur* without an overcoat; -*e fødder* bare *(el.* naked) feet; *med* -*e fødder* bare-foot(ed); *med* -*t hoved* bare-headed; *på den* -*e jord* on the bare ground; *med* -*e knæ* bare -kneed; *på den* -*e krop* on one's naked body; *(ofte* =) next to the skin; *det er* ~ *løgn* it is a pack of lies; *af* -*(e) medlidenhed* out of (sheer) pity; ~ *plet* bald spot; *han var i* ~ *skjorte* he had nothing on but his shirt; *det er det* -*e vand i sammenligning med* .. it is nothing to ..; *det er det* -*e vrøvl* it is all nonsense.
III. **bar** *imperf af bære.*
barak *(en* -*ker)* hut; -*ker (ogs)* hutment.
bararmet *adj* bare-armed.
barbar *(en* -*er)* barbarian. **barbari** *(et) (mangel på civilisation)* barbarism; *(grusomhed)* barbarity. **barbarisk** *(uciviliseret)* barbarian; *(grusom)* barbarous; ~ *pragt* barbaric splendour.
barbenet *adj* bare-legged.
barber *(en* -*er)* barber, hairdresser. **barber|blad** razor blade. **-creme** shaving cream.
barbere *vb* shave; *blive* -*t* have a shave; ~ *sig* shave. **barbering** *(en* -*er)* shave, shaving.
barber|kniv razor. **-kost** shaving brush. **-maskine** safety razor; *elektrisk* ~ electric shaver. **-sager** shaving things, shaving tackle. **-salon** *se* -*stue.* **-skilt** barber's sign, *(i Engl)* barber's pole. **-spejl** shaving mirror. **-sprit** after shave lotion. **-stue** hairdresser's, barber's (shop). **-svend** journeyman hairdresser, hairdresser's assistant. **-sæbe** shaving-soap; *et stykke* ~ a shaving-stick. **-vand** shaving-water.
barde *(en* -*r) (hval-)* whalebone, baleen. **bardehval** baleen whale. **bardere** *vb* bard.
bardun *(en* -*er)* rope, wire, stay; ⚓ backstay.
bardus! bang!
I. **bare** *adv* only, merely, just; *conj (hvis* ~) if only; *(gid)* I wish, I hope, if only; ~ *for sjov* just for fun; *gør det* ~ do it (by all means); *der kan du* ~ *se* there you are; *det manglede* ~*!* I should think not! ~ *tanken* the mere thought; *vent* ~*!* just (you) wait!
II. **bare** *vb:* ~ *sig for* help *(fx* he could not help laughing).
baret *(en* -*ter) (dame-)* toque; *(gejstligs)* biretta; *(baskerhue etc)* beret.
barfodet *adj* bare-foot(ed). **barfods-** bare-foot.
barfrost black frost.
bar|halset *adj* bare-necked; *(nedringet)* decolletée, low-necked. **-hovedet** *adj* bare-headed.
I. **bark** *(en* -*er) (skib)* bark.
II. **bark** *(en) (på træ)* bark; *(anat)* cortex.
barkasse *(en* -*r)* ⚓ launch.
barket *adj (hårdhudet)* horny; *med barkede næver* horny-handed.
barm *(en* -*e)* bosom; *gribe i sin egen* ~ look nearer home; *nære en slange ved sin* ~ cherish a viper in one's bosom.
barmhjertig *adj* merciful, charitable, compassionate; -*e Gud!* merciful God! my God! *den* -*e samaritan* the good Samaritan; ~ *søster* sister of mercy.

barmhjertighed *(en)* mercy, charity, pity, compassion; *hav ~ med os!* have mercy on us! *uden (ndde og) ~* mercilessly; *vise ham ~* show him mercy.

barmhjertighedsgerning work of mercy, deed of charity; *-er (ogs)* good works.

barmsvær *adj* broad-bosomed.

barn *(et, børn)* child *(pl* children), T kid; *(spædt)* baby; *(lille)* infant; *et ~ af sin tid* a child of his age; *brændt ~ skyr ilden* once bitten twice shy; *fra ~ af* from a child; *~ født efter faderens død* posthumous child; *få et ~ med ham* have a child by him; *hun skal have et ~* she is going to have a baby *(med ham by* him), T she is in the family way; *lige børn leger bedst (kan gengives)* one should stick to one's own class; *han har mange børn (ogs)* he has a large family; *han har kone og børn* he has a wife and family; *Red Barnet* the Save the Children Fund; *hvor mænd dog er store børn!* what (big) babies men are! *sætte børn i verden* have children; bring children into the world; *det ved et-hvert ~* any child can tell you that, any fool knows that.

barnagtig *adj* childish, puerile, infantile.

barnagtighed *(en)* childishness, puerility.

barndom *(en)* childhood, *(tidlig ~)* infancy; *handelens ~* the infancy of commerce; *fra -men af* from childhood; *gå i ~* be in one's dotage, be in one's second childhood.

barndoms|dage childhood days. -erindring, -minde memory of one's childhood, childhood memory. -ven(inde) childhood friend. -år childhood years.

barne|alder childhood, *(tidlig)* infancy. -ansigt child's face. -barn *(et, børnebørn)* grandchild. -barnsbarn great grandchild. -billet half ticket; *rejse på ~* travel half-fare. -dåb (infant) baptism, *(den enkelte handling)* christening. -fader *(udlagt)* putative *(el.* alleged) father; *hun udlagde ham som ~* she fathered the child on him. -forelskelse boy-and -girl attachment. -frøken nursery governess. -fødsel childbirth; *~ i dølgsmål* concealment of birth.

barnefødt: *~ i London* a native of London, a Londoner born and bred.

barne|gråd the crying of a child. -hoved child's head. -hustru child-wife. -kammer nursery. -kjole child's frock. -leg child's play. -lig (body of a) dead child. -mad infant food, *(neds)* pap; *(fig)* child's play. -mord infanticide; *-et i Bethlehem* the Slaughter of the Innocents. -morder(ske) infanticide. -pige nurse; T nanny. -pleje nursing, care of young children. -plejerske (trained) children's nurse; nursery nurse; *(på daghjem)* crèche nurse. -rov kidnapping. -rumpe *(fig)* baby. -røver kidnapper. -seng cot. -sind child mind. -ske child's spoon. -sko child's shoe; *have trådt sine ~* have reached years of discretion. -skole infant *(el.* primary) school. -sprog children's language; baby talk. -stemme child's voice. -tro *(en)* the faith of one's childhood. -vogn perambulator, T pram; *(især amr)* baby carriage. -værelse nursery. -år pl childhood years.

barnlig *adj* childlike; *(barnagtig)* childish; *(i forhold til forældrene)* filial *(fx* love, obedience); *børn og -e sjæle (omtr =)* simple souls. barnlighed *(en)* childishness.

barnlille *(pl* børnlille) little one, kiddie.

barnløs childless. barnløshed *(en)* childlessness.

barnsben: *fra ~* from childhood, from a child.

I. barok *(en)* baroque.

II. barok *adj* baroque, *(sær)* grotesque.

barometer *(et)* barometer, T glass. barometer|-fald fall of the barometer. -stand barometric height, barometer reading. -stigning rise of the barometer.

baron *(en -er)* baron; *han er ~* he is a Baron; *~ X* Baron X, *(om engelsk ~)* Lord X.

baronesse *(en -r)* *(om engelsk* baron's *hustru og om udenlandsk barons hustru eller datter)* baroness; *~ Mary X* the Baroness X, *(eng)* Lady Mary X.

baronet *(en -ter)* baronet, *(forkortet og sat efter navn:)* Bart., Bt. *(fx* Sir Walter Scott, Bart.).

baroni *(et)* barony.

barre *(en -r)* *(metal-)* bar, ingot; *(sand-)* bar; *(gymnastik-)* parallel bars; *guld i -r* gold in bullion.

barriere *(en -r)* barrier.

barrikade *(en -r)* barricade; *rejse -r* build barricades. barrikadere *vb* barricade.

barsel *(en)* *(fødsel)* childbirth, lying-in, confinement; *lave til ~* be expecting (a baby). barsel|feber childbed fever, puerperal fever. -kone, -kvinde woman in confinement. -nød pains of childbirth, labour. -patient woman in confinement. -pleje *(en)* maternity work. -rov kidnapping. -seng childbed; *komme i ~* be confined; *ligge i ~* lie in; *dø i ~* die in childbirth.

barsk *adj (hård, streng)* harsh, stern, rough; *(smil, lune)* grim; *(stemme)* gruff, rough; *(blik)* fierce, stern; *(klima, vejr)* inclement, rough. barskhed *(en)* harshness, sternness, roughness; grimness; gruffness; fierceness; inclemency.

barsle *vb* be confined, lie in.

bar|stol (bar) stool. -tender *(en -e)* bartender.

Bartholomæus Bartholomew. Bartholomæus-natten the massacre of St. Bartholomew.

baryton *(en -er)* baritone.

bas *(en -ser)* *(ogs = kontrabas)* bass; *synge ~* sing bass.

basalt *(en)* basalt. basaltagtig *adj* basaltic.

basar *(en -er)* bazaar.

base *(en -r)* *(kem)* base; ⚔ base.

basedowsk: *den -e syge* Basedow's disease.

Basel Basel, Basle.

basere *vb* base; *være -t på* be based on, rest on.

basilika *(en -er)* basilica.

basilisk *(en -er)* *(fabeldyr)* basilisk, cockatrice; *zo* basilisk.

basis *(en, baser)* *(grundlag)* basis; *(mat.; søjle-)* base. basisk *adj (kem)* basic *(fx* salt), alkaline.

baske *vb* flap; *fuglen -de med vingerne* the bird flapped its wings.

basker *(en -e)* Basque. baskerhue beret.

baskisk *adj* Basque.

bas|node bass-note. -nøgle bass-clef. -relief bas -relief. -sanger bass-singer, basso.

basse *(en -r)* *(svær herre)* big fat man; *(kæleord)* darling; *(hvedebolle)* bun; ⚔ seasoned private.

basseralle *(en -r)* spree.

bassin *(et -er)* *(havne- etc)* basin; *(svømme- etc)* swimming-pool; *(vandreservoir)* reservoir; *(i have-anlæg)* ornamental lake; *(til fisk)* tank.

bassist *(en -er)* *(sanger)* bass-singer; *(musiker)* bass-player. basstemme bass-voice, basso.

bast *(en)* bast; *i bånd og ~* tied and bound.

basta *(en)* *(i kortspil)* basto; *og dermed ~* and that's flat.

bastant *adj* substantial *(fx* meal), stout *(fx* person). bastard *(en -er)* hybrid, crossbreed, *(om hund ogs)* mongrel.

baste *vb* bind, tie; *-t og bundet* tied and bound.

Bastillen the Bastille.

bastion *(en -er)* ⚔ bastion.

bastonade *(en)* bastinado.

bastskørt *(svarer til)* grass skirt.

basun *(en -er)* trombone; *(bibelsk)* trumpet. basun|blæser trombone player. -engel cherub. -kinder round *(el.* chubby) cheeks. -stød trumpet call.

batalje *(en -r)* battle, action; *(slagsmål)* fight.

bataljon *(en -er)* battalion.

batik *(en)* batik. batist batiste.

batte *vb* have effect; do the trick; *så det -r, så det kan ~ noget* with a vengeance.

batteri *(et -er)* (⚔; *elekt)* battery. batteri|dæk ⚔ gun deck. -modtager battery receiver, b. set.

bautasten single-stone monument, menhir.

bavian *(en -er)* *zo* baboon; *(fig)* bounder; ⚔ boatkeeper.

bavl *(et)*, bavle *vb* twaddle.

bavn *(en -er)* beacon.

bavnehøj *(en -e)* beacon.

B-bombe H-bomb.

bearbejde *(råstoffer etc)* work up, prepare; *(tillempe, fx skuespil)* adapt *(efter:* from; *for:* for), *(musikstykke)* arrange; *(behandle ublidt)* belabour; *(søge at overtale)* press, try to persuade. **bearbejdelse** *(en -r)* working up, preparation; adaptation; belabouring; persuasion.

bebo *vb* occupy, live in, inhabit.

beboelig *adj* habitable, inhabitable, fit to live in.

beboelse *(en -r)* habitation *(fx* the house is not fit for habitation); *(lejlighed)* residence, living quarters, flat. **beboelses|ejendom** residential property, dwelling-house; *(etage-)* block of flats, *(amr)* apartment house; *(jævnere)* tenement house. **-hus** *se -ejendom.* **-kvarter** residential quarter. **-lejlighed** dwelling; *(etage-)* flat, *(amr)* apartment. **-vogn** (residential) caravan, house wagon.

beboer *(en -e)* inmate, occupant *(fx* of a house); occupier *(fx* the present occupier of the flat); *(i by, land)* inhabitant; *(modsat tilrejsende)* resident.

beboet *adj* inhabited, occupied.

bebrejde: ~ *en* ngt reproach *(el.* upbraid) sby. with sth., blame sby. for sth. **bebrejdelse** *(en -r)* reproach; *rette -r imod en* reproach sby., cast reproaches upon sby. **bebrejdende** *adj* reproachful *(fx* look); *et ~ ord* a (word of) reproach.

bebrillet *adj* bespectacled.

bebude *vb* herald, betoken *(fx* clouds betoken rain); announce *(fx* he has announced a visit).

bebudelse *(en)* announcement; *Mariæ ~* the Annunciation (of the Virgin Mary); *Mariæ -s dag* Lady Day.

bebuder *(en -e)* herald, harbinger.

bebygge *vb* build on. **bebyggelse** *(en -r) (det at)* building *(af:* on); *(huse)* buildings, houses; *(bebygget område)* built-up area; *bymæssig ~* urban district; *høj ~* high houses; *toetages ~* houses of two storeys. **bebygget** *adj* built-up *(fx* area), developed *(fx* sites); *tæt ~* densely built-over; *for tæt ~* overbuilt.

bebyrde *vb* burden, encumber, trouble *(med:* with).

I. **bed** *(et -e)* bed; *gå ham i -ene* poach on his preserves.

II. **bed** *imperf af bide; imperativ af bede.*

bedaget *adj* aged; *højt ~* advanced in years.

bedding *(en -er) (til skib)* slip, slipway.

I. **bede** *(en -r) (dyr)* wether; *(neds)* dull dog.

II. **bede** *(en -r)* ♃ beet.

III. **bede** *(bad, bedt)* ask, *(mere formelt)* request; *(vedholdende, ivrigt)* beg, *(indstændigt)* implore, beseech, entreat; *(indbyde)* ask, invite; *(en bøn etc)* say *(fx* a prayer), offer (up); *(holde bøn)* pray, say one's prayers; *sin aftenbøn* say one's (evening) prayers; *det -s bemærket* please observe; ~ *fadervor* say the Lord's Prayer; ~ *for en* intercede for sby., *(til Gud)* pray for sby.; *der blev bedt for dem* prayers were said *(el.* offered) for them; ~ *for sig* plead for mercy; ~ *sig fri* ask for a day (, etc) off, *(ɔ: for at være tilstede)* excuse oneself; *lader os alle ~* let us pray; ~ *om* ask (for), beg (for); ~ *til Gud om det* pray to God for it; ~ *ham om det* ask him for it, ask it of him; ~ *ham om at gøre det* ask *(el.* tell) him to do it; ~ *ham om forladelse* (, om hjælp) beg his pardon (, his help); ~ *om ordet* ask permission to speak; *må jeg ~ om saltet?* will you pass me the salt? *(nej) må jeg (så) ~ om* Oxford give me Oxford (every time); *åh jeg be'r!* *(svar på tak)* not at all! don't mention it! *(amr)* you're welcome; *(svar på undskyldning)* it is quite all right.

IV. **bede** *(bedede, bedet) (hvile)* rest, bait.

bede|dag: *store ~* [Danish public holiday, falling on the fourth Friday after Easter]. **-hus** chapel.

bede|kød mutton. **-kølle** leg of mutton.

bedemand undertaker; funeral director; *(amr)* mortician.

bedemandsansigt lugubrious face.

bedende *adj* pleading, appealing, entreating *(fx* glance, voice); *subst* worshipper; *adv* appealingly.

bede|ryg saddle of mutton. **-skammel** kneeling-stool, prie-dieu. **-sted** resting place.

bedrag *(et pl d.s.) (illusion)* delusion; *(bedrageri)* deceit, *(svig)* fraud; *et optisk ~* an optical illusion.

bedrage *(narre)* deceive, impose upon, take in, cheat; *(besvige)* defraud, swindle; *(vildlede)* delude; *(sin ægtefælle)* be unfaithful to; ~ *ham for* defraud him of, cheat him (out) of; *skinnet -r* appearances are deceptive; *den bedragne* the victim.

bedrager *(en -e)* impostor, swindler, cheat.

bedrageri *(et -er)* imposture, fraud, swindle. **bedrageri|sag** case of fraud. **-sigtelse** charge of fraud. **bedragerisk** *adj* fraudulent.

I. **bedre** *adj* better; *(særdeles god)* (very) good, grand *(fx* dinner); *adv* better; *blive ~* improve; *så meget des ~* all the better; *få det ~ (efter sygdom)* get better, *(økonomisk)* get better off; ~ *folks børn* children of good family; *han fortjener ikke ~* he deserves no better, (it) serves him right; *du gør ~ i at blive* you had better stay; *det går ~* things are looking up; *han vil have ~ af at* it will be better for him to; *patienten har det ~* the patient is better; *i mangel af ~* failing anything better; *komme på ~ tanker* think better of it; *jeg har ~ tid i morgen* I shall have more time tomorrow; *en forandring til det ~* a change for the better; ~ *vant* used to better things; *han står sig ~ ved at* it pays him better to; *mod ~ vidende* in spite of his (, her) knowledge to the contrary.

II. **bedre** *vb: Gud ~ det!* worse luck! ~ *sig* improve; *(om helbred)* be getting better.

bedrestillet better off; *(velstillet)* well-to-do.

bedreviden *(en)* superior knowledge.

bedrevidende *adj* know-all *(fx* a know-all attitude).

bedrift *(en -er) (dåd)* achievement, exploit, feat; *(næring)* trade, business; *(firma)* concern; *(virksomhed)* enterprise; *(fabrik)* works, factory; *(landbrugs-)* farm. **bedrifts|råd** industrial council; *(repræsenterende arbejderne)* shop committee. **-værn** plant protection; *(personerne)* plant protection unit.

bedring *(en)* improvement, change for the better; *(efter sygdom)* recovery; *være i ~* be getting better, be improving; *god ~!* I hope you will be better soon! *ønske ham god ~* wish him a speedy recovery.

bedrive *(begå)* commit; *(bestille)* do, be about; ~ *hor* commit adultery.

bedrøve *vb* distress, grieve, sadden; *det -r mig at høre, at ..* I am sorry to hear that ..

bedrøvelig *adj* sad, deplorable; *(ynkelig)* miserable, sorry; *-t ansigt* melancholy face; *gøre en ~ figur* cut a pitiful figure; *ridderen af den -e skikkelse* the Knight of the Rueful Countenance.

bedrøvelighed *(en)* misery.

bedrøvelse *(en)* sorrow, affliction, distress, grief, sadness. **bedrøvet** *adj* sad, sorrowful, grieved.

bedst *adj & adv* best; *(af bedste sort)* prime, first-rate; *i sin -e alder* in the prime of life; *den første den -e* the first that comes along, anyone; *det kan hænde den -e* it may happen to the best of us; *håbe det -e* hope for the best; *beværte en på det -e* do sby. well *(el.* proud); *du gør ~ i at blive* you had better stay; *det gik som det ~ kunne* things were going as best they could; *jeg hjalp ham det -e jeg kunne* I helped him to the best of my ability; *skynde sig det -e man kan* be as quick as one can; *i -e fald* at best; *i den -e mening* with the best of intentions; *i -e velgående* in the best of health; *han lever endnu i -e velgående* he is still going strong; ~ *som* (just) as; ~ *som han sad og arbejdede* (while he was) in the middle of his work; *det er ~ du skynder dig* you had better hurry up.

I. **bedste** *(et) (gavn)* good, benefit, advantage; *til ~ for* for the benefit of; *have ham til ~* pull his leg; *give en sang til ~* oblige with a song; *til fælles ~* for our (, their, *etc)* common good.

II. bedste *(en) (bedstemoder)* granny, grandma.
bedste|borger bourgeois. **-fader** grandfather.
-forældre grandparents. **-moder** grandmother.
bedugge bedew; **-t** *(beruset)* slightly fuddled.
beduin *(en -er)* bedouin.
bedyre *vb* asscverate, assert.
bedække cover. **bedækning** *(en)* covcring.
bedærvet *adj (moralsk fordærvet)* depraved.
bedømme ✱ judge *(efter:* by), estimate; *(skole-
opgave)* mark, *(amr)* grade.
bedømmelse *(en -r) (vurdering)* judgment,
opinion; *(ved priskonkurrence etc)* award; *(af skole-
opgave)* marking, *(amr)* grading.
bedømmelseskomité judging committee; *(ved
ansættelse)* selection committee; *(ved kunstudstilling,
pristildeling)* panel.
bedøve *(med.)* anaesthetize, narcotize; *(med nar-
kotika etc)* drug, T dope; *(ved slag etc)* stun, stupefy;
-nde *midler* anaesthetics, narcotics.
bedøvelse *(en -r) (tilstanden)* anaesthesia, narcosis;
(det at bedøve) anaesthetization, narcotization; drug-
ging, doping; stunning, *lokal* ~ local anaesthesia;
under ~ under an anaesthetic.
bedøvelsesmiddel anaesthetic, narcotic.
bedåre *(betage)* charm, captivate, fascinate, *(stær-
kere)* infatuate; *(narre)* deceive; *lade sig* ~ *af* be de-
ceived by. **bedårende** *adj* charming, delightful, en-
chanting.
beedige *vb* confirm by oath, swear (to).
beediget *adj* on oath; *(edsvoren)* sworn; ~ *erklæ-
ring* affidavit, declaration on oath.
befale *vb (beordre)* order, command; *(have magt)*
command, be in command; *(foreskrive)* prescribe
(fx in the prescribed time); *(betro)* commit *(fx* c.
one's soul to God); *Gud -t!* God speed you! ~ *over*
command; *som De -r* as you please.
befalende *adj* peremptory *(fx* tone of voice).
befaling *(en -er)* command, order(s); *efter* ~ *(af)*
by order (of); *efter hans* ~ at his command; *handle
efter* ~ be acting under orders; *få* ~ *til at* receive orders
to; *give* ~ *til tilbagetog* give the order for a retreat;
have ~ *over* be in command of. **befalingsmand**
[officer or non-commissioned officer].
befamle *vb* paw (over). **befamling** *(en)* pawing.
befare *(besejle)* navigate; *(en rute)* ply; *(trafikere)*
frequent, traffic; ~ *en grube* inspect a mine.
befaren: ⚓ ~ *matros* efficient deck hand.
befaring *(en)* navigation; *(af rute)* plying.
befatte: ~ *sig med* have to do with, occupy one-
self with.
befinde: -s *(at være)* be found (to be); ~ *sig (om
helbred)* be, feel, *(opdage at man er på et sted)* find
oneself, *(opholde sig, være)* be *(fx* in Central Africa,
in a dangerous situation); *hvorledes -r De Dem?* how
are you? *(især til patient)* how are you feeling? ~
sig godt (være rask) feel well, *(have det rart)* be com-
fortable; *han befandt sig godt derved* it did him good,
it agreed with him. **befindende** *(et)* health, condi-
tion; *spørge til hans* ~ ask after his health.
befingre *vb* finger, handle, paw.
befippelse *(en)* flurry, perplexity, nervousness.
befippet flurried, perplexed, nervous; *gøre* ~ flurry,
disconcert.
beflitte: ~ *sig på at* endeavour to.
beflyve *vb* over; ~ *en flyveplads* use an aero-
drome; ~ *en rute* fly a route.
befolke *vb* populate. **befolkning** *(en -er)* popu-
lation; **-en** *(ogs)* the inhabitants.
befolknings|gruppe section of the population;
(racemæssigt, nationalt) ethnic group. **-overskud** sur-
plus population. **-tilvækst** increase in *(el.* of) popu-
lation. **-tæthed** population density.
befordre *(transportere)* convey, carry; *(fremme)*
promote. **befordring** *(en)* conveyance; promotion;
(befordringsmiddel) conveyance; *have gratis* ~ travel
free.
befordrings|godtgørelse (allowance for) travel-

ling expenses, *(til vidne)* conduct money. **-middel**
means of transport. **-måde** mode of conveyance.
-tid *(for postforsendelser)* time of transmission.
befragte *vb* charter.
befragter *(en -e)* charterer.
befragtning *(en -er)* chartering; *afslutte* ~ fix a
charter party. **befragtningskontor** chartering of-
fice.
befri *vb* set free, free, release, liberate; *(for belejring
etc)* relieve; ~ *for* free from *(fx* obligations, oppres-
sion), relieve of *(fx* responsibility), release from
(fx cares, pain), rid of *(fx* rats); ~ *fra* deliver from,
release from; ~ *sig for* free *(el.* release *el.* liberate)
oneself from, *(snare etc)* get free from, extricate
oneself from, *(forpligtelse etc)* rid oneself of; *det
virkede -ende* it was a relief.
befrielse *(en)* release, liberation; *(undsætning)*
lettelse) relief; *(frigørelse fx af slaver)* emancipation;
drage et -ns suk heave a sigh of relief; *-ns time* the
hour of deliverance; *Befrielsen (1945)* the Liberation.
befrielseskrig war of liberation.
befrier *(en -e)* liberator, deliverer.
befrugte *vb* fertilize, fecundate; *(fig)* inspire,
stimulate. **befrugtning** *(en)* fertilization, fecun-
dation; *kunstig* ~ (artificial) insemination.
befrygte *vb* fear; *det må -s at* it is to be feared that.
befuldmægtige *vb* give power of attorney, au-
thorize. **befuldmægtiget** *adj* authorized; *subst* at-
torney, proxy; ~ *minister* (minister) plenipotentiary.
befængt: ~ *med* infested with.
befærdet *adj* frequented, crowded, busy.
befæste *vb* ⚔ fortify; *(styrke)* consolidate *(fx* the
peace, good relations, one's position), strengthen;
(bekræfte) confirm *(fx* one's belief in sth.), corro-
borate *(fx* suspicions). **befæstelse** *(en)* fortification;
consolidation; confirmation, corroboration. **be-
fæstning** *(en -er)* ⚔ fortification(s).
beføjelse *(en -r)* right, title, authority; *overskride
sine -r* exceed one's powers; *uden* ~ unauthorized.
beføjet *adj* justified, authorized, just.
beføle ✱ feel, *(befamle)* finger, paw.
beg *(en)* pitch; *(skomager-)* (cobbler's) wax.
begave *vb:* ~ *med* endow with.
begavelse *(en -r)* gifts, powers, talents; *(person)*
gifted person.
begavet *adj* gifted, talented; *være digterisk* ~ have
a gift for poetry; *højt* ~ brilliant; *musikalsk* ~ musical;
normalt ~ of average intelligence; *svagt* ~ backward,
T slow in the uptake.
begejstre *vb* inspire. **begejstret** *adj* enthusiastic;
adv enthusiastically; *blive -t for noget* become en-
thusiastic about sth; *jeg er ikke videre* ~ *for det* I am
not too keen on it.
begejstring *(en)* enthusiasm *(for:* for).
begfakkel torch, link.
begge both; *(enten den ene el. den anden af to)*
either *(fx* either of the two boys may have done
it; clothes that can be worn by either sex); *dem* ~
both (of them); *de er* ~ *døde* both of them are dead;
~ *dele* both; ~ *drengene* both (of the) boys; *som* ~
both of whom (, which); *i* ~ *tilfælde* in both cases,
in either case; ~ *to* both.
begive: ~ *sig til* go to *(fx* go to London); ~ *sig
på rejse* set out on a journey; ~ *sig på vej* set out,
start *(til:* for).
begivenhed *(en -er)* event, occurrence, incident;
-ernes gang the course of events, (further) develop-
ments; *en glædelig (el. lykkelig)* ~ *(fødsel)* a happy
event; *fattig på -er* uneventful; *rig på -er* eventful;
en tilfældig ~ an incidental occurrence, an incident.
begivenheds|løs *(adj)* uneventful. **-rig** eventful.
beglo stare at, gape at.
begmand: *give ham en* ~ flatten his nose.
begonie *(en -r)* 🌸 begonia.
begramse *vb* paw (over).
begrave *vb* bury, inter; *(fig)* bury *(fx* one's face
in one's hands); *levende -t* buried alive; ~ *sig i* bury

oneself in. **begravelse** *(en -r) (jordefærd)* funeral; *(det at begrave, jordfæstelse)* burial, interment; *(gravsted)* tomb.

begravelses|forening burial club. **-forretning** firm of undertakers; *(amr)* firm of morticians. **-højtidelighed** funeral ceremony, obsequies. **-kasse** burial club. **-plads** *(gravsted)* burial place; *(kirkegård)* cemetery. **-omkostninger** funeral expenses. **-ritual** Burial Service. **-skik** funeral ceremony, burial custom. **-væsen** burial authorities.

begreb *(et -er)* idea, conception, notion *(om:* of); *abstrakt* ~ abstract idea; *danne sig et* ~ *om* form an idea of; *du gør dig ikke noget* ~ *om* you cannot imagine; *jeg har ikke* ~ *om matematik* I don't know a thing about mathematics; *jeg har ikke* ~ *om hvad det skal betyde* I have no idea what it means; *klare -erne* get things in (the proper) perspective, clear up his (etc.) ideas; *være (el. stå) i* ~ *med at gå* be on the point of going; *-et skønhed* the concept *(el.* idea) of beauty. **begrebsforvirring** confusion of ideas.

begribe understand, comprehend, conceive. **begribe|lig** *adj* comprehensible; *gøre ham det -t at* make him understand *(el.* realize) that. **-ligvis** *adv* of course.

begrunde *(motivere)* state the reason for, give the grounds for; *(godtgøre, bevise)* give proof of; *(være grunden til)* be the cause of, underlie; *(underbygge)* base; *vel* -t well-founded.

begrundelse *(en -r) (motivering)* reasons, grounds; *(argument)* argument; *(underbyggelse)* basis; *have sin* ~ *i at* be due to the fact that; *med den* ~ *at* on the ground that; *som* ~ *tilføjede han at* by way of justification he added that; *til* ~ *heraf* in support of this.

begræde lament; *(ens død)* mourn for. **begrædelig** *adj* lamentable. **begrædelse** *(en)* lamentation.

begrænse *(danne grænse for)* bound, enclose; *(holde inden for visse grænser)* limit *(fx* armaments, expenses); *(indskrænke)* reduce, restrict, curtail; ~ *sig til* limit *(el.* confine) oneself to; *-t adj* limited *(fx* credit, number, time); restricted *(fx* authority). **begrænsning** *(en)* limitation; restriction, curtailment; *kende sin* ~ know one's own limitations.

begsort pitch-black. **begtråd** *(en -e)* wax-end.

begunstige *vb,* **begunstigelse** *(en -r)* favour.

begynde * begin, commence, start; ~ *at le (etc)* begin laughing (etc.), begin to laugh (etc.); *det -r at blive mørkt* it is getting dark; ~ *felttoget (, kampen)* open the campaign (, the fight); ~ *for sig selv* start on one's own, set up for oneself; ~ *forfra* start (all) over again; *godt begyndt er halvt fuldendt* well begun is half done; ~ *med* begin with; *(udgå fra)* begin at *(fx* the beginning, the wrong end); ~ *med at* begin by *-ing (fx* the children begin by learning the letters); *til at* ~ *med* to begin with, at first; ~ *på* begin, start (on); *skolen -r i dag* school opens today.

begyndelse *(en -r)* beginning, start, commencement, outset; *fra -n til enden* from beginning to end; *lige fra -n* from the very start *(el.* outset); *den første* ~ the first beginning *(til:* of); *gøre -n* take the first step; *i -n* at first; *i -n var ordet* in the beginning was the word; *i -n af* at the beginning of; *i -n af 70erne* in the early seventies; *tage sin* ~ begin, commence; *til en* ~ to begin with; *-n til* the beginning of.

begyndelses|bogstav initial; *lille* ~ small initial letter; *stort* ~ initial capital. **-grunde** *pl* elements, first principles, rudiments. **-hastighed** initial velocity. **-løn** initial salary, starting pay. **-stadium** first *(el.* incipient) stage.

begyndende *adj* incipient.

begynder *(en -e)* beginner, novice. **begynder| arbejde** the work of a beginner. **-bog** primer. **-kursus** elementary course. **-stadium** elementary stage. **-undervisning** elementary instruction. **-vanskeligheder** *pl* initial difficulties.

begær *(et)* desire, appetite, craving *(efter:* for); *(seksuelt)* desire, lust.

begære *vb (attrå)* desire; *(forlange)* demand, request, ask for; ~ *sin afsked* send in one's resignation; *alt hvad hjertet kan* ~ all that the heart can desire; *du må ikke* ~ *din næstes hustru* thou shalt not covet thy neighbour's wife; ~ *ordet* ask permission to speak.

begæring *(en -er) (anmodning)* demand, request; *(andragende)* application; *indgive* ~ *om* apply for.

begærlig *adj* desirous *(efter:* of, *efter at:* of -ing), eager *(efter:* for, *efter at:* to); *(grisk)* greedy, covetous, avid. **begærlighed** *(en)* desire; greediness, greed, covetousness, avidity.

begå *vb* commit; ~ *et digt* perpetrate a poem; ~ *en fejl* make a mistake; ~ *sig* get on (in the world), make good.

behag *(et)* pleasure, satisfaction; *efter* ~ as you like; at discretion *(fx* payment at discretion); *finde* ~ *i* take pleasure in, enjoy; *smag og* ~ *er forskellig* tastes differ; *være en til* ~ please sby.; *man kan ikke være alle til* ~ one can't please everybody.

behage *vb* please; *behag at tage plads* please take a seat; *det -de ham (el. han -de) at* he was pleased to; *han -de ikke at* he did not deign to; *hvad -r?* I beg your pardon? *(forbløffet)* what? *som De -r* as you please, please yourself; *som man -r* as you like.

behagelig *adj* agreeable; pleasant *(fx* surprise, manners); *(tiltalende)* engaging, attractive; *til* ~ *af-benyttelse* for the convenience of our guests *(etc)*; *forene det nyttige med det -e* combine the useful with the agreeable; *drøm -t!* pleasant dreams! *til -t gennemsyn* on approval; *gøre sig det -t* make oneself comfortable; ~ *overrasket* agreeably surprised; *et -t væsen* pleasant manners.

behagelighed *(en -er)* pleasantness, agreeableness; *(noget behageligt)* pleasure, comfort, amenity *(fx* the amenities of town life); *(fordel etc)* advantage *(fx* it is a great advantage to have a telephone); *sige hende -er* pay her compliments.

behage|lyst desire to please. **-syg** coquettish. **-syge** *(en)* excessive desire to please, coquettishness.

behandle *vb* treat *(fx* sby. as a dog, sth. as a joke, one's shoes with oil, sby. for rheumatism, sby.'s rheumatism, a subject in a book); *(håndtere)* handle *(fx* he knows how to handle a rifle; handle it with care); *(drøfte)* discuss; *(retsligt)* try, hear; *(lovforslag)* read; *(handle om)* treat of, deal with; *(salte, røge)* cure; ~ *ilde* ill-treat; ~ *jorden* work *(el.* prepare) the soil.

behandling *(en -er) (se behandle)* treatment; handling; *(drøftelse)* discussion; *(juridisk)* trial, hearing; *(af lovforslag)* reading; *komme til* ~ come on; *lovforslaget kom til tredje* ~ the Bill came up for its third reading; *tage op til fornyet* ~ take up for renewed treatment; *tage under* ~ take in hand.

behandsket *adj* gloved.

beherske *(regere over)* rule (over), govern; *(være kyndig i)* master *(fx* a language); *(være herre over)* be master of, control *(fx* England controls the market); ⚔ *(kunne beskyde)* command *(fx* a position from which the artillery commanded the town); ~ *sig* control oneself.

beherskelse *(en)* command, control; *(selv-)* self-control, restraint; ~ *af (o: kyndighed i)* command of, mastery of. **behersker** *(en -e)* ruler, lord, master. **behersket** *adj* controlled, restrained, moderate. **behjertet** *adj* resolute.

behjælpelig *adj: være en* ~ help sby. *(med det* with it, *med at gøre det* (to) do it); assist sby. *(med det* in it, *med at gøre det* in doing it).

behold *i* ~ *(uskadt)* safe, intact, *(tilovers)* left; *i god* ~ safe *(fx* we got safe into the port), safely *(fx* all the aircraft returned safely), *(om mennesker ogs)* safe and sound, *(især om varer)* in good condition.

beholde keep, retain; *lade ham* ~ *livet* spare his life; ~ *hatten på* keep one's hat on; *som er beholdt for længe (fx* om en lånt bog) overdue. **beholder** *(en -e)* container, receptacle; *(tank)* tank; *(gas-)* gasometer; *(i fyldepen)* reservoir; *(kumme)* bowl, basin.

beholdning *(en -er) (lager)* stock (in hand); *(fordtd)* supply; *(penge)* cash, balance; *(reserver)* reserve(s) *(fx* the gold reserve of the bank); *(rest)* remainder.

behov *(et pl d. s.)* requirement, need; *(mærk)* demand; *(psyk)* need; *dække sit ~* cover one's requirements; *(alt) efter ~* as required.

behæfte *vb* encumber; *-t med fejl* defective; *-t med gæld* encumbered with debt; *-t med servitut* subject to an easement.

behæftelse *(en -r)* encumbrance, charge.

behændig *adj (fingerfærdig)* dexterous, deft; *(smidig)* agile; *(snild)* ingenious, clever.

behændighed *(en)* dexterity, deftness; agility; *(snildhed)* ingenuity, cleverness. **behændigheds|kunst** sleight-of-hand. **-øvelse** agility exercise.

behæng|e ★ hang, drape; *-t med ordener* plastered with decorations.

behørig *adj* due, proper; *adv* duly, properly; *i ~ form* in due form; *på ~ måde* duly.

behøve *vb (trænge til)* need, want, require; *(være nødt til)* need *(fx* need I tell you?), have (got) to *(fx* you have only got to say the word); *det -s ikke* that is not necessary; *hvis det -s* if necessary; *du -r ikke at komme* you need not come, you do not need to come; *-r han at vide det?* need he know? does he need to know? *(han har stjålet én gang) men derfor -r han ikke at være en tyv* but that does not necessarily make him a thief.

behåret *adj* hairy.

beige(farvet) beige.

bejae *vb* answer in the affirmative.

bejdse *(en) (til træ)* stain; *vb* stain.

bejle: *~ til* court, woo; *~ til hans gunst* court *(el.* try to win) his favour. **bejlen** *(en)* courtship, wooing. **bejler** *(en -e)* suitor, wooer; *(kæreste)* lover.

bekende ★ *(tilstå)* confess; *(indrømme)* admit, confess (to) *(fx* I admit *(el.* confess) that ..; I must confess to a certain surprise); *det må jeg ~ (= det har jeg fået at føle)* I know that to my cost; *~ kulør (i kortspil)* follow suit, *(fig)* show one's hand; *~ sig til en religion* profess a religion.

bekendelse *(en -r)* confession; *(tros- ogs)* creed; *gå til ~* make confession, confess, T make a clean breast of it. **Bekendelseskirken** the Confessional Church. **bekendelses|løs** *adj* nondenominational *(fx* instruction). **-skrift** *(et -er)* symbolic book.

bekender: *Edvard* **-en** Edward the Confessor.

I. **bekendt** *(en -e)* acquaintance; *(ofte =)* friend *(fx* I am staying with friends).

II. **bekendt** *adj* well-known, celebrated; *(gammel-kendt)* familiar *(fx* face, voice); *(mat.)* known *(fx* a k. quantity); *det er almindelig ~ at* it is a matter of common knowledge that; *historien er almindelig ~* the story is well-known *(el.* widely known); *det er ikke almindelig ~ at* it is not generally known that; *~ for* known for, famous for; *~ for at være* known to be; *~ med* acquainted with, familiar with; *gøre sig ~ med* make oneself familiar with, acquaint oneself with; *gøre ham ~ med* inform him of, make him acquainted with, *(præsentere)* introduce him to; *hans mest -e . arbejde* his best-known work; *det er mig ~ at* I am aware that; *så vidt mig ~* as far as I know; *ikke (så vidt) mig ~* not to my knowledge; *som ~ ..* it is a well-known fact that .., as is well known ..; *som det vil være Dem ~* as you will know, as you will be aware; *jeg kan ikke være ~ at sige nej* I cannot in decency refuse; *du kan ikke være andet ~* you cannot in decency do otherwise; *det kan du ikke være ~!* that is not good enough! *(= skam dig)* you ought to be ashamed of yourself! *det kan vi ikke godt være ~* we could not very well do that; *at du vil være det ~!* I am surprised at you! *vil du være det ~!* can you bring yourself to do such a thing! *en bog han godt kan være ~* a book which is worthy of him.

bekendtgøre *vb* announce, proclaim, *(i avis)* publish, advertise; *det -s herved at* notice is hereby

given that. **bekendtgørelse** *(en -r)* announcement, proclamation, notice; advertisement; *(forordning)* Government notice; *~ af et dødsfald* announcement of a death.

bekendtskab *(et -er)* acquaintance; *stifte ~ med* become acquainted with, *(person)* make the acquaintance of, make (sby.'s) acquaintance; *ved nærmere ~* on closer acquaintance; *(se ogs II. vinde).*

bekendtskabskreds (circle of) acquaintances.

bekkasin *(en -er)* snipe.

beklage *(nære deltagelse for)* pity, be sorry for; *(desværre måtte indrømme etc)* regret *(fx* I regret that I cannot help you; we regret to (have to) announce the death of ..), be sorry *(fx* I am very sorry that I cannot stay here); *(misbillige)* deplore, regret; *(fortryde)* regret; *han er såmænd ikke at ~* there is no need to be sorry for him; *~ sig* complain *(over:* of, about).

beklagelig *adj* unfortunate *(fx* incident); regrettable *(fx* error); *(stærkere)* deplorable. **beklageligvis** unfortunately.

beklagelse *(en -r) (det at finde noget uheldigt)* regret; *(klage)* complaint; *(medlidenhed)* pity; *til vor ~ må vi meddele Dem* we regret to inform you.

beklagelsesværdig *adj* pitiable, to be pitied.

beklemmende *adj* oppressive, disheartening.

beklemt *adj (ængstelig)* anxious, uneasy. **beklemthed** *(en)* anxiety, uneasiness.

beklikke *vb* malign, cast aspersions on.

beklippe *vb* cut; *~ en film* cut (down) a film.

beklumret *adj* stuffy, close; T muggy.

beklæde ★ *(dække)* cover; *(med brædder)* board; *(med papir)* paper; *(med planker)* plank, *(med plader)* plate; *(indvendig)* line; *(udvendig)* face; *(et embede)* hold, fill.

beklædning *(en) (klæder)* clothing; *(dække)* covering, *(af brædder)* boarding; *(indvendig)* lining; *(udvendig)* facing. **beklædnings|genstand** article of clothing, garment. **-industri** clothing industry.

bekneb: *være i ~ (fig)* be in a tight corner; *være i ~ for penge* be hard up.

bekomme: *~ en godt* agree with sby.; *~ en ilde* disagree with sby. *(fx* the food disagreed with me); *vel ~!* *(ved måltider bruges ikke noget tilsvarende i England),* *(ironisk)* much good may it do you!

bekomst: *få sin ~* be done for.

bekoste *vb* defray the expenses of, pay for.

bekostelig *adj* expensive, costly.

bekostning *(en -er)* expense, cost, expenditure; *med en ~ af* at an expense of; *på min ~ (ogs fig)* at my expense; *på ~ af* at the expense of.

bekranse *vb* garland. **bekrige** *vb* make war on.

bekræfte *vb (bevidne, attestere)* certify; *(bestyrke)* confirm *(fx* a suspicion, an impression), corroborate, bear out; *(anerkende rigtigheden af)* confirm *(fx* a conversation, a statement, a rumour); *(sige ja til)* answer in the affirmative, affirm; *afskriftens rigtighed -s* I certify this to be a true copy; *-t afskrift* certified copy; *(lovlig) -t genpart* (legally) attested copy; *~ modtagelsen af* acknowledge receipt of; *~ hans ord* corroborate *(el.* bear out) his statement, bear him out; *-t oversættelse* certified translation; *~ ved ed* confirm on oath, swear to; *(se ogs bekræftende).*

bekræftelse *(en -r) (se bekræfte)* certification; confirmation, corroboration; affirmation; *(af modtagelse)* acknowledgment.

bekræftende *adj* affirmative, confirmatory; *adv* in the affirmative *(fx* answer in the a.); *i ~ fald* if so; *nikke ~* nod one's assent.

bekvem *adj (behagelig)* comfortable *(fx* chair, clothes); *(let at benytte)* convenient *(fx* method), handy *(fx* tool); *gøre sig det -t* make oneself comfortable; *en ~ lejlighed til* at an opportunity to.

bekvemme: *~ sig til (at gøre) det* bring *(el.* persuade) oneself to do it.

bekvemmelighed *(en -er)* convenience, comfort; *alle moderne -er* all modern conveniences.

bekvemmeligheds|flag ⚓ flag of convenience. **-hensyn:** *af* ~ for the sake of convenience.

bekymre *vb* worry, trouble; ~ *sig om* worry *(el. trouble)* about; care about; *ingen -r sig om børnene (ɔ: tager sig af)* nobody cares for the children. **bekymret** *adj* worried, anxious, concerned *(for, over:* about*); (forgræmmet)* care-worn.

bekymring *(en -er)* worry, anxiety; *gøre sig -er* worry *(over:* about).

bekæmpe *vb (modvirke)* combat, struggle with, fight; *(betvinge)* control, fight down *(fx* one's tears).

bekæmpelse *(en)* fight *(af:* against); *foreningen til* ~ *af* .. the Society for the Prevention of ..

belagt *adj* covered *(etc, se belægge); (om tunge)* coated, furred, *(om stemme)* husky; *dobbelt* ~ *(kan gengives:)* heaped; *fuldt* ~ *(om hotel)* full up, booked up.

belaste *(belæsse)* load, charge; *(debitere)* debit, charge; *(besvære)* load; *(anspænde)* strain *(fx* the nervous system); *arveligt -t* tainted.

belastning *(en)* charging; *(last, vægt)* load, weight; *(fig)* strain *(fx* the s. on his nerves); *arvelig* ~ hereditary taint. **belastningsprøve** load test; *(fig)* strain *(fx* a severe s. on the nerves).

belave: ~ *sig på* prepare (oneself) for; *-t på* prepared for.

belejlig *adj* convenient, *(om tid ogs)* seasonable, opportune, well-timed; *det kom meget -t* it came at an opportune moment, it came in very handy; *det kommer ham -t* it suits him; *snarest -t, så snart det er Dem -t* at your earliest convenience; *hvis det er Dem -t* if (it is) convenient (to you).

belejre *vb* besiege. **belejrer** *(en -e)* besieger.

belejring *(en -er)* siege; *hæve en* ~ raise a siege; *udholde en* ~ stand *(el.* undergo) a siege; *(med held)* withstand a siege.

belejringstilstand state of siege; *erklære (en by i)* ~ proclaim (a town in) a state of siege.

belemre: ~ *med* saddle with, encumber with.

beleven *adj* courteous. **belevenhed** *(en)* courtesy.

Belgien Belgium.

belgier *(en -e)*, **belgisk** *adj* Belgian.

beliggende *adj* situated, *(om hus ogs)* standing.

beliggenhed *(en)* situation, position, site; *(m. h. t. sol etc)* exposure, aspect; *(værelsers indbyrdes)* arrangement.

belladonna *(en) (med.)* belladonna; ♧ deadly nightshade.

bellis *(en -)* ♧ daisy; *(skotsk)* gowan.

belure *vb* watch secretly, spy on.

belyse * *(oplyse)* light up, illuminate; *(fot)* expose; *(fig)* throw light on, illustrate, illuminate, elucidate; ~ *noget kritisk* subject sth. to a critical examination; ~ *med projektor* floodlight. **belysning** *(en -er)* lighting, illumination; *(stærk, dæmpet, historisk, etc)* light; *(fot)* exposure; *(fig: forklaring)* illustration, elucidation.

belysnings|artikler lighting accessories. **-effekt** lighting effect. **-mester** stage electrician. **-middel** illuminant. **-måler** *(fot)* exposure meter. **-tid** *(fot)* exposure time. **-væsen** gas and electricity services.

belæg *(et -) (eksempel)* instance *(fx* I can quote instances in support of it).

belægge *(dække)* cover; *(med et overtræk)* coat; *(spejl)* silver; *(optage, reservere)* engage, occupy, reserve; *(m beviser etc)* support; ~ *med arrest* place under arrest, *(skib)* lay an embargo on; ~ *med bomber* bomb (heavily), plaster with bombs; ~ *med brædder* board; ~ *med citater* support with quotations; ~ *med fliser* cover with flags, beflag; ~ *med håndjern* handcuff; ~ *med lænker* put in irons; ~ *med sten* pave; ~ *påstande med tal* substantiate arguments with figures; ~ *med tæpper* carpet; *forstå at* ~ *sine ord* know how to express oneself; *(se ogs belagt)*. **belægning** *(en)* cover, covering; *(m overtræk)* coat, coating; *(af spejl)* silvering; *(på tunge)* coating; ✕ *(indkvar-*

teret mandskab) billeted troops. **belægningsstue** ✕ barrack room.

belære * teach, instruct; ~ *ham om at* teach him that; *belært af erfaringen* taught by experience.

belærende *adj* educational, instructive; *(docerende)* didactic; ~ *film (, legetøj)* instructional film (, toys).

belæring *(en)* instruction.

belæsse *vb* load; *-t med pakker* loaded down with parcels.

belæst *adj* well-read, deeply read.

belæsthed *(en)* wide reading.

beløb *(et -)* amount; *det indkomne* ~ the proceeds; *indtil et* ~ *af* up to an amount of; *det manglende* ~ the deficiency; *samlet* ~ total amount. **beløbe:** ~ *sig til* amount to; *(i alt)* total.

belønne *vb* reward, recompense, remunerate *(for:* for). **belønning** *(en -er)* reward; *til* ~ as a reward.

belåne * *(bruge som pant)* borrow money on; *(fast ejendom)* mortgage; *(give lån på)* lend on.

bemale *vb* paint, *(neds)* daub.

bemande *vb* man; *-t rumskib* manned spacecraft; *utilstrækkelig -t* undermanned.

bemanding *(en)* manning; *(mandskab)* crew, *(krigsskibs)* complement.

bemeldte *adj* the said, the aforesaid.

bemidlet *adj* well off, well-to-do.

bemyndige *vb* authorize, empower.

bemyndigelse *(en -r)* authorization; *(fuldmagt)* power (of attorney), authority; *(fra myndighederne)* warrant; *efter* ~ by order; *give* ~ authorize; ~ *til at afgive stemme på en andens vegne* proxy. **bemyndigelseslov** emergency powers act.

bemægtige: ~ *sig* take possession of, seize (on), possess oneself of.

bemærke *vb (lægge mærke til)* notice, perceive, observe *(fx* she noticed, without truly observing, a new member), note; *(ytre)* remark, observe; *(gøre opmærksom på)* point out; *bemærk!* note! *bedes -t* please note; *det fortjener at -s* it deserves notice; *gøre sig -t* make oneself conspicuous.

bemærkelsesværdig *adj* remarkable, notable.

bemærkning *(en -er)* remark, observation; *(kritisk)* comment; *gøre -er om* en make remarks about sby.; *knytte nogle -er til* make a few comments on.

ben *(et -) (knogle, materiale)* bone; *(lem; bukse-, stole- etc)* leg; *(på stikkontakt)* pin; *(bierhverv)* side line, private work; *(sinecure)* sinecure, soft job; *få det forkerte* ~ *først ud af sengen* get out of bed on the wrong side; *have* ~ *i næsen* have grit; *det er der ingen* ~ *i* that is perfectly simple, that is plain sailing; *han løb så hurtigt som hans* ~ *kunne bære ham* he ran as fast as his legs would carry him; *kunstigt* ~ artificial leg; *sætte det længste* ~ *foran* put one's best foot forward; *stikke af med halen mellem -ene (fig)* run away with one's tail between one's legs; *falde over sine egne* ~ stumble over one's own legs; *hjælpe en på -ene* help sby to his feet; *hans formue fik hurtigt* ~ *at gå på* he went through his fortune in no time; *stå på egne* ~ stand on one's own feet; *stille en hær på -ene* raise an army; *være på -ene (ɔ: oppe)* be up and about; *(efter sygdom)* be on one's feet again; *hele byen er på -ene* the whole town is astir; *lutter skind og* ~ all skin and bone; *slå -ene væk under en* knock sby. off his feet; *spænde* ~ *for en* trip sby. up; *jeg vil aldrig sætte mine* ~ *i hans hus* I will never set foot in his house; *tage -ene på nakken* take to one's heels; *være dårlig (, rask) til -s* be a bad (, good) walker; *gøre sig ud til -s* cut up rough.

ben|agtig *adj* bony, osseous. **-brud** *(et -)* fracture.

bene *vb:* ~ *af* leg it.

benedder caries.

benediktiner *(en -e)* Benedictine.

benefice *(en -r) (forestilling)* benefit (performance); *til* ~ *for* for the benefit of; *til* ~ *for dig* for your benefit. **beneficere** *vb* endow; *-t sag* case in which free legal aid is granted. **benefici|um** *(et -er)* scholarship.

benende *(en -r)* foot (of a bed).

benet adj (knoklet) bony. **benfri** boneless.
Bengalen Bengal.
bengalsk adj Bengali; ~ belysning Bengal light; Den -e Bugt the Bay of Bengal.
beng|el (en -ler) (lommel) lout.
ben|gnaver [person, especially a politician, who holds a variety of lucrative offices]. **-hindebetændelse** periostitis. **-klæder** pl se bukser. **-mel** bone meal.
benovelse (en) confusion; (generthed) self-consciousness. **benovet** adj confused; self-conscious.
ben|pibe shaft (of the bone). **-rad** skeleton. **-skade** injured leg. **-skinne** (en -r) (med.) splint; (ved boldspil) pad; (af rustning) greave. **-splint** splinter of bone. **-stilling** position of the legs. **-stump** stump of a leg; fragment of bone. **-væv** osseous tissue.
benytte vb use, make use of, employ, avail oneself of; ~ et beløb til ngt. spend a sum on sth.; ~ en lejlighed take (el. seize) an opportunity; ~ sig af avail oneself of (fx an offer), make use of, (misbruge) take advantage of (fx sby.'s innocence); ~ tiden (godt) make the most of one's time; ~ til use for (fx use coal for the production of gas), use as (fx the room is used as a library). **benyttelse** (en) use.
benzin (en) (motor-) petrol, (amr) gasoline, gas; (til rensning etc) benzine. **benzin|dunk** petrol tin; (rund) petrol drum. **-motor** petrol engine. **-måler** petrol gauge. **-os** petrol fumes. **-tank** (i bil) petrol tank; (servicestation) filling (el. service) station; (amr) gas (el. service) station. **-tilførsel** fuel supply.
benzol (kem) benzene, (merk) benzol.
benægte vb deny; (nægte at tilstå) refuse to confess; (se ogs: nægte (sig skyldig)). **benægtelse** (en) denial. **benægtende** adj negative; adv in the negative (fx answer in the negative); i ~ fald if not.
benævne vb name, call, designate; ~ forkert misname. **benævnelse** (en -r) appellation, designation; (tals) denomination, (nævner) denominator; forkert ~ misnomer. **benævnt**: -et tal concrete numbers; addition med -e tal compound addition.
benåde vb (fritage for straf) pardon, (for dødsstraf) reprieve; (begunstige) favour; betinget -t released conditionally, (amr) released on parole; han blev -t med fængsel på livstid the death sentence was commuted to imprisonment for life; ~ en med en titel (, en orden) confer a title (, an order) on sby.
benådning (en -er) free pardon; (for dødsstraf) reprieve; (erstatning af straf med en mildere) commutation (of sentence); betinget ~ conditional release, (amr) release on parole; indstille en til ~ recommend sby. for mercy.
benådnings|ansøgning petition for mercy. **-ret** prerogative of mercy.
beordre vb order, command, direct, instruct.
bepakke vb (belæsse) load; (overfylde) overcrowd.
beplante vb plant. **beplantning** (en -er) planting; (plantage, vækster) plantation.
beramme vb fix (fx a date for the meeting), appoint (fx at the appointed time).
berappe vb (en mur) rough-cast.
berberis (en -ser) ⚘ barberry.
berede * prepare; (huder) dress; (forvolde, skaffe) cause (fx sorrow, difficulties), give; ~ ham glæde give him pleasure; ~ sig på prepare oneself for; ~ sig til get ready for; ~ ham skuffelse disappoint him; ~ vejen for pave the way for; (se ogs beredt).
beredelse (en) preparation.
bereden adj mounted; -t politi mounted police.
beredskab (et) (krigs-) (military) preparedness; almindeligt (, forhøjet) ~ simple (, reinforced) alert; holde i ~ hold in readiness; i højeste ~ ⚔ in a state of extreme preparation.
beredskabs|køb reserve purchase, stockpiling. **-lager** reserve, stockpile. **-taske** (fot) ever-ready case.
beredt adj prepared, ready (til: for, til at: to).
beredvillig adj ready, willing, prompt. **beredvillighed** (en) readiness, willingness, promptitude.

beregne (udregne) calculate, compute; (anslå) estimate; (fastsætte som betaling) charge; (gøre regning på, forvente) count on; ~ ekstra for charge extra for; ~ fejl miscalculate; forsigtig -t er det £500 it is £500 at a conservative estimate; -t på intended for; -t på at intended to, designed to; ~ sig (i betaling) charge; jeg har -t Dem disse varer til I have charged you these goods at; (se ogs beregnende).
beregnende adj calculating, scheming, designing.
beregner (en -e) calculator; (aktuar) actuary.
beregning (en -er) calculation, computation; gøre ngt af ~ do sth. from ulterior motives; efter en forsigtig ~ at a conservative estimate; efter menneskelig ~ humanly speaking; om alt går efter ~ if everything turns out as expected; uden ~ (merk) free of charge.
beregningsmåde method of calculating.
berejse * travel (in) (fx a country); (om handelsrejsende) work (fx a traveller working Jutland); T do.
berejst: han er meget ~ he is widely travelled.
beretning (en -er) report, account; (fortælling) narrative; aflægge ~ om (make a) report on, give an account of.
berette vb tell, relate, recount; (en døende) administer the (last) sacrament to; ~ om tell of, relate.
berettelse (en -r) administration of the (last) sacrament.
beretter (en -e) narrator, relater.
berettige entitle (til: to); (retfærdiggøre) justify.
berettigelse (en) (rimelighed) justice, legitimacy; (begrundelse) justification, foundation; (adkomst) right, title; (myndighed) authority; have sin ~ be legitimate, be just, (eksistens-) have a raison d'être.
berettig|et adj entitled (til: to); (rimelig) just, legitimate; det -ede i the justice of; ~ kritik (well-) deserved (el. just) criticism.
bergamot (en -ter) bergamot.
beri-beri (en) beri-beri.
berider (en -e) riding master; (kunst-) circus rider. **beriderske** (en -r) equestrienne.
berige vb enrich. **berigelse** (en) enrichment.
berigelsesforbrydelse offence against property.
berigtige vb correct; (vægt etc) adjust; (betale) settle. **berigtigelse** (en -r) correction; adjustment; settlement; (dementi af påstået udtalelse) disclaimer.
Beringsstrædet Bering Strait.
Berlin Berlin. **berliner-** Berlin (fx a Berlin firm). **berlinerblåt** Prussian blue.
Bern Berne. **Berner** (en -e) Bernese (pl Bernese). **Berner-Oberland** the Bernese Oberland.
Bernhard Bernard.
I. **bero** subst: stille i ~ (foreløbig standse) suspend; (lade henstå uafgjort) leave in abeyance.
II. **bero** vb (findes) be; (forblive uafgjort) remain in abeyance, be pending; ~ hos en be left with sby.; ~ på (skyldes) be due to, (komme an på) depend on; skal vi ikke lade det ~ derved let us leave it at that; lade det ~ ved be content with (fx be c. with the information received).
berolige vb calm, calm down, quiet, reassure, soothe, set at rest; blive -t ved at høre be relieved to hear; (se ogs beroligende).
beroligelse (en) reassurance, relief; det er en ~ at vide it is a comfort to know.
beroligende adj reassuring, soothing; (med.) sedative; ~ middel sedative; tranquilizer.
bersærk (en -er) berserk(er). **bersærkergang** berserk fury; få ~ run berserk, run amuck.
beruse vb intoxicate, inebriate; ~ sig get drunk.
beruselse (en) intoxication; i ~ in a state of intoxication.
berusende adj intoxicant, intoxicating; ~ drikke intoxicants. **beruser** (en -e) drunk (pl drunks).
beruset adj intoxicated (af: with, fx whisky, joy); drunk, inebriated, tipsy.
berygtet adj notorious, disreputable; ~ hus house of ill repute; ~ kvinde woman of doubtful reputation; ~ person bad character.

berygtethed *(en)* bad reputation, notoriety.
berømme *vb* laud, extol; ~ *sig af* boast of, glory in. **berømmelig** *(navnkundig)* famous, illustrious.
berømmelse *(en) (ry)* celebrity, fame; *(ros)* praise.
berømt *adj* famous *(for* for), famed, illustrious, renowned, celebrated. **berømthed** *(en -er)* fame, celebrity, renown; *(person)* celebrity.
berør|e ✻ touch; *(i forbifarten)* brush; *(påvirke, angd)* affect *(fx* prices, his interests, his honour); *(omtale)* touch on, refer to, hint at; *ilde (, pinligt) -t af* unpleasantly (, painfully) affected by.
berøring *(en)* touch, contact; *bringe ham i* ~ *med* bring him in contact with, put him in touch with; *komme i* ~ *med* get into touch with; *højspænding, ~ livsfarlig* Danger! High Voltage! *en let* ~ a light touch. **berøringspunkt** point of contact; *(fig)* point in common.
berøve *vb* deprive of, divest of; *(uretmæssigt)* rob of *(fx* rob sby. of his possessions); ~ *sig selv livet* take one's own life. **berøvelse** *(en)* deprivation.
beråbe: ~ *sig på* appeal to, refer to, quote; *(for at retfærdiggøre sig)* plead, urge.
besat *(optaget)* taken; *(af fjenden)* occupied; *(af djævelen)* possessed (by the devil); *(forrykt)* possessed; *(betaget)* obsessed *(fx* by sby., by an idea); *det -te Frankrig* occupied France; *fuldt* ~ full up; *holde* ~ hold, occupy; *skrige som* ~ scream like mad; *tyndt* ~ *(om teater)* sparsely filled; *stillingen er* ~ the vacancy is filled; *stillingen er ikke* ~ the post is vacant.
bese *vb* see; visit *(fx* a museum); look over; *(efterse)* inspect, view *(fx* a house); *nærmere -t* when you come to think of it; *ret -t* all things considered.
besegle *vb* seal *(fx* a friendship with a kiss; this sealed his fate). **besegling** *(en)* sealing.
besejle *vb* navigate; *som kan -s* navigable; ~ *en havn (regelmæssigt)* call regularly at a port; ~ *ruten A–B* ply between A and B. **besejling** *(en)* navigation. **besejlingsplan** list of sailings.
besejre *vb* beat, conquer, defeat, get the better of; vanquish; *(fig)* overcome, surmount *(fx* difficulties). **besejrer** *(en)* conqueror, vanquisher.
besidde *vb* possess *(fx* an estate, a quality); hold *(fx* land, shares), have; *de -nde (klasser)* the propertied classes.
besiddelse *(en -r)* possession; *(biland, ogs)* dependency; *komme i* ~ *af* come into possession of, get possession of; *sætte sig i* ~ *af* take possession of, possess oneself of; *være i* ~ *af* be in possession of; *vi er i* ~ *af Deres brev* we are in receipt of your letter.
besiddelsesløs *adj* without property, unpropertied; *de besiddende og de -e* T the haves and the have -nots. **besidder** *(en -e)* possessor, occupier, holder.
besigtige *vb* inspect, survey. **besigtigelse** *(en -r)* inspection, survey; *foretage en* ~ make a survey.
besinde: ~ *sig* collect oneself, *(genvinde fatningen)* regain one's composure, *(betænke sig)* think twice, *(skifte sind)* change one's mind, think better of it; ~ *sig på (overveje)* deliberate, consider; *før han fik -t sig* before he knew where he was.
besindelse *(en) (fatning)* composure; *(eftertanke)* reflection; *tabe -n* lose one's head; *bringe en til* ~ bring sby. to his senses; *komme til* ~ regain one's composure, think better of it.
besindig *adj* sober(-minded), cool, steady. **besindighed** *(en)* sober-mindedness, coolness, steadiness.
besjæle *vb* animate, inspire; *-t af* inspired by *(fx* an ideal), animated by *(fx* feelings of friendship).
besk *adj* bitter, acrid.
beskadige *vb* damage, injure; *(legemsdele)* hurt, injure; *stærkt -t* greatly *(el.* seriously) damaged. **beskadigelse** *(en -r)* damage, injury *(af:* to).
beskaffen *adj* constituted; *anderledes* ~ different; *jeg ved ikke hvordan den er* ~ I do not know what it is like. **beskaffenhed** *(en)* nature, character; *(tilstand)* condition; *(slags)* kind, description; *(kvalitet)* quality; *sagens* ~ the nature of the case.
beskatning *(en)* taxation; *(kommunal)* rating;

(ligning) assessment; ~ *vea kilden* taxation at the source, pay-as-you-earn, P.A.Y.E.
beskatningsmåde system of taxation (, rating).
beskatte *vb* tax; *(kommunalt)* rate; *(ligne)* assess; *de højest -de* those in the highest taxation bracket(s).
besked *(en) (oplysning)* information; *(svar)* answer; *(ordre)* instructions; *(bud)* message; *få* ~ *om at gøre ngt.* be told to do sth.; *give ham ren* ~ *(∂: irettesætte ham)* give him a piece of one's mind; *sende ham* ~ *om at* send him word that, let him know that; *tage imod* ~ take a message; *telefonisk* ~ telephone message; *vide* ~ *om* be informed of, know about; *vide god* ~ be well informed; *du ved* ~ you know (what I mean).
beskeden *adj* modest; *(mådeholden, ret lille, ogs)* moderate, humble; *(ikke overdådig)* plain, simple.
beskedenhed *(en)* modesty; *falsk* ~ false modesty; *drikke en kop te i al* ~ have a quiet cup of tea.
beskidt *adj* *(snavset)* dirty, grubby, filthy; *(gemen)* dirty; *en* ~ *streg* a dirty trick.
beskikke *vb* *(tildele)* allot; *(udnævne)* appoint; ~ *sit hus* put one's house in order.
beskikkelse *(en)* appointment.
beskikket *adj:* ~ *censor* officially appointed examiner; ~ *advokat* [counsel assigned to the accused by the State].
beskinne shine upon; *-t af solen* sunlit.
beskrevet *adj (skrevet på)* covered with writing.
beskrive *vb* *(skildre)* describe; *(gennemløbe, aftegne)* describe *(fx* a circle); *det lader sig ikke* ~ it is indescribable; *(se ogs beskrivende)*. **beskrivelse** *(en -r)* description, account; *nærmere* ~ more detailed description, specification; *over al* ~ beyond description. **beskrivende** *adj* descriptive *(fx* poetry).
beskub: *på bedste* ~ *(adj)* haphazard; *(adv)* at haphazard, at random, by rule of thumb.
beskue *vb* contemplate, behold, view, gaze at. **beskuelse** *(en)* contemplation.
beskuer *(en -e)* spectator, observer, beholder.
beskyde *vb* fire at *(el.* on, into); *(m granater)* shell; *(på langs)* enfilade; *fra dette fort kan hele havnen -s* this fort commands the harbour. **beskydning** *(en)* fire; *(m granater)* shelling; *en* ~ *på langs* an enfilading fire *under kraftig* ~ under heavy fire; *tage under* ~ open fire on.
beskylde ✻: ~ *en for (at have gjort) ngt* accuse sby. of (having done) sth., charge sby. with (having done) sth.
beskyldning *(en -er)* accusation, charge *(for:* of); *rette en* ~ *mod en* bring a charge against sby.
beskylle *vb* wash.
beskytte *vb* protect *(imod:* from, against), guard, secure *(imod:* against); *(give ly, ogs fig)* shelter *(imod:* from); *(handelspolitisk)* protect; *(protegere)* patronize; *(se ogs beskyttende)*.
beskyttelse *(en)* protection; *(ly)* shelter *(fx* from the rain); *(protektion)* patronage, *(ledelse, auspicier)* auspices; *(sikringsforanstaltning)* safeguard; *Foreningen til Dyrenes* ~ the Society for the Prevention of Cruelty to Animals.
beskyttelses|arrest protective custody. **-farve** protective colouring. **-foranstaltning** protective measure, precaution; *-er mod luftangreb* air-raid precautions. **-hjelm** skullguard. **-lighed** *(i biologi)* mimicry. **-middel** protective measure, safeguard. **-rum** *(mod luftangreb)* air-raid shelter; *(i skyttegrav)* dug-out. **-told** protective duty.
beskyttende *adj* protecting, protective; *(protegerende)* patronizing.
beskytter *(en -e)* protector, patron; *(støvle-)* (boot)protector; *troens* ~ Defender of the Faith.
beskæftige *vb* *(have i arbejde)* employ; *(sysselsætte)* occupy, keep occupied *(fx* the children must be kept occupied); *(optage)* occupy; ~ *sig med* be occupied with, devote one's time to, have sth. to do with, *(behandle, tage sig af)* deal with; *-t med* occupied with, engaged in *(el.* on); *travlt -t* very busy.

beskæftigelse *(en -r)* employment, occupation, work; *have fast ~* be in a steady job; *fuld ~* full employment; *søge ~* look for a job, **seek** employment; *uden ~* with nothing to do, idle; *(arbejdsløs)* out of work, unemployed.

beskæftigelses|grad rate of employment. **-terapeut** occupational therapist. **-terapi** occupational therapy.

beskæmme *vb* disgrace, humiliate; *(gøre skamfuld)* put to shame, make ashamed; *(skuffe)* disappoint; *håbet -r ingen* hope putteth not to shame.

beskæmmelse *(en)* shame, disgrace, humiliation. **beskæmmende** *adj* shameful, disgraceful, humiliating.

beskænket *adj* tipsy.

beskære *vb* cut, clip, trim; *(ved bogbinding)* cut the edges of; *(træer)* prune; *(formindske, forkorte)* reduce, curtail; *(roman, skuespil etc)* cut, abridge; *(film)* cut; *(tildele)* allot (to) *(fx* the span of life allotted to him).

beskæring *(en)* cutting, clipping, trimming; *(af træer)* pruning; *(forkortning)* reduction, curtailment, abridgment, cutting.

beskæringssaks pruning shears, secateur.

beskærme *vb* protect *(imod:* against). **beskærmelse** *(en)* protection.

beskøjt *(en -er)* (ship's) biscuit; *-er (ogs)* hard tack. **beskåret** *perf part af beskære.*

beslag *(et -)* *(metalplade etc)* furnishing(s), mounting, fitting; *(på dør, vindue)* furniture; *(af søm)* studding; *(hestesko)* shoes, shoeing; *(på hjul)* tyre; *lægge ~ på* ✗ sequester, seize, confiscate, *(skib)* lay an embargo on, *(optage)* occupy, take up, engross, engage *(fx* sby.'s attention); monopolize *(fx* the best chair); *lægge ~ på ens gæstfrihed* accept sby.'s hospitality; *(ubeskedent)* trespass upon sby.'s hospitality; *lægge ~ på ens kræfter* tax sby.; *må jeg lægge ~ på Dem et øjeblik?* can you spare me a few minutes?

beslaglægge *vb se (lægge)* beslag (på).

beslaglæggelse *(en)* *(konfiskering)* seizure, sequestration, confiscation; *(embargo)* embargo.

beslagsmed farrier.

beslutning *(en -er)* decision, determination, resolution; *(forsamlings)* resolution; *forandre ~* change one's mind; *tage (el. træffe) en ~* make up one's mind, come to a decision; *tage ~ om* decide on; *vedtage en ~* pass a resolution. **beslutningsdygtig:** *et -t antal* a quorum; *være ~* form a quorum.

beslut|som *adj* resolute. **-somhed** *(en)* resolution.

beslutte *vb* decide, resolve, make up one's mind; *(om forsamling)* resolve; *~ sig* make up one's mind; *~ sig til en fremgangsmåde* decide on a course of action; *-t på* at determined to.

beslægtet *(i slægt)* related; *(lignende)* cognate *(fx* ideas, words), related *(fx* phenomena, languages), allied, kindred; *(om karakter, sjæl)* congenial, kindred; *kødeligt ~* related by blood, consanguineous; *~ med* related to; akin to.

beslægtethed *(en)* relationship; *(fig)* affinity.

beslå *vb (m metalbeslag)* mount; *(m søm)* stud, spike; *(sko heste)* shoe; *(sejl)* furl; *godt -et (med penge)* in funds.

besmitte *vb (fig)* pollute, defile. **besmittelse** *(en)* pollution, defilement.

besmykke *vb* extenuate *(fx* his conduct); gloss over *(fx* his faults); excuse. **besmykkelse** *(en)* extenuation, excuse.

besmøre *vb* smear, plaster.

besnakke *vb* coax *(til at gøre det* to do it); wheedle, *(til at give det* into doing it); talk over.

besnære *vb* infatuate, captivate; *blive -t af* fall for. **besnærende** *adj* captivating, enchanting; *(falsk)* specious *(fx* argument).

besparelse *(en -r)* economy, retrenchment.

bespise * feed. **bespisning** *(en)* feeding; *~ af skolebørn* the provision of free meals for school children.

bespotte *vb* mock, deride, scoff at; *~ Gud* blaspheme. **bespottelig** *adj* blasphemous, profane.

bespottelse *(en)* blasphemy, profanity.

besprøjte *vb* sprinkle, squirt; *(m snavs)* bespatter.

bespændt: *~ af mælk* distended with milk.

bestalling *(en -er)* commission, licence; *få ~ som advokat (om* solicitor) be admitted (as a solicitor); *(om* barrister) be called to the bar; *(om amr* attorney) be admitted to the bar; *blive frataget sin ~ (som advokat) (om* "solicitor") be struck off the Rolls; *(om* "barrister" *og* "attorney") be disbarred.

bestand *(en) (kvæg)* stock; *(antal af bestemt dyreart)* population *(fx* the pig population of Denmark), *(af bøger etc)* stock; *(plantevækst)* growth. **bestanddel** ingredient, component (part), constituent (part); *opløse(s) i sine -e* disintegrate.

bestandig *adj (vedvarende)* constant, continuous, *(uafbrudt)* unceasing, incessant; *(idelig gentagen)* perpetual; *(trofast)* constant; *(om farve)* fast; *adv* constantly, always, continually; *~ bedre (, stærkere etc)* better and better (, stronger and stronger etc.); *for ~* for good, for ever. **bestandighed** *(en)* constancy.

bestemme * *(beslutte)* decide, determine; *(være afgørende for, foranledige)* determine; *(om lov: foreskrive)* provide, lay down; *(fastsætte)* fix *(fx* fix the price); *(om tid, sted ogs)* appoint *(fx* appoint a time for the meeting); *(konstatere)* determine *(fx* the alcohol percentage); *(identificere, klassificere videnskabeligt)* identify, determine *(fx* a plant), *(sygdom)* diagnose; *(definere)* define; *(gram)* qualify; *det må du ~* that is for you to decide, T that is up to you; *dette bestemte ham til at handle straks* this determined him to act at once; *folks meninger -s af deres omgivelser* people's views are conditioned *(el.* determined) by their surroundings; *~ over (personer)* control, *(ting)* dispose of; *~ sig* make up one's mind; *~ sig for (el. til)* decide on; *~ sig om* change one's mind; *~ sig til at* decide to, make up one's mind to; *(se ogs bestemmende, bestemt)*.

bestemmelse *(en -r) (beslutning)* decision; *(lov-)* provision; *(i kontrakt etc)* stipulation; *(i reglement)* rule; *(konstatering, klassificering)* determination; *(definition)* definition; *(af mødetid etc)* appointment; *(skæbne)* destiny; *(øjemed)* purpose; *efter -n* according to schedule; *opfylde sin ~* have the intended effect; *tage en ~* come to (el. make, arrive at, reach) a decision, make up one's mind.

bestemmelses|havn (port of) destination. **-ret** right to decide; *~ over* right to dispose of. **-sted** destination.

bestemmende *adj* determining, determinative; *være ~ for* determine.

I. **bestemt** *adj (fast, uforanderlig)* fixed *(fx* price, salary); *(absolut)* decided *(fx* opponent of Socialism); *(energisk, viljestærk)* determined, firm *(fx* tone of voice); *(utvetydig)* definite *(fx* promise); *(præcis)* precise; *(særlig)* particular *(fx* in this particular case; for a particular purpose), specific; *(vis)* certain *(fx* on certain days; when you see it in a certain light); *(aftalt)* appointed, fixed; *(gram)* definite; *et ~ afslag* a flat refusal; *den -e artikel* the definite article; *med -e mellemrum* at fixed (el. regular) intervals; *en ~ protest* an energetic protest; *være ~ på at (ɔ: have besluttet at)* be determined to; *på det -este* categorically; *~ til* intended for, *(af skæbnen)* destined for; *~ til at (af skæbnen)* destined to.

II. **bestemt** *adv (sikkert)* certainly, for certain; *(afgjort, absolut)* decidedly, definitely; *(energisk, eftertrykkelig)* firmly; *forlange ~* insist on; *han nægtede at* he flatly refused to; *optræde ~* be firm; *jeg tror ~ at* I am almost certain that; *jeg ved det ikke ~* I could not say for certain; *det vil jeg ~ ikke gøre* I will certainly not do that.

bestemthed *(en)* *(fasthed)* firmness; *(vished)* certainty; *(gram)* definiteness; *med ~: se* II. bestemt.

bestialitet *(en)* bestiality, brutishness. **bestialsk** *adj* bestial. **bestie** *(et -r) (ogs fig)* beast.

bestige *vb* mount, climb, ascend; *~ bjerge* climb

mountains; ~ *en hest* mount a horse; ~ *talerstolen* mount the platform; ~ *tronen* ascend the throne.

bestigning *(en -er)* ascent, climb.

bestik *(et -) (etui)* case of instruments; *(tegne-)* geometrical instrument case, set of geometrical instruments; *(spise-)* set of knife, spoon, and fork, *(kollektivt)* cutlery; ♫ *(stedsbestemmelse)* (dead) reckoning; *(målestok)* scale; *gøre galt ~ (ogs fig)* miscalculate, be out in one's reckoning; *tage ~ af (fig)* size up *(fx* the situation).

bestikke *vb* bribe; *(blænde)* dazzle, take in; *lade sig ~ af hans argumenter* be taken in by his arguments. **bestikkelig** *adj* corruptible, corrupt, open to bribery. **bestikkelighed** *(en)* corruptibility.

bestikkelse *(en -r)* bribery, corruption; *(stikpenge)* bribe; *modtage ~r* take bribes.

bestikkende *adj* specious, plausible.

bestiklukaf ♫ chart house.

bestille * *(gøre)* do *(fx* he has got nothing to do); *(afgive ordre på)* order *(fx* lunch; a suit of clothes); *(kunstværk)* commission *(fx* a portrait); *(billet, værelse)* book, *(amr)* reserve, *(taxi)* order *(fx* o. a taxi for four o'clock); ~ *bord* reserve a table; *hvis du gør det, får du med mig at ~!* if you do that you'll catch it from me! *hvad har De her at ~?* what are you doing here? *have meget at ~* be busy, have a lot of work to do; *jeg vil ikke noget med ham at ~* I will not have anything to do with him; ~ *en telefonsamtale* book a call.

bestilling *(en -er) (beskæftigelse)* work, occupation, employment; *(stilling)* job, situation; *(ordre)* order; *afgive ~* place an order; *det følger med -en* it is all in the day's work; *give ~ på ngt* order sth.; *modtage ~ på* receive an order for; *på ~* to order; *blive sat fra -en* be fired; *hvad er hans ~?* what does he do (for a living)?

bestillings|arbejde commissioned work. **-mand** official; functionary, employee. **-seddel** order form; *(i bibliotek)* call slip.

bestjæle *vb* rob; *blive bestjålet for* be robbed of; *den bestjålne* the victim (of the robbery).

bestorme *vb* assail, assault; *(plage)* pester; ~ *én med anmodninger* assail sby. with requests.

bestride *vb (benægte, angribe)* deny, dispute, challenge; *(varetage)* discharge, perform; *(betale)* defray, pay; *det kan ikke -s at* there is no denying that.

bestryge *vb* touch, stroke; ✗ rake, enfilade; *(oversmøre)* coat.

bestræbe *: ~ sig* endeavour, strive *(for at:* to). **bestræbelse** *(en -r)* endeavour, effort.

bestrø *vb* strew, sprinkle *(fx* s. the cake with sugar).

bestråle *vb* irradiate. **bestråling** irradiation.

bestyre *vb* manage, be in charge of, administer. **bestyrelse** *(en -r) (det at bestyre)* management; *(i aktieselskab)* board of directors; *(i forening)* (executive) committee; *(for institution, fx skole)* governing body; governors *(pl)*; *-ns formand (i aktieselskab)* the chairman of the board of directors; *(amr)* the president of the corporation; *sidde i -n* be on the board (, the committee).

bestyrelses|medlem director; *(i forening)* committee member, officer; *(i institution)* governor. **-møde** directors' *(el.* board) meeting; *(i forening)* committee meeting.

bestyrer *(en -e)* manager; *(skole-)* headmaster; *(af bo)* trustee. **bestyrerinde** *(en -r)* manageress; headmistress.

bestyrke *vb* confirm, strengthen *(fx* his conviction, his opinion); corroborate *(fx* a theory).

bestyrkelse *(en)* confirmation, corroboration.

bestyrtelse *(en) (forbløffelse)* consternation; *(forfærdelse)* dismay *(fx* we saw to our dismay that..).

bestyrtet *(forbløffet)* amazed, startled, astounded; *(forfærdet)* dismayed.

bestøve *vb* pollinate.

bestøvle|t booted; *den -de kat* Puss-in-Boots.

bestøvning *(en)* pollination.

bestå *(eksistere)* exist *(fx* the firm has existed for ten years; as long as the world exists), subsist; *(vare ved)* endure, last, continue; *(tage en eksamen)* pass; ~ *af* consist of, be composed of; ~ *en eksamen* pass an examination; ~ *i (ʒ: udgøres af)* consist in, *(eksamen i)* pass in; *hvori -r lykken?* what is happiness? **bestäen** *(en)* existence; *(fortsat eksistens)* survival, continuance. **bestående** *adj* existing; *det ~, de ~ forhold* the existing state of things, the established order.

besudle *vb* soil, defile; sully *(fx* his reputation).

besvangre *vb* make pregnant, get with child; *blive -t af* become pregnant by.

besvare *vb* answer, reply to; *(gengælde)* return; *(eksamensopgave)* attempt *(fx* only four of the ten questions need be attempted); ~ *en skål* respond to a toast. **besvarelse** *(en -r)* answer, reply; return; *(løsning)* solution; *(stil, afhandling)* paper; *i ~ af Deres brev* in reply to your letter.

besvige *vb* defraud *(for:* of).

besvigelse *(en -r)* defrauding, fraud; fraudulent conduct; *(underslæb)* embezzlement.

besvime *vb* faint, swoon; T pass out.

besvimelse *(en -r)* faint, fainting fit, swoon.

besvogret *adj* related by marriage.

besvær *(et) (ulejlighed)* trouble, inconvenience; *(vanskelighed)* difficulty; *(anstrengelse)* effort; *have ~ med at* have some difficulty in -ing; *jeg havde et farligt ~ med ham* he gave me a lot of trouble. **besvære** *vb (genere)* trouble *(fx* much troubled by gout), oppress *(fx* oppressed by the heat); *(ulejlige)* trouble; ~ *sig over* grumble about, complain of.

besværge *(fremmane)* raise, conjure up; *(bortmane)* exorcise, lay; *(dæmpe)* still, lay *(fx* the storm), calm; *(bede)* beseech, implore, adjure. **besværgelse** *(en -r) (det at)* conjuration, invocation, exorcism, calming, prevention, adjuration; *(besværgelsesformular)* incantation, conjuration, invocation; exorcism.

besværing *(en -er) (klage)* complaint.

besværlig *adj (ubehagelig etc)* troublesome, hard; *(vanskelig)* difficult, hard; *(kedelig)* tiresome; *(påtrængende)* importunate. **besværliggøre** impede, make *(el.* render) difficult. **besværlighed** *(en -er)* inconvenience, hardship, trouble, discomfort.

besynderlig *adj* strange, curious, odd, queer; *-t nok* strange to say, oddly enough. **besynderlighed** *(en)* strangeness, oddity.

besynge *vb* sing of, praise, celebrate.

besyv: *give sit ~ med* give one's opinion; *(afbryde)* put in one's oar; T chip in.

besætning *(en -er) (af kvæg)* livestock, stock, *(af køer)* herd; *(påsyet pynt)* trimming(s); ♫ *(mandskab)* crew; *(garnison)* garrison; *(rollefordeling)* cast; *hele -en* ♫ all hands. **besætningsbånd** braid(ing).

besætte *(okkupere)* occupy; *(om ånd, tanke etc)* obsess, possess; *(embede)* fill; ~ *rollerne* cast the parts; ~ *rollen med X* cast X for the part; ~ *med frynser* fringe; ~ *hans plads med en anden* replace him with sby else; *(se ogs besat).*

besættelse *(en) (okkupation)* occupation; *(af ånd etc)* obsession, possession; ~ *af et embede* appointment to an office; *fjendens ~ af landet* the occupation of the country by the enemy. **besættelses|hær** army of occupation. **-magt** occupying power. **-tropper** *pl* occupying troops *(el.* forces).

besøg *(et -) (visit, kort)* call; *(søgning af publikum)* attendance; *aflægge ham et ~* pay him a visit, call on him; *aflægge ~ på hans kontor* call at his office; *jeg fik ~ af ham* I had a visit from him, he called on me; *dårligt ~* poor attendance; *når jeg har ~* when I have visitors *(el.* callers); *nægte at modtage ~* refuse to see anyone; *et ~ hos, i, på* a visit to *(fx* a visit to friends, to Rome, to the island); *på ~ hos* on a visit to.

besøg|e * *(om person)* visit, pay a visit to, come

el. go) to see, *(om kortere besøg)* call on, *(uden varsel)* drop in on, *(opsøge)* look up *(fx* you must look me up if you are ever in Copenhagen); *(om sted)* visit *(fx* a foreign country), pay a visit to *(fx* a museum), *(om kortere besøg)* call at; *(~ ofte)* frequent *(fx* public houses); *(møde etc)* attend; *mødet var godt -t* the meeting was well attended; *sidst han -te London* on his last visit to London.

besøgelsestid: *kende sin ~* (be ready to) seize the psychological moment *(el.* the opportunity); *ikke kende sin ~* miss the opportunity.

besøgende *(en -)* visitor, *(på kort besøg)* caller.

besøgstid *(på hospital)* visiting hours.

besørge *vb (sørge for)* see to *(fx* have a lot to see to); *(varetage)* attend to *(fx* the correspondence); *(udføre)* do *(fx* the proofreading); perform; *(befordre)* carry, convey *(fx* mail); *(sende)* forward, transmit; *(forrette sin nødtørft)* relieve nature, *(om barn)* do one's duty; *~ et brev (>: lægge det i postkassen)* post *(amr* mail) a letter; *~ farten mellem to havne* ply *(el.* carry on the service) between two ports. **besørgelse** *(en) (udførelse)* performance; *(forsendelse)* forwarding, transmission.

I. **beså** *vb* sow; *-et* sown, *(bestrøet)* strewn *(med:* with). II. **beså** *imperf af bese.*

betage *vb (gribe)* move, stir, thrill, *(imponere)* impress, *(fængsle)* fascinate; *dybt -t* deeply moved; *han er ganske -t af hende* he has fallen for her completely; *det betog ham appetitten* it took away his appetite; *det betog ham lysten til at gøre det* it robbed him of all desire to do it, it cured him of wanting to do it.

betagelse *(en)* excitement, thrill, ecstasy.

betagende *adj (gribende)* moving, stirring, thrilling; *(imponerende)* impressive.

betakke: *~ sig (for)* decline; *han -de sig* he would have none of it.

betalbar *adj* payable.

betale * pay *(fx* a person, wages, one's debts,£5 for sth.; you will have to pay); *(varer etc)* pay for; *(en regning)* settle, pay; *~ af* pay off on, pay instalments on; *~ for* pay for; *han talte som om han var betalt for det* he talked to beat the band; *~ forud* pay in advance; *~ med guld* pay in gold; *det skal du få betalt* I will make you pay for this, I will get even with you for this; *det skal han komme til at ~* he will pay for this; *~ kontant* pay cash; *(tjener,) må jeg ~!* (waiter) the bill, please! *~ sig* pay, answer, *(være umagen værd)* be worth while, be worth it; *hvor meget skal jeg ~?* how much is it? *tage sig godt betalt* charge a good price (, fee); *~ tilbage (ogs fig)* pay back, return; *~ ud* pay out; *(>: ~ helt)* pay off; *(give i udbetaling)* pay *(fx £10)* down.

betaler *(en -e)* payer.

betaling *(en)* payment; *(for befordring) (af personer)* fare, *(af gods)* freight; *(vederlag)* charge, remuneration; *få sin ~* get one's money; *for ~* for money; *for en ringe ~* at a small charge; *imod kontant ~* for cash; *standse sine -er* suspend payment *(el.* one's payments); *tage ~ for* charge for; *forfalde til ~* fall due; *uden ~* free of charge, for nothing.

betalings|balance balance of payments. **-dag** date of payment; *(på børs)* settling-day. **-dygtig** solvent. **-dygtighed, -evne** solvency. **-middel** means of payment; *lovligt ~* legal tender. **-standsning** suspension of payment(s). **-union** payments union *(fx* the European Payments Union). **-vanskeligheder** *pl* difficulties in paying one's way. **-vilkår** terms (of payment).

betegne *vb (afmærke, angive)* indicate, mark; *(betyde)* denote, signify, stand for; *(være et tegn på, markere)* mark *(fx* this event marks a new phase of ..); *~ som* describe as; characterize as; *(se ogs betegnende).*

betegnelse *(en -r) (benævnelse)* designation, name; *(angivelse)* indication.

betegnende *adj (karakteristisk)* characteristic, typical *(for of, fx* how t. of him!); *(som antyder, viser)*

indicative, suggestive *(fx* a choice which was s. of his sympathies); *(betydningsfuld)* significant *(fx* gesture); *~ nok* characteristically *(fx* c. he ordered whisky).

betelnød *(en)* betel nut, areca nut.

betids *adv* in time *(fx* he came in time to catch the train).

betimelig *adj* timely, seasonable, opportune.

betimelighed *(en)* timeliness, seasonableness, opportuneness.

betinge *vb (være en betingelse for)* determine, condition; *være -t af* be determined by, be conditioned by, depend on; *~ sig* stipulate (for); *(forbeholde sig ret til)* reserve to oneself the right to; *~ sig at* make it a condition that; *(se ogs betingende, betinget).*

betingelse *(en -r)* condition, stipulation, provision, term; *(forudsætning)* condition *(for:* of), *(hos person)* qualification, requirement; *-r (>: levevilkår)* conditions *(fx* live under favourable conditions); *antage hans -r* accept his terms; *han har alle -r for* he is fully qualified for, he has all the requirements for, *(udsigt til)* he has every prospect of; *lempelige -r* easy terms; *opfylde -rne* meet the requirements; *på den ~ at, på ~ af* on condition that; *stille en sine -r* impose conditions on sby.; *stille den ~ at, sætte som en ~ at* make it a condition that; *stille -r* make conditions; *uden -r* unconditionally.

betingelses|bindeord conditional conjunction. **-bisætning** conditional clause.

betingelsesløs *adj* unconditional *(fx* surrender).

betingende *adj* conditional *(fx* conjunction).

betinget *adj* conditional *(af:* on); *(begrænset)* qualified *(fx* praise); *(aftalt)* stipulated *(fx* price); *~ dom* suspended sentence; *(svarer i Engl til)* binding over; *få en ~ dom* get a suspended sentence; *(svarer i Engl til)* be bound over; *~ refleks* conditioned reflex.

betitlet *adj* titled *(fx* persons).

betjene * serve; *(opvarte)* wait on; *(maskine)* operate, work; *~ sig af* make use of, use.

betjening *(en)* service, attendance; *(af maskine)* operation, working; *(tjenestefolk)* attendants, staff.

betjeningsmandskab ✕ gun crew.

betjent *(en -e) (politi-)* policeman, (police) officer, *(kun engelsk)* constable, T copper, cop, *(i tiltale)* constable, officer; *(have-)* keeper; *(jagt-)* gamekeeper.

betle *vb* beg *(om:* for). **betler** *(en -e)* beggar, mendicant.

betleri *(et)* begging.

beton *(en)* concrete; *armeret ~* reinforced c.; *uarmeret ~* plain c. **betonblandemaskine** concrete mixer.

betone *vb (ogs fig)* accentuate, emphasize, stress; *romantisk -t* with a strong touch of romance.

betoning *(en -er) (accentuering, ogs fig)* accentuation, stressing, *(accent)* accent, stress; *(tonefald)* intonation, tone.

betragte *vb (se på)* look at, contemplate, regard; *(overveje)* consider, contemplate; *~ som* look (up)on as *(fx* look on a person as an authority), regard as, consider, consider to be *(fx* I regard him as *(el.* consider him (to be)) a fool), consider as *(fx* consider it as done); *~ det som givet* take it for granted; *som poesi -t* considered as poetry.

betragtning *(en -er)* consideration; *(spekulation)* reflection, meditation; *anstille -er over* reflect on; *i ~ af* in view of, considering; *komme i ~* be considered, receive *(el.* be taken into) consideration; *ikke komme i ~* be ignored, be disregarded, receive no consideration, be out of the question; *tage i ~* take into consideration, consider, not forget, allow for, *(overbærende)* make allowance for *(fx* his youth); *når alt tages i ~* everything considered; *lade ude af ~* leave out of consideration, ignore, disregard; *uden at tage i ~* without considering, regardless of; *ved nærmere ~* on closer inspection. **betragtningsmåde** (point of) view.

betro *vb* entrust to *(fx* entrust one's daughter to

sby.), entrust with (*fx* entrust sby. with (doing) sth.), give into (sby's) charge; *(meddele)* confide to (*fx* he confided to me that he was married); ~ *sig til en* take sby. into one's confidence, confide in sby.

b :troet *adj (om person)* trusted, confidential; *betroede midler* funds entrusted to one's care; *misbrug af betroede midler* fraudulent conversion; ~ *stilling* p >sition of trust, responsible post; ~ *tjener* confidential servant.

betrygge *vb* secure. betryggelse *(en)* security, s afeguard; *(tryg følelse)* comfort (*fx* it is a c. to know t at he is on our side). betryggende *adj (tilfredss illende)* satisfactory, adequate; *(beroligende)* reassuring. betrygget *adj* safe, secure.

betræde *vb* set foot on; *(træde ind på)* enter; gr.esset må ikke -s *(svarer til:)* keep off the grass.

betræk *(et -)* cover, upholstery.

betrække *vb* cover, upholster *(med:* with, in).

betrængt *adj* in distress; hard up (for money).

betuttelse *(en)* perplexity, puzzlement.

betuttet *adj* perplexed, taken aback, puzzled (*over:* at).

betvinge *(undertvinge)* subdue, conquer; *(følelser)* check, control; ~ *sig* control oneself.

betvingelse *(en)* subjugation; control.

betvinger *(en -e)* conqueror, master.

betvivle *vb* doubt, question.

betyde *(betød, betydet) (betegne)* mean, signify, denote, stand for; *(indirekte)* connote, imply; *(bebude)* indicate, be a sign (of); *(lade forstå (imperf: betydede))* indicate, give to understand, hint; *en hestesko -r lykke* a horseshoe means luck; *hvad -r dette ord?* what does this word mean? *det -r meget (>: er vigtigt)* it matters a great deal; ~ *noget (>: være af vigtighed)* matter, be significant; *han -r ikke noget* he is a nobody; *han -r ikke noget for mig* he is nothing to me; *det har ikke noget at ~* it does not matter; *det har meget at ~* it matters a great deal; *det er blevet mig -t at* I have been given to understand that; *hvad skal det ~?* what is the meaning of this? T what is the big idea? what's (all) this in aid of?

betydelig *adj (stor)* considerable (*fx* amount); *(fremragende)* prominent, outstanding (*fx* scientist); *adv* considerably.

betydende *adj (indflydelsesrig)* influential; *(fremragende)* se betydelig.

betydning *(en -er)* meaning, sense (*fx* in the widest sense of the word); *(vigtighed)* importance, si;nificance, consequence; *(indflydelse)* influence; *af* ~ of importance, of consequence, important; *få* ~ for become important for; *få praktisk* ~ become of practical importance; *bruge ordet i en anden* ~ use the word in another sense; *i god* ~ in a good s :nse; *lægge den* ~ *i det* put that construction on it, read that into it; *tillægge* ~ attach importance to; *uden* ~ without importance, unimportant, insignificant.

betydnings|fuld *(vigtig)* important, momentous; *(udtryksfuld)* expressive, significant. -lære semantics. -løs *(uvigtig)* insignificant, unimportant, indifferent. -overgang change of meaning.

betændelse *(en -r)* inflammation; *der er gået ~ i såret* the wound is festering.

betændt *adj* inflamed (*fx* eye, imagination), festering (*fx* wound).

betænke * consider, think of, bear in mind; ~ *en med ngt* bestow sth. upon sby.; ~ *en i sit testamente* remember sby. in one's will, leave money to sby.; ~ *sig (overveje)* think it over, reflect; *(skifte sind)* change one's mind, think better of it, *(nøle)* hesitate, pause; *jeg ville* ~ *mig to gange inden jeg lånte ham penge* I should think twice before lending him money; ~ *sig på at gøre det* hesitate to do it; *uden at* ~ *sig* without hesitation; *se ogs betænkt.*

b :tænkelig *adj (foruroligende)* alarming, critical, serious, dangerous; *(vanskelig)* difficult; *(bekymret)* uneasy (*fx* he was u. about it), anxious; *jeg finder*

det *-t at gøre det* I doubt the advisability of doing it; *i* ~ *grad* dangerously.

betænkelighed *(en -er) (persons)* hesitation, scruple(s), doubt, misgiving; *(sags)* danger, risk; *nære* ~ hesitate *(ved at:* to).

betænkning *(en -er) (overvejelse)* consideration, deliberation, reflection; *(betænkelighed)* hesitation; *(erklæring)* report; *tage i* ~ *at* hesitate to; *uden* ~ unhesitatingly. betænkningstid time to think it over, time for reflection, respite.

betænksom *adj (hensynsfuld)* thoughtful, considerate; *-t adj* -ly. betænksomhed *(en)* thoughtfulness, considerateness.

betænkt: *ret* ~ all things considered; *vel* ~ well -advised.

betød *impérf af betyde.*

beundre *vb* admire; *-nde adj* admiring; *adv* -ly.

beundrer *(en -e)* admirer; *(filmstjernes etc)* fan.

beundring *(en)* admiration *(for:* of, for).

beundringsværdig *adj* admirable.

bevandret *adj* conversant, familiar (*i:* with); proficient, versed (*i:* in).

bevare *vb* keep, preserve; *Gud* ~ *kongen!* God save the King! *(Gud)* *-s! (undrende)* good gracious! *(på ingen måde)* God forbid! good Lord no! *(selvfølgelig)* by all means! *(indrømmende)* of course, certainly; ~ *en hemmelighed* keep a secret; *være -t* be preserved, *(endnu eksistere)* be still extant, survive, have been preserved; *vel -t* well-preserved.

bevendt: *det er slet* ~ *med ham* he is in a bad way; *hans arbejde er ikke synderlig* ~ his work is not up to much; *det er ikke stort* ~ *med hans begavelse* he is not particularly bright; *det er ikke stort* ~ *med hans kundskaber* he does not know much.

bevidne *vb* attest, certify, testify (to); *(jur)* depose to; *(skrive under på)* witness; *(udtrykke)* express *(fx* one's gratitude to sby.); *jeg -r afskriftens rigtighed* I certify this to be a true copy. bevidnelse *(en)* attestation; expression.

bevidst *adj (modsat ubevidst)* conscious; *(selv-)* self-confident; *(tilsigtet)* deliberate (*fx* insult); *ikke mig* ~ not that I know of; *være sig noget* ~ be conscious (*el.* aware) of sth.; *så vidt mig* ~ as far as I know.

bevidsthed *(en)* consciousness *(om:* of); *i -en om* conscious of; *i -en om at* conscious that; *miste -en* lose consciousness, become unconscious; *bringe en til* ~ restore sby to consciousness; bring sby round; *komme til* ~ *igen* regain consciousness, come to; *ved* ~ conscious.

bevidstheds|indhold content of consciousness. -liv conscious mental life.

bevidstløs *adj* unconscious; *(dybt)* comatose.

bevidstløshed *(en)* unconsciousness; *(dyb)* coma; *til* ~ *(fig)* ad nauseam.

bevikle *vb* wind. bevikling *(en) (elekt)* winding; *(isolation)* insulation.

bevilge *vb* grant.

bevilling *(en -er) (tilladelse)* permission, concession; *(til handel etc)* licence; *(pengebeløb)* grant, *(på finansloven)* appropriation; *have* ~ be licensed; *meddele (el. give)* ~ license (*fx* l. a man to sell beer).

bevillingshaver *(en -e)* licensee.

bevinge|t winged; *-de ord (omtr* =) familiar quotations.

bevirke *vb* cause, give rise to, effect, bring about, lead to; *det -de at* the result was that.

bevis *(et -er) (afgørende* ~) proof *(på, for:* of); *(vidnesbyrd, led i bevismateriale)* evidence *(på, for:* of) (*fx* this is evidence, not proof of his guilt); *(argument)* argument; *(-førelse)* demonstration; *(udtryk for følelser etc)* proof, demonstration, evidence *(på:* of); *(attest)* certificate; *et fældende* ~ a damning piece of evidence; *føre* ~ *for* prove, demonstrate; *stærke -er imod anklagede* a strong case against the prisoner; *på grund af -ets stilling (jur)* because of the state of the evidence; *til* ~ *på* in proof of, to prove, to show, as a token of (*fx* our gratitude).

bevisbyrde burden (*el.* onus) of proof; *-n på-hviler ham* the burden of proof lies with him.

bevise ∗ prove (*fx* that sby. is guilty; this proves his guilt), demonstrate, show; ~ *ham en tjeneste* render him a service; *for at* ~ *ham en ære* in order to honour him.

bevisførelse (*en*) argumentation, demonstration; (*jur*) production of evidence.

bevislig *adj* demonstrable, provable; *adv* demonstrably (*fx* untrue). **bevisligheder** *pl*, **bevis-materiale** evidence, documents, (*jur*) case; *der er ingen* ~ there is no case; *skaffe* ~ make out a case.

bevogte *vb* guard, watch.

bevogter (*en -e*) keeper; (*beskytter*) guardian.

bevogtning (*en*) guard, watch; (*opsyn*) surveillance; *under streng* ~ closely guarded; under close surveillance.

bevokset *adj* covered, overgrown (*med:* with).

bevoksning (*en -er*) growth (of trees), stand.

bevæbne *vb* arm. **bevæbning** (*en*) arming; (*vå-ben*) arms; armament (*fx* of a ship, an aeroplane).

bevæge *vb* move, (*gøre indtryk på, ogs*) touch, stir; (*formå*) induce, prompt, prevail upon (*til* (*at*): to); *han lod sig ikke* ~ he was not to be moved; *lade sig* ~ *til* (*at*) be induced to, allow oneself to be persuaded to; ~ *sig* move, (*fysisk; mekanisk*) travel, (*tage motion*) take exercise; *Jorden -r sig omkring solen* the earth revolves round the sun; (*se ogs bevæget*).

bevægelig *adj* movable; (*glidende*) sliding (*fx* scale); (*som let kan flyttes*) mobile; *let* ~ (*fig: let rørt*) susceptible. **bevægelighed** (*en*) mobility.

bevægelse (*en -r*) movement, motion; (*hånd-*) gesture; (*motion*) exercise; (*røre*) stir, commotion; (*sinds-*) emotion, excitement, agitation; (*åndsstrøm-ning*) movement (*fx* the Oxford Movement); *sætte i* ~ set in motion, set going, start; *sætte himmel og Jord i* ~ move heaven and earth; *sætte sindene i* ~ agitate the public mind; *sætte sig i* ~ start, (*fig*) take action; *være i bestandig* ~ be in constant motion.

bevægelses|evne power of locomotion. **-frihed** freedom of movement; (*handlefrihed*) freedom of action; *give ham større* ~ (*fig*) T give him more rope. **-krig** war of movement, mobile warfare. **-nerve** motor nerve. **-redskab** *zo* organ of locomotion. **-retning** direction of motion. **-verbum** verb of motion.

bevæget *adj* (*rørt*) moved (*fx* he was much moved by the news), stirred, affected; (*begivenhedsrig*) eventful, dramatic; (*urolig*) agitated, turbulent (*fx* meeting, times).

bevæggrund motive, impulse, inducement.

bevæ**rte** *vb* entertain, treat; ~ *ham med en god middag* treat him to a good dinner.

bevær**ter** (*en -e*) innkeeper, publican, licensed victualler.

bevær**terbevilling** publican's licence.

bevær**tning** (*en -er*) (*det at bevæ*r*te*) entertainment; (*mad og drikke*) food and drink; (*væ*r*tshus*) public house; T pub; (*amr sl*) joint.

bevågen *adj* favourably disposed towards; *være én* ~ (*ogs*) favour sby. **bevågenhed** (*en*) favour; *have éns* ~ be favoured by sby.; be in sby.'s good graces.

bezique (*en*) bezique.

beære *vb* honour, favour; *føle sig -t* feel honoured.

beåndet *adj* (*inspireret*) inspired.

bh (*en -'er*) brassiere, T bra.

I. **bi** (*en -er*) *zo* bee.

II. **bi:** *ligge* ~ ⟂ lie to, lie by; *lægge* ~ ⟂ lay to; *stå* ~ assist, aid, stand by (*fx* stand by one's friend); *lykken står den kække* ~ fortune favours the brave.

biavl bee-keeping.

biavler (*en -e*) bee-keeper.

bibeholde *vb* retain, keep.

bibeholdelse (*en*) retention.

bibel (*en, bibler*) Bible. **bibel|citat** quotation from the Bible, text. **-fortolkning** exegesis. **-historie** (*bog*) Bible story, book of Bible stories; (*skolefag*)

Scripture. **-kreds** biblical study circle. **-kritik** biblical criticism. **-læsning** Bible reading. **-ord** text. **-oversættelse** version (*el.* translation) of the Bible. **-selskab** Bible society. **bibelshistorie** = *bibelhistorie*.

bibelsk *adj* biblical, scriptural, scripture.

bibel|sted Bible passage, text. **-studier** biblical studies. **-stærk** *adj* well versed in the Scriptures.

bibemærkning incidental observation.

bibeskæftigelse sideline. **bibetydning** secondary meaning; (*biklang etc*) implication, connotation; *have* ~ *af* connote, imply.

biblio|fil (*en -er*) bibliophile; *adj* bibliophilic; ~ *udgave* de luxe edition. **-grafi** (*en -er*) bibliography.

bibliotek (*et -er*) library.

bibliotekar (*en -er*) librarian.

bibliotekar|post, -stilling post as a librarian.

biblioteks|assistent library assistant. **-bog** library book. **-direktør** State director of libraries. **-inspektør** inspector of libraries. **-kundskab** library science. **-skole** library school. **-uddannelse** training as a librarian. **-videnskab** library science. **-væsen** libraries, library system.

bibringe *vb* (*slag*) deal; (*sår, smerte*) inflict upon; (*forestillinger etc*) give, impart to, convey to; ~ *ham kundskaber* impart knowledge to him.

bicelle cell of (*el.* in) a honeycomb, alveolus.

I. **bid** (*et -*) bite (*fx* of a dog); (*skarphed, æg*) edge; (*bidsel*) bit; *få* ~ (*om fisker*) get a bite; *der er ikke* ~ *i satiren* the satire has no bite; *gå til -det* T get to work, get cracking, get down to it.

II. **bid** (*en -der*) (*stykke*) bit, morsel; *en* ~ *brød* (*el. mad*) (*noget at spise*) a bite.

bide (*bed, bidt*) bite; (*om kniv, vittighed etc*) cut, bite; (*om fisk, se:* ~ *på*); ~ *ad* snap at; ~ *'af* bite off; ~ *en af* snap sby.'s head off, snub sby.; ~ *efter* snap at; ~ *fra sig* (*fig*) hit back; ~ *hovedet af al skam* throw decency to the winds; (*pas på*) *hunden -r* beware of the dog; ~ *i* bite; ~ *en i benet* bite sby.'s leg; ~ *i græsset* bite the dust; ~ *mærke i* note; ~ *i sig* swallow (*fx* one's anger, an insult); ~ *smerten i sig* bear the pain without flinching, keep a stiff upper lip; ~ *i et stykke brød* bite into a slice of bread; *hun -r ikke!* she won't bite you! ~ *negle* bite one's nails; ~ *ngt over* bite sth. in two; ~ *på* (*krogen*) bite, take the bait, rise (to the bait); *ingenting -r på ham* he is proof against anything; ~ *på tungen* bite the tongue (*fx* this tobacco bites the tongue); ~ *tænderne sammen* set one's teeth; ~ *sig fast i* catch hold of with one's teeth, (*fig*) fasten on; ~ *sig i læben* bite one's lip.

bidende *adj* biting, cutting; (*om bemærkning etc*) caustic, biting, cutting; ~ *kold* icy; bitterly cold.

bidering teething ring.

bides *vb* bite each other; (*skændes*) wrangle; (*se ogs krybbe*); *han er ikke god at* ~ *med* he is a holy terror.

bidetang (pair of) cutting nippers.

bidevind *adv* ⟂ by the wind, close-hauled.

bidrag (*et -*) contribution; (*tegnet el. betalt beløb*) subscription; *levere* (*el. yde*) ~ *til* contribute to.

bidrage *vb* contribute; ~ *med ngt* contribute sth.; ~ *til* contribute to, (*fig ogs*) conduce to.

bidragyder (*en -e*) contributor; (*med penge ogs*) subscriber.

bidronning queen bee.

bidsel (*et, bidsler*) (*mundbid*) bit, (*hovedtøj*) bridle; *lægge* ~ *på* bridle; *tage bidslet af en hest* unbridle a horse.

bidsk *adj* fierce (*fx* dog, person), snappish; (*om bemærkning*) cutting, caustic.

bidskhed (*en*) fierceness, snappisnness.

bie *vb* wait, tarry, stay; ~ *på* wait for; *bi lidt* wait a moment.

bierhverv extra source of income, sideline.

bifag (*et -*) subsidiary subject, minor subject.

bifald (*et*) applause, acclamation; (*bifaldsråb*) cheers; (*billigelse*) approval; *stormende* ~ tumultuous applause, a storm of applause; *fremkalde stormende* ~ (*ogs*) bring down the house; *give det sit* ~ *ap-*

prove of it; *vinde almindeligt* ~ meet with general approval.

bifalde *vb* approve of, assent to, subscribe to; *nikke -nde* nod approvingly, give a nod of approval.

bifalds|klap applause, plaudits. **-mumlen** murmur of approval. **-råb** cheer, (shout of) applause, acclamation. **-storm** roar of applause.

biflod tributary (*til:* of).

bifokal *adj* bifocal (*fx* glasses).

bifortjeneste extra profit; (*sportler*) incidental earnings, perquisites.

bigami (*et*) bigamy. **bigamist** (*en -er*) bigamist. **bigot** *adj* bigoted. **bigotteri** (*et*) bigotry.

bihensigt subsidiary motive.

bihule sinus. **bihulebetændelse** sinusitis.

biindtægt *se bifortjeneste.*

bijouterivarer bijouterie.

bikage honeycomb. **bikini(badedragt)** bikini.

biklang (*en*) undertone, note.

I. **biks** (*et*) (*juks, bras*) rubbish, stuff, tripe.

II. **biks** (*en*) (*butik*) small shop; (*beværtning*) pub; (*amr*) joint, dive.

bikse *vb:* ~ *med noget* mess around with sth.; ~ *noget sammen* concoct sth. **biksemad** (*omtr =*) hash.

bikube beehive.

I. **bil** (*en -er*) car; (*amr ogs*) automobile; (*drosche-bil*) taxi, taxicab; (*se ogs automobil*).

II. **bil** (*en -er*) (*bredøkse*) broad-axe.

bilag (*et -*) (*i brev*) enclosure; (*regnings-*) voucher; (*tillæg*) supplement; (*til memorandum*) annex; *vedlægge som* ~ enclose.

biland dependency.

bilateral *adj* bilateral.

bilbrev ⚓ builder's certificate.

bilde *:* ~ *ham ind at* make him believe that; ~ *sig ind* imagine, fancy; ~ *sig noget ind* (*ɔ: være vigtig*) fancy oneself; *hvad -r du dig ind?* who do you think you are?

bil|drab (*omtr =*) road death, road fatality. **-dæk** motor car tyre (*, amr* tire); ⚓ (*vogndæk*) car deck.

bile *vb* (*køre i bil*) motor. **bilinspektør** driving (test) examiner. **bilisme** (*en*) motoring. **bilist** (*en -er*) motorist. **bilkirkegård** cemetery of abandoned cars. **bilkørsel** motoring.

billard (*et -er*) (*spil*) billiards; (*bord*) billiard table. **billard|bal** (*en -ler*) billiard ball. **-bord** billiard table. **-kø** cue. **-salon** billiard hall. **-spil** (game of) billiards **-spiller** billiard player. **-værelse** billiard room.

bille (*en -r*) *zo* beetle.

billed|ark picture sheet. **-bibel** pictorial Bible. **-blad** illustrated paper. **-bog** picture book. **-bånd** filmstrip; *TV* videotape, magnetic tape. **-dyrkelse** image worship, iconolatry.

billede (*et -r*) picture; (*portræt ogs*) portrait; (*fotografi*) photograph, T photo; (*enkelt* ~ *af filmstrimmel*) frame; (*spejl-*) reflection; (*fys*) image (*fx* the i. left on the retina); (*billedligt udtryk*) simile, metaphor, image; *i Guds* ~ in the image of God; *tale i -r* use metaphors; *komme ind i (, forsvinde ud af) -t* (*fig*) enter into (, disappear from) the picture; *levende -r* moving pictures; *på -t* in the picture; *sin faders udtrykte* ~ the very image of his father.

billed|element *TV* picture element. **-felt** *TV* scanning-field. **-galleri** picture gallery.

billedhugger (*en -e*) sculptor. **billedhugger|arbejde** sculpture. **-inde** sculptress. **-kunst** art of sculpture.

billed|kort (*i kortspil*) court card. **-kunst** visual art;(*om malerkunsten*) pictorial art. **-lig** *adj* figurative, metaphorical; **-t** *udtryk* figure of speech, metaphor. **-lotteri** picture lottery. **-materiale** illustrations; artwork. **-reportage** news pictures, pictorial coverage. **-rør** *TV* picture tube. **-skærer** carver. **-skærerarbejde** carving, carved work. **-skærm** *TV* (viewing) screen. **-skøn** *adj* strikingly beautiful. **-sprog** figurative language, imagery. **-stormer** (*en*) iconoclast. **-støj** *TV* picture noise. **-støtte** statue. **-tele-**

grafi phototelegraphy, picture transmission. **-underskrift** caption. **-værk** (*om bog*) illustrated work.

billet (*en -ter*) ticket; (*brev*) note; *indlægge* ~ *på* reply to; ~ *mrk.* X *modtager dette blads kontor* (*svarer til:*) apply Box X.; *tage* (*el. løse*) ~ book (*til London:* to London; *til et teaterstykke:* for a play); *to -ter til* »Hamlet« two seats for "Hamlet". **billet|automat** automatic ticket machine. **-bureau** ticket agency. **-hul** (*på jernbanestation*) pigeon hole; (*i teater*) box -office window. **-hæfte** coupon book. **-indtægt** (*teaters*) box-office receipts; (*ved sportskamp etc*) gate -money. **-kontor** booking-office, (*i teater*) box -office; (*amr*) ticket office. **-kontrollør** ticket collector, (*i teater*) attendant; (*ved sportskamp etc*) gateman. **-luge** *se -hul.* **-pris** (price of) admission, (*for rejse*) fare. **-salg** booking(s); (*-kontor*) booking office.

billettere *vb* collect fares, come round for the fares; (*efterse billetter*) examine the tickets; *er alle -t?* fares, please! **billettering** (*en*) the sale of tickets, the examination of tickets; ~*!* fares please! tickets please! all got tickets?

billettør (*en -er*) ticket collector.

billig *adj* (*prisbillig*) cheap, low-priced, inexpensive; (*neds*) cheap; (*retfærdig, rimelig*) fair, reasonable; ~ *forretning* cheap shop; *for en* ~ *penge* cheap; ~ *pris* low (*el.* moderate, reasonable) price; (*se ogs billigt*).

billig|billet excursion ticket. **-bog** paperback.

billige *vb* approve of, sanction. **billigelse** (*en*) approbation, approval, sanction.

billighed (*en*) (*rimelighed*) fairness, equity; (*pris-*) cheapness, inexpensiveness; *med* ~ in fairness.

billigt *adv* cheap, cheaply; *købe, sælge* ~ buy, sell cheap; *slippe* ~ get off cheaply.

billigtog excursion train.

billion (*en -er*) billion; (*amr*) trillion.

bil|radio (*radio*) car radio; (*amr*) automobile radio. **-vrag** wrecked car, ramshackle car.

bilægge *vb* (*forlige*) settle, adjust, compose, make up; (*forsyne m bilag*) accompany with.

bilæggelse (*en -r*) settlement, adjustment, composition, making up.

bimmelim, bims *adj* crazy, cracked, dotty.

bimåne (*en -r*) paraselene, mock-moon.

bind (*et -*) (*bog-*) binding, cover; (*tværbånd på bogryg*) band; (*del af værk*) volume; (*bogomslag*) jacket, paper cover; (*for øjnene*) bandage; (*forbinding*) bandage, (*til arm*) sling; (*se også armbind*); (*menstruations-*) sanitary towel; (*brok-*) truss; *ophøjede* ~ (*på bogryg*) raised bands; *med* ~ *for øjnene* blindfolded; *gå med armen i* ~ carry one's arm in a sling.

binde (*bandt, bundet*) (*fast-*) knytte) tie (*fx* a horse to a tree, sby.'s hands, a knot, a tie, a piece of ribbon into a knot); (*holde fast; forpligte*) bind (*fx* the loose sand, nations to each other, this promise binds me for life); (*gøre ufri*) fetter (*fx* fettered by convention); (*uden objekt: klæbe*) stick, (*om dør etc*) stick, jam; ~ *an med* tackle; ~ *buketter, kranse* make bouquets, wreaths; ~ *en for øjnene* blindfold sby.; ~ *for en sæk* tie up a sack; ~ *bøger ind* bind books; ~ *kapital* tie up capital; ~ *bånd om* tie up, put a piece of string round; ~ *op* (*samle kornet i neg*) tie the sheaves; ~ *roserne op* tie up the roses; ~ *en på hænder og fødder* tie (*el.* bind) sby. hand and foot; ~ *en noget på ærmet* make sby. believe sth., pull sby.'s leg; ~ *ngt sammen* tie sth. together; ~ *sig* bind oneself, pledge oneself, commit oneself (*til:* to); ~ *en sløjfe* tie a bow; ~ *støvet* lay the dust; ~ *en sæk til* tie up a sack; (*se ogs bindende, bunden*).

binde|bue (*i nodeskrift*) tie, ligature. **-gal** raving mad; (*forkert*) all wrong. **-led** (*et -*) (connecting) link. **-middel** cementing material, binding material, binder.

bindende *adj* binding (*for:* on, for).

bindeord conjunction.

binder (*en -e*) (*selvbinder*) binder; (*bjælke*) tie-beam; (*mursten*) header; (*natursten gennem hele murens tykkelse*) perpend.

binde|slips tie. **-streg** hyphen. **-væv** *(et)* connective tissue.

binding *(en -er) (ogs ski-)* binding.

bindingsværk half-timbering.

bindingsværkshus half-timbered house.

bindstærk voluminous; *skrive -e værker om* write at volumes on.

bindsål insole, inner sole.

binyre suprarenal gland.

biograf *(en -er) (-teater)* cinema, *(amr)* movie theater; *(levnedsskildrer)* biographer; *gå i -en* go to the pictures *(el.* the cinema, the movies). **biograf|-forestilling** cinema show, movie. **-gænger** *(en -e)* filmgoer, cinemagoer.

biografi *(en -er)* biography.

biografisk *adj* biographical.

biograf|reklame screen advertisement *(,* advertising). **-teater** *se biograf.*

bio|kemi *(en)* biochemistry. **-kemiker** *(en -e)* biochemist. **-kemisk** *adj* biochemical. **-log** *(en -er)* biologist. **-logi** *(en)* biology. **-logisk** *adj* biological.

bi|omstændighed incidental *(el.* collateral) circumstance. **-ord** adverb. **-person** subordinate character. **-produkt** by-product.

I. **birk** *(en -e)* ♣ birch.

II. **birk** *(et)* [judicial district].

birke|bark birch bark. **-brænde** birchwood. **-ris** birch.

birkes *(et -) (-frø)* poppy seeds; *(-brød)* [loaf sprinkled with poppy seeds].

birkeskov birch wood.

Birma Burma(h). **birmansk** *(adj)* Burmese.

birod *(en, birødder)* ♣ adventitious root.

birolle subordinate part.

bisam|okse musk-ox. **-rotte** musk-rat.

bisidder *(en -e)* assessor; *(i søsager)* nautical assessor; *(i handelssager)* commercial expert.

biskaisk *adj: Den -e Bugt* the Bay of Biscay.

biskop *(en -per)* bishop.

biskoppelig *adj* episcopal.

biskuit *(en)* (sweet) biscuit; *(amr)* cracker; *(porcelæn)* biscuit ware.

bislag *(et -)* porch.

bismag *(en)* after-taste, tang, smack; *(fig)* tang.

bismer *(en -e)* steelyard.

bison(okse) bison.

bisp *(en -er)* bishop; *sidde som en ~ i en gåserede* be in clover. **bispe|dømme** bishopric, diocese. **-gård** bishop's palace. **-hue** mitre. **-stav** crosier. **-sæde** episcopal residence. **-visitats** episcopal visitation.

bispinde *(en -r)* bishop's wife.

I. **bisse** *(en -r) (bølle)* rough, hooligan.

II. **bisse** *vb* stampede.

bisse|kræmmer pedlar. **-læder**: *han har ~ i skoene* he is always on the go.

bistade *(et -r)* beehive.

bistand *(en)* aid, assistance; *yde ham ~* give *(el.* end) him assistance.

bistandspagt pact of mutual assistance.

bister *adj* fierce, grim, gruff.

bistik *(et -)* (bee-)sting.

bistå *vb* aid, assist.

bisværm swarm of bees.

bisætning subordinate clause.

bisætte *vb* inter in a vault; *(føre til kapel)* remove to the mortuary *(el.* chapel (of rest)); *(om højtidelighed forud for ligbrænding)* perform a funeral service over.

bisættelse *(en -r)* interment; removal to the mortuary *(el.* chapel (of rest)); *(kirkelig ceremoni)* funeral service.

bi|ting *(en -)* matter of secondary importance, mere detail. **-tryk** *(på ord)* secondary stress.

bitte *adj* tiny, wee; *lille ~, smd ~* tiny little, little tiny; *ikke det -rste* not the very least, not in the least.

I. **bitter** *(en -e) (ublandet)* bitters; *en ~* a glass of akvavit and bitters.

II. **bitter** *adj* bitter *(fx* almond, taste); *(ram)* acrid; *(smertelig)* bitter *(fx* disappointment), painful *(fx* loss); *(uforsonlig, utilfreds)* bitter *(fx* enemy, reproaches, words). **bitterhed** *(en)* bitterness.

bitterlig *adv* bitterly *(fx* cry bitterly; b. cold).

bitter|mandel bitter almond. **-ste** *se bitte.* **-sød** bitter-sweet.

bi|vej secondary road, by-way. **-virkning** by-effect; secondary effect. **-vogn** trailer.

bivoks bees' wax.

bivuak *(en -ker)*, **bivuakere** *vb* bivouac.

bivåne *vb* be present at, attend.

bizar *adj* bizarre, odd. **bizarreri** *(et)* oddity.

bjerg *(et -e)* hill, *(især om meget højt bjerg)* mountain; *troen kan flytte -e* faith can remove mountains; *han er over alle -e* he is far away.

bjerg|arbejder miner. **-art** rock. **-bane** mountain railway. **-bestiger** *(en -e)* mountain-climber, mountaineer. **-bestigning** mountain-climbing, mountaineering; *en ~* a climb. **-boer** *(en -e)* mountaineer. **-egn** mountainous region, hilly parts. **-fuld** *adj* mountainous, hilly. **-fyr** ♣ *(en)* mountain pine. **-kam** crest. **-kløft** cleft, ravine, canyon. **-krystal** rock crystal, quartz. **-kæde** mountain range, chain of mountains. **-land** mountainous country. **-landskab** mountain scenery. **-luft** mountain air. **-pas** mountain pass; *(snævert)* defile. **-prædikenen** the Sermon on the Mount.

bjerg|rig *adj* mountainous, hilly. **-ryg** mountain ridge. **-skred** landslide. **-sø** mountain lake; *(lille)* tarn. **-tagen** *adj* spell-bound, bewitched. **-top** mountain top, peak. **-trold** gnome. **-værk** mine. **-værksdrift** mining.

bjæf *(et -)* yelp. **bjæffe** *vb* yelp *(ad:* at).

bjælde *(en -r)* (little) bell. **bjældeklang** jingle, tinkling, sound of bells.

bjælke *(en -r)* beam, *(stor)* balk; *(bære-)* girder; *(gulv-)* joist; *(lofts-)* rafter; *(selt i våbenskjold)* tesse. **bjælke|hoved** beam-end, end of a joist. **-hus** log-house. **-loft** raftered ceiling. **-værk** beams, timber-work.

bjærge *vb (redde)* save, rescue; *(skib ogs)* salvage; *(druknende)* save, rescue; *(sejl)* take in; *(torpedo, rumkapsel)* recover; *(afgrøde)* gather in; *~ føden* scrape a living, keep body and soul together; *~ livet* save one's life; *~ sig (2: klare sig)* manage, be able to look after oneself; *(redde sig)* save one's skin.

bjærgeløn salvage money.

bjærger *(en -e) (af skib)* salvor.

bjærgerlav *(et -)* salvage association.

bjærgning *(en -er)* salvage (operations); *(af druknende)* life-saving, rescuing; *(af torpedo, rumkapsel)* recovery.

bjærgnings|damper salvage steamer. **-entreprise** salvage company. **-forsøg** attempt at salvage. **-kontrakt** salvage agreement. **-omkostninger** salvage expenses.

bjærgsom *adj* acquisitive, thrifty.

bjærgsomhed *(en)* acquisitiveness, thrift.

bjørn *(en -e)* bear; ♧ lubber's hole; *(stjernebillederne:) den store ~* the Great Bear, *den lille ~* the Little Bear; *sælge skindet før man har skudt -en* count one's chickens before they are hatched.

bjørne|hi bear's (winter) lair. **-jagt** bear hunting. **-jæger** bear hunter. **-klo** ♣ hogweed, cow parsnip. **-lab** bear's paw. **-skind** bearskin. **-skindshue** bearskin. **-tjeneste** ill turn, disservice. **-trækker** *(en -e)* bear leader. **-unge** bear's cub.

bl. a. *fk f blandt andet, se blandt.*

blad *(et -e) (på træ, i bog)* leaf *(pl* leaves); *(på græs)* blade; *(ark)* sheet; *(radering)* print; *(avis)* (news)paper; *(tidsskrift)* magazine, periodical; *(barber-, knivs-, åre-, skrue- etc)* blade; *synge fra -et* sing at sight; *han spiller udmærket fra -et* he is an excellent sight-reader; *tage -et fra munden* speak one's mind; *et ubeskrevet ~* a blank page, *(om person)* an unknown quantity; *-et har vendt sig (fig)* the tables are turned.

blad|agtig adj foliaceous. **-dannelse** foliation.
blade vb: ~ i en bog turn over the leaves of a book; ~ igennem look through, leaf through; ~ om turn over.
-bladet -leaved (fx four-leaved).
blad|grønt chlorophyll, leaf-green. **-guld** gold leaf; uægte ~ leaf metal. **-handler** (en -e) news agent. **-hang** (et) foliage. **-hjørne** ♣ axil. **-kiosk** news stall, news stand. **-knop** leaf bud. **-lus** aphis, green -fly. **-løs** adj leafless; (om kniv) bladeless.
blad|mand newspaper man, journalist. **-mave** zo third stomach, psalterium. **-neger** (neds) penny-a -liner. **-plante** foliage plant.
bladre se bláde.
blad|ribbe rib. **-smører** (neds) scribbler, penny-a -liner. **-stilk** leaf-stalk, petiole. **-sølv** leaf silver. **-udgiver** newspaper publisher. **-udsalg** news stand.
blaffe vb (om lys) flicker, (om sejl etc) flap; (rejse på tommelen) hitchhike, thumb it.
blaffer (en -e) hitchhiker.
blafre vb (om lys) flicker, (om sejl etc) flap.
blakket adj faded, pale; (om hest) dun; (fig) woolly; en noget ~ fortid a somewhat shady past.
blamere vb disgrace; ~ sig put one's foot in it, make a fool of oneself, drop a brick.
blanco: in ~ in blank.
blandbar adj miscible.
blande vb mix; (især fig) mingle; (især om vare-sorter) blend; (kort) shuffle; (metaller) alloy; ~ ham ind i det mix him up in it; ~ op med mix (el. mingle) with, (fortynde) dilute with; ~ sammen mix, blend, (forveksle) mix up; ~ sig i meddle in, T poke one's nose into; ~ sig i samtalen join in the conversation, (pludselig) cut into the conversation, cut in, chip in; (se ogs blandet).
blandemaskine mixing machine, mixer.
blandet adj (se blande) mixed; mingled; blended; (diverse) miscellaneous; ~ fornøjelse doubtful pleasure, mixed treat; ~ forretning (fx landhandel) general shop; med blandede følelser with mingled feelings; ~ ladning miscellaneous (el. mixed) cargo; ~ race mixed breed; hybrid race; ~ tal mixed number.
blanding (en -er) (det at blande) mixing, blending; (resultatet deraf) mixture, compound, blend, (broget) medley; (af metal) alloy, amalgamation, (af racer) cross-breed.
blandings|batteri (til bruse etc) mixing fitting, mixer tap. **-drik** mixed drink. **-folk** mixed race. **-form** hybrid form. **-sprog** mixed language.
blandt præp among (fx among strangers; there was a bad one among them), from among (fx choose one from among ten applicants); ~ andet among other things, one (, some) of which (fx many journeys some of which to Copenhagen), for instance; ~ andet fordi one of the reasons being that, for the reason among others that; ~ andre among others, among them; kendt ~ known to.
blank adj bright, shining, glossy, (ogs om slidt tøj) shiny; (om fotopapir) glossy; (ubeskrevet) blank; (uden penge) cleaned out, (om eksaminand) completely ignorant; et -t afslag a flat refusal; lade stå ~ leave blank; trække -t draw (one's sword); få -t ug get full marks.
blanke vb (pudse) polish; (amr: om sko) shine; ~ en af clean sby. out.
blanket (en -ter) form, (amr) blank.
blanko|accept blank acceptance. **-fuldmagt** carte blanche. **-kredit** blank credit.
blank|polere vb polish. **-sleben** adj burnished, ground to mirror finish. **-slidt** adj polished with use; (om tøj) shiny. **-sværte** (en) blacking.
blankt adv: give ~ op give it up, throw up the sponge; stemme ~ return a blank ballot-paper.
blankvers blank verse.
blase (en -r) blister.
blaseret adj blasé, over-sophisticated, bored.
blasfemi (en) blasphemy.
blasfemisk adj blasphemous.

ble (en -er) nappy; (amr) diaper.
blebukser pl baby pants.
bleg adj pale; (lighleg) pallid, white, (sygelig) wan; blive ~ turn pale; ~ af skræk pale with terror; han blev både rød og ~ his colour came and went.
blegansigt (et -er) paleface.
blege vb bleach.
blege|middel bleaching agent. **-plads** bleach -green. **-pulver** bleaching powder. **-tøj** bleach -linen. **-vand** bleaching liquid.
bleg|fed adj flabby. **-grøn** pale green.
bleghed (en) paleness, pallor; (sygelig) wanness.
blegn (en -er) blister.
blegne vb turn pale; (falme, svinde) fade.
blegning (en) bleaching.
bleg|næbbet pale-looking. **-rød** pink.
blegsot (en) anaemia; ♣ chlorosis.
blegsotig adj anaemic.
blev, blevet se blive.
blid adj gentle, mild; (elskværdig) kind, sweet -tempered; (gunstig) favourable; der blev ikke taget -t på ham (fig) he was not handled too gently.
blide (en -r) catapult.
blidelig adv gently, sweetly.
blid|gøre soften. **-hed** (en) gentleness, mildness.
I. **blik** (et -ke) look, glance, eye; alles -ke all eyes; have ~ for have an eye for; kaste et ~ på have a look at, glance at; run one's eye over; kaste et hastigt ~ på take a rapid glance at; med et eneste ~ at a glance; sende ham et ~ give him a look; ved første ~ at first sight (fx love at first sight).
II. **blik** (et) (metal) tin, sheet-metal.
blik|dåse tin; (amr) can. **-fang** (et -) eye catcher, eye-catching device.
blikkenslager (en -e) plumber.
blikstille (et & adj) dead calm.
blik|tøj, **-varer** tin goods. **-æske** tin.
blind adj blind; ~ alarm false alarm; blive ~ go blind, lose one's sight; de -e the blind; den -e the blind person; (i kortspil) the dummy; ~ for blind to (fx I am not blind to his faults); ~ gade blind alley, cul-de-sac; kærlighed gør ~ love is blind; ~ lydighed implicit (el. blind) obedience; ~ makker dummy; ~ passager stowaway; ~ på det ene øje blind in (el. of) one eye.
I. **blinde:** i ~ in the dark, blindly; (uden at se sig for) blindly, rashly, heedlessly.
II. **blinde** vb (gøre blind) blind.
blinde|buk (en) blind man's buff. **-institut** institute for the blind. **-sagen** the care of the blind. **-skole** school for the blind. **-skrift** (en) Braille writing.
blindflyvning blind flying, instrument flying.
blind|gade (ogs fig) blind alley, cul-de-sac. **-gyde** se -gade. **-gænger** (en -e) ✗ unexploded shell (, bomb), T dud. **-hed** (en) blindness; slå med ~ strike blind. **-ramme** (en -r) stretcher. **-skrift** (på skrivemaskine) touch-typing. **-spor** (jernb) dead-end track; (fig) false trail.
blindtarm caecum; (vedhænget) appendix; få -en fjernet have one's appendix removed.
blindtarms|betændelse appendicitis. **-operation** appendix operation.
blink (et -) gleam, flash; (med øjet: som tegn) wink, (af munterhed) twinkle; (til fiskeri) spoon-bait.
blinke vb gleam, twinkle; (m øjnene: af søvnighed) blink, (som tegn) wink (til: at), (vise frygt, smerte) flinch, wince; uden at ~ (uden at fortrække en mine) calmly; without batting an eyelid; (uden at vise smerte) without flinching; (uden betænkning) unhesitatingly.
blink|fyr (et -) flashing light. **-hinde** zo nictitating membrane. **-lys** (signal) flashlight, intermittent light; (på bil) flasher (indicator); T winker. **-signal** flashing signal, flashlight.
blis (en -ser) blaze. **blishøne** zo coot.
blisset adj with a blaze.

3*

blist *(en -er)* blister.
blitz(lampe) *(fot)* flashlight.
blitzpære flash bulb.
blive *(blev, blevet) (forblive)* remain, stay *(fx* remain standing; stay at home; stay for lunch); *(om overgang t. noget andet)* become *(fx* a doctor, known), *(ved adj)* get, become *(fx* angry, rich), go *(fx* mad), *(langsomt)* grow *.(fx* old), *(pludselig)* turn *(fx* pale, red); *(vise sig at være)* be, turn out (to be), prove *(fx* it turned out *(el.* was) a success; it proved a disappointment); *(opstå)* arise, come on, be *(fx* there was a silence; there will be dancing; difficulties arose; a storm came on); *(beløbe sig til)* be, make, come to *(fx* that'll be 2s.; your bill comes to 5s.); *(som hjælpeverbùm i passiv)* be *(fx* he was killed);
jeg -r 20 år i næste uge I shall be 20 next week; *~ enke* become a widow; *~ forelsket i* fall in love with; *~ forkølet* catch cold; *hvornår -r det?* when will that be? *~ liggende i sengen* stay in bed; *~ liggende (om legeme i bevægelse)* come to rest; *bliv lys!* let there be light! *han vil ~ hende en god mand* he will make her a good husband; *~ rask* recover (one's health), get well; *~ syg* fall ill, be taken ill; *det -r vanskeligt* that will be difficult; *han er og -r et fæ* he is a fool and always will be;
[*m præp og adv*] *det -r der ikke noget af* that will never happen! not if I know it! nothing doing! *der blev ikke noget af det* it came to nothing; *hvor -r han af?* what can be keeping him? *hvor er han blevet af?, hvad er der blevet af ham?* what has become of him? *hvad skal der ~ af børnene?* what will become of the children? *~ af med* get rid of, dispose of; *det var godt vi blev af med ham* good riddance! we were glad to see the last of him; *~* **borte** *(ikke komme)* stay away, *(forsvinde, gå tabt)* be lost, disappear; *~ fra (borte fra)* stay *(el.* keep) away from, *(ikke røre)* leave alone, not touch; *bliv mig fra livet!* keep off! *~* **inde** stay in, stay indoors; *dette -r* **mellem** *os* this is to go no further; *~* **længe** **oppe** stay *(el.* sit) up late; *~* **til** *(3: opstå, skabes)* come into existence; *nå, hvad -r det til* well, what about it; *det blev ikke til noget* it came to nothing; *~ til noget (om person)* get on, go far; *~ til sten* turn into stone; *dagene blev til uger* days grew into weeks; *~* **tilbage** remain (behind), stay behind, *(sakke agterud)* fall *(el.* lag) behind, *(tilovers)* be left (over), remain, *(overleve)* survive; *~* **ude** stay out; *~* **ved** *at synge* go on *(el.* keep) singing; *~ ved at være* remain *(fx* faithful, a clerk all one's life); *det -r derved* that stands, that is definite; *det blev ikke derved* that wàs not all; *alt blev ved det gamle* everything went on as before; *han blev ved sit* he stuck to his guns; *~* **væk** *se ~* **borte.**
blivende *adj* lasting, permanent *(fx* value; tooth); *han har ikke ~ sted* he is a rolling stone.
blod *(et)* blood; *en prins af -et* a prince of the blood (royal); *-ets bånd* the ties of blood; *det er gået dem i -et* it has become second nature to them; *det ligger dem i -et* it is in their blood; *slå koldt vand i -et* take it easy, cool down; *med koldt ~* in cold blood; *tilføre nyt ~ (fig)* infuse fresh blood into; *sætte ondt ~* make bad blood; *han har fået ~ på tanden* he has tasted blood; *han vil se ~* he is out for blood; *slå en til -s* beat sby. till the blood flows *(el.* comes).
blod|ansamling accumulation of blood. -appelsin blood orange. -bad massacre, slaughter. -bank blood bank. -bestænket *adj* blood-stained. -budding black pudding. -bøg ♣ copper beech. -cirkulation circulation (of the blood). -dannelse blood formation, haematogenesis. -donor blood donor. -dryppende dripping with blood, *(fig)* sanguinary, gory. -dråbe drop of blood. -eg scarlet oak. -fattig *adj* anaemic. -forgiftning blood poisoning. -hund bloodhound. -hævn vendetta, blood vengeance.
blodig *adj (blodplettet)* blood-stained; *(bloddryppende)* sanguinary, gory *(fx* battle); *~ hævn* signal revenge; *~ hån* scathing sarcasm; *Maria den -e*

Bloody Mary; *en ~ uret* a grievous injustice; *(man advares mod »bloody« som er et groft udtryk i England, men ikke i Amerika).*
blod|igle leech. -jaspis bloodstone. -kar blood -vessel. -kop cupping glass. -legeme blood corpuscle; *hvidt (, rødt) ~* white (, red) blood corpuscle. -løs *adj* anaemic. -mangel anaemia. -omløb circulation (of the blood). -overfyldning congestion. -overføring blood transfusion. -penge blood money. -plasma blood plasma. -plet *(en -ter)* blood stain. -plettet *adj* blood-stained. -procent haemoglobin percentage. -prop blood clot, thrombus; *(løsrevet af blodstrømmen)* embolus. -prøve *(en -r)* blood sample; *(undersøgelse).* blood test. -pøl pool of blood. -pølse black pudding. -rig plethoric; *(fig)* full-blooded. -rød blood-red.
blods|beslægtet *adj* consanguineous. -dråbe drop of blood; *der er ikke en ond ~ i ham* there isn't a scrap of malice in him; *slås til sidste ~* fight to the last, die in the last ditch.
blod|serum blood serum. -skam incest; *i ~* incestuously. -skudt *adj* bloodshot. -spor trail of blood. -sprængt bloodshot. -spytning haemoptysis. -stillende, *~ middel* styptic. -stråle jet of blood. -styrtning violent haemorrhage.
blodsudgydelse bloodshed.
blod|suger *(en -e) (ogs fig)* bloodsucker. -sukker glucose, blood sugar. -sygdom disease of the blood. -system circulatory system. -sænkning (blood) sedimentation; *(hastighed)* sedimentation rate. -tab loss of blood, haemorrhage. -tilstrømning afflux of blood. -transfusion blood transfusion. -tryk blood *(el.* arterial) pressure; *for højt ~* too high blood pressure. -type blood type *(el.* group). -tørst blood-thirstiness. -tørstig bloodthirsty.
blod|udtrædning extravasation. -underløben livid, black and blue. -vand serum. -vidne martyr. -væske (blood) plasma. -åre vein.
blok *(en -ke)* block *(fx* of marble); *(hatte- og i hejseværk)* block; *(træklods)* log; *(klippe-)* rock; *(sko-)* shoe-tree; *(skrive- etc)* pad; *(politisk)* bloc; *(fattigbosse)'*alms-box; *lægge hovedet på -ken* lay one's head on the block; *sætte (fx sko) på ~* tree.
blokade *(en -r)* blockade. blokade|brud *(et)* blockade-running. -bryder blockade runner. -skib blockading ship.
blokbogstaver block letters, block capitals; *skrive ngt med ~* write sth. in block letters.
blokdannelse *(en) (polit)* creation of blocs.
blokere *(spærre)* block (up); ⚓ blockade; *(bil-hjul)* lock; *(arbejdsplads)* boycott; *foreningen har -t stillingen* the association has instructed its members not to apply for the post. blokering *(en)* blocking; blockade; locking; boycott.
blokfløjte *(en -r)* recorder.
blokhus log cabin; ✕ blockhouse; *(til trisse)* (pulley-)shell.
blokke *vb: ~ en for penge* touch sby. for money; *~ ud* stretch *(fx* my boots want stretching).
blokpost block station.
Bloksbjerg the Brocken; *gid han sad på ~* I wish he was at Jericho.
blok|signal *(jernb)* block signal. -skrift *se -bogstaver.* -system *(jernb)* block system. -vogn truck.
blomkål ♣ cauliflower. blomkålsøre cauliflower ear.
I. blomme *(en -r) (i æg)* yolk; *have det som -n i et æg* be in clover.
II. blomme *(en -r) (frugt)* plum. blommetræ plum tree.
blomst *(en -er)* flower; *(især frugttræers)* blossom; *(blomstring)* bloom, flower; *(elite)* flower *(fx* the f. of the nobility), cream; *(harens hale)* scut; *afskårne -er* cut flowers; *stå i ~* be in flower, be in bloom, be in blossom; *sig det med -er* say it with flowers; *sætte -er* flower, bloom, blossom.
blomster|bed flower bed. -blad *(kronblad)* petal.

-bord flower stand. -buket *se buket.* -bund floral receptacle. -bæger ♣ calyx. -duft scent of flowers. -dyrkning cultivation of flowers, floriculture. -fest floral fête. -flor profusion of flowers. -forretning florist's (shop). -frø *(et -)* flower seed. -gartner florist. -gødning fertilizer (for flowers). -handler *(en -e)* florist. -have flower garden. -knop flower bud. -krans garland, wreath of flowers. -krone *(blomstens kronblade)* corolla. -kurv basket of flowers. -løg bulb. -maler flower painter. -maleri *(det at)* flower painting; *(billede)* flower piece. -pige flower girl. -pind flower stick; *(tykkere)* stake. -plante flowering plant. -smykket *adj* decorated with flowers, flower-decked.

blomster|sprøjte garden syringe. -stand ♣ inflorescence. -stativ flower stand. -støv pollen. -torv flower market. -udstilling flower show. -vase flower vase.

blomstre *vb* (be in) flower; *(om frugttræ)* (be in) bloom; *(fig)* flourish, thrive, prosper. blomstrende *adj* flowering; *(fig)* flourishing, prosperous; *(om stil)* florid. blomstret *adj* flowered; sprigged *(fx* muslin); *en ~ kjole* a floral-pattern dress.

blomstring *(en)* flowering, flower, bloom; *(fig)* bloom. blomstringstid flowering season; *(fig)* prime, heyday.

blond *adj* blond(e), fair(-haired), fair-complexioned.

blonde *(en -r)* (piece of) lace.

blondine *(en -r)* blonde.

bloster *(et -e)* ♣ perianth.

I. blot *adj (nøgen, bar)* bare, naked; *(alene)* mere, very *(fx* the mere thought of it; the very sight of him); *~ og bar* mere; *lægge ~* lay bare, display; *med det -te øje* with the naked eye.

II. blot *adv* only, merely, simply; *ikke ~* not only; *hvis ~, når ~* if only *(fx* if he would only believe me), so *(el.* as) long as *(fx* let them hate me so long as they obey me; as long as you apologize I am satisfied); *vent ~!* just (you) wait!

III. blot *conj* if only, *(= gid, ogs)* I wish.

blotlægge lay bare, display.

blotte *vb* bare, uncover, *(ogs* ✗) expose *(fx* one's flank); *(afsløre)* lay bare, expose; *(røbe)* betray; *~ hovedet* bare one's head, uncover; *med -t hoved* bare-headed, uncovered; *med -t overkrop* stripped to the waist; *~ sin uvidenhed* betray *(el.* expose) one's ignorance; *~ sig (o: gøre fejl)* blunder, T put one's foot in it; *(røbe sig)* give oneself away; *(m. h. t. penge)* run out of money; *(krænke blufærdigheden)* expose oneself indecently; *se ogs blottet.*

blottelse *(en -r)* baring, exposure; *give sig en ~ (fig)* relax one's guard; *(røbe sig)* give oneself away; *(dumme sig)* blunder; *(i boksning, fægtning etc)* relax one's guard; *jeg venter til han giver sig en ~* T I shall wait till I catch him bending.

blottet *adj (nøgen)* naked; *~ for* without, devoid of; *~ for penge (ogs)* penniless, T broke; *med ~ hoved* bare-headed, uncovered; *med ~ overkrop* stripped to the waist; *~ til skindet* stripped to the skin.

blu *(en)* shame; *uden ~* unblushing(ly).

blues *vb* blush, be ashamed *(ved:* at; *ved at:* to).

bluff *subst* bluff; *gennemskue hans ~* see through his bluff; *(ofte =)* call his bluff. bluffe *vb* bluff. bluffmager *(en -e)* bluffer, charlatan, humbug.

blufærdig *adj* modest; *(kysk)* chaste. blufærdighed *(en)* modesty; *(kyskhed)* chastity; *krænke -en* outrage (public) decency, expose oneself indecently; *krænkelse af -en* offence against public decency, indecent exposure.

blund *(et)* nap, doze, T forty winks.

blunde *vb* doze, take a nap; *(slumre)* slumber.

blus *(et -)* *(lue)* flame, blaze; *(bål)* fire; *(signal-)* flare; *(gas-)* jet; *(fakkel)* torch; *koge over et svagt (el. sagte) ~* boil over a slow heat.

bluse *(en -r)* *(dame-)* blouse; *(amr)* shirtwaist; *(barne-)* blouse; *(russer- etc)* tunic.

blusel *(en)* shame; *(i Bibelen)* nakedness.

blusse *(brænde)* blaze; *(afbrænde signalblus)* burn flares; *(rødme)* blush, flush; *~ af (o: afbrænde)* burn; *~ af vrede* flush with anger; *~ op* burst into flame, blaze up, *(fig)* flare up.

blussende *adj (rød i kinderne)* flushed; *hun blev ~ rød* she turned scarlet.

I. bly *(et)* lead; *af ~* of lead, leaden; *indfatte i ~, belægge med ~* lead.

II. bly *adj* bashful, shy; *en ~ viol (fx om ung pige)* a timid snowdrop.

blyant *(en -er)* pencil; *(farveblyant)* crayon; *blød (, hård) ~* soft (, hard) pencil; *(skrevet) med ~* (written) in pencil, pencilled.

blyant(s)|beskytter *(en -e)* pencil cap. -holder *(en -e)* pencil holder; *(klemme til lomme)* clip. -mærke pencil mark. -skitse pencil sketch. -spidser *(en -e)* pencil sharpener. -stift *(en -er)* (pencil) lead. -streg pencil stroke. -tegning pencil drawing.

bly|forgiftning lead poisoning. -grå *adj* leaden, lead-coloured, livid. -hvidt white lead. -indfattet *adj* leaded *(fx* panes). -klump lump of lead. -lod *(et -der)* plummet. -plombe lead seal. -rør lead pipe. -tung *adj* heavy as lead; *(fig)* leaden.

blæk *(et)* ink. blæk|fjerner *(en)* ink eradicator. -flaske ink bottle. -hus ink pot, ink-stand; *(indbygget i bordet)* ink well; *fare i -et (omtr =)* rush into print. -klat *(en -ter)* ink stain, ink blot. -lineal ink ruler. -smører *(en -e)* scribbler. -sprutte *(en -r)* cuttle fish; *(ottearmet)* octopus. -stift *(en -er)* indelible pencil. -suger *(en -e)* blotter. -viskelæder ink eraser.

I. blænde *(en -r) (fot)* = blænder.

II. blænde *vb (ved stærkt lys)* dazzle, blind; *(imponere)* dazzle; *(afblænde, tildække)* darken; *lade sig ~ af* be dazzled by, be deceived by; *~ en dør* cover up a door; *-de lanterner* ♣ screened lights; *~ ned (om billygter)* dip *(el.* dim) the lights. blændende dazzling, glaring; *(imponerende)* dazzling; *~ skøn* dazzlingly beautiful.

blænder *(en -e) (fot)* diaphragm, stop.

blændlygte dark lantern.

blændværk delusion, phantom.

I. blære *(en -r) (luft-)* bubble; *(fedt-, på væske)* bead; *(vable, ogs i glas etc)* blister; *(galde-, urin-)* bladder; *(person)* windbag.

II. blære *vb* blister; *~ sig* put on side; swagger; *~ sig af sine bedrifter* boast about one's exploits.

blære|betændelse cystitis. -dannelse vesiculation. -hals neck of the bladder. -halskirtel prostate. -katar catarrh of the bladder. -smælde *(en)* ♣ bladder campion. -sten cystolith; *(sygdom)* cystolithiasis. -sæl *zo* hooded seal.

blæret *(adj)* blistered; *(indbildsk)* conceited.

blæretang ♣ bladder wrack.

blæse * blow; *(signal)* sound; *~ alarm* sound the alarm; *det -r* there is a wind, it is windy, it *(el.* the wind) is blowing; *man kan ikke både ~ og have mel i munden (omtr =)* you can't eat your cake and have it; *jeg vil ~ det (, ham) en lang march (el. et stykke)* I don't care a hang;

[*med præp & adv*] *~ af (aflyse)* call off; *(afvarsle efter luftalarm)* sound the All-Clear; *hans hat blæste af* his hat blew off; *~ bort* blow away, *(se ogs II. blæst)*; *det -r fra land* the wind is blowing off the shore; *~ i en fløjte (give signal etc)* blow a whistle; *~ i trompet* blow a trumpet; *~ være med det!* never mind! *~ om* blow over, *(uden objekt)* be blown over; *~ op (åbne)* blow open, *(puste op)* blow up, inflate; *døren blæste op* the door flew open; *det -r op* the wind is rising; *~ på fløjte* play the flute; *~ på trompet* play *(el.* blow) the trumpet; *det -r jeg på* I don't care a hang; *~ til angreb, se* I. *angreb; ~ et lys ud* blow out a candle; *brevet blæste ud af vinduet* the letter flew off; *was blown)* out of the window; *(se også blæsende,* II. *blæst)*.

blæse|bælg bellows. -instrument wind instrument. -lampe blow lamp, *(amr)* blowtorch.

blæsende *adj* windy.
blæser *(en -e) (musiker)* wind player; *-ne (i orkester)* the wind.
blæsevejr windy weather.
I. **blæst** *(en)* wind, windy weather; *gøre ~ af* make a fuss about; *stærk ~* a high wind.
II. **blæst** *adj (af blæse)* blown; *være som ~* be as neat as a new pin; *hovedpinen var som ~ bort* the headache had vanished completely.
I. **blød** *subst: ligge (el. stå) i ~* soak; *lægge i ~* put to soak; *lægge hovedet i ~* cudgel one's brains; *lade stå i ~* leave to soak.
II. **blød** *adj (ogs fig)* soft *(fx* brush, pencil, collar, palate, voice, water, colours); *(sindsforvirret)* crazy, silly, *(amr)* nuts; *(følsom)* sensitive, soft-hearted; *(eftergivende)* indulgent, weak; *gøre ham ~ om hjertet* soften his heart. **blød|agtig** *adj* effeminate. **-agtighed** *(en)* effeminacy.
blød|del *(en -e)* soft part. **-dyr** *zo* mollusc; T *(fig)* softy.
I. **bløde** *(en -r) (byge)* heavy shower, downpour, T soaker.
II. **bløde** ✱ *(om regn)* soak, drench; *~ op* steep, macerate.
III. **bløde** ✱ *(miste blod)* bleed; *(punge ud)* fork out; *med -nde hjerte* with a bleeding heart.
bløder *(en -e) (med.)* bleeder; *(regnskyl)* = I. **bløde**.
blødersygdom haemophilia.
blød|gøre *vb* soften. **-gøringsmiddel** *(til vand)* softener. **-hed** *(en) (se II. blød)* softness; craziness, silliness; sensitiveness. **-hjernet** *adj* silly, soft in the head. **-kogt** *adj* soft boiled.
blødning *(en -er)* bleeding; *(med.)* haemorrhage; *(menstruation)* menstruation, menses.
blødsøden *adj* soft, sloppy.
blødsødenhed *(en)* softness, sloppiness.
blå *adj* blue; *(i heraldik)* azure; *den ~ bog (svarer til)* Who's Who; *Den ~ Grotte* the Blue Grotto; *holde ~ mandag* take a Monday off; *~ plet (efter slag)* bruise; *få -t stempel* be recognized; *ud i det ~* at random; *det er helt ud i det ~* it is neither here nor there; it is nonsense; *tur ud i det ~* mystery tour; *(se ogs øje).*
blå|bær ♣ bilberry, whortleberry. **-frossen** *adj* blue with cold. **-hval** *zo* blue whale. **-klokke** ♣ harebell; *(i Skotland)* bluebell. **-ler** blue clay. **-lig** *adj* bluish. **-lys** *(fyrværkeri)* blue light, Bengal light. **-mejse** *zo* blue titmouse; *(lille pigespejder)* brownie. **-musling** *zo* common mussel.
blåne *vb* become blue; *(gøre blå)* blue.
blåneise *(en)* blue; *(amr)* bluing.
blår *(en)* tow; *stikke ham ~ i øjnene* hoodwink him, deceive him.
blå|regn ♣ wistaria. **-ræv** *zo* arctic fox. **-skæg** Bluebeard. **-sten** blue vitriol. **-strømpe** bluestocking. **-syre** Prussic acid. **-ternet** *adj* blue -chequered. **-øjet** *adj* blue-eyed; *(troskyldig)* simple, artless, blue-eyed, starry-eyed.
b-moll ♪ B-flat minor.
I. **bo** *(et) (hjem)* home, abode; *(dyrs)* habitation, nest, den; *(jur)* estate; *opgøre et ~* wind up an estate; *sætte ~* settle; *tage et ~ under behandling (jur)* take over the administration of an estate; *sidde i uskiftet ~* retain undivided possession of the estate.
II. **bo** *vb* live, reside, be; *(amr især om næringsdrivende)* be located; *(midlertidigt)* stay; *jeg -r billigt* my rent is low; *jeg ved ikke, hvad der -r i ham* I do not know what he has got in him; *~ til leje hos* lodge with.
boa *(en -er) (zo el. pelskrave)* boa.
bobbet *adj: ~ hår* bobbed hair.
boble *(en -r & vb)* bubble.
boccia boccia.
I. **bod** *(en) (bodshandling)* penance; *(bøde)* penalty, fine; *gøre ~* do penance; *love ~ og bedring* promise to turn over a new leaf; *råde ~ på* remedy, make good.
II. **bod** *(en -er) (markedsbod)* booth, stall; *(butik)* shop.

bodega *(en)* bodega, wine bar.
Bodensøen Lake Constance.
bodfærdig *adj* penitent, repentant. **bodfærdighed** *(en)* penitence, repentance.
bodmeri *(et)* bottomry. **bodmeribrev** bottomry bond.
bodsøvelse penance.
boer *(en -e)* Boer. **Boerkrigen** the Boer War.
bofast *adj* resident, settled.
I. **bog** *(en -) (bøgens frugt)* beechnut(s), beech -mast.
II. **bog** *(en, bøger)* book; *(antal ark)* quire; *(= konto)* account; *afslutte bøgerne* balance the books; *-en (i bridge)* the book; *føre bøger* keep books, keep accounts; *føre ~ over (holde regnskab med)* keep an account of; *(føre liste over)* keep a list of; *føre til -s* book, enter.
bog|anmeldelse book review. **-anmelder** book reviewer. **-auktion** book sale. **-bestand** book stock, holding. **-bil** *(til -transport)* delivery van; *(ambulant bibliotek)* mobile library, *(amr)* bookmobile. **-bind** binding, cover. **-binder** *(en -e)* bookbinder. **-binderi** *(et -er) (det at)* bookbinding; *(værksted)* bookbinder's shop, bookbinding works. **-binding** bookbinding. **-elsker** bibliophile, book-lover. **-finke** *zo* chaffinch. **-forlag** publishing house. **-form:** *i ~ in* book-form. **-fortegnelse** list of books.
bogføre ✱ enter, book *(fx* an amount); *(i hovedbog)* post; *bogført post* entry; *bogført værdi* book value. **bog|føring** entering, booking; *(= bogholderi)* book -keeping. **-føringspligt** duty to keep books.
boghandel *(salg af bøger)* bookselling; *(butik)* bookshop; *(amr)* bookstore; *bogen findes ikke mere i -en* the book is out of print; *bogen fås i -en* the book can be obtained from booksellers. **boghandler** *(en -e)* bookseller. **boghandler|medhjælper** bookseller's assistant. **-rabat** trade discount.
bog|holder book-keeper. **-holderi** *(et) (det at)* book-keeping; *(kontor)* book-keeping department, book-keeper's office; *(som fag)* accountancy, book -keeping; *dobbelt ~* book-keeping by double entry. **-holderimaskine** book-keeping machine.
boghvede buckwheat. **boghvedegryn** buckwheat (groats).
boghylde *(en -r)* bookshelf.
bogie *(en -r)* bogie. **bogievogn** bogie carriage.
bog|lade *(en -r)* bookshop. **-ladepris** published price. **-lig** *adj* literary. **-liste** book-list. **-lærd** *adj* book-learned; *en ~* a scholar. **-marked** book market. **-menneske** bookish person; bookman. **-mide** book mite. **-mærke** book marker. **-orm** *(ogs fig)* bookworm. **-reol** bookcase. **-ryg** spine, back of a book. **-samler** collector of books. **-samling** library, collection of books. **-skab** (closed) bookcase, glass-fronted bookcase. **-sprog** literary language; *(neds)* bookish language.
bogstav *(et -er)* letter, character; *lille ~* small *(el.* lower-case) letter, *(om størrelsen)* small letter; *et ord på fem -er* a word of 5 letters, a five-letter word; *stort ~* capital *(el.* upper-case) letter, capital, *(om størrelsen)* large *(el.* big) letter; *stumt ~* silent *(el.* mute) letter; *efter -en* literally, to the letter.
bogstavelig *adj* literal; *adv* literally; *~ talt* literally, positively.
bogstavere *vb* spell; *~ forkert* mis-spell.
bogstavering *(en)* spelling.
bogstav|orden alphabetical order. **-rim** alliteration. **-skrift** *(en)* alphabetic writing.
bog|støtte *(en)* book-end. **-tilrettelægger** *(en -e)* book designer. **-titel** book title; *(titelblad)* title page. **-tryk** (letterpress) printing. **-trykker** printer. **-trykkeri** printing office, printing house, printing works.
bogtrykker|kunsten the art of printing, typography. **-presse** *(en -r)* printing press.
bog|udlån lending of books; *(afdeling i bibliotek)* lending-department. **-ven** *se bogelsker.*
bohave *(et)* furniture.

boheme *(en -r)* bohemian. **bohemevæsen** bohemianism.

boks *(en -e)* *(bankboks til udlejning)* safe-deposit box, private safe; *(til bankens midler)* strongroom; *(døgnboks)* night safe; *(telefonboks)* call box, *(amr)* telephone booth; *(postboks)* box. **boksafdeling** safe -deposit (department).

bokse *vb* box, spar. **bokse|handske** boxing-glove. **-kamp** boxing match, prize fight.

bokser *(en -e)* boxer, *(professionel ogs)* prize fighter; *(hund)* boxer, German bulldog.

bokse|ring ring. **-stød** punch.

boksning boxing, sparring; prize fighting.

bold *(en -e)* ball; *(til sprøjte etc)* bulb; *spille ~* play ball; *spille ~ med* play ball with, *(fig)* play with, trifle with. **bold|bane** playing-field. **-gade:** *være på sin egen ~* be on one's own. **-klub** football (, tennis, *etc*) club. **-plads** football (, cricket, *etc*) ground, playing-field. **-spil** (ball) game; *god til ~* good at games. **-træ** bat.

bole *vb* whore *(med:* with).

boler *(en -e)*, **bolerske** *(en -r)* paramour.

bolig *(en -er)* residence *(fx* at his private r.), habitation *(fx* human habitations); dwelling *(fx* the dwellings of the natives); *(hus)* house; *(poet.)* abode; *(lejlighed)* flat, *(amr)* apartment; *skaffe -er til* provide housing for; *tage ~ i København* take up residence in Copenhagen.

bolig|arkitekt interior designer. **-byggeri** house building. **-forhold** *pl* housing (conditions); *-ene* the housing situation. **-haj** slum landlord. **-konsulent** interior designer. **-løs** *adj* homeless. **-mangel** housing shortage. **-minister** Minister of Housing. **-nævn** rent control board. **-nød** housing shortage. **-sanering** slum-clearance. **-selskab** [co-operative housing society]. **-spørgsmål** housing problem *(el.* question). **-søgende** *adj* house-hunting; *subst* house hunter.

Bolivia Bolivia. **boliviansk** *adj* Bolivian.

I. **bolle** *(en -r)* *(skål)* bowl.

II. **bolle** *(en -r)* *(brød)* bun, muffin; *(i suppe etc)* ball, *(mel-)* dumpling; *(uglegylp)* pellet.

bolsche|vik *(en -ker)* bolschevist, bolshevik. **-vi- sere** *vb* bolshevise. **-visme** *(en)* bolshevism.

bolsje *(et -r)* sweet, *(amr)* piece of candy; *-r* sweets, drops.

bolsjevik, bolsjevisere *etc se* bolschevik *etc.*

bolsmand small farmer, small-holder.

bolst|er *(et -re)* *(stof)* ticking; *(hynde)* bolster.

bolt *(en -e)* *(nagle)* bolt; *(i sejl)* lining.

bolte *vb* bolt.

boltre: *~ sig* frisk about, be romping; *(fig)* have one's fling.

bolværk *(et -er)* *(ved havn)* wharf; *(fig)* bulwark, safeguard. **bolværkspenge** *(pl)* wharfage.

bom *(en -me)* bar; *(til opkrævning af betaling)* toll-bar; *(jernbane-)* (level-crossing) gate; *(gymnastik- redskab)* boom; *(fig: skranke)* barrier; *⊥ (laste-)* derrick, *(havnespærring)* boom; *sætte ~ for* put a stop to, *(forhindre)* prevent.

bomasse *(jur)* gross estate.

bombardement *(et -er)* bombardment.

bombardere *vb* bombard *(fx* b. an atom, b. sby. with questions); *(m bomber)* bomb; *(m granater)* shell.

bombastisk *adj* bombastic, high-falutin.

I. **bombe** *(en -r)* bomb; *(overraskelse)* bombshell.

II. **bombe** *vb* bomb.

bombe|flyver bomber. **-last** *(en)* bomb load.

bombe|ramt bombed. **-sikker** *(sikker mod bomber)* bomb-proof, shell-proof; *(absolut sikker)* dead certain, absolutely certain; perfectly sure.

bomlærke *zo* corn bunting.

bommert *(en -er)* blunder; *(brøler«)* howler; *(amr)* boner; *begå en ~* blunder, make a blunder.

bompenge toll.

bomstille *adj* stock-still; *(tavs)* absolutely silent. **bomstærk** *adj* as strong as a horse, Herculean.

bomuld *(en)* cotton.

bomulds|dyrkning cotton cultivation. **-frø** *(et -)* cotton seed. **-garn** cotton (yarn). **-peter** T gingham. **-plante** cotton plant. **-spinderi** cotton spinning **-mill. -tråd** cotton (thread). **-tøj** cotton material. **-varer** cottons, cotton goods. **-væveri** cotton mill.

bon *(en -s)* voucher, ticket, coupon; *(fra kasse- apparat)* sales ticket.

bonbon *(et -s)* sweet, bon-bon. **bonbonniere** *(en -r)* bonbonniere.

bonde *(en, bønder)* farmer; *(almuesmand)* countryman, peasant; *(neds)* boor; *(i skak)* pawn; *(i kort- spil)* jack, knave; *det kan du bilde bønder ind!* tell that to the marines!

bonde|befolkning farming population, farmers. **-bryllup** rustic wedding. **-dreng** country boy, peasant boy. **-fanger** confidence man. **-fangeri** *(et -er)* confidence trick(s). **-gård** farm. **-karl** *(tjene- ste-)* farm-hand. **-knold** boor, clod-hopper. **-kone** peasant woman, farmer's wife. **-krig** peasants' war. **-landet** the country; *langt ude på ~* miles from anywhere. **-mand** peasant, farmer. **-møbler** peasant furniture. **-parti** agrarian party. **-pige** country girl, peasant girl. **-rose** ⚘ *(pæon)* peony. **-stand** farmers, peasantry.

bondsk *adj* boorish, rustic.

bone *vb* beeswax, polish.

bone|maskine (floor) polisher. **-voks** wax polish, floor polish.

bonitet *(en)* quality.

bonkammerat hail-fellow-well-met.

bonmot *(et -s)* mot, witty saying.

bonne *(en -r)* nursery governess.

bonsens *(en)* common sense.

bonus *(en)* bonus, profits.

bookmaker *(en -e)* bookmaker.

boomerang *(en -e)* boomerang.

boplads *(en -er)* settlement.

bopæl *(en -e)* *(adresse)* address; *(se ogs bolig)*; *fast ~* permanent address.

bopælsforandring change of address.

I. **bor** *(grundstof)* boron.

II. **bor** *(et -)* *(til metal etc, tandlæge-)* drill; *(til træ, jord)* auger, *(mindre)* bit; *(vrid-)* gimlet.

boraks *(en)* borax.

bord *(et -e)* table; *(pult, skrivebord)* desk; *(måltid)* meal, dinner (, lunch, etc), *(mad)* table, food; *(på mejemaskine)* platform; *-et* *(i kortspil: den blinde)* dummy; *dække ~* lay the table; *-ets glæder* the pleasures of the table; *få hele -et til at le* make the whole table laugh; *hæve -et (om værten)* give the signal to rise (from table), *(rejse sig)* leave the table, rise from table; *~ og seng* bed and board;

[*m præp:*] *tage af -et* clear away, clear the table; *forslaget blev taget af -et (fig)* the proposal was withdrawn; *ofter -et* after dinner (, supper, *etc*); *rejse sig fra -et* leave the table, rise from table; *gå fra -e* ⊥ disembark, go ashore; *sætte lodsen fra -e* drop the pilot; *før -et* before dinner *(etc)*; *slå i -et* thump the table; *inden -e* ⊥ on board; *om ~* ⊥ on board; *gå om ~* go on board, embark; *om ~ i (el. på)* on board *(fx* on board the ship); *gå om ~ i skibet (ogs)* board the ship; *gå om ~ i (= give sig i lag med)* tackle *(fx* the roast beef), start on *(fx* the new work); *over ~* overboard; *kaste over ~ (ogs fig)* throw overboard, jettison; *på -et* on the table; *gå til -s* go in to dinner (, supper, *etc)*; *føre (el. have) en til -s* take sby. in to dinner; *hun havde ham til -s* he was her dinner partner; *sidde til -s* be *(el.* sit) at table; *sætte sig til -s* sit down to dinner *(etc)*; *under -et* under the table, *(= under måltidet)* during dinner *(etc)*; *banke under -et (overtro)* touch wood; *drikke én under -et* drink sby under the table; *ved -et* at the table, *(ɔ: under måltidet)* at table, during dinner *(etc)*; *varte op ved -et* wait at table.

bord|ben table leg. **-bestilling** table reservation. **-bøn** grace; *bede ~* say grace. **-dame** (dinner) partner; neighbour (at dinner); *hun var min ~* I took her in to dinner. **-dans** [first dance after supper];

(spiritistisk) table turning. **-dug** table cloth. **-dæk-ning** laying a table; *(arrangement)* table arrangement. **borde** *vb* ⚓ run alongside; *(entre)* board.
bordel *(et -ler)* brothel.
bord|ende head (, foot) of the table. **-fylde** *vb* swamp. **-herre** (dinner) partner. **-klokke** hand bell. **-kniv** table knife. **-konversation** table talk. **-kort** place card. **-lampe** table lamp. **-løber** (table) runner. **-opsats** centre piece. **-plade** table top; *(til forlængelse)* leaf. **-plan** *(en)* table *(el.* seating) arrangement. **-salt** table salt. **-skik** table manners; *holde* ~ mind one's table manners. **-skuffe** table drawer. **-tennis** ping-pong, table tennis. **-tæppe** table cloth, table cover.
bore *vb* bore, *(i metal etc)* drill; *(m vridbor)* gimlet; *(trykke)* sink *(fx* s. one's nails into sth.; the cat sank her claws into my hand); ~ *en brønd* sink a well; ~ *i sænk* sink; *hun -de kniven i hans hjerte* she plunged the knife into his heart; ~ *sig frem (fig)* elbow one's way (forward).
bore|bille *zo* death-watch. **-hul** bore hole. **-maskine** drill, drilling machine; *elektrisk* ~ power drill. **-platform** drilling rig. **-tårn** derrick.
I. **borg** *(en -e) (slot)* castle; *konservatismens faste* ~ the stronghold of conservatism.
II. **borg**: *tage på* ~ take on credit.
borge: ~ *for* vouch for, guarantee, answer for.
borgeleje: *sætte sig til* ~ settle down to stay.
borgen: *gå i* ~ *for, se borge.*
borger *(en -e)* citizen; *(bybo)* townsman; *(mods adelig)* commoner; *akademisk* ~ member of a university. **borger|brev**: *akademisk* ~ certificate of matriculation. **-dyd** civic virtue. **-krig** civil war.
borgerlig *adj (statslig)* civil, civic; *(mods militær, kirkelig)* civil; *(om middelstanden)* middle-class; *(lidt neds)* bourgeois; *(jævn)* plain, simple *(fx* dinner); *(pæn)* respectable; *en* ~ *(mods adelig)* a commoner; *det -e drama* the domestic drama; *sige en et -t ord* give sby. a piece of one's mind; *de -e partier* the non -socialist parties; ~ *ret* Civil Law; *-e rettigheder* civil rights; ~ *stilling* position in civil life; ~ *viet* married before a registrar; ~ *vielse, -t ægteskab* civil marriage. **borgerlighed** *(en) (jævnhed)* plainness; *(agtværdighed)* respectability.
borger|musikken: *gøre grin med* ~ make fun. **-pligt** (civic) duty; *gøre sin* ~ do one's duty. **-repræsentant** city (, town) councillor. **-repræsentation** municipal council, city (, town) council. **-ret** citizenship; *(-rettigheder)* civic *(el.* civil) rights; *få* ~ *(ogs fig)* become naturalized. **-sind** public spirit, (good) citizenship. **-skab** *(næringsbrev)* trade licence; *(samtlige borgere)* citizenry. **-væbning** civic guard.
borgestue servants' hall.
borg|fred *(politisk)* truce. **-frue** châtelaine. **-herre** lord of a castle.
borgmester *(i København etc)* burgomaster; mayor; *(i Londons City og nogle andre byer)* Lord Mayor; *(i Skotland)* provost; *(i enkelte byer)* Lord Provost. **borgmester|dyd**: *forsigtighed er en* ~ discretion is the better part of valour. **-mave** corporation, pot-belly.
boring *(en -er)* boring, drilling; *(kaliber)* bore.
bornert *adj* narrow-minded, strait-laced.
bornerthed *(en)* narrow-mindedness.
bornholmer *(en -e) (person)* native of Bornholm; *(ur)* grandfather clock; *(sild)* [kipper from B.].
bor|sur *adj: -t salt* borate. **-syre** boric acid, boracic acid.
I. **bort** *(en -er)* border, edging, trimming; *(bånd)* ribbon.
II. **bort** *adv* away, off; *han må* ~ he must go; *falde* ~ be dropped, cease to be valid, fall; *gå* ~ *(dø)* pass away; *se* ~ *fra* leave out of account, ignore; *vise* ~ expel, turn out.
bortadoptere *vb:* ~ *et barn* have one's child adopted (by sby. else).
borte *adv* away; *(forsvundet)* gone; *(savnet)*

missing; *blive* ~ *(ikke komme)* stay away, *(forsvinde, gd tabt)* be lost, disappear; *død og* ~ dead and gone; *langt* ~ far away, in the distance; *noget* ~ some distance away, some way off; ~ *har taget det* T it is gone.
bort|fald *(ophævelse etc)* repeal, annulment, lapse. **-falde** be dropped; *(blive ugyldig)* be repealed, be annulled, lapse *(fx* the right lapsed); *hermed -r min indvending* this disposes of my objection. **-forklare** explain away. **-forpagte** farm out, let on lease. **-forpagtning** farming out. **-fragte** freight out *(fx* a ship). **-fragter** shipowner.
bortføre *vb* abduct, carry off; *(sin elskede)* elope with, run away with; *(for at opnå løsesum)* kidnap. **bortførelse** *(en -r)* abduction, elopement; *(med magt eller list)* kidnapping.
bort|gang *(en)* departure; *(død)* death, decease, demise. **-gifte** *vb* give away in marriage. **-give** *vb* give away. **-jage** *vb* chase away, turn out.
bortkald|e ✱ call away; *blive -t (ved døden)* pass away. **bortkaldelse** *(en)* passing away, death.
bortkom|men lost; *-ne sager* lost property.
bort|lede *vb (vand)* drain off; *(fig)* divert *(fx* his attention). **-licitere** *vb* invite tenders *(amr:* bids) for; ~ *arbejdet til en* give sby. the contract for the work, contract for the work with sby. **-lodde** *vb* dispose of by lottery. **-løben** *adj* runaway.
bort|rejse *(en) (fravær)* absence (on a journey); *(afrejse)* departure. **-rejst** away (from home); *(ofte)* out of town. **-rive** *vb* snatch away, *(ved døden ogs)* carry off. **-rømt** runaway. **-set**: ~ *fra* apart from. **-skaffe** remove, dispose of *(fx* rubbish). **-skylle** wash away. **-skære** cut away. **-sprænge** ✱ blast off. **-sælge** sell. **-tage** take away, remove. **-vejre** blow away; dissipate, dispel *(fx* her doubts). **-vende** ✱ avert, turn away. **-vise** ✱ refuse admittance, turn away; *(fra skole)* expel. **-visning** *(en -er)* expulsion. **-ødsle** *vb* squander, waste.
borvand boric acid solution.
borvaseline borated vaseline.
bosat, **bosiddende** *adj* resident, settled, established; *være* ~ *i* reside in.
Bosnien Bosnia. **bosnisk** *adj* Bosnian.
Bosporus the Bosporus.
bosætte: ~ *sig* establish oneself, settle, take up residence. **bosættelse** *(en)* establishment, settlement.
botanik *(en)* botany. **botaniker** *(en -e)* botanist.
botanisere *vb* botanize. **botaniserkasse** vasculum.
botanisk *adj* botanical.
botnisk: *Den -e Bugt* the Gulf of Bothnia.
boudoir *(et -er)* boudoir.
bouillon *(en -er)* beef tea, bouillon.
boulevard *(en -er)* boulevard.
bourgeois *(en)* upper middle class person; *(typ)* bourgeois. **bourgeoisi** *(et)* upper middle class.
bourgogne *(en) (vin)* burgundy.
bov *(en -e) (på dyr)* shoulder; *(på skib)* bow; *lægge om på en anden* ~ go on another tack; *et skud for -en* a warning shot, a shot across the bows. **bovblad** shoulder blade.
bovlam *adj* chest-foundered; lame.
bovspryd ⚓ bowsprit.
bowlerhat bowler (hat); *(amr)* derby.
boykotning *(en)* boycott. **boykotte** boycott.
bradepande roasting pan.
bradspil ⚓ windlass.
brag *(et -)* crash; *(om torden)* peal.
brage *vb* crash.
bragt, **bragte** *se* II. *bringe.*
I. **brak** *(om vand)* brackish.
II. **brak**: *ligge* ~ lie fallow.
brak|jord fallow. **-mark** fallow field. **-næse** snub nose. **-næset** *adj* snub-nosed.
brakvand brackish water.
bralre *vb:* ~ *op* bawl, bluster, hold forth; ~ *ud* *med* blurt out.
bram: *med brask og* ~ ostentatiously.

bramfri *adj* unostentatious; *(djærv)* bluff.
bramin *(en -er)* Brahmin.
bram|rå ⚓ topgallant yard. **-sejl** ⚓ topgallant sail.
branche *(en -r)* line (of business), trade.
brand *(en -e)* fire, conflagration; *(brændende stykke træ)* firebrand; *(i korn)* smut; *sætte (el. stikke) i ~* set on fire, set fire to; *komme i ~* catch fire, take fire; *stå i ~* be on fire; *politik var ham en ~ i næsen* politics stank in his nostrils.
brand|alarm fire alarm, fire-call. **-assurance** fire insurance. **-bil** fire engine. **-bombe** incendiary (bomb). **-byld** carbuncle. **-bæger** ⚘ groundsel. **-bælte** *(fx i skov)* fire break. **-chef** chief fire officer; *(amr)* fire chief, fire marshal. **-dam** static water tank. **-dør** *(reserveudgang)* emergency exit; *(brandfri dør)* fire door.
brander *(en -e)* pun.
brandert *(en -er): få sig en ~* get drunk; *have en ~ på* be tight, be half-seas over.
brand|fare danger of fire. **-farlig** *adj* inflammable, liable to catch fire. **-folk** *pl* firemen, fire-brigade. **-forsikring** fire insurance. **-fri** *adj* fire-proof. **-fælde** *(en -r)* fire trap. **-god** T topping, first-rate. **-gul** *adj* orange.
brand|hage fire-hook. **-hane** hydrant. **-korps** fire brigade; *(amr)* fire department. **-lidt** *adj* victim of a fire. **-lugt** smell of burning. **-maleri** poker work. **-mand** fireman. **-mur** party wall. **-pil** fire-arrow. **-rør** 🔩 fuse. **-sikker** *adj* fire-proof.
brand|skab fire-alarm (box). **-skade** *(en -r)* damage by fire. **-skatte** *vb* extort contributions from. **-slange** fire hose. **-slukningsapparat** fire extinguisher. **-spand** fire bucket. **-sprøjte** fire engine. **-station** fire station. **-sted** scene of a fire. **-stiftelse** arson. **-stifter** incendiary. **-stige** *(en)* fire escape. **-storm**: *det blæste en ~* it blew great guns. **-svamp** ⚘ smut. **-sår** burn. **-tale** incendiary speech. **-udrykning** fire-brigade turn-out. **-vable** blister. **-vagt** fire watcher, fire guard. **-væsen** fire-fighting service; *(mandskab, sprøjter etc) se -korps.*
branke *(svide)* burn; *(brune)* brown; *-t lugt* burnt smell.
I. **bras** *(et)* *(juks)* rubbish, trash, junk.
II. **bras** *(en -er)* ⚓ brace.
I. **brase** *vb* *(fare)* rush; *~ imod* crash into; *~ ind i stuen* barge into the room; *~ ned* crash down, come down with a crash; *~ på* shove, push; *~ sammen* crash (in).
II. **brase** *vb* ⚓ *(dreje)* brace.
III. **brase** *vb* *(stege(s))* fry.
brasen *(en -er)* *(fisk)* bream.
brasilianer *(en -e)*, **brasiliansk** *adj* Brazilian.
Brasilien Brazil.
brask: *med ~ og bram* ostentatiously.
I. **brast**: *stå last og ~* stand shoulder to shoulder.
II. **brast** *imperf af briste.*
brat *adj* *(stejl)* steep, precipitous; *(pludselig)* sudden, abrupt, headlong; *adv* steeply, precipitously; suddenly, abruptly; *standse ~* stop short.
bratsch *(en -er)* viola, tenor-violin.
brav *(retskaffen)* honest, good, *(brugt patroniserende)* worthy; *-t adv* honestly; *kæmpe -t* fight stoutly; *klare sig -t* hold one's own, do well.
bravade *(erv-r)* bombast, tall talk.
bravo! bravo! well done!
bravur *(en)* bravura; *med ~ (ogs)* brilliantly.
bravur|arie bravura *(el.* display) aria. **-nummer** star turn.
breche *(en -r)* breach; *skyde ~ i* make a breach in; *stille sig* *(el. gå) i -n for* stand up for.
I. **bred** *(en -der)* *(af flod)* bank; *(af indsø el. hav)* shore; *floden gik over sine -der* the river overflowed *(el.* broke) its banks; *ved havets ~* on the sea-shore.
II. **bred** *adj* wide, broad; *(om stilen)* diffuse; *(om dialekt)* broad; *seks fod lang og fire ~* six feet by four; *folkets -e lag* the masses, *(ofte =)* the man in the street; *gøre -ere* widen, broaden; *(se ogs* bredt). **bred|**

bladet *adj* broad-leaved, *(kniv)* broad-bladed. **-bringet** *adj* deep-chested.
bredde *(en -r)* breadth, width; *(stilens)* diffuseness; *(geografisk)* latitude; *i -n* across. **breddegrad** degree of latitude, parallel; *under vore -er* in our latitudes. **breddekreds** parallel (of latitude).
brede ★ spread; *~ sig (blive bredere)* broaden, *(vinde udbredelse)* spread; *(have udstrækning)* extend; *(være vidtløftig)* be long-winded; *~ ud* spread (out).
bred|fuld, **-fyldt** brimful, brimming. **-næset** *adj* broad-nosed; *(sko)* square-toed. **-side** ⚓ broadside. **-skuldret** broad-shouldered. **-skygget** broad -brimmed. **-sporet** *adj* broad-gauge. **-så** sow broadcast.
bredt *adv* broadly; *vidt og ~* far and wide, *(vidtløftigt)* at great length.
bregne *(en -r)* ⚘ fern, bracken.
I. **bremse** *(en -r)* *(insekt)* botfly; gadfly.
II. **bremse** *(en -r)* *(til hjul el. maskine)* brake; *(fig)* curb *(på:* on).
III. **bremse** *vb* brake, *(fig)* check *(fx* his ambition); *(uden objekt ogs)* apply the brake(s).
bremse|apparat braking appliance. **-arm** brake lever. **-belægning** brake lining. **-bånd** brake band. **-klap** *(flyv)* airbrake. **-klods** brake block; *(under hjul)* chock. **-larve** *zo* bot. **-længde** braking distance. **-pedal** brake pedal. **-raket** *(til missil)* retro-rocket. **-spor** brake track. **-stang** brake rod. **-tromle** brake drum. **-virkning** brake action; braking effect. **-væske** brake fluid.
bremsning *(en)* braking.
Bretagne Brittany. **bretagner** *(en -e)* Breton.
brev *(et -e)* letter; *(mindre)* note; *(teologisk)* epistle *(fx* the epistle of Paul the Apostle to the Ephesians); *et ~ knappenåle* a paper of pins; *have ~ på (fig)* be guaranteed; *åbent ~ (fx i avis)* open letter; *(kongeligt)* letters patent.
brev|due carrier pigeon, homing pigeon. **-hemmeligheden** the secrecy of the mails.
brev|hoved letterhead, letter heading. **-kasse** *(på dør)* letter box, *(sprække)* letter slit; *(postkasse, ogs)* posting box, *(amr)* mailbox; *(fritstående)* pillar-box; *(i avis)* correspondence column. **-kort** post card; *(amr)* postal card; *dobbelt ~* reply-paid post card; *lukket ~* letter card. **-ordner** (letter) file. **-papir** notepaper. **-post** letter post. **-presser** paperweight. **-skole** correspondence college. **-skriver** letter writer; correspondent *(fx* I am a bad c.). **-sprække** letter slit. **-stil** epistolary style. **-takst** letter rate. **-veksling** correspondence; *stå i ~* correspond. **-vægt** letter balance.
bridge *(en)* *(kortspil)* bridge. **bridge|blok** bridge scorer. **-regnskab** bridge score; *(blanket)* bridge marker.
brig *(en -ger)* brig.
brigade *(en -r)* brigade. **brigadegeneral** brigadier (-general).
brik *(en -ker)* *(i brætspil)* man, piece; *(smørebræt)* wooden platter, trencher; *(til underlag)* wooden table mat; *(fig)* pawn *(fx* he was only a pawn in the hand of the tyrant).
briket *(en -ter)* briquette; *-ter (ogs)* patent fuel.
briks *(en -e(r))* *(narrestav)* bauble, (harlequin's) wand; *(leje)* plank bed.
I. **brillant** *(en -er)* brilliant.
II. **brillant** *adj* splendid, excellent.
brillantine *(en -r)* brillantine
brille|foderal spectacle case. **-glas** spectacle lens. **briller** *pl* (pair of) spectacles, glasses; *(automobil-)* goggles; *bruge (el. gå med) ~* wear spectacles.
brillere *vb* shine.
brille|slange *zo* cobra. **-stang** side bar. **-stel** spectacle frame.
I. **bringe** *(en -r)* chest.
II. **bringe** *(bragte, bragt)* *vb* take *(fx* take the letters to the post-office; take it away), carry, convey; *(til den talende, til et nærmere sted fra et fjernere, hente)*

bring (*fx* bring **me** that book; he told me to bring it to him; they **brought** him back to the camp; he was brought before the magistrate); fetch; (*udbringe*) deliver (*fx* goods); (*bevirke*) bring about (*fx* a change), cause (*fx* sorrow), give (*fx* pleasure), involve, bring (*fx* it brought him losses); (*om avis: offentliggøre*) print, publish;

~ *for dagens lys* bring to light; ~ *ham fra det* dissuade him from it; ~ *i erfaring* learn, be informed, find; ~ *i fare* endanger, imperil; ~ *i stand* (*arrangere*) bring about, negotiate, (*i orden*) put in order; (*se ogs orden, sikkerhed*); ~ *udgifterne ned* cut down expenses; ~ *et offer* make a sacrifice; *han kan ikke* ~ *det over sit hjerte* he has not the heart to do it; ~ *på bane* bring up, broach; ~ *en på fode igen* set sby on his feet again; ~ *en på andre tanker* make sby. change his mind; ~ *ham til bekendelse* make him confess; ~ *det dertil at* bring matters to such a pass that; ~ *en til fornuft* bring sby. to his senses; ~ *skoene til skomageren* take the shoes to the shoemaker's; ~ *en til sig selv* bring sby. round; ~ *ud* (*varer etc*) deliver; ~ *det vidt* be successful, go far.

brink (*en -er*) cliff.

brint (*en*) hydrogen. **brint|bombe** hydrogen bomb, H-bomb. **-overilte** (*en*) hydrogen peroxide.

brise (*en -r*) breeze.

brisling (*en -er*) (*fisk*) sprat.

bris|sel (*en -ler*) sweetbread.

brist (*en*) (*skavank*) flaw, defect; (*mangel*) lack.

briste (*-de el. brast, bristet*) burst, break, snap; (*slå fejl*) fail; *det må* ~ *eller bære* it is neck or nothing, it's kill or cure; *så hans hjerte til at* ~ break his heart; *få hans tålmodighed til at* ~ exhaust his patience, try his patience to breaking point; *knopperne er ved at* ~ the buds are bursting; ~ *i gråd* burst into tears; ~ *i latter* burst out laughing; *-nde øjne* dying eyes; *brustne øjne* glazed eyes. **briste|færdig** ready to burst. **-punktet** breaking point (*fx* his nerves were strained to b. point).

Britannien Britain.

brite (*en -r*) Briton; *-rne* the British. **britisk** British; *De -e Øer* the British Isles.

bro (*en -er*) (*ogs* = *kommando-*; *ogs fig*) bridge; (*anløbs-*) landing-stage, jetty; (*landgangsbro*) gangway; *bygge* ~ *over* bridge; *gå* (*, køre*) *over -en* cross the bridge. **bro|arbejde** (*tandl*) bridge-work. **-bue** arch (of a bridge).

broche (*en -r*) brooch.

brocheret *adj* paper-bound, paper-covered.

brochure (*en -r*) booklet, leaflet, brochure.

brod (*en -de*) (*zo, fig*) sting; *stampe mod -den* kick against the pricks; *tage -den a* take the sting out of.

brodde (*en -r, vb*) frostnail, (*amr*) calk.

brodden: *der er brodne kar i alle lande* there is a black sheep in every flock; *brodne pander* broken heads.

broder (*en, brødre*) brother (*pl* brothers, (*medmennesker, ordensbrødre, lavsbrødre etc:*) brethren); (*munk*) brother, friar; *brødrene Smith* the brothers Smith, (*firmanavn*) Smith Brothers; *være* ~ *til* be the brother of.

broderdatter niece, brother's daughter.

brodere *vb* embroider. **brodere|garn** embroidery cotton, e. wool. **-saks** embroidery scissors (*pl*).

broder|folk sister nation. **-hånd** fraternal hand.

broderi (*et -er*) embroidery.

broderiforretning needlework shop.

broderkærlighed fraternal (*el.* brotherly) love.

broderland sister country.

broderlig *adj* brotherly, fraternal. **broderlighed** (*en*) fraternal spirit.

broder|mord fratricide. **-morder(ske)** fratricide. **-parten** the lion's share. **-skab** (*et -er*) brotherhood, fraternity. **-søn** nephew, brother's son.

brod|sø breaker. **-søm** frostnail; (*amr*) calk.

brodæk bridge deck.

bro|fag span. **-foged** bridgemaster.

broge|t *adj* parti-coloured, motley, variegated, (*afvekslende*) varied; (*uordentlig, forvirret*) confused (*fx* mixture), tangled; *-de farver* gay colours; *i* ~ *forvirring* in a jumble; ~ *hest* piebald horse; *det ser* ~ *ud* it does not look any too good; *han gjorde mig det for* ~ he made it too hot for me; *det er ved at blive for* ~ it is getting too much.

brohoved pierhead; ✕ (*støttepunkt*) bridgehead; (*på kyst*) beach-head.

I. **brok** (*et el. en*) hernia, rupture.

II. **brok** (*kludder*) bungling; *der er gået* ~ *i det* it has got into a mess; *lave* ~ bungle.

brokade (*en -r*) brocade.

brok|bind truss, hernial bandage. **-bælte** hernial belt.

brok|fugl *zo* plover. **-kasse:** *smide i -n* scrap.

I. **brokke** (*en -r*) scrap, bit, fragment.

II. **brokke** *vb:* ~ *sammen* tinker up, concoct; ~ *sig* grouse.

broklap (*en -per*) leaf (of a bridge).

bro|lægge *vb* pave. **-lægger** (*en -e*) paver, paviour. **-læggerjomfru** paviour, rammer. **-lægning** (*en*) paving; (*stenene*) pavement.

brom (*et*) (*kem*) bromine.

brombær 🌳 blackberry. **brombærbusk** bramble, blackberry bush.

bronkier *pl* bronchi. **bronkitis** (*en*) bronchitis. **bronze** (*en -r*) bronze. **bronzealder** bronze age. **bronzefarvet** *adj* bronze(-coloured).

bronzere *vb* bronze.

bro|penge (bridge) toll. **-pille** (*en -r*) (bridge) pier.

bror *se* broder.

brosten (*tilhugget*) paving-stone; (*utilhugget*) cobblestone.

brovte (*prale*) boast, brag (*af:* of); (*gøre sig vigtig*) swagger (*med:* about). **brovtende** *adj* boastful, swaggering; *adv* -ly.

brovægt weighbridge.

I. **brud** (*et -*) (*sprængning*) break, breaking, rupture; (*åbning*) breach (*fx* of a dyke); (*på rør etc*) leak (*fx* in a gas pipe); (*på maskine*) breakdown; (*overtrædelse af lov etc*) breach (*fx* of a contract, a treaty), infringement, violation; (*knogle-*) fracture; (*sten-*) quarry; ~ *med* rupture with (*fx* his rupture with the church); ~ *på* breach of (*fx* the peace); *gøre* ~ *på* break; *det kom til* ~ *mellem dem* they broke with each other, they fell out.

II. **brud** (*en -e*) (*nygift kvinde*) bride.

III. **brud** (*en -e*) *zo* weasel.

brudbelastning breaking load.

brude|buket wedding bouquet. **-dragt** wedding dress. **-færd** wedding, wedding procession. **-følge** wedding procession. **-gave** wedding present. **-kammer** bridal chamber. **-kjole** wedding dress. **-krans** bridal wreath; (*i England*) orange blossom. **-nat** wedding night. **-par** newly-married couple. **-pige** bridesmaid. **-seng** marriage bed, bridal couch. **-slør** bridal veil. **-udstyr** wedding outfit, (*personligt, klæder etc*) trousseau.

brud|flade (surface of) fracture. **-flise** broken flagstone; *belægning med -r* crazy pavement.

brudgom (*en -me*) bridegroom.

brudstykke fragment.

brudstykkeagtig *adj* fragmentary.

brudt *perf part af* bryde.

I. **brug** (*en, efter *til* ogs et*) use (*fx* the use of coal for domestic fires; learn the use of tools; lose the use of one's eyes); (*det at bringe ngt i anvendelse*) application (*fx* of the brake, of remedies); (*forbrug*) consumption; (*skik*) custom, usage, habitual practice; (*sprog-*) usage; *skik og* ~ custom, common practice; *det er skik og* ~ it is customary; *gå af* ~ go out of use; *som er ved at gå af* ~ obsolescent; *gøre* ~ *af* make use of; *den rette* ~ *af* the proper use of; *have* ~ *for* want, need; *jeg har ingen* ~ *for det* I don't want it, I have no use for it; *der blev* ~ *for kasserne* the boxes proved useful; *efter -en* after use; *komme!* ~ come into use; *tage i* ~ take into use; *være i* ~ be in use; *til det* ~ for that purpose; *til eget* ~ for personal use.

II. brug *(et -) (land-)* farm; *(fabrik)* works, mill. **brugbar** *adj* fit for use, usable, serviceable; *i* ~ *stand* in working order.

brugbarhed *(en)* usefulness.

bruge * use, employ; *(penge)* spend *(til:* on); *(bringe i anvendelse)* apply *(fx* the brake; a sum of money to the payment of a debt); *(pleje)* be in the habit of; ~ *briller* wear spectacles; *vi brugte to dage til at* it took us two days to; *det -r vi ikke her* we don't do that here; *-r De fløde?* do you take cream? ~ *mund* scold, shout; ~ *olie til at stege i* use oil for frying; ~ *op* use up; *han -r en stor del af sin bog til at* ... he devotes a large part of his book to ...; ~ *sin tid godt* make good use *(el.* make the most) of one's time; *den tid jorden -r om at gå rundt om solen* the time the earth takes to go round the sun; ~ *sin tid til, til at* spend one's time on *(fx* studies), (in) *(fx* spend one's t. (in) reading); ~ *sine øjne* use one's eyes. **brugelig** *adj* fit for use, serviceable, in working order, practicable. **bruger** *(en -e)* user.

brugs *(en) (fk f brugsforening)* co-op.

brugs|anvisning directions (for use). **-forening** co-operative society. **-foreningsudsalg** co-operative stores. **-genstand** article for everyday use. **-ret** ~: *til ngt* right of using sth. **-tilladelse** permit (to use sth.). **-tyveri** [appropriation of another person's property for purposes of limited use only].

brugt *adj (modsat: ny)* used, second-hand; *(modsat: ren)* soiled *(fx* towel); *-e biler* used cars; *-e bøger,* ~ *tøj* second-hand books, clothes.

brum *(et) (radio, TV)* hum. **brumbasse** growler. I. **brumme** *(en -r) (kachot)* T clink, jail, quod; *være en tur i -n* be doing time.

II. **brumme** *vb (summe)* hum, buzz; *(knurre)* growl; *(mumle)* mutter, mumble; *(give ondt af sig)* grumble. **brummer** *(en -e) (elekt)* buzzer.

brun *adj* brown. **brune** *vb* brown; *(om solen)* bronze, tan; *-de kartofler* caramelled potatoes; *(amr)* candied potatoes.

brunel *(et)* prunella.

brunere *vb* burnish; bronze.

brunette *(en -r)* brunette.

brunkul brown coal, lignite.

brunlig *adj* brownish, tawny.

brunst *(en) (hos handyr)* rut; *(hos hundyr)* heat. **brunstegt** done brown.

brunstig *adj (om handyr)* rutting; *(om hundyr)* in heat.

brunsttid mating season, *(om handyr ogs)* rutting season, *(om hundyr ogs)* period of heat.

brus *(et) (brusende lyd)* roar; *(i væsker)* fizz; *(orgels)* peal; *(af silke)* rustle.

I. **bruse** *(en -r) (til brusebad)* shower, spray; *(på vandkande el. vandslange)* sprinkler.

II. **bruse** *vb (om lyden af havet etc)* roar; *(om musik)* sound; *(om orgel)* peal; *(om bevægelse)* rush; *(moussere)* fizz, effervesce; *(strutte)* stand out, *(om fjer)* be ruffled up; ~ *op (blive hidsig)* blaze up; ~ *planter over med* spray plants with.

brusebad shower (-bath).

brusen *(en)* roar *(fx* of the waves); *(i væsker)* fizz, effervescence; *orglets* ~ the peal of the organ. **bruser** *(en -e) se* I. *bruse.*

brus|hane *zo* ruff. **-hoved** hothead, hotspur. **-høne** *zo* reeve. **-høns** ruffs and reeves.

brusk *(en)* gristle; *(anat)* cartilage. **bruskagtig** *adj* cartilaginous, gristly.

brusten *adj (om øje)* glazed.

brutal *adj* brutal; *være* ~ *over for* bully; *en* ~ *person* a brute, a bully. **brutalisere** *(forrd)* brutalize. **brutalitet** *(en)* brutality; bullying.

brutto|avance gross profit. **-beløb** gross amount. **-indtægt** gross income. **-registertonnage** gross register tonnage. **-vægt** gross weight.

Bruxelles Brussels.

bryde *(brød, brudt) (brække)* break; *(overvinde)* break (down) *(fx* resistance); *(ikke overholde)* break *(fx* an agreement); *(lyset)* refract; *(kul)* mine, win, extract; *(sten)* quarry; *(om søen)* break; *(afslutte telefonsamtale)* ring off;
~ *sit hoved* rack *(el.* cudgel) one's brains; ~ *isen* break the ice; ~ *en lanse for (,* med) *se* lanse; *nød -r alle love* necessity knows no law; ~ *sine lænker* break one's chains; ~ *sit løfte* break one's promise; ~ *sit ord* break one's word, go back on one's word; ~ *tavsheden* break the silence;
[*m præp. & adv:*] ~ *af (ogs = standse)* break off; ~ *frem* break out; *dagen brød frem* the day broke *(el.* dawned); ~ *igennem* break through; *(om kunstner)* (first) make one's name; ~ **ind** break in, force an entry; ~ *ind i et hus* break into a house; ~ **løs** *(2: udbryde, fx om oprør)* break out; ~ *ngt løs* break sth. loose; ~ **med** *en* break with sby.; ~ **om** *(typografisk)* make up *(fx* make up a page); ~ **op** *(m objekt)* break open, force, *(brolægning)* take up, *(uden objekt: om går)* reopen; *selskabet brød op* the party broke up; ~ **sammen** break down; ~ **ud** *(fx af fængsel)* break out; *krigen, ilden brød ud* the war, the fire broke out; ~ **sig om** *(sætte pris på)* care for, like *(fx* do you like that book?); *(tage notits af)* pay attention to *(fx* he pays no a. to what is said); mind; *d, bryd Dem ikke om det!* never mind! don't let that worry *(el.* bother) you; *jeg—r mig ikke om at han får det at se (2: jeg ønsker det ikke)* I don't want him to see it; *jeg -r mig ikke om hvad folk siger (2: jeg er ligeglad)* I don't care what people say; *ham skal De ikke* ~ **Dem om** *(2: han er ganske ufarlig)* don't take any notice of him; *det skal De ikke* ~ *Dem om (2: blande Dem i)* that's none of your business; *se ogs brydes.*

brydekamp wrestle, wrestling match.

bryder *(en -e)* wrestler.

bryderi *(et -er)* trouble, worry.

brydes be broken, break; be refracted *(etc: se bryde); (kæmpe)* wrestle.

brydning *(en -er)* breaking; *(af lys)* refraction; *(af kul etc)* mining; *(kamp, sport)* wrestling; *(fig)* conflict, convulsion.

brydnings|fejl *(i øjet)* error of refraction. **-tid** *(fig)* time of unrest and upheaval, crisis. **-vinkel** angle of refraction.

brydsom troublesome, wearisome.

bryg *(et) (drik, fabrikat)* brew.

I. **brygge** *(en -r) (kaj)* wharf, quay.

II. **Brygge** *(byen)* Bruges.

III. **brygge** *vb* brew; ~ *på en artikel* have an article in preparation; ~ *sammen* concoct *(fx* a drink, a story). **brygger** *(en -e)* brewer. **bryggerhest** dray-horse. **bryggeri** *(et -er)* brewery. **bryggerkar** brewing vat. **bryggers** *(et)* scullery.

brygmester master brewer.

brygning *(en)* brewing.

bryllup *(et -per)* wedding, marriage; *have (el. holde)* ~ marry, be married; *holde* ~ *med* marry; *-pet stod i London* the wedding was celebrated in London.

bryllups|dag wedding day; *(årsdag)* wedding anniversary. **-fest** wedding festivities. **-gave** wedding present. **-kage** wedding cake. **-march** wedding march. **-middag** *(svarer til:)* wedding reception. **-nat** wedding night. **-rejse** honeymoon *(trip).*

bryn *(et -) (øjen-)* eyebrow; *(skovbryn)* fringe (of a wood); *rynke -ene* knit one's brows, frown.

brynje *(en -r)* coat of mail.

brysk *adj* blunt, brusque.

Bryssel Brussels. **brysseler|kniplinger** Brussels lace. **-tæppe** Brussels carpet.

bryst *(et -er)* breast, *(ogs om lunger etc)* chest *(fx* a broad chest; a weak chest); *(kvinde-)* breast *(pl* breasts); *(buste)* bust; *(barm)* bosom; *(insekts)* thorax; *det faldt ham for -et* he resented it, he took exception to it; *give et barn* ~ suckle a child; *et svagt* ~ a weak chest; *trykke til sit* ~ clasp to one's breast.

bryst|barn breast-fed baby. **-billede** half-length portrait. **-dråber** pl cough drops.
bryste vh: ~ sig swagger (af: about).
bryst|finne pectoral fin. **-harnisk** breastplate. **-holder** brassiere. **-hule** thoracic cavity, (cavity of the) chest. **-kasse** chest. **-kirtel** mammary gland. **-lomme** breast pocket. **-nål** brooch. **-panel** dado. **-saft** pectoral (syrup). **-sukker** sweetmeat. **-svag** weak-chested. **-svær** adj broad-bosomed. **-svømning** breast stroke. **-tone** chest note. **-varmer** (en -e) chest pad. **-vorte** nipple. **-værn** parapet, breastwork.
bræ (en -er) glacier.
brædde|gulv wooden floor; (af fyrretræ) deal floor. **-loft** board ceiling.
brædder pl boards; de skrå ~ the stage, the boards. **brædde|skillerum** board partition. **-skur** wooden shed; (amr) frame shack. **-væg** partition of boards.
bræge vb bleat, baa. **brægen** (en) bleating.
bræk (et) (indbrud) burglary, T crack; (opkastning) vomit, T sick; lave et ~ crack a crib.
brækjern jemmy, (større) crowbar.
brække (med el. uden objekt) break, (om knogle ogs) fracture; (pludselig) snap; (give en ombejning) fold (fx a sheet); ~ om (typ) make up; ~ op (bryde noget op) break open; (brolægning) take up; ~ sig vomit, be sick, T puke.
brækmiddel emetic.
brækning (en -er) vomiting.
I. **bræmme** (en -r) border, edge.
II. **bræmme** vb border, edge, trim.
brændbar adj inflammable, combustible.
brændbarhed (en) inflammability, combustibility.
I. **brænde** (et) wood, firewood; så falder der ~ ned (fig) you'll catch it, there'll be hell to pay.
II. **brænde** ★ burn; (stå i lue, ogs) be on fire; (fortæres af ild) be burnt; (være tændt) be lighted, (elekt) be on (fx the light was on); (være hed) burn (fx his hands were burning); (om lighbrænding) cremate; (kaffebønner) roast; (porcelæn etc) fire; (teglsten etc) bake; hvor -r det? where is the fire? solen brændte the sun blazed down;
~ af begærlighed burn with desire; ~ fyrværkeri af let off fireworks; blive brændt 'af (ɔ: narret etc) be let down; ~ efter at be dying to (fx he was d. to speak); ~ inde perish in the flames; ~ inde med varerne be left with the goods on one's hands; han brændte inde med historien he never got a chance of telling the story; ~ ned (til grunden) be burnt down; ~ op be burnt, be destroyed by fire; ~ over (elekt: smelte) fuse, (om elekt pære) burn out; sennep -r på tungen mustard burns the tongue; ~ 'på (om mad) catch (fx the milk has caught); ~ ud burn out; ~ sig burn oneself, (fig) burn one's fingers (på on); ~ sig på en nælde be stung by a nettle; (se ogs brændende, brændt).
brænde|hugger (en -e) wood cutter. **-knude** log. **-kurv** firewood basket. **-mærke** (et -r) stigma, brand; vb stigmatize, brand.
brændende adj burning (fx flame, heat, fever, thirst, desire, question); ~ had, kærlighed ardent hatred, love; ~ varm burning hot, (om solen) blazing hot; (om mad) piping hot; (om drikke etc) scalding hot.
brænde|nælde ♣ stinging nettle. **-ovn** (keramisk) kiln, furnace; (til opvarmning) woodburning stove.
brænder (en -e) (i lampe) burner.
brændeskur woodshed.
brændevin distilled spirits, brandy, gin.
brændevins|brænder distiller. **-brænderi** (et -er) distillery.
brændglas burning-glass.
brænding (en -er) burning; (af porcelæn etc) firing; (af teglsten) baking; (lig-) cremation; (bølger mod kyst) surf, breakers.
brænd|offer burnt offering. **-punkt** (mat., fys, fig) focus.
brændsel (et) fuel. **brændsels|besparende** fuel -saving. **-olie** fuel oil. **-værdi** heating value.

brændstof fuel; flydende (, fast) ~ liquid (, solid) fuel.
brændt adj (af brænde) burnt, burned; ~ barn skyr ilden once bitten twice shy; den -e jords politik the scorched-earth policy; ~ kaffe roasted coffee; ~ mandel burnt almond.
bræt (et, brædder) board; på ét ~ at once; sætte alt på ét ~ stake everything on one throw; (se ogs brædder). **brætspil** board game.
I. **brød** (et -) bread; et ~ a loaf (of bread); to ~ two loaves; smuler er også ~ half a loaf is better than no bread; giv os i dag vort daglige ~ give us this day our daily bread; den enes død er den andens ~ one man's loss is another man's gain; være i hans ~ be in his service; ristet ~ toast; ristet ~ med sardiner sardines on toast; gå af som varmt ~ sell like hot cakes; tage -et ud af munden på ham take the bread out of his mouth; slå større ~ op end man kan bage bite off more than one can chew; tjene sit ~ earn one's living.
II. **brød** imperf af bryde.
brødbakke bread basket.
brøde (en -r) guilt, (forseelse) offence.
brøde|betynget guilty, (angergiven) contrite. **-fuld** guilty.
brød|fabrik bakery. **-flov** adj: jeg er lidt ~ I could do with a little food. **-frugt** bread-fruit.
brødføde vb supply with foodstuffs; som kan ~ sig selv self-supporting (fx country).
brød|kasse bread bin. **-kniv** bread knife. **-korn** bread grain. **-krumme** breadcrumb. **-kusk** baker's roundsman. **-løs** adj (som ikke giver fortjeneste) unremunerative; gøre ~ throw out of work. **-maskine** breadcutter. **-nid** professional jealousy.
brødre pl af broder.
brød|rist(er) toaster. **-skive** slice of bread. **-skorpe** (bread) crust. **-skrift** ordinary type. **-studium** vocational study. **-vogn** baker's van.
brøk (en -er) fraction; almindelig ~ vulgar fraction; uægte ~ improper fraction. **brøk|del** fraction. **-regning** fractions. **-streg** fraction line.
brøl (et -) roar, bellow.
brøle vb roar, bellow; (råbe) bawl, shout; (om ko) low; (græde) howl; ~ af latter roar with laughter.
brøleabe zo howler; (person) gasbag, ranter.
brøler (en -e) (fejl) howler; (amr) boner.
brølhals (højrøstet person) bawler, blusterer; (tudesøren) cry-baby.
brønd (en -e) well; (sundheds-) mineral spring; kaste -en til, når barnet er druknet (svarer til) shut the stable door after the horse has been stolen.
brønd|borer (en -e) well-borer. **-dæksel** well cover. **-graver** well-digger. **-karm** well curb. **-karse** water cress. **-kur** water cure. **-kuranstalt** (inland) watering place, hydro, spa. **-vand** well water. **-vinde** windlass.
brøsig adj gruff. **brøsighed** (en) gruffness.
brøst (en) defect, flaw. **brøstfældig** adj dilapidated, ramshackle. **brøstfældighed** (en) dilapidation.
brøstholden føle sig ~ feel aggrieved.
brådsø breaker.
bu (se ogs buh!): han kan hverken sige ~ eller bæ he cannot say bo to a goose.
buckram buckram.
bud (et -(e)) (befaling) command, commandment, order; (besked) message; (efterretning) tidings, word; (tilbud) offer; (ved auktion) bid; (sendebud) messenger; de ti ~ the Ten Commandments, the decalogue; fornuftens ~ the dictates of reason; der gik ~ efter ham he was sent for; give et ~ på make an offer (, a bid) for; sende ~ efter send for; sende ~ til en send a message to sby.; der var ~ efter ham (ɔ: han var i fare) T he had a close shave; på hans ~ at his command. **budbringer** (en -e) messenger.
bud|central messenger office. **-cykel** carrier cycle.
Buddha Buddha. **buddhisme** (en) Buddhism. **buddhist** (en -er), **buddhistisk** adj Buddhist.

budding *(en -er)* pudding. **budding|form** pudding basin. **-pulver** *(svarer til)* blancmange powder.

budget *(et -ter)* budget; *lægge et ~* draw up a budget; *på -tet* in the budget. **budgettere** budget; *-de indtægter (, udgifter)* estimated revenue (, expenses).

bud|skab *(et -ter) (nyhed)* news *(fx* a piece of sad news); *(politisk udtalelse etc)* message. **-stue** messengers' room.

budt *perf part af byde.*

I. **bue** *(en -r) (skydevåben; til strygeinstrument)* bow; *(krum linje)* curve, bow; *(arkit)* arch; *(hvælving)* vault; *(cirkel-)* circular arc; *(i nodeskrift: bindebue)* tie, *(legatobue)* slur; *(kroket-)* hoop; *spænde en ~* bend a bow; *spænde -n for højt (fig)* make exaggerated demands; *overreach oneself; gå i en stor ~ uden om ngt* make a long detour round sth.; *(fig)* give sth. a wide berth.

II. **bue** *vb* arch, curve.

bueformet arched, curved.

bue|føring bowing. **-gang** arcade, cloister; *(i øret)* semicircular canals. **-lampe** arc lamp. **-skydning** archery. **-skytte** archer, bowman. **-streng** bowstring. **-strøg** *(med violinbue)* stroke of the bow.

buet *adj* arched, curved.

buffer *(en -e)* buffer, shock absorber.

buffet *(en -er) (spisestuemøbel)* sideboard; *(disk i restauration)* refreshment bar, buffet; *(på jernbane)* refreshment room, buffet. **buffist** *(en -er)* counterman, countergirl.

bug *(en -e) (underliv)* abdomen; *(mave)* stomach; *(bibelsk og vulgært)* belly *(fx* Jonah in the b. of the whale; men whose God is their b., fill one's b.). **bug|finne** zo ventral fin. **-gjord** girth. **-hinde** peritoneum. **-hindebetændelse** peritonitis. **-hule** abdominal cavity. **-muskel** abdominal muscle.

bugne *vb* bulge, swell; *-nde sejl* bellying sail; *~ af, ~ med* abound in *(el.* with); *bordet -r af mad* the table groans with food.

bugserbåd tug (boat), towing boat.

bugsere *vb* tow, tug, take in tow, *(fig)* manoeuvre. **bugsering** *(en)* towage, towing.

bugser|penge towage. **-trosse** tow-rope.

bug|skjold zo plastron. **-spryd** ⚓ bowsprit.

bug|spyt pancreatic juice. **-spytkirtel** pancreas.

bugt *(en -er) (hav-)* bay, *(større)* gulf, *(vig)* creek; *(krum linje)* curve, bend; *(af tov* ⚓*)* bight; *slå -er* wind, bend; *få ~ med* get the better of, overcome *(fx* difficulties, one's opponents).

bugtaler ventriloquist. **bugtaleri** ventriloquism.

bugte: *~ sig* wind (in and out); *(om flod ogs)* meander.

bugtet *adj* winding, sinuous; meandering.

bugthøvl spokeshave.

bugtning *(en -er)* winding, curve, sinuosity.

buh! moo! boo(h)! **buh-ko** moo-cow.

I. **buk** *(en -ke) (gede-)* billy-goat; *(rå-)* buck; *(træbuk til bord)* trestle; *(* ⚓ *hejseredskab)* sheers; *(til gymnastik)* buck; *(kuskesæde)* box; *springe ~* (play) leap-frog; *skille fårene fra -kene* separate the sheep from the goats.

II. **buk** *(-t ~)* bow; *gøre et dybt ~* make a low bow. **Bukarest** Bucharest.

buket *(en -ter)* bouquet, bunch of flowers, nosegay; *(aroma)* aroma, bouquet; *(fig: af lovforslag)* package; *binde en ~* tie a bouquet.

bukkar *(en)* ⚘ woodruff.

bukke *vb* bend, bow; *(hilse)* bow; *~ dybt* make a low bow; *~ for en* bow to sby.; *~ ind (i syning)* tuck in; *~ sammen* double up; *~ sig* stoop; *~ sig efter* stoop to pick up; *~ og skrabe* bow and scrape *(for:* to); *~ under for* succumb to, be overcome by.

buk|kel *(en -ler) (af hår)* roll of hair, curl, puff; *(på skjold)* boss.

bukken *(en)* bowing; *~ og skraben* bowing and scraping.

bukke|skind buckskin. **-skæg** goat's beard. **-spring** caper; *gøre ~* cut capers; *(om hest)* buck.

buklet *adj* curly; *(om skjold)* embossed.

buksbom *(en -)* ⚘ box (tree).

buksbomhæk box hedge.

bukse|bag trouser seat. **-ben** trouser leg. **-knap** trouser button. **-linning** waistband. **-lomme** trouser pocket; *kende det som sin egen ~* know it like the back of one's hand. **-nederdel** divided skirt.

bukser *pl (lange)* trousers, *(amr)* pants; *(plusfours)* plus fours; *(ride- etc)* breeches; *(korte)* shorts; *(drenge-, lukkede ved knæene)* knickers; *(under-)* pants, drawers, *(amr)* trunks; *(dame-)* knickers; *(torskerogn)* cod roe; *ryste i -ne* shake in one's shoes; *hjertet synker ned i -ne på ham* his heart sinks into his boots.

bukse|rem belt. **-trold** toddler.

bul *(en -le(r)) (træstamme)* trunk, bole.

bulder *(et)* din, rumble.

bulderbasse *(en -r)* blusterer.

buldog *(en -ger)* bulldog.

buldre *(larme, rumle)* rumble; *(råbe op)* bluster; *tomme tønder -r mest* empty vessels make the most noise; *~ på døren* rattle *(el.* hammer) at the door.

I. **bule** *(en -r) (i panden)* bump, swelling; *(fordybning i skærm etc)* dent; *(beværtning)* dive, low pub; *(amr)* joint; *rydde -n* clear the premises.

II. **bule** *vb: ~ ud* bulge.

bulet *adj* dented.

bulgarer *(en -e)* Bulgarian. **Bulgarien** Bulgaria. **bulgarsk** *adj* Bulgarian.

bulle *(en -r)* (papal) bull.

bullen *adj* swollen. **bullenskab** *(en) (bullent sted)* swelling; *(betændelse)* inflammation.

bulletin *(en -er)* bulletin; *udsende en ~* issue a b.

bulmeurt ⚘ henbane.

bulne *vb* swell, fester; *~ ud* bulge.

bulteri *(et) (roderi)* mess, muddle.

bum! bang!

bumle *(solde)* go on the spree.

bumletog slow train.

bummelum *(trommens lyd)* rub-a-dub.

bump *(et -)* thud; *(stød)* jolt.

bumpe *(frembringe hul lyd)* thud; *(skumple)* jolt.

I. **bums** *(et -)* thud; *falde ned med et ~* bump down. II. **bums!** bang! plop! plunk!

III. **bums** *(en -r) (vagabond etc)* bum.

I. **bumse** *(en -r) (filipens)* pimple, spot.

II. **bumse** *vb* bump.

bund *(en -e)* bottom; *(inderste del)* head *(fx* of a bay); *(om farve etc)* ground; *med dobbelt ~ (fig)* equivocal; *i ~ og grund* fundamentally, utterly, entirely; *trykke ngt i ~* press sth. home; *træde speederen i ~* depress the accelerator the whole way down; *med -en i vejret* upside down, bottom up; *i -en af båden (, koppen)* in the bottom of the boat (, the cup); *på havets ~* at the bottom of the sea; *han er et godt menneske på -en* he is a good man *(el.* fellow) at bottom; *skrabe -en (fig)* scrape the barrel; *gå til -s* go down, founder, *(ogs fig)* go to the bottom; *forstå til -s, trænge til -s i* fathom, get to the bottom of; *tømme bægeret til -s (ogs fig)* drain the cup to the dregs.

bundbræt ⚓ floorboard.

bunde *vb* touch bottom; *~ i (fig)* be rooted in, be due to, be the result of; *ikke kunne ~* be out of one's depth.

bunden *adj (se binde)*; *~ kapital* locked-up capital; *~ opgave* (paper on a) set subject; *~ opsparing* compulsory saving; *~ varme* latent heat.

bund|fald *(et)* sediment, deposit, precipitate, residuum; *(af vin; ogs fig)* dregs. **-farve** *(en)* ground (colour). **-fattig** *adj* utterly destitute. **-fordærvet** utterly depraved. **-frossen** *adj* frozen solid. **-fælde** *vb* precipitate, deposit; *~ sig* settle. **-fældning** *(en)* precipitation. **-garn** pound net. **-garnspæl** fishing stake. **-løs** *adj* bottomless, unfathomable; *være i ~ gæld* be head over ears in debt. **-prop** (drain) plug. **-rekord** *sætte ~* be the lowest (, the worst) yet. **-stykke** *(i kanon)* breech block; *(i gevær)* bolt.

bundt *(et -er)* bunch *(fx* of flowers, of keys, of

nerves); *(i fysik)* pencil *(fx* of rays); *hele -et* T the lot; *et ~ pile* a sheaf of arrows.

bundte *vb* bunch, bundle, make up in bundles.

bund|uenig *adj* in complete disagreement; *være -e* disagree completely. **-vand** *(i skib)* bilge-water. **-ventil** *(i skib)* scuttle *(fx* open the scuttles).

I. **bunke** *(en -r)* heap, pile; *(mængde)* heap, lot; *(af kort)* talon; *-r af* heaps of; lots of; *en ~ mennesker* a lot of *(el.* lots of) people; *samle til ~* hoard, store up, accumulate.

II. **bunke:** *~ sammen* heap up, pile up; *~ sig sammen* accumulate.

bunkebryllup multiple wedding.

bunker *(en -e)* bunker; *(tilflugtsrum)*air-raid shelter; *(maskingeværrede)* pill-box.

bunkerkul bunker coal, bunkers.

bunsenbrænder Bunsen burner.

buntmager *(en -e)* furrier.

bur *(et -e)* cage; *sætte i ~* put in a cage, cage.

burde *se bør.*

bureau *(et -er)* office, bureau; *Reuters ~* Reuters.

bureau|krat *(en -er)* bureaucrat. **-krati** *(et -er) (standen)* bureaucracy; *(systemet)* officialism, *(ofte)* red tape. **-kratisk** *adj* bureaucratic, *(ofte =)* red-tape. **-kratisme** *(en)* officialism, *(ofte)* red tape.

Burgund Burgundy. **burgunder** *(en -e)* Bur- .gundian; *(vin)* burgundy.

burgøjser *(en -e)* bourgeois; *(folkeligt)* toff.

burlesk *adj*, **burleske** *(en -r)* burlesque.

burnus *(en -ser)* burnous.

burre *(en -r)* ⚘ burdock; *(blomsterhoved)* bur; *(om person)* bur, limpet.

I. **bus** *(en -ser) (omnibus)* bus; *(turist-)* coach.

II. **bus:** *løbe ~ på* run straight into, barge into. **buse:** *~ ud med det* blurt it out; *(røbe hemmelig-heden)* give the show away.

busk *(en -e)* bush, shrub; *stikke hovedet i -en* bury one's head in the sand (like an ostrich); *han ville ikke (komme) ud af -en* he refused to commit himself. **buskads** *(et -er) (krat)* scrub; *(tæt)* thicket; *(i have etc)* shrubbery. **busket** *adj* bushy *(fx* eyebrows); *(om pels)* shaggy.

busk|mand Bushman. **-vækst** bush, shrub.

bussemand *(skræmmebillede)* bogey, bugbear, bugaboo; *(i næsen)* bogey.

busseronne *(en -r) (til dame etc)* smock.

buste *(en -r) (ogs barm)* bust.

busteholder *(en -e)* brassiere.

bustur bus ride; *(turist-)* coach tour.

butik *(en -ker)* shop, *(især amr)* store; *have en ~* keep a store; *(amr)* run a store; *lukke -ken (fig)* shut up shop; *gå i -ker* go shopping; *se på -ker* go window -shopping.

butiks|center shopping-centre. **-inventar** shop fittings. **-montør** shopfitter. **-pris** retail price. **-torv** shopping-centre. **-tyv** shoplifter. **-vindue** shop window, show window; *pynte et ~* dress a shop window.

butleri *(et -er)* ♣ *(omtr =)* pantry.

butterdej puff paste.

butterfly *(en)* bow tie.

buttet *adj* chubby, plump.

by *(en -er)* town; *(om visse vigtigere -er)* city; *i -en* in the town; *(modsat på landet)* in town; *han er i -en (>: ikke hjemme)* he is out; *blive sendt i -en* be sent on an errand; *gå i -en (>: besørge byærinder)* go on errands; *(købe ind)* go shopping; *(gå på svir)* go on the spree; *gå galt i -en* come to the wrong shop, bark up the wrong tree; *tage til -en* go (up) to town.

by|befolkning townspeople, urban population. **-bo** townsman. **-bud** messenger.

byde *(bød, budt) (befale)* command, order, bid, charge; *(uden objekt)* command, be in command; *(indbyde)* ask, invite; *(tilbyde)* offer, proffer, tender; *(gøre bud)* bid;
han bød hende armen he offered her his arm; *~ for-riskninger* serve refreshments; *~ velkommen* bid wel-

come; *og det tør De ~ mig (omtr =)* what do you take me for? really, this is the limit! *han lader sig alting ~* he puts up with anything; *~ én ind* ask sby. (to come) in; *~ 'om = ~ rundt; ~ op (i kortspil)* bid up; *(ved auktion)* raise the bidding; *~ en op til dans* ask sby. to dance; *~ over et kongerige* rule a kingdom; *~ over (overbyde)* outbid; *~ på* bid for, make an offer for; *~ en på ngt* offer sby sth; *~ rundt* serve, hand round; *~ sig (selv) for meget (overanstrenge sig)* over-strain oneself; *(overdrive fornøjelser etc)* overdo it; *~ sig til* offer oneself, volunteer one's services.

bydel part of a (, the) town, quarter.

bydemåde the imperative (mood).

bydende *adj (myndig)* peremptory, commanding, masterful; *(tvingende)* urgent, imperative; *en ~ nød-vendighed* an absolute necessity; *det er ~ nødvendigt* it is imperative, it is absolutely necessary.

bydreng (errand) boy, messenger boy.

byg *(en)* barley. **bygaks** ear of barley.

bygas town gas.

byge *(en -r)* shower; *(storm-)* squall; *(torden-)* thunderstorm. **byget** *adj* showery, squally.

bygevejr showery *(el.* squally) weather.

bygge *vb* build, construct; *~ om* rebuild; *~ op* build up; *~ op igen* rebuild; *romanen er -t over...* the novel is based on...; *~ på (støtte sig på)* build on, *(stole på)* rely on; *~ til* make additions; *~ en fløj til* add a wing; *~ til på et hus* enlarge *(el.* extend) a house; *vel -t (om person)* well-built, of a fine build.

bygge|bedding building slip. **-fag** building trade. **-fond** building fund. **-forening** *(omtr =)* building society. **-foretagende** building project. **-grund** (building) site; *(amr)* (vacant) lot. **-klodser** toy bricks. **-materialer** building materials. **-moden** *adj* ripe for development. **-måde** method *(el.* style) of building. **-plads** building site. **-reol** sectional bookcase.

byggeri *(et)* building.

bygge|skik style of building. **-spekulant** jerry -builder. **-sæt** do-it-yourself kit. *(legetøj)* con-struction kit; building-set. **-tilladelse** building -licence. **-virksomhed** building, activity in the building-line.

byg|gryn barley groats. **-grød** barley porridge.

bygherre building owner.

bygkorn barley-corn; *(på øjenlåg)* sty.

bygmester builder, master builder.

bygning *(en -er) (opførelse)* building, construc-tion; *(hus)* building, house, edifice; *(bygningsmåde, legemsbygning)* build; *huset er under ~* the house is being built *(el.* is in course of construction).

bygnings|entreprenør building contractor. **-fejl** *(med.)* structural defect. **-håndværker** builder. **-in-geniør** constructional engineer. **-konduktør** clerk of (the) works. **-konsulent** architectural adviser. **-kunst** architecture. **-måde** method *(el.* style) of building. **-snedker** joiner. **-stål** structural steel. **-teknik** (the technique of) building. **-tømmer** building timber. **-værk** building, edifice, structure.

bygsuppe barley broth.

bykommune borough, municipality.

byld *(en -er)* boil, abscess. **bylde|moder** core of an abscess. **-pest** bubonic plague.

byliv town life, urban life.

bylt *(en -er)* bundle. **bylte** *vb* bundle.

by|mur town wall. **-mæssig** *adj* urban; *(distrikt med)* ~ *bebyggelse* built-up area.

bynavn name of a town.

bynke *(en -r)* ⚘ mugwort, wormwood.

by|nyt town news. **-område** urban area; *inden for -t* within the city boundary. **-pige** errand girl. **-plads** job as an errand boy (, errand girl). **-plan** *(en -er)* town plan. **-planlægning** town planning.

byrd *(en)* descent *(fx* of noble descent), lineage.

byrde *(en -r)* burden, load; *falde en til ~*, *være en til ~* be a burden to sby.

byrdefuld burdensome, troublesome, onerous.

byret (*kan gengives*) city court; magistrate's court.
byronkrave: *skjorte med* ~ open-neck-shirt.
by|råd town council. **-rådsmedlem** town councillor. **bysbarn** fellow-townsman. **bystyre** town government.
bytning (*en*) exchange.

I. **bytte** (*et*) (*ombytning*) exchange; (*erobret gods*) booty, spoil, plunder, loot; (*vildt dyrs og fig*) prey; *et let* ~ for (*fig*) an easy prey to; *gøre* ~ make booty, plunder; *i* ~ *for* in exchange for; *give noget i* ~ *for noget andet* exchange (*amr* trade in) one thing for another; *tage noget i* ~ take sth. in part-payment.

II. **bytte** *vb* change, exchange; (*varer*) exchange; ~ *gårde* (*leg*) (*omtr* =) general post; *jeg ville ikke* ~ *med ham* I would not change (places) with him; ~ *om* (*på*) change about (*fx* he had changed them about, so I could not find them), interchange, transpose; ~ *plads med* change seats with; ~ *en pengeseddel* change a note; ~ *roller* exchange parts.
bytte|forhold (*økon*) terms of trade. **-handel** exchange. **-lejlighed** [flat offered in exchange for another]. **-penge** change.
byvåben town (, city) arms.
Byzans Byzantium.
byzantiner (*en -e*), **byzantinsk** *adj* Byzantine.
byærinde errand; *gå -r* run errands; *besørge nogle -r* do some shopping.

I. **bæ** (*et*) (*snavs*) dirt.
II. **bæ**! (*fy*) fie! *æ bæ(h)* sucks to you; (*se ogs bu*).
bæger (*et bæg(e)re*) cup; ⚕ calyx, (*på ager*) cup; (*til terninger*) dicebox; *-et er fuldt* (*fig*) his (, my, your) cup is full; *dråben som får -et til at flyde over* the last straw (that breaks the camel's back).
bægerblad ⚕ sepal.
bæk (*en -ke*) brook, brooklet; ~ *og bølge* (*tekstil*) (*svarer til*) seersucker.
bækken (*et -er*) (*stikbækken*) bedpan; (*musikinstrument*) cymbal; (*anatomisk*) pelvis; (*i terræn*) basin. **bækkenpartiet** the pelvic region.
bælg (*en -e*) ⚕ pod; (*blæse-*) fot) bellows; (*skind*) skin; *skælde ham -en fuld* curse him up and down; *slide af karsken* ~ work with a will.
bælge *vb* (*ærter etc*) pod, shell; (*se ogs bælle*).
bælgetræder (*en -e*) organ blower.
bælgfrugt leguminous fruit; ~ *-er* (*pl*) pulse.
bælg|mørk pitch-dark. **-mørke** pitch-darkness.
bælg|plante ⚕ leguminous plant. **-vante** mitten.
bælle *vb*: ~ *i sig* swill (*fx* small beer).
Bælt (*et -et*): *Lille* ~ the Little Belt; *Store* ~ the Great Belt.
bælte (*et -r*) belt, girdle; (*himmelstrøg*) zone.
bælte|dyr armadillo. **-sted** waist; *under -et* (*ogs fig*) below the belt.
bændel (*et, bændler*) tape. **bændel|lakrids** ribbon liquorice. **-orm** tapeworm, taenia. **-tang** grass wrack, eelgrass.
bænk (*en -e*) bench, seat; (*skole-*) form; *spille for tomme* ~ play to an empty house; *varme -e* (*fig*) be a wallflower.
bænke: ~ *sig* sit down, seat oneself, take a seat.
bænkebider (*en -e*) woodlouse.
bænket *adj* seated.
bænkevarmer (*en -e*) wallflower.
bær (*et -*) berry; *plukke* ~ pick berries.
bære (*bar, båret*) carry (*fx* a basket in one's hand; sth. away); (*støtte, holde oppe*) support (*fx* a roof supported by pillars); bear (*fx* the whole weight of the house), carry; (*fig*) bear, suffer (*fx* pain, loss), endure (*fx* suffering); (*være iført, .gå med*) wear (*fx* a coat, mourning, a ring); *han -r sin alder godt* he carries his years well; *mon isen kan* ~ *i dag?* will the ice bear today? *lyden -s langt bort* the sound is carried far away; *det -s mig for* something tells me, I have a presentiment; ~ *frugt* bear fruit; *hvor -r det hen?* where are we going? ~ *oppe* bear (up); ~ *over med* bear with; ~ *prisen* be best; ~ *prisen hjem* carry off the prize; ~ *præg af* bear the impress of (*fx* truth),

be characterized by; ~ *på* be carrying (*fx* a parcel), (*fig*) carry (*fx* a curse), have (*fx* a secret); ~ *rente*, bear interest; ~ *sig ad* behave; act (*fx* stupidly, wisely); ~ *sig ad med at* manage to, contrive to; *hvordan -r du dig ad med det?* how do you do it? ~ *skylden* be responsible; ~ *vidne om* bear witness to (*el.* of); ~ *våben* bear arms.
bære|bjælke girder. **-bør** hand-barrow. **-evne** carrying capacity. **-krave** yoke.
bærende *adj* (*vigtigst*) leading, principal, staple; ~ *konstruktion* (load-)bearing construction; ~ *kraft* mainstay (*fx* he was the m. of the undertaking).
bære|pille supporting pillar. **-plan** wing, plane. **-plansbåd** hydrofoil boat. **-pose** carry bag.
bærer (*en -e*) carrier, (*ogs lig-*) bearer; (*af dragt*) wearer; (*af et navn*) bearer.
bærestol sedan (chair); (*i Østen*) palanquin; (*hist., fx i Rom*) litter.
bærfrugt soft fruit.
bærme (*en*) (*bundfald*) dregs; (*ved brygning etc*) draff; (*udskud*) scum.
bæst (*et -er*) beast; (*fjols*) fool, ass; *slide som et* ~ work like a slave.
bæve *vb* tremble, shake (*af frygt*: with fear); ~ *for* dread. **bæven** (*en*) trembling.
bæver (*en -e*) *zo* beaver.
bæver|rotte musk rat; (*den sydamerikanske* ~) coypu. **-skind** beaver pelt.
bævre *vb* quiver.
bævreasp ⚕ European aspen.
bød *imperf af byde.*
bøddel (*en, bødler*) executioner, (*ved hængning*) hangman; (*plageånd*) tormentor.
bøddeløkse executioner's axe.
I. **bøde** (*en -r*) (*mulkt*) fine, penalty; *han blev idømt en stor* ~ he was heavily fined; *idømt en* ~ *på £ 5* fined £ 5.
II. **bøde** *vb* (*istandsætte*) mend, repair;| (*betale i bøde*) be fined, forfeit; ~ *for* pay for, suffer for; ~ *med livet for sin forbrydelse* pay the penalty of death for one's crime; ~ *på* remedy (*fx* a defect, an evil).
bødker (*en -e*) cooper. **bødker|arbejde** cooperage. **-mester** master cooper. **-værksted** cooper's shop, cooperage. **-værktøj** cooper's tools.
bøf (*en -fer*) beefsteak; *engelsk* ~ steak and onions.
bøffel (*en, bøfler*) buffalo (*pl -es*); (*grov person*) boor. **bøffellæder** buff.
bøg (*en -e*) ⚕ beech. **bøge|brænde** beechwood. **-løv** beech leaves. **-olden** beechmast.
bøger *pl af* II. *bog.*
bøge|skov beech wood. **-træ** beech (tree), (*ved*) beechwood. **-parket** beechwood parquet.
bøhmand (*skræmmebillede*) bogey, bugbear; *have* ~ *på* T be tight.
Bøhmen Bohemia.
bøhmer(inde), **bøhmisk** Bohemian.
I. **bøje** (*en -r*) buoy; (*rednings-*) life-buoy.
II. **bøje** *vb* bend, bow; (*gram*) inflect; ~ *af* turn off; (*fig*) dodge the question, (*give efter*) yield; ~ *sig bend* (*fx* she was bending over the flowers); (*dybt*) stoop (*fx* to pick a flower); *jeg -r mig!* (*ogs*) you win! ~ *sig for* bow to (*fx* a decision), yield to (*fx* arguments, the inevitable), defer to.
bøjelig *adj* flexible, pliant.
bøjelighed (*en*) flexibility, pliancy.
bøjet *adj* bent (*fx* with bent knees, with bent back), bowed (*fx* with bowed head), curved.
bøjle (*en -r*) (*frakke-*) (coat) hanger; (*til lænke*) shackle; (*kårde-*) bow; (*på gevær*) guard.
bøjning (*en -er*) bending; (*hoved-*) bow; (*gram*) inflexion, (*verbal*) conjugation, (*nominal*) declension.
bøjnings|endelse inflexional ending. **-form** inflected form. **-lære** accidence. **-mønster** paradigm.
bøland: *ude på -et* miles from anywhere.
I. **bølge** (*en -r*) wave; (*poet.*) billow; (*søø*) sea; (*fig*) wave (*fx* of arrests); *-rne går højt* there is a heavy sea, the sea runs high, (*fig*) passions run high.

II. **bølge** vb wave; (om barm) heave; -nde lokker flowing locks.
bølge|bevægelse undulation, wave motion. -blik corrugated iron. -bryder breakwater. -dal trough of the sea. -dæmper wave subduer.
bølge|fælde (radio) wave trap. -gang (rough) sea; der er ~ the sea is rough. -linie wavy line, undulating line. -længde wavelength. -måler wave meter. -pap corrugated cardboard. -slag beating of (the) waves; (svagt) ripple.
bølget adj wavy, undulating.
bølgetop (wave) crest.
I. **bølle** (en -r) ♧ bog whortleberry.
II. **bølle** (en -r) (rå person) rough, hooligan.
bølle|frø (et -) young rough. -optøjer, -uvæsen hooliganism.
bøn (en -ner),(til gud) prayer (om for), (bord-) grace; (anmodning) request; (indstændig) entreaty, plea; (skriftlig) petition, suit; bede en ~ say a prayer; den første ~ (i Fadervor) the first petition.
bønder pl af bonde.
bønfalde vb entreat, implore, beseech.
bønhøre *: ~ ham grant his prayer, hear him.
bønlig adj imploring, appealing, pleading (fx a pleading look).
bønne (en -r) bean; (kaffebønne) coffee bean, coffee berry.
bønne|bog prayer-book. -møde prayer-meeting.
bønnestage bean pole, bean stick.
bønskrift (et -er) petition.
Bøotien Boeotia.
I. **bør** (en) (medvind) fair wind.
II. **bør** (en -e) (trille-) wheelbarrow; (hat) battered old hat.
III. **bør** (burde, burdet) vb ought to; du ~ gøre det you ought to do it; det burde gøres it ought to be done; som det sig hør og ~ as is meet and proper.
børn (pl af barn).
børne|avl the procreation of children. -begrænsning birth control. -bibliotek children's department (of a library). -bog children's book. -børn grandchildren. -domstol juvenile court. -dødelighed infant mortality. -eventyr nursery tale. -flok (skare) crowd of children; (egne børn) family (fx he has a large f.). -forsorg child care. -gudstjeneste children's service. -have kindergarten, nursery school. -haveklasse nursery class. -havelærerinde kindergarten teacher. -hjem children's home. -hjælpsdag [child welfare day]. -hospital children's hospital. -kopper pl smallpox. -lammelse infantile paralysis, polio, poliomyelitis. -leg child's game; det er den rene ~ (fig) it is child's play. -læge pediatrician. -lærdom: det hører til min ~ I learned that as a child. -mælk certified milk, tuberculin-tested milk. -møbler pl nursery furniture. -opdragelse education (of children). -orm pinworm. -parkering (i forretning, kirke etc) nursery. -penge: betale ~ [pay towards the maintenance of illegitimate children]. -rig adj: -e familier large families. -rim nursery rhyme. -selskab children's party. -sko se barnesko; have trådt sine ~ have reached years of discretion. -stue (på hospital) children's ward. -sygdom children's disease; -me pl (fig) teething troubles; specialist i -me pediatrician. -sår (med.) impetigo. -tilskud child allowance. -tøj children's wear; (til små børn) baby clothes. -udstyr (til nyfødte) layette. -ven: han er ~ he is fond of children. -værelse nursery. -værn child care service.
børnlille! children! kiddies!
børs (en -er) exchange; på -en on the exchange, on 'Change; den sorte ~ the black market.
børs|beretning exchange report. -forretning stock-exchange transaction. -jobberi gambling in stocks and shares. -kurs quotation, price. -matador stock-exchange magnate. -papirer pl stocks and shares. -spekulant stock jobber, speculator (in stocks and shares).

I. **børste** (en -r) brush; (stift hår) bristle; (rå person) rough; rejse -r bristle; (fig) show fight; besat med -r bristly.
II. **børste** vb brush; ~ støvler clean (el. polish) boots; (amr) shine shoes.
børstenbinder (en -e) brush-maker.
børstid 'Change time.
bøs adj fierce, gruff.
bøsning (en -er) bush, bushing.
bøsse (en -r) (til penge) (money) box, (raslebøsse) collecting-box; (til peber) castor; (gevær) gun.
bøsse|kolbe butt end of a gun. -løb, -pibe gun barrel. -mager gunsmith; ✗ armourer. -skud gunshot.
bøtte (en -r) tub, bin; (malerbøtte) pot; hold (din) ~! shut up!
bøttepapir hand-made paper.
bøvet adj (forspist) overfed; (studet) bovine.
bøvs (et -), **bøvse** vb burp; belch.
båd (en -e) (ogs om større skib) boat; gå i -ene take to the boats; pr ~ by boat; vi er alle i samme ~ we are all in the same boat.
båddæk ⚓ boat deck.
både: ~ og both .. and (kan kun bruges om to fx both in London and in Berlin); ~ og, ~ ja og nej well, yes and no; ~ England, Frankrig og Italien forsøgte England, France, and Italy (all (of them)) tried; større end ~ du og jeg taller than either you or I.
både|bro (landgangs-) landing-stage; (ponton-) boat bridge. -bygger (en -e) boat builder. -byggeri boat-builder's yard. -havn boat harbour. -hus boathouse. -skur boatshed. -udlejer boatman.
båd|fart river (, lake etc) navigation (el. traffic); (regelmæssig) boat service. -formet adj boat-shaped. -fører (en -e) boatman; (af færgebåd) waterman; (pramfører) bargee. -længde boat's length; vinde med en -længde win by a length. -motor boat engine.
båds|besætning boat crew. -hage boathook. -længde = bådlængde. -mand ⚓ boatswain. -mandskab boat crew.
bådsmands|mat ⚓ boatswain's mate. -pibe ⚓ boatswain's pipe. -stol ⚓ boatswain's chair.
båd|stage punt-pole. -tog boat train.
båke (en -r) beacon.
bål (et -) fire; (ligbål) pyre; (som straf) the stake, death by burning; (st. hansblus etc) bonfire; lave et ~ build a fire; dø på -et die (el. be burned) at the stake; dømmes til ~ og brand be condemned to the stake.
bålfærd (ceremonial) cremation.
bånd (et -) (snor) string (fx tie up a parcel with a string); (til hund) lead, leash (fx dogs must be led on a leash in this park); (bændel) tape; (pynte-, ordens-) ribbon; (stribe) band, (på fugle) bar, (på bog-ryg) fillet; (anat) ligament; (hvad der forener) tie (fx the ties of kinship), bond; (hvad der gør ufri) restriction, tie, bond (fx the bonds of slavery); (samle-bånd) band conveyor; (til båndoptager) tape; lægge ~ på restrain (fx oneself); curb; optage på ~ tape-(record).
bånd|besætning (en): med ~ trimmed with ribbons. -bremse band brake. -film film strip. -holder (på skrivemaskine) ribbon carrier. -jern band iron.
båndlagt adj: ~ kapital tied-up money, trust funds. **båndlægge** vb (hæmme) curb, restrain; (penge, ejendele) tie up.
bånd|mål tape measure. -optagelse tape recording. -optager tape recorder. -sav band saw.
båre (en -r) (til lig) bier; (til syge) stretcher; en tale ved -n a funeral speech.
båren adj: født og ~ born and bred; i kødet ~ bred in the bone.
bås (en -e) (i stald) stall, box; (i restaurant) box; (parkerings-) bay; sætte en i ~ (fig) label sby.

C

I. **C, c** (et -'er) C, c; *tage det høje C* take top C.
II. **C.** (fk f Celsius) centigrade.
c., ca. (fk f cirka) about, approximately, roughly.
cadeau (en -er) act (el. piece) of kindness.
cadence (en -r) cadence.
café (en cafeer) se kafé. **cafeteri|a** (et -er) cafeteria.
calmette|vaccination B.C.G. vaccination. -vaccinere *vb* vaccinate with B.C.G.
calvin|isme (en) Calvinism. -ist (en -er) Calvinist. **calvinistisk, calvinsk** *adj* Calvinistic.
camembert (en) Camembert.
camouflage (en), **camouflere** *vb* camouflage; -t (fig, ogs) disguised (fx wage increase).
campere *vb* camp. **camping** (en) camping.
camping|plads camping ground (el. site). -vogn caravan. **campist** (en -er) camper, campist.
Canada Canada. **Canadier** (en -e), **canadisk** *adj* Canadian.
cancan (en -er) cancan.
cancer (en) (kræft) cancer.
cand. (fk f candidatus); se også kandidat; ~ jur. (en -er) (omtr =) Bachelor of Laws, LL. B.; ~ mag. (en -er) (omtr =) graduate in the Faculty of Arts or the F. of Science; (kan gengives) Bachelor of Arts, B. A. el. Master of Arts, M. A.; ~ med. (en -er) (omtr =) Bachelor of Medicine, M. B.; ~ merk. (en -er) Bachelor of Commerce, B. Com.; ~ pharm. (en -er) graduate in pharmacology; ~ polit. (en -er) [graduate in political science or economics] (omtr =) M. A. (econ.); ~ polyt. (en -er) (omtr =) Bachelor of Engineering, B. Eg.; ~ psych. (omtr =) [graduate in applied psychology]; ~ theol. (en -er) (omtr =) Bachelor of Divinity, B. D.; ~ økon. graduate in economics; forkortelserne sættes efter navnet, fx John Brown, Esq. M.A.
Canossa: gd til ~ eat humble pie, climb down.
cape (en -s) (beklædningsstykke) cape.
caraibisk: Det -e Hav the Caribbean (Sea).
cardigan (en -er) cardigan. **cardigansæt** twin set.
carte blanche carte blanche; give en ~ (ogs) give sby a free hand.
casino (et -er) casino.
causere *vb* (holde el. skrive et causeri) discourse (over: on); (snakke) talk, chat. **causerende** *adj* chatty (fx lecture, article), conversational (fx tone).
causeri (et -er) causerie, talk (fx give a talk).
causeur (en -er) talker.
cayennepeber cayenne (pepper).
C.B.-betjent (omtr =) police auxiliary.
ceder (en, cedre) cedar.
cedille (en -r) cedilla.
celeber *adj* fashionable; (berømt) celebrated, famous; (ironisk brugt) notorious. **celebrere** *vb* celebrate (fx the Mass). **celebrering** (en) celebration.
celebritet (en -er) celebrity.
celle (en -r) cell.
celle|beton cellular concrete. -dannelse cytogenesis. -dannende *adj* cytogenous. -dannet *adj* cytoid. -deling cell division; mitosis. -forskning cytology. -kerne (biol) nucleus. -kernelegeme nucleolus. -lære cytology. -væg cell wall. -væv (et) cellular tissue.
cellist (en -er) violoncellist, cellist.
cello (en -er) violoncello, cello.
cellofan (et) ® cellophane.
cellstof cellulose.
celluld synthetic wool.
celluloid (en) celluloid.
cellulose (en) cellulose; (træmasse) pulpwood. **cellulose|lak** cellulose lacquer, c. varnish. -lakeret *adj* cellulose-finished.

celsius: 30 grader ~ 30 degrees centigrade. **celsiustermometer** centigrade thermometer.
cembalo (et -er) harpsichord.
cement (en) cement; (beton) concrete. **cementere** *vb* cement. **cementering** (en) cementation.
cement|fabrik cement works. -mursten concrete brick. -støber (en -e) concreter.
censor (en -er) (film- etc) censor; (ved eksamen) (external) examiner; beskikket ~ officially appointed examiner; fremmed ~ external examiner. **censorat** (et -er) censorship.
censur (en -er) censorship; (af eksamensopgaver) marking, (amr) grading; sætte under ~ subject to censorship. **censurere** censor; (eksamensopgaver) mark, (amr) grade.
censurkomité (ved udstilling) hanging committee. **censurmøde** examiners' meeting.
census (en) (mandtal) census; (valgretsbetingelse) economic qualification, property qualification.
cent (en, -s el. -) cent.
center (et centre) centre.
centi|gram centigram(me). -liter centilitre. -meter centimetre.
centner (et -) (omtr =) hundredweight, cwt.
I. **central** (en -er) central office; (telefon-) exchange.
II. **central** *adj* central; det -e i sagen the crux of the matter; ramme det -e hit the mark, get to the heart of the matter; et -t problem a crucial problem.
central|bibliotek (for amt etc) county library. -dame telephone operator. -fyr (et -) furnace (, mindre: stove) (for central heating).
centralisation (en) centralization. **centralisere** *vb* centralize. **centralisering** (en) centralization.
central|nervesystem central nervous system. -skole [school serving several country districts].
centralt *adv* centrally.
centralvarme central heating. **centralvarme|anlæg** central heating plant. -apparat radiator.
centre, centrere *vb* centre.
centri|fugalkraft centrifugal force. -fuge (en -r) cream separator, centrifuge; (tørrings-) hydro-extractor; (til tøj) spin drier. -fugere *vb* centrifuge; (om tøj) spin-dry. -petalkraft centripetal force.
centrum (et centrer) centre; træffe ~ hit the mark.
centrumsbor centre-bit.
centurion (en -er) centurion.
cerberus (en -ser) Cerberus.
cerebral *adj* cerebral.
ceremoni (en -er) ceremony.
ceremoniel (et) ceremonial; *adj* ceremonious.
ceremonimester Master of Ceremonies, M.C.
certeparti (et -er) ♪ charter party.
certifikat (et -er) certificate.
cerut (en -ter) cheroot.
cervelatpølse (svarer omtrent til) saveloy.
ces (musik) C flat.
ceses (musik) C double flat.
chagrin (et) (slags læder) shagreen.
chaiselong (en -er) (omtr =) sofa.
chakot (en -er) shako.
chalotte (en -r) (løg) shallot.
chalup (en -per) ♪ barge.
chambriere (en -r) ring-master's whip.
chamottesten fire-brick.
champagne (en) champagne. **champagne|glas** champagne glass. -køler ice pail.
champignon (en pl -er el. -s) mushroom.
champion (en -er) (i sport) champion.
chance (en -r) chance (for: of). **chancekørsel** taking chances, chancing it; ingen ~! don't chance it!

changere *vb (om tøj)* shimmer.
chapeaubas *(en)* opera-hat.
charabanc *(en -er)* wagonette.
charcuteri *(et -er)* pork-butcher's shop, delicatessen (shop).
charge *(en -r)* grade, rank, rating.
chargé d'affaires *(en)* chargé d'affaires.
charlatan *(en -er)* charlatan, quack. **charlataneri** *(et)* charlatanism, charlatanry.
charmant *adj* charming.
charme *(en)* charm, fascination.
charmere *vb* charm, fascinate; *-nde* charming, fascinating; *-t i* captivated by.
charmetrold, charmeur *(en -er)* charmer.
charpi *(et)* lint, charpie.
charteque *(et -r)* dossier, file; *(omslag)* folder.
charter|flyvning charter flight. **-maskine** charter plane. **chartre** *vb* charter.
chassé *(chasseen, chasseer)* chassé.
chassis *(et -er)* chassis.
chatol *(et -ler)* bureau.
chauffør *(en -er)* driver; *(privat-)* chauffeur.
chaussé *(chausseen, chausseer)* high-road.
chauvinisme *(en)* jingoism, chauvinism.
chauvinist *(en -er)* jingo *(pl -es)*, chauvinist.
chauvinistisk *adj* jingoist(ic), chauvinistic.
check *(en -s)* cheque; *(amr)* check; *dækningsløs ~* cheque referred to drawer, R.D. cheque, T rubber cheque; *krydset ~* crossed cheque; *sende beløbet pr. ~* send the amount by cheque, send a cheque for the amount; *en ~ på £5* a cheque for £5; *udstede en ~* write out *(el. draw)* a cheque.
check|bedrager check forger. **-beskytter** cheque protector. **-hæfte** cheque book. **-konto** cheque account; *(amr)* checking account. **-rytter** kiter. **-rytteri** kiting. **-udsteder** drawer of a cheque.
chef *(en -er)* head, principal; *(arbejdsgiver)* employer, T chief, boss; ⚔ commanding officer, C. O.
chef|delegeret *(en)* head of delegation. **-pilot** first pilot. **-redaktør** editor-in-chief.
chefschalup barge.
chemise *(en -r)* chemise, shift.
chevaleresk *adj* chivalrous.
chevreau *(gedeskind)* kid.
chiffer *(et, chifre)* cipher.
chiffer|kode cipher code, secret code. **-nøgle** cipher key. **-skrift** *(en)* cipher, secret code.
chiffon *(en el. et)* chiffon. **chiffoniere** *(en -r)* chiffonnier, tallboy; *(amr)* highboy.
chignon *(en)* *(hårknude)* chignon.
chik *adj* chic, stylish, smart.
chikane *(en)* spite, malice. **chikanere** *vb* spite.
chikaneri *(et -er)* (petty) spite; *sind -er* pin-pricks.
Chile Chile. **chilesalpeter** Chilean nitrate.
chimpanse *(en -r)* zo chimpanzee.
chok *(et -)* shock, T turn. **chokbehandling** shock treatment. **chokere** *vb* shock; *-t over* shocked at.
chokolade *(en -r)* chocolate.
chokolade|brun chocolate(-coloured). **-forretning** sweet-shop. **-is** chocolate ice, T choc ice. **-overtræk** chocolate coating.
chok|rapport shock report. **-virkning** shock effect.
chris-craft *(en -er)* ® *(svarer til)* speed-boat.
cider *(en)* cider.
ciffer *(et, cifre)* number, figure.
-cifret figure *(fx et femcifret tal* a five-figure number); *hans indtægt kommer op på et femcifret tal* his income runs into five figures.
cigar *(en -er)* cigar. **cigaraske** cigar ash.
cigaret *(en -ter)* cigarette.
cigaret|etui cigarette case. **-papir** cigarette paper(s). **-stump** cigarette end. **-tænder** lighter.
cigar|foderal cigar case. **-forretning** tobacconist's (shop). **-handler** *(en -e)* tobacconist.
cigarillos *pl* cigarillos.
cigar|kasse cigar box. **-kniv** cigar cutter. **-mager**

cigar maker. **-rør** cigar holder. **-spids** cigar tip. **-tænder** lighter.
cikade *(en -r)* zo cicada.
cikorie *(en -r)* chicory, succory.
cimbrer *(en -e)* Cimbrian.
cinders *pl* furnace coke. **cinnober** *(et)* cinnabar.
cirka *adv* about, roughly, approximately.
cirkel *(en, cirkler)* circle; *slå en ~* draw a circle; *-ens kvadratur* squaring the circle.
cirkel|bevis begging the question, arguing in a circle. **-bue** arc of a circle. **-periferi** circumference (of a circle), periphery. **-rund** circular. **-slutning** *se -bevis.* **-udsnit** sector of a circle.
cirkulation *(en)* circulation; *sætte i ~* put into circulation, circulate.
cirkulere *vb* circulate; *lade ~* circulate.
cirkulære *(et -r)* circular (letter).
cirkumfleks *(en -er)* circumflex.
cirkus *(en el. et)* circus. **cirkus|forestilling** circus performance. **-telt** circus tent.
cis *(musik)* C sharp.
ciselere *vb* chase; *-t snit* tooled edges.
ciselør *(en -er)* chaser.
cisterne *(en -r)* cistern, tank.
citadel *(et -ler)* citadel.
citat *(et -er)* quotation; *~ begynder (i diktat)* quote; *~ slut* unquote. **citationstegn** quotation marks, inverted commas.
citer *(en -e)* zither.
citere *vb* quote; *blive -t for en udtalelse* be quoted for a statement; *~ galt* misquote.
citron *(en -er)* lemon.
citron|gul lemon-coloured. **-presser** *(en -e)* lemon squeezer. **-saft** lemon juice. **-skal** lemon peel. **-sodavand** *(omtr =)* lemonade. **-sommerfugl** brimstone (butterfly). **-syre** citric acid.
City *(London City)* the City (of London).
I. **civil:** *i ~* in plain clothes, ⚔ in mufti.
II. **civil** *adj (mods militær)* civilian *(fx population)*, civil *(fx airport)*; *(civilklædt)* in plain clothes, *(attributivt)* plain-clothes *(fx p.-c. security men)*; ⚔ in mufti; *(jur mods kriminal)* civil *(fx case)*.
civil|befolkning civilian population. **-etaterne** the Civil Service. **-forsvar** civil defence, C.D. **-ingeniør** graduate engineer (with an academic degree).
civilisation *(en)* civilization. **civilisere** civilize.
civilist *(en -er)* civilian.
civil|klædt *se civil.* **-liste** Civil List. **-økonom** *(kan gengives)* Bachelor of Commerce, *fk* B. Com.
clairobscur *(et)* chiaroscuro.
clairvoyance *(en)* clairvoyance, second-sight.
clairvoyant *adj* clairvoyant.
cleare *vb* clear. **clearing** *(en)* *(merk)* clearing.
clearingkonto clearing account.
clinch *(i boksning)*: *gå i ~* go into a clinch.
clips *(til øret)* ear-clip; *(til papir)* paper clip.
clou: *dagens ~* the chief attraction of the day.
cocktail *(en -s)* cocktail.
cognac *(en)* brandy; *(fransk)* cognac. **cognacglas** brandy glass.
coldcreme *(en)* cold cream.
collage *(en -r)* collage.
collier *(et, -er el. -s)* rivière, necklace.
combination: *en ~* a pair of combinations.
communiqué *(et -er)* communiqué *(fx* issue a c.).
complet *(en -er)* *(dragt + frakke)* three-piece.
cottoncoat *(en -s)* (proofed) raincoat (made of cotton material).
coutume *(en)* *se kutyme.*
cowboy *(en -s)* cowboy. **cowboyfilm** western.
creme *(en -r)* cream; *(ægge-)* custard; *(pudse-)* polish; *creme de la creme* creme de la creme. **creme-farvet** cream-coloured.
crepe *(et)* crêpe, *(sort sørge-)* crape.
crepe|nylon crêpe nylon. **-papir** crêpe paper.
crepinette *(en -r)* fresh-meat rissole.

crescendo *(et)* crescendo.
croquis *(efter levende model)* life drawing.
croupier *(en -er)* croupier.
curacao *(en)* curaçao.
cyankalium *(et)* potassium cyanide.
cykel *(en, cykler)* bicycle, cycle, T bike; *(modsat motorcykel)* pedal cycle, T push bike; *køre på ~* bicycle, cycle, ride (on) a bicycle, bike.
cykel|bane cycle-racing track. **-dæk** bicycle tyre. **-handler** bicycle dealer. **-klemmer** = *-spænder.* **-kurv** handlebar basket. **-lygte** bicycle lamp; *-n tændes kl.* 6 lighting-up time (for cyclists) is 6 o'clock. **-løb** bicycle race. **-rytter** racing cyclist. **-skur** bicycle shed. **-slange** bicycle tube. **-smed** bicycle repairer. **-spænder** *pl* trouser clips. **-stativ** bicycle stand. **-sti** bicycle track. **-tur** bicycle ride; *(større)* cycling tour.
cykle *vb* bicycle, cycle, ride a bicycle, T bike.
cyklist *(en -er)* cyclist.
cyklon *(en -er)* cyclone.

cyklop *(en -er)* Cyclops. **cyklopisk** Cyclopean.
cyklotron *(en -er)* cyclotron.
cykl|us *(en -er)* cycle.
cylinder *(en -e)* cylinder; *maskine med fire -e* four -cylinder engine. **cylinder|blok** cylinder block. **-formet** cylindrical. **-gang** *(i ur)* cylinder escapement. **-hat** top-hat, silk hat.
cylindrisk *adj* cylindrical.
Cypern Cyprus.
cypres *(en -ser)* cypress.
cypriot *(en -er),* **cypriotisk** *adj* Cypriot(e).
czar *etc se zar etc.*
czeker *(en -e)* Czech. **czekisk** *adj* Czech. **czekoslovak** *(en -ker)* Czechoslovak. **Czekoslovakiet** Czechoslovakia. **czekoslovakisk** *adj* Czechoslovak(ian).

Cæsar Caesar. **cæsarisk** Caesarean.
cæsur *(en -er)* caesura.
cølibat *(er)* celibacy.

D

D, d *(et -'er)* D, d.
d. *(fk f dag)* day; *(fk f dato)* date; *(fk f den)* the; *(fk f død)* died.
I. da *adv* then, at that time; *(i så fald)* if so; *fra da af* since then, from that time (onwards); *nu og da* now and then; *så blev jeg da færdig* finished at last! *det var da godt du kom* I'm so glad you came; *jeg vil da håbe at* I do hope that; *du er da ikke syg?* you aren't ill, are you? *hvis han da vil* that is if he will; *if he will, that is; ja, ja da* all right, then! *hvem er han da?* who is he then?
II. da *conj (på den tid da)* when; *(netop da, i det øjeblik da)* (just) as; *(eftersom)* as, since, seeing that; *da jeg var fraværende, kunne jeg intet gøre* being absent I could do nothing; *da han kom hjem, lå hun og læste i en bog* when he came home she was reading a book; *nu da du er her* now that you are here.
da capo! encore! *forlange en sang ~* encore a song.
dada *(smæk)* a spanking.
daddel *(en, dadler)* date. **daddelpalme** date palm.
dadel *(en)* blame, censure.
dadel|fri blameless, faultless, beyond reproach. **-værdig** blameworthy, reprehensible.
dadle *vb* blame, censure, find fault with.
dadle|lyst *(en)* captiousness. **-syg** captious, faultfinding. **-syge** *(en)* captiousness.
dafnie *(en -r)* zo water flea.
dag *(en -e)* day; *alle ~e* always; *have kendt bedre ~e* have seen better days; *-s dato* this day, this date, today; *en ~ (fortidig)* one day, *(fremtidig)* some day, one day; *en ~ i næste uge* some day next week; *fjorten -e* a fortnight; *i gamle -e* in days of old, in the (good) old days; *på sine gamle -e* in one's old age; *en to -e gammel avis* a two days old newspaper; *gøre sig en glad ~* make a day of it; *god ~* hullo; good morning; good afternoon; *(ved præsentation)* how do you do; *sige god ~ til en* greet sby., pass the time of day with sby; *have (sine) gode -e* be in clover; *jeg giver ham en god ~* I don't care a fig for him; *hele -en* all day (long), the whole day; *-ens helt* the hero of the day; *så god som -en er lang* as good as gold; *se -ens lys* see the light (of day); *mord hører til -ens orden* murders are the order of the day; *otte -e* a week, eight days; *-ens ret* today's special; *en skønne ~ (fortidig)* one fine day; *(fremtidig)* some day, one day; *han havde en god ~ på hotel* he had a field day; *i mine unge -e* when I was young; *i vore -e* nowadays; [*m præp og adv*] *det gryr ad ~* dawn is breaking; *en af -ene* one of these days; *på denne tid af -en* at

this time of (the) day; *komme af -e* meet one's death, die, *(se ogs ulykkelig); tage (sig) af -e* make away with (oneself); *~ efter ~* day by day, day after day; *-en efter* the next day; *anden -en efter* on the second day; *~ for ~* day by day; *bringe for -en* bring to light; *komme for -en* come to light, turn up; *lægge for -en* display, manifest, show; *fra og med den ~* on and after that day; *fra ~ til ~* day by day, from day to day; *i ~* today; *(endnu) den ~ i* still, to this (very) day; *avisen for i ~* today's paper; *i ~ for otte -e siden* a week ago today; *i ~ om et år* a year from today, *(glds)* this day twelvemonth; *i disse -e* at present, during the last few days; *om -en* by day, during the day, in the daytime; *(pr dag)* a day; *om nogle -e* in a few days; *nu om -e* nowadays; *han er faderen op ad -e* he is the image of his father; *op ad -en* late in the morning; *til højt op på -en* till late in the day; *hvad tid er det på -en?* what time of day is it? *nu til -s* nowadays; *til -enes ende* till the end of time; *~ ud og ~ ind* day after day, day in (and) day out; *ved højlys ~* in broad daylight; *ved -ens frembrud* at the break of day.
dag|arbejde day work. **-blad** daily (paper), newspaper. **-bog** diary; *føre ~* keep a diary *(over of).* **-driver** idler, loafer. **-driveri** idling, loafing. **-driverliv** life of idleness. **-drøm, -drømme** *vb* daydream. **-drømmer** daydreamer.
dages *vb: det ~* the day is dawning.
dagevis, *i dagevis* for days (on end).
dagfart ⚓ day service.
daggammel *adj* day-old *(fx chicks).*
daggert *(en -er)* dagger.
dag|gry dawn, daybreak; *ved ~* at dawn. **-hjem** *(for børn)* crèche, day nursery. **-klar** *adj* bright as day. **-lejer** day-labourer.
daglig *adj* daily, *(almindelig)* everyday, familiar, common; *adv* daily; *tre gange ~* three times a day; *-t liv* everyday life; *~ påklædning* ordinary dress; *(på indbydelse)* informal dress; *~ tale* everyday talk, familiar conversation; *i ~ tale* colloquially; *til ~* ordinarily, every day. **daglig|dags** *adj* everyday; *noget ~* an everyday occurrence. **-liv** everyday life. **-stue** sitting-room, living-room; *(finere)* drawing-room; *(amr)* parlor, living room. **-tøj** everyday clothes.
dagløn day's wages; *arbejde for ~* be paid by the day.
dagning *(en)* dawn.
dag|penge maintenance allowance. **-regn:** *det*

blev ~ it rained all day. **-renovation** *(fjernelse af skrald)* scavenging; *(skrald)* refuse.

dagsbefaling army order, orders of the day; *nævnt i -en (svarer til)* mentioned in dispatches.

dagskole day-school.

dagskurs rate of the day, current rate.

dags|lys daylight; *ved* ~ by *(el.* in) daylight. **-march** day's march. **-notering** = *-kurs.* **-orden** agenda; *(resolution)* resolution; *det næste punkt på -en* the next item on the agenda. **-presse** daily press. **-pris** current *(el.* today's) price. **-rejse** day's journey; *to -r* two days' journey.

dagtjeneste day duty.

daguerreotypi *(et)* daguerreotype.

dag|vagt *(vagt om dagen)* day watch; ⚓ *(morgenvagt)* morning watch; *have* ~ *(fx om sygeplejerske)* be on day duty. **-vogn** stage coach. **-værk** day's work.

dagældende *adj: efter den* ~ *lov* according to the law then in force.

dahlia *(en -er)* ⚘ dahlia.

dakendt *adj* known at that time.

daktyl *(en -er)* dactyl. **daktylisk** *adj* dactylic.

dal *(en -e)* valley. **dalbund** bottom of a valley.

dale *vb* sink, go down, drop, descend, *(om sol)* fall, sink; *(fig: gå tilbage)* decline *(fx* his popularity declined); come down, be on the wane; *(synke)* fall *(fx* prices (, his courage) fell); *(svinde)* subside *(fx* his enthusiasm (, optimism) subsided); *han -de ned i en stol* he subsided into a chair; ~ *ned på* descend on. **dalen** *(en)* sinking, descent; *(fig)* decline; fall; *være i* ~ be on the decline.

daler *(en -e)* [old Danish coin worth about 2 kroner]; *spare på skillingen og lade -en rulle* be penny -wise and pound-foolish.

dalevende *adj* then living, contemporary.

Dalmatien Dalmatia. **dalmatisk** Dalmatian.

I. dam *(en -mer)* *(spil)* draughts, *(amr)* checkers; *(brik)* king; *gøre til* ~ crown.

II. dam *(en -me)* *(lille sø)* pond; *(i båd)* well.

damascenerstål damask steel.

damask *(et)* damask. **Damaskus** Damascus.

dam|brik (draughts)man, *(amr)* checker. **-brug** fish farm(ing). **-bræt** draughtboard, *(amr)* checkerboard.

dame *(en -r)* lady; *(i kort)* queen; *(borddame, dansepartner etc)* partner; *mine* ~ *(og herrer)!* ladies (and gentlemen)! *en virkelig* ~ a perfect lady.

dame|agtig ladylike. **-bekendtskab** lady friend. **-benklæder** knickers. **-bind** sanitary towel. **-double** women's doubles. **-fodtøj** ladies' footwear. **-frisør** ladies' hairdresser. **-garderobe** *(stedet)* ladies' cloakroom; *(klæder)* ladies' clothes. **-handske** lady's glove. **-hat** lady's hat. **-inklination!** ladies to choose their partners! **-kahyt** ladies' cabin. **-kjole** (lady's) dress, frock, gown. **-konfektion** ladies' (ready-made) clothing. **-konfektionshandler** ladies' outfitter. **-publikum** female public. **-sadel** side-saddle. **-selskab** ladies' party; *i* ~ in the company of ladies, in female company. **-sko** lady's shoe. **-skrædderi** dressmaking. **-skrædderinde** dressmaker. **-taske** handbag, vanity bag. **-toilet** ladies' room, ladies *(singularis).* **-tække:** *han har* ~ he is a favourite with the ladies. **-undertøj** ladies' underwear, lingerie, T undies. **-ven** ladies' man. **-værelse** ladies' room.

dammusling fresh-water mussel.

damoklessværd sword of Damocles.

damp *(en -e)* vapour, steam; *(uddunstning)* vapour, fume, exhalation; *(som drivkraft)* steam; *for fuld* ~ at full speed; *mættet* ~ saturated steam; *med -en oppe* with steam up; *sætte -en op* get up steam.

damp|bad Turkish bath. **-bageri** steam bakery. **-båd** steamboat, steamer. **-cylinder** steam cylinder. **-dreven** *adj* steam-driven, steam-powered.

dampe *vb* steam; *(ryge)* puff *(på:* at); ~ *'af* give *(fx* the sheets) an airing; *(afrejse)* steam off; ~ *et brev op* steam open a letter.

damper *(en -e)* steamer, steamship.

damp|fartøj steam vessel. **-fløjte** steam whistle. **-form:** *i* ~ in the form of vapour *(el.* steam). **-færge** steam ferry; *-n »Jylland«* S/F "Jylland". **-hammer** steam hammer. **-kedel** (steam) boiler. **-koge** * steam, cook by steam. **-kogning** steam cooking. **-kraft** steam power. **-maskine** steam engine. **damp|pumpe** steam pump. **-radio** steam radio. **-rør** steam pipe.

dampskib steamship, steamer; *-et »England«* S/S "England".

dampskibs|ekspedition offices of a steamship company. **-fart** steam navigation; steamship service. **-forbindelse** steamship service. **-linie** steamship line, steamer service. **-rederi** steamship owners. **-rute** steamship route. **-sejlads** steam navigation. **-selskab** steam ship *(el.* steam navigation) company; *Det Forenede* ~ The United Shipping Co. Ltd.

damp|skorsten ⚓ funnel, smokestack. **-stråle** steam jet. **-tog** steam train. **-tromle** steam roller. **-trykmåler** steam (pressure) gauge, manometer. **-tørret** steam-dried. **-udvikling** generation of steam. **-vaskeri** steam laundry. **-ventil** steam valve.

damspil *se I. dam.*

danaide *(en -r)* Danaid; *-rnes kar* the vessel of the Danaids, *(fig)* a Danaidean task.

dandere: ~ *den (drive)* hang about.

dandy *(en -er)* dandy, fop.

danelagen the Danelaw.

danerne *(danskerne)* the Danes.

danisme *(en -r)* Danism, Danicism.

Danmark Denmark.

danne *(forme)* form, make (up), shape, mould, fashion; *(udgøre)* form, make, constitute *(fx* four members constitute a quorum); ~ *en forening* form a society; *futurum dannes med shall og will* the future tense is formed with shall and will; ~ *sig form* (itself); *være ved at* ~ *sig* be in process of formation; ~ *sig et begreb om* form an idea of; ~ *sig en teori* frame a theory.

Dannebrog the Dannebrog.

dannelse *(en -r)* *(tilblivelse, formation)* formation; *(kultur)* culture, education, refinement, good manners, good breeding; *almindelig* ~ (a) general education; *han mangler almindelig* ~ *(ɔ: er uopdragen)* he has no manners; *højere* ~ culture, a liberal education.

dannelsesproces process of formation *(el.* development).

dannemand *(poet.)* good man and true.

dannet *adj* cultured, educated, well-bred; *det dannede selskab* people of culture.

dans *(en -e)* dance; *(handlingen)* dancing; *føre en* ~ op lead a dance; *-en går* they dance; *gå bag af -en* go to the wall; *gå til* ~ take dancing lessons.

danse *vb* dance; *(om hest)* prance; ~ *efter ens pibe* dance to sby.'s pipe; ~ *godt* be a good dancer; ~ *på roser (svarer til)* lie on a bed of roses; *de -nde* the dancers.

danse|estrade open-air dance floor. **-gal** dancing-mad, crazy about dancing. **-gulv** dance floor. **-lærer** dancing teacher. **-musik** dance music.

dansen *(en)* dancing.

danseplads dancing-place; dancing-floor.

danser(inde) *(en)* dancer.

danse|sal ballroom. **-sko** dancing-shoe. **-skole** dancing-school. **-trin** dance step.

I. dansk *(en -e)* Dane.

II. dansk *adj* Danish; *på* ~ in Danish.

dansk-amerikaner *(en -e)* Danish-American.

dansk-engelsk *adj* Anglo-Danish; *dansk-engelsk ordbog* Danish-English dictionary; *Dansk-engelsk Selskab* the Danish-British Society.

dansker *(en -e)* Dane.

danskhed *(en)* Danish nationality; *(kultur)* Danish civilization; *(dansksindethed)* Danish sympathies.

dansk-norsk Dano-Norwegian.

dansksindet with Danish sympathies.

Dardanellerne the Dardanelles.
das *(et -ser)* privy.
dase *vb* laze, loaf.
dask *(et -)* slap.
daske slap; *(hænge og ~)* dangle, flap; *(slentre)* drift, *(m slap holdning)* slouch.
data *pl* data. **data|behandling** data processing. **-behandlingsanlæg, -maskine** computer.
datere *vb* date; *~ sig* date *(fra* from, back to).
datering *(en)* dating, date.
datid *(gram)* the past (tense), the preterite; *-en (den daværende tid)* that time *(el.* age, *el.* day).
dativ *(en -er)* the dative (case); *stå i ~* be in the dative; *styre ~* govern *(el.* take) the dative.
dato *(en -er)* date; *(dag i måneden ogs)* day of the month; *dags ~* this day; *af ny ~* recent, of recent date; *af senere ~* of a later date; *fra ~* after date, from date; *til ~* (up) to date; *poststemplets ~* date as postmark; *under går ~* under yesterday's date.
dato|linien the date line. **-stempel** date stamp; *(mærket)* date mark. **-stop** *(svarer til)* "No waiting on even *(,* odd) dates".
datter *(en, døtre)* daughter.
datter|datter granddaughter, [daughter's daughter]. **-selskab** subsidiary company.
datum *(en)* date.
I. **david** *(en -er)* ⚓ davit.
II. **David** David; *-s salmer* the Psalms (of David).
davs *(= goddag!)* hello! *(amr)* howdy! hi!
daværende *adj* of *(el.* at) that time, then; *den ~ ejer* the then owner.
I. **de** *pron (personligt)* they; *(demonstrativt)* those; *(adjektivets bestemte artikel)* the; *de,* som those who; *de huse,* som the houses which; *de fraværende, de tilskadekomne* the absent, the injured; *de tilstedeværende, de indbudte* those present, those invited; *de og de* such and such *(fx* on such and such occasions); *han er omkring de 30* he is about 30.
II. **De** *pron* you; *De der!* hey you! you there!
debat *(en -ter)* debate; *sætte et problem under ~* bring up a problem for discussion. **debattere** *vb* debate, discuss, argue. **debattør** *(en -er)* debater; *en dreven ~* an experienced debater.
debet debit; *til ~ for Dem* to your debit, to the debit of your account.
debet|saldo debit balance. **-side** debit side.
debil *adj* feeble-minded.
debitere *vb* debit *(en for noget:* sby. with sth.).
debitor *(en -er)* debtor.
debut *(en -er)* début, first appearance. **debutant** *(en -er)* actor *(,* singer *etc)* who makes his début. **debutantinde** *(en -r)* actress *(,* singer *etc)* who makes her début; *(i selskabslivet)* débutante. **debutere** *vb* make one's début; *(i selskabslivet)* come out.
debut|rolle first part. **-roman** first novel.
december December.
decentralisation *(en)* decentralization.
decharge *(en)* adoption of the report (and accounts); *give ~ for regnskabet* adopt the accounts.
dechifrere *vb* decipher, decode.
dechifrering *(en -er)* deciphering, decoding.
decideret *adj* decided; definite; *adv* decidedly, distinctly.
deci|gram decigram(me). **-liter** decilitre.
decimal *(en -er)* decimal (place); *med fire -ers nøjagtighed* (correct) to four decimal places *(el.* to four decimals).
decimal|brøk decimal fraction, decimal. **-regning** decimal arithmetic. **-vægt** decimal balance.
decimere *vb* decimate. **decimering** *(en -er)* decimation.
decimeter *(en -)* decimetre.
dedicere *vb* dedicate. **dedikation** *(en -er)* dedication; *(skrevet)* inscription.
deduktion *(en -er)* deduction.
deduktiv *adj* deductive.

defaitisme *(en)* defeatism. **defaitist** *(en -er)* defeatist. **defaitistisk** *adj* defeatist.
I. **defekt** *(en -er)* defect.
II. **defekt** *adj* defective; *~ tilstand* defectiveness.
defektrice *(en -r)* assistant dispenser.
defension *(en)* defence.
I. **defensiv** *(en)* defensive; *i -en* on the defensive.
II. **defensiv** *adj* defensive *(fx* d. measures).
defensor *(en -er)* counsel for the defence.
defensorat *(et -er)* defence.
deficit *(et)* deficit, deficiency.
defilere *vb* march past.
defilering *(en)* march past.
definere *vb* define. **definition** *(en -er)* definition.
definitiv *adj* definite, definitive, final; *-t adv* -ly.
deflation *(en)* deflation. **deflatorisk** *adj* deflationary.
deform *adj* deformed. **deformere** *vb* deform, disfigure. **deformitet** *(en -er)* deformity.
degeneration *(en)* degeneration, degeneracy.
degenerere *vb* degenerate; *-t* degenerate.
degn *(en -e)* parish clerk.
degradation *se degradering.*
degradere *vb* degrade, *(⚔ ogs)* demote, *(⚓ ogs)* disrate; *~ til menig* reduce to the ranks. **degradering** *(en)* degradation, demotion; disrating; *~ til menig* reduction to the ranks.
deisme *(en)* deism. **deist** *(en -er)* deist.
deistisk *adj* deistic(al).
dej *(en)* dough; *lægge ~* prepare the dough. **dejagtig** doughy.
dejlig *adj* lovely, delicious, charming, beautiful, nice, fine; *~ nemt* nice and easy, quite easy; *~ køligt* nice and cool. **dejlighed** *(en)* loveliness, beauty.
dejrulle rolling-pin.
dejse *vb* tumble, topple; *~ om* fall over, topple over.
dej|trug kneading-trough. **-æltemaskine** dough kneader.
dekadence *(en)* decadence. **dekadent** decadent.
dekan *(en -er)* dean, head of a faculty.
dekantere *vb* decant.
dekatere *vb* shrink. **dekatering** *(en)* shrinking.
deklamation *(en -er)* declamation, recitation. **deklamator** *(en -er)* reciter. **deklamatorisk** *adj* declamatory. **deklamere** *vb* declaim, recite; *(ringeagtende)* spout, rant.
deklaration *(en -er)* declaration; *(af forlovelse)* announcement. **deklarere** *vb* declare; *(forlovelse)* announce, make public.
deklassere: *~ sig, blive -t* lose caste, go down in the world. **deklasseret** *adj* déclassé.
deklination *(en -er) (gram)* declension; *(kompasnålens, stjernes)* declination.
deklinere *vb* decline.
dekokt *(et -er)* decoction.
dekolleteret *adj* décolletée.
dekoration *(en -er)* decoration, *(dekorativ genstand)* ornament; *(teater-)* set, scenery.
dekorations|forandring change of scene(s). **-maler** decorative painter, *(teater-)* scene-painter.
dekorativ *adj* decorative, ornamental.
dekoratør *(en -er)* decorator. **dekorere** *vb* decorate, ornament, *(m orden)* decorate *(med:* with).
dekort *(en)* deduction, discount.
dekortere *vb* deduct (as discount), abate.
dekorum *(et)* propriety, decorum.
dekret *(et -er)* decree. **dekretere** decree, order.
dekstrin *(en)* dextrin.
dekupere *vb* inlay. **dekupør** *(en -er)* marquetry inlayer.
del *(en -e)* part, portion; *(af bog)* part; *(andel)* share; *(afsnit, stykke)* section; *(i blanding etc)* part *(fx* equal parts of milk and sugar); *begge -e* both; *jeg forstår mig ikke på de -e* I don't know much about these things; *en ~ bøger* a number of books; *en ~ beskadiget* somewhat damaged; *en ~ deraf* part of it;

en af -ene one or the other; *en hel* ~ *(foran entalsord)* a great deal of, T a lot of, *(foran flertalsord)* a good many, T a lot of; *(uden subst)* a good deal *(fx* he reads a good deal; a good deal better); *for en* ~ in part, partly, to some extent; *for en stor* ~ to a great extent, largely; *for største -en* chiefly, mostly, for the most part; *jeg for min* ~ I for one, personally, for my part; *gøre sin* ~ do one's part; *have* ~ i have a share in; *tage* ~ *i* take part in, share (in), *(vise delta-gelse i)* sympathize with sby. in; *ingen af -ene* neither; *løse -e* spare parts; *en meget lille* ~ *af befolkningen* a very small proportion of the population; *største -en* the greater part, *(flertallet ogs)* the majority; *den største* ~ *af* most of, the greater part of; *(flertallet)* the majority of; *for største -en* for the most part, chiefly, mostly; *de ædlere -e* the vital parts; *til -s* partly, in part; *blive en til* ~ fall to sby.'s share *(el.* lot).

delagtig *adj* concerned, involved *(i:* in); *være* ~ *i* be a party to *(fx* the crime). **delagtiggøre** give a part *(el.* share) *(i:* in); ~ *ham i sine planer* initiate him in one's plans; ~ *ham i sin glæde* want him to share one's joy. **delagtighed** *(en)* participation, *(i forbrydelse)* complicity.

dele ★ divide; *(være fælles om)* share; ~ *byttet* divide the booty *(el.* spoils); ~ *hans anskuelser, følelser* share his views, feelings; ~ *i to lige dele* divide into two equal portions, halve; ~ *imellem* divide between; ~ *ind i* divide into *(fx* sections); ~ *halvt med og halves* with; ~ *skæbne med* share the fate of; ~ *20 med 4* divide 20 by 4; ~ *ngt med én* share sth. *(fx* a room, one's dinner) with sby.; ~ *om* distribute; ~ *sig* divide, separate, *(i grene etc)* branch, ramify; ~ *ud* distribute; *(se ogs delt).*

delegation *(en -er)* delegation.
delegere *vb* delegate. **delegeret** *(en)* delegate.
delegeretmøde meeting of delegates.
delelig *adj* divisible *(med:* by).
Delfi Delphi.
delfin *(en -er)* dolphin.
delikat *(lækker)* delicious, dainty, tasty, savoury; *(finfølende, ↑kilden↑)* delicate; *et* ~ *emne, en* ~ *sag* a delicate matter.
delikatere: ~ *sig med* treat oneself to.
delikatesse *(en -r)* delicacy.
delikatesse|forretning delicatessen shop. **-hand-ler** *(en -e)* pork-butcher.
deling *(en -er)* division, partition; ✗ platoon; *Polens* ~ the partition of Poland; *spille på* ~ play on a profit-sharing basis; *de fik 5 kroner til* ~ they got 5 kroner to share (between them). **delings|artikel** partitive article. **-fører** ✗ platoon commander.
delinkvent *(en -er)* criminal, culprit, delinquent.
delirist *(en -er)* sufferer from delirium tremens, d. t. patient.
delirium *(et)* delirium; ~ *tremens* delirium tre-mens; T d. t.'s, the jim-jams.
delle *(en -r)* *(fedt-)* roll of fat.
dels in part, partly; *dels ... dels* partly ... (and) partly; *dels på grund af ... dels på grund af* what with ... and what with.
delt *adj* divided *(fx* opinions are d.); *det kan der være -e meninger om* that is a matter of opinion.
delta *(et -er)* delta.
deltage participate, take part *(fx* he took part in the war); ~ *i konkurrencen* compete; ~ *i et kursus, et offentligt møde* attend a course, a public meeting; ~ *i udgifterne* share the expenses.
deltagelse *(en)* participation; *(tilstedeværelse)* at-tendance; *(medfølelse)* sympathy.
deltagende *adj* sympathetic, sympathizing; *adv* with sympathy; *de* ~ those taking part, those present.
deltager *(en -e)* *(i møde, kursus, fest)* participant; *(merk)* partner; ~ *i konkurrence)* competitor, entrant; *(i optagelsesprøve etc)* entrant; *en af -ne (fx i udflugt)* one of the party, a member of the party.
deltids|ansat *adj* engaged part-time; on part-time contract. **-arbejde** part-time work (, job).

delvis *adj* partial; *adv* in part, partly; partially *(fx* the attempt was only p. successful).
I. **dem** them; ~ *som* those who; *(se ogs de).*
II. **Dem** you; *(henvisende til subjektet i samme sæt-ning)* yourself *(pl.* yourselves).
demagog *(en -er)* demagogue.
demagogisk *adj* demagogic.
demarkationslinie line of demarcation, demar-cation line.
demaskere *vb* unmask.
dementere *vb* deny, contradict, disavow.
dementi *(et -er)* (official) denial, disavowal.
demilitarisere *vb* demilitarize.
demilitarisering *(en)* demilitarization.
demimonde *(en -r)* *(kvinde)* demi-mondaine.
demission *(en)* resignation; *indgive sin* ~ send in one's resignation. **demissionere** *vb* resign.
demissionsbegæring: *ministeriet indgav sin* ~ the Government resigned.
demobilisere *vb* demobilize. **demobilisering** *(en -er)* demobilization.
demo|krat *(en -er)* democrat. **-krati** *(et)* demo-cracy. **-kratisere** *vb* democratize. **-kratisering** *(en)* democratization. **-kratisk** *adj* democratic.
demolere *vb* demolish. **demolering** *(en)* demo-lition.
demonstrant *(en -er)* demonstrator.
demonstration *(en -er)* demonstration.
demonstrationstog [procession of demonstra-tors]; *de gik i* ~ *til ...* they marched in procession to ...
demonstrativ *adj* demonstrative *(fx* d. applause; d. pronoun). **demonstrere** *vb* demonstrate.
demontere *vb* dismantle *(fx* a factory); dismount *(fx* a machine).
demoralisere *vb* demoralize.
demoralisering *(en)* demoralization.
den *(det, pl: de, dem; se disse ord)* a) *(personligt pron)* it, *(om dyr ofte)* he, she; b) *(demonstrativt pron)* that *(fx* look at that man); c) *(adj's bestemte artikel)* the *(fx* the poor fellow); *den og den* so and so, such and such a person; *til den og den pris* at such and such a price; *giv mig den får give me that one; den går ikke* T that won't do; *den idiot!* the fool! *den som (el. der)* *(om person)* the one who, the man (, woman) who, anybody who; *(mere litterært og i ordsprog)* he (, she) who; *den der slog den rude ud må betale den* whoever smashed that window pane must pay for it; *den bog du viste mig er ikke den jeg så i går* the book you showed me is not the one I saw yesterday; *den bog som ligger på bordet* the book which *(el.* that) is on the table; *du er den (i leg)* you are It; *fordi han var dén han var* because he was what *(el.* the man) he was; *(se ogs dens).*
denar *(en -er)* denarius.
denaturere *vb* denature; *-t sprit* methylated spirits.
denaturering *(en)* denaturation.
dengang *adv* then, at the time, at that time; *conj:* ~ *(da)* (at the time) when; *det var* ~! times have changed! *(begejstret)* those were the days!
denne *(dette, pl: disse; se disse ord)* this; *(sidstnævnte)* the latter *(fx* when Mary Tudor had married King Philip, the latter succeeded in ...); *den 5. -s* the 5th instant *(el.* inst.). **dennesidig** *(fig)* mundane, worldly.
dens *pron* its; *(om dyr ofte)* his, her.
dental *(en -er, adj)* dental.
dente *(en -r): -r* points.
deodorant *(en -er)* deodorant. **deodorantstift** *(en -er)* deodorant stick.
departement *(et -er)* department.
departementschef *(øverste embedsmand i ministe-rium)* *(svarer til)* permanent under-secretary.
depeche *(en -r)* dispatch; *(telegram)* telegram.
deplacement *(et)* ⚓ displacement *(fx* a ship with a d. of 1000 tons).
I. **deponent** *(en -er)* *(som deponerer ngt)* depositor
II. **deponent** *adj* deponent *(fx* d. verb).

deponere vb deposit (*i en bank:* at a bank, *hos én:* with sby.).

deponering (*en -er*) depositing.

deportation (*en*) (*til fangekoloni*) transportation.

deportere vb transport; (*forvise*) deport.

deposit|um (*et -a*) deposit; *stille ~* furnish (, pay) a deposit.

depot (*et -er*) depot; (*ammunitions-*) dump; (*op-dagelsesrejsendes*) cache, dump; (*værdipapirer*) deposit. **depot|afdeling** (*i bank*) Securities Department; ✕ depot unit. **-skib** ⚓ depot ship, supply ship.

depraveret adj depraved.

depreciere vb depreciate.

depression (*en*) depression; (*merk ogs*) slump; *han begik selvmord i (et anfald af) ~* he committed suicide during a fit of depression.

deprimere vb depress.

deputation (*en -er*) deputation.

deputeret (*en*) deputy.

deputeretkammer Chamber of Deputies.

I. **der** (*relativt pron*) (*om personer*) who, (*om alt andet*) which; (*i bestemmende relativsætninger ogs*) that.

II. **der** adv there; *de bøger dér* those books (over there); *~ har vi det* there you are; *hvem ~?* who is there? ✕ who goes there? *~ hvor* where; *~ i landet* in that country; *han var ~ ikke* he was not there; (*som upersonligt el. foreløbigt subjekt*): *~ danses* they are (*el.* there is) dancing; *~ høres en stemme* a voice is heard; *hvad ~, se hvad; ~ blev sendt bud efter lægen* the doctor was sent for; *~ siges* it is said; *~ er koldt her* it is cold here; *~ er langt* it is a long way; it is quite far; *~ er mange mennesker* there are many people; *~ er 5 miles til London* it is 5 miles to London.

deraf adv of it, of this, of that, (*etc*); *fem skibe, ~ to bevæbnede* five ships, two of them armed; *følgen ~ er* the consequence is; *~ følger at* hence it follows that; *~ ser De* from that you may see.

derangeret adj in disorder; (*om person*) down at heel.

derefter adv after that, afterwards, subsequently, thereafter; (*overensstemmende hermed*) accordingly (*fx handle ~* act accordingly); *året ~* the next (*el.* the following) year; *kort ~* shortly afterwards; *det blev også ~* the result was as might be expected.

I. **deres** their; (*stående alene*) theirs.

II. **Deres** your; (*stående alene*) yours.

derfor for it (*fx* he gave me a shilling for it); (*af den grund*) therefore, so, for that reason; (*til trods derfor, alligevel*) for all that, still, all the same (*fx måske, men ~ har du nu gjort det alligevel* perhaps, but you did it all the same); *det er ~ at* that is why.

der|fra from there; *rejse ~* leave there. **-hen** there. **-henad** in that direction. **-henne** over there. **-hjemme** at home. **-i** in it, in that, therein. **-iblandt** among them, including. **-igennem** through that; through there. **-imellem** among them, between them; including. **-imod** on the other hand; (*imod det*) against it; *jeg har intet ~* I have nothing against it. **-ind** in (there), into it. **-inde** in there, in that place. **-indefra** from within.

derivat (*et -er*) derivative.

dermatolog (*en -er*) dermatologist.

dermatologi (*en -er*) dermatology.

der|med with it, with that; (*med disse ord*) so saying (*fx* so saying he left the room); *hvad mener De ~?* what do you mean by that? *~ var sagen afgjort* that settled the matter; *~ er alting sagt* that is all there is to be said about it; *~ være ikke sagt at* this is not to say that. **-ned** down (there). **-nede** down there, below there. **-næst** next, in the next place; then, thereupon. **-om** about it, about that (*fx* we can agree about that); on the subject; of that fact (*fx* he was ignorant of that fact). **-omkring** about it; (*i nærheden*) somewhere near there; (*om tal*) thereabouts. **-omme** round there, over there. **-op** up (there). **-oppe** up there.

deroute (*en*) ✕ rout; (*merk*) collapse.

der|over over there, across there; (*oven over*) above it, over it, on the top of that; *hundrede og ~* **a** hundred and upwards. **-ovre** over there. **-på** on it, on that; (*dernæst*) after that, then, next; *dagen ~* the next day, (*efter sold*) the morning after.

dersom if, in case.

dertil to it, to that, to that place; (*til det formål*) for that purpose; (*desuden*) besides; *~ kommer at* add to this that; moreover; *få lov ~* be permitted (to do so); *når vejret er ~* weather permitting; *det var så tydeligt (etc) som ~* it was as plain (*etc*) as could be.

der|ud out there. **-ude** out there. **-udefra** from out there. **-under** (*nedenunder*) under it, below there; (*mindre end det*) less; (*hørende ind under det*) including (*fx* the United Nations, including Denmark).

derved adv by it; (*ved hjælp af det*) thereby, by that means; *nær ~* near there, close by; *lad det blive ~* (we will) leave it at that; *~ er intet at gøre* that cannot be helped.

dervish (*en -er*) dervish.

derværende (present) there, local.

I. **des** (*i musik*) D flat.

II. **De's**: *være ~* [address each other as »De« instead of the familiar »du«].

III. **des** adv the; *jo mere ~ bedre* the more the better.

desangående respecting that, as regards that, on the subject.

desarmere vb dismantle (*fx* a fort, a ship), disarm (*fx* a mine). **desarmering** (*en*) dismantling, disarmament.

desavouere vb disavow, repudiate, go back on.

desavouering (*en*) disavowal, repudiation.

descendent (*en -er*) descendant.

desertere vb desert. **desertion** (*en*) desertion.

desertør (*en -er*) deserter.

desformedelst conj: *~ at* because.

desforuden adv besides that, moreover.

designation (*en*) designation.

designeret vb designated.

desillusionere vb disillusion.

desillusionering (*en*) disillusionment.

desinfektion (*en*) disinfection; (*med røg*) fumigation. **desinfektionsmiddel** disinfectant.

desinfektør (*en -er*) disinfector, fumigator.

desinficere vb disinfect. **desinficerende** adj disinfectant; *~ midler* disinfectants. **desinficering** disinfection.

deskriptiv adj descriptive.

deslige such, similar, the like; *og ~* and the like.

desmer (*en*) civet. **desmer|dyr, -kat** civet cat.

desorganisation (*en*) disorganization.

desorganisere vb disorganize.

desorientere vb confuse, bewilder, perplex.

despekt (*en*) disrespect.

desperat adj (*fortvivlet*) desperate; (*rasende*) furious.

desperation (*en*) desperation (*fx* he did it in d.).

despot (*en -er*) despot. **despoti** (*et*) despotism.

despotisk adj despotic; adv despotically.

despotisme (*en*) despotism.

dessert (*en -er*) sweet, (*frugt etc*) dessert; (*amr*) dessert.

dessert|ske dessert spoon. **-vin** dessert wine.

dessin (*en -er*) (*mønster*) design; (*vink*) hint, tip.

destillat (*et -er*) distillate, distilled product.

destillation (*en -er*) distillation. **destillations-apparat** distiller. **destillatør** (*en -er*) distiller.

destillere vb distil.

destiller|kar, -kedel still. **-kolbe** retort.

destination (*ssted*) (place of) destination.

desto the; *jo mere ~ bedre* the more the better; *så meget ~ bedre* so much the better; *ikke ~ mindre* nevertheless, all the same.

destruere vb destroy, (*brænde*) incinerate.

destruktion (*en -er*) destruction.

destruktions|anstalt incinerating plant. **-ovn** incinerator.

des|uagtet nevertheless, all the same, notwithstanding. -uden besides, in addition. -værre unfortunately, I am sorry (to say), I am afraid (fx I am afraid I have not read your book); *vi ser os ~ nødsaget til at* we are reluctantly compelled to.

det a) (personligt pron) it, (om skibe og lande ofte) she; (henvisende til tidligere nævnte personer) he, she, they; (henvisende til en hel sætning) so; b) (demonstrativt pron) that (fx that house over there); c) (adj's bestemte artikel) the (fx the big house); det at rejse travelling; det at du vandt your winning, the fact that you won; det banker somebody is knocking, there's a knock; jeg håber det I hope so; hvorfor det? why? ikke det? se: ikke; og hvem har ikke det? and who has not? ikke det? det jeg kan huske not that I remember; det må du gerne you may, you are welcome (to do that); det regner it is raining; det ringer the bell is ringing, there's the bell; det siger De ikke! you don't say so! det som vi så what we saw; det hus som the house which; jeg ved det I know; i det øjeblik da at the moment when; (se ogs dets);
(i forbindelse med verbet være:) hvem er den dame? det er min søster who is that lady? she is my sister; hvem er de herrer? det er mine brødre who are those gentlemen? they are my brothers; det er hr. C. (ved præsentation) this is Mr. C.; hvad dag er det i dag? what is today? er det Dem? is that you? er det din moder? is that your mother? er det mine brødre? are those your brothers? det er det også so it is; hun er rig og det er han også she is rich and so is he; det var hans ord those were his words.

detachement (et -er) (hærafdeling) detachment. detacherbord (i tøjrenseri) spotting table. detachere vb (afsende et detachement) detach. detachør (en -er) (i tøjrenseri) spotter.

detail (en -ler) detail, particular; sælge en ~ retail, sell by retail; handle en gros & en ~ deal wholesale and retail.

detail|handel retail trade; (butik) retail shop. -handler (en -e) retailer, shopkeeper.

detaillist (en -er) se detailhandler.

detail|pris retail price. -projekt detailed project.

detalje (en -r) detail, particular; i alle -r in every detail; gå i -r go into details, go into particulars; med mange -r with many details; det er kun en ~ that is a mere detail.

detaljere|t detailed; -de oplysninger particulars.

detektiv (en -er) detective. detektiv|bureau detective agency. -roman detective story.

detektor (en -er) detector.

detention (en) detention.

detentionslokale lock-up.

deter|mineret adj determined. -minisme (en) determinism. -minist (en -er) determinist. -ministisk adj deterministic.

detonation (en -er) (knald) detonation.

detronisere vb dethrone.

detronisering (en) dethronement.

dets pron its; (om skibe og lande ofte) her.

dette pron this; se ogs denne.

devaluere vb devalue.

devaluering (en) devaluation.

devise (en -r) (valgsprog) motto; (merk) foreign bill (of exchange).

devot adj hypocritical, sanctimonious, devovere: ~ sig suckle oneself.

diabetiker (en -e) diabetic.

diadem (et -er) diadem.

diagnose (en -r) diagnosis; stille en ~ diagnose, make a diagnosis, diagnosticate.

diagonal (en -er, adj) diagonal.

diagram (et -mer) diagram, graph, chart (over: of).

diakon (en -er) (sygeplejer) male nurse.

diakonisse (en -r) nursing sister.

dialekt (en -er) dialect. dialektal adj dialect(al).

dialekt|forsker dialectologist. -forskning dialectology.

dialektik (en) dialectics. dialektiker (en -e) dialectician. dialektisk adj dialectical.

dialektord dialect word.

dialog (en -er) dialogue. dialogisk adj dialogic.

diamant (en -er) diamond. diamant|bryllup diamond wedding. -ring diamond ring. -sliber diamond cutter. -slibning diamond cutting.

diame|ter (en -tre) diameter. diametral adj diametrical; -t modsat diametrically opposite; (fig) diametrically opposed (to); -e modsætninger diametrical opposites.

diapositiv (et -er) (fot) diapositive.

diarré (en) diarrhoea.

diatermi (en) (fys, med.) diathermy, diathermia.

did adv thither, there; hid og ~ to and fro.

I. die (en) mother's milk; give ~ suckle, nurse.

II. die vb (om barnet) suck; (om moderen) suckle, nurse.

diesel|dreven adj diesel-powered. -elektrisk adj diesel-electric. -lokomotiv diesel locomotive. -motor diesel engine.

difference (en -r) difference; (merk) balance.

differens (en -er) difference. differensrække arithmetical progression. differential- differential.

differentiale (et -r) (i bil) differential (gear).

differentialregning differential calculus.

differentiere vb differentiate; -s differentiate.

differentiering (en) differentiation.

diffus adj diffuse.

difteri(tis) (en) diphtheria.

diftong (en -er) diphthong.

dig you, (gammel form:) thee; (refleksivt) yourself, (efter præp dog:) you; morer du dig? are you enjoying yourself? (se ogs mig).

I. dige (en -r) dike. II. dige vb dike; ~ ind embank (fx a river). digebrud breach of a dike.

dig|el (en -ler) crucible. digelstål crucible steel.

diger adj (om ting) bulky; (om menneske) stout.

dige|smutte (en -r) zo wheatear. -svale (en -r) zo sand martin.

dignitar (en -er) dignitary.

digression (en -er) digression.

digt (et -e) poem; (opspind) fiction. digtcyklus cycle (of poems).

digte vb compose, write; (skrive vers) write poetry; (opdigte) fabricate, invent.

digtekunst (the art of) poetry.

digter (en -e) poet; (= forfatter) writer; author.

digtergage poet's (, writer's) pension.

digterinde (en -r) poetess; (forfatterinde) woman writer, authoress.

digterisk adj poetic(al).

digter|natur poetic nature. -skole school (of poets). -værk work (of poetry); literary work. -ånd poetic genius.

digtning (en) writing, (the writing of) poetry; (digterværk) work (of poetry); literary work.

digtsamling collection of poems.

dikke vb (om ur) tick; (kilde) tickle, prod.

dikkedarer pl frills; (omsvøb) fuss.

dikken (en) (urs) ticking.

diktafon (en) ® dictaphone.

diktat (en -er) dictation; (et -er) dictate; skrive efter ~ write from dictation.

diktator (en -er) dictator.

diktatorisk adj dictatorial.

diktatstil dictation.

diktatur (et -er) dictatorship.

diktere vb dictate; -t af dictated by.

diktion (en) diction.

dild (en) ⊕ dill.

dilemma (et -er) dilemma, quandary.

dilettant (en -er) amateur; (især neds) dilettante.

dilettanteri (et -er) dilettantism; scamped work.

dilettantforestilling se dilettantkomedie.

dilettantisk adj dilettantish, amateurish.

dilettant|komedie amateur (el. private) theatri-

cals; *spille* ~ take part in (*el.* have) amateur theatri-
cals. **-skuespiller** amateur actor.
diligence (*en -r*) stagecoach.
dille (*en*) T craze; (*delirium*) the jim-jams, the
horrors; *det er den rene* ~ it is absolutely crazy.
dimension (*en -er*) dimension; ♣ (*af tømmer el.
jern*) scantling. **dimensionere** *vb* dimension.
diminutiv (*et -er, adj*) diminutive.
diminutivendelse diminutive suffix.
dinisprædiken probational sermon.
dimission (*omtrent =*) school-leaving.
dimittend (*en -er*) (*fra gymnasium*) school-leaver;
(*fra seminarium*) newly qualified teacher, (*amr*)
graduate.
dimittere *vb* (*fra gymnasium*) send up (to a uni-
versity); (*fra seminarium etc omtr =*) pass, (*amr*)
graduate; *blive -t* (*fra seminarium etc*) qualify, (*amr*)
graduate.
dimmelen *adj* confused, crazy.
dims (*en -er*) gadget, thingummy.
din (*dit, pl dine*) your, (*stående alene*) yours;
(*gamle former:*) thy, (*foran vokallyd*) thine; ~ *hat*
your hat; *hatten er din* the hat is yours; ~ *nar* you
fool.
diner (*en -er*) dinner. **dinere** *vb* dine.
dingeldangel (*et*) gewgaws.
dingeling ting-a-ling.
dingenot (*en -er*) gadget, thingummy.
dingle *vb* dangle, swing; (*gå usikkert*) stagger,
totter; (*om fuld mand*) lurch, reel; ~ *med benene* dangle
one's legs.
diplom (*et -er*) diploma.
diplomat (*en -er*) diplomat(ist).
diplomatfrakke frockcoat; (*amr*) Prince Albert.
diplomati (*et*) diplomacy; *-et* (*tjenesten*) the dip-
lomatic service; (*corps diplomatique*) corps diplo-
matique, the diplomatic body.
diplomatisk *adj* diplomatic; *det -e korps* the diplo-
matic body; *ad* ~ *vej* through diplomatic channels.
dippedut (*en -ter*) gadget, thingummy.
direkte *adj* direct (*fx* line, taxes, contact); (*umid-
delbar*) immediate (*fx* consequence); *adv* direct(ly),
immediately; ~ (*radio*)*udsendelse* live broadcast.
direktion (*en -er*) (*ledelse*) management, (*ledere
ogs*) managers, board of directors.
direktiv (*et -er*) directive, direction(s).
direktorat (*et -er*) directorate.
direktrice (*en -r*) (*arbejdsleder*) forewoman; super-
visor; (*kvindelig direktør*) manageress.
direktør (*en -er*) manager, managing director;
(*amr*) president; (*for institution etc*) director.
dirigent (*en -er*) (*ordstyrer*) chairman; (*musik-*)
conductor, bandmaster; (*kor-*) choirmaster. **diri-
gent|hverv** (the) office of chairman; *overtage -et*
take the chair. **-pind, -stok** baton.
dirigere *vb* (*musik*) conduct; (*lede et møde*) preside
(over a meeting), be in the chair; (*styre, lede*) di-
rect; ~ *færdselen* direct the traffic.
dirk (*en -e*) skeleton key, picklock.
dirke: ~ *en lås op* pick a lock.
dirkefri *adj* unpickable, burglarproof.
dirre *vb* quiver, vibrate.
dirren (*en*) quivering, vibration.
dirt track dirt-track racing.
I. **dis** (*i musik*) D sharp.
II. **dis** (*en*) (*tåge*) haze.
disagio (*en*) loss on exchange, discount.
discip|el (*en -le*) disciple; (*i skole*) pupil; (*på apo-
tek*) chemist's apprentice.
disciplin (*en -er*) (*tugt*) discipline; (*fag*) branch of
knowledge, subject. **disciplinere** *vb* discipline.
disciplinering (*en*) discipline, disciplining.
disciplinær *adj* disciplinary.
disciplinær|forseelse breach of discipline. **-straf**
disciplinary punishment.
diset *adj* hazy, misty.
disfavør (*en*) disfavour, disadvantage; *i vor* ~ in

our disfavour, to our disadvantage, against us (*fx*
a balance of £ 12 against us).
disharmonere *vb* be discordant, jar.
disharmoni (*en -er*) discord, disharmony.
disharmonisk *adj* discordant, jarring.
disk (*en -e*) counter; *under -en* (*fig*) under the c.
diskant (*en -er*) treble. **diskantnøgle** treble clef.
diske: ~ *op for en* do sby. proud; ~ *op med* dish
up, serve up.
diskenspringer (*en -e*) (*neds*) counter-jumper.
diskofil (*en -er*) discophile.
diskontere *vb* discount.
diskontering (*en*) discounting.
diskonto (*en -er*) (*fradrag*) discount; (*officiel*) bank
rate; (*private bankers*) market rate. **diskonto|bank**
bank of discount. **-forhøjelse** increase in bank rate.
-nedsættelse reduction of bank rate. **diskontør**
(*en -er*) discounter.
diskos (*en*) discus. **diskos|kaster** (*en -e*) discus
-thrower. **-kastning** discus-throwing, throwing the
discus.
diskotek (*et -er*) record library; (*med dans*) dis-
cotheque.
diskret *adj* discreet; (*dæmpet*) quiet (*fx* colours);
subdued (*fx* cough). **diskretion** (*en*) discretion,
(*tavshed*) reticence.
diskrimination (*en -er*) discrimination.
diskriminere *vb* discriminate against.
diskusprolaps (*en*) (*med.*) slipped disc.
diskussion (*en-er*) discussion, debate.
diskussions|klub debating society. **-møde** de-
bate. **-oplæg** introduction to a debate.
diskutabel *adj* debatable.
diskutere *vb* discuss, argue, debate.
diskvalificere *vb* disqualify.
dispache (*en -r*) average statement.
dispachør (*en -er*) average adjuster.
dispensation (*en*) exemption; *få* ~ be granted
an exemption, be exempted.
dispensere *vb* exempt, grant exemption.
disponent (*en -er*) sub-manager; confidential
clerk; (*ofte =*) buyer.
disponere *vb* dispose, act, make dispositions;
(*merk*) enter into commitments; ~ *over* have the
disposal of; (*sælge, give ud*) dispose of; *være -t for*
be predisposed to.
disponibel *adj* available.
disposition (*en -er*) (*rådighed*) disposal; (*udkast*)
outline, framework, (*til skolestil*) plan; (*anlæg, til-
bøjelighed*) predisposition (*fx* to tuberculosis), tend-
ency (*fx* to stoutness); (*bestemmelse, arrangement*) ar-
rangement; *til Deres* ~ at your disposal; *træffe sine -er*
make one's arrangements.
disput (*en -ter*) dispute, argument.
disputats (*en -er*) dissertation, thesis.
disputere *vb* debate, argue; (*for doktorgraden*) de-
fend a thesis.
disse *pron* these; *se ogs denne.*
dissekere *vb* dissect. **dissektion** (*en*) dissection.
dissektions|kniv scalpel. **-stue** dissecting-room.
dissens (*en*) dissent, dissenting opinion.
dissenter (*en -e*) dissenter, nonconformist.
dissentierende: ~ *votum* dissenting opinion.
dissonans (*en -er*) dissonance, discord.
distance (*en -r*) distance. **distanceblænder** (*en
-e*): *han er en* ~ he does not bear closer inspection.
distance|flyvning (*enkelt*) long-distance flight.
-løb long-distance race.
distancere *vb* distance, outdistance, outstrip.
distingvere *vb* distinguish; *-t* distinguished.
distinkt *adj* distinct.
distinktion (*en -er*) distinction; (*skelnemærke*)
distinctive mark, badge; ✕ (*gradstegn*) badge (of
rank); (*på ærmet*) chevron, stripe(s).
distrahere: ~ *en* distract sby.'s attention.
distraktion (*en*) absence of mind, absent-minded-
ness, preoccupation.

distribuere *vb* distribute.
distribution *(en)* distribution.
distrikt *(et -er)* district, region, area; *(politibetjents)* beat; *(postbuds)* round.
distrikts|blad local paper. -læge *(svarer i England til)* medical officer of health *(fk* M.O.H.).
distræt *adj* absent-minded, preoccupied.
dit *se din.*
Ditmarsken the Ditmarshes.
dit og dat one thing and another, this and that; this, that, and the other.
ditto ditto, the same.
diva *(en -er)* diva.
divan *(en -er)* couch, divan. divantæppe divan cover.
divergens *(en -er)* divergence. divergere *vb* diverge; *der er -nde opfattelser* opinions differ.
diverse *adj* various; *subst* sundries.
divertere *vb* divert, amuse.
dividend *(en -er)*, dividende *(en -r)* dividend.
dividere *vb* divide; *ti -t med fem er to* (10 : 5 = 2) ten divided by five gives two (10 ÷ 5 = 2).
division *(en -er) (mat.,* ✕, ⚓) division.
divisions|chef division commander. -stykke division sum. -tegn division sign.
divisor *(en -er)* divisor.
diæt *(en -er)* diet, regimen; *holde* ~ be on a diet, diet; *-er (dagpenge)* maintenance *(el.* subsistence) money, allowance; *sætte en patient på streng* ~ put a patient on a strict diet.
diætmad dietetic food.
djærv *adj* bluff; *(i tale)* frank, outspoken; *(vovet, drøj)* racy *(fx* joke).
djærvhed *(en)* bluffness; *(i tale)* frankness, outspokenness.
djæv|el *(en -le)* devil, fiend; *en stakkels* ~ a poor devil; *hviske ham en* ~ *i øret* poison his mind; *en* ~ *i menneskeskikkelse* a fiend in human shape, the devil incarnate; *med -elens vold og magt* by hook or by crook; *han er en ren* ~ *til at arbejde* he is a demon for work.
djævelsk *adj* fiendish, diabolical; *adv* -ly.
djævelskab *(et) (noget ubehageligt)* a nuisance.
djævle|besværgelse exorcism. -besværger *(en -e)* exorcist. -besættelse demoniacal possession.
djævleblændt *adj (brugt rosende)* consummate *(fx* a c. artist); *(forbandet)* damned, beastly.
djævle|spil diabolo. -unge imp.
d. m. *(fk f denne måned)* this month, inst.
do *(fk f ditto)* ditto, do.
dobbelt *adj* double, twofold; *adv* double, twice; ~ *bogholderi* (book-keeping by) double entry; ~ *bund* double bottom; *med* ~ *bund (fig)* equivocal; *det -e* twice as much; *i sin -e egenskab af* in his dual capacity of; *i* ~ *forstand* in a twofold sense; *mellem* ~ *ild* between two fires; *lægge* ~ double up, fold; ~ *ation* double ration; *se* ~ see double; ~ *så* twice as *(fx* twice as good, twice as many).
-dobbelt -fold *(fx firedobbelt* fourfold).
dobbelt|billet return ticket. -dækker *(flyv)* bi-plane; ⚓ two-decker; *(bus)* double-decker. -greb *(på strygeinstrument)* double stop. -gænger *(en -e)* double. -hage double chin. -hed *(en)* doubleness; *(fig)* duplicity. -hjul *pl (på bil)* twin wheels. -kapslet: ~ *ur* hunter. -løbet: ~ *bøsse* double-barrelled gun. -radet *adj* double-breasted. -seng double bed. -sidig *adj* two-sided; ~ *lungebetændelse* double pneumonia. -skrue ⚓ twin screw. -spil *(fig)* double-dealing. -spor double track. -sporet *adj* double -track(ed); ~ *bane* double line. -tilværelse: *føre en* ~ lead a double life. -tydig *adj* ambiguous. -virkende *adj* double-acting. -værelse double bedroom.
doble *vb (i bridge)* double; *(spille hasard)* gamble.
docent *(en -er)* (university) lecturer; *(i Engl ogs)* reader; *(amr svarer til)* associate professor. docentur *(et -er)* lectureship. docere *vb* lecture on, teach; *(uden genstandsled)* lecture; *(neds)* lay down the law.

docerende *adj* didactic; *han er altid så* ~ he is always laying down the law.
doctor: ~ *juris (dr. jur.)* Doctor of Laws (LL. D.); ~ *medicinae (dr. med.)* Doctor of Medicine (M.D.); ~ *odont.* Doctor of Dental Surgery (D.D.S.); ~ *philosophiae (dr. phil.)* Doctor of Philosophy (Ph.D.); *(ved naturvidenskabeligt fakultet)* Doctor of Science (D.Sc.); ~ *techn.* Doctor of Engineering (D.Eng.); ~ *theologiae (dr. theol.)* Doctor of Divinity (D.D.).
dodenkop *(en farve)* caput mortuum.
dog *adv* (alligevel) however, yet, still; *(når alt kommer til alt)* after all; *(virkelig, sandelig)* really; *(ofte ikke oversat): var jeg* ~ *bare blevet hjemme!* if only I had stayed at home! *men* ~*!* dear me! *mon* ~ I wonder; *luk* ~ *den dør!* do shut that door! *du har* ~ *vel fået brevet?* you have received the letter, I hope? *det er* ~ *for galt* really, this is too bad; *hvor er James* ~ *rar* what a nice fellow James is; *hvad er der* ~ *i vejen?* what ever is the matter? *hvorfor* ~ *det?* why (ever)? *hvorfor* ~ *ikke?* why (ever) not?
doge *(en -r)* doge.
dogge *(en -r)* mastiff.
doglæp *(en -per)* zo dewlap.
dogmatik *(en)* dogmatics. dogmatiker *(en -e)* dogmatist. dogmatisere *vb* dogmatize. dogmatisk *adj* dogmatic. dogme *(et -r)* dogma.
dok *(en -ker)* ⚓ dock; *skibet trænger til at komme i* ~ the vessel requires docking; *gå i* ~ dock, go into dock. dokafgifter *pl* dock dues, dockage.
doktor *(en -er)* doctor; *(se ogs doktor).*
doktorafhandling (doctor's) thesis.
doktorand *(en -er)* candidate for the doctorate.
doktordisputats 1. *se -afhandling;* 2. *(forsvaret)* defence of a thesis; *forsvare sin* ~ defend one's thesis.
doktorere *vb*: ~ *på* doctor. doktor|grad doctor's degree, doctorate. -hat doctor's cap.
doktrin *(en -er)* doctrine. doktrinær *adj* doctrinaire.
dokument *(et -er)* document, deed, paper. dokumentarfilm documentary (film). dokumentarisk *adj* documentary *(fx* film). dokumentation *(en)* documentation. dokumentere *vb* document, prove, substantiate, verify. dokumentering *(en)* documentation, substantiation.
dokument|falsk forgery. -mappe briefcase.
dolk *(en -e)* sheath knife, *(daggert)* dagger.
dolke *vb* stab. dolkestød stab.
dollar *(en -s)* dollar. dollar|mappe note case. -seddel dollar note, *(amr)* dollar bill.
dom *(en -me)* judgment; *(i kriminalsag)* sentence; *(i civilsag)* judgment; *(mening)* opinion, judgment; *(i logik)* proposition; *(i sport)* judgment, decision; *(ved verdens ende)* judgment, doom; *(fordømmelse)* damnation; *afsige* ~ pronounce sentence, deliver judgment; *-mens dag* the Day of Judgment; *-men falder* sentence is pronounced, judgment is delivered; *få* ~ *over én* obtain judgment against sby.; *betale i dyre -me* pay through the nose; *historiens* ~ the verdict of history; *en hård (, mild)* ~ a severe (, light) sentence.
domfæld|e * *(dømme skyldig)* convict; *den -te* the convicted person.
domfældelse *(en -r)* conviction.
domhus court, law-courts.
domicil *(et -er)* domicile.
domicilere *vb* domicile *(fx* d. a bill with a bank).
dominere *vb (spille herre)* domineer, lord it; *(være fremherskende)* dominate, *(uden genstandsled ogs)* predominate, *(biol)* be dominant. domineren *(en)* domineering. dominerende domineering; *(fremherskende)* predominant; *(biologisk)* dominant; *virke alt for* ~ assert itself too much.
domino *(en -er)* domino; *(spil)* dominoes.
dominobrik domino.
dom|kapitel chapter. -kirke cathedral.
dommedag the Day of Judgment. dommedagsprædiken brimstone sermon.
dommer *(en -e)* judge; *(i Engl: ved første instans,*

fredsdommer, i alm ikke jurist) magistrate, Justice of the Peace; *(juridisk ~, ved højere instans)* judge, *(ved højesteret el. appelret)* justice; *(ved tennis, golf, baseball og kricket)* umpire; *(ved fodbold)* referee, *(amr)* umpire; *(ved boksning)* referee; *(ved kaproning og væddeløb)* judge; *hr. ~ (til magistrate)* Your Worship, *(til judge)* Your Honour, *(til justice)* My Lord; *opkaste sig til ~ over* set oneself up as a judge of.

dommer|fuldmægtig *(kan gengives)* deputy judge. **-komité** *(ved udstilling etc)* judges, jury. **-standen** the Bench. **-sæde** judgment seat; *-t* the Bench. **-vagt**: *blive fremstillet i -en* come up before the judge, be brought before the examining magistrate.

dompap *(en -per) zo* bullfinch; *(dumrian)* ass.

domprovst *(omtr =)* dean.

domptør *(en -er)* animal trainer.

doms|forhandling hearing; *(ved kriminalsag ogs)* trial. **-kraft** legal force. **-magt, -myndighed, -ret** jurisdiction

domstol court (of justice), law-court.

domæne *(en el. et, -r) (gods tilhørende staten)* crown land; *(område)* domain, province.

donation *(en -er)* endowment, donation.

Donau the Danube.

Don Juan: *han er en ~* he is a Don Juan *(el. a woman chaser)*.

donkeymaskine ⚓ donkey-engine.

donkraft *(en -e(r))* jack; *hæve med ~* jack up.

donor *(en -er)* donor.

dont *(en): passe sin ~* mind one's business, follow one's trade; *den daglige ~* the day's work.

dorisk *adj* Doric *(fx* dialect, column), Dorian.

dorn *(en -e) (til at udvide et hul med)* mandrel.

dorotealilje ⚘ snowflake.

dorsk *adj* sluggish. **dorskhed** *(en)* sluggishness.

dos *(et) (fjols)* nitwit, dolt. **dosere** *vb* dose.

dosis *(en, doser)* dose; *for stor ~* overdose.

dosmer *(en -e)* fool, blockhead, dunce.

dosmerseddel *(huskeseddel)* remembrancer; *(ved indkøb)* shopping-list.

dossering *(en -er)* slope, bank; *(stensætning, dæmning)* embankment.

dotation *(en -er)* dotation, endowment.

dotere *vb* endow.

double *(en -r) (i tennis)* doubles *(fx* they played doubles; men's doubles).

I. douche *(en -r)* shower(bath); *det virkede som en kold ~ (fig)* it had the effect of a cold douche.
II. douche *vb* douche.

doven *adj* lazy, idle; *(om drik)* flat, stale.

doven|dyr *(et -) zo* sloth; *(om person)* idler, slacker, lazy fellow. **-krop, -lars** *(en) se -dyr*.

dovenskab *(en)* laziness.

dowlas *(en -ser)* dowlas.

dovne *vb* idle, loaf, laze.

doyen *(en -er)* doyen.

dr. *(fk f doktor)* Doctor, Dr, *se ogs* doctor.

drab *(et -)* manslaughter, homicide.

drabant *(en -er) (soldat af livvagt)* halberdier; *(neds: følgesvend)* henchman; *(astron)* satellite; *(fyr)* fellow; *en ordentlig ~* a hefty fellow.

drabelig *adj (gæv)* stalwart, *(frygtindgydende)* formidable, *(stor)* stupendous, colossal *(fx* appetite), enormous *(fx* cigar); *en ~ helt* a doughty hero.

drabsmand killer, homicide.

drag *(et -) (ånde-)* breath; *(af tobaksrøg)* puff; *(slurk)* draught; *tømme i ét ~* drink at a (single) draught; *nyde i fulde ~* enjoy to the full *(se ogs I. træk)*.
I. drage *(en -r) (fabeldyr)* dragon; *(legetøj)* kite; *(kvinde)* termagant; *(bådtype)* dragon; *sætte en ~ op* fly a kite.
II. drage *(drog, draget) (trække)* draw, pull, drag; *(tiltrække)* allure, attract; *(rejse, marchere)* go, pass, march; *~ af sted* set out; *~ bort* go away, leave, depart; *~ fordel af* derive advantage from, profit by; *~ frem* advance; *(fremdrage)* bring out; *~ i tvivl*

question, call in question; *~ ind i* enter; *~ ham ind i det* involve him in it; *~ omsorg for* take care of, look after; *~ omsorg for at* take care that, see to it that; *~ paralleller* draw parallels; *med -n sabel* with his sword drawn; *~ en slutning* draw a conclusion; *~ et suk* heave (*el.* fetch) a sigh; *~ sit sidste suk* breathe one's last, draw one's last breath; *~ sit sværd* draw one's sword; *~ til ansvar* call to account, hold responsible; *~ til sig* attract; *~ tilbage* go back; *~ ud* march (*el.* go) out, sally forth; *~ udenlands* go abroad; *~ ånde* draw one's breath; *-s med* be afflicted with. **dragende** *adj* fascinating, compelling.

drager *(en -e)* porter, *(amr)* redcap; *(bjælke)* girder.

drages *vb: ~ med døden* be in one's last agonies.

dragkiste chest of drawers.

dragning *(en): føle en ~ mod noget* feel drawn towards sth.

dragon *(en -er)* dragoon.

dragt *(en -er) (klædedragt)* dress, suit, clothes; costume; *(dames spadseredragt)* tailormade suit; *en ~ klø* a beating. **dragtpose** moth-proof bag.

drak *imperf af* drikke.

drakme *(en -r)* drachma.

drakonisk *adj* Draconian *(fx* measures).

dram *(en -me)* drink, nip.

drama *(et -er)* drama.

dramatiker *(en -e)* dramatist, playwright.

dramatisere *vb* dramatize, adapt for the stage.

dramatisering *(en)* dramatization, adaptation for the stage. **dramatisk** *adj* dramatic.

dramaturg *(en -er)* dramaturgist.

dramaturgi *(en)* dramaturgy.

dramaturgisk *adj* dramaturgic.

dranker *(en -e)* drunkard, sot. **dranker|galskab** delirium tremens, D.T. **-hjem** inebriates' home.

drap *adj* beige.

drapere *vb* drape.

draperi *(et -er)* drapery; *-er (gardiner etc ogs)* hangings.

drapfarvet *adj* beige.

drastisk *adj* drastic.

dratte *vb* flop down; *komme -nde* come straggling, *(uventet)* drop in.

dravat *(en -er) (storm)* squall.

dreje *vb* turn; *(keramisk)* throw; *(sno)* twirl, twist; *(rotere)* revolve, rotate, turn (round); *(på automatisk telefon)* dial; *~ én en knap* play sby. a trick; *~ sig* turn, *(rotere)* revolve, rotate, *(om vind)* change, veer, shift; *~ sig om sin akse* revolve on its axis; *hvad -r det sig om?* what is it (all) about? *det -r sig om hvorvidt* the question is whether; *det -r sig om minutter* it is a question of minutes; *når det -r sig om en forbrydelse* in the case of a crime; *det er ikke penge det -r sig om* money is not the point; *det -r sig om £100* it is a matter of £100; *hele diskussionen -r sig om et enkelt punkt* the whole debate turns on a single point;

[m præp & adv]: *~ 'af* turn (aside), ⚓ bear away; *(om vej etc)* branch off; *(fig)* change the subject, veer off; *~ samtalen hen på* bring the conversation round to; *~ 'om* turn; *~ om hjørnet* turn the corner; *~ halsen om på ham* wring his neck; *~ nøglen om* turn the key; *~ op for (gas, lampe)* turn on, *(elekt lys ogs)* switch on; *'~ på* turn; *'~ 'til* ⚓ heave to; *~ til vinden* ⚓ haul the wind.

drejebog script. **drejebogsforfatter** scriptwriter.

drejebænk (turning) lathe.

drejelig *adj* revolving, hinged; *adv* pivotally.

drejer *(en -e)* turner; *(keramisk)* thrower.

drejerværksted turner's workshop.

dreje|scene revolving stage. **-skive** *(på jernbanen)* turntable; *(pottemagers)* potter's wheel; *(tlf)* dial. **-stol** swivel chair. **-syge** *(en)* staggers.

drejl *(et)* drill.

drejning *(en -er)* turn, turning, rotation; *give en bestemt ~ (fig)* give *(fx* a story) a special slant, angle *(fx* the news).

dreng *(en -e)* boy, lad; *(læredreng)* apprentice; *da jeg var ~* when I was a boy; *fra ~ af* from a boy. **drenge|agtig** *adj* boyish; *(neds)* puerile. **-agtighed** boyishness, puerility. **-alderen** boyhood. **-bande** boy gang. **-bog** boy's book. **-hår** *(damefrisure)* Eton crop. **-skole** boys' school, school for boys. **-streg** boyish prank. **drenget** *adj* boyish. **drenge|tøj** boy's *(el.* boys') clothes. **-år** boyhood. **dressere** *vb* train (to do tricks). **dresseret** *adj* trained, performing; *~ sælhund* performing seal. **dressur** *(en)* training. **dressør** *(en -er)* trainer.

I. **drev** *(et -)* *(hjul)* pinion; *♣ (værk)* oakum.
II. **drev** *imperf af* drive.
dreven *adj* skilled *(i:* in); *(øvet)* experienced; practised *(fx* debater); *(kløgtig)* shrewd *(fx* businessman). **drevenhed** *(en)* skill, shrewdness.
drevet: *~ arbejde* chased *(el.* embossed) work; *~ guld* beaten gold; *(se ogs drive).*
drible *vb* dribble.
drift *(en -er)* *(tilbøjelighed)* urge, instinct, impulse, bent, inclination; *(køns-)* sexual instinct, sex urge; *(af virksomhed etc)* working, running; operation; *(jernb)* traffic, train services; *(kvæg)* drove; *(tømmer)* raft; *af egen ~* on one's own initiative, of oneself, spontaneously; *elektrisk ~* (the use of) electric power; *indføre elektrisk ~ på en jernbane* electrify a railway; *billig i ~* cheap to run; *i fuld ~* in full swing; *gå i ~ ♣* break adrift; *komme i ~ (i gang)* get started; *sætte i ~* start; *(jernb)* put into service; *der er ingen ~ i ham* he has no enterprise; *indstille -en* discontinue operations, close down, *(på jernbane etc)* suspend services; *ude af ~* not working, out of operation; *(om skib)* out of commission.
driftig *adj* active, enterprising.
driftighed *(en)* enterprise.
drifts|bestyrer (works) manager. **-forstyrrelse** *(jernb)* interruption of the (train) service. **-ingeniør** works engineer. **-kapital** working capital. **-klar** *adj* in working order. **-leder** manager. **-lån** short-term loan (for working purposes). **-omkostninger** working expenses, operating costs, running expenses. **-overskud** working profits. **-regnskab** profit and loss account. **-sikker** *adj* reliable, dependable. **-tab** loss of profits. **-tabsforsikring** business interruption insurance. **-udgifter** working expenses. **-år** working year.
drik *(en -ke)* drink *(fx* tea is his favourite drink; a drink of water), *(især som vare)* beverage; *(det at drikke)* drinking; *stærke -ke* strong drinks, alcoholic beverages, intoxicants; *forfalde til ~, slå sig på ~* take to drink.
drikfældig *adj* addicted to drink(ing).
drikfældighed *(en)* intemperance, drunkenness.
I. **drikke** *subst:* mad og *~* food and drink.
II. **drikke** *(drak, drukket)*-drink; *(ofte =)* have *(fx* let us have tea now); *han -r (o: er drikfældig)* he drinks; *~ sig fuld* get drunk; *~ en fuld* make sby. drunk; *~ af flasken* drink out of the bottle; *hvad vil De ~?* what are you going to have? T what's yours? *~ sig ihjel* drink oneself to death; *~ sig mod til* get up Dutch courage; *~ sine penge op* spend one's money on drink; *~ ens skål* drink sby.'s health, drink to sby.; *~ på ens velgående* drink to sby.'s health; *~ ud* drink up, empty one's glass (, cup, *etc),* finish (one's tea, *etc).*
drikke|broder toper. **-bæger** drinking-cup. **-gilde, -lag** drinking-bout. **drikkelig** drinkable.
drikken *(en)* drinking.
drikkepenge tip, gratuity; *give ~* tip *(fx* tip the waiter one krone).
drikkeri *(et)* drinking; T boozing.
drikke|skilling = -penge. **-vand** drinking-water. **-varer** drinks. **-vise** drinking-song.
drikoffer libation, drink-offering.
drilagtig *adj* mischievous, teasing; *(om ting)* tricky, provoking; *et -t spørgsmål* a poser, a teaser.
drilbor *(et -)* drill.
drille *vb* tease, *(godmodigt)* chaff *(med:* about);

låsen -r the lock is tricky. **drillepind** tease, teaser. **drilleri** *(et -er)* teasing, banter, chaff. **drillevorn, drilsk** *adj* mischievous, teasing.
driste: *~ sig til at* venture to, *(frækt)* presume to, dare to.
dristig *adj* bold, *(fræk ogs)* audacious; *overgå de -ste forventninger* exceed the most sanguine expectations; *en ~ påstand* a bold *(el.* rash) assertion.
dristighed *(en)* boldness, audacity.
drit|tel *(en -ler)* cask, keg.
driv|aksel driving shaft. **-anker** drag anchor. **-bænk** garden frame.
I. **drive** *(en -r)* *(sne-)* drift.
II. **drive** *(drev, drevet)* *(jage, tvinge)* drive, force; *(fig: tilskynde)* impel, urge, drive; *(metal)* chase; *(maskine)* operate, drive, work; *(forretning etc)* carry on *(fx* a trade), run *(fx* a business, a theatre); *(blive ført af sted)* drift, float; *(dovne)* idle, loaf; *(slentre)* stroll, lounge;
~ en gård run a farm; *~ hotel* run a hotel; *~ løjer med en* pull sby's leg, make fun of sby.; *nøden drev ham til at stjæle* necessity compelled him to steal; *skyerne -r* the clouds are drifting; *~ studier* pursue studies; *lysten -r værket* willing hands make light work;
[m præp og adv:] ~ den af idle, loaf; *~ af blod (, sved)* bleed (, sweat) profusely; *hans klæder drev af vand* his clothes were wringing wet; *~ bort* drive away; *~ tiden bort* fritter away one's time; *~ frem* push *(el.* drive) forward, *(skibe, køretøjer)* propel, *(planter)* force, *(fig)* urge on *(fx* it was his ambition that urged him on); *~ 'igennem (få gennemført)* carry through; *~ 'ind* drive in *(fx* a wedge); *sveden drev ned ad panden ad ham* perspiration was streaming down his forehead; *~ 'om* hang around, be idling about; *~ en forretning op* work up a business; *~ noget op (på auktion)* force the bidding for sth.; *~ 'over (ogs fig)* blow over; *~ på flugt* put to flight; *~ kvæg sammen* round up cattle; *drevet til fortvivlelse* driven to despair; *han skal nok ~ det til noget* he is bound to get on *(el.* go far), he will go a long way; *~ tilbage (o: jage tilbage)* drive back, repel, ✗ repulse; *~ djævle ud* cast out devils, exorcise; *nu -r du spøgen for vidt* now you are *(el.* this is) carrying the joke too far.
drivende: *han er den ~ kraft (fig)* he is the driving force; *~ sentimental* drivellingly sentimental; *~ våd* wringing wet, drenched.
driveri *(et)* idling, loafing. **driverliv** life of idleness. **drivert** *(en -er)* idler.
driv|fjeder mainspring, *(fig ogs)* motive, incentive. **-hjul** driving-wheel. **-hus** hothouse, greenhouse. **-husplante** *(ogs fig)* hothouse plant. **-is** drift-ice. **-kraft** motive power. **-middel** propellant, fuel. **-mine** ♣ drifting mine. **-rem** driving-belt; *-remme (ogs)* belting. **-stof** propellant, fuel. **-tømmer** driftwood. **-våd** *adj* wringing wet, drenched *(af:* with).
I. **drog** *(et -)* dullard, good-for-nothing.
II. **drog** *imperf af* drage.
droger *pl* drugs. **drogist** *(en -er)* druggist.
dromedar *(en -er)* dromedary, one-humped camel; *(skældsord)* oaf, fool.
drone *(en -r)* *(zo, fig og om flyvemål)* drone.
dronning *(en -er)* queen; *spille ~* queen it.
dronninge|agtig *adj* queenly, queenlike. **-bonde** *(i skak)* queen's pawn. **-moder** queen mother.
droppe *vb* drop *(fx* a friend).
drops *pl.* boiled sweets, drops; *(amr)* hard candy.
drosche *(en -r)* cab.
drosche|chauffør taxi driver. **-holdeplads** cab stand, taxi rank. **-kusk** cabman.
dros|sel *(en -ler)* thrush.
drot *(en -ter)* king.
drue *(en -r)* grape. **drueformet** *adj* grapelike. **drue|høst** vintage. **-klase** bunch of grapes. **-saft** grape juice. **-sukker** grape sugar, glucose.
druk: *dø af ~* drink oneself to death.
drukken *adj* intoxicated, drunk *(foran navneord:*

drunken), tipsy; ~ *af glæde* intoxicated with joy.
drukken|bolt, -didrik *(en)* drunkard, sot.
   drukkenskab *(en)* drunkenness.
   drukket *perf part af* drikke.

drukne *(en, noget)* drown; *(selv)* be drowned;
han -de he was drowned; *han er ved at* ~ he is drown-
ing; *han er ved at* ~ *i arbejde* he is snowed under with
work; *den -r ej, som hænges skal (kan gengives:)* he
who is born to be hanged will never be drowned;
han var våd som en -t mus he was like a drowned rat;
talen -de i latter the speech was drowned in laughter;
~ *i mængden* be lost in the crowd; *han -de sine sorger
i spiritus* he drowned his sorrows in drink; *første hjælp
til -(n)de* first-aid for the drowning.
   drukning *(en)* drowning.
   dryp *(et -)* drop, drip, dripping.
   dryppe *vb* drip, drop; *(om lys)* gutter; *(en steg)*
baste; *det -r fra træerne* the trees are dripping; *kjolen
-r (er skæv)* the dress dips; *-nde våd* dripping wet;
~ *hans øjne* put drops in his eyes. dryppetørre *vb*
drip-dry.
   drypsten *(hængende)* stalactite; *(stående)* stalag-
mite. dryptørre drip-dry.
   drys *(et -) (af sne etc)* powder, sprinkle; *(om person)*
slowcoach.
   drysse *(strø)* sprinkle; *(falde)* fall *(fx* the plaster
fell from the ceiling); *(om náletræ)* shed needles;
(gå langsomt) saunter; ~ *tiden bort* fritter away one's
time; *lad være med at* ~ *aske på gulvet* don't drop ash
on the floor; ~ *mel over kød* sprinkle meat with flour;
sprinkle flour over meat.
   dræbe * kill, slay; *dræbte og sårede* killed and
wounded, casualties. dræbende *adj* mortal, deadly,
fatal *(fx* a fatal blow); *(kedelig)* boring; ~ *ensformig*
deadly monotonous; ~ *kedelig* deadly dull.
   dræg *(et -)* ⚓ grapnel. drægge *vb* ⚓ dredge.
   drægtig *adj* pregnant, with young; ~ *100 tons*
⚓ of 100 tons burden. drægtighed *(en)* pregnancy,
being with young; ⚓ tonnage, burden, measurement.
   dræn *(et -)* drain; *(med.)* drainage tube. dræne *vb*
drain. dræning *(en)* draining, drainage. drænrør
drain (pipe).
   dræsine *(en -r)* hand car.
   dræt *(et -)* haul *(fx* catch a hundred fish at a h.).
   dræve *vb* drawl. dræven *(en)* drawl. drævende
adj drawling.
   drøbel *(en -er)* uvula. drøbel- uvular.
   drøfte *vb* discuss; debate; ~ *det til bunds* thrash it
out. drøftelse *(en -r)* discussion; debate.
   drøj *adj (som forslår godt)* that goes a long way,
economical in use; *(møjsommelig)* tough, stiff; *(grov,
djærv)* coarse, strong; *en* ~ *ed* a coarse *(el.* lurid) oath;
nogle -e sandheder some home truths.
   drøjde *(en)* stoutness, bulk; *(modsat højde)* breadth.
   drøje *vb:* ~ *på noget* make sth. go a long way.
   drøjheder *pl* broad jokes, home truths.
   drøm *(en -me)* dream; *i -me* in a dream, in one's
dreams; *ond* ~ bad dream, nightmare.
   drømme * dream; *drøm behageligt* pleasant
dreams! *det havde jeg aldrig drømt om* I had never
dreamt of such a thing; *(se ogs drømmende).*
   drømme|billede vision, phantasm. -land dream-
land. -løs dreamless.
   drømmende *adj* dreamy. drømmer *(en -e)*
dreamer. drømmeri *(et -er)* reverie, daydream.
   drømme|syn vision. -tyder *(en -e)* dream-reader.
-tydning interpretation of dreams. -verden dream
-world.
   drøn *(et -)* boom; *for fuldt* ~ at top speed; *(om
radio, motor etc)* at full blast.
   drøne *vb* boom.
   drønnert *(en -er)* oaf.
   drøv: *tygge* ~ *(ogs fig)* chew the cud, ruminate.
   drøvel *(en -er)* uvula. drøvel- uvular.
   drøv|tygger *(en -e)* ruminant, cud-chewing ani-
mal. -tyggeri *(et) (fig)* rumination, harping (on the
same string).

dråbe *(en -r)* drop; *(mindste væskemål)* minim;
-r (med.) drops; *-n der får bægeret til at flyde over* the
last straw that breaks the camel's back; *-n huler stenen*
constant dripping wears away the stone; *det er som
en* ~ *i havet* it is a drop in the ocean *(el.* the bucket); it
is a mere flea-bite; *en* ~ *vand* a drop of water; *de ligner
hinanden som to -r vand* they are as like as two peas.
   dråbe|fanger drip-catcher. -flaske dropping
bottle. -formet *adj* drop-shaped. -tæller *(en -e)*
dropper, dropping tube. -tællerflaske dropping
bottle. -vis *adv* drop by drop.
   ds. *(fk f dennes)* inst. *(fx* the 6th inst.).
   d. s. s. *(fk f det samme som)* the same as.
   I. du *pron* you; *(gammel form:)* thou; *du gode Gud!*
good Lord! good heavens!
   II. du *vb* be good, be fit *(til:* for); *han -er ikke* he
is no good *(til:* at); *lad os se hvad han -er til* let us see
what he can do; *alt hvad der -ede* all that was worth
anything.
   dubiøs doubtful, dubious; *-e fordringer* bad debts.
   duble *vb (i spil)* double. dublé *en (guld-)* filled
gold, rolled gold.
   dubleant *(en -er)* understudy.
   dublere *vb* double; *(en rolle, en skuespiller)* under-
study (a part; an actor) ~ *et tog* run a relief train.
   dublet *(en -ter)* duplicate; *(bøsse)* double-barrelled
gun; *(i sprogvidenskab)* doublet.
   duc d'albe ⚓ dolphin.
   due *(en -r)* pigeon, *(især fig)* dove; *han venter
på at stegte -r skal flyve ind i munden på ham* he is
waiting for plums to fall into his mouth.
   due|hus pigeon house, dovecot, pigeon loft. -høg
zo goshawk. -kapflyvning pigeon race.
   duel *(en -ler)* duel *(på:* with, *fx* pistols).
   duelig *adj* fit, able; ~ *til* fit for. duelighed *(en)*
fitness, ability, capability, efficiency.
   duellant *(en -er)* duellist.
   duellere *vb* duel, fight a duel.
   due|post: *med* ~ by carrier-pigeon. -slag *se -hus.*
-steg roast pigeon.
   duet *(en -ter)* duet.
   due|unge young pigeon. -urt ⚓ willow-herb.
-væddeløb pigeon race. -æg *(et -)* pigeon's egg.
   duft *(en -e)* fragrance, perfume, scent *(fx* a scent
of flowers, of new-mown hay); *(ogs fx af mad)*
odour; *tage -en af* deodorize; *(fig)* take the freshness
off *(fx* the news); take the bloom off.
   dufte *vb* emit odour *(el.* fragrance), smell *(af:* of);
der -de af roser there was a scent of roses.
   duftende *adj* fragrant, scented, odorous.
   I. dug *(en -e) (bord-)* (table) cloth; *(flag-)* (sheet
of) bunting; *(sejl-)* canvas.
   II. dug *(en) (fortættet damp)* dew; *(blåligt overtræk
fx på blommer)* bloom; *forsvinde som* ~ *for solen* vanish
like dew before the sun.
   dug|dråbe dewdrop. -fald dewfall. -frisk dewy.
   dugge *vb* (be)dew; *det -r* the dew is falling; *glasset
-r* the glass is (getting) steamy; *ruderne -r* the
windows are steaming over. dugget *adj* dewy;
duggede briller steamed glasses.
   dugrude *(til bil)* anti-mist panel.
   dukat *(en -er)* ducat.
   I. dukke *(en -r) (legetøj)* doll; *(menneskefigur)*
dummy; *(marionet-)* puppet; *(kvinde)* doll; *(garn-)*
skein.
   II. dukke *vb* duck, plunge, dip, souse, immerse;
(skære ned) take down a peg *(fx* I took him down a
peg); *(dykke)* dive; ~ *frem* emerge, T pop out; ~
hovedet duck one's head; ~ *op* rise to the surface,
emerge; *(komme til syne)* turn up; *(om vanskelighed
etc)* crop up; *den første tanke der -de op i mig* the first
thought that came into my head; ~ *sig* duck; ~ *under*
dive.
   dukke|dreng *(neds)* mother's darling. -hus doll's
house. -komedie puppet show.
   dukkert *(en -er)* plunge, dive, *(ufrivillig)* ducking;
give én en ~ duck sby.; *(fig)* take sby. down a peg.

dukke|stue doll's house. **-teater** *(legetøjsteater)* toy theatre. **-tøj** doll's clothes. **-vogn** doll's pram.

duknakket *adj* stooping.

duks *(en -e) (i en klasse)* top boy (, top girl).

dulgt *(perf part af dølge)* hidden, concealed.

dulle *(en -r) (tøs)* floosie.

dulme *vb* soothe, assuage, allay. **dulmen** *(en)* soothing, relief. **dulmende** *adj* soothing.

dum *adj* stupid, silly, foolish; *(om handling)* foolish, stupid; ~ *snak* nonsense; *det var -t af dig* that was stupid *(el.* foolish) of you; *ikke så -t* not bad; *han er ikke så ~ som han ser ud til* he is not such a fool as he looks.

dumdristig *adj* foolhardy, rash.

dumdristighed *(en -er)* foolhardiness, rashness.

dumdumkugle soft-nosed bullet, dumdum (bullet).

dumhed *(en -er)* stupidity, silliness, foolishness; *(handling)* act of folly, stupid thing, blunder; *(ytring)* stupid remark.

dumme: ~ *sig* make a fool *(el.* an ass) of oneself.

dummepeter *(en)* buffoon.

I. **dump** *(et -)* thud.

II. **dump** *adj* dull, *(om lyd ogs)* hollow, muffled; **dumpe** *vb* tumble; *(til eksamen)* fail, be ploughed; *(amr)* be flunked; *(til valg)* be defeated; *(merk)* dump; ~ *ind (>: på besøg)* drop in; ~ *ned* drop down. **dumpe-procent** failure rate.

dumping *(en) (merk)* dumping.

dumrian *(en -er)* fool, ass, blockhead.

dumstolt, dumvigtig *adj* (a) pompous (ass).

dun *(et -)* down. **dunblød** *adj* downy.

dundre *vb* thunder, rumble, boom; *(banke)* hammer *(fx* at the door); bang; *en -nde løgn* a thumping lie, a whopper; *en -nde hovedpine* a splitting headache.

dundren *(en)* rumble, thunder.

dundyne down quilt, eiderdown.

dunet *adj* downy.

dunhammer ⚇ bulrush, reed-mace.

I. **dunk** *(en -e)* stone jar; *(blik-)* can.

II. **dunk** *(et -)* thump, knock.

dunke *vb* thump, knock; *(om puls)* throb.

dunkel *adj* dark, dim, obscure *(fx* answer, theory); *en ~ erindring* a dim *(el.* vague) recollection. **dunkelhed** *(en)* darkness, dimness, *(ogs fig)* obscurity. **dunkelt** *adv* darkly, dimly, vaguely, obscurely.

dunst *(en -er)* vapour, exhalation; *(stank)* reek. **dunste** *vb* reek; ~ *bort* evaporate.

duntæppe down quilt, eiderdown.

dup *(en -per) (metalknop)* boss, knob; *(på kårde)* button; *(på snørebånd)* tag.

dupere *vb* (imponere) impress; *(narre)* take in, impose upon.

duplik *(en -ker) (jur)* rejoinder.

duplikat *(et -er)* duplicate.

duplikator *(en -er)* duplicator.

duplikere *vb* duplicate, manifold.

duppe *vb* dab.

duppedit *(en -ter)* thingummybob, gadget.

dupsko *(en -)* *(på stok etc)* ferrule.

dur *(en)* major; *C-dur* C major; *blive ved i den ~* continue in the same style.

durabel *adj* durable, lasting.

duraluminium duralumin.

durk: ~ *igennem* straight through.

durk|dreven *adj* cunning, crafty, *(kløgtig)* shrewd. **-drevenhed** *(en)* cunning, craftiness, shrewdness.

I. **dus**: *leve i sus og* ~ live in a whirl of pleasures.

II. **dus**: *være* ~ *(svarer omtrent til)* be on Christian name terms *(med:* with).

dusin *(et -)* dozen *(fx* 5 dozen knives, dozens of knives). **dusinmenneske** commonplace person. **dusinvis** *adv* by the dozen; *hatte i* ~ dozens of hats.

dusk *(en -e)* tuft; *(til pynt)* tassel.

dusør *(en -er)* reward; *udlove en* ~ offer a reward.

dutte: ~ *en noget på* impute sth. to sby.

duve *vb* ⚓ pitch. **duven, duvning** *(en)* pitching.

dvale *(en)* lethargy, torpor; *(unaturlig)* trance; *(om dyrs vinterhi)* hibernation; *ligge i* ~ hibernate, *(fig)* lie dormant. **dvalelignende** lethargic. **dvaletilstand** *(se dvale)* torpid state; trance; hibernation.

dvask *adj* somnolent, supine, torpid, inert.

dvaskhed *(en)* somnolence, supineness, torpor.

d. v. s. *(fk f det vil sige)* that is, i. e.

dvæle *vb* tarry, linger; ~ *ved (tale om)* dwell on; ~ *ved graven* pause by the grave; *et -nde blik* a lingering look.

dværg *(en -e)* dwarf, pygmy.

dværg|agtig *adj* dwarfish. **-folk** pygmy tribe. **-høne** bantam. **-træ** dwarf tree.

dy *vb*: *han kunne ikke dy sig* he could not help himself; *han kunne ikke dy sig for at sige* he could not help saying; *kan du dy dig!* no you don't! behave yourself!

I. **dyb** *(et -)* deep *(fx* the bottomless deep); *(afgrund ogs)* abyss; *-et* ⚓ the deep.

II. **dyb** *adj* deep *(fx* hole, water, wound, feelings, disappointment, sleep, note, tone, ten feet deep); *(fig ogs)* profound *(fx* melancholy, respect); *blive -ere* deepen; *et -t buk* a low bow; *det stille vand har den -e grund* still waters run deep; ~ *hemmelighed* deep secret; *-e rødder* deep roots; *-est set* fundamentally, basically; ~ *sorg* deep grief, *(i klædedragt)* deep mourning; *en ~ stemme* a deep voice; ~ *stilhed* deep *(el.* profound) silence; *et -t suk* a deep sigh; *i* ~ *søvn* fast asleep; ~ *taknemmelighed* deep *(el.* profound) gratitude; ~ *tallerken* soup plate; *i -e tanker* deep in thought; *-t vand* deep water; *(se ogs.dybt)*.

dybde *(en -r)* depth; profundity; *lodde -n af noget (fig)* sound the depth(s) of sth.

dybde|bombe *(mod undervandsbåde)* depth charge. **-forholdene** ⚓ the soundings. **-måling** ⚓ deep-sea sounding. **-psykologi** depth psychology.

dyb|fryse *vb* deep-freeze. **-fryser** *(en -e)* deep freezer.

I. **dybgående** *(et)* ⚓ draught (of water).

II. **dybgående** *adj (om rødder)* (striking) deep; ⚓ deep-draught; *(fig)* profound, thorough.

dybhavs- deep-sea *(fx* deep-sea fish).

dybsindig *adj* profound, deep. **dybsindighed** *(en -er)* profundity; *(bemærkning)* profound remark.

dybt *adv* deeply *(fx* concerned, hurt, interested); deep *(fx* deep in the forest; cut deep; deep in one's heart); ♪ low; *bukke* ~ bow low, make a low bow; ~ *fortvivlet* broken-hearted; *grave* ~ dig deep; *ligge (el.* stikke) ~ ⚓ draw a great deal of water; *han stikker ikke* ~ *(fig)* he is pretty shallow; *sukke* ~ fetch a deep sigh. **dybt|følt** *adj* heartfelt *(fx* sympathy, thanks); *et ~ savn* a deeply felt want. **-gående,** *se dybgående*. **-liggende** *(om øjne)* deep-set.

dybtryk photogravure.

dybvands- deep-sea, deep-water. **dybvands|bombe** depth charge. **-hummer** Norway lobster.

dyd *(en -er)* virtue; *gøre en* ~ *af nødvendigheden* make a virtue of necessity.

dydig *adj* virtuous.

dydighed *(en)* virtuousness.

dydsiret *adj (dydig)* virtuous; *(neds)* demure, smug, prudish, T goody-goody.

dydsmønster paragon of virtue.

dygtig *adj* skilful, able, capable; *(til sit arbejde)* efficient, competent; *-(t) adv* skilfully; efficiently, well; *(i høj grad)* very, extremely, *(ved verber)* very much; ~ *i (, til) regning* good at arithmetic; *være* ~ *i skolen* do well at school; ~ *med sukker* plenty of sugar. **dygtiggøre** qualify; ~ *sig i* perfect one's knowledge of; ~ *sig til* qualify (oneself) for. **dygtighed** *(en)* skill, ability, capability; efficiency, competence.

dykke *vb (intransitiv)* dive; *(om ubåd)* dive, submerge; *(flyv)* (nose-)dive; *(transitivt)* duck; ~ *ned i* dive into, *(fig ogs)* delve into *(fx* a problem); ~ *op af*

vandet) come up, emerge; *(om ubåd også)* come to the surface, surface.
dykker *(en -e)* diver; *(søm)* brad, sprig.
dykker|dragt diving-dress. **-edderkop** water spider. **-hjelm** diver's helmet. **-klokke** diving-bell. **-undersøgelse** examination by divers.
dykning *(en -er)* diving; *en ~* a dive.
dynamik *(en)* dynamics. **dynamisk** *adj* dynamic.
dynamit *(en)* dynamite.
dynamo *(en -er)* dynamo, generator.
dynasti *(et -er)* dynasty. **dynastisk** *adj* dynastic.
dynd *(et)* mire, mud. **dyndet** *adj* miry, muddy.
dyne *(en -r) (overdyne)* eiderdown; *(ofte omtrent ~)* quilt; *(underdyne)* featherbed; *komme fra -n i halmen* jump out of the frying-pan into the fire.
dyne|betræk quilt cover. **-vår** *(et -)* bed tick.
I. **dynge** *(en -r)* heap, pile.
II. **dynge** *vb: ~ op (, sammen)* heap (up), pile up; *~ sig op* accumulate. **dyngevis** in heaps.
dyngvåd *adj* drenched.
dyppe *vb* dip; *(helt under)* plunge, immerse.
dyppekoger immersion heater.
dyppelse *(en)* sauce.
I. **dyr** *(et -)* animal; *(om større pattedyr ogs)* beast; *(ringeagtende)* brute, beast; *(om hjortevildt)* deer; *højere (, lavere) ~* higher (, lower) animals; *vilde ~* wild beasts *(el. animals).*
II. **dyr** *adj* expensive; *(især: som koster mere end det er værd)* dear; *betale i -e domme* pay through the nose; *købe tøj i -e domme* spend lots of money on clothes; *en ~ ed* a solemn oath; *det bliver ham en ~ historie* he will have to pay for this; *et -t hotel* an expensive hotel; *en ~ pris* a high price; *det er -e tider vi lever i* living is dear nowadays; *-e vogne er ikke altid de -este i det lange løb* expensive cars are not always the dearest in the long run; *det er -ere at it costs more to; (se ogs dyrt).*
dyreart species of animal(s).
dyrebar *adj* dear, dearest.
dyre|beskyttelsesforening society for the prevention of cruelty to animals. **-fabel** animal fable. **-handel** *(butik)* pet shop. **-have** deer park. **-hospital** veterinary hospital. **-kreds** *(astr)* zodiac.
dyrekøbt *adj* dearly bought, hard-earned.
dyre|kød venison. **-kølle** haunch of venison. **-liv** animal life; *(i bestemt egn el. periode)* fauna. **-maler** animal painter. **-mishandling** cruelty to animals. **-passer** *(en -e)* keeper (at a zoo). **-riget** the animal kingdom. **-ryg** *(til føde)* saddle of venison. **-steg** roast venison. **-tæmmer** *(en -e)* animal trainer. **-ven** lover of animals. **-verden** *(i bestemt egn el. periode)* fauna; *(dyrerige)* animal kingdom.
dyrisk *adj* animal *(fx* oil, produce); *(fig)* brutish, bestial. **dyriskhed** *(en)* brutishness, bestiality.
dyrke *vb (jorden)* cultivate, till; *(korn etc)* grow, raise; *(give sig af med)* study *(fx* history), practise *(fx* singing), go in for *(fx* sport), cultivate *(fx* his acquaintance; *(tilbede)* worship *(fx* strange gods). **dyrkelse** *(en)* cultivation; worship.
dyrker *(en -e)* cultivator, tiller; *(tilhænger etc)* votary, devotee; *(af Gud)* worshipper.
dyrkning *(en) (se dyrke)* cultivation, growing, raising; pursuit, study.
dyrkningsmåde method of cultivation.
dyrlæge veterinary (surgeon).
dyr|plager *(en -e)* tormentor of animals. **-plageri** *(et)* cruelty to animals. **-skue** *(et -r)* cattle show.
dyrt *adv (se* II. dyr) dear *(fx* buy, sell dear); dearly *(fx* he sold his life dearly; the victory was too dearly bought); expensively, at a high price; *sværge højt og ~* swear a solemn oath; *det kom ham ~ at stå* it cost him dear.
dyrtid high prices, high cost of living.
dyrtids|reguleret *adj* with cost-of-living adjustment. **-tillæg** cost-of-living allowance.
dyse *(en -r)* nozzle; jet.

dysenteri *(en)* dysentery.
I. **dysse** *(en -r)* cairn, dolmen.
II. **dysse:** *~ i søvn* lull to sleep; *~ en skandale ned* hush up a scandal.
dyst *(en)* combat, fight; *(turnering)* tilt, joust; *(fig)* passage of arms; *vove en ~ med* enter the lists against, break a lance with.
, **dyster** *adj* sombre, gloomy.
dyst|løb, **-ridt** tilt, joust.
dyt *(et -)*, **dytte** *vb* toot, honk.
dægge: *~ for* pet, cosset.
dæggelam pet lamb; *(fig)* darling, pet.
dæk *(et -) (skibs-)* deck; *(cykel-, bil-)* tyre, *(amr)* tire; *spule ~* wash down the decks.
I. **dække** *(et)* cover, covering; *under ~ af* under cover of; *(påskud)* on the pretext of; *spille under ~ med* act *(el.* be) in collusion with.
II. **dække** *vb* cover; *(udgifter)* meet; *(i skak)* guard; *(være det samme som)* be identical with; *-t af mørket* under cover of darkness; *~ behovet* meet the demand; *~ middagsbordet* lay the table for dinner; *~ for (o: skjule)* conceal; *~ op for en* do sby. proud; *~ over (skjule)* conceal, cover up, *(undskylde)* palliate; *der er -t til tyve personer* the table is laid for twenty; *~ 'til* cover up; *~ tilbagetoget* cover the retreat; *~ sig (søge dækning)* take cover, *(sikre sig)* secure *(el.* protect) oneself; *~ sig ind (sikre sig)* secure *(el.* protect) oneself; *(ved indkøb)* lay in fresh stock *(el.* supplies); *(for udgifter)* reimburse oneself; *~ sig mod tab* secure oneself against losses; *finde et -nde udtryk for dette på engelsk* find a suitable equivalent of this in English.
dækken *(et -er) (horse)* cloth.
dække|serviet doily. **-tøj** table linen.
dæknavn cover name.
dækning *(en)* covering; *(betaling)* settlement, payment; *søge ~* take cover; *der er ~ for checken* the cheque will be met; *afskrive til ~ af tab* write off to meet losses. **dæknings|køb** covering purchase. **-løs:** *~ check* cheque referred to drawer, bad cheque, T rubber cheque.
dæks|blad *(i cigar)* wrapper. **-båd** decked boat.
dæksel *(et, dæksler)* cover, lid, top.
dæks|last ↓ deck cargo. **-officer** ↓ deck officer. **-passager** ↓ steerage passenger. **-plads** steerage; *rejse på ~* travel steerage.
dækstilling *(i fægtning)* guard; *i ~* on one's guard.
dæmme *vb* dam; *~ op for* dam up *(fx* a stream); *(fig)* contain *(fx* the attack), restrain *(fx* his anger).
dæmning *(en -er)* dam, embankment.
dæmon *(en -er)* demon.
dæmonisk *adj* demoniacal.
dæmpe *vb (formindske)* subdue, moderate, damp; *(kue)* suppress *(fx* a rebellion); *(lyd)* muffle, deaden; *(et instrument)* mute; *(sejl)* spill; *~ ilden* subdue the fire; *-t lys* subdued light; *-t musik* soft music; *-de skridt* soft footsteps; *med -t stemme* in a low voice, in an undertone, under one's breath.
dæmper *(en -e)* damper; *(sordin)* mute; *lægge en ~ på (fig)* curb, restrain, put a damper on.
dæmre *vb* dawn; *det -de for ham* it dawned on him, he began to see daylight. **dæmrende** *adj* dim; *(fremspirende)* dawning.
dæmring *(en) (morgen-)* dawn; *(aften-)* twilight.
dænge *vb: ~ en til med snebolde (, sten etc)* pelt sby. with snowballs (, stones etc.).
dø *(døde, død el. døet)* die; *~ af kolera, sult* die of cholera, starvation; *~ af sine sår* die from one's wounds; *han var død af lungebetændelse* he had died of pneumonia; *(se ogs* II. død); *være ved at ~ af længsel efter ngt* be dying for sth. *(fx* I am dying for a cigarette); *~ bort* die; *(dø hen)* die away; *~ for sit fædreland* die for one's country; *~ for ens hånd* die at sby.'s hand; *~ hen* die away; *han skal ikke ~ i synden* he has not heard the last of it yet; *jeg tør ~ på at det er sandt* I'll stake my life on its being true; *~ ud*

die out, become extinct; *en døende* a dying man
(, woman).

døbe ★ baptize, christen; *han blev døbt John efter
sin fader* he was christened John after his father.
døbe|font (baptismal) font. **-navn** Christian
name.

døber *(en -e)* baptizer, baptist; *Johannes Døberen*
St. John the Baptist.

I. **død** *(en)* death, decease; *(især om fornemme
personer)* demise; *den sorte ~* the Black Death; *den
visse ~* certain death; *~ og pine!* by Jove! (by) gosh!
golly! *det bliver min ~* it will be the death of me;
finde -en meet one's death; *søge -en* seek death; *stå
op af -e* rise from the dead; *ligge for -en* be on one's
deathbed, be dying; *gå i -en for* die for; *tro indtil -en*
faithful unto death; *han vil tage sin ~ over det* it will
be the death of him; *~ over tyrannen* death to the
tyrant; *græmme sig til -e* grieve oneself to death, die
of grief; *kede sig til -e* be bored to death, be bored
stiff; *afgå ved -en* decease, depart this life.

II. **død** *adj* dead, inanimate; *(om tid)* slack *(fx* a
slack period); *de -e* the dead; *den -e* the dead man
(, woman), the deceased; *200 ~e* 200 dead; *mere ~
end levende* more dead than alive; *ligge som ~* lie as
one dead; *han var ~ (og borte)* he was dead (and gone);
(se ogs då); *hendes fingre var -e af kulde* her fingers
were numb with cold; *Det -e Hav* the Dead Sea;
-t punkt dead centre, *(fig)* deadlock *(fx* the negoti-
ations have reached a d.), impasse; *-t skib* abandoned
vessel; *-t sprog* dead language.

III. **død** *perf part af dø.*

død|bider *(en -e)* stick-in-the-mud. **-bleg** deathly
pale. **-bringende** fatal, lethal. **-drukken** dead
-drunk.

I. **døde** *imperf af dø.* II. **døde:** *Gud ~ mig!* by Jove!
døde|dag *se dødsdag.* **-dans** Dance of Death.
dødelig *adj* mortal, *(dødbringende ogs)* fatal *(fx*
wound); *en ~* a mortal; *almindelige -e* ordinary
mortals; *~ forelsket* head over heels in love; *~ fornær-
met* mortally offended; *~ såret* mortally (el. fatally)
wounded; *med ~ udgang* fatal. **dødelighed** *(en)*,
dødelighedsprocent mortality, death-rate.
dødfødt stillborn.
dødkedelig *adj* deadly dull, dull as ditch-water;
han er ~ he is a deadly bore.
dødlignende *adj* death-like.
dødning *(en -er) (genfærd)* ghost, spectre. **død-
ningeagtig** *adj* ghostlike, spectral, cadaverous.
dødninge|ben dead men's bones; *korslagte ~*
crossbones. **-hoved** death's head, skull. **-ur** zo death
watch (beetle).
døds|angst *(en) (angst for døden)* fear of death;
(stærk angst) mortal dread *(el.* fear). **-annonce** death
notice. **-attest** death certificate. **-bo** *(et -er)* estate
of a deceased person. **-budskab** tidings of (sby.'s)
death. **-dag** day of sby.'s death, death-day; *jeg vil
huske det til min ~* I shall remember it till my dying
day. **-dom** death sentence. **-dømt** *adj* sentenced to
death, *(fig)* doomed. **-engel** angel of death.
dødsens: *~ alvorlig* deadly serious; *~ angst* in
mortal fear; *du er ~* you are a dead man.
døds|fald death; *på grund af ~ i familien* owing to
bereavement. **-fjende** mortal enemy. **-foragt** con-
tempt for *(el.* of) death; *med største ~* with complete
disregard of danger. **-frygt** fear of death. **-fælde**
death trap. **-kamp** death struggle *(el.* throes). **-kulde**
chill of death. **-kval** pangs of death. **-leje** *(et -r)*
deathbed. **-liste** death roll. **-maske** death mask.
-mærket *adj* doomed, fey. **-måde** manner of death.
-offer victim. **-rige** land of the dead. **-sejler** *(spø-
gelsesagtigt skib)* phantom ship; *(plimsoller)* coffin
ship; *(dødsdømt foretagende)* a sinking ship. **-stilhed**
dead silence. **-stille** *adj* silent as death. **-stivhed** rigor
(mortis). **-straf** capital punishment; *under ~* on pain
of death. **-stråle** death ray. **-stund** hour of death.
-stød deathblow *(fx* it was a d. to his hopes). **-syg**
adj mortally ill. **-synd** mortal sin, deadly sin. **-tan-**

ker *pl* thoughts of death. **-tegn** sign of death. **-år**
year of his (, her *etc*) death. **-årsag** cause of death.
dødtræt *adj* dead tired, dead beat: T done in.
død|vande *(et)* ↓ dead water; *(fig)* stagnation,
backwater; *(i forhandlinger etc)* deadlock *(fx* attempts
to break the d.), impasse *(fx* arrive at an i.). **-vægt**
dead weight.
døgenigt *(en -e)* good-for-nothing, ne'er-do-well.
døgn *(et -)* day and night, 24 hours; *fem ~* five
days and nights; *fire timer i -et* four hours a day,
four hours in the twenty-four; *-et rundt* day and
night, all the 24 hours, 24 hours a day; *sove (, arbejde)
-et rundt* sleep (, work) round the clock.
døgn|boks night safe. **-brænder** *(en -e)* con-
tinuous-burning stove. **-drift** day and night work,
round the clock work. **-flue** *zo* May fly; *det tids-
skrift er kun en ~* that magazine is here today and
gone tomorrow. **-litteratur** ephemeral literature.
døje *(finde sig i)* put up with; *(lide)* endure, suffer;
(fordrage) stand, bear; *jeg kan ikke ~ den fyr* I can't
stand *(el.* I detest) that fellow; *~ med at gøre noget*
have a job doing something; *~ ondt* have a hard time.
døjt: *ikke en ~* not a bit; *jeg bryder mig ikke en ~
om det* I don't care a brass farthing.
dølge *vb (dulgte, dulgt)* conceal, hide.
dølgsmål concealment; *fødsel i ~* concealment of
birth, clandestine childbirth.
dømme ★ *(ikke-jur)* judge, form a judgment of;
(jur: i civilsag) judge, pass judgement; *(i kriminalsag)*
pass sentence; *(idømme person straf)* sentence, pass
sentence on, condemn; *(kende skyldig)* convict; *(være
dommer i fodbold)* referee, *(amr)* umpire; *(i boksning)*
referee; *(i baseball, cricket, tennis)* umpire; *(ved væddc-
løb, roning)* act as judge;
når vi -r ham efter vor målestok if we judge him by
our standard(s); *at ~ efter* judging from; *efter alt at ~*
to all appearance; *~ en fra livet, ~ en til døden* pass
sentence of death on sby., condemn sby. to death;
~ om judge of; *han blev dømt til at betale skadeserstat-
ning* he was ordered to pay damages; *være dømt
til (af skæbnen)* be doomed to.
dømmekraft judgment, discernment.
dømmesyg carping, fault-finding.
dønning *(en -er)* swell; *fremkalde -er (fig)* cause
repercussions.
dør *(en -e)* door, *(-åbning)* doorway; *stå for -en
(være forestående)* be at hand, be near; *sej De først for
Deres egen ~!* you mind your own business! look
nearer home! *for åbne (, lukkede) -e* with the doors
open (, closed); *for lukkede -e (ogs)* behind closed
doors; *(jur)* in camera; *gå ens ~ forbi* fail to look
sby. up; *stå i -en* stand in the doorway; *han er så
dum at man kan rende -e ind med ham* he is just too
stupid to live; *inden -e* indoors, within doors; *s.rt
aldrig din fod inden for mine -e mere* don't darken my
door again; *lukke -en for næsen af en* shut the door
in sby.'s face; *falde med -en ind i huset* burst in; *gå
stille med -ene (fig)* lie low, watch one's step; *bo ~
om ~ med en* live next door to sby., be sby.'s next-
door neighbour; *banke på -en* knock at the door;
jage (el. sætte) en på -en turn sby. out; *rende en på
-ene* camp on sby.'s doorstep, pester sby. with visits;
følge en til -en see sby. out; *-en til* the door of *(fx* my
room); *the door leading to (fx* the passage); *ud ad -en*
out of the door; *vise en -en* show sby, the door.
dør|fylding door panel. **-greb** *(et -)* door handle.
-hammer knocker. **-håndtag** door handle.
dørk *(en)* ↓ floor.
dør|karm door case, door frame. **-klokke** door
bell. **-lukker** door closer; door spring. **-måtte** door
mat. **-plade** door plate. **-slag** colander, strainer,
sieve. **-sprække** chink (of a door); *(til breve)* slit.
-stolpe door post. **-stopper** door stop. **-trin, -tær-
skel** threshold; *jeg tror ham ikke over en ~* I wouldn't
trust him an inch *(el.* further than I can throw him).
-vogter doorkeeper. **-åbning** doorway.
døs *(en)* doze; *(sygelig)* lethargy. **døse** *vb* doze.

døsig *adj* drowsy. **døsighed** *(en)* drowsiness.
døtre *pl af datter.*
døv *adj* deaf; ~ *for* deaf to; *jeg talte for -e ører* I spoke to deaf ears; ~ *på det ene øre* deaf in *(el. of)* one ear; *vende det -e øre til* turn a deaf ear (to sth., to sby.). **døvbleven** *adj* deafened.
døve *vb (gøre døv)* deafen; *(lindre)* deaden; *(om s værd etc)* blunt. **døvhed** *(en)* deafness.
døvnælde ♧ dead-nettle.
døv|stum deaf-and-dumb; *en ~* a deaf-and-dumb person, a deaf-mute. **-stumhed** *(en)* deaf-muteness. **-stummeinstitut** deaf-and-dumb institution.
då *(en -er)* doe.
dåb *(en)* baptism, christening.
dåbs|attest certificate of baptism, *(svarer i praksis til)* birth certificate. **-dag** day of christening. **-formular** baptismal words. **-gave** christening gift. **-kjole** christening robe. **-pagt** baptismal covenant. **-ritual** baptismal service *(el. ritual).*
dåd *(en) (bedrift)* achievement, exploit; *(handling)* act, deed; *med råd og ~* by word and deed.
dådrig *adj* active, glorious.
då|dyr fallow deer. **-hjort** fallow buck. **-kalv** fawn.

dåne *vb* faint, swoon. **dånefærdig** *adj* ready to faint.
I. **dåre** *(en -r)* fool. II. **dåre** *vb se bedåre.*
dårekiste madhouse, bedlam. **dårekistelem** *(et -mer)* lunatic, bedlamite.
dårlig *adj (ringe)* bad, poor; *(syg)* ill, unwell, poorly; *(om arm, ben etc)* bad; *adv -(t)* badly; *(næsten ikke)* hardly; *en ~ belønning* a poor reward; *~ betalt* badly paid, ill-paid; *blive ~* get bad, *(syg)* be taken ill; *-t helbred* poor health; *-t lys* bad light; *jeg har ~ tid* I am in a hurry; I am busy; *~ vane* bad habit; *-t vejr* bad weather; *være ~ til at gøre noget* be bad *(el. poor)* at doing sth.; *et -t øje* a bad eye; *(se ogs dårligere, dårligst).*
dårligdom *(en) (sygdom(me))* illness; *(moralsk)* wickedness.
dårligere *adj & adv* worse; *(i ringere grad)* less. **dårligst** *adj & adv* worst; *(i ringest grad)* least; *de ~ stillede* those who are worst off.
dårskab *(en -er)* folly; *en ~* a piece of folly.
dåse *(en -r)* box, *(kaffe- etc)* canister, *(te- ogs)* caddy; *(konserves-)* tin, can, *(amr kun)* can.
dåse|mad tinned *(el.* canned, *amr kun* canned) food. **-oplukker, -åbner** tin opener; *(især amr)* can opener.

E

E, e *(et -'er)* E, e.
eau de Cologne *(en)* eau-de-Cologne.
e. b. *fk f efter befaling* by order.
I. **ebbe** *(en)* ebb, ebb-tide, low tide; *(fig)* ebb; *~ og flod* tide, ebb and flow; *-n begynder, -n indtræffer* the tide begins to go out; *det er ~* the tide is out; *der er ~ i kassen* I am short of funds.
II. **ebbe** *vb* ebb; *~ ud* ebb away; *(gå på hæld)* draw to a close. **ebbetid** ebb-tide.
ebonit *(et)* ® ebonite.
echaufferet *adj* hot, flustered.
eclat *(en)* éclat; *med stor ~ (ogs)* spectacularly.
ecru *adj (farve)* écru.
ed *(en -er)* oath; *aflægge ~* take the oath, be sworn, swear; *aflægge ~ på* take an oath on, swear to; *det tør jeg aflægge ~ på* I'll take my oath on that; *falsk ~* perjury; *aflægge falsk ~* commit perjury; *en strøm af -er og forbandelser* a string of oaths; *tage en i ~* swear sby. in; *en kraftig (el. drøj) ~* a lurid oath; *bekræfte med ~* affirm by oath; *afgive en forklaring under -s tilbud* make a statement with an offer to swear to its truth.
edder *(en)* venom; *fuld af ~ og forgift* venomous.
edder|dun eider-down. **-fugl** eider.
edderkop *(en -per)* spider. **edderkoppespind** spider's web, cobweb.
edderspændt *adj* furious, livid with rage.
eddike *(en)* vinegar.
eddike|brygger vinegar manufacturer; *(fig)* surly fellow. **-bryggeri** vinegar factory. **-sur** vinegary, acetous; *(kem)* acetic; *(fig)* acid, vinegary. **-syre** acetic acid.
edelig *adj* on oath; *~ forklaring, -t udsagn* statement on oath, sworn statement.
Edens Have the Garden of Eden.
eder *pron* you; *(refleksivt)* yourself, yourselves.
eders your; *(stående alene)* yours.
edfæste *vb* swear in; *være -t* be on one's oath.
edfæstelse *(en)* swearing in.
edikt *(et -er)* edict.
eds|aflæggelse taking one's oath. **-forbund** confederacy. **-formular** form of an oath.
edsvoren *adj* sworn.
een, eet one; *(se en).*

efeu *(en)* ♧ ivy. **efeuranke** ivy (branch).
effekt *(en -er) (se ogs effekter)* effect; sensation; *gøre ~* create a sensation, attract attention; *for -ens skyld* for effect. **effekter** *pl (løsøre)* effects; *(varer)* goods; *(papirer)* securities; *(amr)* stocks and bonds.
effektfuld striking, impressive.
effektiv *adj* effective; *~ rente* effective rate (of interest). **effektivisere** *vb* make effective.
effektivitet *(en)* effectiveness, efficiency.
effektuere *vb* execute *(fx* an order).
effektuering *(en)* execution.
effen *adj* even; *~ eller ueffen* odd or even.
I. **efter** *præp* after; *(bag ved)* behind; *(næst efter)* next to, after; *(som efterfølger)* after, in succession to; *(i følge, i overensstemmelse med)* according to; *(i retning efter)* at *(fx* shoot at, throw stones at); *(for at tilkalde, opnå etc)* for *(fx* send, write, telephone, long for sby. *el.* sth.);
~ anmodning by request; *~ at han havde skrevet, ~ at have skrevet* after he had written, after having written, after writing; *indfinde sig ~ et avertissement* call in answer to an advertisement; *dag ~ dag* day after day; *den ene ~ den anden* one after another, in succession; *han hed John ~ sin fader* he was called John after his father; *tre dage ~ hinanden* three days running *(el.* in succession); *~ hukommelsen* from memory; *~ hvad jeg har hørt* from *(el.* according to) what I have heard; *~ min mening* in my opinion; *~ naturen* from nature; *~ dette princip* on *(el.* according to) this principle; *~ denne regel* by this rule; *~ min smag* to my taste; *~ som as; alt ~ som* according as; *~ tur, se tur; ~ vægt* by weight; *~ ønske, se I. ønske;*
[m vb:] gribe ~ catch at; *komme ~ (o: følge på)* follow, succeed, come after, *(komme for at hente)* come to fetch; *komme 'efter (o: opdage)* find out; *luk døren ~ dig!* shut the door after you! *sige noget ~ en (= gentage)* repeat sth. after sby.; *slå ~ en* strike at sby., aim a blow at sby.; *stille uret ~ ...* set the watch by ...; *politiet var ~ ham* the police were on his track; *(andre forbindelser m verber, se disse).*
II. **efter** *adv* after(wards); *året ~* the following year, the year after; *dagen ~* the next day, the following day; *kort (, snart) ~* shortly (, soon) after(wards); *slå ngt ~ i en bog* look sth. up in a book; *tælle pen-*

gene ~ re-count the money; *(andre forbindelser m verber, se disse).*

efterabe *vb* ape, mimic, imitate.

efterabelse *(en)* aping, mimicking, imitation.

efterbehandling *(en -er) (med.)* after-care.

efterbetaling *(fx af løn)* back pay(ment); *(ekstrabetaling)* additional payment.

efterbevilling: *på forventet* ~ in anticipation of a grant.

efterbyrd after-birth, placenta.

efterbørs street-trading, *(amr)* curb(market).

efterdatere *vb* post-date.

efterdi since, as; *(jur)* whereas.

efterdønning *(en -er)* ground-swell; *-er (fig)* repercussions.

efterforske *vb* inquire into, investigate.

efterforskning *(en -er)* inquiry *(af:* into), investigation; *anstille -er* make inquiries.

efter|følge *vb* follow, succeed; *(fig)* imitate. **-følgelse** *(en -r)* imitation; *Kristi* ~ the imitation of Christ. **-følgelsesværdig** *adj* worthy of imitation. **-følgende** *adj* subsequent. **-følger** *(en -e)* successor.

eftergive *vb* remit *(fx* a punishment); *(tilgive)* forgive, pardon; ~ *én en gæld* release sby. from a debt, let sby. off a debt; ~ *én en straf* let sby. off a punishment.

eftergivelse *(en)* remission *(fx* of debt).

eftergivende *adj* indulgent, compliant.

eftergivenhed *(en)* indulgence, compliance.

eftergæring *(en)* secondary fermentation.

eftergøre *vb* imitate, ape; *(kriminelt)* fake; counterfeit, *(om underskrift etc)* forge.

eftergå *vb* examine, go over, *(billede etc)* retouch.

efterhånden *adv* gradually, by degrees; ~ *som* as *(fx* as he grew older); *(til sidst)* eventually *(fx* eventually he grew too old); *han bliver* ~ *utålelig* he is getting intolerable; *han er* ~ *for gammel til det* he has grown too old for that (by now).

efterklang *(en)* reverberation, *(fig)* echo.

efterkomme *vb* comply with *(fx* c. with sby's wish), obey *(fx* orders); ~ *indbydelsen* accept the invitation.

efterkommer *(en -e)* descendant.

efterkrav cash on delivery, C. O. D. *(fx* send the goods C. O. D.).

efterkrigs|- post-war. **-tiden** the post-war period *(el.* era).

efter|lade *(-lod, -ladt) vb* leave (behind); *(som arv)* leave; ~ *sig en formue* leave a fortune; *han -r sig hustru og to børn* he leaves a wife and two children; his wife and two children survive him; *de -ladte* the bereaved (family), the surviving relatives; *-ladte skrifter* posthumous works; *(se ogs efterladende).*

efterladende *adj* negligent, remiss, slack.

efterladenhed *(en)* negligence. **efterladenskaber** *pl* things left behind; *(skovgæsters)* litter; *(ekskrementer)* excrements, droppings.

efterlave *vb* copy, imitate; *(forbryderisk)* fake.

efterleve *se efterkomme; (leve i overensstemmelse med)* live in accordance with, act up to *(fx* one's belief).

efterlevende *adj* surviving; *de* ~ the surviving relatives, the bereaved (family).

efterligne imitate, copy. **efterlignelsesværdig** worthy of imitation. **efterligner** *(en -e)* imitator. **efterligning** *(en -er)* imitation.

efterlyse * *(tabte sager)* advertise for; *(om politiet)* institute a search for; *(i radio)* broadcast an S. O. S. message for.

efterlysning *(en -er)* advertisement of loss, inquiry; *(om politi)* search; *(i radio)* S. O. S. list. **efterlyst** *adj (se efterlyse)* missing; *(af politiet)* wanted (by the police).

eftermad *(en)* second course.

eftermand *(en, eftermænd)* successor.

eftermiddag afternoon; *kl. 3* ~ at 3 p.m.; *i -(s)* this afternoon; *om -en* in the afternoon.

eftermiddags|forestilling matinée. **-kjole** afternoon dress.

eftermodnes *vb* riben in store.

eftermæle *(et): hans* ~ the name he left behind him; *udødeligt* ~ undying fame.

efternavn *(et)* surname, family name.

efternøler *(en -e) (som kommer for sent)* late-comer; *(som ikke kan følge med)* laggard; *(barn som er meget yngre end sine søskende)* afterthought.

efterplapre *vb* parrot.

efterprøve *vb* re-examine, verify, check (up on).

efterret *(en -ter)* second course; *(dessert)* sweet, *(især amr)* dessert.

efterretning *(en -er)* piece of news, piece of information; *(især* $\times$*)* piece of intelligence; *-er* news, information; $\times$ intelligence; *de sidste -er* the latest news; *få* ~ *om at* be informed that; *tage noget til* ~ take note of sth., *(mere officielt)* take cognizance of sth.; *give ham* ~ *om det* inform him of it; *ved -en om* at the news of *(fx* his death).

efterretnings|tjeneste, -væsen $\times$ intelligence service.

efterrettelig *adj: holde sig ngt* ~ observe *(el.* comply with) sth.

efterse *vb* inspect, examine.

eftersend|e * forward, reforward; *bedes -t* please forward; *bedes ikke -t* not to be forwarded.

eftersidder *(en -e)* pupil who is kept in *(el.* detained); *-ne* those detained. **eftersidning** detention.

efterskrift *(en)* postscript.

efterskrive *vb* imitate (a handwriting); *(i kriminel hensigt)* forge, counterfeit. **efterskrivning** imitation of handwriting; forgery.

efterslægt: *-en* posterity.

efterslæt *(et)* aftermath.

eftersmag *(en)* after-taste.

eftersmæk *(et -)* repercussion.

eftersnakker *(en -e)* parrot; T yesman.

eftersnakkeri *(et)* echoing, parrotry.

eftersom as, since, seeing that.

eftersommer late summer; *(tilbagevenden af sommervejr)* Indian summer.

efterspil epilogue; *(fig)* sequel *(til:* to); *(musik)* postlude; *sagen vil få et retsligt* ~ the matter will have legal consequences.

efterspore *vb* track. **eftersporing** *(en)* tracking.

efterspurgt *adj* in demand; *disse varer er meget -e* these goods are in great demand.

efterspørgsel *(en)* demand; *der er ringe* ~ *efter* there is small demand for; *tilbud og* ~ supply and demand.

efterstillet *adj (gram)* enclitic, postpositive.

efterstræbe * *(= forfølge)* persecute, pursue; ~ *ens liv* plot against sby.'s life.

efterstræbelse *(en -r)* persecution.

efterstående *adj (følgende)* (the) following; *(resterende)* remaining; $\times$ *(= undermand)* inferior.

eftersyn inspection, examination; *(m reparation)* overhaul; *(før auktion)* view; *ved nærmere* ~ on (a) closer inspection; *til* ~ for inspection, on view; *henligge til* ~ be available for inspection.

eftersynkronisere *vb (om film)* dub, post-syne.

eftersætning *(gram)* main clause following a subsidiary clause, *(efter betingelsessætning)* apodosis.

efter|søge * search (for); *-søgt af politiet* wanted by the police. **-søgning** *(en)* search.

eftertanke reflection, meditation; *ved nærmere* ~ on second thoughts.

eftertid *(fremtid)* future; *-en (o: senere tider)* posterity; *for -en* in future.

eftertragte *vb* desire, covet; ~ *t* much-coveted.

eftertryk emphasis, stress; *(ulovligt* ~ *af en bog)* piracy; ~ *forbudt* all rights reserved; *lægge* ~ *på* stress, lay stress on, emphasize; *med* ~ emphatically.

eftertrykkelig *adj* emphatic; *adv* emphatically.

efter|tænksom *adj* thoughtful, pensive. **-tænksomhed** *(en)* thoughtfulness, pensiveness.

efteruddannelse in-service training.
efterveer pl after-pains; (fig) after-effects; føle ~ efter suffer form the after-effects of.
efterverdenen posterity.
eftervirkning after-effect, repercussion, reaction.
eftervise * point out, show, demonstrate.
efterår autumn; (amr) fall. **efterårs|agtig** adj autumnal. **-dag** autumn day. **-ferie** autumn holiday(s). **-jævndøgn** autumnal equinox.
eg (en -e) ♣ oak.
egal adj even, smooth. **egalisere** vb equalize.
egalitet (en) evenness.
ege (en -r) spoke.
egeløv oak leaves.
egen, eget, egne own; (ejendommelig) characteristic (for: of), peculiar (for: to); (særegen) particular; (underlig) odd, strange, singular; (særskilt) distinct, separate; han har (sit) eget hus he has a house of his own; han havde et eget tørt lune he had a dry humour all his own; det er sådan sin egen sag it is an awkward matter; gå sine egne veje go one's own way.
egenart peculiarity. **egenartet** adj peculiar.
egenhændig adj personal, (om ngt skrevet) done (el. written) with one's own hand, in one's own handwriting, autograph; adv with one's own hand, in person, personally; ~ skrivelse autograph (letter); de må indgive ~ ansøgning they must apply in their own hand(writing).
egenkapital (one's) own capital, net capital.
egenkærlig adj selfish.
egenkærlighed (en) selfishness.
egenmægtig adj arbitrary, absolute, despotic, high-handed; adv arbitrarily; ~ skaffe sig ret take the law into one's own hands.
egennavn proper name.
egennytte (en) selfishness, egoism, self-interest.
egennyttig adj selfish, egoistic, self-interested.
egenrådig adj wilful, self-willed, arbitrary.
egenrådighed (en) wilfulness, arbitrariness.
egen|sindig adj wilful, self-willed, obstinate, headstrong. **-sindighed** (en) wilfulness, obstinacy.
egenskab (en -er) quality, characteristic; property; (biol) character (fx acquired and inherited characters); i min ~ af in my capacity as.
egentlig adj proper, real, actual; adv properly, really, after all, exactly; det -e Danmark Denmark proper; i ordets -e betydning, i ~ forstand in the true sense of the word, literally; ~ talt properly (el. strictly) speaking; ikke ~ not precisely, not exactly, not quite, scarcely.
egen|veksel promissory note. **-vægt** net weight.
egern (et -) squirrel.
ege|skov oak wood, oak forest. **-træ** oak tree; (ved) oak (wood). **-træsbord** oak table.
eghjort zo stag-beetle.
egn (en -e) district, part of the country (fx a remote part of the c.), piece of country (fx a beautiful piece of c.); (større område) region; (omegn) neighbourhood; her på -en in these parts.
egne vb: ~ sig for (el. til) be fit for, be adapted to (el. for), be suitable for.
egnethed (en) fitness, suitability, qualification.
egns|plan (en) regional plan. **-planlægning** regional planning. **-udvikling** regional development.
ego|centrisk adj egocentric, egotistic. **-isme** (en) egoism, selfishness. **-ist** (en -er) egoist, self-seeker. **-stisk** adj egoistic(al), selfish.
ej adv not; hvad enten han vil eller ~ whether he likes it or not.
ejdammerost Edam cheese.
I. **eje** (et) possession; få noget til ~ acquire possession of sth.
II. **eje** vb own, possess; alt hvad jeg -r og har all I possess; my all; jeg vil hverken ~ eller have det I wouldn't have it as a gift.
ejefald the genitive.

ejegod adj very kind-hearted.
ejendele pl property, belongings.
ejendom (en -me) property; (beboelseshus) house; fast ~ property, real estate; han bor i -men he lives on the premises.
ejendommelig adj peculiar, characteristic; (underlig) curious, strange, singular, odd.
ejendommelighed (en -er) peculiarity, (peculiar) feature, characteristic (feature).
ejendoms|fællesskab community of property. **-handler, -kommissionær, -mægler** estate agent; (amr) real-estate man, realtor. **-overdragelse** transfer of property. **-pronomen** possessive pronoun. **-ret** right of property, ownership, (jur) title, (som fag) law of property; kunstnerisk ~ artistic copyright; loven om den litterære ~ the Copyright Act; -ten til et hus the ownership of a house. **-skyld** tax on real property, (basis for skat) rateable value. **-skyldvurdering** assessment for the taxes on property (el. on real estate). **-skøde** (et -r) deed of conveyance.
ejer (en -e) owner, proprietor; skifte ~ change hands. **ejer|inde** (en) owner, proprietress. **-lav** association of house owners. **-lejlighed** owner-occupied flat. **-mand** owner (fx the rightful owner). **-skifte** change of owner.
ejestedord possessive pronoun.
ekko (et -er) echo (pl -es); give ~ echo.
ekkolod (et -der) ♣ echo sounder.
eklatant adj signal (fx failure), striking (fx proof).
eklipse (en -r) eclipse.
eks- (forhenværende) ex- (fx Ex-President B.).
eksakt adj exact.
eksaltation (en) over-excitement. **eksalteret** adj over-excited, high-strung, over-wrought.
eksam|en (en, -ener el. -iner) examination, T exam; tage ~ pass an examination; (ved universitet) take a degree, graduate; tage medicinsk ~ graduate in medicine; han tog ingen ~ (ved universitetet) he left the university without a degree; gå op (, være oppe) til ~ take (el. sit for) an examination.
eksamens|bevis diploma. **-feber** examination nerves (pl). **-fordringer** pl examination requirements. **-karakter** examination marks. **-kommission** board of examiners. **-opgave** (spørgsmålene) question paper; (besvarelsen) examination paper. **-opgivelser** books (, subjects) offered, prepared texts. **-resultat** examination result. **-spørgsmål** examination question. **-tilsyn** invigilation, (person) invigilator; (amr) proctor.
eksaminand (en -er) candidate; examinee. **eksamination** (en -er) examination. **eksaminator** (en -er) examiner. **eksaminere** vb examine (fx e. sby. in Latin).
eksc- må søges under exc-. **ekse** se exc.
eksegese (en) exegesis. **eksegetisk** adj exegetic.
eksekution (en -er) (henrettelse; tvangsfuldbyrdelse) execution; foretage ~ hos én levy execution on sby.'s goods; gøre ~ hos debitor levy execution against the debtor; inddrive ved ~ recover by execution. **eksekutionsforretning** execution proceedings. **eksekutiv** adj executive. **eksekutor** (en -er) executor.
eksekvere vb: ~ en dom (i straffesager) carry out a sentence; (i civile sager) execute a judgment.
eksem (et -er) eczema.
eksempl|el (et -ler) example, instance (på: of); (tidligere) precedent; (oplysende) illustration; for ~ for instance, for example, say, e. g.; ord som for ~ fader og moder words such as father and mother; foregå én med et godt ~ set sby. a good example; give (el. være) et godt ~ set a good example; et ~ på noget an instance of sth.; som ~ by way of example; som ~ på as an instance of; som -ler på brugen af ordet to illustrate the use of the word; et ~ på det modsatte an instance to the contrary; straffe en for at statuere et ~ make an example of sby.; belyse ved -ler exemplify, illustrate.

eksempel|løs adj unparalleled, unexampled, unprecedented. **-vis** adv as an (el. by way of) example.

eksemplar (et -er) specimen; (af bog, avis etc) copy; (mønster) model, pattern.

eksemplarisk adj exemplary.

eksercere vb drill; ~ med soldaterne drill the soldiers.

eksercer|hus drill hall. **-plads** drill ground. **-reglement** drill book.

eksercits (en) drill.

eksil (et -er) exile (fx go into exile). **eksilregering** government in exile.

eksistens (en -er) existence; (person) character; tvivlsomme -er suspicious characters.

eksistens|berettigelse raison d'être; dokumentere vor ~ justify our existence. **-middel** means of subsistence. **-minimum** subsistence level; en løn som kun muliggør et ~ a bare living wage. **-mulighed** possibility of making a living; det er hans sidste ~ it is his last resource.

eksistentialisme (en) existentialism. **eksistentialist** (en -er), **eksistentialistisk** adj existentialist.

eksistentiel adj existential.

eksistere vb exist.

ekskludere vb expel (af: from). **eksklusion** (en -er) expulsion.

eksklusiv adj exclusive. **eksklusive** adv (fraregnet, undtagen) exclusive of (fx five thousand troops, exclusive of artillery); indtil 1. maj ~ until May 1st exclusive.

ekskommunicere vb excommunicate. **ekskommunikation** (en) excommunication.

ekskrementer pl excrements, faeces.

ekskurs (en -er) digression.

ekskursion (en -er) excursion, (amr) field trip.

ekslibris (et -) book-plate, ex libris.

eksotisk adj exotic.

ekspansion (en) expansion.

ekspansionsbeholder expansion tank.

ekspansiv adj expansive.

ekspedere vb (besørge) dispatch, transact; (sende) dispatch, forward; (kunder) attend to, serve; (gøre det af med) dispatch, dispose of, settle.

ekspedient (en -er) shop assistant, salesman; (amr ogs) (sales)clerk.

ekspedit adj prompt.

ekspedition (en -er) (besørgelse) dispatch; (afsendelse) dispatch, forwarding; (af kunder) attendance, service; (kontor) office; (rejse) expedition; hurtig ~ quick service.

ekspeditions|fejl mistake (el. error) in forwarding. **-sekretær** [official in the Government or Municipal service ranking between fuldmægtig and kontorchef]. **-styrke** ✕ expeditionary force. **-tid** office hours, hours of business.

ekspeditrice (en -r) shop assistant, shop girl, saleswoman; (amr ogs) (sales)clerk.

ekspektanceliste waiting list.

eksperiment (et -er) experiment.

eksperimental adj experimental. **eksperimentator** (en -er) experimenter. **eksperimentel** adj experimental. **eksperimentere** vb experiment (fx on dogs, with different foods). **eksperimentering** (en) experimentation.

ekspert (en -er) expert (i: on). **ekspertise** (en -r) expert's report, expert opinion, expertise.

eksplodere vb explode, blow up; (om ngt oppumpet) burst; ~ af raseri explode with rage; ved at ~ af latter ready to burst with laughter.

eksplosion (en -er) explosion; bringe til ~ explode. **eksplosionsfri** explosion-proof. **eksplosionsmotor** internal-combustion engine. **eksplosiv** adj explosive.

eksponent (en -er) exponent (for: of); (mat. ogs) index.

eksponentiel adj exponential.

eksponere vb expose. **eksponering** (en) exposure.

eksport (en) exportation, export; (det eksporterede) exports. **eksport|afgift** export duty. **-artikel** export article; -artikler (ogs) exports. **-bevilling** export licence.

eksportere vb export.

eksport|forbud export prohibition; indføre ~ for impose a ban on the export of. **-forening** exporters' association. **-forretning** export business. **-fremstød** export drive. **-handel** export trade. **-overskud** excess of exports. **-told** export duty.

ekspres (en -ser) express; adv express.

ekspres|brev express letter; (amr) special delivery letter. **-ordre** rush order.

ekspressionisme (en) expressionism.

eksprestog express (train).

ekspropriation (en) expropriation, [acquisition of property under compulsory powers]; (i England) compulsory purchase; (i Skotland) compulsory surrender. **ekspropriere** vb expropriate, [acquire property under compulsory powers].

ekstase (en -r) ecstasy. **ekstatisk** adj ecstatic.

ekstemporal|oversættelse unseen translation. **-spil** improvisation; role playing. **-stykke, -tekst** unseen (pl unseens).

ekstempore adv extempore.

ekstemporere vb extemporize; do unseens, do an unseen.

eksteriør (et -er) exterior.

eksterritorialret right of exterritoriality.

ekstra adj extra (fx e. good, e. strong); spare (fx a s. copy); adv extra; ~ billig exceptionally cheap; gøre noget ~ for at make a special effort to.

ekstra|afgift surcharge. **-apparat** (telephone) extension. **-arbejde** extra work. **-betaling** (som man betaler) extra charge; (som man får) extra pay. **-fin** adj superfine, superior. **-forplejning** special food. **-fortjeneste** extra money.

ekstrakt (en) extract; (udtog) abstract.

ekstranummer (blad) special edition; (optræden) encore.

ekstraordinær adj extraordinary, exceptional; ~ bemyndigelse emergency powers; ~ generalforsamling extraordinary general meeting.

ekstra|skat additional tax. **-tog** special train. **-udgave** (af blad) special. **-udgifter** pl additional expenses, extras.

ekstravagance (en) extravagance. **ekstravagant** adj extravagant. **ekstravagere** vb be extravagant.

ekstravogn duplicate coach.

ekstrem (et -er og adj) extreme. **ekstremist** (en -er), **ekstremistisk** adj extremist.

ekstremitet (en -er) extremity.

ekvilibrist (en -er) equilibrist.

ekvilibristisk adj equilibristic.

ekvipage (en -r) equipage, carriage (and horses).

ekvipere vb equip, fit out. **ekvipering** (en) equipment, fitting out; (udstyr) outfit.

ekviperings|handel outfitter's (shop). **-handler** (en -e) outfitter.

ekvivok adj (tvetydig) equivocal, ambiguous; (vovet) risqué.

I. **el** (en -le) ⚲ alder.

II. **el** = elektricitet.

elan (en) élan, zest.

elasticitet (en) elasticity, springiness.

elastik (en -ker) elastic, rubber band.

elastisk adj elastic, springy; (fig) elastic (fx regulations).

Elben the Elbe.

eldorado (et -er) El Dorado.

elefant (en -er) elephant; gøre en myg til en ~ make a mountain out of a mole-hill.

elegance (en) elegance. **elegant** adj elegant, smart, fashionable; ~ klædt smartly dressed.

elegi (en -er) elegy. **elegisk** adj elegiac.

elektricitet (en) electricity; henrette ved ~ electrocute; henrettelse ved ~ electrocution.

elektricitets|forbrug consumption of electricity. **-lære** electrical science. **-måler** electric meter. **-værk** power house, power station.
elektrificere *vb* electrify.
elektrificering *(en)* electrification.
elektriker *(en -e)* electrician.
elektrisere *vb* electrify. **elektrisering** *(en)* electrification. **elektrisermaskine** electrical machine.
elektrisk *adj* electric; ~ *lys* electric light; ~ *stol* electric chair; *henrette i den -e stol* electrocute; *henrettelse i den -e stol* electrocution.
elektrode *(en -r)* electrode.
elektro|ingeniør *(med akademisk grad)* graduate electrical engineer. **-kardiografi** electrocardiography. **-lyse** *(en)* electrolysis. **-magnet** electromagnet. **-magnetisk** *adj* electromagnetic. **-magnetisme** *(en)* electromagnetism. **-motor** electromotor, electric motor.
elektron *(en -er)* electron. **elektron|blitz** *(fot)* electronic flash. **-hjerne** electronic brain.
elektronik *(en)* electronics. **elektronisk** *adj* electronic. **elektron|mikroskop** electron microscope. **-regnemaskine** (electronic) computer. **-rør** electron tube.
elektro|plet electroplate. **-skop** electroscope. **-teknik** electrotechnics.
element *(et -er)* element; *(elektrisk)* cell; *(tørelement)* dry battery; *(til elementhus)* unit.
elementhus *(et -e)* prefabricated house.
elementær *adj* elementary.
elendig *adj* wretched, miserable. **elendighed** *(en)* wretchedness, misery; *det er den rene ~* it is quite *(el.* utterly) hopeless.
elev *(en -er)* pupil; *(studerende)* student; *(af åndelig leder etc)* disciple.
elevation *(en)* ✠ elevation; *skyde med stor ~* fire at a high elevation.
elevator *(en -er)* lift; *(amr)* elevator.
elevator|fører liftboy, liftman; *(amr)* elevator operator. **-skakt** lift shaft. **-stol** lift car.
elev|forening *(for gamle elever)* Old Boys' (, Girls') Association; *(amr)* Alumni (, Alumnae) Association. **-råd** school council.
elfen|ben ivory. **-bens-** ivory. **-benshvid** ivory-white.
elg *(en -e) (elsdyr)* elk, moose.
Elias *(profeten)* Elijah.
eliksir *(en -er)* elixir.
elimination *(en -er)* elimination. **eliminator** *(en -er)* eliminator. **eliminere** *vb* eliminate.
Elisa *(profeten)* Elisha.
elisabethansk *adj* Elizabethan.
elite *(en)* pick, élite, flower. **elite-** picked *(fx* a p. football team). **eliteregiment** crack regiment.
ellefolk elves. **ellepige** elf maid.
eller *conj* or; ~ *også* or else; *enten han ~ jeg* either he or I; *hverken .. ~* neither .. nor; *om .. ~* whether .. or *(fx* I don't care whether you like it or not).
ellers *adv (i modsat fald)* or *(fx* put up your hand or I fire), or else, if not, otherwise, *(i mangel deraf)* failing which, failing this; *(i regelen)* generally, usually, normally; *(i parentes bemærket)* by the way; *tidligere end ~* earlier than usual; *hvem ~?* who else? ~ *ingen* no one else; ~ *intet* nothing else; *hvis ~* that is if; ~ *noget?* anything else? ~ *tak* thank you all the same; *nej ~ tak! (ironisk)* nothing doing! *skynd dig ~ kommer du for sent* hurry up, or (else) you will be late.
elletræ ✠ alder; *(veddet)* alder-wood.
elleve eleven. **elleve|kant** hendecagon. **-tiden:** *ved ~* at about eleven o'clock. **-årig, -års** eleven-year-old *(fx* an eleven-year-old horse), of eleven *(fx* a child of eleven).
ellevild wild; ~ *af glæde* wild with joy.
ellevte eleventh; *den ~ august* the eleventh of August, August 11(th); *i den ~ time* at the eleventh hour. **ellevtedel** *(en -e)* eleventh.

ellipse *(en -r) (gram)* ellipsis; *(mat.)* ellipse.
elliptisk *adj* elliptic(al).
elm *(en -e)* ✠ elm.
elritse *(en -r) (lille karpefisk)* minnow.
Elsass Alsace. **elsasser(inde)** *(en)* Alsatian. **elsassisk** *adj* Alsatian.
elsdyr *(et -)* elk, moose.
elske *vb* love; ~ *højt* love dearly; *højt -t* dearly beloved; *gøre sig -t af* win the love of, endear oneself to; *min -de* my darling; *de -nde* the lovers.
elskelig *adj* lovable; *en ~ gammel dame* a dear old lady. **elskelighed** *(en)* lovableness.
elsker *(en -e)* lover; *(på teater)* juvenile lead, jeune premier.
elsker|inde *(en -r)* mistress. **-par** pair of lovers. **-rolle** (part of the) juvenile lead.
elskov *(en)* love.
elskovs|barn love child. **-digt** love poem. **-drik** love philtre, love potion. **-erklæring** declaration of love. **-eventyr** love affair. **-fuld** amorous. **-gud** god of love, Cupid. **-kval** pangs of love. **-ord** words of love. **-pant** pledge of love. **-rus** amorous rapture. **-suk** amorous sigh.
elskværdig *adj* kind, amiable, *(imødekommende ogs)* obliging; *vil De være så ~ at* will you be so kind as to. **elskværdighed** *(en -er)* kindness; *sige -er* pay compliments.
elv *(en -e)* river.
elver|høj hill of the elves, *(H. C. Andersens)* the Elf Hill, the Elfin Hillock. **-konge** king of the elves. **-pige** elf maid.
elværk power station.
elysisk *adj* Elysian; *de -e marker* the Elysian fields.
elysium Elysium.
em *(en)* vapour.
emalje *(en -r)* enamel. **emaljefarve** enamel colour. **emaljere** *vb* enamel. **emaljering** *(en)* enamelling. **emaljeskilt** enamelled sign.
emanation *(en -er)* emanation.
emancipation *(en)* emancipation. **emancipere** *vb* emancipate.
emballage *(en)* packing; *(om noget der er svøbt om varen)* wrapping; *(kasser etc)* containers.
emballere *vb* pack (up).
embargo *(en)* embargo *(pl -es)*; *hæve -en* remove *(el.* lift) the embargo; *lægge ~ på* lay an embargo on.
embede *(et -r)* office, (government) post; *ansættes i et ~* be appointed to a post; *beklæde et ~* hold an office; *fratræde ~t* resign (one's post); *søge et ~* apply for a post; *tiltræde et ~* take up a post; *i embeds medfør* ex officio, in an official capacity.
embeds|bane official career. **-bolig** official residence. **-broder** colleague. **-dragt** official dress, uniform. **-ed** oath of office. **-eksamen** final university examination. **-forretning** function, official duty. **-fortabelse** loss of office, dismissal (from office). **-førelse** *(en)* discharge of one's office. **-handling** official act. **-ledighed** vacancy. **-læge** medical officer (of health). **-mand** official, (public *el.* government) officer, civil *(el.* public) servant; *høj ~* high official; *lavere ~* minor official. **-misbrug** abuse of office. **-mæssig** *adj* official. **-pligt** official duty. **-standen** the officials, the official class; *(administrationen)* the Civil Service. **-tid** term of office; *i sin ~* while in office. **-vej:** *gå -en* enter the Civil Service. **-virksomhed** official activities.
emblem *(et -er)* emblem, badge.
embonpoint *(et)* embonpoint, **T** spread.
emeritus emeritus; *professor ~* emeritus professor.
emfase *(en)* emphasis. **emfatisk** *adj* emphatic.
emhætte range hood.
emigrant *(en -er)* emigrant; *(politisk)* refugee, émigré. **emigrere** *vb* emigrate.
eminence *(en)* eminence.
eminent *adj* eminent.
emir *(en -er)* emir.
emission *(en -er) (merk)* issue. **emittere** *vb* issue.

emmer pl (glødende aske) embers.

emne (et -r) (tema) subject, theme, topic; (materiale) material; (foreløbig behandlet materiale) blank (fx blanks for keys); (fig om person) (likely) candidate; prospect. **emne|katalog** subject catalogue. **-kort** (i kartotek) subject entry. **-register** subject index. **-undervisning** project method. **-valg** choice of subject.

emolumenter pl emoluments; (sportler) perquisites.

emotionel adj emotional, emotive.

empirestil French Empire (style).

empirisk adj empiric(al).

emsig adj officious.

emulgere vb emulsify.

emulsion (en -er) emulsion.

I. en, et (artikel) a, (foran vokallyd) an; (i ubestemte tidsangivelser) one (fx it happened one morning; one Sunday after church); (= cirka) some; for en syv år siden some seven years ago; en (skønne) dag one (fine) day; en tre-fire timer (some) three or four hours.

II. en, et (talord) one; et af to one thing or the other; (3: du må selv vælge) take your choice; alle som én one and all, to a man; hun er hans et og alt she is everything to him; i et og alt in every respect; den ene one (of them); den ene .. den anden one .. the other, (af flere) one .. another; for denne ene gangs skyld (just) this once; det ene med det andet what with one thing and another; ét er at .. et andet at .. it is one thing to .. another to .. (fx it is one thing to promise and another to perform); en efter en, en for en one by one; i en gang once; (se ogs engang og gang); lange ham en ud T sock him; (lige) med ét suddenly, (all) of a sudden; nummer et number one; mit ene ben one of my legs, my leg; en og samme one and the same; en og tyve twenty-one; en på øret a box on the ear; det kommer ud på ét it is all one, it comes to the same thing; under ét together; de sælges under ét they are not sold separately.

III. en, et pron (en person) someone, somebody, one; (= man) one, you; en eller anden someone; en eller anden bog some book; et eller andet something; en af dagene one of these days; en .. en anden one .. another; der var en der fortalte mig at somebody told me that; det kan de ikke forbyde en they cannot forbid you that; hvad er han for en? what sort of fellow is he? ens fjender one's enemies.

enakter (en -e) one-act play.

en|armet adj one-armed. **-benet** adj one-legged.

en bloc together, in the lump, en bloc.

enbo adj ♅ monoecious.

enbåren: Gud gav sin søn den enbårne God gave his only begotten Son.

encellet adj one-celled.

encifret adj: ~ tal digit.

encyklopædi (en -er) encyclopaedia.

encylindret adj single-cylinder (fx engine).

end (efter komparativ) than (fx better than), (efter inferior, superior) to; (foran komparativ) still, even; andre (fx bøger) ~ other (fx books) than; ikke andet ~ nothing but; hvad andet ~ what (else) but; (se ogs II. anden); ingen anden (, ikke andre) ~ no one (, none) but; hvad der ~ sker whatever happens; hvor meget jeg ~ læser however much I read; hvor meget han ~ prøvede at .. try as he might to ..; hvor rart det ~ kunne være however nice it might be; ~ ikke not even.

endda (tilmed) at that; og det ~ et barn and a child at that; enden er ikke ~ the end is not yet; ikke så gal ~ not so bad after all; det er slemt nok ~ it is bad enough as it is; hvis han ~ ville betale if he would pay at least.

I. ende (en -r) end, termination; (yderste) extremity; (øverste) top; (nederste) bottom; (bagdel) posterior, behind, T bottom, (grovere udtryk) bum, backside; (på hjortegevir) tine, point; (hele takken) antler; (tov-) rope;

hvad skal -n blive? where is it going to end? for -n

af at the end of; fra ~ til anden from end to end, from one end to the other; alting får en ~ there's an end to everything; få ~ på en kedsommelig dag get through a tedious day; når -n er god er alting godt all's well that ends well; gøre ~ på put an end to, make an end of; undersøge i alle -r og kanter examine inside and out; sætte sig over ~ sit up; det er ikke til at se ~ på it seems interminable; en ~ sejlgarn a piece of string; spinde en ~ spin a yarn; stå på den anden ~ be topsy -turvy, be at sixes and sevens; sætte på den anden ~ turn upside down; det tog en sørgelig ~ med ham he came to a sad (el. bad) end; til den ~ for that purpose, to that end; bringe til ~ finish, bring to an end; være til ~ be at an end.

II. ende ★ (bringe til ophør) end, finish, close, terminate, conclude; (fuldende) complete, bring to a close, accomplish; (uden objekt) end, close; ~ godt (om historie etc) have a happy ending; ~ med at sige finish by saying; det endte med at the end of it was that; romanen -r med at han dør he dies at the end of the novel; ordet -r på the word ends (el. terminates) in; ~ sørgeligt have a sad ending.

ende|fuld (en) spanking. **-gyldig** adj final, definitive.

endelig adj (begrænset) finite (fx the universe is finite); (afsluttende, afgørende) final (fx decision, result); ultimate, definitive (fx answer); adv at length, at last, finally, ultimately; hvis jeg ~ skal if I must; gør ~ ikke det don't do that whatever you do; da han ~ kom when he did come; when he finally came; køb den ~ do buy it; køb den ~ ikke do not buy it on any account; det må De ~ ikke glemme be sure not to forget; hvis du ~ vil vide det if you must know.

endeligt (et) end, death; han fik et sørgeligt ~ he came to a sad end.

endelse (en -r) ending.

ende|løs adj endless, interminable. **-punkt** extreme point, terminus. **-skive** (af brød) end (of a loaf). **-station** terminus (pl termini).

en detail retail; se detail.

ende|tarm rectum. **-vende** ★ turn upside down; (gennemsøge) ransack.

endivie (en) ♅ endive.

endnu adv (stadig) still (fx he is s. here); (ved nægtelse) yet, as yet (fx he has not yet arrived); (så sent som) only (fx I saw him only yesterday); as late as; (tilbage) left (fx we have a few apples left); (ved komparativ) still; ~ en gang once more, once again; ~ en gang så stor as big again; ~ i eftermiddag (3: ikke længere siden) only this afternoon, (3: allerede) this very afternoon; ~ i forrige århundrede as late as the last century; ~ en ting one thing more; ~ værre still worse, worse still, even worse.

endog, endogså adv even.

endokrin adj endocrine.

endossement (et -er) endorsement. **endossent** (en -er) endorser. **endossere** vb endorse, back. **endossering** (en -er) endorsement.

endrægtig adj harmonious.

endrægtighed (en) harmony, concord.

endsige adv let alone, still less.

endskønt conj though, although.

endvidere adv further, besides, moreover.

endækker (en -e) (flyv) monoplane.

ene adj alone, by oneself; (kun) only; (se ogs II. en); ~ og alene only, exclusively; ~ og alene for at hjælpe for the sole purpose of helping; være ~ om at ... be alone in -ing.

ene|agentur sole agency. **-barn** only child (fx he was an only child); **-børn** only children.

eneberettiget: være ~ til have the monopoly of, have the exclusive privilege of.

eneboer (en -e) hermit; (en der lever ensomt) recluse. **eneboerliv** solitary life, hermit's life.

enebær juniper berry; (planten) juniper. **enebær|busk:** her går vi rundt om en ~ (svarer til) here we go round the mulberry bush. **-træ** juniper tree.

ene|forhandler sole agent. -forhandling sole agency. -herre absolute master, autocrat. -herredømme absolute mastery. -hersker (en) absolute monarch. -indehaver sole proprietor. -kammer (på skib) single cabin.

enemærker pl precincts; trænge ind på ens ~ trespass on sby's property; (fig) poach on sby's preserves.

enepige general servant, maid of all work.

ener (en -e) (sidste ciffer) one; han er en ~ (:: enestående) he stands alone; (:: enspændernatur) he goes his own way.

ene|repræsentant sole agent. -ret monopoly, sole and exclusive right; (til at trykke og udgive) copyright.

energi (en -er) energy.

energi|løs slack. -mængde quantity of energy.

energisk adj energetic; adv -ally.

enerverende adj enervating; det er ~ (ogs) it gets on one's nerves.

enerådende adj absolute; (om mening, tro) universal; være ~ reign supreme.

~nes vb agree; (forliges) get on (well), hit it off.

eneste adj only (fx my only friend), single (fx I have not a single friend), sole (fx the sole heir to an estate); han var ~ barn he was an only child; den ~ the only (one), the one; de ~ the only (ones); det ~ the only thing; det ~ mærkelige ved det the only remarkable thing about it; en ~ gang once (only); ikke en ~ not one, not a single one; ikke en ~ ting not a single thing; hver ~ every (single); hver ~ en every single one; (om personer ogs) every mother's son, to a man.

ene|stue (på hospital) private room (el. ward). -stående adj unique, exceptional; han er ~ he stands alone.

enetages adj one-storied.

ene|tale soliloquy, monologue. -time private lesson. -voldsherre absolute monarch. -voldsherredømme absolute monarchy. -voldskonge absolute monarch. -vælde (en) absolute monarchy. -vældig absolute, autocratic.

eneværelse single room; (på hospital) se enestue.

enfamiliehus single-family house.

enfold (en) simplicity.

enfoldig adj simple; en ~ fyr a simpleton.

enfoldighed (en) simplicity, simple-mindedness.

eng (en -e) meadow; på -en in the meadow.

engagement (et -er) engagement.

engagere vb engage. engageret adj engaged; (økonomisk) involved; (følelsesmæssigt ogs) committed.

engageringsbureau employment office.

engang (en enkelt gang) once; (ved en enkelt lejlighed) on one occasion; (i fortiden) once, one day, (i en vis periode) at one time; (i fremtiden) some day, one day; der var ~ once (upon a time) there was; ikke ~ not even; ~ imellem now and then, sometimes, once in a while; hør ~! look here! I say! tænk ~! just imagine! sådan er det nu ~ well, that's how it is.

engangs– (:: til at smide væk) disposable.

engangsskat once-for-all levy.

eng|blomme (en -r) ✥ globe-flower. -drag stretch of meadow land.

engel (en, engle) angel; der går en ~ gennem stuen an angel must be passing; synge som en ~ sing like an angel.

I. engelsk (sproget) English; på ~ in English; hvad hedder bord på ~? what is the English for bord?

II. engelsk adj English; (i sagligt sprog) British (fx the British Army, British trade); ~ horn English horn, cor anglais; ~ salt Epsom salts; den -e statskirke the (Established) Church of England, the Anglican Church; ~ syge rickets, rachitis; som lider af ~ syge rickety, rachitic; -e varer British goods.

engelsk|amerikansk Anglo-American. -dansk Anglo-Danish; engelsk-dansk ordbog English-Danish dictionary. -fjendtlig anti-English. -græs ✥ thrift, sea pink. -sindet adj pro-English, Anglophile.

engkabbeleje ✥ marsh marigold.

England England; (N.B. er der tale om den nuværende stat, er det officielle navn the United Kingdom (fk U.K.); i avissprog og ofte i daglig tale bruges Britain; i mere præcis brug omfatter England ikke Wales, Skotland og Nordirland).

engle|agtig adj angelic. -barn little angel. -hoved cherub's head. -lig adj angelic (fx patience). -røst angelic voice.

englænder (en -e) Englishman; -ne (nationen) the English; fem -e five Englishmen.

englænderinde (en -r) Englishwoman.

en gros adv wholesale (fx buy, sell sth wholesale).

engros|forretning wholesale business. -handlende wholesale dealer. -pris wholesale price.

engsnarre (en -r) zo corncrake, land-rail.

enhed (en -er) unity; (selvstændig afdeling) unit (fx naval unit); tidens, stedets og handlingens ~ the unities of time, place, and action; gå op i en højere ~ form a synthesis.

enheds|front united front. -kommando ✕ unitary command. -pris standard price. -skole unified school system; (svarer til) comprehensive school.

enhjørning (en -er) unicorn.

enhver pron (neutrum: ethvert) every; (hvilken som helst) any; (enhver især) each; (substantivisk) everyone, everybody; (hvem som helst) anyone, anybody; alle og ~ everybody, anybody.

enig adj united, agreed, unanimous; jeg er ~ med ham I agree with him (i at that); blive -e come to an agreement (el. to terms); blive -e om en plan agree upon a plan; vi er -e om at han er et fæ we agree that he is a fool; blive ~ med sig selv om at make up one's mind that. enighed (en) agreement, concord, harmony, unity; ~ gør stærk unity is strength.

enke (en -r) widow, (fornem) dowager; hun er ~ efter she is the widow of; blive ~ be left a widow, be widowed.

enke|dragt widow's weeds. -dronning queen dowager; (kongens (, dronningens) moder) queen mother. -frue widow; -fru Nielsen Mrs. Nielsen. -kasse widows' pension fund.

enkel adj plain, simple. enkelhed (en) simplicity.

enkelt adj (kun en, eneste, mods dobbelt etc) single; (usammensat) simple; (særskilt, personlig) individual; (enlig) solitary; bare en ~ just one; et ~ bind (af en række) an odd volume; -e some, a few; -e bemærkninger a few (stray) remarks; de -e dele the component parts; den -e the individual; en ~ gang once in a way; -e gange occasionally; on some occasions; hver ~ gang on each separate occasion; ved -e lejligheder on certain occasions; ~ rejse single journey; i hvert ~ tilfælde in each individual case; i dette -e tilfælde in this particular case.

enkelt|billet single (ticket), (amr) one-way ticket. -hed (en -er) detail, particular; gå i -er go into details; i alle -er in every single detail; i de mindste -er in every detail; down to the last detail. -mand (the) individual. -person (private) individual. -spo-ret adj single-track. -stat (i føderation) (constituent) State. -tal the singular (number). -vis singly, one by one. -værelse single room.

enke|mand widower. -pension widow's pension. -stand widowhood. -sæde dower house.

enkimbladet ✥ adj monocotyledonous; ~ plante monocotyledon.

enklave (en -r) enclave.

enlig adj single, solitary; ~ mand (, kvinde) single man (, woman); -t ægtepar childless couple. enligstillet adj solitary; enligstillede solitary people.

enmandsbetjent adj one-man (fx bus).

enmastet adj single-masted.

en miniature on a small scale, in miniature.

enmotoret adj single-engined.

enorm adj enormous, immense, huge.

en passant by the way, en passant; en bemærkning ~ a casual remark.

enquete *(en -r) (rundspørge)* symposium.
enradet *adj (om jakke etc)* single-breasted.
enrum: i ~ in private, privately.

ens *adj* identical, *(som prædikatsled ogs)* the same *(fx* no two children are the same), alike; *adv* identically, alike; *alle børnene går ~ klædt* the children are all dressed alike. ensartet *adj* uniform, homogeneous. ensartethed *(en)* uniformity, homogeneity.
ensbetydende *adj:* ~ *med* tantamount to.

ensemble *(et -r) (i musik og om tøj)* ensemble; *(af skuespillere)* cast; *passe i -t* fit in; *ikke passe i -t* be out of keeping with the rest, jar.
ens|farvet *adj* plain, of one colour. -formig *adj* monotonous. -formighed *(en)* monotony, sameness.
ensian *(en)* ✿ gentian.

ensidig *adj* one-sided; *(jur og i politik)* unilateral *(fx* a u. declaration of independence); *(partisk)* one-sided, partial, prejudiced. ensidighed *(en)* one-sidedness, partiality; *(mht fag)* overspecialization.
ensilage *(en)* silage. ensilere *vb* ensile.
enslydende *adj (af samme lyd)* sounding alike; *(af samme ordlyd)* identical; *(gram)* homonymous.

ensom *adj* lonely, solitary; *(nedtrykt)* lonesome, lonely. ensomhed *(en)* loneliness, solitude.
ensporet *adj (jernb)* single-track; *(fig)* one-track *(fx* mind); *han er ~* he has a one-track mind; ~ *skole* one-form entry school.

enspænder *(en -e)* one-horse carriage; *(fig)* = enspændernatur solitary soul, lone wolf.
ensretning *(en) (elekt)* rectification; *(politisk)* unification, *(nazistisk)* Gleichschaltung; *(ofte =)* regimentation. ensrette rectify; unify, standardize; *-t færdsel* one-way traffic.

ensretter *(en -e) (i radio)* rectifier.
enstavelses- monosyllabic.
enstavelsesord monosyllable.
enstemmig *adj (musik)* in unison; *(fig)* unanimous; *adv (-t)* in unison, unanimously; *-t vedtaget* carried unanimously.
enstemmighed *(en)* unanimity.
enstonig *adj* monotonous. enstydig *adj* synonymous. enstydighed *(en)* synonymity.
ensædet *adj:* ~ *jager* single-seat fighter.
ental the singular (number).

enten either; ~ .. *eller* either .. or; *hvad ~ det er rigtigt eller galt* whether it is right or wrong.
entente *(en -r)* entente; *-n (i verdenskrigen 1914-18)* the Allies.
entomo|log *(en)* entomologist. -logi *(en)* entomology. entomologisk *adj* entomological.

entre ✿ *(borde)* board; *(klatre)* climb; ~ *ned* ✿ climb down; ~ *op* climb up, shin up.
entré *(en, entreer) (forstue)* (entrance-)hall; *(adgang)* admission; *(adgangspris)* entrance-fee; *(tilsynekomst)* entry, appearance; *gratis ~* admission free; *tage ~* make a charge for admission.
entré|billet admission ticket. -dør front door. -indtægt box office takings; *(ved sportskamp)* gate money. -nøgle latch-key.

entre|prenant *adj* enterprising. -prenør *(en -er)* contractor. -prise *(en -r)* contract; *få i ~* get the contract for.
entrere *vb:* ~ *med en* enter into business relations with sby, close with sby.
entring *(en)* ✿ boarding.
entusiasme *(en)* enthusiasm. entusiast *(en -er)* enthusiast. entusiastisk *adj* enthusiastic.
entydig *adj* unambiguous, unequivocal.
enzym *(et -er)* enzyme.
enægget *adj: enæggede tvillinger* identical twins.
enøjet *adj* one-eyed.
enårig *adj* one year old; *(som lever ét år)* annual *(fx* plant); *(som varer ét år)* one-year.
epaulet *(en -ter)* epaulet.
epidemi *(en -er)* epidemic. epidemihospital isolation hospital. epidemisk *adj* epidemic.
epigon *(en -er): han er en ~* his work is derivative.

epigram *(et -mer)* epigram. epigramdigter epigrammatist. epigrammatisk *adj* epigrammatic.
epiker *(en -e)* epic poet.
epikuræer *(en -e)*, epikuræisk *adj* Epicurean.
epilepsi *(en)* epilepsy.
epileptiker *(en -e)*, epileptisk *adj* epileptic.
epilog *(en -er)* epilogue.
episk *adj* epic; ~ *digt* epic (poem).
episode *(en -r)* episode; *(politisk)* incident. episodisk *adj* episodical.
epist|el *(en -ler)* epistle.
epitaf|ium *(et -ier)* epitaph.
epoke *(en -r)* epoch, era.
epokegørende *adj* epoch-making.
epos *(et)* epic, epos.
er *præs af være.*
erantis *(en -)* ✿ winter aconite.
eremit *(en -ter)* hermit.
eremit|bolig hermitage. -krebs hermit crab.
erfare *vb* learn, be informed, ascertain; *(opleve, få at føle)* experience, find. erfaren *adj* experienced.
erfaring *(en -er)* experience *(NB bruges ikke i pl i denne tyd); tale af ~* speak from experience; *gøre den ~ at* find that; *gøre sine -er* learn by experience; *bringe i ~* learn, be informed, find. erfarings|mæssig *adj* empirical; *-t adv* empirically; *(som erfaringen viser)* notoriously *(fx* it is notoriously difficult); *det er -t vanskeligt at gøre det (ogs)* it is a well-known fact that it is difficult to do. -videnskab empirical science.
erholde *vb* obtain, get, receive; *(se ogs II. få).*
erhverv *(et -)* trade, industry, occupation. erhverve *vb* acquire, earn, gain; ~ *sig* acquire. erhvervelse *(en)* acquisition, acquirement.
erhvervs|arbejde *(fx* students') paid work. -drivende *(ofte =)* tradesman, businessman. -geografi commercial geography. -gren (branch of) industry, (branch of) trade. -hæmmet *adj* handicapped (by physical or mental defects), partially disabled. -liv economic life, business conditions, trade. -mæssig: *udnytte -t* put to commercial use. -praktik practical trainee work. -sygdom occupational disease. -vejleder *(en -e)* (youth) employment officer. -vejledning vocational guidance.
erindre *vb* .remember, *(genkalde i erindringen ogs)* recollect, call to mind; *(tage hensyn til etc)* bear in mind; ~ *en om noget* remind sby of sth; *såvidt jeg kan ~* to the best of my recollection; *jeg har intet at ~ imod* I have no objection to.
erindring *(en -er)* memory, recollection, remembrance, reminiscence; *(ting til ~)* souvenir, keepsake; *-er (memoirer)* memoirs, reminiscences; *bringe noget i ~* call attention to sth; *bringe noget i ~ hos en* remind sby of sth; *bringe sig i ~* call attention to oneself; *bringe sig i ~ hos en* call sby's attention to oneself; *have i ~* bear in mind; *til ~ om* in memory of. erindringsforskydning slip of the memory.
erkende * acknowledge, own, admit, recognize; *(forstå)* realize, perceive; ~ *sig skyldig* admit one's guilt, *(i retten)* plead guilty.
erkendelse *(en)* acknowledgment, recognition; *(forståelse)* comprehension, understanding; *i ~ af* in acknowledgment of; *komme til ~ af* realize.
erkendelsesteori theory of knowledge.
erkendtlig *adj* grateful. erkendtlighed *(en)* gratefulness; *(belønning)* acknowledgment; *(penge)* gratuity.
erklære *vb* declare, *(proklamere)* proclaim; *(mindre højtideligt)* state; ~ *sig (ɔ: fri)* propose; ~ *sig for revolutionen* declare for the revolution; ~ *(England) krig* declare war (on England); *en -t hader af* an avowed enemy of. erklæring *(en -er)* declaration, statement, *(højtidelig udtalelse)* pronouncement, *(proklamation)* proclamation; *(sagkyndigs)* opinion; *(vidnes)* statement; *(attest)* certificate.
erkyndige *vb:* ~ *sig om* inquire into; make inquiries about; ~ *sig om hvorvidt* inquire whether.
erlægge *vb* pay, disburse; *imod at ~* on payment

of. **erlæggelse** *(en)* payment; *mod ~ af* on payment of.

ernære *vb* nourish, feed; *(underholde)* support; *~ sig som skribent* make a living by writing.

ernæring *(en)* nourishment, nutrition.

ernærings- nutritional *(fx* n. disease).

ernæringstilstand (state of) nutrition.

erobre *vb* conquer; *~ noget fra en* conquer *(el.* capture) sth from sby. **erobrer** *(en -e)* conqueror. **erobring** *(en -er)* conquest. **erobringspolitik** policy of aggrandizement.

erodere *vb* erode. **erosion** *(en -er)* erosion.

erot *(en -er)* cupid. **erotik** *(en)* eroticism, sex. **erotisk** *adj* sexual, amorous; *~ digt* love poem.

erstatning *(en -er) (det at sætte i stedet)* replacement, substitution; *(godtgørelse)* compensation, damages, indemnification; *(surrogat)* substitute; *betale ~* pay damages; *få en god ~ for* be amply compensated for; *forlange £500 i ~* demand £500 (in) damages; *give (el. yde) én ~ for noget* compensate sby for sth, indemnify sby for the loss of sth.

erstatnings|krav claim for damages; *gøre ~ gældende mod ham* claim damages from him. **-pligt** liability to pay damages. **-pligtig:** *~ over for en* liable to pay damages to sby. **-sag** action for damages; *anlægge ~ mod én* bring an action for damages against sby. **-sum** amount of damages. **-vare** substitute.

erstatte *vb* replace *(fx* butter by margarine), substitute *(fx* margarine for butter); *(give erstatning for)* compensate, make good, make up for; *~ en ngt* indemnify sby for sth.

erts *(en)* ore.

eruption *(en -er)* eruption.

I. **es** *(et -ser) (i kortspil)* ace.

II. **es:** *være i sit ~* be in one's element, *(i godt humør)* be in high spirits; *jeg er ikke rigtig i mit ~* I don't feel quite myself.

III. **es** *(i musik)* E flat.

Esaias Isaiah.

escalator *(en -er)* escalator, moving staircase.

eskadre *(en -r)* squadron. **eskadrille** *(en -r) (flyv)* squadron. **eskadron** *(en -er)* squadron.

eskapade *(en -r)* escapade. **eskapisme** *(en)* escapism. **eskapist** *(en -er)* escapist.

eskimo *(en -er)*, **eskimoisk** *adj* Eskimo.

eskorte *(en -r)*, **eskortere** *vb* escort.

espalier *(et -er)* espalier, trellis, trelliswork; *(se ogs spalier)*. **espaliere** *vb* train *(fx* t. a tree).

espeløv: *ryste som et ~* tremble like an aspen leaf.

esperantist *(en -er)* Esperantist.

esperanto Esperanto.

esplanade *(en -r)* esplanade.

esprit *(en -er)* esprit, wit; *(hattepynt)* aigrette.

essay *(et -s)* essay. **essayist** *(en -er)* essayist.

esse *(en -r)* forge, furnace.

essens *(en -er)* essence. **essentiel** *adj* essential.

essig *adj* forward, eager, impatient.

I. **ester** *(en -)* Estonian.

II. **ester** *(en -e) (kem)* ester.

estimere *vb* esteem, respect.

estisk *adj* Estonian. **Estland** Estonia.

estrade *(en -r)* stand, dais, platform, dancing floor. **et,** *se* en.

etablere *vb* establish; *~ sig* establish oneself (in business), open *(el.* start) a shop, establish a business of one's own; *~ sig som tandlæge* set up as a dentist. **etablering** *(en)* establishment.

etablissement *(et -er)* establishment.

etage *(en -r)* storey, floor; *første ~* the first (, *amr* the second) floor; *anden ~* the second (, *amr* the third) floor; *(i teater)* upper circle; *han bor på anden ~* he lives on the second floor; *øverste ~* the top floor, *(spøgende om hovedet)* the upper storey.

etage|adskillelse horizontal division. **-areal** floorage, floor space. **-lejlighed** flat; *(amr)* apartment.

etagere *(en -r)* what-not.

-etages -storeyed *(fx* a two-storeyed building).

etageseng bunk bed.

etape *(en -r)* stage, lap.

etat *(en -er)* department, service; *-erne* the Civil Service. **etatsråd** *(en -er)* [titular councillor of state].

et cetera et cetera, etc.

ethvert *neutrum af* enhver.

etik *(en -ker)* ethics.

etikette *(en -r) (ceremoniel)* etiquette; *(seddel)* label; *sætte ~ på noget* label sth; *holde på -n* be a stickler for etiquette. **etikettere** *vb* label.

etisk *adj* ethical.

etkammersystem unicameral system.

etno|graf *(en -er)* ethnographer. **-grafi** *(en)* ethnography. **-grafisk** *adj* ethnographic. **-logi** *(en)* ethnology. **-logisk** *adj* ethnological.

etplanshus bungalow.

etrusker *(en -e)*, **etruskisk** *adj* Etrurian, Etruscan

etsteds *adv* somewhere.

ettal one. **etter** *(en -e) (sporvogn etc)* number one. **ettid:** *ved -en* at about one o'clock.

etude *(en -r)* étude, study.

etui *(et -er)* case.

etværelseslejlighed one-room flat.

etymolog *(en -er)* etymologist. **etymologi** *(en -er)* etymology. **etymologisk** *adj* etymological.

etårig *adj* one year old; *(som lever 1 år)* annual *(fx* plant); *(som varer 1 år)* one-year *(fx* a one-year course).

eufemisme *(en -r)* euphemism.

eufemistisk *adj* euphemistical.

euforiserende *adj:* *~ stof* euphoriant.

eunuk *(en -ker)* eunuch.

Europa Europe.

Europarådet the Council of Europe.

europæer *(en -e)* European. **europæisk** *adj* European; *~ berømt* of European reputation.

eustakisk *adj: det -e rør* the Eustachian tube.

Eva Eve. **evadatter** daughter of Eve.

evakuere *vb* evacuate. **evakueret** *subst (fra en truet by)* evacuee. **evakuering** *(en)* evacuation.

evangelisk *adj* evangelic(al).

evangelist *(en -er)* evangelist.

evangeli|um *(et -er)* gospel; *Matthæus -et* the Gospel according to St. Matthew.

eventualitet *(en -er)* contingency, eventuality.

eventuel *adj* possible, prospective, if any *(fx* the expenses, if any); *ansvarlig for -le følger* responsible for any consequences. **eventuelt** *adv* possibly, perhaps, if ever, if at all, if necessary, if convenient.

eventyr *(et -) (oplevelse)* adventure; *(fortælling)* fairy-tale; *gå på ~* seek adventures.

eventyr|agtig *adj* fanciful, unreal. **-bog** book of fairy-tales. **-digter** writer of fairy-tales.

eventyrer *(en -e)* adventurer. **eventyrerske** *(en -r)* adventuress. **eventyrlig** *adj* fantastic, marvellous. **eventyrlighed** *(en)* marvellousness.

eventyr|lyst love of adventure. **-lysten** *adj* adventurous. **-slot** fairy palace.

evidens *(en): det fremgår til ~ af ovenstående* it appears conclusively from the above.

evident *adj* evident.

evig *adj* eternal *(fx* the e. objects of poetry); *(endeløs, uendelig)* perpetual, everlasting; *adv (ogs -t)* eternally, perpetually, for ever; *~ og altid* always, perpetually; *for -t* for ever; *hver -e en* every single *(el.* T blessed) one, every mother's son; *gå ind til den -e hvile* go to one's rest; *den -e jøde* the Wandering Jew; *det ~ kvindelige* the eternal feminine; *det -e liv* eternal life; *~ sne* perpetual snow; *den -e stad* the Eternal City; *vente en ~ tid* wait for ages; *til ~ tid* for ever, till kingdom come.

evighed *(en)* eternity; *en hel ~* an age, ages; *aldrig i ~* never; *i al ~, for tid og ~* for ever (and ever).

eviheds|blomst ♅ everlasting (flower). **-kalen-**

der perpetual calendar. **-maskine** perpetual motion machine.

evindelig adj everlasting, perpetual; adv (i det -e) eternally, for ever (and ever). **evindelighed** (en) eternity; i én ~ for ever, eternally.

I. **evne** (en -r) ability, capacity, power, faculty; (økonomisk) means; efter ~ to the best of one's ability; (økonomisk) according to one's means; have gode -r be gifted; have ~ til at .. have the faculty (el. T: knack) of -ing; leve over ~ live beyond one's means. II. **evne** vb be able to, be capable of.

evne|løs adj incapable, incompetent. **-svag** adj mentally handicapped.

evolution (en -er) evolution.
excellence (en -r) excellency; Deres Excellence Your Excellency.
excellent adj excellent. **excellere** vb excel (i: in).
excentricitet (en -er) eccentricity.
excentrisk adj eccentric.
exceptionel adj exceptional.
excerpere vb excerpt, extract.
excerpt (et -er) excerpt, extract.
excesser pl excesses.
exe vb (om cykelhjul) buckle.
exlibris (et -) book-plate, ex libris.
ex tempore extempore, off-hand.
extenso: in ~ in extenso, in its entirety.

F

F, f (et -'er) F, f. f. (fk f født) b. (fk f born).
fabel (en, fabler) fable; (handling) plot; han er en ~ for hele byen he is the talk of the town.
fabel|agtig adj fabulous, fantastic. **-digter** fabulist, writer of fables. **-dyr** fabulous monster.
fable vb rave, talk nonsense; ~ om rave about; han -r om at tage til U.S.A. he is always on about going to the U.S.A.
fabrik (en -ker) factory, works (fx a motor works); (især tekstil-) mill; (især amr) plant.
fabrikant (en -er) manufacturer, maker; (fabrikejer) factory owner.
fabrikat (et -er) (vare) manufacture, product; (tilvirkning) make (fx of the best British make); eget ~ our own make.
fabrikation (en) manufacture; under ~ in process of manufacture. **fabrikations|fejl** defect (in workmanship). **-hemmelighed** trade secret. **-pris** cost of production.
fabrikejer factory owner.
fabrikere vb manufacture, make; (opdigte) fabricate.
fabriks|arbejder factory worker, factory hand. **-by** industrial town. **-drift, -industri** manufacturing industry. **-ingeniør** se kemiingeniør. **-mærke** (et -r) factory mark. **-pige** factory girl. **-tilsyn** factory inspection. **-varer** pl manufactured goods.
fabulere vb give one's imagination (a) free rein.
facade (en -r) front, façade.
facadeløs adj: ~ vej unbuilt-up highway.
facet (en -ter) facet. **facettere** vb bevel, facet.
facil adj plausible, facile. **faciliteter** (pl) facilities (for: for).
facit (et -ter) answer. **facitliste** (en -r) key, answers.
facon (en -er) (form) shape; (måde) manner.
faconneret adj (om tekstilvarer) fully-fashioned.
I. **fad** (et -e) dish; (tønde) cask, vat; vin fra ~ wine from the wood; øl fra ~ (ikke i flaske) draught beer; forlange hans hoved på et ~ demand his head on a charger; komme til -et come in for a share. II. **fad** adj flat, vapid, insipid.
fadder (en -e) godfather, godmother, sponsor; stå ~ til stand sponsor to, be godfather (, godmother) to, (fig) sponsor. **fadder|skab** (et -er) sponsorship. **-sladder** gossip; holde ~ gossip.
fadebur pantry.
fader (en, fædre) father; (fortroligt) dad, daddy; (poet. og om dyr) sire; fædre (forfædre) fathers, ancestors; ~ til the father of; han er gået til sine fædre he has been gathered to his fathers.
fader|kærlighed paternal love. **-lig** adj fatherly. **-løs** adj fatherless. **-mord** parricide. **-morder(ske)** parricide. **-skab** (et) paternity. **-vor** (et) the Lord's Prayer; bede ~ say the Lord's Prayer; kunne noget som

sit ~ have sth at one's finger's ends; han kan mere end sit ~ he knows a thing or two.
I. **fading** (en -er) (på vogn) body.
II. **fading** (en) (radio) fading.
fadæse (en -r) blunder; begå en ~ (make a) blunder, put one's foot in it, drop a brick.
fadøl draught beer.
fag (et -) (i skole) subject; (område) department, line; (erhvervs-, håndværks-) trade; (liberalt erhverv) profession; et ~ gardiner a pair (el. set) of curtains; et ~ vinduer a window; et tre fags vindue a three-light window; af ~ by trade, by profession.
fag|arbejder skilled worker. **-bibliotek** special library. **-blad** professional paper; (handels-, industri-) trade paper; (videnskabs-) scientific periodical; (teknisk) technical periodical. **-bog** (telefonbog) classified telephone directory.
fager adj fair.
fag|folk (fagarbejdere) skilled workers, (særlig kyndige) experts, professionals. **-forbund** federation of trade unions; trade union. **-forening** trade union; (amr) labor union. **-fælle** colleague. **-idiot** overspecialized person. **-idioti** over-specialization. **-kundskab** special (el. technical) knowledge.
faglig adj professional, technical, special.
fag|litteratur special literature; (praktisk) trade (el. technical) literature; (videnskabelig) scientific literature; (i bibliotek) classed books. **-lokale:** -r rooms for special subjects; (til manuelle fag) practical rooms. **-lærer** subject teacher; (med faglærereksamen omtr =) specialist teacher. **-lært** adj skilled; ikke ~ unskilled. **-mand** expert. **-mæssig** se faglig. **-organisation** trade organization; (se ogs -forening).
fagot (en -ter) bassoon. **fagottist** (en -er) bassoonist.
fag|sprog technical language. **-studium** vocational study.
fagter pl gestures, gesticulations.
fagtidsskrift se fagblad.
fag|uddannelse vocational training. **-uddannet** adj skilled. **-udtryk** technical term.
faible (en) weakness; have en ~ for noget have a weakness for sth, be partial to sth.
fajance (en -r) faience.
fakir (en -er) fakir.
fakkel (en, fakler) torch. **fakkeltog** torchlight procession.
faksimile (en -r) facsimile.
fakta pl af faktum.
faktisk adj actual, real, virtual; adv as a matter of fact, actually, virtually, in fact; de -e forhold the facts; det er ~ it is a fact.
faktor (en -er) (mat. og fig) factor; (i trykkeri) foreman (compositor).

faktotum *(et)* right-hand man, factotum, man of all work.
fakt|um *(et -a)* fact.
faktura *(en -er)* invoice *(over:* for).
faktura|beløb amount of the invoice. **-pris** invoice price.
fakturere *vb* invoice.
fakturist *(en -er)* invoice clerk.
fakultativ *adj* optional.
fakultet *(et -er)* faculty.
falangist *(en -er)* Falangist.
falanks *(en -er)* phalanx.
falbelader *(pl) (fig)* frills *(fx* write without f.), fuss.
falbyde *vb* offer for sale.
fald *(et -)* fall; *(faldhøjde)* drop; *(om kjole)* hang; *(kasus)* case; ♺ *(tov)* halyard; *i* al *(el.* alt, alle, hvert*)* ~ at any rate, at all events, in any case, anyhow; *i bedste* ~ at best; *i bekræftende (el.* så*)* ~ if so; *i benægtende (el.* modsat*)* ~ if not; *i værste* ~ at worst, if the worst comes to the worst.
falddør trap-door, *(ved henrettelse)* drop.
falde *vb (faldt, faldet)* fall; *(styrte, trimle)* tumble; *(i krig)* fall, be killed; *barometeret er -t* the barometer has fallen; *dommen -r (i straffesag)* sentence is pronounced, *(i civilsag)* judgment is delivered; *tage det som det kan* ~ take things as they come; *lade* ~ drop, let fall; *lade emnet* ~ drop the subject; *lade et par ord* ~ let fall a few words; *det -r mig let* I find it easy; *priserne -r* prices are falling *(el.* going down); *det -r sig sådan at* it so happens that; *dette stof -r så smukt* this material hangs so well; *denne sætning -r tungt* this sentence reads heavy; *tæppet -r (på teater)* the curtain falls *(el.* comes down);
[*m præp & adv*] ~ 'af fall off, come off; *(om hår etc)* come out; *der kan* ~ *noget af til dig* you may come in for a share; ~ *af på den* lose grip; *han er -t af på den* he is not the man he was; *det '-r af sig selv* it is a matter of course, it goes without saying; ~ **bort** *(opgives)* be dropped; *(ophøre)* be discontinued, lapse; ~ **efter** *(om hest etc)* be sired by; ~ **for** fall for *(fx* all girls fall for him); ~ *for fjendehånd* die at the hands of the enemy; ~ *for fristelsen* succumb to temptation; ~ 'for *(forefalde)* occur, happen, turn up; *når Deres vej -r* **forbi** when you come my way; ~ 'fra *(dø)* die, pass away; *(svigte) (uden styrelse)* fall away, desert one's party; *(med styrelse)* desert the cause of; ~ **hen** *(falde i søvn)* fall asleep, drop off; *(i drømmerier)* fall into a reverie; ~ 'i *(gennem is)* fall through, *(lukke sig)* fall to, *(stemme i)* join in; ~ *i hænderne på en* fall into sby's hands, fall into the hands of sby; *det -r i min smag* it is to my taste; ~ *i øjnene* be conspicuous; *det faldt 'i med regn* (, tåge) it set in raining (, foggy); ~ **igennem** fall through; *(ved eksamen)* fail, be ploughed; ~ **ind** *(med en bemærkning)* cut in; *(synge med)* join in; *hvor kan det* ~ *dig ind at ...?* how dare you ...? what do you mean by -ing? *det kunne aldrig* ~ *mig ind* I shouldn't dream of (doing) such a thing; *det -r mig ind* it occurs to me; ~ *ind i et land* invade a country; ~ *ind under* come under *(fx* it comes under another heading); ~ **ned** *af en stige* fall off *(el.* down from) a ladder; ~ 'om fall down; drop *(fx* drop dead); *han faldt mig om halsen* he threw his arms round my neck; '~ **over** *(snuble over)* fall over, stumble over, *(få fat i)* come across; ~ 'over *(gå løs på)* go for, fall on, attack; ~ 'på *(indtræde)* set in, fall; *gevinsten faldt på nr 123* ticket number 123 came up with the prize; *natten -r på* night is coming on; *hvorledes -r du på det?* what makes you think that? ~ **sammen** collapse; ~ *sammen med* coincide with; ~ 'til *(lukke sig)* close; *(slutte tæt)* fit closely; ~ *ham til besvær* become a burden to him; ~ **tilbage** fall back; *have noget at* ~ *tilbage på* have something for a rainy day, have a nest-egg; ~ **ud** fall out *(fx* fall out of the window); *(udvikle sig)* turn out *(fx* it turned out well); ~ *ud af takten* get out of time; ~ *ud i (om flod)* fall *(el.* flow) into.

faldefærdig *adj* ramshackle.
I. **falden** *(en)* fall; *stigen og* ~ rise and fall.
II. **falden** *adj* fallen; *en* ~ *kvinde* a fallen woman; *faldne og sårede* killed and wounded, casualties.
faldende *adj* falling; ~ *tendens (for priser)* downward tendency.
faldereb ♺ gangway; *et glas på -et* a stirrup cup.
falderebstrappe ♺ accommodation ladder.
fald|gitter portcullis. **-grube** *(ogs fig)* pitfall. **-hastighed** speed of falling. **-højde** drop. **-lem** *(en -me)* trap-door, drop.
faldskærm *(en -e)* parachute.
faldskærms|jæger parachutist. **-tropper** parachute troops, paratroops. **-udspring** parachute jump. **-udspringer** *(en -e)* parachutist.
faldt *imperf af falde.*
faldøkse *(en -r)* guillotine.
falk *(en -e)* falcon. **falkeblik** hawk's eye.
falkoner *(en -er)* falconer.
fallent *(en -er)* bankrupt. **falleret** *adj* bankrupt.
I. **fallit** *(en -ter)* bankruptcy, failure; *spille* ~ go bankrupt, fail.
II. **fallit** *adj* bankrupt; *erklære én* ~ make sby bankrupt; *blive erklæret* ~ *(af retten)* be adjudged a bankrupt; *erklære sig* ~ file a petition in bankruptcy; *gå* ~ go bankrupt, fail.
fallitbo *(et -er)* bankrupt estate.
falliterklæring *(fig)* admission of failure.
falme *vb* fade; *som ikke -r* fadeless.
I. **fals** *(en -e) (ombøjet kant)* fold; *(indsnit til anslag af vindue etc)* rabbet.
II. **fals:** *til* ~ for sale; *(især om person)* venal.
false *vb (se* I. fals*)* fold, rabbet.
falsemaskine folding machine.
falset *(en)* falsetto.
I. **falsk** *(et)* forgery.
II. **falsk** *adj (urigtig)* false; *(uægte)* false, sham spurious; *(bedragerisk)* fraudulent; *være* ~ *imod en* play sby false; ~ *check* forged cheque; *-e mønter* bad *(el.* counterfeit) coins; ~ *nøgle* false key; ~ *pas* forged passport; *-e pengesedler* forged bank-notes; ~ *tone* false note.
III. **falsk** *adv* falsely; *spille* ~ *(i musik)* play out of tune; *(i kortspil)* cheat (at cards); *sværge* ~ commit perjury; *synge* ~ sing out of tune.
falskhed *(en)* falseness, duplicity, deceitfulness.
falskmøntner *(en -e)* coiner. **falskmøntneri** *(et -er)* coining; *(af sedler)* forgery of banknotes; *(det at sætte falske mønter i omløb)* issuing of counterfeit coin.
falskneri *(et -er)* forgery, falsification.
falskspiller cheat, *(professionel)* card-sharper.
falsning *(en -er) (se* I. fals*)* folding, rabbeting.
falstagsten interlocking tile.
falsum *(et)* fraud; *(noget forfalsket)* forgery.
familie *(en -r)* family; *min* ~ *(nære slægtninge)* my people; *(fjernere)* my relatives; *-n Johnson* the Johnson family, the Johnsons; *i* ~ *med* related to, a relation *(el.* relative) of.
familie|fader father *(el.* head) of a family. **-fest** family reunion. **-foretagende** family business. **-forsørger** bread-winner. **-hemmelighed** family secret; *(af ubehagelig art)* skeleton in the cupboard. **-kreds** family circle. **-lighed** family likeness. **-medlem** member of the family. **-navn** family name, surname. **-planlægning** family planning. **-skab** *(et)* kinship.
familiær *adj* familiar, free and easy, free; ~ *stilling (som hushjælp uden løn)* au pair; *have* ~ *stilling* be accepted as one of the family.
famle *vb* grope *(fx* in the dark); *(fingerere)* fumble *(efter:* for); *(efter ordene)* hesitate, falter; *-nde forsøg* hesitant attempts; ~ *sig frem* grope one's way; ~ *ved* fumble at, finger. **famlen** *(en)* groping; *(i tale)* hesitation.
famøs *adj* notorious.
fanatiker *(en -e)* fanatic. **fanatisk** *adj* fanatical.
fanatisme *(en)* fanaticism.

fandeme [*kan kun oversættes tilnærmelsesvis, fx jeg ved ~ ikke* I am damned (*el.* I'll be damned) if I know], *se ogs sgu.*

fanden the devil, Old Nick; *det bryder jeg mig ~ om* I don't care a damn; *så for ~* damn, confound it, hang it; *-s fødselsdag (svarer til)* quarter day; *stå op før ~ får sko på* get up at an unearthly hour; *~ gale mig om jeg gør* I will be hanged if I do, I will see you hanged first; *når man giver ~ den lille finger tager han hele hånden* give him an inch, and he will take a yard; *fy for ~!* ugh! *hvad, hvem, hvorfor ~?* what, who, why the deuce (*el.* the devil)? *gå ~ i vold!* go to hell! *det gør han ~ ikke* the deuce (*el.* the devil) he does; *~ er løs* there is the devil to pay; *~ og hans oldemor* the devil and his dam; *jeg tror ~ plager dig!* are you stark staring mad? *ja det tror ~!* I should say so! *snakke ~ et øre af* talk the hind leg off a donkey; *det var som ~!* well, I'm damned! *koldt som bare ~* damned cold; *~ til fyr* a devil of a fellow; *have ~ til morbror* have pull, have connections, have a friend at court; *han løb som om ~ var i hælene på ham* he ran like the devil (*el.* like hell).

fandenivoldsk *adj* devil-may-care.

fandens *adj* confounded, blooming, blessed, damned; *adv* confoundedly, damn(ed); *en ~ karl* a devil of a fellow.

fandens mælkebøtte ♁ dandelion.

fandt *imperf af finde.*

fane (*en -r*) colours, flag, banner, standard; *(på fjer)* vane; *(i kartotek)* tab; *med flyvende -r og klingende spil* with colours flying and drums beating; *gøre honnør for -n* salute the colours; *rejse oprørets ~* raise the standard of revolt; *sænke -n for* dip the colours for; *(fig)* do homage to.

fane|bærer (*en -e*) standard-bearer. **-ed** oath of allegiance. **-flugt** desertion. **-kort** guide card. **-march** *(ceremonien)* changing the colours; *(melodi)* [tune played at the changing of the colours], *(ofte =)* regimental march. **-stang** colour pike. **-vagt** escort to the colours.

fanfare (*en -r*) flourish, fanfare.

fangarm (*en -e*) *zo* tentacle.

I. **fange** (*en -r*) prisoner, captive; *tage en til ~* take sby prisoner.

II. **fange** *vb* catch; *(tage til fange)* take prisoner, capture; *holde én -n* keep sby prisoner; *holde éns interesse -n* hold sby's attention; *~ an* start, set to work.

fange|dragt prison uniform. **-hul** dungeon. **-kost** prison diet; *på sædvanlig ~* on the usual prison diet. **-lejr** prison camp, prisoners' camp, P.O.W. camp (*fk f* Prisoner of War camp).

fangenskab (*et*) captivity; *(forbryders)* confinement, imprisonment.

fanger (*en -e*) *(sæl-)* sealer; *(hval-)* whaler.

fange|skib convict ship. **-transport** convoy of prisoners; *(det at transportere fanger)* transport of prisoners. **-vogter** gaoler, *(amr)* jailer; *(se også fængselsbetjent).*

fangst (*en*) catching, taking; *(bytte)* capture, take; *(jægers)* bag; *(fiskers)* catch. **fangst|båd** whaling (, sealing) boat. **-redskaber** fishing (, whaling, sealing) tackle.

fantasere *vb* *(i vildelse)* rave, be delirious; *(dagdrømme)* (day)dream; *(musik)* improvise; *(på orgel)* play voluntaries.

fantasi (*en*) imagination; *(forestilling, drøm)* fancy, fantasy; *(sygelig forestilling)* hallucination; *(musikstykke)* fantasia. **fantasi|billede** chimera, illusion. **-foster** figment of the brain. **-fuld** *adj* imaginative. **-løs** *adj* unimaginative.

fantast (*en -er*) visionary, dreamer. **fantasterier** *pl* ravings. **fantastisk** *adj* fantastic(al); *(adv)* fantastically.

fantom (*et -er*) phantom.

Fanø Fanoe.

far *se fader.*

Farao (*en -ner*) Pharaoh.

farbar *adj* negotiable, passable, practicable; ⚓ navigable, passable.

farbroder (paternal) uncle.

farce (*en -r*) farce. **farceagtig** *adj* farcical.

I. **fare** (*en -r*) danger, peril, jeopardy; *(risiko)* hazard, risk; *der er ~ for hans liv* his life is in danger; *stå i ~ for* be in danger of; *med ~ for* at the risk of; *bringe i ~* endanger, imperil; *uden ~* without danger; *uden for ~* out of danger; *der er ~ ved det* it is dangerous.

II. **fare** *vb* *(for, faret)* *(styrte, ile)* rush, dart, dash; *(om skib og søfolk: sejle)* sail; *~ af sted* tear along; *~ frem (fig)* act, proceed; *~ i tøjet* fling on one's clothes; *det for igennem mig* it flashed through my mind; *komme -nde ind* rush in; *lade ~* abandon; *~ løs på* rush at, fly at; *~ med lempe* do things gently; *~ med løgn* tell lies; *~ en om halsen* throw oneself on sby's neck; *~ op* start up, spring to one's feet, jump up; *(i vrede)* flare up; *~ sammen* start; *~ til himmels* ascend into heaven; *ordet for ud af munden på ham* the word slipped out of his mouth; *~ vild* lose one's way.

III. **fare** *vb* *(om so: føde)* farrow.

farefri *adj* free from danger, safe.

farefuld *adj* dangerous, perilous.

faren: *ilde ~* in a bad way.

fare|signal danger signal. **-truende** menacing. **-zone** danger zone; *i -n* in the danger zone; *(i kontraktbridge)* vulnerable.

farfader (paternal) grandfather.

farisæer (*en -e*) Pharisee. **farisæisk** *adj* Pharisaical. **farisæisme** (*en*) Pharisaism.

farlig *adj* dangerous; *(vovelig)* perilous, hazardous, risky; *(T: meget stor, skrækkelig)* awful; *adv* dangerously; awfully, immensely; *et -t bryderi* a lot of trouble; *en ~ masse* an awful lot; *han ser ~ ud* *(o: skrækkelig)* he looks awful. **farlighed** (*en*) dangerousness, perilousness, danger.

farm (*en -e*) farm.

farma|ceut (*en -er*) pharmacist. **-ceutisk** *adj* pharmaceutical. **-ci** (*en*) pharmacy. **-kolog** (*en -er*) pharmacologist. **-kologi** (*en*) pharmacology. **-kopé** (*en*) pharmacopoeia.

farmer (*en -e*) farmer.

farmoder (paternal) grandmother.

fars (*en*) [minced meat bound with flour and egg].

farsere *vb* stuff *(fx* stuffed turkey).

fart (*en*) speed, velocity, rate; *(skibs)* headway; *(hast)* speed, haste; *(sejlads)* navigation, trade; *(rutefart)* service; *i en ~* quickly, in a hurry; *få ~ i tingene* T make things hum; *i fuld ~* (at) full speed; *der er ~ i ham* he is full of go; *gå med langsom ~* go at slow *(el.* a low) speed; *gøre ~* fremover ⚓ make headway; *med sådan en ~ at* at such a rate that; *med en ~ af* at a speed of; *bilen havde ~ på* the car was going fast; *være på -en* be on the move; *sagtne -en* slow down; *sætte -en op* speed up, increase speed; *(skynde sig)* hurry up. **fartbegrænsning** speed limit.

farte *vb:* ~ *omkring* gad about.

fartplan (*en -er*) timetable.

fartøj (*et -er*) vessel, craft *(pl* craft).

farvand (*et -e*) water; *(sejlløb)* fairway, channel; *i -et (fig)* in the offing.

I. **farve** (*en -r*) colour, *(amr)* color; *(farvestof)* dye; *(maling)* paint; *(i kortspil)* suit; *skifte ~* change colour; *(i kortspil)* switch to another suit.

II. **farve** *vb* colour, *(amr)* color; *(tøj etc)* dye.

farve|bilag colour plate. **-blind** colour-blind. **-blindhed** colour-blindness. **-blyant** crayon. **-bånd** *(til skrivemaskine)* (typewriter) ribbon. **-film** colour film; *(til forevisning oftest:)* technicolor ®. **-fotografi** colour photograph; *(fotografering)* c. photography. **-givning** (*en*) colouring. **-handel** oil and colour shop. **-handler** (*en -e*) oil and colour man.

farvel (*et*) good-bye; T bye-bye; *(mere formelt siges til fremmede, alt efter dagstiden)* good morning, good afternoon, good night; *(højtideligt)* farewell;

~ *så længe* see you later; T see you; *(amr)* so long; *sige ~ til* say goodbye to.

farve|lade *(en -r)* paint-box. **-lagt** coloured. **-lægge** colour. **-lægning** colouring. **-lære** *(en -r)* chromatology. **-løs** colourless. **-løshed** colourlessness. **-melding** *(i kortspil)* suit bid. **-orgie** riot of colours. **-pragt** glowing colours, rich colours. **-prægtig** *adj* richly coloured, gay.

farver *(en -e)* dyer. **farveri** *(et -er)* dye works. **farve|rigdom** rich colouring. **-rivning** colour -grinding; *(typ)* braying. **-sans** sense of colour. **-spil** play of colours. **-stof** dye, dye-stuff; *(i huden)* pigment.

farvet *adj (ogs om race)* coloured; *(om tøj etc)* dyed; *(fig: tendentiøs)* angled, slanted.

farve|tone *(en -r)* tint, shade. **-tryk** colour-printing; *(billede)* colour-print. **-ægte** *adj* colour-fast.

farvning *(en)* colouring; *(af tøj etc)* dyeing.

fasan *(en -er)* pheasant.

fascinere *vb* fascinate.

fascisme *(en)* Fascism. **fascist** *(en -er)* Fascist. **fascistisk** *adj* Fascist.

fase *(en -r)* phase.

fashionabel *adj* fashionable.

faskine *(en -r)* fascine.

fast *adj & adv (ubevægelig)* firm; *(modsat flydende)* solid; *(tæt)* compact; *(standhaftig)* firm, steadfast; *(om stemme)* firm, steady; *(om møbler)* fixed *(fx* benches); built-in *(fx* cupboard, bookshelves); ~ *ansættelse* a permanent appointment; *få (, have)* ~ *arbejde* get *(,* have) regular work; *-e arbejdere* regular hands, the permanent staff; ~ *ejendom* real property, real estate; *tro fuldt og* ~ *på* believe firmly in; ~ *fyr* ⚓ fixed light; ~ *føde* solid food; ~ *gage* fixed (el. regular) salary (el. wages); *gøre* ~ *fasten,* make fast; *holde* ~ *ved* hold on to, *(fig)* stick to; *en* ~ *hånd* a firm hand; *en* ~ *karakter* a strong character; *en* ~ *kunde* a regular customer; *-e legemer (fysik)* solids; *snakke om løst og* ~ talk of this, that, and the other; *-e medarbejdere (ved et blad)* staff writers; *han er* ~ *medarbejder ved Times* he is on the staff of the Times; *-e priser* fixed prices; *sidde* ~ *stick; sidde* ~ *i sadelen* have a firm seat; *(fig)* be firmly in the saddle; *slå* ~ fix, nail on, *(påvise, konstatere)* prove, demonstrate, establish; *stå* ~ stand firm; *det står* ~ *at* it is an established fact that, the fact remains that; *stå* ~ *på* insist on; *stå* ~ *ved* stick to; *sætte* ~ *(fastgøre)* fasten; *(arrestere)* arrest, T run in.

fast|ansat permanently employed *(hos* by). **-boende** *adj (modsat turister)* resident; *(modsat nomader)* settled.

I. **faste** *(en)* fast; *(fastetiden)* Lent.
II. **faste** *vb* fast; *(se ogs fastende).*

fastelavn *(en)* Shrovetide. **fastelavns|dragt** fancy dress. **-mandag** [Shrove Monday]. **-søndag** Quinquagesima Sunday.

fastende *adj* fasting; *jeg er* ~ I have not yet eaten anything, I have not broken my fast; *på* ~ *hjerte* on an empty stomach, first thing in the morning.

faster|er *(en -re)* (paternal) aunt.

fasthed *(en) (se fast)* firmness; solidity; compact-ness; steadfastness.

fastholde *vb* keep; *(mening etc)* stick to; *(påstå)* maintain *(fx* he maintains that he is innocent); insist *(fx* he insists that he saw it); *han -r sit krav* he insists on his claim.

fasthængen *(en)* clinging *(ved:* to).

fastland mainland, continent; *det europæiske* ~ the Continent; *på -et* on the Continent. **fastlands-continental. fastlandssokkel** *(geol)* c. shelf.

fastlåse lock; *(lønninger etc)* freeze.

fastslå *vb (hævde)* maintain; *(påvise)* establish *(fx* we can establish the following facts).

fastsætte *vb (en tid)* appoint, fix; *(en pris)* fix; *(betingelser)* stipulate; *(regler)* establish, lay down; ~ *lønnen til* fix the wages at. **fastsættelse** *(en)* appointment, fixing, stipulation, establishment.

fat: *få* ~ *i (el. 'på)* get hold of; *få* ~ *på meningen* catch the meaning; *det er galt* ~ *med ham* he is in a bad way; *hvorledes er det* ~ *med ham?* how are things with him? *det er ikke rigtig* ~ *med ham* (= *han er gal)* he is not all there; *nd er det sådan* ~! so that's the way it is! *tage* ~ *(på arbejdet)* get down to it; *tage* ~ *i* take *(el.* catch, seize) hold of; *tage* ~ *på* set to work on, tackle.

fatal *adj* unlucky, unfortunate; *(ærgerlig)* tiresome.

fatalisme *(en)* fatalism.

fatalist *(en -er)* fatalist. **fatalistisk** *adj* fatalistic.

fatalitet *(en -er)* misfortune; *(ulykke)* calamity.

fata morgana *(et)* mirage, fata morgana.

fatning *(en -er) (beherskelse)* composure, self-possession; *(lampe-)* socket; *bringe ham ud af* ~ disconcert him, embarrass him; *(ved blikke)* stare him out of countenance, outface him; *uden at tabe -en* with composure, composedly, T without batting an eyelid.

fatte *vb (begribe)* grasp, understand, comprehend; *(komme til at føle)* conceive *(fx* a hatred, a hope); ~ *en beslutning* make up one's mind, come to a decision; *fat gevær!* ⚔ unpile arms! *han* ~ *langsomt* he is slow in the uptake; *han -r let* he is quick in the uptake, he is quick-witted; ~ *mod* take courage; ~ *sig* compose oneself, pull oneself together; ~ *sig i korthed* be brief. **fatteevne** apprehension; *det overstiger min* ~ it is beyond me.

fatter *(en)* T the governor, the old man.

fattes *vb (mangle)* lack, want; *(savnes)* be missing, be wanting.

fattet *adj* composed, collected.

fattig *adj* poor, needy, indigent; *den -e* the poor man; *de -e* the poor; *-e* poor people; *de -e i ånden* the poor in spirit; *efter* ~ *evne* to the best of my *(,* his etc) ability; ~ *på* poor in, lacking in, deficient in, destitute of.

fattig|bøsse poor-box. **-dom** *(en)* poverty, indigence. **-fin** shabby-genteel. **-folk** poor people. **-forsorg** poor relief. **-gård** workhouse. **-hjælp** poor relief. **-jord:** *blive begravet i* ~ be buried in a pauper's grave. **-kvarter** slum. **-lem** *(et -mer)* pauper. **-væsen** poor law authorities.

faun *(en -er)* faun. **fauna** *(en -er)* fauna.

fauteuil *(en -s) (i biograf)* fauteuil.

favn *(en -e)* arms, embrace; *(mål)* fathom; *på ni -e vand* in nine fathoms of water; *tage en i* ~ take sby in one's arms, embrace sby.

favne *vb* embrace, clasp, hug; ~ *op* ⚓ fathom.

favne|brænde, -ved cord wood.

favntag *(et -)* embrace, T hug.

favorabel *adj* favourable. **favorisere** *vb* favour.

favorit *(en -ter)* favourite; *han er blandt -terne (ved stillingsbesættelse)* he is on the short list.

favør *(en)* favour; *i min* ~ to my advantage, *(ogs merk)* in my favour *(fx* a balance in my favour). **favørpris** special price.

F.D.F. *(fk f Frivilligt Drengeforbund) (svarer til)* The Boys' Brigade.

fe *(en -er)* fairy. **feagtig** *adj* fairy-like.

feber *(en)* fever; *(for høj temperatur)* temperature, fever.

feber|agtig *adj* feverish; *i* ~ *spænding* in a fever of expectation. **-fantasi** feverish hallucination, delirium. **-fri** *adj* free from fever. **-hed** *adj* feverish. **-kost** fever diet; *være på* ~ be on a fever diet. **-kurve** temperature curve. **-stillende** *adj* antipyretic, febrifugal; ~ *middel* antipyretic, febrifuge. **-vildelse** delirium; *tale i* ~ be delirious.

febril *adj* febrile, feverish. **febrilsk** *adj* feverish, excited, agitated.

februar February.

I. **fed** *(et -)* *(garn)* skein, lea; *(af løg)* clove.
II. **fed** *adj* fat; *(om mad ogs)* rich *(fx* cream, sauce); *blive* ~ put on fat; *det bliver man ikke* ~ *af (fig)* that won't make you rich; *et -t embede* T a fat job; *en* ~ *mand* a fat man; *det er mig lige -t* that's all the same

to me; *det skal -t hjælpe* a fat lot of good that is going to do; *trykt med -t (el. med -e typer)* printed in bold-faced type; *tyk og ~* fat, stout.
fede *vb* fatten (*med:* on).
fede|kalv fatted (*el.* fattening) calf; *slagte -en* kill the fatted calf. **-kur** fattening diet. **-svin** porker, fat pig. **-varer** *pl* delicatessen.
fedladen *adj* fattish, somewhat stout.
fedme (*en*) fatness, corpulence, (*stærk*) obesity.
fedronning fairy queen.
fedt (*et*) fat; (*til smøring*) grease, (*til madlavning*) lard; (*til at smøre på brød*) dripping; *få sit ~* (*fig*) catch it; *dyppe en i hans eget ~* give sby a dose of his own medicine; *det er et ~* that is all the same, it's as broad as it's long.
fedtagtig *adj* fatty.
fedtdannelse (*en -r*) formation of fat.
fedte *vb* grease, besmear with grease; (*kludre*) bungle; *~ for en* make up to sby, soft-soap sby.
fedte|fad: *komme i -et* get into hot water, get into the soup. **-grever** *pl* greaves.
fedtelse (*en*) grease.
fedteri (*et -er*) (*nærighed*) stinginess; (*sleskeri*) soft soap.
fedtet *adj* greasy; (*nærig*) stingy; (*slesk*) T smarmy; *det er ~ føre* the roads are slippery.
fedt|has (*en*) (*nærig*) skinflint; (*slesk*) smarmy fellow. **-indhold** fatty content. **-kirtel** sebaceous gland. **-klump** lump of fat. **-knude** lipoma, fatty tumour. **-læder** oil-finished leather. **-plet** grease spot. **-pukkel** hump. **-stof** fat, fatty substance. **-svulst** lipoma, fatty tumour. **-syl** (*en -e*) skinflint. **-syre** sebacic acid. **-tæt** *adj* grease-proof; *~ papir* grease-proof paper. **-væv** (*et*) fatty tissue.
fej *adj* cowardly, dastardly.
fejde (*en -r*) quarrel; (*mellem familier*) feud; (*litterær*) controversy.
feje *vb* sweep; *~ én af* snub sby; *~ til side* (*fig*) brush aside.
feje|bakke, -blad dustpan. **-kost** broom; (*riskost*) besom. **-maskine** sweeper.
fejende *adj* sweeping (*fx* gesture), (*flot*) dashing.
feje|skarn sweepings. **-spån** dustpan.
fejhed (*en*) cowardice.
I. **fejl** (*en -*) (*mangel, brist*) defect (*fx* hidden defect); (*støbefejl*) flaw; (*skrive-, tryk-*) error; (*modsat fordel*) drawback; (*ufuldkommenhed*) shortcoming (*fx* I know my own shortcomings); (*fejl man begår*) slip; (*større*) mistake, fault; (*brøler*) blunder; *begå en ~* make a mistake; *det er hans egen ~* it is his own fault; *der er ~ på begge sider* there are faults on both sides; *der har indsneget sig en ~ i brevet* an error has crept into the letter; *en ~ i maskineriet* a defect in the mechanism.
II. **fejl** *adj* wrong, erroneous, incorrect.
III. **fejl** *adv* wrong, amiss, erroneously, wrongly; *gå ~* go the wrong way; *høre ~* mishear; *regne ~* miscalculate; *se ~* be mistaken; *skrive ~* make a mistake (in writing); *skyde ~* miss (the mark); *slå ~* fail; *tage ~* make a mistake, be mistaken, be wrong; *tage ~ af tiden (, vejen)* mistake the time (, the way); *jeg tog ~ af ham* I was mistaken in him; *hvis jeg ikke tager meget ~* if I am not greatly mistaken; *jeg tog ~ af ham og hans broder* I mistook him for his brother; *ikke til at tage ~ af* unmistakable; *så tror du ~* then you are greatly mistaken; T then you think wrong; *træde ~* stumble, miss one's footing.
fejlagtig *adj* erroneous, wrong; *~ opgivelse* misstatement; *fremstille ~t* misrepresent.
fejlbedømme misjudge, miscalculate (*fx* the distance).
I. **fejle** (*begå fejl*) make mistakes, err (*fx* to err is human); (*ikke ramme*) miss; *det kan ikke ~ at han har ..* he is sure to have..
II. **fejle** (*lide af*): *hvad ~r De?* what is the matter with you? *han -r ikke noget* he is all right; *du må jo ~ noget* you must be out of your senses, you must be crazy.

fejl|ekspedition mistake (on the part of the staff); clerical error. **-finding** (*i fabrikation*) fault finding, (*amr*) trouble shooting. **-fri** *adj* faultless, flawless, blameless.
fejl|frihed faultlessness. **-givning** (*en*) (*i kort*) misdeal. **-greb** (*et -*) error, mistake, slip. **-grænse** limit of error. **-kilde** source of error. **-læsning** misreading. **-regning** miscalculation. **-skrift** (*en*), **-skrivning** slip of the pen; (*på skrivemaskine*) typing error. **-skud** miss, missed shot. **-slagen:** *~ forhåbning* disappointment, disappointed hope. **-slutning** fallacy. **-syn** (*fig*) error of judgement. **-tagelse** (*en -r*) mistake; *af (el. ved) en ~* by mistake; *begå en ~* make a mistake. **-trin:** *begå et ~* make a slip, get into trouble. **-tryk** faulty print; (*frimærke*) error. **-træk** (*et -*) wrong move. **-tælling** miscount. **-vurdere** *se -bedømme.*
fejre *vb* celebrate, solemnize, keep (*fx* one's birthday); (*person*) fête; *~ mindet om* commemorate.
fejret *adj* popular, much admired.
feldspat (*en*) felspar.
I. **felt** (*et -er*) (*elekt etc*) field; (*i brætspil*) square; (*område*) field, sphere, province.
II. **felt** (*en*) ⚔ field; *i -en* in the field.
felt|artilleri field artillery. **-bane** ⚔ obstacle course. **-flaske** water bottle. **-fod:** *på ~* on a war footing; *leve på ~* (*fig*) be camping. **-herre** commander, general. **-køkken** field kitchen. **-lazaret** field hospital. **-liv** camp life. **-marskal** field marshal. **-mæssig** *adj:* *~ oppakning* field pack. **-præst** army chaplain. **-råb** password. **-seng** camp bed. **-stol** camp stool. **-tog** campaign.
fem five; *lade ~ være lige* let things slide; *han er ikke ved sine fulde ~* he is not all there; *i løbet af nul komma ~* in no time.
fem|akter (*en -e*) five-act play. **-cifret** *adj* five-figure. **-dobbelt** *adj* fivefold, quintuple. **-fodet** *adj:* *~ vers* pentameter.
feminin *adj* feminine. **femininum** (*et*) the feminine (gender). **feminisme** (*en*) feminism. **feminist** (*en -er*) feminist.
fem|kamp pentathlon. **-kant** pentagon. **-kantet** *adj* pentagonal. **-krone** five-kroner piece. **-linger** *pl* quintuplets.
femmer (*en -e*) five; (*sporvogn etc*) number five.
fem|sidet *adj* five-sided, pentagonal. **-tal** (the figure) five. **-te** (*en*) afternoon tea.
femte (*ordenstal til fem*) fifth; *for det ~* in the fifth place, fifthly, (*se ogs kolonne*). **femtedel** (*en -e*) fifth.
femten fifteen. **femtende** fifteenth.
fem|ti fifty. **-tiden:** *ved ~* at about 5 o'clock. **-årig** *adj* (*5 år gammel*) five-year-old; (*som varer fem år*) quinquennial. **-årsplan** five-year plan.
fenacetin phenacetin.
fender (*en -e*) ⚓ fender.
fennikel (*en*) ⚘ fennel.
ferie (*en -r*) holiday; (*fast tilbagevendende*) holidays; (*især amr*) vacation; (*parlaments*) recess; *~ med løn* holiday with pay, paid holiday; *han trængte til en ~* he needed a holiday; *tage på ~* go on a holiday; *rejse hjem i -n* go home for the holidays.
ferie|dag holiday. **-gæst** holiday visitor; (*amr ogs*) vacationist. **-koloni** (children's) holiday camp. **-læsning** holiday reading. **-penge** holiday allowance.
feriere *vb* be on (a) holiday, spend one's holidays; *-nde* (*subst*) *se ferierejsende.*
ferie|rejse holiday trip. **-rejsende** holiday maker; (*amr*) vacationist. **-tablet** T pep pill.
ferm *adj* smart, clever (*til:* at).
ferment (*et -er*), **fermentere** *vb* ferment.
fernis (*en -ser*) varnish. **fernisere** *vb* varnish.
fernisering (*en -er*), **ferniseringsdag**, **fernissage** (*en -r*) (*på udstilling*) private view (day).
fersk *adj* fresh; (*flov*) insipid; *gribe på ~ gerning* catch in the (very) act, catch red-handed.
fersken (*en -er*) peach. **fersken|blød** *adj* peachy. **-farvet** peach (-coloured). **-kinder** peachy cheeks.

ferskhed *(en) (flovhed)* insipidity.
ferskvand fresh water. **ferskvands-** freshwater.
fest *(en -er)* celebration; *(selskab)* party; *(større ~, musikfest)* festival; *(gilde)* banquet, feast, *(basar etc)* fête; *(ballade)* high jinks, fun, a lark; *holde ~* celebrate, have a celebration (etc); *lave ~ (ballade)* kick up a row.
fest|aften festive night. **-dag** day of the festival; *det er en ~* it is a great day. **-dragt** full dress.
feste *vb* celebrate; *~ for en* fête sby.
fest|forestilling gala performance. **-fyrværkeri** a (great) display of fireworks.
festivitas *(en)* festivity.
fest|kantate (festival) cantata. **-klædt** in gala; *(festligt udsmykket)* gaily decorated. **-komité** (organizing) committee. **-lig** *adj* festive; *(grinagtig)* funny; *~ smykket* gaily decorated. **-lighed** *(en -er)* festivity, festival. **-middag** banquet. **-måltid** banquet, feast.
feston *(en -er)* festoon; *(på dametøj)* embroidered edging.
fest|sal assembly hall; *(finere)* ceremonial hall. **-skrift** *(et)* homage volume. **-spil** festival play; *-lene i Salzburg (etc)* the Salzburg (etc) festival. **-stemning** festive mood. **-tale** principal speech. **-tegn** badge. **-tog** procession.
fetere *vb* make much of, fête, lionise; *en feteret skuespiller* a much-admired actor.
fetich *(en -er)* fetish. **fetichisme** *(en)* fetishism.
feudal *adj* feudal. **feudalisme** *(en)* feudalism.
fez *(en -er)* fez.
f f *(af fineste sort)* A 1, first-class, first-rate.
fiasko *(en -er)* failure, fiasco; T flop, frost.
fib|er *(en -re)* fibre; *(amr)* fiber. **fiberplade** fibreboard.
fideikommis *(et -er) (om et gods)* entailed property, entailed estate.
fidel *adj* insinuating, oily.
fidibus *(en -ser)* spill.
fidus *(en -er) (tillid)* confidence *(til:* in); *(kneb, fif)* trick; *(vink)* tip. **fidusmager** *(en -e)* charlatan, trickster, cheat.
fif *(et -)* trick.
fiffig *adj* sly, shrewd, cunning, knowing; T fly.
fiffighed *(en)* slyness, shrewdness.
figen *(en -er el. figner)* fig.
figen|blad fig leaf. **-træ** fig tree.
figur *(en -er)* figure; *(af linier, ogs)* diagram; *i bar ~ without* an overcoat; *portræt i hel ~* full-length portrait; *gøre en ynkelig ~* cut a poor figure.
figurativ *adj* figurative.
figurere *vb* figure.
figurlig *adj* figurative.
figurmærke *(merk)* device mark.
fik *imperf af II. få.*
fiks *adj* smart, chic; *(behændig)* clever, dexterous; *en ~ idé* a fixed idea; *~ og færdig* all ready.
fiksativ *(et -er)* fixative.
fikse: *~ op* smarten up.
fikser|bad fixing bath. **-billede** puzzle picture.
fiksere *vb (fastsætte)* fix, determine, settle; *(se stift på)* fix, look fixedly at; *(fotografisk)* fix.
fiksersalt hypo, fixing salt.
fiksfakserier *pl (hokuspokus)* hanky-panky; *(dikkedarer)* fuss.
fiksstjerne fixed star.
fiktion *(en -er)* fiction. **fiktiv** *adj* fictive, fictitious.
fil *(en -e)* file; *-ens hug* the cuts of the file.
filantrop *(en -er)* philanthropist. **filantropi** *(en)* philanthropy. **filantropisk** *adj* philanthropic.
filateli *(en)* philately. **filatelist** *(en -er)* philatelist.
file *vb* file; *(polere)* polish.
filere *vb* net; *-t gardin* net curtain.
filernål netting needle.
filet *(en -er) (kød, fisk)* fillet; *(fileret arbejde)* net work, netting. **filettere** *vb (fisk etc)* fillet.
filharmonisk *adj* philharmonic.
filial *(en -er)* branch.

filialbibliotek sub-branch library.
filigranarbejde filigree work.
filipens *(en -er)* pimple; *fuld af -er* pimpled.
filippine philippine; *spille ~ med* play p. with.
Filippinerne *(geogr)* the Philippines.
filist|er *(en -re)* Philistine; *(spidsborger)* philistine. **filisteri** *(et)* philistinism. **filistrøs** *adj* philistine.
film *(en -(s)) (til optagelse af fotografier)* film; *(levende billeder)* film, movie, *(amr ogs)* motion picture; *(talefilm)* talkie; *(flirt)* flirtation; *(bluff)* bluff; *dreje (el. optage) en ~* shoot a film; *gå til -en* go on the screen.
filmatisere *vb* film, make a screen version of.
filmatisering *(en -er)* adaptation for the screen, screen version.
filme *vb (optage film)* film, take *(el.* make *el.* shoot) a film; *(optræde i film)* act in a film, act in films; *(flirte)* flirt. **filmisk** *adj* cinematic.
films|apparat film camera; *(smalfilms-)* cine camera. **-arkiv** film archive. **-atelier** film studio. **-fotograf** cameraman. **-instruktør** film director. **-kundskab** *(skolefag)* film appreciation. **-kunst** cinematic art. **-lærred** screen. **-operatør** cinema operator. **-selskab** film company. **-skuespiller** film actor. **-skuespillerinde** film actress. **-stjerne** film star. **-studie** motion-picture studio.
filolog *(en -er)* philologist. **filologi** *(en)* philology.
filologisk *adj* philological.
filosof *(en -fer)* philosopher. **filosofere** *vb* philosophize. **filosofi** *(en)* philosophy. **filosofikum** *(en)* [obligatory examination in philosophy taken at the end of the first university year]. **filosofisk** *adj* philosophic(al).
filt *(et)*, filt **vb** felt.
filt|er *(et -re)* filter, strainer. **filtercigaret** filter (-tipped) cigarette.
filthat felt hat.
filtre *vb* entangle, mat.
filtrerapparat filter. **filtrere** *vb* filter, strain.
filtrering *(en)* filtration. **filtrerpapir** filter-paper.
filur *(en -er)* sly dog, slyboots.
fimre *vb* vibrate, quiver. **fimrehår** *pl* cilia.
fims *(en) (stank)* stink, fug; *(vind)* wind. **fimse** *vb* break wind; *(stinke)* stink.
fin *adj* fine, *(af fremragende kvalitet)* fine, choice, high-class; *(sart)* delicate; *(fornem)* distinguished; *(hørende til den fine verden)* fashionable; *have -e fornemmelser* have social aspirations, be genteel; *en ~ hjerne* a subtle brain; *~ hud* delicate *(el.* soft) skin; *~ hørelse* a quick ear; *en ~ iagttager* a shrewd observer; *~ mad* choice food; *et -t menneske* a noble character; *på en ~ måde* discreetly; *-t papir (merk)* highclass *(el.* gilt-edged) security; *han er ikke -t papir* he is a somewhat shady customer; *-t støv* fine dust; *~ tråd* fine thread; *-t tøj* fine clothes; *det er netop det -e ved det* that's just the point, that is (just) the beauty of it; *være -e venner* be great friends; *være -e venner med* be hand in glove with; *den -e verden* the fashionable world, Society; *den er ~!* O.K.! fine!
finale *(en -r)* finale; *(slutkamp)* final *(fx* we beat them 2–1 in the final).
financier *(en -er)* financier.
finanser *pl* finances. **finansgeni** financial genius.
finansiel *adj* financial. **finansiere** *vb* finance.
finansieringsselskab finance house.
finans|loven the Budget; *komme på ~ (om person)* be awarded a Civil List pension. **-mand** financier. **-minister** Minister of Finance; *(i England)* Chancellor of the Exchequer. **-ministeriet** the Ministry of Finance; *(i Engl)* the Treasury. **-operation** (financial) transaction. **-politik** financial policy. **-udvalg** Finance Committee. **-videnskab**, **-væsen** finance. **-år** financial *(el.* fiscal) year.
finde *(fandt, fundet) vb* find; *(synes)* think *(fx* I think he is stupid), *(i officielt sprog)* consider; *(erkende)* find *(fx* I find it impossible); *~ døden* meet one's death; *~ for godt* think fit, choose; *dersom De*

-*r for godt* if you choose; ~ *noget frem* find (*el.* produce) sth, bring sth to light; ~ *hjem* find one's way home; ~ *hvile* find rest; ~ *igen* recover, find again; ~ *købere* find buyers; ~ *på* think of, invent; *kontor for fundne sager* lost property office; ~ *sig i* put up with, stand, submit to; ~ *sted* take place; ~ *tilbage* (, *ud*) find one's way back (, out); ~ *ud af* make out (*fx* the meaning of sth); *han fandt ud af at* he discovered that; he found out that; ~ *vej* find one's way; (*se ogs findes*).
findele * comminute. **findeling** comminution.
findeløn reward.
finder (*en -e*) finder. **findes** be found; (*være til*) exist, be; (*endnu være til*) be extant, survive.
findested finding place; (*plantes, dyrs*) habitat.
finér (*en*) veneer.
finere *vb* veneer. **finering** (*en*) veneering.
finesse (*en -r*) fine(r) point; (*spidsfindighed*) subtlety (*fx* legal subtleties); (*moderne indretning*) gadget.
finfølelse delicacy, tact.
fing|er (*en -re*) finger; -*rene af fadet!* hands off! *få -re i* lay hands on; *holde -rene fra det* keep one's hands off it; *have en* ~ *med i spillet* have a finger in the pie; *se igennem -re med* connive at, wink at; *have lange -re* (*fig*) be light-fingered; *han lagde ikke -rene imellem* he did not mince his words; T he did not pull his punches; *hun kan vikle ham om sin lille* ~ she can twist him round her little finger; *give ham over -rene* rap his knuckles; *tælle på -rene* count on one's fingers; *se en på -rene* have an eye on sby; *han kan det på -rene* he has it at his finger tips (*el.* fingers' ends); *have et øje på hver* ~ keep one's eyes skinned; *han vil ikke røre* (*el. løfte*) *en* ~ *for at hjælpe dig* he will not lift a finger to help you.
finger|aftryk fingerprint. **-bøl** (*et -ler*) thimble; ♧ foxglove.
fingere *vb* feign, pretend, simulate.
fingerere: ~ *ved noget* finger sth, (*nervøst*) fidget with sth.
fingeret *adj* fictitious; faked (*fx* address); (*forstilt*) feigned, simulated (*fx* anger); ~ *navn* assumed name; ~ *salgsregning* pro forma invoice.
finger|færdighed dexterity. **-kys:** *han sendte hende et* ~ he blew her a kiss. **-nem** *adj* handy. **-peg** (*et -*) hint, pointer. **-ring** ring. **-spids** finger tip; *adelsmand til -ene* every inch a nobleman. **-sprog** finger language. **-sætning** (*på piano*) fingering. **-tut** (*en -ter*) fingerstall. **-øvelse** finger exercise.
finhed (*en -er*) fineness; (*finfølelse*) delicacy.
finke (*en -r*) *zo* finch.
fin|kornet *adj* fine-grained. **-kultur** high culture. **-kæmme** comb out; (*amr*) finecomb.
Finland Finland. **finlandssvensk** *sb, adj* Fenno-Swedish. **finlænder** (*en -e*) Finn.
finmasket *adj* fine-meshed, small-meshed.
finmekaniker instrument maker.
I. **finne** (*en -r*) (*finlænder*) Finn.
II. **finne** (*en -r*) (*på fisk*) fin.
finnet *adj* ♧ pinnate.
finnjolle dinghy Finn class, Finn.
finregn drizzle.
I. **finsk** (*sproget*) Finnish. II. **finsk** *adj* Finnish.
finte (*en -r*) (*i fægtekunst*) feint; (*list*) trick; (*skose*) sarcasm, dig; *det var en* ~ *til dig* that was one for you.
fint|følende *adj* delicate, sensitive; (*hensynsfuld*) thoughtful. **-mærkende** *adj* delicate, sensitive.
fintælling careful count; (*af stemmer*) recount.
fip (*en -per*), **fipskæg** pointed beard, goatee.
fir- *se også fire.*
firben (*et -*) lizard.
fir|benet *adj* four-footed, quadruped. **-blok** (*af frimærker*) block of four. **-cifret** *adj* four-figure. **-dele** * quarter. **-dobbelt** quadruple, fourfold.
I. **fire** *vb* ⚓ slack, ease off; (*sænke*) lower; (*fig*) yield, give way, yield a point.
II. **fire** (*talord*) four; *på alle* ~ on all fours.
fire- *se også fir-.* **fire|magts** four-power (*fx* con-

ference). **-mands** four-handed (*fx* bridge). **-perso-ners:** ~ *bil* fourseater.
firer (*en -e*) (*ogs om kaproningsbåd*) four; (*sporvogn etc*) number four.
firetaktsmotor four-stroke engine.
firetiden: *ved* ~ at about four o'clock. **fireårig** *adj* four-year-old; (*som varer fire år*) quadrennial.
fir|hjulet *adj* four-wheeled. **-hændig** *adj* (*musik*) for four hands; *spille* ~ play a piano duet; -*t stykke* piano duet.
firkant (*en -er*) quadrangle; (*kvadrat*) square.
firkantet *adj* quadrangular, square; (*kejtet etc*) awkward, clumsy; (*med fire deltagere etc*) quadripartite (*fx* agreement).
firkløver (*en el. et -*) four-leaf clover; (*gruppe af fire*) quartet. **firkort** happy families.
firlinger *pl* quadruplets; T quads.
firma (*et -er*) firm, house.
firmament (*et -er*) firmament.
firma|mærke trade mark. **-navn** style, firm name. **-register** commercial register. **-skovtur** company outing.
fir|mastet four-masted. **-motoret** *adj* four-engine(d).
firs eighty; *i -erne* in the eighties; *han er i -erne* he is in his eighties.
fir|sidet *adj* four-sided. **-sidig** quadripartite.
firsindstyve eighty. **firsindstyvende** eightieth.
fir|skåren *adj* (*om person*) square-built, thickset. **-spand** four-in-hand. **-spring:** *i fuldt* ~ (*om hest*) at a gallop; (*om rytter også*) hell-for-leather; (*om løb*) at top speed. **-stemmig** *adj* four-part; *synge -t* sing in four parts. **-tal** four. **-ti** forty. **-tommersøm:** *sld det fast med* ~ (*fig*) hammer it in.
firsårig eighty years old; *en* ~ an octogenarian.
fis (*et*) (*musik*) F sharp; (*en*), **fise** *vb* fart.
fisk (*en -*) fish; (*ødelagt sats*) pie; *fange* ~ catch fish; *fem* ~ five fishes; *frisk som en* ~ fit as a fiddle; *en løjerlig* ~ an odd fish; *hverken fugl eller* ~ neither fish, flesh, nor good red herring; neither one thing nor the other; *gå i* ~ go to pot.
fiske *vb* (*også fig*) fish, angle (*efter:* for); ~ *i rørt vande* fish in troubled waters.
fiske|avl pisciculture. **-banke** fishing-bank. **-ben** fishbone; (*hvalbarde*) whalebone. **-bestand** fish stock. **-bolle** fish ball. **-dam** fish pond. **-fangst** fishing; (*udbytte*) catch. **-fars** (*omtr =*) cream of fish. **-filet** fillet of fish. **-frikadelle** fish cake. **-garn** fishing-net. **-grejer** *pl* fishing-tackle. **-handler** (*en -e*) fishmonger; (*amr*) fishdealer. **-krog** fish hook. **-kutter** fishing-vessel. **-leg** (*rogn*) spawn. **-lim** fish glue. **-mel** fish meal. **-net** fishing-net. **-plads** fishing-ground.
fisker (*en -e*) fisherman; (*lystfisker*) angler.
fiskerbåd fishing-boat.
fiske|redskaber *pl* fishing-tackle. **-ret** (*mad*) fish course; (*af saltvandsfisk også*) sea food; (*rettighed*) fishing-rights.
fisker|fartøj fishing-vessel. **-flåde** fishing-fleet. **-hus** **-hytte** fisherman's cottage.
fiskeri (*et -er*) fishing.
fiskeri|grænse fishing limit. **-havn** fishing port. **-inspektion** fisheries inspection. **-inspektions-skib** fishery protection vessel. **-inspektør** inspector of fisheries. **-produkter** *pl* fish produce.
fisker|kone fisherman's wife; (*kone som sælger fisk*) fishwife. **-leje** (*et -r*) fishing-hamlet.
fiske|skæl fish scale. **-snøre** fishing-line. **-stang** fishing-rod. **-stime** shoal of fish. **-torv** fish market. **-tur** fishing-expedition; *tage på* ~ go (out) fishing. **-yngel** fry. **-ørn** osprey.
fiste *vb* (*i fodbold*) fist, punch.
fistel (*en, fistler*) fistula. **fistelstemme** falsetto.
I. **fjante** (*en -r*) silly (person).
II. **fjante** *vb* be frivolous, be giddy. **fjanteri** (*et*) foolery, giddiness. **fjantet** *adj* frivolous, giddy.
fjantethed (*en*) silliness, giddiness.

fjas (et) foolery; (flirt) dalliance. **fjase** vb dally.
fjed (et -) step; på lette ~ softly, on tiptoe.
fjed|er (en -re) (i et bræt) tongue; (stål-) spring.
fjeder|støvler pl elastic-sided boots. **-vogn** spring cart. **-vægt** (til vejning) spring balance.
fjedre vb be springy, be elastic, be resilient. **fjed-rende** adj springy, elastic, resilient. **fjedret** adj feathered.
fjeld (et -e) mountain, hill; (om grunden) rock. **fjeld|hytte** mountain hut. **-kam** mountain crest. **-kløft** ravine. **-ryg** mountain ridge. **-skred** land-slide. **-skrænt** cliff, precipice. **-sti** mountain path. **-tinde** (mountain) peak. **-top** mountain top.
fjende (en -r) enemy, (gammelt og poet.) foe; være en ~ af be an enemy of; skaffe sig -r, få -r make ene-mies. **fjendehånd:** falde for ~ die at the hands of the enemy; falde i ~ fall into the hands of the enemy. **fjendsk** adj hostile.
fjendskab (et) enmity; i ~ med at enmity with. **fjendtlig** adj (fjendtligsindet) hostile; (tilhørende fjenden) enemy (fx e. aeroplanes, an e. ship).
fjendtlighed (en -er) hostility; åbne (, indstille) -erne open (, suspend) hostilities.
fjendtligsindet adj hostile.
fjer (en -) (på fugle) feather, plume; en ~ i hatten (fig) a feather in one's cap; smykke sig med lånte ~ strut in borrowed plumes; have en ~ på (= være fuld) have had one over the eight, be half-seas over; komme ud af -ene turn out, get out of bed.
fjer|beklædning (en) plumage. **-bold** shuttle-cock. **-busk** (på hat etc) plume; (på fugl) crest.
fjerde fourth; for det ~ in the fourth place, fourth-ly. **fjerde|del** fourth, quarter; **-dels** node crochet; **-dels** pause crochet rest; tre **-dels** takt three-four time. **-mand:** være ~ make up a fourth.
fjerding (en -er) quarter; quarter of a pound (etc). **fjerdingspund** quarter of a pound.
fjerding|vej (omtr =) mile. **-år** three months; quarter.
fjer|dyne se dyne. **-kost** (feather) duster. **-kræ** (et) poultry. **-krævl** poultry keeping; (opdræt) poultry breeding. **-let** adj feathery, (as) light as a feather.
fjermer adj: den ~ hest the off horse.
fjern adj far-off, distant, remote; i det -e in the distance; fra ~ og nær from far and near; ~ slægtning distant relation; Det -e Østen the Far East; (se også fjernere, fjernest, fjernt).
fjernbetjening remote control, telecontrol.
fjerne vb remove; (gøre fremmed) estrange; ~ sig retire, withdraw. **fjernelse** (en) removal. **fjernere** more distant, farther, further. **fjernest** farthest, furthest, most distant, remotest; ikke det -e, ikke i -e måde not in the least; ikke det -e at indvende not the slightest objection; ikke den -e anelse not the remotest idea; ikke den -e chance not the slightest (el. not the ghost of a) chance; ikke den -e forskel not a shadow of difference.
fjern|fotografering (en -er) telephotography. **-identificering** distant identification. **-lys** (på bil) main beam. **-seer** (en -e) televiewer. **-skriver** tele-printer. **-styret** adj remote-controlled; ~ bombe, ~ projektil guided missile. **-styring** remote control, telecontrol.
fjernsyn television, TV, (i daglig tale) (the) telly; (TV apparat) television (set); se ~ watch television; se det i -et see (el. watch) it on television; udsende i ~ televise; komme (el. optræde) i ~ appear on television.
fjernsyns|antenne television aerial; (amr) tele-vision antenna. **-apparat** television set. **-kamera** television camera. **-modtager** television receiver. **-optagelse** television recording. **-program** tele-vision programme. **-sender** television transmitter. **-skærm** (viewing) screen. **-udsendelse** television programme, (fagligt) telecast.
fjernt adv far off, remotely, distantly; ~ fra far (away) from.

fjern|trafik long-distance traffic. **-varme** district heating. **-våben** ⚔ long-range weapon.
fjer|pose (en -r) zo quill. **-skifte** (et -r) zo moult. **-sky** (meteorologisk) cirrus (cloud). **-tæt** adj feather -proof. **-vægt** (i boksning) featherweight.
fjog (et -) blockhead, oaf, dolt. **fjoget** adj doltish; et ~ udtryk (i ansigtet) a foolish expression.
fjolle vb: ~ om, ~ rundt fool about. **fjolleri** (et -er) tomfoolery, nonsense. **fjollet** adj foolish, silly; (forbistret) confounded. **fjollethed** (en) foolishness.
fjols (et -er) fool; står der ~ på ryggen af mig? do you see any green in my eye? dit lille ~ you little silly.
fjong adj smart.
fjor: i ~ last year; i ~ efterår last autumn.
fjord (en -e) inlet; (klippefjord) fiord; (især i Skot-land) firth.
fjorten fourteen; ~ dage a fortnight. **fjortende** fourteenth; hver ~ dag fortnightly, every two weeks. **fjorten|årig**, **-års** adj fourteen-year-old.
fjottet se fjollet.
fjumre vb: ~ i det (kludre) bungle, flounder; ~ rundt (o: nervøst) fuss about.
fjæl (en -e) (bræt) board.
fjæle vb hide; ~ sig hide.
fjæs (et -) mug.
flab (en -e) (gab) chaps, jaws; (laban) puppy, unlicked cub. **flabet** adj impertinent, cheeky. **fla-bethed** (en) impertinence, cheek.
flad adj flat; (flov) crestfallen; (åndløs) insipid, vapid; den -e hånd the flat of the hand; -t land flat (el. level) country; gøre, klemme, slå ~ flatten.
flad|bryst adj flat-chested. **-bundet** adj flåt -bottomed; (overfladisk) shallow; (banal) insipid, vapid, banal.
I. **flade** (en -r) expanse, surface; (flad side) flat; plan ~ plane. II. **flade** vb flatten; ~ ud flatten out. **flade|belysning** floodlight. **-indhold** area. **-lyn** sheet lightning. **-mål** (unit of) area.
flad|fisk flatfish. **-hed** (en) flatness; (åndløshed) insipidity. **-lus** zo crab-louse. **-pandet** adj (fig) shallow. **-tang** flat-nose pliers. **-trykt** adj flattened. **-trådt** (fig) hackneyed.
flag (et -) flag; (fane) colours, standard; -et går til tops the flag is run up; hale -et ned lower the flag; hejse -et run up the flag; stryge -et strike one's colours; under falsk ~ under false colours.
flag|diskrimination ♢ flag discrimination. **-dug** (slags tøj) bunting.
I. **flage** (en -r) flake; (is-) floe.
II. **flage** vb (lade flag vaje) fly a flag, fly flags; hvad -s der for? what are the flags for?
flageolet (en -ter) flageolet.
flagermus (en -) bat.
flagermuslygte hurricane lantern.
flagrant adj flagrant; in flagranti in the (very) act.
flagre vb (rastløst etc) flutter, (hurtigt) flit; (slå med vingerne) flap; (vifte) flutter; -nde lokker flowing locks.
flag|skib (admiralskib) flagship. **-smykket** adj decorated with flags. **-snor** flag halyard. **-spætte** (en -r) zo spotted woodpecker. **-stang** flagstaff.
flak (luftværnsild) anti-aircraft fire.
I. **flakke** (en -r) (som tit skifter arbejdsplads) drifter.
II. **flakke** vb (om flamme) flicker; (om blik) wander; ~ om wander, roam, rove; med -nde øjne shifty-eyed.
flakon (en -er) small bottle.
flakse vb, se flagre.
flambere (om fjerkræ) singe.
flamingo (en -er) zo flamingo.
flamlænder (en -e) Fleming.
I. **flamme** (en -r) flame; (i mønster) wave; (kær-lighed) love, passion; (elskede) flame, sweetheart; blive fyr og ~ become enthusiastic (for about); stå i -r be in flames.
II. **flamme** vb flame, blaze; en -nde ild a blazing fire; ~ op blaze up.
flamme|hav blaze, sea of flame(s). **-kaster** (en -e)

✖ flame-thrower. **-skrift** (en) fiery characters. **-skær** fiery glow.

flamsk adj Flemish. **Flandern** Flanders.

flane (en -r) flirt, gadabout.

flanere vb lounge about, idle about.

flange (en -r) flange.

flanke (en -r) flank; (falde fjenden i -n attack the enemy's flank. **flankere** vb (være på siden) flank; (beskyde fra siden) enfilade.

flanør (en -er) idler, flaneur.

I. **flaske** (en -r) bottle; (lomme-, felt- etc) flask; (medicin-) phial; fylde noget på -r bottle sth; slå sig på -n take to drink.

II. **flaske** vb: ~ op bring up by hand, bring up on the bottle; ~ sig work out, pan out; sådan som det nu kan ~ sig somehow.

flaske|barn bottle(-fed) baby. **-gas** bottled gas. **-grøn** bottle-green. **-hals** (ogs fig om snæver passage) bottle-neck. **-post** bottle message. **-skylning** bottle -washing. **-skår** pl broken bottles. **-stativ** bottle stand. **-øl** bottled beer.

flatterende adj (klædelig) becoming; (forskønnende) flattering (fx it makes a flattering background for her dress).

flegma (en) phlegm, indifference. **flegmatiker** (en -e) phlegmatic person. **flegmatisk** adj phlegmatic.

fleksion (en -er) inflexion. **flektere** vb inflect.

flere more; (adskillige) several; (forskellige) various; ~ end more than; en eller ~ one or more; ~ hundrede several hundred; hvem ~? who else? jo ~ jo bedre the more the better; der var ~ der så det several people saw it; med ~ and others.

fler|etages adj of several storeys, multi-storey. **-farvetryk** multi-colour print; (det at) m. printing. **-guderi** (et) polytheism. **-hed** (en -er) plurality. **-koneri** (et) polygamy.

flersidig adj versatile; (geometrisk) polygonal.

flerstavelses- polysyllabic. **flerstavelsesord** polysyllable.

flerstemmig adj: ~ sang part-singing; (komposition for flere stemmer) part-song.

flertal (de fleste) majority, (grammatisk) the plural (number); det overvejende ~ the great majority. **flertals|afgørelse** majority vote. **-endelse** plural ending. **-form** plural form.

fler|tydig adj ambiguous. **-tydighed** (en) ambiguity. **-årig** adj ⚇ perennial.

flest most; de -e (mennesker) most people; i de -e tilfælde in most cases, in the majority of cases; de er de -e they are in a majority; de -e af dem most of them; de ~ mulige the greatest possible number; som folk er ~ like the ordinary run of people.

fletning (en -er) (det flettede, fx hår) plait, braid; (det at flette) plaiting, braiding.

flette vb plait, braid; ~ en kurv weave a basket. **fletværk** (af vidjer) wickerwork; (gærde) wattle; et ~ af grene interlacing branches.

fleuret (en -ter) foil.

flid (en) diligence, industry, assiduity; (om åndsarbejde) application; gøre sig megen ~ med noget take great pains over sth; med ~ industriously, (m overlæg) deliberately.

flidspræmie prize for diligence.

flig (en -e) flap, lap, corner; (af skjorte) shirt tail; (af blad) lobe.

flik (en -ker) (lap) patch; (på skohæl) lift.

flikflak (gymn) backward flipflap.

flikke vb patch; (sko) cobble; ~ sammen patch up.

flimre vb (om lys) flicker, shimmer; (om varm luft) vibrate, shimmer; (film, TV) flicker; -nde skygger flickering shadows; det -r for øjnene everything is swimming (el. shimmering) before my eyes. **flimren** (en) flicker, shimmer; (TV) flicker.

flink adj (dygtig) clever; (rar) nice, decent; (artig) good; være ~ i skolen do well at school; ~ til (el. i) historie good at history.

flint (en) flint; flyve i ~ fly into a rage.

flinte|bøsse flint-lock. **-sten** flint (stone).

flintre vb: ~ af sted tear along.

flintrende adv: ~ gal i hovedet furious; det er mig ~ ligegyldigt I don't care a hang.

flip (en -per) collar; skjorte med fast ~ shirt with collar attached; han var helt ude af -pen he was all up in the air. **flipstiver** (en -e) collar stiffener.

flirt (en) flirtation, flirting. **flirte** vb flirt.

flis (en -er) chip, splinter.

flise (en -r) flag, flagstone; (mindre, på gulv, på væg etc) tile.

flise|belagt adj flagged, tiled. **-bord** tile-top table. **-gulv** tile floor. **-væg** tiled wall.

flitsbue (en -r) bow.

flitter(stads) tinsel.

flittig adj diligent, industrious, hard-working; (til studier) studious; ~ gæst frequent visitor; gøre ~ brug af make frequent use of; studere -t study hard.

flod (en -er) (vandløb) river; (modsat lavvande) high tide, rising tide, incoming tide, flood; (springflod) spring-tide; (oversvømmelse) flood; (fig: masse) flood, deluge, torrent; -en Avon the river Avon; ned ad -en (ogs) downstream; op ad -en (ogs) upstream.

flod|bred (en -der) river bank, riverside. **-bølge** tidal wave. **-damper** river steamer. **-fart** river navigation. **-gud** river god. **-hest** zo hippopotamus. **-leje** (et -r) river bed. **-munding** mouth of a river; (bred, med tidevand) estuary. **-rig** adj well-watered. **-seng** river bed. **-tid** rising tide.

flok (en -ke) (mennesker) crowd, party, troop, band, body; (kvæg etc) herd; (får) flock; (hunde, ulve) pack; (fugle) flight, flock; dyr der færdes i ~ gregarious animals; i ~ og følge in a body; gå i ~ med join, side with; løfte i ~ join hands, pull together.

flokke vb: ~ sig, -s flock, crowd, throng; -s om hans fane rally round his standard.

flokkevis adv in flocks.

floks (en) ⚇ phlox.

flom (en) flood; (ord-) torrent (of words).

flomme (en -r) (fedt) leaf fat.

flommesild fat herring, matie.

flonel (et -ler) (bomulds-) flannelette; (flannel) flannel. **flonelsbukser** pl flannels.

I. **flor** (en) (gaze) gauze; (sørgeflor) crape.

II. **flor** (et) (blomstring) bloom, flowering, blossom; et ~ af blomster a profusion of flowers; stå i fuldt ~ be in full bloom; (fig) flourish.

flora (en -er) flora.

Florens Florence.

florentiner(inde) (en) Florentine.

florere vb flourish.

flor|mel white flour. **-melis** icing sugar.

flor|omvunden adj (højtidelig) solemn, funereal; (uklar) woolly. **-vingede** pl zo neuroptera.

flosk|el (en -ler) empty phrase; -ler (ogs) cant. **floskelmager** (en -e) windbag.

flosse vb fray (fx the cloth frays). **flosset** adj frayed; ~ i kanten frayed at the edge.

flot adj (rundhåndet) generous, liberal; (ødsel) extravagant, lavish; (smart, elegant) elegant, smart, dashing; (lovlig rask på det) nonchalant, offhand; ⚓ (klar af grunden) afloat (fx get a ship afloat); bringe et skib ~ ⚓ (ogs) refloat a ship, float a ship (off), get a ship off the ground; en ~ fyr a fine (el. dashing) fellow; holde sig ~ ⚓ keep afloat; klare sig ~ do splendidly; komme ~ ⚓ get afloat, float; være ~ med drikkepenge tip lavishly; -te vaner expensive habits.

flothed (en -er) generousness, extravagance, lavishness, smartness, nonchalance.

flotille (en -r) flotilla.

flotte vb: ~ sig spread oneself; do things in style, do oneself proud; ~ sig med at købe et slips treat oneself to a tie. **flottenheimer** (en -e) person of expensive habits; (nedsættende) spendthrift.

flov adj (genert) embarrassed, sheepish; (skamfuld) ashamed; (beskæmmende) embarrassing, awkward *(merk)* slack; *(om smag)* flat; *(om vind)* light; gøre ~ embarrass; *det var en* ~ *historie* it made me (, you, him etc) look pretty silly; ~ *situation* awkward situation.

flove *vb*: ~ *af (om aktier)* weaken, decline; ⚓ *(om vind)* slacken, drop.

flovhed *(en) (se flov)* embarrassment, sheepishness; awkwardness; slackness; flatness.

flovse *(en -r)* stale joke; *(frase)* platitude.

flue *(en -r)* fly; *slå to* -r *med et smæk* kill two birds with one stone; *de døde som* -r they died like flies; *sætte én* -r *i hovedet* put ideas into sby's head.

flue|ben fly's leg; *(om skrift)* spidery writing. **-fanger** flytrap. **-fiskeri** fly-fishing. **-menneske** *(arbejder der går til vejrs på skorstene etc)* steeplejack. **-papir** flypaper. **-plettet** fly-spotted. **-skab** meatsafe. **-smækker** *(en -e)* flyswatter. **-snapper** *(en -e)* zo flycatcher. **-snavs** fly-spots. **-svamp** *(en -e)* ♣ amanita. **-vægt** *(sport)* flyweight.

flugt *(en) (det at flygte, det at flyve)* flight; *(undvigelse)* escape; *(tankens høje* ~*)* soaring; *tidens* ~ the flight of time; *gribe (el. tage)* -en take flight; *gribe en bold i* -en catch a ball in the air; *skyde en fugl i* -en shoot a bird on the wing; *vild* ~ ✗ rout; *i vild* ~ in headlong flight, in a rout; *i* ~ *med* flush *(el.* level) with; *på* ~ on the run *(fx* they are all on the run); *slå på* ~ put to flight, rout.

flugtbilist hit-and-run driver.

flugte *vb (være i lige linje)* be flush *(med:* with); *(i boldspil)* volley.

flugt|forsøg attempted escape. **-stol** deck chair.

fluidum *(et)* fluid.

fluks (= *straks)* straightway.

fluktuation *(en -er)* fluctuation.

fluktuere *vb* fluctuate.

flunkende: ~ *ny* brand-new.

flunse *vb* tear (to pieces).

fluorescerende *adj* fluorescent.

flusmiddel flux.

I.   **fly** *vb (flygte)* flee; *(flygte fra)* flee from, shun.
II. **fly** *vb (række)* hand, give.
III. **fly** *(et -) se* flyvemaskine.

flyde *vb (flød, flydt) (rinde)* flow, run; *(flyde ovenpå)* float; *der vil* ~ *blod* there will be bloodshed; *ligge og* ~ *(uordentligt)* lie about; *bordet flød med bøger* the table was littered with books; ~ *over* run over, overflow; ~ *sammen (forenes)* merge, meet, *(blive udvisket)* be blurred; *(se ogs flydende)*.

flyde|bro *(pontonbro)* floating bridge. **-dok** floating dock. **-evne** buoyancy. **-kran** floating crane.

flydende *adj (mods fast)* fluid, liquid; *(rindende)* flowing; *(på vandet)* floating; *(om tale)* fluent; *(ubestemt)* vague, fluid *(fx* limits; the situation is still fluid); *på* ~ *engelsk* in fluent English; *tale* ~ *engelsk* speak English fluently, speak fluent English; *i* ~ *tilstand* in a liquid state. **flyder** *(en -e)* float; *(ponton)* pontoon.

flyg|el *(et -ler)* grand (piano).

flygte *(tage flugten)* run away, take flight, flee; *(undvige)* escape; ~ *for fjenden* run away before the enemy; *han -de ud af landet* he fled the country.

flygtende *adj* fleeing *(fx* the f. troops), fugitive.

flygtig *adj (som let fordamper)* volatile; *(kort, ubestandig)* fleeting, passing, transient, inconstant; *(overfladisk)* superficial, casual, cursory; *(hurtig)* quick; *et -t bekendtskab* a casual acquaintance; *et -t blik* a fleeting glance; *en* ~ *gennemlæsning* a cursory reading; *en* ~ *hilsen* a casual greeting; *en* ~ *skitse* a rough sketch.

flygtighed *(en) (se flygtig)* volatility, transitoriness, inconstancy, superficiality, quickness.

flygtigt *adv* superficially, casually, cursorily; *læse* ~ *igennem* skim through.

flygtning *(en -e)* fugitive, runaway; *(som flygter for krig, naturkatastrofe etc.)* refugee; *(politisk)* exile; *(landflygtig på grund af forfølgelse)* refugee, *(på grund af militære operationer)* displaced person, D.P.

flynder *(en -e) (fladfisk)* flatfish; *(skrubbe)* flounder; *(dum person)* fool, ass; ⚓ *(til en log)* log-chip.

flytning *(en -er)* change of address; *anmelde* ~ notify change of address. **flytte** *vb* move, *(fjerne, overføre)* remove; ~ *ind* move in; ~ *sig* move.

flytte|folk (furniture) removers. **-forretning** (firm of) furniture removers. **-læs** vanful of furniture. **-mand** furniture remover. **-omnibus, -vogn** furniture van, pantechnicon (van).

flyve *(fløj, fløjet)* fly; *(fare, styrte ogs)* rush, dart; *lad hellere den fugl* ~ better give up that idea; ~ *en maskine ind* test a plane; *døren fløj op* the door flew open; *han fløj op* he started to his feet, *(i vrede)* he flared up; ~ *løs på en* fly at sby; *(se ogs flyvende)*.

flyve|base air base. **-blad** *(forsatsblad)* flyleaf; *(seddel med meddelelser)* flysheet. **-båd** flying boat, seaplane. **-dygtig** *adj (aeroplan)* airworthy; *(fugleunge)* fledged. **-evne** ability to fly. **-fisk** flying fish. **-forbindelse** air service, airline. **-færdig** *adj (om fugleunge)* fledged. **-gigt** wandering rheumatism. **-grille** *(passing)* whim. **-hastighed** air speed. **-hud** zo wing membrane. **-hund** zo fruit bat. **-leder** air traffic control officer. **-maskine** aeroplane, plane, aircraft *(pl d. s.), (amr)* airplane. **-maskinemotor** aircraft engine. **-mekaniker** aircraft mechanic. **-motor** aircraft engine.

flyvende *adj* flying; *i* ~ *fart* at top speed, post haste; ~ *hund* fruit bat; ~ *sommer* gossamer; ~ *tallerken* flying saucer; ~ *tæppe* magic carpet.

flyve|opvisning air display. **-plads** aerodrome, airfield; *(lufthavn ogs)* air port.

flyver *(en -e) (pilot)* airman, aviator, pilot; *(maskine) se* flyvemaskine.

flyver|angreb air raid. **-aspirant** air force cadet. **-beskyttelse** air cover; *(omfattende)* air umbrella, air canopy. **-certifikat** pilot's certificate. **-dragt** flying suit; *(til børn: svarer til)* siren suit. **-forbindelse** air service. **-hjelm** airman's helmet. **-kommando** ✗ air command. **-løjtnant** *(premierløjtnant)* flying officer; *(amr)* first lieutenant; *(sekondløjtnant)* pilot officer; *(amr)* second lieutenant.

flyverute airway, air route; *(fast forbindelse)* aeroplane service.

flyvevarsling air-raid warning, alert.

flyve|sand shifting sand. **-skrift** *(et -er)* pamphlet. **-sport** aviation. **-stævne** air display. **-tid** flight time. **-tur** flight. **-ulykke** flying accident; *(større)* air crash. **-våben** ✗ air force.

flyvning *(en -er) (tur)* flight; ✗ mission; *(virksomheden)* flying, aviation.

flæbe *vb* blubber, snivel. **flæberi** *(et)* blubbering, snivelling.

flæg *(en)* ♣ *(sværdlilje)* iris, flag; *(kalmus)* sweet -flag; *(tagrør)* common reed.

I.   **flække** *(en -r) (købstad)* small town.
II. **flække** *vb* split; *vi var ved at* ~ *af grin* we nearly split our sides laughing.

flæng: *i* ~ indiscriminately, at random.

I.   **flænge** *(en -r) (i papir etc)* tear; *(i huden)* scratch; *(dybere sår)* gash, tear.
II. **flænge** *vb (se* I. *flænge)* tear *(fx* I tore my dress on the wire), scratch *(fx* he scratched his face), gash, tear *(fx* the fox was torn to pieces).

flænse *vb* tear; *(hval)* flense.

flænsning *(en)* tearing, *(af hval)* flensing.

flæse *(en -r)* ruffle, flounce.

flæsk *(et)* pork; *(bacon)* bacon; *sidde på -et* top dog.

flæske|fars minced pork. **-hal** pork market. **-side** side of bacon, flitch. **-steg** *(som er stegt)* roast pork; *(stykke flæsk til at stege, kan gengives)* a piece of pork. **-svær** *(en)* bacon rind; *(sprød)* crackling.

flæsket *adj* fat, flabby.

flæskeæggekage bacon omelet.

flød *imperf af* flyde.

fløde *(en)* cream; *sætte* ~ cream.

fløde|bolle *(kage)* cream puff. **-chokolade** milk chocolate. **-farvet** *adj* cream-coloured. **-is** ice cream. **-kande** cream jug. **-karamel** (cream) caramel. **-ost** cream cheese. **-skum** whipped cream. **-skæg** greenhorn.

I. **fløj** *(en -e) (vind-)* vane; *(af bygning, hær, parti)* wing; *(af dør, skærm etc)* leaf.

II. **fløj** *imperf af flyve.*

fløjdør folding door.

fløjet *perf part af flyve.*

fløjl *(et -er)* velvet; *(jernbane-)* corduroy.

fløjls|agtig *adj* velvety. **-bukser** *pl* corduroy trousers. **-handsker** *pl: tage med ~ på (fig)* handle with kid gloves. **-kjole** velvet dress.

fløjmand pivot; *højre ~* the right-flank man.

fløjt *(et -)* whistle.

I. **fløjte** *(en -r) (musikinstrument)* flute; *(signal- og dommerfløjte)* whistle; *(fabriks-)* hooter; *(damp-)* steam whistle.

II. **fløjte** *vb* whistle; *~ ad en hund* whistle for a dog; *~ til afgang* blow the starting-whistle; *stæren -r* the starling sings.

fløjtekedel whistling kettle.

I. **fløjten** *(en)* whistling.

II. **fløjten:** *gå ~* go west, go by the board, go phut.

fløjtenist *(en -er)* flautist, flute player, flutist.

fløjte|spil flute-playing. **-spiller** = *fløjtenist.* **-stemme** flute part. **-tønde** ♣ whistling buoy.

fløs *(en -e)* unlicked cub, puppy.

flå *vb* skin, flay; *(udplyndre)* fleece, flay; T skin; *(rakke ned)* slate; *~ huden af et dyr* skin an animal; *~ tøjet af sig* strip (off one's clothes); *~ tøjet af ham* strip him, tear off his clothes; *~ et brev op* tear *(el. rip)* open a letter.

flåd *(et -) (på fiskesnøre)* float; *(materie)* flux.

I. **flåde** *(en -r) (marine)* navy; *(hele handelsflåden)* merchant marine *(el. navy)*; *(samling skibe)* fleet; *(flotille)* flotilla; *(tømmerflåde)* raft.

II. **flåde** *vb* raft *(fx raft timber down a river)*, float.

flåde|base naval base. **-havn** naval base, naval harbour. **-manøvre** naval manoeuvre. **-revy** naval review. **-station** naval station. **-styrke** naval force.

flådning *(en -er)* rafting, floating.

flåning *(en -er)* skinning, flaying; *(optrækkeri)* fleecing.

f. m. *(fk f forrige måned)* last month, ult.

fm. *(fk f formiddag)* a. m.

F. N. *(fk f Forenede Nationer)* the U. N., the UN *(fk f* United Nations).

f. n. *(fk f fra neden)* from the bottom.

fnat *(et)* (the) itch, scabies. **fnatmide** itch mite.

fnattet *adj* itchy; *(elendig)* T lousy.

fnise *vb* giggle, titter. **fnisen** *(en)* giggle, titter, giggling, tittering.

fnok *(en)* ♣ pappus.

fnug *(et -) (af uld)* fluff; *(støv-)* speck *(el. particle)* of dust; *(snefnug)* flake. **fnugge** *vb* fluff. **fnugget** *adj* fluffy. **fnuglet** *adj* light as thistledown.

fnyse *(fnyste el. fnøs, fnyst)* snort; *(fig)* (fret and) fume; *-nde vred* fuming with rage.

F-nøgle bass clef.

fnøs *imperf af fnyse.*

fob *el.* **f. o. b.** f. o. b., free on board.

fod *(en, fødder)* foot *(pl* feet; *også som mål, fx: 3 ~ lang* 3 feet long); *kaste sig for hans fødder* throw oneself at his feet; *~ for ~* foot by foot, step by step; **få** *-en indenfor* get a foothold; *få -en under eget bord* set up house for oneself; *få kolde fødder (fig)* get cold feet; *stritte imod med hænder og fødder (fig)* resist tooth and nail; *trampe med fødderne* stamp one's feet; *jeg fryser om fødderne* my feet are cold; *bundet på hænder og fødder* tied hand and foot; *hjælpe en på -e* set sby on his feet; *på en fortrolig ~* on intimate terms, on terms of intimacy; *komme på fri ~* be set at liberty, be released; *være på fri ~* be at large; *stå på en god (, venskabelig) ~ med* be on good (, friendly) terms

with; *stå på lige ~ med* be on equal terms with; *på stående ~* off-hand, on the spur of the moment; *leve på en stor ~* live in a big way; *stå på svage fødder* be shaky; *slå fødderne væk under en* knock sby off his feet; *til -s* on foot; *træde noget under ~* trample sth under foot; *gevær ved ~!* ♀ order arms! *med gevær ved ~* with arms ordered.

fodaftryk *(til identifikation)* soleprint.

fod|bad footbath. **-balde** ball of the foot. **-beklædning** footgear. **-bold** football; *(om spillet ogs,* T*)* soccer, *(amr kun)* soccer.

fodbold|bane football ground. **-hold** football team **-kamp** football match. **-spiller** footballer, football player.

fod|bremse *(en -r)* foot brake; *(på cykel)* coaster brake. **-ende** *(en -r) (af seng)* foot.

foder *(et) (tørfoder etc)* fodder; *(portion ~)* feed; *gå fra -et* go off one's feed.

foderal *(et -er)* case.

foder|bolle ball of cud. **-brug:** *til ~* for feeding purposes. **-enhed** feed unit. **-kage** oil cake. **-kvæg** stall-fed cattle. **-mester** herdsman. **-stand** condition *(fx in good c.)*. **-stof** feeding stuff.

-fodet *(om versemål)* of .. feet, **-foot** *(fx femfodet* of five feet, five-foot).

fodfolk *pl* infantry, foot *(fx 5000 foot)*. **fodfolks-regiment** infantry regiment, regiment of foot.

fodfri *adj* ankle-length *(fx dress)*.

fod|fæste *(et)* footing, foothold. **-gænger** *(en -e)* pedestrian; *god ~* good walker. **-gængerfelt, -gængerovergang** pedestrian crossing; *(amr)* crosswalk; *(med striber)* zebra crossing. **-gængertunnel** (public) subway. **-indlæg** arch support. **-klinik** chiropodist's clinic. **-kold:** *der er -t* the floor is cold, there is a draught along the floor. **-kulde** draught along the floor. **-lænker** *pl* fetters. **-note** footnote. **-panel** skirting-board; *(amr)* baseboard. **-pleje** *(en)* chiropody. **-plejer** *(en -e)* chiropodist. **-pose** foot muff. **-pumpe** foot pump.

fodre *vb* feed, fodder; *~ af* feed. **fodring** *(en)* feeding.

fodrod *(en)* tarsus. **fodrodsben** tarsal bone.

fodsbred footbreadth; *han veg ikke en ~* he did not yield an inch; *en ~ jord* an inch of ground.

fod|skammel footstool. **-slag** footstep, footfall; *holde ~* keep in step. **-spor** footprint; *træde (el. gå) i ens ~* follow (in) sby's footsteps. **-stykke** base; *(af seng)* footboard. **-svamp** athlete's foot. **-sved** *(en)* perspiring *(el. sweaty)* feet. **-sål** sole of the foot. **-trin** (foot)step; *(spor)* footprint; *(trinbræt)* footboard. **-tur** walking tour. **-tøj** footwear, boots and shoes.

foged *(en -er): kongens ~* [an official in charge of distraints and to whom application may be made to restrain certain conduct] *(svarer omtrent til)* the bailiff. **fogedforretning** *(udpantning)* execution; *(udpantning for husleje etc)* distress; *(nedlæggelse af forbud)* the service of an injunction.

fok *(en -ker)* ♣ foresail. **fokkemast** ♣ foremast. **fokkeskøde** ♣ foresheet.

fokus *(et)* focus.

I. **fold** *(en -er)* fold, wrinkle; *(læg)* pleat; *(pressefold)* crease; *lægge i -er* pleat; *lægge sit ansigt i de rette -er* straighten one's face; *komme i de vante -er igen* settle down in one's groove again, settle down in one's old ways; *slå -er (om tøj etc)* crease; *slå sine -er (fig)* knock about; *komme ud af de vante -er* be unsettled. II. **fold** *(en -e) (indhegning)* pen, fold.

III. **fold** *(et -) (mat.)* multiple; *mindste fælles ~* least common multiple, L. C. M.; *gengælde hundredfold* repay a hundredfold.

folde *vb* fold; *(give udbytte)* yield; *~ hænderne* fold one's hands; *~ sammen* fold up; *~ noget ud* unfold sth; *~ sig ud* unfold *(fx* the flower begins to unfold); *(om person)* expand, come out of one's shell, *(komme rigtig i gang)* get into one's stride; *(om faldskærm)* open.

folde|dør folding door. **-kniv** clasp knife.
folder (en -e) folder. **folderig** adj flowing (fx draperies). **foldet** adj folded (fx with folded hands).
foldning (en) folding.
I. **fole** (en -r) (føl) foal.
II. **fole** vb (føde føl) foal.
foliant (en -er) folio.
folie (en -r) foil.
folio (en) folio. **folioark** (et) folio, (lidt mindre) foolscap.

folk (et -) (nation) people (pl peoples); (mennesker) people; ⚓ (besætning) crew; (arbejdere) men, hands; **-ene** (tjenerskabet) the servants; ✗ the men; **-et** (ɔ: de brede lag) the people; som ~ er flest like the ordinary run of people; Folkenes Forbund the League of Nations; hvis sådan et rygte kommer ud mellem ~ if such a rumour should get about; hvad vil ~ sige? what will people say? ~ siger at people say that.
folke|afstemning (om grænsespørgsmål) plebiscite, (om lovforslag) referendum. **-bibliotek** public library. **-dans** folk dance. **-demokrati** (et -er) people's democracy. **-demokratisk** adj (el. belonging to) people's democracy. **-drab** genocide. **-dragt** national costume. **-etymologi** popular etymology. **-eventyr** folk tale. **-fest** national festival, public rejoicing. **-fjende** enemy of the people.
Folkeforbundet the League of Nations.
folke|forlystelse popular entertainment. **-forsamling** popular assembly, assembly of the people. **-front** popular front. **-færd** (et) race, type; et underligt ~ a queer lot. **-fører** (en -e) leader of the people. **-gruppe** (polit) ethnic group; (minoritet) minority. **-gunst** popularity, popular favour. **-helt** popular hero; national hero. **-højskole** folk high school. **-karakter** national character. **-kirke** national (el. established) church. **-komedie** melodrama. **-kunst** folk art. **-kær** adj popular. **-køkken** civic restaurant.
folkelig adj popular; (national) national; (jævn, bramfri) simple, unassuming, T (især neds) folksy.
folke|liv street life. **-masse** mass, crowd. **-mindeforsker** folklorist. **-mindeforskning** folklore. **-minder** pl folklore, popular traditions. **-munde:** være (, komme) i ~ be (, become) the talk of the town. **-musik** folk music. **-mængde** (befolkningstal) population; (opløb etc) crowd. **-møde** (et -r) popular meeting.
folkens! (you) boys! you men!
folke|oplysning enlightenment of the people, general education; -en står højt the standard of general e. is high. **-pension** retirement pension. **-pensionist** retirement pensioner. **-pensionsordning** national superannuation (el. pension) scheme. **-politiet** (i Østtyskland) the People's Police. **-race** race. **-register** national register; (kontoret) national registration office. **-rejsning** popular rising. **-repræsentant** representative of the people; (i Frankrig etc) deputy. **-republik** people's republic. **-ret** international law. **-retlig** adj'in (el. of) international law. **-rig** populous. **-sag** national cause. **-sagn** legend. **-sang** folksong, (populær sang) popular song. **-sind**, **-sjæl** national mind. **-skare** crowd (of people). **-skik** (national) custom. **-skole** primary school; (i Engl) county school; (amr) grade school, public school. **-skolelov** Primary Education Act. **-slag** (et -) (nation) nation, people; vilde ~ wild tribes. **-snak** talk, gossip, scandal. **-stamme** group (of peoples), race. **-stemning** public feeling. **-stue** servants' hall. **-styre** democracy. **-tal** population. **-taler** popular speaker. **-tinget** [the Danish Parliament]. **-tingsferie** recess. **-tingsmand** member of the 'Folketing'. **-tingsmøde** sitting of the 'Folketing'. **-tingstidende** official report of parliamentary proceedings. **-tingsvalg** general election. **-tog** mass procession, mass demonstration. **-tom** (om gade) deserted. **-tælling** census. **-tællingsliste** census paper. **-udgave** popular edition. **-universitet** University Extension. **-valgt** elected by the people.

-vandring migration. **-vandringstiden** the period of the great migrations. **-vise** ballad, folksong. **-vogn** Volkswagen. **-yndest** popularity. **-ånd** national character.
folk|lore (en) folklore. **-lorist** (en -er) folklorist.
fond (et -) fund; (legat ogs) foundation; **-s** (merk) stock(s), funds; Carnegiefondet the Carnegie Foundation; et ~ af humor a fund of humour.
fondsbørs stock exchange.
fonem (et -er) (sprogvidenskab) phoneme. **fonematik** (en) phonemics. **fonematisk** adj phonemic.
fonetik (en) phonetics. **fonetiker** (en -e) phonetician. **fonetisk** phonetic.
fono|graf (en -er) phonograph. **-logi** (en) (historisk lydlære) phonology, (læren om et sprogs fonemer) phonemics. **-logisk** adj phonological; phonemic.
font (en -er) (baptismal) font.
fontæne (en -r) fountain.
I. **for** (et) (indvendigt betræk) lining.
II. **for** imperf af fare.
III. **for** præp a) (foran, i nærværelse af) at, before (fx at my feet; we have all the day before us; before my eyes; be brought before a judge); sove ~ åbne vinduer sleep with the windows open;
b) (om interesseforhold) for, to (fx good, pleasant, bad for; a pleasure, a disappointment for; bow, read, knee to; fatal, important, new to; impossible, useful to (el. for); a danger, a loss, a surprise to; it is easy, difficult, impossible for him to do it); planten er gået ud ~ mig the plant has died in spite of my efforts; T the plant has died on me; åben ~ offentligheden open to the public;
c) (til bedste for, bestemt for; for at opnå; på grund af) for (fx fight, speak for; I will do it for you; thankful for; known, famous for; I cannot see for the fog; just for fun); jeg er ikke meget ~ at gøre det I am not very keen on doing it; begynde ~ sig selv set up for oneself; jeg må ikke ~ fader father will not let me; ~ mig gerne I don't mind;
d) (til forsvar mod) from; to; søge ly ~ take shelter from; skjule ~ conceal from; lukke sin dør ~ close one's door to; god ~ tandpine good for toothache;
e) (med hensyn til) to, from; fri ~ free from; blind (, døv) ~ blind (, deaf) to; være fremmed ~ be a stranger to; have øre ~ musik have an ear for music;
f) (beregnet for) for; ikke ~ det første not just yet, not for a while; leje et hus ~ sommeren take a house for the summer; ~ stedse for good;
g) (i stedet for, til gengæld for) for (fx he answered for me; be rewarded for sth; pay 7|6 for a book); (i brevunderskrift:) ~ G. Jones, M. Brown p.p. G. Jones, M. Brown; han tog mig ~ min broder he took me for my brother; hvad tager De ~ det? how much do you charge for it? jeg købte bogen ~ 2s. I bought the book for 2s.; jeg købte den for mine egne penge I bought it with my own money;
h) (om fastsat pris) at (fx these are sold at 6d. a piece); ~ en pris af at the price of;
i) (hver enkelt for sig) by, for (fx day by day; word for word);
j) (ved stillingsbetegnelse) of (fx manager of (direktør for), headmaster of); to (fx adviser to (konsulent for), secretary to);
k) **for at** (m infinitiv) to, in order to; for ikke at (so as) not to; ~ ikke at tale om not to mention, let alone; for at (m sætning) in order that, so that; for at ikke for fear that, so that .. not (fx so that we don't forget);
l) (andre tilfælde:) bo ~ sig selv live by oneself; hvad er dette ~ noget? what is this? ~ længe siden long ago; ~ hver gang jeg ser ham every time I see him; for hvert år der gik with every year that passed; til venstre ~ to the left of; af frygt ~ for fear of; (se i øvrigt de ord, hvormed »for« forbindes).
IV. **for** adv (foran) in front, before; (⚓ modsat: agter) forward; (alt for) too (fx too big, too much); fra ~ til agter ⚓ from stem to stern; ~ og imod for and

against, pro and con; *diskutere ~ og imod* discuss the pros and cons; *der kan siges meget både ~ og imod* there is much to be said on both sides; *veje ~ og imod* weigh the pros and cons; *give en lektie ~* set a piece of homework; *have noget ~* have something in hand; *have something on; (noget galt)* be up to something, *(lektie)* have (got) something to prepare; *hvad har vi ~? (som lektie)* what was the prep *(el.* the homework)? *den sag som nu ligger ~* the matter now before us; *der er ikke andet ~ end at* there is nothing for it but to; *(andre forbindelser m verber, se disse).*
V. **for** *conj (thi)* because, *(kun i skriftsprog)* for *(fx* he ran, for he was afraid).

foragt *(en)* contempt *(for:* for, *fx* show one's c. for sth), disdain, scorn; *~ for retten* contempt of court.
foragte *vb* despise, disdain, scorn, hold in contempt; *ikke at ~* not to be despised.
foragtelig *adj (som fortjener foragt)* contemptible, despicable; *(som viser foragt)* contemptuous.
foragtelighed *(en)* contemptibility.
foraksel front axle.
foran *præp* in front of, *(ogs om tid)* before; *(forud for)* ahead of; *adv* before, in front, in advance, ahead; *gå ~* walk in front, lead the way; *holde sig ~* keep ahead, keep the lead; *komme ~* get in front; *(ved konkurrence etc)* get ahead, take the lead; *dit ur er ~* your watch is fast; *~ i bogen* earlier in *(el.* at the beginning of) the book.
foranderlig *adj* changeable, variable; *(ubestandig ogs)* fickle, inconstant; *-t (på barometer)* Change.
foranderlighed *(en)* changeability, variability; fickleness, inconstancy.
forandre *vb* change, *(om mindre forandring)* alter; *det -r sagen* that alters the case; *~ sig* change, alter; *~ sig til* change into; *~ sig til sin fordel* change for the better; *ak hvor -t!* what a sad change! *(se ogs ændre).*
forandring *(en -er)* change; *(omlavning)* alteration; *(ny indretning)* innovation; *til en ~* for a change; *~ fryder* variety is the spice of life; *(se ogsd ændring).*
forankre *vb* anchor *(fx* anchor a ship); *-t (fig)* deeply rooted *(fx* he is d. r. in the Catholic tradition).
foranledige *vb* bring about, occasion, cause, give rise to; *~ en til at* occasion *(el.* cause, induce) sby to.
foranledning *(en -er)* occasion, cause; *på ~ af* at the request *(el.* instance) of; *på given ~* by request; *ved mindste ~* on the slightest provocation; *uden ~* unprovoked.
foranstalte *vb* arrange *(fx* a meeting), organize *(fx* a demonstration). **foranstaltning** *(en -er)* arrangement, organization; *(forholdsregel)* measure, provision, preparation; *træffe -er* take *(el.* adopt) measures, take action, take steps; *ved myndighedernes ~* by order of the authorities.
foranstående *adj (i tekst)* preceding; *subst* ✗ superior.
I. **forarbejde** *(et -r)* preliminary work; *(skitse)* sketch.
II. **forarbejde** *vb* make, manufacture.
forarbejdning *(en)* making, manufacture.
forarge *vb* scandalize, give offence to, shock, outrage; *(bibelsk)* offend; *~s over* be scandalized at.
forargelig *adj* scandalous, offensive.
forargelse *(en)* scandal; *(forargethed)* (virtuous) indignation; *tage ~ af* be scandalized at; *vække ~* give offence, cause scandal.
forarme *vb* impoverish. **forarmelse** *(en)* impoverishment. **forarmet** *adj* impoverished, poverty -stricken.
foraset *adj* worn out, worked to the bone.
Forasien the Middle East.
forbande *vb* curse, damn. **forbandelse** *(en -r)* curse; *mit livs ~* the curse of my life.
forbandet *adj* accursed, cursed, confounded, deuced, damn(ed); *adv* damn(ed); *det er min forbandede pligt* it is no more than my duty.

I. **forbandt** *(et) (arkit)* bond.
II. **forbandt** *imperf af forbinde.*
forbarme: *~ sig over* take pity on, have mercy on; *Gud ~ sig! ih, du -nde!* good gracious! *så guderne md sig ~* shockingly.
forbasket *adj* T, *se forbandet.*
forbavse *vb* surprise, astonish; *(stærkere)* amaze, astound; *man md -s!* well I never! *(se ogs forbavsende, forbavset).*
forbavselse *(en)* surprise, astonishment, amazement, *(målløs)* stupefaction.
forbavsende *adj* surprising, astonishing, amazing, *adv* -ly. **forbavset** *adj* surprised, astonished, amazed *(over:* at, over at: that).
forbedre *vb* improve, make better, reform; *~ sig* improve, reform, mend one's ways.
forbedring *(en -er)* improvement, reform(ation); *(af tekst)* emendation.
forbedringshus prison; *(straffen)* imprisonment.
forbehold *(et -)* reservation, proviso *(fx* with the usual proviso; with the p. that ..); *med ~* with reservations; *tage ~* make (certain) reservations; *uden ~* without reservation *(el.* reserve), unconditionally; *(fig)* unreservedly *(fx* praise him u.); *under ~ af* subject to *(fx under ~ af Deres godkendelse* subject to your approval).
forbeholde *vb* reserve; *~ ham det* reserve it for him; *~ sig ret til* reserve (for oneself) the right to; *~ sig sin stilling* refuse to commit oneself.
forbeholden *adj* reserved, *(om ytring)* guarded, non-committal. **forbeholdenhed** *(en)* reserve.
forben foreleg.
forbene(s) *vb* ossify.
forbenet *adj* ossified; *(fig)* hidebound.
forberede ✱ prepare; *~ en på ngt* prepare sby for sth; *~ sig på (el. til)* prepare (oneself) for; *~ sig på en tale* prepare a speech; *~ sig til en eksamen* prepare *(el.* read) for an examination; *(se ogs forberedende).*
forberedelse *(en -r)* preparation; *træffe -r til* make preparations for; *under ~* in preparation.
forberedende *adj* preparatory, preliminary.
forbi past, by; *(til ende)* over, gone, at an end; *gøre det ~ (hæve forlovelsen)* break off the engagement *(med:* with); *komme ~* pass (by), *(slippe forbi)* get past; *skyde ~* miss; *det er ~ med ham* it is all over with him.
forbidefilering march past.
forbier *(en -e)* miss; *skyde en ~* miss.
forbifart: *i -en* in passing.
forbigangen *adj* past, bygone; *det forbigangne* the past; *lad os ikke tale mere om det forbigangne* let bygones be bygones.
forbigå pass over; *~ i tavshed* pass by *(el.* over) in silence. **forbigåelse** *(en -r)* passing over; *(tilsidesættelse)* slight; *med ~ af* without mentioning.
I. **forbigående:** *i ~* in passing, incidentally; *i ~ (sagt)* by the way.
II. **forbigående** *adj (en der går forbi)* passer-by; *(flygtig)* passing, transient, fleeting, momentary *(fx* I had a m. feeling of..).
forbikørsel passing; *(bagfra)* overtaking.
forbillede *(mønster)* model, pattern; *(eksempel)* example; *(ideal)* ideal, exemplar; *(oprindelig type)* prototype; *tage til ~* take for a model.
forbilledlig *adj* ideal, exemplary, model.
forbinde *(forbandt, forbundet) (sætte i forbindelse)* connect (med: with) *(til en enhed, ogs kem)* combine; *(lægge bandage om)* dress *(fx* a wound), bandage; *(elekt & om maskine)* connect *(med:* to); *~ med (tankemæssigt)* associate with *(fx* I a. it with something unpleasant); *~ lærdom med dannet optræden* combine learning with good manners; *jeg -r ingen forestilling dermed* it conveys nothing to me; *~ sig* join, unite; *(kem)* combine; *~ sig med* ally oneself with, join forces with; *(se ogs forbunden).*
forbindelse *(en -r)* connexion; combination; *(samfærdsel)* communication, intercourse; *(trafiklinie*

befordring) service; *(mellem trafikmidler)* connexion; *(samkvem)* connexion, intercourse; *(person man er i ~ med)* connexion; *(forlovelse)* engagement; *(ægteskab)* alliance; *(kemisk ~)* compound *(fx* water is a c. of oxygen and hydrogen); *(~ mellem allierede)* liaison; *den diplomatiske ~ med Rusland* diplomatic relations with Russia; *han fik (telefonisk) ~* the call was put through, he got through *(med:* to); *fri (erotisk) ~* liaison, affair; *have ~ (o: sammenhæng) med spørgsmålet* have relation to *(el.* a bearing on) the matter, be relevant to the matter; *i denne ~* in this connexion; *stå i ~ med* be connected with, *(stå i et vist forhold til)* have a relation to; *sætte i ~* connect; *sætte ud af ~* disconnect; *sætte sig i ~ med* communicate with, enter into connexion with, make contact with; *tilfældige (seksuelle) -r* promiscuous sexual relations; *indgå kemisk ~ og danne* combine into.

forbindelses|anlæg *(vejanlæg)* connexion lay -out. **-led** *(et -)* (connecting) link. **-linie** ✕ line of communication. **-officer** ✕ liaison officer. **-punkt** junction. **-spor** *(jernb)* connecting track. **-sted** junction. **-tog** *(jernb fra og til passagerdamper)* boat train.

forbindende: *uden ~* subject to alteration (, to confirmation *el.* to revision); without (any) obligation.

forbinding *(en -er) (det at forbinde)* dressing, bandaging; *(bind, bandage)* bandage; *lægge ~ på et sår* dress *(el.* bandage) a wound.

forbinds|plads ✕ *(fremskudt)* first-aid station, dressing station; *(bag fronten, større)* (casualty) clearing station. **-sager, -stoffer** dressing materials.

forbindtlig *adj* affable, obliging. **forbindtlighed** *(en) (høflighed)* affability, obligingness.

forbipasserende *adj* passing; *en ~* a passer-by *(pl* passers-by).

forbistret *adj* confounded; *adv* confoundedly.

forbitre *vb* embitter *(fx* his life), spoil, ruin.

forbitrelse *(en)* indignation.

forbitret *adj* indignant, furious *(over:* at, *på:* with).

forbjerg promontory, head(land), cape.

forblinde *vb* blind.

forblindelse *(en)* blindness, infatuation.

forblive *vb* remain *(fx* it remains a secret); *(blive på samme sted)* stay; *lad det ~ derved* let the matter rest there. **forbliven** *(en)* continuance, staying.

forblommet *adj* dark, ambiguous, covert; *antyde ~ at* hint darkly that.

forbløde ✳ bleed to death.

forblødning *(en -er)* bleeding to death.

forbløffe *vb* amaze, take aback, disconcert.

forbløffelse *(en)* amazement, bewilderment.

forbløffende *adj* amazing, staggering; *~ hurtigt* with amazing rapidity.

forbogstav initial.

forborgen *adj* secret *(fx* smile); recondite.

forbrug *(et)* consumption. **forbruge** ✳ consume, use (up). **forbruger** *(en -e)* consumer, user.

forbrugsafgift comsumption tax, excise (duty).

forbrugsbegrænsende: *~ foranstaltninger* measures to reduce consumer expenditure.

forbryde *(forbrød, forbrudt):* *~ sig* offend; *hvormed har han forbrudt sig* what is his offence; *~ sig mod* commit an offence against *(fx* a child); offend against *(fx* the law); *have sit liv forbrudt* forfeit one's life.

forbrydelse *(en -r)* crime; *(grovere)* felony; *(forseelse)* misdemeanour, offence.

forbryder *(en -e)* criminal, felon; *(mindre ondartet)* offender; *(straffefange)* convict; *en politisk ~* a political offender.

forbryder|album police photographic records; T rogues' gallery. **-ansigt** gaolbird face. **-bane** *(en)* course *(el.* life) of crime; *slå ind på -n* enter upon a course of crime; *det første skridt på -n* the first step in crime.

forbryderisk *adj* criminal, felonious; *i ~ hensigt* with criminal intent.

forbryder|spire *(en -r)* budding criminal. **-verden** underworld, criminal world.

forbrænde ✳ burn; *(afsvide)* scorch.

forbrænding *(en)* combustion; *(brandsår)* burn; *~ af 1. (, 2., 3.) grad* 1st (, 2nd, 3rd) degree burn.

forbrændings|anstalt refuse disposal plant. **-motor** internal combustion engine. **-produkt** product of combustion.

forbrændt burnt; *~ af solen* scorched by the sun.

forbud *(et -)* prohibition, ban; *et ~ imod ngt* a ban on sth; *nedlægge ~ imod* prohibit, ban.

forbuden *adj* forbidden; *~ frugt smager bedst* forbidden fruit is sweet.

forbuds|afstemning referendum on prohibition. **-lov** prohibition law. **-modstander** anti-prohibitionist. **-tilhænger** prohibitionist.

forbudt *adj* forbidden, prohibited; *adgang ~! se adgang; ~ for børn (om film)* for adults only; *henstillen af cykler ~* no bicycles to be left here; *indkørsel ~* No Entry.

forbund *(et -)* union, league; *(fagforenings-, statsforbund)* federation; *(alliance)* alliance; *indgå ~* enter into a league, make an alliance.

forbunden combined, connected; *(alliceret)* allied; *(taknemmelig)* obliged; *være ~ med (o: medføre)* involve *(fx* it involves great difficulties); *den dermed forbundne fare* the danger involved; *jeg er Dem meget ~* I am much obliged (to you); *Deres forbundne (i brev)* Yours faithfully.

forbunds|domstol Federal Tribunal. **-forsamling** Federal Assembly. **-fælle** ally. **-kansler** Federal Chancellor. **-republik** federal republic. **-stat** federal state.

forbyde *(forbød, forbudt)* forbid, prohibit; *(teaterstykke, bog etc)* ban *(fx* the play was banned by the censor); *Gud ~ at* God forbid that; *~ ham adgang* forbid him to enter, forbid him the house; *det burde -s ved lov* there ought to be a law against it; *(se ogs forbudt, adgang).*

forbygning front building.

forbytte: *~ børn (ved et uheld)* mix up children; *få sin hat -t* get a wrong hat by mistake.

forbøn intercession; *(til Gud)* (intercessory) prayer; *gå i ~ for en* intercede for sby; *gå i ~ hos en* intercede with sby.

force *(en)* forte, strong point.

forcere *vb* force. **forceret** *adj* forced.

fordampe *vb* evaporate.

fordampning *(en)* evaporation.

fordanser *(en -e)* leader (of a dance).

fordanske *vb* translate into Danish.

fordanskning *(en)* Danish translation.

fordel *(en -e) (fortrin)* advantage, profit; *(forreste del)* front part; *(mere fagligt)* anterior part; *-e og mangler* advantages and disadvantages; *drage ~ af* profit by, derive advantage from; *det har sine -e* it has its advantages, there is something to be said for it; *med ~* profitably, with advantage; *se på sin ~* look after one's own interests; *til ~ for ham* in his favour, for his benefit; *til hans ~* to his advantage; *tage sig ud til sin ~* appear to advantage; *se sin ~ ved* at find it profitable to.

fordelagtig *adj* advantageous; *(indbringende)* profitable, lucrative; *~ bekendt* favourably known; *på -e betingelser* on favourable terms; *vise sig fra den -ste side* show off to advantage; *et -t ydre* a prepossessing appearance.

fordele ✳ distribute, divide, apportion; *(sprede)* spread, disperse; *~ sig* disperse; *de -r sig over marken* they distribute themselves over the field.

fordeler *(en -e) (elekt)* (current) distributor.

fordeling *(en)* distribution, division, apportionment; *(spredning)* dispersion.

fordi because; *det er ikke ~ jeg ikke kan lide ham* it is not that *(el.* as if) I don't like him; *hvis det ikke var ~* but for *(el.* were it not for) the fact that.

fordoble *vb* double, redpuble.

fordobling *(en -er)* doubling.
fordom *(en -me)* prejudice, bias.
fordomsfri *adj* unprejudiced, open-minded.
fordomsfrihed freedom from prejudices, open-mindedness.
fordrage *vb: jeg kan ikke ~ at* I hate to; *jeg kan ikke ~ vin* I detest wine; *jeg kan ikke ~ ham* I cannot stand him.
fordragelig *adj* tolerant; friendly *(fx* in a f. atmosphere).
fordragelighed *(en)* toleration, tolerance.
fordre *vb* demand *(fx* an immediate answer, payment; an operation demanding great care), require *(fx* all that is required of me); *(strengt)* exact *(fx* obedience); *(med begrundet krav)* claim *(fx* recognition).
fordreje *vb* distort *(fx* distorted features); twist; *(forvanske)* pervert, misrepresent; twist *(fx* the facts, the truth), distort; *med -t skrift (, stemme)* in a feigned hand (, voice); *~ hovedet på en* turn sby's head.
fordrejelse *(en -r)* distortion, contortion; *(forvanskelse)* perversion, misrepresentation.
fordring *(en -er)* claim, demand, requirement; *gøre ~ på* claim, lay claim to; *gøre ~ på at være* claim to be; *hun gør ikke ~ på at kaldes smuk* she lays no claim to good looks; *stille alt for store -er til* ask too much from *(el.* of), make too great demands on; *udestående -er* outstanding debts.
fordrings|fuld *adj* pretentious, assuming, exacting. **-fuldhed** *(en)* pretentiousness, exactingness. **-haver** *(en -e)* creditor. **-løs** unpretentious, unostentatious, unassuming. **-løshed** *(en)* unpretentiousness.
fordriste: *~ sig til at* venture to, make so bold as to.
fordrive *(fordrev, fordrevet)* drive away, expel, oust; *(landsforvise)* banish, exile; *~ tiden* pass the time, while away the *(el.* one's) time. **fordrivelse** *(en)* driving away, expulsion, banishment.
fordrukken *adj* drunken, sottish; *være ~* be a drunkard.
fordufte *vb* evaporate *(fx* his enthusiasm evaporated), disappear; *(stikke af)* beat it, disappear, make oneself scarce.
fordum *adv, se fordums: i fordums tid.*
fordumme *vb* make stupid, reduce to a state of stupidity. **fordummelse** *(en)* reduction to a state of stupidity.
fordums *adj* former *(fx* beauty); *i ~ tid* in former times, *(glds)* in days of old, in olden times.
fordunkle *vb* *(overstråle)* eclipse, outshine; *(gøre mørkere)* darken.
fordybe *vb* deepen; *~ sig i* lose oneself in, become absorbed in; *~ sig i sig selv* be wrapped in thought; *(se også fordybet).*
fordybelse *(en)* absorption.
fordybet *(sænket)* sunk; *~ i (fig)* absorbed in, lost in *(fx* thought); deep in *(fx* conversation); *~ i sin avis (, en bog)* buried in *(el.* engrossed in) one's paper (, a book).
fordybning *(en -er)* depression, hollow; *(fure)* groove; *(vindues- el. dør-)* embrasure; *(i væg)* recess, niche.
fordyre *vb* raise the price of, increase the cost of, make dearer. **fordyrelse:** *~ af* rise in the price of.
fordægtig *adj* suspicious, dubious, shady.
fordæk ⚓ fore deck; *(på bil etc)* front tyre.
fordækt *adj (tilsløret)* covert, disguised; *(underfundig)* furtive *(fx* smile); *(i kortspil)* face downwards.
fordærv *(et)* ruin; *bringe (el. styrte) en i ~* ruin sby.
fordærve *vb* spoil; *(moralsk)* corrupt; *mange kokke -r maden* too many cooks spoil the broth.
fordærvelig *adj* pernicious; *let -e varer* perishable goods. **fordærvelse** *(en)* corruption, depravity, depravation; *styrte en i ~* ruin sby.
fordærvet *adj (moralsk)* corrupt, depraved; *blive*

~ (ɔ: rådne) become tainted, **T** go bad; *~ kød* tainted meat; *sld ~* beat to a jelly, maul; *le sig ~* split one's sides with laughing.
fordøje *vb* digest. **fordøjelig** *adj* digestible.
fordøjelighed *(en)* digestibility.
fordøjelse *(en)* digestion; *dårlig ~* indigestion.
fordøjelsesbesvær indigestion.
fordømme * condemn; *være fordømt til at .. be* doomed to *..;* *(se ogs fordømt).* **fordømmelig** *adj* reprehensible, culpable. **fordømmelse** *(en)* condemnation; *(bibelsk)* damnation.
fordømt *adj (bandsat, nederdrægtig)* confounded, damned; *fordømt!* damn it! confound it! *de -e (bibl)* the damned.
fore *vb* line, *(med pelsværk)* fur, *(med vat)* wad.
forebringe *vb* submit; *~ ham det* submit it to him.
forebringende *(et -r)* statement.
forebygge *vb* prevent; *-nde (middel)* preventive.
forebyggelse *(en)* prevention.
foredrag *(et -)* *(forelæsning)* lecture, *(især for videnskabelig forsamling)* paper; *(causerende; radio-)* talk; *(sprogbehandling)* delivery, diction; *(spil el. sang)* execution; *holde ~ for* lecture to; deliver a lecture to; read a paper to; give a talk to; *et ~ om* a lecture (, paper, talk) on.
foredrage *vb (fremsige)* recite; *(sang etc)* execute, render.
foredrags|forening lecture society. **-holder** *(en -e)* lecturer. **-rejse** lecture tour. **-sal** lecture room.
forefalde *vb* happen, occur, take place; *alt -nde arbejde* any odd jobs; *-nde tilfælde* such cases as may arise.
forefinde *vb* find; *-s* be found, exist, be.
foregangsmand pioneer.
foregive *vb* pretend, simulate, feign; *han -r at være (el. at han er) syg* he pretends to be ill, he feigns illness. **foregiven** *adj* pretended, sham, feigned.
foregivende *(et -r)* pretence, pretext; *under ~ a f* under *(el.* on the) pretext of.
foregribe *vb* anticipate; *(hindre)* forestall.
foregøgle *vb: ~ en ngt* make sby believe sth, *(fremtidsudsigt)* dangle sth before sby; *~ sig* picture to oneself, imagine.
foregå *vb (finde sted)* take place, go on *(fx* what is going on in Russia?), happen; *(være i gang)* be in progress; *det er her det -r (svarer til)* here you are! *være med hvor det -r* be in the centre of events; *eksaminationen -r på engelsk* the examination is conducted in English; *~ en med et godt eksempel* give *(el.* set) a good example (to sby).
foregående *adj* previous, preceding; *den ~ dag* the p. day, the day before; *de i det ~ meddelte oplysninger* the information given above.
forehavende *(et -r)* project, enterprise.
foreholde: *~ en ngt* point out sth to sby; *(bebrejdende)* expostulate with sby about sth.
forekomme *vb (indtræffe)* occur, happen; *(findes)* be met with, be found *(fx* this is found in Denmark), occur; *(synes)* appear, seem; *det -r mig at* it appears to me that; *det -r mig at være usandsynligt* it seems unlikely to me.
forekommende *adj (fig)* obliging, courteous.
forekommenhed *(en)* obligingness, courtesy.
forekomst *(en)* occurence, existence; *(udbredelse)* incidence *(fx* the i. of mental defects in the population); *(geol)* occurrence; deposit *(fx* deposits of uranium); *almindelig ~* prevalence.
forel *(en -ler) zo* trout.
foreligge *vb* be, exist; be available *(fx* a new edition of the book is available); *(til drøftelse)* be at issue, be under consideration; *-r der noget om det?* is anything known about it? *der -r en misforståelse* there is a mistake; *nærmere enkeltheder -r endnu ikke* no further details are available yet; *i det -nde tilfælde* in the present case.
forelske: *~ sig i* fall in love with.
forelskelse *(en -r)* love *(i:* for) *(blind)* infatuation

(i: with); (det at forelske sig) falling in love; hans mange -r his numerous love affairs.

forelsket adj in love; forelskede blikke amorous glances; sende én forelskede blikke cast sheep's eyes at sby; blive ~ i fall in love with; være ~ i be in love with; to unge forelskede two young lovers.

forelægge vb lay (el. put, bring) before, submit to; ~ et lovforslag introduce (el. bring in) a bill.

forelæggelse (en) presentation; (af lovforslag) introduction.

forelæse * lecture (over: on). **forelæsning** (en -er) lecture; holde -er over give lectures on, lecture on; gå til -er attend lectures; udeblive fra en ~ cut a lecture.

forelæsningsrække course of lectures.

foreløbig adj temporary, provisional; adv (midlertidigt) temporarily, provisionally; (indtil videre) for the present, for the time being.

forende (en -r) fore-end, front part; ⚓ bow.

forene vb unite, join, combine; ~ sig unite; ~ sig med join; lade sig ~ med (fig) be consistent with; De Forenede Nationer the United Nations, the U.N.; De Forenede Stater the United States.

forenelig adj consistent, compatible (med: with).

forening (en -er) combination, union, junction; (selskab) association, society, club; i ~ jointly, between them; hans ord i ~ med hans håndbevægelser his words together with his gestures.

forenkle vb simplify. **forenkling** (en -er) simplification.

foresat adj & subst superior; ✗ superior officer.

foreskreven adj prescribed. **foreskrive** vb prescribe, order; loven -r the law provides.

foreslå vb suggest, (mere formelt; velovervejet) propose; (til afstemning) move; ~ ham at gøre det suggest to him that he should do it, propose to him to do it.

forespørge vb inquire.

forespørgs|el (en -ler) inquiry.

forestille vb (præsentere) introduce (fx let me introduce my brother to you), (højtideligt) present (for: to); (gengive, være billede af) represent (fx the picture represents Byron), be supposed to be; må jeg ~ Dem for min broder (ogs, uformelt) this is my brother, (amr) meet my brother; hvad skal det ~ (ɔ: betyde)? what does that mean? T what is the big idea? what is that in aid of? ~ sig (tænke sig) imagine (fx imagine my surprise), (danne sig et billede af) picture to oneself, visualize; (præsentere sig) introduce oneself (for: to); -nde måde (gram) the subjunctive.

forestilling (en -er) (præsentation) introduction; (opførelse) performance, show; (tanke, begreb) idea, conception, notion; urigtig ~ misconception; gøre sig en ~ om form an idea of; gøre en ~ over for remonstrate with, (diplomatisk) make representations to.

forestå vb (stå i spidsen for) be at the head of, be in charge of, manage (fx he manages our business); (være nær) be at hand, be near, be imminent, be ahead (fx there will be trouble ahead); der -r ham et længere sygeleje he is in for a long period of illness.

forestående adj approaching; (især om noget truende) imminent.

foresvæve: det -r mig at, der ~ mig noget om at I have a vague idea that, I remember vaguely that.

foresætte: ~ sig decide, resolve, determine.

foretage vb undertake (fx a journey); ~ sig noget do something; ~ eksperimenter carry out experiments; ~ en operation perform an operation; ~ de nødvendige skridt take the necessary steps; ~ en ændring make an alteration.

foretagende (et -r) undertaking, enterprise, (forretningsvirksomhed) concern.

foretagsom adj enterprising, go-ahead. **foretagsomhed** (en) enterprise, initiative.

foreteelse (en -r) phenomenon (pl phenomena).

foretræde (et) interview, (hos statsoverhoved) audience; få (, søge) ~ hos obtain (, ask for) an interview (, an audience) with.

foretrække vb prefer (for: to, fx I prefer tea to coffee).

for'evige vb (imperf: for'evigede; perf part: for'eviget) immortalize; (fotografere) photograph. **for'evigelse** (en) immortalization.

forevise * (udstille etc) show, exhibit; (som bevis etc) produce (fx one's passport, railway ticket); (demonstrere) demonstrate (fx demonstrate the car to him). **foreviser** (en -e) (fremmedfører) guide; (markeds- etc) showman. **forevisning** (en -er) exhibition, showing; production, presentation.

forfader, se forfædre.

I. **'forfald** (et) absence; få (el. have) ~ be prevented from being present; i tilfælde af hans ~ if he is prevented from attending; melde ~ send (one's) regrets, send apologies; lovligt ~, se lovlig.

II. **for'fald** (et) (det at noget ødelægges) decay, dilapidation; (nedgang, opløsning) decline, decadence; (udløb af betalingsfrist) falling due, maturity; i ~ in a state of decay.

forfalde vb (om bygning) become dilapidated; (især fig) fall into decay; (til betaling) fall due, mature; ~ til (ɔ: blive -n til) take to, become addicted to (fx drink).

forfalden adj (skrøbelig) decayed, dilapidated, in disrepair; (til betaling) payable, due; (drikfældig) addicted (el. given) to drink; person som er ~ til opium (etc) opium (etc) addict.

forfalds|dag (merk) day of payment, day of maturity. **-periode** (period of) decadence. **-tid** (merk) maturity, time of payment; (nedgangstid) (period of) decadence.

forfalske vb falsify, fake; (næringsmidler) adulterate; (dokument) forge; (tekst) falsify, tamper with, T cook; -de antikviteter fake(d) antiques; ~ en underskrift forge a signature.

forfalskning (en -er) falsification, faking; (af næringsmidler) adulteration; (af dokument) forgery; (forfalsket vare) imitation, fake.

forfatning (en -er) (tilstand) state, condition; (stats-) constitution.

forfatnings|brud (et -) violation of the constitution. **-kamp** constitutional struggle. **-mæssig** adj constitutional. **-stridig** adj unconstitutional.

forfatte vb write, compose (fx a poem).

forfatter (en -e) author, writer; han er ~ til he is the author of; -en N. N. N. N., the author.

forfatter|honorar author's fee, (procenter af salg) royalty. **-inde** (en -r) authoress. **-navn** name of an author; (pseudonym) pen name. **-ret** copyright. **-skab** authorship; (produktion) work(s); (= -virksomhed), se dette. **-virksomhed** literary activities; writing.

forfejle vb miss; ~ sin virkning fail. **forfejlet** adj unsuccessful, abortive (fx attempt); (forkert) mistaken (fx policy).

forfilm (kortfilm) short; (prøve på næste forestilling) trailer.

forfinelse (en) refinement. **forfinet** adj delicate (fx taste); (raffineret) sophisticated; (ofte =) aristocratic (fx features).

forfjamskelse (en -e) flurry, confusion. **forfjamsket** adj flurried, confused.

forfjor: i ~ the year before last.

forfladige vb banalize, vulgarize.

forflygtige (så til af fordampe) volatilize; (svække) efface, weaken (fx the effect).

forflytte vb, **forflyttelse** (en) transfer.

forfløjen adj giddy, frivolous; (om tanke) wild.

forfordele *: ~ en treat sby unfairly, give sby less than his share.

forfordeling (en) unfair treatment.

forfra from in front; (om igen) (over) again, from the beginning; ⚓ from forward, from ahead; huset set ~ (billedunderskrift) front view of the house.

forfremme vb promote; han blev -t til kaptajn he was promoted (to the rank of) captain.

forfremmelse (en -r) promotion.

forfriske *vb* refresh. **forfriskelse** *(en)* recreation.
forfriskende *adj* refreshing.
forfriskning *(en -er)* refreshment.
forfrossen *(medtaget af kulde)* perished with cold, chilled to the bone; *(valen)* numb with cold; *(kuldskær)* sensitive to cold.
forfrossenhed *(en)* sensitiveness to cold.
forfrysning *(en -er)* frostbite; *-er i fødderne* frost-bitten feet.
forfuske *vb* bungle, botch.
forfædre *pl* ancestors, forefathers, forbears.
forfægte *vb* assert, maintain, champion.
forfægtelse *(en)* maintenance, championship.
forfægter *(en)* advocate, champion, defender.
forfængelig *adj* vain. **forfængelighed** *(en)* vanity.
forfærde *vb* terrify, appal, dismay; *(moralsk)* shock, appal.
forfærdelig *adj* terrible, awful, appalling, frightful, dreadful, *(umådelig)* awful, terrible, tremendous; *det ville jeg ~ gerne* I'd love to; *~ rar* awfully nice.
forfærdelse *(en)* terror, horror, fright, *(især over egen fare)* dismay, *(bestyrtelse)* consternation.
forfærdet *adj* terrified, horrified, aghast.
forfærdige *vb* make, manufacture.
forfærdigelse *(en)* making, manufacture.
forfødde *vb* foot. **forfødning** *(en)* footing.
forføje: *~ sig bort* go away, leave.
forfølge *vb* pursue; *(for retten)* prosecute; *(for anskuelser etc)* persecute; *(spor)* trace; *(drive igennem)* follow up *(fx* the victory, the matter); *(plage, hjemsøge)* pester, haunt.
forfølgelse *(en -r)* pursuit; persecution.
forfølgelsesvanvid persecution mania.
forfølger *(en -e)* pursuer; *(af person på grund af anskuelser etc)* persecutor.
forføre ★ seduce. **forførelse** *(en)* seduction.
forførende *adj* seductive. **forfører** *(en -e)* seducer.
forførerisk *adj* seductive.
forgabe: *~ sig i (person)* fall in love with, fall for; *(ting)* take a fancy to.
forgabet *adj:* *~ i* infatuated with.
forgaffel *(på cykel)* front fork.
forgangen *adj* past; *~ aften* the other evening.
forgasning *(en)* gasification. **forgasse** *vb* gasify.
forgemak antechamber, anteroom.
forgifte *vb* poison. **forgiftning** *(en -er)* poisoning. **forgive** *vb* poison.
forgjort *(forhekset)* bewitched; *det er der ikke noget ~ ved* that cannot do any harm; *der er ikke noget ~ ved at* there is no harm in -ing.
forglemme ★ forget; *ikke at ~* not forgetting; *last (but) not least.* **forglemmelse** *(en -r)* *(uagtsomhed)* oversight, omission; *(glemsel)* oblivion *(fx* rescue sth from o.); *ved en ~* through an oversight, inadvertently.
forglemmigej *(en -er)* ♣ forget-me-not.
forgodtbefindende: *efter ~* at pleasure, at one's discretion.
forgrene: *~ sig* ramify, branch (off).
forgrenet *adj* branching, ramified; *en vidt ~ organisation* an organisation with many ramifications.
forgrening *(en -er)* ramification.
forgribe: *~ sig på (øve vold mod)* lay violent hands on; *(om sædelighedsforbryder)* assault, commit an offence against; *(stjæle)* make free with.
forgrove *vb* coarsen.
forgrund foreground; *(af scenen)* front of the stage; *træde i -en* come to the front.
forgrundsfigur prominent figure.
forgrædt *adj* red-eyed (with weeping).
forgræmmet *adj* careworn.
forgude *vb* idolize. **forgudelse** *(en)* idolization.
forgylde ★ gild; *~ op* regild. **forgylder** *(en -e)* gilder. **forgyldning** *(en) (det at)* gilding; *(guldbelægningen)* gilt. **forgyldt** *adj* gilt; *(fig)* gilded *(fx* g. misery).

forgældet *adj* in debt; *dybt ~* deep in debt.
forgængelig *adj* perishable *(fx* material); *(flygtig)* transient, transitory, passing.
forgængelighed *(en)* perishableness, transitoriness.
forgænger *(en -e)* predecessor.
forgæves *adj* vain, fruitless, futile; *adv* in vain *(fx* he protested in vain).
forgå *vb (gå til grunde)* perish; *(om verden)* come to an end; *være ved at ~ af kedsomhed* be bored stiff; *be bored to death; ved at ~ af kulde* perishing with cold; *ved at ~ af nysgerrighed* bursting with curiosity; *være ved at ~ af nysgerrighed efter at få det at vide* be dying to know it; *ved at ~ af skam* dying with shame; *jeg er ved at ~ af varme* this heat is too much for me *(el.* is killing me).
forgård *(en -e)* forecourt; *(bibelsk)* court; *(anat)* vestibule.
forgårs: *i ~* the day before yesterday.
forhadt *adj* hated, detested; *gøre sig ~ hos én* incur sby's hatred; *mest ~* most *(el.* best) hated *(fx* teacher).
forhal vestibule, hall.
forhale *vb* delay, retard, protract; ♣ shift.
forhaling *(en -er)* delay, ♣ shifting.
forhammer sledge hammer.
forhandle *vb (handle med)* deal in; *(underhandle)* negotiate; *(diskutere)* discuss, debate.
forhandler *(en -e) (handlende)* dealer; *(sælger, repræsentant)* agent; *(underhandler)* negotiator. **forhandlerrabat** trade discount.
forhandling *(en -er) (salg)* sale; *(underhandling)* negotiation, talk; *(drøftelse)* discussion; *(i parlament)* debate.
forhandlings|bord conference table. **-evne** negotiating skill. **-fred** negotiated peace. **-grundlag** basis for *(el.* of) negotiation. **-løsning** negotiated settlement. **-objekt** bargaining counter. **-position** bargaining position, negotiating position. **-protokol** minutes (of proceedings). **-tilbud** overture. **-venlig** willing *(el.* ready) to negotiate.
forhaste: *~ sig* be in too great a hurry. **forhastet** hasty, rash, premature *(fx* a premature conclusion); *drage forhastede slutninger* jump to conclusions.
forhave *(en)* front garden; *(amr)* front yard.
forhekse *vb* bewitch; *(fortrylle)* charm, enchant.
forhen *adv* formerly, before. **forhenværende** *adj* former, sometime, late, ex- *(fx* ex-minister, ex -wife); *en ~* a "has-been".
forherlige *vb* glorify. **forherligelse** *(en)* glorification.
forhindre *vb* prevent *(i:* from); *(hindre)* hinder, *(sinke)* impede. **forhindring** *(en -er)* prevention; *(hindring)* hindrance, *(som står i vejen, spærrer)* obstacle, *(som sinker, hæmmer)* impediment.
forhindringsløb obstacle race.
forhippet *adj:* *~ på at vinde* keen on winning, eager to win.
forhistorie previous history, antecedents.
forhistorisk *adj* prehistoric; *(fig)* antediluvian.
forhjul *(et -)* front wheel.
forhold *(et -) (tilstand, vilkår)* conditions *(fx* social conditions), state of things; circumstances, situation; *(målestoksforhold)* scale; *(proportion)* proportion; *(forbindelse)* relations *(fx* between two countries, between parents and children); *(foreteelse, fænomen)* phenomenon *(pl* phenomena), matter; *(omstændighed)* fact, circumstance;
-ene matters, things, conditions, (the state of) affairs; *de faktiske ~* the facts; *-et er det at* the fact is that; *-et mellem årsag og virkning* the relation between cause and effect; *efter den tids ~* by the standards of that time; *hans ~ til sine overordnede (, sin familie)* his relations with his superiors (, his family); *i ~ til* in proportion to, proportional to; *stå i (passende) ~ til* be proportional to; *stå i ~ til en kvinde* have an affair with a woman; have (intimate) relations with a woman; *stå i et godt ~ til* be on good

(el. friendly) terms with; *hans held stod ikke i* ~ *til hans evner* his success was out of all proportion to his abilities; *under de* ~ under those circumstances.
I. **forholde** *vb:* ~ *en noget* withhold *(el.* keep) sth from sby *(fx* he kept this information from me).
II. **forholde:** ~ *sig* behave, act, conduct oneself; *sagen -r sig således* the fact (of the matter) is this, the facts are these; *når det -r sig således* if that is the case; *hvordan -r det sig med* what about, what is the position as regards; ~ *sig neutral (, passiv)* remain neutral *(,* passive); ~ *sig rolig* keep quiet; *10 -r sig til 5 som 16 til 8* 10 is to 5 as 16 to 8.
forholdsmæssig *adj* proportional; ~ *andel* quota, pro rata share.
forholds|ord preposition. **-ordre** instructions. **-regel** measure. **-tal** proportional. **-talsvalgmåde** (election by) proportional representation.
forholdsvis *adv (i bestemt forhold)* proportionally; *(efter omstændighederne)* comparatively, relatively, *(temmelig)* rather, fairly; ~ *få* comparatively few.
forhud foreskin, prepuce.
forhude *vb* sheathe. **forhudning** *(en)* sheathing.
forhudsforsnævring phimosis.
forhus front building.
forhutlet *adj* down at heel, shabby, seedy.
forhyre *vb* ⚓ engage, ship, sign on *(fx* sign a sailor on); *blive -t som kok* sign on as cook.
forhyring *(en)* engagement.
forhyringskontor shipping office.
forhæng *(et -)* curtain.
forhærde *vb* harden, indurate.
forhærdelse *(en)* inveteracy; *(med.)* induration.
forhærdet *adj (moralsk)* inveterate; hardened *(fx* criminal), callous; *(med.)* indurated; *(fibrøst)* sclerotic.
forhøje *vb* raise *(fx* the wages), heighten *(fx* a building, the effect); *(forøge ogs)* increase, enhance.
forhøjelse *(en -r)* rise, increase *(af:* of, in, *fx* salary).
forhøjning *(en -er)* elevation, rise; *(ophøjet gulv)* raised platform, dais.
forhør *(et -) (hele forhørsakten)* inquiry *(fx* hold an inquiry); *(af vidne)* examination, *(af sigtet)* interrogation; *tage i* ~ examine, interrogate.
forhøre * *(vidne)* examine, *(mistænkt)* interrogate; ~ *(sig)* ask, inquire.
forhørs|dommer examining judge *(el.* magistrate). **-protokol** records.
forhåbentlig *adv* we hope, I hope, let us hope, there is reason to hope, it is to be hoped. **forhåbning** *(en -er)* hope; *gøre sig* ~ *om* hope, have hopes of; *slå hans -er ned* destroy *(el.* defeat) his hopes; *nære store -er til* expect great things from.
forhåbningsfuld *adj* hopeful.
forhånd *(i tennis)* forehand; *(i kortspil): være i -en* have the lead; *du er i -en* (it is) your lead; *på* ~ in advance, beforehand, from the outset; *aftalt på* ~ prearranged; *man skulle på* ~ *tro at* on the face of it one would think that; *idet jeg på* ~ *takker Dem* thanking you in anticipation.
forhåndenværende *adj (disponibel)* available; *(nuværende)* present; *under de* ~ *omstændigheder* under the present circumstances, as it is.
forhånds|indtryk impression received in advance. **-meddelelse** advance notice; *-r (ogs)* advance information. **-reklame** advance publicity. **-viden** previous knowledge.
forhåne *vb* insult. **forhånelse** *(en -r)* insult *(af* to, *fx* an insult to the flag), derision.
forinden *adv* before *(fx* two years b.), previously *(fx* he had p. been informed); *conj* before.
Forindien India.
foring *(en)* lining.
forivre *vb:* ~ *sig* go too far, allow oneself to be carried away. **forivrelse** *(en)* blunder made in the heat of the moment.
forjage *vb* drive away. **forjaget** *adj (fordreven)*

driven away; *(som udføres med for stor hast)* hurried; *(som har alt for travlt)* harassed; *nutidens -de tempo* the rush of modern life.
forjasket *adj* slovenly.
forjætte *vb,* **forjættelse** *(en -r)* promise; *det forjættede land* the Promised Land.
fork *(en -e)* pitchfork, hayfork.
forkalke *vb* calcify; *-t (ɔ: senil)* senile, T gaga.
forkalkning *(en)* calcification; *(med.)* sclerosis.
forkammer *(i hjerte)* auricle.
forkant front edge; *(af bæreplan)* leading edge.
forkarl farm foreman.
forkaste *vb* reject, turn down *(fx* a proposal); *(lovforslag)* reject, throw out; *(underkende)* overrule.
forkastelig *adj* reprehensible, unjustifiable, vicious. **forkastelighed** *(en)* reprehensibility. **forkastelse** *(en)* rejection; *(underkendelse)* overruling.
forkert *adj* wrong *(fx* the answer is wrong, the w. end, hat, number, side, way etc); *adv* wrong *(fx* answer wrong), wrongly, erroneously; *(udtrykkes ofte ved:)* mis- *(fx* beregne ~ miscalculate).
forklare *(udrede, begrunde)* explain, account for *(fx* explain the meaning of; explain why; explain *(el.* account for) one's behaviour; that accounts for the mistake); *(udlægge)* expound; *(erklære, fx til politiet)* state; *(afgive forklaring for retten)* give evidence; *(omgive med glans)* transfigure, glorify; ~ *sig (undskylde sig)* explain oneself; *jeg kunne ikke* ~ *mig det* I could not account for it.
forklarelse *(en)* transfiguration, glorification.
forklarende *adj* explanatory.
forklaret *adj (omgivet med glans)* transfigured, glorified.
forklaring *(en -er)* explanation; *(for retten)* evidence, *(protokolleret og underskrevet)* deposition; *afgive* ~ give evidence; *falsk* ~ *(for retten)* untruthful evidence, perjury. **forklarlig** *adj* explainable, explicable.
forklejne *vb* disparage, belittle. **forklejnelse** *(en)* disparagement, belittlement.
forklog *adj: det er lettere at være bagklog end* ~ it is easy to be wise after the event.
forkludre *vb* bungle; make a mess of *(fx* one's life). **forkludring** *(en)* bungling.
I. **forklæde** *(et -)* apron; *(barne-)* pinafore.
II. **forklæde** *,* **forklædning** *(en -er)* disguise.
forknyt *adj (forsagt)* timid, faint-hearted; *(nedslået)* dispirited. **forknythed** *(en)* timidity, faint -heartedness; *(nedslåethed)* lack of spirits. **forknytte** *vb: ikke lade sig* ~ keep in good heart; T keep smiling.
forkobre *vb* copper-plate, coat with copper.
forkommen *adj (af træthed)* exhausted; *(af kulde)* perishing with cold; *(af sult)* weak with hunger.
forkontor secretary's *(,* receptionist's) office.
forkorte *vb* shorten; *(især bog)* abridge; *(ord)* abbreviate; *(brøk)* reduce; *(perspektivisk)* foreshorten; ~ *tiden* while away time. **forkortelse** *(en -r)* shortening, abridgment, abbreviation; *(af brøk)* reduction. **forkortning** *(perspektivisk)* foreshortening; *(set) i* ~ foreshortened.
forkradset *adj* full of scratches.
forkrampet *adj* forced, strained.
forkromet *adj* chromium-plated.
forkrop forepart of the body.
forkrænkelig *adj* corruptible, vain.
forkrænkelighed *(en)* corruption, vanity.
forkrøblet *adj* stunted, scrubby, dwarfed.
forkrøllet *adj* creased, crumpled.
forkuet *adj* cowed, subdued.
forkullet *adj* charred.
forkulning *(en)* carbonization.
forkundskaber *pl* previous knowledge, previous training; *have gode -er i* have a good foundation *(el.* grounding) in.
forkvakle *vb* warp, bungle.
forkynde * proclaim; *(meddele)* announce; *(jur)*

serve; *(bebude)* prophesy; ~ *evangeliet* preach the gospel; ~ *én en stævning* serve a writ on sby.

forkyndelse *(en -r)* proclamation; *(jur)* service; *(rel)* preaching. **forkynder** *(en -e) (rel)* preacher.

forkæle *vb* spoil, coddle. **forkælelse** *(en)* spoiling.

forkæmper *(en -e)* champion, advocate.

forkærlighed *(en)* predilection, partiality.

forkætre *vb* stigmatize as heretical; *(tage stærk afstand fra)* condemn, denounce.

forkætring *(en)* denunciation.

forkøb *(forkøbsret)* pre-emption; *komme i -et* anticipate, forestall, T steal a march on.

forkøbe **:* ~ *sig* pay too much; *han forkøbte sig på huset* he paid too much for the house.

forkøbsret pre-emption, option.

forkøle *vb:* ~ *sig* catch (a) cold. **forkølelse** *(en -r)* cold. **forkølelsessår** herpes labialis, cold sore. **forkølet** *adj: blive* ~ catch (a) cold; *være* ~ have a cold.

forkørselsret right of way; *have* ~ *for* have the right of way over.

for|lade *(-lod, -ladt) (gå bort fra)* leave; *(svigte)* desert, leave, forsake, abandon; *(opgive)* abandon *(fx* a theory, a ship); *(tilgive)* forgive; *alt forladt!* not at all! *forlad os vor skyld (i fadervor)* forgive us our trespasses; ~ *sig på* rely on, depend on, trust to; *(se ogs forladt).*

forladegevær muzzle loader.

forladelse *(en)* pardon, forgiveness; *om ~!* (I am) sorry! *bede én om* ~ beg sby's pardon; *syndernes* ~ the remission *(el.* forgiveness) of sins.

forlader *(en -e) (forladegevær)* muzzle loader.

forladt *adj* deserted; *(ladt i stikken)* forsaken, abandoned; ~ *skib* derelict.

forladthed *(en)* desertion, loneliness.

forlag *(et -)* publishing firm, publisher(s); *udkommet på Gyldendals* ~ published by Gyldendal; *udgive på eget* ~ publish at one's own expense.

forlags|boghandel publishing firm. **-boghandler** publisher. **-konsulent** publisher's reader. **-ret** copyright.

forlange ** (bede om)* ask for; *(bestille)* order; *(kræve)* demand, request, *(som sin ret)* claim; *(som betaling)* charge; *bestemt* ~ insist on; ~ *ngt af en* demand sth from sby *(fx* I demanded compensation from him); *jeg -r (af dig) at du skal* . . I require you to . .; *det er for meget forlangt* that is asking too much.

forlangende *(et -)* demand, request; *på* ~ on demand, on application, on request.

forlede *** lead astray; *(lokke)* lure, *(narre)* trick, humbug *(til:* into).

forleden *adj* the other *(fx* the other afternoon); *adv* the other day.

forlegen *(genert)* shy, self-conscious; *(ivrig, begærlig)* anxious *(for:* for; *for at:* to).

forlegenhed *(en) (genert hed)* shyness; *(vanskelighed)* difficulty, trouble, embarrassment, T scrape; *bringe én i* ~ embarrass sby; *komme i* ~ get into difficulties; T get into a scrape; *være i* ~ *for svar* be at a loss for an answer; *være i* ~ *for penge* be hard up, be pressed for money.

forlene: ~ *med* endow with.

forlibt: ~ *i* in love with, enamoured of.

forlig *(et -)* compromise, amicable settlement; *(forsoning)* reconciliation; *slutte* ~ come to an agreement; make it up; *slutte* ~ *med* compromise with, make up the *(el.* a) difference with; *det kom til* ~ a compromise was reached.

forlige *vb* reconcile; ~ *sig med* become reconciled to *(fx* become r. to one's fate).

forliges agree, T hit it off.

forligger *(en -e)* (bedroom) rug.

forligs|institution, **-kommission** conciliation board. **-mand** *(svarer til)* conciliation officer.

forlis *(et -)* loss, shipwreck.

forlise *** be lost, be wrecked; *(om skib ogs: ved at synke)* founder.

forlods *adv* beforehand, in advance.

forlokke *vb* inveigle, lure, seduce *(til:* into).

forloren *adj* false, mock, sham, phoney; *-t hår* false hair; ~ *skildpadde* mock-turtle; *den forlorne søn* the prodigal son; *forlorne tænder* false teeth.

forlorenhed *(en)* falseness, make-believe.

forlov leave, permission; *med ~!* excuse me! may I? *bede om* ~ ask (for) permission.

forlove: ~ *sig med* become engaged to.

forlovelse *(en -r)* engagement *(med:* to).

forlovelsesring engagement ring.

forlover *(en -e)* he that gives the bride away; *(for brudgommen)* best man.

forlov|et engaged (to be married); *hans -ede* his fiancée; *hendes -ede* her fiancé; *de -ede* the engaged couple.

forlyd initial sound; *i* ~ initially.

forlyde: *det -r* it is reported; *lade sig* ~ *med* give it to be understood, hint, intimate. **forlydende** *(et -r)* report; *efter* ~ according to report.

forlygte headlight.

forlyste *vb* amuse, entertain, divert.

forlystelse *(en -r)* amusement, entertainment; *offentlige -r* public entertainments.

forlystelses|branchen the entertainment business. **-etablissement** *se -sted.* **-skat** entertainments tax. **-sted** place of entertainment. **-syg** pleasure-seeking *(el.* -loving). **-syge** *(en)* pleasure-seeking.

forlæg *(original)* original; *(kilde)* source; *(forbillede)* model, pattern.

forlægge *(så man ikke kan finde det)* mislay; *(flytte)* remove, transfer; *(udgive)* publish; *skal vi* ~ *residensen?* shall we adjourn (to the drawing-room)? **forlæggelse** *(en) (se forlægge)* mislaying; removal, transference. **forlægger** *(en -e)* publisher.

forlægning *(en -er) (lejr)* camp.

forlænge *(i rum)* extend, lengthen, prolong *(fx* a road), elongate; *(i tid)* extend, prolong.

forlængelse *(en -r)* extension, lengthening; prolongation; *i* ~ *af* in continuation of.

forlængerledning *(elekt)* flex, extension cord.

forlængst *adv* long ago, long since.

forlæns *adv* forward(s); *køre* ~ *i tog (, hestevogn)* sit facing the engine (, the horses).

forlæst *adj* overworked.

forløb *(et -)* expiration, lapse; *(udvikling)* course, progress; *efter et års* ~ after a year, at the end of a year.

forløbe *(forløb, forløbet) (om tiden)* pass (away), elapse; *(foregå)* pass off, go off *(fx* the performance went off well); *operationen forløb heldigt* the operation was successful; ~ *sig* forget oneself, let oneself be carried away; *i de forløbne måneder* during the past months. **forløbelse** *(en -r)* gaffe, blunder.

forløber *(en -e)* forerunner.

forløfte: ~ *sig* overstrain oneself by lifting; ~ *sig på noget (fig)* overreach oneself in an attempt to do sth.

forløjet *adj* lying, mendacious; *(forloren)* sham.

forløjethed *(en)* mendacity; sham.

forløse *** release *(fra:* from) *(ved fødsel)* deliver; *(religiøst)* redeem; *blive forløst med en søn* be delivered of a son; *endelig sagde X det -nde ord* at length X spoke the word which everyone had been waiting for. **forløser** *(en)* Redeemer. **forløsning** *(en)* redemption; *(nedkomst)* delivery.

form *(en -er)* form, shape; *(en -e) (støbe-)* mould; *(bage-)* tin; *-er (legemsformer)* T curves; *(an)tage* ~ take shape; *(an)tage fast* ~ solidify; *(fig)* assume a definite shape; *de forskellige -er for noget* the various forms of sth; *få* ~ *på det* get (el. lick) it into shape; *for en -s skyld* as a matter of form; *jeg er ikke i* ~ I am not in form; *(ofte =)* I am off my game; *i* ~ *af* in the shape *(el.* form) of; *holde på -erne* stand on ceremony, be a stickler for etiquette.

formad *(en)* first course.

formale *vb* grind. **formaling** *(en)* grinding.

formalisme *(en -r)* formalism. **formalist** *(en -er)* formalist.

formalitet *(en -er)* formality, (matter of) form *(fx* it is only a matter of form); *uden -er* without formality, informal; *adv* informally.

formand the person sitting (, standing etc) in front of sby; *(forgænger)* predecessor; *(for arbejdere, for jury)* foreman; *(i forening, i ret)* president; *(i bestyrelse, i komité)* chairman; *(i underhuset)* Speaker. **formand- skab,** **formandspost** presidency, chairmanship. **formandssædet** the chair.

formane *vb* exhort, admonish; ~ *en til at gøre noget* admonish sby to do sth; ~ *en til ikke at gøre noget* warn sby against doing sth.

formaning *(en -er)* exhortation, admonition, warning; *(påbud)* injunction *(fx* parting injunctions). **formaningstale** admonitory speech; *holde en ~ for én* T tell sby off.

formaste: ~ *sig* presume.

formastelig *adj* presumptuous.

formastelighed, **formastelse** *(en)* presumption.

format *(et -er)* size; *(bog- ogs)* format; *(om per- sonlighed)* caliber, standing; *af* ~ *(fig)* great, of im- portance; *han mangler* ~ he is without greatness; *i mindre* ~ *(fig)* on a smaller scale; *i stort* ~ large-sized, large-scale.

formation *(en -er)* formation.

forme *vb* form, shape; *(støbe)* mould; ~ *sig* shape, turn out; ~ *sig heldigt* be a success; ~ *sig som* take the form of.

formedelst *præp (på grund af)* on account of; *(ved hjælp af)* by means of; *(mod at betale)* for.
I. **form|el** *(en -ler)* formula.
II. **formel** *adj* formal.

formelagtig *adj* formularized *(fx* phrases).

formelig *adj* veritable, positive, regular; *adv* ac- tually, positively, downright *(fx* he was d. rude).
I. **formene** ✳ *(forbyde)* forbid; ~ *ham adgang* forbid him to enter.
II. **formene** ✳ *(mene)* believe, presume.

formening *(en)* opinion, judgment.

formentlig *adj* supposed; *adv* presumably, sup- posedly, I think, I believe.

former *(en -e)* moulder; *(pottemager)* thrower.

formere ✕ form *(fx* f. battalion); *(forøge antallet)* increase, multiply; ~ *sig* breed, propagate; *(stærkt)* multiply; ~ *et tog* make up *(el.* marshal) a train.

formering *(en) (forplantning)* reproduction, pro- pagation; ✕ formation; *(af tog)* making up, marshal- ling. **formeringsevne** procreative powers.

formfejl technical error; *(med.)* deformity.

formfuldendt *adj* correct, finished, elegant.

formfuldendthed *(en)* correctness, finish.

formgive *vb* design.

formgivning *(en)* design(ing).

formidabel *adj* formidable.

formiddag morning; *i -s* this morning; *i går -s* yesterday morning; *kl. 10 om -en* at ten (o'clock) in the morning, at 10 a.m.; *langt op på -en* late in the morning.

formidle *vb (udvirke, sørge for)* effect *(fx* effect a reconciliation between them), arrange, be instru- mental in bringing about *(fx* a treaty), be in charge of; ~ *udgivelsen af bogen* be in charge of the publi- cation of the book. **formidler** *(en -e)* intermediary. **formidling** *(en)* arrangement; *ved hans* ~ through his agency.

formilde *vb* mitigate *(fx* his anger, the punish- ment); appease *(fx* him); *lade sig* ~ relent; *-nde om- stændigheder* extenuating circumstances.

formindske *vb* decrease, diminish, lessen, reduce; ~ *udgifterne* cut down *(el.* reduce) the expenses; *i -t målestok* on a reduced scale; *en -t udgave af* a scaled -down version of; *-s* decrease, diminish. **formind- skelse** *(en -r)* decrease, diminution, reduction.

formindskelsesord diminutive.

formlære *(en)* morphology; *(om bøjningsformer)* accidence.

formløs *adj* formless; *(om væsen)* informal.

formløshed *(en)* formlessness, informality.

formning *(en)* forming, shaping; *(ved støbning)* moulding; *(skolefag)* creative art.

formode *vb* suppose, *(gisne)* conjecture; *(forvente)* expect; *(med nogenlunde sikkerhed)* presume. **formo- dentlig** *adv* probably, presumably, most likely, in all likelihood, I suppose. **formodning** *(en -er)* sup- position; *(gisning)* conjecture.

form|sans sense of form. **-skøn** beautifully formed. **-sprog** idiom.

formssag matter of form.

formstof plastic.

formue *(en -r)* fortune, capital, property; *have en* ~ *på 10.000 pund (ogs)* be worth £10.000.

formue|afgift capital levy. **-forhold** financial circumstances. **-fællesskab** community of property.

formuende *adj* wealthy.

formueomstændigheder = *formueforhold.*

formueskat property tax.

formular *(en -er)* formula, form. **formulere** *vb* formulate, word. **formulering** *(en)* formulation, wording.

formummet *adj* disguised.

formynder *(en -e)* guardian.

formynder|regering regency. **-skab** *(et)* guardi- anship, *(ogs fig)* tutelage *(fx* be in tutelage); *(om FN)* trusteeship. **formynderskabsområde** *(under FN)* trust territory.

formæle *vb: blive -t med* marry; *(med en kvinde ogs)* espouse.

formøble *vb* squander, waste.

formørke *vb* darken, obscure, eclipse. **formør- kelse** *(en -r)* darkening; *(astr)* eclipse.

formå *vb (evne)* be able *(at gøre noget* to do sth), be capable *(at gøre noget* of doing sth); *(overtale, be- væge)* induce, persuade *(fx* induce *(el.* persuade) him to come); *alt hvad jeg -r* all I can do, everything in my power; *jeg -r ikke at gøre mere* I cannot do any more; *tage til takke med hvad huset -r* take pot-luck. **formåen** *(en)* ability, capacity. **formående** *adj* influential.

formål *(et -)* aim, end, object, purpose; *-et med* the purpose of *(fx* his visit); *hvad er dit* ~ *med at gøre dette?* what is your purpose in doing this? *foreningen har til* ~ *at* the object of the society is to.

formåls|løs *adj* aimless, pointless, futile. **-løshed** *(en)* aimlessness, futility. **-paragraf** objects clause. **-tjenlig** *adj* expedient, suitable; *når du finder det -t* when you see fit. **-tjenlighed** *(en)* expediency.

fornagle *vb* nail up; *(skydevåben)* spike.

fornavn Christian name, first name; *(amr)* given name.

forneden *adv* below; ~ *på siden* at the foot *(el.* bottom) of the page.

fornedre *vb* debase, degrade. **fornedrelse** *(en -r)* debasement, abasement, degradation. **fornedrende** *adj* degrading.

fornem *adj* distinguished, of distinction, of rank; *(ædel, nobel)* noble *(fx* character); *(fremragende)* bril- liant *(fx* result, performance); *af* ~ *fødsel* high-born; *spille* ~ give oneself airs; *den -me verden* the world of rank and fashion. **fornemhed** *(en)* high rank, distinction.

fornemme *vb* feel, be sensible of; *(erfare, mærke)* perceive, notice.

fornemmelig *adv* chiefly, principally, mainly.

fornemmelse *(en -r)* feeling, *(psyk)* sensation; *have en* ~ *af* at have an impression *(el.* a feeling) that; *jeg har det på -n* I have a feeling about it, *(let glds)* I feel it in my bones.

fornikle *vb* nickel(-plate). **fornikling** *(en)* nickel -plating.

fornuft *(en)* reason; *den sunde* ~ common sense; *tage imod* ~ listen to reason; *tale en til* ~ bring sby to his senses, make sby see reason; *være ved sin fulde* ~ be in possession of one's reason, be of sound mind.

fornuftig *adj (om person)* sensible *(fx* people),

rational; *(rimelig)* reasonable *(fx* plan), sensible; *intet -t menneske ville gøre det* no one in his senses would do it; *være så ~ at* have the sense to.

fornuftigvis *adv* obviously *(fx* he obviously could not have stolen it).

fornuft|mæssig *adj* rational. **-stridig** *adj* absurd, irrational. **-væsen** rational being. **-ægteskab** marriage of convenience.

forny *vb* renew; *(reparere)* renovate, recondition; *(udskifte)* replace; *tage under -et overvejelse* reconsider; *-et undersøgelse* re-examination. **fornyelse** *(en -r)* renewal, replacement, renovation.

fornylig *adv* recently, lately, of late.

fornægte *(nægte at vedkende sig)* disown *(fx* d. one's son); repudiate *(fx* one's debt); *(nægte at tro på)* deny *(fx* d. God); *(svigte)* go back on *(fx* a promise); *hendes gode humor -de sig ikke* her cheerfulness did not fail her; she behaved with her usual c. **fornægtelse** *(en)* denial.

fornærme *vb* offend, *(stærkere)* insult, affront. **fornærmelig** *adj* insulting, offensive. **fornærmelse** *(en -r)* insult, affront *(mod:* to); *(fornærmethed)* resentment. **fornærmet** *adj* offended *(på:* with, *over:* at); *blive ~* take offence; *han er let at ~* he is easily offended, he is quick to take offence.

fornøden *adj* requisite, needful, necessary. **fornødenhed** *(en -er)* necessity, requirement.

fornøje *vb (glæde)* please, delight, gratify; *(more)* amuse; *(stille tilfreds)* content, please; *~ sig* enjoy oneself. **fornøjelig** *adj* amusing, delightful, pleasant.

fornøjelse *(en -r)* pleasure, delight; *(adspredelse, forlystelse)* diversion, amusement; *finde ~ i* take pleasure in, delight in; *det er mig en stor ~ at* it gives me great pleasure to; *med ~* with pleasure, with all my heart, by all means; *god ~!* have a good time! *for min -s skyld* for the fun of the thing; for fun; to amuse myself. **fornøjelsestur** *(rejse)* (pleasure) trip; *(i bil etc)* run, *(let glds)* joy ride.

fornøjet *adj* delighted, pleased, content(ed).

forord preface; *~ bryder ingen trætte (bruges omtrent =)* let us get this clear first.

forordne *vb* ordain; *(om læge)* prescribe.

forordning *(en -er)* statutory instrument, order; *(i kolonier)* ordinance.

foroven *adv* above, at the top.

forover *adv* forward. **foroverbøjet** stooping.

forpagte *vb* farm, rent, take a lease of; *(fig:* lægge *beslag på)* monopolize; *~ bort* lease, farm out.

forpagter *(en -e)* tenant, (tenant) farmer, lessee. **forpagtergård** (tenant) farm.

forpagtning *(en)* tenancy, lease; *(afgift)* rent; *have noget i ~* hold sth on a lease; *tage noget i ~* take a lease of sth.

forpagtningsafgift (farm-)rent.

forpasse miss *(fx* miss an opportunity).

forpeste *vb* poison, infect; *hun -de tilværelsen for ham* she made life a burden to him.

forpint *adj* racked, tortured; *~ af* tortured by.

forpjusket *adj (hår)* tousled, rumpled; *(person)* dishevelled.

forplante *vb: ~ sig (om dyr)* breed, propagate, *(fig)* be transmitted, spread.

forplantning *(en)* propagation, transmission. **forplantnings|evne** capacity for reproduction. **-organ** reproductive organ.

forplejning *(en)* board, food, provisioning. **forplejningskorps** catering corps.

forpligte *vb* bind, engage, oblige; *~ sig til at* undertake to, bind oneself to; *-t* bound. **forpligtelse** *(en -r)* obligation, engagement, commitment *(fx* Britain's commitments east of Suez); *(gæld)* liability; *opfylde sine -r* fulfil one's obligations; *~ over for* obligation towards; *~ til at gøre ngt* obligation to do sth. **forpligtende** binding *(for:* on).

forplumre *vb* muddle up, confuse. **forplumret** *adj* muddled, confused. **forplumring** *(en)* confusion, muddling.

forpost *(en -er)* outpost.
forpote *(en -r)* forepaw.
forpremiere preview.
forpupning *(en)* pupation. **forpuppe: ~ sig** pupate, pass into the chrysalis stage.
forpurre *vb* frustrate, thwart, prevent.
forpustet *adj* breathless, out of breath; *(lettere)* short of breath.
forputte: *brevet har -t sig* the letter has got mislaid.
forpå *adv* in front.
forrang precedence; *have -en for* take p. over.
forregne *vb: ~ sig* miscalculate, *(tage fejl)* make a mistake.

forrente *vb* pay interest on; *~ sig* yield interest, *(betale sig)* pay; *et lån på £ 100 at ~ med 5%* a loan of £ 100, interest to be paid at the rate of 5 per cent.
forrentning *(en)* (payment of) interest.
forrentningsprocent rate of return (on investment).

forrest *adj* foremost, front; *adv* in front, first.
forresten *se rest.*

I. **forret** *(privilegium)* privilege, prerogative; *(fortrinsret)* (right of) priority.
II. **forret** *(formad)* first course.

forretning *(en -er)* business; *(enkelt køb, salg)* deal, transaction, bargain; *(butik)* shop; *(amr)* store; *(firma)* firm, business; *(jur)* proceedings; *drive ~* carry on a business, keep a shop; *de løbende -er* current business; *mange -er* have business; *gøre en god ~* make a good bargain; *i en ~ (o: butik)* in a shop; *i -er (i forretningsanliggende)* on business; *tale om -er* talk business; T talk shop.

forretnings|anliggende business (matter). **-brev** business letter. **-brug:** *til ~* for business *(el.* commercial) purposes. **-drivende** *(større)* businessman; *(mindre)* shopkeeper. **-folk** businessmen, b. people. **-forbindelse** business connexion; *stå i ~ med* have business relations with. **-foretagende** business (concern). **-fører** (business) manager. **-gang** procedure, routine. **-kvarter** business quarter; *(butiks-)* shopping centre. **-liv** business life, trade. **-lokale(r)** business premises. **-mand** businessman. **-ministerium** *(midlertidigt ministerium)* caretaker government. **-mæssig** *adj* business *(fx* procedure); businesslike. **-ophævelse, -ophør** closing down. **-orden** procedure; *(parlamentarisk)* order of business; *(reglerne derfor)* standing orders; rules of procedure. **-papirer** *pl* commercial papers. **-rejse** business trip; *han er i London på ~* he is in London on business. **-udvalg** executive committee.

forrette *vb* perform, discharge, execute; *~ sin andagt* perform one's devotions; *~ sin nødtørft* relieve nature; *~ en vielse* officiate at a wedding.

forrettighed *(en -er)* prerogative, privilege.
forrevet *adj (om hud)* scratched; *(om kyst, etc)* rugged; *(om skyer)* ragged.
forrige *adj* former, previous; *i ~ uge (, måned)* last week (, month); *den 4de i ~ måned (merk)* the 4th ult. *(el.* ultimo).
forringe *vb* reduce; *(i værdi)* depreciate; *(forklejne)* disparage; *-s* deteriorate.
forringelse *(en)* reduction, depreciation; disparagement; deterioration.
forrude *(i bil)* windscreen; *(amr)* windshield.
forrygende *adj* furious, tremendous, violent; *i ~ fart* at a tremendous pace.
forrykke *vb (forstyrre)* disturb, dislocate.
forrykkelse *(en -r)* disturbance, dislocation.
forrykt *adj* crazy, mad, T cracked, daft, *(med.)* demented.
forræder *(en -e)* traitor *(mod:* to). **forræderi** *(et -er)* treachery; *(mod konge eller fædreland)* treason. **forræderisk** *adj* treacherous, *(om handling, jvfr forræderi)* treasonable; *(fig: afslørende)* compromising; telltale *(fx* blush).
forrå *vb* brutalize.

forråd *(et -)* supply, store, stock; *samle sig et ~ af* lay up a store of, stockpile, store up.
forråde * *(røbe)* betray (*fx* a secret), T give away (*fx* his accent gave him away); *(være troløs mod)* betray; *(for penge)* sell (*fx* one's country).
forrådne *vb* rot, putrefy. **forrådnelse** *(en)* putrefaction; *gå i ~* putrefy, rot, become putrid. **forrådnelsesbakterier** *pl* putrefactive bacteria. **forrådnet** *adj* rotten, putrid.
forråds|kammer store-room. **-organ** ♧ storage organ.
forråelse *(en -r)* brutalization.
forsage *vb (give afkald på)* renounce. **forsagelse** *(en)* renunciation.
forsager *(en -e)* ⚔ unexploded bomb, T dud.
forsagt *adj* despondent, faint-hearted, dispirited.
forsagthed *(en)* despondency.
forsalg advance sale; *(af billetter)* advance booking; *(amr)* reservation(s); *købe billet i ~* book in advance; *(amr)* reserve tickets.
forsamle *vb* assemble, gather together; *-s, ~ sig* meet, assemble.
forsamling *(en -er) (møde)* assembly, gathering, meeting; *(deltagere)* assembly; *(tilhørere)* audience; *(hob)* crowd.
forsamlings|hus *(på landet)* village hall; *(religiøs)* meeting-house. **-sal** meeting-hall.
forsanger choir-leader; *(kantor)* precentor.
forsat *adj (i væksten)* stunted; *~ for hinanden* staggered (*fx* staggered holes).
forsats|blad fly-leaf, inner end-paper. **-linse** *(fot)* lens attachment. **-vindue** the inner part of a double window.
forse: *~ sig* offend, do wrong (*mod:* against); *~ sig på (blive forelsket i)* fall in love with; *(blive gal på)* get irritated with.
forseelse *(en -r)* offence; *(fejl)* fault, error; *ingen ~!* not at all! my fault!
forsegle *vb* seal, seal up; *-de ordrer* sealed orders.
forsegling *(en)* sealing; *under ~* under seal.
forsejl headsail, foresail.
forsende * send, dispatch, forward; *(med posten)* post, *(amr)* mail.
forsendelse *(en -r)* sending, forwarding, dispatch; *(varesending)* consignment; *(postsag)* item of mail; *(pakke)* parcel.
forside front, face; *(i avis)* front page.
forsidestof front-page news.
forsigtig *adj* cautious, circumspect, prudent, *(omhyggelig)* careful, *(diskret)* guarded (*fx* reply); discreet (*fx* inquiries); *det er bedst at være ~* it's as well to be on the safe side; *~! (påskrift)* With Care; *(advarselsskilt)* Caution! *en ~ beregning, et -t overslag* a conservative estimate.
forsigtig|hed *(en)* caution, circumspection, prudence, care. **-hedshensyn**: *af ~* out of prudence.
forsikre *vb (erklære etc)* assure; *(assurere)* insure; *(om livsforsikring)* assure; *han -de at* he maintained (*el.* asserted) that, he assured me (, them etc) that; *jeg -r Dem (for) at* I assure you that; *~ en om noget* assure sby of sth; *den -de* the insured (party).
forsikring *(en -er) (erklæring etc)* assurance; *(assurance)* insurance; *(livsforsikring)* assurance.
forsikrings|agent insurance agent. **-anstalt** insurance office. **-betingelser** conditions of insurance. **-klausul** insurance clause. **-police** insurance policy. **-præmie** insurance premium. **-selskab** insurance company. **-tager** *(en -e)* policy holder.
forsimple *vb* vulgarize.
forsimpling *(en)* vulgarization.
forsinke *vb* delay; *(forhale)* retard; *(se ogs forsinket)*.
forsinkelse *(en -r)* delay.
forsinket *adj* late, behind time; belated (*fx* repentance); *(ikke ankommet, ikke begyndt til tiden, ogs)* overdue.
forsire *vb* ornament, decorate. **forsiring** *(en -er)* decoration, ornament; *-er* ornamentation.
forskaffe *se skaffe.*
forskalle *vb* cover with laths. **forskalling** *(en)*, **forskallingsbrædder** *pl* laths; *(til støbning)* shuttering.
forskanse *vb* entrench; *(fig: skjule)* ensconce (*fx* he ensconced himself behind a newspaper).
forskansning *(en -er)* entrenchment.
forske *vb (drive videnskab)* do (*el.* carry on) research; *-nde* searching (*fx* look).
forskel *(en -le)* difference; *(skelnen, skelnemærke)* distinction; *~ i alder* difference of age; *gøre ~ (ɔ: være uretfærdig)* be unfair; *gøre ~ på* distinguish (*el.* make a distinction) between; *der er ~ på kvinder* there are women and women; *det gør en stor ~* it makes all the difference; *til ~ fra* in contradistinction to; unlike; *uden ~* indiscriminately.
forskellig *adj* different (*fra:* from); unlike; *(tydelig adskilt)* distinct (*fra:* from); *-e (adskillige)* various, miscellaneous; *være -e* differ; *på ~ måde* differently, variously.
forskelligartet *adj* varied, heterogeneous.
forskellighed *(en)* dissimilarity, diversity; *-er* differences, points of distinction.
forskelsbehandling: *ugunstig ~ af* discrimination against.
forsker *(en -e)* research worker; scholar, scientist.
forskertse *vb* forfeit; throw away.
forskerånd spirit of inquiry.
forskning *(en -er)* research; research work; *drive ~* do (*el.* carry on) research.
forskole *(omtr =)* infant school; *(fig)* preparation.
forskrift *(en -er) (i skole)* copy; *(rettesnor)* precept, directions; *(regulativ)* regulations; *(læges)* orders.
forskriftsmæssig *adj* regulation (*fx* size, uniform).
forskrive *(varer)* order, write for; *~ sig til djævelen* make a bargain with (*el.* sell one's soul to) the Devil.
forskrivning *(en -er) (gældsbevis)* bond.
forskruet *(affekteret)* affected (*fx* style).
forskrække *vb* frighten, scare.
forskrækkelig *adj* frightful.
forskrækkelse *(en -r)* fright; *det endte med ~* the upshot was disastrous.
forskrækket, forskræmt *adj* frightened, scared (*over:* at).
forskubbe: *~ sig* be displaced; *(om skibslast)* shift.
forskud advance; *give ~* advance (money); *tage ~ på (fig)* anticipate (*fx* one's triumph).
forskudsvis in advance; *betale ~* advance.
forskyde *(forrykke)* displace; *(forstøde)* cast off, repudiate; *~ sig* get displaced, *(om skibslast)* shift; *forskudt arbejdstid (usædvanlig tidlig eller sen)* abnormal working hours; *hus med forskudt etage* split-level house; *(anbragt) forskudt for hinanden* staggered. **forskydning** *(en -er)* displacement, dislocation, shifting.
forskyldt: *få løn som ~* get one's deserts; *det var løn som ~* serves him (, her, us etc) right.
forskære *vb (vin)* blend; *(med alkohol)* fortify; *(tøj)* spoil in cutting; *han blev helt forskåret i ansigtet* he was severely cut about the face
forskærer|gaffel carving-fork. **-kniv** carving -knife, carver.
forskønne *vb* embellish, grace, beautify.
forskønnelse *(en)* embellishment.
forskåne *vb* spare; *forskån mig for enkelthederne* spare me the details.
I. **forslag** *(et -)* proposal; *(råd, henstilling)* suggestion; *(til vedtagelse)* motion; *(lov-)* bill; *(udvalgs)* recommendation(s); *gå ind på et ~* accept (*el.* agree to) a proposal; *gøre en et ~* make sby a proposal; *stille et ~* make a suggestion, make a proposal, *(til vedtagelse)* put a motion; *stille ~ om* make a proposal for (*el.* of), move.
II. **forslag** *(musik)* grace note.
III. **for'slag**: *der er ikke ~ i (pengene)* (the money) goes only a little way (*el.* does not go far).
forslagen *adj* crafty, cunning.
forslagsstiller *(en -e)* proposer, mover.

forslidt adj *(udaset, medtaget)* worn-out; *(om person ogs)* overworked; *(fortærsket)* hackneyed, stale.
forslugen adj greedy, gluttonous.
forslugenhed *(en)* greediness, gluttony.
forslæbe ★: ~ *sig* overstrain oneself.
I. **forslå** *(være nok)* be sufficient, be enough; *det -r godt* it goes a long way; there is enough of it; *så det kan ~, så det -r* with a vengeance *(fx* this is cautiousness with a v.).
II. **forslå**: ~ *tiden (med at læse)* kill time (reading).
forslået adj *(beskadiget ved slag)* bruised, battered; ⚓ *(drevet ud af kurs)* driven out of her course.
forsmag foretaste *(på:* of).
forsmædelig adj ignominious *(fx* defeat).
forsmædelse *(en -r)* disgrace, ignominy.
forsmå vb disdain, refuse, reject.
forsnakke: ~ *sig (snakke galt)* make a slip of the tongue, *(røbe sig)* give oneself away.
forsoldet adj: *være ~ (til stadighed)* be dissipated; *(= have tømmermænd)* have a hangover.
forsommer early (part of the) summer.
forsone vb reconcile; *lade sig ~* relent; ~ *sig med en* be reconciled with sby; ~ *sig med ngt* reconcile oneself to sth; *-nde træk* redeeming feature.
forsoner *(en)* reconciler; *(rel)* Redeemer.
forsoning *(en)* reconciliation; *(rel)* atonement.
forsonlig adj conciliatory; *(føjelig)* placable.
forsonlighed *(en)* placability, conciliatory spirit.
forsoren adj jaunty, raffish.
forsorenhed *(en)* jauntiness, raffishness.
forsorg *(en)* care, welfare *(fx* child welfare).
forsovet heavy with sleep; *se ~ ud* look sleepy.
forspand *(et -)* team.
forspil *(et -)* prelude *(fx* a p. to the war).
forspild|e ★ forfeit, throw away, lose; ~ *chancen* miss the chance; *en -t ungdom* a misspent *(el.* wasted) youth.
forspise ★: ~ *sig* overeat. **forspist** overfed.
forspring start, lead; *(fig)* initial advantage; *beholde -et* keep the lead; *få ~ for ham* get the start of him.
forspændt: ~ *med* drawn by; *en vogn ~ med fire heste* a carriage and four.
forstad *(en, forstæder)* suburb. **forstads-** suburban.
forstand *(en) (tænke- og fatteevne)* intellect; *(klogskab)* intelligence; T brains; *(fornuft)* reason; *(betydning)* meaning, sense; *god at få ~ af* instructive; *gå fra -en* go mad, lose one's reason; *være fra -en* be mad, T be nuts; *i egentlig ~* in the proper sense of the word; *i god ~* in a good sense; *i en vis ~* in a sense; *miste sin ~* lose one's reason; *det går over min ~* it is beyond me; *have ~ på* be a judge of; *det har du ikke ~ på* you do not know anything about it; *min ~ står stille* I am at my wit's end; *du taler som du har ~ til* you speak according to your lights; *der skal ~ til* at it takes brains to.
forstander *(en -e)* principal, director, superintendent. **forstanderinde** (lady) principal, directress; *(tlf)* superintendent; *(hospitals-)* matron.
forstandig adj sensible, intelligent.
forstandighed *(en)* sensibleness, (good) sense.
forstandsmenneske rationalist.
forstandsmæssig adj rational.
forstavelse prefix.
forstavn *(en)* ⚓ *(forkant af skibet)* stem; *(forreste del af skibet)* bow(s).
forstemmende adj depressing.
forstemt adj mistuned, out of tune; *(fig)* depressed, in low spirits. **forstemthed** *(en)* being out of tune; *(fig)* dejection, gloom.
forstene vb petrify, fossilize.
forstenet adj fossilized; *(fig)* paralysed.
forstening *(en -er) (det at forstene)* petrifaction, fossilization; *(dyre- el. planterest)* fossil.
forstille: ~ *sig (skjule ngt)* dissemble; *(foregive ngt)* feign, simulate, sham. **forstillelse** *(en)* dissimulation; simulation, shamming. **forstilt** adj feigned.

forst|kandidat graduate in forestry, Master of Forestry (M.F.). **-mand** forester. **-mæssig** adj forestal.
forstokket adj obdurate.
forstokkethed *(en)* obduracy.
forstoppe vb choke (up), block (up), obstruct; *(med.)* constipate *(fx* milk is constipating).
forstoppelse *(en) (med.)* constipation.
forstrand foreshore.
forstrække *(muskel etc)* strain; *(med penge)* advance; ~ *ham med pengene* advance him the money.
forstrækning *(en) (af sene)* strain; *(med penge)* advance.
forstudier pl preliminary studies.
forstue (entrance) hall.
forstumme vb become silent; *(om larm etc)* cease, stop, die down.
forstuve vb sprain. **forstuvning** *(en)* sprain.
forst|videnskab forestry. **-væsen** forestry; *(myndighed)* forestry authorities.
forstykke *(et -r)* front.
forstyrre vb disturb, interrupt, interfere with; *(bringe i uorden)* disorganize, disarrange, upset; *(radio ved støjsender etc)* jam; *(komme til ulejlighed)* intrude (upon); *jeg håber ikke jeg -r* I hope I am not intruding *(el.* disturbing you).
forstyrrelse *(en -r) (se forstyrre)* disturbance, interruption; disorganization, disorder, derangement, jamming, intrusion; *atmosfæriske -r (i radio)* atmospherics.
forstyrret adj *(forvirret)* confused; *(forfjamsket)* flustered; *(forrykt)* deranged, crazy.
forstærke vb strengthen, fortify, reinforce; *(radio)* amplify.
forstærker *(en -e) (radio)* amplifier. **forstærkning** *(en -er)* strengthening, reinforcement; *(radio)* amplification; *-er* ✖ reinforcements.
forstævn *se forstavn.*
forstøde ★ *(bortvise)* disown, cast off, repudiate.
forstørre vb enlarge, magnify; *(fotografi)* enlarge.
forstørrelse *(en -r)* enlargement, magnification.
forstørrelsesglas magnifying glass.
forstøve vb atomize. **forstøver** *(en -e)* atomizer.
forstøvning *(en)* atomization.
forstå vb *(begribe)* understand, comprehend; *(indse)* see, realize, appreciate; *(få at vide)* gather, understand *(fx* I understood from what you said that he was dead); *(kunne)* know *(fx* he knows how to hold audiences spellbound); *det er ikke til at ~* it is incomprehensible; *ikke sådan at ~ at han var uærlig* not that he was dishonest; *det er ikke sådan (2: let) at ~* it is not easy to understand; *lade ham ~ at* give him to understand that; intimate to him that; *lade sig ~ med noget* intimate sth, hint sth; *det -r sig* of course! naturally! obviously! *det -r sig af sig selv* that stands to reason, that goes without saying; ~ *sig på* understand about, have a knowledge of, be a judge of; ~ *sig på biler* know about cars; *han -r ikke spøg* he can't take a joke; *hvad -r man ved det* what is meant by that? *hvordan skal det -s?* what does that mean?
forståelig adj *(begribelig)* comprehensible, intelligible; *(undskyldelig)* understandable *(fx* an understandable desire), pardonable *(fx* a pardonable mistake); *gøre sig ~* make oneself understood; *let ~* easy to understand.
forståelse *(en) (det at forstå)* understanding, comprehension; *(enighed)* agreement, harmony; *(overenskomst, forlig)* understanding *(fx* there is an understanding between the gangsters and the police); *(sympati)* sympathy; *(spillen under dække)* collusion; *finde ~ hos en* meet with sympathy from sby; *få ~ af noget* realize *(el.* grasp) sth; *i fuld ~ af sit ansvar* fully aware of *(el.* fully realizing) one's responsibility; *i ~ med* in harmony with; *(forbryderisk)* in collusion with, in connivance with; *leve i god ~ med* live in harmony with; *komme til en ~* come to an understanding.

forstående adj understanding, sympathetic.
forsulten adj starved, starving, famished.
forsumpe vb (ogs fig) stagnate; (blive forhutlet) go to the dogs, go downhill.
forsvar (et) defence, (amr) defense; tage en i ~ stand up for sby; til hans ~ in his defence. **forsvare** vb defend, stand up for; jeg kan ikke ~ at lade ham ligge der I cannot (in decency) leave him there.
forsvarer (en -e) defender; (jur) counsel for the defence; (i civilsag) counsel for the defendant.
forsvarlig adj defensible, warrantable, justifiable; (sikker) secure (fx lock); (drabelig) enormous, goodly (fx a goodly slice of meat); i ~ stand in good condition (, repair). **forsvarligt** adv securely, properly.
forsvars|chef Defence Chief. **-evne** defensive power. **-linie** line of defence. **-løs** adj defenceless. **-minister** Minister of Defence. **-ministerium** Ministry of Defence. **-sagen** the cause of national defence. **-stilling** defensive position. **-tale** plea; (jur) speech for the defence. **-udgifter** defence expenditure. **-venlig** adj in favour of national defence. **-vilje** will to defend oneself. **-våben** defensive weapon.
forsvinde vb disappear, vanish; forsvind! get out! **forsvinden** (en) disappearance. **forsvindende** adj disappearing, vanishing; (ubetydelig) infinitesimal, negligible, minimal. **forsvindingsnummer** vanishing-trick; lave et ~ do a vanishing-trick; (fjerne sig) slip away quietly.
forsviret adj dissipated, debauched; være ~ (have tømmermænd) have a hangover.
forsvund|et adj lost, gone; den forsvundne (om en eftersøgt) the missing man (, person etc); i længst -ne dage in days of long ago; en ~ verden a lost world.
forsværge vb forswear; jeg ville have forsvoret at det var den mand I could have sworn it was not that man; man skal ingenting ~ you never can tell, stranger things have happened.
forsyn (et) providence; **-et** Providence.
forsynde vb: ~ sig offend, sin (imod: against). **forsyndelse** (en -r) offence, sin.
forsyne vb supply, provide, (levere) supply; (ved bordet) help (med: to); forsyn Dem! help yourself! ~ med underskrift sign; vel -t well-supplied (fx ship, shop), well-stocked (fx shop) (med: with). **forsyning** (en -er) supply; (af fødevarer ogs) provision(s). **forsynings|tjeneste** supply service; ✗ (som strategisk begreb) logistics. **-tropper** ✗ transportation corps.
forsynlig adj provident, prudent.
forsynlighed (en) foresight, prudence.
forsæde (forreste sæde) front seat; (ledelse) presidency; føre (el. have) -t preside, take the chair.
forsænke vb sink, depress; (om skrue, nitte etc) countersink; en -t have a sunken garden.
forsænkning (en -er) depression.
forsæson (en) early part of the season.
forsæt (et -ter) intention, purpose; med ~ on purpose, purposely, deliberately; gode -ter good intentions; good resolutions (fx for the New Year). **forsætlig** adj intentional, deliberate, wilful, studied.
forsætte (forflytte) transfer, move. **forsættelse** (en) transfer.
forsøde vb sweeten.
forsøg (et -) (eksperiment) experiment; (prøve, afprøvning) trial, test; (bestræbelse) attempt; gøre et ~ på at lande make an attempt to land (el. at landing), try to land; et mislykket ~ a failure, an unsuccessful attempt; det er et ~ værd it is worth trying (el. a try). **forsøge** * attempt, try; ~ sig i try one's hand at (fx journalism).
forsøgs|- experimental. **-dyr** experimental animal, animal used for experiments. **-kanin** rabbit used for experiments; (fig) guinea-pig. **-laboratorium** research laboratory. **-person** subject. **-stadium**: på -stadiet in the experimental stage. **-station** experimental station, research station. **-vis** adv experimentally, by way of experiment.

forsølve vb silver-plate.
forsølvning vb silver-plating.
forsømme * (ikke vise omhu for) neglect (fx n. one's wife, one's work); (ikke deltage i) miss (fx miss a lesson); (ikke udnytte) miss; ~ lejligheden miss the opportunity; ~ skolen miss school; jeg har ikke noget at ~ med det I have nothing else to do; (se ogs forsømt).
forsømmelig adj negligent, slack, remiss.
forsømmelighed (en) negligence, slackness, remissness.
forsømmelse (en -r) neglect; (udeblivelse) absence. **forsømt** adj neglected; (forfalden) dilapidated; indhente det -e make up for lost time.
forsørge vb provide for, maintain, support, keep (fx he has to keep a wife on £10 a week).
forsørgelse (en) provision, maintenance, support. **forsørgelses|berettiget** entitled to relief. **-kommune** (place of) settlement.
forsørger (en -e) bread-winner, supporter.
forsåle vb sole. **forsåling** (en -er) soling.
fort (et -er) ✗ fort.
fortabe * forfeit; ~ sig i be lost in; ~ sig i vrøvl wander off into a lot of nonsense.
fortabelse (en) forfeiture; (bibelsk) perdition.
fortabt lost; (modløs) disheartened, dejected; give ~ give it up; ~ i drømmerier lost in reverie; den -e søn the Prodigal (Son); vi er ~ we are lost; we are done for; T we have had it.
fortage: ~ sig pass off; (om lyd etc) die down.
I. **fortale** (en -r) preface.
II. **fortale** *: ~ sig: se forsnakke sig.
fortalelse (en -r) slip of the tongue.
fortand front tooth, incisor.
fortegn (mat.) sign; faste ~ (i musik) key signature; med modsat ~ (mat.) with an opposite sign; (fig) in reverse.
fortegnelse (en -r) catalogue, list, register.
fortegnet adj out of drawing, (ogs fig) distorted.
I. **fortegning** (en -er) (model) model.
II. **fortegning** (en -er) (forkert tegning) incorrect drawing, distortion.
fortepiano piano.
fortid (en) (gram) the past (tense); hans ~ his past life, his antecedents; en kvinde som har haft en ~ a woman with a past.
fortidslevninger pl relics of the past; en fortidslevning (fig om person) a fossil, a museum piece.
fortie vb keep secret, suppress, be silent about; ~ for conceal from.
fortielse (en -r) concealment, suppression.
fortil in front.
fortilfælde precedent.
fortinne vb tin. **fortinning** (en) tinning.
fortjene * (være værdig til) deserve, merit; (tjene) earn, make; det ~ at bemærkes it is significant, it is worth notice; det har han ærligt fortjent he has richly deserved it; (∂: det har han rigtig godt af) serves him right; (se ogs fortjent).
fortjeneste (en -r) (fortjenthed) merit, deserts; (indtægt) earnings; (avance) profit, gain; det var hele min ~ (∂: indtægt ved det) that was all I made by it; dersom det gik os efter ~ if we had our deserts; sælge med ~ sell at a profit; regne sig det til ~ take the credit for it.
fortjenst|fuld adj deserving, meritorious. **-medalje** (svarer til) Order of Merit; O. M.
fortjent: gøre sig ~ af deserve well of; gøre sig ~ til deserve, qualify for; (se ogs velfortjent).
fortløbende adj consecutive, continuous; ~ nummereret numbered in succession.
fortolde vb pay duty on; (lade toldbehandle) declare, clear; har De noget at ~? have you anything to declare?
fortoldning (en -er) payment of duty; (toldbehandling) clearance; (toldformaliteter) customs formalities.
fortolke vb interpret, expound, construe.

fortolker *(en -e)* interpreter, expounder.
fortolkning *(en -er)* interpretation, exposition, construction, reading.
fortone: ~ *sig (svinde)* fade out of sight, fade.
fortov *(et -e)* pavement, footpath; *(amr)* sidewalk; *træde ud fra -et* step off the kerb.
fortovs|kafé *(en -kafeer)* pavement café. **-maler** pavement artist.
fortravlet *adj* harassed.
fortrin preference; *(god egenskab)* good point, merit, advantage; *(forrang etc)* precedence; *give en (, noget) -et* prefer sby (, sth).
fortrinlig *adj* superior, excellent, capital; *adv* pre-eminently, excellently.
fortrinlighed *(en)* superiority, excellence.
fortrins|ret preference, priority. **-vis** preferably; *(særlig)* chiefly, mainly.
fortrolig *adj* confidential *(fx message)*; *(velkendt)* familiar; *en ~ ven* an intimate friend; *stå på en ~ fod med* be on intimate terms *(el.* on terms of familiarity) with; *gøre sig ~ med* make oneself familiar with, familiarize oneself with; *jeg gjorde ham til min -e* I took him into my confidence; *være ~ med* be familiar *(el.* conversant) with *(fx* a subject).
fortrolighed *(en)* *(tillid)* confidence; *(kendskab)* familiarity; *(intimitet)* intimacy; *i ~* in confidence, confidentially; *skænke en sin ~* take sby into one's confidence.
fortrop vanguard.
fortrudt *perf part af fortryde.*
fortrukken *adj* distorted.
fortryde *(fortrød, fortrudt)* regret, repent (of), be sorry for; *det skal du komme til at ~* you will be sorry for this. **fortrydelig** *adj* annoyed *(over:* at, *på:* with), vexed, displeased, hurt, piqued; *tage ngt -t op* take sth ill, resent sth. **fortrydelse** *(en)* *(misfornøjelse)* annoyance, irritation; resentment.
fortrykt *adj* oppressed, cowed; *-e forhold* straitened circumstances.
fortrylle *vb* charm, enchant, fascinate.
fortryllelse *(en)* charm, enchantment, fascination, spell; *hæve -n* break the spell.
fortryllende *adj* charming, enchanting.
fortryllet *adj* enchanted.
fortræd *(en)* harm, mischief, hurt; *gøre ~ do harm,* cause injury; *gøre én ~* hurt sby; *han gør ikke en kat ~* he would not hurt a fly; *komme i ~* get into trouble.
fortrædelig *adj* cross, annoyed; *(besværlig)* annoying. **fortrædelighed** *(en -er)* *(gnavenhed)* ill -humour, crossness; *(ærgrelse)* annoyance; *(genvordighed)* trouble.
fortrædige *(gøre fortræd)* hurt, injure; *(ærgre)* vex, annoy.
fortræffelig *adj* excellent, splendid, capital.
fortræffelighed *(en)* excellence.
fortrække *vb (fjerne sig)* go away, make off, decamp; *(fordreje)* distort, twist; *hans ansigt var fortrukket af vrede* his face was distorted with rage; *han fortrak ikke en mine (2: smilede ikke)* he kept a straight face; *(lod sig ikke afficere)* he did not turn a hair; *(viste at det gjorde ondt)* he kept a stiff upper lip; *uden at ~ en mine* without turning a hair *(el.* batting an eyelid); *hans ansigt fortrak sig af smerte* his face became twisted with pain.
fortrænge * *(fordrive)* crowd out, supersede; *(bringe ud af stilling)* displace; ✕ dislodge *(fx* d. the enemy); *(psyk)* repress *(fx* a repressed complex).
fortrængning *(en -er)* *(psyk)* repression.
fortrød *imperf af fortryde.*
fortrøstning *(en)* confidence, trust, reliance; *i ~ til* trusting in. **fortrøstningsfuld** *adj* confident.
fortsat *adj* continuous, incessant; *(om avisartikel)* continued; *adv* constantly. **fortsætte** *vb* continue, go on, proceed; *(m objekt)* continue, proceed with, carry on; *(genoptage)* resume *(fx* the negotiations); *~ med at* continue to.

fortsættelse *(en -r)* continuation; *(af roman)* sequel; *~ følger* to be continued.
fortsættelseskursus continuation course; *(for allerede uddannede)* refresher course.
fortumlet *adj* confused, perplexed.
Fortuna Fortune; *fru ~* Dame Fortune.
fortungevokal front vowel.
fortvivle *vb* despair; *det er til at ~ over* it is enough to drive one to despair.
fortvivlelse *(en)* despair *(over:* at), desperation; *bringe til ~* drive to despair.
fortvivlende *adj* hopeless, heart-breaking.
fortvivlet *adj* desperate; *(modløs, ulykkelig)* despairing, in despair; disconsolate *(over:* at); *gøre sig ortvivlede anstrengelser for at* make desperate efforts to.
fortykke *vb* thicken.
fortynde *vb* thin; *(væske)* dilute; *(luft)* rarefy.
fortyndelse *(en)* thinning, attenuation; *(af væske)* dilution; *(af luft)* rarefaction. **fortynder** *(en -e)* diluent, thinner. **fortyndet** *adj* dilute(d). **fortynding** *(en)* dilution.
fortyske *vb* Germanize.
fortyskning *(en)* Germanization.
fortælle *(fortalte, fortalt)* tell, *(NB foran that-bisætning skal hensynsled med, fx han fortalte at* .. he told me (, him, them etc) that ..); *(især: mere detaljeret, sammenhængende)* relate, narrate; *jeg har ladet mig ~ at* I have been told that, I understand that; *det -s at* it is said that; *~ om* tell of; *(fig: vidne om)* tell of, testify to; *han fortalte at.. (ogs)* he told how..
fortælle|evne narrative skill. **-kunst** narrative art. **-måde** *(måde at fortælle på)* (narrative) style; *(gram)* the indicative (mood). **fortællende** *adj* narrative.
fortæller *(en -e)* narrator.
fortælling *(en -er)* narrative, tale, story.
fortænke: *det kan man ikke ~ ham i* you cannot blame him (for doing that). **fortænkt** *(grublende)* brooding; *(i dybe tanker)* preoccupied, lost in thought; *(skruet)* strained, laboured.
fortæppe *(et -r)* curtain.
fortære *vb* consume; *(sluge, æde)* devour; *-s (om metaller)* corrode, be eaten away; *-s af sorg* be consumed with grief.
fortæring *(en)* consumption; *betale for sin ~* pay one's bill *(el.* reckoning).
fortærsket *adj* hackneyed, trite.
fortætning *(en)* condensation.
fortætte *vb:* ~ *sig,* -s condense; *-t* condensed; *(koncentreret)* concentrated.
fortøje *vb* moor; *(båd ogs)* make fast.
fortøjning *(en -er)* mooring.
fortøjningspæl mooring post, bollard.
fortørnelse *(en)* resentment, anger, wrath.
fortørnet *adj* angry, infuriated; *blive ~ over* resent; *blive ~ på* become angry with.
forud *(i tid)* beforehand, before, in advance; *(stedligt)* ahead; *betale ~* pay in advance; *~ for (i tid)* before, previous to, *(ogs stedligt og fig)* ahead of *(fx* the ship was ahead of us; be two hours ahead of sb y; he is ahead of his form); *have noget ~ for* have an advantage over; *~ for sin tid* in advance of one's time *(el.* age), before one's time *(el.* age).
forudanelse presentiment.
forud|bestemme * predetermine. **-bestemmelse** predetermination; *(rel)* predestination. **-bestemt** predetermined; *~ til at* predestined to. **-bestilling** reservation, advance booking. **-betaling** prepayment, payment in advance. **-diskontere** discount.
forude ⚓ ahead; *(i selve skibet)* forward.
foruden *præp* besides, in addition to; *~ at være* besides being; *være noget ~ (= undvære noget)* be without something.
forud|fattet *adj:* ~ *mening* preconceived opinion. **-følelse** presentiment. **-gående** preceding, previous. **-indtage** prejudice; *(for:* in favour of, *imod:* against). **-sat:** ~ *at* provided *(el.* supposing) that. **-se foresee.**

-seende adj farsighted, provident. **-seenhed** (en) foresight. **-sige** vb foretell, predict. **-sigelse** (cn -r) prediction. **-skikke** vb: ~ en bemærkning om at premise a remark to the effect that.

forudsætning (en -er) (antagelse) assumption; (betingelse) condition, precondition, prerequisite (for: of); (grundlag) basis; **-er** (kvalifikationer) qualifications; ud fra den ~ at on the assumption that; under ~ af at on the assumption that; on condition that.

forudsætte (gå ud fra) assume, presume, presuppose; (have til forudsætning) imply (fx it implies some knowledge of mathematics); presuppose; (afhænge af) depend on; jeg -r som givet I take it for granted.

forudviden (en) prescience, foreknowledge, previous knowledge.

forulempe vb molest.

forulempelse (en -r) molestation.

forulykke vb (om person) perish, lose one's life, be lost; (om luftfartøj) crash, (om skib) be wrecked, be lost; de -de the victims of the accident, the casualties.

forum (et) forum; det rette ~ the proper forum (el. place).

forunde * grant; den lykke blev ham ikke forundt that happiness was denied him.

forunderlig adj strange, wonderful; (underlig) singular, odd; adv -(t) strangely; -t nok strange to say.

forundersøgelse preliminary investigation.

forundre vb surprise, astonish; det vil ~ Dem you will be surprised; ~ sig wonder, marvel, be surprised (over: at, over at: that).

forundring (en) wonder, surprise, astonishment; falde i ~ be surprised.

forurene vb pollute (fx a river), contaminate, foul.

forurening (en) pollution, contamination, fouling.

forurette vb wrong, do wrong to, injure; den -de the injured party. **forurettelse** (en -r) wrong.

forurolige vb disquiet, alarm; -nde adj disquieting, alarming.

forvalte vb manage, administer; ~ dårligt mismanage. **forvalter** (en -e) steward, manager, agent; (på gård) farm bailiff; (på fabrik etc) overseer.

forvaltning (en) administration, management.

forvandle vb change, transform (til: into). **forvandling** (en -er) change; (ogs zo) metamorphosis.

forvanske vb (give urigtig fremstilling af, gengive forkert) distort, misrepresent; (tekst) corrupt, garble. **forvanskning** (en) distortion, misrepresentation; corruption, garbling.

forward (en -s) forward. **forwardkæde** forward line.

forvare vb keep; han er ikke rigtig vel -t he is not all there.

forvaring (en) keeping, safe keeping, charge; (arrest) custody; have noget i sin ~ have sth in one's charge, have the custody of sth; sætte i ~ put into custody.

forvarsel (forudsigelse, tegn) omen, presage; (foreløbigt alarmsignal) preliminary air-raid warning.

forvasket adj washed-out.

forvejen: i ~ ahead; (om tid) beforehand, in advance (fx he had been told in advance (el. b.)), previously; dret i ~ the year before, the previous year.

forveksle vb mistake (med: for); confuse (med: with); confound (med: with); ~ deres navne mix up their names; ~ to personer (, ting) mistake one person (, thing) for another; ~ ham med hans bror mistake him for his brother; ~ årsag og virkning confuse cause and effect. **forveksling** (en -er) mistake, confusion; de ligner hinanden til ~ they are hardly distinguishable.

forvente vb expect.

forventning (en -er) expectation; efter ~ according to expectation(s); i ~ om in expectation of, looking forward to; imod ~ contrary to expectation; over ~ exceeding one's expectations, more (, better) than (could be) expected.

forventningsfuld adj expectant; en ~ tavshed a hush of expectation; med et -t udtryk with a look of expectancy.

forvikling (en -er) complication, entanglement.

forvilde: ~ sig lose one's way, go astray; ~ sig ind i stray into. **forvildelse** (en -r) aberration. **forvildet** adj (forvirret) bewildered, confused; ~ får strayed (el. lost) sheep.

forvinde vb get over (fx an illness, a loss); recover from (fx an illness, one's grief); live down (fx a scandal, a sorrow).

forvirre vb put out (fx the speaker was put out by the interruptions), disconcert, bewilder, confuse; ~ begreberne confuse the issue.

forvirret adj confused; (ude af fatning) put out, disconcerted, bewildered; (uklar) confused; ~ snak nonsense. **forvirring** (en) confusion; bewilderment; bringe ~ i noget throw sth into confusion.

forvise * banish, exile.

I. **forvisning** (en) (udvisning) banishment, exile.
II. **forvisning** (en) (sikkerhed) assurance.

forvisse vb: ~ sig om noget make sure of sth.

forvisset adj: du kan være ~ om at you may rest assured that.

forvitre vb disintegrate; (smuldre) crumble. **forvitring** (en) disintegration; (smuldren) crumbling.

forvokset adj (vokset for stærkt) overgrown; (misdannet) deformed.

forvolde vb cause, occasion.

forvorpen adj depraved, reprobate, abandoned. **forvorpenhed** (en) depravity.

forvoven adj daring; ~ fyr dare-devil. **forvovenhed** (en) temerity, daring.

forvreden adj (om ansigt) distorted, twisted; (om fod etc) se forvride. **forvride** vb twist, dislocate, sprain.

forvridning (en -er) twisting, dislocation, spraining, luxation.

forvrænge vb distort, twist. **forvrængning** (en -er) distortion.

forvrøvlet adj (om person) muddle-headed, maundering.

forvænne vb spoil, pamper. **forvænt** adj spoilt, pampered; (kræsen) pampered, over-particular.

forværelse anteroom.

forværre vb make worse, worsen, (ogs sygdom) aggravate; -s become (el. grow) worse, deteriorate. **forværring** (en) aggravation, worsening, deterioration.

forvåget adj worn out with watching.

forynge vb rejuvenate. **foryngelse** (en) rejuvenation, rejuvenescence.

foræde vb: ~ sig overeat.

forædle vb (gøre ædlere) ennoble, refine, elevate; (om husdyr etc) improve; -de landbrugsprodukter secondary agricultural produce (sing). **forædling** (en) refinement, improvement.

forædt adj overfed, gorged.

forældelsesfrist period of limitation.

forældes vb become obsolete, (jur) be statute -barred, be time-barred. **forældet** adj antiquated, obsolete, out of date, (sprogligt) obsolete; (jur) statute -barred, time-barred; ved at blive ~ obsolescent.

forældre pl parents; i -s sted in loco parentis; (entalsformen »parent« kan både bruges om »fader« og »moder«, fx he has only one parent).

forældre|forening parents' association. **-løs** orphan; et -t barn an orphan; blive ~ be left an orphan. **-myndighed** custody.

forære vb: ~ en ngt make sby a present of sth, present sby with sth, give sby sth; jeg fik den -nde a it was given to me by. **foræring** (en -er) present, gift.

forøde * waste, dissipate, misspend, squander.

forøge vb increase, augment, add to; (forhøje) enhance (fx the beauty, the pleasure). **forøgelse** (en) increase. **forøget** adj (se forøge): ~ udgave enlarged edition.

forønsket adj desired (fx the desired effect).

forøve vb commit, perpetrate (fx a crime).
forøvrigt, se øvrig.
forår spring. **forårs-** spring.
forårsage vb cause, bring about.
forårs|agtig adj springlike, vernal. **-bebuder** (en -e) harbinger of spring. **-jævndøgn** the vernal equinox. **-rengøring** spring cleaning. **-tid** spring-time.
fos (en -ser) waterfall, cataract.
fosfat (et -er) phosphate.
fosfor (et) phosphorus.
fosforescerende adj phosphorescent.
fosforsur adj: -t salt phosphate.
fosforsyre phosphoric acid.
fosse vb gush.
fossil (et -er) & adj fossil.
fostbroder sworn brother.
foster (et, fostre) embryo; (helt udviklet) foetus; (fig) production; et ~ af hans fantasi a creation of his imagination.
foster|drab se -fordrivelse. **-fader** foster father. **-fordrivelse** (criminal) abortion. **-tilstand** embryonic stage.
fostre vb (frembringe) produce.
foto (et -s) photo. **fotocelle** photo-electric cell.
fotograf (en -er) photographer; (TV, films-, presse-) camera man. **fotografere** vb photograph; lade sig ~ have one's photograph taken. **fotografering** (en) photography.
fotografi (en) (fremgangsmåden) photography; (et -er)(billede) photo(graph); pd -et in the photo(graph).
fotografi|album photo album. **-apparat** camera. **-ramme** photo frame. **fotografisk** adj photographic; adv photographically.
foto|gravure photogravure. **-handler** photographic dealer. **-kopi** photocopy. **-litografi** (processen) photolithography, (billedet) photolithograph. **-montage** photomontage. **-stat** photostat.
fourage (en) forage. **fouragere** vb forage.
fourer (en -er) ✗ quartermaster sergeant; (hof-) master of the royal household.
fox|terrier (en -e) fox terrier. **-trot** (en) foxtrot.
foyer (en -er) (skuespillernes) greenroom; (publikums) foyer.
fr (fk fru, frøken) Ms.
I. **fra** præp from; (bort(e) fra) off (fx keep your fingers off that book!); ~ da af since then, since that time; han er helt ~ den he is out of his senses, he is beside himself; ~ i dag af from today (onwards), from this day; ~ og med den dag on and after that date; ~ oven from above; ~ tid til anden from time to time.
II. **fra** adv off; det gør hverken ~ eller til that makes no difference; jeg vil hverken råde til eller ~ I won't advise either way; trække ~: se trække.
III. **fra** conj since; ~ jeg var 4 år gammel since I was 4 years old.
frabede: det vil jeg (meget) have mig frabedt! I won't have any of that! none of that! blomster -s no flowers by request; personlig henvendelse -s apply in writing; må jeg ~ mig dine næsvisheder (I will have) none of your cheek; spare me your impertinent remarks.
fradrag (et -) deduction; (i skat) allowance; efter ~ af alle omkostninger all expenses deducted. **fradrage** vb deduct.
fradømme *: ~ en noget confiscate sth from sby; han blev fradømt kørekortet for et år his licence was suspended for a year.
frafald defection, desertion; (fra religion) apostasy, lapse; (fra studium etc) drop-out.
frafaldsprocent drop-out rate.
frafalde vb (mening) withdraw (from); (krav) renounce, withdraw, waive.
frafalden (en) apostate, deserter.
fraflytte vb remove from, leave.
fragment (et -er) fragment.

fragmentarisk adj fragmentary.
fragt (en) (betaling) freight, freightage; (til lands ogs) carriage; (ladning) cargo, freight; til høj ~ at a high rate (of freight).
fragt|brev consignment note. **-damper** cargo steamer.
fragte vb charter.
fragt|fart carrying trade. **-gods** goods; sende som ~ send by goods train. **-mand** carrier. **-rate** rate (of freight). **-vogn** carrier's van.
fragå vb (nægte) deny; (skulle fradrages) be to be deducted; i beløbet -r 5% five per cent must be deducted from the amount; ~ arv og gæld disclaim liabilities on succeeding to property.
frakende * deprive of (fx he was deprived of his office by judgement); (fig) deny; man kan ikke ~ ham dygtighed his ability is beyond dispute; ~ ham retten til at føre motorkøretøj suspend his driving licence.
frakke (en -r) coat; (diplomatfrakke) frock coat.
frakke|krave coat collar. **-skøder** coat tails.
frakoble vb disconnect, uncouple, disengage.
fraktion (en -er) section.
fraktur (en -er) (skrifttype) blackletter; (med.) fracture.
fralands adj off-shore (fx wind).
fraliste: ~ en ngt trick sby out of sth.
fralokke: ~ en ngt wheedle sth out of sby.
fralægge: ~ sig disavow, disclaim; ~ sig ansvaret for disclaim the responsibility for, wash one's hands of.
franarre: ~ en ngt trick sby out of sth.
franciskaner (en -e) Franciscan.
frank: ~ og fri free and unrestrained, free as air.
Franken (geogr) Franconia. **franker** (en -) Frank.
frankere vb frank (fx franked with a 3d. stamp); (m frimærke ogs) stamp (fx we enclose a stamped and addressed envelope for your reply); utilstrækkelig -t insufficiently stamped. **frankering** (en) franking, stamping.
franko adv (om breve) post(age) free; (om varer) carriage paid.
Frankrig France.
fransk French; ~ dør french (el. French) window (el. door); -e kartofler potato crisps; pd ~ in French; oversætte til ~ translate into French; ~ visit flying visit.
franskbrød (omtr =) white bread.
fransk-engelsk Franco-English (fx relations); French-English (fx dictionary).
fransk|mand Frenchman; -mændene (om hele nationen) the French. **-sindet** adj pro-French.
fransk-tysk Franco-German; French-German (fx dictionary); den -e krig the Franco-Prussian War.
frappant, frapperende adj striking.
fraregne deduct; dette -t apart from this, exclusive of this.
frarøve: ~ en noget rob sby of sth.
fraråde: ~ en at gøre noget dissuade sby from doing sth, advise sby not to do sth; ~ noget deprecate sth; ~ en noget dissuade sby from sth (fx I dissuade you from the experiment).
frasagn: der gik ~ om (curious) stories were told of.
frase (en -r) (i musik, gram) phrase; (neds) empty phrase; cliché; fast ~ stock phrase; tomme -r empty phrases, cant.
fraseologi (en) phraseology.
fraseologisk adj phraseological.
frasepareret adj (judicially el. legally) separated.
fraset apart from.
frasige: ~ sig renounce, resign; ~ sig tronen abdicate. **frasigelse** (en) renunciation, resignation; abdication.
fraskilt adj divorced; en ~ a divorced person; hans -e kone his ex-wife.
fraskrive: ~ sig renounce, sign away (fx all claims to sth).
frasortere vb sort out.
frastøde vb repel.

frastødende *adj* repulsive, forbidding.

fratage: ~ *en ngt* deprive sby of sth, take away sth from sby; *dirigenten fratog ham ordet* the chairman ordered him to sit down.

fraternisere *vb* fraternize (*med:* with).

fraternisering *(en)* fraternization.

fratræde *vb* retire from, withdraw from, relinquish, resign; ~ *sin stilling* retire. **fratrædelse** *(en)* retirement, withdrawal, resignation.

fravige *(afvige fra)* depart from, deviate from.

fravigelse *(en -r)* departure, deviation.

fravriste *vb:* ~ *en noget* wrest sth from sby.

fraværelse *(en)* absence; *glimre ved sin* ~ be conspicuous by one's absence.

fraværende *adj* absent; *de* ~ the absent; *de* ~ *har altid uret* the absent are always at fault.

fred *(en)* peace; *lad mig få* ~, *lad mig være i* ~ leave me alone; *man har ikke* ~ *længere end naboen vil (kan gengives)* it takes two to keep the peace; *have* ~ *for* be left alone by; *jeg har aldrig* ~ *for ham* he never gives me any peace; *have* ~ *med* be at peace with; *holde* ~ keep the peace; *slutte* ~ *med* make (*el.* conclude) peace with; *(om person)* make one's peace with; *ved -en i Wien* by the peace of Vienna.

fredag Friday; *i -s* last Friday; *om -en (hver* ~) on Fridays, *(i en bestemt uge)* on (the) Friday; *på* ~ next Friday.

frede *vb (vildt, fisk)* preserve; *(om bygning etc)* preserve, protect, schedule as a historical monument; ~ *om et minde* guard (*el.* protect) a memory.

fredelig *(fredfyldt)* peaceful; *(fredselskende)* peaceable; *(af* ~ *natur)* pacific; *(som ikke gør fortræd)* inoffensive; *en* ~ *borger* a peaceable (*el.* an inoffensive) citizen; *-e hensigter* peaceful intentions; *en* ~ *ordning* an amicable settlement; *ad* ~ *vej* by peaceful means, pacifically.

fredelighed *(en)* peacefulness; peaceableness.

fredet *adj (vildt, fisk)* preserved; *(om mindesmærker etc)* protected, scheduled.

fredhellig *adj* sacred, sacrosanct; *-t sted* sanctuary.

fredlyst *adj se fredet;* ~ *sted* sanctuary.

fredløs *adj* outlawed; *en* ~ an outlaw; *gøre* ~ outlaw. **fredløshed** *(en)* outlawry.

fredning *(en)* preservation.

frednings|nævn Nature Conservancy Board. **-tid** close season.

freds|betingelser peace terms. **-bevarende** *adj* peace-keeping. **-bevægelse** peace (*el.* pacifist) movement. **-brud** *(et -)* breach of the peace. **-dommer** justice of the peace, J. P. **-due** dove of peace. **-elskende** *adj* peace-loving. **-forstyrrer** *(en -e)* disturber of the peace. **-føler** peace feeler. **-konference** peace conference. **-mægler** *(en -e)* mediator. **-mægling** mediation.

fredsommelig *adj* peaceable. **fredsommelighed** *(en)* peaceableness; *i al* ~ peacefully, mildly.

freds|pagt peace pact. **-pibe** pipe of peace. **-prisen** *(Nobels)* the (Nobel) Peace Prize. **-slutning** (conclusion of) peace. **-stifter** peace-maker. **-tid:** *i* ~ in time(s) of peace. **-traktat** peace treaty. **-underhandlinger** peace negotiations. **-ven** pacifist. **-venlig** *adj* peace-loving, pacifist. **fredsæl** *adj* peace-loving.

freesia *(en -er)* ♣ freesia.

fregat *(en -ter)* frigate.

fregne *(en -r)* freckle. **fregnet** *adj* freckled.

frejdig *(uforsagt)* intrepid, dauntless; *(tillidsfuld, ubekymret)* confident, cheerful; *(utvungen)* free and easy; *(fræk)* cool, cheeky; *med -t mod* nothing daunted. **frejdighed** *(en) (se frejdig)* intrepidity, dauntlessness; confidence, cheerfulness, ease; *(frækhed)* coolness.

frekvens *(en -er)* frequency; *høj (, lav)* ~ high (, low) frequency. **frekvensbånd** *(i radio)* frequency band. **frekvensmåler** frequency meter.

frekventere *vb (besøge hyppigt)* frequent; *(følge)* attend *(fx* lectures).

I. **frelse** *(en)* rescue, deliverance; *(saliggørelse)* salvation; *Frelsens Hær* the Salvation Army.

II. **frelse** * save, rescue; *(se ogs frelst)*.

Frelseren *(Kristus)* our Saviour, the Redeemer.

frelser|pige Salvation lass. **-soldat** *(i Frelsens Hær)* Salvationist.

frelst *adj (reddet)* saved, rescued; *(rel)* saved, redeemed; *(velbeholden)* safe *(fx* come back safe).

frem forward, on; *arbejde sig* ~ work one's way forward (, up); *få (, gå, komme etc)* ~ *se få, gå, komme etc; længere* ~ further on; ~ *med det!* out with it! *tage ngt* ~ take sth out; ~ *og tilbage* backwards and forwards, to and fro, up and down; *billet* ~ *og tilbage* return ticket; *(amr)* round ticket.

fremad forward, on(ward), ahead. **fremadskridende** *adj* advancing, progressive, forward. **fremadstræbende** *adj* go-ahead, ambitious.

frembringe *vb* produce, make; *(i fysik)* generate *(fx* friction generates heat).

frembringelse *(en -r)* production; *(konkret)* product; *-r* products; *(om landbrugets ogs)* produce.

frembrud *(et) (sygdoms)* outbreak; *dagens* ~ daybreak, dawn; *mørkets* ~ nightfall.

frembyde *vb* present, offer; afford *(fx* a. opportunity of ...); ~ *sig* present itself, offer *(fx* when an opportunity offers).

fremdeles *(endnu)* still; *(endvidere)* further, again; *og så* ~ and so on, et cetera.

fremdrage *vb* bring to light; *(henlede opmærksomheden på)* call attention to.

frem|drift enterprise, energy. **-drivning** *(en) (af skib, vogn)* propulsion; *(af planter)* forcing.

fremelske *(planter)* grow, produce; *(fig)* encourage, foster, promote.

fremfor *præp* before, above, beyond, in preference to, rather than; ~ *alt* above all.

fremfusende *adj* precipitate, impetuous.

fremfærd *(en) (optræden)* conduct.

fremføre * *(fremsætte)* adduce, advance, state; *(forevise, spille)* present *(fx* a play); ~ *en klage* make a complaint; ~ *til sit forsvar* say in one's defence; ~ *til sin undskyldning* offer as an excuse. **fremførings-middel** *(til missil)* delivery vehicle.

fremgang *(en)* advance, progress; *(held)* success; *gøre* ~ make progress; *en* ~ *på to mandater (ved valg)* a gain of two seats.

fremgangsmåde procedure, method, line of action, course (of action).

fremgå *vb* appear; *heraf -r at* from this it appears *(el.* is evident) that.

fremherskende *adj* prevailing, prevalent, predominant; *være* ~ be prevalent (*el.* predominant).

fremholde *vb* point out.

fremhæve *vb (give relief)* set off, throw into relief; *(give eftertryk)* emphasize *(fx* e. the necessity of sth), stress, accentuate, underline.

fremkalde * *(forårsage)* cause, bring about, give rise to; *(fot)* develop; *(på teater)* give (the actor) a call, call (the actor) before the curtain.

fremkaldelse *(en -r) (fot)* development; *(på teater)* call. **fremkalder(væske)** developer.

fremkomme appear, *(blive til)* be produced; ~ *med* bring forward, advance, put forward; ~ *ved* result from.

fremkommelig *adj (farbar)* passable.

fremkomst *(en)* appearance; *(ankomst)* arrival.

fremlagt *adj* on view, displayed; *de -e lister* the lists provided (for the purpose).

fremleje *vb* sub-let; *(subst)* sub-letting.

fremlokke *vb* elicit, call forth.

fremlyse * *(i avis)* advertise (for the owner of).

fremlægge *vb* produce, *(udstille)* exhibit, *(offentliggøre)* publish; ~ *regnskab* present an account.

fremlæggelse *(en)* production, exhibition, publication; presentation.

fremmane *vb* conjure up.

I. **fremme** *(en)* encouragement, advancement, promotion; *som kræver hurtig ~* urgent.

II. **fremme** *vb* promote, further, encourage, advance; *(ekspedere)* proceed with, dispatch.

III. **fremme** *adv* forward, in front, out; *sagen var ~* the matter was under consideration; *stjernerne er ~* the stars are out; *langt ~* far ahead; far advanced; *lade ligge ~* leave lying about; *~ på markedet* on the market.

fremmed *(udenlandsk)* foreign, alien; *(udlænding)* foreigner, *(jur)* alien; *(ukendt)* strange; *(ukendt person)* stranger; *(besøgende)* visitor; *~ hjælp* outside assistance; *vild -e mennesker* complete strangers; *~ for min natur* alien to my nature; *jeg står ~ over for arbejdet* the work is strange to me; *han har -e i aften* he has a party *(el.* he has visitors) this evening; *i det -e* abroad; *jeg er ~ her* I am a stranger here; *føle sig ~ i sit hjem* feel a stranger in one's home.

fremmedarbejder foreign worker.

fremmed|artet alien, strange. **-bog** register, visitors' book. **-fører** guide. **-had** xenophobia. **-herredømme** foreign rule. **-legeme** foreign body. **-legionen** the Foreign Legion. **-loge** private box. **-loven** the Aliens Act. **-ord** foreign word. **-ordbog** dictionary of foreign words. **-politiet** *(svarer til)* the Aliens Division of the Home Office. **-sprog** foreign language.

fremmelig *adj* advanced for one's age; *(opvakt)* bright.

fremmest: *først og ~* first and foremost.

ffemmumle *vb* mumble, mutter.

fremmøde *(et)* appearance; attendance; *et stort ~* a large turnout.

fremover *adv* forward(s) *(fx* stoop *(el.* bend) forward(s)); *(i fremtiden)* in future; *(fra nu af)* henceforward.

fremragende *adj* eminent, prominent, outstanding, brilliant. **fremrykket** *adj* advanced. **fremrykning** *(en)* advance.

fremsende * *(vidcresende)* forward, transmit; *(sende)* send; *vedlagt -s* enclosed I (, we) send; *(merk ogs)* enclosed please find. **fremsendelse** *(en)* forwarding, transmission; sending.

fremsige *vb* recite. **fremsigelse** *(en)* recital, recitation.

fremskaffe *vb* procure.

fremskreden *adj* advanced; *da tiden var så langt ~* since it was so late. **fremskridt** progress, advance; *et ~* a step forward; *gøre ~* make progress, progress; make headway; *mange ~* much progress.

fremskridts|kvinde, **-mand** progressionist. **-parti** progressive party. **-venlig** progressive.

fremskudt ⚔ advanced *(fx* post, position); *en ~ stilling (fig)* a prominent position.

fremskynde *vb* speed up, hasten, accelerate, step up; *(stærkt)* precipitate. **fremskyndelse** *(en)* speeding up, acceleration.

fremspring *(et -)* projection.

fremspringende *adj* projecting, · jutting, salient.

fremstamme *vb* stammer out.

fremstille *(fortælle)* recount, state, give an account of, set forth; *(afbilde, gengive, skildre)* represent; *(gøre rede for)* expound *(fx* he expounded his theory); *(om skuespiller: optræde som)* play *(fx* play Romeo), act; *(fabrikere)* produce, make, manufacture; *~ en i retten* bring sby before the court; *~ sig* present oneself *(fx* p. oneself for an examination).

fremstilling *(en -er) (beretning)* account, statement; *(gengivelse, skildring)* representation; *(redegørelse)* exposition; *(fabrikation)* production, manufacture; *grafisk ~* graphic representation; *fejlagtig ~* misrepresentation.

fremstillings|evne power of exposition, descriptive power. **-omkostninger** cost(s) of production, production costs. **-pris** production price.

fremstød ⚔ (forward) thrust, push, drive; dash; offensive; *foretage et ~* make a (forward) thrust; *(merk)* start a sales drive, push the sales.

fremstående *adj* protruding *(fx* teeth); *(betydelig)* prominent, outstanding.

fremsyn *(et)* foresight.

fremsynet *adj* far-seeing, far-sighted.

fremsætte *(udtale)* state, put forward; *(forelægge)* propose, propound, advance; *(lovforslag i parlament)* bring in, introduce; *~ en erklæring (, et krav, en påstand)* make a statement (, a demand, an assertion); *-nde måde (gram)* the indicative (mood).

fremtid future, futurity; *(gram)* the future (tense); *i (el. for)* -en in future; *der var ingen ~ for mig der* I had no prospects *(el.* future) there.

fremtidig *adj* future, prospective.

fremtids|drøm dream of the future. **-musik:** *det er ~* it belongs to the future. **-perspektiv** perspective. **-plan** *(en -er)* plan for the future. **-udsigter** *pl* (future) prospects.

fremtoning *(en -er) (udseende)* appearance; *(person)* individual, figure. **fremtoningspræg** *(biol)* phenotype.

fremtrylle *vb* conjure up.

fremtræde *vb* appear, make one's appearance, present oneself. **fremtræden** *(en)* appearance; *(væsen)* bearing, manners, behaviour. **fremtrædende** *adj* prominent, conspicuous, outstanding; *spille en ~ rolle* play a prominent part.

fremture *vb: ~ i* persist in, persevere in.

fremtvinge *vb* force *(fx* f. a decision), compel, enforce.

fremvise * show, display, present. **fremvisning** *(en)* display, presentation; *(af film)* showing.

freske *(en -r),* **fresko** *(en, fresker)* fresco *(pl* -es). **freskomaleri** fresco-painting.

I. **fri** *adj* free; *(om taxa etc)* for hire; *han gav mig ~ adgang til sit bibliotek* he gave me the run of his library; *~ af* ⚓ clear of; *bede sig ~* ask for leave of absence, ask for a day (, etc) off; *det er ~ fantasi* it is pure invention; *på ~ fod* at large; *~ for* free from *(el.* of); *~ for skatter* exempt from taxation; *~ for at overvære et møde* excused from attendance at a meeting; *give ~ se frigive; give ham ~* give him the day (the morning etc) off; *gå ~* get off (scot-free); *have en dag ~* have a day off; *holde ~* have *(el.* take) a holiday; *i det ~* in the open (air); *en dag i det ~* a day out; *~ kærlighed* free love; *i ~ luft* in the open (air); *give noget -t løb* give vent *(el.* a free rein) to sth *(fx* one's anger); *~ næring* trade not subject to a licence; *slippe ~* escape, be let off; *~ som fuglen i luften* free as air; *det står Dem -t for a:* you are free *(el.* at liberty) to; *tage ~* take a holiday; take the day (, evening etc) off; *~ udblæsning* open exhaust; *-t valg* liberty of choice; *~ vilje* free will; *jeg vil hellere være ~* I would rather not; *må jeg være sd ~ at spørge?* may I take the liberty of asking? *være for ~ over for* be too familiar with; *se ogsd frit.*

II. **fri** *vb (bejle)* propose *(til:* to), make an offer of marriage.

III. **fri** *vb (frigøre)* (set) free, deliver; *Gud ~ mig!* good gracious! *~ os fra det onde!* deliver us from evil!

fri|aften evening off. **-aktie** bonus share. **-billet** free ticket, complimentary ticket, free pass. **-bolig** free lodging, free quarters. **-bytter** *(en -e)* freebooter. **-bytteri** *(et)* freebooting. **-båren** *adj* free -born. **-dag** holiday; *(for ansatte)* day off.

frieksemplar *(forfatterens)* free copy, author's copy; *(tilstillet andre)* presentation copy, complimentary copy.

frier *(en -e)* suitor. **frierbrev** (letter of) proposal. **frierfødder:** *gå på ~* be courting. **frieri** *(et -er)* proposal; offer· of marriage.

frifinde *vb (i kriminalsag)* acquit, find not guilty; *(i civilsag) (om dommeren)* give judgment in favour of; *(om nævningene)* find for; *blive frifundet (ved nævningeret)* be acquitted; be found not guilty; *påstå sig frifundet* plead not guilty. **frifindelse** *(en -r)* acquittal.

frigear neutral (gear).

frigive *vb* free, release; *(ophæve rationering af)*

deration; *(slave)* set free, *(om hele slavestanden ogs)* emancipate; *blive -t (om bog, film etc)* be released. **frigivelse** *(en)* release; emancipation, manumission. **frigiven** *(en)* emancipated slave, freedman.

frigjort *adj* emancipated (*for:* from).

frigøre *vb* disengage; *(fritage)* release (*fra* from, *fx* r. him from his duties); *(se ogs frigive)*; ~ *et beløb* make an amount available; ~ *sig for* free oneself from; ~ *sin kapital* liquidate one's capital. **frigørelse** *(en)* disengagement.

fri|handel free trade. **-handelsområde** free trade area. **-havn** free port.

frihed *(en -er)* freedom, liberty; *(fritagelse)* exemption (*fra:* from); *(fritid)* leisure; *digterisk* ~ poetic licence; ~ *for* freedom from (*fx* fear, want); *sætte i* ~ set free, set at liberty; ~, *lighed og broderskab* liberty, equality, and fraternity; *tage sig den* ~ *at* take the liberty to; *tage sig -er over for* take liberties with.

friheds|berøvelse loss of liberty, *(jur)* imprisonment. **-bevægelse** liberation movement; *(modstandsbevægelse)* resistance movement. **-brev** charter. **-dressur** training in liberty. **-elskende** *adj* freedom -loving. **-gudinden** *se -statuen.* **-helt** champion of liberty. **-kamp** struggle for liberty. **-krig** war of independence. **-kæmper** *(en -e)* patriot, member of the resistance movement; *(sjældent om danske forhold)* freedom fighter. **-råd:** *Danmarks* ~ the Danish Liberation Council. **-sender** *(radio)* underground radio station. **-statuen** the Statue of Liberty. **-straf** imprisonment.

friherre baron. **friherreinde** baroness.

frihjul *(på cykel)* free-wheel; *køre på* ~ *(ogs fig)* free-wheel, coast.

frihåndstegning free-hand drawing.

frikadelle *(en -r)* rissole; *(dårlig skuespiller)* ham (actor). **frikassé** *(frikasseen)* fricassee, stew.

frikende * acquit (*for:* of). **frikendelse** *(en)* acquittal.

frikirke Free Church.

friktion *(en)* friction.

frikvarter *(et -er)* break, interval; *(især amr)* recess.

frikøbe * *(løskøbe)* ransom, purchase the freedom of.

frilager bonded warehouse; *varer oplagt på* ~ bonded goods.

friland: *på* ~ outdoors. **frilands-** *(dyrket på friland)* outdoor (*fx* tomatoes). **frilandsmuseum** open -air museum.

friliste *(en -r)* free list.

frille *(en -r)* mistress, concubine.

frilufts|arbejde outdoor work. **-liv** outdoor life. **-møde** open-air meeting. **-teater** open-air theatre.

frimodig *adj* frank, open, cheerful.

frimodighed *(en)* frankness, openness.

frimurer *(en -e)* freemason, mason. **frimurer|i** *(et)* freemasonry. **-loge** masonic lodge. **-orden** masonic order.

frimærke *(et -r)* stamp. **frimærke|album** stamp album. **-automat** stamp machine. **-hæfte** book of stamps. **-kasse** *(svarer til)* petty cash. **-samler** stamp collector. **-samling** stamp collection.

friplads free seat; *(i skole)* free place.

frisag: *klare* ~ get off.

frise *(en -r)* frieze.

friser *(en -e)* Frisian.

frisere *vb:* ~ *én* do sby's hair; *få håret -t* have one's hair done; *-t (neds)* slick.

friserslag hairdressing cape.

frisind liberalism, broad-mindedness.

frisindet *adj* liberal, broad-minded.

frisisk *adj* Frisian.

frisk *adj* fresh; *(munter)* gay, lively; *begynde på en* ~ start afresh; *-e blomster* fresh flowers; *en* ~ *brise* a refreshing breeze; *(vindstyrke 4)* a moderate breeze; ~ *brød* new bread; *tænde sig en* ~ *cigar* light a fresh cigar; *jeg har det i* ~ *erindring* I have a vivid recollection of it; ~ *som en fisk* as fit as a fiddle; ~ *luft* fresh air; *(se ogs luft)*; ~ *plukket* newly gathered; ~ *vand* fresh water; *-e æg* fresh (*el.* new-laid) eggs.

frisk|bagt newly baked. **-brændt** *(kaffe)* freshly roasted.

friske *vb* freshen; ~ *op,* ~ *op på* refresh (*fx* a cold bath refreshed him; r. one's memory); freshen up; *vinden -r* ⚓ the wind is freshening; ~ *sine kundskaber i engelsk op* brush up one's English.

friskfyr: *en* ~ a spark, a jaunty fellow.

friskfyragtig *adj* jaunty.

friskhed *(en)* freshness.

frisklavet freshly made.

friskole free school.

Frisland Friesland.

frispark free kick; *dømme* ~ award a free kick.

frisprog: *han har* ~ he is a licensed jester.

frist *(en) (tidsrum)* respite, time (*fx* I must have a longer respite (*el.* more time)); *(tidspunkt)* deadline (*fx* fix a d. for the signing of the treaty), time; *sidste* ~ *(for betaling)* final date (for payment); *give ham* ~ *til torsdag* allow (*el.* give) him till Thursday; *overskride -en* exceed the time-limit.

fristad free city.

fristat republic, commonwealth; *Den irske Fristat (hist.)* the Irish Free State.

friste *vb* tempt; *(lide)* experience; *føle sig -t, lade sig* ~ be tempted; ~ *livet* sustain oneself, live; ~ *lykken* try one's luck; ~ *skæbnen* tempt Providence; ~ *en kummerlig tilværelse* lead a miserable life.

fristed *(et -er)* (place of) refuge, sanctuary.

fristelse *(en -r)* temptation. **fristende** *adj* tempting. **frister** *(en -e)* tempter.

fristil (free) composition, essay.

frisure *(en -r)* coiffure; T hair-do.

frisvømmerprøve *(svarer til)* swimming-test.

frisør, frisørinde *(en)* hairdresser.

frisørsalon hairdressing-saloon, hairdresser's.

frit *adv* freely; *(gratis)* free (of charge); *og alt* ~ *(om lønforhold)* and all found; ~ *efter (= bearbejdet efter)* (freely) adapted from, *(ofte:)* with apologies to; *kom* ~ *frem!* we give up! ~ *om bord* free on board, f.o.b.; *gå* ~ *omkring* be at large; ~ *oversat* freely translated; ~ *svævende* floating in space; ~ *tilbragt* carriage paid.

fritage *vb* exempt, excuse (*for:* from); ~ *for tjeneste* exempt from duty; *(suspendere)* suspend.

fritagelse *(en -r)* exemption, dispensation.

fritid leisure (time), spare time.

fritids|beskæftigelse spare-time occupation; *(ofte =)* hobby, recreation. **-hjem** youth (*el.* recreation) centre. **-hus** *(omtr)* weekend cottage.

fritime *(i skole)* free period.

fritliggende *adj* detached (*fx* building).

fritrykskonto publication fund.

fritstående *adj* detached (*fx* house); *(om frugttræ)* standard; ~ *øvelser* free-standing exercises.

I. **fritte** *(en -r) zo* ferret.

II. **fritte** *vb:* ~ *en ud* question sby closely, pump sby.

fritænker free thinker.

frivagt ⚓ watch below; *have* ~ be below, be off duty.

frivillig *adj* voluntary, spontaneous; *subst* volunteer; *-t Drengeforbund (svarer til)* the Boys' Brigade; *-t korps* volunteer corps; *melde sig -t* volunteer (*fx* five men volunteered for the task).

frivillighed *(en)* voluntariness.

frivol *adj* indelicate, improper. **frivolitet** *(en)* indelicacy, impropriety.

frk. *(fk f frøken)* Miss (*fx* Miss Johnson).

frodig *adj* vigorous, luxuriant, rank; *(om jord)* fertile; *(om person: fyldig)* full-bodied, buxom; *(om fantasi)* exuberant, fertile. **frodighed** *(en)* vigour, luxuriance, rankness; fertility; buxomness; exuberance, fertility.

frokost *(en -er)* lunch, *(mere formelt)* luncheon;

spise ~ have lunch; *hvad har du spist til* ~? what have you had for lunch? **frokost|pakke** packed lunch, lunch packet. **-pause** lunch break, lunch hour. **-stue** lunch room, *(kantine)* canteen.

from *adj (gudfrygtig)* pious; *(sagtmodig)* gentle, good; *et -t bedrag* a pious fraud; *et -t ønske* a pious hope; ~ *som et lam* meek as a lamb.

fromage *(en) (omtr =)* mousse.

fromhed *(en) (gudfrygtighed)* piety; *(sagtmodighed)* gentleness.

fromme: *på lykke og* ~ at random, at haphazard.

front *(en -er)* front; *gøre* ~ *mod* face; *over en bred* ~ on a broad front; *ved -en* at the front. **frontal** *adj* frontal; *-t sammenstød* head-on collision.

frontispice *(en -r)* pediment; *(i bog)* frontispiece.

froprædiken *(en -er)* matins.

frossen *adj (konserveret ved kulde)* frozen; *(beskadiget af frost)* frost-bitten *(fx* potatoes).

frosset *perf part af fryse.*

frost *(en)* frost; *have* ~ *i hænderne* have chilblains on one's hands, have frost-bitten hands.

frost|boks freezer. **-fri** non-freezing, frost-proof; *(om periode)* frost-free. **-klar** clear and frosty. **-knude** chilblain. **-rude** anti-mist panel. **-vejr** frosty weather.

frotté *(et -er)* terry cloth.

frottéhåndklæde Turkish towel.

frotterbørste frottage brush. **frottere** *vb* rub. **frotter|handske** washing-glove. **-ing** *(en)* rubbing. **-svamp** loofah.

fru Mrs *(fx* Mrs Johnson).

frue *(en -r) (husmoder)* mistress; *(i tiltale medtages på engelsk helst navnet):* Mrs Johnson (, Mrs Brown *etc)*; *(uden navn anvendes:)* madam; *-n i huset* the mistress of the house; *Deres* ~ Mrs Johnson (*, etc)*; *dr Johnson og* ~ Dr and Mrs Johnson; *er -n hjemme?* is the lady of the house at home? is Mrs Johnson (, etc) at home? T is the missus in? *ministrene med -r var til stede* the Ministers were present, accompanied by their wives; *Vor Frue* Our Lady.

fruentimmer *(et -)* woman; *offentligt* ~ prostitute.

frugal *adj* frugal.

frugt *(en -er)* fruit; *(fig ogs)* product; *forbuden* ~ *smager bedst* forbidden fruit is sweet; *-en af ægteskabet* the issue of the marriage.

frugtavl fruit-growing.

frugtbar *adj* fertile *(fx* soil, country); *(fig)* fruitful *(fx* co-operation); *en* ~ *hjerne* a fertile brain; ~ *på ideer* fertile in ideas.

frugtbargøre fertilize; *(fig)* utilize.

frugt|barhed *(en) (om jordens)* fertility. **-bringende** *adj* profitable. **-busk** fruit bush.

frugte *vb* avail, be of use.

frugtesløs *adj* unavailing, futile, useless. **frugtesløshed** *(en)* futility.

frugt|grød *(omtr =)* stewed fruit. **-handel** fruit trade; *(butik)* fruit shop. **-handler** *(en -e)* fruiterer. **-have** orchard. **-kniv** fruit knife. **-knude** ovary. **-plantage** orchard. **-saft** fruit juice; *(afkog med sukker)* fruit syrup. **-salat** fruit salad.

frugtsommelig *adj* pregnant, with child; *blive* ~ become pregnant. **frugtsommelighed** *(en)* pregnancy.

frugt|træ fruit tree. **-vin** fruit wine.

frustrere *vb* frustrate.

fryd *(en)* joy, delight; *i* ~ *og gammen* merrily; *en* ~ *for øjet* a delight to the eye. **fryde** *vb* delight, gladden; *forandring -r* variety is the spice of life; ~ *sig ved* (el. over) rejoice in (el. at). **fryde|fuld** *adj* joyful, joyous. **-skrig** shout of joy; happy cry.

Frygien Phrygia. **frygisk** *adj* Phrygian; ~ *hue* Phrygian cap.

frygt *(en)* fear, dread, apprehension; ~ *for* fear of; *(velvillig bekymring)* fear for; *nære* ~ *for at* (have a) fear that; *af* ~ *for* for fear of *(fx* for fear of mistakes *el.* of making mistakes); *af* ~ *for at vi skulle tage fejl* for fear that we should make a mistake.

frygte *vb* be afraid, fear; *(stærkere)* dread; ~ *noget* be afraid of sth, fear sth; ~ *for følgerne* fear the consequences; ~ *for hans forstand* fear for his reason; ~ *for at én skal komme* fear that sby will come; ~ *for at* tale fear to speak; ~ *det værste* fear the worst.

frygtelig *adj* frightful, dreadful, terrible; *adv* frightfully, dreadfully, terribly.

frygt|indgydende *adj* formidable, awe-inspiring. **-løs** *adj* fearless, unafraid. **-som** *adj* timid, timorous. **-somhed** *(en)* timidity, timorousness.

frynse *(en -r)* fringe; *-r (fremkommet ved slid)* frayed edge; *besætte med -r* fringe; *hænge i -r* be frayed. **frynset** *adj* fringed; *(flosset)* frayed.

fryse *vb (frøs, frosset)* freeze; *(om person)* be cold, feel cold; *det -r* it is freezing, there is a frost; *det frøs stærkt* it froze hard; ~ *ihjel* freeze to death; *han frøs om hænderne* his hands were cold; ~ *til* freeze over; ~ *en ud* freeze sby out.

fryse|anlæg cold-storage plant. **-boks** home freezer, *(til dybfrysning)* deep freeze. **-maskine** freezing machine, freezer. **-punkt** freezing-point. **-rum** cold storage. **-skab** refrigerator. **-tørring** freeze drying.

fræk *adj* impudent, shameless, audacious, barefaced *(fx* a barefaced lie); *være så* ~ *at* have the cheek (el. face) to. **frækhed** *(en)* audacity, impudence; T cheek; *have den* ~ *at* have the cheek (el. face) to; *med den største* ~ with barefaced impudence; *hans -er* his impudent remarks.

frænde *(en -r)* kinsman.

frændeløs *adj* without relations.

fræse *vb* mill. **fræsemaskine, fræser** *(en -e)* milling machine; *(til træ)* moulding machine.

I. **frø** *(en -er)* zo frog.

II. **frø** *(et -)* ⚶ seed; *gå i* ~ run to seed; *sætte* ~ seed. **frøhandler** *(en -e)* seedsman, dealer in seeds.

frøken *(en -er)* unmarried woman *(el.* lady), young lady, *(foran navn)* Miss *(fx* Miss Brown, Miss Mabel: *efternavn for ældste datters vedkommende, fornavn for de yngres);* *(i tiltale medtages på engelsk helst navnet:)* Miss Brown (, Miss Mabel, etc.); *(uden navn anvendes)* madam; *(serveringsdame)* waitress; *(lærerinde)* teacher; *-erne Johnson* the Miss Johnsons.

frøkenkloster [home for unmarried ladies of rank].

frø|kontrol seed testing. **-korn** seed grain. **-lår** frog's leg. **-mand** frogman.

frønnet *adj* rotten, decayed.

frøs *imperf af fryse.*

I. **fråde** *(en)* foam; froth; *-n stod ham ud af munden* he was foaming at the mouth.

II. **fråde** *vb* foam.

frådse *vb* gorge *(fx* they sat gorging for hours), gorge oneself, gormandize, be a glutton; ~ *i* gorge oneself with; ~ *med* waste. **frådser** *(en -e)* glutton. **frådseri** *(et -er)* gluttony; *(spild)* waste *(med:* of).

fuchsi|a *(en -(a)er)* ⚶ fuchsia.

fuga *(en)* fugue.

I. **fuge** *(en -r) (i mur)* joint; *(indskæring)* notch.

II. **fuge** *vb* joint.

fugl *(en -e)* bird; *benløse -e (omtrent =)* veal olives; *gadens løse -e* the women of the street; *én* ~ *i hånden er bedre end ti på taget* a bird in the hand is worth two in the bush; *jeg har hørt en* ~ *synge om det* a little bird told me; *det er bedst at lade den* ~ *flyve* you (etc) had better put that out of your (etc) head; *better leave it alone!; hun spiser som en* ~ she eats no more than a sparrow.

fugle|bur bird cage. **-flugtslinie** bee line; *i* ~ as the crow flies. **-frø** *(et)* bird seed. **-fænger** *(en -e)* fowler. **-handler** *(en -e)* bird fancier. **-konge** *zo:* gultoppet* ~ goldcrest; *rødtoppet* ~ firecrest; *(ved fugleskydning)* captain of the popinjay. **-kvidder** chirping of birds. **-lim** birdlime. **-net** fowler's net. **-næb** bill (of a bird), beak. **-perspektiv:** *London i* ~ bird's-eye view of L. **-rede** bird's nest. **-sang** singing *(el.* warbling) of birds, bird song. **-skræmsel** *(et)* scare-

crow. **-skydning** popinjay shooting. **-unge** young
bird. **-varsel** augury. **-vildt** wild fowl, game birds.
-æg bird's egg. **-øjetræ** ♧ bird's-eye maple; *(veddet)*
bird's-eye wood.

fugt *(en) (væde)* moisture, *(skadelig)* damp; *(litte-
rært el. fagligt ord)* humidity. **fugte** *vb* moisten, damp,
wet. **fugter** *(en -e)* moistener.

fugtig *adj* moist, *(litterært ord)* humid; *(klam)*
damp; *en ~ herre* a thirsty soul. **fugtighed** *(en)*
moistness, wetness; *(litterært el. fagligt ord)* humidity;
(klamhed) dampness; *(fugtighedsgrad)* humidity *(fx
the h. of the air); (fugt)* moisture. **fugtighedsmåler**
hygrometer.

fugtplettet *adj* damp-spotted, water-stained; *(om
bogside: jordslået)* foxed.

fuks *(en -er) (hest)* chestnut; *(i skole)* dunce.

ful *adj* nasty, ugly.

fuld *adj* full *(af:* of); *(med alle pladser optaget)* full,
full up *(fx* the bus is full up); crowded, packed;
(fuldstændig) full, complete; *(beruset)* drunk, tight,
(let) tipsy; *(attributivt)* drunken; *(om månen)* full;
-e 25 år fully 25 years; *det -e beløb* the entire
amount; *blive ~* get drunk *(af* on, *fx* get d. on beer);
i -e drag to the full; *drikke sig ~* get drunk; *drikke en
~* get sby drunk; *i ~ fart* at full speed; *ved sine -e
fem* in one's (, his, her) senses; *i ~ gang* in full swing;
le af ~ hals roar with laughter; *~ kraft: se kraft; en
~ mand* a drunken man; *manden er ~* the man is
drunk; *-e navn* name in full; *med ~ ret* with perfect
justice; *den -e sandhed* the whole truth; *for -e sejl*
all sails set, at full sail; *det er at tage munden for ~
(*:* overdrive)* that is saying too much; *til -e* fully;
(se ogs fuldt).

fuldautomatisk *adj* fully automatic.

fuldblods *adj* thoroughbred; *(fig ogs)* out-and
-out. **fuldblodshest** thoroughbred (horse).

fuldbringe *vb* finish, accomplish.

fuldbyrde *vb* accomplish, perform; *(dom)* exe-
cute. **fuldbyrdelse** *(en)* accomplishment, execution.

fuldbåren *adj* fully developed.

fuld|ende ✱ complete, finish; *godt begyndt er halvt
fuldendt* well begun is half done. **-endelse** *(en)* com-
pletion, consummation. **-endt** complete, perfect,
consummate. **-føre** ✱ complete. **-gyldig** *adj* valid;
-t bevis conclusive evidence.

fuldkommen *adj (fejlfri)* perfect *(fx* beauty, work
of art); *(absolut)* complete *(fx* success, ignorance);
adv perfectly; quite, absolutely *(fx* impossible), fully
(fx satisfied). **fuldkommenhed** *(en)* perfection; *til
~* to perfection, perfectly.

fuldkornsbrød *(omtr =)* whole-meal bread.

fuldmagt *(en) (bemyndigelse)* authority *(til at* to);
(skriftlig) power of attorney; *give den ~* give sby a
power of attorney; *stemme pr ~* vote by proxy.

fuldmoden *adj* fully ripe.

fuldmyndig *adj* of age. **fuldmyndighed** *(en)*
majority.

fuldmægtig *(en -e) (på kontor)* head clerk,
managing clerk; *(i ministerium)* principal.

fuld|måne full moon. **-rigget** *adj* ♧ full-rigged.
-skab *(en)* drunkenness, intoxication. **-skæg** (full)
beard.

fuldstændig *adj* complete, entire; *(fuldkommen)*
perfect; *adv* -ly. **fuldstændiggøre** *vb* complete,
make complete. **fuldstændighed** *(en)* complete-
ness.

fuldt *adv* completely, fully, quite; *tro ~ og fast*
believe firmly; *~ og fast overbevist* firmly convinced;
ikke ~ så god som not quite as good as; *~ op af* plenty
of; *betale ~ ud* pay in full; *tage skridtet ~ ud (fig)* go
the whole length; T go the whole hog.

fuld|tallig *adj* complete (in number), full; *møde -t*
muster to a man. **-tonende** *adj* sonorous. **-træffer**
(en -e) direct hit. **-voksen** *adj* full-grown. **-vægtig**
adj of full weight.

fulgt *perf part af følge.* **fulgte** *imperf af følge.*

fumle *vb* fumble *(efter:* for; *med:* with). **fumle-**

gænger *(en -e)* jaywalker. **fummelfingret** *adj*
butter-fingered.

fund *(et -) (det at finde)* finding, discovery; *(det
fundne)* find *(fx* the Ladby find); *(idé)* stroke of
genius, T brain-wave.

fundament *(et -er)* foundation, base. **fundamen-
tal** *adj* fundamental, basic. **fundamentere** *vb* lay
the foundations of. **fundats** *(en -er) (stiftelsesbrev)*
instrument of foundation.

fundere *vb (basere)* found, base; *(gruble)* ponder;
dårligt -t i historie poorly read in history.

fundet *perf part af finde.*

fungere *vb* act; *(om maskineri)* function, work.
fungerende *adj* acting.

funkis *subst* functionalism; *adj* functionalistic.

funkle *vb* sparkle, glitter.

funktion *(en -er)* action, function; *i ~ (om em-
bedsmand)* on duty; *træde i ~* begin working; *(om
embedsmand)* enter upon one's duties. **funktiona-
lisme** *(en)* functionalism. **funktionere** *vb* function.

funktionær *(en -er)* official, employee, servant
(fx railway company's servants); *(modsat timelønnet)*
salaried worker; *(især parti-)* functionary; *arbejdere
og -er* wage-earning and salaried employees.

fup *(et)* T swindle, cheat. **fupmager** *(en -e)*
swindler, cheat. **fupmageri = fup. fuppe** *vb* fool,
cheat, have, do (in).

fur *(et)* T: *få ~* be fired, be sacked.

I. **fure** *(en -r)* furrow; *(rille)* groove; *(rynke)*
line, wrinkle.

II. **fure** *vb (drage furer i)* furrow. **furet** *adj* fur-
rowed, grooved; *(om ansigt)* wrinkled.

furie *(en -r)* fury, virago.

furnere *vb* furnish, supply *(med:* with).

furore *(en)* furore; *vække ~* create a furore.

fuse *vb: ~ ud (vælde frem)* gush out; *(ende ynkeligt)*
fizzle out.

fusel *(en) (olie)* fusel; *(brændevin)* raw spirits.

fuselage *(en) (flyv)* fuselage, body.

fusentast *(en -er)* scatterbrain, hothead.

fusk = fuskeri.

fuske: ~ med dabble in, tinker with.

fusker *(en -e) (amatør)* dabbler; *(klodrian)* bungler.

fuskeragtig *adj* bungling, unworkmanlike.

fuskeri *(et)* bungling; botched work; *(snyderi)*
cheating.

fustage *(en -r)* cask, barrel; *fylde på -r* cask.

fut *(et -) (om lyd)* puff; *(livlighed)* go, *(amr)* pep;
der er ~ i ham he is full of go (, *amr:* of pep).

futte *vb* puff, pop; *~ 'af (brænde)* burn; *~ en ki-
neser af* let off a cracker; *huset -de af* the house was
burnt down.

futteral *(et -er)* case.

futur|isme *(en)* futurism. **-ist** *(en -er)* futurist.

futuristisk *adj* futurist.

futurum the future (tense); *~ exactum* the future
perfect.

fx. = or eksempel e.g., for instance.

fy! ugh! *(tilråb til taler)* shame; *~ skam dig!* you
naughty boy (, girl)! *(let glds)* for shame!

fyge *(føg, føget)* drift; *(om gnister)* fly.

fygesne drifting snow.

fyld *(en) (indmad)* stuffing; *(til opfyldning)* rub-
bish; *(til at fylde ujævnheder)* filling.

I. **fylde** *(en)* wealth, abundance; *når tidens ~
kommer* in the fullness of time.

II. **fylde** ✱ fill; *(tage plads op)* take up room *(el.
space); ~ 10 år* complete one's tenth year; *han fylder
10 år i morgen* he will be ten years old tomorrow;
indtil det fyldte 20nde år until reaching the age of
twenty; *~ benzintanken* fill up the tank (with petrol);
~ en gås stuff a goose; *~ kul* ♧ coal, bunker; *~ ngt
på flasker* bottle sth; *fyldes* fill, be filled; *se ogs fyldt.*

fylde|bøtte *(drukkenbolt)* boozer; *(ædedolk)* glut-
ton. **-kalk** padding. **-pen** fountain-pen.

fylderi *(et) (med mad)* gluttony; *(med drikke)*
boozing.

fyldest: *gøre* ~ give satisfaction, be satisfactory; *han gør* ~ *for to* **he** is worth two; *gøre* ~ *for sin løn* earn one's wages; *lade retfærdigheden ske* ~ let justice be done.
fyldest|gøre *vb* satisfy, meet. -gørende *adj* satisfactory, adequate.
fyldig *adj* full,|plump; *(fig)* copious, full; *(om vin)* full-bodied. fyldighed *(en)* fullness, plumpness; copiousness; *(om vin)* body.
fylding *(en -er) (i dør el. panel)* panel.
fyldning *(en)* filling.
fyldt *adj* filled *(med:* with), full *(med:* of).
fylke: ~ *sig om en* rally round sby, flock to sby's standard.
Fyn Funen. fynbo *(en -er)* native of Funen.
fynd *(en)* pith; *med* ~ *og klem* with a will.
fyndig *adj* pithy, emphatic, terse; *tale kort og -t* speak briefly and to the point. fynd|ord, -sprog apothegm.
fynsk *adj* Funen, of Funen.
I. fyr *(en -e) (person)* fellow, chap, T bloke, *(amr)* guy.
II. fyr *(et -)* fire; *(ildsted, ogs)* furnace; *give* ~ ✗ fire; *han er* ~ *og flamme* he is all enthusiasm.
III. fyr *(et -) (lys for skibe)* light; *(fyrtårn)* lighthouse; *fast* ~ fixed light; *(radiofyr)* radio beacon.
IV. fyr *(en -re)* ♧ pine; *(veddet)* pine-wood, deal.
fyraften closing time, knocking-off time; *holde* ~ knock off.
fyrassistent assistant lighthouse keeper.
fyr|bøder *(en -e)* fireman, stoker. -direktorat lighthouse administration; *(i England)* Trinity House.
I. fyre *vb (tænde ild og vedligeholde den)* fire; *(skyde)* fire; ~ *i kakkelovnen* light the fire, have a fire; ~ 'op light the fire(s); ~ 'på *(o: nære ilden)* mend the fire, stoke; '~ *på* ✗ fire at.
II. fyre *(afskedige)* give the sack, sack, fire.
fyrfad *(et -e)* brazier; *(til bordbrug)* chafing dish, hot-plate.
fyrig *adj* fiery, ardent; *(hest)* fiery, mettlesome.
fyrighed *(en)* fieriness, ardour, mettle.
fyring *(en)* firing, stoking; *(opvarmning)* heating.
fyr|kælder boiler room. -mester *(ved fyrtårn)* (principal) lighthouse keeper. -plads ♧ stokehold.
fyrre forty; *i -rne* in the forties; *færdig med* ~ *(afsluttet)* finished and done with; *(det er ude med mig, ham etc)* it is all up with me (, him etc).
fyrre|bræt deal board. -nålssæbe pine(-needle) soap. -skov pine forest, pine wood. -træ *(et -er* pine; *(veddet)* pinewood, deal. -træsbord deal table.
fyrre|tyve forty. -tyvende fortieth. -(tyve)årig forty-year-old. -(tyve)årsalderen the age of forty.
fyrrum ♧ stokehold; *(centralvarme-)* boiler room.
fyrskib lightship.
fyrste *(en -r)* prince; *fyrst B.* Prince B.
fyrsted furnace.
fyrstelig *adj* princely. fyrsteligt *adv: leve* ~ live like a prince. fyrstendømme principality. fyrsteslægt princely *(el. royal)* house. fyrstinde *(en -r)* princess.
fyrsvamp ♧ tinder fungus; *(stoffet)* tinder.
fyr|tøj tinderbox; *(cigartænder)* lighter. -tårn lighthouse. -værker *(en -e)* pyrotechnist. -værkeri *(et)* (display of) fireworks, pyrotechnics. -væsen lighthouse authority, Lights and Buoys Service; *(i Engl)* Trinity House.
fyråb *pl* cries of "shame!"
fysik *(en) (videnskab)* physics; *(legemstilstand)* physique. fysiker *(en -e)* physicist.
fysiognomi *(et -er)* physiognomy.
fysiolog *(en -er)* physiologist. fysiologi *(en)* physiology. fysiologisk *adj* physiological.
fysiotera|peut *(en -er)* physiotherapist. -peutisk *adj* physiotherapeutic. -pi *(en)* physiotherapy.
fysisk *adj* physical; *i* ~ *henseende* physically.
fysi|urg *(en -er)* specialist in physical medicine, physiatrist. -urgi *(en)* physical medicine.

fæ *(et)* fool, ass, blockhead; *folk og* ~ man and beast.
fædre *pl af fader*.
fædre|land (native) country; *hans andet* ~ his adopted country. -landshistorie national history. -landskærlig *adj* patriotic. -landskærlighed *(en)* patriotism. -landssang patriotic song.
fædrene *adj (fra forfædrene)* ancestral; *(faders)* paternal, on the father's side; ~ *gård* ancestral *(el.* family) farm.
fædrene|arv patrimony, paternal inheritance. -jord native soil, ancestral soil.
fægte *vb (sport)* fence; *(kæmpe)* fight; *(i luften med armene)* gesticulate; ~ *sig igennem (leve kummerligt)* scrape a bare living.
fægte|kunst art of fencing. -kårde foil. -lærer, -mester fencing master.
fægten *(en)* fencing; *(med armene)* gesticulation.
fægter *(en -e)* fencer, swordsman.
fægtesal fencing-hall.
fægtning *(en)* fencing; *(træfning)* engagement.
fæhoved *(et -er)* ass, blockhead.
fæhår *(merk)* cattle's hair.
fæisk *adj* stupid, oafish.
fækalier *pl* faeces, excrements.
fæl *adj* nasty, foul.
I. fælde *(en -r)* trap, pitfall; *gå i -n* fall into the trap, *(fig ogs)* swallow the bait; *sætte en* ~ *for (ogs fig)* set a trap for.
II. fælde *vb (hugge om)* fell; *(omstyrte)* overthrow; *(dræbe)* kill, slay; *(hår)* shed, *(fjer)* moult; ~ *dom* pass sentence; *fuglene -r nu* the birds are moulting now; *hunden -r* the dog is shedding its hair; ~ *kroppen fremad* bend forward; ~ *et træ* fell a tree; ~ *tårer* shed tears; *dette vidnesbyrd -de ham* this evidence proved damning to him. fældende *adj* damning *(fx* evidence).
fælg *(en -e) (på hjul)* rim, felloe.
fælle *(en -r)* fellow, companion, associate.
fælled *(en -er)* common; village green.
fælles common, joint; *ved* ~ *anstrengelser* by our (, their etc) joint *(el.* united) efforts; *til* ~ *bedste* for our (, their, etc) common good; *vor* ~ *fjende* our common enemy; ~ *for* common to; *ved* ~ *hjælp* between them (, us, you), by their (, our, your) joint efforts; *have* ~ *interesser* have common interests, have interests in common; *i* ~ *interesse* in our (, their etc) common interest; *have ngt (til)* ~ *med* have sth in common with; *være* ~ *om ngt* share sth; *gøre* ~ *sag med* make common cause with; *vor* ~ *ven* our mutual *(el.* common) friend.
fælles|anliggende joint concern. -badning mixed bathing. -bageri co-operative bakery. -betegnelse generic term, collective name; blanket term. -eje joint property; *(fig)* common property.
Fællesforeningen *af Danmarks Brugsforeninger* the Danish Co-operative Union.
fælles|foretagende joint enterprise. -følelse fellow-feeling, feeling *(el.* sense) of solidarity. -grav common grave; *(massegrav)* mass grave. -køn common gender. -marked common market; *det europæiske* ~ the European Economic Community (E.E.C.), the Common Market. -mærke *(merk: fx landbrugets lurmærke)* standardization mark. -navn common name. -nævner *(ogs fig)* common denominator *(for:* of). -præg common stamp. -sang community singing. -skab fellowship, community; *i* ~ in common, jointly, together. -skole co-educational *(el.* mixed) school. -stue common room; *(på hospital)* open ward, common ward. -undervisning co-education.
fællig: *i* ~ jointly, together.
fænge *vb* catch fire, take fire, ignite, kindle.
fængelig: *i* ~ inflammable; *(erotisk)* susceptible.
fæng|hul *(et -ler)* vent. -hætte percussion cap. -rør tube. -sats primer.
fængs|el *(et -ler)* prison; gaol (, *især amr:* jail); *(straf)* imprisonment; *sætte i* ~ *se fængsle.*

fængsels|betjent warder, *(amr)* prison guard. **-gård** prison yard. **-straf** imprisonment. **-væsen** *(administration)* prison administration.

fængsle *vb* imprison; gaol (, *især amr*: jail), put in prison *(el.* gaol); *(under forundersøgelse)* remand (in custody) *(fx* he was remanded for a week); *(fig)* captivate, fascinate. **fængslende** *adj* captivating, fascinating, absorbing, enthralling.

fængsling *(en)* imprisonment.

fænomen *(et -er)* phenomenon *(pl* phenomena).

fænomenal *adj* phenomenal.

fænrik *(en -ker)* ✗ *[titelen bruges i reglen uoversat].*

færd *(en) (rejse)* expedition; *(opførsel)* conduct, behaviour; *fra første ~* from the beginning, from the outset; *pålidelig i al sin ~* reliable in all his dealings; *give sig i ~ med at læse* start reading, begin reading, set about reading; *være i ~ med at læse* be reading; *være på -e (om person)* be on the go, be up and about; *hvad er der på -e?* what is going on? what is the matter? T what's up? *der er noget galt på -e* there is something wrong; *der er fare på -e* there is danger.

færden *(en)* | activities, movements *(fx* give an account of his movements on the day of the murder).

færdes *vb (have sin gang)* move *(fx* he moves in good society); *(rejse)* travel.

færdig *(parat)* ready, prepared; *(fuldendt)* finished, done; *-e klæder* ready-made clothes; *gøre ~ (gøre parat)* make ready, *(fuldende)* finish; *er du ~ med bogen?* have you finished the book? *er du ~ med at skrive?* have you done *(el.* finished) writing? *han er ~ (o: det er ude med ham)* it is all up with him, T he has had it; *være ~ til* be ready for (, *til at*: r. to).

færdigsyet *adj* ready-made, ready-to-wear; *færdigsyede meninger* ready-made *(el.* cut-and-dried) opinions.

færdigvarer *pl* finished goods.

færdsel *(en)* traffic.

færdsels|afmærkning traffic marking. **-bølle** roadhog. **-forsikring** road accident insurance. **-fyr** *(et -)* traffic light. **-kultur** road sense, road manners; *have ~* be road-minded. **-politi** traffic police. **-regler** *pl* traffic regulations. **-signal** traffic signal. **-sikkerhed** road safety. **-standsning** jam, traffic block. **-streg** traffic line. **-søm** traffic stud. **-tavle** road sign. **-tegn** traffic sign. **-tælling** traffic census. **-ulykke** traffic accident. **-undervisning** *(for skolebørn)* lessons in kerb drill. **-åre** *(vej)* arterial road; *(gade)* thoroughfare.

I. **færge** *(en -r)* ferry. II. **færge** *vb* ferry.

færge|fart ferry service. **-leje** *(et -r)* ferry berth. **-mand** ferryman. **-sted** ferry.

færing *(en -er)* Faroese; *-erne* the Faroese.

færre *(komparativ af få)* fewer. **færrest** fewest; *de -e (kun meget få)* only a few.

fært *(en)* scent; *få -en af noget* scent sth; *(af noget utilbørligt)* smell a rat.

Færøerne the Faroe Islands. **færøisk** *adj* Faroese.

I. **fæste** *(et -r) (for hænderne)* hold, *(for fødderne)* foothold; *(på sabel)* hilt, handle; *(jur)* copyhold.

II. **fæste** *vb* fasten, fix, secure; *(tage i sin tjeneste)* engage, hire; *~ sit blik på* fix one's eyes on; *~ en gård bort til en* give sby the copyhold of a farm; *~ på papiret* commit to writing *(el.* paper); *~ rod* take root; *~ sig i erindringen* stick in one's memory; *~ sig ved* notice, pay attention to; *(slå ned på)* fasten on.

fæste|bonde copyholder. **-gård** copyhold farm.

fæster *(en -e)* copyholder.

fæstne *vb (gøre fastere)* fix; *(styrke)* consolidate, strengthen; *~ sig (fig)* assume definite form.

fæstning *(en -er)* fortress, fort, *(fig)* stronghold. **fæstnings|anlæg** fortification. **-vold** rampart.

fæt|ter *(en -re)* cousin; *de er ~ og kusine* they are cousins; *snurrig ~* queer fish.

fødder *pl af fod.*

I. **føde** *(en)* food, nourishment; *(dyrs)* feed; *arbejde for -n* work for one's living; *gøre nytte for -n* be worth one's salt; *tjene til -n* earn one's living; *åndelig ~* food for the mind.

II. **føde ✱** *(bringe til verden)* bear, give birth to, *(om dyr)* bear, bring forth; *(forsørge)* support, maintain; *(vedligeholde)* feed *(fx* f. a machine with material); *hvornår skal hun ~? (o: nedkomme)* when is she expecting? when is she due? *hun har født* she has had her baby; *han er født i 1945* he was born in 1945; *(stavemåden ▸borne◂ bruges, når perf part efterfølges af ▸by◂, og med objekt (fx* she has borne five children)); *han er født blind* he was born blind; *han er født heldig* he is born lucky.

føde|by native town. **-hjem** *(hvor man er født)* birthplace; *(se ogs -klinik).* **-klinik** maternity home. **-land** native land. **-pumpe** feed pump.

føderation *(en -er)* federation. **føderativ** federal.

føde|stavn native soil. **-sted** birthplace. **-stue** labour ward, delivery room.

fødevarer provisions, victuals.

fødsel *(en, fødsler)* birth; *(nedkomst)* delivery; *a ~ by* birth; *af fornem ~* high-born, of (high) birth; *kvæle noget i -en (fig)* nip sth in the bud; *Kristi ~* the Nativity, the birth of Christ; *(se ogs Kristus).*

fødsels|attest birth certificate. **-dag** birthday. **-dagsgave** birthday present. **-hjælp** obstetric aid. **-kontrol** birth control. **-læge** obstetrician accoucheur. **-overskud** excess of births. **-procent** birthrate. **-stiftelse** lying-in hospital, maternity hospital. **-tal** birthrate. **-tang** midwifery forceps. **-veer** *pl* pains (of childbirth), labour; *(fig)* birth pangs. **-videnskab** obstetrics. **-år** year of (one's) birth.

født *adj* born; *fru A., ~ B.,* Mrs A. née B.; *~ medlem* ex officio member; *hun er ~ Brown* her maiden name was Brown; *hun er den -e skuespillerinde* she is a born actress; *se ogs II. føde.*

føg, føget *imperf og perf part af fyge.*

føj! ugh!

I. **føje:** *falde til ~* yield, submit; *med (fuld) ~* with (perfect) justice; *uden ~* without justification.

II. **føje** *adj: om ~* tid shortly, soon.

III. **føje** *vb (rette sig efter)* indulge, give in to, yield to; humour; *~ en i ngt* indulge sby in sth; *~ sine ord* express oneself; *~ sammen* join, connect, unite; *det -de sig således* it so happened; *~ sig efter én* comply with sby's wishes, give in *(el.* yield) to sby; *som skæbnen har -t det* as fate has ordained; *~ til* add; *føj hertil* add to this.

føjelig *adj* indulgent, pliant, compliant, complaisant, accommodating. **føjelighed** *(en)* pliancy, compliance, complaisance.

føjte: *~ om* gad about.

føl *(et -)* foal; *(hingst-)* colt; *(hoppe-)* filly.

føle ✱ feel; *(have en fornemmelse af, opfatte)* sense *(fx* he sensed the danger); *føl selv ad!* feel for yourself! *~ efter noget* feel *(el.* grope) for sth; *få at ~* find (to one's cost); *den der ikke vil høre må ~* [he who will not hear must be made to feel]; *~ med en* sympathize with sby; *det er hårdt at ~ på* it feels hard; *det er til at tage og ~ på* it sticks out a mile; *~ en på tænderne* sound sby; *~ ens puls* feel sby's pulse; *han -r sig (o: er vigtig)* he fancies himself; *~ sig for* feel one's way; *~ sig for hos en (fig)* sound sby; *~ sig lykkelig (etc)* feel happy *(etc); ~ sig som et andet menneske* feel (quite) another man (, woman); *~ sorg* feel sorrow; *-s som* feel like *(fx* it feels like silk).

føle|horn *(insekts)* antenna *(pl* antennae); *(snegls)* horn; *trække -ene til sig (ogs fig)* draw in one's horns. **-hår** tactile hair.

følelig *adj* perceptible; *(alvorlig, hård)* severe.

følelse *(en -r) (føleevne, fornemmelse, åndelig ~)* feeling; *(ophøjet ~, stemning, ogs)* sentiment; *(følesansen)* (sense of) touch; *(især legemlig fornemmelse)* sensation; *(opfattelse, bevidsthed, forståelse)* sense; *(forudfølelse)* presentiment; *(sindsbevægelse)* emotion;

(i sang, tale etc) feeling; *med blandede -r* with mingled feelings; *venlige -r* friendly feelings; *en ~ af sin egen betydning* a sense of one's own importance; *have en ~ af at* have a feeling that; *med ~* with feeling, feelingly.

følelses|betonet, -fuld *adj* emotional. **-liv** emotional life. **-løs** *adj (hårdhjertet)* unfeeling; *(fysisk)* insensible; *(af kulde)* numb. **-løshed** *(en)* insensibility, numbness. **-menneske** emotionalist. **-mæssig** *adj* emotional. **-sag** matter of feeling. **-udbrud** outburst of feeling.

følenerve sensory nerve.

føler *(en -e) (ogs fig)* feeler; *udsende en ~* throw *(el.* put) out a feeler. **føleri** *(et)* sentimentality.

følesans sense of touch.

føletråd *(en -e)* feeler, tentacle.

følfod *(en -)* ♧ coltsfoot.

følgagtig *adj* compliant, obedient; *være én ~* comply with sby's wishes, be obedient to sby.

følgagtighed *(en)* compliance, obedience.

I. **følge** *(en -r) (rækkefølge)* succession, sequence; *(resultat)* result, consequence; *få -r* have consequences; *få (el.* have) *til ~* result in; *have til ~ at* have the result that; *som ~ af* in consequence of, as a result of; *som ~ heraf* in consequence, consequently; *tage -rne* take the consequences; *tage til ~* comply with *(fx* a request), act on *(fx* his instructions); *(se ogs ifølge).*

II. **følge** *(en -r) (følgeskab)* company; *(fornem persons)* suite, train of attendants, retinue; *(procession)* train, procession, *(ved begravelse)* mourners; *i flok og ~* in a body; *i ~ sås* among the mourners were; *i ~ med* in the company of; accompanied by; *slå ~ med én* join (company with) sby.

III. **følge,** *(fulgte, fulgt)* follow; *(afløse ogs)* succeed; *(ledsage)* accompany, go with; *(rette sig efter)* comply with; *det -r af sig selv* it goes without saying; *heraf -r at* hence it follows that; *~ ens anvisninger* follow sby's directions; *~ hurtigt efter hinanden* follow each other in rapid succession; *~ forelæsninger* attend lectures; *fortsættelse -r* to be continued; *~ en hjem* see sby home; *hoslagt -r* enclosed please find; *~ sit eget hoved* go one's own way; *~ noget i kikkert* follow sth through a pair of field glasses; *~ en indskydelse* act on an impulse; *~ med (som resultat)* result from, attend, accompany; *følg med!* come along! *(vær opmærksom)* attend to your work! *~ med i købet* be included; *~ med tiden* move with the times; *~ op (fig)* follow up; *~ sin overbevisning* act according to *(el.* up to) one's conviction; *~ en politik* pursue a policy; *~ ham på vej* walk part of the way with him; *~ ens råd* take *(el.* act on, follow) sby's advice; *som -r* as follows; *~ ham til dørs* see him out; *~ ham til toget (, skibet etc)* see him off; *~ en vej* follow a road; *-s (ad)* go together; *-s med* go with.

følgelig *adv* so, consequently.

følgende *adj* following, succeeding; *på ~ betingelser* on the following conditions; *den ~ dag* the next *(el.* the following) day; *flere på hinanden ~ dage* several successive days, several days in succession; *læs ~* read what follows, read the following lines; *han sagde ~* he said as follows, what he said was this; *~ er indbudt* the following are invited; *i det ~* below; *deraf ~* ensuing, consequent, resulting.

følge|rigtig *adj* logical, consistent. **-seddel** delivery note. **-skab** company; *gøre ham ~* accompany him, join him. **-skrivelse** covering letter. **-svend** follower. **-sygdom** complication; sequela. **-sætning** *(gram)* consecutive clause. **-tilstand** *(med.)* sequela.

føling *(en)* touch, contact; *have (, få) ~ med* be (, get) in touch with; *få have (, make) contact with.

føljeton *(en -er)* serial (story). **føljetonist** *(en -er)* writer of serials, serialist.

følsom *adj* sensitive.

følsomhed *(en)* sensitivity, sensitiveness.

fønbølge *vb* blow-wave.

Fønikien Phoenicia. **fønikisk** *adj* Phoenician.

Føniks Phoenix.

I. **før** *adj (korpulent)* stout, portly.

II. **før** *adv* before, previously, formerly; *(hellere)* sooner, rather, first; *dagen ~* the day before; *lige ~* just now; *~ i tiden* formerly; *jo ~ jo hellere* the sooner the better; *~ eller senere* sooner or later; *hverken ~ eller siden* at no time before or after.

III. **før** *conj* before; *ikke ~ han kommer* not till *(el.* not until) he comes; *han havde ikke været der længe ~ regnen begyndte* he had not been there long when *(el.* before) the rain began; *næppe ... før* hardly ... when.

IV. **før** *præp* before, previous to; *ikke ~ (ɔ: så sent som, først)* not till, not until *(fx* he did not arrive till 5 o'clock); *(ɔ: tidligst)* not before *(fx* don't come before 5 o'clock, nobody will be at home).

førdatid the pluperfect; *i ~* in the pluperfect.

I. **føre** *(et)* (state of) the roads; *det er dårligt ~* the roads are in a bad state, it is dirty underfoot.

II. **føre** * *(transportere)* carry, take, transport, convey; *(lede, vise vej)* guide, conduct, lead; *(et sted hen, ogs)* take; *(kommandere)* command; *(have en vis retning; være den førende, være forrest)* lead; *(holde i gang)* carry on; *(håndtere (våben))* wield; *(have på lager)* stock *(fx* we don't stock that article); *(anlægge i en vis retning)* carry *(fx* carry a road across the mountains); drive *(fx* drive a railway through the desert); *(bevæge)* pass *(fx* pass one's hand over one's eyes); *(i dans)* take *(fx* take the lady);

~ *bevis for* prove, demonstrate; ~ *bil* drive a car; ~ *bøger* keep books; ~ *hus* keep house; ~ *krig* carry on *(el.* wage) war; ~ *et gudfrygtigt liv* lead a pious life; ~ *et navn* bear a name; ~ *ordet* be spokesman; ~ *regnskab* keep accounts, *(i bridge)* keep the score; ~ *en samtale* carry on a conversation; ~ *sig* carry oneself; ~ *et skib* command *(el.* be in command of) a ship; ~ *usømmelig tale* use indecent language; ~ *talen hen på* turn the conversation to; ~ *vidner* produce *(el.* call) witnesses;

[*m præp & adv:*] ~ **an** lead (the way); ~ *noget bort* carry sth away; *køreturen førte os gennem en skov* our drive took us through a wood; ~ *noget ind i en protokol* enter sth in a record; *stien -r ind i skoven* the path leads *(el.* is continued) into the wood; ~ *noget med sig (fig)* involve sth, result in sth, lead to sth; *han førte os omkring på ejendommen* he took us over the estate; ~ **op** *(i dans)* lead the dance; ~ *sammen* bring together; ~ **til** *(ɔ: resultere i)* lead to, result in; ~ *til bords* take in to dinner; ~ *til et resultat* lead to a result; ~ *til indtægt (, udgift)* place to sby's credit (, debit); ~ *tilbage til (ɔ: spore)* trace back to; ~ *noget ud i livet* realize sth.

førelse *(en) (ledelse)* conduct, management; *(rel)* dispensation.

førend *conj* before; *(se* III. *før).*

førende *adj* leading.

fører *(en -e) (turist-; ogs bog)* guide; *(politisk og* ✗*)* leader; *(af skib)* master; *(af bil, kran)* driver; *(flyv)* pilot.

fører|bevis (driving) licence. **-hus** *(på lastbil)* (driver's) cab. **-løs** *(flyv)* pilotless. **-rum** *(flyv)* (pilot's) cockpit. **-skab** leadership; *tage -et* take the lead. **-sæde** *(i bil)* driver's seat; *(flyv)* pilot's seat.

førfremtid the future perfect.

føring *(en) (i sport etc)* lead.

førkrigs- pre-war.

førlighed *(en)* health, the use of one's limbs; *miste sin ~* become disabled.

førnutid the perfect.

førnævnt: *-e hr. X* the above-mentioned Mr X.

førromantiker *(en -e)* pre-Romanticist.

I. **først** *(ordenstal)* first; *(førstnævnte af to)* (the) former; *fra min -e barndom* from my earliest childhood; *den -e den bedste* the first that comes along; *en af de -e dage* one of the next few days; *i de -e dage af maj* in the early days of May; *noget af det -e han sagde* one of the first things he said; *for det -e* firstly, in the first place; *ikke for det -e* not for some time, not just yet; *med det -e* soon, before long, shortly; *den -e maj* (on) the first of May, May 1st, May 1, 1st May; *-e gang* the first time; *-e hjælp* first-aid; *-e præmie* first prize.

II. **først** *adv* first (*fx* he first asked my name, then he ...); *(i begyndelsen)* at first (*fx* at first it seemed rather easy, but it was not long before I saw I was mistaken); *(ikke før)* not till, not until (*fx* he did not come till 5 o'clock; not until two days after did she see him again), only (*fx* he came only yesterday); *bliver han ~ vred er han ...* once he gets angry he is ...; *~ da (adv)* not till then, only then, *(conj)* only when; *~ for en halv time siden* only half an hour ago; *fra ~ af* at first, from the first, originally; *fra ~ til sidst* from first to last; *gd ~ (: forrest)* lead (the way); *~ i maj* early in May, *(ikke før)* not till May; *han er ~ i tyverne* he is in his early twenties; *~ lige* only just; *når ~ once* (*fx* once he gets angry he is ...); *~ om et halvt år* not for six months; *~ på året* early in the year; *~ på foråret* in early spring.

første|elsker jeune premier. **-fødselsret** (right of) primogeniture; *(bibelsk)* birthright. **-født** first-born. **-grøde** first fruits. **-hold** first team; *(i fodbold, kricket ogs)* first eleven. **-hånds** *adj* first-hand. **-klasses** *adj* first-class. **-lærer** head teacher. **-mand** *(ledende)* (principal) leader; *(hjælper)* right-hand man; *(førstankommen)* first comer. **-minister** prime minister. **-opførelse** first performance, first night. **-plads** leading place, leadership. **-præmie** the first prize. **-rangs** *adj* first-rate, first-class. **-styrmand** first officer. **-udgave** first edition.

førstkommende *adj* next; *~ mandag* on Monday next, this coming Monday.

førstning: *i -en* at first.

førstnævnte the first mentioned; *(af to)* the former.

I. **få** *adj* few; *(især efter in,* only, not, no more than, within) a few (*fx* he had only a few opponents); *ikke (så) ~* not a few, quite a few, quite a number; *~ eller ingen* few if any; *for ~* too few; *have for ~ folk* be short-handed; *kun ~* few, only a few; *meget ~* very few; *nogle ~* a few, some few; *med ~ ord* briefly; *~ penge* little money; *nogle ~ udvalgte* a chosen few; *~ er udvalgte* few are chosen.

II. **få** *(fik, fået) (modtage)* get, receive; have (*fx* you shall have the book tomorrow); *(opnå)* get,

obtain; *(erhverve)* get, acquire; *(tjene)* get; *(en sygdom)* get, contract (*fx* pneumonia); *(infektionssygdom)* catch; *(bringe til verden)* have (*fx* she had a child by him), get, bear; *(om måltid)* have; *(om straffe)* get; *(blive gift med)* marry; *(i forb med perf part: bevirke at)* get, have (*fx* you got him arrested; I had the table mended);

det kan ikke -s længere it is no longer obtainable; *-s hos alle boghandlere* to be had from all booksellers; *du -r blive hjemme* you will have to stay at home; *~ hinanden* be married, marry each other; *vi -r se* we shall see; *~ en lille* have a baby; *~ noget at spise* have something to eat; *~ unger* produce *(el.* bring forth) young; *det -r være som det vil* be that as it may; *[m præp & adv] ~ fat i (el. på)* get hold of; *~ en lektie for* be set a lesson; *~ ham fra det* make him drop it; *talk him out of it; han kan ikke ~ et ord frem* he cannot utter a word; *~ igen* recover, regain, *(småpenge)* receive (in) change; *jeg fik ham med* I made him come, I brought him; *man kan ~ det med ham som man vil* you can have (it) your own way with him; *~ en frakke på* get a coat on; *~ en til at gøre ngt* make sby *(el.* get sby to) do sth; *jeg kunne ikke ~ mig selv til at gøre det* I could not get *(el.* bring) myself to do it; *han har ikke -et ret meget ud af det* he has not got much out of it; *det fik han ikke noget ud af* that did not get him anywhere; *jeg kunne ikke ~ noget ud af ham* I could not get anything out of him; *han kunne ikke ~ den tanke ud af hovedet* he could not get that idea out of his head.

fåmandsvælde oligarchy.

fåmælt *adj* taciturn, of few words. **fåmælthed** *(en)* taciturnity.

får *(et, -)* sheep *(pl -);* *(hun-)* ewe; *en flok ~* a flock of sheep; *familiens sorte ~* the black sheep of the family.

fåre|agtig *adj* sheepish. **-avl** sheep-breeding. **-fold** *(en -e)* sheepfold. **-hoved** *(fjols)* blockhead, ninny. **-hyrde** shepherd. **-klipning** sheep-shearing. **-klæder:** *en ulv i ~* a wolf in sheep's clothing. **-kylling** cricket. **-kød** mutton. **-lår** leg of mutton. **-skindspels** sheepskin coat. **-syge** *(med.)* (the) mumps (*fx* mumps is an unpleasant disease).

fåret *adj* sheepish, sheep-like.

fåtal minority, few. **fåtallig** *adj* few in number. **fåtallighed** *(en)* small number.

G

I. **G, g** *(et -'er)* G, g.
II. **G.** *fk.* f gymnasieklasse.
III. **g.** *fk. f. godt, gram.*

gab *(et -) (mund)* jaws, mouth; *(åbning)* opening, gap; *(især fig.)* jaws (*fx.* the jaws of hell); *(kløft)* chasm; *gå lige i løvens ~* walk into the lion's den; *døren står på vid ~* the door is wide open.

gabardine *(et)* gabardine.

gabe *vb (af søvnighed)* yawn; *(åbne munden)* open one's mouth (wide); *(måbe)* gape; *(være åben)* be wide open, yawn (*fx.* the abyss yawned in front of us), gape. **gaben** *(en)* gaping, yawning, yawn.

gabestok pillory; *sætte i -ken* pillory.

gad *imperf. af gide.*

gade *(en -r)* street; *(kørebane)* roadway; *blind ~* blind alley, cul-de-sac; *gå om i en anden ~ (fig)* change one's tactics; *passér -n!* move on! *på -n* in the street; *sætte på -n* turn into the street; *(om lejer)* turn out, evict; *værelse til -n* front room.

gade|bekendtskab pick-up. **-betjent** policeman *((ved gadekryds etc:)* on point duty, *(patruljerende:)* on the beat). **-dreng** street urchin; *(neds)* gut-

ternsnipe; *(om voksen)* bounder. **-drengestreg** dirty trick. **-dør** front door. **-dørsnøgle** latch key. **-fejer** *(en -e)* street sweeper. **-handler** *(en -e)* hawker. **-kamp** street fight; *-kampe* street fighting. **-kryds** crossroads, (street) intersection. **-kær** village pond. **-lygte** street lamp. **-optøjer** street riots. **-renovation** street cleaning, scavenging. **-sanger** street singer. **-snavs** street dirt, mud. **-spejl** window mirror. **-sprog** vulgar speech. **-sælger** hawker. **-vise** *(en -r)* street ballad. **-værelse** front room.

gaffel *(en, gafler)* fork; *⚓ (til sejl)* gaff, *(åre-)* rowlock; *(telefon-)* cradle, *(til vægtelefon)* receiver hook.

gaffel|bidder *pl* fillets of pickled herring. **-dannet** *adj* forked, bifurcated. **-sejl** gaff sail, trysail. **-truck** fork-lift truck.

gagat *(en)* jet.

gage *(en -r)* salary, pay, stipend.

gage|forhøjelse rise. **-krav** salary claim, wage claim. **-pålæg** rise.

gagere *vb* pay (*fx* well paid, highly paid).

gal *(tosset)* crazy, mad, demented; *(vred)* angry

mad, furious (på: with, over: about); (forkert) wrong;
blive ~ go mad, (vred) fly into a rage, go up in the air;
det -e ved det er the trouble is; få ngt i den -e hals get
sth down the wrong way; ~ hund mad dog; ~ i
hovedet angry, T mad; hvad -t er der i det? where is
the harm? ~ mand lunatic, madman; nu har jeg aldrig
hørt så -t! well, I never (heard the like)! det er ikke så
-t (endda) (it is) not bad; intet er så -t at det ikke er
godt for noget it is an ill wind that blows nobody any
good; om -t skal være if the worst comes to the
worst; som en ~ like mad; -e streger mad pranks;
komme på ~ veje go wrong, (se ogs II. galt).

galant adj courteous, attentive; ~ eventyr amour,
(amorous) affair.

galanteri (en -er) (høflighed etc) courtesy; (kompliment) compliment; (galanterivarer) fancy goods.

galanteri|handel fancy shop. **-varer** fancy goods.

galde (en) bile; (hos dyr & fig) gall; holde -n
flydende keep the sore open, keep up hostile feelings;
udøse sin ~ vent one's spite.

galde|blære gall bladder. **-sten** gallstone. **-syg**
adj bilious.

gale vb crow; (råbe op) call out.

gale|anstalt, -hus madhouse, Bedlam.

galej (en -er) galley. **galejslave** galley slave.

galen (en) crowing.

galfrans (en -er) madcap.

galge (en -r) gallows; (bøjle) (coat) hanger.

galgen|frist short respite. **-fugl** gallows-bird.
-humor grim (el. sardonic) humour.

galhovedet adj choleric, short-tempered.

galhveps gall wasp, gallfly.

Galilæa Galilee. **galilæer** (en -e) Galilean.

galimatias (et) nonsense, gibberish.

galionsfigur figurehead.

galla (en), **galla|dragt** full dress. **-forestilling** gala
performance. **-kårde** dress-sword. **-uniform** full
-dress uniform. **-vogn** state carriage.

galle (en -r) ♧ gall.

galler (en -e) Gaul; den døende ~ the Dying Gaul.

galleri (et -er) gallery; spille for -et play to the g.

gallerkrigen the Gallic War.

gallicisme (en) gallicism.

Gallien Gaul. **gallisk** adj Gallic; (sproget) Gaulish.

gallupundersøgelse ® Gallup poll.

galmands|snak, -tale nonsense. **-værk** act of
madness.

galnebær ♧ deadly nightshade.

galning (en -er) madcap.

galoche (en -r) galosh, golosh, overshoe; galocher
(ogs) rubbers.

galon (en -er) braid, galloon.

galoneret adj braided, gallooned.

galop (en -per) gallop; (dans) galop; i ~ at a gallop.

galopade (en -r) gallopade. **galopbane** racecourse.

galopere vb gallop; -nde svindsot galloping consumption. **galopløb** horse-race.

galskab (en) madness, insanity; (raseri) rage,
frenzy; der er metode i -en there is method in his (, her)
madness.

I. **galt** (en -e) (gildet orne) hog.

II. **galt** adv wrong, wrongly; bære sig ~ ad make
a mistake; det gik ham ~ he came to grief; det gik
~ it went wrong, it failed; det var nær gået ham ~
he had a narrow escape; komme ~ af sted come to grief;
(= få et barn) get into trouble; køre ~ (⊃: køre vild)
take the wrong road, lose one's way; (komme ud for
en ulykke) have an accident; så ~ du vil as much as you
like; (ved vb kan ~ ofte udtrykkes ved mis-, fx regne ~
miscalculate; stave ~ misspell; udtale ~ mispronounce).

galvanisere vb electroplate.

galvanisering (en) electroplating.

galvanisk adj galvanic; ~ element voltaic cell.

galvanometer galvanometer.

galæble gall.

gamache (en -r) gaiter, legging, (kort) spat, (vikler)
puttee. **gamachebenklæder** (til børn) leggings.

game (en) game.

gamling (en -e) old man, old fellow, greybeard.

gammel (ældre, ældst; se ogs disse ord) old; (fra
gamle tider) old, ancient; (ældet) old, aged; (antik)
antique; (som har bestået længe) long-established, of
long standing, old; (forhenværende) old, previous,
former; (modsat frisk) stale; (brugt) second-hand,
cast-off; (om ord el. udtryk: gået af brug) archaic,
obsolete;

blive ~ grow old; i gamle dage in days of old,
in the old days; på sine gamle dage in one's old age;
de gamle the old, old people, (éns forældre, lidt respektløst) the old folk; (oldtidens folk) the Ancients; den
gamle the old man; (éns fader) the old man, the Governor; lade alt blive ved det gamle leave things as they
were; hænge ved det gamle cling to the old order of
things; være ved det gamle be (much) as usual; dobbelt
så ~ som jeg twice my age; du gamle old man; ~ elev
old pupil, old boy (, girl); (amr) alumnus; -t jern
scrap-iron; lige gamle of the same age; -t nummer
(af avis) back number; det gamle Rom ancient Rome;
fra ~ tid from time immemorial; to år ~ two years
old; tyve år ~ giftede han sig at twenty he married.

gammel|agtig elderly, oldish. **-dags** adj old
-fashioned, old-world (fx courtesy); (forældet) obsolete
(fx expression); adv in an old-fashioned manner (el.
style). **-dansk** Old Danish. **-jomfru** old maid.
-kendt familiar. **-klog** precocious. **-mands-** old
man's, senile. **-sproglig** adj: den -e linje the classical
side.

gammen (en) merriment; leve i fryd og ~ live
happily.

gane (en -r) palate, roof of the mouth; den bløde ~
the soft palate; den hårde ~ the hard palate; kunstig ~
artificial palate. **gane|lyd** palatal (sound). **-sejl** soft
palate, velum. **-spalte** cleft palate.

gang (en -e) (det at gå; mods løb etc) walking,
walk; (måde at gå på) gait, step, walk, (m h t farten)
pace; (maskineris etc) running, working, motion;
(forløb) course, progress, march; (om hyppighed, tid)
time, occasion; (portion) portion, helping; (haveetc) walk; path; (underjordisk) gallery; (korridor) passage, corridor; (entré) hall; (mellem stolerækker etc)
gangway, (amr) aisle; (i kirke) aisle:
den ~ then, at that time; den ~ da (at the time) when;
én ~, en eneste ~ once; (se ogs engang); denne ene ~
this once; den ene ~ efter den anden = gang på gang;
på én ~ at the same time, at once, (pludselig) suddenly,
all at once; første ~ the first time; første, anden,
tredje ~ (ved auktion) going, going, gone; lade tingene gå deres ~ let things take their own course;
en halv ~ mere half as much again; have sin ~ i
huset be a regular visitor; retten må have sin ~ justice
must take its course; hurtig ~ quick pace; hver ~
every time, each time; hver ~ jeg ser ham every time
(el. whenever) I see him; al kødets ~ the way of
all flesh; et par -e once or twice; for sidste ~ for the
last time; tiden gik sin ~ time rolled on; to -e twice;
jeg lod mig det ikke sige to -e I didn't need to be told
twice; en eller to -e once or twice; to eller tre -e two
or three times; tre -e three times; tre -e fire er tolv
(3 . 4 = 12) three fours are twelve, three times four
is twelve (3 × 4 = 12); tre -e fire (flademål) three by
four; det er verdens ~ that is the way of the world;
[m præp:] én ad -en one at a time; lidt ad -en a
little at a time; (gradvis) little by little; to og to ad
-en by twos, two at a time; for anden ~ a second time,
for the second time; for en -s skyld for once; i fuld ~
in full swing; gå i ~ med arbejdet set to work; holde
i ~ keep going; komme i ~ get started; sætte i ~ set
going, start; sætte sig i ~ start; være i ~ be going,
be working, be on the go; ~ på ~ time after time,
again and again, time and time again.

gangart (en -er) gait; (især hests) pace.

gangbar adj current; (som kan sælges) marketable,
saleable. **gangbarhed** (en) currency; saleability.

gang|bro footbridge. **-bræt** footbridge, plank.

gange *vb (multiplicere)* multiply *(med:* by).
ganger *(en -e)* steed.
Ganges the Ganges.
gangetegn *(mat.)* multiplication sign.
gang|klæder *pl* wearing-apparel. **-kone** ward orderly. **-kurv** go-cart.
ganglie *(en -r)* ganglion.
gangræn *(en) (med.)* gangrene. **gangrænøs** *adj* gangrenous.
gangster *(en -e)* gangster.
gangsti footpath.
I. **ganske** *adv (i højeste grad, absolut)* absolutely *(fx* a. marvellous, a. impossible), perfectly *(fx* he is p. intolerable); *(helt, i høj grad)* quite *(fx* he is not q. honest; q. a good dinner); *(meget)* very *(fx* very small, a very short time); *(temmelig)* rather, fairly *(fx* f. good); ~ *anderledes* quite different(ly); ~ *anderledes godt* far better; *jeg er ~ enig med ham* I quite agree with him; *det var ~ forfærdeligt* it was (simply) terrible; ~ *som De vil* just as you please; *(se ogs vis, vist).*
II. **ganske** *adj* whole, all, entire; *af ~ hjerte* with all my heart.
garage *(en -r)* garage.
garant *(en -er)* guarantor, security; *være ~ for noget* guarantee sth.
garantere *vb* guarantee, warrant *(for noget* sth); *(bedyre, forsikre)* warrant (fx I'll w. you that it will be done); *(indestå for)* vouch for (fx his honesty).
garanti *(en -er)* guarantee, security.
garanti|fond guarantee fund. **-seddel** luggage ticket; *(amr)* baggage check.
garde *(en -r)* guard; **-n** the Guards; ~ *til hest* Horse Guards. **garder** *(en -e)* guardsman.
gardere *vb* guard, safeguard; *(i skak)* guard; ~ *sig mod noget* guard against sth.
garderkaserne barracks of the Guards.
garderobe *(en -r)* cloakroom, *(på jernbanestation)* left-luggage office, *(amr)* checkroom; *(skuespiller-)* dressing-room; *(klædeskab)* wardrobe; *(klæder)* wardrobe, clothes.
garderobe|dame cloakroom attendant, *(amr)* hat-check girl. **-mærke** cloakroom ticket; *(amr)* check. **-skab** wardrobe.
gardin *(et -er)* curtain; *(rulle-)* blind.
gardin|kappe pelmet. **-præken** curtain lecture. **-snor** curtain string. **-stang** curtain rod, c. rail.
gardist *(en -er)* guardsman.
garn *(et -, om garnsorter -er)* yarn, thread; *(bomulds-)* cotton; *(uld-)* wool; *(fangstnet)* net; *fange i sit ~* net, *(fig ogs)* ensnare; *han er blevet fanget i sit eget ~* he has been caught in his own trap; *have sine ~ ude efter* spread one's net for.
garnere *vb* trim; *(mad)* garnish.
garnering *(en -er)* trimming.
garnison *(en -er)* garrison. **garnisonere** *vb (lægge i garnison)* garrison; *(ligge i g.)* be garrisoned.
garnisonsby garrison town.
garniture *(et -r)* set.
garn|nøgle ball of yarn. **-rulle** reel.
gartner *(en -e)* gardener, *(handels-)* market gardener; *(amr)* truck gardener; *(planteskole-)* nurseryman.
gartneri *(et -er) (havedyrkning)* gardening; *(have, planteskole)* nursery garden, nursery, *(handels- ogs)* market garden; *(amr)* truck garden.
garve *vb (huder)* tan, dress. **garvebark** tan.
garver *(en -e)* tanner, leather dresser.
garveri *(et -er)* tannery; *(garvning)* tanning.
garve|stof tannin. **-syre** tannic acid.
garvning *(en)* tanning.
gas *(en -ser)* gas; *give den ~ (fig)* T step on it, get a move on; *give motoren ~* accelerate, *(mens man holder)* race the engine; *tage ~* gas oneself; *-sen er gået af ham* the spark has gone out of him.
gas|agtig *adj* gaseous. **-angreb** gas attack. **-apparat** gas ring. **-art** (kind of) gas. **-badeovn** geyser. **-beholder** gasometer. **-belysning** gas light(ing). **-blus** gas light, gas jet; *(= -apparat)* gas ring.

gase *(en -r) zo* gander.
gas|flamme gas jet, gas flame. **-forbrug** consumption of gas. **-forgifte** *vb* gas. **-forgiftning** gas poisoning. **-hane** gas tap. **-kammer** gas chamber. **-komfur** gas cooker. **-krig** gas warfare. **-ledning** gas pipe; *(hovedledning)* gas main. **-lugt** smell of gas. **-lygte** gas lamp. **-lys** gas light. **-maske** gas mask. **-mester** gas fitter. **-måler** gas meter.
gas- og vandmester (gas fitter and) plumber.
gasovn *(stege-)* gas oven.
I. **gasse** *vb (give giftgas)* gas.
II. **gasse:** ~ *sig* make oneself cosy.
gas|sikker gas-proof. **-slange** gas tube.
gast *(en -er)* ⚓ man, hand.
gastrisk *adj* gastric.
gastro|nom *(en -er)* gastronomer. **-nomi** *(en)* gastronomy. **gastronomisk** *adj* gastronomic(al).
gas|ur gas meter. **-værk** gasworks (NB a gasworks).
gasværksarbejder gas worker.
gat|finne anal fin. **-åbning** anus.
gav *imperf af give.*
gave *(en -r)* present, *(ofte større)* gift; *(til institution)* donation, endowment; *(evne)* gift, endowment, talent.
gave|brev deed of gift. **-kort** gift token, gift voucher; *(til bøger)* book token. **-pakke** gift parcel *(el.* packet); *(amr)* gift package.
gavflab *(en -e)* unlicked cub, puppy.
gavl *(en -e) (endemur)* house end, *(øverste trekantede felt)* gable.
gavmild *adj* liberal, generous, bountiful, open-handed. **gavmildhed** liberality, generosity.
gavn *(et el. en) (fordel)* benefit, good, advantage, profit; *(nytte)* use; *gøre ~* be *(el.* make oneself) useful; *gøre ~ for føden* be worth one's salt; *gøre ~ for* to do the work of two; *have ~ af* benefit by, derive profit from; *af navn og af ~* in name and in fact; *være til ~ for* be of benefit to, be of use to; *til -s* thoroughly, with a vengeance.
gavne *vb* benefit, be good for; *(være nyttig for)* be of use to.
gavnlig *adj* beneficial, advantageous; *(nyttig)* useful, serviceable. **gavnlighed** *(en)* usefulness.
gavn|træ, -tømmer timber.
gavotte *(en -r)* gavotte.
gav|strik *(en -ker),* **-tyv** rogue.
gavtyve|agtig *adj* roguish. **-streg** prank, trick.
gaze *(en -r)* gauze. **gazebind** gauze bandage.
gazelle *(en -r)* gazelle.
gear *(et -)* gear; *højt (, lavt)* ~ high (, low) gear; *skifte ~* change gear. **geare** *vb* gear; ~ *ned* change down; ~ *op* change up.
gear|kasse gear box. **-stang** gear lever.
gebet *(et -er)* territory; *(fig)* domain.
gebis *(et -ser)* denture; (set of) artificial teeth.
gebommerlig *adj* tremendous.
gebrokken *adj: på -t dansk* in broken Danish.
gebrækkelig *adj* infirm; *(om ting)* rickety.
gebrækkelighed *(en -er)* infirmity, rickety state.
gebyr *(et -er)* fee.
I. **gebærde** *(en -r)* gesture.
II. **gebærde** *vb:* ~ *sig* behave; T carry on.
ged *(en -er) zo* (she-)goat, nanny-goat.
gedde *(en -r) zo* pike.
gede|blad ⚓ honeysuckle. **-buk** *(en -ke) zo* he-goat, billy-goat. **-hams** *(en -e) zo* hornet. **-kid** kid. **-mælk** goat's milk. **-rams** *(en -)* ⚓ willow herb.
gedigen *(ægte, lødig)* sterling, genuine; *(om metal)* pure *(fx* pure gold).
gedulgt *adv* secretly.
gehalt *(en)* substance, worth.
gehæng *(et)* sword-belt.
gehør *(et)* ear; *spille efter ~* play by ear; *finde ~* gain a hearing, *(om orslag etc)* meet with sympathy; *have ~* have an ear for music, have a good ear.
geigertæller *(en -e)* Geiger counter.
gejl *adj (om plante)* rank; *(om handyr)* rutting;

(om hundyr) in heat; *(om menneske)* lustful, lecherous.
gejle: ~ *op* excite (sexually). **gejlhed** *(en) (plantes)* rankness; *(handyrs)* rut; *(hundyrs)* heat; *(menneskers)* lust, salacity.
gejser *(en -e)* geyser.
gejstlig *adj* clerical, ecclesiastical; *den -e stand* the clergy; *en* ~ a clergyman. **gejstlighed** *(en)* clergy.
gekko *(en -er)* zo gecko.
gelassen *adj* eager, officious.
gelatine *(en)* gelatine
gelé *(en -er)* jelly; *i* ~ jellied *(fx* j. eels).
geléagtig *adj* jelly-like.
geled *(et -der)* rank; *i række og* ~ **in** serried ranks.
gelinde *adv* gently.
gelænder *(et -e)* railing; *(trappe-)* banister(s).
gemak *(et -ker)* apartment.
gemal *(en -er)*, **gemalinde** *(en -r)* consort.
gemen *adj* low, mean, vile; *det -e bedste* the public good; ~ *streg* dirty **trick. gemenhed** *(en)* meanness, baseness; *(handling)* dirty trick.
I. **gemme** *(en -r)* gem; *ophøjet* ~ cameo.
II. **gemme** *(et -r)* hiding-place; *i hendes -r* among her things.
III. **gemme** ★ *(opbevare)* keep, preserve; *(spare op)* save, put by; *(skjule)* hide, conceal *(ngt for en:* sth from sby); ~ *på* keep; *(fig)* treasure *(fx* a memory), nurse *(fx* a grievance); ~ *sig* hide *(for* from), conceal oneself; *gemt er ikke glemt* I won't forget this!
gemmested hiding-place.
gemse *(en -r)* zo chamois; *den pyrenæiske* ~ izard.
gemyse *(en -r)* vegetables.
gemyt *(et -ter)* temper, disposition, nature, character; *berolige -terne* pour oil on the troubled waters.
gemytlig *adj* jolly, jovial. **gemytlighed** *(en)* joviality; *i al* ~ in all friendliness.
gen *(et -er)* (biol) gene.
gen|ansætte *vb* reappoint. **-besøg** return visit. **-bo** *(en -er)* opposite neighbour.
gendarm *(en -er)* gendarme.
gendarmeri *(et -er)* gendarmerie.
gen|digte *vb* re-create, reproduce. **-drive** *vb* refute, confute. **-drivelse** *(en)* refutation, confutation. **gen|døbe** ★ rebaptize. **-døber** anabaptist.
gene *(en -r)* inconvenience, nuisance; *være til* ~ *for* be inconvenient for, impede.
genealog *(en -er)* genealogist. **genealogi** *(en)* genealogy. **genealogisk** *adj* genealogical.
genegen *adj* inclined *(til:* to).
genelske *vb:* ~ *en* reciprocate sby's love.
general *(en -er)* general; *kommanderende* ~ Commander-in-Chief.
general|agent general agent. **-agentur** general agency. **-auditør** judge advocate general. **-debat** general debate. **-direktorat** executive; *-et for statsbanerne (svarer til)* the Railways Board. **-direktør** managing director; *(amr)* President; ~ *for statsbanerne* [director general of the Railways]. **-forsamling** general meeting; *(F.N.'s)* general assembly. **-fuldmagt** general power of attorny. **-guvernør** governor-general.
generalieblad dossier, crime sheet.
generalinde *(en -r)* general's wife; ~ N Mrs N.
generalisere *vb* generalize.
generalisering *(en -er)* generalization.
generalissimus *(en)* generalissimo.
general|kommando chief command; *(staben, stedet)* General Headquarters. **-konsul** consul-general. **-korrespondance** press syndicate. **-kvittering** receipt in full. **-læge** surgeon-general. **-løjtnant** lieutenant-general. **-major** major-general. **-nævner** least common denominator, L.C.D. **-prøve** *(på teaterstykke)* dress rehearsal; *(fig: på ceremoni etc)* rehearsal; *holde* ~ *på (teaterstykke)* dress-rehearse; *(ceremoni etc)* rehearse. **-sekretær** secretary-general. **-stab** General Staff. **-stabskort** topographical map on the scale of 1:100,000. **-strejke** *(en -r)* general strike.

generation *(en -er)* generation.
generationskløft generation gap.
generator *(en -er)* generator, *(gas-)* producer.
genere *(hæmme)* hamper, inconvenience, incommode; *(irritere)* annoy; ~ *sig* feel embarrassed, be self -conscious, be shy; *-r det Dem at jeg ryger?* do you mind if I smoke? do you mind my smoking? *gener Dem ikke!* don't mind me! *jeg -r mig for at sige det* I am ashamed to say it.
generel *adj* general *(fx* a g. survey of the problem). overall *(fx* an o. wage increase).
generende *adj* hampering, inconvenient; annoying
generhverve *vb* regain, recover.
generhvervelse *(en)* recovery.
generisk *adj* generic; *adv* generically.
generobre *vb*, **generobring** *(en -er)* recapture.
generositet *(en)* generosity, liberality.
genert *adj* shy, self-conscious, bashful.
generthed *(en)* self-consciousness, bashfulness.
generøs *adj* generous, liberal.
generøsitet *(en)* generosity, liberality.
gene|tik *(en)* genetics. **-tiker** *(en -e)* geneticist, **-tisk** *adj* genetic.
Geneve Geneva. **genever** *(en)* Hollands (gin).
Genf Geneva. **Genfersøen** the Lake of Geneva.
genforene *vb* reunite, reunify.
genforening reunion, reunification.
genforsikre *vb* reinsure.
genforsikring reinsurance.
genfortælle *vb* retell, reproduce.
genfortælling *(en)* (story for) reproduction.
genfærd *(et -)* ghost, apparition, spectre.
genfødelse *(en)* rebirth. **genfødt** reborn.
genganger *(en -e)* ghost, apparition, spectre; *(noget som dukker op igen)* repetition; *(spøgefuldt)* old friend *(fx* this bill is an old friend).
gengas producer gas; *(trægas)* wood gas.
gengive *vb (fremstille)* render, reproduce, represent; *(udtrykke)* express; *(oversætte)* render, translate; *(give tilbage)* give back, restore.
gengivelse *(en -r)* rendering, reproduction, representation; expression; translation, version.
gengæld *(en)* return; *(for noget ondt)* retribution; *gøre* ~ reciprocate; *(for noget ondt)* pay back, retaliate; *til* ~ in return; in retaliation; *(derimod)* on the other hand, then.
gengælde ★ *(gøre gengæld for, belønne)* repay; *(hævne sig på)* pay back, get even with; *(om følelse: besvare)* return, reciprocate; ~ *ondt med godt* return good for evil. **gengældelse** *(en)* retaliation, retribution; reciprocation.
geni *(et -er)* genius *(pl* geniuses).
genial *adj* of genius *(fx* a man of genius; brilliant *(fx* invention, solution); *en* ~ *idé* a stroke of genius; T a brainwave; *en* ~ *plan* a scheme that bears the hallmark of genius.
genialitet *(en)* genius.
genindføre ★ reintroduce, restore, revive.
genindførelse *(en -r)* reintroduction, restoration.
genindkalde ✕ recall, call up again.
genindsætte *vb* restore *(fx* an employee to his old post; a king); reinstate *(fx* an official).
genindsættelse *(en)* restoration, reinstatement.
genistreg *(ironisk)* blunder.
genitiv *(en -er)* the genitive (case).
genius *(en, genier)* genius *(pl.* genii).
genkalde ★: ~ *(sig) (i erindringen)* recall.
genkende ★ recognize. **genkendelig** *adj* recognizable. **genkendelse** *(en)* recognition.
genklang echo, resonance; *(fig)* response, sympathy; *vinde* ~ meet with sympathy.
genkomst *(en)* return, reappearance; *Kristi* ~ the Second Coming.
genlyd *(en)* echo, resonance. **genlyde** *vb* echo, resound, ring, reverberate *(af:* with).
genmæle *(et): tage til* ~ reply, *(skarpt)* retort.

genne *vb* chase, shoo (*fx* shoo away the chickens); (*om kvæg især*) drift.

gennem *præp* through; (*se ogs igennem*).

gennemarbejde *vb* work out, go carefully into, prepare thoroughly, go over again and again.

gennem|bage * *vb* bake through, bake thoroughly. **-banke** thrash soundly, T beat up. **-blade** *vb* turn the leaves of, leaf through (*fx* a book). **-bløde** * *vb* drench, soak. **-blødt** *adj* wet through, soaked (*fx* s. with sweat); drenched (*fx* d. with rain); ~ *til skindet* soaked (*el.* drenched) to the skin.

gennembore *vb* pierce, perforate; (*dolke*) stab; *-nde blik* piercing glance; *jeg -de ham med mit sværd* I ran my sword through him.

gennemboring perforation, piercing.

gennem|brud (*et -*) breaking through; ✕ breakthrough; *få sit ~ som digter* make a name for oneself (*el.* obtain recognition) as a poet; *med denne rolle fik han sit ~* this part marked the turning-point of his career. **-brudt** *adj* open-work (*fx* stockings).

gennembryde *vb* break through, penetrate; ~ *diget* (*om havet*) burst the dike.

gennemdrøfte *vb* discuss thoroughly, thrash out.

gennemflyve *vb* fly through, traverse.

gennem|føre * carry through; (*fig ogs*) carry out, accomplish, go through with, effect. **-førelse** (*en*) carrying out, accomplishment. **-før** *adj* practicable, feasible. **-ført** *adj* (= *i alle enkeltheder*) consistent, thorough; ~ *flid* sustained diligence; ~ *høflighed* unfailing courtesy.

gennemgang (*en -e*) (*det at gennemgå, fx i skole*) reading; going through, (*passage*) passage, (*vej etc ogs*) thoroughfare; ~ *forbudt* no thoroughfare; *ved ~ af vore bøger finder vi* (*mærk*) on going through our ledgers we find.

gennemgangsvogn corridor coach.

gennemgløde *vb* make red-hot, make incandescent; (*fig*) inflame.

gennemgribende *adj* thorough (*fx* change, repairs); radical, sweeping (*fx* reform); *af ~ betydning* of fundamental importance; ~ *udrensning* drastic purge.

gennemgå (*lide, gennemleve*) go through, suffer, pass through (*fx* a crisis, a serious illness); (*ogs: være udsat for*) undergo (*fx* much suffering, a transformation, an operation); experience (*fx* hardships); (*gennemse*) examine, go over, look over, go through; (*om lærer: orklare*) go through; expound; (*et kursus*) go through, take; ~ *en lektie med en* go over a lesson with sby.

gennemgående *adj* through (*fx* a t. train); (*almindelig*) common (*fx* mistake); *adv* (*i almindelighed*) generally, usually; (*gennemsnitligt*) on an average; ~ *billet* a through ticket; *kan jeg få ~ billet til London?* can I book through to London? ~ *vogn* through coach.

gennem|hegle *vb* (*udskælde*) give a good rating; (*kritisere*) tear to pieces. **-hullet** *adj* perforated, punched, (*på flere steder*) riddled. **-isne** *vb* chill (to the bone). **-kogt** *adj* (*well-*)done, boiled through. **-krydse** *vb* travel the length and breadth of.

gennem|kørsel driving through; (*vej etc*) passage, thoroughfare; ~ *forbudt* no through traffic, no thoroughfare. **-leve** *vb* live through, experience. **-lyse** * (*med røntgen*) X-ray, screen. **-læse** * read (through), peruse. **-læsning** reading, perusal. **-løbe** run through, traverse; (*fig*) glance (*el.* look) over. **-march** march (through). **-pløje** (*læse grundigt*) work one's way through. **-prygle** *se -banke*.

I. **gennemrejse** (*en*) journey through, passage; *han var her på ~* he was passing through here.

II. **gennemrejse** * pass through, traverse; ~ *på kryds og tværs* travel the length and breadth of.

gennemrejsevisum transit visa.

gennem|se *vb* look over, inspect, revise; *-set udgave* revised edition. **-sigtig** *adj* transparent. **-sigtighed** (*en*) transparency. **-skinnelig** *adj* translucent. **-skudt**: ~ *med hvide blade* (*om en bog*) interleaved. **-skue** *vb* see through. **-skuelig**: *let ~* easily seen through; transparent (*fx* excuse), palpable (*fx* lie). **-skære** *vb* cut (through), (*om floder*) traverse. **-skæring** (*en -er*) cutting. **-slag** (*et -*) (*kopi*) (carbon) copy; *med 3 ~* in 4 copies.

gennem|snit (*et -*) (*i tegning*) profile, section; (*middeltal*) average; *i ~ on an* (*el.* the) average. **-snitlig** *adj* average; (*almindelig*) ordinary; *adv on an* (*el.* the) average. **-snitsmenneske** ordinary person.

gennem|stegt *adj* (well-)done. **-strejfe** roam (through). **-strømme** flow through, run through; (*om følelse*) thrill, pervade. **-støve** ransack, rummage (*fx* a house).

gennemsyn (*et -*) inspection, examination; *sende bøger til ~* send books on approval; *ved ~ af bøgerne* on going over the books.

gennemsyre *vb* leaven; (*fig*) saturate, imbue.

gennem|søge * search. **-søgning** (*en -er*) search. **gennem|trawle** *vb* search, scour. **-trumfe** *vb* force (through). **-træk** (*en*) draught. **-trække** *vb* (*med hvide blade*) interleave; (*med væde*) soak, saturate.

gennemtrænge * pierce, penetrate; (*om væske*) permeate, saturate; (*om lugt*) pervade, penetrate; (*fig*) saturate, imbue.

gennemtrængende *adj* piercing (*fx* cry), penetrating (*fx* smell).

gennem|tvinge *vb* force (through). **-tænke** * think out, consider thoroughly; (*vel*) *gennemtænkt* carefully prepared (*fx* plan). **-væde** *vb* drench, soak. **-vævet** *adj* reversible.

genopblussen (*en*) fresh outbreak, recrudescence.

genop|bygge *vb* rebuild; reconstruct; (*biol*) regenerate. **-bygning** (*en*) reconstruction, rebuilding; (*biol*) regeneration. **-friske** *vb* revive. **-føre** * rebuild, reconstruct; (*på teater*) revive, perform again. **-førelse** rebuilding, reconstruction; revival. **-leve** *vb* relive, live over again. **-live** *vb* revive, resuscitate, restore to life; (*fig*) revive (*fx* an old custom). **-livelse, -livning** (*en*) revival, resuscitation. **-livningsforsøg** (*med druknede*) attempt at resuscitation.

genoprette re-establish (*fx* a State); restore (*fx* order, peace); (*tab etc*) repair; ~ *magtbalancen* redress the balance of power.

genoprettelse (*en*) re-establishment, restoration.

genoprustning rearmament.

genopstå *vb* rise again; (*fig*) emerge again, be revived; ~ *fra de døde* rise from the dead.

genoptage *vb* resume, take up again; (*et teaterstykke*) revive; (*som medlem i forening*) readmit.

genoptagelse (*en*) resumption; (*af teaterstykke*) revival; (*i forening*) readmittance.

genoptrykke reprint.

genoptræden (*en*) reappearance, come-back.

genpart (*en -er*) copy, transcript, duplicate; *tage en ~ af* copy, take a copy of.

genre (*en -r*) kind, genre. **genrebillede** genre picture.

genrejsning (*en -er*) reconstruction, recovery.

gense *vb* see again, meet again; *-s* meet again.

gensidig *adj* mutual, reciprocal; *adv -ly*; ~ *afhængighed* interdependence; *-e beskyldninger* recriminations. **gensidighed** (*en*) reciprocity.

gen|skabe * re-create. **-skabelse** (*en*) re-creation. **gen|skin** (*et*) reflection. **-skær** (*et*) (faint) reflection. **gen|spejle** *vb* reflect, mirror. **-spejling** (*en -er*) reflection.

genstand (*en -e*) (*ting*) object, article, thing; (*emne, anledning*) subject (*fx* of conversation, of meditation); (*mål for følelse etc*) object (*fx* of hatred, of love, of pity, of studies); (*gram = objekt*) (direct) object; (*som drikkes*) drink; *den elskede ~* his (, her) beloved; the object of his (, her) affections; ~ *for latter* laughing-stock; *gøre til* (, *være*) ~ *for* make (, be) the object (, subject) of; *han var ikke ~ for megen opmærksomhed* he did not receive much attention.

genstands|fald the accusative. **-led'** *et -*)(direct) object. **-sætning** object clause.

genstridig *adj (stædig)* refractory, obstinate; *(opsætsig)* recalcitrant *(fx* temperament). **genstridighed** *(en)* refractoriness, obstinacy, recalcitrance.

gensvar *(et -) (rapt)* repartee; *(i polemik)* rejoinder.

gensyn *(et -)* meeting (again); reunion; *på ~!* see you later! I'll be seeing you! *(amr ogs)* so long!

gentage *vb* repeat, *(flere gange)* reiterate; *~ sig* repeat itself, recur; *~ sig selv* repeat oneself; *gentagne gange* repeatedly, over and over again.

gentagelse *(en -r)* repetition, reiteration; *~ af en radioudsendelse* repeat broadcast, T repeat *(fx* there will be a repeat of the programme on Thursday).

gentagelses|tegn *(i musik)* repeat. **-tilfælde:** *i ~* if it should occur again; *(jur)* in case of a subsequent offence.

gentjeneste return service; *yde ~* return a service.

gentleman *(en)* gentleman.

Genua Genoa.

genudsendelse *(i radio) se gentagelse.*

genvalg re-election; *søge ~* stand again; *(amr)* run again.

genvej short cut; *skyde ~* take a short cut.

genvinde *vb* regain, recover, retrieve; *(land til dyrkning)* reclaim; *~ sit helbred* be restored to health.

genvisit return visit; *gøre ~* return a visit.

genvordigheder *pl* troubles, tribulations; *(lidelser)* hardships.

genvælge *vb* re-elect. **genåbne** *vb* reopen.

geodæsi *(en)* geodesy. **geodæt** *(en -er)* geodesist. **geodætisk** *adj* geodetic, geodesic.

geofysik *(en)* geophysics. **geofysiker** *(en -e)* geophysicist. **geofysisk** *adj* geophysical.

geograf *(en -er)* geographer. **geografi** *(en)* geography. **geografisk** *adj* geographic(al).

geolog *(en -er)* geologist. **geologi** *(en)* geology. **geologisk** *adj* geologic(al).

geometri *(en)* geometry. **geometrisk** *adj* geometric(al).

geopolitik geopolitics. **geopolitisk** *adj* geopolitical.

georgine *(en -r)* dahlia.

georgisme *(en)* Georgism, the Single Tax Movement.

geranium *(en -er)* geranium.

gerere *vb: ~ sig (opføre sig)* behave; *(klare sig)* manage.

germaner *(en -e)* Teuton. **germanisere** *vb* Germanize. **germanisme** *(en)* Germanism. **germanist** *(en -er)* Germanic philologist, Germanist. **germansk** *(adj, subst)* Germanic, Teutonic.

gerne *adv (m glæde)* willingly, readily; *(som oftest)* generally, usually, as a rule; *for mig ~* I've no objection, *(jeg er ligeglad)* I don't care (el. mind); *jeg vil hellere end ~ gøre det* I shall be delighted to do it; *hvor ~ jeg end ville* however much I should like to; *det kan ~ være* that may be so; it is quite possible; *du kunne ~ have sagt* you might at least have said; *han kom ~, han plejede ~ at komme* he would come; *du må ~ gå* you may go; *han rider (meget) ~* he is (very) fond of riding; *man ser ~ (o: helst) at* it would be appreciated if; *så ~!* certainly! with pleasure! *jeg vil så ~ hjælpe* I do want to help; *lige så ~ nu* just as well now; *jeg tror ~ at* I am fully prepared to believe that; *jeg vil(le) ~* I should like to, I want to; *jeg vil ~ have en blyant* a pencil please; may I please have a pencil? *jeg vil ~ komme* I shall be glad to come; *jeg ville ~ vide* I should like to know; *det ville jeg forfærdelig ~* I'd love to.

gerning *(en -er)* deed, act, action, doing, work; *(kald)* business, calling; *apostlenes -er* the Acts (of the Apostles); *grebet på fersk ~* caught in the act, caught red-handed; *en god ~* a good turn (el. deed); *gode -er* good works; *gjort ~ står ikke til at ændre* what is done cannot be undone; *mørkets -er* deeds of

darkness; *han ligger på sine -er* he has got his deserts; *tegn og underlige -er* signs and wonders.

gernings|mand perpetrator, culprit. **-sted** scene of the crime.

gerrig *adj (havesyg)* avaricious, *(påholdende)* miserly; stingy *(med:* with); *~ person* miser. **gerrighed** *(en)* avarice, stinginess.

geråde *vb: ~ i håndgemæng* begin to fight, come to blows; *~ i raseri* fly into a rage.

gesandt *(en -er)* minister, envoy. **gesandtskab** *(et -er)* legation.

geschæft *(en -er) (profession)* trade; *(mindre fin forretning)* shady transaction, racket.

gesims *(en -er)* cornice.

geskæftig *adj* officious; *en ~ person* a busybody. **geskæftighed** *(en)* officiousness.

gespenst *(et -er)* ghost.

gestikulation *(en -er)* gesticulation.

gestikulere *vb* gesticulate. **gestus** *(en -)* gesture. **gesvindt** *se hurtig.*

gevaldig *adj* tremendous, enormous.

gevalt: *råbe ~* cry out for help.

gevandt *(et -er)* robe *(fx* flowing robes), drapery.

gevind *(et -)* thread; *skruen er gået over ~* the thread is broken; *gå over ~ (fig)* go off the rails.

gevinst *(en -er)* profit, gain(s); *(i lotteri)* prize; *(i spil)* winnings; *~ og tab* profit and loss; *han er en ~ for firmaet* he is a valuable acquisition to the firm.

gevir *(et -er)* antlers *(pl).*

gevækst *(en -er)* excrescence.

gevær *(et -er)* gun, ✗ rifle; *råbe vagt i ~ (fig)* give the alarm; *til ~!* in arms! *strække ~* lay down one's arms; *~ i hvil!* slope arms! *~ på skulder!* shoulder arms! *~ ved fod!* order arms!

gevær|ammunition rifle ammunition. **-fabrik** small-arms factory. **-granat** rifle grenade. **-ild** rifle fire. **-kolbe** rifle butt. **-kugle** bullet. **-løb** barrel (of a rifle). **-rem** rifle sling.

ghetto *(en -er)* ghetto (*pl.* -es).

gib *(et -): det gav et ~ i ham* he jumped, he started. **gibbe:** *det -de i ham* he jumped, he started.

gibbon *(en -er)* zo gibbon.

gid *adv* I wish *(fx* I wish I could see him now); if only *(fx* if only he would come); *~ de aldrig må mødes* may they never meet; *~ det var så vel!* no such luck!

gide *(gad, gidet)* induce oneself to, take the trouble (to), choose (to); *(have lyst til)* like to, care to, feel like, feel inclined to; *han gad ikke* he couldn't be bothered (to do it); *han -r ingenting* he is as lazy as the devil; *jeg gad vide* I wonder, I should like to know.

gids|el *(et -ler)* hostage; *tage en som ~* take sby hostage; *holde dem som gidsler* hold them hostage.

I. gift *(en -er)* poison, *(dyrs ogs)* venom; *spy ~ og galde* vent one's venom; *det kan du tage ~ på* you bet your life.

II. gift *adj* married *(med:* to).

gift|blander(ske) *(en)* poisoner. **-bog** *(på apotek)* poison register *(el.* book). **-bæger** poisoned cup.

gifte: *~ bort* marry (off), give in marriage; *~ sig (med)* marry; *~ sig penge til* marry a fortune, marry money; *de skal -s* they are to be married; *hun skal -s med X* she is going to marry X.

gifte|foged *(en)* registrar, **-færdig** *adj* marriageable; *hun er ~ (ogs)* she is old enough to marry.

Giftekniv: *en Kirsten ~* a match-maker.

giftermål *(et -)* marriage, match.

giftesyg *adj* man-hunting.

giftetanker: *gå i ~* be day-dreaming.

giftgas poison gas.

giftig *adj* poisonous *(fx* snake, gases); *(fig: ondskabsfuld)* venomous *(fx* criticism, tongue). *(skadelig)* poisonous *(fx* propaganda).

giftighed *(en -er)* poisonousness, venomousness; *-er* nasty cracks.

gift|kirtel poison gland. **-mord** poisoning case

-slange poisonous snake. **-stof** poisonous substance.
-tand (poison) fang.
gig (*en -ger*) (*køretøj, båd*) gig.
gigant (*en -er*) giant.
gigantisk *adj* gigantic, giant (*fx* giant strength).
gigolo (*en -er*) gigolo.
gigt (*en*) rheumatism; *(lede-)* articular rheumatism; (*lænde-*) lumbago; (*ægte ~*) (*arthritis urica*) gout.
gigt|feber acute articular rheumatism, rheumatic fever. **-knude** arthritic swelling. **-svag** *adj* rheumatic.
gik *imperf af* gå.
I. **gilde** (*et -r*) (*selskab*) party, T do; (*sold*) binge; (*festmåltid*) banquet, feast; (*lav*) guild; *betale -t* foot the bill, pay the piper; *holde ~* have (, T: throw) a party; *skal der være ~ så lad der være ~!* in for a penny, in for a pound; *være til ~* be at a party.
II. **gilde** *vb* castrate, emasculate.
gilding (*en -er*) eunuch.
gimmerlam (*et -*) ewe-lamb.
gips (*en*) (*brændt*) plaster of Paris; (*ubrændt*) gypsum. **gips|afstøbning** plaster cast. **-bandage** plaster-of-Paris bandage. **-brud** (*et -*) gypsum quarry.
gipse *vb* plaster. **gipser** (*en -e*) plasterer.
gipsfigur plaster figure.
giraf (*en -fer*) giraffe.
girant (*en -er*) endorser.
girere *vb* transfer (by endorsement), endorse.
giro (*en*) (National) Giro. **giro|blanket** = *-kort.* **-konto** Giro account. **-kort** (*indbetalingskort*) inpayment form; (*udbetalingskort*) payment order; (*gireringskort*) transfer form. **-nummer** Giro number.
gisne *vb* guess, conjecture, surmise.
gisning (*en -er*) guess, conjecture, surmise.
gisp (*et -*) gasp. **gispe** *vb* gasp.
gispen (*en*) gasping.
gisse *vb* ⚓ estimate; *-t bredde* latitude by dead reckoning.
gitter (*et, gitre*) (*tremmer*) grating, grate, grill; (*ornamentalt*) lattice(-work); (*i fængsel*) bars, grating; (*i radio*) grid.
gitter|dør grated door. **-låge** lattice gate. **-port** wrought-iron gate. **-vindue** lattice (window); (*i fængsel*) barred window. **-værk** lattice-work, grating; (*tremmeværk*) trellis(-work).
give (*gav, givet*) give; (*optræde som*) play, act; (*indbringe, frembringe*) yield, produce; (*~ kort*) deal; *~ afgrøde* yield a crop; *gi' den med rose i knaphullet* sport a rose in one's buttonhole; *han gi'r den som rigmand* he acts (the part of) the rich man; *der -s børn som* there are children who; *jeg skal gi' dig!* you will catch it (from me)! *Gud ~* I wish to God; *~ en hånden* shake hands with sby; *~ kort* deal (the cards); *hvem skal ~?* (*i kortspil*) whose deal is it? *~ én lov til at* permit sby to, allow sby to; *~ love* make laws, legislate; *~ løn* pay wages; *det -r mening* it makes sense; *~ ham en god middag* treat him to (el. stand him) a good dinner; *~ et middagsselskab* give a dinner-party; *hvad -r du mig!* can you beat it! *~ en ordet* call upon sby to speak; *~ en sit ord* give sby one's word; *~ rente* return (el. yield) interest; *~ blomsterne vand* water the flowers;
[*m præp & adv:*] *~ tonen an* (*fig*) set the tone, lead, (*i mode*) set the fashion; *~ efter* yield, give way (*for:* to); *~ ham en lektie for* set him a lesson; *~ fra sig* surrender, give up; *~ en lyd fra sig* utter a sound; *~ et skrig fra sig* give a cry; *~ igen* give back, return, (*byttepenge*) give change; (*gengælde fornærmelse etc*) retaliate, pay him (, her *etc*) back in the same coin; *kan De ~ igen på en pundseddel?* have you got change for a pound note? *~ 'om* (*i kortspil*) have a new deal; *~ op* give (it) up, throw up the game; *~ bolden op* serve, (*i fodbold*) kick off; *~ en hest seletøj på* harness a horse; *~ tilbage, se ~ igen;* *~ ud* spend; *de penge var godt -t ud* it was worth the money; that was money well spent; *~ noget ud for noget andet* pass sth off as (el. for) sth else (*fx* pass the copy off as the original);

~ sig give way, give in, surrender, (*jamre sig*) groan, (*strække sig, bøje sig*) give, (*om tøj*) stretch, (*fortage sig*) wear off, pass away; *~ sig af med* occupy oneself with, have to do with; *det -r sig af sig selv* it is self-evident; *~ sig mine af at være* pretend to be; *~ sig i snak med* enter into conversation with; *~ sig Gud i vold* commend oneself to God; *~ sig ind under* submit to; *det -r sig nok* it will be all right; *~ sig tid, se tid; ~ sig til at* begin (*jeg* begin to work), start *-ing* (*fx* start working); *~ sig ud for* pass oneself off as, pretend to be.
given, givet *adj: et givet antal* a given number; *det givne* the facts (of the case); *det er givet* it is certain; *det er givet at han kommer* he is certain to come; *det er ikke enhver givet* it is not given to everybody; *antage for givet* take for granted; *ved given lejlighed* if and when an opportunity offers; *under de givne omstændigheder* under (el. in) the circumstances; *en given sag* a matter of course, a foregone conclusion; *i givet tilfælde* if occasion should arise.
giver (*en -e*) giver, donor; (*kort-*) dealer; *Gud elsker en glad ~* God loves a cheerful giver.
givetvis *adv* certainly, as a matter of course.
givtig *adj* fertile.
gjalde *vb* ring, resound, echo.
gjaldt *imperf af* gælde.
gjord (*en -e*) (*på hest*) girth; (*amr*) cinch; (*i møbler*) webbing.
I. **gjorde** *vb* (*lægge gjord om*) girth (up), (*amr*) cinch (up).
II. **gjorde** *imperf af* gøre. **gjort** *perf part af* gøre.
glacéhandske kid glove.
glacis (*et -er*) glacis.
glad *adj* happy, pleased, glad, (N.B. glad *bruges på engelsk næsten kun prædikativt, fx* I am glad); (*munter*) cheerful, joyous; *det -e vanvid* sheer madness; *du kan sagtens være ~* lucky fellow! *~ for* (*el. ved*) glad of, pleased with (el. by); *~ for børn* fond of children; *~ for* (*el. over, ved*) *at have* glad to have; *jeg er ~ for at du kom* I am glad (that) you came; *æd, drik og vær ~* eat, drink and be merry.
gladelig *adv* gladly, willingly, cheerfully.
gladiator (*en -er*) gladiator.
glam (*et*) baying. **glamme** *vb* bay.
glane *vb* stare, gape (*efter, på:* at).
glans (*en*) (*blankhed*) lustre, gloss; (*stråleglans*) brilliance, radiance; (*pragt*) splendour, glory; *-en er gået af* St. Gertrud the gilt is off the gingerbread; *vise sig i al sin ~* appear in all one's glory; *kaste ~ over* (*fig*) lend lustre to; *klare sig med ~* come out with flying colours; *tage -en af* (*ogs fig*) take the shine out of.
glans|billede scrap, (*om person, ofte*) tailor's dummy; (*dydsmønster*) plaster saint; (*om maleri*) picture postcard; *hun er et ~ at se på* she looks like a chocolate box cover. **-fuld** *adj* brilliant. **-lærred** glazed linen. **-løs** *adj* lustreless, lack-lustre; (*mat, trist*) dull, dead. **-løshed** (*en*) dullness, deadness. **-nummer** star turn. **-papir** glazed paper. **-periode** golden age; (*persons*) (sby's) palmy days, the height of sby's career. **-punkt** climax. **-rolle** hans (, hendes) *~* his (, her) star part (el. most famous part).
glarmester glazier. **glarmesterdiamant** glazier's diamond.
glas (*et -*) glass; (*lampe-*) chimney; (*til tabletter*) bottle; (*til syltetøj etc*) jar; ⚓ bell (*fx* strike six bells); *sætte det i ~ og ramme* have it framed (and glazed); *et ~ vand* a glass of water.
glasagtig *adj* glassy, vitreous.
glasdør glass door; (*verandadør*) french window.
glasere *vb* glaze; (*m sukker: om bagværk etc*) frost, ice; *-de løg* glazed onions.
glas|fabrikation glass-making. **-fiber** (*stof*) fibre glass. **-handel** glass trade; (*glasudsalg*) glass shop. **-hus:** *man skal ikke kaste med sten, når man selv bor i et ~* people who live in glass houses should not throw

stones. **-karaffel** decanter; *(til vand)* water-bottle.
-klar *adj* limpid. **-klokke** glass case; *(kem)* bell jar;
(til plante) cloche. **-kolbe** *(beholder)* glass flask. **-kugle**
glass globe. **-kuppel** *(til ur)* glass case; *(til lampe)*
lamp globe. **-legeme** *(anat)* vitreous body. **-maleri**
(kunsten) stained-glass painting, *(billedet)* stained-glass
picture; *-er* stained glass. **-masse** molten glass. **-mon-**
tre showcase. **-perle** glass bead. **-plade** glass plate.
-prop glass stopper. **-puster** *(en -e)* glassblower.
-pusteri *(et -er)* glassblowing; *(værksted)* glasshouse.
-pusterrør blow tube. **-rør** glass tube. **-sager** *pl*
glassware. **-skab** *(af glas)* glass case; *(til glas)* glass
cupboard; *(med glasdør)* glass-fronted cupboard. **-skår**
fragment of glass, *(pl ogs)* broken glass. **-sliber** *(en -e)*
glass cutter. **-uld** glass wool.

glasur *(en -er)* glaze; *(sukker)* icing, frosting.

glas|værk glassworks. **-øje** glass eye. **-ål**
elver.

glat *adj* smooth; *(om hår)* straight, sleek; *(uden*
mønster) plain; *(så at man glider)* slippery; *(slesk)*
smooth, oily; *adv* smoothly; *~ som en ål* slippery as
an eel; *tro ham på hans -te ansigt* trust his honest face;
gå ~ (fig) go without a hitch, go *(off)* smoothly;
give ham det -te lag (fig) let him have it; *~ væk* without
thinking twice about it, without batting an eyelid,
just like that.

glatbarberet clean-shaven.

glathed *(en) (se glat)* smoothness, straightness;
sleekness; plainness; slipperiness; oiliness.

glat|høvle plane (smooth). **-håret** *(fx om hund)*
smooth-haired. **-is:** *lokke ham på ~* get him out on
thin ice; set a trap for him. **-løbet** *adj (gevær, kanon)*
smooth-bore. **-raget** *adj* clean-shaven.

glatte *vb* smooth, straighten; *~ efter (om snedker)*
surface, finish off; *~ ud* smooth out *(fx* creases), gloss
over, smooth over; iron out *(fx* the differences
between the parties).

I. gled: *han fik tungen på ~* it loosened his tongue;
få en på ~ start sby, *(i samtale)* draw sby out.

II. gled *imperf af* **glide. gledet** *perf part af* **glide.**

I. glemme: *gå i ~* be forgotten; sink into oblivion.

II. glemme * forget; *(efterlade)* leave *(fx* I have
left my gloves in the_train); *jeg har glemt hans navn*
(ɔ: jeg kan ikke komme på det) I forget his name; *lade*
det være glemt let bygones be bygones, say no more
about it; *det skal jeg aldrig ~ dig* I shall always re-
member you for what you have done; *(trussel)* I
won't forget this; *kontor for glemte sager* lost-property
office.

glemmebogen: *gå i ~* be forgotten, sink into
oblivion; *lade noget gå i ~* forget sth.

glemsel *(en)* oblivion.

glem|som *adj* forgetful. **-somhed** *(en)* forgetful-
ness.

glente *(en -r)* kite.

gletscher *(en -e)* glacier.

gletscher|is glacial ice. **-spalte** *(en -r)* crevasse.

glide *(gled, gledet) (bevæge sig jævnt)* slide, glide;
(skride ud) slip, slide, *(om hjul)* skid; *(rutsche, ~ på*
glidebane) slide; *(om tid: forløbe)* slip away; *(forløbe*
let) go *(el.* run) smoothly; *(T: gå, stikke af)* shove off;
pop off; make oneself scarce; *~ bort fra hinanden (fig)*
drift apart; *hvor -r vi hen?* what are we coming to?
~ i en bananskal slip on a banana skin; *lade blikket ~*
hen over run one's eye over; *~ ned (blive nedsvælget)*
go down; *lade hånden ~ ned i* slip one's hand into; *for*
at få forslaget til at ~ ned in order to make the proposal
go down; to smooth the way for the proposal; *~*
over i merge into, gradually become; *~ ud af hånden*
slip from one's hand.

glide|bane *(en -r)* slide. **-flugt** glide, volplane;
gå ned i ~ volplane, glide (down). **-lyd** glide.

gliden *(en)* slide, sliding, glide.

glider *(en -e) (i dampmaskine)* slide valve; *(i motor*
ogs) sleeve valve.

gliedermann *(en)* lay figure.

glimlampe glow discharge lamp.

glimmer *(en el. et)* tinsel; *(mineral)* mica. **glim-**
mersand micaceous sand.

glimre *vb* glitter; *(fig)* shine; *~ ved sin fraværelse*
be conspicuous by one's absence.

glimrende *adj* brilliant, splendid; *adv* -ly.

glimt *(et -) (lys-)* glint, flash, *(svagere)* glimmer;
(fig) flash *(fx* flashes of intelligence); *få et ~ af* catch
a glimpse of; *et ~ af håb* a ray (, glimmer) of hope;
-et fra en bøsse the flash of a gun; *et ~ i øjet (muntert)*
a twinkle; *(ondt)* a glint.

glimte *vb* flash *(fx* the lightning flashed); *(vedva-*
rende) twinkle *(fx* a star twinkled in the sky); *(sva-*
gere) glimmer; *(især: skinne svagt)* gleam *(fx* a light
gleamed through the rain).

glimtvis *adv* by glimpses.

glinse *vb* glisten, shine.

glip: *gå ~ af* miss, fail to obtain.

I. glippe *(slå fejl)* fail; *det -de for ham* he failed;
forsøget -de the attempt failed.

II. glippe *(med øjnene)* blink.

glitre *vb* glitter, sparkle.

glitte *vb* glaze, calender.

glo *vb* stare, *(vredt)* glare *(på:* at); *(måbe)* gape.

globetrotter *(en -e)* globe-trotter.

globus *(en -ser el. glober)* globe.

gloen *(en)* stare.

gloende *adj (glødende)* red-hot; *(se ogs kul); (adv)*
~ rød fiery red, flaming red.

glohed *adj* scorching (hot); *(rødglødende)* red
-hot.

glorie *(en -r)* halo *(pl* -es), nimbus *(pl* -es).

glorværdig *adj* glorious.

glorød *adj* fiery red.

glosar(ium) *(et -(i)er)* glossary.

glose *(en -r)* word; *(spotte-)* taunt.

gloseforråd vocabulary.

glubende *adj* ravenous, ferocious; *~ sulten*
ravenous.

glubsk *adj* ferocious, fierce.

glubskhed *(en)* ferocity, fierceness.

glug *(en -ger)* peephole; *-ger (øjne)* T peepers.

glughul peephole.

glut *(en -ter)* girl, lass.

gluten *(en)* gluten. **glutenbrød** gluten bread.

glycerin *(en)* glycerol, glycerine.

I. glæde *(en -r)* pleasure; joy, *(stærkere)* delight;
han fik megen ~ af det (ɔ: nytte) it proved very useful
(to him); *(ɔ: fornøjelse)* it was a source of great pleas-
ure to him, T he got a lot of fun out of it; *græde af ~*
weep for joy; *han har ~ af sin søn* his son is a comfort
to him; *ude af sig selv af ~* beside oneself with joy;
bordets -r the pleasures of the table; *for at gøre ham en*
~ to please him; *gør mig den ~ at spise til middag med*
mig do me the pleasure of dining with me; *med ~*
with pleasure, gladly; *~ over (el. ved)* joy at; *til stor ~*
for to the (great) delight of; *det er mig en ~ at hjælpe*
dig I am happy to help you, I have great pleasure in
helping you.

II. glæde *vb* please, make happy; *(stærkere)* delight;
det -r mig at I am glad to (, that); *~ sig* be glad, rejoice;
~ sig ved (el. over) be pleased with, be happy about;
enjoy *(fx* the music); *~ sig til (at komme)* look for-
ward to (coming); *han kan ~ sig ved* he enjoys *(fx* good
health).

glædelig *adj* joyful, glad *(fx* news); happy; pleas-
ant *(fx* surprise); *(mere formelt)* gratifying *(fx* result;
it is very g. to see that . .); *en ~ begivenhed (ogs om*
fødsel) a happy event; *~ jul* a merry Christmas; *-t*
nytår a happy New Year. **glædeligvis** happily, for-
tunately.

glædeløs *adj* joyless *(fx* existence); cheerless.

glædes|blus bonfire. **-dag** day of rejoicing. **-pige**
prostitute. **-rus** transport of joy, rapture. **-skrig**
shout of joy.

glædestrålende *adj* beaming (with joy), radiant.

glædestårer tears of joy.

glød *(en -er)* glow *(fx* the g. of the sunset);

(stærk følelse) fervour, glow; *-er (glødende kul etc)* live coals, (glowing) embers.

gløde *(bringe i glød)* make red-hot; *(være i glød)* glow; *(fig)* glow, flame, burn.

glødelampe incandescent lamp, glow lamp.

glødende *adj* glowing, red-hot; *(fig)* ardent.

glødenet *(til gasblus)* mantle.

glødetråd *(en -e) (i glødelampe)* filament.

glødhede *(en)* red heat.

gnalling *(en -er)* morsel, bit.

gnaske, ~ *i sig,* ~ *på* munch.

gnasken *(en)* munching.

gnave *vb* gnaw; *(smågnave)* nibble; *(slide på)* fret; *(frembringe sår ved gnidning)* chafe, gall; *(fig: nage)* gnaw *(fx* the care that was gnawing at my heart); *(være gnaven)* grumble *(over:* at).

gnaven *adj* disgruntled, cross, fretful, peevish, sulky, morose, pettish.

gnavenhed *(en)* crossness, fretfulness, peevishness, sulkiness, moroseness, pettishness.

gnaver *(en -e) zo* rodent. **gnaveri** *(et)* grumbling, peevishness, nagging *(fx* his wife's perpetual n.).

gnavpotte *(en -r)* grumbler, sourpuss.

gned, gnedet *se* gnide.

gnejs *(en)* gneiss.

gnidder *(et)* cramped writing.

gnide *(gned, gnedet)* rub; *(for at varme ogs)* chafe; ~ *en plet af* rub off a stain; ~ *ind* rub in; ~ *sig i hænderne (ogs fig)* rub one's hands; *(=* gotte sig ogs*)* hug oneself, gloat; ~ *sig op ad en* rub shoulders with sby; ~ *på en violin* scrape a violin.

gnidning *(en)* rubbing; *(fys)* friction; *(frottering)* rubbing; ~ *er (=* uoverensstemmelse*)* friction.

gnidnings|elektricitet frictional electricity. **-løs** *adj* frictionless *(fx* co-operation), smooth. **-modstand** friction, frictional resistance.

gnidret *adj* cramped, crabbed.

gnidsel: *gråd og tænders* ~ weeping and gnashing of teeth.

gnier *(en -e)* miser, skinflint.

gnier|agtig *adj* niggardly, stingy, miserly. **-agtighed** *(en)* niggardliness, stinginess, miserliness.

gnist *(en -er)* spark; *(lille smule)* vestige *(fx* not a v. of truth); trace; *jeg har ikke* ~ *af anelse om det* I have not got the faintest idea (of it); *slå -er af noget* strike sparks from sth.

gnistre *vb* flash, sparkle; *hans øjne -de af vrede* his eyes flashed with anger; *-nde sort* jet black.

gnistsender *(radio)* spark transmitter.

gnom *(en -er)* gnome.

gnu *(en -er) zo* gnu.

gnubbe *vb* rub, chafe; ~ *sig op ad en (fig)* rub shoulders with sby; ~ *sig på ryggen* scratch one's back.

gny *(et)* din, clamour; *der står* ~ *om hans navn* he is a centre of contention.

gobelin *(et -er)* tapestry, gobelin.

god *(bedre, bedst; se* ogs disse ord og: godt*)* good; *-t!* good! fine! all right!

[m subst:] ~ *aften* good evening; ~ *dag: se* goddag; *på -t dansk (uden omsvøb)* in plain Danish; *af -e grunde* for very good reasons; *hans -e hjerte* his kind heart; *af et -t hjerte* with all one's heart; *i -t humør* in high spirits; *en* ~ *engelsk mil* a good mile; *i* ~ *tid* in good time; *jeg har* ~ *tid* I have plenty of time; *en* ~ *time (ɔ: godt og vel en time)* a good hour; *-e venner* (great) friends;

[forbindelsen: det -e] *for meget af det -e* too much of a good thing; *være af det -e* be all to the good; *med det -e (venligt)* in a friendly way, *(m lempe)* gently, *(godvilligt)* voluntarily; *tage ham med det -e* use kindness; *han skal tages med det -e* he is easier led than driven; *med det -e eller det onde* by fair means or foul; *det -e ved det* the good thing about it;

[m vb etc:] *finde for -t at* choose to; *gengælde ondt med -t* return good for evil; *hun gør meget -t* she does a lot of good; *gøre det -t igen* make it up; *det*

har du rigtig -t af serves you right; *du ville have -t af at gå en tur* a walk would do you good; *du har ikke -t af kaffe* coffee is not good for you; *nyde -t af* profit by *(el.* from); *sige* ~ *for* vouch for, answer for; *snakke -t for en* coax sby, wheedle sby; *tale -t om* speak well of; *det er -t at* it is a good thing that; *det er ikke -t at vide* it's hard to tell; *han er* ~ *nok* he is all right; *det er -t nok men* that's all very well, but; *det var -t det samme* and a good thing too; *være så* ~ *at* be so good as to, be kind enough to; *vær så* ~*! (i mange tilfælde bruges der intet tilsvarende på engelsk; bemærk dog: når man rækker noget, kan siges, for at vække modtagerens opmærksomhed:)* here you are, sir (, madam), *(tjener siger:)* thank you; *(opfordring til at komme ind til bordet)* dinner *(, breakfast etc)* is ready; *(når man giver lov til noget)* you are quite welcome, all right, *(ɔ: ja endelig)* by all means; *(kom ind) (please)* come in; *vær så god at tage plads* please take a seat; please sit down; *jeg ønsker Dem alt -t* I wish you every happiness;

[m præp:] *hvad skulle det gøre -t for?* what is that in aid of? what is the use? *-t for gigt* good for rheumatism; *han er* ~ *for beløbet* he is good for the amount; *intet er så galt at det ikke er -t for noget* it's an ill wind that blows nobody any good; ~ *imod* good to, kind to; *-t med penge* plenty of money; *de er lige -e om det* one is as much to blame as the other; *være* ~ *til at regne* be good at arithmetic; *holde sig for* ~ *til at gøre det* be above doing it; *gøre sig til -e med* regale oneself with; *han har £1 til -e* there is £1 due to him; he has £1 owing to him, he has £1 to come; *han har 5s. til -e hos mig* I owe him 5s.; *have noget til -e (fig)* have something coming to one; *holde ham hans ungdom til -e* make allowance for his youth; *det kom mig til -e at jeg havde* I benefited from having; *(se* ogs godt*)*.

godaften good evening.

godartet *adj (med.)* benign *(fx* tumour*)*, mild.

goddag good morning, *(om eftermiddagen)* good afternoon; T hello! *(ved præsentation)* how do you do.

gode *(et -r)* boon, advantage, benefit, blessing; *det er et* ~ that is a good thing; *det højeste* ~ the supreme good.

godeste: *ih du* ~*!* good gracious!

godgørende *adj* charitable, beneficent.

godgørenhed *(en)* charity, beneficence.

godhed *(en)* goodness, kindness; *hav den* ~ *at* be so kind as to, be good enough to.

godhedsfuldt *adv* kindly.

godhjertet *adj* kind-hearted.

godhjertethed *(en)* kind-heartedness.

godkende * approve, sanction, endorse; *-s (på dokumenter)* approved, O.K.

godkendelse *(en -r)* approval, sanction.

god|lidende, -modig *adj* good-natured.

godmodighed *(en)* good-nature.

god|morgen good morning. **-nat** good night.

godnathistorie bedtime story.

gods *(et -er) (varer, fragtgods)* goods *(pl)*; *(amr)* freight; *(ejendele) property*; *(landejendom)* estate; ⚓ stores, *(tovværk)* rigging; *(kram)* stuff; *rørligt og urørligt* ~ movables and immovables.

gods|banegård goods station, *(amr)* freight depot; *(terrænet med spor etc)* goods yard; *(amr)* freight yard. **-ejer** landowner, landed proprietor. **-ejerstanden** the landed interest. **-ekspedition** goods *(amr* freight*)* service; *(kontor)* goods *(amr* freight*)* office. **-ekspeditør** goods manager, *(amr)* freight superintendent. **-forvalter** land agent, steward.

godskrive *vb* credit; ~ *en for et beløb* credit sby with an amount.

gods|tog goods train; *(amr)* freight train. **-trafik** goods traffic; *(amr)* freight traffic. **-vogn** goods waggon; *(amr)* freight car; *(lukket)* van, box waggon, *(amr)* box car.

godt *adv* well; *jeg har det* ~ I am (very) well, I am all right, *(økonomisk)* I am well off; *hav det* ~*!*

all the best! take care of yourself! (= *mor dig godt*) have a good time! *det kan* ~ *være* maybe, that may well be (the case); *det lugter* (, *smager*) ~ it smells (, tastes) good (*el.* nice); *se* ~ *ud* be good-looking, (*rask*) look fit; *så* ~ *som* (= *næsten*) as good as, practically; ~ *to eng. mil* a good two miles; ~ *og vel* (*o: mindst*) rather more than, fully, quite; (*se ogs god*).

godtage *vb* accept.

godter *pl* sweets; (*amr*) candy.

godtfolk good people, folks.

godtgøre (*bevise*) prove, substantiate, make good, establish; (*erstatte*) compensate, indemnify, repay.

godtgørelse (*en -r*) (*betaling*) fee, remuneration; (*i prisen*) allowance; (*erstatning*) compensation, indemnification, damages.

godtkøbs|frase cheap phrase. **-roman** cheap novel, novelette. **-vare** cheap article.

godtroende *adj* naive, credulous.

godtroenhed (*en*) naivety, credulity.

godvillig *adv* voluntarily; quietly (*fx* will you come along quietly?); *jeg gør det ikke* ~ I will not do it unless I am compelled.

gold *adj* (*ogs fig*) barren (*fx* soil, speculations); sterile; (*om ko*) dry.

goldhed (*en*) barrenness, sterility.

I. **golf** (*en*) (*bugt*) gulf.

II. **golf** (*spil*) golf. **golf|bane** golf course, golf links. **-kølle** golf club. **-spiller** golfer.

Golfstrømmen the Gulf Stream.

Golgatha Calvary, Golgotha.

gondol (*en -er*) gondola; (*ballonkurv*) basket; (*i luftskib*) car.

gondolfører, gondoliere (*en -r*) gondolier.

gongong (*en -er*) gong.

gonorré (*en*) gonorrhea.

gople (*en -r*) medusa; (*vandmand*) jellyfish.

gordisk Gordian; *løse den -e knude* cut the Gordian knot.

gorilla (*en -er*) gorilla.

goter (*en -*) Goth. **gotik** (*en*) Gothic (style) (*fx* the Gothic flourished in this period). **gotisk** *adj* Gothic; *-e bogstaver* (*trykt*) black-letters; Gothic type; (*skrevet*) German hand. **Gotland** Gothland.

gotte: ~ *sig* (*skadefro*) gloat (*over:* over).

gourmand (*en -er*) (*frådser*) gourmand; (*finsmager*) gourmet.

goutere *vb* (*forstå at værdsætte*) appreciate (*fx* his books can only be appreciated by educated readers); (*finde behag i*) relish (*fx* I did not quite r. his jokes).

grab (*en -ber*) (*på gravemaskine*) bucket.

graciøs *adj* graceful.

grad (*en -er*) degree; (*rang*) rank, grade; (*nuance*) shade; *ligning af anden* ~ quadratic equation, equation of the second degree; *40 -ers feber* (*svarer til*) a temperature of 104; *fem -ers frost* five degrees of frost; *højere* (, *højeste*) ~ (*gram*) the comparative, the superlative; *i betydelig* ~ considerably, to a considerable degree; *i betænkelig* ~ alarmingly, to an alarming degree; *i den* ~ *at* to such a degree that, so that; *i en* (*el. i den*) ~ to a degree (*fx* he is irritating to a degree); *i høj* ~ highly, very, in (*el.* to) a high degree; *i hvor høj* ~ to what extent; *i højeste* ~ in the highest degree; *i kendelig* ~ perceptibly; *i lige* ~ equally; *i nogen* ~ to some extent, rather; *i ringe* ~ (only) slightly; *til en vis* ~ to some extent, to a certain extent, in some measure, up to a point (*fx* I agree with you up to a point); *en* ~ *værre* a shade worse.

grad|bue graduated arc. **-bøje** compare. **-bøjning** comparison.

grade *vb* (*med.*) take the temperature of; (*vurdere*) gauge. **gradere** *vb* (*ordne gradvis*) grade.

grad|inddeling graduation. **-måler** protractor. **-måling** measurement of degrees.

grads|forskel difference of degree. **-tegn** ✕ badge of rank.

graduere *vb* graduate, grade.

gradvis *adj* gradual; *adv* gradually, by degrees.

grafiker (*en -e*) lithographic artist.

grafisk *adj* graphic.

grafit (*en*) graphite, blacklead.

grafolog (*en -er*) graphologist.

grafologi (*en*) graphology.

grahamsbrød whole wheat bread; (*omtr=*) brown bread.

gral: *den hellige* ~ the Holy Grail.

I. **gram** (*et -*) gram, gramme.

II. **gram** *adj:* ~ *i hu* angry.

gramma|tik (*en -ker*) grammar. **-tikalsk** *adj* grammatical. **-tiker** (*en -e*) grammarian. **-tisk** *adj* grammatical.

grammofon (*en -er*) gramophone; (*amr*) phonograph. **grammofon|musik** gramophone (, *amr:* phonograph) music. **-optagelse** disc recording. **-plade** (gramophone (, *amr:* phonograph)) record. **-stift** (*en -er*) gramophone (, *amr:* phonograph) needle.

grams: *kaste ngt i* ~ throw sth for sby to scramble for; make children scramble for sth.

gramse: ~ *efter* scramble for; ~ *på* paw.

gramsepose lucky bag (*el.* dip).

I. **gran** (*et*) (*smule*) bit, atom, particle.

II. **gran** (*en -er*) ♣ spruce, (*ofte*) fir.

granat (*en -er*) (*ædelsten*) garnet; (*frugt*) pomegranate; (*til kanon*) shell, (*hånd-, riffel-*) grenade. **granat|chok** shell shock. **-splint, -stump** shell splinter. **-æble** pomegranate.

grand danois (*en*) Great Dane.

grandios *adj* grandiose.

grandonkel great-uncle, grand-uncle.

grandtante great-aunt, grand-aunt.

grangivelig *adv* exactly; ~ *som om* exactly (*el.* for all the world) as if.

granit (*en*) granite. **granitbrud** (*et -*) granite quarry.

gran|kogle spruce cone. **-nål** spruce needle. **-rafte** thin undressed spruce stem.

granske *vb* investigate, study, scrutinize.

granskning (*en*) investigation, study, scrutiny.

granskov spruce forest.

grant *adv* clearly.

grantræ spruce; »*-et*« (*af* H. C. Andersen) The Fir Tree.

granuleret *adj* granulated.

grapefrugt grapefruit.

grassat: *løbe* ~ run amuck.

grassere *vb* be rampant, be rife, prevail, rage.

grat (*en -er*) (*på metal*) burr; (*fure i træ*) rabbet; (*arkit: sammenløb af to buer*) groin; (*tags skrå skæringslinie*) hip.

gratiale (*et -r*) bonus, gratuity.

gratie (*en -r*) grace; *de tre -r* the three Graces.

gratin (*en -er*) gratin. **gratinskal** scallop.

gratis *adj* free, gratuitous; *adv* free (of charge), gratis, gratuitously; ~ *adgang* admission free.

gratist (*i sporvogn etc*) deadhead.

gratulant (*en -er*) congratulator.

gratulation (*en -er*) congratulation.

gratulere *vb* congratulate (*til:* on).

grav (*en -er*) pit, ditch, trench; (*for døde*) grave, tomb; (*voldgrav*) moat; *den som graver en* ~ *for andre falder selv deri* (*kan ofte gengives:*) it is a case of the biter bit; *den hellige* ~ the Holy Sepulchre; *tro den hellige* ~ *vel forvaret* T think that everything in the garden is lovely; *stå med den ene fod i -en* have one foot in the grave; *lægge en i -en* (*fig*) bring sby to his grave; *tavs som -en* silent as the grave; *følge en til -en* attend sby's funeral.

gravalvorlig *adj* solemn, portentous.

grave *vb* dig; (*foretage udgravninger*) excavate; ~ *frem* dig out; ~ *noget ned* bury sth; ~ *sig ned* dig oneself in; ~ *op* dig up; ~ *kartofler op* dig (*el.* lift) potatoes; ~ *ud* (*arkæol*) excavate.

grave|hveps digger-wasp. **-maskine** excavator.

graver (*en -e*) (*kirkebetjent*) sexton; (*-karl*) gravedigger; *zo* fossorial animal.

gravere *vb* engrave, cut.
graveredskab digging tool; *zo* fossorial organ.
graverende *adj* grave, serious (*fx* error, mistake).
gravering (*en*) engraving.
graverkarl gravedigger.
grav|fred: *krænkelse af -en* desecration of a grave.
-fund grave-find. **-gods** grave goods. **-gås** shelduck.
-hund dachshund. **-hvælving** (burial) vault. **-høj**
burial mound; (*dysse*) barrow.
gravid *adj* pregnant. **graviditet** (*en*) pregnancy.
gravitation (*en*) gravitation.
gravitere *vb* gravitate.
gravitet (*en*) solemnity, pompousness.
gravitetisk *adj* solemn, pompous.
grav|kammer burial chamber. **-kapel** (sepulchral)
chapel. **-ko** excavator. **-lægge** inter, entomb. **-mo-**
nument, -mæle sepulchral monument; (*uden lig*)
cenotaph.
gravning (*en -er*) digging, excavation.
grav|rust deep-seated rust, pitting. **-røst** sepul-
chral voice. **-røver** grave-robber. **-skrift** (*en -er*)
epitaph. **-sted** burial place. **-sten** tombstone, head-
stone. **-stik(ke)** (*en*) burin. **-urne** sepulchral urn.
-øl funeral feast.
gravør (*en -er*) engraver.
I. **greb** (*en -e*) fork, prong.
II. **greb** (*et -*) grasp, snatch, clutch; (*måde at gribe*
på) grip, (*hold, ogs i brydning*) hold (*fx* he had a firm
hold of my arm); (*håndelag*) knack; (*håndtag*) handle,
knob; (*⅜ eksercergreb*) motion; *gøre et ~ i lommen* put
one's hand in one's pocket; *et heldigt ~* a lucky move;
have det rette ~ på at .. have the knack of -ing; *et ~*
efter a snatch at.
III. **greb, grebet** *se* gribe.
gregoriansk *adj* Gregorian; *~ kirkesang* Gregorian
chant, plainsong.
grej (*et*) *se* grejer; *adj* (*klar*) clear; (*djærv*) straight-
forward.
greje *vb* (*finde ud af*) grasp, get straight; (*klare*)
manage.
grejer *pl* gear, tackle; *klare -ne* manage.
grel *adj* glaring (*fx* light); loud, crude (*fx* colours);
~ modsætning striking contrast; *stikke -t af imod* form
a glaring contrast to.
gren (*en -e*) branch, (*større, på træ*) bough; (*på*
gaffel etc) prong; *være på den grønne ~* be in clover;
save den ~ af man sidder på (*fig*) cut off the branch
one is sitting on.
grenader (*en -er*) grenadier.
grene: *~ sig* branch (out), fork, ramify.
gren|saks (pair of) lopping shears. **-sav** pruning
saw. **-stump** stub.
greve (*en -r*) count; (*engelsk*) earl. **grevekrone**
coronet.
grevinde (*en -r*) countess. **grevskab** (*et -er*) (*gods*)
(count's) estate; (*amt*) county.
grib (*en -be*) vulture.
gribe (*greb, grebet*) catch, seize; (*med et fast tag*)
grasp, grip, clutch; (*rive til sig*) snatch; (*pågribe*)
apprehend, catch; (*betage, røre*) affect, move; *~ chancen*
seize the opportunity; *~ flugten* take flight; *~ lejlig-*
heden seize the opportunity; *~ en tanke* (*ivrigt*) seize
on (*el.* jump at) an idea;
[*m præp & adv:*] *grebet af frygt* seized with fear;
~ noget an go about sth, tackle sth; *~ efter* catch at;
~ fat i grasp, take hold of; *~ fejl* miss, (*fig*) make
a mistake; *~ for sig* put one's hand before one; *~ i*
strengene touch (, *kraftigt:* pluck) the strings; *~ en i at*
lyve catch sby lying; *~ ind* intervene (*i:* in, *fx* the
government intervened in the conflict); (*forstyrrende*)
interfere (*i:* in *el.* with); (*ubeføjet*) meddle (*i:* in *el.*
with); *~ ind i* (*i ens ret*) encroach on; (*stå i forbindelse*
med) bear on, react on, (*om tandhjul*) gear into; *~ ind*
i hinanden (*fig*) interact; be intertwined; *~ ind over for*
take measures against; *~ om* clutch, grasp; *~ om sig*
(*brede sig*) spread; *~ til* (*om tilbud*) accept; *~ til et*
middel resort to an expedient; *~ til våben* take up arms;

grebet ud af livet true to life; *grebet ud af luften* (*fig*)
utterly unfounded.
gribebræt ♪ fingerboard.
gribende *adj* moving, stirring.
griberedskab *zo* prehensile organ.
grif (*en -fe(r)*) griffin.
grif|fel (*en -ler*) slate pencil; (*i blomst*) style.
grifle *vb* scribble.
grille (*en -r*) whim, fad; *fange -r* get ideas into
one's head; *slå de -r af hovedet* get that notion out of
your head; *sætte ham -r i hovedet* put ideas into his
head.
grillere *vb* [crumb boiled meat and brown it in
a frying-pan]; (*stege på grill*) grill.
grim *adj* ugly, (*mildere ord:*) plain; (*væmmelig*)
nasty.
grimasse (*en -r*) grimace; *skære -r* make (*el.* pull)
faces, grimace; (*tegn på væmmelse*) make a wry face.
grime (*en -r*) (*til hest*) halter.
grimhed (*en*) ugliness, plainness.
grimrian (*en -er*) ugly-looking person, fright (*fx*
he is a perfect fright); T ugly blighter.
grin (*et -*) (*latter*) laugh, (*grimasse*) grin; (*sjov*)
fun; *gøre ~ med* make fun of; *til ~* ridiculous; *gøre sig*
til ~ make a fool of oneself.
grinagtig *adj* funny; (*sær ogs*) queer, odd; *det er*
hylende -t it is a scream.
grindehval pilot whale, blackfish.
grine *vb* (*grimassere*) grin; (*le*) laugh, (*højrøstet*)
guffaw. **grinebider** (*en -e*) giggler.
gris (*en -e*) pig; (*spare-*) piggy bank; *skrige som en*
stukken ~ squeal like a stuck pig.
grise: *~ ngt til* soil sth, dirty sth.
grise|basse pig (*fx* you little pig); (*øfgris*) piggy
-wiggy. **-hale** pig's tail.
griseri (*et*) mess.
grise|so sow with young. **-sti** pigsty. **-sylte** brawn.
griset *adj* piggish, messy.
grisetæer *pl* pig's trotters, pig's feet.
grisk *adj* greedy (*efter:* of, for), grasping, covetous.
griskhed (*en*) greediness, greed.
gro *vb* grow; *~ fast* take root; *~ sammen* join;
(*om sår*) heal; *~ til* (*om vandløb*) become choked;
(*om have, bed*) become overgrown with weeds.
grobrian (*en -er*) churl, boor.
grobund (*fig*) fertile soil.
groft *adj: se* grov; *adv* grossly, coarsely, rudely.
grog (*en*) grog.
gros (*et -*) gross, twelve dozen; (*masse*) bulk,
mass; *det store ~* the masses, the rank and file; *en gros*
wholesale. **groshavari** (*et*) general average.
grosserer (*en -e*) wholesale dealer, wholesaler,
merchant. **grosserersocietet** merchants' guild; *-ets*
komité the Copenhagen Chamber of Commerce.
grossist (*en -er*) *se* grosserer.
grotesk *adj* grotesque.
grotte (*en -r*) cave; (*malerisk eller kunstig*) grotto.
grov *adj* (*neutrum: groft*) coarse (*fx* bread, sand,
manners); (*ru, ikke udarbejdet*) rough (*fx* plank,
sketch); (*uhøflig*) rude; (*usømmelig*) gross, coarse (*fx*
language); (*graverende*) gross (*fx* negligence, injustice);
groft arbejde rough work; *~ fejl* gross blunder; *~ for-*
nærmelse gross insult; *~ kost* coarse food; *på det -este*
grossly; *en ~ smag* a coarse taste; *en ~ spøg* a coarse
jest; (*korporlig*) a piece of horseplay; *en ~ stemme* a
gruff voice; *hans -e træk* his coarse features; *i -e træk*
roughly, in broad outline; *groft tyveri* grand larceny;
det er for groft! that's the limit!
grovfil (*en -e*) rough file; *få af -en* be hauled over
the coals.
grovhed (*en -er*) coarseness, grossness, roughness,
rudeness; *-er* rude (*el.* coarse) language.
grovkornet *adj* coarse-grained; (*fig*) coarse; *~*
spøg, se grov.
grov|smed blacksmith. **-æder** glutton.
gru (*en*) horror; *det er en ~ at se* it is a horrible (*el.*
shocking) sight; *så det er en ~* something awful.

grube (en -r) pit; (bjergværks-) mine; (fordybning) hollow. **grube|arbejde** mining. **-arbejder** miner, pitman. **-drift** mining. **-gas** firedamp. **-lampe** safety lamp.

gruble vb ponder, (amr ogs) mull (over: over); (mørkt) brood (over: on, over).

grublen (en) pondering, brooding. **grubler** (en -e) person given to brooding. **grubleri** (et -er) pondering. **grublisere** se gruble.

grue vb: ~ for dread; jeg -r ved at tænke på det it makes me shudder to think of it.

gruekedel copper.

gruelig adj awful; adv -ly.

grufuld adj horrible, terrible; -t adv terribly.

grum adj cruel, ferocious.

grumhed (en) cruelty, ferocity.

grumme adv very, exceedingly.

grums (et) sediment, grounds, dregs.

grumset turbid, cloudy, (ogs om teint) muddy.

I. **grund** (en -e) (bund) ground; (hævelse i havbund) shoal, shallow; (grundvold) foundation(s), substructure; (fig: grundlag) foundation, basis; (jordbund; landområde) soil (fx on Danish soil), ground; (bygge-) site, plot; (første lag maling) priming, ground; (fornuft-) reason (til: for); (bevis-) argument; (bevæg-) motive; (årsag) cause (til: of); (føje, berettigelse) ground(s) (til: for, fx have grounds for suspicion); det er -en that is (the reason) why;

[m præp:] bringe af -en ⚓ get afloat; af den ~ for that reason; af gode -e for very good reasons; fra -en (fig) radically, thoroughly; i -en (ɔ: ret beset) after all, (for resten) by the way; med god ~ with good reason, with cause, justly; på ~ ⚓ aground; sætte på ~ ⚓ ground; vove sig ud på gyngende ~ (fig) skate on thin ice; på ~ af on account of, owing to, because of; -en til at the reason why; der er (al mulig) (, der er god) ~ til at tro there is every reason (, there is good reason) to believe; gå til -e perish, be destroyed; ligge til ~ for underlie, lie at the root of; lægge til ~ take for one's basis; lægge til ~ for make the basis of; lægge -en til lay the foundation(s) of; nedbrænde til -en burn to the ground; uden ~ without reason (el. cause).

II. **grund** adj shallow, shoal.

grund- (helt igennem) radically, utterly; (grundlæggende) fundamental (fx principle).

grund|begreb fundamental concept; kemiens -er the fundamentals of chemistry. **-betydning** basic meaning.

I. **grunde** (grundlægge) found, establish; (male) prime; (begrunde, støtte) ground, found, base; ~ sig på, være -t på rest on, be based on; -t på (ɔ: på grund af) owing to; (se ogs grundet).

II. **grunde** (spekulere) ponder, meditate (på: on).

grund|egenskab essential quality. **-ejer** (husejer) house owner; (ejer af jord) landowner.

grunden (en) (spekuleren) pondering, meditation.

grundere vb prime, ground.

grundet adj (berettiget) well-founded; have ~ formodning om have good reason to suppose; (se ogs I. grunde).

grund|falsk adj completely erroneous. **-farve** (fysisk) primary colour; (bundfarve) ground colour; (første lag farve) priming. **-fjeld** bedrock. **-flade** base. **-fond** basic capital, original capital. **-forbedring** betterment. **-forskel** essential (el. fundamental) difference. **-forskellig** adj fundamentally different. **-fæste** vb establish (firmly), consolidate (fx consolidate one's position in society, one's power). **-fæstelse** (en) establishment, consolidation. **-fæstet** adj established (fx reputation); deep-rooted (fx prejudice), rooted (fx deeply r. affection).

grundig adj thorough (fx investigation, work), complete (fx a c. treatment of the subject); (dybtgående) profound (fx knowledge); deep (fx insight); careful (fx study); (gennemgribende) radical (fx change); adv -ly; kede sig -t be bored to death (el. to tears); tage -t fejl be greatly mistaken.

grundighed (en) (omhu) care, thoroughness.

grunding (en) (første lag maling) priming.

grund|komisk adj screamingly funny. **-lag** basis, foundation; (af kundskaber) grounding; danne -et for form the basis of; på ~ af on the basis of; savne ethvert ~ be completely unfounded (el. groundless). **-led** (et -) (gram) subject. **-ling** (en -er) zo gudgeon. **-linie** base.

grundlov (forfatning) constitution; (fig) fundamental law; stridende mod -en unconstitutional.

grundlovgivende: ~ forsamling constituent assembly.

grundlovs|dag [Constitution Day]. **-forhør** preliminary examination. **-mæssig** adj constitutional. **-stridig** vb unconstitutional. **-ændring** amendment of (el. to) the constitution.

grund|lægge vb found, establish, lay the foundation of. **-læggelse** (en) foundation, establishment. **-læggende** adj fundamental, basic. **-lægger** (en -e) founder. **-løn** basic salary. **-løs** adj groundless, baseless (fx fear, rumour); unfounded (fx suspicion). **-løshed** (en) groundlessness. **-mangel** fundamental defect. **-muret** brick-built; (fig) deep-rooted, sólid. **-pille** (ogs fig) pillar. **-plan** (en -er) ground plan. **-princip** (basic) principle. **-regel** fundamental rule. **-rids** ground plan; (kort fremstilling) outline. **-skat** land tax. **-skole** primary school. **-skud** ⚓ shot between wind and water; (fig) deathblow. **-skyld** land tax. **-skyldvurdering** land-tax assessment. **-spekulant** land speculator. **-sprog** (stamsprog) parent language; (originalsprog) original language; læse en digter på -et read a poet in the original. **-stamme** stock; (kerne) nucleus. **-sten** foundation stone; nedlægge -en lay the foundation stone. **-stof** element. **-stykke** plot (of land). **-støde** vb ⚓ run aground. **-syn** fundamental view. **-sætning** principle, maxim; (mat.) axiom. **-sætte** vb ⚓ run aground, ground. **-takst** basic rate. **-tal** (mængdetal) cardinal number; (i logaritmesystem) base. **-tanke** fundamental idea. **-tone** (akkords) root, fundamental; (skalas, musikstykkes) key(note), tonic; (fig) keynote. **-træk** fundamental (el. essential) feature. **-vand** ground water, subsoil water; ⚓ bilge-water. **-vold** foundation, basis, groundwork; ryste i sin ~ shake to its (very) foundations; få til at ryste i sin ~ shake the foundations of. **-værdi** land value. **-værdistigning** unearned increment (of land).

grunker pl T dough, tin.

gruopvækkende adj shocking, horrible.

gruppe (en -r) group; ✕ section; (amr) squad; (af træer) clump. **gruppe|arbejde** group work. **-billede** group (picture). **-livsforsikring** group life insurance. **-psykologi** group psychology. **gruppere** vb group. **gruppering** (en -er) grouping. **gruppevis** adv in groups.

grus (et) gravel; synke i ~ fall in ruins.

grusbunke gravel heap. **gruse** vb gravel.

grus|gang gravel walk. **-grav** gravel pit.

grusom adj cruel; (vældig) awful (fx an awful lot of money), terrible; ~ mod én cruel to sby; på det -ste with great cruelty; (fig) terribly.

grusomhed (en) cruelty; -er acts of cruelty; (grufulde ugerninger) atrocities.

grutte vb grind coarsely.

I. **gry** (et) dawn, daybreak.

II. **gry** vb dawn, break; dagen -r the day dawns, the day is breaking, it dawns.

gryde (en -r) pot, saucepan; (fordybning i klit) hollow; hold -n i kog keep the pot boiling; små -r har også ører little pitchers have big ears.

gryde|lap kettle holder. **-låg** pot lid. **-ske** ladle. **-stegt** pot-roasted, braised.

gryn (et -) hulled grain; (pl: kornformet) grits, groats; (i flager) meal (fx oatmeal).

grynet adj gritty.

grynt (et -) grunt. **grynte** vb grunt.

grynten (en) grunting.

græcisme *(en -r)* Grecism, Hellenism.

græde *(græd, grædt)* cry, weep *(over:* over); ~ *af glæde* weep for joy; ~ *af ærgrelse* weep from vexation; ~ *sig i søvn* cry oneself to sleep; ~ *ud* have one's cry out; T have a good cry; ~ *øjnene ud af hovedet* cry one's eyes out.

grædefærdig *adj* on the verge of tears.

græde|kone professional mourner. **-muren** *(i* 'Ierusalem*) the Wailing Wall. **grædende** *adj* crying. **grædepil** weeping willow.

Grækenland Greece. **græker** *(en -e)* Greek.

græmme *vb:* ~ *sig* grieve *(over:* at). **græmmelse** *(en)* grief.

I. **grænse** *(en -r) (naturlig geografisk)* boundary *(fx* the Pyrenees form the b. between France and Spain); *(stats-)* frontier *(fx* the f. between Denmark and Germany), *(i U.S.A.)* border *(fx* the Mexican b.); *(mellem områder i et land)* boundary *(fx* between two counties, estates); *(grænseområde)* border; *(afslutning, yder-)* limit *(fx* within the limits of the city); *(for skoles område)* bounds; *(fig: begrænsning)* bounds *(fx* it passes all reasonable bounds), limits *(fx* the limits of his power); *(skillelinje)* borderline; *min glæde kendte ingen -r* my joy knew no bounds; *naturlige -r* natural boundaries; *sætte en ~ for* fix a limit to; *et sted må man sætte en ~* one has to draw the line somewhere; *inden for visse -r* within certain limits; *være lige på -n af* border on *(fx* it borders on insolence).

II. **grænse** *vb:* ~ *(op) til* border on; *det -r til det utrolige* it is hardly to be believed, it is almost incredible; *mistanke der -r til* vished suspicion amounting almost to certainty; *England -r mod nord til Skotland* England borders in the North on Scotland; *dette -r til* vanvid this borders on insanity.

grænse|by frontier town. **-egn** border(land), frontier region. **-episode** frontier incident. **-flod** boundary river. **-fæstning** frontier fortress. **-krig** border war. **-land** border district. **-linie** boundary line; *(fig)* borderline. **-løs** *adj* boundless, unbounded, excessive. **-løshed** boundlessness. **-nytte** marginal utility. **-område** *(fig)* borderland *(fx* the b. between science and religion); *(grænseland)* border district. **-omkostninger** *(merk)* marginal costs. **-pæl** boundary post. **-revision** frontier adjustment *(el.* rectification). **-skel** boundary mark, landmark. **-stat** border state. **-station** frontier station. **-tilfælde** borderline case. **-vagt** frontier guard.

græs *(et -ser)* grass; *mens -set gror, dør hosremor* while the grass grows, the steed starves; *bide i -set* bite the dust; *på ~ out* on grass, grazing; *drive på ~* drive to grass; *slå ~* cut grass; *have penge som ~* have money to burn, be rolling in money.

græs|bevokset grass-grown, grassy. **-bænk** grass seat. **-enke** grass widow. **-enkemand** grass widower. **-frø** *(et -)* grass seed. **-gang** pasture; *(fx for vilde dyr)* grazing-ground. **-groet** *adj* grass-grown. **-grøn** grass-green.

græshoppe *(en -r)* grasshopper; *(i varme lande)* locust. **græshoppesværm** swarm of locusts.

græsk Greek; ~ *næse* Grecian nose; *det -e sprog* the Greek language, Greek.

græskar gourd, pumpkin.

græsk-katolsk *adj* Greek Orthodox; *den -e kirke* the Orthodox Church.

græsmark grass field.

græsning *(en)* grazing; *(foder)* pasture. **græs|plæne** lawn. **-rytter** *blive ~* be unhorsed. **græsse** *vb* graze; *(med objekt)* pasture. **græsselig** *adj* shocking; *adv* shockingly. **græs|slåmaskine** lawn mower. **-smør** grass butter. **-strå** blade of grass. **-tot** tuft of grass. **-tørv** turf. **-ædende** *adj* graminivorous.

grævling *(en -er)* badger.

grævlingehund dachshund.

grød *(en)* porridge; *(af frugt) (omtr =)* jelly, stewed fruit; *(grødet masse)* mush; *gå uden om det som katten om den varm ~* fight shy of it.

grøde *en) (trivsel, voksekraft)* growth; *(afgrøde)* crop, produce; *(vandplanter)* (water) weeds; *der er ~ i luften* it is (good) growing weather.

grødet *adj* thick, pulpy, mushy; *(om stemme)* husky, thick.

grødevejr growing weather.

grød|fad porringer. **-hoved** oaf. **-is** brash. **-omslag** poultice.

grøft *(en -er)* ditch; *køre i -en* drive into the ditch; *(fig)* land in the ditch; *falde i den anden ~ (fig)* go to the opposite extreme. **grøfte** *vb* ditch, trench.

grøfte|graver ditcher. **-kant** edge of a ditch; *på -en (ofte =)* by the roadside. **-vand** ditch water.

grøn *adj (ogs fig)* green; *i det -ne* in the open (air); *komme på det -ne gren* be successful; *være på den -ne gren* be in clover; *ærgre sig gul og ~* make oneself ill with annoyance; *give -t lys (for planen) (fig)* give the green light (for the scheme); ~ *sæbe* soft soap; *i hans -ne ungdom* in his salad days; *sove på sit -ne øre* be fast asleep.

grøn|foder green fodder. **-gul** greenish yellow. **-irisk** *zo* greenfinch. **-klædt** (dressed) in green; *(m planter)* verdant. **-kål** kale, borecole.

Grønland Greenland.

grønlandsk *adj* Greenlandic; ~ *hund* husky.

grønlig *adj* greenish.

grønlænder(inde) *(en)* Greenlander.

grønnegård quadrangle, garden.

grønnes *vb* become green; *(om træer etc)* burst into leaf.

grønning *(en -er)* green.

grønsager *pl* vegetables.

grønsaltet *adj* light salted.

grønskolling *(en -er)* greenhorn, puppy.

grønspætte *(en -r)* green woodpecker.

grønsvær *(en el. et)* greensward, turf, sod.

grønt *(et)* green, verdure; *(friske planter)* greenery; *frugt og ~* fruit and vegetables.

grønt|handel greengrocer's shop. **-handler** *(en -e)* greengrocer. **-torv** vegetable market.

grønærter *pl* green peas.

grå *adj* grey, *(især amr.)* gray; *det satte ham ~ hår i hovedet* it caused him endless worry, it was enough to turn his hair grey; *den ~ oldtid* hoary antiquity; ~ *substans (fysiol)* grey matter; ~ *ært* field pea; *male -t i -t* paint in drab colours; *se alt -t i -t* look on the dark side of things.

grå|and *zo* mallard. **-bjørn** *zo* grizzly (bear). **-brun** *adj* dun, greyish brown. **-brødrekloster** Franciscan monastery.

gråd *(en) (det at græde)* weeping, crying; *(tårer)* tears; *briste i ~* burst into tears; *med ~ i stemmen* in a tearful voice; *være opløst i ~* be dissolved in tears; *kæmpe med -en* fight back one's tears.

grådblandet *adj* mingled with tears, tearful.

grådig *adj* greedy, voracious.

grådighed *(en)* greediness, greed, voracity.

gråkvalt *adj* stifled with sobs.

gråhåret *adj* grey-haired. **grålig** *adj* greyish.

gråmeleret *adj* of mixed grey shades.

gråne *vb* turn grey. **grånende** *adj* greying. **grånet** *adj* grizzled, grey.

grå|skimlet *adj* dapple-grey. **-skægget** *adj* grey-bearded. **-sprænget** *adj* grizzled. **-spurv** *zo* (house) sparrow. **-spætte** *zo* grey-headed woodpecker. **-vejr** *det er ~* it is overcast. **-vejrsdag** overcast day. **-værk** miniver.

guano *(en)* guano.

guardejn *(en -er)* assayer.

gubbe *(en -r)* old man, greybeard.

gud *(en -er)* god, deity; *Gud God; Gud Fader* God the Father; ~ *(fader) bevares!* bless me! *(ja)* ~ *bevares!* *(= for mig gerne)* of course, by all means; *et syn for -er* a sight for the gods; ~ *forbarme sig! du godeste* ~! good gracious! good Heavens! *dyrke fremmede -er* [be unfaithful in marriage]; ~ *give han gjorde det* I wish to God he would do it; *herre ~!* dear me! *med -s hjælp* with God's help; *I -er!* ye gods! ~ *ske lov,* ~ *være lovet* thank God; *-s hus* the house of God; *en -s lykke, se lykke; gå med* ~ God be with you; *af -s nåde* by the grace of God; *-s ord* the Word (*fx* preach the W.); *et (lille) -s ord fra landet* a little innocent; *ikke det* ~ *har ladet skabe* not a blessed thing; *for -s skyld* for God's (*el.* Heaven's) sake; *-s søn* the Son (of God); *et -s under* a miracle; ~ *ved om det er sandt* I wonder whether it is true; ~ *må vide hvad det er han vil have* Heaven only knows what he want:; *-erne må vide hvorfor* Heaven knows why; *det skal* ~ *vide* God knows; *ved* ~ by God, by Jove; *ja, gu' er det koldt* you bet it is cold; *gu' vil jeg ej* I'll be damned if I do.

gud|barn godchild. **-benådet** *adj* highly-gifted, inspired. **-bevares,** *se gud.* **-datter** goddaughter. **-dom** *(en -me)* deity, divinity. **-dommelig** *adj* divine. **-dommelighed** *(en)* divinity, deity.

gude|billede idol. **-drik** nectar.

gudelig *adj* pious, devout, religious; *(neds)* sanctimonious; *(opbyggelig)* devotional. **gudelighed** *(en)* piety; *(neds)* sanctimoniousness.

gude|lære mythology. **-sagn** myth. **-verden** pantheon, mythology.

gud|fader *(en)* godfather, sponsor. **-frygtig** *adj* god-fearing, devout, pious, religious. **-frygtighed** *(en)* devoutness, piety. **-hengiven** *adj* resigned (to the will of God). **-hengivenhed** *(en)* pious submission. **-inde** *(en -r)* goddess *(for of).* **-løs** *adj* godless, ungodly; *(ateistisk)* atheistic. **-løshed** *(en)* godlessness, atheism. **-moder** *(en)* godmother, sponsor.

guds|barn child of God. **-begreb** concept of God. **-bespottelig** blasphemous. **-bespottelse** blasphemy. **-bespotter** blasphemer. **-dom** ordeal. **-dyrkelse** worship (of God). **-engel** angel of God. **-forgåen** *adj* wild, abandoned, profligate; ~ *krop* scapegrace. **-forgåenhed** *(en)* wildness, profligacy. **-forladt** *adj* godforsaken. **-fornægtelse** *(en)* atheism. **-fornægter** *(en -e)* atheist. **-frygt** *(en)* fear of God, devoutness, piety. **-jammerlig** *adj* miserable, piteous; *adv* miserably, piteously; *græde -t* weep bitterly. **-tjeneste** (divine) service; *efter -n* after the service, after church.

gudsøn *(en -ner)* godson.

guerilla|bande, *(-krigsførelse)* guerilla band. **-krig** guerilla war, *(-krigsførelse)* guerilla warfare.

guf *(et)* delicacies; *(slik)* sweets, tuck.

guffe: ~ *i sig* stuff oneself; ~ *kager i sig* stuff oneself with cakes, wolf cakes.

guillotine *(en -r),* **guillotinere** *vb* guillotine.

Guinea Guinea. **Guineabugten** the Gulf of Guinea.

guirlande *(en -r)* festoon.

guitar *(en -er)* guitar.

gul yellow; *den -e fare* the yellow peril; *den -e eber* yellow fever; *-t lys (færdselssignal)* amber light; *-e ærter* split peas, *(suppe)* pea soup; *slå ham* ~ *og grøn* beat him black and blue; ~ *af misundelse* green with envy. **gulbrun** yellowish brown; *(mørk)* tawny.

guld *(et)* gold; *forlade -et, gå fra -et* go off the gold standard; *det er ikke alt* ~ *som glimrer* all that glitters is not gold; *tro som* ~ true as steel; *tale er sølv men tavshed er* ~ speech is silver, silence is golden; *det er* ~ *værd* it is worth its weight in gold.

guld|alder golden age. **-barre** gold bar; *-r (også* (gold) bullion. **-beholdning** gold stock. **-bogstav** gold *(el.* gilt) letter. **-brand** *(en)* ring finger. **-briller** *pl* gold-rimmed spectacles. **-broderet** *adj* gold-embroidered. **-bronze** *(farvestof)* bronze gilding; *(legering)* gold bronze. **-bryllup** golden wedding. **-dublé** filled gold. **-dækning,** gold backing, gold reserve. **-feber** gold fever. **-fisk** goldfish. **-fod** gold standard. **-fund** gold find. **-førende** *adj* auriferous, gold-bearing. **-galon** gold braid. **-glans** golden lustre. **-glimmer** yellow mica. **-graver** gold digger. **-gravning** gold digging. **-grube** *(ogs fig)* gold mine. **-gul** golden-yellow. **-holdig** containing gold; *(= -førende)* gold-bearing. **-horn** golden horn. **-håret** *adj* golden-haired. **-indfattet** *adj (om briller)* gold

-rimmed. **-indløselighed** convertibility into gold. **-kalv** golden calf; *danse om -en* worship the golden calf. **-kant** gilt edge. **-klump** (gold) nugget, lump of gold. **-korn** grain of gold; *(fig)* pearl *(fx* do not miss any pearls that may fall from his lips). **-krone** gold crown. **-kysten** the Gold Coast. **-land** gold-producing country; *(m guldmøntfod)* country on the gold standard. **-leje** *(et -r)* gold deposit. **-mager** *(en -e)* alchemist. **-mageri** *(et)* alchemy. **-makrel** *zo* dorado, dolphin. **-medalje** gold medal; *drikke til den store* ~ drink like a fish. **-mine** gold mine. **-mønt** gold coin. **-møntfod** gold standard. **-papir** gilt paper. **-penge** gold (coins). **-plombe** gold filling. **-randet** gilt-edged; ~ *papir* gilt-edged security. **-regn** ♣ laburnum. **-sand** gold sand, auriferous sand. **-sko** gold slipper. **-smed** goldsmith, jeweller; *zo* dragon fly. **-snit** gilt edges; ~ *for oven* gilt top; *med* ~ gilt-edged. **-snor** gold braid. **-stol:** *bære en i* ~ chair sby. **-stykke** gold coin, gold piece. **-støv** gold dust. **-tand** gold (-crowned) tooth. **-tresse** gold braid. **-tryk** gold printing. **-tråd** *(tråd der er udtrukket af guld)* gold wire, *(omspundet silketråd)* gold thread. **-ur** gold watch. **-vasker** *(en -e)* gold washer. **-vaskning** gold washing. **-vægt** gold scales; *veje sine ord på* ~ weigh every word. **-værdi** gold value. **-åre** gold vein.

gulerod ♣ carrot.

gulfilter *(fot)* yellow filter.

gullasch *(en)* goulash; *(spekulation)* profiteering. **gullaschbaron** profiteer, one of the new rich.

gullig *adj* yellowish.

gulne *vb* grow yellow, turn yellow, yellow.

gulsot *(en)* jaundice. **gulsotig** *adj* jaundiced.

gul|spurv *zo* yellow-hammer. **-stribet** yellow-striped.

gulv *(et -e)* floor; *gå i -et (om bokser)* go down; *slå en i -et* floor sby, knock sby down; *på -et (i engelsk teater)* in the stalls, *(bagest)* in the pit.

gulv|areal floor space, floorage. **-belægning** flooring. **-bræt** floor board. **-flade** floorage, floor space. **-flise** floor tile. **-klud** floor cloth. **-måtte** *(en -r)* (floor) mat. **-sand** white sand. **-skrubbe** *(en -r)* scrubbing brush. **-spand** bucket. **-tæppe** carpet; *(mindre)* rug.

gumle *vb* munch; ~ *på noget* munch sth.

gumler *(en -e) (dyr)* edentate.

gumme *(en -r)* gum.

gummere *vb* gum.

gummi *(en el. et)* rubber; *(klister)* gum. **gummi|agtig** gummy. **-bold** rubber ball. **-båd** rubber boat. **-bånd** rubber band. **-celle** padded cell. **-elastikum** *(et)* indiarubber.

gummiere *vb* gum; *-t papir* gummed paper; *(strimmel)* adhesive tape.

gummi|flip celluloid collar. **-frakke** mackintosh. **-hjul** (wheel with) rubber tyre; *med* ~ rubber-tyred. **-knippel** cosh, *(til politi)* rubber truncheon. **-plantage** rubber plantation. **-ring** rubber ring; *(på hjul)* rubber tyre; *(elastik)* rubber band. **-slange** rubber tube *(el.* tubing). **-stempel** rubber stamp. **-støvle** rubber boot. **-sål** rubber sole. **-træ** indiarubber tree; gum tree. **-varer** rubber goods.

gump *(en -e)* rump; *(på stegt fugl)* parson's nose.

gungre *vb* boom, rumble.

gunst *(en)* favour; *stå i ens* ~ be in sby's good graces; *til* ~ *for* in favour of; *til* ~ *for mig* in my favour **gunstbevisning** *(en -er)* favour.

gunstig *adj* favourable, propitious; *adv* favourably.

gurgle *vb* gargle; *(om lyd)* gurgle. **gurglen** *(en)* gargling, gurgling.

gus *(en)* sea fog.

gusten *adj* sallow; *(om lys)* pale. **gustenhed** *(en)* sallowness.

gut *(en -ter)* boy, lad.

guttaperka *(en)* guttapercha.

guttermand *(en)* brick, sport; *han er en* ~ *(ogs)* he is one of the best.

guttural *adj* guttural.

guvernante *(en -r)* governess.
guvernør *(en -er)* governor.
I. **gyde** *(en -r)* alley, passage.
II. **gyde** *(gød, gydt)* pour; *(om fisk etc)* spawn.
I. **gylden** *(en -)* *(en mønt)* guilder.
II. **gyld|en** *adj* golden; *-ne dage* palmy days; *-ne løfter* glittering promises; *den -ne middelvej* the golden mean; *en ~ rege₁* a golden rule; *det -ne skind* the Golden Fleece.
gylden|lak *(en -ker)* ♧ wallflower. **-læder** gilt leather. **-ris** *(en -)* ♧ goldenrod.
gyldig *adj (i kraft)* valid; *(om billet ogs)* available; *(om mønt)* current; *(som intet kan indvendes mod)* valid *(fx* excuse, reason); *uden ~ grund* without sufficient reason.
gyldighed *(en)* validity; *få ~* become valid.
I. **gylp** *(en -er)* *(knaphuls-)* fly.
II. **gylp** *(et -)* regurgitation, disgorgement; *(det opgylpede)* vomit, regurgitated matter; *(rovfugles)* cast, *(kugleformet)* pellet.
gylpe: *~ op* regurgitate, disgorge, vomit.
gymnasiast *(en -er)* pupil of a *"Gymnasium"*, *(kan gengives:)* (senior) grammar school boy (, girl); *(amr)* highschool boy (, girl).
gymnasieklasse: *I., II., III. G.* [the first, second, third form of the *"gymnasium"*]; *-rne (ofte =)* the senior school.
gymnasi|um *(et -er)* *(omtr =)* grammar school; *(amr)* high school; *(om dansk el. tysk ~ ofte:)* gymnasium; *(de 3 øverste klasser: se gymnasieklasse).*
gymnast *(en -er)* gymnast; athlete.
gymnasticere *vb* do gymnastics.
gymnastik *(en)* physical exercises, gymnastics, athletics; *(skolefag)* physical education; *gøre ~* do gymnastics.
gymnastik|dragt gymnasium suit; T gym suit, *(dame-)* gym tunic. **-forening** gymnastic club. **-hus** gymnasium. **-højskole** physical education college. **-inspektør** physical education inspector. **-institut** institute of physical education. **-lokale** gymnasium. **-lærer** physical education master, *(ofte =)* games master. **-opvisning** gymnastic display. **-sal** gymnasium. **-sko** gymnasium shoe, T gym shoe.
gymnastisk *adj* gymnastic; *-e øvelser* physical exercises.
I. **gynge** *(en -r)* swing.
II. **gynge** *vb (i en gynge)* swing; (*gyngestol)* rock; *(om skib)* rock, roll, toss; *-nde grund* boggy ground, *(ogs fig)* quagmire; *han er ude på -nde grund (svarer til)* he is skating on thin ice.
gynge|hest rocking-horse. **-stol** rocking-chair. **-tur** swing.
gynækolog *(en -er)* gynaecologist.
gyro|kompas ♧ gyro compass. **-skop** *(et -er)* gyroscope.
gys *(et -)* *(af frygt, afsky, kulde)* shudder, shiver; *(af spænding, vellyst etc)* thrill.
gyse *(gøs el. gyste, gyst)* *(af frygt, afsky, kulde)* shudder; shiver; *(af spænding, vellyst etc)* thrill; *~ af rædsel* shudder (el. shiver) with terror; *det -r i mig* I shudder, I shiver, I am thrilled; *~ tilbage for* shrink from.
gyselig *adj* horrible; *(dårlig etc ogs)* atrocious. **gysen** *(en) se gyse.*
gyser *(en -e)* *(om teaterstykke etc)* thriller.
gysser *pl (penge)* T brass, tin.
gyvel *(en -)* ♧ broom. **gyvelbusk** broom shrub.
gæk *(en -ke)* fool, dupe, *(i lås)* tumbler; *(se ogs vintergæk)*; *drive ~ med en* pull sby's leg; *slå -ken løs* frolic, skylark, make merry.
gække *vb (om gås)* gaggle, cackle.
gæld *(en)* debt; *gøre ~* incur *(el.* contract) debts; *komme i ~* get *(el.* run) into debt; *sidde i ~ til op over ørene* be up to the ears in debt; *stå i ~ til (fig)* be indebted to.
gælde *(gjaldt, gældt)* *(være værd)* be worth; *(være gyldig)* be valid, be in force, hold good, *(om billet)* be available, be valid, *(om mønt)* be current, be legal

tender; *(tælle 'med)* count; *('passe på, kunne siges om;* hold good of, be true of; *(angå)* apply to, concern *(være møntet på)* be aimed at;
det -r ikke that is not fair; *det -r liv og død* it is a matter of life and death; *når det -r* in an emergency, at a pinch; *nu -r det!* now for it! *mit første besøg -r dig* my first visit is to you; *~ for (anses for)* pass for, be regarded as, *(angå)* apply to; *loven -r fra 1. april* the Act comes into force on 1st april; *hvad -r denne mønt?* what is the value of this coin? *hvorhen -r rejsen?* where are you (, they etc) going? *regelen -r ikke længere* the rule no longer applies; *det -r om at gøre det* the great thing is to do it; *it is up to us (etc)* to do it; *hans første tanke gjaldt hende* his first thought was for her; *det -r hans ære* his honour is at stake.
gældende *adj* in force, valid; *(om billet)* available, valid; *(herskende)* current, present, prevailing; *gøre ~ (som undskyldning)* plead, *(hævde)* maintain, contend; *gøre ansvar ~ mod en* make sby responsible; *gøre sin indflydelse ~* bring one's influence to bear; *gøre et krav ~* advance a claim; *gøre sin ret ~* assert one's right; *gøre sig ~ (om person)* assert oneself; *(om andet end person)* manifest itself, tell.
gældfri *adj* free from debt, out of debt; *(om ejendom etc)* unencumbered.
gælds|bevis, **-brev** instrument of debt, IOU (= I owe you). **-byrde** burden of debt. **-fordring** claim, debt. **-fængsel** debtors' prison; *(straffen)* imprisonment for debt. **-post** item of a debt.
gælisk *adj* Gaelic.
gælle *(en -r)* gill; *ånde ved -r* breathe by gills.
gælle|spalte, -åbning gill slit.
gænge *(en -r)* *(på skrue)* thread, groove; *(på vugge etc)* rocker; *det gik i den gamle ~* things took their usual course; *være i god ~* be in progress, be proceeding satisfactorily.
gængs *adj* current; *(fremherskende)* prevalent, prevailing; *(almindelig)* common.
gær *(en)* yeast. **gærcelle** yeast cell.
I. **gærde** *(et -r)* fence; *(i kricket)* wicket; *springe over hvor -t er lavest* follow the line of least resistance.
II. **gærde** *vb* fence.
gærde|pind *(i kricket)* stump. **-sanger** *zo* lesser whitethroat. **-smutte** *(en -r) zo* wren. **-stav** fence picket, hedgestake.
I. **gære:** *der er noget i ~* there is sth in the wind, there is some trouble brewing; T there is sth cooking.
II. **gære** *vb* ferment; *(fig ogs)* work.
gæring *(en)* fermentation; *(fig)* ferment, unrest; *gd i ~* (begin to) ferment.
gærings|middel ferment. **-proces** process of fermentation.
gærsvamp yeast fungus.
gæs *pl af gås.*
gæsling *(en -er) zo* gosling; ♧ catkin.
gæst *(en -er)* guest; *(besøgende)* visitor; *(på restaurant etc)* patron, guest; *liggende ~* house guest; *vi har liggende ~* we have some people staying with us; *ubuden ~* uninvited guest; T gate-crasher.
gæste *vb* visit.
gæste|bog visitors' book. **-bud** banquet, feast. **-dirigent** guest conductor. **-forelæsning** guest lecture *(fx* give a g. lecture). **-lærer** visiting teacher. **-optræden** guest performance. **-spil** guest performance. **-værelse** spare bedroom, *(fornemmere& amr)* guest room.
gæstfri *adj* hospitable. **gæstfrihed** hospitality.
gæst|giver *(en -e)* innkeeper, landlord. **-givergård** inn. **-giveri** *(et -er)* *(håndteringen)* innkeeping; *(stedet)* inn.
gætning *(en -er)* *(det at gætte)* guessing; *(formodning)* guess, conjecture.
gætte *vb* guess; *godt -t!* that was a good guess; *~ en gåde* solve a riddle; *jeg -r på John* I think John; *my guess is John; jeg -r på at han er 40 år* I should put his age at 40; *~ rigtigt* guess right; *~ sig til* guess *(fx*

the reason); *han må have -t sig til det* he must have
arrived at it by pure guesswork.
gætteevne *(en)* power of divination.
gætteri *(et)*, **gætteværk** guesswork, guessing.
gæv *adj* doughty, redoubtable.
gø *vb* bark *(ad:* at); *(om jagthund)* bay; *der er ikke en
hund der vil ~ ad det* nobody cares two hoots.
gød *imperf af* gyde.
gøde *vb (med naturgødning)* manure; *(med kunst-
gødning)* fertilize.
gødning *(en) (det at gøde)* manuring, fertilization;
(gødningsstof, især natur-) manure; *(kunstgødning)* fer-
tilizer; *(møg)* dung; *(staldgødning)* farmyard manure.
gødnings|middel, -stof manure, fertilizer. **-vand**
liquid manure. **-værdi** manurial value.
gødskning *(en)* manuring, fertilization.
gøen *(en)* barking, bark.
gøg *(en -e)* cuckoo.
gøge|møg T tripe, hogwash; *hele -t* the whole
lot, the whole damned thing. **-unge** young cuckoo;
(fig) cuckoo in the nest. **-urt** ⚘ orchid.
gøgl *(et) (neds)* mummery; catchpenny shows.
gøgle *vb* play the buffoon; *(lave tryllekunster)*
juggle, play conjuring tricks.
gøglebillede phantom.
gøgler *(en -e)* mountebank.
gøgleri *(et -er) (blændværk)* delusion, phantasma-
goria. **gøglervogn** caravan.
gør-det-selv *adj* do-it-yourself.
gøre *(gjorde, gjort)* do; *(frembringe, fremkalde,
oretage fx en bevægelse, en rejse)* make; *(bringe i en
vis tilstand)* render, make; *(være af betydning)* matter;
(volde, forårsage) do *(fx* do good, do harm), cause;
[m subst:] ~ en fejl make a mistake; *~ et forsøg*
make an attempt; *~ én fortræd* do sby harm; *~ en
opfindelse* make an invention; *~ Oxford på en dag*
do Oxford in a day; *~ plads for* make room for; *~ sin
pligt* do one's duty; *~ et skridt* take a step; *~ én et
spørgsmål* ask sby a question, put a question to sby;
~ støj make a noise; *~ sig den ulejlighed at* take the
trouble to, go to the trouble to;
[m adj, pron, vb etc:] dette gjorde at de hørte efter this
made them listen; *han gør os bedre end vi er* he makes
us out to be better than we are; *~ sit bedste* do one's
best; *kan mindre ikke ~ det?* can't you do with less?
det gør mig godt it does me good; *det er godt gjort* it is
well done; *(ironisk)* I like that! *hvad gør det?* what
does it matter? what of that? *hvad har de gjort dig?*
what have they done to you? *hvad har du at ~ her?*
what are you doing here? *det gør ingenting* it does not
matter, never mind; *han gør det ikke længe* he won't
last long; *~ og lade som man vil* do just as you like;
det lader sig ikke ~ it cannot be done; *han har aldrig
gjort dig noget* he has never done you any harm; *der
er ikke noget at ~ (ɔ: at bestille)* there is nothing to do;
(ɔ: at stille op) there is nothing to be done (about it);
(ɔ: at opnå) nothing doing; *have nok at ~ med at* have
one's work cut out to; *~ sig* be a success; *(anstille sig)*
pretend to be *(fx* stupid); *~ sig bekendt med* acquaint
oneself with; *~ sig forståelig* make oneself understood;
det gør ikke så meget it does not matter much;
[m præp og adv:] ~ det af med dispose of; *(dræbe)* do
away with; *hvor har du gjort af det?* where have you
put it? what have you done with it? *~ ngt* ¹*efter*
imitate sth; *jeg kan ikke ~ for det* I cannot help it;
det kan hverken ~ fra eller til it makes no difference;
~ i (merk) deal in; *~ i bukserne* dirty one's trousers;
*mess one's pants; *~ ngt i penge* turn sth into cash; *~
en imod* cross sby, act against sby's wishes; *han gjorde
hele krigen med* he went (*el.* he served) all through
the war; *han gjorde rejsen med* he travelled with us
(, them, etc); *have at ~ med* have to do with, deal with;
alt hvad der har med flåden at ~ everything connected
with the navy; *det er ikke gjort med at snakke* talking
won't help; *gør mod andre hvad du vil have de skal ~
mod dig* do as you would be done by; *~ ngt* ¹*om* do
sth (over) again; *~ højre om* turn right; *hvad der er sket*

kan ikke -s om what is done cannot be undone; *det er
mig om at ~ at* I am anxious to; *det er mig meget om at ~
se: om g; *~ omkring* execute a right-about turn; *(om
en hel række)* wheel round; *~ op* settle; *~ lageret op*
take stock; *~ op med* settle with; *~ et regnskab op* make
up *(el.* balance) an account; *~ en til biskop* make sby
a bishop; *~ en til sin fjende* make an enemy of sby;
~ sig til af brag about; *aktierne blev gjort til . . (merk)*
the shares changed hands at . .; *~ for meget ud af* make
too much of; *~ det ud for* serve as; *hvad har du gjort
ved barnet?* what have you done to the child? *det er
der ikke noget at ~ ved* it cannot be helped; *jeg kan ikke
~ ved det* I cannot help it; *du må ~ noget ved det (ɔ: tage
dig af det)* you must do sth about it.
gøremål *(et -)* business, doings.
gøren: *hans ~ og laden* his doings.
gørlig *adj* practicable, feasible, possible.
gørtler *(en -e)* brazier.
I. **gøs** *(en -e)* ♪ jack. II. **gøs** *imperf af* gyse.
Gøteborg Gothenburg.
gå *(gik, gået)* go; *(gå på sine ben)* walk; *(om tid)* go,
pass, go by; *(spilles, opføres)* be played, be performed,
be on; *(sælges)* sell, be sold; *(gram: bøjes)* be inflected;
(være passende) do, pass; *(rækkes fra hånd til hånd)* go
round, pass; *(gå i stykker)* go, break; *(trække sig tilbage
fra embede)* go, retire; *(om regering)* resign;
[m subst:] dansen -r the dance is on; *døren gik* the door
opened and shut; *sby came in (,* went out); *motoren -r*
the engine is running; *møllen -r* the mill is turning;
radioen -r hele dagen the radio is on all day; *der -r
rygter om at* there are rumours that; *samtalen gik livligt*
the conversation was animated; *skuffen -r* let the
drawer runs smoothly; *der -r slid på maskinen* the
engine gets worn; *stykket gik et halvt år* the play ran
for six months; *tiden -r* time goes by, time is passing;
toget -r kl 10 the train leaves at 10; *der-er -et tre trumfer*
three trumps are out *(el.* have gone); *~ en tur* go for
a walk, take a walk; *mit ur vil ikke ~* my watch won't
go; *uret -r for hurtigt* the watch is fast;
[m adv, pron etc:] det gik helt anderledes it turned
out quite differently; *det er -et dårligt for mig* things
have gone badly with me, I have had bad luck; *det
gik dårligt med ham (mht helbred)* he was in a bad way;
det gik dårligt med foretagendet the enterprise did not
succeed; *de -r, han (, hun) -r (i sceneangivelse)* exeunt,
exit; *(i nyere stykker oftest)* they go (off stage), he
(, she) goes (off stage); *uret -r godt* the watch keeps
good time; *der -r godt for ham, det -r ham rigtig godt* he
is doing well; *hvordan -r det (med helbredet)?* how
are you? *hvordan -r det med arbejdet?* how is the
work getting on? how are you getting on with
your work? *hvordan det end -r* whatever happens;
søen -r højt the sea runs high; *den -r ikke* that won't
do; *(= du kan tro nej!)* no you don't! nothing doing!
lad gå! all right! let it pass! *~ ledig* be idle, *(være
arbejdsløs)* be out of work; *det -r meget let* that is very
easy; *~ løs, se løs; sådan gik det i tre år* things went
on like that for three years; *sådan -r det her i verden*
that is the way of the world; *sådan -r det (med) alle
store mænd* that is what happens to all great men;
~ tabt be lost, *(se ogs tabe)*; *~ vild* lose one's way; *intet
ville ~ for ham* nothing went right for him;
[faste forbindelser m præp og adv:]
~ af (løsne sig) come off; *(blive affyret)* go off;
(tage sin afsked) retire; *(om regering)* resign; *(blive
solgt)* sell; *(forløbe)* go *(el.* pass) off; *~ af mode* go out
(of fashion); *hvad -r der af ham?* what is the matter
with him? *~ af i stilhed* pass off quietly; *~ af med
sejren* be victorious, carry the day; *(i sport)* win, come
out the winner; *(i konkurrence)* win; *det kan ~ af på
min gæld* you can deduct it from what I owe you;
~ an: det ~ an it will do, it will pass; *det -r aldrig
an* it will never do;
~ bagover fall backwards; *jeg var ved at ~ bagover
af forbavselse* you could have knocked me down with
a feather;
~ bort go away; *(dø)* die, pass away;

~ **efter** *(hente)* go for, go to fetch; *(rette sig efter)* go by, go on, act upon; ~ *'efter (undersøge)* go into; *(skib, bil etc)* overhaul; *(opfriske)* touch up; *er der -et bud efter lægen?* has the doctor been sent for? *hvis det gik efter mit hoved* if I had my way; ~ *efter lyden* go in the direction of the sound;

~ **for** *(gælde, regnes for)* pass for, be supposed to be; *(blive solgt for)* go for; *hvad -r her for sig?* what is going on here? *hvornår skal det ~ for sig?* when is it to come off? *when is it to be?*

~ **foran** *præp* go before, precede; *adv* go (on) ahead, lead the way;

~ **forud for** precede; *(fig)* take precedence of;

~ **'fra** *(løsne sig)* come loose; *(skulle fradrages)* be deducted; *(opgive fx. eksamen)* give up; *'~ fra (forlade)* leave (behind); *(lade i stikken)* desert; ~ *fra forstanden* go out of one's mind; ~ *fra hinanden (ɔ: hver til sit)* part, separate; *(ɔ: i stykker)* go to pieces, split; ~ *fra sit ord* go back on one's word;

~ **frem** advance, go forward; *(gøre fremskridt)* advance, make progress; *(bære sig ad)* act, proceed; ~ *lige frem* walk straight ahead;

~ **fremad** advance, proceed; *(gøre fremskridt)* improve, make progress;

~ **fri** escape, be let off, go *(el. get off)* scot-free;

~ **hen** ~ *ubemærket hen* pass off unnoticed; ~ *ikke hen og bliv syg* don't go and be ill; ~ *let hen over* pass lightly over; *det gik hen over hovedet på ham* it was over his head; ~ *hen til ham* go (up) to him; walk over to him; *(for at besøge ham)* go and see him; look him up;

'~ **i** *(være klædt i)* wear; ~ *'i (lukke sig)* close; *han -r i sit 50. år* he is in his fiftieth year; ~ *i femte klasse* be in the fifth form; ~ *i sig selv* think better of it, repent; *planen gik i sig selv igen* the scheme came to nothing;

'~ **igen** leave again; ~ *'igen* recur, be repeated; *(om genfærd)* walk; haunt the house (, the room etc);

~ **igennem** pass (through), go through; *(gennemtrænge, fylde)* pervade; *(undersøge)* go over, go through; *(lide)* undergo, go through; *(blive vedtaget)* be carried, pass, go through; *ansøgningen gik igennem* the petition was granted; *(radio)udsendelsen gik godt igennem* the reception was good;

~ **imod** *(i fjendtlig hensigt)* go against; *(hen imod)* go towards; *(modarbejde)* oppose; *hvad er der -et dig imod?* what is worrying you?

~ **ind** *(træde ind)* go in, enter; *(om avis etc)* cease publication; ~ *ind for en sag* identify oneself with a cause; ~ *ind for hans politik* go in for *(el. adopt el. advocate)* his policy; ~ *ind i* go into, enter, *(i forening etc)* join; ~ *ind i hæren* join the army; ~ *ind på (bevæge sig ind i)* enter *(fx e. one's office)*; *(beskæftige sig med)* go into *(fx* go into details); *(give sin tilslutning til)* agree to, accept *(fx* accept a proposal), fall in with *(fx* an arrangement, a joke); ~ *ind til de andre* join the others;

~ **indad** *(om dør)* open inwards;

~ **itu** break, go to pieces;

~ **med** *(ledsage)* go with, come with, accompany; *(bære)* carry, *(klæder etc)* wear; *(som forstadium til forlovelse)* walk out with; ~ *'med (adv)* come with sby (, me, etc), go along; *(forbruges)* be consumed, be spent; *(blive ødelagt)* be destroyed, be lost; *-r De med?* are you coming (too)? are you coming with me (, us)? *hvordan -r det med ham?* how is he getting on? ~ *med stok* walk with a stick, *(til pynt)* carry a stick; ~ *stille med noget* keep something quiet; ~ *med hovedet på skrå* carry one's head on one side; ~ *med på den værste* stick at nothing; ~ *med til (ɔ: med på)* agree to; *sådan -r det med de fleste* that is what happens to most people;

~ **ned** go down, descend; *(om sol etc)* set, go down; *(om flyvemaskine)* land, come down; *(om skib etc = synke)* go down; *(om pris, temperatur etc)* fall, drop; *(om teatertæppe)* fall; ~ *ned ad bakke* go downhill; *det -r ned ad bakke med ham (fig)* he is

going downhill; *det -r mere og mere ned ad bakke med ham* he is going from bad to worse;

~ **'om** *(~ omkring)* walk about, *(blive rakt rundt)* go round, pass; *(udføres på ny)* be repeated; *lade kanden ~ om* pass the jug; *kanden gik om* the jug went round; ~ *3. klasse om* repeat the third form; ~ **omkring**, *se omkring.*

~ **op** *(stige, ogs om pris)* rise, go up; *(om dør, vindue)* open, fly open; *(om sammenføjning)* come apart, give way; *(om knude etc)* come undone; *(om regnestykke)* come right; *(om kabale)* come out; *(om teatertæppe)* rise; *det -r lige op (fig)* it amounts to the same thing; we are quits; *det gik op for mig at* I came to realize that, it dawned upon me that; ~ *op i (ɔ: interessere sig for)* devote oneself to, be absorbed in; give one's mind to; ~ *op i luer* go up in flames; *selskabet er -et op i et andet* the company has become merged in another; *to -r op i fire* four is divisible by two; ~ *op i sin rolle* identify oneself with one's part; ~ *op til eksamen* take *(el. (kun skriftlig)* sit for) an examination;

~ **over** *(fra side til side)* cross *(fx* let us cross here), walk across; *(fortage sig)* pass off, vanish; *(gå itu)* break (in two), snap; *floden -r over sine bredder* the river overflows its banks; *det -r over min forstand* it is beyond me, it passes my comprehension; T it beats me; ~ *over i* pass into; ~ *over i historien* go down in history, become history; ~ *over på andre hænder* pass into other hands; ~ *over stregen* go too far, overstep the mark; ~ *over til* go over to; *(en mening)* come round to; *(en religion)* be converted to; *(anden virksomhed, andet emne)* pass on to; *(udvikles til)* become, pass into; ~ *over til katolicismen* join *(el.* go over to) the Roman Catholic Church;

~ **'på** *(tage fat)* go ahead, go on; *(angribe)* charge; *(ske)* happen *(fx* it does not h. often); *(om handske etc)* go on; *den -r han ikke 'på* he won't swallow that; *det er hårdt at ~ 'på* it is tough luck; ~ *(løs)* på en go for sby; *han lod sig ikke ~ 'på* he stood his ground (like a man); *-r på melodien .. is sung to the tune of ..;* *det -r mig på nerverne* it is getting on my nerves; *der -r 20s. på et pund* there are twenty shillings to a pound; ~ *på universitetet* be at the university; ~ *på vingerne (om flyvemaskine)* take off;

~ **rundt** walk about, go round; *se ogs rundt*;

~ **'til** *(fremskynde sin gang)* walk faster, quicken one's pace; *(ske)* come about, come (to pass), happen *(fx* how did it happen? how did he come to loose the money?); *(forbruges, udkræves)* be required, be spent, be consumed; *det gik lystigt til* it was a jolly affair; ~ *til scenen* go on the stage; ~ *en sko til* wear a shoe in; *klokken -r til to (let glds)* it is getting on for two o'clock; *det gik underligt til med den sag* it was a queer business; *jeg er ved at gå 'til af varme* this heat is getting too much for me *(el.* is getting me down);

~ **tilbage** go back, retreat; *(fig)* decline; fall off *(fx* membership *(medlemstallet)* fell off); *lade handelen ~ tilbage* call off the deal; *det er -et tilbage for ham* he has come down in the world; *det -r tilbage med ham* he is falling off; ~ *tilbage til* return to, go back to, *(skrive sig fra)* date from *(fx* the house dates from the 17th century);

~ **ud** *(ogs om ild, lys)* go out; *(om planter)* die; *(udgå)* be omitted, be left out, be dropped; ~ *ud af* go out of, leave *(fx* the room, the school); ~ *ud fra (forudsætte)* assume, understand, take for granted; *jeg -r ud fra at (ogs)* I take it that; ~ *ud fra en urigtig forudsætning* act on a wrong assumption; *hans ondskab gik ud over ham selv* his malice rebounded on him; *dette vil ~ ud over ham* he will have to suffer for this; *lade det ~ ud over en anden (ɔ: når noget går én imod)* take it out of sby else; *lade sit raseri ~ ud over vent* one's rage upon; ~ *ud på (tilsigte)* aim at, *(udtrykke)* be to the effect (that); *det -r ud på* at the idea is that; *forslaget (, svaret) -r ud på* at the proposal (, the answer) is to the effect that; *hans stræben -r ud på* his object *(el.* aim) is; *jeg så hvad alt dette gik ud på* I perceived the drift of all this; *jeg ved hvad dine ønsker -r ud på* I know what your wishes are;

~ **uden om** (*hindring, spørgsmål*) evade, bypass; ~ *langt uden om en* give sby a wide berth;

~ **'under** ⚓ go down, founder; (~ *til grunde*) be destroyed, go to the wall; ~ *under navn af* pass by the name of; ~ *under et falsk navn* go under a false name;

~ **videre** go ahead, go on; *lade* ~ *videre* pass on.

gåde (*en -r*) riddle, puzzle; (*noget ubegribeligt*) mystery, enigma; *løse en* ~ solve a riddle; *det er mig en* ~ it is a mystery to me, it puzzles me; T it beats me; *tale i -r* speak in riddles.

gådefuld *adj* mysterious, puzzling, enigmatic.

gåen: *kommen og* ~ comings and goings; *hans* ~ *op i* his devotion to.

gående (*se gå*) *adj* going, walking; *subst* pedestrian, walker; *holde* (*fx samtalen*) ~ keep (*fx* the conversation) going; *holde den* ~ (*blive ved med noget*) keep it up, carry on, (*klare det økonomiske*) keep the wolf from the door, keep the pot boiling.

gåpåmod (*et*) push, drive, go, enterprise.

går: *i* ~ yesterday; *i* ~ *aftes* last night, yesterday evening; *i* ~ *morges* yesterday morning; *avisen fra i* ~

yesterday's paper; *natten til* ~ the night before last.

gård (*en -e*) (*gårdsplads*) court, (court)yard; (*lege-plads*) playground; (*landejendom*) farm; (*herregård*) estate; *gå i -en* (*skoleudtryk*) leave the room; *be excused*; *på -en* on the farm; *værelse til -en* back-room.

gård|ejer farmer, owner of a farm. **-mand** farmer; (*mand, der holder gården ren*) caretaker. **-sanger** street-singer.

gårds|karl outdoor servant. **-plads** courtyard.

gård|tur (*for fanger*) exercise. **-vagt:** *have* ~ be on playground duty.

gårsdagen the previous day.

gås (*en, gæs*) goose (*pl geese*); (*dum kvinde*) goose.

gåse|fedt goose fat. **-fjer** goose feather; (*til pen*) goose quill. **-gang:** *gå i* ~ walk in single file (*el.* Indian file). **-hud** gooseflesh; *jeg har* ~ *over hele kroppen* I am goosey all over. **-kråser** *pl* giblets. **-leverpostej** pâté de foie gras. **-pen** (goose) quill. **-rede:** *sidde som en bisp i en* ~ be in clover. **-steg** roast goose. **-urt** ♣ camomile; (= *tusindfryd*) daisy. **-øjne** (*anførelsestegn*) inverted commas, quotation marks.

gåtur walk.

H

H, h (*et -'er*) H, h; (*lyden staves:*) aitch; (*i musik*) B. ha! ha!

ha *f k f hektar*.

habengut (*et*) goods and chattels.

habil *adj* able, competent, efficient.

habilitere *vb:* ~ *sig* qualify oneself.

habit (*en -ter*) suit.

habitus (*en*) (outward) appearance; (*åndelig*) intellectual make-up; (*moralsk*) moral character.

hachis (*en el. et*) hash.

had (*et*) hatred (*til:* of, for); (*især poet.*) hate; *lægge ham for* ~ *hos dem* make them dislike him; *nære* ~ *til en* hate sby; *pådrage sig ens* ~ incur sby's hatred.

hade *vb* hate.

hadefuld *adj* spiteful, rancorous, savage.

hader (*en*) hater, enemy (*af:* of).

hadsk = *hadefuld*.

hadskhed (*en*) spite, spitefulness, rancour.

haft *perf part af have*.

¹. **hage** (*en -r*) (*krog etc*) hook; (*modhage*) barb; (*på hestesko*) calk; *der er en* ~ *ved det* (*fig*) there is a snag about it.

II. **hage** (*en -r*) (*anat*) chin.

III. **hage:** ~ *sig fast i* (*el. til*) hang on to.

hage|bånd bonnet string. **-kors** swastika. **-kors-flag** swastika flag. **-rem** chin strap. **-skæg** (*spidst*) goatee; (*skipperskæg*) Newgate frill; (*som Napoleon III's*) imperial. **-smæk** (*en -ker*) bib.

hagl (*en*) (*haglvejr*) hail (*se ogs -byge*), (*fig*) shower (*fx* of jokes), hail (*fx* of bullets); (*et -*) (*haglkorn*) hailstone; (*af bly*) shot (*pl* shot), (*fx til luftbøsse*) pellet.

haglbyge hail shower, (*voldsom*) hailstorm.

haglbøsse shotgun, fowling-piece.

hagle *vb* hail (*ned over:* on); *sveden -de af ham* the perspiration (*el.* sweat) poured down his face; *slagene -de ned over ham* the blows rained down on him.

hagl|korn hailstone. **-patron** shot-cartridge. **-skade** (*en*) damage caused by hailstorms. **-vejr,** *se -byge*.

haj (*en -er*) (*og fig*) shark (*fx* the sharks of the housing market).

hak (*et -*) notch, cut, incision, indentation; (*fig*)

bit (*fx* not a bit better; I don't care a bit); *jeg f orstår ikke et* ~ *af det* I don't understand a word of it.

I. **hakke** (*en -r*) pickaxe, mattock; (*gartnerredskab*) hoe.

II. **hakke** *vb* (*m hakke*) hoe; (*m skarp ting*) cut, hack; (*m næb*) peck; (*fint*) chop, mince; (*i tale*) stammer, stutter; ~ *i det* (*fig*) stammer; ~ *på* (*fig*) carp at, nag (at) (*fx* she kept on nagging (at) him).

hakke|bræt (*til mad*) chopping-board; (*glds musikinstrument*) dulcimer, (*neds om klaver*) broken-down piano; ⚓ taffrail. **-bøf** Hamburg steak, hamburger. **-kniv** mincing-knife.

hakkelse (*en*) chaff; (*fig*) rubbish. **hakkelsema-skine** chaff-cutter.

hakkeorden (*biol*) pecking-order.

I. **hal** (*en -ler*) hall. **II.** **hal** (*et*) haul, pull.

I. **hale** (*en -r*) tail; (*rævs*) brush; (*hares, kanins*) scut; (*bagdel*) behind, seat; (*amr*) fanny; *stikke -n mellem benene* (*ogs fig*) turn tail, run away with one's tail between one's legs.

II. **hale** *vb* haul, pull; drag (*fx* (*fig*) I could not drag a word out of him); ~ *i* haul at; ~ *i land, se land;* ~ *ind* haul in; ~ *ind på* gain upon; ~ *ned* haul down; ~ *op i bukserne* hitch up one's trousers; ~ *ud* (*på hurtigt*) step out; (*trække på årerne*) lay out on the oars.

hale|ben (*anat*) coccyx. **-finne** (*zo, flyv*) tail fin. **-fjer** tail feather. **-løs** *adj* tailless. **-neger** (*neds*) nigger. **-ror** (*flyv*) rudder. **-tudse** tadpole.

halleluja! halleluja!

hallo (*i tlf*) hello; (*se ogs II. halløj*); ~, ~! (*i højttaler*) attention, please.

hallucination (*en -er*) hallucination.

I. **halløj** (*et el. en*) hubbub, row, uproar; *drive* ~ *med* make fun of; (*behandle samvittighedsløst*) play fast and loose with.

II. **halløj** (*overrasket*) hello! hullo! (*prajning*) hey! I say! (*amr*) say! (*uhøfligt*) hey you!

halm (*en*) straw; *knippe* ~ bundle of straw; *et læs* ~ a cartload of straw.

halma (*et*) halma.

halm|strå straw; *gribe efter et* ~ catch at a straw. **-visk** wisp of straw.

hals (*en -e*) (*ogs fig*) neck; (*strube, det indvendige af -en*) throat; ⚓ tack; (*på node*) stem, tail;

brække -en break one's neck; *dreje -en om på ham* wring his neck; *le af fuld* ~ roar with laughter; *råbe af fuld* ~ shout at the top of one's voice; *få noget i den gale* ~ get something down the wrong way; *give* ~ give tongue; *han er en hård* ~ he is a hard -bitten fellow; *have ondt i -en* have a sore throat; *hjertet sidder mig i -en* my heart is in my mouth; *knække -en på det (fig: forløfte sig)* break one's back in the attempt to do it; *T* come down badly over it; *gå på med krum* ~ go at it hammer and tongs; *Tory om en* ~ an out-and-out Tory; *fare én om -en* throw one's arm round sby's neck; *vi er om en* ~ it is all up with us; *over* ~ *og hoved* headlong, with a rush; *skaffe en ngt på -en* saddle sby with sth; *række* ~ (2: *lade sit liv)* put one's head on the block; *skære -en over på en* cut sby's throat; *strække* ~ crane one's neck, *(se ogs række* ~); *ligge for styrbords -e* ⚓ be on the starboard tack; *det hænger mig ud af -en* I am fed up (to the back teeth) with it; I am sick and tired of it; *løbe med tungen ud af -en (fig)* run like mad.

hals|betændelse quinsy, inflammation of the throat. -bind stock. -brand heartburn. -brækkende breakneck. -bånd necklace; *(til hund)* collar.

halse *(gø)* give tongue, bay; *(løbe)* rush, dash; ~ *rundt* ⚓ wear.

hals|hugge behead, decapitate. -hugning *(en)* beheading, decapitation. -hvirvel cervical vertebra. -jern iron collar. -kæde necklace, chain. -lidelse throat complaint *(el. trouble)*. -linning neckband. -læge throat specialist, laryngologist. -løs: ~ *gerning* capital offence, hanging matter; *(fig)* desperate undertaking, risky business. -muskel cervical muscle.

hals- og håndsret power of life and death.

hals|smykke *(et -)* necklace. -specialist *se -læge*. -starrig *adj* obstinate, stubborn, pigheaded. -starrighed *(en)* obstinacy, stubbornness. -sygdom throat complaint. -tørklæde scarf; *(strikket)* comforter, muffler. -udskæring neckline; *spids* ~ V-neck.

halt *adj* lame *(på det ene ben:* in one leg), limping.

halte *vb* limp, walk with a limp, hobble; *(fig)* halt.

haltefanden the devil on two sticks.

halten *(en)* limp.

halunk *(en -er)* rascal.

halv half; *det -e* half, one half; *børn det -e* half-price; *hvad er det -e af 6?* what is (the) half of six? *så beskeden at de t -e kunne være nok* modest to a fault; *-e forholdsregler* half-measures; *en* ~ *fridag* a half-holiday; *en* ~ *gang til så meget* half as much again; *et -t hundrede* about fifty; *klokken er* ~ *tolv* it is half past eleven; *klokken er lige* ~ it is just half past; *slå* ~ *(om ur)* strike the half-hour; *uret slår hel og* ~ the clock strikes the hours and half-hours; ~ *kraft* half-speed; *to en* ~ *eng. mil* two and a half miles, two miles and a half; *en* ~ *penny* a halfpenny; *en (og) en* ~ *penny* three halfpence; *to en* ~ *penny* twopence halfpenny; *til* ~ *pris* at half price, at the half the price; *på* ~ *stang* at half-mast; *i* ~ *størrelse* half-size; *den -e tid* half the time; *en* ~ *time* half an hour, a half-hour; *to -e udgør en hel* two halves make a whole; *det kan man se med et -t øje* you can see that with half an eye; *(se ogs halvt)*; *et -t år* six months, *(sjældnere:)* half a year.

halvabe *(en -r)* zo lemur.

halvanden one and a half; ~ *penny* three halfpence, a penny halfpenny; *halvandet år* eighteen months, a year and a half.

halv|ark half-sheet. -automatisk semi-automatic. -befaren: ~ *matros* ordinary seaman. -bind *(bogbind)* half-binding; *(del af værk)* half-volume. -blind half-blind. -blods *adj* half-bred; *(om menneske)* half-breed, half-caste. -broder half-brother. -cirkel semicircle. -cirkelformet *adj* semicircular. -civiliseret half-civilized, semi-civilized. -dagspige part-time maid. -dagsplads half-time situation, part-time job. -dannet half-educated, semi-educated. -del half *(pl* halves); *-delen af* half of, one half of, the half of. -død half-dead. -dør half-door.

halvere *vb* halve; *(mat.)* bisect.

halvering *(en)* halving; bisection.

halverings|linie bisector. -tid *(i atomfysik)* half-life (period).

halv|fabrikat semi-manufacture(d article). -fed *adj (typ)* medium-faced. -fems ninety; *i halvfemserne* in the nineties. -femsindstyve ninety. -femsindstyvende ninetieth. -femsårig *adj* nonagenarian. -femte four an a half. -fjerde three and a half. -fjerds, -fjerdsindstyve seventy. -fjerdsindstyvende seventieth. -fjerdsårig septuagenarian. -flaske half-bottle. -fordærvet *adj* tainted. -fuld *(beruset)* half-drunk, *T* half-seas-over. -færdig half-done, half-finished. -fætter second cousin. -gal half mad, half crazy. -gammel oldish, elderly. -gjort half-done. -gud demigod. -hed *(en)* incompleteness; *(fig)* indecision, vacillation; *(halve forholdsregler)* half-measures. -hjertet *adj* half-hearted.

halv|hundredårig of fifty years, fifty years old. -hundredårsdag fiftieth anniversary. -højt *adv* in an undertone. -kaste *(menneske)* half-caste. -kreds semicircle. -kugle hemisphere. -kugleformet *adj* hemispherical. -kusine second cousin. -kvalt *adj* half-smothered, stifled; ~ *af latter* half stifled with laughter. -kvædet: *han forstår en* ~ *vise* he can take a hint. -lang *adj* half-length *(fx* gown). -leg *(i fodbold)* half; *(i kricket)* (an) innings; *(pausen)* half-time; *efter første* ~ *stod det 2–0 (i fodbold)* the score at half-time was 2–0. -maske half-mask. -moden half ripe. -mørk *adj* dim. -mørke *(et)* half-light, dusk. -måne half-moon, crescent. -måneformet *adj* crescent-shaped. -nøgen *adj* half-naked. -rund *adj* semicircular. -sove *vb* doze, drowse. -stegt half -done, half-cooked. -stik *(et -)* ⚓ half-hitch; *dobbelt* ~ clove hitch. -studeret: ~ *røver* smatterer, sciolist. -søskende *pl* half-brother(s) and half-sister(s). -søster half-sister.

halvt *adv* half; ~ *af hver(t)* half-and-half; *dele* ~ *med* go halves with; ~ *det ene og* ~ *det andet* half one thing and half another; *han gør ingenting* ~ he does nothing by halves; ~ *om* ~ half *(fx* I half believed that he was guilty), more or less; ~ *så meget* half as much.

halv|tag lean-to, penthouse, open shed; *(foran dør)* porch roof. -tone half note, minim. -tosset cracked, crazy. -tredje two and a half. -treds fifty. -tredsindstyve fifty. -tredsindstyvende fiftieth. -tredsårig *adj* fifty years old. -tredsårsdag, -tredsårsjubilæum fiftieth anniversary. -vej: *på* -en half-way; *møde en på -en (ogs fig)* meet sby half-way; *(mht pris etc ogs)* split the difference. -vejs *adv* half -way; *(halvt om halvt)* half; *jeg har* ~ *lyst til at* I have half a mind to. -vers hemistich. -vild semi-savage; half-civilized; *(om dyr)* half-wild. -voksen adolescent; *(om dyr)* half-grown; *to halvvoksne børn (ogs)* two children in their teens. -ædelsten semi-precious stone. -ærme half sleeve. -ø peninsula. -åben half-open. -år six months, half-year. -årlig *adj* half-yearly, semiannual; *adv* every six months, twice a year.

I. **ham** *(en)* slough; *skifte (el. skyde)* ~ cast off *(el.* shed) the slough, slough.

II. **ham** *pron* him; *det er* ~ it is he, *T* it's him.

Hamborg Hamburg.

hamburgerryg smoked loin of pork.

hamle: *kunne* ~ *op med* be a match for, be able to cope with.

ham|mel *(en -ler) (hammelstok)* double tree; *(svingler)* single trees.

hammer *(en, hamre)* hammer; *(træ-)* mallet; *(dør-)* knocker; *(i øret)* malleus, hammer; *(auktions-)* gavel; *-en faldt ved £100* it was knocked down for £100; *komme under -en (på auktion)* come under the hammer. **hammer|hoved** hammer head. **-kast** throwing the hammer. **-slag** hammer stroke; *han fik* ~ *på det (ved auktion)* it was knocked down to him.

hamp *(en)* hemp. **hampe|frø** hempseed. **-garn** hemp yarn. **-olie** hempseed oil.

hamper *adj (dårlig)* rotten; *(skrap)* stiff, tough; *en ~ pris* a stiff price.

hampereb hemp rope.

hamre *vb* hammer, beat; *~ i klaveret* pound *(el.* thump) the piano. **hamren** *(en)* hammering.

hamskifte *(et)* sloughing.

hamster *(en -e) zo* hamster; *(hamstrer)* hoarder.

hamstre *vb (samle forråd)* hoard. **hamstrer** *(en -e)* hoarder. **hamstring** *(en)* hoarding.

I. **han** *(en -ner)* male, he; *(om hønsefugle etc)* cock. II. **han** he; *~ selv* he himself.

han|bi *zo* drone. **-blomst** ♁ staminate *(el.* male) flower.

handel *(en -er)* trade, trading, commerce; *(især ulovlig)* traffic; *(enkelt køb og salg)* deal, bargain; *afslutte en ~, slå en ~ af* close a bargain, bring off a deal, do a deal; *drive ~* carry on business *(med en* with sby); *drive ~ med (varer)* trade *(el.* deal) in (goods); *gøre en god ~* strike a good bargain; *være i -en* be on the market; *gå til -en* go into business; *værdi i ~ og vandel* market *(el.* commercial) value; *-en på Østersøen* the Baltic trade.

-handel trade *(fx* fur trade); traffic *(fx* slave traffic); *(= -butik)* shop *(fx* leather shop).

handels|aftale trade agreement; *(se ogs -traktat).* **-artikel** commodity. **-attaché** commercial attaché. **-balance** trade balance. **-beretning** trade return, trade report. **-bog** ledger, account book. **-centrum** commercial centre. **-flag** ♁ merchant flag; *-flaget (det britiske)* the Red Ensign. **-flåde** mercantile marine. **-folk** *(folkeslag)* commercial nation; *(pl = forretnings-mænd)* businessmen. **-forbindelse** commercial relations *(pl)*; *(person el. firma)* business connexion. **-foretagende** business concern. **-fyrste** merchant prince. **-gartner** market gardener; *(amr)* truck gardener. **-gartneri** market *(, amr:* truck) garden; *(virk-somheden)* market *(, amr:* truck) gardening. **-gymna-sium** [higher commercial school] **.-hus** commercial house *(el.* firm). **-højskole** commercial college. **-ka-lender** trade directory. **-kammer** chamber of commerce. **-kompagni** trading company. **-korrespon-dance** commercial correspondence. **-krig** commercial war. **-lovgivning** trade legislation. **-lære:** *komme i ~* be apprenticed to a merchant *(el.* shopkeeper). **-lærling** apprentice to a merchant *(el.* shopkeeper). **-mand** *(forretningsmand)* businessman; *(gadehandler)* hawker. **-marine** mercantile marine. **-minister** Minister of Commerce; *(i Engl)* President of the Board of Trade; *(i U. S. A.)* Secretary of Commerce. **-ministerium** Ministry of Commerce; *(i Engl)* Board of Trade; *(i U.S.A.)* Department of Commerce. **-monopol** commercial monopoly. **-moral** business morals. **-ophævelse** cessation of business. **-ordbog** commercial dictionary. **-overenskomst** trade agreement. **-register** Trade Register. **-rejsende** commercial traveller, representative.

handels|ret *(love)* commercial law; *(domstol)* commercial court. **-selskab** business company, trading company. **-skib** merchant ship. **-skole** business school. **-stad** commercial town. **-standen** business-men. **-traktat** commercial treaty. **-udtryk** commercial term. **-vare** commodity, article of commerce. **-vej** trade route; *gå -en* go into business. **-verdenen** commercial circles, the business world. **-videnskab** commercial science. **-virksomhed** commercial transactions, trade, business. **-vægt** *(eng)* avoirdupois. **-værdi** market *(el.* commercial) value. **-øjemed:** *i ~* for business purposes.

handicap *(et),* **handicappe** *vb* handicap.

handle *vb* act; *(drive handel)* trade, deal, do business; *~ efter ens råd* act on sby's advice; *~ hos X* shop at X's; *~ med (person)* trade with, do business with; *(varer)* deal in; *~ ilde med* treat badly; *~ om (ɔ: have som emne)* be about, deal with, treat of,

(købslå om) bargain over; *-s (om børspapirer)* change hands; *gå ud at ~ (købe ind)* go shopping.

handledygtig *adj* energetic, active, vigorous. **handledygtighed** *(en)* energy, Τ push, drive. **handle|form** *(gram)* the active voice. **-frihed** freedom of action. **-kraft** energy. **-kraftig** *adj* energetic, active, **-måde** conduct, line of action.

handlende *adj (se handle)* acting; trading; *subst* tradesman, shopkeeper.

-handler dealer *(fx* leather dealer), retailer.

handling *(en -er)* action, act; *(i roman, skuespil)* action, story, *("intrige")* plot; *(højtidelig)* ceremony, function; *fjendtlig ~* act of hostility, hostile act; *-en foregår i Frankrig* the scene is laid in France; *en -ens mand* a man of action; *skride til ~* take action.

handlingsmættet action-packed.

handske *(en -r)* glove; *kaste -n til én (fig)* throw down the gauntlet (to sby). **handske|mager** *(en -e)* glover. **-rum** *(i bil)* glove compartment. **-skind** glove leather.

handyr male; *(om fugle ogs)* cock.

hane *(en -r) (fugl)* cock; *(amr)* rooster; *(på rør, tønde etc)* tap, *(ogs* cock, *men dette ord undgås ofte, især på amr)*, faucet; *(på skydevåben)* cock; *spænde -n på sin pistol* cock one's pistol.

hane|ben: *gøre ~ til* court. **-bjælke** tie beam. **-gal** *(et -)* cockcrow. **-kam** cock's comb. **-kamp** cockfight(ing). **-kylling** cockerel; *(hidsig ung mand)* hothead.

hanfisk *(en -)* milter.

I. **hang** *(et)* inclination *(til:* to), propensity *(til:* to); *have ~ til drik* be addicted to drink. II. **hang** *imperf af hænge.*

hangar *(en -er)* hangar. **hangarskib** (aircraft) carrier.

hanhund (he-) dog.

hank *(en -e)* handle; *have hånd i -e med* keep a firm hold on, control.

han|kanin buck rabbit. **-kat** tomcat.

hanke *vb: ~ op i* hitch up *(fx* h. up one's trousers); *~ op i en* take sby's arm; *(tage sig af)* take sby in hand.

hankeløs *adj* without a handle.

hankøn *(et)* male sex; *(gram)* the masculine gender.

Hannover Hanover. **hannoveraner** *(en -e)₀* **hannoveransk** *adj* Hanoverian.

hanplante male plant.

hanrej *(en -er)* cuckold.

hanræv dog-fox.

hans his; *~ og ~ broders breve* his and his brother's letters.

hanseat *(en -er)* Hanseatic merchant. **hanse-forbund** Hanseatic League. **hansestad** Hanseatic town.

han|spurv cock sparrow. **-svane** cob.

haps! snap! **hapse** *vb* snatch, grab.

har *præs af have.*

harakiri hara-kiri; *begå ~* commit hara-kiri.

Harald Harold.

harcelere: *~ over* ridicule.

hare *(en -r)* hare; *nærved skyder ingen ~* a miss is as good as a mile. **hare|fod** *(ogs* ♁*)* hare's foot; *fare (el. gå) over med en ~* pass lightly over, slur over. **-jagt** hare-hunting; *(med bøsse)* hare-shooting. **-killing** leveret, young hare. **-kløver** ♁ hare's-foot trefoil.

harem *(et -er)* harem, seraglio. **haremskvinde** odalisque.

hare|skår harelip. **-steg** roast hare.

harke *vb* hawk (and spit).

harlekin *(en -er)* harlequin.

harmdirrende trembling with rage, indignant.

I. **harme** *(en)* indignation, resentment, *(poet.)* ire, wrath. II. **harme** *vb* vex, exasperate; *-s* feel indignant; *det -r mig at se* it gets my goat to see.

harmelig *adj* annoying, exasperating. **harmfuld**

adj indignant. **harmløs** *adj* harmless, inoffensive; innocent (*fx* pleasure).

harmonere *vb* harmonize; ~ *med* (*fig*) harmonize with, be in harmony with, be in keeping with; *det* ~*r ikke med hans udsagn* it does not chime with his statement. **harmoni** (*en -er*) harmony, concord.

harmonika (*en-er*) accordion, concertina; (*mund-*) mouth organ. **harmonika|sammenstød** pile-up. -**seng** fold-up bed.

harmoniorkester wind orchestra.

harmonisere *vb* harmonize.

harmonisk *adj* harmonious.

harmoni|um (*et -er*) harmonium.

harnisk (*et el.* en, *-er*) armour; *bringe én i* ~ infuriate sby, enrage sby; *komme i* ~ fly into a rage.

I. **harpe** (*en -r*) (*musikinstrument*) harp; (*sold, rist*) screen; *spille pá* ~ play the harp, harp.

II. **harpe** (*en -r*) (*kvinde*) shrew, termagant.

III. **harpe** *vb* (*rense*) screen.

harpenist (*en -er*), **harpenistinde** (*en -r*), **harpespiller** (*en -r*), **harpespillerske** (*en -r*) harpist.

harpiks (*en -er*) resin; (*når terpentinolien er afdestilleret*) rosin. **harpiksagtig** *adj* resinous.

harpun (*en -er*), **harpunere** *vb* harpoon.

harsk *adj* rancid.

hartkorn (*et -*) [Danish unit of land valuation]; *slá noget i* ~ *med* lump sth with; *det store* ~ the landed interests.

harve (*en -r*) & *vb* harrow.

Harzen the Harz.

I. **has** (*en -er*) (*nødde-*) hull.

II. **has:** *fá* ~ *pá* get the better of, (*om tid*) kill.

hasard (*en*) hazard, gamble, game of chance; *spille* ~ gamble; *giftermál er* ~ marriage is a lottery.

hasarderet *adj* rash (*fx* a rash assertion).

hasardspil gambling, game of chance.

hasardspiller (*en -e*) gambler.

I. **hase** (*en -r*) (*nødde-*) hull.

II. **hase** (*en -r*) hollow of the knee, (*hos dyr*) hock, hough; (*sene*) hamstring; *skære* -*rne over pá* hamstring; *smøre* -*r* take to one's heels.

I. **haspe** (*en -r*) (*pá dør*) hasp; (*til garn*) reel.

II. **haspe** *vb* hasp; reel; ~ *af* (*fig*) reel off (*fx* he reeled off a long speech).

hassel (*en*) hazel. **hassel|busk** hazel bush. -**kæp** hazel stick. -**mus** common dormouse. -**nød** hazelnut.

hast (*en*) hurry; *i* ~ in a hurry, in haste; *i største* ~ in great haste, very hastily; *det har ingen* ~ there is no hurry; *have* ~ *med* be in a hurry about.

haste *vb* hurry, hasten; -*r!* (*pá brev*) urgent; *det* -*r ikke* there is no hurry; *det* -*r med denne sag* this matter is urgent; -*r det sá meget?* what's the hurry?

hastemt *adj* bombastic, stilted, high-flown.

haste|møde emergency meeting. -**sag** urgent matter.

hastig *adj* hurried, quick, rapid, speedy; (*overilet*) hasty. **hastighed** (*en*) speed, velocity, rate; *med en* ~ *af* with a speed of, at a rate of.

hastigheds|begrænsning speed restriction. -**forøgelse** acceleration. -**grænse** speed limit. -**máler** speedometer. -**rekord** speed record.

hastværk hurry, haste; *have* ~ be in a hurry. **hastværksarbejde** (*et*) scamped work, rush job.

hat (*en -te*) hat; (*kyse-*) bonnet; (*pá mølle, pá svamp*) cap; *der er ikke noget man kan hænge sin* ~ *pá* (*fig*) there is nothing you could actually take hold of; *blød* ~ soft (felt) hat, trilby; *høj* ~ silk hat, top hat; *han er karl for sin* ~ he can hold his own; *med* -*ten i hánden* (*fig*) cap in hand; *være pá* ~ *med* have a nodding acquaintance with; *tage* -*ten af* take off one's hat, (*hilse*) raise one's hat (*for:* to); *jeg tager min* ~ *af for ham* (*fig*) I take my hat off to him; *tage til* -*ten* touch one's hat; *trykke* -*ten ned over øjnene* pull one's hat down over one's eyes; *uden* ~ hatless, uncovered.

hatte|bánd hatband. -**form** hat block. -**forretning** hat shop; (*dame-*) milliner's. -**mager** (*en -e*) hatter. -**nál** hatpin. -**puld** crown of a hat; *fá pá* -*en*

be told off, get a dressing-down. -**skygge** hat brim. -**snor** hat guard. -**syerske** milliner. -**æske** hatbox; (*til damehat ogs*) bandbox.

haubits (*en -er*) howitzer.

hausse (*en*) boom; *der er* ~ *i korn* there is a boom in corn; *spekulere i* -*n* speculate for a rise. **hausse|spekulant** bull. -**spekulation** speculation for a rise.

hautrelief high relief, alto-relievo.

hav (*et -e*) sea; (*verdenshav*) ocean; *et* ~ *af* oceans of (*fx* beer); a flood (*el.* multitude) of (*fx* people); *tusind fod over* -*et* a thousand feet above sea level; *pá* -*et* at sea; *stá til* -*s* put out to sea; *ved* -*et* by the sea, at the seaside.

Havanna Havana. **havannacigar** Havana (cigar), **havanneser** (*en -e*) Havanese; (*cigar*) Havana.

havareret *adj* (*om skib*) disabled, wrecked; (*om varer etc*) sea-damaged.

havari (*et -er*) (*forlis*) loss of ship, shipwreck; (*skade*) loss, damage, average; (*pá maskine*) break -down; *almindeligt* (*el. fælles*) ~ general average; *partikulært* ~ particular average; *lide* ~ (*forlise*) be wrecked; (*tage skade*) suffer damage, break down. **havari|attest** average certificate. -**signal** distress signal. **havarist** (*en -er*) disabled vessel; (*om person*) down-and-out (person).

hav|blik calm sea, dead calm. -**bugt** gulf, bay, -**bund** bottom (of the sea), sea bed, sea floor.

havde *imperf af* have.

hav|dybde depth of the sea. -**dyr** marine animal.

I. **have** (*en -r*) garden, (*amr ogs*) yard; (*større*) gardens, grounds; (*frugt-*) orchard; (*koloni-*) allotment; *Botanisk Have* the Botanical Gardens.

II. **have** (*har, havde, haft*) *vb* have; (*være udstyre med ogs*) have got (*fx* have you got a knife?; he has got a big nose; *her har du en shilling* here is a shilling (for you); *han har det godt* (*om helbred*) he is well, (*økonomisk*) he is well off; *hvordan har De det?* how are you? *der har vi det* that's it, there you are; *jeg skal* ~ *mig et bad* I am going to have a bath; *den skal du* ~ it is meant for you; *jeg skulle* ~ *et pund te* (*i butik*) I want a pound of tca, please; *sádan skal han* ~ *det* that is the way to treat him; *jeg vil* ~ *at du skal . .* I want you to . .;

[*m præp & adv*] *jeg skal ikke* ~ *noget* **af** *at han* I don't want him to (*fx* read my letters); *det skal jeg ikke* ~ *noget af* (*:* *det frabeder jeg mig*) I won't have it; (*nej tak*) not for me, thank you; *det har han* **efter** *sin far* he takes after his father in that, he has got that from his father; ~ *noget* **for** (*være i gang med*) be doing sth; (*om forehavende, især neds*) be up to sth; (*om lektie*) have homework; *hvad har du for?* what are you doing? what are you up to? (*i lektie*) what have you got to prepare? *hvad skal De* ~ *for det?* what do you charge for that? *hvor har De det* **fra**? where did you get that from? who told you that? *det har sit navn fra . .* it derives (*el.* takes) its name from . .; *han har klassen i fransk, klassen har ham i fransk* he takes the class for French; *jeg har ikke noget* **imod** *ham* I have nothing against him; *hvis De ikke har noget imod det* if you don't mind; *har De nóget imod at fortælle det?* would you mind telling it? *har du din bog* **med**? have you brought your book? *han har det med anfald af raseri* he is liable to fits of rage; ~ *'pá* (*klæder etc*) wear, have on (*fx* she has hardly anything on); *har du en kniv pá dig?* have you got a knife on you? *det har intet pá sig* it has no foundation in fact; *there is nothing in it;* *jeg vil* ~ *ham til at gøre det* I want him to do so; *hvad skal vi* ~ *til middag?* what are we having for dinner; ~ *meget tilovers* **for** be very fond of; *have a soft spot for;* *hvad har jeg ud af det?* what do I get out of that?

have|arkitekt landscape gardener. -**bog** gardening book. -**brug** (*et -*) gardening, horticulture. -**brugsudstilling** horticultural exhibition. -**by** garden city. -**fest** garden party. -**gang** garden path. -**grill** barbecue. -**hus** summer-house; (*baghus*) back building, back premises. -**láge** (garden) gate

-mand (jobbing) gardener. -møbler *pl* garden furniture. -redskab garden tool. -saks (a pair of) garden shears. -sanger *(en -e) zo* garden warbler. -selskab garden party; *(forening)* horticultural society. -slange garden hose. -stue room opening on to the garden.

have|syg *adj* covetous. -syge *(en)* covetousness.

hav|fisk salt-water fish. -forskning marine research. -frue mermaid. -gasse *(en -r) (arrig kvinde)* shrew, vixen, termagant. -gud sea god. -gudinde sea goddess. -gus *(en)* sea fog. -kat *zo* catfish. -mand merman. -måge herring gull.

havn *(en -e)* harbour, port; *(havneanlæg)* harbour (*fx* let us walk down to the h.), *(ofte =)* docks; *(havneby)* port; *(fig)* haven; *søge* ~ put into port; *være i* ~ be in port.

havne *vb (fig)* land *(fx* he landed in gaol), end, end up.

havne|afgifter *pl* harbour dues, port charges. -anlæg harbour. -arbejder *(en)* docker, dock labourer. -by port, *(ved havet ogs)* sea port. -dæmning jetty. -foged harbour master. -kontor port office, harbour master's office. -mester harbour master. -mole harbour pier, jetty. -myndigheder *pl* port authorities. -stad (sea) port. -væsenet the port authorities.

havre *(en)* oats *(pl).*

havre|gryn oatmeal. -grød (oatmeal) porridge, *(amr)* oatmeal (porridge). -mel oatmeal. -suppe (water) gruel.

havret *(jur)* the law of the sea.

hav|skildpadde turtle. -snegl sea snail.

havsnød distress (at sea).

hav|stok beach. -uhyre sea monster. -vand seawater. -ørn white-tailed eagle. -ørred sea trout. -ål conger eel.

H-dur B major.

hebraisk *(et, adj)* Hebrew; *det er* ~ *for mig* it is Greek to me.

Hebriderne the Hebrides.

hebræer *(en -e)* Hebrew.

I. hed *imperf af hedde.*

II. hed *adj* hot; ~ *vin* dessert wine; *(ofte =)* fortified wine; *den -e zone* the torrid zone; *det er -t og fedt imellem dem* they are as thick as thieves; *blive* ~ *om ørerne (fig)* get the wind up; *det gik -t til* feelings ran high.

hedde *(hed, heddet)* be called, be named; *der er noget der -r pligt* there is such a thing as duty; *der er ikke noget der -r at skulke her* no shirking here; *det -t sig at* it is said (el. reported) that; *det hed i aviserne at* the papers had it that; *det må ikke* ~ *sig at han er syg* he is not supposed to be ill; *hvad -r De?* what is your name? *hvad -r det på dansk?* what is the Danish for that? *og hvad det nu altsammen -r* and what not; *en proklamation hvori det -r at* a proclamation to the effect that.

I. hede *(en) (varme)* heat *(fx* in the heat of the struggle).

II. hede *(en -r)* heath, moor *(fx* the moors of Jutland).

hedebølge *(en -r)* heat wave.

hede|høg Montagu's harrier. -lærke wood lark.

heden|faren, -gangen *adj* departed, deceased.

hedenold heathen times, the heathen past.

hedensk *adj* heathen, pagan, heathenish.

hedenskab *(et)* paganism, heathenism.

hede|plantage moorland plantation. -selskab: *Det danske Hedeselskab* The Danish Heath Society.

hede|slag heat stroke. -tøj *(med.)* prickly heat.

hedning *(en -er)* heathen, pagan; *-erne* the heathen.

hefte, *se hæfte.*

heftig *adj (hidsig)* violent *(fx* he became v.), *(ophidset)* excited *(fx* don't get excited), *(opfarende)* impetuous *(fx* an i. temper); *(stærk, voldsom)* violent *(fx* fever, pain, resistance, struggle), severe (fx illness), vehement *(fx* protest); *adv* -ly; ~ *længsel* intense long-

ing; ~ *forelsket* violently in love. **heftighed** *(en)* vehemence, violence; intensity; excitement.

hegemoni *(et -er)* hegemony.

I. hegle *(en -r)* hackle.

II. hegle *vb (har etc)* hackle; ~ *én igennem* haul sby over the coals; *(ved eksamen)* submit sby to a gruelling examination.

hegn *(et -)* fence; *levende* ~ (quickset) hedge.

hegne *vb* fence (in). **hegnstråd** fencing wire.

hej! hey! heigh!

hejduk *(en -ker) (lakaj)* heyduck.

I. hejre *(en -r) zo* heron.

II. hejre *(en) (græs)* brome grass.

hejs *(en) (på lampe)* pulley fixture, rise-and-fall fitment.

hejsa! hey! heigh! hello there!

hejse *vb* hoist; ~ *et flag* hoist (el. run up) a flag; ~ *ned* lower.

hejse|apparat hoist. -lampe rise-and-fall pendant; pulley fixture lamp. -værk hoisting apparatus.

hejsning *(en)* hoisting.

hekkenfeldt: *gd ad* ~ *til* go to the devil (el. to blazes); *det går ad* ~ *til* it is going to the dogs.

heks *(en -e)* witch, hag, sorceress; *(neds om kvinde)* hag.

heksameter *(et, heksametre)* hexameter.

I. hekse *vb* practise witchcraft (el. sorcery); *jeg kan ikke* ~ I cannot work miracles.

II. hekse *vb* ⚓ shackle.

hekse|jagt *(ogs politisk)* witch hunt. -kedel witches' cauldron; *byen var en* ~ *(af ophidselse)* the town was seething with excitement. -kunst witchcraft, sorcery; *-kunster (ogs)* spells and charms. -mester *(en)* wizard, conjurer. -proces witch trial.

hekseri *(et -er)* witchcraft, sorcery.

hekse|ring 🜨 fairy-ring. -skud lumbago. -sting herringbone stitch.

hektar *(en -er)* nectare.

hektisk *adj* hectic; ~ *rødme* hectic flush.

hektograf *(en -er),* **hektografere** *vb* hectograph. **hekto|gram** hectogramme. **-liter** hectolitre.

hel whole, entire; *en* ~ *begivenhed* quite an event *-e beløbet* the whole amount; *-e dagen* all day; throughout the day; *-e Danmark* all (el. the whole of) Denmark; *en* ~ *del, se del; det -e* the whole (thing), all of it; *det er det -e* that is all; *i det store og -e* on the whole, by and large; *i det -e taget (kort sagt)* altogether (fx he is a bully and a blackmailer, altogether an unpleasant fellow); *(overhovedet)* at all *(fx* is he coming at all?); *(alt taget i betragtning)* everything considered; *sort over det -e* black all over; *-e gælden udgjorde* .. the total debt was .. ; *af -e mit hjerte* with all my heart; *klokken slog* ~ the clock struck the hour; *langs -e kysten* all along the coast; *en* ~ *mængde* quite a number, a (whole) lot; *-e natten* all night, the whole night; ~ *node* semibreve; *-e sommeren* all summer; the whole summer; *-t tal* whole number, integer; *-e tiden* all the time, all along; *hver -e og halve time* every hour and half-hour; *-e ugen* the whole week; ~ *uld* all wool; *-e verden* the whole world, all the world; *et -t år* a whole year; *-e året (rundt)* all the year round, throughout the year; *(se ogs II. helt).*

helaftensstykke single feature.

helautomatisk *adj* fully automatic.

helbefaren ⚓ able-bodied, A.B.

helbind full binding.

helbred *(et)* health; *ved godt* ~ in good health.

helbrede ✱ cure, restore (to health).

helbredelig *adj* curable.

helbredelse *(en) (det at kurere)* cure; *(det at komme sig)* recovery. **helbredende** *adj* curative.

helbreds|attest certificate of health. -hensyn: *af* ~ for reasons of health. -tilstand health.

helbroder full brother.

held *(et)* (good) luck, success; ~ *den som* happy the man who; *det er et* ~ *at* it is a good thing that, it is fortunate that; *have* ~ *med sig* be in luck, succeed

be successful; *sidde i* ~ be in luck; *sikken et* ~ what (a stroke of) luck! *med* ~ successfully; *til alt* ~ fortunately, luckily, as good luck would have it; *ved et* ~ by a lucky chance; *der er* ~ *ved det* it is lucky.
heldagsarbejde full-time job.

heldig *adj (lykkelig)* fortunate; *(som har held med sig)* lucky; *(som har succes)* successful *(fx* enterprise); *(om udtryk)* felicitous, happy; *(gavnlig)* beneficial *(fx* effect); *(passende)* suitable *(fx* not a very s. place); *(tilrådelig)* advisable; *falde -t ud* turn out well; ~ *med* fortunate in; *et -t udfald* a happy issue, a success; *der er nogen der er -e* some people have all the luck.
heldigvis *adv* luckily, fortunately, as good luck would have it.

I. **hele** *(et)* whole, entity; *et sammenhængende* ~ a connected whole.
II. **hele** *vb* heal; *-s* be healed, heal up.
helflaske (large) bottle. **helgarderet** *adj* absolutely safe.

helgen *(en -er)* saint. **helgen|billede** image (of a saint). **-glorie** halo. **-inde** (female) saint. **-legende** legend (of a saint). **-levninger** *pl* relics. **-skrin** shrine.
Helgoland Heligoland.

helhed *(en)* whole, entirety; *i sin* ~ in full *(fx* the newspapers printed the story in full); in its entirety; *som* ~ in general.
helheds|indtryk general impression. **-løsning** overall solution; *(efter forhandling)* package deal.
helikopter *(en -e)* helicopter.
heling *(en)* healing.
heliotrop *(en -er)* heliotrope.
hellang *adj (om kjole)* ankle-length.
I. **helle** *(en -r) (på gade)* refuge, island.
II. **helle** *(et) (fristed i leg)* refuge, home.
III. **helle!**: ~ *for den kage* bags I that cake.
helle|bard *(en -er)* halberd. **-bardist** *(en -er)* halberdier. **-fisk** Greenland halibut. **-flynder** *(en -e)* halibut. **-fyr** *(et -)* (traffic) bollard.

hellener *(en -e)* Hellene, Greek. **hellenisme** *(en)* Hellenism. **hellenistisk** *adj* Hellenistic. **hellensk** *adj* Hellenic, Greek.
heller: ~ *aldrig* nor (. .) ever *(fx* I have never seen him, nor ever shall); ~ **ikke** nor, neither, not . . either; *det må De* ~ *ikke gøre* you must not do that either; *jeg ved det* ~ *ikke* nor do I know, I do not know either; *. . og det havde jeg* ~ *ikke* . . nor (el. neither) had I; *hertil men* ~ *ikke længere* as far as this but no farther; *der var* ~ *ingen tid at spilde* there was no time to lose either.
hellere rather, sooner; *jeg ville* ~ *end gerne hjælpe ham* I should love to help him; *jo før jo* ~ the sooner the better; *langt (el. meget)* ~ much rather; *vi må* ~ *gå* we had better go; *der er intet jeg* ~ *vil* I should like nothing better; *jeg vil* ~ *have vin end vand* I like wine better than water, I prefer wine to water.
helleristning *(en -er)* rock engraving.
Hellespont the Hellespont.
hellig *adj* holy, sacred; *(religiøs)* religious, pious; *(neds)* goody-goody; *den -e alliance* the Holy Alliance; *den -e fader* the Holy Father; *den -e grav* the Holy Sepulchre; *den -e jomfru* the Blessed Virgin; ~ *krig* holy war; *Det -e Land* the Holy Land; *påtage sig en* ~ *mine* put on a saintly air; *den -e olie* chrism; *den -e skrift* (the) HolyWrit; *den -e stad* the Holy City; *den -e stol* the Holy See; *De sidste Dages Hellige* the latter-day saints; *intet er ham -t* nothing is sacred to him; *den -e ægtestand* holy matrimony, holy wedlock.
hellig|aften eve of a church festival. **-brøde** **sacrilege. -dag** holiday; *høj* ~ great church festival. **-dom** *(en -me)* sanctuary; *(ting)* sacred thing; *vogte noget som en* ~ guard sth religiously.
hellige *vb (ofte, indvie)* devote *(fx* d. oneself (, one's life) to a cause, a concert devoted entirely to the works of Sibelius); dedicate; *-t vorde dit navn!* hallowed be thy name! *hensigten -r midlet* the end justifies the means.
hellig|gøre *vb* hallow, sanctify. **-gørelse** *(en)*

hallowing, sanctification. **-hed** *(en)* holiness, sacredness, sanctity; *Hans Hellighed* His Holiness. **-holde** keep holy, observe; *(fejre)* celebrate. **-holdelse** *(en)* observance; celebration.
helligt *adv* sacredly; *love højt og* ~ promise solemnly.
helligtrekongers|aften Twelfth Night. **-dag** Epiphany.
Helligånden the Holy Spirit, the Holy Ghost.
hellæderbind full leather (binding).
helme *vb* cease, leave off, stop; *han -r ikke før han har det* he won't be satisfied till he has it.
helnode semibreve.
helot *(en -er)* helot.
helse|center health centre. **-fysik** health physics.
helsen *(en)* health; *slid den med* ~ I wish you joy of it.
helside full page. **helsides-** full-page *(fx* illustration).
helsilke all-silk, pure silk.
Helsingør Elsinore.
helskindet *adj* unhurt, without a scratch.
helst *adv* preferably, rather, *(efterstillet:)* for choice; *du må* ~ *you had better; jeg ser* ~ I (should) prefer; *jeg vil* ~ *(ikke)* I would rather (not).
helstensmur one-brick wall.
helstøbt: *en* ~ *personlighed* a man of sterling character; *et* ~ *kunstværk (omtr* =) a perfect work of art.
helsøskende full brothers and sisters.
I. **helt** *(en -e)* hero *(pl* -es).
II. **helt** *adv* quite, entirely, wholly, fully, totally, altogether; *(nogenlunde)* quite, fairly *(fx* good); *et* ~ *andet menneske* (quite) a different man; *noget* ~ *andet* something quite different; ~ *fra (, til) København* all the way from (, to) Copenhagen; ~ *hen til* close to; ~ *og holdent* entirely, altogether; ~ *igennem* right through, *(fig)* through and through, thoroughly, out and out; ~ *inde (, nede) i* right in; ~ *omme bag* right behind; *skrive et ord* ~ *ud* write a word in full.
helte|digt heroic poem; *komisk* ~ mock-heroic poem. **-dåd** heroic deed. **-gerning** heroic deed. **-mod** heroism, valour. **-modig** *adj* heroic. **-modigt** *adv* heroically. **-rolle** heroic part; *spille -n* act the part of the hero. **-sagn** heroic legend. **-tenor** dramatic tenor.
heltidsansat *adj* full-time *(fx* clerk).
heltinde *(en -r)* heroine.
heluld *(en)*, **helulden** *adj* all-wool.
helvede *(et)* hell; *rejs ad* ~ *til!* go to hell! *det går ad* ~ *til* it is going to rack and ruin; *gøre ham* ~ *hedt* make it hot for him.
helvedes *adj* a hell of a *(fx* a hell of a noise), damned, infernal; *(adv)* like hell *(fx* it hurts like hell); *en* ~ *karl* a devil of a fellow.
helvedes|ild *(med.)* shingles. **-kval** infernal torment; *lide -er* suffer the tortures of the damned. **-maskine** infernal machine, time-bomb. **-sten** lunar caustic.
helårlig *adj* annual. **helårsbeboelse** permanent habitation; residence all the year round.
hemisfære *(en)* hemisphere.
hemme se **hæmme**.
hemmelig *adj* secret; *(i smug)* clandestine; *(privat)* private; ~ *dør (, skuffe)* secret *(el.* concealed) door (, drawer); *holde ngt -t* keep sth secret *(for* from); *-t politi* secret police; *-t rum* secret compartment; *-t telefonnummer* a private (telephone) number; *-t ægteskab* clandestine marriage.
hemmelighed *(en -er)* secret; *(hemmeligholdelse)* secrecy; *(mysterium)* mystery; *have -er for en* have secrets from sby; *indviet i -en* (initiated) in the secret; *i al* ~ secretly, in secret; *i dybeste* ~ in deep secrecy; *jeg gør ingen* ~ *af det* I make no secret (el. mystery) of it; *naturens -er* the secrets of nature; *en offentlig* ~ an open secret.
hemmeligheds|fuld *adj* mysterious; *(umeddelsom)* secretive *(fx* person); *en* ~ *mine* an air of mystery.

-fuldhed *(en)* mysteriousness, mystery; secretiveness. -kræmmer mystery monger, secretive person. -kræmmeri *(et)* secretiveness, mystery mongering.

hemmeligholde *vb* keep secret.

hemmeligholdelse *(en)* concealment.

hemmende, hemning, hemsko *se hæmmende, hæmning, hæmsko.*

hen: ~ *ad vejen* along the road; *stirre stift* ~ *for sig* stare into space; *gå* ~, *se gå; hvor skal du* ~? where are you going? ~ *imod* towards, *(se ogs henimod);* længere ~ farther on; *(længere)* ~ *på året* later in the year; ~ *over* across; *gå let* ~ *over* pass lightly over; *senere* ~ later on; ~ *til* (up) to *(fx* he went to the baker's, he went up to the desk); round to, over to; ~ *og tilbage* there and back.

henad *(om tid)* towards *(fx* towards evening).

henblik: *med* ~ *på (angående)* concerning, with reference to; *(for at være forberedt på)* against, in preparation for *(fx* stockpiling in p. for war), with a view to; *med særligt* ~ *på* with special reference to.

hende *(bøjet form af 'hun')* her; *det er* ~ it is she, T it's her. hendes *(adj)* her *(fx* her dog); *(stdende alene)* hers *(fx* the dog is hers).

hendøende dying; *en* ~ *tilværelse* a languishing existence.

henfald *(af væv)* necrosis; *(af radioaktivt stof)* decay.

henfalde: ~ *til* give oneself up to *(fx* pessimism); indulge in *(fx* daydreaming).

henfaren *adj* bygone; *(død)* departed *(fx* generations).

henføre ★: ~ *til (henregne til)* class with.

henførende: *stedord* relative pronoun.

hengemt *adj* stale, musty, faded.

hengive: ~ *sig til* give oneself up to, abandon oneself to; *(seksuelt)* give oneself to.

hengivelse *(en) (fx i skæbnen)* submission *(i:* to); *(i en stemning)* abandonment *(i:* to).

hengiven *adj (om venskab)* attached, devoted; *Deres hengivne* yours sincerely; *din hengivne* yours affectionately; *din hengivne søn* your loving *(el.* affectionate) son.

hengivenhed *(en)* affection *(for:* for), attachment, devotion *(for:* to); *fatte* ~ *for* become attached to.

hengå *vb* elapse, pass, go by.

henhold: *i* ~ *til (= under henvisning til)* referring to *(fx* referring to your letter), with reference to; *(i overensstemmelse med)* according to *(fx* according to the treaty we are bound to help); *(idet man retter sig efter)* in accordance with *(fx* your wish).

henholde: ~ *sig til* refer to, take one's stand on.

henholdende: *føre en* ~ *politik* pursue a policy of procrastination; T play a waiting game.

henholdsvis *adv* respectively.

henhøre ★: ~ *til* relate to, belong to; ~ *under* come within, fall under.

henimod *(tidspunkt)* towards *(fx* towards evening); *(tal)* about, nearly *(fx* about *(el.* nearly) 5,000; for nearly 2 hours); *(alder)* getting on for *(fx* he is getting on for fifty).

henkaste *(kaste bort)* fling away, drop; *(udtale, bemærke)* observe casually; *(skitsere)* sketch, outline; ~ *affald* leave litter, *(aflæsse)* dump refuse; ~ *en bemærkning* drop *(el.* let fall) a remark; *en* ~*t bemærkning* a casual remark; *et* ~*t ord* a chance word; *en løst* ~*t skitse* a rough sketch; ~*t, i en* ~*t tone* casually.

henkoge ★ *(frugt)* preserve; *(i glas)* bottle; *(i dåse)* tin, can; *(amr)* can.

henkogning *(en)* preserving; *(i glas)* bottling; *(i dåse)* tinning, canning; *(amr)* canning.

henkognings|glas preserving jar. -kedel steriliser, copper.

henlede ★ direct; ~ *opmærksomheden på* draw attention to; *det* ~*t tanken på* it suggests.

hen|leve pass, spend *(fx* one's last years in prison). -ligge lie, remain, be left.

henlægge lay, place; *(som forråd)* store; *(lægge*

til *side)* put away, shelve; *(flytte)* transfer; ~ *til (et fond etc)* transfer to, place· to; ~ *scenen til* lay the scene in *(fx* the scene is laid in France).

henlæggelse *(en* -*r) (anbringelse)* placing; *(det at lægge til side)* putting away; *(af penge etc)* transference, appropriation.

hennafarvet *adj* henna-dyed; hennaed; *(naturligt)* henna-coloured.

henne: *der* ~ over there; *hvor er hun* ~? where is she? *hvor har du været* ~? where have you been? *langt* ~ *i måneden* far into the month; *længere* ~ *i bogen* further on in the book; *hun er 3 måneder* ~ she is 3 months gone; ~ *ved* at.

henregne *vb:* ~ *til* reckon among, include under.

henrette *vb* execute; ~ *ved elektricitet* electrocute; ~ *ved halshugning* behead, decapitate; ~ *ved hængning* hang. henrettelse *(en* -*r)* execution. henrettelsespeloton firing squad.

Henrik Henry *(fx* Henry the Fifth).

henrinde *vb* elapse, pass away.

henrivende *adj* charming, lovely, delightful; *adv* charmingly, delightfully.

henrykkelse *(en)* delight, ecstasy, transport, rapture. henrykt *adj* delighted *(over:* with), in ecstasies *(over:* over); ~*over at se ham* delighted to see him.

henseende *(en* -*r)* respect, regard; *i alle* ~ in every respect, in every way; *i den* ~, *i så* ~ in that respect; *i politisk* ~ politically; *i* ~ *til* in *(el.* with) regard to, as regards, respecting.

hensidde *vb* remain, be; ~ *i uskiftet bo* be in undivided possession of an estate.

hensigt *(en* -*er)* intention, *(formål)* purpose, object; *i denne* ~ for this purpose; *i den* ~ *at* . . with the intention of -ing, with a view to -ing; *i den bedste* ~ with the best of intentions; *i den bestemte* ~ *at* for the express purpose of -ing; *i ond* ~ out of malice; *(jur)* maliciously; -*en med* the purpose of; *reelle* -*er* honourable intentions; *have til* ~ *at* intend to, mean to; *svare til* -*en* answer the purpose.

hensigts|løs *adj* purposeless, futile. -mæssig *adj* expedient, suitable, appropriate; *den er* ~ it answers its purpose; *det* -*e i at* . . the expediency of -ing. -mæssighed *(en)* expediency, suitability, appropriateness.

henslæbe ★ drag on *(fx* a miserable existence). henslængt *adj: sidde* ~ *i en stol* be lolling *(el.* sprawled) in a chair.

hen|smuldre *vb* crumble, moulder. -sove *(dø)* pass away. -stand *(en)* respite *(fx* ask for a r.); *(med straf)* reprieve.

henstille *(anbringe)* place, put; *(foreslå)* suggest, submit, recommend. henstilling *(en* -*er)* putting, placing; *(forslag)* representation, suggestion; ~ *af cykler forbydes* no bicycles to be left here; *efter* ~ *af* at the recommendation of; *rette en* ~ *til én om at* appeal to sby to.

hen|strakt *adj* stretched out, prostrate. -stå remain, be left; *(være deponeret)* be deposited. -svinde *vb (om tid)* pass away, elapse. -sygne *vb* languish, droop. -sygnen *(en)* languishing.

hensyn *(et* -) consideration, respect, regard; *militære* ~ military considerations; *af politiske* ~ for political reasons; *der er så mange* ~ *at tage* there are so many things to be considered; *tage* ~ *til* consider, *(person, ogs)* show consideration for, pay regard to; *ikke tage* ~ *til* disregard, ignore, pay no attention to; *tage* ~ *til hans ungdom* make allowance for his youth; *af* ~ *til* for the sake of, *(på grund af)* on account of, because of; *af* ~ *til ham* for his sake; *af* ~ *til hans følelser* out of consideration *(el.* regard) for ·his feelings; *vi må have det skriftligt af* ~ *til regnskabet* we must have it in writing for accounting purposes; *af* ~ *til hans ønsker* in deference to his wishes; *med* ~ *til* concerning, regarding, as regards, in regard to, as to; *uden* ~ *til* without regard to, regardless of; *uden* ~ *til hvad det koster* regardless of expense; *uden* ~ *til om det regner eller ej* no matter whether it rains or not.

hensynke *vb:* ~ *i* lose oneself in, become absorbed in; *(neds)* lapse into; *hensunket i* lost in, absorbed in.

hensyns|fald the dative (case). **-fuld** considerate, thoughtful. **-fuldhed** *(en)* consideration, thoughtfulness. **-led** *(et -)* indirect object. **-løs** inconsiderate, thoughtless, *(stærkere)* ruthless; *(ansvarsløs)* reckless *(fx* driver). **-løshed** *(en)* inconsiderateness, thoughtlessness, ruthlessness, recklessness.

hensyntagen *(en)* consideration, regard, deference.

hensætte *vb* place, put; *(i sindsstemning)* throw *(fx* into ecstasies, into a fury); ~ *i fængsel* send to prison, gaol *(fx* the burglar was gaoled); ~ *sig (i tankerne) til* transport oneself in imagination to, imagine oneself in; *tro sig hensat til* imagine oneself in.

hente *vb* fetch; *(komme for at* ~) call for, come for, pick up *(fx* I will pick you up on my way); *(person ved toget etc)* meet; ~ *et eksempel ra* borrow *(el.* draw *el.* take) an example from; ~ *sig en forkølelse* catch (a) cold; *lade* ~ send for; ~ *læge* send for *(el.* call in) the doctor; ~ *mod* take courage; ~ *trøst* draw consolation.

hentyde: ~ *til* refer to, allude to.

hentydning *(en -er)* reference, allusion *(til:* tø); *(antydning)* hint, *(neds)* innuendo, insinuation.

hentæres *vb* pine *(el.* waste) away.

henved about, nearly.

henvejre *vb* blow away, waft away; *-s* vanish.

henvende * turn, direct; *(tale etc)* address, direct; ~ *sig på kontoret* inquire *(el.* apply) at the office; *henvendt til publikum* addressing the audience; ~ *sig til (med anmodning)* apply to, approach; *(sætte sig i forbindelse med)* communicate with; *(skrive til)* write to; *(tiltale)* address (oneself to).

henvendelse *(en -r)* application; *rette en* ~ *til* make an a. to; *(se ogs henvende (sig til))*; *ved* ~ *til* on a. to.

henvise * refer *(fx* he referred me to another office); send *(fx* send a Bill into committee); *(henholde sig)* refer *(fx* I must refer to my contract); *en stjerne -r til en fodnote* an asterisk refers to a footnote; *(se ogs henvist).* **henvisning** *(en -er)* reference; *(til andet sted i samme bog)* cross-reference; *under* ~ *til* referring to; *(under påberåbelse af)* pleading.

henvist *perf part af henvise: være* ~ *til (ɔ: være nødsaget til)* be reduced to, be obliged to, have to; *(være afhængig af)* be thrown on *(fx* be thrown on one's own resources).

henånde *vb* breathe *(fx* a word; a kiss on his forehead).

heppe *vb* cheer. **hepper** *(en -e)* cheer-leader.

her here; ~ *fra byen* from this town; ~ *i byen (, landet, huset)* in this town (, country, house).

heraf of this, from this, hence.

heraldik *(en)* heraldry. **heraldiker** *(en -e)* expert in heraldry, heraldist. **heraldisk** *adj* heraldic.

herbari|um *(et -er)* herbarium, hortus siccus.

herberg *(et -er) (kro etc)* inn, lodging-house, *(glds)* hostelry; *(vandre-)* (youth) hostel; *(for hjemløse etc)* shelter. **herbergsleder** warden.

Herbergs-Ringen the Youth Hostel Association. **herbergsstat** country of refuge.

her|efter *adv* henceforth, in future, hereafter; after this; from now on; *(derpå)* subsequently; *(i overensstemmelse hermed)* accordingly. **-efterdags** henceforth, in future. **-fra** from here, from this; *hvornår rejste han* ~? when did he leave? **-hen** here. **-hjemme** at home; *(her i landet)* in this country. **-i** in this, herein. **-iblandt** among these, among them, including. **-igennem** through here; *(herved)* thus, by this means, in this way, hereby. **-imellem** between these, *(se ogs -iblandt).* **-imod** against this. **-ind** in (here). **-inde** in here.

herkomst *(en)* extraction, origin, birth; *af ringe* ~ of humble extraction *(el.* birth).

Herkules Hercules. **herkulisk** *adj* Herculean.

herlig *adj (storslået)* glorious, grand, magnificent; *(dejlig)* delightful, wonderful *(fx* he is a w. person);

en ~ *ferie* a glorious holiday; *en* ~ *smag* a delicious taste; *en* ~ *udsigt* a magnificent view.

herlighed *(en -er)* glory, splendour, magnificence; *hele -en* the whole lot.

hermafrodit *(en -ter)* hermaphrodite.

hermed with this; by this; *(med disse ord)* so saying; ~ *(følger)* enclosed (please find); we enclose.

hermelin *(en -er)* zo stoat, ermine; *(pelsværk)* ermine. **hermelins|kåbe** ermine cloak *(el.* robe); *zo* puss moth. **-skind** ermine.

hermetik *(en)* tinned *(el.* canned) food; *(amr kun)* canned food. **hermetisk** *adj* hermetic; ~ *lukket* hermetically sealed.

her|ned, -nede down here.

Herodes Herod; *han måtte løbe fra* ~ *til Pilatus* he was driven from pillar to post.

heroisk *adj* heroic; *adv* heroically.

heroisme *(en)* heroism.

herold *(en -er)* herald.

her|om *(om dette)* about this, of this; *(denne vej)* (round) this way, round here. **-omkring** hereabout(s), round here. **-omme** round this way, on this side. **-op, -oppe** up here.

heros *(en, heroer)* demigod, hero.

herostratisk: ~ *berømmelse* (unenviable) notoriety.

her|over over here; *(om årsag)* at this. **-overfor** opposite, on the other side. **-ovre** (over) here, on this side, at this end. **-på** on this; *(om tid)* then.

herre *(en -r) (mand)* gentleman; *(leder, hersker)* master, lord; *(ejer)* master; *(dames kavaler)* partner; *(Gud)* Lord; *hr. (i tiltale uden navn)* sir, *(foran navn)* Mr, *(i breve bruges ogs* Esq.*,som: e)terstilles, fx* J.Wilson, Esq. = Mr J.Wilson; Mr *og* Esq. *udelades ved akademiske og militære titler, fx hr. oberst* N ColonelN); *i det -ns år* in the year of grace; *i mange -ns år* for ages; *-n i huset* the master of the house; *herrer Jones & Co.* Messrs Jones & Co.; *situationens* ~ master of the situation; *skabningens -r* the lords of creation; *som -n er, så følger hans svende* like m:ster like man;

[*m pron og adj:*] *de -r (forkortet: d'hrr.) (i tiltale)* you (gentlemen) *(fx* will you gentlemen step this way); *(foran navn)* Messrs; *være sin egen* ~ be one's own master, be a free agent; *de høje -r* T the powers that be, the bigwigs; *min* ~ sir; *mine -r* gentlemen; *nådige* ~ my Lord; *den unge* ~ *(fx sønnen)* the young master; *Vor Herre* the Lord, God, *(om Jesus)* our Lord;

[*m vb:*] *blive* ~ *over* become master (, mistress) of, master, overcome; *blive* ~ *over ilden (, situationen)* get the fire (, the situation) under control; *-n må vide hvordan* Heaven only knows how; *-n være med dig* the Lord be with you; *være* ~ *over* control, be master (, mistress) of; *være* ~ *over sine handlinger (ɔ: være ved sin fornuft)* be responsible for one's actions.

herrecykel gentleman's bicycle.

herred *(et -er) (svarer omtrent til)* district.

herre|dømme *(et)* mastery, control, command, dominion, sway; *-t i luften* air supremacy; *miste -t over bilen* lose control of the car; ~ *over sproget* a command of the language; ~ *over sig selv* self-control; *-t på havet* the command of the sea, naval supremacy; *komme under britisk* ~ come under British control. **-ekvipering** gentlemen's outfitting, men's wear. **-ekviperingshandler** gentlemen's outfitter. **-fodtøj** men's footwear. **-folk** master race, •**herrenvolk•. -gud** *(beklagende)* dear me! tut tut! *(undskyldende)* after all *(fx* he is only a child after all). **-gård** manor; *(bygningen)* manor house; *det er ingen* ~ that won't ruin him (, you etc); *(ɔ: ikke ret meget)* that is precious little. **-konfektion** men's ready -made clothing. **-kor** male voice choir. **-løs** ownerless, abandoned; *en* ~ *hund* a stray dog; ~ *jord* waste lands. **-mand** squire, lord of a manor. **-middag** men's dinner. **-ret** dish fit for a king. **-selskab** men's party; *(samv.er med herrer)* men's company. **-sko** *pl* men's shoes; *en* ~ a gentleman's shoe. **-skrædder** (men's) tailor. **-sving** outside edge; *slå et* ~ do an outside edge. **-sæde** manor house. **-toilet**

gentlemen's lavatory; *(amr)* men's room. -tække *(omtr =)* sex appeal. -tøj men's clothes. -værelse *(svarer omtrent til)* study, library.

herse: ~ *med en* hector sby; ~ *med noget* grind away at sth.

herskab *(et -er)* master and mistress; *de høje -er* the Royal visitors (etc).

herskabelig *adj* elegant, luxurious; well-appointed *(fx* drawing-room); ~ *lejlighed* luxury flat.

herskabs|hus large establishment. **-kusk** coachman. **-lejlighed** residence. **-tjener** footman. **-vogn** (private) carriage.

herske *vb (være på tronen) reign; (virkelig styre)* rule; *(findes)* be *(fx* there was a shortage of food); *(være almindelig)* be prevalent, prevail *(fx* famine prevails in many parts of the country).

herskende *adj* ruling, reigning, prevailing *(fx* opinion), prevalent; *den ~ klasse* the ruling class.

hersker *(en -e)* ruler, sovereign, master *(over:* of). **hersker|blik** commanding eye, imperious glance. **-inde** *(en -r)* mistress. **-magt** supreme authority, sovereignty. **-mine** commanding air. **-slægt** dynasty.

herske|syg *adj* imperious, domineering. **-syge** *(en)* craving for power, imperiousness.

her|steds *adv* here, in this place. **-til** here, to this place; *(til dette formål)* to this, for this purpose; ~ *kommer* add to this.

hertug *(en -er)* duke. **hertugdømme** *(et -r)* duchy. **hertugelig** *adj* ducal. **hertuginde** *(en -r)* duchess.

her|ud, -ude out here. **-udover** beyond this. **-under** under here, below here; *(indbefattet)* including, among these; ~ *hviler* here lies. **-ut!** get out of here! out you go! *(amr)* scram! **-ved** by this, hereby; ~ *skal vi meddele Dem* we are pleased to inform you; *tæt* ~ close by, hard by; ~ *er der intet at gøre* there is nothing to be done about this, it cannot be helped. **-værende** of this place (, town, etc), local.

Hessen Hesse. **hessisk** *adj* Hessian.

hest *(en -e)* horse; *(lille)* pony; *(ride- ogs)* mount; *(gymnastik-)* (vaulting-)horse; *holde på den forkerte* ~ back the wrong horse; *motor pa 20 -es kraft* 20 horsepower engine, engine of 20 horsepower; *sætte sig på den høje* ~ mount the high horse; *stå af -en* dismount, get off one's horse; *til* ~ on horseback, mounted; *stige til* ~ mount, get on one's horse.

heste|afretning horse breaking. **-afretter** *(en -e)* horse breaker. **-arbejde** gruelling work; *det var et sandt* ~ it was quite a job. **-avl** horse breeding. **-bestand** number of horses; *(hele landets)* horse population. **-bremse** *zo* botfly. **-drosche** (horse-drawn) cab. **-dum** bone-headed. **-dækken** horsecloth. **-flue** horsefly. **-fod** horse's foot; *stikke -en frem (om fanden)* show the cloven hoof. **-gang** horsepower. **-gødning** horse dung. **-hale** horsetail; *(frisure)* ponytail (hair-do). **-handler** *(en -e)* horse dealer. **-hold** the keeping of horses; *have et stort* ~ keep many horses. **-hov** horse's hoof; ⊕ butter-bur; *(se ogs -fod)*. **-hoved** horse's head. **-hår, -hårs**horsehair. **-kastanie** horse chestnut. **-kender** (good) judge of horseflesh. **-kraft** horsepower, h.p.; *hvor mange -kræfter* how many horsepower? *50 -kræfter* fifty horsepower. **-kur** drastic remedy. **-kød** horseflesh. **-marked** horse fair. **-passer** groom. **-pranger** horse dealer. **-pærer** *pl* horse droppings. **-ryg:** *på* ~ on horseback. **-sko** horseshoe. **-skoformet** *adj* horseshoe(-shaped). **-sport** horse racing. **-stald** stable. **-strigle** currycomb. **-trampen** tramp of horses. **-tyv** horsethief. **-tyveri** horse-stealing. **-tømme** *(en -r)* rein. **-vogn** (horse-drawn) carriage. **-væddeløb** horse race.

hest|folk horse, cavalry. **-garde** horse guards. **heterogen** *adj* heterogeneous.

hetz *(en)* smear campaign.

hetære *(en -r)* hetaera.

hev, hevet *se* hive.

hi *(et)* winter quarters, w. lair; *ligge i* ~ hibernate.

hib *(et -)* innuendo, dig; *det var et* ~ *til dig* that was one for you.

hid: ~ *og* did to and fro.

hid|føre * bring about, lead to, produce. **-kalde** * call, summon. **-røre** *: ~ *fra* originate in, arise from, be due to, stem from.

hidse *vb:* ~ *ham op* excite him, agitate him; ~ *sig op* work oneself up; ~ *dem på hinanden* set them on each other; ~ *hunden på ham* set the dog on him.

hidsig *adj (opfarende)* hot-headed, hot-tempered, *(heftig)* vehement, *(ilter)* fiery, peppery, irascible; *blive* ~ lose one's temper, fly into a temper; *en* ~ *debat* a vehement *(el.* heated) debate; ~ *efter* eager for, keen on; *en* ~ *kamp* a hot *(el.* violent) struggle; *ikke så ~!* gently! take it easy! keep your hair on! *et -t temperament* a hot temper.

hidsighed *(en)* hot temper, irascibility, fieriness, vehemence; *i et øjebliks* ~ in the heat of the moment.

hidtidig = hidtilværende.

hidtil *adv* till now, so far; *(til da)* till then, so far. **hidtilværende** *adj: husets* ~ *ejer* the owner of the house up till now.

hierarki *(et -er)* hierarchy.

hieroglyf *(en -fer)* hieroglyph.

hige: ~ *efter noget* aspire to sth *(fx* perfection, a crown), desire sth ardently, crave for sth.

higen *(en)* aspiration, craving.

hik *(et -),* **hikke** *(en & vb)* hiccup, hiccough; *have hikke* have the hiccups.

hil! hail!

hildet *adj:* ~ *i fordomme* prejudiced; ~ *i hendes garn* snared in her meshes.

hilse * *(uden objekt)* salute, bow, nod; *(med objekt)* greet, salute, bow to, nod to; *(modtage)* greet, receive, hail *(fx* the news was hailed with enthusiasm); *jeg kan* ~ *dig fra din broder* I have just seen your brother; *hils ham fra mig* remember me to him, give him my compliments; *hils og sig ham fra mig* tell him with my compliments; *jeg skal* ~ *fra fruen og bede Dem om at* . . Mrs X's compliments and would you kindly . .; ~ *igen* return a greeting; *hilst med bifald* received *(el.* greeted *el.* hailed) with applause; ~ *med flaget* ⊕ dip the flag; ~ *noget med glæde* welcome sth; ~ *på (nikke etc til)* bow to, nod to; *(⊠ og formelt)* salute; *(hilse velkommen)* greet, *(give hånden)* shake hands with, *(sige goddag etc til)* pass the time of day with, *(gøre visit hos)* call on, *(gøre bekendtskab med)* meet; *(med glasset)* take wine with; *vær -t* hail!

hilsen *(en -er)* greeting; *(hovedbøjning etc)* bow, nod, salute; *(sendt)* compliments, regards, greeting; *kærlig(e) -(er) fra Mary* love from Mary; *venlig* ~ *(i forretningsbreve)* yours faithfully; *(mere personligt)* yours sincerely.

hilsepligt ⊠ compulsory salute.

.**Himalaja** the Himalayas.

himle *(dø)* T kick the bucket, pop off; ~ *op* give tongue, *(begejstret)* gush.

himmel *(en, himle) (himmerige)* heaven; *(den synlige* ~*)* sky; *(oh)* ~*!* heavens! *-en forbyde* Heaven forbid; *for -ens skyld* for Heaven's sake; *sætte* ~ *og jord i bevægelse* move heaven and earth; *klar* ~ clear sky; *som et lyn fra en klar* ~ like a bolt from the blue; *det kom som sendt fra himmelen* it was a godsend; *komme i -en* go to heaven; *på -en* in the sky; *-en er skyet* the sky is cloudy; *i den syvende* ~ in the seventh heaven; *-ens søn (Kinas kejser)* the Celestial Emperor.

himmel|blå sky-blue, azure. **-falden** *adj* thunderstruck; *jeg var som* ~ you could have knocked me down with a feather. **-fart** ascension; *Kristi -fartsdag* Ascension day. **-flugt** heavenward flight. **-henrykt** as pleased as Punch, overjoyed, delighted. **-hjørne** quarter. **-hund** dare-devil. **-hvælving** firmament. **-høj** sky-high; *råbe -t* cry loudly; *stå -t over* be miles above. **-kort** celestial map, map of the stars. **-kugle** celestial sphere. **-legeme** celestial body, orb. **-rand** horizon. **-rum** space, sky. **-råben-de** adj glaring, crying (to heaven), scandalous. **-seng** four-poster.

himmelsk heavenly, celestial; (dejlig) divine; det -e rige (rel) the Heavenly Kingdom, (Kina) the Celestial Empire.

himmel|spræt: lege ~ med en toss sby in a blanket. **-stige** Jacob's ladder. **-stormer** (en -e) Titan, revolutionary. **-stræbende** soaring. **-strøg** zone, latitude, skies. **-tegn** sign of the zodiac. **-vendt** upturned. **-vid** adj very wide, enormous; en ~ forskel all the difference in the world. **-vidt** adv widely, enormously; de er ~ forskellige there is all the difference in the world between them.

himmerig(e) Heaven, Paradise; -s rige the Kingdom of Heaven.

himmerigsmundfuld delicious morsel, titbit; (fig ogs) plum.

himstregims (en -er) thingummy.

hin that; hint that; hine those.

hinanden each other, one another; møde ~ meet (each other); efter ~ one after another, in succession; falde fra ~ fall to pieces; rive fra ~ tear apart; på ~ følgende successive.

hind (en -er) zo hind.

hindbær raspberry. **hindbær|busk** raspberry bush. **-saft** raspberry juice; (kogt m sukker) r. syrup.

hinde (en -r) membrane, pellicle; (meget tynd) film. **hindeagtig** adj membranous, filmy.

hinder: være til ~ for (hæmme) hinder,be a hindrance to; (forhindre) prevent; der er intet til ~ for det there is nothing to prevent it.

hindre vb (hæmme, sinke) hinder, hamper, impede; (træde i vejen for) obstruct, (forhindre) prevent; ~ en i at .. prevent sby from -ing; lægge sig -nde i vejen (for) obstruct, impede.

hindring (en -er) (som hæmmer, sinker) hindrance, impediment, (som spærrer) obstacle, obstruction; lægge -er i vejen for put obstacles in the way of, obstruct, impede; en ~ for fremskridtet an obstacle (, impediment) to progress; en uoverstigelig ~ an insurmountable obstacle.

hindu (en -er) Hindu, Hindoo.
Hindustan Hindustan.
hine pl af hin.
hingst (en -r) stallion. **hingsteskue** (et -r) stallion show. **hingstføl** colt.

hinke vb limp, hobble; (hoppe paradis) play hopscotch.

hinsides præp beyond, on the other side of.
hinsidig: det -e the hereafter.
hint neutrum af hin.
hip: det er ~ som hap it makes no difference.
hippodrom (en -er) hippodrome.
hird (en) (hist.) housecarls (pl).
hirdmand housecarl.
hirschfænger (en -e) cutlass, hanger.
hirse (en) ♧ millet.
hisse vb hoist; ~ ned lower.
hisset adv in the next world, hereafter.
hist adv yonder; ~ og her here and there, in places; ~ op og her ned and so on and so forth.
histolog (en -er) histologist.

historie (en -r) (historisk beretning, videnskab, sammenhængende begivenhedsrække) history; (fortælling) story, tale; (sag) affair, business; -n history; oldtidens ~ ancient history; Englands ~ the history of England, English history; det er en køn ~! that's a pretty kettle of fish! en slem ~ a nasty business; gå over i -n go down in history; become history; derom melder -n intet that is not on record; skabe ~ make history.

historie|bog (lærebog) history book; (bog med fortællinger) story book. **-forfalskning** the falsification of history. **-forsker** historian. **-forskning** historical research. **-maler** historical painter. **-skriver** writer of history, historian, historiographer. **-skriv-ning** historiography.

historiker (en -e) historian.

historisk adj historical (fx document); (berømmelig) historic (fx a historic day); det er ~ it is a matter of history.

hit: (kom) ~ med den! give it to me!

hitte vb find, (tilfældigt) hit on; ~ på think of, (tilfældigt) hit on; ~ ud af find out, solve; (med noget hovedbrud) puzzle out; jeg kan ikke ~ ud af det I cannot make head or tail of it.

hitte|barn foundling. **-børnshospital** foundling hospital. **-gods** lost property. **-godskontor** lost property office.

hive (hev, hevet) (trække) tug, pull, ♣ heave; (kaste) throw, heave; hiv ohoj! heave ho! heave away! ~ op i bukserne hitch up one's trousers; ~ efter vejret gasp for breath; han går og -r i det he is ailing.

hjald (et) (til høns) roost.
hjalp imperf af hjælpe.
hjejle (en -r) zo golden plover.
hjelm (en -e) helmet; (på bil) bonnet; (amr) hood.
hjelm|busk crest. **-gitter** visor.
I. **hjem** (et -) home; i -met in the home.
II. **hjem** adv home; han er kommet ~ fra sine rejser he is home from his travels.
hjem|ad, -efter homeward(s); det går ~ we are homeward bound. **-egn** native place.
hjem|fald reversion. **-falde** (hjemfaldt, hjemfaldet) revert; ~ til revert to; ~ til straf incur (el. become liable to) punishment. **-faren** adj: gift og ~ married and settled.
hjem|fart (til søs) homeward voyage, passage home. **-fragt** ♣ homeward freight.
hjem|føre * bring (el. carry) home; (importere) import. **-gæld**: tage skade for ~ take the consequences, pay the penalty; han må tage skade for ~ T he has been asking for it. **-gående**: for ~ ♣ homeward bound. **-kalde** *, **-kaldelse** (en -r) recall.
hjemkommen returned (home), home (fx he is home from America); (om varer) arrived.
hjemkomst (en) return, home-coming.
hjemland native country.
hjemle vb entitle to, warrant, justify; (give) allow (fx allow him the right to ..).
hjemlig adj domestic, home; (hyggelig) homelike, cosy, snug, comfortable.
hjem|liv home life. **-længsel** homesickness.
hjem|løs adj homeless; (forjaget under krig etc) displaced. **-låne** *: ~ bøger borrow books for use outside the library, take out books.
hjemme adv at home; (hjemkommen) home (fx I am glad to be home again); T (sikret) in the bag; øst, vest, ~ bedst east or west, home is best; blive ~ stay at home; er B ~? is B in? is B at home? have (el. høre) ~ i live in, come from, be a native of, (om skib) be registered at, hail from, belong to; historien hører ~ i et andet kapitel the story belongs in another chapter; det hører ingen steder ~ that is neither here nor there, (= det passer sig ikke) it is quite out of place; lad som om du er ~ make yourself at home; være godt ~ i be at home (el. well versed) in, be conversant (el. familiar) with.
hjemme|arbejde homework. **-bagt** home-made. **-bane** (en -r) (sportsudtryk) home ground; kamp på ~ home match; sejr på ~ home victory; spille på ~ play at home. **-bar** cocktail cabinet; (amr) liquor cabinet. **-brænder** (en -e) illicit distiller. **-dåb** private baptism. **-forbrug** home consumption. **-fra** (away) from home; rejse ~ leave home. **-fryser** (en -e) home freezer. **-født** native, indigenous. **-gjort** home-made. **-hjælper** domestic help. **-hørende** a native (i: of), belonging (i: to); (bosat) domiciled, resident (i: in); ♣ (om skib) registered (i: at). **-jakke** smoking-jacket.
hjemmel (en) title; (hjemmelsmand) authority;

savne enhver ~, være ganske uden ~ be quite unwarranted.

hjemmelavet *adj* home-made.

hjemmelsmand authority, informant.

hjemme|marked home (*el.* domestic) market. **-menneske** stay-at-home. **-regning** homework (in arithmetic). **-sko** slipper. **-strikket** *adj* home -made; *(fig ogs)* home-spun *(fx* philosophy).**-vant** at home (*i:* in), *(fig ogs)* familiar (*i:* with). **-værn** ✂ Home Guard. **-værnsmand** home guard.

hjem|rejse journey home; ♫ homeward passage (, voyage); *de var på -n* they were on their way home. **-sende ★** send home; *(soldater)* demob(ilize); *(til fædreland)* repatriate; *(rigsdag)* prorogue. **-sendelse** *(en)* sending home; demobilization; repatriation; prorogation. **-stavn** native soil, home. **-stavnslitteratur** regional literature. **-stavnslære** regional study. **-sted** domicile; ♫ home port, port of registry. **-søg|e ★** *(om ulykke)* visit, ravage; *(plage)* afflict, *(om skadedyr)* infest *(fx* infested with rats); *(besøge for tit)* inflict oneself on; *-t af hungersnød* afflicted with famine. **-søgelse** *(en)* visitation, affliction; infestation. **-tage** purchase, *(tage på lager)* put in a stock of. **-ve** homesickness; *have ~* be homesick. **-vej** way home; *på -en* on one's *(el.* the) way home, ♫ homeward bound. **-vendt** *adj* returned.

hjerne *(en -r)* brain, *(forstand)* brains; *den store ~* the brain proper, the cerebrum; *den lille ~* the cerebellum; *han var -n bag det foretagende* he masterminded (*el.* was the brains behind) the undertaking; *bryde sin ~* rack (*el.* cudgel) one's brains; *have fået film på ~* have got the pictures on the brain.

hjerne|arbejde brainwork. **-bark** *(anat)* cerebral cortex. **-betændelse** inflammation of the brain. **-blødning** cerebral haemorrhage. **-celle** *(anat)* cerebral cell. **-halvdel** cerebral hemisphere. **-hinde** membrane of the brain. **-hindebetændelse** *(med.)* cerebrospinal meningitis. **-kasse**, **-kiste** skull. **-masse** cerebral matter. **-rystelse** concussion (of the brain). **-skal** skull, cranium. **-spind** figment of the imagination. **-sygdom** disease of the brain. **-trust** brains trust. **-vask** brainwashing; *(enkelt tilfælde)* brainwash. **-vinding** *(anat)* convolution of the brain; *-er (* T: *kløgt)* grey matter. **-virksomhed** cerebration, cerebral activity. **-væv** cerebal tissue.

hjerpe *(en -r)* zo hazel grouse.

hjerte *(et -r)* heart; *mit ~ banker* my heart beats; *han har ikke ~ til at* he has not the heart to, he cannot find it in his heart to; *lette sit ~* unburden one's heart (*el.* mind); *hans gode ~ løb af med ham* his kind heart got the better of him; *skyde sit op i livet* take one's courage in both hands; *tabe sit ~* lose one's heart; *hvad -t er fuldt af løber munden over med* out of the abundance of the heart the mouth speaks; *[m præp:] af -t, af hele sit ~* from the bottom of one's heart; *af et godt ~* cordially; *af mit ganske ~* with all my heart; *af -ns lyst* to one's heart's content, with a will; *der faldt en sten fra mit ~* it was a load off my mind; *det skærer mig i -t* it breaks my heart; *i sit (inderste) ~* in one's heart (of hearts); *let om -t* light-hearted; *jeg er tung om -t* my heart is heavy; *jeg kan ikke bringe det over mit ~ at* I cannot find it in my heart to, I have not the heart to; *have noget på ~* have something on one's mind; *hvad der mest ligger mig på ~* what I have most at heart; *på fastende ~* on an empty stomach; *hånden på -t!* honour bright! *han har -t på rette sted* his heart is in the right place; *gå til -t* go (straight) to one's heart, move (*el.* stir) the heart; *det går mig meget nær til ~* I take it greatly to heart; *hjertens gerne, etc: se hjertensgerne, etc.*

hjerteanfald heart attack.

hjerte|angst *(en)* agony of fear. **-banken** palpitation. **-barn** darling, the apple of one's eye. **-blad** *(kimblad)* seed-leaf; *(inderste blad)* central leaf. **-blod** heart's blood, life blood. **-fejl** organic heart disease. **-fred** peace of mind. **-frekvens** heart rate, pulse rate. **-gribende** *adj* *(rørende)* touching, pathetic;

(tragisk) heart-rending. **-græs** ♣ quaking grass. **-kammer** ventricle (of the heart). **-klap** *(anat)* heart valve. **-knuser** *(en -e)* charmer, *(om mand)* ladykiller. **-kule** pit of the stomach, solar plexus; *(fagligt)* cardia. **-kval** agony. **-lag:** *han har ~* he has a (kind) heart. **-lammelse** heart failure, paralysis of the heart. **-lidelse** heart disease, heart trouble.

hjertelig *adj* hearty *(fx* laugh, welcome); *(inderlig)* heartfelt *(fx* wish, thanks); *(mere formelt)* cordial *(fx* smile, welcome); *(oprigtig)* sincere *(fx* congratulations); *(begejstret)* warm *(fx* applause); cordial; **-*(t)*** *(adv)* heartily, cordially; sincerely, warmly; *~ gerne* with all my heart; *~ hilsen til* (my) kindest regards to; *le -t* laugh heartily; *takke ham -t* thank him cordially (, warmly).

hjertelighed *(en)* cordiality; warmth.

hjerte|løs *adj* heartless, callous. **-løshed** *(en)* heartlessness, callousness. **-menneske:** *han er et ~* he is a man of feeling, he has a kind heart.

hjertens|fryd ♣ balm. **-gerne** with all my heart, by all means. **-glad** overjoyed. **-god** tender-hearted. **-kær** *(en)* sweetheart. **-lyst:** *af ~* to one's heart's content. **-mening:** *sige sin ~* speak one's mind. **-ven** bosom friend.

hjerteonde *(et -r)* heart trouble.

hjerter *(en -)* *(i kortspil)* hearts; *~ es, konge, to, tre etc* the ace, king, two, three, etc of hearts; *~ er trumf* hearts are trumps.

hjerte|rod *(plantes)* main root; *(fig)* innermost heart. **-sag:** *det er ham en ~* he has it very much at heart. **-skærende** heart-rending; *græde ~* cry fit to break your heart. **-slag** heartbeat; *(dødbringende hjertelammelse)* heart failure. **-sorg** deep-felt grief; *dø af ~* die of a broken heart. **-styrkning** *(forfriskning)* refreshment; *(opstrammer)* pick-me-up. **-suk** deep sigh. **-sygdom** heart disease. **-tilfælde** heart attack. **-varme** *(en)* warm-heartedness. **-vindende** *adj* endearing.

hjord *(en -e)* *(af kvæg)* herd; *(af får; menighed)* flock.

hjort *(en -e)* deer *(pl -)*; *(han over 5 år)* hart, stag. **hjorte|kalv** fawn, young deer. **-skind** *(med hår)* deerskin; *(uden hår)* buckskin. **-takker** *(pl)* antlers of a stag. **-taksalt** powdered ammonia, salt of hartshorn. **-vildt** deer.

hjul *(et -)* wheel; *(tandhjul)* cogwheel; *(på spore)* rowel; *(under møbel)* castor; *(på hjuldamper)* paddle wheel; *føle sig som femte ~ til en vogn (eller tredje hjul til en gig)* feel odd man out; *(sammen med forelsket par)* play gooseberry.

hjul|afstand distance between wheels; *(på bil)* wheelbase. **-benet** *adj* bandy-legged, bow-legged. **-bør** wheelbarrow. **-damper** paddle steamer. **-kapsel** hub cap. **-mager** *(en -e)*, **-mand** *(-mænd)* wheelwright.

hjulpet *perf part af* **hjælpe**.

hjulpisker *(en -e)* beater.

hjulspor rut, wheel track.

hjælme *(en)* ♣ marram grass.

hjælp *(en)* help; assistance, aid *(fx* financial a., technical a.); *(undsætning)* rescue, succour; *(understøttelse)* support, relief; *(nytte)* help, use; *(hjælper i huset)* (domestic) help; *hjælp!* help! *ved fælles ~* between us (, you, them); *første ~* first-aid; *når nøden er størst, er -en nærmest* the darkest hour is nearest the dawn; *råbe om ~* cry out for help; *søge ~ hos en* apply to sby for help; *ile en til ~* hurry to sby's assistance; *kalde andre til ~* call in (the aid of) others; *komme til ~* come to the rescue; *komme en til ~* come to sby's rescue (*el.* assistance); *tage ngt til ~* have recourse to sth, make use of sth; *være en til ~* be of assistance to sby; *ved ~ af* by means of, with the aid of.

hjælpe *(hjalp, hjulpet)* help, aid, assist; *(i nød)* relieve; *(gavne)* avail, be of use, help; *(om lægemidler)* be good *(imod:* for); *det skal fedt ~* (a fat) lot of good that will do; *så sandt ~ mig Gud* so help me God; *de r ikke* it's no good (*el.* use) *(at græde* crying);

det hjalp altsammen ikke it was all in vain; *det har ikke hjulpet mig* I am none the better for it, it has not done me any good; *hvad kan det ~ (at prøve)* what is the good (of trying); *man må ~* **sig** *som man kan* one must manage somehow; *~ sig med* make shift with; [*m præp og adv:*] *-s* **ad** do it between us (, you, them), help one another, join hands; *~ ham frakken* **af** help him out of (*el.* off with) his coat; *~ ham af med* **rid** (*el.* relieve) him of; *~ ham* **frem** (*i verden*) help him to get on (in the world); *~ ham* **(med)** *at betale* help him (to) pay; *det vil ~ (med) til at* it will help (*el.* contribute) to; *~ ham* **over** *gaden* help him to cross the street; *~ ham over vanskelighederne* help him to surmount his difficulties; '*~* **på** improve; *~ ham frakken* '*på* help him on with his coat, help him into his coat; *han står ikke til at ~* he is past help; *~* '*til* help, make oneself helpful, lend a hand; *~ til løsningen af* help towards the solution of; *~ ham til en stilling* help him to get a job; *~* '*til med* take a hand in.

hjælpe- auxiliary (*fx* motor); *(undsætnings-, understøttelses-)* relief (*fx* expedition, fund).

hjælpe|aktion relief action. **-ekspedition** relief expedition. **-fond** relief fund. **-hær** auxiliary army. **-kasse** relief fund. **-kilde** resource. **-klasse** (*i skole*) remedial class. **-linie** (*mat.*) construction line. **-lærer** assistant teacher (*el.* master). **-løs** helpless; (*⚓ ogs*) crippled, disabled. **-løshed** helplessness. **-mandskab** (*ved jernbaneulykke*) breakdown gang. **-maskine** auxiliary engine. **-middel** aid, help, remedy. **-motor** auxiliary motor; *cykel med ~* motor-assisted pedal cycle. **-præst** curate.

hjælper (*en -e*) helper, assistant, aid; (*i forbrydelse*) accomplice.

hjælpe|skib auxiliary vessel; *(forsyningsskib)* tender. **-sprog** auxiliary language. **-tog** breakdown train. **-tropper** *pl* auxiliary troops, auxiliaries. **-verbum** auxiliary verb. **-videnskab** auxiliary science.

hjælpsom *adj* ready to help, willing to help, cooperative, helpful.

hjælpsomhed (*en*) readiness to help, helpfulness.

hjørne (*et -r*) corner; (*humør, sind*) humour (*fx* when he is in that humour), mood; *lige om -t (ogs fig)* just round the corner; *dreje om -t* turn the corner; *løbe om -r med* take in; *drive en op i et ~* corner sby, drive sby into a corner; *på -t af* at the corner of.

hjørne|butik corner shop. **-plads** (*i kupé etc*) corner seat. **-skab** corner cupboard. **-spark** corner. **-sten** cornerstone. **-tand** eyetooth; (*fagligt*) canine tooth.

hk (*fk f hestekraft*) h.p. (*fk f* horsepower).

hm! hem! ahem!

H.M. (*fk f Hendes Majestæt, Hans Majestæt*) H.M. (*fork f* Her Majesty, His Majesty).

hob (*en -e*) multitude, crowd; *-en, den store ~* the multitude, the (common) herd, the masses; *en ~* (*el. en hoben*) *mennesker* a lot of people; *alle til -e* all of them, the whole lot, one and all.

hobbyrum (*et -*) work-room.

hobe *vb* heap; *~ sig op* accumulate.

hoben: *en ~* a lot of, lots of.

hockey (*en*) hockey. **hockeybane** hockey ground.

hof (*et -fer*) court; *ved -fet* at Court; *holde ~* keep state.

hof|bager *se -leverandør.* **-bal** Court ball. **-dame** lady-in-waiting. **-digter** Court poet; (*i England*) Poet Laureate. **-dragt** Court dress. **-embedsmand** Court official, Court functionary. **-etat** Royal Household.

hoffmannsdråber compound spirit of ether.

hoffolk *pl* courtiers.

hoffähig *adj* presentable (at Court).

hoffærdig *adj* haughty. **hoffærdighed** (*en*) haughtiness.

hof|kavaler gentleman of the Court. **-kreds:** *i -e* in Court circles. **-leverandør** purveyor to His Majesty (*el.* to the Court); (*udtrykkes oftest:*) by

Appointment to H.M. the King (, Queen). **-mand** courtier. **-marskal** (*svarer til*) Lord Chamberlain. **-nar** Court jester.

hof- og statskalender [official year-book; *svarer nærmest til den uofficielle* Whitaker's Almanack].

hof|præst Court chaplain. **-sorg** Court mourning. **-stat** Royal Household.

hofte (*en -r*) hip.

hofteater Court theatre.

hofte|ben hip bone. **-holder** suspender belt, girdle. **-led** (*et -*) hip joint, coxa. **-skål** hip socket.

hokus pokus! (*tryllekunstners frase*) hey presto!

hokuspokus (*et*) hocus-pocus; funny business.

hold (*et -*) (*tag, herredømme*) hold, grasp; *(fasthed, konsekvens)* substance (*fx* there is no s. in the proposal), solidity, soundness; *(karakter, rygrad)* backbone, firmness; T guts; *(holdbarhed, styrke)* durability, strength; *(afstand)* range, distance; *(muskelømhed)* pain; *(skare)* party, gang, batch; *(skifte)* relay, shift (*fx* they work in shifts); *(sports-)* team; *(af elever)* class; group; *(kant, side)* quarter (*fx* I heard from another q. that ..); *~ over lænden* a pain in the back, lumbago; *på nært ~* at close quarters (*af:* with), (*om skud*) at short range.

holdbar *adj* (*om påstand*) tenable, valid; (*solid*) durable; (*om farve*) fast; (*som ikke let fordærves*) that will keep, non-perishable. **holdbarhed** (*en*) validity; durability; keeping qualities.

holde (*holdt, holdt*) (*med objekt:*) hold; (*beholde, bevare, lade forblive, underholde, have i sin tjeneste el. til sit brug*) keep; (*~ ved lige*) keep in repair, keep up; (*en tone*) hold, sustain; (*overholde, fejre, respektere*) keep, observe; (*vædde*) bet; (*abonnere på*) take (in), subscribe to; (*måle*) measure; (*rumme*) hold, contain; (*anse, antage*) hold, consider;

(*uden objekt:*) (*ikke briste*) hold; (*vare*) last; (*ikke blive slidt op*) wear; (*forblive frisk*) keep; (*standse*) stop; (*holde stille*) be stopping, stand, be; (*styre i en vis retning*) keep (*fx* to the right); bear; ⚓ bear, stand; (*sigte*) aim;

[*m subst:*] *~ bil* run a car; *~ en forelæsning* give a lecture; *~ en fæstning* hold a fortress; *~ sin fødselsdag* keep one's birthday; *~ gudstjeneste* hold a service; *~ hund* keep a dog; *~ hus for ham* keep house for him; (*se ogs hus*); *~ sit løfte* keep one's promise; *hold mund!* shut up! *~ en prædiken* preach (*el.* deliver) a sermon; *~ sengen* keep one's bed; *~ (en) tale* make (*el.* deliver) a speech; *spanden kan ikke ~ vand* the bucket will not hold water; *~ vejret* hold one's breath; *gid vejret vil ~* I hope the weather will last (*el.* keep fine *el.* hold);

[*m præp og adv:*] *~* **af** be fond of, like; (*bøje af*) ⚓ stand off, bear away; *~ mest af* like best, prefer; *~ en hest* **an** pull up a horse; *~* **fast** *ved* hold on to, (*fig*) stick to, adhere to; *~* '**for** (*tage mod ubehageligheder*) bear the brunt, be the victim; *nu må du ~* '*for* it is your turn now; *~ det for sig selv* keep it to oneself; *~* **frem** hold out (*fx* he held out his book; hold out a baby); *~* **fri** take a holiday; *~ fri af* keep clear of; *~* **hen** *med snak* put off with (a lot of) talk; *det holdt hårdt* it was hard work; '*~* i, *~ fast i* hold on to; *~* **igen** resist, hold back; *~ igen på* restrain; *~* **inde** keep in; (*ophøre*) stop, cease, (*i tale*) stop (short); *~ inde med* cease, leave off (*fx* leave off working), stop; *~* **med** (*o: tage parti for*) side with; *~ en med klæder* keep sby in clothing; *~ en med selskab* keep sby company; *~ ham* **nede** keep him down; T sit upon him; *~* (*o: have fat*) **om** grasp; *~* **op** (*løfte*) hold up; (*standse*) cease, stop, leave off; *~ ham op* (*ved røveri*) hold him up; *~ op med at ryge* stop smoking; *~* **oppe** keep up; *~* **på** (*opholde*) detain, keep back; (*~ fast på*) hold (on to); (*insistere på*) insist on (*fx* he insisted on his demand); (*påstå*) maintain, assert; (*være stemt for*) be in favour of; (*i væddemål*) back, bet on; *jeg holdt på mit* I stuck to my guns; *~* **sammen** (*o: støtte hinanden*) keep (, hold, stick) together; *~ sammen på ngt* keep sth together; *~* '**til** (*o: ~ lukket*) keep shut; (*bo*) live, (*for kortere tid*) stay; T hang out;

~ *til (ɔ: udholde)* **stand**; *jeg kan ikke ~ til mere* I am at the end of my tether; *~ ham til arbejdet* keep him at his work; *hold til højre!* keep to the right! *~* **tilbage** *(ikke køre frem)* keep back; *~ en* tilbage keep sby back, hold sby back, detain sby; *~ tilbage for* give way to; *~ ud* stand, endure, hold out; *jeg kan ikke ~ ham ud* I cannot stand *(el. bear)* him; *~* **ude** hold out; *~ ude fra hinanden* keep apart; *(fig)* tell apart; *¡~* **ved** *(ɔ: holde fast på, støtte)* hold, *(ɔ: fastholde, stå ved)* stick to, *(= standse ved)* stop at; *~ ved lige* keep in repair, keep up;

[forbindelsen: ~ **sig**] *~ sig (ikke fordærves)* keep, *(ikke slides)* wear, last, *(vedvare)* hold, last, *(forblive, opholde sig)* stay, keep, *(m h t afføring)* contain oneself; *jeg kan ~ mig!* T not for me! *mange skikke har holdt sig* many customs have survived; *~ sig fast ved* hold on to; *~ sig for munden* hold one's hand before one's mouth; *~ sig for ørerne* stop one's ears; *hun -r sig godt* she does not look her age; *~ sig oppe (oven vande)* keep afloat; *(fig)* support oneself; *~ sig parat* hold oneself ready; *~ sig på benene* keep on one's feet; *~ sig rolig* keep quiet; *~ sig til* stick to, keep to *(fx* I keep to the text); *(overholde, adlyde)* abide by *(fx* I abide by the law); *~ sig 'til* stick around; *~ sig til sagen* keep to the point; *nu ved jeg hvad jeg har at ~ mig til* now I know where I stand; *~ sig tilbage* hold *(el.* hang *el.* stand) back.

I. **holden** *(en)* keeping; *(standsning)* stopping; *loven er ærlig ~ besværlig* promises are like pie-crusts, made to be broken; *stædig ~ fast* ved insistence on.

II. **holden** *adj (velhavende)* prosperous, well -to-do; *hel og ~* entire, *(i god behold)* safe and sound; *helt og ~* entirely, altogether.

holde|plads *(for bus etc)* stop; *(for droscher)* (cab)-stand, cab (, taxi) rank; *(jernb: trinbræt)* halt, *(amr)* way station. -**punkt** basis *(fx* for an assertion); *politiet har intet ~ i sagen* the police have no clue *(el.* nothing to go on); *fast ~ i tilværelsen* fixed point in one's life.

holder *(en -e) (abonnent)* subscriber; *(til blyant etc)* holder, clip.

holdfører *(i sport)* captain.

holdning *(en) (legemsstilling)* carriage; *(optræden)* conduct; *(indstilling)* attitude *(over for:* towards); *(fasthed, karakter)* backbone, firmness; *(naturlig ligevægt)* poise; *indtage en ~* take up an attitude.

holdningsløs *(en -e)* spineless, flabby.

holdningsløshed *(en)* spinelessness , flabbiness.

holdop *(et -)* hold-up.

holdt *(et),* **holdt**! halt; *gøre holdt* halt, come to a halt.

holdvis in parties (, gangs, etc, *se* hold).

hole *vb* lift, help oneself to; *der er ikke noget at ~* there is nothing to be had.

Holger Danske Ogier the Dane.

Holland Holland, the Netherlands. **hollandsk** *adj* Dutch. **hollænder** *(en -e)* Dutchman; *-ne (om hele nationen)* the Dutch; *5 -e* 5 Dutchmen. **hollænderinde** *(en -r)* Dutchwoman.

holm *(en -e)* islet. **holmgang** single combat.

Holsten Holstein. **holstener** *(en -e)* Holsteiner. **holstensk** *adj* Holstein.

Homer Homer. **homerisk** *adj* Homeric.

homo|gen *adj* homogeneous. -**nym** *(et -er)* homonym; *adj* homonymous. -**seksuel** *adj* homosexual. -**seksualitet** homosexualism.

homøopat *(en -er)* homoeopath.

honnet *adj* respectable, honourable; *~ ambition* social ambition; *have ~ ambition* be a climber.

honning *(en)* honey. **honning|bi** zo honey bee. -**kage** honey cake. -**sød** honey-sweet, honeyed.

honnør *(en -er) (ogs i kortspil)* honour; ⚔ salute; *gøre ~ (for)* salute *(fx* salute the colours); *med fuld ~* with full honours.

honorar *(et -er)* fee *(fx* a docter's fee), honorarium; *(forfatterhonorar, procentvis af salget)* royalty.

honoratiores *pl* notabilities, T bigwigs.

honorere *vb (betale)* pay; *(indfri)* fulfil; *(merk)* honour, protect; *ikke ~* dishonour.

hop *(et -)* jump, *(større)* leap. *(lille, let)* skip, *(m. samlede ben el. på et ben)* hop; *(pl ogs)* jumping.

I. **hoppe** *vb (et hop)* jump, skip, hop; leap; *(om bold)* bounce; *~ 'af (søge tilflugt)* defect; *~ 'på (ɔ: tro)* swallow *(fx* don't s. everything that is told you); *den -per jeg ikke på* that won't go down with me.

II. **hoppe** *(en -r)* mare.

hoppe|bold space hopper. -**føl** filly. -**gynge** baby bouncer.

hor *(et)* adultery; *du skal ikke bedrive ~ (bibelsk)* thou shalt not commit adultery.

Horats Horace.

horde *(en -r)* horde.

hore *vb* fornicate.

horeunge bastard; *(typ)* wrong overturn.

horisont *(en -er)* horizon; *i -en* on the horizon; *det ligger over min ~* it is beyond me; *med en snæver ~ (fig)* narrow-minded; *en vid ~* **a** distant h.; *(fig)* a wide intellectual horizon. **horisontal** *adj* horizontal.

hormon *(et -er)* hormone.

horn *(et -)* *(ogs som stof; ogs bil-)* horn; (⚔ signal-) bugle; *(af brød)* crescent; *bruge -et (om bilist)* sound the horn; *have et ~ i siden på en* have a grudge against sby; *Kap Horn* Cape Horn; *løbe -ene af sig* sow one's wild oats; *tage tyren ved -ene* take the bull by the horns.

horn|agtig *adj* horny, corneous. -**blende** *(min)* hornblende. -**blæser** *(en -e)* ⚔ bugler. -**briller** horn-rimmed spectacles.

hornet *adj* horned; *(hornagtig)* horny.

horn|fisk zo garfish. -**formet** horn-shaped, cornuted. -**hinde** cornea. -**hindebetændelse** keratitis. -**kvæg** (horned) cattle. -**lag** horny layer. -**musik** brass music. -**orkester** brass band. -**signal** (bugle) call. -**ugle** horned owl; *stor ~* eagle owl.

horoskop *(et -er)* horoscope; *stille ens ~* cast sby's horoscope.

horribel *adj* horrible.

horsemor: *mens græsset gror dør ~* while the grass grows, the steed starves.

hortensia *(en)* ♣ hydrangea.

hos with *(fx* I am staying with friends); *(på sin person)* on *(fx* I have no money on me); *(blandt ens egenskaber)* in *(fx* a valuable quality in an editor); *(i ens skrifter)* in *(fx* I found that word in Shakespeare); *~ boghandleren* at the bookseller's; *jeg boede ~ min onkel* I lived at my uncle's *(el.* with my uncle); *han boede ~ mig* he lived at my house; *indflydelse ~* influence with; *det er skik ~ eskimoerne* it is a custom among the Eskimoes; *en vane ~ mig* a habit with me; *~ denne digter er der mange sjældne ord* in this poet's works there are many rare words; *som det hedder ~ Byron* as Byron has it; *tjene ~ en* be in sby's service.

hose *(en -r)* stocking, hose; *gøre sine -r grønne hos en* make up to sby; *(gøre kur til)* court sby; *sd let som fod i ~* as easy as falling off a log.

hose|båndsordenen (the Order of) the Garter. -**båndsridder** knight of the Garter. -**sokker** *pl: på ~* in one's stockinged feet.

hosianna hosanna.

hos|lagt *adj* enclosed. -**liggende** *adj (mat.)* adjacent, contiguous.

hospital *(et -er)* hospital; *indlægge på et ~* send *(el.* remove) to (a) hospital; *(fra hospitalets side)* admit to (a) hospital; *komme på -et* be taken to (a) hospital; *ligge på -et* be in hospital. **hospitalisere** *vb* hospitalize. **hospitals|ophold** stay in hospital. -**skib** hospital ship. -**sprit** surgical spirit.

hospiti|um *(et -er),* **hospits** *(et -er)* hospice.

hos|stillet *(gram)* appositive. -**stilling** apposition.

hoste *(en)* cough, coughing; *vb* cough.

hoste|anfald fit of coughing. -**mikstur** cough mixture. -**middel** remedy for coughing. -**n** *(en)* coughing, cough.

hoste|pastil cough lozenge. -**saft** cough mixture; cough syrup.

hostie *(en -r)* host.
hotel *(et -ler)* hotel; ~ *garni* private hotel.
hotel|bedrager hotel crook. **-ejer** hotel proprietor. **-karl** porter, boots. **-rotte** hotel thief, sneak thief. **-værelse** hotel room. **-vært** hotel keeper.
hottentot *(en -ter)* Hottentot.
I. **hov** *(en -e) zo* hoof.
II. **hov!** hey! ~ ~! *(så sagte)* now now!
hovdyr *(et -)* ungulate, hoofed mammal.
hove: *ved* ~ at court.
hoved *(et -r)* head; *(begavelse)* brains, intelligence, head; *(overhoved)* head; *(pibe-)* bowl; *(avishoved)* heading, masthead, *(brevhoved)* letterhead, letter heading; *følge sit eget* ~ have one's own way; *han er et godt (el. lyst)* ~ he has got brains; he is a clever fellow; *jeg kan hverken finde* ~ *eller hale på det* I cannot make head or tail of it; *et* ~ *højere* taller by a head; *holde -et klart* keep one's head, keep cool; *lægge -et i blød* rack one's brains; *løfte -et (og fig)* raise one's head; *miste -et* lose one's head, be beheaded; *ramme -et på sømmet* hit the nail on the head; *tabe -et (fig)* lose one's head; *ikke tabe -et* keep one's head; *urolige -er* turbulent elements; *et vittigt* ~ a wit;
[*m præp og adv:*] *slå det af -et* dismiss it from one's mind; *hvis det gik efter mit* ~ if I had my way; *det er ikke efter mit* ~ it is not to my taste; *kort for -et* snappish; *han fik en bold i -et* he was hit on the head by a ball; *gal i -et* angry, mad; *blive gal i -et* lose one's temper, get angry; *have ondt i -et* have a headache; *blive rød i -et* blush, *(af vrede)* flush; *banke det ind i -et på ham* din it into him; *han talte det sammen i -et* he added it up in his head; *sætte sig noget i -et* take something into one's head; *hænge med -et* hang one's head; *det går hen over -et på dem* it goes *(el.* is) over their heads; *se en over -et* slight sby, look down on sby; *stille tingene på -et* turn things upside down; *styrte sig på -et ud i* plunge headlong into; *stå på -et stand* on one's head; *(om ting)* be upside down; *stå på -et for at hjælpe én (fig)* go all out *(el.* put oneself out) to help sby; *blodet steg ham til -et* the blood mounted *(el.* rushed) to his head; *medgangen steg (el. gik) ham til -et* his success turned *(el.* went to) his head; *vin som stiger til -t* heady wine.
hoved- *(vigtigste)* main, chief, principal.
hoved|afsnit main section. **-agent** chief agent. **-anfører** chief; *(af oprør etc)* ringleader. **-anklage** principal charge. **-arbejde:** *-arbejdet (det vigtigste)* the principal part of the work. **-arving** principal heir. **-banegården** the central *(el.* main) station. **-begivenhed** chief event. **-beklædning** headgear; *uden* ~ bare-headed, uncovered. **-bestanddel** main ingredient, main constituent. **-bestyrelse** executive committee. **-bog** ledger. **-bogholder** chief accountant. **-brud** *(et)* trouble; *volde én* ~ puzzle sby. **-bund** scalp. **-bygning** main building. **-bøjning** *(gymn)* head bending; *(hilsen)* bow, nod. **-dør** front door; main entrance. **-fag** major subject; *have engelsk til* ~ *(amr)* major in English. **-fløj** main *(el.* central) part of a building. **-form** principal form; *(hovedets form)* shape of the head. **-formål** chief aim, chief purpose. **-forretning** central office, chief establishment, headquarters. **-forskel** principal difference. **-færdselsåre** main thoroughfare. **-gade** main street. **-gærde** head *(of the bed),* bedhead. **-gård** manor. **-hjørnesten** cornerstone. **-hud** scalp. **-indgang** main entrance. **-indhold** principal contents *(pl); (resumé)* summary. **-indtægt** chief income; *(stats)* chief revenue. **-interesse** principal interest. **-jæger** head-hunter. **-karakter** *(i skole)* average of marks. **-kasserer** head cashier. **-kontor** head office. **-kraft** *(ved teater)* leading man *(, lady).* **-kulds** *adj, adv* headlong *(fx* retreat).
hoved|kvarter headquarters. **-landevej** highway, main *(el.* arterial) road. **-ledning** main; *(til antenneanlæg)* main feeder. **-linie** principal line; *(jernbane-)* main line. **-længde:** *vinde med en* ~ win by a head. **-løs** *(fig)* stupid, confused. **-mand** head, chief, leader, principal; *(i oprør)* ringleader. **-masse** bulk. **-motiv**

chief motive. **-måltid:** *dagens* ~ the chief meal of the day. **-næringsmiddel** principal food. **-nøgle** master key. **-opgave** main task. **-part** chief part, majority. **-person** principal character. **-pine** *(ogs om vanskeligt problem)* headache; *have* ~ have a headache; *det er* '*hans* ~ *(fig)* that is his pigeon *(el.* headache). **-post** *(i regnskab etc)* principal item. **-postkontor** General Post Office, G.P.O. **-princip** fundamental principle.
hoved|produkt staple product. **-pude** pillow. **-punkt** main point; *(i anklage)* principal count. **-regel** principal rule. **-regning** mental arithmetic. **-rengøring** spring cleaning; *(fig)* house cleaning. **-reparation** complete overhaul, reconditioning. **-revisor** chief auditor; *(stats-)* Auditor-General. **-rig** very rich, T wallowing in money. **-rolle** principal part, leading role. **-rute** main route. **-rysten** *(en): med en* ~ with a shake of the head. **-sag** main thing; *han har ret i -en* he is right in the main. **-sagelig** *adv* mainly, chiefly, principally. **-salat** ⚘ head lettuce. **-skal** skull. **-skib** *(i kirke)* nave. **-spring** *(gymnastik)* headspring; *(svømning)* header. **-sprog** principal language. **-stad** capital, metropolis. **-stads-** metropolitan. **-station** principal *(el.* central) station; *(jernbane-)* main station. **-stemme** principal voice; *(falset)* head voice. **-stol** *(merk)* principal. **-strømninger** *pl* main currents. **-styrke** ✗ main body. **-sum** (sum) total. **-sæde** headquarters, head office. **-sætning** *(gram)* main clause. **-tanke** leading idea. **-telefon** headphone(s), earphone(s). **-trappe** front stairs. **-træk** *(et)* main feature; *i -kene* in the main, in outline. **-tørklæde** kerchief, *(moderne)* headscarf. **-vej** main road; *(med forkørselsret)* major road. **-verbum** main verb. **-vidne** *(el)* principal witness. **-vogn** *(motorsporvogn)* motor car. **-vægt:** *lægge -en på* attach the greatest importance to. **-værk** *(litterært, kunstnerisk)* chief *(el.* principal) work. **-årsag** main *(el.* principal) cause.
hoven *adj* swollen, tumefied; *(fig)* arrogant, T stuck-up. **hovenhed** *(en) (fig)* arrogance.
hovere *vb* gloat, exult, crow. **hoveren** *(en)* gloating, exultation, crowing.
hoverende *adj* gloating, exultant, triumphant.
hoveri *(et)* villeinage; *(fig)* drudgery.
hovmester butler; ⚓ steward.
hov|mod *(et)* arrogance, haughtiness, pride; ~ *står for fald* pride goes before a fall. **-modig** *adj* haughty, arrogant, overbearing, proud.
hovne *vb:* ~ *op* swell (up), tumefy.
hovskæg fetlock.
hr. *se* herre.
hu *(en): komme i* ~ remember, call to mind; *hans* ~ *står dertil* his mind is set on it; *med velberåd* ~ deliberately, purposely, on purpose.
hud *(en -er)* skin; *(tykt, håret skind)* hide; *skælde en -en fuld* haul sby over the coals, curse sby up and down; *hård* ~ callosity; *med* ~ *og hår* skin and all; *sluge noget med* ~ *og hår (fig)* swallow sth raw; *(om løgn)* swallow sth hook, line and sinker.
hud|afskrabning abrasion. **-farve** colour of the skin, *(ansigtets)* complexion. **-flette** *vb* flog; *(fig)* castigate. **-fold** fold (of the skin). **-løs** *adj* raw, galled; *et -t sted* a raw place. **-løshed** excoriation; *(hudløst sted)* a raw place. **-orm** blackhead. **-pleje** *(en)* care of the skin. **-sygdom** skin disease; *hud- og kønssygdomme* skin and venereal diseases.
I. **hue** *(en -r)* cap.
II. **hue** *vb (behage)* please; *det -r mig ikke* I don't like it.
I. **hug** *(et): sidde på* ~ squat.
II. **hug** *(et -)* cut, slash, blow, stroke; *få* ~ get a thrashing.
hugaf *(en)* old soldier.
hugge *vb* cut, hew; *(småt)* chop; *(stjæle)* pinch, bag; *(gribe)* catch, snatch; ⚓ *(stampe i søen)* pitch; ~ *'af* cut off; ~ *brænde* cut *(el.* chop) firewood; '~ *efter (om slange)* strike at; *hverken til at* ~ *eller stikke i* neither to be led nor driven; ~ *bremserne i* jam the brakes on; ~ *døren i* bang the door (to); *sidde og* ~ *i det* have trou-

ble (in) making (both) ends meet; be hard up; ~ *sig i hånden* cut one's hand; ~ *sin mad i sig* T wolf (down) one's food; ~ *ind på* ✕ charge; ~ *med næbbet* peck; ~ *ned for føde* cut down indiscriminately; ~ *op (skib, bil etc)* break up, scrap; ~ *over* cut (in two); *-t sukker* lump sugar; ~ *sønder og sammen* cut to pieces; ~ *'til strike*, *(tilhugge)* shape; ~ *ud i sten* carve in stone.

huggeblok chopping-block.

huggert *(en -er)* broad sword; ⚓ cutlass.

hugning *(en)* cutting, etc *(se hugge)*.

hugorm *(en)* viper.

hugst *(en -er)* felling (of timber).

hugtand *(pattedyrs)* tusk; *(slanges)* fang.

huguenot *(en -ter)* huguenot.

huj: *i ~ og has.* hurriedly, in hot haste.

huje *vb* yell, hoot.

hukommelse *(en)* memory; *efter -n* from memory; *min ~ svigter* my memory fails me.

hukommelses|fejl slip of the memory, lapse of memory. **-kunst** mnemonics. **-spor** engram. **-tab** loss of memory, amnesia.

I. **hul** *(et -ler)* hole; *(boret igennem noget, ogs)* perforation; *(stukket)* puncture; *(åbning)* aperture; *(gab, mellemrum)* gap; *(utæthed)* leak; *(i billard)* pocket; *(lakune)* gap *(fx* in one's knowledge), void, lacuna; *(fængsel)* gaol, T clink; *(i vej)* pot-hole; T *(lille værelse, by)* hole; *det er ~ i hovedet* it is completely crazy; *slå ~ i* knock a hole in; *der gik ~ på byl-den* the abscess burst; *(fig)* things began to move; *slå ~ på et æg* crack an egg; *stikke ~ på* prick *(fx* a balloon); *tage ~ på en flaske* open a bottle; *tage ~ på en tønde* broach a cask.

II. **hul** *adj* hollow; *(konkav)* concave; *den -e hånd* the hollow of the hand; *holde noget i sin -e hånd* hold sth in the hollow of one's hand.

hulbrystet hollow-chested.

I. **huld** *(et): ved godt ~* in good condition, stout; *tabe -et* lose weight.

II. **huld** *adj (nådig)* gracious; *(trofast)* faithful, loyal; *(yndig)* fair, sweet.

huldre *(en -r)* wood nymph.

huldsalig *adj* gracious *(fx* smiles); *smile -t til* beam on.

huldskab: *sværge én ~ og troskab* swear allegiance to sby; *opsige én ~ og troskab* withdraw one's allegiance from sby.

I. **hule** *(en -r)* cave, cavern, *(malerisk)* grotto; *(dyrs)* den, lair; *en lastens ~* a haunt of vice, a sink of iniquity.

II. **hule** *vb* hollow (out).

hule|beboer *(en -e)* cave-dweller, troglodyte. **-forsker** *(en -e)* cave explorer, speleologist. **-forskning** cave exploration, speleology. **-fund** cave find. **-pindsvin** *zo* porcupine.

hulhed *(en)* hollowness; *(hulrum)* cavity.

hulk *(et -)*, **hulke** *vb* sob. **hulken** *(en)* sobbing.

hulkindet *adj* hollow-cheeked.

hulkort *(et -)* punched card. **hulkortoperatør** punched-card machine operator.

hullet *adj* full of holes, *(utæt)* leaky.

hulning *(en -er)* hollow, depression.

hul|passer inside calipers. **-rum** cavity. **-ske** perforated ladle. **-sleben** *adj* hollow-ground. **-slibe** *vb* grind hollow. **-spejl** concave mirror. **-søm** *(en)* hemstitch; *sy ~* hemstitch. **-tang** punch pliers.

hulter: ~ *til bulter* in a mess, pell-mell.

hulvej sunken road.

human *adj* humane. **humaniora** *pl* the Humanities. **humanisere** *vb* humanize. **humanisering** *(en)* humanization. **humanisme** *(en)* humanism. **humanist** *(en -er)* humanist. **humanistisk** *adj* humanistic; *det -e fakultet* the Faculty of Arts. **humanitet** *(en)* humanity. **humanitær** *adj* humanitarian.

humbug *(en)* humbug, bluff. **humbugsmager** *(en -e)* humbug.

humle *(en)* ♧ hop, *(blomsterne, varen)* hops; *det er -n (ɔ: pointen)* that s the point.

humle|bi bumblebee. **-gård** hop garden. **-høst** hop picking. **-stage** *(ogs om person)* hop pole.

humme: ~ *sig* get out of the way; *(skynde sig)* hurry, get a move on.

hummelejstreger *pl* tomfoolery.

I. **hummer** *(et -e) (lille værelse)* den; *(neds)* hole.

II. **hummer** *(en -e)* zo lobster. **hummerfangst** lobster fishery. **-klo** lobster's claw.

humor *(en)* humour. **humoreske** *(en -r)* humoresque. **humorist** *(en -er)* humorist. **humoristisk** *adj* humorous; *have ~ sans* have a sense of humour.

humpe *vb* hobble, limp.

hump|el *(en -ler) (skive)* hunk *(fx* of bread), chunk.

humus *(en)* humus. **humussyre** humic acid.

humør *(et)* humour, mood, spirits, temper; *i dårligt ~* in low spirits, in a bad mood, out of sorts, grumpy; *i godt ~* in a good mood, *(munter)* in high spirits, cheerful; *op med -et!* cheer up! *miste -et* lose heart; *være i ~ til at læse* feel like reading, be in a reading mood.

humørsyge *(en)* hypochondria.

I. **hun** *(en -ner)* she, female; *(om fugle ofte)* hen (bird). II. **hun** *(pronomen)* she. **hunbjørn** she-bear.

hunblomst female *(el.* pistillate) flower.

hund *(en -e)* dog; *(jagt- ogs)* hound; *der ligger -en begravet* there's the rub; *være en ~ efter* be keen on T be crazy about; *flyvende ~* flying fox; *en hård ~* a tough customer; *gå i -ene* go to the dogs; *som en ~ i et spil kegler* like a bull in a china shop; *leve som ~ og kat* lead a cat-and-dog life; *-e må ikke medtages* no dogs allowed; *løse -e må ikke medtages* dogs allowed only on a lead; *pudse -en på ham* set the dog on him; *man skal ikke skue -en på hårene* appearances are deceitful.

hunde|agtig *adj* dog-like. **-angst** *adj* scared stiff, dead scared. **-dagene** the dog days. **-galskab** rabies. **-glam** baying of dogs. **-halsbånd** dog collar. **-hoved** dog's head. **-hul** hole. **-hus** kennel. **-hvalp** puppy, pup. **-kiks** dog biscuit. **-klipper** *(en -e)* dog-trimmer. **-kold** *adj*, **-kulde** *(en)* beastly cold. **-kunster** *pl* tomfoolery, monkey tricks; *(lumskeri)* hanky-panky. **-kupé** dog compartment. **-liv** dog's life. **-pisk** dog whip. **-skat** [dog tax]. **-skind** dogskin. **-slæde** dog sledge. **-snude** dog's nose. **-spand** *(et -)* dog team. **-stejle** *(en -r)* stickleback. **-stjernen** the dog star, Sirius. **-sulten** *adj* ravenous. **-svær** *adj* T extremely difficult; *(eksamens)opgaven var ~* the paper was a stinker. **-syg** *adj: jeg føler mig ~* T I feel rotten. **-syge** *(en)* distemper. **-tegn** dog licence; *(metalplade)* dog tag. **-udstilling** dog show. **-vagt** ⚓ middle watch. **-vejr** beastly weather.

hundrede *(et -(r))* & *talord* a hundred; *et ~* one hundred; *to ~* two hundred; *flere ~ mennesker* several hundred people; *-r af mennesker* hundreds of people; *en af ~* one in a hundred; *den ~* the hundredth; *~ og sytten (ɔ: en mængde)* a hundred and one *(fx* things).

hundrededel *(en -e)* hundredth.

hundredtusind *(et)* (a) hundred thousand; *hundredtusinder* hundreds of thousands.

hundredvis: *(bøger)* *i ~* (books) by the hundred, hundreds of (books).

hundredår *(et)* century. **hundredårig** *adj* a hundred years old, centenarian. **hundredårs|dag**, **-fest**, **-jubilæum** centenary. **-krigen** the Hundred Years' War.

hundse *vb* bully, treat like a dog.

hundsk *adj* doglike; *(krybende)* cringing; *(om behandling)* bullying.

hun|due hen pigeon. **-dyr** female animal. **-elefant** cow elephant. **-fisk** female fish, spawner. **-fugl** female bird, hen bird. **-får** ewe, female sheep. **-ged** nanny-goat, she-goat.

hunger *(en)* hunger. **hunger|demonstration**, **-march** hunger march. **-optøjer** *pl* food riots.

hungersnød *(en)* famine.

hungre: ~ *efter* hunger for, be thirsting for.

hungrig adj hungry, starving.
hun|hare doe-hare. **-hund** bitch, she-dog.
-kanin doe-rabbit. **-kat** female cat, she-cat, tabby
(-cat). **-køn** female sex; (gram) the feminine (gender).
-kønsendelse feminine ending. **-løve** lioness.
hunner (en -) Hun (pl Huns).
hun|plante (en -r) female plant. **-rakle** ♣ female
catkin. **-rotte** female rat. **-ræv** vixen. **-spurv** hen
-sparrow. **-tiger** tigress. **-æsel** she-ass, female ass.
hurdle (en -r) hurdle. **huri** (en -s) houri.
hurlumhej (en) hubbub, hullabaloo, ado.
hurra! hurra(h)! råbe ~ cheer, hurrah; råbe ~ for
cheer; lad os råbe et trefoldigt ~ for .. three cheers
for .. ; ikke noget at råbe ~ for nothing to write home
about. **hurraråb** (et -) cheer.
hurtig adj quick, rapid (fx decision); (som bevæger sig
-t) fast (fx ship, train); swift; (beredvillig, udført
straks) prompt (fx reply, payment, decision, action);
adv (ogs -t) (i hastig takt; på kort tid) quickly, rapidly;
(snart efter) soon (fx we soon put a stop to that);
(m stærk fart) fast (fx drive fast); en ~ arbejder a quick
worker; -t efter hinanden in rapid succession; at løbe -t
to run fast; -st muligt as soon (el. quickly) as possible;
et -t svar a quick reply, a prompt answer.
hurtig|gående adj fast(-moving), high-speed.
-hed (en) speed, rapidity, quickness, promptness,
dispatch. **-løb** sprinting; (om det enkelte løb) sprint.
-løber (fast) runner, sprinter. **-march** march in
double-quick time. **-rute** fast (el. express) service.
-sejler fast sailer. **-skydning** rapid (el. quick) firing.
-tegner lightning artist. **-tog** fast train; (ekspres)
express. **-tørrende** adj quick-drying. **-virkende** adj
quick-action.
hus (et -e) house; (lille ~ på landet) cottage;
(snegle-) shell; (handels-) house, firm; ~ forbi! you
are barking up the wrong tree; fuldt ~ a packed
house; føre (el. holde) ~ keep house (for: for); føre et
stort ~ keep up a large establishment; gå til hånde i -et
help in (el. about) the house; holde et farligt ~ (fig) make
no end of a row; holde (godt) ~ med economize on
(fx we must e. on fuel), husband; holde dårligt ~
med squander; bringe i ~ gather in; her i -t in this
house; i -et ved siden af next door; herren i -et the
master of the house; ung pige i -et (house)maid; det
kongelige ~ the royal family (el. house); bringe til -e
gather in; have til -e live, be housed.
husapotek medicine chest.
husar (en -er) hussar.
hus|arrest house arrest. **-assistent** (house)maid,
domestic help. **-behov:** til ~ for household use (el.
purposes); (knap tilstrækkeligt) barely sufficient,
nothing to spare, moderate; (i ringe omfang) mode-
rately; ikke have mere end til ~ just make both ends
meet. **-bestyrerinde** housekeeper. **-besøg** (læges)
house call. **-blas** (en) isinglass, gelatine. **-bond** (en)
master; (ægtemand) husband. **-buk** (en -ke) (insekt)
hylotrupes bajulus. **-båd** house boat. **-dyr** domestic
animal. **-dyravl** animal husbandry.
huse vb house, accommodate; T put up; (jur)
harbour (fx an escaped convict).
husejer house owner; householder; (som udlejer)
landlord.
husere vb (hærge) ravage; (støje, skælde) storm,
take on; (om spøgelse) haunt; fjenden -de i landet the
enemy ravaged the country; bander -de i omegnen
gangs infested the neighbourhood.
hus|fader head of a family, master of the house.
-flid domestic industry. **-fred** domestic peace; ♣
helxine; hvad gør man ikke for -ens skyld? anything
for a quiet life. **-frit** adv: bo ~ live rent-free. **-fælle**
(en -r) housemate. **-førelse** (en) housekeeping.
-gerning housework; (skolefag) domestic science,
home economics. **-geråd** (et) kitchen (el. domestic)
utensils. **-gud** household god. **-hjælp** domestic
help. **-holderske** (en) housekeeper. **-holdning** (en
-er) housekeeping, management of a house; (husstand
etc) household, establishment.

husholdnings|- household. **-artikel** household
article. **-kursus** domestic science (el. home economics)
course. **-lærerinde** teacher of domestic science (el.
home economics); (i skole) domestic science (el. home
economics) mistress. **-penge** housekeeping money.
-regnskab household accounts. **-råd:** Statens ~ the
Danish National Council for Domestic Science.
-skole domestic science school. **-vægt** domestic
balance(s).
hus|hovmester butler. **-indsamling** house-to
-house collection. **-jomfru** housekeeper. **-karré**
block (of houses).
huske vb remember; (genkalde sig) remember,
recollect, recall, call to mind; (tage i betragtning)
bear in mind; husk at skrive! don't forget to write!
det skal jeg ~ dig I'll remember you for that; du -r
fejl you are mistaken; jeg -de fejl my memory was at
fault; ~ godt have a good memory; jeg kan ikke ~
hvornår I forget when; det kan jeg ikke ~ I don't
remember; du må ~ på at you must remember (el.
bear in mind) that; husk vel på det! don't forget! mind!
~ en på ngt remind sby of sth; om jeg -r ret, så vidt
jeg -r as far as I (can) remember, to the best of my
recollection; se også: næse.
huskefejl (en -) slip of the memory.
huskendt adj familiar with the house.
huskeseddel memorandum, notes; (til indkøb)
shopping list.
hus|korrektur office proof(s). **-kors** (om person)
domestic nuisance; (arrig kvinde) vixen, holy terror.
husleje (en) (house) rent; hvad betaler du i ~ how
much rent do you pay? **husleje|kontrakt** tenancy
agreement. **-lov** rent restriction act. **-nævn** rent
control board.
huslig adj domestic; -t arbejde housework.
huslighed (en) domesticity.
hus|ly shelter. **-læge** family doctor (el. physician).
-lærer private tutor. **-løg** ♣ houseleek. **-mand**
smallholder. **-mandsbrug** (et -) smallholding.
-mandshus cottage. **-mandskreditforening** small-
holders' credit association. **-moder** housewife.
-moderafløser home help. **-moderlig** adj house-
wifely. **-mus** zo house mouse. **-mår** zo stone marten.
-nummer number (of the house). **-rum** accommo-
dation, room. **-råd** family remedy, household re-
medy. **-stand** household. **-telefon** house telephone;
(i firma) inter-office telephone, internal telephone.
hustru (en -er) wife (pl. wives).
hus|tugt domestic discipline. **-tyran** domestic
tyrant. **-undersøgelse** search of a house; (razzia)
raid; foretage en ~ search a house. **-vagt** (svarer til:)
air-raid warden.
husvale vb soothe, solace. **husvalelse** (en) solace.
hus|vant adj familiar (with the house). **-ven**
friend of the family. **-vild** homeless, houseless.
-vært landlord. **-væsen** housekeeping.
hutle: ~ sig igennem just keep body and soul
together, scrape through.
hvad what; det er rart, hva'? it's nice, isn't it?
alt ~ all that; han løb alt ~ han kunne he ran as fast
as he could (el. at the top of his speed); ~ andet?
what else? ~ andet end? what but .. ? (fx what but
a miracle can save us?); ~ der (spørgende) what (fx
ask what is wrong); ~ der (relativt) which, (visende
frem) what (fx he drank, which was bad enough);
but, what was worse, he beat his wife)} gør ~ der
bliver sagt do as you are told; ~ var der at gøre? what
was to be done? ~ der end sker whatever happens; jeg
vil give dig ~ det skal være (el. ~ som helst) I will give
you anything (whatever); efter ~ jeg kunne se as far as
I could see; ~ enten .. eller whether .. or; ~ for en af
bøgerne? which of the books? which book? ~ er han
or en? what sort of man is he? ~ er det for en mand?
(= hvem er det?) who is that man? en ~ for én?
(spørgsmål om et ikke forstået ord) a what? ~ for noget
(spørgsmål) what? (udtryk for forbavselse) what! ~
med .. ? what about .. ? ~ morsomt er der ved det? where

does the fun come in? ~ *om vi prøvede* what if we tried; ~ *så? (udtryk for ligegladhed)* well, what of it! what about it? who cares? *(spørgsmål om hvad der følger deraf)* T so what? *ved du* ~ I'll tell you what; I say! . . *og jeg ved ikke* ~ . . and what not; ~ *øjeblik det skal være (at)* any moment; *å* ~, folk siger *så meget* oh well, people will talk, you know; *å* ~, *far!* må *vi ikke nok?* please, daddy, won't you let us?

hval (*en -er) zo* whale.

hval|barde (*en -r)* whalebone, baleen. **-fanger** *(mand el. skib)* whaler. **-fangst** whaling.

hvalp (*en -)* puppy; *få (el. kaste) -e* whelp, pup. **hvalpeagtig, hvalpet** *adj* puppyish.

hvalros (*en -ser)* walrus.

hval|spæk (whale) blubber. **-tran** whale oil.

hvas *adj* sharp, keen; *(om ytring ogs)* biting, sarcastic, caustic. **hvashed** *(en)* sharpness, keenness.

hvede *(en)* wheat. **hvede|brød** wheaten bread; *(i England ofte)* white bread; *give bagerbørn* ~ *(svarer til)* carry coals to Newcastle. **-brødsdage** *pl* honeymoon. **-høst** wheat harvest. **-mel** wheat flour.

hvem who; ~ *af dem?* which of them? ~ *dér?* who is there? ⚔ who goes there? ~ *der vil* whoever likes, anyone who likes; ~ *der dog havde bedre tid* if only I had got more time; ~ *han end er* whoever he is; ~ *som helst* anybody; ~ *gav dig pengene?* who gave you the money? ~ *gav du pengene?* to whom did you give the money? T who did you give the money to? ~ *så dig?* who saw you? ~ *så du?* who(m) did you see? *den mand om* ~ *jeg fortalte dig* the man about whom I told you; the man I told you about.

hveps (*en -e) zo* wasp. **hvepse|rede** wasp's nest; *stikke hånden i en* ~ stir up a hornets' nest. **-stik** wasp sting. **-talje** wasp waist.

hver *(neutrum: hvert)* every; *(af bestemt antal)* each; *(se ogs enhver)*; ~ *dag* every day, daily; *han kommer -t øjeblik (3: meget tit)* he is always coming here; *han kan komme -t øjeblik (3: når som helst)* he may come any moment; *lidt af -t* a little of everything; *han har prøvet lidt af -t (fig)* he has knocked about a good deal; ~ *anden* every second, every other; ~ *og én, én og* ~ everybody, one and all, to a man; ~ *især* each; ~ *for sig* separately; *de har* ~ *sin bog* they have a book each; *trække til* ~ *sin side* pull different ways; *de gik* ~ *sin vej* they parted; they went their several ways.

hverandre *se hinanden.*

hverdag weekday; *om -en* on weekdays; *til* ~ on ordinary days, *(fig)* usually.

hverdags, hverdagsagtig *adj* everyday, ordinary, familiar; *(triviel)* humdrum.

hverdags|begivenhed everyday occurrence. **-brug**: *til* ~ for everyday use (, wear). **-historie** story of everyday life, **-kost** daily fare, homely fare; *det er* ~ *(fig)* it is an everyday occurrence. **-liv** everyday life. **-tøj** everyday clothes.

hvergarn linsey-woolsey.

hverken: ~ . . *eller* neither . . nor.

hvermand everybody; *Gud og* ~ all the world; *sygdom er -s herre* anyone can fall ill.

hverv *(et -)* task, commission, assignment; *få det* ~ *at gøre det* be commissioned to do it, be given the task of doing it; *nedlægge sit* ~ resign (one's duties); *offentligt* ~ public charge *(el. duty)*.

hverve *vb* ⚔ recruit, enlist; *lade sig* ~ enlist; *-t hær* professional army; ~ *stemmer* canvass (for votes).

hverver (*en -e)* ⚔ recruiting officer.

hvervning *(en -er)* enlistment; *(af stemmer)* canvassing; ⚔ recruiting, enlistment.

I. **hvid**: *han ejer ikke en* ~ he has not got a penny (to his name); *(amr)* he has not got a cent *(el.* a dime).

II. **hvid** *adj* white; *-e blade (ubeskrevne)* blank leaves; *det -e i øjet* the white of the eye; *de -e (racen)* the whites.

hvid|blik tinplate. **-bog** white book; *(mindre)* white paper.

hvide (*en -r)* white (of egg); *(pl)* whites.

Hvidehavet the White Sea.

Hviderusland White Russia.

hvidetirsdag Shrove Tuesday.

hvidevare|forretning linen shop. **-handler** linen draper. **hvidevarer** *pl* linen(s), linen goods.

hvid|garve *vb* taw. **-garver** (*en -e)* tawer. **-glødende** white-hot, incandescent. **-gran** *(en)* ♣ white spruce. **-hed** *(en)* whiteness. **-håret** *adj* white -haired. **-kalket** *adj* whitewashed. **-klædt** *adj* dressed (*el.* clad) in white. **-kløver** ♣ white clover. **-kål** cabbage; *i 1700 og* ~ in seventeen something; *(3: for længe siden)* in the year dot. **-kålshoved** head of cabbage. **-lig** *adj* whitish. **-løg** ♣ garlic. **-malet** *adj* painted white. **-metal** babbitt (metal).

hvidt *(et)* white; *kjole og* ~ full evening dress, white tie (and tails).

hvidte *vb* whitewash. **-kost** whiting brush, whitewash brush.

hvidtjørn ♣ hawthorn; *(især om blomsterne)* may. **hvidtning** *(en)* whitewashing.

hvidtøl [Danish type of household beer].

hvidvin (*en -e)* white wine.

hvil *(et -)*: *gevær i* ~*!* slope arms! *holde* ~ make a halt; *tage sig et* ~ take a rest, rest; *et lille* ~ a short rest.

I. **hvile** *(en)* rest, repose; *være i* ~ be at rest; *lade -n falde på sig* take one's ease; *gå til* ~ lie down to rest, go to bed; *gå ind til den evige* ~ go to one's rest; *stede til* ~ lay to rest.

II. **hvile** *vb* rest, repose; *arbejdet -r* work is suspended; *lade sagen* ~ let the matter rest; *hvil! (kommando)* stand at ease! *herunder -r* here lies; *hvil i fred* rest in peace, requiescat in pace, r.i.p.; ~ *i sig selv (økonomisk)* be self-contained, pay its own way, be self-supporting; ~ *over* reign in *(fx* silence reigned in the assembly), pervade *(fx* a spirit of hopelessness pervaded the country); *der -r en forbandelse over ham* there is a curse on him; ~ *på* rest on; ~ *tungt på* weigh heavily on; ~ *sig* rest, take a rest; ~ *ud* have a good rest.

hvile|dag day of rest; *kom -en i hu at du holder den hellig* remember the Sabbath day, to keep it holy. **-hjem** rest home. **-løs** restless. **-løshed** *(en)* restlessness. **-pause** interval for rest. **-sted** place of rest, resting place. **-stilling** position of rest. **-tid** time of rest.

hvilken *(hvilket, hvilke)* a) *(spørgende)* what; *(af bestemt antal)* which; *hvilke bøger har du læst?* what books have you read? *hvilke (el. hvilken) af disse bøger har du læst?* which of these books have you read? *hvilken er hvilken?* which is which? b) *(relativt) (om personer)* who(m); *(om alt andet)* which; *han drak hvilket var slemt* he drank, which was bad; *af hvilke mange* many of whom (, of which); c) *(ubestemt relativt)* whatever, whichever; *hvilke ordrer han end giver* whatever orders he gives; *hvilken som helst* any.

hvilling *(en -er) zo* whiting.

hvin *(et -)* shriek, screech, squeal.

hvine *vb (om person)* shriek, squeal; *(om maskindele)* squeak; *(om kugler)* whistle; *det -r i tænderne* it sets one's teeth on edge. **hvinende** *adj* shrieking, shrill, strident; ~ *falsk* hopelessly out of tune; ~ *sur* so sour that it sets your teeth on edge.

hvirvel *(en, hvirvler)* whirl; *(i vandet)* eddy, whirl(pool); *(knogle)* vertebra; *(i håret)* cow-lick; *(tromme-)* roll. **hvirvel|dyr** vertebrate. **-løs** *adj* invertebrate; *-løse dyr* invertebrates. **-storm** cyclone, tornado. **-strøm** eddy, vortex. **-søjle** spinal column. **-vind** whirlwind.

hvirvle *vb* whirl; ~ *op* stir up, raise.

hvirvler *(en -e)* whirligig.

I. **hvis** *(dersom)* if, in case; ~ *ellers* if indeed, that is if; ~ *ikke* if not, *(med mindre)* unless *(fx* you must come unless you are ill); *(i modsat fald)* failing this, failing that; ~ *han ikke havde været* but for him; if it hadn't been for him.

II. **hvis** *pron* a) *(spørgende)* whose; ~ *er den bog?*

whose book is that? **b)** (relativt) (om personer) whose; (om alt andet) of which, whose; den dreng hvis broder blev dræbt the boy whose brother was killed; en flyvemaskine hvis fører dræbt an aeroplane the pilot of which (el. whose pilot) was killed.

hviske vb whisper; ~ en noget i øret whisper something in sby's ear. **hviskekampagne** whispering campaign. **hvisken** (en) whispering, whisper.

hviskende adj whispering, whispered (fx some whispered words); adv whisperingly, in a whisper.

hvisle vb hiss; (om projektiler) whistle.

hvislelyd hissing sound; (fon ogs) sibilant (sound).

hvislen (en) hissing, sibilation.

hvo who; ~ som (he) who, whoever.

hvor (sted) where (fx where are you? the place where he was born); (om tid) when (x at a time when he was busy); (om grad; måde) how (fx how big? how many? how bad?); der ~ where; ~ er han dum! how silly he is! ~ glad blev jeg ikke! how glad I was! ~ meget jeg end læser however much I read; ~ rig han end er however rich he may be; ~ han end kom wherever he went; ~ omtrent? whereabouts? ~ som helst anywhere; ~ kan det være? how is that? ~ kan det være at why (fx why did he go?); how can it be that.

hvoraf adv (spørgende) of what; (relativt) of whom, of which; ~ kommer det? what is the cause of it? ~ kommer det at . .? how is it that . .? 40 huse ~ mange er nye 40 houses, many of which are new (el. many of them new).

hvordan adv (spørgende) how; ~ end however; ~ har De det? how are you? fortæl mig ~ han er tell me what he is like; fortæl mig nu ~ og hvorledes now tell me all about it; ~ kan det være, se hvor.

hvorefter adv (relativt) after which, whereupon.

hvorfor adv (spørgende) why (fx why did you do it?), what . . for; (relativt) for which reason (fx I felt sick, for which reason I had to leave), (glds) wherefore, (ofte =) and so.

hvorfra adv (spørgende) from where, where (fx where did you get that knife?); (relativt) from which (fx the town from which he came), from where.

hvor|hen adv (spørgende) where (fx where are you going?); (relativt) to which, where; ~ så hastigt? what is the hurry? **-henne** adv (spørgende) where?

hvori adv (spørgende) in what (fx what did he keep it in?), where; (relativt) in which (fx the house in which he lived).

hvor|iblandt adv (relativt) among whom, among which; including (fx five persons including my brother). **-igennem** adv (relativt) through which, by means of which. **-imellem** adv (relativt) between which (, whom), among which (, whom). **-imod** adv (relativt) against which; conj (= medens derimod) whereas (fx he was poor whereas his brother was well-to-do), while.

hvorledes adv, se hvordan.

hvormed adv (spørgende) with what? by means of what? (relativt) with which, by means of which; ~ kan jeg tjene Dem? what can I do for you?

hvornår adv (spørgende) when.

hvorom adv (spørgende) about (el. of) what? (relativt) about (el. of) which; ~ alting er anyhow; however that may be.

hvorover adv (spørgende) of what (fx what are you complaining of?); (relativt) over which, above which, at which.

hvorpå adv (spørgende) on what? (relativt) on which; (= hvorefter) after which; whereupon.

hvortil adv (spørgende) where . . to? (fx where did you walk to?); (= hvor langt) how far (fx how far did we get?); (om formål) what for, to what end? (relativt) to which, where; (om formål) for which (fx the purpose for which it is made).

hvor|under adv (relativt) under which, below which; (om tid) during which. **-ved** adv (spørgende) by what means? (relativt) (om sted) at which, near which; (om midlet) by (means of) which.

hvorvidt conj (= om) whether; (i hvilken udstrækning) how far (fx I don't know how far it is possible).

hvælv (et -) arch, vault (fx the vault of heaven). **hvævle** vb arch, vault; ~ sig arch, vault; himlen der -de sig over os the overarching sky.

hvælvet adj arched, vaulted; en ~ pande a domed (el. high) forehead. **hvælving** (en -er) arch, vault.

hvæse vb (om gås) hiss; (om kat) spit; (af trangbrystethed) wheeze. **hvæsen** (en) (om gås) hiss, hissing; (om kat) spitting; (af trangbrystethed) wheezing.

hvæsse vb whet, sharpen; (barberkniv) hone.

hvæssesten whetstone.

hyacint (en -er) hyacinth.

hyb|el (en -ler) (studerekammer) den; (logi) digs.

hyben (et -) ♃ hip.

hyben|kradser (en -e) dram. **-rose** ♃ dog rose.

hybrid (en -er) & adj hybrid.

hydra (en -er) hydra.

hydrat (et -er) hydrate.

hydrau|lik (en) hydraulics. **-lisk** adj hydraulic.

hydroplan (et -er) hydroplane, seaplane.

I. hygge (en) comfort, cosiness; skabe ~ make the house (etc) look comfortable, make you feel at home. **II. hygge** vb: ~ om en make sby comfortable; ~ sig make oneself comfortable, feel at home.

hygge|følelse feeling of cosiness. **-krog** cosy corner.

hyggelig adj comfortable, snug, cosy, homelike; (rar) pleasant, nice; gøre det -t for ham make him comfortable; (ofte =) give him a pleasant time.

hygiejne (en) hygiene, sanitation, public health.

hygiejnebind sanitary towel.

hygiejnisk adj hygienic, sanitary.

hykle vb (med objekt) feign, simulate; (uden objekt) dissemble, play the hypocrite (for: to).

hykler (en -e) hypocrite. **hykleri** (et) hypocrisy, (i ord ogs) cant. **hyklerisk** adj hypocritical.

hyl (et -) howl, yell; (klagende) wail; (ynkeligt) whine; (om sirene etc) hoot, wail; (i radio) howl.

hyld (en -e) ♃ elder.

I. hylde (en -r) shelf (pl shelves); lægge på -n (ogs fig) put on the shelf, (kun fig) shelve; være på sin rette ~ be the right man (, woman) in the right place; han er kommet på en forkert ~ he is a misfit; he is a square peg in a round hole; lægge tobakken på -n give up smoking; komme på sin rette ~ find one's niche.

II. hylde vb pay homage to, praise, (ved håndklap) applaud, acclaim, (ved hurraråb) cheer; (en mening) hold; (princip) follow, believe in; blive -t af receive the homage of, be cheered (el. applauded) by.

hylde|busk ♃ elder bush. **-bær** ♃ elderberry. **-marv** ♃ elder pith. **-marvskugle** pith ball.

hyldest (en) homage, ovation, applause.

hyldestråb cheer; pl cheers; ovations.

hylde|te elder tea. **-træ** ♃ elder tree (, wood).

hyle vb yell, howl; (klagende) wail; (ynkeligt) whine; (om sirene) hoot, wail; ~ af latter howl with laughter. **hylen** (en) yelling, howling, wailing, whining, hooting; (i radio) howling.

hyleri (et) howling, whining.

hylle: ~ ind wrap up, cover, envelop; ~ sig ind i wrap oneself up in; -t i tåge (, mystik) shrouded in mist (, mystery).

hylster (et -re) case; (pistol-) holster; (til ballon, luftskib) envelope; (patron-) cartridge case; (flaske-) bottle cover; (til grammofonplader) sleeve; hans jordiske ~ his mortal frame.

hymen (anat) hymen.

hymne (en -r) hymn.

hynde (en -r) cushion; belagt med -r cushioned.

hyp! gee up!

hyper- hyper-.

hyper|bel (en -bler) (overdrivelse) hyperbole; (mat.) hyperbola. **-bol** (en -er) hyperbole. **-bolsk** adj (mat.) hyperbolic. **-e** funktioner h. functions. **-moderne** ultra-modern.

hypning *(en -er)* hoeing, earthing.

hypnose *(en -r)* hypnosis. **hypnotisere** *vb* hypnotize. **hypnotisk** *adj* hypnotic. **hypnotisør** *(en -er)* hypnotist.

hypofyse *(en)* pituitary gland.

hypokonder *adj* hypochondriac.

hypokondri *(en)* hypochondria.

hypokondrist *(en -er)* hypochondriac.

hypotek *(et -er)* mortgage. **hypotekforening** [credit society lending on second or third mortgages].

hypotenuse *(en)* hypotenuse.

hypotese *(en -r)* hypothes|is *(pl -es)*.

hypotetisk *adj* hypothetic(al).

hyppe *vb* hoe, earth; ~ *kartofler* earth potatoes; ~ *sine egne kartofler (fig)* look after number one, have an axe to grind.

hyppejern hoe.

hyppig *adj* frequent; *adv (ogs -t)* frequently.

hyppighed *(en)* frequency.

hyrde *(en -r)* herdsman; *(fåre- & fig)* shepherd. **hyrde|brev** pastoral letter. **-digt** pastoral (poem), bucolic. **-digter** pastoral poet. **-dreng** (shep)herd boy. **-hund** sheep dog. **-liv** pastoral life. **-stav** (shepherd's) crook; *(gejstligt symbol)* crosier. **-taske** ♧ shepherd's purse.

hyrdinde *(en -r)* shepherdess.

I. **hyre** *(en -r)* ♧ *(løn)* wages, *(tjeneste)* job, berth; *(om taxa etc)* hire; *søge* ~ ♧ look for a berth, *(om taxa etc)* ply for hire; *tage* ~ *med et skib* sign articles on board a vessel, ship on board a vessel.

II. **hyre** *(et) (besvær)*: *have sit* ~ *med at* have a job to *(fx* get him out of the house).

III. **hyre** *vb* hire, engage; *lade sig* ~ ♧ sign articles.

hyrebasse *(en -r)* ♧ crimp.

hyrevogn taxicab, *(glds)* hackney carriage.

hys! hush!

hysse *vb (påbyde tavshed)* hush; *(give mishag til kende)* hiss *(ad*: at). **hyssen** *(en)* hushing; hissing.

hyssing *(en)* twine; ♧ house line.

hystade *(en -r)* hysterical woman.

hysteri *(en) (anfald)* hysterics; *(med.)* hysteria.

hysteriker *(en -e)* hysteric.

hysterisk *adj* hysteric(al); *få et* ~ *anfald* go into hysterics.

I. **hytte** *(en -r)* cottage, cabin, *(mindre)* hut; *(elendig)* hovel; ♧ poop.

II. **hytte** *vb* look after, take care of; *fanden -r sine* the devil looks after his own; ~ *sit skind* take care of oneself, save one's bacon; ~ *sig for* guard against, beware of.

hytte|fad *(et -e)* well box; *(i skib)* well. **-ost** cottage cheese. **-sko** *(en -)* casual (shoe).

hyæne *(en -r)* hyena.

hæder *(en)* honour, glory. **hæder|fuld** honourable. **-kronet** *adj* illustrious.

hæderlig *adj* honest; *(ret god)* decent, fairly good, tolerable; *gøre sig -e anstrengelser for at* do one's level best to; *med nogle få -e undtagelser* with a few honourable exceptions.

hæderlighed *(en)* honesty, integrity.

hæders|bevisning (mark of) honour, distinction. **-gave** mark of respect, gift in acknowledgement of sby's services. **-gæst** guest of honour. **-mand** man of honour; *(patroniserende)* worthy. **-plads** place (, seat) of honour. **-post** post of honour. **-tegn** medal.

hædre *vb* honour. **hædrende** *adj* honourable.

I. **hæfte** *(et -r) (del af bog)* part, instalment; *(lille tryksag)* pamphlet, booklet; *(kollegie-)* notebook; *(stilebog)* exercise book; *(m billetter, checks, etc)* book.

II. **hæfte** *(et) (en straf)* ordinary imprisonment.

III. **hæfte** *(et -r) (sværd-)* hilt; *(sav-)* handle.

IV. **hæfte** *vb (fastgøre)* fix, fasten, *(m nål)* pin; *(bog)* sew; *(klæbe)* stick; *(være ansvarlig)* be liable, be responsible *(for*: for); ~ *ende* fasten off; ~ *op* tuck up; ~ *sammen* fasten together, *(m nål)* pin together; ~ *ved (fig)* be incident to *(fx* the difficulties incident

to this method), be involved in; ~ *sig ved (slå ned på)* fasten upon, *(bemærke)* notice, pay attention to.

hæfte|lade *(i bogbinderi)* sewing-press. **-maskine** *(i bogbinderi)* stitching-machine; *(til hæftestifter)* stapling-machine.

hæfteplaster court plaster, adhesive plaster.

hæftestift staple.

hæftet *adj (om bog)* paper-bound, paper-covered.

hæftevis in instalments, in parts.

hæftning *(en)* fixing, fastening; *(af bog)* sewing, stitching; *i stiv* ~ *(om bog)* in a cardboard cover.

hæge: ~ *om* take care of, look after, nurse.

I. **hægte** *(en -r)* hook; *-r og maller* hooks and eyes; *komme til -rne* get better, recover.

II. **hægte** *vb* hook; ~ *op (åbne, løse)* unhook.

I. **hæk** *(en -ke) (hegn)* hedge; *(forhindring)* hurdle.

II. **hæk** *(en -ker)* breeding cage; *ligge i* ~ be hatching, be breeding; *gå i* ~ mate.

III. **hæk** *(en -ke(r))* ♧ stern.

hækjolle ♧ stern boat.

hækkeløb hurdle race, the hurdles. **hækkesaks** (pair of) garden shears.

hækle *vb* crochet.

hækle|nål crochet hook. **-tøj** crochet work.

hækling crochet (work).

hækmotor rear engine.

hæl *(en -e)* heel; *(lige) i -ene på ham* close upon his heels; *løbe i -ene på en dog* sby's footsteps; *slå -ene sammen* click one's heels.

hæld *(et)* inclination, slope; *gå på* ~ decline, wane, draw to its close.

I. **hælde** *vb (skråne)* slant, slope, incline; *(stille skrdt)* tilt (up), incline, slant; *(læne)* lean; *(= gå på hæld)* decline, wane, draw to its close; ~ *sig frem* lean forward; ~ *til en anskuelse* incline to an opinion.

II. **hælde** ★ *(gyde)* pour; ~ *fuld* fill; ~ *om* decant; ~ *på flasker* pour into bottles, bottle; ~ *ham ud* chuck him out.

hældende *adj* inclined, sloping, leaning.

hældning *(en)* slope, inclination; *(en vejs skråning i længderetningen)* gradient; *(en vejs~i kurve)* banking; *(fig)* inclination, bias, leaning.

hæle *(begå hæleri)* receive stolen goods.

hæler *(en -e)* receiver (of stolen goods).

hæleri *(et)* receiving stolen goods.

hælvt *(en)* half; *til -en* half.

I. **hæmme** *(et -r) (fonetisk)* narrowing.

II. **hæmme** *vb* hamper, impede, restrain.

hæmmelyd *(en'-)* fricative.

hæmmende *adj* hampering, restrictive; *(psykologisk)* inhibitory; *virke* ~ *på* have a restrictive influence on, restrain. **hæmmet** *adj (psyk)* inhibited.

hæmning *(en -er)* restraint; *(psyk)* inhibition. **hæmningsløs** *adj* unrestrained, uninhibited.

hæmoglobin *(et)* haemoglobin.

hæmorroider *pl* haemorrhoids, piles.

hæmsko *(på hjul, fig)* drag, *(kun fig)* clog.

hæmværk *(i ur)* escapement.

I. **hænde:** ~, *se hånd*.

II. **hænde** ★ happen, occur, come to pass, take place; *(overgå)* happen to *(fx* I hope nothing has happened to him); *der er hændt ham en ulykke* he has had *(el.* met with) an accident.

hændelig *adj* accidental, fortuitous; *det er et -t uheld* it is one of those accidents which might happen to anybody.

hændelse *(en -r)* event, occurrence, incident; *(træf)* chance; *ulykkelig* ~ accident.

hænder *pl af hånd.*

I. **hænge** *(hang, hængt) (uden objekt)* hang; *(hænge ast)* stick, cling; ~ *bag på en vogn* hang on to the back of a carriage; ~ *og dingle* dangle; ~ *fast med foden i* catch one's foot in; ~ *fuld af* be loaded with; '~ *i (være ophængt i)* hang from, be suspended from; ~ 'i *(arbejde hårdt)* keep at it, grind; ~ *med hovedet (være nedsløet)* be down in the mouth; *(være flov)* hang one's head; ~ *over bøgerne* be poring over one's

books; ~ over en follow sby about everywhere; ~ over hovedet på ham (ogs fig) hang over his head; ~ på den be in the soup, be in for it, be up against it; ~ sammen hang (, stick) together; sagen -r sådan sammen at the fact fo the matter is that; ~ sammen med be connected with, (logisk) be bound up with; sidde og ~ loll, lounge; stå og ~ hang about, lounge; ~ ved stick, cling (to); (se ogs hængende).
II. hænge (hængte, hængt) (m objekt) hang (up), suspend; (henrette) hang (i denne betydning bøjet regelmæssigt: hanged, hanged); ~ gardiner op hang curtains; ~ sig hang oneself; ~ sig i formerne stand on ceremony; ~ sig i et enkelt ord quibble over a single word; jeg vil se ham hængt I'll see him hanged first; blive hængt ud (fig) be exposed to public contempt.
hænge|ask weeping ash. -birk weeping birch. -bro suspension bridge. -dynd quagmire. -hoved killjoy. -køje hammock. -lampe suspended lamp. -lås padlock.
hængende adj hanging, pendent;/ på et ~ hår by a hair's breadth, by the skin of one's teeth; blive ~ stick, catch.
hænge|pil weeping willow. -plante hanging plant. -træ weeping tree; (fig) clinging person.
hængning (en) hanging.
hængs|el (et -ler) hinge.
hær (en -e) army; (hærskare ogs) host.
hærafdeling detachment. hærberetning communiqué. hærchef army chief, commander-in-chief.
hærde vb (ogs fig) harden, indurate. hærdet adj (hårdfør) seasoned, hardened; ~ stål hardened steel.
hærdne vb harden. hærdning (en) hardening.
hæretiker (en -e), hæretisk adj heretic.
hær|fugl zo hoopoe. -fører (en -e) commander.
hærge vb ravage, (lay) waste, harry.
hærgning (en -er) devastation, ravage.
hær|gruppe army group. -korps army corps. -ledelse supreme command; (konkret ofte =) General Headquarters, G.H.Q. -ordning army organization. -skare host. -styrke (military) force. -værk wanton destruction of property; (jur) malicious damage.
I. hæs (et -) stack, rick. II. hæs adj hoarse.
hæsblæsende adj out of breath, breathless; (hastig) hurried, headlong; adv breathlessly, in a hurry.
hæshed (en) hoarseness.
hæslig adj ugly, hideous.
hæslighed (en) ugliness, hideousness.
hætte (en -r) (hovedbeklædning) hood, (på munkekutte) cowl; (på fyldepen) cap; (til tepotte) (tea) cosy.
hætteglas (med.) capped vial.
hættemåge zo black-headed gull.
hævd (en) (jur) prescriptive right; få ~ på gain a prescriptive right to; skik som har gammel ~ time -honoured custom; holde i ~, holde ~ over honour, keep up.
hævde vb maintain, (stærkere) assert; ~ sin plads, ~ sig hold one's own. hævdelse (en) assertion.
hævdvunden (jur) prescriptive; (traditionel) time -honoured, established.
hæve vb raise; (løfte ogs) lift (up); (penge, løn etc) draw, (i bank) withdraw (fx w. money from the bank), (check etc) cash; (ophæve) raise, dissolve, cancel, break off; (et møde) dissolve, adjourn; (hovne) swell, tumefy; (om dej) rise;
~ en belejring raise a siege; ~ bordet (om værten) give the signal to rise (from table), (rejse sig) leave the table, rise from table, adjourn to the drawing -room; ~ diskontoen med 1 procent raise the bank rate by one percent; ~ en forlovelse break off an engagement; ~ fortryllelsen break the spell; sagens omkostninger -des no order was made as to costs; være (el. føle sig) -t over be superior to, be above; -t over enhver tvivl beyond doubt; ~ sagen (om sagsøgeren) discontinue the action; (om anklagemyndigheden) refuse to prosecute, (når sagen er kommet for) offer no evidence; (om retten) dismiss the case; ~ sig rise; (svulme

op) swell; ~ et (sunket) skib raise a wreck; ~ stemmen raise one's voice; ~ til skyerne praise to the skies.
hævelse (en -r) swelling, rising.
hævert (en -er) pipette; (togrenet) syphon.
hævet adj (ophovnet) swollen; med ~ stemme in a raised voice.
hævn (en) revenge, (højtideligere) vengeance; blodig ~ signal revenge; tage ~ over take (one's) revenge on, revenge oneself on. hævnakt act of revenge.
hævndrama drama of revenge.
hævne vb revenge, (højtideligere) avenge; ~ sig revenge oneself (på: on); det -r sig it brings its own punishment. hævner (en -e) avenger. hævngerrig vindictive. hævngerrighed (en) vindictiveness.
hævning (en) raising, lifting (up); (forhøjning i terræn) eminence, elevation, rise.
hævn|lyst (en) revengefulness, vindictiveness. -lysten adj revengeful, vindictive. -tørst thirst for revenge, revengefulness.
hø (et) hay; (bras) rubbish, trash.
høbjærgning haymaking.
høfde (en -r) groyne.
høfeber hay fever.
høflig (som viser almindelig høflighed) civil; (udpræget høflig) polite, courteous.
høflighed (en) civility, politeness, courtesy; almindelig ~ ordinary courtesy; ~ koster ingen penge politeness costs nothing.
høflighedsvisit formal call, courtesy visit.
høg (en -e) hawk; ~ over ~ diamond cut diamond.
høhøst haymaking; (bjærget hø) crop of hay.
I. høj (en -e) hill, eminence; (mindre) hillock, mound.
II. høj adj high, lofty; (person etc) tall; (lydelig) loud; (om tonehøjde) high; ~ alder advanced (el. great) age; fra det -e from on high; i det -e on high; ~ feber a high temperature; han har ~ feber his temperature is high; han er seks fod ~ he is six feet, he stands six feet in his socks; ~ hat top hat; -e hæle high heels; fire mand ~ (i fire geledder) four deep, (fire i alt) four strong; i egen -e person in person; den -e Port the Sublime Porte; ~ pris high price; ~ sne deep snow; -t spil play for high stakes; (fig) a dangerous game; en ~ stemme a loud voice, (tonehøj) a high voice; ~ stil elevated (el. high) style; have en ~ stjerne hos en stand high in sby's favour; ~ sø heavy sea; -t tal high figure; have -e tanker om think highly (el. much) of, have a high opinion of; det er på -e tid it is high time; -t vejr fine weather; ~ af vækst tall; høj(e) og lav(e) high and low; (se ogs højere, højest; højst, højt).
høj|adel peerage, nobility. -agte esteem highly. -agtelse high esteem; med ~ (under brev) yours respectfully. -alter high altar. -bane elevated (el. overhead) railway. -barmet adj high-bosomed. -benet adj long-legged. -bord: sidde til -s sit in the place of honour. -borg stronghold. -bro high-level (el. elevated) bridge. -båren adj high-born.
højde (en -r) height, elevation; (niveau) level; (vækst) height (fx what is his h.?), stature (fx his enormous s.); tallness (fx she admired his t.); (tone) pitch; (højt sted) hill, height, eminence, elevation; (højdepunkt) height, culmination, zenith; (astronomisk; mat.; ⚹) altitude; i ~ med on a level with; hun er omtrent på ~ med mig she is about my height; på -n af Kap Horn ⚹ off Cape Horn; være på ~ med situationen prove equal to the situation, rise to the occasion; på ~ med tiden abreast of the times; ikke være på ~ med (fig) not be up to; tage ~ for take into account; allow for, make allowance for.
højde|drag ridge, range of hills. -måler (flyv etc) altimeter. -måling height measuring; altimetry. -punkt height (fx the fever had reached its height; it is the height of folly), climax, culmination, summit, zenith. -rekord altitude record. -ror (flyv) elevator. -ryg ridge. -spring high jump.

højeksplosiv *adj* high explosive.

højere *(komparativ af høj)* higher; taller; louder; *(af høj)* higher, *(om lyd)* louder, more loudly; ~ *domstol* superior court; *de* ~ *dyr* the higher animals; *elske* ~ love better; *ingen* ~? no advance? ~ *matematik* higher mathematics; *efter* ~ *ordre* according to orders from above; *de* ~ *regioner* the upper regions; ~ *skole* secondary school; *std* ~ *end* be superior to, surpass; *tale* ~ speak louder; *(tal)* ~! louder, please! speak up! ~ *undervisning (ved universiteter etc)* higher education. **højerestående** *adj* higher, superior.

højest *(superlativ af høj)* highest; tallest; loudest; *(af højt)* highest, *(om lyd)* loudest; *elske* ~ love best; *det -e gode* the supreme good; *i det -e* at (the) most; *-e mode* the height of fashion; *være på sit -e* be at its height; *råbe* ~ shout loudest; *de* ~ *beskattede* the highest tax brackets.

højestbydende: *den* ~ the highest bidder.

højesteret *(en)* Supreme Court (of Judicature).

højesterets|dommer judge (of the Supreme Court); ~ *X* Mr Justice X. **-sagfører** barrister (of the Supreme Court).

høj|finans high finance. **-fjeld** high mountain, alp. **-fjeldssol** sun ray lamp; *(kur)* sunlight treatment; *(med kunstigt lys)* sun ray treatment. **-forræder** *(en -e)* traitor. **-forræderi** high treason. **-frekvens** high-frequency. **-gravid** in an advanced stage of pregnancy; *T* near her time. **-halset** *adj* high-necked.

højhed *(en -er)* highness, loftiness; *(værdighed, ophøjethed)* elevation, sublimity; *(titel)* highness; *Deres kongelige* ~ Your Royal Highness.

højhedsret sovereignty, suzerainty.

højhedsvanvid megalomania.

høj|hus tower block. **-hælet** *adj* high-heeled. **-kant:** *på* ~ upright, on its edge, on end; *stille på* ~ set *(fx* a barrel) on end; *hans nerver stod på* ~ his nerves were on edge. **-kirkelig** High Church. **-komisk** *adj* extremely funny. **-kommissær** High Commissioner. **-konjunktur(er)** boom, (trade) prosperity, seller's market. **-land** highland; *de skotske -e* the (Scottish) Highlands. **-lig** *adv* highly, greatly. **-lydt** *adv* loudly; *gabe* ~ yawn noisily. **-lys:** *ved* ~ *dag* in broad daylight. **-lænder** *(en -e)* highlander, *(skotsk)* Highlander. **-lærd** *adj* erudite; *de -e (ironisk)* the pundits. **-messe** morning service; *(katolsk)* High Mass. **-moderne** ultra-fashionable. **-modig** *adj* magnanimous. **-mose** *(en) (geol)* raised bog.

højne *vb* raise, elevate. **højnelse** *(en)* raising, elevation.

højovn blast furnace.

I. **højre** *(parti)* the Conservatives; *(uden for England ogs)* the Right.
II. **højre** *adj* right; *på* ~ *hånd (på* ~ *side)* on one's right; on the right hand; *(bogstaveligt, fx om handske)* on one's right hand; *han er min* ~ *hånd* he is my right -hand man; ~ *om!* right about turn! *til* ~ to the right, *(på* ~ *side)* on the right; *holde til* ~ keep to the right; *(vige ud)* pull out to the right; *til* ~ *for* to the right of.

højreb *(et)* spare rib.

højreblad Conservative paper.

højrekørsel traffic on the right; *i Danmark er der* ~ in Denmark traffic keeps to the right.

højrelief high relief, alto-relievo.

højremand Conservative. **højrestyring** *(af bil)* right-hand drive.

høj|rygget high-backed. **-rød** bright-red, scarlet. **-røstet** loud, *(ogs om person)* vociferous. **-røstethed** *(en)* loudness; vociferousness. **-salig** of blessed memory. **-sang** hymn; *Salomos* ~ the Song of Solomon. **-sindet** *adj* magnanimous. **-skole** college, high school; *(universitet)* university; *(folke-)* folk high school. **-skotte** Highlander. **-slette** plateau, tableland. **-sommer** high summer.

højspænding high tension, high voltage; ~! *berøring livsfarlig!* Danger! High Voltage! **højspændings|ledning** high-voltage *(el.* high-tension) (transmission) line. **-mast** (power) pylon.

højspændt *(fig)* exaggerated *(fx* hopes).

højst *adv* most, highly, extremely; *(i det højeste)* at (the) most, not more than, not over.

høj|stammet *adj* high-boled. **-stemt** *adj* high -flown, bombastic, pompous. **-stjært** *(en) zo* fantail. **højstærede!** Sir!

højsæde high seat, seat of honour, *(trone)* throne.

højsæson height of the season.

højt *adv* high; *(i høj grad)* highly; *(lydeligt)* loud(ly), aloud; *elske* ~ love dearly; ~ *elsket* dearly beloved; *le* ~ laugh loudly; *ligge* ~ *på vandet* ⚓ ride high; *læse* ~ *(læse op)* read aloud, *(m høj stemme)* read loudly; *lukke munden* ~ *op* open one's mouth wide; ~ *op på dagen* late in the day; ~ *oppe* high up, far up; *(= oprømt)* in high spirits; *(beruset)* elevated; ~ *oppe i fyrrerne* in the late forties; ~ *oppe i luften* high up in the air; ~ *regnet* at (the) most, at the outside; *det må du ikke sige* ~ *(: kun tænke det)* you must not say that aloud; *spille* ~ play high; play for high stakes; *sætte* ~ value highly; think much of; *tale* ~ speak loudly; *(se ogs højere, højest).*

højtflyvende *adj* high-flying; *(fig)* soaring, ambitious.

højtid *(en -er)* festival.

højtidelig *adj* solemn, ceremonious; *tage en -t* take sby seriously; *tage sig selv -t (ogs)* be pompous. **højtidelig|hed** *(en)* solemnity, *(ceremoni)* ceremony. **-holde** celebrate. **-holdelse** *(en)* celebration. **højtids|dag** festival. **-fuld** *adj* solemn.

højt|klingende *adj* ringing, sonorous; *(se ogs højtravende).* **-læsning** reading aloud.

højtravende *adj* high-flown, bombastic.

højtryk high pressure; *arbejde under* ~ work at high pressure. **højtryks|område** high-pressure area. **-ryg** ridge (of high pressure).

højtstående high *(fx* a high official) of high rank; high-ranking *(fx* officer); highly placed; *en* ~ *person* an important person.

højttaler loudspeaker; *høre det i -en* hear it through the loudspeaker. **højttalervogn** loudspeaker van.

højtysk High German

højtæret honourable; *den højtærede minister* the Right Honourable gentleman; *højtærede publikum!* ladies and gentlemen!

højvande *(et)* high water, high tide.

højvelbåren *adj (kan gengives)* honourable.

højærværdig *adj (om domprovst)* very Reverend; *(om biskop)* Right Reverend; *(om ærkebiskop)* Most Reverend. **højærværdighed:** *Deres* ~ Very (, Right) Reverend Sir!

høkasse haybox.

høker *(en -e) (neds)* small shopkeeper; *(fig)* huckster.

høloft hayloft. **hølæs** hayload.

høne *(en -r)* hen; *jeg har en* ~ *at plukke med Dem* I have a bone to pick with you.

hønefuld *adj* as drunk as a lord.

hønisse *(en -r): gammel* ~ old fogey.

høns *pl* fowls, chickens; *(som ret)* chicken; *holde* ~ keep poultry; *gå i seng med -ene* [go early to bed]; *vande* ~ blubber.

hønse|avl poultry farming. **-farm** poultry farm. **-fugl** gallinaceous bird. **-gård** chicken run, fowl run; *(amr)* chicken yard. **-hund** pointer. **-hus** poultry house, hen house; *(bur)* hencoop. **-kødsuppe** chicken soup, chicken broth. **-ri** *(et -er)* poultry farm; *(avl af høns)* poultry farming. **-ring** marking ring. **-stige** hencoop ladder, *(fig)* breakneck stairs. **-tarm** ✿ chickweed. **-tråd** chicken wire. **-æg** (hen's) egg.

I. **hør** *(en)* ✿ flax.
II. **hør** *(et) (hørråb)* (cry of) hear, hear!

hørbar *adj* audible.

høre ★ hear *(fx* I don't hear well; I heard him speak; I hear from India every week); *(lytte)* listen; *(lytte til, rette sig efter)* listen to; *(bønhøre)* hear *(fx* hear my prayer); *(erfare)* hear, learn; *(i skole: eksaminere)* examine; *(forhøre sig)* inquire; *(rådspørge)* consult; **hør!** *(ɔ: hør engang)* I say! look here! *(bifaldsråb)* hear! hear! *(ɔ: hør efter)* listen! ~ *dårligt* be hard of hearing *(med højre øre* in the right ear); *ikke ville ~ fornuft* refuse to listen to reason; ~ *hjemme* (i), *se hjemme; sandheden er ilde hørt* nothing hurts like the truth; *lade en ngt ~* throw sth in sby's teeth; *de har ikke noget at lade hinanden ~* there is not much to choose between them; *det lader sig ~!* T that's something like; *man havde aldrig hørt ham le* he had never been heard to laugh; nobody had ever heard him laugh; *nu har jeg hørt det med!* well I never! ~ *radio* listen to the radio; *jeg vil ikke ~ tale om sådan noget!* I won't hear of such a thing; ~ *tilfældigt* happen to hear, overhear; *det er hørt!* hear! hear!

[m præp og adv:] ~ **ad** inquire; *nu skal jeg ~ ad* I will inquire; *jeg har hørt det af min søster* I have heard it from my sister; ~ 'efter listen, pay attention; ~ *efter hvad der bliver sagt* listen to what is said; ~ *efter telefonen (, døren)* answer the telephone (, the door); ~ *sig for* inquire; ~ *fra en* hear from sby; *hvor ~r disse ting hen?* where do these things belong? ~ **ind** *under* come within, fall under; *det ~r med til bestillingen* it is all in the day's work; ~ *om* hear of (el. about); ~ *op* stop, leave off; ~ *op med at* . . stop -ing; ~ **på** listen to; *(med.)* auscultate; ~ *sammen* belong together; ~ *til (være en (del) af, høre ind under)* belong to *(fx* this belongs to a different category, to my favourite reading; the word belongs to this sentence), *(være en af)* be among *(fx* this question is among the most important problems of today); be one of *(fx* this cup is one of a new tea set); *(høre om)* hear about, hear of *(fx* I haven't heard anything of that); *(spørge til)* inquire after; ~ 'til belong *(fx* where does it belong?); *der ~r tålmodighed til at* it requires patience to; *det ~r sig til* it is always done; it is customary; T it is the done thing; ~ *ham til ende* hear him out.

høre|apparat hearing-aid. **-billede** *(i radio)* feature programme. **-briller** hearing-spectacles.
hørelse *(en)* hearing.
høre|lære ear training. **-organ** *(anat)* auditory organ. **-prøve** *(med.)* audition test; *(radio)* audition. **-rør** *(for tunghøre)* ear trumpet; *(på telefon)* receiver. **-sans** sense of hearing. **-spil** radio play. **-vidde:** *inden for* ~ within earshot; *uden for* ~ out of earshot.
hørfrø *(et -)* linseed. **hørgul** *adj* flaxen.
høring *(en -er)* hearing.
hør|kram dry-saltery. **-kræmmer** dry-salter.
hørlig *adj* audible, perceptible.
hørlærred linen.
høslæt *(en)* hay harvest, mowing time.
høst *(en)* harvest; *(vinhøst)* vintage; *(afgrøde)* crop; *(efterår)* autumn, *(amr)* fall.
høstak haycock, haystack.
høstarbejde harvesting, harvest work, reaping.
høste *vb* reap, harvest; ~ *erfaring* gain experience; ~ *fordel af* profit by (el. from), benefit by (el. from); *(økonomisk)* profit by (el. from) *(fx* the war).
høst|fest harvest festival, harvest home. **-folk** *pl* harvesters, reapers. **-gilde** = **-fest.** **-karl** harvester, reaper. **-sild** autumn herring. **-tid** harvest time.
hø|stænge hayloft. **-tyv** pitchfork, hay fork.
høvding *(en -e(r))* chief, *(for klan ogs)* chieftain.
høved *(et -er)* head of cattle *(fx* twenty head of cattle); *(dumrian)* blockhead.
høvender *(en -e)* tedder.
høvisk *adj (ærbar)* modest; *(høflig)* courteous; *ikke for ~ øren* not for ears polite.
høviskhed *(en)* modesty; courteousness.
I. **høvl** *(en -e)* plane; *(bogbinders)* plough.
II. **høvl** *(prygl)* a licking, a thrashing *(fx* give sby a t.). III. **høvl** *(en) (om person)* churl, lout.
høvle *vb* plane; *(prygle)* lick, thrash.
høvle|bænk carpenter's bench, workbench. **-jern** plane iron. **-maskine** planing machine.

høvling *(en)* planing.
hovl|spån shaving. **-strøg** stroke of the plane.
høvogn hay cart.
håb *(et -)* hope, expectation; *han er familiens* ~ he is the hope of his family; *fatte* ~ begin to hope; *Det gode Håbs Forbjerg* the Cape (of Good Hope); *så længe der er liv er der* ~ while there is life there is hope; *-et er lysegrønt (svarer til)* hope springs eternal in the human breast; *gøre sig* ~ *om* have hopes of, hope for; *i* ~ *om at* in the hope that, hoping (that); *-et om at se ham igen* the hope of seeing him again; *nære* ~ *om at* cherish the hope of -ing; *sætte sit* ~ *til ham* pin one's faith (el. hope) on him; *her lades alt* ~ *ude* abandon hope, all ye that enter here.
håbe *vb* hope (for); *(stærkere)* trust; ~ *det bedste* hope for the best; *det vil jeg* ~ I hope so; *det -r jeg ikke* I hope not; *jeg -r ikke at du kommer noget til* I hope you won't hurt yourself (NB. *nægtelsen er i bisætningen sml* I hope you don't think so); *man må* ~ *at* it is to be hoped that; ~ *på* hope for *(fx* the result I hoped for).
håbefuld *adj* hopeful, promising; ~ *yngling* young hopeful.
håbløs *adj* hopeless; *(fortvivlet ogs)* desperate *(fx* situation); *-t fortabt* past praying for; *opgive ngt som -t (ogs)* give sth up as a bad job.
håbløshed *(en)* hopelessness.
Haag the Hague.
hån *(en)* scorn, *(foragt)* disdain; *en* ~ *imod* an insult to; *(stærkere)* an outrage on.
hånd *(en, hænder)* hand; *-ens arbejdere* manual workers; *en fast* ~ a firm hand; *den flade* ~ the flat of the hand; *give ham* ~ shake hands with him; *give hinanden* -*en* shake hands; *give ham frie hænder* give (el. allow) him a free hand, leave it entirely to him; *have frie hænder til at gøre noget* be free to do sth; *give (el. række) en hjælpende* ~ lend a hand; *holde sin* ~ *over* protect; *holde noget i sin hule* ~ hold sth in the hollow of one's hand; *højre* ~ (the) right hand, *(fig)* right-hand man; *knyttet* ~ fist; *lægge* ~ *på* lay (violent) hands on; *jeg kunne ikke se en* ~ *for mig* I could not see my hand in front of me; *lægge sidste* ~ *på værket* apply the finishing touches; *slå -en af ham* drop him, throw him over; *tage en* ~ 'i *med* lend (el. take) a hand; [m præp og adv:] *lade noget slippe sig af hænde* let something slip out of one's hands; *han brugte hvad der var for -en* he used what came to hand; *dø for egen* ~ die by one's own hand, commit suicide; *dø for bødlens* ~ die by (el. at) the hands of the executioner; *få noget fra -en* get sth off one's hands, get sth done; *leve fra -en i munden* live from hand to mouth; *vel-udrustet fra naturens* ~ naturally gifted; ~ *i* ~ *med (ogs fig)* hand in hand with; *klappe i hænderne* clap one's hands; *Deres pakke er kommet mig i hænde* your parcel has come to hand; *sy i -en* sew by hand; *han greb til med begge hænder (fig)* he jumped at it; *sætte sig imod det med hænder og fødder* resist it tooth and nail; *hænderne op!* hands up! stick them up! *på egen* ~ *(selv-stændigt)* independently; *(alene)* alone, single-handed; *(for egen regning)* on one's own account; *tegne på fri* ~ do freehand-drawing; *bundet på hænder og fødder* tied hand and foot; *gå på hænder* walk on one's hands; *gå over på andre hænder (fig)* change hands; *Calais var på engelske hænder* Calais was in English hands; *give penge på -en* pay a deposit; *have ngt på -en (merk)* have an option on sth; *-en på hjertet!* honestly! honour bright! *have gode kort på -en (ogs fig)* hold a good hand; *kysse en på -en* kiss sby's hand; *han har altid (et) svar på rede* ~ he is never at a loss for an answer; *på tredje* ~ at third hand; *gå til -e i køkkenet* lend a hand in the kitchen; **under** *-en* confidentially, privately; *under hans* ~ *og segl* under his hand and seal; *have noget ved* *-en* have sth at hand, have sth handy.
hånd|arbejde *(sytøj etc)* needlework; *(modsat maskinarbejde)* handwork. **-bagage** hand luggage, *(amr)* hand baggage. **-bevægelse** gesture. **-biblio-**

tek reference library. **-bog** handbook, manual.
-bremse hand brake.
håndelag (et) knack, skill.
håndevending: i en ~ before you could say knife.
hånd|fast (hårdhændet) heavy-handed (fx treat-ment); (kraftig) robust, firm, hefty (fx two hefty policemen); tage ~ på noget handle sth firmly. **-flade** palm (of the hand). **-fuld** (en -e) handful. **-fæstning** coronation charter. **-fået:** ~ pant pledge. **-gangen:** ~ mand henchman. **-gemæng** (et) rough and tumble, scuffle; ⚔ hand-to-hand fighting; (uden våben) unarmed combat. **-gerning** needlework. **-gjort** hand-made; ~ papir (ogs) deckle-edged paper. **-granat** hand grenade. **-greb** (et -) (greb med hånden) manipulation, grip; (på redskab) handle, lever, grip. **-gribelig** adj palpable. **-gribelighed** (en -er) pal-pability; det kom til -er mellem dem they came to blows. **-hæve** vb maintain (fx order), enforce (fx laws, discipline). **-hævelse** (en) maintenance, enforce-ment. **-hæver** (en -e) maintainer, enforcer; lovens -e the minions of the law. **-jern** pl handcuffs; lægge ~ på en handcuff sby. **-kantslag** edge-of-hand blow; S (mod nakken) rabbit-punch. **-klap** (et -) clapping of hands, applause. **-klæde** (et) towel. **-knyttet:** ~ tæppe hand-knotted carpet. **-kraft** (modsat maskin-kraft) manual power; ved ~ by hand. **-kuffert** bag, (amr) grip; (flad) suitcase. **-kys** kiss on the hand. **-køb:** fås i ~ can be bought without a prescription. **-langer** (en -e) helper, assistant; (murers) hodman, bricklayer's assistant; (neds) tool. **-lavet** adj hand -made. **-led** (et -) wrist. **-linning** wristband. **-lygte** hand lamp. **-malet** adj hand-painted. **-pant** pledge. **-penge** deposit; (ved hvervning) the King's shilling. **-rod** (en) (anat) carpus. **-rullet** adj hand-rolled (fx cigars).

håndsbred (en) hand's breadth.
håndskreven adj manuscript (fx m. notes), hand -written.
I. **håndskrift** (en -er) hand, handwriting.
II. **håndskrift** (et -er) manuscript, MS (pl MSS).
håndskydevåben pl small arms.
håndslag handshake.
håndsoprækning (en -er) show of hands (fx vote by (a) show of hands).
hånd|spejl hand glass, hand mirror. **-sprøjte** (en -r) syringe; (ildslukker) extinguisher.
hånds|pålæggelse (en -r) laying on of hands, touch. **-ret:** hals- og ~ over power of life and death over. **-rækning** (en) a (helping) hand, assistance, aid; give ham en ~ lend him a hand, give him a leg-up.
hånd|sved (excessive) perspiration of the hands, perspiring hands. **-sving** (crank) handle, crank. **-syet** adj hand-sewn, hand-made. **-sæbe** toilet soap. **-tag** (et -) handle, (knapformet) knob. **-taske** (større) se -kuffert; (dame-) handbag. **-tegnet** adj drawn by hand. **-tegning** drawing.
hånd|tere vb handle, manage, wield. **-tering** (en) handling; (næringsvej) trade, business. **-terlig** adj handy, easy to handle.
hånd|tryk handshake. **-vask** (det at) washing one's hands; (kumme) wash- (hand) basin. **-vægt** dumb bell.
håndværk (et -) trade, handicraft, craft; det er godt ~ it is good workmanship.
håndværker (en -e) artisan, craftsman, handi-craftsman. **håndværker|lav** craft guild. **-lære** ap-prenticeship; stå i ~ serve one's apprenticeship.
håndværks|mester master artisan. **-mæssig** adj craftsmanlike; den -e udførelse the workmanship. **-svend** journeyman.
hånd|vævet hand-woven. **-våben** hand weapon; (-skydevåben pl) small arms.
håne vb scoff at, deride, taunt.
hånlatter derisive (el. scornful) laughter.
hånlig adj contemptuous, scornful, derisive.

hånsord pl taunts.
hånt: lade ~ om (ignorere) disregard, (bagatellisere) make light of, pooh-pooh.
hår (et -) hair; ikke et ~ bedre not a bit better; fare i -ene på fly at; med hud og ~ skin and all; stryge katten med -ene stroke the cat with the fur; stryge mod -ene stroke against the hair; (fig ogs) rub the wrong way; på et ~ to a hair, exactly (fx be exactly like him); jeg slap fra det på et hængende ~ I had a nar-row escape; it was a near thing; it was a close shave; jeg var på et hængende ~ blevet slået ihjel I came within an ace of being killed; I narrowly escaped being killed; -ene rejste sig på mit hoved my hair stood on end; sætte sit ~ do one's hair.
hår|beklædning coat, fur. **-bund** scalp. **-børste** (en -r) hair brush. **-bånd** bandeau; (sløjfe) bow.
hård adj hard; (streng) severe, (stærkere) harsh; (an-strengende) stiff (fx climb); ~ frost hard frost; gøre ~ harden; ~ hud callous skin; med ~ hånd ruthlessly, relentlessly; ~ imod hard on, severe on; -e kampe heavy fighting; ~ konkurrence severe competition; ~ mave constipation; ~ modstand strong (el. stub-born) opposition, energetic resistance; -e ord hard words; en ~ overfart a rough crossing; en ~ skæbne a hard fate; et -t slag (fig ogs) a hard blow; en ~ straf a severe (, harsh) punishment; han satte -t mod -t he gave as good as he got; ~ valuta hard currency; -t vand hard water; (se ogs hårdt).
hårdfør adj hardy, tough, robust; ⊕ hardy; ~ over for (om person) insensitive to (fx cold).
hård|hed (en) hardness; (strenghed) severity, harsh-ness. **-hjertet** adj hard-hearted. **-hjertethed** (en) hard-heartedness. **-hudet** adj (fig) thick-skinned; callous. **-hudethed** (en) (fig) callousness. **-hændet** adj heavy-handed.
hårdknude: forhandlingerne gik i ~ the negotia-tions reached a deadlock.
hårdkogt (ogs fig) hard-boiled.
hårdnakket adj (stædig) obstinate, stubborn; (ihærdig) persistent; adv -ly; ~ modstand dogged resis-tance; blive ~ ved med at tro på persist in the belief that.
hårdnakkethed (en) obstinacy, persistency.
hårdt adv hard (fx work hard); severely (fx punish him s.); harshly (fx treat him h.); (slemt) badly (fx wounded), severely (fx damaged, wounded); lige på og ~ straight from the shoulder; (se ogs såret).
hårdtsåret adj badly (el. severely) wounded.
håret adj hairy.
hår|fager adj (langhåret) hairy, long-haired; (m smukt hår) with beautiful hair. **-farve** colour of the hair. **-farvningsmiddel** hair dye. **-fin** adj fine as a hair; (fig) subtle (fx a s. distinction); nice (fx shades of meaning). **-fjerningsmiddel** depilatory, (super-fluous-)hair remover. **-fletning** braid. **-fylde** profusion of hair. **-fældning** shedding the hair, (om dyr ogs) moulting. **-kar** capillary (vessel). **-klemme** (en -r) hair grip, (amr) bobby pin. **-kløveri** hair-splitting. **-lok** lock (of hair). **-løs** hairless. **-net** (en -) hair net. **-nål** hairpin. **-nålesving** hairpin bend. **-pisk** pigtail. **-pleje** (en) care of the hair. **-rejsende** (spændende) hair-raising, (græsselig) appalling, atrocious, horrible. **-rig** hairy.
hårrør capillary tube.
hårrørsvirkning capillarity.
hårsbred hairbreadth, hair's breadth; han veg ikke en ~ he did not budge an inch; ikke vige en ~ fra not depart a hair's breadth from.
hår|sløjfe (en -r) bow. **-spænde** hair slide. **-streg** (typ) hair stroke. **-sæk** hair follicle. **-tjavs** wisp (of hair). **-tot** tuft of hair. **-trukken** adj far-fetched. **-tørringsapparat** hair dryer. **-valk** pad. **-vand** hair lotion. **-vask** shampoo. **-vækst** growth of the hair; (hår) hair; generende ~ superfluous hair.

I

I. I, i *(et -'er)* I, i; *sætte prikker over i'erne* dot the i's; *prikken over i'et (fig)* the finishing touch.
II. I *pron* you.
III. i *præp* a) *(om sted i videste forstand, område etc)* in *(fx* in the house, the garden, England, in the newspapers, the rain, the air); *(foran navne på større byer)* in *(fx* in London; *dog:* I have never been to London); *i flertal* in the plural; *nr. 3 i sin klasse* third in his class; *i krigen* in the war; *vinden er i nord* the wind is in the North;
b) *(om punkt, sted af ringe udstrækning, adresse etc: foran navne på mindre byer, især som punkt på rute el. når der tænkes på en bestemt institution i byen)* at *(fx* meet at a point; at Grasmere; live at No. 10; we stopped at Lincoln; he was at Oxford *(ɔ: ved universitetet der));* være i kirke be at church; være i skole be at school;
c) *(mål for bevægelse)* to *(fx* go to church, school, bed);
d) *(ind i, ned i, ud i etc)* into; *springe i vandet* jump into the water; *komme i vanskeligheder* get into difficulties; *styrte ind i værelset* rush into the room; *gå ud i regnen* go out into the rain;
e) *(inde i)* in, inside *(fx* in(side) the house), within;
f) *(om tidsrum)* in *(fx* in (the year) 1967; in the summer of 1967);
g) *(om tidspunkt)* at *(fx* at this moment);
h) *(om tidens varighed)* for, during; *i tre år* for three years; *i flere minutter* for several minutes; *i de sidste ti år* during the last ten years, for ten years past;
i) *(om klokkeslæt)* to; *fem minutter i seks* five (minutes) to six; *ti (, fem) minutter i halv syv* twenty (, twenty-five) (minutes) past six;
j) *(om ugedage): i mandags* last Monday etc;
k) *(samhørighedsforhold)* of; *universitetet i Oxford* the University of Oxford; *begivenhederne i 1914* the events of 1914; *professor i matematik* professor of mathematics; *lærer i engelsk* teacher of English;
l) *(andre tilfælde:) i dag* today, *(se dag etc); a i fjerde (mat.)* a to the fourth (power); *2 i 14 er 7 (14 : 2 = 7)* 2 into 14 is 7 (14 ÷ 2 = 7); *i og for sig* in itself, per se, in a way; *han gav mig en bog i julegave* he gave me a book for a Christmas present; *(komme) i forretninger* (call) on business; *i ham har vi mistet en trofast ven* we have lost a faithful friend in him; *rive sig i håret* tear one's hair; *skære sig i fingeren* cut one's finger; *20 miles i timen* 20 miles per *(el.* an) hour, 20 m. p.h.; *i år* this year; *(se desuden de ord, hvormed »i« forbindes).*
IV. i *adv* in; *med hul i* with a hole (in it); *smække en dør i* slam a door (shut); *(se desuden de verber hvormed »i« forbindes).*
iagttage *(betragte)* watch, observe; *(lægge mærke til)* notice; *(efterleve, overholde)* observe; *~ forsigtighed* observe caution; *~ tavshed* maintain silence.
iagttagelse *(en -r)* observation; *(overholdelse)* observance. iagttagelses|evne powers of observation. -undervisning object lessons. iagttager *(en -e)* observer.
ibenholt *(et)* ebony.
iberegne include; *-t* including, inclusive of; *-t alle omkostninger* inclusive of all charges, all charges included; *alt -t* everything included.
ibis *(en -er)* zo ibis.
iblandet mixed with.
iblandt *se blandt.*
iboende *adj* inherent; innate; *den ham ~ kraft* his innate vigour.
idag today; *se dag.*
idé *(en, ideer)* idea, notion; *få en ~* get *(el.* hit on, be struck by) an idea; *det gav ham -en* that gave him the idea, that suggested the idea to him; *en genial ~* a stroke of genius; T a brainwave; *gøre sig en ~ om* form an idea of, imagine; *sikken en ~!* what an idea!
I. ideal *(et -er)* ideal; *han er -et af en soldat* he is the (very) ideal of a soldier; *en mand med høje -er* a man of high ideals. II. ideal *adj (fuldkommen)* ideal.
idealisere *vb* idealize. idealisering *(en)* idealization. idealisme *(en)* idealism. idealist *(en -er)* idealist. idealistisk *adj* idealistic; *adv* idealistically. idealitet *(en)* ideality.
idéassociation association of ideas.
ideel *adj (fuldkommen)* ideal, perfect; *(stræbende mod det fuldkomne)* idealistic.
idéforladt inane, uninspired.
idéhistorie history of ideas.
idel *adj* sheer, mere, nothing but, all.
idelig *adj* continual, perpetual; *adv* perpetually, always; *~ gentage* keep repeating.
identificere *vb* identify.
identificering *(en)* identification, identifying.
identificeringsmærke identity disk; ✕ identification tag.
identisk *adj* identical. identitet *(en)* identity.
identitets|kort identity card. -mærke identity disk; ✕ identification tag.
ideologi *(en -er)* ideology. ideologisk *adj* ideological.
idérig *adj* full of ideas, inventive.
idet *conj* as *(fx* he came just as I was opening the door); *~ han kom ind så han* on entering *(el.* as he entered) he saw; *~ han rakte mig brevet sagde han* handing me the letter, he said.
idéverden world of ideas, imaginary world.
idiom *(et -er)* idiom.
idiomatisk *adj* idiomatic; *adv* idiomatically.
idiosynkrasi *(en)* idiosyncrasy.
idiot *(en -er)* idiot, imbecile; *(skældsord ogs)* fool; *din store ~!* you big fool! *John den ~!* that fool John!
idiotanstalt lunatic asylum; *(sl.)* loony bin.
idioti *(en)* idiocy. idiotisk *adj* idiotic; *adv* idiotically.
idol *(et -er)* idol.
idræt *(en)* athletics, sports; *(boldspil)* games; *dyrke ~* go in for athletics (, games).
idræts|folk *pl* athletes. -forening athletic association. -gren (type of) sport. -mand athlete. -mærke [badge awarded for all-round proficiency in athletics]. -plads sports ground. -stævne sports meeting.
idyl *(en -ler)* idyll; *den rene ~* a perfect idyll.
idyllisk *adj* idyllic; *adv* idyllically.
idømme *:* ~ *én noget* sentence sby to sth; ~ *én en bøde* fine sby; impose a fine on sby; *han blev idømt en bøde på ti pund* he was fined £10; ~ *én fængsel* sentence sby to (a term of) imprisonment.
ifald *conj* if.
ifalde *vb* become liable to *(fx* a penalty), incur.
ifølge according to; *(om lov etc)* pursuant to, in accordance with; ~ *faktura* as per invoice; ~ *sin natur* by nature, naturally.
iføre *★* array in, attire in, dress in; ~ *sig* put on; *iført grøn frakke* dressed in a green coat.
igang|sætning starting. -sætter starter. -værende *adj* in progress *(fx* the negotiations in progress); going *(fx* the factory is for sale as a going concern).
igen *(atter)* again, *(udtrykkes ved mange verber ved forstavelsen* re-, *fx* fylde flasken ~ refill the bottle, *læse bogen ~* reread the book); *(tilovers)* left, remaining; *(tilbage)* back; *(derefter)* in its (, his, her, etc) turn *(fx* he gave the papers to a friend who in his turn gave them to me); *(få en ~)* get back, recover, regain, *(byttepenge)* receive (in) change; *hvor er de penge du fik ~?* where is the change? *give ~* give back, return, *(byttepenge)* give change *(på:* for), *(gengælde fornær-*

melse etc) return, retort; *kan du give ~ på den?* T put that in your pipe and smoke it! *der er langt ~* it is a long way yet; *han har ikke langt ~* he is not long for this world; *om ~!* once more! *godt ord ~* no offence meant; *ikke mine ord ~* strictly between ourselves; *svare ~ (næsvist)* answer back.

igennem through; *hele året ~* all the year round; *hele århundredet ~* throughout the century; *hele dagen ~* all day; *helt ~* right through, *(fig)* through and through *(fx* wet t. and t.), thoroughly *(fx* t. honest), out-and-out *(fx* an out-and-out scoundrel); *komme ~* get through, pass; *måneder ~* for months on end.

igle *(en -r) zo* leech.

ignorant *(en -er)* ignoramus. **ignorere** *vb* ignore, disregard, take no notice of; *(ikke ville kende)* cut *(fx* he was cut by all his acquaintances).

igår yesterday; *(se går).*

ih! why! oh!

ihjel *adv* to death; *fryse ~* be frozen to death; *være ved at kede sig ~* be bored to death, be bored stiff; *slå ~* kill, put to death; *slå tiden ~* kill time; *han slog sig ~* he was killed, he lost his life; *stikke en ~* stab sby to death; *sulte ~ (dø af sult)* die of starvation; *sulte en ~* starve sby to death.

ihukomme *vb* remember, bear in mind.

ihukommelse *(en)* remembrance, memory; *salig ~* of blessed memory.

ihænde to hand, in one's possession. **ihænde-haver** *(en -e)* holder, bearer; *lyde på -en* be payable to bearer. **ihændehavercheck** bearer cheque.

ihærdig *adj* energetic, persistent, persevering, pertinacious. **ihærdighed** *(en)* persistence, perseverance, pertinaciousness.

ikende * *se idemme.*

ikke not; *(foran komparativ)* no *(fx* he is no bigger than I), not *(fx* he is not bigger than I, he is even smaller); *~ andet* nothing else, *(se ogs II. anden);* ~ *det?* hasn't it (, won't you, isn't it etc) *(fx* He isn't here. – Isn't he?); no? really? *det håber jeg ~* I hope not; *(se ogs håbe); hvis han ~ kommer* if he does not come; *han sagde ~ mere* he said no more; *~ mere (:* ikke *længere)* no longer *(fx* he is no longer a schoolmaster); *~ mindre end £5 (:* hele *£5)* no less than £5, *(:* mindst *£5)* not less than £5; *~ desto mindre* nevertheless, none the less, all the same; *~ nogen* nobody, not anybody, *(adj)* no, *(skilt fra sit subst el. foran* of) none; *~ noget* nothing, not anything, *(adj)* no *(fx* there was no house to be seen); *han er ~ noget fæ* he is no fool; *i ~ ringe grad* in no slight degree; *du kan godt lide det, ~ (sandt)?* you like it, don't you? *det er meget varmt, ~ (sandt)?* it is very hot, isn't it? *~ så snart ... før* no sooner ... than; *jeg så ham ~* I did not see him; *hvilken tåbelighed er det ~ at* what folly it is to.

ikke- *(foran subst)* non- *(fx* non-member, non -smoker, non-existence); *(foran adj)* un- *(fx* un-skilled = *ikke-faglært),* non- *(fx* non-existent, non -metallic). **ikke-angrebspagt** non-aggression pact.

ikke-intervention non-intervention.

ikke-rygerkupé non-smoker; *(på opslagene står:* No Smoking). **ikke-vold** non-violence.

iklæde * *se iføre; (fig)* couch (in words).

ikrafttræden *(en)* coming into force *(el.* operation).

iland|drevet *adj* washed ashore. **-sætning** landing, disembarkation.

ilbud express message; *(person)* express messenger.

ild *(en)* fire; *(brand)* fire; *(fig)* fire, ardour; *der gik ~ i gardinet* the curtain caught fire; *gå i -en for en* take up the cudgels for sby; *give ~* fire; *vil De være venlig og give mig ~?* can you spare me a light? *gøre ~ på* make *(el.* light) a fire; *have ~ i kakkel-ovnen* have a fire; *holde ~ i cigaren* keep the cigar alight; *holde en til -en* keep sby up to the mark, keep sby's nose to the grindstone; *puste til -en (fig)* add fuel to the fire, fan the flames; *brændt barn skyr -en* once bitten twice shy; *stikke (el. sætte) ~ på ngt*

set sth on fire, set fire to sth; *der er ~ i huset* the house is on fire; *være i -en* ⚔ be under fire; *åbne ~* ⚔ open fire *(mod:* on).

ild|dyrkelse fire worship. **-dyrker** *(en -e)* fire worshipper. **-dåb** baptism of fire.

ilde *adv* ill, badly; *adj* bad; *være ~ berørt af* be unpleasantly affected by; *~ faren* in a bad way; *det vil gå ham ~ hvis .. it* will go hard with him if ..; *han måtte høre ~ for det* he got it thrown in his teeth; *ikke ~* not bad; *~ lidt* unpopular; *tage noget ~ op* resent sth.

ilde|befindende indisposition; *få et ~* feel indisposed. **-brand** fire, *(stor)* conflagration. **-lugtende** *adj* evil-smelling, malodorous. **-lydende** *adj* -sounding, harsh.

ilder *(en -e) zo* polecat, fitchew.

ilde|set *adj* unwelcome, *(om person)* disliked. **-sindet** *adj* ill-disposed, malevolent. **-varslende** *adj* ominous.

ild|fast fireproof; *~ fad* ovenproof dish; *(dybt, rundt)* casserole; *~ ler* fireclay; *~ mursten* firebrick. **-flue** *zo* fire-fly. **-fuld** *adj* ardent, fiery. **-fuldhed** *(en)* ardour, fieriness. **-hu** enthusiasm. **-kamp** ⚔ firing, exchange of shots. **-kugle** fire ball.

Ildlandet Tierra del Fuego.

ild|linie ⚔ firing-line. **-løs** *(en)* fire. **-prøve** *(fig)* ordeal. **-rager** *(en -e)* poker. **-regn** shower of fire. **-rød** fiery red, burning red. **-skær** reflection of a fire. **-slukker** *(en -e)* fire extinguisher. **-sluknings-anlæg** fire extinguishing installation. **-sprudende** *adj* fire-breathing; *~ bjerg* volcano.

ildspåsættelse arson.

ildsted fireplace, hearth.

ildsvåde *(en)* fire.

ild|søjle column of fire. **-tang** (pair of) fire tongs; *jeg vil ikke røre det med en ~* I wouldn't touch it with a barge pole. **-tilbedelse** fire worship. **-tilbeder** fire worshipper; *(fig)* ardent worshipper. **-tænder** fire-lighter. **-vogn** chariot of fire. **-våben** firearms.

ile *vb* hurry, hasten, make haste; *tiden -r* time flies; *~ med at* hasten to; *~ til* hurry up, hasten to the spot; *~ en til hjælp* hurry to sby's aid.

ilgods fast goods. **ilgodsekspedition** express service; *(kontoret)* express office.

Iliaden the Iliad.

illegal illegal; *~ presse* underground press.

illegitim illegitimate. **illiberal** illiberal.

illoyal disloyal, unfair; *~ konkurrence* unfair competition. **illoyalitet** disloyalty, breach of faith.

illudere *vb* create a perfect illusion; *(om billede etc)* be lifelike; *~ som* give a convincing representation of.

illumination *(en)* illumination. **illuminere** *vb* illuminate. **illuminering** *(en)* illumination.

illusion *(en -er)* illusion, delusion; *jeg gør mig ingen -er om* I am under no illusion as to; *rive én ud af -en* disillusion sby. **illusionist** *(en -er)* illusionist, conjurer. **illusionsnummer** conjuring trick.

illusorisk *adj* illusory.

illustration *(en -er)* illustration. **illustrations-materiale** illustrative material, art (work). **illustrator** *(en -er)* illustrator. **illustrere** *vb* illustrate *(fx* a book), *(fig: tydeliggøre etc)* illustrate, be illustrative of.

ilmarch *adj* forced march; *rykke frem i ~* advance by forced marches.

ilsom *adj* precipitate, hurried.

ilt *(en)* oxygen. **ilte** *(et)* oxide; *vb* oxidize.

iltelegram express telegram.

ilter *adj* hot *(fx* a hot temper); fiery; *(om person)* hot-headed, fiery, peppery.

iltfattig *adj* deficient in oxygen. **iltflaske** oxygen cylinder. **iltholdig** *adj* containing oxygen. **iltmaske** oxygen mask. **iltning** *(en)* oxidation.

iltog fast train, express (train).

ilt|optagelse absorption of oxygen. **-procent** percentage of oxygen. **-rig** *adj* rich in oxygen.

imaginær *adj* imaginary *(fx* quantity, number).

imbecil *adj* imbecile. **imbecilitet** *(en)* imbecility.

imedens *adv* in the meantime, in the meanwhile, meanwhile; *conj (om tid)* while; *(= hvorimod)* whereas.

imellem *(præp) (begrænset af to punkter, linier etc)* between *(fx* the river flows between wooded banks (, between the trees)); *(blandt)* among *(fx* among the passengers there were sevetal Danes); *(adv)* between (them), among (them); ~ *år og dag* in the course of time; *engang* ~ sometimes, now and then, once in a while; ~ *hinanden* pell-mell, promiscuously; ~ *os sagt* between ourselves, between you and me; *lad det blive* ~ *os* let it go no further; *lægge sig* ~ intervene, interpose.

imens *se imedens.*

imidlertid *adv (i mellemtiden)* in the meantime, meanwhile; *(dog)* however, still, at the same time.

imitation *(en -er)* imitation. **imitator** *(artist)* impersonator. **imitere** *vb* imitate. **imiteret** *adj* imitation, artificial *(fx* pearls), sham.

immateriel immaterial, incorporeal; *de -le erhverv (omtr =)* the professions.

immatrikulation *(en -er)* matriculation

immatrikulere *vb* matriculate; *blive -t* matriculate, be matriculated.

immer(væk) *adv* always, ever.

immigrant *(en -er)* immigrant, **immigration** *(en -er)* immigration. **immigrere** *vb* immigrate.

immun *adj* immune *(mod:* against, from, to). **immunisere** immunize. **immunitet** *(en)* immunity.

I. imod *præp* **a)** *(om støtte, baggrund, modstand)* against *(fx* lean against the wall; seen against the dark background; fight against enemies; walk against the wind; be against the proposal); **b)** *(om tid og retning: hen* ~ *)* towards, to *(fx* towards evening; on his way to(wards) my house); **c)** *(fig: over for)* to, towards *(fx* his duty to his parents; kind to children); **d)** *(sammenlignet med)* compared with *(el.* to), to *(fx* that is nothing compared to what I saw; the chances are ten to one); **e)** *(til gengæld for)* in return for, for *(fx* he taught her daughter in return for board and lodging; for cash); ~ *at betale* on condition of paying, for a payment of; ~ *at han lovede at* on his promise to; ~ *betaling af* on payment of; **f)** *(forbindelser med verber:) gå* ~ go against, *(hen imod)* go towards, *(modarbejde)* oppose; *hvis De ikke har noget* ~ *det* if you do not mind, if you have no objection; *jeg har ikke noget* ~ *at fortælle* I do not mind telling; *være* ~ *ngt* be against sth, be opposed to sth.

II. imod *adv* against; *for og* ~, *se IV. for*; *gøre ham* ~ cross him, act contrary to his wishes; *hvad er der gået dig* ~? what has upset you? *vinden er* ~ the wind is against us; *det er ham* ~ he dislikes it, it is distasteful to him.

imorgen tomorrow; *se morgen.*

imperativ *(et)* imperative; *(gram)* the imperative (mood). **imperfektum** the past (tense).

imperialisme *(en)* imperialism. **imperialist** *(en -er)* imperialist. **imperialistisk** *adj* imperialist(ic).

imperi|um *(et -er)* empire.

impertinent *adj* impertinent, pert, insolent.

implicere *vb* involve; *de -de parter* the parties involved; *være -t i en forbrydelse* be party to a crime.

imponere *vb* impress. **imponerende** *adj* impressive, striking; *(ved sin størrelse, værdighed)* imposing.

import *(en)* importation, import; *(varerne)* imports. **import|begrænsende** *adj:* ~ *foranstaltninger* measures to restrict imports. **-begrænsning** import restrictions. **importere** *vb* import.

import|firma import firm, firm of importers. **-forbud** import ban, import prohibition. **-handel** import trade. **-overskud** excess of imports.

importør *(en -er)* importer.

imposant *adj* imposing.

impotens *(en)* impotence. **impotent** impotent.

impresari|o *(en -er)* manager, impresario.

impressionisme *(en)* impressionism. **impressionist** *(en -er)* impressionist. **impressionistisk** *adj* impressionistic.

impromptu *(et -er)* impromptu.

im|provisation *(en -er)* improvisation. **-provisator** *(en -er)* improviser. **-provisere** *vb* improvise, extemporize. **-proviseret** *adj* impromptu, improvised.

imprægnere *vb* impregnate, proof. **imprægneret** *adj (vandtæt)* waterproof; *(brandsikker)* fireproof.

impuls *(en -er)* impulse, incentive; *få nye -er* get *(el.* derive) new inspiration.

impulsiv *adj* impulsive.

imødegå *vb (opponere mod)* oppose, meet, counter *(fx* his objections), *(modbevise)* refute *(fx* an accusation), disprove.

imødekomme *vb (en person)* oblige *(fx* I want to oblige him); *(krav, ønske)* comply with, *(ønske ogs)* meet. **imødekommende** *adj* obliging *(fx* he was most o.), kind; *et* ~ *svar* a favourable reply. **imødekommenhed** *(en)* obligingness, kindness.

imødese *vb* anticipate, look forward to, expect, await.

inappellabel *adj* final.

in blanco not filled in, left blank.

in casu *adv* in this particular case.

incitament *(et -er)* stimulus. **incitere** *vb* stimulate, incite; *-nde melodi* electrifying tune; *virke -nde* act as a stimulus.

ind in; *(i sceneanvisning)* enter *(fx* enter John from the left); ~ *ad* in at, in by; ~ *i* into; ~ *mod* towards; *det emne ville han ikke* ~ *på* he did not want to discuss *(el.* go into) that subject; *slå ruderne* ~ break the windows; ~ *til byen (, London)* up to town (, London); ~ *under* under; ~ *under jul* just before Christmas.

indad *adv* in, inward, inwards; *gå* ~ *på benene* have one's toes turned inwards.

indad|til *adj* inwardly, internally. **-vendt** *adj* turned inwards; *(fig)* introspective, contemplative. **-vendthed** *(en)* introspectiveness.

indanke *vb* appeal; ~ *sagen for højesteret* appeal the case to the supreme court. **indankning** *(en)* appeal.

indarbejde *vb* work in; *(varer)* push (the sale of); *et godt -t firma* a well established firm.

indavl *(en)* inbreeding.

indbefatte *vb* include, comprise; *heri -t* including.

indbegreb *(helhed, sum)* sum *(fx* the sum of human knowledge), total; *(typisk udtryk)* essence, quintessence *(fx* this poem represents to me the q. of beauty); *han er -et af hæderlighed* he is the soul of honour, he is honesty itself.

indberetning *(en -er)* report. **indberette** *vb* report *(om:* on); ~ *ad tjenstlig vej* report through the official channels.

indbetal|e * pay (in); *fuldt -t kapital* (fully) paid up capital; ~ *penge på sin konto* pay money into one's account; ~ *til en bank* pay into a bank. **indbetaling** payment.

indbilde *:* ~ *en ngt* make sby believe sth; ~ *sig at fancy (el.* imagine) that. **indbildning** *(en -er)* imagination, fancy; *filosof udi egen* ~ would-be philosopher; *han tror han er syg men det er kun* ~ he thinks he is ill but it is only his imagination. **indbildningskraft** imagination. **indbildsk** *adj* conceited, stuck-up. **indbildskhed** *(en)* conceit, conceitedness. **indbildt** *adj* imaginary, fancied.

indbinde *vb (bøger)* bind; *indbundet i lærred* cloth bound. **indbinding** *(en -er)* binding.

indblande *vb (i sag etc)* involve, implicate; *blive -t i* be *(el.* get) involved in *(fx* a collision), be implicated in, be *(el.* get) mixed up in *(el.* with).

indblanding *(en)* intervention, *(neds)* meddling, interference.

indblik glimpse, insight; *få et* ~ *i* gain an insight into; *(mere overfladisk)* get some idea of.

indbo *(et)* furniture, moveables, household effects.

indbringe bring in; *(forslag)* introduce, present; *(ved salg)* bring in, fetch, realize; ~ *forslag for et råd* submit proposals to a council. **indbringende** *adj* lucrative, profitable; *gøre ~* turn to account.

indbrud *(et -)* housebreaking, burglary *(jur bruges* burglary *om indbrud om natten mellem kl. 21 og 6)*; *gøre ~ i et hus* break into a house; burgle a house. **indbruds|forsikring** burglary insurance. **-tyv** housebreaker, burglar. **-tyveri** housebreaking, burglary.

indbrænde ★ brand, burn *(el.* mark) with a hot iron; *(farver)* burn in; ~ *sig i erindringen* impress itself on the mind.

indbyde *vb* invite; ~ *til kritik* invite criticism. **indbydelse** *(en -r)* invitation. **indbydelsesskrift** *(et -er)* prospectus. **indbydende** *adj* inviting, tempting; *(om mad)* appetizing; *lidet ~* uninviting.

indbygger *(en -e)* inhabitant *(i: of).* **indbyggerantal** population, number of inhabitants.

indbygget built-in *(fx* cupboard).

indbyrdes *adj* mutual, reciprocal; *adv* -ly.

inddampe evaporate.

inddele ★ divide *(i:* into); *(i grupper, klasser)* classify; *(i grader)* graduate. **inddeling** *(en)* division; classification; graduation.

inddrage *(konfiskere)* confiscate, seize; *(mønter, sedler)* call in; *(veksel)* retire; *(løn, tilskud)* discontinue, stop; *(tropper, sømærker)* withdraw; *(en liste)* close; *(nedlægge)* abolish, discontinue; *(tilladelse etc)* cancel; *(i konflikt)* involve, implicate. **inddragelse** *(en) (se inddrage)* confiscation; stopping, discontinuation; withdrawal; closing; abolition; cancellation; involvement.

inddrikke *vb* imbibe, drink in.

inddrive *vb (fordringer)* recover; *(skatter)* collect. **inddrivning** recovery; collection.

inddæmme *vb* dike; *(for at vinde jord)* reclaim.

inde *adv* in, within; *blive ~* stay in *(el.* indoors); *holde sig ~* keep indoors; ~ *i* in, inside, within; *langt ~ i landet* far inland; *en by ~ i landet* an inland town; *være ~ i (fig)* be familiar with; *sidde ~ med* possess, have; *mens vi er ~ på dette emne* while we are on this subject; *være ~ på en tanke* entertain an idea; *(flygtigt)* toy with an idea; *tiden er ~* the time has come; *da tiden var ~* in due time; ~ *under land* inshore.

indebrænde ★ *(selv)* perish in the flames; ~ *ham* (set fire to his house and) burn him to death.

indebære *vb* imply *(fx* this right implies certain obligations).

indefra from within *(fx* seen from within, the cave looks larger).

indefrossen *adj* icebound *(fx* an icebound ship), frozen-up; ~ *kapital* frozen capital.

indefter inwards, in; ⚓ inshore.

indehaver *(en -e)* holder; *(ejer)* proprietor, owner.

indehold|e contain; *(om beholder etc ogs)* hold *(fx* the bottle holds two litres); *(tilbageholde)* withhold; *(betyde)* involve; *der blev -t £4 i hans løn he* was stopped £4 out of his wages.

indeklemt *adj* jammed in; *(på snæver plads)* cramped; *(fig)* suppressed, pent-up *(fx* pent-up fury); ~ *brok* incarcerated hernia.

indeks *(et -er)* index, *(mat.) se* indekstal. **indekstal** index figure; *(mat. mærketal)* index, *(under linien)* subindex.

I. **indelukke** *(et -r)* enclosure; *(til kvæg)* pen; *(lille rum)* cubicle.

II. **indelukke** *vb* lock up, shut in; *-t (om luft)* stuffy; *sidde -t hele dagen* sit cooped up all day.

indemure *vb* wall in, immure; *sidde -t (fig)* sit cooped up.

I. **inden** *adv (= i forvejen)* before *(fx* he had arrived long before); ~ *for* within *(fx* w. the walls); ~ *i* inside *(fx* be inside sth); ~ *om* inside *(fx* the boat had to pass i. the island); ~ *under* under(neath).

II. **inden** *conj (= før end)* before *(fx* I must see you before you leave).

III. **inden** *præp (= før)* before *(fx* b. the end of the war); *(om tidsrum)* within *(fx* w. an hour, w. three days); *(senest)* by *(fx* by Monday); ~ *døre* indoors; ~ *udgangen af april* by the end of April.

inden|ad *adv: kunne læse ~* be able to read; *læse ~ (modsat højt)* read silently. **-bords** *adj* ⚓ inboard. **-bys** *adj* within the town, local; ~ *medlem* local member.

inden|dørs *adj* indoor; *adv* indoors; ~ *lege* indoor games. **-dørsarkitekt** interior designer.

indenfor *adv* inside; *få foden ~* obtain a footing; *kom ~* won't you come in. **indeni** *adv* inside.

indenlandsk *adj* domestic, home, inland; *-e breve* inland letters; ~ *handel* inland trade; ~ *lån* internal loan; ~ *marked* home market.

indenom *adv* inside, along the inside.

indenrigs|fart ⚓ coasting trade. **-handel** home trade.

indenrigsk *adj (se ogs* indenlandsk); ~ *farvand* home waters.

indenrigs|minister Minister of the Interior; *(svarer i Engl omtr til)* Home Secretary; *(i U.S.A.)* Secretary of the Interior. **-ministerium** Ministry of the Interior; *(svarer i Engl omtr til)* the Home Office; *(i U.S.A.)* Department of the Interior. **-politik** domestic policy.

indenunder under(neath) *(fx* he wore a woollen jersey underneath).

inder *(en -e)* Indian.

inder|bane inside track. **-kant** inner edge. **-kreds** inner circle.

I. **inderlig** *adj* fervent, heartfelt; *-e følelser* deep feelings; *et -t had* an intense hatred; *en ~ længsel* an intense longing; ~ *taknemmelighed* heartfelt gratitude; *-t venskab* intimate friendship; *-t ønske* fervent desire.

II. **inderlig(t)** *adv* fervently; *elske ~* love deeply *(el.* dearly); ~ *gerne* with all my heart; *det er mig -t ligegyldigt* I couldn't care less; *det gør mig ~ ondt* I am terribly sorry; *ønske -t* wish with all one's heart.

inderlighed *(en)* fervour; *(om følelsers styrke)* intensity.

inderlomme inside pocket.

inderside inside, inner side.

inderst *adj* inmost, innermost; *adv* farthest in, at the farther end; ~ *inde (i sindet)* in one's heart of hearts; ~ *inde i* at the farther end of; *skifte tøj fra ~ til yderst* change completely.

indeslutte *vb* confine, lock up; ✂ invest; *(i sine bønner)* remember. **indesluttet** *adj (fig)* reserved, reticent. **indesluttethed** *(en)* reserve, reticence.

indesneet snow-bound, snowed in *(el.* up).

indespærre *vb* shut up, lock up, confine; *(i fængsel)* imprison. **indespærring** confinement.

indestængt *adj (om følelser)* pent-up *(fx* rage).

indestå *vb (være deponeret)* be deposited *(hos:* with); ~ *for rigtigheden af* answer *(el.* vouch) for the correctness of; ~ *for summen* guarantee the sum; *jeg -r Dem for at* I assure you that; I promise you that; *penge -ende i en fabrik* money invested in a factory; ~ *på en konto* stand to the credit of an account.

indestående *(et)* deposit.

indeværende *adj* the present, the current, this *(fx* this year); *den 5. i ~ måned* on the fifth inst.

indfald *(et -)* *(fjendtligt)* raid, invasion, inroad; *(tanke)* thought, idea, *(lune)* whim, fancy; *han fik det ~ at* it occurred to him to, he took it into his head to.

indfalden *adj* emaciated, haggard; *indfaldne kinder (, tindinger)* hollow cheeks *(, temples);* ~ *mund* receding mouth.

indfalds|port gateway. **-vej** approach road. **-vinkel** angle of incidence.

indfange *vb* capture, catch.

indfarve *vb* dye *(efter:* to match); *(typ)* ink.

indfatning *(en -er) (kant, rand)* border edge

(for juveler) setting, mounting; *(for briller etc)* rim; *(for ruder)* setting, frame; *(for dør, vindue)* casing; *(det at indfatte)* edging, etc. **indfatte** *vb* border, edge; *(juveler)* set, mount; *(briller)* rim; *(ruder)* set, frame.

indfiltre *vb* entangle, mat.

indfinde: ~ *sig (om person)* appear, call, make one's appearance, present oneself, T turn up; *(om begivenhed etc)* let in, come.

indflette weave in; *(en bemærkning etc)* put in, insert.

indflydelse *(en -r)* influence *(hos:* with, *på:* on); *gøre sin ~ gældende* make one's influence felt; bring one's influence to bear.

indflydelsesrig influential.

indflytning moving in, taking up residence.

indflytter *(en -e)* new tenant, new occupier.

indflyve *(flyvemaskine)* test. **indflyver** test pilot. **indflyvning** *(en -er) (prøveflyvning)* testing; *(fx til lufthavn)* approach.

indforskrive call in; *(merk)* write for, order.

indforstået: *erklære sig ~ med* consent to.

indfri redeem *(fx* a promise, pawned goods); meet *(fx* one's obligations); *(veksel)* pay, take up; ~ *et lån* pay off *(el.* redeem) a loan.

indfrielse *(en)* redemption; taking up, payment.

indfødsret citizenship, naturalization; *fratage -ten* deprive sby of his citizenship; *erhverve (el. få)* ~ become naturalized; *få dansk* ~ become naturalized in Denmark, obtain Danish citizenship; *give én dansk* ~ naturalize sby as a Danish subject; *have dansk* ~ be a Danish subject *(el.* national).

indfødt native; *en* ~ *dansker* a native of Denmark; *de -e* the natives.

indføje *vb* insert; *(indarbejde)* work in.

indføle: ~ *sig i* enter into the spirit of; *han indfølte sig helt i sin rolle* he identified himself with his part.

indfølingsevne intuition, sympathy; *(fil)* empathy.

indfør|e ✶ introduce; *(importere)* import; ~ *i en bog* enter in a book; *han kunne ikke få et ord -t* he could not get a word in edgeways.

indføring *(en)* introduction.

indførs|el *(en -ler)* importation; *(varer)* imports. **indførsels|forbud** import prohibition. **-tilladelse** import licence. **-told** import duty.

indgang *(en -e) (gåen ind)* entrance, entry; *(dør)* entrance *(til* to); *-en åbnes kl.* 7 doors open at seven; *med egen* ~ with a private entrance.

indgangsdør entrance (door).

indgifte *(et)* intermarriage. **indgiftet** *adj* intermarried.

indgive *vb* send in, hand in, present; *(lægemidler)* administer (to); ~ *én en følelse* inspire sby with a feeling; ~ *én en tanke* suggest an idea to sby.

indgnide *vb* rub in; ~ *med* rub with.

indgnidning rubbing (in); *middel til* ~ liniment, embrocation.

indgravere *vb* engrave, incise, cut.

indgreb *(et -)* *(maskinteknisk)* gear, mesh; *(fig)* interference, encroachment; *(med.)* operation; *gøre* ~ *i (fig)* interfere in, encroach on.

indgriben *(en) (fig)* intervention.

indgribende *adj* radical *(fx* change), thorough.

indgroet *adj* ingrown; *(fig)* deeply rooted, ingrained, inveterate; ~ *had* inveterate hatred.

indgyde *(fig):* ~ *én en følelse* inspire sby with a feeling *(fx* with respect, confidence); instil a feeling into sby.

indgå *vb* enter, go in; *(om penge)* be paid in *(fx* the amount was paid in); *(ankomme)* come in; *(slutte)* contract *(fx* c. an alliance with sby); enter into *(fx* e. into a contract with sby); ~ *et forlig med* enter into a compromise with; ~ *en overenskomst med* enter into an agreement with; ~ *et væddemål med* bet with, make a bet with; ~ *ægteskab med* contract a marriage with, marry; *det -r i boet* it forms part of the estate.

I. **indgående** *(et):* for ~ ⚓ inward bound.

II. **indgående** *adj (om post etc)* incoming; ⚓ inward bound; *(detaljeret)* thorough-going, thorough *(fx* a thorough examination), detailed *(fx* description); *adv* thoroughly.

indhav inland sea.

indhegne *vb* fence, enclose (with a fence).

indhegning *(en -er)* fencing; *(hegn)* fence; *(indelukke)* enclosure, *(for kvæg)* paddock.

indhente *vb (nå)* overtake, come up with, catch up with, catch up *(fx* I caught him up at the corner); *(ved forfølgelse, jagt)* run down; *(forskaffe sig)* obtain *(fx* sby's consent), procure; ~ *det forsømte* make up for lost time, retrieve the situation; ~ *oplysninger om* make inquiries about; ~ *tilbud* invite offers; *(ved licitation etc)* invite tenders.

indhold *(et) (det som findes i ngt)* contents *(pl) (fx* the contents of a parcel, bottle, letter, book); *(det kvantum af et stof som findes indblandet i noget)* content *(fx* the alcoholic content of wine); *(i bog, tale: mods form)* (subject) matter, contents, content; *uden* ~ empty.

indholds|analyse content analysis. **-fortegnelse** table of contents. **-løs** *adj* empty, inane. **-rig** *adj* substantial; *(betydningsfuld)* significant; *(begivenhedsrig)* eventful.

indhug *(et -)* charge; *(fig)* inroad; *gøre et* ~ *i (fig)* make an inroad into *(fx* make heavy inroads into one's capital).

indhylle *vb* envelop, wrap (up) *(fx* wrapped in a cloak); muffle up; shroud *(fx* shrouded in fog, *(fig)* shrouded in mystery).

indhøste *vb* gather in harvest, get in; *(fig)* reap, gather, acquire *(fx* experience).

indianer *(en -e)* (Red) Indian, American Indian. **indianer|historie** Redskin story. **-høvding** (Red) Indian chief, sachem. **-kvinde** squaw.

indiansk (American) Indian.

indiciebevis (piece of) circumstantial evidence. **indici|um** *(et -er)* indication; *(jur)* (piece of) circumstantial evidence; *dømme én på -er* convict sby on circumstantial evidence.

Indien India.

indignation *(en)* indignation.

indigneret *adj* indignant *(over:* at, *på:* with).

indigo *(en)* indigo. **indigoblåt** indigo blue.

indikation *(en -er)* indication; *der er* ~ *for kinin* quinine is indicated.

indikativ *(en -er)* the indicative (mood).

indirekte *adj* indirect; *adv* indirectly; ~ *belysning* concealed lighting; ~ *skatter* indirect taxes; ~ *tale* indirect *(el.* reported) speech.

indiset *adj* icebound.

indisk Indian; *det -e Hav* the Indian Ocean.

indiskret *adj* indiscreet, tactless. **indiskretion** *(en -er)* indiscretion, tactlessness; *(diskretionsbrud)* indiscretion, breach of confidence.

indiskutabel *adj* beyond dispute.

indisponeret indisposed. **indisposition** indisposition.

individ *(et -er)* individual.

individualisere *vb* individualize. **individualisering** *(en)* individualization. **individualitet** *(en)* individuality. **individuel** *adj* individual.

indjage: ~ *én skræk* strike terror into sby.

indkalde ✶ call in, *(ogs jur)* summon; ✕ call up; *(amr)* draft; ~ *parlamentet* summon Parliament.

indkaldelse *(en -r)* calling in; summoning; *(jur)* summons; ✕ calling up; *(amr)* drafting. **indkaldelsesordre** ✕ call-up papers; *(amr)* induction papers; draft card.

indkapsle *vb* encapsulate; ~ *sig* encyst itself.

indkassere *vb* collect.

indkassering *(en)* collection.

indkast *(i fodbold)* throw-in.

indkaste *vb* throw in; *(i automat)* insert *(fx* insert a penny in the slot).

indklage *vb:* ~ *ham for retten* bring an action

against him; ~ *en stat for Sikkerhedsrådet* lodge a complaint against a State with the Security Council.

indklarere *vb* enter (at the custom-house).

indklarering *(en)* entry, inward clearance.

ind|klæbe paste in. **-koge** ★ boil down.

indkom|me *vb* come in, be received; *(om penge)* be paid in; *det ved auktionen -ne beløb* the proceeds of the sale.

indkomst *(en -er)* income. **indkomst|politik** incomes policy. **-skat** income tax.

indkredse *vb* encircle; *politiet er ved at ~ morderen* the (police) net is closing round the murderer.

indkredsning *(en)* encirclement.

ind|kræve *vb* call in, demand payment of; *(ved rettens hjælp)* recover; ~ *skatter* collect taxes. **-krævning** *(en -er)* calling in; recovery; collection.

indkvartere *vb* ✕ billet, quarter.

indkvartering billeting, quartering.

indkøb purchase; *gøre ~ (ogs)* go shopping; *gøre sine ~* do one's shopping.

indkøbe ★ purchase, buy.

indkøbs|forening wholesale society. **-net** *(et)* string bag. **-pris** cost price. **-taske** shopping bag.

indkørsel entrance, way in; *(kørevej)* drive; *(det at køre ind)* driving in; ~ *forbudt* no entry.

I. **indlade** *(-de -t)* ↓ ship, load, take in.

II. **ind|lade** *(-lod, -ladt)* let in, admit; ~ *sig i samtale* enter into conversation; ~ *sig med* take up with, have sth to do with, have dealings with; ~ *sig på* embark upon, enter upon, engage in; *(udsætte sig for)* let oneself in for *(fx* he does not know what he is letting himself in for).

indladende *adj* communicative, forthcoming.

indladning ↓ shipping, loading.

indlagt *(nedfældet som dekoration)* inlaid; *(i brev)* enclosed; *(i litterært værk)* put in, inserted.

indland: *i ind- og udland* at home and abroad.

indlandsis ice cap, inland ice.

indlede ★ *(begynde)* begin, open, initiate, inaugurate, enter into; *(med forord)* preface; *(undersøgelse)* institute; ~ *bekendtskab med* form an acquaintance with; *(tilfældigt)* strike up an a. with; ~ *en debat (, et møde)* open a debate (, a meeting).

indledende *adj* introductory, prefatory, opening.

indleder *(en -e)* first speaker.

indledning *(en -er)* *(begyndelse)* beginning, opening; *(forord)* preface, introduction; *(til tale, afhandling)* exordium; *(til traktat, lov)* preamble.

indlednings- introductory, opening *(fx* speech).

indlemme *vb* incorporate, annex.

indlemmelse *(en)* incorporation, annexation.

indleve: ~*sig i* familiarize *(el.* identify) oneself with.

indlevere *vb* hand in, deliver, *(i garderobe)* leave, deposit, *(til postbesørgelse)* post, mail; *(ansøgning)* file.

indlevering delivery; leaving, depositing; *(af post)* posting, mailing.

indlogere *vb* lodge, quarter; ~ *sig* take lodgings.

indlyd: *i ~* medially; *vokal i ~* medial vowel.

indlysende obvious; *være ~ (ogs)* stand to reason.

indlæg *(et -)* *(i diskussion)* contribution; *(jur)* pleading, plea; *(bilag)* enclosure; *(platfods-)* (arch) support.

indlægge put in; *(i brev)* enclose; *(indfælde)* inlay; *(til opbevaring)* deposit; *(på hospital)* send to (a) hospital, *(amr)* hospitalize; *(fra hospitalets side)* admit to (a) hospital; *(gas, lys etc)* install, lay on; ~ *sig fortjeneste af* deserve well of.

indlæggelse *(en -r)* *(på hospital)* removal to (a) hospital, *(amr)* hospitalization; *(fra hospitalets side)* admission *(på:* to).

indlægning *(se indlægge)* putting in; inlaying; installation.

indlæring *(en)* learning; *(læren udenad)* memorizing.

indløb *(til havn)* entrance.

indløbe *vb* come in, arrive, come to hand, be received; *der er -t fejl* errors have slipped in.

ind|løse *(få udbetalt)* cash, *(udbetale)* pay; *(veksel)* take up, honour, pay, *(pant)* redeem. **-løselig** *adj* redeemable; ~ *på anfordring* redeemable on demand. **-løsning** *(se indløse)* redemption, taking up, cashing.

indlån deposit. **indlåner** *(en -e)* depositor. **indlåns|bevis** deposit receipt. **-rente** interest on deposit(s), deposit rate.

indmad *(af slagtekvæg)* pluck; *(det indvendige af ting)* insides; *(polstring; i dyne)* stuffing.

indmarch entry.

indmelde ★ enter *(i, til:* for); ✕ *(for forseelse)* report; ~ *sig i en klub* join a club; ~ *sig til* enrol for, sign up for *(fx* he signed up for evening classes).

indmeldelse *(en -r)* entry, report(ing). **indmeldelsesblanket** entry form, application form.

indmundingslinie safety line.

indmure *(mure ind)* build in; *se ogs* indemure.

indoeuropæer Indo-European.

Indokina Indo-China. **indokinesisk** *adj* Indo-Chinese.

indolent *adj* indolent.

Indonesien Indonesia. **indonesisk** *adj* Indonesian.

indordne *vb* arrange; *(indpasse)* fit *(i:* into); ~ *noget i et system* arrange sth according to a system, systematize sth; ~ *sig* adapt oneself; ~ *sig under* conform to, submit to *(fx* his wishes).

indpakke *vb* *(i papir, fig: i klæder etc)* wrap up, *(i æske)* pack. **indpakning** packing, wrapping. **indpakningspapir** wrapping paper.

indpas: *få ~* gain a footing; *(få adgang)* be admitted, gain access; *skaffe sig ~* secure a foothold. **indpasse** *vb* fit in; ~ *i* fit into.

indpisker *(i parlamentet)* whip.

indpode *vb* graft, engraft; *(med.)* inoculate (with). **indpodning** *(en)* grafting; inoculation.

indprente *vb:* ~ *én ngt* impress sth on sby, inculcate sth in sby; ~ *én nødvendigheden af* impress on sby the necessity of; ~ *sig ngt* fix sth in one's mind. **indprentning** *(en)* impressing.

indramme *vb* frame.

indramning *(en)* framing, *(ramme)* frame.

I. **indre** *(et)* interior; *(sind)* heart, mind.

II. **indre** *adj* inner, interior, *(indenrigsk)* internal; domestic; home; *(sjælelig)* inward, inner; *det ~ Afrika* Central Africa; ~ *anliggender* internal affairs; *den ~ by* the centre of the town; ~ *Mission* (the) Home Mission; ~ *organer* internal organs; *en ~ trang* an inward urge; ~ *uroligheder* internal *(el.* civil) troubles; ~ *værdi* intrinsic value; *det ~ øje (fig)* the mind's eye; *det ~ øre (anat)* the internal ear.

indregistrere *vb* register.

indregistrering *(en)* registration.

indrejse *(en)* *(i land)* entry *(i:* into), arrival *(i:* in). **indrejsetilladelse** entry permit.

indretning *(en -er)* arrangement, organization; *(oprettelse)* establishment *(fx* the e. of new schools); *(tillempning)* adaptation; *(apparat, mekanisme)* appliance, contrivance, device, contraption.

indretningsarkitekt interior designer.

indrette *vb* arrange, organize, order; *(oprette)* establish; *(tillempe)* adapt, adjust *(efter:* to); *(omdanne)* convert *(til:* into); *være -t på* be prepared to; ~ *sig* arrange (matters), make one's arrangements; ~ *sig efter* adapt oneself to; ~ *sig på* prepare to; *han er sådan -t at* he is so constituted that; *sådan er han nu -t* that is the way he is; *-t til at* made to; *dertil -t* made for the purpose.

indridse *vb* scratch, engrave.

indrullere *vb* enrol, enlist; *lade sig ~* enlist.

indrullering *(en)* enrolment, enlistment.

indrykke *vb* *(annonce)* insert *(i:* in). **indrykning** ✕ entry *(i:* into), invasion *(i:* of); *(af annonce)* insertion; *(i gymnastik)* closing the lines; *(typ)* indentation; *(for ny linie)* break, new paragraph.

indrømme *(bevilge)* allow, grant, concede, give; *(erkende)* admit, acknowledge; confess; *det må -s at han ikke er dum (ogs)* admittedly he is no fool;

jeg -r *Dem* 2% *provision* I allow you a 2 per cent commission. **indrømmelse** *(en* -r*)* concession; *(erkendelse)* admission; *gøre* -r make concessions. **indrømmende** *adj (gram)* concessive.

indsamle *vb* collect, gather. **indsamling** *(en* -er*)* collection; *foranstalte en* ~ raise a subscription; *(ofte =)* launch an appeal *(fx* an appeal was launched after the floods). **indsamlings|bøsse** money box. **-liste** subscription list.

indsats *(en* -er*) (ved væddemål etc)* stake; *(pulje)* pool; *(bidrag)* contribution; *(præstation)* effort *(fx* the Japanese military effort), work; *(i kjoleudskæring)* front; *(i musikstykke)* attack; *gøre en stor* ~ *for* work hard for; *med livet som* ~ at the risk of one's life.

indse *vb* realize, see, perceive, comprehend.

indseende: *have* ~ *med* supervise, superintend; *have* ~ *med at* see (to it) that.

indsejle *vb (tjene)* make, earn. **indsejling** *(en* -er*) (det at sejle ind)* entering; *(indløb)* entrance.

indsende * send in, *(til bedømmelse etc)* submit; *(bidrag til avis)* contribute. **indsendelse** *(en)* sending (in), submitting; *ved* ~ *af* 4 *sh* on remittance of 4s. **indsender** *(en* -e*)* sender; *(til et blad)* correspondent.

indsigelse *(en* -r*)* objection, protest; *gøre* ~ object, protest.

indsigt *(en)* insight *(i:* in); knowledge *(i:* of).

indsigtsfuld *adj* well-informed, shrewd.

indskibe *vb* ship, embark; ~ *sig* embark.

indskibning *(en* -er*)* embarkation.

indskriden *(en)* interference, intervention.

indskrift *(en* -er*)* inscription.

indskrive *vb* enter *(fx* sth in a record); *(som medlem, deltager)* enrol; *(rejsegods)* register, *(amr)* check; *(mat.)* inscribe; *lade sig* ~ enter one's name, be entered; ~ *sig på et hotel* register (, *amr:* check in) at a hotel.

indskrivning *(en)* entry; *(renskrivning)* (the) making (of) a fair copy; *(af medlem)* enrolment; *(af rejsegods)* registration, *(amr)* checking; *(mat.)* inscription.

indskrumpet *adj* shrunken, shrivelled.

indskrænke *vb (nedbringe)* reduce, *(begrænse)* limit, confine, restrict; ~ *sig* retrench, cut down one's expenses; ~ *sig til* confine oneself to. **indskrænket** *adj* restricted, limited; *(snæver)* cramped; *(dum)* unintelligent, dense, dull; ~ *arbejdstid* short(er) hours. **indskrænkethed** *(en)* stupidity. **indskrænkning** *(en* -er*)* reduction; *(forbehold)* qualification.

indskud *(et* -*) (indbetaling)* payment; *(ved indmeldelse)* entrance fee; *(i bank)* deposit; *(i spil)* stake; *(tilføjede ord)* insertion; *(i gulv)* pugging. **indskuds|-bod** betting shop. **-borde** *pl* nest of tables.

indskyde *vb* insert, put in; *(penge)* pay in; *(bidrage)* contribute; *(skydevåben)* target; ~ *sig på et mål* ✕ range a target; *(ved gaffelindskydning)* straddle a target.

indskydelse *(en* -r*)* impulse; *en heldig* ~ a happy inspiration; *efter øjeblikkets* ~ on the spur of the moment.

indskyder *(en* -e*) (i bank)* depositor; *(af kapital i foretagende)* contributor.

indskydning *(en)* ✕ ranging fire.

indskæring *(en* -er*)* incision, cut, notch; *(af havet)* indentation, bay.

indskærpe *vb* enjoin *(én ngt:* sth on sby).

indskærpelse *(en)* enjoining, injunction.

indskåren *adj (takket)* indented.

indslag touch, element; *(i program etc)* feature; *(i gartneri)* heeling in.

indslumret *adj* slumbering. **indslumringsmiddel** *(med.)* short-acting hypnotic.

indsmelte *vb (omsmelte)* melt down.

indsmigre: ~ *sig hos en* ingratiate oneself with sby. **indsmigrende** *adj* charming, *(neds)* ingratiating, insinuating; *en* ~ *melodi* a seductive tune.

indsmugle smuggle in. **indsmugling** *(en)* smuggling.

indsmøre *vb* smear, grease.

indsnige: ~ *sig* slip in, creep in.

indsnit *(et* -*)* incision, cut, notch.

indsnuse snuff, *(indånde)* inhale.

indsnævre: ~ *sig* narrow *(til:* into); *(fig)* narrow down *(til:* to). **indsnævring** narrowing, limitation; *(af vej)* narrowing; bottle-neck; *(af hav)* strait(s).

indsnøre *vb* lace in, lace tightly, constrict.

indspille *(indtjene)* bring in; *(film)* produce; *(på grammofon)* record; *(på bånd)* record, T tape.

indspilning *(en)* production; recording.

indsprøjte *vb* inject. **indsprøjtning** *(en* -er*)* injection, T shot *(fx* give sby a shot), jab.

indstifte *vb* institute. **indstiftelse** *(en)* institution.

indstigning *(en)* entering; ~ *foran* entrance at the front end; *ved* -*en i sporvognen* when boarding the tram.

indstille *vb (regulere)* adjust; *(linse, kamera)* focus; *(radio)* tune (in); *(foreslå)* submit, recommend; *(til embede)* nominate, propose; *(ophøre med)* stop, leave off, discontinue, *(midlertidigt)* suspend; ~ *skydningen* cease fire; ~ *på en station (radio)* tune in to a station; ~ *en bombe på tid* time a bomb; ~ *øjet på* accommodate the eye to; ~ *sig på* prepare oneself for; ~ *til belønning* recommend for a reward; ~ *et forslag til vedtagelse* recommend the adoption of a proposal; ~ *sig til en eksamen* enter for an examination; *demokratisk* -t democratically minded; *venligt* -t *over for* kindly disposed towards.

indstillelig *adj* adjustable. **indstilling** *(en* -er*) (se indstille)* adjustment; focus(sing); *(af radio)* tuning in; *(forslag til myndighed)* recommendation; *(til embede)* nomination; *(ophør, standsning)* stopping, discontinuation, *(midlertidig)* suspension; *(holdning)* attitude *(til:* to(wards)).

indstrege underline, score.

indstudere *vb (en tale)* prepare; *(rolle)* study; *(skuespil)* rehearse. **indstudering** *(en)* preparation; studying; rehearsal; *være under* ~ be in rehearsal.

indstændig *adj* urgent, pressing, earnest; *bede ham* -t *om at* urge *(el.* implore) him to; *på det* -*ste* urgently.

indstævn|e *vb* summon; -*te* the defendant.

indsuge *vb* suck (in), absorb; *(ogs fig)* imbibe.

indsugning absorption, suction.

indsvøbe * envelop, wrap up.

indsynge *(i grammofon)* record, sing.

indsæbe *vb* soap, *(ved barbering)* lather.

indsætte *vb* put in, set in, insert, fit (in); *(penge i bank)* deposit; *(i rettighed)* establish; *(i embede)* install, instate; ~ *a i stedet for b* substitute a for b; replace b with *(el.* by) a; ~ *en som sin arving* make sby one's heir; ~ *tropper* bring troops into action. **indsættelse** *(en)* putting in, insertion; *(i bank)* depositing; *(i rettighed)* establishment; *(i embede)* instalment.

indsø lake.

indtage *vb* take in; ♣ *(indlade)* ship, take in, load; *(mad etc)* eat, have, partake of, consume; *(erobre)* take, carry; *(optage, fylde)* take up, fill, occupy; *(legemsstilling)* take up, assume *(fx* a position); *(standpunkt, holdning)* take up; *(henrykke, vinde)* charm, captivate, fascinate; *(for el. imod)* prejudice; ~ *sin plads (sætte sig)* take one's seat; ~ *en stilling* take up a position, ✕ *(erobre)* take *(el.* capture) a position, *(holde besat)* occupy a position; *(se ogs indtagende)*.

indtagelse *(en)* ♣ taking in, loading, shipping; *(erobring)* taking, capture, carrying.

indtagende *adj* captivating, engaging, charming; *det* ~ *ved* (, *i)* the charm of.

indtale *vb* speak, record.

indtegne *vb (indskrive)* enter; enrol; ~ *sig som medlem af foreningen (ogs)* join the society. **indtegning** *(en)* entering; enrolment.

indterpe *vb* cram *(fx* cram him with Latin).

indtil *præp (om sted)* to, as far as; *(om tid)* till, until, up to; *conj* till, until; ~ *året* 1400 down to the year 1400; *bøder på* ~ £5 fines not exceeding £5.

indtjene * earn; ~ *et overskud* make a profit.

indtog *(et* -*)* entry *(i:* into); *holde sit* ~ make one's entry.

indtryk *(et -)* impression; *få et ~ af* receive an impression of, get an idea of; *gøre ~* make an impression; *gøre ~ af at være* seem to be, give the impression of being; *gøre ~ på* impress *(fx* you impressed him favourably); *gøre et godt (, dårligt) ~ på en* make a good (, bad) impression on sby; *jeg har det ~ at* I have an impression that, I am under the impression that; *modtagelig for ~* impressionable.

indtræde *(begynde)* commence, set in; *(opstå, indtræffe)* set in, take place, happen, occur; *~ i* join *(fx* the army, a society); enter *(fx* the war); *døden indtrådte øjeblikkelig* death was instantaneous.

indtræden *(en) (begyndelse)* commencement; *(opståen)* occurrence; *(det at komme ind)* entry, entrance; *(det at blive medlem)* entry.

indtræffe *vb* happen, occur, take place; *(ankomme)* arrive.

indtrængen *(en)* intrusion, entrance; *(fjendtlig)* invasion *(i:* of). **indtrængende** *adj (som trænger ind)* entering, ⚔ invading; *(fig)* earnest, urgent *(fx* an u. request); *(skarpsindig)* penetrating *(fx* analysis); *bede ~* request urgently, entreat.

indtægt *(en -er)* income, *(især statens)* revenue; *(fortjeneste)* profit; proceeds *(fx* of the sale); *have store -er* have a large income.

indtægts|kilde source of income; *(for staten)* source of revenue. **-side** credit side.

indtørret *adj* dried up, shrivelled.

induktion *(en -er)* induction.

induktions|apparat induction coil. **-elektricitet** induced electricity. **-maskine** induction machine.

industri *(en -er)* industry; *-ens gennembrud* the industrial revolution; *håndværk og ~* the crafts and industries.

industri|centrum industrial centre. **-drivende** *adj* industrial; *subst* manufacturer, industrialist.

industriel *adj* industrial.

industri|forening industrial association. **-messe** industries fair. **-udstilling** industrial exhibition.

indvandre *vb* immigrate. **indvandrer** *(en -e)* immigrant. **indvandring** *(en)* immigration.

indvarsle *(indkalde)* summon, convene; *mødet er lovligt -t* due notice of the meeting has been given. **indvarsling** *(en)* summoning, announcement.

indvende ∗ object *(mod:* to); *jeg har intet at ~ derimod* I have no objection.

indvendig *adj* internal, inward, inside, interior; *(indendørs)* indoor; *adv* internally, inwardly, inside; *~ gerning (husligt arbejde)* housework; *le ~* laugh in one's sleeve, laugh to oneself *(el.* inwardly); *låst ~ fra* locked on the inside.

indvending *(en -er)* objection *(imod:* to, against); *komme med (el.* rejse) *-er* make *(el.* raise) objections.

indvi *vb* consecrate *(fx* a church); *(til præst)* ordain; *(tage i brug)* inaugurate *(fx* a school, a new building); *(fx* a railway); *(tage i brug for første gang)* T christen *(fx* a new coat); *~ én i en hemmelighed* initiate sby in *(el.* let sby into) a secret; *være -et i* be in the secret of, be initiated in *(fx* the plan); *i -ede kredse* in well-informed circles; *-et jord* consecrated ground. **indvielse** *(en)* consecration; ordination; inauguration, opening; initiation.

indvikle *vb* wrap up; *(bringe i urede)* tangle, entangle, *(indblande)* entangle, involve, implicate; *gøre ~* complicate. **indviklethed** *(en)* complexity, intricacy.

indviklet *adj (kompliceret)* complicated *(fx* business deals), complex *(fx* situation), intricate *(fx* pattern); *gøre ~* complicate.

indvillige *vb* agree, consent *(i:* to, *i at:* to); comply *(i:* with). **indvilligelse** *(en)* consent, compliance.

indvinde *vb* earn, gain; *(få tilbage)* recover *(fx* lost ground); make up for *(fx* lost time); *(land)* reclaim. **indvinding** *(en)* gaining; recovery; reclamation.

indvirke: *~ på* have an influence on, act on, influence, affect. **indvirkning** *(en -er)* influence,

action, effect, impact *(fx* the impact of science on modern thought).

indvolde *pl* entrails, bowels.

indvoldsorm intestinal worm.

indvortes *adj* internal, inner, inward.

indvælge elect *(i:* to).

indvåner *(en -e)* inhabitant.

indynde: *~ sig hos* ingratiate oneself with.

indædt *adj* suppressed *(fx* hatred); *(forbitret)* savage; *~ arrig* savage.

indøve *vb* practise, ⚔ train, drill.

indøvelse *(en)* practice; ⚔ drilling.

indånde *vb* breathe in *(fx* the scent of flowers); *(med vilje ogs)* inhale. **indånding** *(en -er)* breathing in; inhalation; *en dyb ~* a deep breath.

inerti *(en)* inertia. **inertistyring** inertial guidance.

infam *adj* infamous.

infanteri *(et)* infantry, foot; *500 mand ~* 500 foot. **infanteriregiment** infantry regiment.

infanterist *(en -er)* infantryman.

infektion *(en -er)* infection.

infektionssygdom infectious disease.

inferiør *adj* inferior petty.

infernalsk *adj* infernal; *lave et ~ spektakel* kick up an infernal row.

inficere *vb* infect. **inficering** *(en)* infection.

infiltration *(en -er)* infiltration.

infiltrere *vb* infiltrate.

infinitiv *(en -er)* the infinitive.

infirmeri *(et -er)* sick quarters.

inflammation *(en -er)* inflammation.

inflation *(en -er)* inflation.

inflations|befordrende *adj* inflationary. **-hæmmende** *adj* disinflationary.

inflatorisk *adj* inflationary *(fx* tendency).

influenza *(en)* influenza, T (the) flu.

influere *vb: ~ på* influence.

information *(en)* information.

informere *vb* inform.

infrarød *adj* infra-red.

infusionsdyr *pl* infusoria.

ingefær *(en)* ginger.

ingen *(som adj)* no; *(skilt fra sit subst eller foran* of) none; *(som subst)* no one, nobody; *(ingen af* to) neither; *jeg har ~ penge og du har heller ~* I have no money, and you have none either; *der var ~ hjemme* there was nobody *(el.* nobody was) at home; *~ af dem* none of them, *(om* to) neither of them.

ingeniør *(en -er)* engineer; *(civilingeniør)* engineer with an academic degree; *(bygningsingeniør)* civil engineer; ⚔ engineer. **ingeniør|kaserne** barracks of the engineers. **-videnskab** engineering.

ingenlunde *adv* by no means, not at all.

ingenmandsland No Man's Land.

ingen|sinde *adv* never. **-steds** *adv* nowhere.

ingenting nothing; *det er ikke for ~ at* it is not for nothing that; *det gør ~ that* doesn't matter; never mind; *lade som ~, se* II. *lade.*

ingenue *(en -r)* ingénue, juvenile lead.

ingrediens *(en -er)* ingredient.

inhabil *adj* disqualified; *dommeren erklærede sig for ~* the judge declared himself disqualified.

inhalation *(en)* inhalation. **inhalere** *vb* inhale.

inhuman *adj* inhuman.

inhumanitet *(en)* inhumanity.

initial *(et -er)* initial (letter). **initialord** initial word.

initiativ *(et)* initiative; *på eget ~* on one's own initiative, T off one's own bat; *det private ~* private enterprise; *tage -et* take the initiative.

initiativrig *adj* enterprising, full of initiative. **initiativtager** *(en -e)* promoter, originator of a project (etc).

injektion *(en -er)* injection; T shot.

injurie *(en -r)* defamation *(mod:* of), *(mundtlig)* slander *(mod:* of), *(skriftlig)* libel *(mod:* of). **injurieproces** action for slander; libel action *(el.* suit). **inju-**

riere vb defame; *(mundtlig)* **slander**; *(skriftlig)* libel.
    injurierende *adj (se injurie)* defamatory, slanderous, libellous.
inkarnation *(en -er)* incarnation.
inkarneret *adj* inveterate *(fx* smoker), confirmed *(fx* bachelor), incarnate *(fx* a devil incarnate).
inkassation *(en)* collection (of money due); *(ad rettens vej)* recovery. **inkassator** *(en -er)* debt collector.
inkasso *(en)* collection; *besørge ~* collect; *energisk ~* efficient collection of debts.
inkasso|forretning debt-collecting business. **-gebyr** collection fee. **-omkostninger** collection charges.
inklination *(en -er) (hældning)* dip, inclination; *(i dans)* invitation. **inklinationsparti** love match. **inklinere:** *~ for en dame* ask a lady for a dance.
inkludere vb include, comprise.
inklusive *adv* inclusive of *(fx £50,* i. of interest), including *(fx* ten persons in all, i. the children); *fra 1.-31. januar ~* from January 1st to 31st inclusive; *~ emballage* packing included.
inkognito *(subst og adv)* incognito.
inkompetence *(en)* incompetence.
inkompetent *adj* incompetent.
inkonsekvens *(en -er)* inconsistency.
inkonsekvent *adj* inconsistent.
inkorporere vb incorporate.
inkubationstid incubation period.
inkvisitionen the Inquisition.
inkvisitorisk *adj* inquisitorial.
innerwing *(en)* inside forward; *spille højre (, venstre) ~* play inside right (, left).
insekt *(et -er)* insect.
insekt|dræbende *adj* insecticide; *~ middel* insecticide. **-samler** *(en -e)* collector of insects. **-ædende** *adj* insectivorous.
insemination *(en -er)* insemination.
inserat *(et -er)* advertisement.
insignier *pl* insignia.
insinuation *(en -er)* insinuation, innuendo *(pl -es).*
insinuere vb insinuate, hint at.
insistere vb insist *(pd:* on, *på at:* that); *hvis du -r på det* if you insist.
inskription *(en -er)* inscription.
insolvens *(en)* insolvency. **insolvent** insolvent.
in spe future, to be *(fx* a poet to be).
inspektion *(en -er)* inspection; *have ~* be in charge. **inspektionshavende** *adj* in charge *(fx* teacher in c.). **inspektor** *(en -er)* inspector.
inspektrice *(en -r)* inspectress.
inspektør *(en -er)* inspector; *(i stormagasin)* shopwalker; *(amr)* floorwalker; *(se ogs politi-, skole- etc.).*
inspicere vb inspect, examine officially.
inspicering *(en)* inspection.
inspiration *(en)* inspiration. **inspirere** vb inspire.
installation *(en -er)* installation, *(elekt ogs)* wiring.
installatør *(en -er)* electrician. **installere** vb install, put in; *~ elektrisk lys i et hus* wire a house for electricity; *~ sig i* move into, install oneself in.
instans *(en -er): første ~ (jur)* court of first instance; *i første ~* in the first instance; *højere (, lavere) ~ (jur)* higher (, lower) court; *i sidste ~* in the last resort, in the final analysis, ultimately.
instinkt *(et -er)* instinct. **instinktiv, instinktmæssig** *adj* instinctive; *adv* instinctively, by instinct.
institut *(et -ter)* institute, institution.
institution *(en -er) (ogs fig om person)* institution.
instruere vb instruct, direct; *(på teater)* produce, rehearse; *(film)* direct.
instruks *(en -er)* instructions *(pl).*
instruktion *(en -er)* instructions; *(brugsanvisning ogs)* directions; *(scene-)* production; direction, *(films-)* direction; *under ~ af (på teater)* produced by; *(om film)* directed by; *følge -en* follow the instructions.
instruktionssygeplejerske sister tutor.
instruktiv *adj* instructive.

instruktør *(en -er)* instructor; *(scene-)* producer; *(films-)* director.
instrument *(et -er)* instrument. **instrumental** *adj* instrumental. **instrumentbræt** dashboard; *(i bil ogs)* fascia.
instrumentere vb orchestrate. **instrumentering** *(en)* orchestration; *(instrumentudstyr)* instrumentation.
instrumentmager *(en -)* instrument maker.
insubordination *(en)* insubordination.
insulin *(et)* insulin. **insulinchok** insulin shock.
intakt *adj* intact.
integral *(et -er)* integral.
integralregning integral calculus.
integrerende integral; *være en ~ bestanddel a* form an integral part of.
integritet *(en)* integrity.
intellektuel *adj* intellectual; *de -le* the intellectuals.
intelligens *(en -er)* intelligence; *-en (de intellektuelle klasser)* the intelligentsia. **intelligens|alder** mental age. **-kvotient** intelligence quotient *(fk* I.Q.). **-prøve** intelligence test.
intelligent *adj* intelligent.
intendantur|korps *(svarer i England til)* the Defence Supply and Secretariat Corps. **-officer:** *øverste ~* Captain (S); [*-er betegnes i øvrigt med deres militære grad med tilføjet* (S)].
intens *adj* intense, intensive *(fx* i. study).
intensitet *(en)* intensity.
intensiv *(= intens)* intense, intensive; *~ dyrkning* intensive cultivation. **intensivering** *(en -er)* intensification.
intention *(en -er)* intention.
interdikt *(et -er)* interdict.
interessant *adj* interesting, of interest; *adv* interestingly.
interesse *(en -r)* interest *(fx* examine sth with great interest; he has no interests; this has no interest for me; in the interest of truth); *have ~ for* take an interest in; *have ~ i at* be interested in -ing; *det har ingen ~ (et afslag)* I am not interested.
interessekontor *(i firma)* personnel welfare department.
interesseløs *adj* uninteresting, without interest.
interessent *(en -er)* partner, interested party.
interessentskab *(et -er)* partnership.
interessere vb interest; *~ sig for* be interested in, take an interest in. **interesseret** interested, concerned; *~ i* interested in.
interessesfære sphere of interest.
interferens *(en)* interference.
interimistisk *adj* provisional, temporary.
interimsbevis scrip.
interiør *(et -er)* interior.
interjektion *(en -er)* interjection.
interkontinental *adj* intercontinental.
intermezzo *(et -er)* intermezzo.
intern *adj* internal *(fx* concern, secretion).
internat *(et -er) (optagelseshjem)* approved school *(for dyr)* animals' home.
international *adj* international. **internationale** *(en -r)* international; *(sang)* the Internationale; *tredje ~* the Third International.
inter|nere vb intern. **-nering** *(en)* internment. **-neringslejr** internment camp.
interparlamentarisk *adj* interparliamentary.
interpellant *(en -er)* questioner, interpellator.
interpellation *(en -er)* question, interpellation.
interpellere vb put a question (to), interpellate.
interplanetarisk *adj* interplanetary.
inter|polation *(en -er)* interpolation. **-polere** vb interpolate. **-punktion** *(en)* punctuation. **-regnum** *(et)* interregnum. **-rogativ** *adj* interrogative.
interval *(et -ler)* interval.
intervenere vb intervene.
intervention *(en -er)* intervention.
interview *(et, -er el. -s),* **interviewe** vb interview.
interviewer *(en -e)* interviewer.

intet *(adjektivisk)* no; *(skilt fra sit subst el. foran of)* none; *(intet af to)* neither; *(substantivisk)* nothing; *er der ~ håb? ~!* is there no hope? none! *~ kan hjælpe os* nothing can help us; *der er ~ nyt under solen* there is nothing new under the sun.
intetanende *adj* unsuspecting.
intetkøn the neuter *(gender) (fx* an adjective in the neuter). **intetkøns-** neuter *(fx* the n. ending).
intet|sigende *adj* meaningless; *(ubetydelig)* insignificant. **-steds** *adv* nowhere.
intim *adj* intimate; *-t adv* -ly.
intimidere *vb* intimidate, bully.
intimitet *(en -er)* intimacy.
intolerance *(en)* intolerance.
intolerant *adj* intolerant.
intonation *(en)* intonation. **intonere** *vb* intone.
intransitiv *adj* intransitive.
intrigant scheming; *~ person* intriguer, schemer.
intrige *(en -r)* intrigue, plot, machination; *(i skuespil)* plot. **intrigere** *vb* intrigue, pull wires.
intrikat *adj* complicated; *(ømtålelig)* ticklish, delicate.
introducere *vb* introduce.
introduktion *(en)* introduction. **introduktionsskrivelse** letter of introduction.
intuition *(en)* intuition. **intuitiv** *adj* intuitive.
invalid *(en -er)* disabled person; *(krigs-)* disabled soldier. **invalide|forsikring** disablement insurance. **-forsorg** the care of disabled persons. **-pension** disablement pension. **invaliditet** *(en)* disablement.
invasion *(en -er)* invasion *(i:* of). **invasionshær** invasion army, invading army.
inventar *(et) (bohave)* furniture; *fast ~* fixtures; *(fig om person)* fixture.
inventarliste *(en -r)* inventory.
inversion *(en -er)* inversion.
investe|re *vb* invest. **-ring** *(en -er)* investment.
invitation *(en -er)* invitation. **invitere** *vb* invite.
involvere *vb* involve.
ion *(et -er)* ion. **ionisere** *vb* ionize. **ioniserings-kammer** ionization chamber.
ir *(en)* verdigris.
Irak Iraq. **iraker** *(en -e)*, **irakisk** *adj* Iraqi.
Iran Iran. **iraner** *(en -e)*, **iransk** Iranian.
irer *se* irlænder.
irettesætte *vb* reprimand, reprove, take to task.
irettesættelse *(en -r)* reprimand, reproof.
iris *(en -er) (anat og ⚘)* iris. **irisblænder** *(fot)* iris diaphragm.
irisk *(en -er) zo* linnet.
Irland Ireland; *(republikken ~)* Eire, Ireland.
irlænder *(en -e)* Irishman; *-ne (nationen)* the Irish; *em -e* five Irishmen.
ironi *(en)* irony; *ved skæbnens ~* by the irony of fate. **ironiker** *(en -e)* irohist. **ironisere:** *~ over* speak ironically of. **ironisk** *adj* ironical; *adv* ironically.
irrational *(mat.)* irrational; *~ størrelse* surd.
irrationel *adj* irrational.
irre *vb* become coated with verdigris.
irregulær *adj* irregular.
irrelevant *adj* irrelevant, not to the point.
irreligiøs *adj* irreligious.
irret *adj* covered with verdigris, verdigrised.
irritabel *adj* irritable. **irritament** *(et -er)* irritant. **irritation** *(en)* irritation. **irritere** *vb* irritate, annoy; *-nde langsom* infuriatingly slow.
irsk Irish.
is *(en)* ice; *(iscreme ogs)* ice cream; *bryde -en (fig)* break the ice; *vove sig ud på tynd ~ (fig)* skate on thin ice; *lægge ham (, projektet) på ~* put him (, the project) in cold storage; *(se ogs glatis)*.
isabellafarvet *adj* Isabella-coloured.
is|afkølet iced. **-bjerg** iceberg. **-bjørn** polar bear. **-blok** block of ice. **-bryder** *(en -e)* ⚓ icebreaker. **-bæger** ice-cream cup. **-båd** ice boat.
iscenesætte *vb* produce, stage; *(om film)* direct;

(fig) stage. **iscenesættelse** *(en -r)* production, staging; *(af film)* direction; *(scenearrangement)* (stage) setting.
iscenesætter *(en -e)* producer; *(af film)* director.
iscreme *(en -r)* ice cream.
ise *vb (hugge is)* cut ice.
iseddike glacial acetic acid.
isenkram hardware, ironmongery; *(amr)* hardware. **isenkramforretning** ironmongery; *(amr)* hardware store. **isenkræmmer** ironmonger, *(amr)* hardware dealer.
is|flade ice sheet. **-flage** (ice) floe. **-fri** ice-free, open. **-fugl** kingfisher.
Ishav: *Det nordlige ~* the Arctic Ocean; *Det sydlige ~* the Antarctic Ocean.
ising *(en -er) zo* dab.
is|kage ice cream. **-kagebod** ice-cream stall *(el.* booth). **-kagemand** ice-cream man. **-kasse** ice box.
iskias *(en)* sciatica. **iskiasnerve** sciatic nerve. **iskiaspatient** sciatic patient.
is|kiosk ice-cream booth *(el.* kiosk). **-kold** cold as ice, icy, ice-cold. **-lag:** *der er ~ på vejen* the road is covered with ice. **-lagt** frozen (over), covered with ice.
Islam Islam.
islamisme *(en)* Islamism, Mohammedanism.
Island Iceland. **islandsk** Iceland, *(om sproget)* Icelandic. **islænder** *(en -e) (person)* Icelander; *(hest)* Iceland pony. **islænderinde** *(en -r)* Icelandic woman, Icelander. **islænding** *(en -e)* Icelander.
islæt *(en)* weft, woof. **islættråd** shoot.
ismand *(iskagesælger)* ice-cream man; *(som bringer krystalis)* iceman.
is|maskine freezer; refrigerator. **-mejeri** dairy.
isne *vb* shiver; *det fik mit blod til at ~* it made my blood run cold. **isnende** *adj* icy, freezing.
isning *(en -er) (det at ise)* ice-cutting.
isolation *(en -er) (afsondring)* isolation; *(elekt, varme- etc)* insulation. **isolationsmateriale** insulating material; *(varme-, fx på vandrør, varmtvandsbeholder)* lagging. **isolator** *(en -er)* insulator. **isoler-bånd** insulating tape. **isolere** *vb (afsondre)* isolate; *(m h t elekt, varme)* insulate; *(vandrør, varmtvandsbeholder)* lag.
isotop *(en -er)* isotope.
is|pind ice lolly; *(selve pinden)* lolly stick. **-pose** ice bag.
isprængt: *~ med* sprinkled with.
Israel Israel. **israeler** *(en -e)* Israeli. **israelit** *(en -ter)* Israelite. **israelitisk** *adj* Israelitic. **israelsk** *adj* Israeli.
isse *(en -r)* crown, top (of the head).
isskab ice box.
isskruning *(en -er)* ice pack.
istandsætte *vb* repair, restore.
istandsættelse *(en -r)* repair, restoration.
istap *(en -per)* icicle.
istemme ★ *(sang)* strike up, *(råb)* send up, raise.
ister *(en)* leaf fat. **istervom** potbelly.
is|tid Ice *(el.* Glacial) Age. **-vaffel** ice-cream wafer, *(kegleformet)* ice-cream cone, cornet. **-vand** ice water. **-vinter** hard winter. **-vogn** ice cart; *(kølevogn)* refrigerator van.
især *adv* especially, particularly, in particular; *hver ~* each, *(hver for sig)* severally, separately, individually.
Italien Italy. **italiener(inde)** *(en)* Italian. **italiensk** *adj og subst* Italian.
itu *adj* in pieces, to pieces; *(-brudt)* broken; *(-revet)* torn; *(i to stykker)* in two; *gå ~* come *(el.* go) to pieces; *rive ~* tear to pieces; *slå ~* break, smash; *være ~* be broken, be torn, be in pieces.
itu|brudt broken. **-revet** torn to pieces. **-slået** smashed, broken.
iver *(en)* zeal, eagerness, ardour; *med ~* eagerly, keenly, zealously.

ivre *vb:* ~ *for en sag* be zealous in a cause; ~ *imod noget* declaim against sth.

ivrig *adj* eager, keen, zealous, ardent; ~ *efter at* eager to; anxious to; ~ *efter at gøre det (ogs)* keen on doing it; ~ *i tjenesten* assidous, zealous; *alt for* ~ *i tjenesten (geskæftig)* officious.

J

J, j *(et -'er)* J, j.
J. *kem tegn for* jod.

ja *(bekræftende)* yes; *(ved vielse)* I will; *(ja gerne)* certainly; *(ja endog)* indeed, in fact, even; *(som indledning, ofte* = *ja ser De)* well; *(indrømmende)* indeed, of course; *(ved afstemning i underhuset)* aye, *(i overhuset)* content; *få (pigens)* ~ be accepted; *besvare med* ~, *svare* ~ answer in the affirmative, answer yes; *sige* ~ *til* accept; ~ *så* I see, (= *virkelig?)* indeed? ~ *vel!* yes! yes, sir! ✗ yes, sir! ⚓ aye aye (, sir)! ~ *vist* certainly; *jeg følte at han ville komme,* ~ *jeg var sikker på det* I felt he would come, indeed I was sure of it; *villig til at modtage drikkepenge,* ~ *bestikkelser* ready to take tips, even bribes; ~, *jeg ved ikke* well, I don't know.
jade *(en)* jade.
jag *(et -)* hurry, haste; *(smerte)* twinge, shooting pain; *det har intet* ~ there is no hurry.
jage *(jog el. jagede, jaget) (gøre jagt på)* hunt; shoot; *(forfølge)* chase, pursue, hunt; *(skynde sig)* hurry, hasten, rush, dart; *(være presserende)* be urgent; *(om smerte)* shoot; *det -r vel ikke?* what's the hurry? ~ *bort* drive away; ~ *efter (eftertragte)* run after, pursue *(fx* success), be out for; *han blev -t fra hus og hjem* he was turned out; ~ *hånden gennem en rude* thrust one's hand through a pane; ~ *i tøjet* fling on one's clothes; *det -r i mine lemmer* I have shooting pains in my limbs; ~ *ham en skræk i livet* give him a fright; ~ *med arbejdet* rush (*el.* hurry) the work; ~ *med en* hustle sby.
jager *(en -e) (torpedo-)* destroyer; *(flyv)* fighter, *(amr ogs)* pursuit plane; *(sejl)* flying jib.
I. **jagt** *(en -e)* ⚓ cutter.
II. **jagt** *(en -er) (som erhverv og parforcejagt)* hunting, *(med bøsse)* shooting; *(forfølgelse)* hunt, chase, pursuit; *-en på harer går ind* the open season for hares begins; *gå på* ~ go (out) hunting (, shooting); *ride på* ~ ride to hounds, follow the hounds, hunt; *være på* ~ *efter* hunt; *(forfølge)* be in pursuit of; *gøre* ~ *på* hunt, pursue; *den vilde* ~ *(fig)* the hue and cry.
jagt|bytte bag. **-bøsse** sporting gun. **-ejer** owner of the shooting (, hunting) rights. **-falk** gerfalcon. **-grund** hunting (, shooting) ground. **-hund** sporting dog, *(amr)* hunting dog; *(især til parforcejagt)* hound. **-kniv** hunting knife. **-leopard** *zo* cheetah. **-lovgivning** game legislation. **-mark** hunting ground; *de evige -er* the happy hunting grounds. **-ret** shooting (, hunting) rights. **-riffel** sporting rifle. **-selskab** hunting party, shooting party; *-et (ved parforcejagt)* the hunt. **-slot** hunting seat, *(mindre)* hunting lodge. **-taske** game bag. **-tegn** game licence. **-terræn** hunting ground. **-tid** hunting (*el.* shooting) season. **-trofæ** trophy. **-udbytte** bag.
jaguar *(en -er) zo* jaguar.
Jakel: *mester* ~*komedie* Punch and Judy show.
jaket *(en -ter)* morning coat; *(amr)* cutaway; *(dame-)* jacket.
jakke *(en -r)* coat, jacket. **jakkesæt** (lounge) suit.
Jakob *(apostlen, kongenavn)* James, *(patriarken)* Jacob. **jakobiner** *(en -e)* Jacobin.
jakobsstige Jacob's ladder.
I. **jalousi** *(en) (skinsyge)* jealousy.
II. **jalousi** *(et -er) (til vindue)* Venetian blind; *(til skab etc)* roll front. **jalousiskab** roll-front cabinet.
jaloux *adj* jealous *(på:* of).

jambe *(en -r)* iamb; iambus *(pl* iambi).
jambisk *adj* iambic.
jamboree *(en -r)* jamboree.
jammer *(en) (elendighed)* misery, wretchedness ; *(klage)* lamentation. **jammerdal** vale of tears. **jammerlig** miserable, wretched, pitiable. **jammerlighed** *(en)* wretchedness, pitiableness. **jamre:** ~ *(sig)* lament, wail; *(klynke)* whimper; *(klage sig)* moan; *(stønne)* groan; ~ *over* lament, wail (over); *(beklage sig)* complain of, *(neds)* whine about.
janitshar *(en -er) (i orkester)* trap drummer; *(hist.)* janizary.
jante *(en -r) (i klink)* dump; *jeg har ikke en* ~ I haven't got a bean.
januar January.
Japan Japan. **japaner** *(en -e)*, **japansk** *adj* Japanese.
jappe *vb (i tale)* gabble, jabber *(fx* one's prayers).
jargon *(en -er)* jargon.
jarl *(en -er)* earl.
jasiger *(en -e)* T yes man.
jask *(et)* slovenly work. **jaske** *vb* be slovenly, scamp one's work; ~ *sit tøj til* mess up one's clothes. **jaskehoved** slap-dash worker. **jaskeri** *(et)* slovenly work.
jasmin *(en -er)* jasmine; *(uægte)* mock orange, syringa. **jaspis** *(en) (et mineral)* jasper.
jastemme affirmative vote.
Java Java. **javaner** *(en -e)*, **javanesisk** Javanese.
jazz *(en)* jazz. **jazzband** jazz band. **jazze** *vb* jazz.
Jeanne D'Arc Joan of Arc.
jeans jeans.
I. **jeg** *(et -'er)* self, ego; *sit eget kære* ~ number one; *hans bedre* ~ his better self.
II. **jeg** I; ~ *selv* I myself; ~ *stakkel* poor me.
jeg-roman novel in the first person.
jens *(en -er) (om soldat, svarer til)* tommy; *(amr)* G. I.; *en pigernes* ~ a ladies' man.
jer *pron* you; *(refleksivt)* yourselves; *morer I* ~? are you enjoying yourselves? *(se ogs* II. *os).*
jeremiade *(en -r)* jeremiad, lamentation.
Jeremias Jeremiah.
jeres your; *(stående alene)* yours.
jern *(et -)* iron; *(flittig person)* hard worker; *gammelt* ~ scrap iron; *have mange* ~ *i ilden* have many irons in the fire; *smede mens -et er varmt* make hay while the sun shines, strike while the iron is hot.
jern|alder iron age. **-bane** railway; *(amr)* railroad; *(-banestation)* railway station, *(amr)* railroad station, depot; *med -n* by rail.
jernbane|billet railway ticket. **-bom** level-crossing gate. **-bro** railway bridge. **-fløjl** corduroy. **-forbindelse** railway connection. **-hotel** railway hotel. **-knudepunkt** junction. **-kupé** (railway) compartment. **-kørsel** railway traffic, travelling by rail. **-linie** (railway) line. **-mand** railwayman, railway employee. **-net** *(skinnenet)* railway system.
jernbane|overskæring level crossing. **-rejse** railway journey. **-restaurant** station restaurant. **-selskab** railway company. **-skinne** rail. **-spor** railway track. **-station** railway station; *(amr)* railroad station, depot. **-tog** (railway) train. **-ulykke** railway accident. **-vogn** railway carriage (*el.* coach), *(amr)* railroad car; *(til gods) se* godsvogn.
jern|beslag iron fastening (*el.* mounting, fitting).

iværksætte *vb* carry into effect; implement *(fx* measures); *(begynde)* start *(fx* a strike).
iværksættelse *(en)* carrying into effect, effectuation; implementation.
iøjnefaldende *adj* conspicuous, *(meget* ~) glaring.
iørefaldende *adj* tuneful, catchy

-beslået adj iron-bound, iron-plated, (støvle etc)
iron-studded. -betón reinforced concrete, ferro
-concrete. -bjælke (iron) girder. -blik sheet iron.
-flid unflagging perseverance (el. industry). -flittig
adj hard-working, indefatigable. -handler (m
gammelt jern) scrap-iron dealer. -helbred iron con-
stitution. -holdig adj ferruginous. -hård (as hard as)
iron. -industri iron industry. -klo iron claw; (fig)
iron hand. -lunge (åndedrætsapparat) iron lung.
-malm iron ore. -pille (med.) iron pill. -stang
iron bar; der var -stænger for vinduerne the windows
were barred with iron. -støberi iron foundry. -sur
adj ferric; -t salt ferrate. -tråd (iron) wire. -tæppe
(på teater) safety curtain; -t (det russiske) the Iron
Curtain. -varer pl ironmongery, hardware. -vilje
iron will. -værk ironworks; (NB an ironworks).
jersey|ko Jersey cow. -trøje jersey.
Jerusalem Jerusalem; -s skomager the Wandering
Jew.
jesuit (en -ter) Jesuit. jesuiterordenen the
Society of Jesus. jesuitisk adj jesuitic(al).
Jesus Jesus; ~ Kristus Jesus Christ; Jesu fødsel the
Nativity; i Jesu navn in the name of Christ.
Jesusbarnet the Infant Jesus.
jet|fly jet plane. -jager jet fighter. -maskine jet
plane. -motor jet engine.
jeton (en -s) counter.
jiddisch (et) Yiddish.
jiu-jitsu jiu-jitsu.
I. jo adv (svarord) yes (fx didn't you see him?
yes I did), certainly; (tøvende) well; (som indled-
ning) well; å ~! (please,) do! ~ pyt! oh go on!
~ så gerne certainly; ~ sdmænd (stærkt bekræftende)
indeed, (betinget bekræftende) well yes, (nogenlunde)
so so, tolerably; ~ vist certainly, of course, (ironisk)
indeed!
II. jo adv (forklarende) you know, you see; (pro-
testerende) why (fx I cannot betray him; why, he
is my friend); der er han ~! why, there he is; vi
vidste ~ godt at of course we knew that; du har ~
været der? you have been there, haven't you?
III. jo conj jo ... jo the ...; the; jo før des bedre
the sooner the better; jo mere jeg øver mig des dår-
ligere synger jeg the more I practise, the worse I sing.
job (et) job.
jobbe vb (neds) speculate.
jobber (en -e) (neds) speculator.
jobspost: en ~ a piece of bad news.
jockey (en -er) jockey. jockeyhue jockey cap.
jod (et) (kem) iodine. jodholdig iodic.
jodle vb yodel. jodlen (en) yodelling.
jog imperf af jage.
Johan John.
Johannes John. johannes|brød carob. -evange-
liet the Gospel according to St. John.
johannitter|ordenen Order of St. John of Jerusa-
lem, Order of Malta. -ridder Knight of Malta.
jokke vb clump, plod, trudge; ~ på tread on.
I. jolle (en -r) dinghy.
II. jolle vb jog; (køre) roll.
jomfru (en -er) (mø) virgin; (hus-) housekeeper;
(kahyts-) stewardess; (smørrebrøds-, omtr =) sand-
wich maid; (brolægger-) rammer, beetle; gammel ~
old maid; ~ Maria the Virgin (Mary).
jomfrubur (lady's) bower.
jomfrudom (en) virginity, maidenhood.
jomfruelig adj virgin, virginal.
jomfruelighed (en) virginity.
jomfru|fødsel virgin birth; zo parthenogenesis.
-hummer zo Norway lobster. -kloster home for
unmarried ladies of rank.
jomfrunalsk adj old-maidish, spinsterish.
jomfru|rejse maiden voyage. -stand virginhood.
-tale maiden speech. -ære maiden honour.
jon (en -er) philanderer, flirt. jone vb flirt.
jonglere vb juggle. jonglør (en -er) juggler.
jonisk adj Ionian.

jord (en -e(r)) earth; (verden) world; (-overfladen)
ground; (jordbund) soil; (jordejendom) land; -er lands;
-ens produkter the products (el. the produce) of the
soil; dyrket ~ cultivated land; frugtbar ~ fertile soil;
sætte himmel og ~ i bevægelse move heaven and earth;
falde i god ~ (fig) be well received; være ved at synke i
-en af skam be ready to sink into the ground with
shame; forbinde med -en (elekt) earth, (amr) ground;
jævne med -en level with the ground, raze; have begge
ben på -en (= være nøgtern) have both feet on the
ground; ligge på -en lie on the ground; her på -en
on earth, here below; falde til -en (ögs fig) fall to the
ground; under -en (ogs fig) underground (fx go u.);
(død) below ground.
jord|arbejde (et) digging, excavation. -banen
(astr) the earth's orbit. -besidder (en -e) landowner.
-brug (et -) agriculture, farming; (gård) farm.
-bruger (en -e) agriculturalist, farmer. -bund (en)
soil. -bunden adj earth-bound, stolid, materialistic.
-bær strawberry. -bærplante strawberry plant. -bær-
syltetøj strawberry jam. -drot great landowner.
jorde vb bury, inter.
jorde|bog cadaster. -færd funeral, interment.
-gods landed property.
jordejendom landed property, land.
jorde|livet the present life, our life on earth.
-moder midwife. -rige the earth.
jordet (jordagtig) earthy.
jord|farve earthen colour. -farvet earth-coloured.
-forbindelse (radio) earth (,amr: ground) connec-
tion. -fæste vb inter. -fæstelse (en) interment.
jordisk adj earthly, worldly, terrestrial, mortal;
-e levninger (el. rester) mortal remains, dust.
jord|kloden the globe. -klump clod (el. lump)
of earth. -krebs zo mole cricket. -lag stratum of
earth. -ledning underground wire (, pipe); (til jord)
earth (amr: ground) lead (el. wire). -lod (en) plot.
-loppe flea beetle. -magnetisme terrestrial magne-
tism. -nød peanut, groundnut.
jord- og betonarbejder navvy.
jord|omsejling circumnavigation of the globe.
-overflade surface of the earth. -periode geological
period. -personale (flyv) ground personnel. -på-
kastelse: forrette -n officiate at the graveside cere-
mony. -refleks (i radar) ground clutter. -reform
land reform. -rystelse earthquake; (svagere) tremor.
-skok (en -ker) Jerusalem artichoke. -skorpen the
earth's crust. -skred landslide; (mindre) earth slip;
(sammenstyrtning) subsidence. -skyld ground rent.
-skælv (et) earthquake. -slået adj damp-stained,
(om lugt og fig) fusty; (papir) foxed, foxmarked.
jordsmon (et) soil, ground.
jord|stryger (en -e) grounder; (sl.) daisy cutter.
-stængel ♁ rhizome, rootstock. -tilliggende (et -r)
land. -udstykning parcelling out of land into small
holdings. -vold bank of earth; (befæstning) rampart,
earthwork. -værdi land value. -værdistigning rise
in the value of land; (ofte =) unearned increment.
jourhavende adj on duty.
journal (en -er) journal; (hospitals) case record;
(for enkelt patient) case sheet.
journalist (en -er) journalist. journalistik (en)
journalism. journalistisk adj journalistic.
jovial adj jolly, hearty. jovialitet (en) jollity,
heartiness.
jubel (en) (begejstring) enthusiasm; (munterhed)
hilarity. jubel|idiot prize idiot. -olding (neds)
dotard, dodderer. -råb pl shouts of joy, cheers. -år
(katolsk) jubilee (year); (jødisk) year of jubilee.
jubilar (en -er) person who celebrates his jubilee.
jubilere vb celebrate a jubilee.
jubilæ|um (et -er) jubilee; 25 års ~ silver jubilee,
25th anniversary; 100 års ~ centenary. jubilæums|-
fest jubilee celebration. -frimærke commemora-
tive (stamp). -skrift jubilee publication.
juble vb shout with joy. jublende adj shouting
with joy, jubilant; ~ glad beside oneself with joy.

Judas *(en)* Judas.

judas|kys Judas kiss. **-penge** *(omtr)* blood money.

judo judo.

Jugoslavien Yugoslavia. **jugoslavisk** Yugoslav.

juks *(et)* trash, rubbish.

jul *(en)* Christmas, Xmas; *glædelig* ~ a merry Christmas; *i* -*en* at Christmas.

jule|aften Christmas Eve; *lille* ~ the night before Christmas Eve. **-dag** *(en af helligdagene)* Christmas holiday; *(første)* ~ Christmas Day; *anden* ~ the day after Christmas Day, *(oftest=)* Boxing Day. **-ferie** Christmas holidays *(el.* vacation). **-fest** Christmas festival. **-gave** Christmas present.

jule|gilde Christmas party. **-hilsen** Christmas greeting. **-indkøb** Christmas shopping. **-kaktus** ♧ Christmas cactus. **-kalender** Advent calendar. **-kort** *(et* -*)* Christmas card. **-lys** *(et)* Christmas candle. **-manden** Santa Claus, Father Christmas. **-morgen** Christmas morning. **-mærke** Christmas seal. **-nat** Christmas night. **-nissen** *(svarer til)* Father Christmas. **-papir** Christmas wrapping paper. **-rose** ♧ Christmas flower, Christmas rose. **-salat** chicory (salad). **-salme** Christmas hymn. **-stads** Christmas tree decorations. **-tid** Christmas (time). **-travlhed** Christmas preparations; *(i forretning)* the Christmas rush. **-træ** Christmas tree; *pynte* -*et* decorate the Christmas tree. **-træspynt** Christmas tree decorations *(el.* trimmings). **-udstilling** Christmas (window) display.

juli July. **juliansk** Julian; ~ *kalender* Julian calendar.

Julie Julia; *Romeo og* ~ Romeo and Juliet.

jumbe *(en* -*r)* governess cart.

jumpe *vb* jog.

jumper *(en* -*s)* jumper.

junge *(en* -*r)* milk can.

jungle *(en* -*r)* jungle.

junglebogen the Jungle Book.

jungletelegraf *(ogs fig)* bush telegraph; *(fig ogs)* grapevine (telegraph).

jungmand ⚓ ordinary seaman.

juni June.

junior *(en,* -*er el.* -*es & adj)* junior. **juniorchef** junior partner.

junke *(en* -*r)* ⚓ junk.

junker *(en* -*e)* young nobleman; *(godsejer)* squire; *(tysk)* junker. **junkeragtig** *adj* cavalier.

Jupiter Jupiter, Jove.

jur. *(fk f juris):* cand. ~ *se* cand.

jura *(en)* law, jurisprudence.

juradannelse Jurassic formation. **juratiden** *(geol)* the Jurassic period.

juridisk *adj* legal, juridical; ~ *bistand* legal advice; ~ *bog* law book; *tage* ~ *embedseksamen* graduate in law; ~ *fakultet* faculty of laws; ~ *forelæsning* lecture on jurisprudence; ~ *kandidat* graduate in law; ~ *konsulent* legal adviser; ~ *set* in the eye of the law, from a legal point of view; ~ *student* law student; ~ *studium* study of law; ~ *udtryk* legal term.

jurisdiktion *(en* -*er)* jurisdiction.

jurisprudens *(en)* jurisprudence.

jurist *(en* -*er)* lawyer; *(retslærd)* jurist; *(student)* law student. **juristeri** *(et)* quibbling, hair-splitting.

jury *(en* -*er)* jury. **jurymedlem** juryman, juror.

just *adv* just, exactly; *ikke* ~ not exactly.

justere *vb (indstille)* adjust *(fx* the brakes); *(måle)* gauge; *(mønt)* weigh; *(anerkende ved stempling)* verify and stamp.

justering *(en)* *(se justere)* adjusting, adjustment; gauging; weighing; verification and stamping.

juster|kammer *(svarer til)* the Standards Depart-

ment; *(amr)* the Bureau of Standards. **-mester** director of weights and measures.

justits *(en)* administration of justice; *holde* ~ keep order.

justits|minister Minister of Justice; *(intet tilsvarende i Engl).* **-ministerium** Ministry of Justice; *(i England omtrent)* Home Office; *(i U.S.A. omtrent)* Department of Justice. **-mord** miscarriage of justice, *(henrettelse)* judicial murder.

jute *(en)* jute.

juvel *(en* -*er)* jewel, gem. **juvelér** *(en* -*er)* jeweller. **juvelérarbejde** jewellery. **juvelérforretning** jeweller's (shop). **juvelskrin** jewel case.

jvf. *(fk f jævnfør)* cf. *(læses:* compare).

jyde *(en* -*r)* Jutlander.

Jylland Jutland. **jysk** Jutland(ish).

jæger *(en* -*e)* *(af erhverv)* hunter; *(pels-)* trapper; *(herregårdsskytte)* gamekeeper; *(lyst-)* sportsman, *(amr)* hunter; ⚔ chasseur.

jægermæssig *adj* sportsmanlike.

jægersang hunting-song.

jægersmand sportsman.

jægersprog sporting jargon.

jærtegn *(et* -*)* *(forvarsel)* omen, portent; *(mirakel)* miracle.

jærv *(en* -*e)* *zo* wolverine.

jætte *(en* -*r)* giant. **jætte|kvinde** giantess. **-stue** passage grave. **-stærk** Herculean.

jævn *adj (flad)* even, level, plane, *(glat)* smooth; *(om bevægelse etc)* even, steady, regular, uniform; *(gradvis)* gradual, gentle; *(tyktflydende)* thick; *(uden klumper)* smooth; *(enkel, dagligdags)* plain, ordinary, common; *(middelmådig)* mediocre; *(nogenlunde)* tolerable, moderate; *(ligefrem)* plain, simple; *den* -*e mand* the man in the street, the common man; -*t godt* fairly well; *holde sig på det* -*e* keep one's feet on the ground.

jævnaldrende *adj* of the same age; *han har ingen* ~ *venner* he has no friends of his own age.

jævnbyrdig *adj* equal; *(mht fødsel)* of equal birth; *finde en* ~ *modstander* find one's match; *de to boksere var* ~ *modstandere* the two boxers were well matched; *en* ~ *kamp* an equal fight; *(i sport)* an even match.

jævndøgn equinox.

jævndøgnsstorm equinoctial gale.

jævne *vb* level, smooth; *(bringe ud af verden)* smooth away *(fx* difficulties); adjust, set right; *(sauce etc)* thicken; *det* -*r sig nok* it'll be all right, it will work itself out; ~ *med jorden* level with the ground, raze, completely destroy; ~ *vejen for* smooth the path for.

jævnføre ★ compare. **jævnførelse** comparison.

jævnhed *(en)* evenness, smoothness, uniformity, plainness, simplicity *(se ogs jævn).*

jævning *(en)* levelling; *(ligemand)* equal; *(på suppe etc)* thickening.

jævnlig *adj* frequent; *adv* frequently, often.

jævnsides side by side, abreast; *(fig)* simultaneously; ~ *med* together with, along with.

jævnstille *vb* place side by side, parallel.

jævnstrøm *(elekt)* direct current, D. C.

jøde *(en* -*r)* Jew; *den evige* ~ the Wandering Jew. **jøde|dom** Jewry. **-dreng** Jewish boy. **-folk** Jewish people. **-forfølgelse** persecution of the Jews; *(massakre)* pogrom. **-had** anti-Semitism. **-kirsebær** winter cherry. **-kvarter** Jewish quarter; ghetto *(pl* -es). **-land** Palestine. **-pige** Jewish girl. **-skole** Jewish school. **-smovs** *(en* -*er)* sheeny.

jødinde *(en* -*r)* Jewess. **jødisk** *adj* Jewish.

jøk|el *(en* -*ler)* glacier.

jøsses T O Lord!

K

K, k *(et -'er)* K, k.
kabale *(en -r) (intrige)* intrigue, cabal; *(med kort)* patience; *(amr.)* solitaire; *-n går op* the patience comes out; *lægge -r* play patience.
kabaret *(en -ter) (varieté)* cabaret; *(mad)* hors d'oeuvres. **kabaretfad** hors d'oeuvre dish.
kabbeleje *(en -r)* ✚ marsh marigold.
kabel *(et, kabler)* cable.
kabel|bane funicular railway. **-brønd** cable vault. **-fabrik** cable factory.
kabine *(en -r)* ✛ cabin; *(flyv)* (passenger) cabin; *(bade-)* cubicle. **kabinescooter** bubble car.
kabinet *(et -ter) (lille værelse)* cabinet; *(fruens)* boudoir; *(lønkammer)* closet; *(ministerium)* Cabinet; *(kasse til radio og TV)* cabinet.
kabinets|billede cabinet photograph. **-minister** Cabinet minister. **-sekretær** private secretary. **-spørgsmål** question *(el.* matter) of confidence.
kabliau *(en -er)* (large) cod.
kabyler *(en-e)* Kabyle.
kabys *(en -ser)* ✛ galley.
kachot *(en -ter)* lock-up *(fx.* put sby in the lock **-up,** be in the lock-up), clink, jug *(fx* be in clink, in jug); *sætte i -ten (ogs)* jug.
kadaver *(et -e)* corpse, carcass.
kadaverdisciplin robot-like discipline.
kadence *(en -r)* cadence.
kadet *(en -ter) (under uddannelse)* naval cadet; *(derefter)* midshipman.
kadetskib training ship (for naval cadets).
kadre *(en -r)* cadre.
kadrejer *(en -e)* ✛ bumboatman; *(-båd)* bumboat.
kafé *(en, kafeer)* café, restaurant.
kaffe *(en)* coffee; *brænde* ~ roast coffee.
kaffe|bar *(en -er)* small cafeteria. **-bønne** coffee bean *(el.* berry). **-grums** coffee grounds.
kaffein *(et)* caffeine.
kaffe|kande coffee pot. **-kolbe** (vacuum) coffee maker. **-kop** coffee cup. **-mølle** coffee mill. **-pose** [filtering bag used in making coffee].
kaffer *(en -e)* Kaffir.
kaffe|slabberads coffee party. **-stel** coffee service. **-surrogat** coffee substitute. **-søster** coffee fiend. **-tilsætning** coffee substitute.
kaftan *(en -er)* caftan.
kage *(en -r)* cake; *(konditor-, omtr)* fancy cake; *(tærte)* tart; *(små-)* biscuit; *(amr)* cookie; *(bi-)* honeycomb; *(skorpe, lag)* cake, crust; *klappe* ~ *(børnesprog)* pat-a-cake; *mele sin egen* ~ feather one's nest.
kage|form baking tin. **-gaffel** pastry fork. **-kone** *(som sælger kage)* cake woman; *(af kage)* gingerbread woman; *(fig)* old woman, milksop. **-mand** *(af kage)* gingerbread man. **-rulle** rolling-pin. **-ske, -spade** cake slice. **-spore** jagging-iron. **-tallerken** tea plate.
kagle *vb.* cackle. **kaglen** *(en)* cackling.
kahyt *(en -ter)* cabin; *anden* ~ second class (cabin). **kahyts|dreng** cabin boy. **-jomfru** stewardess. **-passager** cabin passenger. **-trappe** companion ladder, companion way.
kainsmærke brand of Cain.
kaj *(en -er)* quay, wharf; *ved -en* alongside the quay.
kajak *(en -ker)* kayak.
kaje *(en -r) (vulgært = mund)* jaw; *bruge -n* jaw; *en på -n* a sock on the jaw; *holde -n* hold one's jaw.
kakadue *(en -r)* zo cockatoo.
kakao *(en)* cocoa.
kakao|bønne cocoa bean. **-smør** cocoa butter.
kakerlak *(en -ker)* zo cockroach.
kaki *(en el. et)* khaki.
kak|kel *(en -ler)* tile.
kakkelbord tile-topped table.
kakkelovn stove, all-night burner *(svarer ofte til*

kamin:) fireplace; *have ild i -en* have a fire; *der er lagt i -en til ham* he'll catch it, he is in for it.
kakkelovns|krog chimney corner. **-rør** *(et -)* stovepipe. **-skærm** fire screen. **-sværte** stove polish.
kaktus *(en -ser el. -)* cactus.
kalabas *(en -ser)* calabash.
kalamitet *(en -er)* calamity.
kalas *(et -er)* jollification, blow-out.
kalcium *(et)* calcium.
kald *(et -) (indre tvang)* vocation *(fx* feel a v. for sth.); *(livsopgave)* calling, mission; *(præstekald)* living.
kalde ★ call; *(tilkalde)* send for, call in; *(udnævne)* appoint, nominate; *(benævne)* call, name; *(radio, telefon)* call; ~ *bort* call away; *blive kaldt bort (fig)* pass away; *det -r jeg fodbold!* that's what I call football! *lade en* ~ send for sby; *call* sby in; *ogsd -t* alias, otherwise known as; ~ *en op efter* call *(el.* name) sby after; ~ *på* call; ~ *sammen* call (together), convoke, convene, summon; *føle sig -t til at* feel called upon to; *du kommer som -t* you are the very man *(,* woman *etc)* we want.
kaldelse *(en)* vocation; *(udnævnelse)* nomination.
kaldesignal call signal.
kalds|brev deed of institution. **-fælle** colleague. **kaldskapellan** *(omtr =)* curate.
kaleche *(en -r) (på bil el. barnevogn)* hood, *(amr)* (folding) top; *slå -n ned (, op)* put the hood down *(,* up).
kalechevogn barouche.
kalejdoskop *(et -er)* kaleidoscope.
kalender *(en -e)* calendar. **kalenderår** calendar year.
kalfatre caulk. **kalfatrer** *(en -e)* caulker.
kali *(et)* potash.
kalib|er *(en -re)* calibre, bore; *(art)* stamp, calibre.
kalif *(en -fer)* caliph. **kalifat** *(et)* caliphate.
Kalifornien California. **kalifornisk** Californian.
kalium *(et)* potassium.
I. **kalk** *(en -e) (alter-)* chalice; *(fig)* cup.
II. **kalk** *(en) (jordart)* lime; *(mur-)* mortar, *(hvidte-)* whitewash; *(pudse-)* plaster; *(bestanddel af føde)* calcium; *brændt* ~ quicklime.
kalk|brud *(et -)* limestone quarry. **-brænder** lime burner. **-brænderi** lime kiln.
kalke *(behandle med kalk)* lime; *(hvidte)* whitewash; *-de grave (bibl)* whited sepulchres.
kalkere *vb* trace. **kalkerpapir** *(gennemsigtigt)* tracing paper; *(karbon-)* carbon paper.
kalk|holdig *adj* calcareous, chalky. **-jord** calcareous soil. **-lag** layer of lime. **-maleri** *(billedet)* fresco; *(processen)* fresco painting. **-ovn** lime kiln. **-puds** *(et)* plaster(ing). **-sten** limestone. **-stensbrud** limestone quarry.
kalkulation *(en -er)* calculation. **kalkulations-pris** estimated price. **kalkulator** *(en -er)* calculator. **kalkule** *(en -r)* estimate, calculation. **kalkulere** *vb* calculate.
kalkun *(en -er)* turkey.
kalkunsk *adj:* ~ *hane* turkey cock.
kalkvand limewater.
kalla *(en -er)* ✚ calla.
kalli|graf *(en -er)* calligrapher. **-grafere** *vb* calligraph. **-grafi** *(en)* calligraphy. **-grafisk** calligraphic.
kallun *(et -er)* zo abomasum; *(mad)* tripe; *vende -et* puke.
kalorie *(en -r)* calorie. **kalorie|fattig** *adj* with a low calorie value. **-værdi** calorific *(el.* calorie) value. **kalorimeter** *(et, kalorimetre)* calorimeter.
kalorius *(en)* beggar, blighter; *(om en vigtig person)* his nibs; *(den skyldige)* the culprit.
kalot *(en -ter)* skullcap, *(katolsk præsts)* calotte.

kalv *(en -e)* calf *(pl* calves); *(då-)* fawn.
kalve|bov shoulder of veal. **-brissel** sweetbread.
-bås calf stall. **-kastning** contagious bovine abortion. **-kastningsfeber** undulant fever. **-knæ** *pl* knock-knees. **-knæet** *adj* knock-kneed. **-kotelet** veal cutlet *(el.* chop). **-krøs** *(et)* shirt frill. **-kød** veal. **-lever** calf's liver. **-skind** calf (skin); *(pergament)* vellum. **-steg** roast veal. **-tunge** calf's tongue.
kam *(en -me)* comb; *(på nøgle)* bit; *(på hjelm, bjerg, bølge)* crest; *(hane-)* comb; *(på slagtedyr)* loin, back; *få ~ til sit hår* meet one's match; *blive rød i -men* turn red, flush, *(blive hidsig)* flare up, get into a temper; *skære alle over én ~* apply the same yardstick to everybody; lump them all together.
kamé *(en, kameer)* cameo.
kamel *(en -er)* camel. **kamelhår** camel hair.
kamelia *(en -er)* ♣ camellia.
kameluld camel hair.
kamera *(et -er)* camera.
kamfer *(et)* camphor. **kamferdråber** *(pl)* camphorated spirits. **kamferolie** camphorated oil.
kamgarn worsted.
kamille *(en -r)* camomile. **kamillete** camomile tea.
kamin *(en-er)* fireplace, hearth; *(kakkelovn)* stove.
kamin|gesims mantelpiece. **-gitter** fender. **-passiar** fireside chat. **-rist** fire grate. **-tæppe** hearthrug.
kam|mer *(et -re)* room; *(i rigsdag)* chamber, house; *(i skydevåben, hjerte, gravhøj)* chamber; *(i sluse)* lock.
kammerat *(en -er)* friend, companion; *(retorisk)* comrade, T pal, chum; *(amr)* buddy; *(til søs)* shipmate; *(blandt arbejdere)* mate; *(officers-)* brother officer; *(soldater-)* fellow soldier; *(skole-)* schoolfellow; *(studie-)* fellow student; *(klasse-)* classmate; *(lege-)* playmate; *(i tiltale)* old fellow; *(mellem kommunister)* comrade; *dårlig ~* bad sport; *en ordentlig ~ (om ting)* a thumping big one.
kammeratlig *adj* chummy, friendly; *-t samvær* an informal gathering.
kammeratskab *(et)* good fellowship.
kammeratægteskab companionate marriage.
kammer|dug *(en)* cambric, *(tyndt)* lawn. **-herre** *(omtr =)* chamberlain, Lord-in-Waiting *(bruges ikke som blot titel i Engl. og ikke foransat navnet).* **-jomfru** lady's maid. **-jæger** rodent exterminator, rat catcher. **-musik** chamber music. **-pige** lady's maid; *(på hotel etc)* chambermaid. **-potte** chamber pot; T jerry. **-tjener** valet. **-tone** concert pitch; *(spøgende)* the right tone.
kamp *(en -e)* fight, combat, *(langvarig, hård, ogs fig)* struggle; *(*⚔ *ogs)* action; *(sports-)* match, game; contest; *-en for tilværelsen* the struggle for life; *indre ~* inward struggle; *~ på liv og død* life-and-death struggle; *tage -en op* give battle; show fight; *tage -en op for noget* take up the cudgels for sth; *tage -en op med dem* make a stand against them.
kampagne *(en -r)* campaign.
kamp|beredt *adj* prepared (to fight); *(fig ogs)* up in arms. **-dommer** *se* dommer. **-dygtig** ⚔ effective.
kampere *vb* camp.
kampesten granite boulder.
kamp|flyvemaskine ⚔ fighter. **-flyver** *(fly)* fighter; *(pilot)* fighter pilot. **-glæde** *se -lyst.* **-hane** game cock, fighting cock; *(fig)* hotspur. **-klar** *adj* ready for action. **-leder** *(i amatørboksning)* judge; *(i professionel boksning)* referee. **-lyst** *(en)* fighting spirit, love of fighting. **-lysten** *adj* eager to fight. **-plads** battlefield; *(arena)* arena. **-råb** war cry, battle cry. **-valg** contested election. **-vilje** readiness to fight, fighting spirit. **-vogn** ⚔ tank.
kamæleon *(en -er)* zo chameleon.
kan *præs. af* kunne.
kanadier *(en -e),* **kanadisk** *adj* Canadian.
kanal *(en -er)* *(gravet)* canal; *(naturlig og fig)* channel; *(kloak etc)* drain, sewer; *-en (mellem Engl. og Frankrig)* the Channel.

kanaldyne ribbed eiderdown.
kanalisere *vb* canalize.
kanalje *(en -r)* rascal.
kanalvælger *TV* channel selector.
kana|pé *(en -peer)* *(møbel)* settee; *(mad)* canapé.
kanarie|frø *(et -)* canary seed. **-fugl** canary (bird).
kanarisk: *De -e Øer* the Canary Islands.
kancelli *(et -er)* chancellery.
kancellistil *(svarer til)* Civil Service style; *(neds)* officialese.
kande *(en -r)* jug, pitcher; *(amr)* pitcher; *(kaffe- etc)* pot; *(servante-)* ewer.
kandelab|er *(en -re)* candelabrum.
kande|støber *(en -e)* pewterer; *politisk ~* armchair politician. **-støberi** *(fig)* armchair politics.
kandidat *(en -er)* *(valg-)* candidate; *(ansøger)* candidate, applicant; *(eksamens-)* examinee, candidate; *(som har bestået eksamen)* graduate; *(på hospital)* house physician (, surgeon), houseman; *(amr)* intern; *juridisk (, teologisk) ~* graduate in law (, in divinity).
kandidatur *(en -er)* candidature, candidacy.
kandis *(en)* sugar candy.
kandisere *vb* candy; *-t frugt* crystallized fruit.
kane *(en -r)* sleigh, sledge.
kanebjælde sleigh bell.
kane|føre sleighing. **-hest** sleigh horse.
kanel *(en el. et)* cinnamon; *en stang ~* a stick of cinnamon; *stødt ~* powdered cinnamon.
kanin *(en -er)* rabbit. **kaninbur** rabbit hutch.
kannelere *vb* channel, flute.
kannelure *(en -r)* fluting.
kannevas *(et)* canvas.
kannibal *(en -er),* **kannibalsk** *adj* cannibal.
kannik *(en -er)* canon.
kano *(en -er)* canoe.
I. **kanon** *(en -er)* *(regel etc)* canon; *(kædesang)* round.
II. **kanon** *(en -er)* ⚔ gun; *som skudt ud af en ~* like a shot; *as if shot (el.* propelled*)* from a gun.
kanonade *(en -r)* cannonade.
kanonbåd gunboat.
kanoner *(en -er)* gunner.
kanon|fotograf street photographer. **-fuld** *adj* dead drunk. **-føde** cannon fodder.
kanonisere *vb* canonize. **kanonisering** *(en)* canonization. **kanonisk** *adj* canonical.
kanon|kugle cannon ball. **-lavet** *(en)* gun carriage. **-port** ⚓ gun port. **-skud** gunshot. **-slag** maroon. **-torden** thunder of guns.
kanske perhaps, maybe.
kansler *(en -e)* chancellor.
kant *(en -er)* edge, border; *(af flade ogs)* margin, *(af noget rundt)* rim; *(på stof)* selvage; *(smalside)* edge *(fx* the e. of a board); *(egn)* region, part of the country; *(å -erne slebet af (fig.)* have one's corners rubbed off; *fra alle -er* from every quarter; *fra den ~ (fig: fra ham)* from that quarter; *undersøge i alle ender og -r* examine inside and out; *på disse -er* in these parts; *komme på ~ med* fall out with; *være på ~ med* be at odds with; *der må være en ~ (fig)* you must draw the line somewhere.
kantarel *(en -ler)* ♣ chanterelle.
kantate *(en -r)* cantata.
kante *vb* border, edge; *~ sig* edge *(fx* through the door; round the table); *~ sig ind* get in edgeways.
kantebånd edging, braid, border.
kantet *adj* angular, edged; *(fig)* a wkward, angular.
kantine *(en -r)* canteen.
kanton *(en -er)* canton.
kantonnement *(et -er)* cantonment; *ligge i ~* be billeted, be quartered.
kantor *(en -er)* precentor.
kantsten kerb, *(amr)* curb; *(den enkelte sten)* kerbstone, *(amr)* curbstone.
kanut *(en -ter)* chap, fellow, bloke.

kanyle *(en -r) (i sprøjte)* hypodermic needle; *(til dræn)* cannula.

kaolin *(en)* kaolin.

kaos *(et)* chaos. kaotisk *adj* chaotic.

I. kap *(et) (forbjerg)* cape, promontory, headland; *Kap det gode Håb* the Cape (of Good Hope); *Kap Farvel* Cape Farewell.

II. kap: *om ~* in competition; *løbe om ~* race; *løbe om ~ med en* race sby; *de gravede om ~* they had a digging-match.

kapabel *adj* capable *(til:* of).

kapacitet *(en)* capacity; *(fabriks etc)* productive capacity; *han er en ~* he is a first-rate man.

kapel *(et -ler)* chapel; *(ligkapel)* mortuary; *(på kirkegård ogs)* chapel of rest; *(orkester)* orchestra.

kapellan *(en -er)* curate; *residerende ~* perpetual curate.

kapelmester conductor.

kaper *(en -e)* ⚓ privateer. kaperbrev letter(s) of marque.

kapere *vb* grasp, understand.

kapers *(en -)* capers. kaperssovs caper sauce.

kapervogn cab, hackney coach.

kapgang race-walking; *(enkelt)* walking-race.

I. kapital *(en -er)* capital; *(hovedstol)* principal.

II. kapital *adj* cardinal, paramount; *en ~ dumhed* a colossal blunder.

kapital|anbringelse investment. -flugt flight of capital.

kapitalisere *vb* capitalize.

kapitalisme *(en)* capitalism. kapitalist *(en -er)* capitalist. kapitalistisk *adj* capitalist(ic).

kapitalstærk financially strong, with a large capital, substantial.

kapit|el *(et -ler)* chapter; *i det ~ (fig)* in that respect; *det er et afsluttet ~ (fig)* that is a closed chapter, that is a thing of the past.

kapitolium the Capitol.

kapitu|lation *(en)* capitulation, surrender *(fx* unconditional s.). -lere *vb* capitulate, surrender.

kapitæl *(en -er)* capital. kapitælbånd headband.

Kaplandet Cape Colony.

kapløb (foot) race; *(fig)* race *(om :* for).

kapok *(en)* kapok.

I. kappe *(en -r) (overtøj)* cloak, mantle; ✂ (great-) coat; *(dommer-, akademisk etc)* gown; *(hovedbeklæd-ning)* cap; *(gardin-)* pelmet; *(sko-)* counter; *bære -n på begge skuldre* run with the hare and hunt with the hounds; *tage noget på sin ~* make oneself responsible for sth, take sth on one's (own) shoulders.

II. kappe *vb* ⚓ cut (away); *(et træ)* poll, lop; *(styne)* pollard; *~ bådens fortøjninger* cut the boat adrift; *~ hovedet af ham* cut off his head.

kappelyst competitive spirit, spirit of emulation. kappes *vb* vie *(med:* with; *om:* in), compete *(med:* with; *om:* for). kappestrid competition; *en ædel ~* a generous competition.

kapre *vb* seize, capture, get hold of.

kaprice *(en -r)* caprice, whim.

kapriciøs *adj* capricious.

kaprifoli|um *(en -er)* woodbine, honeysuckle.

kapriol *(en -er)* caper; *gøre -er* cut capers.

kaproning boat race.

kaproningsbåd racing-boat.

kaprustning armaments race.

kapsejlads regatta, sailing(-boat) race.

kaps|el *(en -ler)* capsule; *(ur-)* case; *(flaske-)* cap; *(øl- ogs)* crown cork.

kapsko *(en pl d. s.)* clog.

kapskydning shooting-match.

Kapstaden Cape Town.

kapsvømning swimming-match *(el.* race).

kaptajn *(en -er)* captain; *(i flåden)* commander.

kaptajnløjtnant *(kan gengives)* senior lieutenant; *(i flåden)* lieutenant-commander.

kapuciner *(en -e)* Capuchin (friar).

kapun *(en -er)* capon.

kar *(et -) (ogs fig, zo,* ⚘) vessel; *(stort)* vat; *der er brodne ~ i alle lande* there is a black sheep in every flock.

karabin *(en -er)* carbine. karabinhage snaphook.

karaf|fel *(en -ler)* decanter, *(til vand)* waterbottle.

karakter *(en -er)* character; *(sind ogs)* disposition; *(i skole)* mark, *(amr)* grade.

karakter|bog mark book, *(amr)* grade book.-egen-skab characteristic, quality, trait. -fast firm, strong. -fasthed firmness of character. -givning marking, *(amr)* grading.

karakterisere *vb* characterize. karakteristik *(en)* characterization; *(skildring af en persons karakter)* character sketch; *(mat.)* characteristic. karakteristisk *adj* characteristic; *~ for* characteristic of.

karakter|løs spineless, feeble. -løshed spine-lessness, feebleness. -skuespiller »straight« actor. -styrke strength of character. -svaghed weakness of character. -svaghed weakness of character. -tegning character sketch; *(handlingen)* delineation of character. -træk *(et)* characteristic,trait.

karambolage *(en) (i billard)* cannon; *(amr)* carom; *komme i ~ med (fig)* collide with, fall foul of. karambolere *vb (i billard)* cannon; *(amr)* carom.

karamel *(en -ler)* caramel; *(ofte:)* piece of toffee.

karantæne *(en -r)* quarantine; *holde ~ be* in quarantine. karantæne|flag quarantine flag. -læge Port Medical Officer. -pas pratique. -pligtig liable to quarantine.

karat *(en -)* carat; *18 -s guld* eighteen-carat gold; *af højeste ~ (fig)* of the first water.

karavane *(en -r)* caravan. karavanevej caravan route.

karbad bath; T tub *(fx* I prefer a tub to a shower).

karbid *(en)* carbide.

karbolsyre *(en)* carbolic acid.

karbolvand solution of carbolic acid.

karbonade *(en -r) (svarer til)* rissole; *(kotelet)* cutlet.

karbonat *(et -er)* carbonate.

karbonpapir carbon paper.

karbunk|el *(en -ler)* carbuncle.

karburator *(en -er)* carburetter.

kardanaksel propeller shaft.

kardansk *adj: ~ ophængning* cardanic *(el.* cardan) suspension; *~ ophængt* mounted on *(el.* hung in) gimbals.

karde *(en -r og vb.)* card.

kardemomme *(en)* cardamom.

kardinal *(en -er)* cardinal. kardinal|punkt *(kerne-punkt)* crucial point. -tal cardinal number *(talord)* cardinal numeral.

karduspapir brown *(el.* wrapping-) paper.

kardæsk *(en -er) (børste)* (horse) brush; *(se ogs kartæsk).*

karens|forsikring assurance without medical examination. -tid waiting-period.

karessere *vb* fondle, caress.

karet *(en -er)* coach; *være vild på -en (forkert ori-enteret)* be barking up the wrong tree; *(forstyrret)* be off one's head.

karetmager coach builder.

karikatur *(en -er)* caricature. karikaturtegner caricaturist, cartoonist. karikere *vb* caricature.

karklud dish cloth; *han er en ~* he has no guts.

I. karl *(en -e) (på landet)* farmhand; *(stald-)* groom, *(i kro)* ostler; *(hotel-)* boots, *(fyr)* fellow, chap; *(amr)* guy; *en fandens (el. farlig) ~* the devil of a fellow; *han er ~ for sin hat* he can hold his own.

II. Karl Charles; *~ den Store* Charlemagne.

Karlsvognen the (Great) Bear, *(amr)* the (Big) Dipper.

karm *(en -e) (dør-)* door-casing; *(vindues-)* window frame, *(karmfod)* window sill; ⚓ *(luge- etc)* coaming; *(brønd-)* well curb.

karmin *(en),* karminrød *adj* carmine.

karmoisin *(et),* karmoisin(rød) *adj* crimson.

karnap *(en -per)* bay. karnapvindue bay *(el.* bow) window.

karneval *(et -ler) (karnevalstid)* carnival; *(maskebal)* fancy-dress ball. **karnevalsdragt** fancy dress.

karnis *(en -ser)* cornice, moulding.

karnøfle *vb:* ~ en give sby what-for.

karotte *(en -r)* ⚘ carrot.

Karpaterne *pl* The Carpathians.

karpe *(en -r) zo* carp; ide.

karre *(en -r)* cart.

karré *(en, karreer)* ✗ square; *(hus-)* block.

karriere *(en -r) (persons forfremmelse)* career *(fx a brilliant c.); (om hest)* run; *i strakt* ~ at a run, at a gallop.

karrig *adj (nærig)* stingy, miserly, niggardly; *(knapt tilmålt)* scanty, ~ *med* sparing of. **karrighed** *(en)* stinginess.

karrosse *(en -r)* coach.

karrosseri *(et -er)* body.

karrusel *(en -ler)* merry-go-round, roundabout; *køre i* ~ ride on a merry-go-round. **karruselhest** hobbyhorse.

karry *(en)* curry; *kalvekød i* ~ curried veal.

karse *(en)* ⚘ cress. **karse|hår** crew (hair)cut. **-klippet** crew-cut.

karsk *adj* sound, healthy.

karte *(en -r og vb)* card.

kartel *(et -ler)* cartel.

kartoffel *(en, kartofler)* potato *(pl. -es); en heldig* ~ a lucky beggar.

kartoffel|mel potato flour. **-mos** mashed potatoes, mash. **-næse** T bottle nose. **-optager** *(en -e)* potato lifter; *(roterende)* p. spinner. **-skræl** potato peel. **-tryk** potato print.

karton *(en el. et, -er)* pasteboard, cardboard; *(kartonæske)* cardboard box, carton; *en* ~ *cigaretter* a carton of cigarettes.

kartonneret *adj* in paper boards.

kartotek *(et -er)* card index, card file.

kartotek|kort index card. **-skab** filing-cabinet. **-skuffe** card-index tray. **-æske** file box.

kartæske *(en -r) (projektil)* grapeshot; *skyde med -r* fire grapeshot.

karusse *(en -r) zo* crucian (carp).

karyatide *(en -r)* caryatid.

kasemat *(en -ter)* ✗ casemate.

kaserne *(en -r)* ✗ barracks; *(leje-)* tenement house. **kasernere** *vb* barrack; *være -t* live in barracks.

kasimir *(et stof)* cashmere.

kasino *(et -er)* casino.

kaskade *(en -r)* cascade.

kaskelot *(en -ter) zo* sperm whale.

kasket *(en -ter)* cap.

kasko *(en)* hull. **kaskoforsikring** *(om bil)* insurance covering loss of or damage to the car; ⚓ hull insurance.

kaspisk: *Det -e Hav* the Caspian Sea.

kassabel *adj* useless, worthless.

kassation *(en -er) (af noget ikke længere brugeligt)* scrapping, condemnation; *(af noget uantageligt)* rejection; *(på session)* rejection; *(af dom)* reversal; *(i straffesag)* quashing *(fx* q. of a conviction).

kasse *(en -r)* box, case, chest; *(pak-)* packing-case, *(tremme-)* crate; *(kassererkontor)* cashier's office; *(kassererpult)* cash desk; *(neds om hus)* barn; *en* ~ *cigarer* a box of cigars; *tage af -n (⊃: stjæle)* embezzle; *gøre -n op* balance the cash; *være pr.* ~ be in funds; *få på -n* get a box on the ear; *give en et par på -n* box sby's ears; *sidde på -n* hold the purse strings.

kasse|apparat cash register. **-bedrøver** embezzler. **-beholdning** cash in hand, cash balance. **-bog** cash book. **-kredit** cash credit; *(svarer ofte til)* overdraft. **-mangel** deficiency; *(uredelig)* defalcation. **-overskud** surplus, balance in hand.

kassere *vb (som ikke længere brugeligt)* discard, scrap; *(som uantagelig)* reject; *(ved session)* reject; *(om dom)* reverse, *(i straffesag)* quash; *(om valg)* invalidate.

kasserer *(en -e) (i forretning)* cashier; *(i bank, overordnet)* (head) cashier; chief *(el.* first) teller; *(som*

ekspederer) bank clerk, counter cashier, teller; *(i forening)* (honorary) treasurer. **kassererkontor** cashier's office.

kasserolle *(en -r)* saucepan.

kassestykke draw, box-office play.

kassesvig embezzlement, defalcation; *(om offentlige penge)* peculation; *begå* ~ embezzle, peculate.

kassette *(en -r) (til film)* cassette, *(til fotografiske plader)* plate holder; *(til bog)* slip case; *(arkit)* coffer.

kast *(et -)* throw, toss, shy; *(vindstød)* gust; ~ *med hovedet* toss of the head; *give sig i* ~ *med* tackle.

kastagnet *(en -ter)* castanet.

kastanie *(en -r)* chestnut; *ægte* ~ sweet chestnut; *rage -rne ud af ilden for en* pull the chestnuts out of the fire for sby.

kastaniebrun chestnut.

I. **kaste** *(en -r)* caste.

II. **kaste** *vb* throw, *(højtideligt og fig)* cast, *(voldsomt el. foragteligt)* fling, *(smide)* pitch, toss, T chuck, shy; *(i kricket)* bowl; *(afføre sig)* throw off; *(løv, frugter)* shed; *(føde)* bring forth, drop, throw; *(for tidlig)* cast; *(sy)* overcast; ~ *broen af* demolish the bridge; ~ *rytteren af* throw the rider; ~ *af sig (sengeklæder)* throw off, *(indbringe)* yield, bring in; ~ *bort* throw away; ~ *perler for svin* cast pearls before swine; ~ *i fængsel* throw into prison; ~ *med sten* throw stones; ~ *en ned ad trapperne* kick sby downstairs; ~ *op* vomit, throw up; ~ *et blik på* glance at, have a look at; ~ *sne* clear a road *(etc)* of snow; *terningerne er -t* the die is cast; ~ *en grøft til* fill up a ditch; ~ *sig* throw oneself, *(uroligt i sengen)* toss, *(om træ)* warp; ~ *sig i armene på en (ogs fig)* throw oneself into sby's arms; ~ *sig om halsen på en* fall on *(el.* fling one's arms round) sby's neck; ~ *sig over arbejdet* throw oneself into the work; ~ *sig over fjenden* fall upon the enemy; ~ *et ben til en hund* throw a bone to a dog.

kaste|bold *(fig)* plaything. **-gynge** swingboat.

kastel *(et -ler)* citadel.

kaste|løs *adj* without caste, pariah. **-skovl** winnowing-fan. **-skyts** missiles *pl.* **-spyd** javelin. **-vind** squall, gust. **-væsen** caste system.

kastrat *(en -er)* eunuch; *(hest)* gelding.

kastrere *vb* castrate, geld.

kasuar *(en -er) zo* cassowary.

kasuistik *(en)* casuistry.

kasuistisk *adj* casuistic(al).

kasus *(en -)* case.

kat *(en -te)* cat; *(tamp)* cat (-o'-nine-tails); *gale -te får revet skind (omtr)* quarrelsome dogs get dirty coats; *den der gemmer til natten gemmer til -ten* what the goodwife spares the cat eats; *i mørke er alle -te grå* in the night all cats are grey; *han gør ikke en* ~ *fortræd* he wouldn't hurt a fly; *leve som hund og* ~ lead a cat-and-dog life; *ikke en* ~ T not a soul; *købe -ten i sækken* buy a pig in a poke; *når -ten er ude, spiller musene på bordet* when the cat's away, the mice will play.

katafalk *(en -er)* catafalque.

katakombe *(en -r)* catacomb.

katalog *(en el. et -er)* catalogue (, *amr ogs* catalog), list *(over:* of). **katalogisere** *vb* catalogue (, *amr ogs* catalog), list. **katalogpris** list price.

katalysator *(en -er)* catalyst.

katapult *(en -er)* catapult. **katapultsæde** ejection seat.

katar *(en -er)* catarrh.

kataralsk *adj* catarrhal.

katastrofal disastrous, catastrophic.

katastrofe *(en -r)* catastrophe, *(ulykke ogs)* disaster. **katastrofe|landing** *(flyv)* crash landing. **-ramt** *adj:* ~ *område* disaster area.

kated|er *(et -re) (i auditorium)* lectern; *(i skole)* teacher's desk.

katedral *(en -er)* cathedral.

kategori *(en -er)* category.

kategorisk *adj.* categorical; *han nægtede* ~ *at (ogs)* he flatly refused to.

kateket *(en -er)* catechist.
katekismus *(en)* catechism.
katete *(en -r) (mat.):* -rne the two smaller sides of
a right-angled triangle.
katet|er *(et -te) (kirurgisk instrument)* catheter.
katode *(en -r)* cathode. **katodestråle** cathode ray.
katolicisme *(en)* Catholicism. **katolik** *(en -ker)*
(Roman) Catholic. **katolsk** *adj* Catholic.
katost *(en)* ♧ mallow.
katte|agtig cat-like, feline. **-killing** kitten. **-kon-**
cert caterwauling, cat's concert. **-pine** scrape, hole,
fix. **-pote** cat's paw; *gd på -r (fig)* pussyfoot. **-tarm**
catgut. **-vask** a lick and a promise. **-venlig** silky,
ingratiating. **-øje** cat's-eye; *(på cykel)* reflector.
kattun *(et)* calico. **kattuntrykkeri** calico printing.
kaudervælsk *(et)* gibberish.
Kaukasus the Caucasus.
kausal *adj* causal. **kausalitet** *en* causality.
kautel *(en -er)* precaution, safeguard.
kaution *(en -er)* guarantee, surety; *(ved løsladelse)*
bail; *stille* ~ give security; find bail; *han er ikke*
~ *af det (ɔ: han er fræk)* he's got a nerve! *led og* ~ *af*
sick and tired of, fed up (to the teeth) with; *jeg er* ~
af at du ikke kom I am sorry that you did not come.
kede *vb* bore; ~ *sig* be bored; *være ved at* ~ *sig*
ihjel be bored stiff *(el.* to death).
kedel *(en, kedler)* kettle; *(vaske-)* wash boiler,
copper; *(damp-)* boiler.
kedel|dragt boiler suit. **-flikker** *(en -e)* tinker.
kedelig *adj* boring *(fx* evening, lecture, speech);
(trættende) tiresome, tedious *(fx* job, lecture); *(ens-*
formig etc) dull *(fx* book, food, town), *(trist)* drab
(fx existence, part of the town); dreary *(fx* land-
scape); *(pinlig)* awkward, unpleasant *(fx* situation);
(ærgerlig) annoying; *det -e ved det er at* the trouble
is that; *det var da -t* what a pity; **T** that's too bad.
kedelpasser *(en -e)* boilerman, boiler attendant.
kedelsten (boiler) scale, incrustation.
kedsomhed *(en)* boredom. **kedsommelig** *se*
kedelig. **kedsommelighed** *(en)* boredom, tedium.
kegle *(en -r) (mat. etc)* cone; *(i keglespil)* (nine)pin,
skittle; *et spil* ~ *r* a game of skittles *(el.* ninepins),
(keglerne) a set of ninepins; *som en hund i et spil -r*
like a bull in a china shop; *spille -r* play ninepins *(el.*
skittles); *tage -r (fig)* make a hit.
kegle|bane skittle alley. **-dannet** conic(al).
-konge kingpin. **-rejser** *(en -e)* pin boy. **-snit**
conic section. **-spil** (game of) skittles *(el.* ninepins);
(keglerne) set of ninepins. **-stub** truncated cone.
kejser *(en -e)* emperor; *give -en hvad -ens er (bibl)*
render unto Caesar the things that are Caesar's;
~ *Napoleon* the Emperor Napoleon; *hvor intet er har*
-en tabt sin ret (omtr) you can't get blood out of a
stone; *strides om -ens skæg* quarrel about a trifle; split
hairs.
kejser|dømme *(et -r)* empire. **-hof** imperial
court. **-inde** *(en -r)* empress. **-lig** *adj* imperial. **-snit**
Caesarean operation.
kejte: *-n* the left hand. **kejtet** *adj* awkward, clumsy;
(og genert) gawky, gauche. **kejtethed** *(en)* awkward-
ness, clumsiness; gawkiness, gaucherie.
kejthåndet *adj* left-handed.

kelner *(en -e)* waiter.
kelter *(en pl. -e el. d. s.)* Celt. **keltisk** *adj* Celtic.
kemi *(en)* chemistry.
kemi|graf *(en -er)* photo-engraver. **-ingeniør** *(en*
-er) chemical engineer.
kemikalie *(et -r)* chemical.
kemiker *(en -e)* chemist.
kemisk *adj* chemical; *adv* -ly; ~ *fri for (fig)*
completely devoid of; ~ *rensning* dry-cleaning.
I. **kende** *(en, ingen pl) (bagatel)* trifle, bit, shade.
II. **kende:** *give sig til* ~ make oneself known; *(se*
ogs tilkendegive).
III. **kende ✱** know; *(genkende)* recognize; *(dømme)*
hold; ~ *ham af udseende* know him by sight; *have*
kendt bedre dage have seen better days; ~ *den ene*
melodi fra den anden know *(el.* tell) one tune from
another; *lære at* ~ become acquainted with, get to
know, *(erfare)* experience; ~ *ham på gangen (, stem-*
men) recognize *(el.* know) him by his walk (, voice);
~ *én skyldig* find sby guilty; ~ *til* know (of *el.* about);
han -r ikke til nerver he does not know what nerves
are; *-s ved* own *(fx* a child), recognize as one's own.
kendelig *adj (betydelig)* appreciable, perceptible;
(til at kende) recognizable; *adv* considerably; ~ *på*
recognizable by, distinguished by.
kendelse *(en -r) (domsafgørelse)* decision, *(i*
særligt spørgsmål) (judge's) order, order of the Court
(fx forced sale by order of the Court); *(efter retslig*
undersøgelse) finding; *(nævningers)* verdict; *(vold-*
gifts-) award.
kendemærke *(et -r)* (distinctive) mark.
kendeord *(gram)* article; ⚔ password.
kender *(en -e)* judge, connoisseur.
kender|blik the eye of an expert. **-mine** the air
of an expert.
kendetegn *(et)* mark, sign, characteristic.
kendetegne *vb* be characteristic of, characterize.
kending *(en -e(r)) (bekendt)* acquaintance; *få* ~ *af*
land come in sight of land. **kendings|bogstav** *(på*
bil) registration letter. **-melodi** signature tune.
kendsgerning fact.
kendskab *(et)* knowledge *(til:* of), acquaintance
(til: with); *uden* ~ *til* without any knowledge of,
ignorant of.
kendt *adj (bekendt, berømt)* well-known, famous,
celebrated; *(som man er fortrolig med)* familiar; *et* ~
ansigt (, sted) a familiar face (, place); *det er en* ~ *sag*
it is a well-known fact; *jeg er ikke* ~ *her* I am a
stranger here; *han er godt* ~ *i byen* he knows the
town well; ~ *med* familiar with, acquainted with.
kentaur *(en -er)* centaur.
keramik *(en)* pottery, ceramics. **keramiker** *(en -e)*
potter, ceramist. **keramisk** *adj* ceramic.
kerberos *(en -ser)* Cerberus.
kere *vb:* ~ *sig om* = *bryde sig om.*
I. **kerne** *(en -r) (i nød)* kernel, *(i appelsin, æble etc)*
pip, seed; *(i sædekorn)* grain; *(i drue)* stone; *(atom-,*
celle-) nucleus; *(i træ)* hardwood; *(det inderste, vig-*
tigste) heart, core, essence; *(det bedste)* flower; *(fig:*
kim, spire) germ, seed; *den hårde* ~ *(fig)* the hard
core; *sagens* ~ the point, the crux *(el.* heart) of the
matter.
II. **kerne** *(en -r og vb)* churn.
kerne|bider *(en -e) zo* hawfinch. **-deling** nuclear
fission; *(biol)* mitosis. **-frugt** pome. **-fysik** nuclear
physics. **-hus** core. **-karl** strapping fellow; *(moralsk)*
splendid fellow. **-punkt:** *sagens* ~ the crux of the
matter. **-reaktion** nuclear reaction. **-spaltning**
nuclear fission. **-sund** *adj* thoroughly healthy.
-tropperne the flower *(el.* élite) of the army. **-våben**
nuclear weapon.
kerub *(en -er)* cherub *(pl* cherubim).
ketchup *(en)* ketchup.
ketsjer *(en -e) (til* tennis, badminton etc) racket;
(til fjerbold) battledore; *(sommerfugle-)* butterfly net;
(til fiskeri) landing-net.
K.F.U.K. *(fk. f. Kristelig Forening for unge Kvinder).*

Y.W.C.A. *(fk. f.* Young Women's Christian Association). K.F.U.M. *(fk. f. Kristelig Forening for unge Mænd)* Y.M.C.A. *(fk. f.* Young Men's Christian Association).

kg. *(fk. f. kilogram)* kg., kilo(gram).

kgl. *(fk. f. kongelig)* Royal.

kiasme *(en -r)* chiasmus.

kid *(et -)* kid.

kid|nappe *vb* kidnap. **-napper** *(en -e)* kidnapper.

kig *(et -)* peep; *få ~ på* catch sight of; *have ~ på (holde øje med)* keep an eye on; *(være ude efter)* have one's eye on.

kigge *vb* glance, look, *(forsigtigt)* peep, *(amr ogs)* peek; *(nærsynet)* peer; *~ stjerner* observe the stars; *(fig)* be star-gazing; *~ frem* peep out; *~ for dybt i bægeret* take a drop too much; *~ ngt igennem* glance through sth; *~ indenfor (om kort besøg)* look in, drop in; *~ indenfor hos én* look sby up, look in on sby.

kighoste *(en)* whooping cough.

kighul peephole; *(i dør ogs)* judas.

kikke *se* **kigge.**

kikkert *(en -er) (lang)* telescope; *(mindre, til begge øjne)* binoculars, field glass(es); *(teater-)* opera glass(es); *have i -en (holde øje med)* keep an eye on; *(være ude efter)* have one's eye on; *sætte -en for det blinde øje* turn a blind eye on it.

I. **kiks** *(en -)* biscuit; *(amr)* cracker.

II. **kiks** *(et -) (fejlramning)* miss.

kikse *vb* miss. **kikser** *(en -e)* miss.

I. **kilde** *(en -r)* spring, *(ogs fig)* source; *fra pålidelig ~* on good authority, from a reliable source; *beskatning ved -n, se* **kildebeskatning.**

II. **kilde** *vb* tickle; *det -r i min næse* my nose tickles.

kilde|beskatning taxation at the source, the Pay-As-You-Earn system, P.A.Y.E.; *(amr)* withholding tax. **-materiale** source material.

kilden *adj* ticklish, *(vanskelig, ogs)* delicate, awkward.

kilde|skat *se -beskatning.* **-skrift** *(et),* **-sted** source. **-vand** spring water; *kærlighed og ~* love in a cottage. **-væld** spring.

kildre *se* II. **kilde;** *~ hans forfængelighed* tickle his vanity.

I. **kile** *(en -r)* wedge; *(i tøj)* gusset.

II. **kile** *vb* wedge; *~ af sted* scurry along; *~ løs på* attack; work hard at.

kileskrift *(en)* cuneiform (writing).

killing *(en -er)* kitten; *(hare-)* leveret, young hare.

kilo(gram) *(et -)* kilogram(me).

kilometer *(en -)* kilometre. **kilometer|sten** *(svarer til)* milestone. **-tæller** *(en -e) (svarer til)* mileage recorder, mileometer.

kilowatt *(en -)* kilowatt. **kilowatt-time** kilowatt hour.

kilte, kiltre: *~ op* tuck up.

kim *(en -)* germ, embryo. **kimblad** ⚥ seed leaf.

kime *vb* ring (violently), *(om kirkeklokker)* peal.

kimen *(en)* ringing; peal.

kiming *(en)* (visible) horizon.

kimono *(en -er)* kimono.

kimplante ⚥ seedling.

kimse: *ikke til at ~ af* not to be sneezed at.

kimære *(en -r)* chimera. **kimærisk** chimeric(al).

Kina China. **kinabark** cinchona bark.

kind *(en -er)* cheek.

kind|bakke *(en -r) zo* mandible. **-ben** cheekbone. **-skæg** whiskers. **-tand** molar.

kineser *(en -e)* Chinese *(pl -),* T Chinaman *(pl* Chinamen); *(fyrværkeri)* firecracker; *-ne* the Chinese; *du store ~!* Great Scott! golly! *fuse ud som en våd ~* fizzle out like a damp squib.

kineseri *(et -er) (pedanteri)* red tape.

kineserinde *(en -r)* Chinese (woman).

kinesertråd linen thread.

kinesisk Chinese; *~ -japansk* Sino-Japanese.

kinin *(en)* quinine. **kininpille** quinine pill.

kino *(en -er)* cinema.

kinoorgel cinema organ.

kiosk *(en -er)* kiosk; *(avis-)* newsstand; *(telefon-)* telephone *(el.* call) box, *(amr)* telephone booth.

kiper *(et)* twill.

kippe *vb* tilt, tip, swing; *~ (med) et flag* dip a flag. **kipret** *adj* twilled.

kirke *(en -r)* church; *(knyttet til institution, privat, sekterisk)* chapel; *gå i ~* go to church (, chapel).

kirke|betjent verger. **-bog** parish register. **-bryllup** church wedding. **-bøn** common prayer. **-bøsse** poor-box. **-fader** Father (of the Church). **-fest** church festival. **-forfatning** church government. **-fremmed** *subst* non-churchgoer. **-fyrste** prelate. **-gænger** *(en -e)* churchgoer. **-gård** cemetery; *(ved kirken)* churchyard. **-gårdskontor** cemetery office. **-historie** ecclesiastical *(el.* church) history. **-klokke** church bell. **-koncert** concert *(el.* recital) given in a church. **-kor** choir.

kirkelig *adj* ecclesiastical, church, religious.

kirke|minister Minister of Ecclesiastical Affairs; *(findes ikke i England og U.S.A.).* **-ministerium** Ministry of Ecclesiastical Affairs. **-musik** church music, sacred music. **-møde** synod. **-plads** church square; *(ved domkirke)* close. **-ret** canon law. **-rotte:** *så fattig som en ~* as poor as a church mouse. **-samfund** religious community. **-sang** church singing. **-sanger** *(forsanger)* cantor; *(se ogs degn).* **-skib** nave. **-sogn** parish. **-sprog** liturgical language. **-staten** the Papal State. **-stol** pew. **-tid** service time. **-tårn** church tower; *(med spir)* steeple. **-ur** church clock. **-vin** communion wine. **-værge** churchwarden. **-år** ecclesiastical year.

kiro|mantik *(en)* chiromancy. **-praktiker** *(en -e),* **-praktor** *(en -er)* chiropractor.

kirsebær cherry. **kirsebær|likør** cherry-brandy. **-mund:** *med ~* rose-lipped. **-rød** cherry. **-saft** cherry juice; *(tilberedt m. sukker)* cherry syrup. **-sten** cherry stone; *(amr)* cherry pit. **-stilk** cherry stalk.

kirtel *(en, kirtler)* gland. **kirtel|agtig** *adj* glandular. **-formet** *adj* glandiform. **-svag** *adj* scrofulous. **-svaghed** scrofula, scrofulosis. **-syge** *(en)* glandular disease.

kirurg *(en -er)* surgeon. **kirurgi** *(en)* surgery. **kirurgisk** *adj* surgical.

I. **kis** *(en) (mineral)* pyrite ore.

II. **kis** *(en -ser) (kat)* puss, pussy (cat).

kisel *(en)* silicon. **kiselholdig** *adj* siliceous.

kisel|sten siliceous stone. **-svamp** *zo* halichondria. **-syre** silicic acid.

kispuds puss in the corner; *lege ~ med én* play tricks on sby, *(undgå)* dodge sby, play hide-and-seek with sby.

kisse|jav *(et)* hurry. **-kat** pussy-cat.

kissemisse *vb* flirt. **kissemisseri** *(et)* flirtation.

kiste *(en -r)* chest; *(lig-)* coffin, *(amr)* casket. **kiste|bund:** *have noget på -en* have provided against a rainy day. **-glad** as pleased as Punch. **-klæder** *pl* one's Sunday best.

kit *(et)* putty. **kitte** *vb* putty.

kit|tel *(en -ler) (dames, kunstners)* smock; *(ofte =)* overall; *(læges)* (white) coat; *(håndværkers)* overall.

kiv *(en)* quarrel; *yppe ~* pick a quarrel. **kivagtig** *adj* quarrelsome. **kivagtighed** *(en)* quarrelsomeness. **kives** *vb* quarrel.

kjole *(en -r) (dame-)* dress, *(især daglig-)* frock, *(især selskabs-)* gown; *(herre-)* dress coat; *(præste-) (kan gengives)* gown, cassock; *~ og hvidt* (full) evening dress, white tie, tails.

kjole|klædt in evening dress. **-liv** bodice. **-syning** dress-making. **-sæt** dress suit. **-tøj** dress material.

kjort|el *(en -ler)* coat.

kjove *(en -r) zo: lille ~* long-tailed skua; *spidshalet ~* arctic skua.

kl. *(fk. f. klokken):* *~ 5* at 5 o'clock.

kladde *(en -r)* rough draft *(el. copy).* **kladde-bog** note book; *(merk)* waste book.

I. **klage** *(en -r) (besværing, anke)* complaint; *(udtryk for sorg)* lament, *(klageråb)* wailing; *føre ~ over* complain of; *indgive ~ over en* lodge a complaint against sby.

II. **klage** *vb* complain, lament, wail; *~ sin nød for* pour out one's troubles to; *~ over* complain of; *~ over at* complain that; *~ sig* lament, wail, *(af smerte)* groan, moan; *(se ogs klagende).*

klage|brev letter of complaint. **-lyd** plaintive sound. **-mål** complaint, grievance.

klagende *adj* plaintive, complaining, mournful.

klager *(en -e) (jur)* plaintiff.

klage|sang elegy. **-skrift** *(et -er)* (written) complaint. **-skrig** wail. **-suk** moan.

klakør *(en -er)* claqueur.

klam *adj* clammy, damp *(fx* sheet); *(om luft, vejr: ubehageligt fugtig)* dank *(fx* fog); *lægge sin -me hånd på (›: lamme)* paralyse, *(hugge)* grab.

klamamus *(en -(s)er)* rigmarole, screed.

klamhed *(en)* clamminess, dampness, dankness.

klamme *(en -r) (parentes)* brackets; *(sammenfattende flere linier)* brace; *skarpe -r* square brackets; *sætte i -(r)* bracket, put in brackets.

klammeri *(et -er)* quarrel.

klampe *vb (om sne)* clog.

klamre: *~ sig til* cling to.

klan *(en -er)* clan.

klandre *vb* blame, criticize.

I. **klang** *(en -e)* sound; ring *(fx* her words had a false ring); *(tone (fald))* tone, ring; *hans navn har en god ~ (fig)* he has a good name.

II. **klang** *imperf a* **klinge.**

klang|bund sound-board; *finde ~ (fig)* evoke a response. **-farve** *(en)* timbre. **-fuld** *adj* sonorous. **-fuldhed** *(en)* sonority, sonorousness. **-løs** *adj* toneless, dull. **-løshed** *(en)* tonelessness, dullness.

I. **klap** *(en -per) (lomme-)* flap; *(for øjet)* patch; *(på musikinstrument)* key; *(ventil og i hjertet)* valve; *(ørevarmer)* ear muff; *(bro-)* leaf; *(på møbel)* flap, leaf; *(tlf)* (drop) annunciator; *der gik en ~ ned (fig)* my *(, his etc)* mind went blank.

II. **klap** *(et -)* pat, tap; *(bifalds-)* clapping, applause; *ikke et ~* **T** not a bit *(el. scrap).*

klap|bord folding-table. **-bro** bascule bridge. **-jagt** battue; *holde ~* hold a battue; *holde ~ på (fig)* hound *(fx* the police hounded them). **-kamera** folding-camera.

klappe *vb* clap, *(i hænderne ogs)* applaud; *(jævne)* pat; *(kærtegnende)* pat; *(passe godt)* go without a hitch, come pat; *-t og klart* (all) ready, all set; *~ sammen (folde sammen)* fold up, *(synke sammen)* collapse.

klapper *(en -e)* claqueur; *(på jagt)* beater.

klapperslange rattlesnake.

klapre *vb* rattle, clatter, *(om tænder)* chatter; *~ på en skrivemaskine* clatter away at a typewriter.

klapren *(en)* rattle, clatter, clattering.

klaps *(et -)* slap; *få ~* be slapped.

klapsalve round of applause.

klapse *vb* slap, smack; *~ en 'af* give sby a dressing -down.

klap|stol folding-chair. **-sæde** tip-up seat; *(i bil)* folding seat. **-torsk** fool. **-vogn** *(til barn)* folding -pram, push chair, *(amr)* stroller.

klar *adj* clear; *(lys, strålende)* bright; *(om væsker etc)* clear, limpid; *(om stil)* limpid, lucid; *(øjensynlig, ikke til at tage fejl af)* evident, plain, clear; *(parat)* ready; *(ved bevidsthed)* conscious; *~! ready; (tlf)* you are through; *(amr)* you are connected; *~ besked* a plain answer; *have et -t blik for* have an open eye for; *~ flamme* bright flame; *~ frost* clear frost; *gøre sig noget -t* (fully) realize sth; *~ himmel* clear sky; *som et lyn fra en ~ himmel* like a bolt from the blue; *holde ~ af* keep clear of; *blive ~ over* realize; *være ~ over* be aware of, realize, understand; *-t solskin*

bright sunshine; *-t som dagen (fig)* as clear as day; *~ suppe* clear soup; *~ til brug* ready for use.

klare *vb* clear; *(væske etc)* clarify, clear; *(ordne, overkomme, overmande)* manage, cope with; *(økonomisk)* afford, find the money for; *~ den* manage; *~ det godt* do well; *godt -t!* well done! *det -r op (om vejret)* it is clearing up; *hans ansigt -de op* his face brightened; *~ sig* manage, get along, *(hævde sig)* hold one's own, *(økonomisk)* manage *(fx* I can m. on £12 a week), make both ends meet; *~ sig selv* shift for oneself; *~ sig med* make shift with; *~ sig ud af* get out of; *~ sig uden* do without; *~ vanskelighederne* overcome the difficulties; *~ ærterne* manage (somehow).

klarere *vb* clear. **klarering** *(en)* clearance.

klaret *(en)* cooking-fat; *(til bagværk)* shortening.

klargøre make ready; *(fig)* make clear.

klarhed *(en)* clearness; brightness; clarity; limpidity; lucidity; *komme til ~ over* realize, perceive.

klar|hjernet, -hovedet *adj* clear-headed.

klarinet *(en -ter)* clarinet. **klarinettist** *(en -er)* clarinettist.

klaring *(en)* clearing; *(oplysning)* elucidation; *få ~ på* noget have sth cleared up.

klarlægge explain. **klarlæggelse** *(en)* explanation.

klarsynet *adj* clear-sighted.

klarsynethed *(en)* clear-sightedness.

klase *(en -r)* bunch, cluster *(fx* of grapes); truss *(fx* of tomatoes); ⚹ racème.

klask *(et -)* smack, slap. **klaske** *vb* smack, slap.

klasse *(en -r)* class; *(i skole)* class, *(om klassetrin: i underskolen)* standard, *(amr)* grade, *(i den højere skole)* form; *(skolestue)* classroom; *første -s (i fig)* first-class *(fx* compartment), *(om kvalitet)* first-rate, first-class, *(T om dygtighed ogs)* crack *(fx* a crack tennis-player); *rejse på første ~* travel first (class); *sætte i ~ med* class with.

klasse|bevidst *adj* class-conscious. **-delt** class -divided *(fx* society). **-forskel** class distinction. **-had** class hatred. **-inddeling** classification. **-kammerat** classmate. **-kamp** class struggle. **-kvotient** average size of class. **-lærer** form master. **-løs** *adj.* classless. **-trin** form. **-undervisning** class teaching; the simultaneous method. **-værelse** classroom.

klassicisme *(en)* classicism.

klassificere *vb* classify, class.

klassificering *(en)* classification.

klassiker *(en -e)* classic.

klassisk *adj* classic *(fx* a classic example); *(angdende oldtiden)* classical. **klassisk-sproglig:** *~ linie (i gymnasiet)* classical side.

klat *(en -ter) (klump)* small lump; *(plet)* blot, stain; *(ringe antal)* handful.

klat|gæld petty debts. **-maler** dauber. **-mikkel** butterfingers. **-papir** blotting-paper.

klatre *vb* climb; *~ op ad (, i, på)* noget climb sth. **klatrefod** climbing- *(el.* scansorial) foot. **klatre|stang** climbing-pole. **-tyv** cat burglar.

klatskilling trifle; *det er kun en ~* that is mere chicken-feed.

klatte *(slå klatter)* blot, stain; *~ væk* fritter away *(fx* one's money, one's time). **klatteri** *(et -er) (dårligt maleri)* daub; *(småting)* trifle(s).

klat|vasken the smalls. **-vis** in spots, by driblets.

klatøjet *adj* blear(y)-eyed.

klausul *(en)* clause, stipulation, proviso.

klaver *(et -er)* piano; *spille ~* play the piano. **klaver|bænk** music stool. **-spil** piano playing, piano music. **-spiller** pianist. **-stemmer** *(en -e)* piano tuner.

klaviatur *(et -er)* keyboard.

klavre *vb* climb, clamber.

klejn *adj (lille)* tiny; *(svag)* delicate. **klejnmodig** *adj* faint-hearted. **klejnsmed** locksmith.

klem: *stå på ~* be half-open, *(om dør også)* be ajar; *med fynd og ~* with a will.

klematis *(en -)* clematis.

I. **klemme** *(en -r) (sår- etc)* clip, *(hår-)* grip, *(tøj-)* clothes-peg; *(knibe)* scrape, difficulty; *(tykt stykke mad)* hunk of bread and butter, *(omtr =)* sandwich; *få fingeren i ~ i en dør* jam one's finger *(el. get one's finger caught)* in a door; *sidde i ~* be stuck, be jammed; *have en ~ på en* have a hold on sby.

II. **klemme** * squeeze; *(om fodtøj)* pinch; *(få i klemme)* jam, get caught; *~ på* set to work (with a will); *klem på!* come on! get on with it! *(m tale)* fire away! *~ på med noget* work away at sth.

klemskrue *(en -r)* binding-screw, *(elekt)* terminal.

klemt *(et -)* peal; *(sporvogns)* clang. **klemte** *vb* peal; clang; *~ med klokkerne* ring the alarm.

klenodie *(et -r)* treasure, jewel.

kleppert *(en -er) (hest)* nag; *(person)* hefty fellow.

kleptoman *(en -er)* kleptomaniac.

kleptomani *(en)* kleptomania.

kleresi: *hele -et* the whole lot of them.

klerikal *adj* clerical. **klerk** *(en -e)* priest.

cliché *(en -er)* (printing) block; *(fig)* cliché.

clichéanstalt stereotyping and electrotyping establishment.

klid *(et)* bran.

klient *(en -er)* client. **klientel** *(et)* clientele.

klik *(et -)* click, snap; *slå ~ fail, (om skydevåben)* misfire.

klike *(en -r)* clique, set; *(politisk ogs)* faction.

klikevæsen cliquism.

klikke *vb (om skydevåben)* misfire; *(fig)* fail; *(om lyd)* click, snap.

klima *(et -er)* climate. **klimaanlæg** air-conditioning plant.

klimaks *(en)* climax.

klimakteri|um *(et -er)* menopause; *(overgangsperiode)* climacteric.

klimatisk *adj* climatic.

klimpre *vb* strum, thrum; *~ på* strum (on) *(fx* strum (on) a banjo; strum a tune on the piano).

kline *vb* paste; *(med ler)* build with mud; *-t væg* mud-wall; *~ sig op ad* stick close to; *-t op ad (fig)* slap up against, close to.

I. **klinge** *(en -r)* blade; *den flade ~* the flat of the sword; *gå en på -en* press sby (hard); *krydse ~ med* cross swords with.

II. **klinge** *vb (klang, klinget)* sound, ring; *(især om bjælde)* jingle; *(lyde)* sound. **klingende** *adj* sonorous; *~ mønt* hard cash; *med ~ spil* with drums beating.

klingklang *(et)* ding-dong; *(om musik, vers)* jingle.

klingre *vb* jingle, tinkle; *-nde frost* crisp *(el.* hard) frost.

klinik *(en -ker)* nursing-home, private hospital; *(klinisk øvelse)* clinic. **klinikdame** *(hos tandlæge)* receptionist, assistant. **klinisk** *adj* clinical.

klink: *spille ~* play pitch and toss; *jeg ejer ikke en ~* T I haven't got a penny *(el.* cent).

I. **klinke** *(en -r) (på dør)* latch; *(sten)* clinker; *(nitte)* rivet.

II. **klinke** *vb (reparere porcelæn)* rivet; *(skåle)* touch glasses *(med:* with).

klinkeæg chipped *(el.* cracked) egg.

klint *(en -er)* cliff.

klinte *(en)* ✚ corn cockle; *~ iblandt hveden (bibelsk)* tares among the wheat.

klip *(et -)* clip, cut; *(i billet)* punch.

klipfisk split cod, dried cod.

klipning *(en)* cutting, clipping; *(af person)* haircut; *(af får)* shearing; *(af billet)* punching.

I. **klippe** *(en -r)* rock.

II. **klippe** *vb* cut, clip; *(får)* shear; *(~ hul i)* punch; *~ en* cut sby's hair; *blive -t (hos barber)* have one's hair cut, have a haircut; *~ 'fra* cut off, detach; *~ en hæk* trim *(el.* cut) a hedge; *~ håret kort* crop one's hair; *~ over* cut, cut through; *~ til* cut into shape; *(om film)* cut, edit.

Klippebjergene the Rocky Mountains.

klippe|blok rock, boulder. **-due** *zo* rock dove. **-fast** *adj* firm as a rock; unshakable. **-grund** rocky ground. **-hule** rock cave. **-kyst** rocky coast. **-maskine** clipper; *(til får)* shearing machine.

I. **klipper** *(en -e) (billetsaks)* ticket punch; *(fåre-)* sheep shearer.

II. **klipper** *(en -e) (skib)* clipper.

klippe|spalte rock cleft, crevice. **-svale** *zo* crag martin. **-tinde, -top** peak. **-væg** rock wall. **-ø** rocky island.

klirre *vb* rattle, clank, *(mønter)* chink; *(nøgler)* jingle; *(om glas)* clink; *(ruder)* rattle; *~ med* rattle, chink etc.

klister *(et)* paste. **klister|papir** gummed paper; *(strimmel)* adhesive tape. **-potte** paste pot.

klistre *vb* paste; *(hænge sammen)* stick (together). **klit** *(en -ter)* dune, sand hill.

klit|rose Scotch rose. **-tag** *(en)* ✚ marram grass.

klo *(en, kløer)* claw; *(skrift)* scrawl, fist; *angribe en (, forsvare sig) med næb og kløer* go for sby (, defend oneself) tooth and nail; *et svar med næb og kløer* a scathing reply; *komme i kløerne på en* get into sby's clutches; *slå en ~ i* pounce on; *vise kløer (fig)* show fight.

kloak *(en -ker)* sewer. **kloak|afløb** drain. **-dyr** *zo* monotreme. **-dæksel** manhole cover. **-ering** *(en)* sewerage. **-vand** sewage.

klode *(en -r)* globe *(fx* in all parts of the g.); *fjerne -r* distant stars *(,* planets).

klodrian *(en -er)* bungler.

klods *(en -er)* block; *(bremse-, under hjul)* chock; *(byggeklods)* (toy) brick; *(klodset bygget person)* big lump of a man *(,* woman etc); *(klodrian)* blunderer, bungler; *~ om benet (fig)* drag *(på:* on); *på ~* T on tick.

klodse *vb (batte, forslå)* help a lot; *så det -r* T with a vengeance; *~ en bil op* put a car on chocks; *(se ogs opklodse).*

klodset *adj* clumsy, *(ubehændig ogs)* awkward.

klodsmajor bungler, clumsy fool, T clumsy clot.

klog *adj* wise, intelligent, *(ofte neds)* clever; *(betænksom, forsigtig)* prudent; *(fornuftig)* sensible; judicious; *(skarpsindig, kløgtig)* shrewd; *(om dyr)* intelligent, sagacious; *blive ~ på* make out; *gøre -t i at* be wise to; *ikke rigtig ~* not all there, not quite right in the head; *~ kone (, mand) (kvaksalver)* quack.

klogskab *(en)* wisdom, prudence, intelligence, shrewdness, sagacity.

klokke *(en -r)* bell; *(oste-)* cover; *(isolator)* bell-shaped insulator; *-n 3* at 3 o'clock; *-n går til 3* it is getting on for 3; *-n slår ti* it strikes ten; *hvad er -n?* what's the time? what time is it? could you tell me the time? *-n er tolv* it is twelve (o'clock); *-n er halv (et)* it is half past (twelve); *-n er mange* it is late; *sige hvad -n er* tell the (right) time; *vide hvad -n er slået (fig)* know what is what; *ringe med (el. på) -n* ring the bell.

klokke|blomst ✚ harebell. **-bøje** ⚓ bell buoy. **-formet** *adj* bell-shaped. **-frø** *(en -er) zo* fire-bellied toad. **-får** bell wether; *(fig)* simpleton. **-hyacint** ✚ bluebell. **-klang** ringing (of bells). **-knebel** clapper, tongue (of a bell). **-lyng** ✚ bell heather.

klokker *(en -e) (ringer)* bell-ringer; *(kordegn)* sexton; sacristan; *(skældsord)* fool, clot.

klokke|slag stroke of a clock *(,* a bell). **-slæt** hour; *på ~* punctually, on the stroke (of ten etc). **-spil** carillon. **-streng** bell wire, bell pull; *jeg hænger altid i -en* I cannot call my soul my own. **-støber** bell founder. **-støberi** bell foundry. **-tårn** belfry, bell tower.

klor *(en el. et)* chlorine. **klorholdig** *adj* chlorine-containing, containing chlorine.

klorkalk chloride of lime, bleaching powder.

kloroform *(en)*, **kloroformere** *vb* chloroform.

klorofyl *(et)* chlorophyll.

klos close; *~ op ad* close to, jammed up against.

kloset *(et -ter)* **lav**atory, (water-)closet, W.C.

klost|er *(et -re) (nonne-)* convent; *(munke-)* monastery; *gå i ~* enter a convent, *(om mand ogs)* become a monk, *(om kvinde ogs)* take the veil, become a nun.

kloster|gang cloister. **-gård** cloister garth. **-kirke** abbey church. **-lig** *adj* conventual, monastic. **-liv** monastic *(el.* convent) life. **-løfte** monastic vow.

klov *(en -e)* hoof. klovdyr cloven-footed animal.

klovesyge *(en)* foot-rot; *mund- og ~* foot-and -mouth disease.

klovn *(en -er)* clown, *(neds ogs)* buffoon; *(klodrian)* bungler. klovnnummer clown act.

klub *(en -ber)* club. klub|lejlighed [flat divided into bed-sitting rooms]. **-stol** club chair.

klud *(en -e) (las)* rag, *(karklud etc)* cloth; *-e* T *(tøj)* togs; things; *komme i -ene* T get one's things on; *sætte liv i -ene* make things hum.

kludder *(et)* mess, muddle. **kluddermikkel** bungler.

klude|dukke rag doll. **-klip** fabric collage. **-kræmmer** rag man, rag dealer. **-kræmmerbutik** rag(-and-bone) shop. **-samler** rag picker. **-sko** carpet slipper.

kludre *vb* bungle; *~ i det* get into a mess; *~ med* bungle, make a mess of.

kluk *(et -)* *(fugles)* cluck, clucking; *(latter)* chuckle; *(af vand)* gurgle. klukke *vb (om fugl)* cluck; *(le)* chuckle; *(om vand)* gurgle.

kluklatter *(en)* chuckle. klukle *vb* chuckle.

klumme *(en -r) (typ)* column.

klump *(en -er)* lump; *(jord-)* lump of earth, clod *(guld-)* nugget; *en ~ i halsen (fig)* a lump in one's throat. klumpe *vb* clot; *~ sig sammen* huddle together. klumpet *adj* lumpy.

klump|fod club-foot. **-fodet** club-footed. **-næse** swollen nose, *(især om dranker)* bottlenose.

klunke *(en -r)* tassel. klunkestil Victorian style.

kluns *(et) (tøj)* togs, things.

klunse *vb (tage på kredit)* buy on tick; *(samle klude)* pick rags. klunser *(en -e)* rag picker; S tatter.

kluntet *adj* clumsy, awkward, ungainly.

klyde *(en -r) zo* avocet.

I. klynge *(en -r)* cluster, *(af mennesker ogs)* group, knot; *(af blomster ogs)* bunch; *(træ-)* clump, group.

II. klynge: *~ op* hang, string up; *~ sig til* cling to.

klynk *(et -)* whimper, whine; *(spædbarns)* cry, wail. klynke *vb* whimper, whine, wail.

klynkehoved whiner; *(om barn)* cry-baby.

klynken *(en)*, klynkeri *(et)* whimpering, whining.

klys *(et)* ⚓ hawsehole.

klyster *(et)* clyster, enema. klystersprøjte enema syringe.

klyver *(en -e)* ⚓ jib. klyverbardun jib-guy. klyverbom jib boom.

klæbe *vb* stick, cleave *(til, ved:* to); *(m objekt)* stick, paste, glue.

klæbe|hjerne flypaper memory. **-middel** adhesive. **-strimmel** adhesive tape.

klæbrig *adj* sticky, adhesive, *(slimet og ~)* viscous. klæbrighed *(en)* stickiness, adhesiveness, viscosity.

I. klæde *(et -r)* cloth; *-r (tøj, påklædning)* clothes, clothing; *-r skaber folk* fine feathers make fine birds; *være i kongens -r* wear the King's uniform.

II. klæde ★ dress, clothe; *(holde med tøj)* clothe; *(være klædelig for)* become, suit; *føde og ~* support, feed and clothe; *dårligt (, pænt) klædt* badly (, prettily) dressed; *varmt klædt (på)* warmly clothed; *~ af, ~ sig af* undress, *(til skindet)* strip; *~ en af til skjorten (fig)* fleece sby; *~ sig i* wear, dress in; *~ sig om* change (one's clothes); *~ sig om til middag* dress for dinner; *~ sig på* dress; *~ sig ud som* dress up as.

klæde|bon *(et)* raiment, garb. **-børste** *(en -r)* clothes-brush. **-dragt** dress, attire. **-lig** *adj* becoming. **-skab** wardrobe. **-varer** *pl* drapery; *(især amr)* dry goods.

klædning *(en -er) (sæt klæder)* suit of clothes; *(fig)* garb; ⚓ *(med planker)* planking; *(med jernplader)* plating.

klædningsstykke garment, article of clothing.

klæg *adj (brød)* pasty; *(jord)* sticky, adhesive.

klækkelig *adj* considerable, ample, handsome.

I. klø *(pl) (prygl)* a beating, a thrashing.

II. klø *vb (kradse)* scratch; *(prygle)* thrash, beat; *(besejre)* lick, beat; *(føle kløe)* itch, tickle; *mine fingre -r efter at få fat i ham* I'm itching to get my hands on him; *min næse -r* my nose tickles; *det -r over hele kroppen på ham* he is itching all over; *~ sig i hovedet* scratch one's head.

kløe *(en)* itch, itching.

kløer *pl af* klo.

kløft *(en -er)* cleft, fissure; *(i jorden)* ravine; *(bred og dyb)* chasm; *(mellem klipper)* gorge; *(i hage)* dimple, *(dyb)* cleft; *(fig)* gulf, chasm, cleavage.

kløftet *adj* forked *(fx* a bird with a forked tail, a forked branch), cleft, cloven.

kløgt *(en)* shrewdness, ingenuity, sagacity.

kløgtig *adj* shrewd, ingenious, sagacious; *ikke videre ~* not very bright.

kløpind *(en)* back scratcher.

kløpulver itching-powder.

klør *(en -er) (kortspil)* clubs; *en ~* a club; *~ es, konge, fem* the ace, king, five of clubs.

kløve *vb* cleave, split; *~ brænde* chop *(el.* split) wood.

kløver *(en -e)* ♧ clover, trefoil.

km *fk f* kilometer.

knag *(en) (dygtig person)* T dab *(til at:* at *-ing); (brav person)* brick.

I. knage *(en -r)* peg; coathook; *(på skibsrat)* spoke.

II. knage *vb* creak, groan.

knageme: T *den er ~ god* it is jolly good; *det ved jeg ~ ikke* I'll be hanged if I know.

knagende *adv (= vældig)* jolly *(fx* j. clever), awfully, terribly.

knagerække *(en -r)* (coat) rack.

knagfryse *vb* be freezing, feel numb with cold; *det -r* it is freezing very hard.

knald *(et -)* report, crack, bang; *(af prop)* pop; *(af pisk)* crack; *(stort gilde)* jollification, do; *~ eller fald* kill or cure, make or mar.

knalde *vb* crack, bang; *(om prop)* pop; *(slå i stykker)* smash; *(gå i stykker)* break; *~ døren i bang the door shut; *~ løs (skyde)* blaze away; *~ med en pisk* crack a whip; *~ ned (skyde)* bring down, kill; *(sl.)* plug; *~ en papirspose* burst a paper bag; *~ røret på (tlf)* slam on *(el.* down) the receiver.

knaldeffekt *(neds)* cheap effect.

knaldert *(en -er), se* knallert.

knaldgas mixture of oxygen and hydrogen.

knaldgul *adj* bright yellow.

knald|hætte percussion cap. **-roman** thriller, shocker. **-succes** roaring success.

knallert *(en -er) (cykel med motor)* moped, power bike; *(amr)* motor bike; *(fyrværkeri)* cracker. knallertkører *(en -)* moped rider.

I. knap *(en -per)* button; *(krave-)* stud; *(på stok)* knob; *(kontakt)* button; *dreje én en ~* take sby in, deceive sby; *tælle på -perne (svarer til)* toss up for it; *(være tvivlrådig)* be in two minds.

II. knap *adj* scanty, scarce, scant; *(kortfattet)* brief, concise; *det er -t med smør* butter is scarce, there is a shortage of butter; *(ved et enkelt måltid)* there is not very much butter; *tiden er ~* time is short; time presses; *have -t med penge* be short of funds.

III. knap *adv (næppe)* hardly, scarcely, barely; *~ .. førend* scarcely .. when *(el.* before); *~ nok* hardly, scarcely; *~ en time* just under an hour.

knaphed *(en)* scarcity, shortage; conciseness.

knap|hul *(et -ler)* buttonhole; *(i flip)* stud hole. **-hulsblomst** buttonhole.

I. knappe *vb* button (up); *~ op* unbutton.

II. knappe *vb: ~ af på* reduce, curtail.

knappenål pin; *et brev* -*e* a paper of pins.
knappenålshoved pin head.
knarand *zo* gadwall.
knark (*en* -*e*): *gammel* ~ old fogey.
knarvorn *adj* grumbling, grumpy, morose.
knas (*et*) (*godter*) sweets; (*amr*) candy; (*i radio*) crackling.
knase *vb* crackle; (*m objekt*) crush, crunch.
knast (*en* -*er*) (*i veddet*) knot. **knastet** *adj* knotty.
knastør *adj* bone-dry; (*om person*) wooden.
I. **kneb** (*et* -) pinch, squeeze; (*mave*-) colic, the gripes; (*fif*) trick, dodge; *alle* ~ *gælder* no holds are barred.
II. **kneb** *imperf. af* knibe.
knebber (*en*) chatter; *lade* -*en gå* chatter away.
kneb|el (*en* -*ler*) (*i klokke*) tongue, clapper; (*til mund*) gag.
knebelsbart (*en* -*er*) (handlebar) moustache.
kneben *adj* narrow; (*ringe*) small, scanty; ~ *majoritet* (, *sejr*) a narrow majority (, victory); ~ *med* sparing of; *sidde* -*t* be cramped.
knebet *perf. part. af* knibe.
kneble *vb* (*stoppe munden på*) gag.
knebre *vb* (*om stork*) clatter, (*om person*) chatter, jabber; ~ *op* chatter, jabber.
knejpe (*en* -*r*) low-class pub, (*især amr*) dive.
knejse * (*løfte hovedet*) hold one's head high; (*kro sig*) strut, swagger; (*rage op*) tower.
knevle, knevre *se* kneble, knebre.
I. **knibe** (*en* -*r*) scrape, fix, difficulties.
II. **knibe** (*kneb, knebet*) pinch, nip, squeeze; (*spare*) pinch, economize; (*i kortspil*) finesse; *når det* -*r at* a pinch; *det kneb!* that was a near thing (*el.* a close shave); *det* -*r for ham* he is in a fix, (*økonomisk*) he is hard up; *det* -*r for ham at* .. he has (some) difficulty in -ing; *det kneb for mig at løfte den* it was all I could do to lift it; ~ *en i armen* pinch sby's arm; *det* -*r med frugt* fruit is scarce; ~ *på* be sparing of; ~ *munden sammen* tighten one's lips; ~ *øjnene sammen* screw up one's eyes; ~ *sig igennem* squeeze through, (*fig*) scrape through; ~ *ud* (*luske af*) sneak away; ~ *ud,* ~ *udenom* (*fig*) back out, shirk the issue.
kniberi (*et* -*er*) stinginess; (*vanskelighed*) difficulty; *med* ~ with difficulty, only just.
knibning (*en* -*er*) (*i kortspil*) finesse.
knibsk *adj* (*snerpet*) prudish, (*koket*) coy; **knibskhed** (*en*) prudery, coyness.
knibtang (pair of) pincers.
knibtangsmanøvre pincer movement.
kniks (*et* -), **knikse** *vb* curtsy, bob.
kniple *vb* make lace. **kniplebræt** lace pillow.
kniplen lace-making. **kniplepind** (lace) bobbin.
knipling (*en* -*er*) lace; -*er* lace.
kniplingsbesætning lace trimmings.
knippe (*et* -*r*) bunch, bundle; ~ *brænde* faggot; ~ *hø* truss (*el.* bundle) of hay; ~ *nøgler* bunch of keys.
knip|pel (*en* -*ler*) cudgel, bludgeon; (*politi*-) baton, truncheon, (*amr*) night stick.
knippel-, knippel *adj* thumping (*fx* good), topping (*fx* dinner).
knips (*et* -) fillip; *slå* ~ *med fingrene* snap one's fingers.
knipse *vb* snap one's fingers (*ad:* at); (*fjerne med et knips*) flick; (*en streng*) pluck; (*fotografere*) snap.
knirke *vb* (*om dør, trappe etc*) creak; (*om sko*) creak, squeak; (*om sne, grus*) creak, crunch; *en* -*nde stemme* a creaky voice.
knirken (*en*) creak(ing); squeak(ing); crunching.
knitre *vb* (*om ild, geværskud*) crackle, (*om papir, silke*) rustle; (*om sne*) creak.
knitren (*en*) crackling, rustling, creaking.
kniv (*en* -*e*) knife (*pl* knives); (*barber*-) razor; *have* -*en på struben* have the knife at one's throat; *sætte en* -*en på struben* present sby with an ultimatum; *krig på* -*en* war to the knife; *der er krig på* -*en mellem dem* they are at daggers drawn. **knivafbryder** (*elekt*) knife switch.

knivsblad blade of a knife.
kniv|skaft handle of a knife. -**skarp** *adj* as sharp as a razor; -*e pressefolder* knife-edge creases. -**spids** (*en* -*er*) point of a knife; (*mål*) pinch (*fx* a pinch of salt). -**stik** stab; *dræbt af* ~ stabbed to death.
knivsæg (*en*) knife edge.
kno (*en* -*er*) knuckle.
knob (*en* -) (*fart, knude*) knot; *løbe syv* ~ make seven knots.
knockout (*en*) knock-out.
knockoute *vb:* ~ *én* knock sby out.
knogle (*en* -*r*) bone.
knojern knuckle duster.
knok|kel (*en* -*ler*) = *knogle*; *en stor* ~ a strapping fellow.
knokkelmanden Death, the King of Terrors.
knokle *vb* (*i fodbold*) play rough; (*arbejde*) slave.
knoklet *adj* bony.
knold (*en* -*e*) clod; (*høj*) knoll; hillock; (*hoved*) nob; ⚘ (*kartoffel*-, *georgine*-) tuber; (*løgagtig, fx krokus*-) bulb.
knoldesparker ✂ footslogger; (*amr*) doughboy; (*bonde*) clodhopper.
knop (*en* -*per*) knob; ⚘ bud; (*filipens*) spot, pimple; (*flink fyr*) brick; *stå i* ~ be in bud.
knoppes *vb* bud.
knopskydning budding; (*formering*) gemmation.
knopsvane *zo* mute swan.
knortegås *zo* brentgoose.
knortet *adj* knotty, gnarled.
knotten *adj* sulky, peeved (*over noget:* about sth).
knub (*en*) (*flink fyr*) brick.
knubs (*et* -) blow, cuff. **knubse** *vb* pommel, cuff.
Knud den Store King Canute.
knude (*en* -*r*) knot; (*med.*) node, tumour; lump (*fx* she had a lump in the breast); (*brænde*-) log; (*hår*-) knot, bun; (*vanskelighed*) knot, difficulty; (*i komedie*) plot, knot; *gøre* -*r* be obstreperous, make things awkward; *gå i* ~ knot; (*fig*) *se hårdknude*; *hugge* -*n over* cut the knot; *løse en* ~ untie a knot; *slå en* ~ tie a knot.
knudepunkt centre; (*jernbane*- *ogs*) junction.
knudret *adj* rough, rugged, (*træ ogs*) gnarled, knotty; (*om stil:* *uelegant*) rugged, (*uklar*) abstruse.
knuge *vb* press, squeeze; (*omfavne*) hug; (*tynge, ængste*) oppress. **knugende** *adj* oppressive, crushing, (*om sorg*) poignant.
knur|hane (*en* -*r*) *zo* gurnard. -**hår** whiskers.
knurre *vb* growl, (*om mave*) rumble; (*fig: gøre vrøvl*) grumble.
knurren (*en*) growl(ing), rumbling, grumbling.
knus (*et* -) hug.
knuse * break, smash, (*ogs fig*) crush; (*omfavne*) hug; *det* -*t mit hjerte* it breaks my heart; ~ *en tåre* drop a tear; (*bortviske*) brush away a tear. **knusende** *adj* crushing (*fx* defeat), smashing (*fx* blow); (*vældig*) tremendous (*fx* piece of luck); *han tog det med en* ~ *ro* he was as cool as a cucumber, he did not turn a hair; *adv* -*ly*.
knuseværk crushing-mill.
knut (*en* -*ter*) knout.
I. **kny** (*et*): *han gav ikke et* ~ *fra sig* not the slightest sound escaped him; *uden et* ~ without a murmur.
II. **kny** *vb:* *uden at* ~ without a murmur.
knyst (*en* -*er*) (*hård hud*) bunion, (*ligtorn*) corn; (*ankelknogle*) malleolus.
knytnæve (clenched) fist.
knytte *vb* tie; (~ *sammen*) tie up, bind; (*fig*) bind, unite (*fx* the bonds that unite our two countries); knit; ~ *forbindelser* establish connections; -*t hånd* fist; ~ *næven* clench one's fist; *være* -*t til en bevægelse* be connected with a movement; *være* -*t til et firma* be attached to a firm; -*t til en* attached to sby; *hans skæbne er uløseligt* -*t til min* his fate is inseparably bound up with mine; *der* -*r sig en vis interesse til det* some interest attaches to it; *dertil* -*r sig en historie*

thereby hangs a tale; ~ *trдden igen (fx i samtale)* resume *(el.* take up) the thread; *-t tæppe* (hand-) knotted carpet; ~*venskab med* form a friendship with.

knæ *(et -)* knee; *(led)* joint; *bøje ~ for* bend the *(el.* one's) knee to; *han har ~ i bukserne* his trousers bag *(el.* are baggy) at the knees; *tvinge en i ~* bring sby to his knees; *falde på ~* go down on one's knees, kneel down; *ligge på ~* be kneeling, be on one's knees; *være på -ene* T be hard up; *i vand til -ene* deep in water.

knæ|bukser *(pl.) (stramme)* knickers, *(ride-)* breeches; *(vide)* plus fours; *(korte)* shorts. **-fald** genuflection; *(skammel foran alter)* kneeler; *gøre ~ for* bend the knee to.

knægt *(en -e)* boy, lad; *(i kort)* jack, knave; *(til hylde etc)* bracket; *en skidt ~* a good-for-nothing, *(sl.)* a rotter, a bad egg.

knægte *vb* bring to heel, subdue, cow.

knægtelse *(en)* suppression, violation.

knæhase hollow of the knee; *(sene)* tendon of the knee.

knæk *(et -)* crack; *(vinkel)* bend, elbow; *(ombøjning, fold)* fold, crease; *(fig)* blow; *give hans helbred et ~* ruin his health; *han har fået sit ~* it is all over with him, he is done for.

knæk|brød crispbread. **-flip** wing collar.

knække *vb* break, crack, *(pludseligt, med et smæld)* snap; *~ en nød* crack a nut; *~ over* break in two; *(pludseligt etc)* snap *(fx* the twig *(,* the thread) snapped), *(om stemme)* break *(fx* his voice broke with emotion *(,* excitement)); *~ midt over* break in two; *~ sammen* double up, *(bryde sammen)* break down, collapse, T fold up, crack up; *~ sig* T spew.

knæle *vb* kneel *(for:* to).

knæled *(et -)* knee joint.

knæler *(en -e)* zo praying mantis.

knæ|skade bad knee, knee injury. **-skal** knee cap. **-strømpe** knee(-high) stocking. **-sætte** adopt.

knøs *(en -e)* lad.

ko *(en, køer)* cow; *glo som en ~ på en rødmalet port* stare like a stuck pig; *der er ingen ~ på isen* everything in the garden is lovely; *hellig ~* sacred cow.

koagulation *(en -er)* coagulation.

koagulere *vb* coagulate.

koalition *(en -er)* coalition. **koalitionsregering** coalition government.

kob|bel *(et -ler) (to hunde)* couple, *(tre hunde)* leash, *(flere hunde)* pack; *(heste, kvæg)* string; *(skare)* pack, gang.

kobber *(et)* copper; *(-stik)* copper(plate); *beslå med ~* copper.

kobber|agtig *adj* coppery, cupreous. **-forhude** (sheathe with) copper. **-forhudning** copper sheathing. **-grube** copper mine. **-gryde** copper. **-holdig** containing copper. **-mønt** copper (coin). **-rød** copper-coloured. **-smed** coppersmith. **-sneppe** *zo: lille ~* bar-tailed godwit; *sorthalet ~* black-tailed godwit. **-stik** copperplate, copper. **-stikker** *(en -e)* (copperplate) engraver. **-tråd** copper wire. **-vitriol** blue vitriol.

koben *(brækjern)* crowbar.

koble *vb* couple; *~ fra* uncouple, *(maskindel etc)* disconnect, *(motor)* declutch; *(slappe af)* relax; *~ til* attach, hook on, couple, connect; *~ ud* declutch.

kobler *(en -e)* procurer. **koblerske** *(en)* procuress.

kobling *(en -er)* coupling; *(mellem jernbanevogne, i orgel)* coupler; *(i bil)* clutch.

koblingspedal clutch pedal.

kobolt *(et)* cobalt.

kobra *(en -er),* **kobraslange** cobra.

I. **kode** *(en -r) (telegrafi etc)* code; *vb* code.

II. **kode** *(en -r) (på dyr)* pastern; *slap i -rne (fig)* T weak on one's pins.

kodeks *(en -er)* codex *(pl* codices).

kode|lås combination lock. **-nøgle** key (to a code). **-ord** code word. **-skrift** code, cipher. **-telegram** code telegram.

kodi|cere *vb* codify. **-cering** *(en)* codification.

kodriver *(en -e)* ♣ primrose.

koefficient *(en -er)* coefficient.

kofanger *(en -e) (på lokomotiv)* cow-catcher; *(på bil)* bumper.

koffardi|fart merchant service. **-flåde** mercantile marine. **-kaptajn** captain *(el.* master) of a merchant-man. **-skib** merchantman.

koffein *(et)* caffeine.

kofilnagle *(en -r)* ⚓ belaying-pin.

kofte *(en -r)* peasant's coat.

kog *(et)* boil; *gå af ~* cease boiling, go off the boil; *bringe i ~* bring to the boil, let boil; *holde i ~* keep on the boil, keep boiling; *komme i ~* come to the boil, begin to boil; *hans blod kom i ~ (fig)* his blood boiled.

koge ★ boil *(fx* water, eggs; the water is boiling; boil with rage); *(lave mad)* cook; *~ hen* preserve; *~ 'over* boil over; *~ suppe på* make soup of; *~ ud (om kartofler)* boil to a mash; *~ ved sagte ild* simmer; *(med objekt)* simmer, let simmer.

koge|apparat cooker. **-bog** *(en -bøger)* cookery book; *(amr)* cookbook. **-kar** ⚔ mess tin. **-kone** (occasional) cook. **-kunst** cookery, culinary art.

kogen *(en)* boiling.

koge|plade hot-plate. **-punkt** boiling-point. **-sprit** methylated spirits.

kogger *(et -e)* quiver.

koghed *adj* boiling, piping hot.

I. **kogle** *(en -r) (på nåletræ)* cone.

II. **kogle** *vb* practise magic, cast spells.

kogleri *(et -er)* spell, enchantment, magic.

kognak *(en -ker)* brandy; *(ægte)* cognac.

kogning *(en)* boiling; *(madlavning)* cooking, cookery. **kogsalt** common salt. **kogt** *adj* boiled.

kohejre *zo* cattle egret, buff-backed heron.

kohorn cow's horn.

kok *(en -ke)* cook; *(overkok)* chef; *mange -ke fordærver maden* too many cooks spoil the broth.

kokain *(en)* cocaine.

kokarde *(en -r)* cockade.

kokasse *(en -r)* cow pat.

koket *adj* coquettish, flirtatious; *(på en bly måde)* coy. **kokette** *(en -r)* coquette, flirt. **kokettere** *vb* flirt, coquet; *~ med* make play with, make a show of. **koketteri** *(et)* coquetry, flirtation.

kokke|dreng cook's boy. **-pige** cook.

kokkerere *vb* cook, mess about in the kitchen.

kokon *(en -er)* cocoon.

kokoppeindpodning vaccination.

kokopper *(pl)* cowpox.

kokos|mel dessiccated coconut. **-mælk** coconut milk. **-måtte** coir mat. **-nød** coconut. **-palme** coco palm.

koks coke; *knuste ~* broken coke; *mange ~* much coke.

koksmat ⚓ cook's mate.

kolbe *(en -r) (gevær-)* butt; *(beholder)* flask; ♣ spadix *(pl* spadices); *(majs-)* cob.

kolbeand *zo* red-crested pochard.

kolbøtte *(en -r)* roll *(fx* a forward roll, a backward roll); somersault; *(fig)* volte-face; *slå en ~* turn a somersault; *(fig)* execute a volte-face.

kold *adj* cold, *(stærkere)* frigid; *med -t blod* in cold blood; *-t bord* a cold collation, *(kan gengives)* hors d'oeuvres; *have -e fødder (ogs fig)* have cold feet; *jeg er ~ om hænderne* my hands are cold; *den -e krig* the Cold War; *vise én en ~ skulder* give sby the cold shoulder; *slå -t vand i blodet* keep one's head, cool down.

kold|blodet *adj* cold-blooded. **-blodig** *adj* composed, cool. **-blodighed** *(en)* composure, coolness, sang-froid. **-brand** gangrene. **-feber** ague. **-front** cold front. **-permanent** cold wave. **-sindig** *adj* cool.

koldtvandshane cold-water tap.

kolera *(en)* cholera. **kolerabacille** cholera bacillus.

koleriker *(en -e)* choleric person.
kolerine *(en)* cholerine, summer cholera.
kolerisk *adj* choleric.
kolibri *(en -er)* humming-bird.
kolik *(en)* colic.
kollabere *vb* collapse.
kollaboratør *(en -er)* collaborator.
kollega *(en -er)* colleague. **kollegial** *adj* loyal; *han er ikke ~* he is not a good colleague; *af -e hensyn* out of consideration for one's colleague(s).
kollegiehæfte notebook.
kollegi|um *(et -er)* *(som fx. i Oxford)* college; *(den danske type svarer til)* hostel, hall of residence, *(amr)* residence hall, dormitory.
kollekt *(en)* *(bøn)* collect; *(indsamling)* collection.
kollektion *(en -er)* *(lotteri)* lottery agency; *(merk)* assortment, *(vareprøver)* samples; *(mode-)* collection.
kollektiv *(et -er)* & *adj,* **kollektiv|brug** *(et -)* collective. **-hus** *(svarer til)* block of service flats.
kollektivisere *vb* collectivize.
kollektrice *(en -r),* **kollektør** *(en -er)* lottery agent.
kolli *pl* packages, items; *(rejsegods)* pieces (of luggage).
kollidere *vb* collide, *(fig ogs)* clash *(med:* with).
kollision *(en -er)* collision.
kolofon *(en -er)* *(typ)* colophon.
kolokvint *(en)* ♌ colocynth; *(kem)* colocynthin.
kolon *(et -er)* colon.
koloni *(en -er)* colony. **kolonial** *adj* colonial. **kolonial|forretning, -handel** grocer's (shop). **-handler** *(en -e)* grocer.
kolonialisme *(en)* colonialism.
kolonialvarer groceries.
koloni|bestyrer *(i Grønland)* factor, "colony manager". **-have** allotment (garden). **-magt** colonial power. **-minister** Colonial Secretary. **-rige** colonial empire.
kolonisation *(en)* colonization.
kolonisere *vb.* colonize. **kolonisering** *(en -er)* colonization. **kolonist** *(en -er)* colonist, settler.
kolonnade *(en -r)* colonnade.
kolonne *(en -r)* column; *(af arbejdere)* gang; *femte ~ (fig)* fifth column. **kolonnekørsel** bumper-to-bumper driving.
koloratur *(en -er)* coloratura.
kolorere *vb* colour, *(amr)* color.
kolorering *(en)* colouring, *(amr)* coloring.
kolorist *(en -er)* colourist, *(amr)* colorist.
kolorit *(en)* colouring, *(amr)* coloring.
kolos *(en -ser)* colossus; *en ~ på lerfødder* an image with feet of clay. **kolossal** *adj* colossal.
kolportage *(en)* (book) canvassing; *(af religiøse skrifter)* colportage; *(modtagelse af ordrer)* subscription bookselling. **kolportere** *vb* canvass; *(rygte etc)* retail, spread *(fx* rumours). **kolportør** *(en -er)* canvasser; *(ofte =)* travelling bookseller; *(især af religiøs litteratur)* colporteur.
kolumbari|um *(et -er)* *(urnehal)* columbarium.
kolumne *(en -r)* *(spalte)* column, *(side)* page. **kolumnesnor** page cord. **-titel** catchword, headline.
kombattant *(en -er)* combatant.
kombination *(en -er)* *(forbindelse)* combination. **kombinations|evne** faculty of combination. **-lås** combination lock. **kombinere** *vb* combine.
komediant *(en -er)* *(neds)* play-actor; T ham actor.
komedie *(en -r)* comedy, play; *(fig)* comedy, pantomime; *(forstillelse)* shamming, play-acting; *(bluff)* bluff; *(halløj)* row; *spille ~* act, play; *(forstille sig)* be play-acting, put on an act.
komediespil bluff, shamming, play-acting.
komet *(en -er)* comet. **komet|bane** comet's orbit. **-hale** comet's tail. **-kerne** comet's nucleus.
komfort *(en)* comfort. **komfortabel** comfortable.
komfur *(et -er)* kitchen range; *(gas-)* gas cooker; *elektrisk ~* electric cooker; *(amr)* electric stove.

komik *(en)* comic effect, comedy. **komiker** *(en -e)* comedian. **komisk** *adj (som angår komedie)* comic *(fx* author, opera, song); *(lattervækkende, især)* comical *(fx* expression, look), funny, ludicrous *(fx* situation); *~ skuespiller* comedian; *det -e ved det* the funny part of it.
komité *(en, komiteer)* committee; *sidde i -en* be on the committee.
komma *(et -er)* comma; *(i decimalbrøk)* decimal point; *(2.57* = two point five seven).
kommafejl misplaced *(el.* omitted) comma, comma fault.
kommandant *(en -er)* commandant. **kommandantskab** *(et -er),* **kommandantur** *(en -er)* ⚓ headquarters.
kommandere *vb* command; *~ med en* order sby about. **kommanderende** *adj* commanding; *(dominerende)* domineering; *~ general* commander-in-chief; *~ officer* commanding officer.
I. **kommando** *(en -er)* command; *føre ~ over* be in command of; *have -en* be in command; *hejse ~* ⚓ hoist one's flag; *stryge ~* ⚓ strike one's flag; *under ~ af* under the command of.
II. **kommando** *(et -er)* *(troppestyrke)* command; *(til specielt brug)* commando.
kommando|bro bridge. **-ord** (word of) command. **-post** ⚓ *(stilling)* command; *(sted)* command post; *(jernb)* central signalling post. **-raid** commando raid. **-station** ⚓ command post *(fk* CP). **-stav** baton. **-styring** *(om missil)* command guidance. **-tårn** ⚓ conning-tower. **-vej:** *ad -en* through the ordinary channels of command.
kommandør *(en -er)* commander; *(søofficersrang, svarer omtr til)* commodore. **kommandørkaptajn** *(svarer omtr til)* captain.
kommatere *vb* punctuate, place commas. **kommatering** *(en)* punctuation; the placing of commas.
I. **komme** *(et)* approach; *(ankomst)* coming, arrival.
II. **komme** *(kom, kommet)* come; *(ankomme ogs)* arrive; *(på visit)* call; *(nå frem til, blive hensat i)* get *(fx* get to London, get into a better temper); *(om bog: udkomme)* be published, appear; *(anbringe, putte i)* put *(fx* put sugar in the tea), *(hælde)* pour; *det skal ~ dig dyrt at stå* you shall pay dearly for it; *nu -r min tur* now it is my turn; *nu -r jeg!* coming! *~ nærmere* approach, come closer; *(se ogs nærme sig)*; *kom så da!* come on! *~ for sent* be (too) late; *~ sig* improve, *(blive rask)* recover *(af:* from); *du -r dig (3: bliver kvikkere)* you are coming on! *(se ogs kommende)*; · [*m præp og adj:*] *~* '*af* ⚓ *(3: komme af grunden)* come off, get off; '*~ af* *(skyldes)* come from, be due to, *(nedstamme fra)* come of, *(om ord: afledes af)* be derived from; *~ af sted* get off, start; *~ galt af sted* come to grief, *(om pige)* get into trouble, *(løbe sig en staver i livet)* get into hot water, *(begå en bommert)* put one's foot in it, *(hvorved: ulykke)* have an accident, be hurt; *hvoraf -r dette?* why is this? *~ af med* get rid of; *kom an!* come on! *~ an på* depend on *(fx* it depends on the weather); *det -r an på (3: afhænger af omstændighederne)* that depends; *det er karakteren det -r an på* it's the character that matters; *det -r an på dig* it depends on you, it is up to you; *~ bag på én* take sby by surprise; *~ bort* get off, get away, *(mistes, forsvinde)* be lost, *(m posten ogs)* go astray; *~ efter (3: følge på)* follow, succeed, come after, *(komme for at hente)* come for, call for; *~* '*efter (3: opdage)* find out, *(lære)* pick up; *jeg skal ~ efter ham!* he'll catch it from me! *~* '*for* occur, happen, *(om sag)* come on; *han kom godt fra det (et arbejde)* he acquitted himself well, *(ulykke)* he escaped unhurt, *(vovestykke)* he got away with it; *det var det jeg kom fra* . . as I was going to say . .; *det kan man ikke ~ bort fra (3: benægte)* there is no denying it; *~ frem* come out, appear, *(~ videre)* get on; *(bane sig vej)* make one's way, *(i verden)* get on, rise; *(til bestemmelsessted)* get through,

get there; *(røbes)* be revealed, become known; ~ *frem af* emerge from; ~ *frem med* produce, bring forward; *(meddele, fortælle)* tell, disclose; ~ **hen** *til* come up to; ~ **hos** *Smith* be a frequent guest at Smith's; be received by the Smiths; ~ *i avisen* get into the papers; ~ **iblandt** *folk* go out much, get around; ~ **igen** come back, return, *(betale sig)* pay in time; *jeg -r igen en anden gang* I shall call again (another time); ~ **igennem** get through; ~ **ind** come in, get in; ~ *ind i* enter; *(sætte sig ind i)* acquaint oneself with; ~ *ind på et emne (i samtale)* get on to a subject; *(berøre)* touch on a subject; *kom* **'med!** come along (with us)! ~ **'med** *(o: blive taget med)* be included, *(slutte sig til andre)* join; *'~ med (o: bringe)* bring, *(ytre)* utter, say; ~ **om** *ved (ogs fig)* get around; ~ **op** get up; *(om planter)* come up; *(om teaterstykke)* be put on; ~ *op at skændes* quarrel; ~ *op at slås* come to blows; ~ *op på et stort tal* reach a big figure;

ånden kom **over** *ham* the spirit moved him; ~ *over en mur* get over a wall; ~ *over en sygdom* get over *(el. recover from)* an illness; ~ *over en vanskelighed* get over a difficulty; ~ **'på** *(blive trykt i blad)* be put in; *(erindre)* think of, remember; *'~ på (om pris, beløb)* come to *(fx your bill comes to £5); jeg kan ikke ~ på navnet* the name escapes me, I forget the name; ~ *på tale* be mentioned; ~ **sammen** meet; come together; *(omgås)* associate with each other; ~ **til** come to, arrive at *(fx a place), (erhverve)* come by *(fx how did you come by that money?),* obtain; ~ *til at gøre noget (tilfældigt)* happen to do sth, do sth by accident *(fx I broke the window by a.); du -r til at gøre det* you will have to do it; *priserne -r til at ligge højere* the prices will be higher; *lad mig ~ til!* let me! *det kom til forsoning (, til slag)* there was a reconciliation *(,a battle);* ~ *til kræfter* recover one's strength; ~ *til en slutning* come to *(el. arrive at)* a conclusion; *der kom andre 'til* others turned up; they were joined by others; *når han kan ~ til det* when he has a chance; *hertil -r at* add to this that, to this may be added that; ~ *noget 'til* get hurt, be injured; ~ *til sig selv* come to, come round; *jeg var -t til at hade ham* I had got to hate him; ~ **ud** come out, get out, *(se ogs II. udkomme); hans nummer kom ud (i lotteri)* his number came up; *der kom intet ud af planen* the plan came to nothing; *hvad skal der ~ ud af dette?* how is this going to end? ~ *ud af det med* get on with; ~ *ud for* meet with; *nummeret er -t ud med £5* the number has won £5; ~ *ud over (klare)* manage; ~ *ud på ét* come to the same thing; *det kan man ikke ~* **uden** **om** *(o: benægte)* there is no denying it *(el.* getting round it); ~ **'ved** concern; *hvad -r det dig ved?* what business *(el.* concern) is that of yours? *det -r ikke dig ved* it is no business *(el.* concern) of yours, it is none of your business.

I. **kommen** *(en) (planten)* caraway; *(frøene)* caraway seeds.

II. **kommen:** ~ *og gåen* comings and goings.

kommende *adj* coming, future; *i den ~ tid* for some time to come; *det ~ år* next year; *i de ~ år* in the years to come; *de ~ 3 år* the coming 3 years.

kommensurabel *adj* commensurable.

kommentar *(en -er)* comment; *(samling noter)* commentary. **kommentator** *(en -er)* commentator. **kommentere** *vb* comment on; *-t udgave* annotated edition.

kommerciel *adj* commercial.

kommers *(en) (lystighed)* fun; *(spektakel)* hubbub.

kommis *(en -er)* shop assistant; *(amr)* clerk.

kommission *(en -er)* commission, *(råd ogs)* board; *give en i ~ at* commission sby to; *have varer i ~* have goods on commission.

kommissions|gebyr commission. **-handel** commission business. **-lager** stock on commission.

kommissionær *(en -er)* commission agent, factor; *(ejendomskommissionær) se ejendomshandler.*

kommissær *(en -er)* commissioner, *(politi-) (svarer omtrent til)* superintendent; *(i Sovjet)* commissar.

kommittent *(en -er) (ved h'andel)* principal.

kommitteret *(en, kommitterede)* commissioner.

kommode *(en -r)* chest of drawers, *(amr)* bureau. **kommodeskuffe** drawer.

kommunal *adj (i by)* municipal; *(på landet)* parochial, parish. **kommunal|bestyrelse** *(i by)* town council, corporation; *(sogne-)* parish council. **-valg** municipal election, local election.

kommune *(en -r) (by-)* municipality; *(sogne-)* parish. **kommune-** municipal; parish.

kommune|bibliotek municipal library. **-hospital** municipal hospital. **-ingeniør** municipal engineer. **-lærer** county-school teacher. **-skat** local taxes; *(i England)* rates. **-skole** municipal school; *(i England omtr* =) county school; *(amr omtr* =) public school.

kommunicere *vb* communicate.

kommunikation *(en -er)* communication, intercourse. **kommunikationsmidler** means of communication *(el.* intercourse).

kommunisme *(en)* communism. **kommunist** *(en -er)* communist. **kommunistisk** communist(ic).

kompagni *(et -er) (⚓ og merk)* company; *(-skab)* (co-)partnership; *1. (, 2., etc) ~ ⚓ A (, B, etc)* Company; *gå i ~ med* enter into partnership with; *Jones & ~* Jones & Co.

kompagnichef ⚓ company commander.

kompagniskab *(et)* partnership.

kompagnon *(en -er)* partner; *optage som ~* take into partnership; *passiv ~* sleeping partner.

kompakt *adj* compact, solid *(fx a s.* majority); ~ *modstand* massive resistance.

komparation *(en -er)* comparison.

I. **komparativ** *(en)* the comparative (degree).

II. **komparativ** *adj* comparative.

komparent *(en -er) (jur)* party.

komparere *vb* compare.

kompas *(et -ser)* compass. **kompas|hus** ⚓ binnacle. **-nål** compass needle. **-rose** compass card. **-streg** point of the compass.

kompendi|um *(et -er)* compendium.

kompensation *(en -er)* compensation.

kompensere *vb* compensate.

kompetence *(en)* competence, powers, authority; *overskride sin ~* exceed one's powers, act ultra vires.

kompetent *adj* competent, qualified *(til at:* to).

kompilation *(en -er)* compilation. **kompilator** *(en -er)* compiler. **kompilere** *vb* compile.

I. **kompleks** *(et -er)* complex; *(bygnings-)* group of buildings, block; *fortrængte -er* repressions.

II. **kompleks** *adj* complex.

komplement *(et -er)* complement. **komplementaritet** *(en)* complementarity.

komplementær complementary.

komplementærfarve complementary colour.

komplet *adj* complete; ~ *latterlig* utterly ridiculous; *i ~ stand* (when) complete; *en ~ umulighed* an absolute impossibility. **komplettere** *vb* complete, make up; *(supplere)* supplement. **komplettering** *(en)* completion; supplementation.

komplicere *vb* complicate. **kompliceret** *adj* complex, complicated; ~ *(ben)brud* compound fracture. **komplikation** *(en -er)* complication.

kompliment *(en -er)* compliment; *(buk, nejen)* obeisance, *(nejen ogs)* curtsy.

komplimentere *vb* compliment *(for:* on).

komplot *(et -ter)* plot, conspiracy.

komponere *vb* compose. **komponist** *(en -er)* composer. **komposition** *(en -er)* composition. **kompositionslære** theory of (musical) composition. **kompositorisk** *adj* compositional.

kompost *(en)* compost.

kompot *(en -ter)* stewed fruit.

kompres *(et -ser) (med.)* compress

kompression *(en -er)* compression.
komprimere *vb* compress; *-t luft* compressed air.
kompromis *(et -ser)* compromise. **kompromis-forslag** proposal for a compromise, compromise proposal.
kompromittere *vb* compromise.
komsammen *(et)* get-together, party.
komtesse *(en -r)* [unmarried daughter of a count]; ~ *Alice (kan gengives)* Lady Alice.
koncentration *(en -er)* concentration *(fx of* troops).
koncentrations|evne power of concentration. **-lejr** concentration camp.
koncentrere *vb* concentrate; ~ *sig om* concentrate on. **koncentrisk** *adj* concentric.
koncept *(en -er) (kladde)* (rough) draft; *(-papir)* draft paper; *bringe fra -erne* put out, disconcert; *gå fra -erne* be disconcerted, lose one's head.
konceptpapir draft paper.
koncern *(en -er)* concern.
koncert *(en -er)* concert; *(musikstykke)* concerto.
koncertere give a concert, give concerts.
koncert|flygel concert grand. **-mester** leader, *(amr)* concert master. **-sal** concert hall.
koncession *(en -er)* concession; licence.
koncessionere *vb* grant a concession; *-t selskab* concessionary company.
koncil(ium) *(et -(i)er)* council; *(kirke ogs)* synod.
koncipere *vb (affatte)* draw up, draft; *(undfange)* conceive.
koncis *adj* concise.
konden|sator *(en -er)* condenser. **-sere** *vb* condense. **-sering** *(en)* condensation.
kondens|stribe *(flyv)* condensation trail, contrail, vapour trail. **-vand** condensed water.
kondition *(en -er)* condition.
konditor *(en -er)* confectioner.
konditori *(et -er)* confectioner's (shop); *(serveringslokale(t))* café, tea room(s).
konditorvarer *(pl)* confectionery.
kondolence *(en)* condolence(s).
kondolere *vb* condole; ~ *en* condole with sby; *(ofte =)* express one's sympathy for sby.
kondom *(en -er)* condom, contraceptive sheath.
kondor *(en -er) zo* condor.
konduite *(en)* judgment, presence of mind; *handle efter* ~ use one's own judgment *(el.* discretion).
konduktor *(en -er)* conductor.
konduktør *(en -er) (sporvogns-, omnibus-)* conductor; *(togbetjent)* ticket collector, *(togfører)* guard, *(amr)* conductor; *(bygnings-)* clerk of works.
kone *(en -r) (hustru)* wife *(pl* wives); *(kvinde)* woman *(pl* women); *(husmoder)* mistress of the house, housewife; *(hjælp i huset)* charwoman, daily, help; *en gift* ~ a married woman; ~ *og børn* a wife and family; *hils Deres* ~ remember me to your wife; remember me to Mrs Smith (, Johnson, etc).
kone|agtig matronly. **-båd** umiak. **-hjælp** charwoman, daily, help.
konfekt *(en)* (assorted) chocolates; *grov* ~ *(fig)* rough treatment.
konfektion *(en)* ready-made clothing.
konfekture *(en -r)* confectionery. **konfekture-forretning** sweetshop; *(amr)* candy store.
konference *(en -r)* conference.
konferencier *(en -er)* compère.
konferere *vb* confer; *(jævnføre)* compare, check.
konfession *(en -er)* confession, creed. **konfessionsløs** *adj* undenominational *(fx* education).
konfetti confetti; *kaste* ~ throw confetti.
konfidentiel *adj* confidential.
konfirmand *(en -er)* candidate for confirmation; newly confirmed person. **konfirmation** *(en -er)* confirmation. **konfirmere** *vb* confirm.
konfiskation *(en -er)* confiscation, seizure.

konfiskere *vb* confiscate, seize.
konfiture *(en -r) (svarer til)* (assorted) chocolates.
konflikt *(en -er)* conflict; *komme i* ~ *med* come into conflict with *(fx* the law).
konfrontation *(en)* confrontation; *(for at identificere mistænkt)* identification parade.
konfrontere *vb* confront.
konfundere *vb* confuse.
konfus *adj* confused. **konfusion** *(en)* confusion.
konføderation *(en)* confederation, confederacy. **konfødereret** *adj* confederate.
konge *(en -r)* king; *(i kegler)* king pin; *kong Edward* King Edward; *jeg ejer ikke -ns mønt* I haven't got a penny (, cent) to my name.
konge|blåt royal blue. **-brev** special licence; *blive gift på* ~ be married by special licence. **-datter** king's daughter, princess. **-dømme** *(et -r)* kingdom; *(statsform)* monarchy. **-edderfugl** *zo* king eider. **-familie** royal family; *(se ogs -hus).* **-flag** royal standard. **-hus** royal house *(el.* family), dynasty; *medlem af -et* member of the Royal Family. **-krone** royal crown.
kongelig *adj* royal *(fx* palace, prerogative; His Royal Highness), regal *(fx* title, office, splendour); *(fig)* royal *(fx* magnanimity; in royal spirits kingly *(fx* gift); *de -e* (members of) the Roy Family, Royalty; *det -e hus* the Royal Family; *more sig -t* enjoy oneself immensely. **kongeligsindet** *adj* royalist.
konge|loge royal box. **-lys** ♁ (great) mullein. **-magt** royal power; *-en (i forfatningen)* the Crown. **-mord** regicide. **-morder** regicide.
kongenial *adj* congenial.
konge|par King and Queen. **-rige** kingdom; *-t Danmark* the Kingdom of Denmark. **-række** list of kings. **-røgelse** incense; *(fig)* flattery of the king. **-skib** royal yacht. **-slot** royal palace. **-slægt** royal house.
konge|tiger (Bengal) tiger. **-titel** the title of King, regal title. **-tro** *adj* loyal. **-valgt** *adj* appointed by the Crown. **-vand** aqua regia. **-ørn** *zo* golden eagle.
konglomerat *(et -er)* conglomerate.
Kongo the Congo.
kongres *(en -ser)* congress, conference.
kongruens *(en)* congruity; *(mat.)* congruence.
kongruent *adj* congruous; *(mat.)* congruent.
kongs|bonde *(på Færøerne)* King's yeoman. **-emne** pretender. **-tanke** great idea.
konisk *adj* conic(al); ~ *tandhjul* bevel gear.
konjektur *(en -er)* conjecture.
konjugation *(en -er)* conjugation.
konjugere *vb* conjugate.
konjunktion *(en -er)* conjunction.
konjunktiv *(en -er)* the subjunctive (mood).
konjunktur *(en -er)* state of the market; *-er (ogs)* trading conditions; *dårlige -er* (trade) depression, slump; *gode -er* prosperity, boom; *nedadgående -er* downward tendency.
konjunktur|gevinst profit owing to fluctuations of the market. **-svingninger** fluctuations of the market. **-tillæg** cost-of-living bonus.
kon|kav *adj* concave. **-klave** *(et -r)* conclave. **-kludere** *vb* conclude. **-klusion** *(en -er)* conclusion. **-kordans** *(en -er)* concordance. **-kordat** *(et -er)* concordat.
I. **konkret** *adj* concrete.
II. **konkret** *(et -er)* concrete noun.
konkubinat *(et -er)* concubinage.
konkubine *(en -r)* concubine.
konkurrence *(en -r)* competition; *fri (, hård)* ~ open (, keen) c. **konkurrence|deltager** competitor, entrant. **-dygtig** *adj* competitive *(fx* article, price); *være* ~ *(ogs)* be able to compete. **-evne** competitiveness.

konkurrent *(en -er)* competitor, rival; *hans nærmeste* ~ his chief competitor.

konkurrere *vb* compete *(med:* with, *om:* for); ~ en ud oust a competitor. **konkurrerende** *adj* competitive, rival.
I. **konkurs** *(en -er) (fallit)* bankruptcy.
II. **konkurs** *adj* bankrupt; *gå* ~ fail, go bankrupt.
konkurs|begæring: *indgive* ~ file one's *(el.* a) petition in bankruptcy. **-behandling** proceedings in bankruptcy; *skyldnerens bo kommer under* ~ the debtor's estate will be administered in bankruptcy. **-bo** estate in bankruptcy. **-lov** Bankruptcy Act.
konkylie *(en -r)* shell, conch.
konnossement *(et -er)* bill of lading, B/L; *gennemgående* ~ through B/L.
konseilpræsident prime minister.
konsekvens *(en -er) (følgerigtighed)* consistency; *(følge)* consequence; *tage -erne* take the consequences.
konsekvent *adj* consistent; *adv* -ly.
konservatisme *(en)* conservatism.
konservativ *adj* conservative.
konservator *(en -er) (ved museum: kan gengives)* museum conservator; *(som restaurerer malerier)* restorer; *(som udstopper dyr)* taxidermist.
konservatori|um *(et -er)* academy of music.
konservere *vb* preserve. **konservering** *(en)* preservation. **konserveringsmiddel** preservative.
konserves tinned *(el.* canned) goods *(el.* food); *(amr kun)* canned goods *(el.* food). **konservesdåse** tin, can; *(amr kun)* can.
konsig|nant *(en -er)* consignor. **-natar** *(en -er)* consignee. **-nation** *(en -er)* consignment; *modtage varer i* ~ receive goods on consignment. **-nere** *vb* consign.
konsistens *(en)* consistency. **konsistensfedt** (cup) grease.
konsistorium *(i København)* [the governing body of the university]; *(kan gengives)* the Academic Council.
konsol *(en -ler) (møbel)* console; *(fremspring på væg)* corbel; *(hylde)* bracket.
konsolidere *vb* consolidate.
konsolidering *(en)* consolidation.
konsonant *(en -er)* consonant.
konsorter *pl* associates; *Smith og* ~ *(neds)* Smith and his ilk, Smith and the rest of his gang.
konsorti|um *(et -er)* syndicate.
konspiration *(en -er)* conspiracy, plot. **konspiratorisk** *adj* conspiratorial *(fx glance).*
konspirere *vb* conspire, plot.
konstab|el *(en -ler)* ✗ enlisted private; *(i artilleriet)* gunner.
I. **konstant** *(en -er)* constant.
II. **konstant** *adj* constant, invariable.
Konstantinopel Constantinople.
konstatere *vb* ascertain, find; *(påvise, godtgøre)* establish, demonstrate; *(fastslå)* note, state.
konstellation *(en -er)* constellation.
konsterneret *adj* taken aback, dismayed.
konstituere *vb* constitute; *(i embede)* appoint temporarily. **konstitueret** *adj.* acting, temporary.
konstitution *(en -er)* constitution, *(i embede)* acting *(el.* temporary) appointment.
konstitutionel *adj* constitutional.
konstruere *vb* construct; *(opdigte)* invent.
konstruktion *(en -er)* construction; *(det byggede)* structure. **konstruktiv** *adj* constructive.
konstruktør *(en -er) (den som har konstrueret noget)* designer, constructor; *(mekaniker etc)* engineer.
konsul *(en -er)* consul. **konsulat** *(et -er)* consulate. **konsulats-** consular *(fx c.* assistance).
konsulent *(en -er)* adviser; *(forlags-)* reader.
konsulere *vb* consult; ~ *en læge* consult *(el.* see) a doctor, take medical advice.
konsultation *(en -er)* consultation.
konsultations|tid *(læges)* surgery hours; *(amr)* office hours. **-værelse** surgery; *(amr)* office.
konsultere consult; *(se ogs konsulere).*
konsum *(et)* consumption. **konsument** *(en -er)*

consumer. **konsumere** *vb* consume. **konsumvarer** *pl* consumer goods.
kontakt *(en -er)* contact, *(fig ogs)* touch *(fx* get into touch with him); *(afbryder)* switch.
kontakte *vb* contact.
kontakt|linse contact lens. **-mand** contact. **-stang** *(på sporvogn)* trolley pole.
kontant *(jn)* cash; ~ *betaling* cash payment; *betale* ~ pay cash (down); *pr.* ~ for cash. **kontanter** *pl* cash. **kontantrabat** cash discount.
kontenance: *bevare -n* retain one's composure; *tabe -n* be put out, lose one's composure.
kontinent *(et -er)* continent.
kontinental *adj* continental.
kontingent *(et -er) (medlems-)* subscription; *(kvota)* quota, allocation; ✗ contingent.
kontingentering *(en)* quota system.
kontinuerlig *adj* continuous.
kontinuitet *(en)* continuity.
konto *(en, -er el. konti)* account; *indsætte et beløb på ens* ~ pay an amount into sby's account; *på den* ~ *(fig)* on that score; *skrive det på hans* ~ put it down to his account; *(fig)* attribute it to him; *åbne en* ~ *hos* open an account with.
kontokurant *(en -er)* current account.
kontor *(et -er)* office. **kontor|chef** *(omtr =)* head of an office, head clerk; *(i ministerium)* assistant secretary, *(amr)* chief of section. **-dame** typist.
kontorist *(en -er)* clerk.
kontorius *(en)* Jack-in-office, bureaucrat.
kontoriusseri *(et)* red tape.
kontor|mand clerk. **-personale** clerical *(el.* office) staff. **-plads** job in an office, office job. **-stol** *(drejelig)* swivel chair. **-tid** office hours.
konto|udskrift, -udtog abstract *(el.* statement) of account.
kontra versus; *pro et* ~, *se pro; slå* ~ reverse the engine, *(fig)* back out.
kontra|bande *(en)* contraband. **-bas** double-bass. **-bog** pass book. **-fej** likeness.
kontrahent *(en -er)* contracting party.
kontrahere *vb* contract *(om:* for); *de høje -nde parter* the High Contracting Parties.
kontrakt *(en -er)* contract; *(af)slutte en* ~ enter into a contract *(med:* with). **kontrakt|bridge** contract bridge. **-brud** *(et)* breach of contract.
kontrakt|lig, -mæssig *adj* contractual *(fx* obligation); ~ *forpligtet til (at)* bound by contract to.
kontra|ordre counter-order. **-part** adversary, opponent. **-prøve** counter-test. **-punkt** counterpoint. **-punktisk** *adj* contrapuntal. **-revolution** counter-revolution. **-signere** *vb* countersign. **-spionage** counter-espionage.
kontrast *(en -er),* **kontrastere** *vb* contrast.
kontrastvirkning contrast, contrasting effect.
kontreadmiral rear-admiral.
kontrol *(en)* control *(med, over:* of); *(mindre direkte: opsyn)* supervision *(med, over:* of); *(inspektion)* inspection, check; *føre* ~ *med* supervise, keep check on; *gå til* ~ *(om arbejdsløs)* sign the register; *få ilden under* ~ get the fire under control. **kontrol|assistent** milk recorder. **-billet** check. **-kommission** control commission.
kontrollere *vb (holde opsyn med)* supervise; *(undersøge)* check, check up on, test; *(beherske)* control.
kontrollør *(en -er)* controller, superviser; *(i teater)* attendant; *(billet-)* ticket collector; *(ved indgang til sportsplads etc)* gateman, gatekeeper.
kontrol|organ *(politisk)* control body. **-tårn** *(flyv)* control tower. **-ur** time clock.
kontrovers *(en -er)* controversy. **kontroversiel** *adj* controversial.
kontrær *adj* contrary; *(om person ogs)* obstinate.
kontubernal *(en -er)* room-mate; *være -er* room together.
kontur *(en -er)* outline, contour.
kontusion *(en -er)* contusion, bruise.

konus *(en -ser)* cone, taper.
konval *(en -ler)* ♁ *(stor)* Solomon's seal; *(lilje-)* lily of the valley.
konveks *adj* convex.
konveniens *(en)* propriety, convention.
konvent *(et -er) (præste-)* clerical conference.
konvention *(en -er)* convention.
konventionel *adj* conventional.
konversation *(en -er)* conversation.
konversationsleksikon encyclopaedia.
konversere *vb* converse (with), chat (with); *(mere formelt)* make conversation (with).
konvertere *vb* convert; *(omvende sig)* be converted. **konvertering** *(en)* conversion.
konvertit *(en -ter)* convert.
konvoj *(en -er),* **konvojere** *vb* convoy.
konvolut *(en -ter)* envelope.
konvolvulus *(en -)* ♁ bindweed, convolvulus.
konvulsion *(en -er)* convulsion.
konvulsivisk *adj* convulsive.
kooperation *(en)* co-operation.
kooperativ *adj* co-operative.
koordinat *(en -er)* co-ordinate. **koordination** *(en)* co-ordination. **koordinatsystem** system of co-ordinates. **koordinere** *vb* co-ordinate.
kop *(en -per)* cup; *et par -per* a cup and saucer; *en ~ te* a cup of tea; *en køn ~ te* a nice kettle of fish.
kop|ar pockmark. **-arret** *adj.* pockmarked.
kopi *(en -er)* copy, *(om kunstværk og fig ogs)* replica. **kopi|blæk** copying-ink. **-bog** letter book.
kopiere *vb* copy; *(fotografisk)* print; *(imitere)* imitate, *(parodiere)* take off. **kopiering** *(en)* copying; printing. **kopierpapir** copying-paper. **kopipresse** *(en -r)* copying-press.
koppeattest vaccination certificate.
kopper *(sygdom)* smallpox; *sorte ~* black smallpox.
koppevaccination vaccination (against smallpox).
kopra *(en)* copra.
kopter *(en -e)* Copt. **koptisk** *adj & subst* Coptic.
kopulation *(en -er)* copulation.
kor *(et -)* chorus; *(kirkesangere, korforening)* choir; *(arkit)* choir, chancel; *for blandet ~* for mixed voices; *i ~* in chorus.
I. **koral** *(en -er) (musik)* chorale.
II. **koral** *(en -ler)* coral. **koral|dyr** *(pl)* zo corals, anthozoa. **-fisker** coral diver *(el. fisher).* **-rev** *(et -)* coral reef. **-ø** coral island, atoll.
Koranen the Koran.
kordame *se korist og korpige.*
korde *(en -r) (mat.)* chord.
kordegn *(omtr =)* sacristan, parish clerk.
kordirigent chorus master; *(kirke-)* choirmaster.
kordon *(en -er)* cordon.
kordreng choir boy.
Korea Korea. **Koreakrigen** the Korean war.
koreaner *(en -e),* **koreansk** *adj* Korean.
korende *(en -r)* currant.
koreograf *(en -er)* choreographer.
Korint Corinth. **korintier** *(en -e),* **korintisk** *adj* Corinthian.
korist *(en -er)* chorus singer, *(i kirkekor)* chorister.
kork *(en)* cork.
kork|agtig *adj* corky. **-bælte** cork belt. **-eg** cork oak. **-flise** cork tile. **-mundstykke** cork tip. **-prop** cork.
korn *(et -)* corn, grain; *(amr)* grain; *(gryn, partikel, kerne)* grain *(fx a grain of wheat); (sigtekorn på gevær)* front sight, bead; *tage på -et* draw a bead on; *(fig)* hit off (exactly).
korn|aks ear of corn. **-avl** grain-growing, grain cultivation. **-blomst** cornflower. **-dyrkende** grain-growing.
I. **kornet** *(en -ter) (musikinstrument)* cornet.
II. **kornet** *adj* granular, grainy.
kornfedet *adj* corn-fed.
korn|handler *(en)* corn dealer. **-kammer**

granary. **-land** corn-growing country. **-loft** granary. **-læs** cartload of corn. **-magasin** granary. **-mark** corn field. **-mod** summer *(el.* heat) lightning. **-neg** sheaf of corn. **-rensning** winnowing. **-rig** abounding in corn. **-sort** cereal, species of grain. **-told** corn duty.
korpige chorus girl.
korporal *(en -er)* corporal.
korporation *(en -er)* corporation, body.
korporlig *adj* corporal *(fx* punishment); bodily.
korps *(et -)* corps *(pl -),* body; *flyvende ~* flying squad. **korpsånd** esprit-de-corps.
korpulence *(en)* stoutness, corpulence.
korpulent *adj* stout, corpulent.
korpus *(et)* body, *(svært)* bulk *(fx* he leant his bulk against the wall).
korrekse *vb* scold, reprimand.
korrekt *adj* correct; *(nøjagtig)* accurate.
korrekthed *(en)* correctness; accuracy.
korrektion *(en -er)* correction.
korrektiv *(et -er)* corrective.
korrektur *(en -er) (aftryk)* proof (sheet); *anden ~* revise, second proof; *læse ~ på* read the proofs of.
korrektur|ark proof sheet. **-læser** proof reader.
-læsning proof reading. **-tegn** proof reader's mark.
korrektør *(en -er) (typ)* proof reader; *(luftværns-)* predictor.
korrespondance *(en -r)* correspondence. **korrespondance|afbryder** two-way switch. **-kort** letter card. **-kursus** correspondence course. **-undervisning** postal tuition.
korrespondent *(en -er)* correspondent; *(på kontor)* correspondence clerk. **korrespondere** *vb* correspond *(med:* with, *om:* about).
korridor *(en -er)* corridor, *(i parlament)* lobby.
korrigere *vb* correct *(for* for).
korrumperet *adj* corrupt.
korruption *(en -er)* corruption.
kors *(et -) (ogs fig)* cross; *lægge armene over ~* fold one's arms; *lægge benene over ~* cross one's legs; *med benene over ~* cross-legged; *gøre -ets tegn* make the sign of the cross; *krybe til -et* eat humble pie.
korsang *(det et)* choral singing; *(sangen)* part song.
korsblomstre|t cruciferous; *de -de* the crucifers.
korsbånd wrapper; *i ~* by printed-paper post.
korse: ~ *sig* cross oneself, make the sign of the cross; ~ *sig over* be shocked *(el.* scandalized) at.
korsedderkop zo cross spider, garden spider.
korselet *(et -ter)* corselet.
korset *(et -ter)* corset, stays *pl.*
kors|farer *(en -e)* crusader. **-formet** cruciform.
-fæste crucify. **-fæstelse** *(en)* crucifixion.
Korsika Corsica. **korsikaner** *(en -e),* **korsikansk** *adj* Corsican.
kors|lagt crossed, *(om armene)* folded. **-næb** zo crossbill. **-sting** cross stitch. **-tog** crusade. **-vej** crossroads.
I. **kort** *(et -)* card; *(land-)* map; *(sø-)* chart; *(spille-)* (playing-)card; *(brev-)* postcard, *(amr)* postal card; *(visit-)* (visiting-)card; *(abonnements- til jernbane etc)* season ticket, *(amr: til jernbane)* commutation ticket; *(kartoteks-)* index card, catalogue card; *give ~* deal; *det er dig der skal give ~* it is your deal; *der er givet forkert ~* there has been a misdeal; *have gode ~ på hånden (ogs fig)* hold a good hand; *kigge en i -ene (fig)* keep an eye on sby's doings; *lægge -ene på bordet (ogs fig)* put one's cards on the table, show one's hand; *et spil ~ (⊃: kortbladene)* a pack of cards, *(især amr)* a deck of cards; *(= et slag ~)* a game of cards; *spille sine ~ godt* play one's cards well; *sætte alt på ét ~* stake everything on one card.
II. **kort** *adj* short; *(kortfattet)* brief, concise; *(affærdigende)* curt; ~ *efter* shortly after, presently; ~ *for hovedet* short-tempered, snappish; ~ *og godt* in so many words; ~ *sagt* in short, to cut a long story short; *for ~ tid siden* a short time ago, recently; *om* ~ *tid* shortly, soon, before long; *komme til* ~ fail, get teh worst of it.

kortbølge short wave. **kortbølge|behandling** (elekt) short-wave diathermy. **-sender** (en -e) short -wave transmitter.

kortege (en -r) cortege. **kortegekørsel** bumper -to-bumper driving.

kort|fattet adj brief, concise, short. **-film** short (film). **-fristet** adj short-term. **-giver** dealer. **-halset** adj short-necked.

korthed (en) shortness; (kortfattethed) brevity, briefness, conciseness; i ~ briefly, in a few words; fatte sig i ~ be brief.

kort|hus (fig) house of cards (fx collapse like a house of c.). **-håret** adj short-haired. **-klippet** adj close-cropped; (med karsehår) crew-cut; (om damer) bobbed, shingled. **-kunst** card trick. **-lægge** vb map (out); ♺ chart. **-sigtet** short-term; (se ogs -synet). **-skallet** adj brachycephalic. **-slutning** short circuit. **-slutte** short-circuit. **-spil** card-playing. **-spiller** card-player. **-synet** adj short-sighted. **-synethed** (en) short-sightedness. **-varig** adj short (-lived), brief, transitory. **-åndet** adj short of breath.

korvet (en -ter) corvette.

koryfæ (en -er) leader, bigwig.

kosak (en -ker) Cossack.

koscher adj kosher.

kosinus (en) cosine.

kosmetik (en) cosmetics. **kosmetisk** cosmetic.

kosmisk adj cosmic; -e stråler cosmic rays.

kosmonaut (en -er) cosmonaut.

kosmopolit (en -ter) cosmopolite, cosmopolitan.

I. **kost** (en) (mad) food, diet; sætte i ~ board out; være i ~ hos board with; ~ og logi board and lodging; ~ og løn board and wages; holde sig selv med ~ provide one's own meals; have én på ~ board sby; på fuld ~ on full board; skrap ~ (fig) hot stuff; smal ~ scanty fare; tarvelig ~ plain fare; tør ~ sandwiches.

II. **kost** (en -e) (feje-) broom, (riskost) besom; (barber-, tjære-, hvidte-) brush; ♺ buoy with broom; nye -e fejer bedst new brooms sweep clean.

kostald cowshed, cowhouse, (amr) cowbarn.

kostbar (værdifuld) precious, valuable; (dyr) expensive, costly; gøre sig ~ require much pressing.

kostbarhed (en -er) preciousness; -er treasures, precious objects.

I. **koste** vb cost; (bekoste) pay for; (give ud) spend (på: on); hvad -r den hat? how much is that hat? ~ hvad det vil at all costs, whatever the cost, at any price; det -de ham en anstrengelse (,livet, hans stilling, mange søvnløse nætter) it cost him an effort (, his life, his job, many sleepless nights); det skal ~ ham dyrt it shall cost him dear; det er det første skridt der -r it's the first step that is difficult.

II. **koste** vb: ~ med en order sby about; ~ en væk shoo sby away.

kostelig (morsom) priceless.

koster (pl): stjålne ~ stolen goods.

kosteskaft broomstick.

kost|foragter (en -e): han er ingen ~ he is not squeamish. **-forandring** change of diet. **-gænger** (en -e) boarder. **-penge** (pl) (til tjenestefolk) board wages, maintenance; (kostgodtgørelse) subsistence allowance. **-pris** cost price. **-skole** (en -r) boarding school; (om visse engelske) public school.

kostume (et -r) costume, T get-up (fx what are you doing in that get-up?); (karnevals-) fancy dress. **kostume|bal** fancy-dress ball. **-prøve** dress rehearsal.

kostumere vb dress, costume.

kotelet (en -ter) chop, cutlet. **koteletfisk** catfish.

kotillon (en -er) cotillon.

koturne (en -r) cothurnus, buskin.

kovending ♺ veering, (fig) volte-face.

koøje (et -r) ♺ port-hole.

kr. f k f. krone(r).

krabask (en -er) cane.

krabat (en -er) chap, fellow; det er en ordentlig ~

it is a thumping big one; han har været en vild ~ he has been pretty wild.

krabbe (en -r) crab. **krabbeklo** crab's claw.

kradsbørstig adj crusty, fierce.

kradse vb scratch, (skrabe) scrape; (irritere huden) irritate (the skin); ~ af scrape off; (stikke af) clear out; (dø) kick the bucket; ~ i halsen burn the throat; ~ ned (skrive) jot down, scrawl, (tegne) sketch roughly; ~ sig på ryggen scratch one's back; ~ ud scrape out (fx a pipe); erase (fx a word).

kradseri (om skrift) scrawl.

kradsuld shoddy.

kraft (en, kræfter) (fysisk el. åndelig styrke) strength; (driv-; evne) power; (natur-, voldsomhed) force; (livs-) vigour; (energi) energy; (gyldighed) force; (dygtig person) person of first-rate ability; teatrets bedste kræfter the best actors; af alle kræfter with all one's might; af sine lungers fulde ~ at the top of one's voice; argumentets (, slagets) ~ the force of the argument (, of the blow); bruge sine kræfter use one's strength; elektrisk ~ electric power; ved vore forenede kræfter by our combined efforts; for fuld ~ full steam (el. speed), at full blast; have gode kræfter be strong; i ~ af by virtue of; sætte (, træde) i ~ put (, come) into force; der er kræfter i bevægelse for at efforts are being made to; han havde ikke mange kræfter tilbage he had not much strength left; nedbrydende kræfter destructive forces; prøve kræfter med try one's strength against; på ~ with a will; komme til kræfter recover (one's strength); sætte ud af ~ annul, cancel, suspend.

kraftanstrengelse exertion, effort.

kraftesløs = kraftløs.

kraft|foder concentrates. **-fuld** vigorous. **-idiot** prize idiot.

kraftig adj strong (fx light, voice), (stærkere) powerful (fx blow, light, argument, voice); (livskraftig, energisk) vigorous (fx plant, attack, efforts, protest), (især fig ogs) energetic (fx campaign), (voldsom, virkningsfuld) forcible (fx resistance, speech, argument); (om motor etc) high-powered; (korpulent) stout; -t bifald loud applause; -t bygget strongly built.

kraft|karl strapping fellow. **-løs** weak, feeble; (afmægtig) powerless. **-løshed** (en) weakness, feebleness, powerlessness. **-måler** dynamometer. **-overføring** the transmission of power. **-præstation** feat of strength, tour de force. **-prøve** trial of strength. **-spild** waste of energy. **-spring** handspring. **-station** power station. **-udtryk** oath, curse; pl strong (el. bad) language. **-værk** power station.

krage (en -r) crow; ~ søger mage birds of a feather flock together. **krage|jolle** ♺ sprit-sail rigged boat. **-mål** gibberish. **-tæer** (fig) scrawl, scribble.

krak (et -) crash, collapse, failure.

krakeleret adj crackled.

krakiler (en -e) cantankerous fellow. **krakileri** (et -er) cantankerousness. **krakilsk** adj cantankerous.

krakke vb fail.

krakmandel soft-shell almond.

kram (et) (småvarer) small wares; (sager) stuff, things; (ragelse) trash; det er godt ~ (rosende) that is good stuff; kunne sit ~ know one's job; passe sit ~ attend to one's business; passe i ens ~ suit one's book; få -met på en get sby under one's thumb; get sby where one wants him; have -met på en keep (el. have) sby well in hand, have sby under one's thumb.

I. **kramme**: ~ ud (med) come out with, display, parade, T trot out.

II. **kramme** (klemme) crumple, crush, squeeze; (befamle) paw, maul; (kæle for) cuddle; ~ sammen crumple up.

krampagtig adj convulsive; (tvungen) forced (fx laugh, style).

I. **krampe** (en -r) (metal-) staple.

II. **krampe** (en -r) (med.) convulsion; (trækning) spasm; (ansigts-) (facial) tic; (i arm, ben etc) cramp. **krampe|anfald** convulsive fit, spasm. **-gråd**

hysterical crying. -**latter** hysterical laughter.
-**stillende** adj antispasmodic. -**trækning** spasm,
twitch; -er convulsions; *ligge i de sidste -er* be breath-
ing one's last; *(fig)* be on one's last legs.
kran *(en -er)* crane. **kranfører** crane driver.
kraniebrud fracture of the skull.
krani|um *(et -er)* skull, cranium.
krank adj: *en ~ skæbne* a sad fate.
krankaksel crank axle.
krans *(en -e)* wreath, garland; *(perle-)* string of
pearls.
kranse vb wreathe, garland; *(hædre)* crown; *(om-
give)* surround.
kransekage: *et stykke ~* an almond stick; *han er
kun toppen på -n* he is only a figurehead.
kranvogn *(til at slæbe biler etc bort)* breakdown
van *(el.* lorry).
krapyl *(et)* rabble.
kras adj *(skrap)* pungent, harsh; *~ realisme* stark
realism.
krat *(et -)* thicket, scrub, brushwood; *(lille skov)*
coppice.
krater *(et -e)* crater.
kratskov thicket, scrub, brushwood.
krav *(et -)* demand *(om:* for, *til:* on); *(jur, merk)*
claim *(om:* for); *(ved eksamen)* requirement; *(moralsk)*
claim *(fx* have a c. to respect, to be heard); *berettiget
~* just claim, right; *gøre ~ på* lay claim to *(fx* a
territory), claim *(fx* one's inheritance); demand;
han har ingen ~ på mig he has no claim on me; *stille
et ~* make a demand (, claim); *stille ~ om* claim,
demand, put in a claim for; *øjeblikkets ~* the exi-
gencies of the moment.
krave *(en -r)* collar; *(på støvle, handske)* top; *tage
en i -n* take sby by the scruff of the neck, collar sby.
krave|ben collar bone. -**bryst** shirt front; *(løst)*
dickey. -**knap** (collar) stud; *(amr)* collar button.
kravl *(et) (småkryb)* vermin; *(tarvelige folk)* rabble.
kravle vb crawl. **kravlegård** play pen.
kreatur *(et -er)* head of cattle; *(håndlanger)* tool,
creature; -er cattle, livestock. **kreatur|handler** cattle
dealer. -**vogn** *(jernb.)* cattle truck.
krebs *(en -)* crayfish; *se ud som en kogt ~* look like
a boiled lobster; *Krebsens vendekreds* the Tropic of Can-
cer; *tage en i -en* collar sby. **krebse|gang:** *gå ~*
move backwards. -**klo** claw of a crayfish.
kredit *(en -ter)* credit; *på ~* on credit.
kreditere vb credit; *~ én et beløb* credit an amount
to sby, credit sby with an amount.
kreditforening credit association; *(svarer i Eng-
land til)* building society.
kreditiv *(et -er) (merk)* letter of credit; *(fuldmagt)*
credentials. **kreditnota** credit note.
kreditor *(en -er)* creditor.
kredit|side credit side. -**stramning** credit squeeze.
kreds *(en -e)* circle, ring; *(distrikt)* district; *(valg-)*
constituency, *(amr)* district; *(for kommunevalg)* ward;
(virke-) sphere; *(selskabeligt)* set, circle, sphere; *en ~
af sten* a circle of stones; *familiens ~* the family circle;
færdes i de højere -e move in fashionable circles;
i diplomatiske (, litterære) -e in diplomatic (, literary)
circles; *i vide ~* widely; *slå (el. slutte) ~* form a circle
(el. a ring); *slå ~ om (fig)* rally round; *en udvalgt
~* a chosen few; *(af venner)* some intimate friends.
kredsbevægelse circular motion.
kredse vb circle *(fx* the birds (, the planes) circled
overhead), *(om fugle ogs)* wheel; *~ om ngt* circle *(el.*
hover) about sth; *hans tanker -de altid om det* it was
always in his thoughts, he kept revolving it in his
mind; *~ omkring jorden (om satellit)* orbit the earth.
kreds|formet adj circular. -**læge** district medical
officer. -**løb** rotation, cycle; *(med. etc)* circulation;
(elekt) circuit; *bringe en satellit i ~* bring *(el.* put)
a satellite into orbit.
kreere vb create *(fx* a fashion).
kremation *(en -er)* cremation. **krematori|um**
(et -er) crematorium, *(amr)* crematory.

Kreml the Kremlin.
kremte vb clear one's throat.
kreneleret adj crenelated.
kreol *(en -er)* , **kreolerinde** *(en -r)* creole.
kreolin *(et)* creolin. **kreosot** *(et)* creosote.
krep *(et)* crêpe, *(sort sørge-)* crape.
krepere *(dø)* T kick the bucket; *det -r mig* it makes
me sick. **kreperlig** adj annoying.
kreppapir crêpe paper.
kreppe vb crimp, crisp.
Kreta Crete. **kretensisk** adj Cretan.
kreti: *~ og pleti* Tom, Dick, and Harry.
kretiner *(en -e)* cretin. **kretinisme** *(en)* cretinism.
krible *(i huden)* tingle, prickle; *~ og krable* crawl,
creep, swarm; *det -r i mine fingre efter at* my fingers
are itching to.
kricket *(en)* cricket. **kricket|bane** cricket ground
(el. field). -**spiller** cricketer.
kridhvid adj chalk-white, *(om ansigtsfarve)* as
white as a sheet.
kridt *(et)* chalk; *(farve-)* crayon; *tage på ~* T buy
on tick. **kridt|agtig** chalky. -**brud** *(et -)* chalk pit.
kridte vb chalk; *~ skoene og stå fast (fig)* dig !in
one's toes.
kridt|hus: *være i -et hos en* be in sby's good
books. -**klint** chalk cliff. -**lag** chalk stratum. -**pibe**
clay pipe. -**streg** chalk line. -**tegning** crayon
(drawing). -**tiden** the Cretaceous Period.
krig *(en -e)* war; *(krigsførelse)* warfare; *erklære et
land ~* declare war on a country; *føre ~* make war,
(højtideligt:) wage war; *han faldt i -en* he was killed
(højtideligt: he fell) in the war; *gå i ~ (om soldat)*
go to the war; *(om land)* go to war; *gå i ~ med* T
tackle; *kold ~* cold war; *landene er i ~* the countries
are at war; *han var med i -en* he served *(el.* fought
el. was) in the war; *sætte sin ~ igennem* carry one's
point.
kriger *(en -e)* warrior. **krigergrav** soldier's
grave.
krigerisk martial, warlike; *(stridbar)* militant,
bellicose.
krigerliv military life.
kriges vb war.
krigs|begejstring war fever. -**begivenhed** mili-
tary event. -**bytte** booty, spoils (of war). -**dans**
war dance. -**enke** war widow. -**erklæring** declara-
tion of war. -**fange** prisoner of war. -**fare** danger
of war. -**flåde** battle fleet; *(et lands samlede ~)* navy.
-**fod:** *sætte på ~* mobilize, place on a war footing;
være på ~ med (fig) have a war on with. -**forbrydelse**
war crime. -**forbryder** war criminal. -**forbryder-
domstol** war crimes tribunal. -**forhold** state of
war; *under ~* in time of war. -**forlis** ⚓ loss due to
war risk. -**førelse** warfare, strategy. -**førende**
belligerent. -**galskab** jingoism, war mongering.
-**gæld** war debts. -**havn** naval port. -**herre** war
lord. -**historie** military history. -**humør:** *være i ~*
be on the warpath. -**hyl** war whoop. -**hærget**
devastated. -**invalid** disabled soldier. -**kammerat**
companion-in-arms, war comrade. -**korrespondent**
war correspondent. -**kunst** science of warfare;
(strategi) art of war, strategy. -**list** stratagem.
-**lykke** fortune of war. -**maling** *(ogs fig)* war
paint. -**mand** warrior. -**maskine** *(fig)* military
machine. -**materiel** war matériel, munition(s).
-**minister** Minister for War; *(nu forsvars-).* -**mini-
sterium** Ministry for War; *(nu forsvars-).* -**mål**
war aim. -**ophidser** warmonger. -**ret** court-martial;
stille for en ~ court-martial. -**råb** war cry. -**råd**
council of war. -**sang** war song. -**skadeserstatning**
(war) indemnity, reparations. -**skib** man-of-war,
warship. -**skueplads** theatre of war, front. -**speku-
lant** war profiteer. -**stien:** *være på ~* be on the
warpath. -**styrke:** *med fuld ~* on a war footing.
-**tid** wartime, time of war. -**tilfælde:** *i ~* in case of
war. -**tilstand:** *i ~* in a state of war. -**tjeneste** active
service; *gøre ~* be on active service. -**vigtig** adj

of military importance, military *(fx* bomb m. targets). **-væsen** military matters, warfare. **-år** year of (the) war, war year.

krikand *zo* teal.

krikke *(en -r)* jade, hack.

krille *vb* tickle. **krillehoste** *(en)* tickling cough.

Krim the Crimea.

kriminal|assistent *(omtr =)* detective inspector. **-betjent** detective constable. **-film** detective film. **-ist** *(en -er)* criminologist. **-itet** *(en)* criminality. **-museum** criminological museum. **-politi** criminal police. **-reporter** police reporter. **-roman** detective novel, crime novel.

kriminel *adj* criminal.

Krimkrigen the Crimean War.

krimskrams *(et) (skrift)* scrawl; *(snirkler)* flourishes.

kringle *(en -r)* pretzel.

krinkelkroge nooks and corners.

krinoline *(en -r)* crinoline.

krise *(en -r)* crisis *(pl.* crises). **krise|fond** emergency fund. **-lovgivning** emergency legislation. **-ramt** depressed *(fx* area); distressed *(fx* farmers). **-tid** critical time; *(økonomisk)* (period) of depression.

kristelig Christian; *(se ogs K.F.U.M., K.F.U.K.);* **-t** *(adv)* like a Christian.

kristen *(en, kristne)* & *adj* Christian; *begravet i ~ jord* buried in consecrated ground; *en ~ jøde* a converted Jew.

kristen|dom Christianity; *forkynde -men* preach the Gospel. **-domskundskab** religious knowledge. **-hed** Christendom. **-tro** Christian faith.

kristne *vb* christianize.

kristtorn ♧ holly.

Kristus Christ; *Kristi* Christ's, of Christ; *efter Kristi fødsel, efter ~* A. D. *(ɔ:* anno Domini); *før ~* B. C., before Christ. **Kristusbillede** image of Christ.

kriteri|um *(et -er)* criterion *(pl* criteria) *(på:* of).

kritik *(en -ker)* criticism; *(anmeldelse)* review; **-ken** *(ɔ: kritikerne)* the critics; *få en god ~* be well *(el.* favourably) received; *hævet over al ~* above reproach; *under al ~* beneath contempt. **kritiker** *(en -e)* critic, *(anmelder ogs)* reviewer. **kritikløs** uncritical. **kritisere** criticise. **kritisk** critical.

I. **kro** *(en -er) (hos fugle)* crop, craw.

II. **kro** *(en -er) (værtshus)* public house; *(med natlogi)* inn; *på en ~* in a public house, in *(el.* at) an inn.

III. **kro:** *~ sig* strut; *~ sig af* plume oneself on.

krog *(en -e)* hook; *(til vindue, dør)* catch; *(hjørne)* corner, *(afsides)* nook; *trænge en op i en ~* corner sby, force sby into a corner; *bide på -en* bite, rise to the bait; *(om person)* swallow the bait; *få ngt på -en* hook sth.

kroget *adj* crooked, bent; *(om fingre, grene)* gnarled; *~ næse* hooked nose.

krogveje *(fig):* ad *~* in a roundabout way, indirectly; *gå ~* use devious *(el.* underhand) means.

kroket *(spil)* croquet. **kroket|bue** hoop; *(amr)* arch, wicket. **-kølle** mallet. **-spil** croquet; *(redskaberne)* croquet set.

krokodille *(en -r)* crocodile.

krokodilletårer crocodile tears.

krokus *(en -)* ♧ crocus.

krom *(et)* chromium.

kromand innkeeper.

kromatisk *adj* chromatic.

krom|garve chrome-tan. **-gult** chrome-yellow. **kromosom** *(et -er)* chromosome.

kron|blad ♧ petal. **-diamantbryllup** sixty-fifth wedding anniversary.

I. **krone** *(en -r) (ogs tand-, træ-)* crown; *(pave-)* tiara; *(adels-)* coronet; *(blomster-)* corolla; *(lyse-)* chandelier; *(modsat plat)* head; *(dansk mønt)* krone;

-n *(ɔ: kongemagten)* the Crown; *sætte -n på værket* crown the achievement; *(se ogs I. plat).*

II. **krone** *vb* crown; *~ en til konge* crown sby king; *have -de dage* be in clover; *mine bestræbelser -des med held* my efforts were crowned with success.

kron|gods crown lands. **-hjort** red deer; *(hannen)* stag.

kronik *(en -ker)* feature article. **kronikør** *(en -er)* feature writer.

kroning *(en)* coronation.

kronisk *adj* chronic.

kron|jurist Government lawyer. **-juvel** crown jewel. **-jyde** inhabitant of central Jutland. **krono|logi** *(en)* chronology. **-logisk** *adj* chronologic(al). **-meter** *(et -metre)* chronometer.

kron|prins crown prince. **-prinsesse** crown princess. **-raget** tonsured. **-ragning** tonsure. **-vidne** king's (, queen's, state's) evidence. **-vildt** red deer.

krop *(en -pe) (legeme)* body; *(modsat lemmerne)* trunk; *(slagtet)* carcass; *(flyv)* body, fuselage; *have en sygdom i -pen* be sickening for an illness; *ryste (, være øm) over hele -pen* tremble (, be sore) all over; *(inderst) på -pen* next (to) one's skin; *han har næppe klæder på -pen* he has hardly a shirt to his back; *en ugudelig ~* a hell hound.

krop|due *zo* pouter. **-lus** *zo* body louse.

krops|arbejder manual worker. **-visitation** bodily search; *underkaste én ~* frisk sby.

kro|stue tap room. **-vært** innkeeper.

krucifiks *(et -er)* crucifix.

krudt *(et)* gunpowder, powder; *(energi)* pep, go; *løst ~* blank cartridges; *holde -et tørt* keep one's powder dry; *han har ikke opfundet -et* he is not particularly bright; *ikke et skud ~ værd* not worth powder and shot; *spare på -et (fig)* hold one's fire, save one's energy.

krudt|horn powder horn, powder flask. **-karl** go-getter, live wire. **-magasin** powder magazine. **-røg** gunpowder smoke. **-sammensværgelsen** the Gunpowder Plot. **-slam** *(i geværløb etc)* fouling. **-tønde** (gun)powder barrel, *(fig især)* powder keg *(fx* touch off a p. keg, sit on a p. keg). **-tårn** powder magazine. **-værk** powder mill.

krukke *(en -r) (syltetøjs- etc)* pot, jar; *(apoteker-)* gallipot; *(hoved)* T nut, nob; *(skabekrukke)* attitudinizer, poseur; *små -r har også ører* little pitchers have big ears.

krukkeri *(et)* affectation. **krukket** *adj* affected.

krum curved, crooked; *-me ben* bandy legs; *~ næse* aquiline *(el.* hook) nose. **krumbøjet** bent, bowed.

I. **krumme** *(en -r)* crumb; *ham er der -r i* he has guts; *-r er også brød* half a loaf is better than no bread.

II. **krumme** *vb* bend, bow, curve; *de vil ikke ~ et hår på hans hoved* they will not hurt a hair of his head; *katten -r ryg* the cat arches its back; *~ sig sammen* double up; *~ tærne* curl *(el.* bend) one's toes; *vejen -r* the road curves.

krumning *(en) (det at krumme)* bending; *(bue etc)* curve, curvature.

krum|næset *adj* hook-nosed. **-rygget** *adj* bent. **-sabel** scimitar. **-spring** caper, gambol; *(fig)* dodge. **-stav** *(gejstligt symbol)* crosier; *(hyrdes)* (shepherd's) staff, crook. **-tap** crank.

I. **krus** *(et -)* mug; *(øl-, ogs)* tankard.

II. **krus** *(et -) (om hår)* frizzle.

III. **krus** *pl* T *(kroner, svarer til) (shillings)* bob; *(dollar)* bucks.

kruse *vb* curl; *(hår)* frizzle; *(vandoverflade etc)* ripple; *(tøjstrimmel)* ruffle; *(læberne)* curl; *~ sig* curl; ripple.

krusedulle *(en -r)* flourish; *tegne -r (på papir etc, åndsfraværende)* doodle.

krusemynte *(en -r)* ♧ curled mint.

kruset *(om hår)* frizzy *negers)* woolly; *(om vand)*

rippled; (om tøjstrimmel) ruffled; gøre hovedet ~ på en (ɔ: gøre en indbildsk) turn sby's head.
krusning (en -er) curling; (på vand) ripple.
krustade (en -r) patty shell.
kry adj cocky, self-confident, pert.
kryb (et -) creeping thing; (kollektivt) vermin; et usselt ~ (fig) a wretch.
krybbe (en -r) manger, crib; når -n er tom bides hestene when poverty comes in at the door, love flies out at the window.
krybbebider (en -e) crib-biter.
krybdyr (et -) zo reptile.
krybe (krøb, krøbet) (snige sig) creep; (kravle) crawl; (klatre) climb; (sleske) fawn (for: on), cringe (for: before); (i vask) shrink; (i kortspil) finesse; (om plante) creep; man kan lige så gerne springe i det som ~ i det we might as well get it over at once; man må ~ før man kan gå we must walk before we run; ~ op i, ~ op på climb; ~ sammen crouch. **krybende** adj creeping, crawling; (fig) servile, fawning, cringing. **kryberi** (et) fawning, cringing.
kryb|skytte poacher. **-skytteri** (et) poaching.
krydder (en -e) (omtr =) rusk; T (ur) turnip.
krydderi (et -er) spice, (fig ogs) zest; sætte ~ på tilværelsen give zest to life.
krydder|nellike clove. **-pose** spice bag. **-sild** pickled herring.
krydre vb spice, season; (fig) spice. **krydret** adj seasoned, aromatic.
kryds (et -) cross; (på menneske) loin; (på dyr) croup; (for en node) sharp; (gade-, vej-) crossroads, crossing; (-togt) cruise; ~ for D (i noder) D sharp; på ~ crosswise; på ~ og tværs in all directions, criss -cross; gennemrejse et land på ~ og tværs travel the length and breadth of a country; ~og-tværs opgave crossword puzzle; sætte ~ ved put a cross against (fx a name).
krydse vb (biologisk) cross(-breed); (komme i vejen for) thwart, baffle; ♦ beat (fx beat up against the wind, the tide); (sejle omkring) cruise; ~ af (på liste) tick off; ~ fingre cross one's fingers.
krydser (en -e) cruiser.
kryds|finér plywood. **-forhør** cross-questioning; I. (af modpartens vidne) cross-examination. **-forhøre *** cross-question; cross-examine. **-hvælving** cross -vaulting. **-ild** cross-fire.
krydsning (en -er) crossing; (bastard) cross.
kryds|ordsopgave crossword puzzle. **-togt** ♦ cruise.
krykke (en -r) crutch; gå med -r walk on crutches.
krympe shrink (fx the shirt shrinks in the wash); ~ på skindt on; ~ sig shrink (ved: from; ved at: from -ing), (af smerte) wince; ~ sig under éns hån writhe under sby's taunts. **krympefri** unshrinkable. **krympning** (en -er) shrinking.
kryolit (en) cryolite. **kryolitbrud** (et -) cryolite quarry.
krypt(kirke) crypt. **kryptisk** adj cryptic.
kryptogram (et -mer) cryptogram.
krysantem|um (en, -um el. -er) chrysanthemum.
krystal (en el. et, -ler) crystal. **krystal|apparat** (radio) crystal set. **-form** crystalline form. **-glas** crystal; (drikkeglas) crystal glass. **-is** artificial ice. **-klar** (clear as) crystal, crystalline. **-linsk** adj crystal-line. **-lisere:** ~ (sig) crystallize. **-lisering** (en) crystal-lization.
krystallose (en) crystallose.
krystallysekrone cut-glass chandelier.
krystalsukker (strøsukker) granulated sugar; (hugget sukker) lump sugar.
kryste vb squeeze, press; (omfavne) clasp in one's arms, hug.
kryster (en -e) coward.
krysteragtig adj cowardly.
kræ (et -) creature; (person) poor wretch.
kræft (en) cancer; (i træ) canker.
kræftagtig adj cancerous, cankerous.

kræftbyld cancerous ulcer.
kræfter pl af kraft.
kræft|forskning cancer research. **-knude** can-cerous induration. **-middel** remedy against cancer. **-skade** (fig) ulcer, festering sore. **-svulst** cancer tumour. **-sår** cancerous sore.
kræm se creme.
kræmmer (en -e) shopkeeper. **kræmmer|hus** (indpakning) screw (of paper), cornet; (bagværk) cone. **-nation** nation of shopkeepers. **-sjæl** mercenary soul.
krænge (♦ hælde) careen, heel (over); (flyv) bank; (vende vrangen ud af) turn (fx a pocket) inside out; ~ ngt af strip off sth; ~ en strømpe på roll on a stocking; ~ sin sjæl ud lay bare one's soul.
krængning (en) ♦ heel, heeling; (flyv) banking.
krænke (bryde, overtræde) violate; (moralsk følelse etc) outrage; (rettigheder) invade, infringe; (fornær-me) offend; (forhåne) insult, (såre) hurt (fx his feelings). **krænkelse** (en -r) (se krænke) violation; outrage; invasion, infringement; offence; insult. **krænkende** adj insulting, offensive.
kræs (et) titbits, delicacies.
kræse: ~ op for en do sby proud.
kræsen adj fastidious, particular, squeamish. **kræ-sen|hed** (en) fastidiousness, squeamishness. **-pind:** han er en ~ he is particular about his food.
kræve vb demand (fx payment, an immediate answer), (svagere) require (fx my duty requires that ..); (som sin ret) claim; (strengt) exact (fx obedience); (nødvendiggøre) demand (fx an operation demanding great care); require (fx this work requires great skill); call for (fx a solution); ~ ham løsladt demand his release, demand that he should be released; ~ mange ofre claim many victims; ~ beta-ling af en demand payment from sby; ~ en for penge press sby for money; ~ penge ind collect money; ~ en til regnskab call sby to account.
krøb, krøbet imperf. og perf. part. af krybe.
krøbling (en -er) cripple.
krøl (et) frizzle, curl; der er naturligt ~ i hans hår his hair curls (el. waves) naturally. **krøl|fri** crease -proof. **-hår** curled (horse)hair. **-håret** adj curly -haired. **-hårsmadras** horsehair mattress.
I. **krølle** (en -r) curl; (især i langt hår) ringlet; (krusedulle) curlicue, scroll; (i fisk) milt, soft roe; grisen slog ~ på halen the pig curled up its tail.
II. **krølle** vb curl; (om papir, tøj) crease, crumple; ~ sammen crumple up; ~ sig sammen curl up.
krølle|jern curling-iron. **-nål** curling-pin.
krøl|top curly-head. **-uld** crimpy wool.
krønike (en -r) chronicle, annals; (løgnehistorie) cock-and-bull story. **krønikeskriver** chronicler.
krøsus (en) Croesus (fx he is a regular C.).
krås (en -er) (hos fugle) gizzard; en gang -er giblets. **kråsesuppe** giblet soup.
kube (en -r) hive.
kubik- cubic. **kubik|indhold** cubic content, cubage. **-meter** cubic metre. **-rod** cube root.
kubisk adj cubic(al). **kubisme** (en) cubism. **kubist** (en -er) cubist. **kubistisk** adj cubist.
kubus (en) cube.
kue vb cow, subdue, (i væksten) stunt.
kuffert (en -er) trunk; (flad mindre) suitcase; (taske) bag. **kuffertfisk** zo trunk fish.
kugle (en -r) ball, globe; (lille, af papir, brød etc) pellet; (mat.) sphere; (billard-, kanon-) ball; (T: fodbold) leather; (gevær-, revolver-) bullet; skyde én en ~ gennem hovedet blow sby's brains out; spille -r (børneleg) play marbles.
kugle|bane ✕ trajectory. **-formet** adj ball-shaped, globular, spherical. **-leje** (et -r) ball bearing. **-lyn** ball lightning. **-pen** ball pen. **-ramme** counting frame, abacus. **-regn** shower of bullets. **-rund** ball -shaped, round; -t hoved bullet head. **-stød** putting the shot (el. weight), shot-putting.
kuguar (en -er) puma, cougar.
kujon (en -er) coward. **kujonere** vb bully, cow.

kuk *(et -)* the call of the cuckoo; *ikke et ~* not a word. **kukke** *vb* call (like a cuckoo).

kukkelure *vb* mope, sit moping.

kukker *(en -e)* cuckoo. **kukkuk** cuckoo.

kul *(et -)* coal; *(træ-)* charcoal; *(tegne-)* drawing charcoal; *(kem, elekt)* carbon; *gloende ~* live coals; *sanke gloende ~ på ens hoved* heap coals of fire on sby's head; *tage ~ ind* ♪ coal, bunker.

kulance *(en)* fairness, generosity.

kulant *adj* fair, generous.

kulbrinte *(en -r)* hydrocarbon.

kuld *(et -) (fugle)* brood; *(pattedyr)* litter.

kuldamper collier.

kulde *(en)* cold; *(egenskab)* coldness, *(fig ogs)* frigidity; *15 graders ~* 15 degrees of cold; *-n i vandet* the coldness of the water; *ryste af ~* shiver with cold.

kulde|blanding *(fys)* freezing mixture. **-bølge** cold wave. **-gysning** *(en -er)* shiver, shivering fit.

kuld|kaste *vb* frustrate *(fx* a plan*)*, upset. **-kastelse** *(en)* frustration. **-sejle** capsize. **-skær** sensitive to cold. **-skærhed** *(en)* sensitiveness to cold. **-slå** take the chill off.

I. **kule** *(en -r)* clamp, pit; *vb: ~ ned* clamp, pit.
II. **kule** *vb: det -r op* the wind is freshing.

kulegrave *vb* trench; *~ et emne* go deeply into a subject. **kulegravning** trenching.

kul|grosserer coal merchant. **-grube** coal mine *(el.* pit*)*. **-handler** *(en -e)* coal dealer.

kulhydrat *(et -er)* carbo-hydrate.

kuli *(en -er)* coolie.

kulilte carbon monoxide.

kulinarisk *adj* culinary.

kuling *(en -er)* ♪ wind, breeze.

kulisse *(en -r) (i teater)* wing; *(sætstykke)* set piece; *(ledeskinne)* guide; *bag -rne (ogs fig)* behind the scenes; *i -n* in the wings.

kul|kasse coal scuttle; ♪ bunker. **-kælder** coal cellar. **-leje** *(et -er)* coal field, coal basin. **-lemper** coal trimmer, coal heaver.

I. **kuller** *(en -)* zo haddock.
II. **kuller** *(en) (sygdom)* staggers, *(hos menneske)* tantrum(s).

kullet *adj* bald; *(hornløs)* polled; *~ kirke* church without a steeple.

kulmination *(en -er)* culmination, climax, peak. **kulmine** coal mine, colliery.

kulminere culminate, reach its climax *(el.* peak*)*.

kul|os soot; *(kulilte)* carbon monoxide. **-ravende: ~ mørkt** pitch-dark; *~ sort* coal-black, pitch-black.

kulret *(om person)* crazy, not all there.

kul|skib collier. **-skovl** coal shovel. **-skuffe** coal scoop. **-sort** coal-black; *(mørk)* pitch-dark. **-spand** coal scuttle. **-stof** carbon. **-stofholdig** carbonaceous. **-støv** coal dust. **-sukker** *(el.* ♪*)* comfrey. **-sur:** *-t salt* carbonate. **-svier** *(en -e)* charcoal burner. **-syre** carbonic acid; *(luftart)* carbon dioxide.

kult *(en -er)* cult.

kul|tablet charcoal tablet. **-tegning** charcoal (drawing). **-tid** *(geol)* carboniferous age.

kultisk *adj* cultic.

kultivator *(en -er) (agerbrugsredskab)* cultivator. **kultivere** *vb* cultivate; *-t (dannet)* cultured.

kultråd carbon filament.

kultur *(en -er)* culture, civilization; *(af jord)* cultivation, *(af bakterier, fisk etc)* culture; *(af træer)* plantation. **kulturcentrum** cultural centre.

kulturel *adj* cultural.

kultur|folk civilized nation. **-historie** history of civilization. **-kritik** criticism of (contemporary) culture. **-minister** Minister of Cultural Affairs. **-ministerium** Ministry of Cultural Affairs. **-mønster** pattern of culture. **-perle** cultured pearl. **-plante** cultivated plant. **-trin** stage of civilization.

kult|us *(en -er)* cult.

kultveilte carbon dioxide.

kulør *(en -er)* colour, *(amr)* color; *(til mad)* browning; *bekende ~ (i kortspil)* follow suit, *(fig)*

show one's hand; *svigte ~ (i kortspil)* revoke; *sætte ~ på tilværelsen* give zest to life.

kulørt coloured; *-e hæfter* pulps.

kumme *(en -r)* basin, cistern; *(vaske-)* wash basin; *(wc-)* pan, bowl.

kummer *(en)* grief, distress, affliction.

kummerlig *adj* miserable, wretched, poor.

kumpan *(en -er)* fellow.

kun *adv* only, merely; just; *hun er ~ et barn* she is just a child, she is a mere child; *~ ikke* except; *vent De ~* just you wait; *~ få* few, only a few, but few; *~ lidt* little, only a little, but little.

kunde *(en -r)* customer, patron, *(formelt)* client. **kunde|kreds** clientele, customers. **-vestibule** *(amr)* rest room.

kundgøre *vb* announce, make known; *(højtideligt, formelt)* proclaim. **kundgørelse** *(en -r)* announcement; proclamation.

kundskab *(en -er)* knowledge, information; *-er* knowledge *(i:* of*)*; *(elevs ogs)* proficiency *(i:* in, *fx* English*)*; *~ er magt* knowledge is power; *bringe til ens ~* inform sby of, let sby know, bring to sby's knowledge; *-ens træ (på godt og ondt)* the tree of knowledge (of good and evil).

kundskabsrig *adj* well-informed.

kunne *(kan, kunne, kunnet)* a) be able(to*)*; *jeg kan* I can, I am able (to) *(fx* I will do what I can; he can speak English; can I change *(skifte)* at York? it cannot be true; you can say what you like, but ..*)*; *(imperf.) jeg kunne* I could, I was able (to); *jeg har kunnet* I have been able (to);

b) *(have lært, forstå, kende)* know; *kan han engelsk?* does he know English? *~ sin lektie* know one's lesson;

c) *(om det mulige, uvisse) kan* may; *kunne* might; *han kan komme hvad øjeblik det skal være* he may come at any moment; *kan måske* may (perhaps); *det kan godt være at det er sandt* it may be true;

d) *(om tilladelse) kan* may, *(mild befaling)* can *(fx* you may *(el.* can*)* go now*)*;

e) *(om vane) kan* will; *kunne* would; *hun kan sidde i timevis uden at sige et ord* she will sit for hours without saying a word;

f) *(andre tilfælde:) det 'kan man ikke* it is not done; *~ med en* get on with sby; *jeg kan ikke med ham (ogs)* he is not my cup of tea; *de kan (godt) sammen* they get on well together; *kan du tie stille!* will you be quiet! *man kan hvad man vil* where there's a will there's a way; *det kan være nok* that will do.

kunnen *(en)* ability, competence.

kunst *(en -er)* art; *(behændighed)* skill, dexterity; *(taskenspiller-, fif)* trick; *-en at behage* the art of pleasing; *det er ingen ~* that is easy; *gøre -er (om dyr)* perform; *det er min mindste ~* I can do that with my eyes shut; *efter alle -ens regler* thoroughly, scientifically, *(om prygl)* soundly; *de skønne ~* the fine arts; *den sorte ~* the black art; *-en stiger* well, wonders never cease; what next? *det er (netop) -en* that is the secret; that is where the difficulty comes in; *ved ~* artificially.

kunst|akademi Academy of Fine Arts. **-anmelder** art critic. **-art** (branch of) art. **-begejstring** enthusiasm for art. **-broderi** art embroidery. **-dommer** (art) critic. **-elsker** art lover. **-flyvning** stunt flying. **-forlægger** art publisher. **-forstand** artistic taste; *have ~* be a connoisseur. **-fyrværker** pyrotechnist. **-fyrværkeri** pyrotechnics.

kunst|færdig *adj* ingenious; *(kompliceret)* elaborate. **-færdighed** ingenuity; elaborateness; *(dygtighed)* skill, dexterity. **-genstand** object of art. **-greb** *(et -)* artifice, trick. **-gødning** fertilizer(s). **-handler** *(en -e)* art dealer. **-historie** history of art. **-honning** synthetic honey. **-håndværk** handicraft; *(varer)* art wares, handicraft products.

kunstig *adj* artificial, imitation; *(pådtaget, tvungen)* artificial, affected, forced; *(lejerlig)* odd.

kunst|industri applied art. **-industrimuseum** museum of decorative arts *(el.* of applied art*)*.

-kender connoisseur. **-kritik** art criticism. **-kritiker** art critic.
  kunstlet *adj* artificial, affected, over-refined.
  kunst|lys artificial light. **-læder** imitation leather.
-løber *(skøjte-)* figure skater. **-løs** artless, simple.
-maler artist, painter. **-museum** (art) gallery.
  kunstner *(en -e)* artist. **kunstnerbane** artistic career.
  kunstnerinde *(en -r)* artist.
  kunstnerisk *adj* artistic; *adv* -ally.
  kunstner|jargon art jargon. **-kittel** smock. **-liv** artist's life. **-natur** artistic temperament. **-navn** *(pseudonym)* nom-de-guerre; *(om forfatter ogs)* pen name; *(om skuespiller)* stage name.
  kunst|nydelse artistic enjoyment. **-opfattelse** conception of art. **-ord** *(konstrueret)* made-up word; *(teknisk)* technical term. **-pause** rhetorical pause. **-produkt** artificial product. **-retning** style of art, school (of art). **-samler** collector. **-samling** art collection. **-sans** artistic taste. **-silke** artificial silk, rayon. **-skat** art treasure. **-skøjteløb** figure skating. **-sprog** artificial language. **-stopning** invisible mending. **-stoppe** *vb* mend invisibly. **-stykke** trick; *(vanskelig bedrift)* feat. **-udstilling** art exhibition. **-værk** work of art.
  kup *(et -)* coup; *(journalistisk)* scoop; *(statskup)* coup d'état; *gøre et godt ~* bring off a coup; *(om journalist)* bring off a scoop; *(om tyv)* get away with a big haul; *ved et ~* by surprise.
  kupé *(en, kupeer)* compartment; *(bil)* coupe.
  kuperet *(en med afskåren el. forkortet hale)* docked; *(terræn)* undulating, hilly.
  I. **kuplet** *(en -ter)* *(2 verslinier)* couplet; *(vise)* ditty; *(vers)* verse.
  II. **kuplet** *adj* domed.
  kupon *(en -er)* coupon; *(af tøj)* suit-length.
  kup|pel *(en -ler)* dome, *(mindre)* cupola; *(lampe-)* globe; *(glas- over ur etc)* glass case.
  I. **kur** *(en -e)* cure, (course of) treatment; *gennemgå en ~* undergo (a) treatment.
  II. **kur** *(en)* *(ved hof)* court, drawing-room, reception; *gøre ~ til* make love to, court; *holde ~* hold a court.
  kuranstalt sanatorium; *(amr)* sanitarium; *(for vandkur)* hydro.
  kurant *adj* current; *(vare)* saleable, marketable.
  kurator *(en -er)* *(jur)* trustee.
  kure *vb* slide; *~ ned ad gelænderet* slide down the banisters.
  kurér *(en -er)* courier, *(i England)* King's (, Queen's) messenger.
  kurere *vb* cure *(for:* of); *~ på* doctor.
  kurer|pas courier's passport. **-post** courier's bag.
  kur|fyrste Elector. **-fyrstendømme** electorate.
  kur|gæst visitor (to a health resort), patient. **-hotel** hydro.
  kuriositet *(en -er)* curiosity, curio. **kurios|um** *(et -a)* curiosity, curio; *som et ~* as a curiosity. **kuriøs** curious, queer, quaint.
  kurmager *(en -e)* philanderer.
  kurmageri *(et)* philandering.
  kurophold stay at a health resort.
  I. **kurre** *der er en ~ på tråden* they have had a tiff.
  II. **kurre** *vb* coo. **kurren** *(en)* cooing.
  kurs *(en -er)* (⚓ og *fig)* course; *(valutakurs)* rate of exchange; *(på aktier og obligationer)* price, quotation; *styre sin ~ efter stjernerne* steer *(el.* shape, direct) one's course by the stars; *sætte ~ efter* ⚓ shape (a) course for, make for; *stå i høj ~* be at a premium; *stå i lav ~* be at a discount; *være i ~ (yndet)* be popular; *have ~ mod Kap* ⚓ be bound for the Cape; *til en ~ af* at the rate of; *emitteret til ~ 97* issued at 97 per cent; *sætte ud af ~ (penge)* withdraw from circulation; *være ude af ~* ⚓ be off one's course; *(= forældet)* be out of fashion.
  kurs|bevægelse *(merk)* price movement; *(valuta-)* exchange movement; *-r (ogs)* fluctuations (in prices,

in exchange rates). **-fald** fall in prices; *(valuta-)* depreciation; *(voldsomt)* slump. **-forandring, se -ændring.
  kursist *(en -er)* participant in a course.
  kursiv *(en)* italics. **kursivere** *vb* italicize.
  kurs|liste official list, Stock Exchange list. **-notering** official quotation.
  kursorisk *adj* cursory; *~ værk* book for general reading.
  kurs|stigning rise; *(voldsom)* boom. **-svingning** fluctuation. **-tab** loss due to depreciation; *(valuta-)* loss on exchanges.
  kursted health resort.
  kursus *(et -)* class(es), course; *(institution)* school.
  kurs|værdi quoted value, market value. **-ændring** ⚓ alteration of course; *(fig)* change of course *(el.* of policy), reversal of policy.
  kurtage *(en)* brokerage.
  kurtisane *(en -r)* courtesan. **kurtisere** flirt with.
  kurv *(en -e)* basket; *(stor)* hamper; *få en ~ (fig)* be refused, be turned down; T get the mitten; *hun gav ham en ~* she refused him; T she gave him the mitten.
  kurvblomst, kurvblomstret composite.
  kurve *(en -r)* curve.
  kurve|flaske wicker bottle; *(ballon)* demijohn. **-fletning** basketwork, basket-weaving; wickerwork. **-kuffert** wicker trunk. **-mager** basket maker. **-magerarbejde** wickerwork. **-møbler** wicker furniture. **-stol** wicker chair.
  kusine *(en -r)* (female) cousin.
  kusk *(en -e)* driver; *(herskabs-)* coachman.
  kuske *vb: ~ med* domineer, order about.
  kuskesæde box, driver's seat.
  kustode *(en -r)* attendant.
  kutte *(en -r)* cowl. **kutter** *(en -e)* ⚓ cutter.
  kutyme *(en)* custom, usage, practice; *(merk)* usage; *det er ~* it is the usual thing (to do), it is the custom.
  kuvert *(en -er)* *(ved bord)* cover; *(konvolut)* envelope. **kuvertbrød** (French) roll.
  kvabbe *(en -r)* *zo* burbot. **kvabset** flabby.
  I. **kvad** *(et -)* lay, song.
  II. **kvad** *imperf. af kvæde.*
  kvader(sten) ashlar.
  kvadrant *(en -er)* quadrant.
  kvadrat *(et -er)* square; *to fod i ~* two feet square; *-et på 3 er 9* the square of 3 is 9, 3 squared is 9. **kvadrat|fod** square foot. **-indhold** area.
  kvadratisk *adj* square, quadratic.
  kvadrat|meter square meter. **-mål** square measure. **-rod** square root.
  kvadratur *(en)* quadrature, squaring *(fx* the quadrature *(el.* squaring) of a circle).
  kvadrere *(inddele i kvadrater)* rule into squares; *(mat.)* square: *-t papir* squared paper.
  kvadrille *(en -r)* quadrille.
  kvadron *(en -er)* quadroon.
  kvaj *(et -),* **kvajhoved** *(et -er),* **kvajpande** *(en -r).* fool, nitwit.
  kvaksalver *(en -e)* quack (doctor); *(som foretager fosterfordrivelse)* (backstreet) abortionist.
  kvaksalveri *(et)* quackery.
  kval *(en -er)* agony, anguish, pangs *pl; (bryderi)* trouble; *lide helvedes -er* suffer the tortures of the damned; *Tantalus' -er* the torments of Tantalus.
  kvalfuld agonizing.
  kvalificere qualify *(til:* for). **kvalifikation** *(en -er)* qualification. **kvalitativ** *adj* qualitative.
  kvalitet *(en -er)* quality; *prima ~* first quality. **kvalitets|arbejde** high-quality workmanship. **-vare** high-class article.
  kvalm *adj* close, stuffy; *sb: gøre ~* make a fuss.
  kvalme *(en)* nausea, sickness; *det er til at få ~ af* it is enough to make one sick, it is sickening.
  kvalmende *adj* sickening, nauseating.
  kvalt, kvalte *se kvæle.*

kvante (*et -r*) (*fys*) quantum.
kvanteteorien the quantum theory.
kvantitativ *adj* quantitative. **kvantitet** (*en -er*) quantity. **kvan|tum** (*et -ta*) quantity.
I. **kvart** (*en -er*) quarter; (*interval*) fourth; (*format*) quarto; (*i fægtning*) carte, quart.
II. **kvart** *adj* quarter-, quarter of (*fx* a quarter-mile = a quarter of a mile); *en ~ telefon* a four-party telephone; *et ~ år* three months.
kvartal (*et -er*) quarter, three months.
kvartals|dranker dipsomaniac. **-vis** *adj, adv* quarterly.
kvarter (*et -er*) (¼ *time*) quarter (of an hour); (¼ *alen*) six inches; (*bydel*) district, quarter, part of the town; ⚓ quarters, (*i privat hus*) billet; (⚓ *vagts-*) watch; *»aktuelt ~«* (*svarer til*) Current Affairs; *et ~ i* (*, over*) *3* a quarter to (*, past*) 3; *tre ~* three quarters of an hour; *fem ~* an hour and a quarter; *ligge i ~ hos* be billeted on.
kvarter|arrest confinement to barracks. **-mester** ⚓ quartermaster. **-seddel** billeting order. **-slag** quarter-stroke; *slå ~* strike the quarters.
kvartet (*en -ter*) quartet(te).
kvart|finale quarter-final. **-format** quarto. **-mil** (nautical) mile.
kvarts (*en*) quartz. **kvartslampe** quartz lamp.
kvartudgave quarto (edition).
kvartærtid quaternary period.
I. **kvas** (*et*) (*grene*) brushwood, twigs *pl*.
II. **kvas:** *gå i ~* be squashed; *slå i ~* squash.
I. **kvase** (*en -r*) fishing-boat with a well, well smack.
II. **kvase** *vb* squash; *~ sammen* crash.
kvast (*en -er*) tassel, tuft; (*pudder-*) puff; ♣ cyme.
kvejl (*en -*) ⚓ coil (of rope).
kvidder (*et*) chirping, twitter; *ikke et ~* not a word.
kvide (*en*) agony, pain, trouble.
kvidre *vb* chirp, twitter.
kvidren (*en*) chirping, twitter.
I. **kvie** (*en -r*) heifer.
II. **kvie:** *~ sig ved* shrink from.
I. **kvik** (*en -ker*) (*græs*) couch grass.
II. **kvik** (*opvakt*) bright, quick-witted; (*rask*) well, all right.
kvikke: *~ op* cheer up; *som -r op* stimulating.
kviksand quicksand(s).
kviksølv quicksilver, mercury. **kviksølv|baro-meter** mercurial barometer. **-kur** mercurial cure. **-søjle** mercury column. **-termometer** mercury thermometer.
kvillajabark quillaia (*el.* soap) bark.
kvindagtig *adj* effeminate.
kvindagtighed (*en*) effeminacy.
kvinde (*en -r*) woman (*pl* women); *-n* (*i al alm*) woman. **kvinde|bevægelsen** feminism. **-bryst** female breast. **-emancipation** emancipation of women. **-fængsel** women's prison. **-hader** woman -hater, misogynist. **-hjerte** woman's heart. **-jæger** woman-hunter. **-klæder** female (*el.* woman's) dress. **-køn** female sex, womankind.
kvindelig *adj* (*af hunkøn*) female (*fx* heir, pupil), woman (*fx* doctor, novelist, pilot, student); (*typisk for kvinder*) feminine (*fx* curiosity, pursuits), (*rosende*) womanly (*fx* virtues); *det evigt-e* the eternal feminine.
kvindelighed (*en*) femininity, womanliness.
kvinde|list woman's wiles. **-logik** feminine logic. **-læge** gynaecologist. **-menneske** female. **-navn** feminine name. **-sagen** feminism. **-sagskvinde** woman advocate of feminism; (*stemmerets-*) suf-fragette. **-skikkelse** female form; (*i bog etc*) female character, woman. **-stemme** female (*el.* woman's) voice. **-sygdom** women's disease; *specialist i -me* gynaecologist. **-tække** attractiveness for women, sex appeal; *have ~* (*ogs*) have a way with women. **-vis:** *på ~* after the manner of women.
kvindfolk (*et -*) woman, female.

I. **kvint** (*en -er*) (*i fægtning*) quinte; (*i musik: interval*) fifth; (*violinstreng*) soprano string.
II. **kvint** (*et -*) five grammes.
kvintessens quintessence.
kvintet (*en -ter*) quintet(te).
kvirrevit (*et*) twitter; (*lydord*) tweet-tweet.
kvist (*en -e*) (*gren*) twig, spray; (*i hus*) attic, (*især neds*) garret; *bo på -en* live in the attic.
kvist|kammer garret. **-lejlighed** (flat in the) attic. **-vindue** dormer (window).
kvit *adj*: *blive en* (*, noget*) *~* get rid of sby (*,* sth); *nu er vi ~* now we are quits; *spille ~ eller dobbelt* play double or quits; *~ og frit* free of debt; (*om ejendom*) unencumbered.
kvitte *vb* (*give afkald på*) waive, give up.
kvittere (*give kvittering*) give a receipt, sign; (*gøre gengæld*) repay; *~ for* give a receipt for, sign for. **kvittering** (*en -er*) receipt.
kvota (*en -er*) quota.
kvotient (*en -er*) quotient.
kvotientrække geometric progression.
I. **kvæde** (*en -r*) quince.
II. **kvæde** (*kvad, kvædet*) chant, sing.
kvæg (*et*) cattle. **kvæg|avl** cattle breeding. **-bestand** (*et lands*) cattle population. **-besætning** stock of cattle, livestock.
kvæge *vb* refresh.
kvæg|flok herd of cattle. **-foder** (cattle) fodder. **-hjord** herd of cattle. **-hyrde** herdsman. **-marked** cattle fair. **-pest** cattle plague. **-race** breed of cattle.
kvæk (*et -*) (*af en frø*) croaking; *ikke et ~* (*fig*) not a word, not a thing.
kvæker (*en -e*) Quaker.
kvækerfinke *zo* brambling.
kvække *vb* croak. **kvækken** (*en*) croaking.
kvæld (*en*) eve; *se aften*.
kvæle (*kvalte, kvalt*) choke (*fx* a fishbone almost choked him); (*med hænderne*) choke (*fx* c. sby with one's hands), throttle; (*ved manglende lufttilførsel*) suffocate, stifle (*fx* the smoke almost stifled me); (*ved tilstopning af mund og næse*) smother (*fx* smother sby with a pillow); (*ved sammensnøring*) strangle (*fx* s. sby with a rope), throttle; (*undertrykke*) quell (*fx* a rebellion), stifle (*fx* a yawn); *opstanden blev kvalt i blod* the rising was drowned in blood; *~ i fødselen* (*fig*) nip in the bud; *~ ilden* smother the fire; *være ved at -s af latter* choke with laughter; (*være ved at*) *-s i* choke on (*fx* a fishbone); *-nde varmt* sweltering (hot), stifling (hot).
kvæler|slange boa constrictor. **-tag** (*især fig*) stranglehold; *han tog ~ på hende* he made to strangle her.
kvælning (*en*) (*se kvæle*) choking, suffocation, smothering, strangulation. **kvælningsanfald** chok-ing fit.
kvælstof (*kem*) nitrogen.
kværk (*en*) (*ogs -e*) throat. **kværke** *vb* throttle.
kværn (*en -e*) grinding mill. **kværne** *vb* (= *snakke*) chatter.
kværulant (*en -er*) cantankerous person.
kværulere *vb* be cantankerous, make incessant complaints. **kværuleren** (*en*) cantankerousness.
kvæste *vb* injure, contuse, bruise.
kvæstelse (*en -r*) injury (*fx* internal injuries), contusion.
kvæstor (*en -er*) treasurer, bursar; (*romersk*) quaestor. **kvæstur** (*en*) (*kontor*) bursary; (*embede*) bursarship; quaestorship.
kykliky! cock-a-doodle-doo!
kyklop (*en -er*) cyclops (*pl* cyclopes).
kyle *vb* throw, fling, hurl.
kylling (*en -er*) chicken, chick.
kyllinge|hjerne: *have en ~* be feather-brained. **-moder** mother hen; *kunstig ~* chicken brooder. **-steg** roast chicken.

kyndig *adj* expert, skilled (*i:* in).
kyndighed *(en)* experience, knowledge, skill.
kyniker *(en -e)* cynic. kynisk *adj* cynical.
kynisme *(en)* cynicism.
kyper *(en -e)* (wine) waiter.
kyras *(et -ser)* cuirass. kyrassér *(en -er)* cuirassier.
kys *(et -)* kiss.
I. kyse *(en -r)* bonnet.
II. kyse * *(skræmme)* scare; *(ved tilråb)* shoo *(fx* a cat).
kyshånd: *med ~* eagerly; *han tog imod det med ~* he jumped at it.
kysk *adj* chaste. kyskhed *(en)* chastity, chasteness. kyskhedsløfte vow of chastity.
kysse kiss; *~ på fingeren ad* blow a kiss to; *~ en på hånden* kiss sby's hand; *~ hinanden, -s* kiss, kiss each other. kysseri *(et)* kissing. kyssetøj kisser.
kyst *(en -er) (kystlinie, kystland)* coast *(fx* follow the coast; the towns on the Pacific coast); *(strand)* shore *(fx* the shore was strewn with wrecks); *(som feriested)* seaside; *langs -en* along the coast; coastwise; *ud fra -en* off shore.
kyst|beboer person living on the coast. -befæstning coast defences. -by seaside town. -båd coasting vessel, coaster. -damper coasting steamer, coaster. -fart coasting trade. -fiskeri inshore fishing. -forsvar coast defence. -fyr ♱ coast light. -hospital seaside hospital. -klima coastal climate. -linie coast line. -sanatorium seaside sanatorium. -sikring coast protection. -strækning littoral (region), stretch of coast. -vagt coastguard.
kysægte *adj (om læbestift)* kiss-proof.
kæbe *(en -r)* jaw. kæbe|ben jawbone. -hulebetændelse maxillary sinusitis. -pose cheek pouch. -stød punch on the jaw.
I. kæde *(en -r)* chain; *(♱ kætting)* cable, chain; ✕ line *(fx* a line of skirmishers).
II. kæde: *~ sammen* link up.
kæde|brev chain letter. -forretning multiple shop, *(især amr)* chain store. -hus link house. -kasse *(på cykel)* chain guard. -reaktion chain reaction. -ryger chain smoker. -sting chain stitch.
kæfereret *adj* tight.
kæfert T drunk *(fx* sleep off a d.); *have en ~ på* be tight.
kæft *(en -er)* jaw; *hold ~!* shut up! *ikke en ~ (ɔ: ingen)* not a (living) soul, *(intet)* not a thing.
kæfte: *~ op* jaw, jabber.
kæk *adj* brave, bold; *(rask)* spirited; *(uforknyt)* cheerful. kækhed *(en)* bravery, boldness, cheerfulness.
kælder *(en -e)* cellar; *(-etage)* basement.
kælder|etage basement. -hals *(omtr =)* cellarway. -lejlighed basement flat. -mester butler. -rum cellar. -trappe basement stairs.
kæle: *~ for* fondle, caress, cuddle.
kælebarn, kæledægge *(en -r)* pet, darling.
kælen *adj (om dyr, barn)* affectionate, *(neds)* mawkish, sentimental; *(forelsket)* amorous; *(indsmigrende)* insinuating; *(om stemme)* languishing, *(overtalende)* wheedling.
kælenavn pet name.
kælenskab *(en)* affectionateness; amorousness.
kæleri *(et -er)* cuddling; *(erotisk)* necking, *(amr)* petting.
kælk *(en -e)* , kælke *vb* toboggan, sledge.
kælke|bakke toboggan run. -tur toboggan ride.
kælkning *(en)* tobogganing, sledging.
kælling *(en -er): gammel ~* old woman, *(grim)* hag, *(skældsord)* old cow.
kællingeknude granny('s) knot.
kællingetand ♱ bird's-foot trefoil.
kæltring *(en -er)* scoundrel.
kæltringestreg dirty trick.
kælve *vb* calve. kælvetid calving time *(el.* season).
kæmme *vb* comb.
kæmner *(en -e)* city treasurer.

I. kæmpe *(en -r)* giant; *(kriger)* warrior; ♱ plantain.
II. kæmpe *vb* fight *(fx* for freedom); *(ofte hårdt, længe)* struggle *(fx* to reach the shore; for power; with difficulties); *~ sig frem* fight one's way; *~ sig igennem* struggle through; *~ om prisen* contend *(el.* compete) for the prize; *de -nde* the combatants, the contending parties.
kæmpe- gigantic, colossal; *(især om planter, dyr)* giant *(fx* potato, kangaroo).
kæmpe|dyr gigantic animal. -høj *(en -e)* barrow, tumulus. -karl giant. -kræfter *pl* gigantic strength. -kvinde giantess. -mæssig *adj* gigantic, giant, colossal. -skikkelse gigantic figure. -skridt giant stride; *gå frem med ~ (fig)* advance by giant strides *(el.* by leaps and bounds). -slange *zo* boa. -stor gigantic. -stærk of giant strength. -størrelse gigantic size.
kænguru *(en -er) zo* kangaroo. kængurustylte pogo stick.
kæntre *vb* capsize.
kæp *(en -pe)* stick, rod; *(svær)* cudgel; *(tynd)* switch; *munden gik på hende som ~ i hjul* she chattered away nineteen to the dozen; *stikke en ~ i hjulet for en* put a spoke in sby's wheel. kæphest hobby-horse; *(fiks idé)* fad. kæphøj *adj* cocky, pert.
kæppe *vb: ~ op* jaw.
I. kær *(et -) (dam)* pond, pool, *(sump)* marsh, fen.
II. kær *adj (elsket)* dear, beloved; *(om ting)* cherished; *(sød)* sweet, dear, darling; *få ~* become attached to; *fall in love with; have ~* be fond of, love; *have sit liv -t* value one's life; *Kære hr. X (i brev)* Dear Mr X; *(men) -e! (forbavset)* good gracious! *mine -e* those nearest and dearest to me, my dear ones; *hun er ~* she is sweet; *det ville være mig -t at gøre det* I should be glad to do it.
kære *(en & vb)* appeal.
kæreste *(en -r)* fiancé, *(kvindelig)* fiancée, sweetheart; T *(mand)* young man; *(kvinde)* (best) girl.
kæreste|brev love letter. -folk lovers.
kæresteri *(et)* philandering, flirtation.
kærestesorg: *have ~* be crossed in love.
kærhøg *(en -e) zo* harrier.
kærkommen *adj* welcome *(fx* gift, holiday, interruption, visit).
kærlig *adj* loving, affectionate, fond.
kærlighed *(en)* love, affection; *(næste-)* charity; *tro, håb og ~* faith, hope and charity; *erklære hende sin ~* make a declaration of love to her; *få -en at føle* catch it; *fatte ~ til* fall in love with, grow fond of; *~ gør blind* love is blind; *uheld i spil, held i ~* unlucky at cards, lucky in love; *det er den store ~* it is a "grande passion"; *~ til* love of *(fx* one's country, literature); love for *(fx* his love for her).
kærligheds|affære love affair. -brev love letter. -digt love poem. -erklæring declaration of love. -eventyr, -forhold love affair. -gerning work of charity. -gud God of Love. -historie love affair; *(fortælling)* love story. -pant pledge of love. -roman love story.
I. kærne *(i nød etc) se* kerne.
II. kærne *(en -r) (smør-)* churn; *vb* churn.
kærnemælk buttermilk.
kærre *(en -r)* cart, *(især bøddel-)* tumbrel.
kærte *(en -r)* candle, *(tynd)* taper.
kærtegn *(et -)* caress. kærtegne *vb* caress, pet.
kæruld ♱ cotton-grass.
kærv *(en -e)* notch, slot, nick.
kætter *(en -e)* heretic. kætterbål pyre; *lide døden på -et* be burnt at the stake.
kætteri *(et -er)* heresy. kættersk *adj* heretical.
kætting *(en -er)* chain.
kævl *(et)* wrangle, squabble, bickering.
kævles *vb* wrangle, squabble, bicker.
kø *(en -er) (række)* queue, *(især amr)* line; *(billard-)* cue; *stille sig (, stå) i ~* queue up, line up.
køb *(et -)* purchase, *(det at købe ogs)* buying;

(handel) bargain; *godt (, billigt)* ~ a bargain; *for godt* ~ cheap; *give* ~ give in, yield; *følge med i -et* be thrown in, be included; *oven i -et* into the bargain, in addition, at that; *til -s* for sale.

købe * buy, purchase *(af, hos* from); *(underkøbe)* buy (over), bribe; ~ *fri* ransom, purchase the freedom of; ~ *sig fri* buy oneself off; ~ *ind* shop, do some shopping, make purchases; *jeg ved ikke om jeg er købt eller solgt* I don't know where I stand.

købe|dygtig able to buy. **-kontrakt** contract of sale. **-kraft** purchasing power. **-lyst:** *deres* ~ their willingness to buy.

København Copenhagen. **københavner** *(en -e)* Copenhagener. **københavnerinde** *(en -r)* Copenhagener, Copenhagen girl (, woman).

københavnsk *adj* Copenhagen.

køber *(en -e)* buyer, purchaser; *være* ~ *til* be in the market for.

køber|kurs bid price. **-strejke** buyers' strike.

købe|stævne *(et -r)* fair. **-sum** purchase price. **-tvang** obligation to buy.

købmand *(forretningsmand)* businessman; *(grosserer)* merchant; *(detaillist)* shopkeeper, *(amr)* storekeeper; *(urtekræmmer)* grocer.

købmands|handel grocer's *(el.* general) shop *(, amr* store). **-mæssig** *adj* businesslike. **-skole** commercial school. **-stand:** *-en* the business world; *(personerne)* businessmen.

købslå *vb* bargain.

købstad provincial town, market town.

købstads|agtig *(mods landlig)* town(-like), *(mods hovedstadsmæssig)* provincial. **-folk** townspeople. **-liv** (provincial) town life. **-rettighed(er)** municipal charter.

kød *(et) (levende og fig)* flesh; *(til føde)* meat; *(af fisk)* flesh; *(af frugter)* flesh, *(knust el. blødt)* pulp; ~ *og blod* flesh and blood; *gå al -ets gang* go the way of all flesh; *der var ikke meget* ~ *på det han sagde* what he said amounted to very little.

kød|ben bone. **-bjerg** mountain of flesh. **-bolle** meat ball. **-ekstrakt** meat extract.

kødelig *(legemlig)* corporeal, bodily; *(blodsbeslægtet)* own, full; *(sanselig)* carnal *(fx* lusts), *(bibl)* fleshly; ~ *broder* own *(el.* full) brother; ~ *slægtning* blood-relation.

kød|fars *se fars*. **-farvet** flesh-coloured. **-forgiftning** ptomaine poisoning. **-fuld** *adj.* fleshy. **-gryde** fleshpot. **-hammer** meat tenderiser. **-hoved** fathead. **-løs** *adj* meatless. **-mad** meat. **-maskine** mincer, mincing machine. **-ret** meat course. **-suppe** soup, meat broth; *(klar)* consommé. **-sår** flesh wound. **-udsalg** butcher's shop. **-ædende** *adj* carnivorous.

køer *pl af ko el. kø.*

køje *(en -r) (i skib og tog)* berth; *(i sommerhus etc)* bunk; *(hænge-)* hammock; *gå til køjs* turn in. **køjeseng** bunk bed.

køkken *(et -er)* kitchen; *(mad(lavning))* cuisine.

køkken|adgang kitchen facilities. **-bord** working top, working surface; *(løst bord)* kitchen table.

køkken|chef chef. **-dør** kitchen *(el.* back) door, back entrance, tradesmen's entrance. **-have** kitchen *(el.* vegetable) garden. **-mødding** kitchen midden. **-salt** common salt. **-trappe** *(bagtrappe helt op)* backstairs; *(udvendig, ned til køkken)* area steps. **-udstyr** *(fast)* kitchen equipment, *(gryder etc)* kitchen utensils *pl.* **-udstyrsforretning** hardware shop. **-vask** kitchen sink.

køl *(en -e)* keel; *lægge -en til et skib* lay (down) the keel of a vessel; *på ret* ~ on an even keel; *bringe et skib på ret* ~ right a ship; *bringe én på ret* ~ *(moralsk)* make sby go straight; *(efter sygdom)* put sby on his legs again; *(økonomisk)* put sby's finances in order, put sby on an even keel (again); *komme på ret* ~ *(fig) (moralsk)* make good, *(efter sygdom)* recover, *(økonomisk)* get straight.

køle *vb* cool, chill.

køle|anlæg refrigerating *(el.* cold-storage) plant. **-bil** refrigerated van. **-disk** cold counter. **-hus** cold store.

køler *(en -e)* cooler; *(i bil)* radiator. **køler|figur** radiator mascot. **-gitter** radiator grille. **-hjelm** bonnet; *(amr)* hood.

kølerum cold(-storage) room.

kølervæske *(en -r)* antifreeze.

køle|skab refrigerator. **-skib** refrigerator ship. **-vand** cooling water. **-vogn** *(jernb)* refrigerator van; *(se ogs -bil).*

kølhale *vb (et skib)* careen; *(person)* keelhaul.

kølhaling careening; keelhauling.

kølig *adj* cool, *(ubehageligt* ~) chilly.

kølighed *(en)* coolness, chill.

kølle *(en -r)* club; *(sværere)* bludgeon; *(kroketkølle)* mallet; *(af dyr)* leg, haunch; *(maltkølle)* malt-kiln. **kølleslag** bludgeon stroke; *det ramte ham som et* ~ it stunned him.

køllinie ⚓ middle line.

Køln Cologne.

kølne, kølnes *vb* cool, chill.

køl|svin ⚓ keelson. **-vand** wake. **-vandslinie, -vandsorden** ⚓ line ahead.

I. køn *(et -)* sex; *(gram)* gender; *det andet* ~ the opposite sex; *det smukke* ~ the fair sex; *det stærke* ~ the sterner sex; *det svage* ~ the weaker sex.

II. køn *adj* pretty, good-looking, handsome; *du er en* ~ *hjælper!* nice sort of helper you are! *det er en* ~ *det var -t af Dem* that was nice of you; *sidde -t i det* be in a (pretty *el.* nice) mess *(el.* fix); *han er ikke for* ~ *(selv)* he is not in a position to throw stones.

kønnet *adj* sexual *(fx* reproduction).

kønrøg lampblack.

køns|bøjning inflection for gender. **-celle** gamete. **-dele** *pl* genitals. **-drift** sexual urge *(el.* instinct). **-egenskab, -karakter** sexual character. **-kirtel** sexual gland. **-lig** *adj* sexual. **-liv** sex(ual) life. **-løs** sexless, asexual. **-løshed** sexlessness, asexuality. **-moden** *adj* sexually mature. **-organ** sexual organ. **-sygdom** venereal disease.

I. køre *(en): (ud) i én* ~ continuously, on end, running *(fx* four days running).

II. køre * *(være chauffør, kusk etc på, styre)* drive *(fx* a car, a carriage, a plough, a horse); *(motorcykel)* ride; *(transportere (personer))* drive, take *(fx* sby to the station), *(overf)* carry, convey, *(på (tohjulet) arbejdsvogn)* cart *(fx* hay, dung); *(i trækvogn, barnevogn)* wheel; *(uden objekt: om person)* go *(fx* by train, by bus, in a car), ride *(fx* in a car, in a bus); *(når man selv bestemmer retningen)* drive *(fx* he drives well); learn how to drive; we drove to Oxford); *(på cykel)* cycle, ride; *(om køretøj; løbe)* run *(fx* into a hedge), go *(fx* fast); *begynde at* ~ start; ~ *bil* drive a car; ~ *fast* get stuck, get bogged down; ~ *en film (o: forevise)* run a film; ~ *forbi* pass; ~ *forkert* take the wrong road, lose one's way; ~ *frem for døren* drive up to the door; ~ *frem med (fig)* trot out *(fx* he trotted out an old story); *toget kørte frem* the train pulled in at the platform; ~ *frem mod rødt (lys)* drive through red; ~ *en ned* run *(el.* knock) down sby; *bilen -r godt* the car runs well; *få lov at* ~ *'med* get a lift; *'~ med (fig)* lead sby by the nose; ~ *imod ngt* run against sth; ~ *ind til siden* pull in to the side *(el.* the right, *i Engl* the left); *være kommet godt op at* ~ be in the soup; ~ *en over* run over sby; ~ *'til (o: hurtigt, hurtigere)* drive fast(er); ~ *en bil til* run a car in; ~ *heste til* break in horses; ~ *træt* tire sby out; ~ *en tur* go for a drive; ~ *videre* go on; *(se ogs kørende).*

køre|bane roadway; *(på vej m. flere kørebaner)* lane *(fx* a six-lane highway). **-egenskaber** *(bils)* roadability. **-hastighed** travelling speed. **-klar** *adj* ready to start. **-kort** (driving) licence *(fx* he had his licence suspended for two years). **-lejlighed** lift. **-lærer** driving-instructor.

kørende: *godt* ~ *(fig)* well off; *småt* ~ *(ɔ: fattig)* hard up, *(ubegavet)* not over-bright; *komme* ~ *(i bil)* come by car; ~ *trafik* wheeled traffic.

køre|plan timetable. **-pose** *(til små børn)* bunting. **-prøve** driving-test. **-skole** school of motoring. **-stol** wheel chair, invalid chair. **-tråd** overhead *(contact)* wire. **-tur** ride, *(i privat vogn)* drive, run. **-tøj** vehicle. **-vej** carriage road, *(til privat hus)* drive.

kørsel *(en)* driving; *(transport)* haulage, carting; *(færdsel)* traffic. **kørselsretning** direction of travel(ling).

kørvel *(en)* chervil.

køter *(en -e)* cur.

køteragtig *adj (fig)* currish, caddish.

kåbe *(en -r)* coat; *(fig)* cloak *(fx* cover it with the cloak of charity).

kåd *adj (overgiven, lystig)* playful, frisky; *(tank-eløs)* wanton; *(kådmundet)* flippant.

kåd|hed *(en)* playfulness; friskiness; wantonness; flippancy; *i* ~ playfully; in fun. **-mundet** *adj* flippant. **-mundethed** *(en)* flippancy.

kål *(en) (grønkål)* kale; *(især hvidkål og rødkål)* cabbage; *(grønkålssuppe)* kale soup; *gøre* ~ *på* make short work of; *søbe den* ~ *man selv har spyttet i* eat humble-pie.

kål|hoved (head of) cabbage. **-høgen** *adj* cocky. **-orm** caterpillar. **-rabi** *(en)*, **-roe** *(en)* swede. **-stok** cabbage stalk.

kår *pl.* circumstances, conditions; *have gode* ~ *(økonomisk)* be well off, be in comfortable circumstances.

kårde *(en -r)* (light) sword, rapier.

kårdestød sword thrust.

kåre *vb* choose, elect; *(ved dyrskue)* select. **kåring** *(en)* election; *(ved dyrskue)* selection; *valgt ved* ~ elected by show of hands.

L

L, l *(et -'er)* L,l.

1. *fk f liter* litre; *fk f lignende* the like.

lab *(en -ber)* paw; *suge på -ben* go on short commons, tighten one's belt.

laban *(en -er)* scamp, puppy. **labanstreg** piece of impudence.

labbe, labe: ~ *i sig* lap up.

laber *adj* ♂ *(om vind)* light; T *(fortræffelig)* top-hole; *(om pige)* luscious.

laborant *(en -er)* laboratory worker; *(på apotek)* chemist's assistant.

laboratori|um *(et -er)* laboratory.

labskovs *(en)* lobscouse; *(svarer i England til)* stew; *(fig)* hotchpotch, medley.

labyrint *(en -er)* labyrinth; *(som haveanlæg)* maze. **labyrintisk** *adj* labyrinthine.

I. **lad** *(et -)* *(på vogn)* truck body; *(stillads)* stand, support.

II. **lad** *adj* lazy, indolent; *ligge på den -e side* be idle.

ladcykel carrier cycle.

I. **lade** *(en -r)* *(til korn)* barn.

II. **lade** *(lod, ladet)* *(tillade at)* let, allow to *(fx* he let the prisoner escape; will you let me *(el.* allow me to) go?); *(efterlade)* leave *(fx* ~ *en kold* leave sby cold, ~ *stå åben* leave open); *(bevirke, sætte til at)* have *(fx han lod huset rive ned* he had the house pulled down; he had the child baptized; he had the men march 50 miles), make *(fx* he made me write it for him; the author makes the hero do foolish things); *(foregive at være)* pretend to be *(fx* she pretends to be so innocent); *(synes)* seem, appear;

~ *blive liggende* leave; ~ *en forstå at* give sby to understand that; *lad gå!* all right! let it pass! ♂ let go! ~ *hente* send for; ~ *sit liv* lay down one's life, die; *man må* ~ *ham at han er hæderlig* to do him justice he is honest; *lad mig om det!* leave that to me! *lad os gå!* let us go! *det* ~ *sig ikke beskrive* it cannot be described; ~ *sig forstå med* hint, intimate; *det -r sig ikke gøre* it cannot be done; *det -r sig høre* T that's something like; ~ *sig overtale til at* (allow oneself to) be persuaded to; ~ *som ingenting* behave as if nothing had happened; ignore it; *jeg lod som om jeg sov* I pretended to be asleep; *det -r til at* it seems that; ~ *meget tilbage at ønske* leave much to be desired; ~ *ude af betragtning* disregard, leave out of consideration; ~ *vandet* urinate, make water; ~ *én vente* keep sby waiting; *lad være!* stop it! don't! *de kunne ikke* ~ *være* they could not help it; *lad mig være!* leave me alone! ~ *være med at* refrain from *-ing*; *(undlade at)* omit to; *lad være med at le!* stop laughing! don't

laugh! *jeg kunne ikke* ~ *være med at le* I could not help laughing; *jeg bliver nødt til at* ~ *være med at ryge* I shall have to give up smoking.

III. **lade** *(-de, -t)* *(skib, vogn)* load; *(våben)* load, charge; *(elekt)* charge; *-t med (fig)* charged with.

ladegreb: *tage* ~ ⚔ go through the loading motions.

laden *(en):* *gøren og* ~ doings.

lade|ramme ⚔ clip. **-station** *(elekt)* service station, battery charging depot. **-stok** ⚔ ramrod.

ladhed *(en)* laziness, indolence.

ladning *(en -er)* *(vogn-)* load; *(skibs-)* cargo *pl -es)*; *(våbens og elekt)* charge; *(stor mængde)* lot(s); *(det at lade (III))* loading, *(♂ ogs)* taking in cargo; charging.

ladnings|fortegnelse manifest. **-mærke** *(et -r)* ♂ cargo mark. **-papirer** *pl* shipping documents.

lag *(et -)* layer, stratum; *(af maling etc)* coat, coating; *(samfunds-)* class, stratum (of society); *(selskab)* company, party; *de brede* ~ the masses, the common people; *det glatte* ~ a broadside; *give ham det glatte* ~ give him a broadside; *(fig)* let him have it; *gå (el. give sig) i* ~ *med* tackle *(fx* a problem); *være i* ~ *med at barbere sig* be shaving; *hvor på* ~? whereabouts?

lagde *imperf af lægge.*

lagdeling stratification. **lagdelt** stratified.

lage *(en)* brine, pickle; *lægge i* ~ pickle.

lagen *(et -er)* sheet. **lagenlærred** sheeting.

lager *(et, lagre)* stock, store; *(oplagssted)* store room, warehouse; *have på* ~ keep in stock, stock; *ikke (mere) på* ~ out of stock; *tage på* ~ put in a stock of, stock. **lager|arbejder** storeman; warehouseman. **-beholdning** stock in trade. **-bygning** warehouse. **-forvalter** warehouse keeper.

lagerist *(en -er)* stores-clerk; *(i pakhus)* warehouse assistant.

lager|opgørelse stock-taking. **-opkøb** stockpiling. **-rum** store room. **-varer** stock goods. **-øl** dark lager.

lagkage layer cake; *livet er ikke lutter* ~ life is not all beer and skittles.

lagre *vb* store, warehouse; *(for at forbedre kvaliteten)* season, mature; *-t tømmer* seasoned timber; *-de vine* matured wines. **lagring** *(en)* storage, warehousing; seasoning, maturing.

lagt *perf part af lægge.*

lagune *(en -r)* lagoon.

lagvis *adv* in layers, stratified.

lak *(en -ker)* *(segl-)* sealing-wax; *(-fernis)* lacquer; *(fx til bakker)* japan; *(til cykler)* enamel; *(til bil)* (cellu-

lose) paint; (-, arve) enamel paint; (rødt´ arvestof)
lake; (gummi-) lac; (-læder) patent leather; (negle-)
nail varnish; en stang ~ a stick of sealing-wax

lakaj (en -er) footman; (neds) lackey, flunkey;
(neds, fig) henchman, lackey.

lakere vb lacquer, (fx bakker) japan; (med cykellak)
enamel.

lakfernis lacquer, (fx til bakker) japan; (farve)
enamel. **lakfjerner** lacquer remover; (til neglelak)
nail varnish remover.

I. **lakke** vb (forsegle) seal.

II. **lakke**: det -r ad aften night is drawing near;
det -r mod enden the end is drawing near.

laklæder patent leather.

lakmus (en) litmus. **lakmuspapir** litmus paper.

lakonisk adj laconic.

lakrids (en) liquorice. **lakrids|konfekt** liquorice
allsorts. **-rod** liquorice root.

laks (en) zo salmon.

laksativ (et -er) laxative, (stærkt) cathartic.

laksefarvet adj salmon(-coloured).

laksegl (wax) seal.

laksko patent-leather shoe; udringet ~ pump.

laksørred zo salmon trout.

lakune (en-r) blank, gap, lacuna.

lalle vb (om barn) babble; (om olding) maunder;
(om idiot) blither, drool.

I. **lam** (et -) lamb.

II. **lam** adj paralysed.

lama (en -er) zo llama; (præst) lama.

lamel (en -ler) (anat) lamella; (på paddehat) gill; (i
kommutator) segment; (i kobling) disc.

lamentere vb lament; wail; ~ over sin skæbne
bewail one's lot.

lamhed (en) paralysis.

lamme vb (ogs fig) paralyse.

lamme|kød lamb. **-lever** lamb's liver.

lammelse (en) paralysation; (lamhed) paralysis.

lamme|skind lambskin. **-sky** (meteorologi) cirro
-cumulus; **-er** fleecy clouds. **-steg** roast lamb. **-uld**
lamb's wool.

lampe (en -r) lamp; (elekt pære) bulb; (radio-)
valve, (amr) tube.

lampe|fatning (elekt) lamp holder, socket. **-feber**
stage fright. **-glas** lamp glass, lamp chimney. **-krog**
lamp hook. **-kuppel** globe. **-lys** lamp light. **-skærm**
lamp shade. **-sted** (elekt) point.

lampet (en -ter) bracket lamp.

lampion (en, -er el. -s) lampion.

lampret (en -ter) zo lamprey.

lamslået adj. (af forbavselse) dumbfounded.

lancere vb introduce (fx a new fashion); start.

lancet (en -ter) lancet.

lancier (en -er) the lancers (pl).

land (et -e) country; (modsat hav, vand, samt poet.)
land; (-ejendom) land(s); -ets egne børn the original
population of the country; (poetisk) the sons and
daughters of the country; fremmede -e foreign
countries; by inde i -et inland town; længere inde i -et
further inland; gå i ~ go ashore, land, disembark;
hale (el. trække) i ~ (fig) beat a retreat, climb down;
sætte i ~ ⚓ land, put ashore; rejse over ~ go by land;
(ude) på -et in the country; ud på -et into the country;
ligge på -et stay in the country; spend one's holidays
(fx he is spending his holidays in Jutland); tage på -et
go into the country; sætte et skib på ~ beach a vessel;
den må du længere ud på -et med! tell that to the ma-
rines! til -s by land; krig til -s land-war; her til -s
in this country; på tørt ~ on dry land; de varme -e
the tropics.

land|adel landed gentry. **-afståelse** cession of
territory. **-arbejder** farm worker, agricultural
labourer.

landauer (en -e) landau.

land|befolkning rural population. **-betjent** vil-
lage constable (el. policeman). **-bjørn** zo brown bear.

landbo (en -er): **-er** (pl) country people.

landbohøjskole agricultural college; **-n** (i Kø-
benhavn) the Royal Veterinary and Agricultural
High School (of Denmark).

landbrug (et -) agriculture, farming; (enkelt be-
drift) farm, holding; (stort) estate.

landbruger (en -e) farmer, agriculturalist.

landbrugs- agricultural (fx crisis, export, policy,
reform, school, society, student). **landbrugs|ejen-
dom** agricultural holding; (gård) farm. **-forhold**
agricultural conditions. **-jord** farm(ing) land. **-kan-
didat** graduate in agriculture. **-konsulent** agricul-
tural adviser. **-minister** Minister of Agriculture.
-museum agricultural museum. **-produkt** agricul-
tural product; **-er** (ogs) agricultural produce. **-rådet**
the Agricultural Council of Denmark. **-udsendelse**
(i radio) agricultural broadcast.

land|dag diet. **-distrikt** rural district. **-dyr** (et -)
terrestrial animal.

lande vb land; (flyv) land, come down; (med ob-
jekt) land, bring down.

lande|fred the king's peace. **-grænse** frontier.

landejendom farm, holding; (stor) estate.

lande|plage (en -r) scourge (fx this tune is a
national scourge), pest. **-sorg** public (el. national)
mourning.

landevej highway, (high) road; ad -en by road;
lige ud ad -en (dagligdags) commonplace; (let) easy,
plain sailing; følge den slagne ~ (ogs fig) keep to the
beaten track; på -en on the highway, on the road.

landevejs|kro roadside inn. **-reklame** (skilt)
roadside hoarding. **-rytter** (cykel-) road racer. **-røver**
highwayman.

landeværn ⚔ militia, territorial force.

land|fast adj connected (with the mainland).
-flygtig adj exiled, in exile. **-flygtighed** (en) exile;
drive en i ~ exile sby, banish sby; gå i ~ go into exile.

landgang landing; (landgangsbro) gangway.

landgangs|bro gangway; (anløbs-) landing-stage.
-plads, -sted landing-place.

land|grænse (modsat sø-) land frontier. **-handel**
(modsat sø-) overland trade; (butik) general store.

landhusholdning farm household.

landhusholdningsselskab agricultural society.

landing (en -er) landing.

landings|bane runway. **-hjul** landing-wheel.
-lys landing-light. **-plads, -sted** landing-place; (flyv)
landing-ground.

land|inspektør chartered surveyor; (amr) register-
ed land surveyor. **-jorden**: på ~ on (dry) land.
-kending ⚓ landfall; få ~ make a landfall. **-kommu-
ne** (svarer til) rural district. **-kort** map. **-krabbe** (fig)
landlubber.

landlig adj rural; (bondsk) countrified, rustic.

land|ligger (en -e) summer resident, holiday
-maker. **-liv** life in the country. **-lov** ⚓ shore leave.
-luft country air. **-mand** farmer, agriculturist.
-mine (er -r) ⚔ land mine. **-måler** surveyor.
-måling surveying. **-område** territory. **-ophold**
stay in the country. **-politi** rural police. **-post-
bud** village postman.

landsarkiv regional archives.

landsby village.

landsby|agtig adj village-like. **-degn** parish clerk.
-kirke village church. **-kro** village inn. **-præst**
country parson. **-skole** village school.

lands|del part of the country, province. **-dom-
mer** High Court judge. **-fader** father of the coun-
try. **-faderlig** paternal. **-forening** national league.
-forræder traitor. **-forræderi** (et -er) treason. **-for-
ræderisk** treasonable. **-forvise** * banish, exile.
-forvisning banishment, exile. **-hold**: det danske ~
the All-Denmark team. **-holdspiller**: dansk ~ All
-Denmark player. **-indsamling** national subscrip-
tion.

landskab (et -er) scenery; landscape; (maleri) land-
scape; (provins) province; **-er** scenery, landscape(s);
et smukt ~ a beautiful landscape.

landskabelig adj scenic (fx beauty); landscape.
landskabs|billede landscape. **-maler** landscape painter. **-maleri** landscape (painting).
lands|kamp (sport) international match. **-kendt** adj of nation-wide fame.
landskildpadde (en -r) zo tortoise.
lands|knægt lansquenet. **-mand** (fellow-)countryman, compatriot; hvad ~ er han? what nationality is he? **-mandinde** fellow-countrywoman, compatriot. **-møde** national congress.
land|snegl zo land snail. **-sogn** rural parish. **-soldat** soldier.
landsomfattende adj nation-wide.
landsplanlægning country planning.
landsret (svarer til:) High Court.
landsrets|dommer High Court judge. **-sagfører** (omtr =) barrister.
landsskadelig adj injurious to the State. **landssviger** (en -e) (omtr =) quisling, traitor.
land|sted country house. **-storm** general levy. **-strimmel** strip of land. **-stryger** (en -e) tramp, vagabond. **-strækning** tract, territory.
landsulykke national calamity (el. disaster).
landsætning landing, disembarkation. **landsætte** land (fx troops), disembark.
land|tange isthmus. **-tunge** spit (el. tongue) of land. **-vej:** ad -en by land. **-vin** local wine. **-vinding** (ogs fig) conquest; (ved udtørring etc) land reclamation. **-væsen** farming, agriculture.
landvæsenselev agricultural student.
landøkonom (en -er) agronomist.
landøkonomi agronomy.
lang adj long; (om støvle) high; (høj) tall; (hele) dagen ~ all day long; så god som dagen er ~ as good as gold; tiden falder ham ~ time hangs heavy on his hands; han blev ~ i ansigtet he pulled a long face; lige -e, equal, of equal length; en tid ~ for some time; i ~ tid for a long time; (se ogs langt, længere, længst).
lang|agtig adj longish. **-benet** adj long-legged. **-bold** [a ball game]. **-bølge** (en -er) (radio) long wave.
langdistance– long-range (fx bomber).
langdistanceraket long-range rocket; intercontinental ballistic missile (fk ICBM).
langdrag: trække i ~ drag on, take a long time, make slow progress; trække ngt i ~ spin sth out.
lange vb (række) hand, pass; (et slag) fetch, land (fx land a blow on his nose); ~ efter reach for; ~ til fadet fall to; ~ ham én ud fetch him a blow; ud efter en aim a blow at sby.
langemand (finger) (the) middle finger.
lang|fart long voyage; drage på ~ set out on a long voyage. **-finger** middle finger. **-fingret** adj long-fingered; (tyvagtig) light-fingered.
langfredag Good Friday.
langfristet adj long(-term).
langhalm long straw; tærske ~ på et emne wear a subject threadbare, ride a subject to death.
lang|halset adj long-necked. **-hornet** adj long -horned. **-håret** adj long-haired.
langkål løjer og ~ fun, high jinks.
lang|modig adj long-suffering. **-modighed** (en) long-suffering, forbearance. **-næset** adj long-nosed.
langs: ~ (med) along; på ~ lengthwise, longitudinally; ~ siden (af) ⚓ alongside; der stod træer ~ vejen trees lined the road.
langsigtet adj long-term (fx policy), long-range (fx policy, reform programme).
langskaftet adj long-handled; (om støvle) high.
langskallet adj dolichocephalic.
lang|skib (i kirke) nave. **-skibs** adj ⚓ longitudinal; adv longitudinally, fore-and-aft, (langs siden) alongside.
lang|som adj slow; (se ogs langsomt). **-somhed** (en) slowness. **-sommelig** adj slow, long-winded. **-somt** adv slowly; ~ virkende slow-acting; mit ur går for ~ my watch is slow.

langstrakt adj lengthy, (rather) long; (mods kortfattet) long-winded.
langsynet adj long-sighted.
langsynethed (en) long-sightedness.
langt adv far; ~ bedre far better; ~ den bedste by far the best; ~ bort(e) far off, far away; ~ de fleste the vast majority; jeg foretrækker ~ I greatly prefer; ~ fra from a distance; (tværtimod) far from it! on the contrary! not a bit (of it)! det være ~ fra mig at far be it from me to; ~ fra (at være) rig far from (being) rich; ~ fra så rig som not nearly so rich as; halvt så ~ half that distance; ~ hen på dagen late in the day; have ~ hjem have a long way home; er der ~? is it far? (fx is it far to Oxford?); der er ~ igen (fig) there is a long way to go; der er ~ imellem dine besøg your visits are few and far between; der var ~ imellem lynet og skraldet there was a long time between the lightning and the thunder; ~ inde i a long way into, in the heart of; ~ inde i landet far inland; ~ op på dagen late in the morning (el. day); ~ om længe at length, at (long) last; ~ ned (, op) i far into; ~ tilbage far back; (fig) far behind; det ligger ~ tilbage (i tiden) it is a long time ago; ~ ud på natten late in the night; far into the night; (se ogs længere, længst).
langtrukken adj long, prolonged; (vidtløftig) lengthy (fx negotiations); long-winded.
langtrækkende adj (om kanon etc) long-range.
langtursbåd cabin cruiser.
langvarig adj long, protracted, prolonged.
langvarighed (en) (long) duration.
langvejs: ~ fra from far away.
lanolin (en) lanoline.
lanse (en -r) lance; bryde en ~ for én take up the cudgels for sby; stand up for sby; bryde en ~ med en break a lance with sby, enter the lists against sby.
lansener (en -er) lancer.
lanterne (en -r) lantern; (⚓ og jernb) light.
I. **lap** (en -per) patch; en ~ papir a scrap of paper.
II. **lap** (en -per) (laplænder) Lapp.
lapidarstil lapidary style.
lapis lunar caustic.
Lapland Lapland. **laplandsk** adj Lappish.
laplænder (en -e) Laplander, Lapp.
lapning (en) patching, mending.
lappe vb patch, mend (fx mend bicycle punctures); ~ på, ~ sammen (ogs fig) patch up.
lappe|dykker zo grebe. **-grejer** pl repair outfit. **-skomager** cobbler.
laps (en) fop, dandy. **lapse:** ~ sig med sport.
lapseri (et) dandyism, foppishness.
lapset adj foppish, dandified.
lapsus (en) slip, lapse; (fejlskrivning) slip of the pen; (fortalelse) slip of the tongue.
large (rundhåndet) generous; (mods nøjeregnende) broad-minded.
larm (en) noise, din. **larme** make a noise.
larmende adj noisy, uproarious.
larve (en) larva (pl larvae); (af sommerfugl, møl etc) caterpillar; (af bille, hveps) grub; (af spyflue) maggot. **larve|bånd** track. **-fødder** pl tracks, caterpillar treads. **-lim** insect lime. **-tilstand** zo larval state.
las (en -er) rag, tatter, shred.
lasere vb glaze.
laset adj ragged, tattered.
lask (en -e(r)) (forbindelsesskinne) fish-plate.
lasket adj flabby, obese.
laskethed (en) flabbiness, obesity.
lasso (en -er) lasso, lariat; fange med ~ lasso.
I. **last** (en -er) (fejl, synd) vice; stå ~ og brast stand shoulder to shoulder.
II. **last** (en -er) (byrde) weight, burden; (ladning) cargo (pl -es); (lastrum) hold; lægge én ngt til ~ blame sby for sth.
last|bil (åben) lorry, truck, (lukket) van. **-båd** cargo boat, freighter. **-damper** cargo steamer. **-dyr** (et -) beast of burden.
I. **laste** ⚓ (indlade) load; (rumme) carry.

II. **laste** *(dadle)* blame, censure.
laste|dag ⚓ loading day. **-evne** carrying capacity.
laste|fuld *adj* depraved. **-fuldhed** *(en)* depravity.
laste|klar *adj* ready to load. **-linie** load line, Plimsoll mark. **-palle** pallet. **-pram** lighter. **-rum** ⚓ hold; *(flyv)* cargo compartment.
lastning *(en)* loading.
lastningsomkostninger loading expenses.
last|pumpe ⚓ bilge pump. **-rum** hold.
lastvogn = *-bil*.
lastværk: *hastværk er* ~ more haste, less speed.
lasur *(en)* glaze. **lasurblå** *adj* azure.
lasurfarve *(en -r)* glazing colour.
latent *adj* latent; ~ *tilstand* latent condition, latency.
laterna magica *(en)* magic lantern.
lathyrus *(en)* ⚓ sweet pea.
latin *(et el. en)* Latin. **latiner** *(en -e) (nationalitet)* Latin; *(kyndig i latin)* latinist.
latinersejl lateen sail. **latinlærer** Latin master.
latinsk *adj* Latin; ~ *alfabet* Roman alphabet; *-e bogstaver (typ)* Roman type.
latinskole *(svarer til)* grammar school.
latrin *(en -er) (retirade)* latrine, privy; *(ekskrementer)* night soil. **latrintønde** soil tub.
latter *(en)* laughter; *(enkelt udbrud, måde at le på)* laugh; *genstand for* ~ laughing-stock; *briste i* ~ burst out laughing; *sld en høj* ~ *op* burst into a loud laugh; *jeg havde -en på min side* I had the laugh on my side; *the laugh was on the other fellow(s)* (el. on him etc); *gøre sig til* ~ make a fool of oneself; *vække* ~ raise a laugh, invite ridicule.
latter|anfald fit of laughter. **-gas** laughing-gas.
-hjørne: *være i -t* have a giggling fit, have the giggles. **-krampe** convulsive laughter.
latterlig *adj* ridiculous, ludicrous; *gøre én* ~ hold sby up to ridicule, make sby look a fool, stultify sby. **latterlig|gøre** *vb se (gøre)* latterlig. **-gørelse** *(en)* stultification. **-hed** *(en)* ridiculousness.
latter|mild *adj* easily provoked to laughter, risible. **-muskler** *pl* risible muscles; *få rørt -ne* have a good laugh. **-salve** burst of laughter. **-vækkende** *adj* laughable, ludicrous.
laurbær bayberry; *(træ)* bay tree, laurel; *(løv, krans)* laurel; *(fig)* laurels, bays; *hvile på sine* ~ rest on one's laurels. **laurbær|blad** bay-leaf. **-krans** laurel wreath.
I. **lav** *(en el. et, -er)* ⚓ lichen.
II. **lav** *(et -) (gilde)* guild, company.
III. **lav** *adj low; (af ringe dybde)* low, shallow; *(nedrig, slet)* low, mean, base; *(om tone)* low; *(se ogs lavere, lavt)*.
lava *(en -er)* lava. **lavaagtig** *adj* lavatic.
lavadel lesser nobility, *(ofte =)* gentry.
lavalder minimum age; *den kriminelle* ~ *(ved forførelse)* the age of consent; *(mht straf)* the age of criminal responsibility. **lavbenet** *adj* short-legged.
I. **lave** *subst: af* ~ out of joint, out of order; *i* ~ in order, all right; *bringe i* ~ set (el. put) right; *trække sig i* ~ straighten itself out.
II. **lave** *vb (fremstille etc)* make; *(tilberede)* prepare; *(bestille)* do *(fx what are you doing here?); (opdigte)* make up, fabricate; ~ *noget i stand* repair (el. mend) sth, *(amr ogs)* fix sth; ~ *mad* cook; ~ *om* alter, change; ~ *om til* change into, convert into; ~ *til* prepare, make; *(grise til)* mess up; ~ *sig til (snavse sig til)* dirty oneself, make a mess of oneself.
lavement *(et -er)* enema, clyster.
lavend|el *(en -ler)* ⚓ lavender.
I. **lavere** *vb* ⚓ tack, beat about.
II. **lavere** *adj (komparativ af lav)* lower; *(i rang, værdi)* lower, inferior; *(slettere)* lower, baser, meaner; ~ *dyr* lower animals.
lavestbydende *adj: den* ~ the lowest bidder; *(ved licitation)* the lowest tenderer.
lavet *(en -ter)* gun carriage.
lavfrekvens audio frequency, low frequency.

lavhed *(en)* lowness; *(nedrighed, slethed)* baseness, meanness.
lavine *(en -r)* avalanche.
lav|komisk *adj* low-comedy, slapstick. **-land** low-lying country, lowlands. **-loftet** *adj* low(-ceilinged). **-mælt** *adj* low-voiced; *adv* in a low voice.
lavmål minimum; *under -et* too bad for words, beneath contempt.
lavning *(en -er)* hollow; dip.
lavpandet *adj* low-browed; *(fig)* stupid, dense.
lav|puldet *adj* low-crowned. **-punkt** lowest point; *(fig)* nadir, low. **-sindet** *adj* mean. **-skov** coppice. **-spænding** low tension.
lavstammet *adj* ⚓ bushy; *(fig)* short, thickset.
lavstvang compulsory guild membership.
lavsvæsen guild system.
lavt *adv* low; *(nedrigt, slet)* basely; ~ *regnet* at a low estimate; *std* ~ *(ogs fig)* be low.
lavtliggende *adj* low(-lying).
lavtryk low pressure; *(meteorologisk)* depression.
lavtstående *adj* inferior, primitive; ⚓, *zo* low.
lavttænkende *adj* base.
lavvande *(et)* low water; *(ebbe)* low tide, ebb.
lavvandet *adj* shallow.
lavvandsmærke low-water mark.
lavværge *(jur) (en)* widow's guardian.
lazaret *(et -ter)* ⚓ *(camp)* hospital, *(ambulant)* first-aid station; ⚓ sick bay. **lazaretskib** hospitalship.
lazaron *(en -er) (laset person)* ragamuffin.
I. **le** *(en -er)* scythe.
II. **le** *(lo, let)* laugh; ~ *ad* laugh at; *det er ikke til at* ~ *ad* it is no laughing matter; ~ *i skægget* laugh in one's sleeve; ~ *en lige op i ansigtet* laugh in sby's face; *det er til at* ~ *sig fordærvet over* it is screamingly funny; *både til at* ~ *og græde over* tragicomic, *(ofte =)* pathetic.
leben *(et)* life, bustle, noise.
lebendig *adj* lively, sprightly, gay.
I. **led** *(en -er) (retning)* side, direction; *vende og dreje noget på alle -er og kanter* turn sth over and over; *3 meter på hver* ~ *(o: i kvadrat)* 3 metres square; *på den lange* ~ lengthwise.
II. **led** *(et -) (anat)* joint; *(af kæde)* link; *(bevægelig forbindelse)* joint, link; *(bestanddel)* part; *(slægtskabsgrad)* remove, generation; *(mat.)* term; *(arkit, gram)* member; ✗ unit; *af* ~ out of joint; *gå* ~ be dislocated; *sætte i* ~ *(med.)* set; *manglende* ~ *(biologisk)* missing link; *det er* ~ *i hans bestræbelser* it forms part of his endeavours.
III. **led** *(et -) (låge)* gate.
IV. **led** *adj (fæl)* disgusting, odious; ~ *og ked af* sick and tired of, fed up with; *være* ~ *ved* loathe.
V. **led** *imperf af* lide.
led|dannelse articulation. **-deling** segmentation, articulation. **-delt** *adj* articulate(d), segmented.
leddyr arthropod *(pl -a)*.
I. **lede** *(en) (afsky)* disgust *(ved: of)*, distaste *(ved: for)*, loathing; *føle* ~ *ved* loathe.
II. **lede** *(ledede, ledet) (føre)* lead; *(vejlede)* guide, lead, direct; *(i rør; varme, elektricitet)* conduct; *(std i spidsen for)* lead, direct, conduct, manage; *(om motiv)* guide, actuate; *lade sig* ~ *af (motiv)* be guided (el. actuated) by; ~ *vand bort* carry off water; ~ *en ekspedition* lead an expedition; ~ *en forretning* manage a business; ~ *mødet* preside at the meeting, be in the chair; ~ *et orkester* conduct an orchestra; ~ *samtalen hen på noget* turn the conversation on to sth, *(med en bagtanke)* lead up to sth; ~ *tanken hen på* suggest; ~ *en på sporet* put sby on the (right) track, give sby a clue; ~ *trafikken om ad . .* divert the traffic via . .; *(se ogs ledende)*.
III. **lede** ⭑ *(søge)* search, look *(efter:* for); ~ *frem* dig out; ~ *i et snavs (fx* one's pockets).
ledebånd leading-strings; *føre en i* ~ *(fig)* keep sby in leading-strings; *gå i ens* ~ *(= hænge i skørterne på en)* be tied to sby's apron-strings; *han gik i gejstlighedens* ~ the clergy had him on a string.

lededukke jointed doll; *(kunstners)* lay figure; *(fig)* puppet.

ledefyr *(et -)* ⚓ leading light.

ledegigt *(med.)* arthritis, articular rheumatism.

ledelse *(en)* management, direction; *(personer)* managment, managers; *(vejledning)* guidance; *(førerskab)* leadership; *(af orkester)* conductorship; *overtage -n af* take over the management of; *under ~ af* under the leadership *(el.* management) of; *(om musik)* conducted by; *(om møde)* with Mr X in the chair.

ledeløs *adj* loose-jointed; *(vaklevorn)* rickety *(fx* chairs); *(fig)* flabby, weak-kneed. **ledeløshed** *(en)* looseness; ricketiness.

ledemotiv leitmotif.

ledende *adj* leading; *(for varme, elektricitet)* conductive; *(om motiv)* guiding; *~ artikel (i avis) se leder; ~ stilling* leading position.

leder *(en -e)* leader; *(af varme etc)* conductor; *(i avis)* leader, leading article, *(amr kun)* editorial.

lede|stjerne lodestar. **-tone** leading note *(el.* tone). **-tråd** clue; *(vejledning)* guide.

ledevand *(med.)* hydrarthrosis *(i:* of).

ledig *adj (ubeskæftiget)* idle, unoccupied; *(arbejdsløs)* unemployed, out of work; *(om plads, bolig, embede)* vacant; *(om person: fri)* disengaged, free; *(om tid)* spare, leisure; *blive ~ (om stilling)* fall vacant; *(blive arbejdsløs)* lose one's job; *løs og ~* at a loose end; *(ugift)* single; *-e penge* loose money.

ledig|gang idleness; *~ er roden til alt ondt* idleness is the root of all evil. **-gænger** *(en -e)* idler, loafer. **-hed** *(en) (arbejds-)* unemployment.

leding *(en)* war; *drage i ~* go to the wars.

ledning *(en -er) (elekt)* wire, *(tlf ogs)* line, *(fx til lampe, støvsuger)* flex, cord; *(rør)* pipe; *(i fysik)* conduction, transmission. **lednings|modstand** *(conductor)* resistance. **-rør** *(installations-)* conduit. **-snor** flex, (flexible) cord. **-tråd** wire.

ledorm *zo* annelid.

ledsage *vb* accompany; *(højere person)* attend; *(til beskyttelse el. for at hindre flugt)* escort; ⚓ convoy; *(som biomstændighed)* attend; *-nde omstændighed* concomitant (circumstance).

ledsagebåd accompanying boat.

ledsagelse *(en) (se ledsage)* accompaniment; attendance; *(til beskyttelse)* escort.

ledsagemusik incidental music.

ledsager *(en -e)* companion; *(underordnet)* attendant; *(som eskorterer)* escort.

led|skål *(anat)* socket. **-tap** articular process.

ledtog: *være i ~ med* be an accomplice of, be in collusion with.

ledvogter *(en -e) (jernb)* level-crossing keeper.

lefle: *~ for (indynde sig hos)* curry favour with; *(smigre)* flatter, pander to *(fx* sby's lowest instincts).

leg *(en -e)* play; *(en leg efter bestemte regler)* game; *(om fisks forplantning)* spawning; *holde op mens -en er god* stop while the going is good; *olympiske -e* Olympic games; *enden på -en* the end of it; *det gik som en ~* it went swimmingly.

legal *adj* legal. **legalisere** *vb* legalize. **legalisering** *(en)* legalization.

I. **legat** *(et -er) (institution)* foundation; *(portion af studielegat)* scholarship; exhibition; *(portion af veldædigt legat)* grant; *uddele et ~* give a grant *(,*a scholarship, an exhibition).

II. **legat** *(en -er) (pavelig)* legate.

legation *(en -er)* legation.

legations|råd *(en -er)* counsellor of legation. **-sekretær** secretary of legation.

legat|skole endowed school. **-stifter** *(en -e)* founder of an endowment.

lege *vb* play; *(~ at man er el. udfører)* play at *(fx* play at Indians); *(om fisks forplantning)* spawn; *lad os ~ vi er soldater* let us pretend we are soldiers; *sådan -r vi ikke (= det vil jeg ikke være med til)* no thank you! that is not good enough! *(= nej du kan tro nej)* no you don't! *~ 'med (= deltage)* join

in; *jeg vil ikke ~ med længer!* I have had (quite) enough of this! *'~ med noget* play with sth *(fx* a doll, the fire); *(pille ved)* toy with *(fx* a pencil); *(fig)* play with, toy with *(fx* an idea); trifle with *(fx* one's health, a girl's affections). **legehus** playhouse.

legekammerat playfellow, playmate.

legeme *(et -r)* body; *fast ~ (fysik)* solid; *flydende ~* fluid.

legemlig *adj* bodily, physical; *-t arbejde* manual work. **legemlig|gøre** *vb* incarnate, personify. **-gørelse** *(en)* incarnation, personification.

legems|beskadigelse bodily harm. **-bygning** build. **-del** part of the body. **-fejl** bodily defect. **-kultur** physical culture. **-pleje** *(en)* care of the body. **-stilling** posture. **-stor** *adj* life-size(d). **-størrelse:** *et portræt i (fuld) ~* a life-size portrait. **-vægt** the weight of the body. **-øvelse** physical exercise; *-r (skolefag)* physical education.

legendarisk *adj* legendary; *(fig)* proverbial.

legende *(en -r)* legend.

legeonkel games organizer.

legeplads playground; *(fisks)* spawning-ground.

legere *vb (metal)* alloy; *(mad)* thicken; *-t suppe* thick soup. **legering** *(en -er)* alloy.

lege|stue playroom. **-søster** playfellow. **-tante** games organizer. **-tid** *(fisks)* spawning-time.

legetøj toys; *stykke ~* toy, *(ogs fig)* plaything. **legetøjs|butik** toyshop. **-pistol** toy pistol.

legeværk child's play.

legio: *deres tal er ~* their name is legion.

legion *(en -er)* legion.

legionær *(en -er)* legionary.

legitim *adj* legitimate.

legitimation *(en -er)* legitimation; *(det at legitimere sig)* identification; *(bevis)* identification papers. **legitimationskort** identity card.

legitimere *vb* legitimate; *~ sig* establish one's identity. **legitimitet** *(en)* legitimacy.

leguan *(en -er)* zo iguana.

lejde *(et -r)* safe-conduct; *give frit ~* grant a safe -conduct; *(om politiet)* promise immunity from criminal proceedings.

lejder *(en -e)* ⚓ *(stige)* ladder.

I. **leje** *(en -r)* hire; *(længere lejemål)* lease; *(kortere lejemål)* tenancy; *(betaling)* rent; *til ~* for hire, *(om bolig)* to let; *bo til ~ i et hus* have taken (a flat in) a house; rent a house *(,* a flat); *bo til ~ hos (:? i værelse)* lodge with.

II. **leje** *(et -r)* bed, couch; *(vildåyrs)* lair, den; *(hares)* form, seat; *(aksel-)* bearing; *(flods)* bed; *(geol)* layer, stratum, bed; *(særge-)* berth; *(fisker-)* fishing-hamlet; *(stemmens)* pitch, *(omfang)* range; *(foster-)* presentation; *bringe ud af ~* dislocate; *glide i ~* set, settle; *ved hans ~* at his bedside.

III. **leje** *vb* hire, take on hire, *(hus)* rent, take; *~ ud* let, hire out; *~ sig ind* take lodgings *(hos:* with).

leje|afgift rent. **-bibliotek** subscription library. **-forhold** tenancy. **-indtægt** rental. **-kaserne** tenement house. **-kontrakt** *(for fast ejendom)* lease; *(for løsøre)* hire contract. **-mål** tenancy, lease.

lejer *(en -e) (af bolig)* tenant, *(for lang årrække)* lease-holder; *(af værelse)* lodger; *(af bil; ting)* hirer.

leje|tjener *(en -e)* hired waiter. **-tropper** *(pl)* mercenaries. **-værdi** rental value.

lejlighed *(en -er) (gunstig ~)* opportunity, chance; *(anledning)* occasion; *(bolig i etagehus)* flat, *(amr)* apartment; *(ungkarle- ogs)* rooms; *(hus)* house; *benytte en ~* take an opportunity; *når ~ byder sig* when the opportunity offers; *efter fattig ~* in a small way; *have ~ til* have an opportunity of; *når De får tid og ~* at your convenience; *~ gør tyve* opportunity makes the thief; *se på ~* go house-hunting; *ved ~* some day, at your convenience, any time it suits you, *(se ogs lejlighedsvis)*; *ved enhver ~* on all occasions; *ved første ~* at the first opportunity.

lejligheds|digt occasional poem. **-køb** (chance) bargain. **-tilbud** special offer.

lejlighedsvis adv occasionally, on occasion.
lejr (en -e) camp; bryde op med ~en break camp; ligge i ~ camp; sld ~ camp, pitch one's camp.
lejrbål camp fire.
lejre: ~ sig camp; ~ sig i græsset lie down ån the grass.
lejr|liv camping. **-skole** camp school. **-sport** camping. **-tur**: tage på ~ go camping.
leksikalsk adj lexical.
leksikograf (en -er) lexicographer.
leksik|on (et -a) dictionary; (græsk) lexicon; (konversations-) encyclopaedia; han er et levende ~ he is a walking dictionary (,encyclopaedia).
lektie (en -r) lesson, task; give ham en ~ for set him a lesson; læse på sine -r, lave -r do one's homework, prepare one's lessons; (under tilsyn) do prep; kunne sin ~ know one's lesson, have done one's homework. **lektiehjælp** coaching.
lektion (en -er) lesson; (undervisningsperiode) period. **lektionskatalog** lecture list.
lektor (en -er) (ved universitet) lecturer; (amr omtr) assistant professor; (ved gymnasium: kan gengives) senior master.
lektorat (et -er) (ved universitet) lectureship; (amr omtr) assistant professorship; (ved gymnasium) post as senior master.
lekture (en) reading.
I. **lem** (en -me) (klap) shutter; (i dør) hatch; (falddør) trap door; ♪ hatch, scuttle; ud af -men! out you go!
II. **lem** (et -mer) limb, member; (på stiftelse) inmate; risikere liv og -mer risk one's life; det mandlige ~ the male organ.
lemfældig adj lenient (over for: with).
lemfældighed (en) lenience.
lemlæste vb (kvæste) mangle, (for livet) mutilate, maim. **lemlæstelse** (en) mutilation.
lemmedasker (en -e) overgrown young man, (neds) lout.
lemming (en -er) zo lemming.
lemon (en -er) lemon.
lemonade (en -r) lemonade.
I. **lempe** (en): med ~ gently; fare med ~ do things gently, be lenient; (være forsigtig) watch one's step.
II. **lempe** vb (tilpasse) adapt, accommodate; ~ sig efter adapt oneself to.
III. **lempe** vb (flytte) shift, ease (fx ease the box into the corner; (fig) ease him out of his post); ♪ trim (fx t. the ballast).
lempelig adj gentle; adv gently; -e vilkår easy terms.
lempelse (en -r) (tilpasning) modification (i: of); (særlig lettelse) special facility.
len (et -) entailed estate; (hist.) fief; afløse et ~ disentail an estate; ~ og stamhuse entailed estates.
lens|adel feudal nobility. **-afløsning** conversion of entailed estates into fee simple. **-besidder** (en -e) tenant-in-tail. **-greve** count (who holds from the Crown). **-herre** feudal overlord. **-mand** vassal. **-væsen** feudalism, feudal system.
leopard (en -er) zo leopard.
ler (et el. en) clay. **leragtig, leret** adj clayey.
ler|fad earthenware dish. **-grav** clay pit. **-gulv** earthen floor. **-holdig** adj argilliferous. **-hytte** mud hut. **-jord** clay(ey) soil; (kemisk ren) alumina. **-klinet** adj mud-built. **-krukke** earthenware jar, (earthenware) pot. **-lag** stratum of clay. **-varer** earthenware, pottery.
lesbisk adj Lesbian.
let adj (modsat tung) light (fx burden, sleep); (modsat vanskelig) easy (fx task); (ubetydelig) slight (fx a s. rain); (om tobak) mild; (med.: godartet) mild; adv -ly; ~ at reparere (,fornærme etc) easily repaired (,offended etc); ~ beskadiget slightly damaged; gå ~ hen over pass lightly over, T skate over; ~ påklædt, se påklædt; det er en ~ sag that is easy (enough); det er ikke nogen ~ sag it is no easy matter; it takes a lot of doing;

det er den -teste sag af verden, det er så ~ som fod i hose it is as easy as falling off a log; sove ~ be a light sleeper; ~ såret slightly wounded; han tog sig det ~ he did not let it worry him; ~ til bens light-footed; have ~ til tårer be easily moved to tears; have ~ ved noget have a talent (el. gift) for sth, do sth easily; have ~ ved at lære be a quick learner.
let|antændelig adj inflammable. **-benet** adj (overfladisk) shallow. **-bevæbnet** lightly armed. **-bevægelig** mobile, (sjæleligt) impressionable. **-fattelig** easily understood, plain. **-flydende** fluid; (fig) fluent. **-fordærvelig**: -e varer perishable goods. **-fordøjelig** digestible. **-fængelig** adj inflammable. **-færdig** loose; ~ kvinde woman of easy virtue. **-færdighed** (en) loose morals. **-hed** (en) (modsat tyngde) lightness; (modsat vanskelighed) ease, easiness. **-købt** adj (fig) cheap, easy (fx easy optimism).
Letland Latvia. **letlandsk** adj Latvian, Lettish.
let|levende fast, of easy virtue. **-matros** ordinary seaman. **-metal** light-alloy metal. **-påvirkelig** impressionable. **-sindig** adj (uforudseende) improvident, (stærkere) reckless (fx spending of money); (overilet) rash (fx promise); (gjort i kådhed, uoverlagt) wanton; (uansvarlig) irresponsible. **-sindighed** (en) improvidence, recklessness, rashness, wantonness, irresponsibility.
I. **lette** (en -r) (indbygger i Letland) Lett, Latvian.
II. **lette** vb lighten (fx a burden, a task), relieve (fx distress); (gøre nemmere) facilitate; (løsne) ease (fx the pressure); (om tåge) lift; (flyv) take off; (♪ sejle) weigh, get under way; ~ anker weigh (anchor); det -de! what a relief! ~ skibet for noget af lasten lighten the ship of part of the cargo; (kaste den overbord) jettison part of the cargo; ~ sit hjerte unburden one's heart; ~ på hatten raise one's hat; ånde -t op breathe again.
lettelse (en -r) relief; (lempelse) (special) facility.
lettilgængelig (readily) accessible; (fig især) plain, simple, easily understood.
lettisk Lettish, Latvian.
lettroende adj credulous.
lettroenhed (en) credulity.
letvægt lightweight. **letvægter** (en -e) (cykel) light roadster; (bokser) lightweight.
levantiner (en -e) Levantine.
I. **leve** (et) cheer(s); et ~ for kongen! long live the King! et ~ for hæren! three cheers for the army! udbringe et ~ for call for three cheers for.
II. **leve** vb live, be living, be alive; hvordan -r De? how are you? kongen ~! long live the King! hr. X skal ~! længe ~ hr. X! three cheers for Mr X! ~ et elendigt liv lead a miserable life; ~ livet farligt live dangerously; så sandt jeg -r upon my life;
[m præp & adv:] ~ af (spise) live on, (om dyr) feed on, (ernære sig ved) live by (fx live by one's pen); intet at ~ af no means of subsistence; hverken til at ~ eller dø af not enough to keep body and soul together; ~ for live on (fx very little money); (fig) live for (fx one's children); han -r og ånder for det it is his whole life; ~ højt have a good time, live on the fat of the land; ~ sig ind i enter into the spirit of; identify oneself with (fx a role); familiarize oneself with (fx a subject); ~ 'med take an active interest in what is going on; ~ op igen revive; ~ over evne live beyond one's means; ~ på live on (fx one's memories).
leve|alder age, duration of life; forventet ~ life expectancy. **-brød** (stilling) job; (udkomme) livelihood. **-brødspolitiker** (professional) politician. **-dag**: alle mine -e all my life. **-dygtig** adj capable of living (el. surviving); (kraftig) vigorous; de mest -e overlever the fittest survive. **-dygtighed** vitality, chances of surviving. **-fod** standard of living. **-mand** man about town; (udhaler) rake, roué. **-måde** (dannelse) (good) manners, breeding.
levende adj living, live; (prædikativt) alive, living; (livlig) lively; (virkelighedstro) life-like (fx portrait); (klar etc) vivid (fx recollection, description);

graphic (*fx* description); *adv* vividly, intensely; ~ *begravet* buried alive; ~ *billeder, se film; de* ~ the living; *død eller* ~ dead or alive; *en* ~ *fisk* a live fish; ~ *hegn* quickset hedge; *være* ~ *interesseret i* take a vivid interest in; *komme* ~ *fra det* escape with one's life, survive; *i* ~ *live* while alive, during one's lifetime; ~ *lys* candles, candle light; *med* ~ *lys* lit by candles, candle-lit; *efter* ~ *model* from (the) life; *det* ~ *ord* the spoken word; *(rel)* the Word; *ikke et* ~ *ord* not a (blessed) word; ~ *sprog* living language; *føde* ~ *unger* be viviparous; ~ *vægt* live weight.

levendegøre *vb* vitalize (*fx* a subject), make (*fx* a scene) come alive.

leveomkostninger *pl* cost of living.

lever *(en -e)* liver; *tale frit fra -en* speak one's mind; *tal fra -en!* out with it!

leverance *(en -r)* supply, order; *overtage -n af* contract for the supply(ing) of.

leverandør *(en -er)* supplier, contractor; *(af levnedsmidler)* purveyor; *(se ogs hofleverandør).*

levere *vb* supply, furnish *(en ngt:* sby with sth), *(levnedsmidler ogs)* purvey *(en ngt:* sth to sby); *(frembringe)* produce; *(bidrage)* contribute *(fx* an article to a paper); *(aflevere, ogs merk)* deliver; *frit -t carriage* paid, delivered free; *du er -t* T you are done for, you are sunk.

leveregel rule (of conduct).

levering *(en -er)* delivery; *(varemængde)* supply; *påtage sig* ~ *af* undertake to supply; *på* ~ forward; *til* ~ *pr. maj* to be delivered in May; *at betale ved* ~ payable on delivery.

leverings|dag day of delivery. **-dygtig** *adj* in a position to deliver the goods *(etc).* **-frist** final date for delivery; *med en* ~ *af 10 dage* to be delivered within 10 days. **-tid** time of delivery.

lever|postej liver paste; *(gåse-)* pâté de foie gras. **-sygdom** disease of the liver, hepatic disease. **-tran** cod-liver oil. **-urt** ♣ grass-of-Parnassus; *(anemone)* hepatica.

leve|råb cheer. **-standard** standard of living. **-sæt** mode of life. **-tid** lifetime; *lang* ~ longevity, long life; *i Henrik VIII's* ~ in the days of Henry VIII. **-vej** vocation, career, business; *(om håndværk)* trade; *(om liberalt erhverv)* profession. **-vilkår** conditions of life. **-vis** *(en)* (mode of) life, habits. **-år** year (of one's life).

levkøj *(en -er)* ♣ stock.

levn *(et -)* survival, relic.

levne *vb* leave; *han -de dig ikke ære for to skilling* he had not one *(el. a)* good word to say for you.

levned *(et)* life. **levneds|beskrivelse** life, biography. **-løb** life, career. **-midler** food(stuffs), provisions.

levning *(en -er): -er* remains, remnant(s), *(mad)* remains, left-overs, *(især neds)* leavings, scraps; *(fortids-)* survival, relic.

levret *adj* coagulated, clotted; *(slimet)* slimy.

levvel *(et)* good-bye, farewell.

leydnerflaske Leyden jar.

l'hombre *(en)* ombre.

lian *(en -er)* liana.

Libanon Lebanon. **libaneser** *(en -e)*, **libanesisk** *adj* Lebanese.

libelle *(en -r) (vaterpas)* level.

liberal *adj* liberal, broad-minded; *de -e* the Liberals. **liberalisme** *(en)* liberalism.

liberalitet *(en)* liberality.

liberi *(et -r)* livery.

libertiner *(en -e)* libertine, rake.

libretto *(en -er)* libretto.

Libyen Libya. **libysk** *adj* Libyan.

licens *(en -er)* licence; *betale* ~ *(radio)* pay the licence fee; *give ham* ~ *til at* license him to. **licens|afgift** icence fee; *(af patent)* royalty. **-betalende** *adj:* ~ *lytter* licensed listener.

licentiat *(en -er)* licentiate.

licitation *(en -er)* invitation to submit tenders; *udbyde i* ~ invite tenders for. **licitationstilbud** tender.

licitere: ~ *bort* invite tenders for.

lid: *fæste* ~ *til* believe in; put confidence in; have faith in; *sætte sin* ~ *til* pin one's faith on; put one's trust *(el.* faith) in.

I. **lide** *(led, lidt) (gennemgå, pines)* suffer; ~ *af* suffer from; ~ *mangel på* suffer from want of; ~ *nederlag* be defeated, suffer a defeat; ~ *smerte* suffer pain; ~ *straf* be punished; ~ *tab* suffer a loss; ~ *under* suffer from, be injuriously affected by; ~ *ved* suffer by; *være meget -nde* suffer greatly.

II. **lide:** *kunne* ~ like; *det kan jeg* ~ that's right! that's what I like; *ja, det kunne du* ~ you would like that, wouldn't you? *jeg kan bedre* ~ *A end B* I prefer A to B, I like A better than B; *jeg kan godt* ~ I like, I am fond of; *jeg kan ikke* ~ I do not like, I dislike, I hate.

III. **lide:** ~ *på* rely on, trust; *ikke til at* ~ *på* unreliable.

lideform *(gram)* the passive (voice).

lidelse *(en -r)* suffering, *(legemlig ogs)* pain; *(elendighed)* misery; *det var en* ~ *at høre på ham* it was painful *(el.* torture) to listen to him.

lidelses|fælle fellow-sufferer. **-historie** tale of one's sufferings, tale of woe; *Kristi* ~ the Passion.

liden, lidet *adj (pl små)* little, small; *lidet eller intet* little or nothing.

lidende *adj* suffering *(af:* from); *de* ~ the sufferers.

lidenhed *(en)* littleness, smallness; *(ubetydelighed)* insignificance, pettiness.

lidenskab *(en -er)* passion.

lidenskabelig *adj* passionate, impassioned; *(begejstret)* enthusiastic. **lidenskabelighed** *(en)* passion.

lidenskabsløs *adj* dispassionate.

liderlig *adj* lewd, lecherous, bawdy. **liderlighed** *(en)* lewdness, lechery.

lidet *adv* little; not very *(fx* satisfactory); *se ogs liden.*

lidkøb *(et): drikke* ~ seal the bargain with a drink.

lidse *(en -r) (snor)* string, cord; *(kantning)* edge; border; *(besætning)* braid; *(snøre-)* lace.

I. **lidt** *adj* a little; *(kun* ~) little, but little, only a little; *også somewhat,* a little; ~ *af en digter* a bit of a poet; *bliv her* ~*!* stay on a bit! ~ *efter* after a while, presently, a little later, shortly after; ~ *efter* ~ gradually, little by little; *for* ~ *siden* a moment ago, *(lidt længere)* a short while ago; *klokken er* ~ *i 7* it is close on 7; *om* ~ presently, in a moment; *klokken er* ~ *over 7* it is a few minutes past 7, it has just turned 7; *ikke så* ~ not a little, quite a lot, a good deal; *lige så* ~ *som* no more than; *vent* ~*!* wait a moment! wait a little!

II. **lidt** *(perf part of lide):* ilde ~ disliked, unpopular; *vel* ~ (generally) liked, popular.

liebhaver *(en -e)* intending purchaser; *være* ~ *til* be in the market for. **liebhaveri** *(et -er)* fancy, hobby.

liere *vb (jævne, fx sauce)* thicken.

liflig *adj* delicious. **liflighed** *(en)* deliciousness.

I. **lig** *(et -)* (dead) body, corpse; *følge* ~ attend a funeral; *klæde et* ~ lay out a corpse; *et levende* ~ *(fig)* a living corpse; *ligge* ~ lie dead, *(på parade)* lie in state; *kun over mit* ~*!* over my dead body!

II. **lig** *(adj)* like, similar to; *(identisk med)* equal to; *være sig selv* ~ be just the same as ever; *2 + 2 lig 4* $2 + 2$ are 4; *et pund er lig ca. 20 kroner* a pound is equal *(el.* equivalent) to about 20 kroner.

liga *(en -er)* league.

ligatur *(en -er)* ligature.

lig|begængelse *(en -r)* funeral, obsequies. **-bleg** *adj* white as a sheet. **-brænding** cremation. **-bærer** *(en -e)* bearer, mute. **-bål** *(funeral)* pyre. **-båre** bier.

I. **lige** *(en -) (sidestykke)* like, match; *(ligemand)* equal, peer; *søge (el. ikke have) sin* ~ be matchless, be unequalled; *uden* ~ *(neds)* unheard of, *(rosende)* unequalled, peerless.

II. **lige** *(ret)* straight *(fx* line); *(ens)* equal *(fx* all men are equal); *(jævnbyrdig)* even *(fx* match);

(jævn) even; *(om tal)* even; *alt andet ~* other things being equal; *alle borgere er ~ for loven* all citizens are equal before the law; *give ~ for ~* give as good as one gets; *i ~ grad* equally; *i ~ linie* in a straight line, *(om nedstamning)* in direct line of descent; *holde ved ~: se vedligeholde.*

III. **lige** *adv* straight *(fx* he went s. home); *(i ~ grad)* equally *(fx* they are c. mad); *(jævnt)* evenly *(fx* distributed); *(nøjagtig)* just, exactly *(fx* e. 20 pounds), precisely; *(netop)* just *(fx* it is just what I have said); *(umiddelbart)* just, directly, immediately *(fx* i. over our heads); *(nvlig)* just *(fx* I have just seen him); *~ gamle* (of) the same age; *~ meget* the same quantity, *(i ~ grad)* equally, alike, *(alligevel)* all the same, *(ligegyldigt)* no matter; *det er mig ~ meget* I don't mind, it is all the same to me; *stille ~* place on an equal footing *(med:* with); *~ store* equal, the same size; *std ~ (fig)* be equal, be even, be all square; *chancerne står ~* the chances are fifty-fifty; *stemmerne står ~* the votes are equal; *~ så as; ~ så rig som* (just) as rich as; *ikke ~ så rig som* not so rich as; *~ så lidt som* no more than; *klokken er ~ 5* it is just 5 o'clock;

[*m præp & adv:*] *~ efter* immediately after; *~ foran huset* just in front of the house; *~ fra (sted)* straight from, *(tid)* from, ever since; *~ frem* straight on, straight ahead; *(se ogs ligefrem); jeg så ham ~ i ansigtet* l looked him straight in the face; *~ i midten* right in the middle, in the very middle; *~ ind i* straight into; *~ ned* straight down; *~ nu* just now; *~ på og hårdt* straight from the shoulder; *~ på det rigtige sted* just on the right spot; *~ siden* ever since; *~ til London* (ɔ: helt) all the way to London; *gå ~ til sagen* come straight to the point; *han skulle ~ til at gå* he was on the point of going, he was about to go; *(se ogs ligetil); jeg gik ~ tilbage* I walked straight back; *~ ud* straight on, *(fig)* straight out, point-blank *(fx* tell him point-blank); *10 kroner ~ ud* exactly 10 kroner; *~ ved (i nærheden)* close by *(fx* he lives close by); *(nær ved)* close to, near *(fx* live near the station), *(om tal)* close on; *være ~ ved at gøre det* be on the point of doing it.

ligebenet *adj (mat.)* isosceles.

ligeberettigelse equal right(s), equality (of rights).

ligeberettiget *adj* having equal rights.

ligedan (in) the same (way).

ligedannet *adj (mat.)* similar *(fx* s. triangles).

ligefrem *adj (klar)* plain *(fx* a p. answer), simple, *(naturlig ogs)* straightforward; *adv (i lige retning)* straight on; *(simpelt hen)* simply, downright, absolutely *(fx* it was a. marvellous); *(jævnt, naturligt)* plainly, simply; *(uden omsvøb)* straight out, flatly, point -blank; *(bogstavelig talt)* literally, actually; *i -t forhold til (mat.)* in direct ratio to.

ligefremhed *(en)* simplicity, straightforwardness.

ligefuldt all the same, still.

ligeglad *adj (skødesløs)* careless *(med:* about); *(uinteresseret)* indifferent *(med:* to); *(ubekymret)* happy -go-lucky; *jeg er ~* I don't care; *jeg er ~ med hvad der sker* I don't care what happens.

ligegyldig *adj (uvæsentlig)* indifferent *(fx* his praise is indifferent to me), unimportant, trivial; *(uinteresseret)* indifferent *(over for:* to; *fx* he is indifferent to the feelings of others); *(skødesløs)* careless *(med:* about); *~ hvem* (, hvad, hvordan) no matter who (, what, how); *hun er mig temmelig ~* I am not particularly interested in her; *det er mig -t* it is all the same to me; I don't care.

ligegyldighed *(en)* indifference; carelessness.

ligeledes *adv* also, too, as well, likewise.

ligelig *adj* equal; *(retfærdig)* fair; *(jævn)* even; *adv* -ly.

lige|løn equal pay. **-mand** equal, peer; *(i kappestrid)* match; *han traf sin ~* he met his match. **-sidet** *adj (mat.)* equilateral.

ligesindet *adj* similarly disposed, like-minded.

ligesom *adv (så at sige)* as it were *(fx* she moves in a world apart, as it were); *(i nogen grad)* somewhat, a little; T sort of *(fx* he sort of hinted that . .); *conj (ordsammenlignende)* like *(fx* he is a poor man like you); *(sætningssammenlignende)* (just) as *(fx* he is a poor man (just) as you are); *(alt efter som)* according as; *(idet, da)* just as; *det er ~ jeg hører* I seem to hear; *jeg vil gøre ~ du gjorde* I will do (just) as you did; *vi betalte ~ vi var i stand til* we paid according as we were able to; *. .~ han også foreslog at . .* and he also suggested that; *. . besides which he suggested that; *~ om* as if, as though; *~ . . således* as . . so.

ligestillet *adj* of the same standing, on the same footing, equal; *være ~ (ogs)* enjoy the same status (*el.* rights).

ligestilling equality (of status).

ligeså *adv (det samme)* the same; *(desuden)* besides, as well; *(som gradsadv se III lige); gøre ~* do the same, do likewise, follow suit; *gd hen og gøt ~ (bibl)* go, and do thou likewise; *~ hos os!* same here!

ligetil *adj* simple, easy; straightforward; *det er ganske ~ (ogs)* that is plain sailing. **ligeud** se III lige.

ligevægt equilibrium, balance; *i ~* in equilibrium; *(om sind)* calm; *bringe i ~* balance; *bringe ham ud af ~* throw him off his balance; *holde -en* keep one's balance.

ligevægtig calm, even-tempered, well-balanced.

ligevægtsøvelse balancing exercise.

lig|fald *(glds)* falling-sickness *(se ogs epilepsi).* **-færd** funeral, obsequies. **-følge** *(et)* funeral procession.

ligge *(ld, ligget)* lie; be; *(have sit natteleje)* sleep *(fx* he sleeps in the drawing-room); *(✕ være indkvarteret)* be stationed; *(om høne)* sit; *(om hus, by etc)* stand *(fx* the house stands on a hill); lie *(fx* the desert lay to the west of us); be *(fx* Ireland is to the west of England); be situated *(fx* the house is beautifully situated); *(om børspapirer etc)* rule *(fx* wheat rules firm);

lade ~ let lie, leave *(fx* let the dog lie; I left the book on the table), *(fig)* leave (alone), pass over, forget;

~ bag ved (fig) underlie *(fx* the idea underlying the poem); *~ bi ♁* lie to, lie by; *~ dybt ♁* be low in the water; *det -r ikke for ham* it is not his strong point; *den sag som nu -r for* the matter now before us; *det (spørgsmål) -r ikke for* that is not a present issue; that is not the point; that is not relevant; *~ for døden* be on one's deathbed, be dying; *~ forrest (sport)* lead; *~ hen (ufuldendt)* be awaiting completion; *(forsømt)* be neglected; *~ hos (kvinde)* sleep with; *magten -r hos* the power lies with; *skylden -r hos ham* the fault is his, it is he who is to blame; *~ højt på vandet ♁* ride high on the water; *det lå i luften* it was in the air; *jeg ved ikke hvad der -r i det ord* I don't know what that word implies; *~ i sengen* be in bed; *(på grund af sygdom)* be laid up, be ill in bed; *~ i underhandlinger med* be negotiating with; *fejlen -r i at . .* what is wrong is that . ., the mistake is that . .; *det -r (der)i at . .* it is due to the fact that . .; *deri -r at* this implies that; *~ i baissen* speculate for a fall; *~ i haussen* speculate for a rise; *~ et barn ihjel* overlie a child; *~ inde med* hold, have in one's possession; *(have på lager)* have on hand, have in stock; *~ inde som soldat* do one's national service; *det -r nær at antage* it seems probable; *~ stille* lie still, be quiet; *(om fabrik)* stand idle; *(om forretning)* be at a standstill; *~ syg* be ill in bed; *~ syg af* be laid up with, be down with; *det -r til ham* it is (in) his nature; *det -r til familien* it runs in the family; *det -r lang tid tilbage* it is a long time ago; *~ under for* succumb to, yield to *(fx* yield to a temptation); *huset -r ved floden* the house stands by (*el.* on) the river.

ligge|dage *pl ♁* lay-days. **-hal** open-air shelter. **-høne** sitting (*el.* brood) hen.

liggendefæ property.

ligge|stol deck chair. **-sår** bedsore. **-vogn** couchette carriage.

liggift ptomaine.

lighed *(en -er)* likeness, resemblance, similarity

(med: to); *(i rettigheder)* equality *(fx* e. before the law); *(overensstemmelse)* conformity *(med:* with); *i ~ med* after the fashion of, on the lines of, as is the case with, like; *noget i ~ med vort system* sth like our system. **ligheds|punkt** point of resemblance. **-tegn** sign of equation.

lig|kapel mortuary. **-kiste** coffin. **-klæde** *(et) (over kisten)* hearse cloth. **-klæder** grave clothes. **-lagen** shroud, winding-sheet.

ligne *vb* be like, resemble, look like; *(slægte på)* take after; *(om skatter)* assess; *det ~r rigtig X* that's X all over, that's just like X; *det ~r ikke dig at gøre det* it is not like you to do that; *ikke det der ~r* T not a bit; *det kunne godt ~ ham* I would not put it past him; *de ~r hinanden meget* they are very much alike, they are very like each other; *de ~r hinanden som to dråber vand* they are as like as two peas; *~ ham op ad dage (el. på et hår)* be the living image of him; *han ~r ikke sig selv* he is not himself.

lignelse *(en -r) (bibelsk)* parable.

lignende *adj* similar, like; *eller ~* or the like; *noget ~* something like that; *jeg har aldrig set noget ~* I never saw the like; *og ~* and the like, etc; *på ~ måde* in a similar way, in like manner; similarly.

ligning *(en -er) (af skat)* assessment; *(mat.)* equation; *løse en ~* solve an equation; *en ~ af anden grad* an equation of the second degree; *en ~ af første grad* a simple equation; *en ~ af nte grad* an equation of the nth degree.

ligningskommission assessment committee.

ligningsmand (tax) assessor.

lig|plet livor. **-røver** grave robber; *(som stjæler lig)* body snatcher. **-syn** [inspection of the body by a medical officer]; *legalt ~ (svarer til)* (coroner's) inquest. **-tog** funeral procession.

lig|torn corn. **-torneplaster** corn plaster.

ligust|er *(en -re)* ⚘ privet.

ligvogn hearse.

likvid *adj* liquid; *(om person etc)* having available funds; *-e midler* available funds, liquid assets.

likvidation *(en -er)* winding-up, liquidation; *træde i ~* go into liquidation, be wound up.

likvidere *vb* liquidate, wind up; *(henrette, udrydde)* liquidate. **likvidering** *(en -er)* liquidation.

likviditet *(en)* liquidity.

likør *(en -er)* liqueur. **likørfabrik** liqueur distillery.

lilje *(en -r)* ⚘ lily; *(fransk)* fleur-de-lis.

liljehvid *adj* lily-white.

liljekonval *(en -ler)* ⚘ lily-of-the-valley.

lilla *adj* lilac, mauve.

lille *adj pl små* small; *(mere følelsesbetonet)* little; *(af vækst, varighed)* short; *(knap)* rather less than *(fx* a week); not quite *(fx* a million); *(i lille format)* miniature *(fx* a m. Napoleon); *en ~* a baby *(fx* she is going to have a baby); *den ~ (ɔ: barnet)* baby *(fx* baby is crying); *~ bitte* tiny, diminutive; *da jeg var ~* when I was a little boy (,girl), when I was quite young *(el.* small); *~ bogstav* small *(el.* lower-case) letter, *(om størrelse)* small letter.

Lilleasien Asia Minor.

lillebil [a kind of Danish taxi].

Lille Bælt the Little Belt.

lillefinger little finger; *hun kan vikle ham om sin ~* she can twist him round her (little) finger.

lilleput *(en -ter)* Lilliputian; midget. **lilleputstat** pocket state, midget state.

Lillerusland *(glds)* Little Russia.

lille|slem *(i kortspil)* little slam. **-tå** little toe.

lim *(en)* glue; *(fugle-)* birdlime; *(til papir etc)* size.

lime *vb* glue; *-t papir* sized paper.

limfarve *(subst & vb)* distemper.

limitere *vb* limit; *~ en pris* limit a price.

limit|um *(et, -a el. -er)* limit.

lim|kogning glue making. **-ning** *(en)* gluing; *gå op i -en* come unstuck.

limonade *(en -r)* lemonade.

lim|pind lime twig; *hoppe på -en, se limstang.* **-potte** glue pot. **-stang:** *løbe med -en* swallow the bait, be led up the garden path, be taken in.

I. **lind** *(en -e)* ⚘ lime.

II. **lind** *adj* soft, thin.

linde *vb* loosen; *~ på døren* open the door ajar.

lindetræ lime, lime tree.

lindre *vb* relieve, alleviate, ease.

lindring *(en)* relief, alleviation.

line *(en -r)* line; *(linedansers)* tightrope; *løbe -n ud* go the whole hog; *lade ham løbe -n ud* give him enough rope to hang himself.

lineal *(en -er)* ruler.

linedans tightrope walking.

linedanser(inde) tightrope walker.

lingeri *(et -er)* lingerie, underwear.

lingvist *(en -er)* linguist. **lingvistik** *(en)* linguistics. **lingvistisk** *adj* linguistic.

linie *(en -r)* line; *(i gymnasium)* side *(fx* the classical side = *den gammelsproglige linie);* i første *~* primarily, first of all; *i store -r (fig)* in outline; *ny ~ (i diktat)* new paragraph; *over hele -n* all along the line, all round; *på ~ med (ligestillet)* on a par with; *(parallel)* in line with; *(enig)* in agreement with; *passere -n* ⚓ cross the Line; *punkteret ~* dotted line; *slå -r* rule.

linie|afstand *(på skrivemaskine)* line spacing. **-bataljon** battalion of the line. **-begravelse** [interment in a uniform row of graves]. **-betaling** payment by the line. **-net** *(trafik)* system; *(i geodæsi)* grid.

liniere *vb* rule; *-t papir* ruled paper.

linie|skib ship of the line. **-tropper** *pl* troops of the line, regulars. **-udgang** *(typ)* end of a line; *(udgangslinie)* break-line. **-vogter** *(i fodbold)* linesman.

linned *(et)* linen; *i det blotte ~* in his (, her etc) underwear. **linnedskab** linen press, linen cupboard.

linning *(en -er)* band.

linoleum *(et)* linoleum. **linoleumssnit** linocut.

linolie linseed oil.

linotype *(en)* linotype.

linse *(en -r)* (⚘ *frugt)* lentil; *(glas-; øjets)* lens; *(i ur)* bob; *franske -r* chocolate beans; *sælge sin førstefødselsret for en ret -r* sell one's birthright for a mess of pottage.

I. **lire** *(en -)* *(mønt)* lira *(pl* lire).

II. **lire** *vb:* *~ en tale af* reel off a speech.

lirekasse barrel organ. **lirekassemand** organ grinder; *slå til ~* knock into a cocked hat.

lirke *vb* feel one's way; *(med objekt)* coax *(fx* the key into the lock); *~ hemmeligheder ud af én* worm secrets out of sby; *~ ved låsen* try the lock; *(for at få den op)* coax the lock.

lirumlarum *(en)* jingle, *(om tale)* rigmarole.

lise *(en) (lindring)* solace, relief.

Lissabon Lisbon.

list *(en) (snedighed)* cunning; *(påfund)* trick, dodge, stratagem.

I. **liste** *(en -r) (af træ)* list, moulding; *(glds: til spædbørn)* swaddling-band; *(kantstrimmel)* list, selvage.

II. **liste** *(en -r) (fortegnelse)* list, catalogue.

III. **liste** *vb* walk softly, steal, creep, slip; *(ofte: nysgerrigt)* tiptoe; *(neds: lumskt)* sneak, *(søgende)* prowl *(fx* prowl about); *~ en kniv op af lommen* slip a knife out of one's pocket; *~ sig bag på én* steal (, sneak) up behind sby; *~ sig bort* steal away; *~ sandheden ud af ham* worm the truth out of him.

listeforbund *(ved valg)* electoral pact.

listesko *(en -)* carpet slipper; *gå på ~* walk softly; *(neds)* prowl.

listig *adj* cunning, sly, wily.

listighed *(en)* cunning, slyness.

litani *(et -er)* litany.

Litauen Lithuania.

litauer *(en -e),* **litauisk** Lithuanian.

lit de parade: *ligge på ~* lie in state.

liter *(en -)* litre.

litograf *(en -er)* lithographer. **litografere** *vb* lithograph. **litografering** *(en)* lithography. **litografi**

(et -er) lithograph; *(en)* (= *litografering)* lithography.
litografisk *adj* lithographic; *adv* -ally.
    litra *(et el. en)* letter, schedule.
    litterat *(en -er)* man of letters.
    litteratur *(en -er)* literature. **litteratur|historie**
literary history, history of literature. **-historiker**
literary historian. **litterær** *adj* literary.
    liturgi *(en)* liturgy. **liturgisk** *adj* liturgical.
    liv *(et -)* life *(pl* lives); *(klædningsstykke)* bodice;
(midje) waist; *mit -s store chance* the chance of a life-
time; *det gælder ~* it is a matter of life and death;
løbe som om det gjaldt -et run for dear life; *hårdt ~
(med.)* constipation; *i moders ~* in the womb; *nyde -et*
enjoy life; *det offentlige ~* public life; *plage -et af en*
worry sby to death; *skræmme -et af én* frighten sby
out of his wits *(el.* to death); *tage -et af én* kill sby;
(fig) be the death of sby; *tage -et af et rygte* stamp out
(el. kill) a rumour; *tage -et af sig* take one's own life,
commit suicide;
    [*m præp:*] **for** *(hele)* *-et* for life; *~ for ~* a life for
a life; *løbe for -et* run for dear life; *dømme fra -et*
sentence to death; *holde en (tre skridt) fra -et* keep sby
at arm's length; **i** *~* alive; *i levende -e* while alive,
in one's lifetime; *han har ikke ære i -et* he is lost to all
sense of shame, he is without shame; *aldrig i -et* never
in my life; *sætte ~ i* enliven, animate, put life into; *føre
ud i -et* realize, carry out; *arbejde* **med** *~ og lyst* work
with a will; *han gik op i sit arbejde med ~ og sjæl* he
devoted himself to his work heart and soul; *have et
skærf* **om** *-et* have a sash round one's waist; *tage en om
-et* put an arm round sby's waist; *kamp* **på** *~ og død*
life-and-death struggle; *rykke ind på -et af én* close
in on sby; *vandet gik ham til midt på -et* he was waist
-deep in water; *kalde* **til** *-e* call into existence *(el.*
being); *kalde til -e igen* resuscitate, revive; *komme til -s*
suppress, put down; stamp out *(fx* a disease); *sætte
til -s* dispatch, put away, get outside of; *ville én til
-s* have it in for sby, have one's knife into sby.
    livagtig *adj* lifelike, vivid; *adv* to the life *(fx* imi-
tate sby to the life), vividly.
    livagtighed *(en)* lifelikeness.
    live: *~ op* cheer up; *~ op i landskabet* be a bright
spot.
    liv|egen *(en -egne)* serf; *adj* adscript.
    livegenskab *(et)* serfdom.
    I. **livfuld:** *et ~* hug a (good) beating.
    II. **livfuld** *adj* lively, vivacious; vivid *(fx* descrip-
tion).
    livfuldhed *(en)* animation, liveliness.
    livgarde *(konges etc)* life guard, *(livvagt)* body-
guard.
    livlig *adj* lively, *(stærkeré)* animated *(fx* discussion,
conversation, party), spirited *(fx* discussion); vivid
(fx imagination); *(rask, hurtig)* brisk *(fx* movements,
traffic, trade); *(om person især)* lively, vivacious *(fx*
a v. little lady); *(stærkt besærdet)* busy. **livlighed** *(en)*
liveliness, animation, vivacity, gaiety.
    liv|læge physician-in-ordinary; *dronningens ~*
the queen's personal physician. **-løs** *adj* lifeless, in-
animate *(fx* body); *(død)* dead; *(om ting)* inanimate;
(kedelig etc) lifeless. **-løshed** *(en)* lifelessness. **-moder**
womb, uterus.
    Livorno Leghorn.
    livré *(et, livreer)* livery.
    livredder *(en -e)* beach life guard.
    livredning life-saving.
    livréklædt *adj* liveried.
    livrem belt; *spænde -men ind* tighten one's belt.
    liv|rente annuity. **-ret** *(en -ter)* favourite dish.
-salig *adj* blissful, delicious.
    livs|anskuelse outlook on life, philosophy. **-ar-
ving** heir of the body, issue; *-er* issue. **-bane** course
of life; *(karriere)* career. **-bekræftende** *adj* optimistic.
-betingelse vital necessity, sine qua non; *en ~ for* of
vital importance to, vital to. **-eliksir** elixir of life.
-erfaring experience. **-fange** lifer. **-fare** danger of
one's life; *han er i ~* his life is in danger, he is in danger

of his life. **-farlig** *adj* perilous, dangerous. **-fjern** *adj*
impractical, (purely) theoretical; otherworldly.
-fornødenhed necessity (of life). **-forsikre** insure *(el.*
assure) sby's life; *~ sig* insure one's life. **-forsikring**
life assurance.
    livsforsikrings|anstalt life (assurance) office.
-police life(-assurance) policy. **-præmie** life-assur-
ance premium. **-selskab** life-assurance company.
    livs|førelse (conduct of) life. **-gerning** occupa-
tion, calling; *(livsværk)* life work. **-glad** *adj* light
-hearted, happy, cheerful. **-glæde** happiness, cheer-
fulness, joie de vivre. **-gnist** spark of life. **-historie**
(hi)story (of sby's life), biography. **-holdning** atti-
tude; *(filosofi)* philosophy (of life).
    livskabt *adj: aldrig i mine -e dage* never in all my
life, never in all my born days.
    livs|kraft vitality. **-kraftig** *adj* vigorous. **-lang**
lifelong. **-lede** *(en)* depression, spleen. **-ledsager,
-ledsagerske** partner of one's life. **-lyst** *se -glæde*.
-løb *se -bane*. **-mod** courage, spirits. **-nær** *(mods
teoretisk)* practical, down-to-earth. **-opgave** mission
(el. business) in life. **-ophold** subsistence; *(udkomme)*
living, livelihood. **-princip** vital principle; *(grund-
sætning)* principle (of one's life). **-sag:** *en ~ for ham* of
vital importance to him. **-stilling** occupation, posi-
tion; *(liberalt erhverv)* profession; *(håndværk)* trade;
(handel) business; *mænd i alle -er* men in all walks of
life; *hvad er hans ~? (ogs)* what does he do for living?
vælge en ~ choose a career. **-straf** capital punish-
ment, death penalty. **-syn** outlook. **-tegn** sign of
life. **-tid** life(time); *på ~* for life. **-træ** tree of life.
-træt *adj* weary of life. **-tråd** thread of life.
    livstykke bodice; *(livsglad person): hun er et ~*
she is full of fun; she is a live wire.
    livs|vaner *(pl)* habits. **-varig** *adj* lifelong; for life
(fx imprisonment for life). **-vigtig** vital. **-værk**
life work. **-ytring** manifestation of life. **-ånder:**
styrke de sunkne ~ revive one's spirits.
    livtag wrestling; *tage ~* wrestle.
    livvagt bodyguard.
    I. **lo** *(en -er)* threshing floor; *(ofte =)* barn.
    II. **lo** *imperf af* le.
    lobhudle *vb* overpraise; *(amr)* boost.
    lock|out *(en -er)* lock-out. **-oute** *vb* lock out.
    loco *(merk)* (on the) spot; *~ København* spot
Copenhagen.
    I. **lod** *(en -der) (skæbne)* lot, fate, destiny; *(andel)*
portion, share; *(jord-)* lot, plot; *(til lodtrækning)* lot;
(i lotteri etc) ticket; *det faldt i min ~ at gøre det* it was
my fate to do it; *jeg har hverken ~ eller del i dette*
I have no part in this; *trække ~ om* draw lots for.
    II. **lod** *(et -der) (til vejning; i ur)* weight; ⚓ lead;
(i fiskeri) sinker; *(metallod i snor)* plumb bob; *få
bund med -det* ⚓ obtain soundings; *lægge det afgørende
~ i vægtskålen* turn the scale; *den er i ~* O.K.
    III. **lod** *imperf af* lade.
    lodde *vb (metal)* solder; ⚓ sound, take soundings;
(fig: forstå) fathom *(fx* a mystery I cannot f.), plumb;
(prøve at finde ud af) sound, gauge.
    lodde|bolt soldering-iron. **-lampe** soldering
-lamp. **-line** ⚓ sounding-line. **-metal** solder. **-tin**
tin solder.
    lod|line ⚓ lead line. **-linie** plumb line, vertical.
    lodning *(en) (af metal)* soldering; ⚓ sounding.
    lodret *adj* perpendicular, vertical; *~ ned* verti-
cally down.
    lods *(en -er)* pilot. **lods|afgift** pilotage. **-båd**
pilot boat. **lodse** *vb* pilot.
    lodseddel (lottery) ticket.
    lodsejer plot owner; *(af bebygget grund)* site owner.
    lods|formand foreman pilot. **-kaptajn** chief
pilot.
    lodskud ⚓ *(udkastning af loddet)* cast of the lead;
(dybdemåling) sounding; *tage ~* take soundings.
    lodsning *(en)* pilotage, piloting.
    lodsnor plumb line.
    lods|oldermand chief pilot. **-patent** pilotage

certificate. **-pligt** compulsory pilotage. **-station** pilot station. **-tjeneste** pilotage duty. **-tvang** compulsory pilotage. **-væsen** pilotage authority.

lodtrækning drawing lots; *ved ~ by lot.*

loft *(et -er) (rum)* loft; *(i værelse)* ceiling; *(over priser)* ceiling; *sætte noget (op) pd -et* put sth away in the loft. **lofts|maleri** ceiling painting. **-trappe** loft stairs. **-vindue** skylight. **-værelse** garret.

log *(en -ger)* ✆ log; *sætte -gen ud* heave the log.

logaritme *(en -r)* logarithm. **logaritmetabel** table of logarithms, T log table.

logbog log book; *føre -en* keep the log.

loge *(en -r) (i teater)* box; *(frimurer-)* lodge. **loge|broder** member of a lodge. **-plads** box seat.

logere *vb* lodge, *(amr.)* room.

logerende *(en -)* lodger; *(amr)* roomer.

logge *vb* ✆ heave the log.

loggia *(en -er)* loggia.

logi *(et)* lodging(s). **logihus** *(for subsistensløse)* doss house; *(amr)* flophouse.

logik *(en)* logic. **logiker** *(en -e)* logician.

logis *(et)* lodging(s).

logisk *adj* logical.

logline ✆ log line.

logogrif *(en -fer)* logogriph.

logre *vb: hunden* -r the dog wags its tail; *~ for en (fig)* fawn on sby, cringe to sby.

logulv threshing-floor.

lok *(en -ker)* lock; *(krøllet)* curl, ringlet.

lokal *adj* local, *(om telefonnummer)* extension *(fx* extension 83). **lokal|bane** *(sidebane)* branch line. **-bedøve** apply a local anaesthetic (to).

lokale *(et -r)* room, *(større)* hall, *(kontor)* office; *-r* premises. **lokaleforhold** accommodation.

lokalisere *vb* localize, locate.

lokalisering *(en)* localization.

lokalitet *(en -er)* locality.

lokal|kolorit local colour. **-nummer** *(tlf)* extension number. **-patriotisme** local patriotism.

I. **lokke:** *~ sig (om hår)* curl.

II. **lokke** *vb (sld huller i)* punch.

III. **lokke** *vb* lure, entice, tempt; *(i jagt)* decoy; *~ et smil frem* elicit a smile; *~ én i et baghold* ambush sby; *~ én i en fælde* trap sby; *jeg kunne ikke ~ en stavelse ud af ham* I could not get a syllable out of him; *(se ogs lokkende).*

lokke|due decoy, stool pigeon. **-mad** bait.

lokkende *adj* attractive, alluring, tempting.

lokker *(en -e) (skummel person)* pervert.

lokket *adj* curly.

lokketone call, *(fig)* siren call.

lokkevare *(merk)* loss leader.

lokomobil *(et -er)* traction engine.

lokomotiv *(et -er)* engine, locomotive. **lokomotiv|fører** engine driver, *(amr)* engineer. **-remise** engine shed, roundhouse.

lokum *(et -mer)* privy, bog.

lollik *(en -ker)* Lollander.

lom *(en -mer) zo* diver.

Lombardiet Lombardy.

lomme *(en -r)* pocket; *betale det af sin egen ~* pay it out of one's own pocket; *kende det som sin egen ~* know it like the inside of one's own pocket; *gå i andre lommers* *(for at stjæle)* pick pockets; *stikke brevet i -n* put *(el. slip)* the letter into one's pocket; *stikke en fornærmelse i -n* pocket an insult; *være i -n på en* be in sby's pocket; *have penge på -n* be flush (with money), be in funds.

lomme|bog notebook; *(kalender)* diary. **-format** pocket-size. **-kalender** (pocket) diary. **-kam** pocket comb. **-kniv** pocket knife, penknife. **-lygte** electric torch; *(især amr)* flashlight. **-lærke** flask. **-penge** pocket money. **-prokurator** pettifogger; *(især amr)* shyster. **-smerter** *(pl)* være ~ be out of money. **-spejl** pocket mirror. **-tyv** pickpocket. **-tyveri** pocket-picking; *begå et ~* pick a pocket. **-tørklæde** (pocket) handkerchief. **-ur** (pocket) watch.

lomvi *(en -er) zo* guillemot.

londoner *(en -e)* Londoner.

loope *vb (flyv)* loop.

I. **loppe** *(en -r) zo* flea. II. **loppe:** *~ en op* ginger sby up; *~ sig* rid oneself of fleas, scratch oneself.

loppemarked *(til velgørenhed)* jumble sale.

loppe|spil tiddlywinks. **-stik** flea bite. **-torv** flea market; *-et (i London)* the Caledonian Market.

lord *(en -er)* lord; *~ kansler* Lord (High) Chancellor; *~ seglbevarer* Lord (Keeper of the) Privy Seal.

lorgnet *(en -ter): en ~, et par -ter* a pincenez; *(stang-)* lorgnette.

lort *(en -e) (skidt, bras)* muck; *(afføring)* shit; *(person)* turd; *en ~ (om afføring)* a turd.

I. **los** *(en -ser) zo* lynx.

II. **los** *adj* ✆ loose; *giv ~!* let go! *kaste ~* cast off; *hvad er der ~?* what's up?

losning *(en)* discharging, unloading.

losningsattest landing-certificate.

losningshavn port of discharge.

losse *vb* discharge, unload; *(gøre los)* loose, let go. **losse|bom** derrick. **-dag** discharging-day. **-grejer** *(pl)* cargo gear. **-plads** *(til affald)* (refuse) dump; *(ogs fig)* dumping-ground; ✆ *(til at losse ved)* discharging-berth. **-pram** lighter.

Lothringen Lorraine.

lottekorps: *Danmarks ~* Danish Women's Voluntary Army Corps.

lotteri *(et -er)* lottery. **lotteri|gevinst** prize. **-kollektion** lottery agency. **-kollektør** lottery agent. **-seddel** lottery ticket.

lotus *(en -)* ✆ lotus.

I. **lov** *(en -e)* law; *(enkelt)* statute, act, *(i England)* Act of Parliament; *(-forslag)* bill; *-e (forenings)* statutes, rules, *(aktieselskabs)* articles of association; *give -e* make *(el.* enact) laws, legislate; *ifølge -en* according to law, lawful(ly); *på -ens grund* within the law; *uden ~ og dom* without trial; without the form of law; *blive skudt uden ~ og dom* be shot out of hand; *sætte uden for -en* outlaw; *~ og ret* justice; law and order; *uden for lands ~ og ret* miles from anywhere; *at the back of beyond; ved ~* by Statute; *det er bestemt ved ~* it is provided by Statute, it is statutory.

II. **lov** *(en) (tilladelse)* leave, permission; *bede om ~ til at* ask leave to; *få ~ til at* be permitted to; *frugten får ~ til at rådne* the fruit is left to rot; *give én ~ til at* permit *(el.* allow) sby to.

III. **lov** *(en el. et) (ros, pris)* praise; *Gud ske ~!* thank God!

lov|befalet statutory. **-beskyttet** protected by law; *~ varemærke* registered trade mark. **-bestemmelse** legal *(el.* statutory) provision. **-bog** Statute Book; *(især amr og ikke-eng)* code. **-brud** *(et -)* violation of the law. **-bryder** law-breaker. **-bunden** *adj* regular.

I. **love:** *erklæring på tro og ~* solemn declaration.

II. **love** *vb (give løfte)* promise; *jeg skal ~ for at han blev glad* you bet he was glad; *jeg har -t mig ud* I have accepted another invitation; I am otherwise engaged; *(se ogs lovende).*

III. **love** *vb (prise)* praise; *Gud være -t!* thank God! *(rel)* God be praised!

loven: *~ er ærlig, holden besværlig, se I. holden.*

lovende *adj* promising, of promise; *lidet ~* unpromising; *~ udsigter* hopeful *(el.* bright) prospects.

lov|formelig(t) *adv* lawfully *(fx* they are lawfully married), legally, duly. **-forslag** bill. **-fæste** *vb* put on the Statute Book. **-givende** *adj* legislative. **-giver** *(en -e)* legislator, lawgiver. **-givning** *(en)* legislation. **-givningsmagt** legislative power; *(rigsdag etc)* legislature. **-gyldig** *adj* valid (in law). **-hjemmel** legal authority. **-kyndig** *adj* learned in the law; *subst* jurist.

I. **lovlig** *adj* lawful, legal; *adv* lawfully, duly; *have -t forfald, være ~ forhindret* have a valid excuse for being absent; *~ valgt* duly elected.

II. **lovlig** *adv (lidt for)* rather (too), a bit (too) *(fx* it is a bit far).
lov|lighed *(en)* lawfulness, legitimacy. **-lydig** law-abiding. **-lydighed** respect for the law. **-løs** *adj* lawless; *-e tilstande* lawlessness, anarchy. **-løshed** *(en)* lawlessness. **-medholdelig** *adj* lawful, legal. **-mæssig** *adj* lawful, legal; *(-bunden)* regular. **-mæssighed** *(en)* lawfulness, legality; regularity.
lovning *en: få ~ på noget* be promised sth.
lovord word(s) of praise.
lovovertrædelse breach of the law, offence.
lovovertræder *(en -e)* offender.
lovpligtig *adj* statutory; compulsory *(fx* insurance).
lovprise ✱ praise, laud.
lovprisning *(en)* eulogy, praise.
lovsamling body of laws, code.
lovsang paean; *(rel)* hymn of thanksgiving.
lovskraft legal validity *(el.* force).
lov|stridig *adj* illegal. **-stridighed** *(en)* illegality.
lovsynge praise.
lovtale *(en -r)* eulogy, panegyric, encomium; *udbrede sig i -r over en* sing sby's praises.
lov|trækker *(en -e)* pettifogger. **-trækkeri** *(et)* pettifogging. **-ændring** amendment to an Act.
loyal *adj* loyal. **loyalitet** *(en)* loyalty.
lucerne *(en)* ♧ lucerne; *(amr)* alfalfa.
lud *(en)* lye; *gå for ~ og koldt vand* be neglected; *lade én gå for ~ og koldt vand* neglect sby; *der skal skarp ~ til skurvede hoveder* desperate diseases have desperate remedies.
luddoven bone-idle.
lude *vb* stoop, droop. **luden** *(en)* stooping.
lud|fattig penniless, destitute. **-kedelig** deadly dull.
Ludvig Lewis; *(fransk kongenavn)* Louis.
I. **lue** *(en -r)* blaze, flame; *gå op i -r* be consumed by fire, go up in flames; *stå i lys ~* be ablaze.
II. **lue** *vb* blaze, flame.
lueforgyldning *(en -er)* fire gilding. **lueforgyldt** *adj* fire-gilt.
I. **luffe** *(en -r) (vante)* mitten; *zo* flipper.
II. **luffe** *vb* ♧ luff, haul to the wind.
luft *(en)* air; *(plads, mellemrum)* space; *(-art)* gas; *(tarm-)* flatus, wind; *få ~* breathe; *få (el. give) ~ for (fig)* give vent to; *hun var ~ for ham* he looked straight through her, he cut her; *i fri ~* in the open (air); *trække frisk ~* get some fresh air, have a breath of fresh air; *give sig ~ i (fig)* find vent in; *gå i -en (flyv)* take off; *hænge frit i -en* be suspended in mid -air; *det ligger i -en* it is in the air; *ryge (, springe, sprænge) i -en* blow up; *et slag i -en (fig)* an ineffectual gesture; *rense -en* purify the air; *(fig)* clear the atmosphere *(el.* the air); *grebet ud af -en (fig)* utterly unfounded.
luft|afkølet air-cooled. **-alarm** air-raid warning, alert *(fx* an alert was sounded); *afblæse ~* sound the all-clear. **-angreb** air raid. **-ansamling** accumulation of air. **-antenne** aerial. **-art** gas. **-ballon** balloon. **-base** air base; *-befordring* air transport. **-blære** *(i væske, glas etc)* bubble; *(i maling ogs)* blister. **-bombardement** aerial bombardment, air raid. **-bro** air lift. **-bøsse** air gun. **-båren** *adj* airborne *(fx* troops).
lufte *vb* air *(fx* linen, one's opinions); *det -r* there is a light breeze; *~ hunden* take the dog out; *~ sig* get a breath of fresh air; *~ ud* air, ventilate *(fx* a room).
luft|elektricitet aerial electricity. **-fart** *(flyvning)* aviation; *(flyvetrafik)* air transport. **-fartselskab** air -line company. **-fartøj** aircraft *(pl d.s.)*. **-flåde** air fleet; *(landets samlede luftvåben)* air force. **-forandring** change of air. **-form** gaseous state. **-formig** *adj* gaseous. **-fornyelse** ventilation. **-forsvar** air defence. **-forurening** air pollution. **-fotografering** air photography. **-fotografi** air photograph, aerial view. **-fragt** air freight. **-gynge** swing boat. **-havn** airport. **-hul** *(åndehul)* breathing-hole; *(flyv)* air pocket.

luftig *adj* airy.
luft|kamp aerial combat. **-kastel:** *bygge -ler* build castles in Spain. **-konditionering** *(en)* air-conditioning. **-korridor** air corridor. **-krig** air war. **-kølet** air-cooled. **-lag** stratum of air. **-landetropper** airborne troops. **-ledning** overhead line *(el.* wire). **-linie** *(fugleflugts-): i ~* as the crow flies. **-madras** air bed. **-meldetjeneste** air defence warning service. **-modstand** air resistance.
luftning *(en -er)* breeze; *(udluftning)* airing.
luft|pirat hijacker. **-post** air mail. **-pude** air cushion; *(under -pudefartøj)* cushion of air. **-pudefartøj** hovercraft. **-pumpe** air pump. **-ring** pneumatic tyre. **-rod** *(en, -rødder)* ♧ aerial root. **-rum** *(over et land)* airspace. **-rute** air route. **-rør** air pipe, ventilator; *(anat)* windpipe, trachea. **-skib** airship. **-skyts** anti-aircraft artillery. **-slag** air battle. **-slange** air tube; *(i luftring)* inner tube. **-spejling** mirage. **-styrke** *(en -r)* air force. **-syg** *adj* air-sick. **-syge** *(en)* air-sickness. **-taxa** taxiplane. **-tilførsel** supply of air, ventilation. **-tom** evacuated; *-t rum* vacuum. **-trafik** air traffic. **-tryk** (atmospheric) pressure. **-trykbremse** air brake. **-trykværktøj** pneumatic tools. **-tæt** *adj* airtight; *adv* hermetically. **-tørret** air-dried. **-vej:** *ad -en* by air; *-e (anat)* respiratory passages, airways. **-værn** air defence; *civilt ~ (svarer til:)* civil defence. **-værnskanon** anti-aircraft gun, T ack-ack gun. **-værnsskyts** anti-aircraft artillery. **-våben** *(et lands)* air force; *flådens ~* the Fleet Air Arm.
I. **luge** *(en -r) (lem)* trap door; ♧ hatch; *(åbningen)* hatch(way), scuttle.
II. **luge** *vb* weed.
luge|jern hoe. **-kone** weeder. **-maskine** weeder, weeding-machine.
lugt *(en -e)* smell, odour; *(duft)* fragrance, scent.
lugte *vb* smell; *det -r dårligt (,godt)* it smells bad *(,good); ~ til* smell; *(prøvende)* smell at.
lugte|flaske smelling-bottle. **-organ** olfactory organ. **-salt** smelling-salts. **-sans** sense of smell, olfactory sense.
lugtfri, lugtløs *adj* odourless.
lukaf *(et -er)* ♧ cabin; *(folke-)ͅ* orecastle.
Lukas Luke. **Lukasevangeliet** the Gospel according to St. Luke.
I. **lukke** *(et -r)* fastening, lock; *(dække)* cover; *under lås og ~* under lock and key.
II. **lukke** *vb* shut, close; *(standse virksomheden)* close down; *(ved lukketid)* close; *(hane)* turn off; *(klistre til)* paste down *(fx* an envelope), seal *(fx* a letter); *~ en dør* shut *(el.* close) a door; *døren -r selv (tekst på skilt)* self-closing door; *~ en fabrik* close down a factory; *~ et låg* shut (down) a lid; *~ sig* close (up), shut; *~ øjnene, se øje; vi har -t* we are closed; *~ sig* close; *[m præp & adv:] ~ 'af* lock (up); *~ af for vandet* shut off the water; *~ efter en* close the door behind sby; *luk døren efter dig!* shut the door after you! *~ for gassen* turn off the gas; *~ for radioen* switch off the wireless; *~ 'i* shut (up), close; *~ i lås* lock; *~ ind* let in; *~ sig ind* let oneself in; *~ inde* shut up, lock up, lock in; *~ op* open *(fx* the door); *(når det ringer)* answer the door *(el.* the bell); *~ sig op* open; *~ op for gassen (, vandet)* turn on the gas (, the water); *~ op for radioen* switch on the wireless; *~ til* shut; *luk døren til efter dig!* pull the door to after you! *~ ud* let sby out; *~ sig ud* let oneself out; *~ varmen ud* let in the cold; *~ én ude* shut sby out; *~ sig ude* lock oneself out.
lukke|lyd stop, plosive. **-mekanisme** closing mechanism. **-muskel** sphincter; *(muslings)* adductor muscle.
lukker *(en -e)* fastener; *(fot)* shutter.
lukket *adj* closed; *~ bil* closed car; *en ~ bog (fig)* a closed book *(fx* it is a c. b. to him); *~ for* closed to *(fx* traffic); *~ kirtel* ductless gland; *~ stavelse* closed syllable; *~ vej* cul de sac, blind alley, *(amr ogs)* dead end.
lukketid closing time.

lukning (en) shutting, closing.
lukrativ adj lucrative. **lukrere** vb profit (ved: by).
luksuriøs adj luxurious.
luksus (en) luxury. **luksus|artikel** (article of) luxury, de luxe article. **-udgave** de luxe edition.
luksuøs adj luxurious.
lukt: lige ~ straight (fx go straight to hell).
lukullisk adj sumptuous (fx a s. repast).
Lukøje: Ole ~ the sandman, Wee Willie Winkie.
lulle vb lull; ~ sig ind i let oneself be lulled by.
lumbago (en) lumbago.
lumbalpunktur (en -er) (med.) lumbar puncture.
lummer adj sultry, close, muggy; (fig) suggestive.
lummerhed (en) sultriness; suggestiveness.
lumpe vb: han vil ikke lade sig ~ he refuses to be sat upon.
lumpen adj (nedrig) mean, dirty; (ringe) poor, paltry. **lumpenhed** (en) meanness; (udslag af ~) dirty trick.
lumsk adj treacherous, underhand, insidious; ~ kedelig pretty dull; ~ mistanke shrewd idea, sneaking suspicion; ~ ord tricky word; et ~ spørgsmål a catchy question.
lumske: gå og ~ be up to some dirty trick; ~ sig fra noget shirk sth; ~ sig til noget obtain sth by trickery. **lumskeri** (et -er) crookedness, dodges.
lumskhed (en) treachery, insidiousness.
lun adj warm, mild, cosy, sheltered, snug; (med lune) humorous, pawky; se ogs lunt.
lunch (en) lunch, (mere højtideligt) luncheon.
lund (en -e) grove.
I. **lune** (et -r) humour, mood, spirits; (nykke) whim, caprice; (humor) humour; dårligt ~ ill-humour, bad humour (el. temper el. mood).
II. **lune** vb (varme) warm; (yde læ) shelter.
lunefuld adj (uberegnelig) capricious, unpredictable, freakish.
lunge (en -r)lung. **lunge|betændelse** pneumonia. **-blodåre** pulmonary vein. **-hinde** pleura. **-hindebetændelse** pleurisy. **-kirurgi** pulmonary (el. thoracic) surgery. **-kræft** lung cancer. **-piber** (en -e) whistler. **-spids** apex of the lung. **-sygdom** pulmonary disease. **-tuberkulose** (pulmonary) tuberculosis, t. b.
lunhed (en) warmth; (lune) humorousness.
lunken adj tepid, lukewarm, (fig ogs) half-hearted.
lunkenhed (en) tepidity, lukewarmness; (fig ogs) half-heartedness.
luns (en -er) hunk, chunk.
lunt adv (se lun) warmly; cosily; snugly; humorously; ligge ~ i svinget T be in Easy Street.
I **lunte** (en -r) ⚔ fuse, match; (rævehale) brush; lugte -n (fig) smell a rat.
II. **lunte** vb: ~ af jog along. **luntetrav** jog-trot.
lup (en -per) magnifying-glass.
lupin ⚕ (en -er) lupin.
lupus (en) (med.) lupus.
I. **lur**: ligge på ~ efter lie in wait for.
II. **lur** (en) (slummer) nap, snooze, forty winks; tage sig en ~ take a nap.
III. **lur** (en -er) (blæseinstrument) lure, lur.
lurblæser lure player.
lure (lytte) eavesdrop; (kigge) peep; (ligge på lur) lie in wait; (narre) take in; ~ ham hemmeligheden af pick up the trick from him; ~ på en lejlighed watch for an opportunity.
lurendrejer (en -e) sly fox. **lurendrejeri** (et -er) tricks (pl), trickery.
lurer (en -e) eavesdropper; (vindueskigger) peeping Tom.
lurifaks (en -er) slyboots.
lurmærke Lur mark.
lurvet (tarveligt klædt) shabby; (nedrig) mean.
lurvethed (en) shabbiness; meanness.
lus (en -) louse (pl lice); (menneske) worm; fattig ~ pauper.
luset adj lousy; (gnieragtig) stingy, (ussel) paltry.

luske vb slink; ~ af slink away; ~ sig fra noget shirk sth (fx an obligation); ~ sig til at gøre noget do something on the sly; ~ sig til noget wangle sth.
luskepeter (en) sneak.
luskeri (et) underhand dealing, hanky-panky, foul play. **lusket** adj sneaking, underhand, foxy.
lussing (en -er) clip over the ear, slap in the face.
lut (en -ter) lute.
lutheraner (en -e) Lutheran. **Lutheranisme** (en) Lutheranism. **lutheransk, luthersk** adj Lutheran.
lutre vb purify. **lutring** (en) purification.
lutter adj all, sheer, nothing but; af ~ godhed out of sheer kindness; være ~ smil (, øre) be all smiles (, ears).
I. **luv** (en) (på tøj) nap, pile.
II. **luv** (en) ⚓ windward; holde -en keep the luff; tage -en fra én take the wind out of sby's sails, (overgå én) outdistance (el. outstrip) sby.
III. **luv** adj ⚓ weather (fx bow), windward.
luvart ⚓: ~ (af) to windward (of).
luvartside ⚓ weather side.
luve vb ⚓ luff; ~ op til vinden ⚓ haul the wind.
luvslidt adj threadbare.
ly (et) shelter, cover; i ~ af under the shelter of, sheltered by; krybe i (el. søge) ~ for take shelter from (fx the rain).
lyd (en -(e)) sound; (støj) noise; han gav ikke en ~ fra sig he did not utter a sound; slå til ~ call for silence; slå til ~ for advocate. **lyd|bølge** sound wave. **-bånd** tape; optage på ~ (tape-)record, T tape. **-dæmper** (en -e) silencer. **-dåse** sound box.
I. **lyde** (en -r) blemish, defect.
II. **lyde** (lød, lydt) sound; (have en vis ordlyd) run, go, read; (om klokke, sirene etc) go, sound; det -r endnu i mine ører it is still ringing in my ears; checken lød på £5 the cheque was for £5; ~ på ihændehaveren be payable to bearer; ~ på navn be made out in somebody's name; aktierne -r på navn the shares are registered; der lød en stemme a voice was heard, (kraftigere) a voice rang out.
III. **lyde** (lød, lydt) (adlyde) obey; ~ et navn answer to a name; lyd mit råd take my advice.
lydefri adj faultless, without blemish.
lydelig adj audible, loud; -t adv audibly, loudly.
lyd|film sound film. **-forhold** acoustics; (sprogligt) phonetics. **-forskydning** sound shift. **-himmel** sounding-board.
lydhør adj (fintmærkende) sensitive (over for: to); (agtpågivende) attentive (over for: to); (venligt indstillet) sympathetic (over for: to).
lydig adj obedient (mod: to), dutiful.
lydighed (en) obedience, dutifulness.
lyd|isolering sound insulation. **-kulisser** (pl) (radio) noises off, sound effects. **-land** vassal state; (drabantstat) satellite.
lydlig adj acoustic; (om sproglyd) phonetic.
lyd|lov sound law, phonetic law. **-lære** (en (om sproglyd) phonetics. **-løs** (uden ord) silent; (uden støj) noiseless, silent. **-løshed** silence. **-malende** onomatopoe(t)ic. **-metode** (ved læseundervisning) phonic method. **-mur** sound barrier. **-potte** (i bil, motorbåd etc) silencer. **-skrift** (omskreven tekst) phonetic transcription; (tegnsystem) phonetic script, phonetic notation. **-stat**, se **-land**. **-styrke** sound intensity.
lydt: her er så ~ you hear every sound here.
lyd|tegn phonetic symbol. **-tekniker** (i TV) sound technician. **-tæt** adj sound-proof.
lygte (en -r) lantern; (gade-) (street)lamp; (cykel-) lamp; (bil-) lamp, (forlygte) headlight; (baglygte) rear light; (se ogs lommelygte); rød ~ (ved teater; svarer til) full house. **lygte|mand** will-o'-the-wisp. **-pæl** lamp post. **-skin** lamp light. **-tænder** (en -e) lamp lighter.

lykke (en) (held) (good) fortune, good) luck, prosperity, success; (-følelse) happiness; (et gode) blessing, piece of (good) luck; det var en Guds ~ at it was a mercy that; gøre ~ be a success (hos: with) make a hit; *have -n med sig* be lucky, be successful; *jeg har -n med mig i dag* this is one of my lucky days; *held og ~!* good luck! *prøve -n* try one's luck; *~ på rejsen!* a pleasant journey! *-n står den kække bi* fortune favours the brave; *stå sin egen ~ i vejen* stand in the way of one's own fortune; *søge sin ~* seek one's fortune; *~ til!* good luck! *til ~!* congratulations! I congratulate you *(med:* on); *til ~ med fødselsdagen* happy birthday; *(glds)* many happy returns of the day; *ønske til ~* congratulate *(med:* on).

lykke|følelse happiness. **-hjul** wheel of fortune; *(lotteri-)* lucky wheel. **-jæger** fortune hunter. ∗

lykkelig *adj* happy; *(heldig)* fortunate, lucky; *~ over* happy at; *prise sig ~* count oneself lucky; *~ og vel* safely *(fx* I wish she was safely married).

lykkeligvis *adv* happily, fortunately, luckily.

lykke|pose lucky bag. **-ridder** soldier af fortune.

lykkes *vb* succeed, prosper; *det lykkedes ham at gøre det* he succeeded in doing it; *jeg prøvede at få det men det lykkedes mig ikke* I tried to get it, but failed *(el.* but without success *el.* but did not succeed).

lykke|skilling lucky penny. **-stjerne** (lucky) star. **-tal** lucky number. **-træf** piece of good luck; *ved et rent ~* as luck would have it, T by a pure fluke.

lyksalig *adj* happy, blissful.

lyksalig|gøre *vb* make happy. **-hed** *(en)* bliss.

lykønske congratulate *(med, til:* on); *~ en* congratulate sby; *(i anledning af fødselsdagen)* wish sby many happy returns of the day.

lykønskning *(en -er)* congratulation.

lykønskningstelegram congratulatory message, *(-blanket)* greetings telegram.

lymfe *(en)* lymph. **lymfekar** *(en -)* lymphatic (vessel).

lyn *(et -)* lightning; *(-glimt)* flash of lightning; *(fig)* flash; *som et ~ fra en klar himmel* like a bolt from the blue; *med -ets fart* with lightning speed; *hans øjne skød ~* his eyes flashed; *-et slog ned i huset* the house was struck by lightning.

lynafleder *(en -e)* lightning conductor.

lynangreb lightning raid (, attack).

lynche *vb* lynch. **lynchjustits** lynch law.

lyne *vb* lighten, flash; *det -r* it is lightening; *hans øjne -de* his eyes flashed; *i en -nde fart* with lightning speed; *-nde gal (el. vred)* furious.

lyn|frossen quick-frozen. **-fryse** quick-freeze.

lyng *(en)* heather. **lynghede** heath, moor.

lyn|glimt flash of lightning. **-ild** lightning. **-krig** lightning war. **-lås** zip fastener; *lukke med ~* zip up. **-nedslag** (stroke of) lightning. **-skud** *(fot)* snapshot. **-snar** *adj* quick as lightning. **-tog** high-speed diesel train.

Lyon Lyons.

lyre *(en -r)* lyre.

lyrik *(en)* lyrical poetry. **lyriker** *(en -e)* lyric poet.

lyrisk *adj* lyric(al); *~ digt* (lyrical) poem, lyric.

I. **lys** *(et -)* light; *(stearin- etc)* candle; *(belysning)* lighting *(fx* electric l.); *(enhed ved belysning)* candle; *gå af -et* get out of the light; *føre bag -et* deceive, take in; *der gik et ~ op for mig* a light dawned on me; *en 50-~ pære* a 50 candlepower bulb; *i -et af (fig)* in the light of; *ryge i -et* fail, come to nothing; *stå i -et for en* stand in sby's light; *stå sig selv i -et* stand in one's own light; *stille noget i et nyt ~* throw new light on sth; *stille ham (,det) i et ugunstigt ~* place him (,it) in an unfavourable light; *kaste ~ over (fig)* throw light on; *kunstigt ~* artificial light; *så rank som et ~* straight as a poker; *skærende (el. skarpt) ~* glare; *inklusive ~ og varme* inclusive of lighting and heating; *arbejde ved ~* work by artificial light.

II. **lys** *adj* light; *(lysende, skinnende)* bright, shining; *(hår, teint)* fair, blond(e); *(munter)* cheerful, gay; *før det blev -t* before daybreak; *et -t hoved* a bright fellow; *-e minder* happy memories; *se sagen fra den -e side* look on the bright side (of the matter).

lys|avis illuminated sign. **-behandling** light treatment. **-billedapparat** projector. **-billede** lantern slide. **-billedforedrag** lecture with slides.

-bombe *(en -r)* flare. **-brydning** refraction. **-bue** (electric) arc. **-bøje** *(en -r)* light buoy. **-bølge** light wave.

I. **lyse** ★ shine, give out light; *~ af* shine with; *(fig)* be radiant with *(fx* joy); *lampen -r godt* the lamp gives a good light; *~ op* shine; *(fig)* brighten up, light up *(fx* his face lit up); *~ op i* clear up, *(opmuntre)* brighten *(fx* b. his drab existence); *~ en ud* light sby out; *(se ogs lysende).*

II. **lyse** ★: *~ forbandelse over* anathematize; *~ fred over* bless; *der er blevet lyst tredje gang for dem* they have had their banns read for the third time; *~ til ægteskab* publish *(el.* read) the banns.

lyse|blå light blue. **-brun** light brown.

lysedug table centre, mat.

lyse|grøn light green. **-grå** light grey. **-gul** light yellow. **-krone** *(en -r)* chandelier. **-manchet** grease guard.

lysende *adj* shining, luminous; *~ intelligent* brilliant.

lyserød *adj* pink.

lyse|saks (pair of) snuffers. **-slukker** *(en -e)* extinguisher, *(festfordærver)* wet blanket, killjoy. **-stage** *(en -r)* candlestick. **-stump** candle end, stump of a candle. **-støber** *(en -e)* chandler. **-støbning** candle making.

lys|følsom *adj* photosensitive. **-gas** illuminating gas. **-glimt** gleam, *(stærkt)* flash. **-håret** *adj* fair (-haired). **-kasse** *(ved hus) (omtr =)* area. **-kaster** *(en -e)* searchlight; *(se ogs projektør).*

I. **lyske** *(en -r) (anat)* groin. **lyske-** inguinal.

II. **lyske** *vb* scratch.

lys|kegle cone of light. **-kilde** source of light. **-kopi** dyeline print; *(blåtryk)* blueprint. **-kurv** traffic light(s). **-ledning** lighting wire. **-levende** alive, living; T alive and kicking; *og der stod han ~* T and there he was as large as life. **-lære** *(en)* theory of light, optics. **-mast** lamp standard. **-måler** photometer. **-måling** light measurement.

lysne *vb* grow light, brighten; *(gry)* dawn; *(om vejret)* clear up, brighten up.

lysnetmodtager *(radio)* mains receiver.

I. **lysning** *(en -er)* light; *(daggry)* dawn; *(bedring)* improvement; *(i skov)* glade.

II. **lysning** *(en) (til ægteskab)* (publication of the) banns.

lysol *(et)* lysol.

lys|punkt bright spot. **-reguleret** *adj (om gadekryds)* controlled by traffic lights. **-reklame** *(det at)* illuminated advertizing; *(skilt)* electric sign. **-side** light *(el.* luminous) side; *(fig)* bright side. **-signal** light signal. **-sky** *adj* shunning the light; *(fig)* hole -and-corner, shady *(fx* methods). **-skær** *(et -)* gleam, *(stærkt)* glare. **-sporgranat** ✕ tracer shell. **-sporprojektil** ✕ tracer bullet. **-stofrør** fluorescent tube. **-stribe** streak of light. **-stråle** ray of light. **-styrke** light intensity; *(i normallys)* candle power. **-syn** optimism.

lyst *(en -er) (fryd)* delight *(fx* it is his chief d.); pleasure; *(tilbøjelighed, ønske)* inclination *(fx* follow one's i.); wish; *(attrå, begær)* desire *(fx* that cured me of all desire to try again); lust *(fx* the lusts of the flesh); passion; *af ~* from inclination; *af ~ til* out of desire for; *få (el. have) ~ til noget* feel like sth, want sth; *få (el. have) ~ til at gøre det* have a mind to do it, feel like doing it; *gøre hvad man har ~ til* do as one likes; *hver sin ~* everyone to his taste; *hvis du har ~* if you like.

lyst|betonet: *~ arbejde* work done con amore. **-båd** pleasure boat, yacht. **-damper** *(en -e)* pleasure steamer.

lyste *vb* like, feel like; *så meget man -r* to one's heart's content. **lystelig** *adj* pleasant.

lysten *adj* lascivious, lustful; *~ efter* covetous of.

lystenhed *(en)* lasciviousness, lust.

lyst|fartøj pleasure craft. **-fisker** angler. **-fiskeri** angling. **-følelse** pleasurable sensation. **-gård** hobby farm; *(landsted)* country house. **-havende** *(en -)*

intending purchaser. **-hus** summerhouse; *(løvhytte)* arbour.

lystig *adj* merry, gay, jolly, jovial; *gøre sig ~ over* poke fun at.

lystighed *(en)* gaiety, jollity, mirth, merriment.

lyst|kutter yacht. **-mord** sadistic murder, sex m.

lystre *vb* obey; ~ *roret* answer the helm.

lyst|sejlads yachting. **-skov** park. **-spil** comedy.

lys|tryk *se -kopi*. **-tæt** *adj* impervious to light, lightproof. **-virkning** light-effect. **-vågen** wide awake. **-ægte** fast. **-år** light year.

lytte *vb* listen; *(lure)* eavesdrop; *(høre radio)* listen (in); ~ ¹*efter* listen; ~ *efter ngt (ɔ: ~ til)* listen to sth *(fx* the music); *(ventende)* listen for sth *(fx* his footsteps); ~ *til mit råd* take my advice.

lytte|apparat ⚓ sound locator. **-post** ⚓ listening -post.

lytter *(en -e) (ogs radio-)* listener.

lyv *(se løgn)*. **lyve** *(løj, løjet)* lie, tell a lie; ~ *for en* tell sby a lie; ~ *sig fra noget* get out of sth by (telling) a lie.

I. **læ** *(et)* shelter; ⚓ leeward, lee; *i ~* sheltered, under cover, ⚓ to leeward; *roret i ~!* helm a-lee!

II. **læ** *vb* shelter *(for:* from).

læbe *(en -r)* lip; *bide sig i -n* bite one's lip; *ikke et ord kom over hendes -r* not a word passed her lips; *være på alles -r* be on everybody's lips; *hænge ved hans -r (fig)* hang on his lips.

læbe|fisk *zo* wrasse. **-lyd** labial. **-pomade** lip salve. **-stift** *(en -er)* lipstick.

læbælte *(fx plantning)* wind mantle, windbreak (belt), protection strip.

læder *(et)* leather.

læderagtig *adj* leathery; ⚓ coriaceous.

læderbind full leather (binding).

lædere *vb* injure; *(typ)* damage, batter.

læder|hals *(en -e)* Leatherneck. **-hud** *(anat)* corium. **-jakke** *(ogs om person)* leather jacket. **-ornamentik** ornamental leatherwork. **-rem** leather strap. **-varer** *pl* leather goods.

I. **læg** *(en -ge) (anat)* calf *(pl* calves).

II. **læg** *(et -)* pleat, *(syet)* tuck; *lægge i ~* fold, pleat; tuck.

III. **læg** *adj* lay; *lærd og ~* the learned and the unlearned.

lægben *(anat)* fibula.

lægbroder lay brother.

lægd *(et -er)* [recruiting area].

lægdommer lay judge.

lægds|forstander [officer in charge of a recruiting area]. **-kontor** *(svarer til)* recruiting office. **-rulle** conscription register.

I. **læge** *(en -r)* doctor, medical practitioner; *(mediciner)* physician; *(kirurg)* surgeon; *kvindelig ~* woman doctor; *praktiserende ~* (general) practitioner; *gå til ~, søge ~* consult *(el.* see *el.* go to) a doctor.

II. **læge** *vb* heal, cure; *læge(s)* heal (up); *(se ogs lægende)*.

læge|attest medical certificate. **-behandling** medical treatment. **-besøg** doctor's call. **-bog** home medical adviser. **-dom** *(helbredende kraft)* healing power. **-eftersyn** medical inspection. **-erklæring** medical certificate. **-forening** medical association. **-hjælp** medical treatment; *søge ~* consult a doctor. **-honorar** doctor's fee. **-igle** *zo* medicinal leech. **-kittel** doctor's white coat. **-korps** medical corps. **-kyndig** *adj* with medical knowledge. **-middel** medicament, remedy.

lægende *adj* healing, curative.

læge|plante medical plant. **-sekretær** doctor's secretary. **-standen** the medical profession. **-termometer** clinical thermometer. **-tilsyn** medical attention; *(inspektion)* medical inspection. **-undersøgelse** medical examination. **-vagt** *(svarer til)* emergency (medical) service. **-videnskab** (science of) medicine, medical science. **-videnskabelig** *adj* medical. **-virksomhed** medical practice.

lægfolk laymen, the laity.

lægge *(lagde, lagt)* lay, put, place; *(kartofler etc)* plant; *(æg)* lay (eggs); *(tage (tøj) af)* take off;

~ *af (om vane)* drop, get out of; ~ *an* ✗ (take) aim; ~ *an på* aim at; *(fig)* aim at, *(erotisk)* make a dead set at, *(om kvinde ogs)* set one's cap at; ~ *ngt bag sig* leave sth behind (one); ~ *bi* ⚓ heave to, lay to; ~ *bort* put aside; ~ *for (begynde)* start, begin; ~ *fra* ⚓ put off, set out; ~ *noget fra* put sth by *(til en:* for sby); ~ *noget fra sig* put sth down; ~ *frem* lay out; ~ *hen* put aside; *(opspare)* lay up, put by; ~ *sagen hen til ham (ɔ: til hans afgørelse)* refer the matter to him; ~ *en i graven* bury sby; *(fig)* bring sby to his grave; ~ *i kakkelovnen (fyre op)* light the fire; *du -r mere i mine ord end ..* you are putting *(el.* reading) more into what I said than ..; ~ *i seng* put to bed; ~ *gas, vand etc* ind lay on gas, water etc; ~ *en kjole* ind take in a dress; ~ *et godt ord ind for* put in a good word for; ~ *ned* put down, *(nedsalte)* pickle, *(nedsylte)* preserve, *(forlænge)* let down *(fx* a dress);

~ ¹*om (ændre)* alter, change, reorganize; ~ *bind om en bog* put a cover on a book; ~ *roret om* shift the helm; ~ *op* lay up, put up, *(spare)* save, put by, *(gøre kortere)* shorten, take up *(fx* a dress); *(standse sin virksomhed)* cease work, give up business; ~ *kortene op* put down one's cards; ~ *råd op* take counsel, deliberate, *(fjendtligt)* conspire, plot *(imod:* against); *der var lagt op til* the scene was laid for, the stage was set for *(fx* a hard struggle); ~ *ansvaret over på* throw the responsibility on to; ~ ¹*på (ɔ: forhøje priser)* raise *(el.* put up) prices, *(fyre)* mend the fire; ~ *mere kul på* put (some) more coal on; ~ *skat på noget* put a tax on sth; ~ *sammen* put together, *(folde)* fold (up) *(fx* sheets, clothes); *(addere)* add (up); ~ *til (tilføje)* add, *(fryse til)* freeze over, ⚓ berth, land, *(yde)* supply; ~ *til side* put aside, *(opspare)* put by; ~ *til ved flere øer* ⚓ call at several islands; ~ *navn til* lend one's name to; ~ *ud* lay out *(fx* money; food for the birds), *(gøre, fx en kjole, videre)* let out, *(starte)* start; ~ *rottegift ud* put down rat poison; ~ *øde* lay waste;

~ *sig* lie down, *(gå i seng)* go to bed; *(sprede sig som et lag)* settle; *(stilne af)* drop, subside; ~ *sig efter* go in for; ~ *sig imellem* interpose, intervene; ~ *sig om på siden* turn over on one's side, *(om skib)* heel over; ~ *sig til sengs* go to bed; ~ *sig til at dø* lie down and die; ~ *sig overskæg til* grow a moustache; ~ *sig tilbage* lean back; ~ *sig ud (blive sværere)* put on weight; ~ *sig ud med* quarrel *(el.* fall out) with.

lægge|brod *zo* ovipositor. **-høne** laying hen. **-kartoffel** seed potato.

lægget *adj* pleated.

lægmand layman.

lægmuskel *(anat)* peroneus.

lægprædikant lay preacher.

lægte *(en -r)* lath; *vb (beklæde)* cover with laths.

lægter *(en -e)* ⚓ lighter, barge. **lægter|mand** lighterman, bargee. **-penge** lighterage. **-transport** ⚓ lighterage. **lægtning** *(en)* ⚓ lighterage.

læhegn windbreak.

I. **læk** *(en -ker)* leak; *få en ~* spring a leak.

II. **læk** *adj* leaky; *springe ~* spring a leak.

lækage *(en -r) (utæthed, hul)* leak.

lækat *zo* stoat.

lække *vb* leak *(fx* the boiler leaks).

lækker *adj* delicious, tasty; *(yndig)* lovely; *(neds om kunst)* glossy; *gøre sig ~ for ham* make up to him.

lækkerbisken *(en -er)*, **lækkeri** *(et -er)* titbit, dainty, delicacy.

lækkermund: *være en ~* have a sweet tooth.

lækkersulten: *jeg er ~* I could fancy something good to eat.

læmme *vb* lamb. **læmmetid** lambing season.

lænd *(en -er)* loin. **lænde-** lumbar *(fx* muscle).

lænde|gigt lumbago. **-klæde** loincloth.

læne *vb* lean; ~ *sig* lean *(til:* against); ~ *sig tilbage* lean back. **lænestol** easy chair, armchair.

længde *(en -r)* length; *(geografisk)* longitude; *i*

-n in length, long *(fx* a yard long), *(fig)* in the long run; *i en ~ af ni miles* for (a distance of) nine miles; *i sin fulde ~* at full length.

længde|grad degree of longitude. **-mål** linear measure. **-retning** longitudinal direction. **-snit** longitudinal section. **-spring** *(det at)* long jumping; *(det enkelte)* long jump. **-tegn** *(fon)* length mark.

I. **længe** *(en -r) (bygning)* wing.

II. **længe** *adv* long, for a long time; *bliv ikke ~ borte* don't be long; *blive for ~* stay too long; *(om gæst)* outstay one's welcome; *han gør det ikke ~* he won't last long; *han har ikke ~ at leve* he is not long for this world; *~ før* long before; *det varede ~ før . .* it was (a) long (time) before . .; *varer det ~?* will it be long? *langt om ~* at length, at long last; *være ~ om ngt* take a long time over sth, be long in doing sth; *være ~ oppe* stay up late; *farvel så ~* see you later! *(amr)* so long! *sd ~ jeg er borte* while I am away; *sid ned så ~* sit down while you wait; *sit down till I* (etc) have finished; *for ~ siden* long ago, a long time ago; *der er ~ til jul* it's a long time till Christmas.

længere *adj* longer; *(ret lang)* (rather) long, longish, *(om tid ogs)* prolonged *(fx* visit); *adv (om sted)* farther; *(om tid)* longer; *~ hen* farther on; *~ hen på året* later in the year; *ikke ~* no longer, no more; *så er den ikke ~* (well), that's (the end of) that.

I. **længes ★** *(føle længsel)* long, yearn *(efter:* for); *jeg ~ efter at se ham* I am longing to see him; *~ tilbage til* long for, long to be back in, feel a nostalgia for.

II. **længes** *(blive længere)* lengthen, grow longer. **længs|el** *(en -ler)* longing, yearning. **længselsfuld** *adj* longing, wistful, anxious.

længst *adj* longest; *adv (om sted)* farthest *(fx* farthest away), *(om tid)* for the longest time; *for ~* long since, long ago.

længstlevende: *den ~* the survivor.

I. **lænke** *(en -r)* chain; *(fod-)* fetter; *lægge i -r* put in irons; *løse af -rne* unchain.

II. **lænke** *vb* chain, fetter; *(sammenføje)* link; *-t til sengen af sygdom* tied to one's bed by illness.

lænkebinde *vb* chain, fetter.

lænkehund (chained) dog, dog on a chain, watch-dog.

læns *adj* empty; ⚓ dry; *~ for* without *(fx* money). **lænse** *vb (tømme)* empty; ⚓ bale out.

lænspumpning *(en -er)* pumping out.

læplantning *(det at)* shelter planting; *(planterne)* windbreak.

lærd *adj* learned, erudite; *subst.* scholar; *~ skole* grammar school; *de -e er uenige* doctors disagree.

lærdom *(en -me)* learning, scholarship; *(læresætning)* doctrine, tenet, dogma.

I. **lære** *(en) (læresætning)* doctrine, tenet, dogma; *(forkyndelse, undervisning)* teaching(s) *(fx* the teachings of the church); *(advarsel)* lesson; *(håndværks-etc)* apprenticeship; *(videnskabsgren)* science; *drage ~ af* learn from; *komme i ~ hos* be apprenticed to; *stå i ~ hos* serve one's apprenticeship with; *sætte en i ~ hos* apprentice sby to; *tage ved ~ learn (af:* from); *det vil være ham en ~* it will be a lesson to him.

II. **lære ★** *(undervise, ~ fra sig)* teach; *(selv ~)* learn, be taught; *~ ngt af en* learn sth from sby; *~ ham kunsten af* pick up the trick from him; *jeg skal ~ dig at . .!* I'll teach you to . .! *~ fra sig* teach; *~ at kende* become acquainted with, get to know, *(møde ogs)* meet, *(erfare)* experience; *man skal ~ så længe man lever* we live and learn; *man -r selv ved at ~ andre* one learns by teaching.

lære|anstalt college, school; *højere ~* institution of higher education. **-bog** textbook. **-brev** certificate of completed apprenticeship. **-digt** didactic poem. **-dreng** apprentice. **-lyst** *(en)* desire to learn. **-mester** teacher; *(i håndværk)* master. **-nem** *adj* quick, apt, *(om dyr)* teachable. **-penge:** *det var dyre ~ for ham* the lesson cost him dear; *jeg har måttet betale dyre ~* I have learned it to my cost. **-plads** job as an apprentice.

lærer *(en -e)* teacher, (school)master; *(hus-)* tutor. **lærer|embede** mastership. **-gage** teacher's salary. **-gerning** teaching; *forberede sig til -en* prepare for the teaching profession. **-højskole** *(svarer i England til)* institute of education; *Danmarks Lærerhøjskole* the Royal Danish School of Educational Studies.

lærerig *adj* instructive.

lærer|inde *(en -r)* teacher, (school)mistress; *(hus-)* governess. **-kollegium** (teaching) staff. **-kræfter** teachers, (teaching) staff. **-møde** staff meeting. **-personale** (teaching) staff. **-råd** teachers' council. **-stand** teaching profession. **-studerende** training-college student, student at a college of education. **-værelse** staff room, common room.

lære|stol chair. **-streg:** *lad det være dig en ~* let that be a lesson to you. **-sætning** doctrine, dogma. **-tid** apprenticeship; *~ hos* serve one's apprenticeship with. **-år** year(s) of apprenticeship.

lærk *(en -e)* ⚘ larch.

lærke *(en -r) zo* lark, skylark; *(flaske)* flask.

lærkespore ⚘ corydalis.

lærketræ ⚘ larch tree; *(veddet)* larch wood.

lærling *(en -e)* apprentice. **lærlingekontrakt** articles of apprenticeship, (apprentice's) indentures.

lærred *(et -er)* linen; *(groft)* canvas; *(maleri)* canvas; *(i biografteater)* screen; *det hvide ~* the screen; *indbunden i ~* cloth-bound.

lærreds- linen. **lærreds|bind** cloth binding. **-bukser** *pl* canvas trousers, ducks. **-ryg** cloth back. **-sko** *pl* canvas shoes; *(amr)* sneakers.

lærvillig *adj* docile, teachable.

lærvillighed *(en)* docility, teachability.

læs *(et)* load; *(vogn-)* cartload; *(mængde)* lot; *trække -set (fig)* bear the brunt, do all the hard work.

læse ★ read; *(gennemlæse)* read through, peruse; *(holde forelæsning)* lecture; *(studere)* study *(fx* chemistry), read *(fx* he is reading law); *~ lektier, se lektie; ~ fejl* make a mistake in reading; *~ for en* read to sby; *rædselen stod at ~ i (el. på) alles ansigter* horror was depicted in all faces; *~ i en bog (etc)* read a book (etc); *~ med en* give sby lessons, coach sby; *denne forfatter -s meget* this author is widely read; *~ op* read aloud, recite; *~ op af en bog* read from a book; *~ et stof op til en eksamen* get up a subject for an examination; *~ over Hamlet* lecture on Hamlet; *~ over på noget* brush up sth; *(flygtigt)* glance through sth; *~ (over) på din lektie* prepare one's lesson; *~ til eksamen* prepare for an examination; *~ sig til* read *(fx* it is something I have read); *~ bogen ud* finish the book.

læse|bog reader. **-drama** closet drama. **-fag** *(som man har for)* prep subject; *(mods færdighedsfag)* content subject. **-fejl** misreading. **-forening** book club. **-glas** reading-glass. **-hest** *(ivrig læser)* bookworm; *(flittig til studier)* swot.

læsejl ⚓ studding-sail.

læse|kreds *(forfatters)* circle of readers, *(boghandlers el. privat læseforening)* book club. **-lampe** reading-lamp.

læse|lig *adj* legible; *(læseværdig)* readable. **-lighed** *(en)* legibility; readability.

læse|lyst *(en)* love of reading. **-måde** reading. **-plan** *(en)* curriculum, syllabus, course of study. **-prøve** *(en -r) (på teater)* reading-rehearsal. **-pult** reading-desk; *(i kirke)* lectern.

læser *(en -e)* reader. **læserbrev** letter to the editor.

læse|retarderet *se -svag.*

læserinde reader, *(glds)* fair reader.

læse|sal reading-room. **-stof** reading (matter). **-stue** reading-room. **-stykker** *pl* selected passages. **-svag** *adj: -e børn* backward *(el.* slow) readers. **-værdig** *adj* worth reading. **-øvelse** reading-excercise.

læside ⚓ lee side.

læsion *(en -er)* injury, lesion.

læske *vb* slake, slaked lime; *(tørst ogs)* quench; *(forfriske)* refresh; *-t kalk* slaked lime.

læskedrik refreshing drink; (ofte =) soft drink.
læ|skov protection forest. -skur shelter.
I. læsning (en) (af læse) reading; perusal.
II. læsning (en) (af læsse) loading.
læspe vb lisp. læspen (en) lisping, lisp.
læsse vb load; ~ af unload; ~ et arbejde (,ansvaret for noget) over på én shift a task (,the responsibility for sth) on to sby; ~ på load.
læst (en -er) (skomagers) last; blive ved sin ~ stick to one's last.
læsterlig: -e prygl a sound beating.
I. løb (et -) run; (det at løbe) running; (vædde-) race; (heat) heat; (vands, tidens) course; (sejlbar rende) channel, fairway; (gevær-) barrel, (indvendigt) bore; (ben af vildt) leg; (mellemfod hos fugle) shank; (trappe-) flight (of stairs); give noget frit ~ give vent (el. a free rein) to sth (fx to one's anger); i årets ~ in the course of the year; i -et af (inden udløbet af) in (fx he finished it in less than an hour), in the course of, (på et tidspunkt inden for) during (fx a shower of rain fell during the evening); i det lange ~ in the long run; i tidens ~ in the course of time; sætte i ~ start running; gå med i -et go by the board, be lost.
II. løb imperf og imperativ af løbe.
I. løbe (en -r) (oste-) rennet; (drøvtyggermave) abomasum.
II. løbe (løb, løbet) run, (om vand ogs) flow; (om vej) run, lead; (om skibs fart) do (fx she can do 20 knots); (være i kraft) run (fx the contract runs to March 31); (være brunstig) be in heat; lade munden ~ jabber away; hans næse (,vandhanen) -r his nose (,the tap) is running; tønden -r the barrel leaks; ~ varm (om maskindel) get hot, run hot; ~ sig varm get warm by running;
[m præp & adv:] ~ af med carry away, run away with; ~ an tarnish; ~ an på count on; ~ fra ansvaret shirk the responsibility; (det kan du ikke ~ fra you can't get away from that; ~ fra sit ord go back on one's word; tiden er -t fra ham (: han er glds) he is (hopelessly) behind the times; tiden var -t fra mig I had lost count of the time; ~ fuld af vand fill with water, ⚓ be swamped; ~ avisen igennem glance through the paper; ~ med (: narre) take in; ~ med sladder gossip, talk scandal, tell tales; det løb mig koldt ned ad ryggen it sent a shiver down my spine; ~ op (ogs = vokse) run up, (om syning) come undone, (indhente) overtake; det -r op (om beløb) it mounts up; ~ 'over (om kar, væske) run over; ~ over sine bredder overflow its banks; ~ over til fjenden go over to the enemy; T rat; ~ på (støde imod) run against, run into, (tilfældigt træffe) run into, come across; have noget at ~ på have a margin; så har vi 10 minutter at ~ på that leaves us 10 minutes; ~ rundt: se rundt; ~ sammen (om mælk) curdle; (om linier, veje) converge, meet; ~ 'til (: hurtigere) spurt; folk kom -nde 'til people came running up; det er ikke sådan at ~ til it takes some doing; ~ ud (om ur) run down, (om farver, blæk) run, (se ogs udløbe); ~ ud i run into, (fig) end in; (om vandløb) fall into (fx the river falls into the sea); ~ ud i sandet come to nothing, peter out, be abortive; den øverste del -r ud i en spids the upper part tapers (el. is tapered) off to a point.
løbe|bane racecourse; (fig) career. -bille zo ground beetle. -dage (respitdage) days of grace. -fod zo cursorial foot. -gang (i tai) casing. -grav trench. -hjul (legetøj) scooter. -ild (i skov) ground fire; brede sig som en ~ spread like wildfire. -knude running noose. -kran travelling crane.
løbende adj running; (indeværende) current (fx the c. financial year); pr. ~ fod per linear foot; de ~ forhandlinger the current negotiations; the negotiations in progress; de ~ forretninger current business; ~ sager pending cases; ~ udgifter current expenses.
løbe|nummer serial number. -pas: få ~ get the sack, be sacked.
løber (en -e) (idrætsmand, møllesten, bordløber) runner; (trappeløber) (stair) carpet; (i skak) bishop;

(mursten) stretcher; vi vil have den røde ~ lagt ud til jer we will have the red carpet out for you.
løbe|seddel handbill. -sod tarry soot. -tid (dyrs) rutting season; (merk) currency, term, -tur run.
løbsk adj bolting, runaway; ~ fantasi unbridled imagination; løbe ~ bolt, run away.
I. løde (en) hue, complexion.
II. løde imperf af lyde.
lødig adj fine, pure; (fig) sterling, valuable; of good quality.
lødighed (en) fineness; sterling worth, value.
I. løfte (et -r) promise; højtideligt ~ vow; give (el. aflægge) et ~ make a promise; make a vow (fx of poverty), make a pledge (fx to abstain from wine); give en ~ om ngt promise sby sth; jeg har ~ på . . I have been promised . .; holde (,bryde) et ~ keep (,break) a promise; et ~ om hjælp a promise of help; tage det ~ af en at make sby promise that.
II. løfte vb lift (fx a heavy weight); (hæve) raise (fx one's hand, one's glass); (virke opløftende på) elevate, uplift; ~ arven efter én follow in sby's footsteps; ~ op i kjolen lift up one's dress; ~ på (veje i hånden) try the weight of; ~ på hatten raise one's hat; ~ sig rise.
løfte|brud (et -) breach of faith; (brud på ægteskabsløfte) breach of promise. -indretning lifting-gear.
løftelse (en) (fig) uplift, exaltation.
løfterig adj promising, full of promise.
løftestang (en, løftestænger) lever.
løftet adj raised, lifted; (fig) elevated; i ~ stemning (beruset) exhilarated, slightly intoxicated.
løg (et -) onion; (blomster-) bulb.
løgn (en -e) lie, falsehood; beskylde én for ~ accuse sby of lying, give sby the lie; gribe én i ~ catch sby lying; fare med ~ tell lies; sige en ~ tell a lie; det er ~ that is a lie; that is not true; for at det ikke skulle være ~ to make quite sure.
løgnagtig adj lying, mendacious.
løgnagtighed (en) mendacity.
løgnedetektor lie detector.
løgnehistorie lie, tall story.
løgner (en -e), løgnhals liar.
løg|sovs onion sauce. -suppe onion soup.
løj imperf af lyve.
løjbænk couch.
I. løje (en -r) zo bleak.
II. løje vb (om vind) fall; ~ af fall, (fig) slacken.
løjer pl fun; for -s skyld in fun, for fun; gøre (el. drive) ~ med make fun of, play tricks on; så skal De se ~ and then you will see!
løjerlig adj queer, odd, funny.
løjert (en -er) (bærekjole) baby's long cloak; ⚓ (af tovværk) cringle; zo bleak.
løjet perf part af lyve; perf part af løje.
løjpe (en -r) ski trail.
løjser (en -e) (om person) bad hat, bad egg, good -for-nothing.
løjtnant (en -er) lieutenant.
løkke (en -r) loop, (til at trække sammen) noose.
lømmel (en, lømler) puppy, lout.
lømmelagtig adj loutish.
lømmelalder hobbledehoy stage; dreng i -en hobbledehoy.
I. løn (en) (arbejds-) wages, pay; (gage) salary; ✗ pay; (belønning) reward; få ~ som forskyldt get one's deserts; der fik han ~ som forskyldt it served him right; (ofte =) he was asking for it, he deserved all he got; hvad får han i ~? what are his wages? what is his salary? for en ugentlig ~ af £15 at a wage of £15 a week; sin ~ værd, se II. værd.
II. løn: i ~ (hemmelig) secretly, clandestinely.
III. løn (en) (træ) maple, sycamore.
løn|aftale (enkelt) wage contract; (kollektiv) wage agreement. -arbejder wage earner.
løndom (en -me) secret; i ~ in secret.
løn|forbedring = lønforhøjelse. -forhøjelse wage (el. pay) increase; increase of salary; rise; (amr) raise.

løn|gang secret passage. **-glidning** wage drift. **-indtægt** income from employment. **-kammer** closet.

løn|konflikt wage dispute. **-krav** wage claim, wage demand.

lønlig *adj* secret; *-t* secretly, in secret.

lønmodtager wage earner.

lønne *vb* pay; *(belønne)* reward; ~ *ondt med godt* return good for evil; ~ *sig* pay.

løn|nedgang decrease of wages. **-nedskæring,** **-nedsættelse** reduction of wages, cut.

lønnende *adj* profitable, remunerative, paying; *lidet* ~ unprofitable.

I. lønning = I. *løn.*

II. lønning *(en -er)* ⚓ *(ræling)* gunwale.

lønnings|dag pay day. **-liste** payroll. **-lov** [statute regulating salaries]; *den jernhårde* ~ the Iron Law of Wages. **-pose** pay packet. **-skala** wage (,salary) scale.

løn|pause pay pause. **-politik** wages policy. **-reform** reform of the salary scale. **-sats** wage rate. **-skala** wage (, salary) scale; *glidende* ~ sliding scale of wages. **-slave** wage slave. **-som** *adj, se lønnende.* **-somhed** *(en)* profitability.

løn|stop wage freeze; *indføre* ~ freeze wages. **-tillæg** bonus, allowance *(fx* cost-of-living bonus *(el.* allowance)); *(anciennitets-)* increment. **-trykker** *(en -e)* sweater. **-trykkeri** sweating (system).

lørdag Saturday; *(se ogs fredag).*

løs *adj* loose; *(slap)* slack; *(aftagelig)* detachable; *(-t ansat)* casual, occasional; *(vedholdende etc)* away *(fx* chatter away, fire away, hammer away); *en* ~ *beregning* a rough calculation; *-e dele (til maskine etc)* spare parts; *fanden er* ~ there's the devil to pay; *fare* ~ *på* rush at, fly at; *snakke om -t og fast* talk of this, that, and the other; ~ *formodning* groundless supposition; *gå* ~ *(løsne sig)* come loose, *(om ngt limet)* come unstuck; *(være på fri fod)* be at large *(fx* we cannot have that kind of psychopath at large); *(begynde)* begin *(fx nu går det* ~ now it is beginning); *gå* ~ *på* go at, go for; *skyde med -t krudt* fire blank ~cartridges, fire blanks; *køre* ~ *(fig)* go ahead; *-e penge* loose cash, ready money; *rive sig* ~ break loose; *rive sig* ~ *fra* break away from, *(fig)* tear oneself away from; *slå (sig)* ~, *se slå;* ~ *snak* idle talk; *i* ~ *vægt* in bulk, *(uindpakket)* loose, by weight, by the pound; *hvad er der* ~? T what's up?

løs|agtig *adj:* ~ *kvinde* loose woman, woman of easy virtue; ~ *person* loose liver. **-agtighed** *(en)* looseness. **-arbejder** casual labourer. **-blad** loose leaf.

løse ✱ loose, loosen, let loose, release; *(knude)* undo, untie; *(problem, gåde)* solve; ~ *af* (⚔ *etc)* relieve; ~ *billet* book, buy a ticket; ~ *én fra hans forpligtelse (, hans ed)* release sby from his obligation (, his oath); ~ *hjem (pant)* redeem; ~ *hundetegn* take out a dog licence; ~ *en ligning* solve an equation; ~ *op for* untie, open *(fx* open a bag).

løselig *adj* rough, approximate;· *adv* **-ly;** *berøre et emne* ~ touch on a matter; *gennemse* ~ run over.

løsen *(et)* watchword; *tidens* ~ the order of the day. **løse|penge, -sum** ransom.

løsgive *vb* release, set free. **løsgivelse** *(en)* release.

løs|gænger *(en -e) (jur)* vagrant; *(politiker)* independent, *(amr)* mugwump. **-gængeri** *(et)* vagrancy. **-gøre** *vb* loosen, make loose, disengage. **-gående** *adj (ikke tøjret)* untethered; *(omstrejfende)* stray. **-hed** *(en)* looseness. **-holt** *(i bindingsværk)* intertie. **-køb:** *varen fås i* ~ the article is sold loose. **-købe** ✱ ransom, redeem. **-lade** *(løslod, løsladt)* release, discharge.

løsladelse *(en -r)* release, discharge; ~ *på prøve* conditional release, *(amr)* release on parole; *(ved sikkerhedsforvaring)* release on licence.

løsne *vb* loosen *(fx* a screw); *(greb, tag)* relax *(fx* one's hold); *(klæder)* loosen, unbutton; *(affyre)* fire, discharge; ~ *sig* work loose.

løsning *(en -er) (det at løsne)* loosening, relaxation; *(det at løse, fx* problem) solution; *(fx bevilling etc)* taking out *(fx* of a licence).

løsrevet *adj* detached, disconnected, isolated.

løsrive *vb* detach; ~ *sig* break away, *(fig ogs)* tear oneself away, *(fra en stat)* secede.

løsrivelse *(en)* detachment; secession.

løs|salg selling by the piece; sale of single copies; *avisen koster 3 d. i* ~ the paper costs threepence a copy. **-sluppen** *(adj) (ubehersket)* unrestrained; *(kåd)* abandoned, wild.

løstsiddende *adj (om tøj)* loose-fitting.

løsøre *(et)* movables, personal property.

løv *(et)* foliage, leafage, leaves; *(enkelt blad)* leaf.

løve *(en -r) zo* lion.

løve|hjerte lion's heart; *Rikard Løvehjerte* Richard Coeur de Lion. **-hud** lion's skin. **-hule** lion's den. **-jagt** lion hunting. **-jæger** lion hunter. **-manke** lion's mane; *(om mennesker)* (leonine) mane. **-mund** ⚘ snapdragon. **-tand** lion's tooth; ⚘ dandelion. **-tæmmer** *(en -e)* lion tamer. **-unge** lion cub, young lion.

løv|fald leaf fall, defoliation. **-frø** *(en -er) zo* tree frog. **-hytte** *(en -r)* bower.

løvinde *(en -r)* lioness.

løv|rig *adj* leafy. **-salsfest** Feast of Tabernacles. **-sanger** *(en -e) zo* willow warbler. **-sav** fretsaw. **-savsarbejde** fretwork. **-skov** hardwood *(el.* deciduous) forest. **-spring** leafing, foliation. **-stikke** ⚘ lovage. **-tag** leafy canopy. **-træ** hardwood *(el.* deciduous) tree.

lå *imperf af ligge.*

lådden *adj* shaggy, hairy; *(om stof)* shaggy, fleecy; ~ *hue* fur cap; *vende det lådne ud (fig)* cut up rough. **låddenhed** *(en)* shagginess, hairiness.

låg *(et -)* lid, *(større, fx* over brønd) cover.

låge *(en -r)* gate; *(del af port)* wicket; *(skabs-, ovn- etc)* door.

lågfad covered dish.

lån *(et -)* loan; *bringe et* ~ *i stand* negotiate a loan; *tak for* ~ thank you; *tak for* ~ *af bogen* thank you for the loan of *(el.* for lending me) the book; *få et* ~ obtain a loan; *optage et* ~ raise a loan; *et* ~ *på £100* a loan of £100; *til -s* a loan, on loan; *få til -s* borrow, have the loan of; *yde ham et* ~ *på £500* lend him £500.

låne ✱ *(modtage som lån)* borrow *(af, hos:* from), *(bøger hjem fra bibliotek, ogs)* take out; *(udlåne)* lend, *(amr)* loan; *(række)* hand, pass *(fx* would you pass me the salt?); ~ *mod prioritet* borrow on mortgage; ~ *på noget* pawn sth; *(fast ejendom)* mortgage sth; ~ *på sin police* borrow on one's policy; *må jeg* ~ *Deres telefon?* may I use your telephone? ~ *en et par øjne* look daggers at sby; *lån mig øre* listen to me.

låne|bank loan bank. **-bevis** *(låneseddel)* pawn ticket. **-kontor** pawnshop; *sætte noget på -et* pawn sth. **-ord** loan word.

låner *(en -e) (ogs i bibliotek)* borrower. **låner|fortegnelse** borrowers' register. **-kort** *(i bibliotek: for hjemlån)* borrower's ticket.

låneseddel pawn ticket.

lån|giver lender. **-tager** *(en -e)* borrower.

lår *(et -)* thigh; *(af slagtet dyr)* leg; *(af fjerkræ)* leg, T drumstick. **lårben** thigh bone.

låring *(en -er)* ⚓ quarter.

lårkort: ~ *kjole (, nederdel)* miniskirt.

lås *(en -e) (også i skydevåben)* lock; *(hænge-)* padlock; *(på taske, armbånd etc)* snap, fastener, catch; *lukke i* ~ lock; *under* ~ *og lukke* under lock and key.

låse ✱ lock; *(m hængelås)* padlock; ~ *af* lock; ~ *af for* lock up; ~ *inde* lock up *(fx* lock her up in her room), lock in *(fx* I locked myself in); ~ *ned* lock up; ~ *op* unlock; ~ *ud* let out. **låse|smed** locksmith. **-tøj** lock.

M

M, m *(et -'er)* M, m.
m *(fk f meter)* m. *(fk f* metre.)
mad *(en)* food; *(kost)* food, fare *(fx* good(, simple)
fare), board *(fx* board included); *(måltid)* meal;
daglig ~ daily fare; *~ og drikke* food and drink;
har fuglene (, *fiskene) fået ~* have the birds (, the fish)
been fed? *give fuglene* (, *fiskene) ~* feed the birds (, the
fish); *vil du have noget ~?* would you like something
to eat? *lave ~* cook; *selv lave sin ~* cook one's own
meals; *3 retter ~* 3 courses; *smøre -en* make the sand-
wiches; *et stykke ~ (svarer til:)* a sandwich; *sætte -en
på bordet* put the dinner (, etc) on the table; *tak for ~!*
(tilsvarende siges ikke i England); *varm ~* a hot meal,
hot meals.
Madagaskar Madagascar.
madamme *(en -r) (neds)* (common) woman.
maddike *(en -r) zo* maggot; *(fig)* worm.
made *vb* feed.
madeira *(en) (en vin)* Madeira.
mad|fisk edible fish. **-glad** *adj*: *være ~* be fond
of good food. **-glæde** *(en)* love of good food.
mading *(en)* bait; *sætte ~ på* bait *(fx* a line).
mad|jord tilth. **-kasse** lunch box. **-kurv** lunch
basket. **-kæreste** cupboard lover. **-lavning** *(en)*
cooking, cookery. **-lede** *(en)* loathing of food.
-lugt smell of food. **-lyst** *(en)* appetite. **-moder**
mistress.
madonna *(en -er)* (the) Madonna; *(flaskeåbner)*
(bottle) opener. **madonnabillede** Madonna, picture
of the Virgin Mary *(el.* of the Madonna).
mad|opskrift recipe. **-os** *(en)* (unpleasant) smell
of cooking. **-pakke** *(en -r)* (packed) lunch.
mad|papir sandwich paper; greaseproof paper;
(efterladenskaber) litter. **-pose**: *vide hvordan den ~ skal
skæres* be up to a trick or two; know the ropes;
(kende sin egen fordel) know which side one's bread
is buttered.
madras *(en -ser)* mattress.
mad|rester leavings, bits of food; left-overs. **-ro**
(en) peace during meals; *lad os få ~* let us have our
meal in peace.
Mads: *eller du må kalde mig ~* or I'm a Dutchman;
hvis det sker, må du kalde mig ~ if that happens I'll eat
my hat.
mad|sherry cooking sherry. **-skab** food cup-
board. **-spand** dinner pail. **-sted**: *det er et godt ~* the
food is good there. **-stræv** *(et)* materialism. **-varer**
pl provisions, foodstuffs. **-æble** cooking-apple,
cooker.
I. mag: *i ro og ~* comfortably, *(uden hast)* at
(one's) leisure.
II. mag.: *cand. mag., mag. art. se magister.*
magasin *(et -er) (lagerbygning)* store(house),
warehouse; *(stormagasin)* stores, department store;
(krudt-; i gevær, ovn, kamera) magazine; *(tidsskrift)*
magazine. **magasinere** *vb* store, warehouse.
magdalenehjem rescue home for fallen women,
Magdalene home.
I. mage *(en -r) (ligemand)* equal, like; *(side-
stykke)* match; *(kopi, reproduktion)* replica, copy;
(den ene del af et par) fellow; *(fugls)* mate; *(ægte-
fælle)* husband, wife; *der findes ikke -(n) til ham
there* is no one like him, he hasn't his equal on
earth; *ikke have sin ~, søge sin ~* be matchless, be
unequalled; *jeg har -n til det* I have one exactly like
it; *jeg har aldrig kendt (el. hørt el. set) ~!* well I never!
I never heard (, saw) the like of it! *skaffe -n til* match;
krage søger ~ birds of a feather flock together.
II. mage *vb (indrette)* arrange; *~ det således at*
arrange matters *(el.* it) so as to, manage to.
magelig *adj* comfortable, easy; *(om person)* in-
dolent; *~ anlagt* easy-going; *gøre sig det -t* make
oneself comfortable; *jeg kan ~ gøre det* I can easily

do it. **magelighed** *(en)* comfort, ease; indolence;
pleje sin ~ study one's own comfort.
mageløs *adj* unique, unexampled, unequalled,
exceptional; *adv* exceptionally, extremely.
mager *adj (om kød: modsat fed)* lean; *(tynd)* thin;
(udtæret) emaciated; *(ringe, tarvelig)* meagre, lean,
thin, poor; *-t flæsk* lean bacon; *~ jord* poor soil;
~ kost meagre diet; *-t kvæg* lean cattle; *-t resultat*
meagre result; *et -t år* a lean year.
I. mageskifte *(et)* exchange of property *(el.* real
estate). II. **mageskifte** *vb* exchange property *(el.*
real estate).
magi *(en)* magic. **magisk** *adj* magic.
magist|er *(en -re) (i humanistiske fag: omtr =)*
Master of Arts, M.A.; *(amr)* A.M.; *(i naturviden-
skabelige fag: omtr =)* Master of Science, M. Sc.;
~ bibendi toastmaster. **magister|konferens** *(en) (ek-
samination)* examination for the M.A. (, M. Sc.) de-
gree; *(grad)* M.A. degree; M. Sc. degree. **-stat** *(en)*
register of Masters of Arts (, of Science).
magistrat *(en -er)* (municipal) corporation.
magnat *(en -er)* magnate.
magnesia *(en) (kem)* magnesia.
magnesium *(et) (kem)* magnesium.
magnet *(en -er)* magnet; *(tænd-)* magneto.
magnetisere *vb* magnetize.
magnetisering *(en)* magnetization.
magnetisk *adj* magnetic.
magnetisme *(en)* magnetism.
magnetjernsten magnetic iron ore, magnetite,
lodestone. **magnetlås** magnetic catch.
magnetnål magnetic needle.
magneto *(en -er)* magneto.
magnificus: *rektor ~* [title of the head of a Danish
university] *(svarer til)* Vice Chancellor; *(i U.S.A.
omtr =)* President.
magnifik *adj* magnificent.
magnium *(et) (kem)* magnesium.
magniumbombe *(fot)* flashlight.
magnolie *(en -r)* ⚘ magnolia.
magsvejr ⚓ fair weather.
magt *(en -er) (styrke, formåen)* force, power,
strength; *(evne el. ret til at byde, herredømme)* power,
authority; *(-faktor)* power, force; *(stat)* power; *af
al ~* with all one's might; *bruge ~* use force; *den
dømmende ~* the judicial power; *(domstolene)* the
judiciary, the courts; *eksemplets ~* the force of ex-
ample; *få* (*, have) -en* get (, have) the upper hand;
~ går for ret might is right; *få én i sin ~* get sby into
one's power; *have -en* be in power; be in control;
have ordet i sin ~ be eloquent, be a good speaker,
T have the gift of the gab; *det står ikke i min ~ at*
it is not in my power to; *være i ens ~* be in sby's
power; *kundskab er ~* knowledge is power; *den lov-
givende ~* the legislative power; *(parlament)* the legis-
lature; *med ~* by force, forcibly; *onde -er* powers of
evil; *grådon tog -en fra ham* he was overcome with
tears; *komme til -en* come into power; *den udøvende
~* the executive power; *(myndighederne)* the execu-
tive; *vanens ~* (the) force of habit; *stå ved ~* be *(el.*
remain) in force, hold good, stand; *vel ved ~* stout;
være ved -en be in power.
magt|anvendelse (use of) force. **-apparat** ma-
chinery of power. **-balance** balance of power.
-begær *(et)* lust for power. **-bud** *(et -)* dictate, fiat.
magte *vb* manage, master, be equal to; *ikke ~
opgaven* be unequal to the task.
magtesløs *adj* powerless, impotent; *(ugyldig)* void;
død og ~ null and void.
magtesløshed *(en)* powerlessness, impotence.
magt|faktor factor of power, force. **-fuld** power-
ful, compelling. **-fuldkommenhed** absolute power;
af egen ~ on one's own authority. **-haver** *(en -e)*

ruler. **-kamp** power struggle. **-middel** forcible means; *(ofte* =*)* resource *(fx* we shall oppose it with all the resources at our disposal; the Government has other resources); *bruge -midler* use force. **-område** domain, sphere. **-overtagelse** assumption (, seizure) of power. **-påliggende** *adj* urgent, important; *det var dem ~ at* they were anxious to, they made a point of -ing. **-sprog** = *-bud*. **-stilling** dominating position. **-syg** *adj* greedy of power, power-seeking. **-udfoldelse** display of force.

magyar *(en -er)*, **magyarisk** *adj* Magyar.

mahogni *(en el. et)* mahogany. **mahognitræ** mahogany.

maitresse *(en -r)* mistress.

maj May.

maje : *~ sig ud* deck oneself out, bedizen oneself.

majestæt *(en -er)* majesty; *Deres Majestæt* Your Majesty *(m vb i 3. person, fx* Your Majesty is right).

majestætisk *adj* majestic.

majestætsfornærmelse lese-majesty.

majolika *(en)* majolica.

major *(en -er)* major.

majoritet *(en -er)* majority; *absolut ~* an absolute majority; *være i ~* be in a majority; *simpel ~* a simple majority.

majs *(en)* maize, Indian corn; *(amr)* corn.

majs|kolbe corn cob. **-pibe** corn-cob pipe.

majstang maypole.

makaber *adj* macabre, gruesome.

makadamisere *vb* macadamize.

makadamisering *(en) (det at makadamisere)* macadamization; *(materialet)* macadam, *(ofte* =*)* tarmac.

makaroni *(en)* macaroni.

Makedonien Macedonia.

maki *(en)* maquis, *-en (hist.)* the maquis.

makkabæer *(en -)* Maccabee.

makke: *~ med* tinker with; *~ ret (opføre sig ordentligt)* behave (oneself), *(lystre)* toe the line, come to heel, *(om ting)* work; *få ham til at ~ ret* bring him round; *~ sammen* rig up.

makker *(en -e)* partner; ℸ mate; *blind ~ (i kortspil)* dummy. **makkerskab** partnership.

makrel *(en -er)* mackerel. **makrelfangst** mackerel fishery.

makron *(en -er)* macaroon; *gå til -erne* ℸ get down to it.

maksimal- maximum *(fx* price, speed, value).

maksime *(en -r)* maxim.

maksim|um *(et -a)* maximum *(pl* maxima).

maksimums- *se maksimal-*.

makulatur *(en)* waste paper; *(fig: om litteratur)* trash; *et ark ~* a waste sheet. **makulere** *vb (tilsmudse)* disfigure, dirty; *(kassere)* mark for destruction, throw away; *(sende til papirmøllen)* pulp; **-t** *(ogs)* untidy *(fx* an u. exercise book).

makværk bad job, mess, botch.

malabarisk *adj* outlandish; *~ sprog* gibberish.

malaj *(en -er)* Malay.

Malaja Malaya. **malajisk** *adj* Malay, Malayan.

Malajsia Malaysia.

Malakka Malacca.

malaria *(en)* malaria.

I. **male** *vb* paint; *(grifle)* scribble, scrawl; *~ akvarel* paint in watercolour; *~ efter naturen* paint from nature; *rædselen stod -t i hans ansigt* terror was depicted in his face; *lade sig ~* have one's portrait painted; *~ med stærke farver* paint in bold colours; *~ op* repaint; *~ på et landskab* be painting a landscape; *malet!* wet paint! *(se ogs malende)*.

II. **male** *vb (på kværn)* grind, crush; *(på mølle)* mill; *(hvirvle)* churn.

malende *adj* graphic, vivid *(fx* description); *adv* graphically, vividly.

maler *(en -e)* painter; *(håndværker)* (house) painter. **malerbøtte** paint pot.

maleri *(et -er)* painting, picture. **maleri|auktion** picture sale. **-handler** *(en -e)* picture dealer.

malerinde *(en -r)* (woman) painter.

maleri|ramme picture frame. **-samling** collection of pictures *(el.* paintings), gallery, collection.

malerisk *adj* picturesque.

maleriudstilling picture exhibition *(el.* show).

maler|kasse paint box. **-kost** paint brush. **-kunst** (art of) painting. **-lav** [master painters' guild]. **-lærling** painter's apprentice. **-lærred** painter's canvas. **-mester** master painter. **-pensel** paint brush. **-potte** paint pot. **-skole** art school; *(kunstretning)* school of painters. **-svend** journeyman painter. **-værksted** painter's workshop.

malice *(en)* malice, spite; *(drilagtighed)* mischievousness. **maliciøs** *adj* malicious, mischievous.

maling *(en) (det at male m pensel)* painting; *(farve)* paint.

malke *vb* milk.

malke|ko *(ogs fig)* milch cow. **-kvæg** dairy cattle. **-maskine** milking-machine. **-pige** milkmaid. **-skammel** milking-stool. **-spand** milk pail. **-stald** milking-parlour. **-stol** milking-stool.

malkning *(en)* milking.

malkonduite clumsiness.

I. **malle** *(en -r)* zo *(Siluris glanis)* wels, sheatfish; *(Siluroidea)* catfish.

II. **malle** *(en -r) (til hægte)* eye.

malm *(en el. et, -e)* ore; *(kobberlegering)* bronze.

malm|art species of ore. **-fuld** *(klangfuld)* ringing, sonorous. **-klang** metallic ring, sonority. **-lysestage** brass candlestick. **-åre** lode (of ore).

malplaceret *adj* untimely, ill-timed, out of place.

malproper *adj* dirty; *(sjusket)* slovenly.

malstrøm whirlpool, *(ogs fig)* vortex, maelstrom.

malt *(et el. en)* malt; *gøre ~* make malt.

maltbolsje piece of barley sugar.

malte *vb* malt; *-t brød* malted bread.

maltekstrakt extract of malt, malt extract.

malteri *(et -er)* malt house.

malteser|kors Maltese cross. **-ordenen** the Order of Malta. **-ridder** Knight of Malta.

maltesisk *adj* Maltese.

malt|gører *(en -ere)* maltster. **-gøreri** *(et -er)* malt house.

maltraktere *vb* maltreat, ill-treat, manhandle; *(fig)* mangle *(fx* a piece of music).

maltøl malt beer.

malurt *(en -er)* ⚕ wormwood. **malurtbæger** *(fig)* cup of bitterness.

mama *(en)* mummy, mam(m)a.

mamelukker *(benklæder)* pantalettes.

mammon *(en el. et)* mammon; *(neds om penge)* filthy lucre; *hans urette ~* his ill-gotten gains. **mammonsdyrkelse** Mammon worship.

mammut *(en -ter)* mammoth.

I. **Man** *(ø)* (the) Isle of Man.

II. **man** *(den tiltalte medregnet)* you *(fx* you should always be polite); *(den talende og den tiltalte ikke medregnet)* they, people *(fx* they say he is rich); *(den talende medregnet, den tiltalte ikke medregnet)* one, a fellow *(fx* what is a fellow to do?); *(ofte bruges passiv, fx man fangede ham* he was caught);

~ bedes ringe 2 gange please ring twice; *~ fortæller os* we are told; *~ må håbe at* it is to be hoped that; *ser ~ det!* indeed! *~ kan jo aldrig vide* you never can tell; *~ siger at* people *(el.* they) say that, it is said that; *~ siger så meget* people will talk, you know; *hvad skal ~ gøre?* what is one to do? *~ må altid være på sin post* one must always be on one's guard.

manchet *(en -ter)* cuff; *(lyse-)* grease guard; *blive stødt på -terne* take offence, get huffed. **manchet|knap** cuff link. **-skjorte** dress shirt; *(blød)* soft front (dress) shirt; *(stiv)* starched shirt.

Manchuriet Manchuria.

manchurisk *adj* Manchurian, Manchu.

mand *(en, mænd* man *(pl* men); *(ægtemand)*

husband; *(arbejder, matros)* hand; *-en (modsat kvin-
den)* man *(fx* woman was created to be the com-
panion, not the slave, of man); *alle ~* everybody;
♣ all hands; *dagens ~* the man of the moment;
ene ~ single-handed; *alle som én ~* to a man, one
and all, unanimously; *-en for det hele* the boss (of the
show); *han er ~ for at* he is the sort of fellow who
can; *-en fra gaden, den jævne ~* the man in the street;
min gode ~ (nedladende) my man! *(uforskammet)*
my good man! *50 ~* fifty men; *-en i huset* the master
of the house; *det siges ~ og ~ imellem* it is whispered;
kæmpe ~ imod ~ fight man to man; *i -s minde* within
living memory; *gå under med ~ og mus* ♣ be
lost with all hands; *en flaske pr. ~* one bottle per head.
    mandag Monday; *(se ogs fredag).*
    mandarin *(en -er) (ogs fig)* mandarin; *(frugt ogs)*
tangerine.
    mandat *(et -er)* authority; *(som folketingsmand)*
seat; *(som styrer af et landområde)* mandate; *give
én ~ til* authorize sby to; *nedlægge sit ~* resign one's
seat; *(om underhusmedlem)* accept the (Stewardship
of the) Chiltern Hundreds.
    mandatar *(en -er)* agent.
    mandatområde mandate.
    manddom *(en)* manhood. **manddoms|kraft:** *i
sin fulde ~* in his prime. *-år pl* years of manhood.
    manddrab homicide; *(jur: overlagt mord)* murder,
(uoverlagt) manslaughter; *uagtsomt ~ se uagtsom.*
    mande *vb* ♣ man *(fx ~ ræer* man the yards);
~ sig op til at gøre det pull oneself together and *(el.* to)
do it.
    mande|fald *(et)* slaughter. **-hul** *(et)* manhole.
    mandel *(en, mandler)* almond; *(anat)* tonsil; *få
mandlerne fjernet* have one's tonsils removed. **man-
del|budding** almond pudding. **-formet** *adj* almond
-shaped. **-mælk** almond milk. **-olie** almond oil.
    mand|folk man *(pl* men); *et rigtigt ~* a masculine
person; *(sl.)* a he-man. **-folketække** sex appeal; *hun
har ~ (ogs)* she has a way with men. **-haftig** *adj*
mannish. **-haftighed** *(en)* mannishness.
    mandig *adj* manly, virile.
    mandighed *(en)* manliness, virility.
    mandkøn male sex.
    mandlig *adj (af hankøn)* male; *(typisk for en
mand)* masculine, male; *~ husassistent* male servant.
    mandolin *(en -er)* mandolin.
    -mands *(om orkester)* -piece *(fx* a six-piece band).
    mands|dragt male attire, man's clothes. **-hjerte:**
mod og ~ courage, pluck. **-høj** *adj* as tall as a man.
-højde the height of a man.
    mandskab *(et -er)* men; ✗ *(ogs)* troops; *(♣ og
flyv)* crew.
    mands|klæder men's clothes. **-kor** male voice
choir.
    mandsling *(en -er)* manikin.
    mands|linie male line. **-mod** courage, pluck.
-navn man's name, masculine name. **-person** man,
male. **-side** *(sværdside)* male line; *(i kirke)* men's side.
-stemme male *(el.* man's) voice. **-tugt** discipline.
    mandstærk *adj* numerous; *møde -t op* turn up *(el.*
turn out) in large numbers; *turn up (el.* turn out)
in force.
    mandtal census; *holde ~* take a census *(over:* of).
    mandtalsliste *(en -r)* census paper.
    mane *vb (tilskynde)* urge; *(besværge)* conjure;
(drage, lokke) lure, entice; *~ bort (, ned)* lay, exorcise;
~ frem conjure up, raise; *dette -r til eftertanke* this
gives food for thought; *dette -r til forsigtighed* this
calls for circumspection; *se ogs manende.*
    manege *(en -r) (cirkus-)* ring.
    manende *adj* admonitory, urgent.
    manér *(en -er) (måde)* manner, way; *(vane, ejen-
dommelighed)* trick; *(kunstlet)* mannerism; *(kunstners
teknik)* manner; *-er (væsen)* manners; *underlige -er*
odd ways; *på min egen ~* in my own way.
    manérlig *adj* decent; *vær nu ~!* behave yourself!
    mangan *(et)* manganese.

mange many; *~ møbler* much furniture, many
pieces of furniture; *~ oplysninger (, penge, råd)* much
information (, money, advice); *~ tak* thank you very
much; *én for ~* one too many; *hvor ~ er klokken?*
what is the time? what time is it? *klokken er ~* it
is late; *overmåde ~* an immense number.
    mangeartet *adj* multifarious.
    mangedobbelt *adj* multiplied; *adv* many times.
    I. **mangefold** *(et -)* multiple; *mindste fælles ~* least
common multiple, L.C.M. II. **mangefold** *adj*
manifold; *adv* many times (over).
    mangegifte *(et)* polygamy.
    mangehovedet *adj* many-headed.
    mangehånde *adj* multifarious, various.
    mangekant *(en -er)* polygon.
    mangel *(en mangler)* want, lack *(på:* of, *fx* die
for want *(el.* lack) of water); absence *(på:* of, *fx* in
the a. of definite proof); *(knaphed)* shortage, scar-
city *(på:* of, *fx* teachers); *(fejl)* defect, flaw *(fx* in
the construction); *(især i pl)* shortcomings; *(modsat
fordel)* disadvantage *(fx* the advantages and disad-
vantages of ...); drawback; *(udtrykkes ofte ved for-
stavelser, fx ~ på erfaring,* moral, respekt, virksomhed
inexperience, immorality, disrespect, non-activity);
    afhjælpe en ~ supply a want; *lide af mangler* have
(el. suffer from) defects (, flaws, shortcomings); *for-
dele og mangler* advantages and disadvantages; *i ~ af*
for want *(el.* lack) of, failing; *i ~ deraf* failing that;
af ~ på for want of, owing to lack of; *der er ingen
~ på* there is no lack of; *~ ved* defect in, flaw in;
shortcoming of; *der er en ~ ved det (ogs)* it has a
defect.
    mangeleddet *adj* many-jointed; *(mat.)* multi-
nomial.
    mangelfuld *adj* faulty, defective, *(utilstrækkelig)*
insufficient *(fx* education).
    mangelfuldhed *(en)* faultiness, defectiveness.
    mangel|sygdom deficiency disease. **-vare:** *det
er en ~* it is in short supply.
    mangemillionær multi-millionaire.
    mangen many, a *(fx* many a poor man); *~ en*
many a one; *~ gang* many a time.
    mangesidig *adj* many-sided, versatile.
    mangesidighed *(en)* many-sidedness, versatility.
    mangeårig *adj* long-standing *(fx* a l.-s. debt of
gratitude), many years *(fx* work); *et -t venskab* a
friendship of long standing.
    mangfoldig *adj* manifold, multitudinous; *-e*
many, a great many; *-e gange* time and again.
    mangfoldig|gøre *vb* multiply; *(kopiere)* manifold.
-gørelse *(en)* multiplication; manifolding.
    mangfoldighed *(en)* multiplicity, variety; *skjule
syndernes ~* cover a multitude of sins.
    mangle *vb (ikke have, ikke have nok af)* lack, want
(fx capital); *(især om egenskab ogs)* be lacking in, be
deficient in *(fx* courage, intelligence); *(ikke have nok
af ogs)* be short of *(fx* money); *(være helt uden ogs)*
have no *(fx* money, time); *(trænge til)* need *(fx* prac-
tice); *(ikke være til stede)* be missing *(fx* the book is
m. from the shelf); be lacking, be wanting; be
absent *(fx* who is a. today?); *det -de bare!* I should
think not! that's a bit stiff! *det -de bare, at jeg skulle
gøre det* I wouldn't dream of doing such a thing;
jeg -r kun en side så er jeg færdig I have only got one
more page to read (, write) and I have finished; *der -r
meget endnu* much remains to be done; *klokken -r 2
minutter i 4* it is 2 minutes to 4; *han lader det ikke ~
på* he is not sparing of; *han -r aldrig svar* he is never
at a loss for an answer.
    manglende *adj* lacking, missing; *det ~* the de-
ficiency, what is wanting; *~ accept* non-acceptance;
det ~ beløb the deficiency, the deficit; *for ~ betaling*
for non-payment; *~ erfaring* lack of experience; in-
experience; *på grund af ~* for want of, because of
insufficient *(fx* he was discharged because of in-
sufficient evidence).

mangt: *~ og meget* a great many things.

mani *(en -er)* mania, craze *(for:* for).

manicure *(en)* manicure. **manicuredame** manicurist. **manicurere** *vb* manicure.

maniereret *adj* mannered.

maniererethed *(en)* mannerism.

manifest *(et -er)* manifesto; ⚓ manifest.

manifestation *(en -er)* manifestation.

manifestere *vb* manifest; ~ sig manifest itself.

manio-depressiv *adj* manic-depressive.

manipulation *(en -er)* manipulation.

manipulere *vb*, ~ *med* manipulate, handle.

manisk *adj* manic, maniacal.

manke *(en -r)* mane. **mankefår** *(et -)* zo aoudad.

manna *(en)* manna; *(vingefrugt af elm)* elm seeds.

mannequin *(en -er)* model, mannequin; *(voks-)* dummy; *(lededukke)* lay figure; *gd* ~ model. **mannequinopvisning** fashion show.

manomet|er *(et -re)* manometer; *(på damp-maskine)* steam gauge.

mansard|etage mansard. **-tag** mansard roof.

mantisse *(en) (mat.)* mantissa.

manuducend *(en -er)* student who is coached, T tutee. **manuducere** *vb* coach; *(som universitets-manuduktør)* tutor. **manuduktion** *(en)* coaching; *tage* ~ *hos* be coached by. **manuduktør** *(en -er)* coach, *(universitets-)* tutor.

manuel *adj* manual; *-le fag* practical subjects.

manufaktur *(-varer)* drapery (goods), *(ofte =)* textiles; *(amr)* dry goods. **manufaktur|handel** draper's (shop); *(amr)* dry-goods store. **-handler** *(en -e)* draper; *(amr)* dry-goods dealer. **-varer** *se manufaktur.*

manuskript *(et -er)* manuscript, MS *(pl* MSS); *(typ.)* copy; *trykt som* ~ printed for private circulation.

manøvre *(en -r)* manoeuvre. **manøvredygtig** *adj* in working order, manoeuvrable. **manøvrere** *vb* manoeuvre. **manøvrering** *(en)* manoeuvres, manoeuvring.

manøvreudygtig *adj* unmanageable, disabled.

mappe *(en -r)* briefcase; *(stor)* portfolio; *(charteque)* file.

marabu(stork) marabou.

marathonløb marathon race.

march *(en -er)* march; ~ *på stedet* marking time; *på* ~ on the march.

marchal *(en -ler) se* marskal.

marchere *vb* march; ~ *på stedet* be marking time. **march|færdig** *adj* ready to march. **-hastighed** (marching) pace; *(flyv)* cruising speed. **-kolonne** marching column. **-orden** marching-order. **-ordre** marching-orders.

marcipan *(en)* marzipan. **marcipanmasse** almond paste.

mare *(en -r)* nightmare, incubus; *det red mig som en* ~ it was a nightmare. **mare|halm** lyme grass. **-kat** guenon. **-lok** elflock; *(med.)* plica̍.

marengs *(en -)* meringue.

mareridt *(ogs fig)* nightmare.

margarine *(en)* margarine.

margen *(en -er) (ogs fig & merk)* margin; *i -(en)* in the margin; *note i -en* marginal note.

margerit *(en -ter)* ⚓ marguerite, ox-eye daisy. Maria Mary; *jomfru* ~ the Virgin Mary.

marie|glas mica. **-høne** zo ladybird.

marihuana marihuana. **marihuanacigaret** marihuana cigarette; T reefer.

marin, marin- marine *(fx* m. biology).

marinade *(en -r)* marinade; *(til salat etc)* dressing.

marine *(en -r)* navy.

marine- naval, navy *(fx* naval artillery, attaché hospital; navy surgeon). **marine|billede** seascape. **-blå** *adj* navy blue. **-infanterist** marine; *(amr* T) leatherneck. **-maler** marine painter. **-minister** Minister of Naval Affairs; *(eng.)* First Lord of the Admiralty; *(i U.S.A.)* Secretary of the Navy. **-ministerium** Ministry of Naval Affairs; *(eng.)* Admiralty; *(i U.S.A.)* Department of the Navy.

marinere *vb* marinate, pickle *(fx* pickled herring). **marine|soldat** *(orlogsgast)* seaman; *(marineinfanterist)* marine. **-stab** Naval Staff.

marionet *(en -ter)* puppet, marionette. **marionet|-regering** puppet government. **-spil, -teater** puppet show.

maritim *adj* maritime.

I. mark *(en -)* *(mønt)* mark; *5* ~ *5* marks.

II. mark *(en -er)* field; *slå af -en (fig)* oust, drive from the field; *føre i -en (fig)* put forward *(fx* a new argument); ⚔ bring into the field, muster; *i (, på) -en* in the field; *gøre studier i -en* work in the field; *do field work; stå i -en (kricket)* field.

markant *adj* marked; characteristic *(fx* examples); pronounced *(fx* features); *en* ~ *personlighed* an outstanding (, a forceful) personality.

mark|arbejde *(et -r)* fieldwork. **-arbejder** field hand. **-blomst** wild flower.

marked *(et -er)* market; *(m forlystelser etc; messe)* fair; *(handelscentrum)* emporium; *afholde et* ~ hold a fair; *erobre et* ~ capture a market; *forfængelighedens* ~ Vanity Fair; *åbent (, frit)* ~ open market; *åbne nye -er for deres varer* open up new markets for their goods; *på -et* in the market.

markeds|analyse market analysis. **-beretning** market report. **-dag** fair day. **-føre** marketing. **-gøgler** performer (at a fair), mountebank. **-plads** market place; fairground *(se marked).* **-pris** market price.

markere *vb (betegne)* indicate *(fx* railways are indicated by a line); mark; *(fremhæve)* emphasize; *(i skole)* put up one's hand; *-de træk* pronounced features.

marketender *(en -e)* canteen man.

marketenderi *(et -er)* canteen.

mark|frø *pl* field seeds. **-greve** margrave. **-grevinde** margravine. **-grevskab** margraviate.

markis *(en -er)* marquis.

I. markise *(en -r) (solsejl)* awning; *(foran butik etc)* sunblind.

II. markise *(en -r) (markis' hustru)* marchioness. **mark|mus** field vole. **-skel** field boundary.

markskrigerisk *adj:* ~ *reklame* ballyhoo.

Markus Mark. **Markusevangeliet** the Gospel according to St. Mark.

markvej *(omtr =)* track.

markør *(en -er)* marker.

Marmarahavet the Sea of Marmara *(el.* Marmora).

marmelade *(en -r) (orange-)* marmalade; *(andre slags)* jam.

marmor *(et)* marble; *bryde* ~ quarry marble.

marmor- marble. **marmoreret** *adj* marbled *(fx* paper, edges of a book). **marmorering** *(en)* marbling. **marmor|kugle** *(til leg)* marble. **-plade** marble slab; *(på bord etc)* marble top.

marodør *(en -er)* marauder.

marokkaner *(en -e),* **marokkansk** Moroccan.

Marokko Morocco.

maroquin *(et)* morocco (leather).

Mars Mars. **marsboer** *(en -e)* Martian.

Marseille Marseilles.

marsk *(en) (lavt kystland)* marsh(land).

marskal *(en -ler)* marshal; *(i den eng. hær)* field marshal; *(fest-)* steward. **marskalstav** marshal's baton.

marskandiser *(en -e)* second-hand dealer, junk dealer. **marskandiser|butik** second-hand shop, old-clothes shop; *(især neds)* junk shop. **-varer** *(pl)* second-hand goods; *(især neds)* junk.

marsk|egn, **-land** marshland.

marsvin guinea pig; *(tandhval)* porpoise.

marter|pæl stake. **-redskab** instrument of torture.

martialsk *adj* martial.

martre *vb* torture.

marts March. **martsviol** sweet violet.

martyr *(en -er)* martyr; *dø som* ~ *for en sag* die a martyr to a cause; *spille* ~ put on an air of martyrdom. **martyrdød** martyrdom; *lide -en* suffer martyrdom.

martyri|um *(et -er)* martyrdom.

marv *(en)* marrow; *(i træ)* pith; *(kraft)* backbone, pith; *kulden gik mig gennem ~ og ben* I was frozen to the marrow *(el.* through and through).

marv|ben marrow bone. **-fuld** marrowy, pithy. **-løs** marrowless, pithless. **-olie** marrow oil.

marxisme *(en)* Marxism.

marxist *(en -er),* **marxistisk** Marxist, Marxian.

I. **mas** *(et) (besvær)* trouble, bother.

II. **mas:** *i ~* to pieces; *gå i ~* smash (to pieces).

I. **mase** *vb' (ase, slide)* toil; *~ med* toil at *(fx* a job); *(have besvær med)* struggle with *(fx* a heavy bag).

II. **mase** *vb (knuse noget blødt)* mash, crush, pulp, *(noget hårdt)* crunch, smash; *(presse, trykke)* press, squeeze; *~ 'på* press on, push; *~ sig frem* press forward, push one's way; *~ (sig) igennem* push through.

mask *(en) (af malt)* draff, mash.

I. **maske** *(en -r) (i net)* mesh; *(strikket, hæklet)* stitch; *der er løbet en ~ på min strømpe* there is a ladder *(, amr:* run) in my stocking; *tabe en ~* drop a stitch.

II. **maske** *(en -r) (for ansigtet)* mask; *(skuespillers)* make-up; *holde -n* keep a straight face; *rive -n af én* unmask sby. **maskebal** fancy-dress ball.

maske|fang *(et -) (i strømpe)* ladder-stop course(s). **-fast** *adj (om strømpe)* ladderproof; *(amr)* runproof.

maskepi *(et)* dealings *(fxÅ* have no dealings with him); *(hemmelig forståelse)* collusion *(med:* with).

maskerade *(en -r)* masquerade, fancy-dress ball.

maskere *vb* mask; *~ sig* mask, *(om skuespiller)* make up. **maskering** *(en)* masking; *(maske)* mask, make-up. **maskespil** masque.

maskin|arbejde *(et -r)* machine work. **-arbejder** fitter, mechanic. **-broderi** machine embroidery. **-chef** chief engineer.

maskine *(en -r) (arbejds-)* machine; *(kraft-, fx damp-, lokomotiv, motor)* engine; *(te-)* tea urn; *(skrive-)* typewriter; *(flyve-)* aircraft; *lavet på ~* machine-made; *skrive på ~* type.

maskinel *(et)* machinery; *adj* mechanical.

maskineri *(et -er)* machinery.

maskin|fabrik engine (, machine) works *(N.B.* an e. works). **-fagene** *pl* the engineering trades. **-folk** *pl* engineers; *(på teater)* stagehands, sceneshifters. **-forarbejdet** *adj* machine-made. **-gevær** machine gun. **-geværrede** machine-gun nest. **-hammer** power hammer. **-ingeniør** mechanical engineer. **-inspektør** superintending engineer.

maskinist *(en -er)* engineer.

maskin|klippet *adj* close-cropped, machine-cut. **-konstruktør** mechanical engineer. **-kraft** engine power; *ved ~* by machinery. **-lavet** *adj* machine-made. **-mand** *(på teater)* stage mechanic. **-mester** engineer; *(på teater)* stage mechanic; *første ~ Φ* chief engineer; *anden ~ Φ* second engineer. **-mæssig** *adj* mechanical. **-olie** lubricating oil. **-papir** machine-made paper. **-passer** *(en -e)* engineman, machinist. **-rum** engine room. **-sav** power saw.

maskin|skade engine trouble, breakdown. **-skrevet** typewritten, typed. **-skriver(ske)** typist. **-skrivning** typewriting, typing. **-skåren** *adj* machine-cut. **-snedkeri** woodworking factory. **-station** *(m landbrugsmaskiner)* machine pool. **-strikning** machine-knitting. **-syet** machine-made. **-syning** machining. **-sætter** machine compositor. **-telegraf** engine -room telegraph. **-tøj** overalls, dungarees. **-uheld** *se -skade.* **-værksted** machine shop. **-væv** *(en -e)* power-loom.

maskot *(en -ter)* mascot.

maskulin *adj* masculine. **maskulin|um** *(et -er)* the masculine (gender).

massage *(en)* massage. **massage|behandling** massage treatment. **-klinik** massage parlour.

massakre *(en -r)* massacre.

massakrere *vb* massacre; *(lemlæste)* cripple; *(fig: mishandle)* mangle.

masse *(en -r) (kompakt stof)* mass; *(papir-)* pulp; *(stor mængde)* volume, large quantity, heaps, a lot, lots *(fx* of tobacco); *(stort antal)* heaps, a lot, lots *(fx* of potatoes); *-r af* heaps of, lots of; *en ~ mennesker* a crowd, a lot of people; *-rne, den store ~* the masses.

masse|angreb mass attack. **-arrestationer** wholesale arrests. **-fabrikation** mass production. **-grav** mass grave. **-medium** mass medium. **-mord** wholesale *(el.* mass) murder. **-morder** wholesale *(el.* mass) murderer. **-møde** *(et -r)* mass meeting. **-produktion** mass production.

massere *vb* massage.

masse|suggestion mass suggestion. **-udnævnelse** wholesale appointment. **-udskrivning** general levy. **-udvandring** wholesale emigration. **-virkning** mass effect; *(fysik)* mass action. **-vis:** *i ~* in large numbers, wholesale; *penge i ~* heaps of money.

massiv *adj* solid; *(tung, svær)* massive; *~ modstand* massive resistance.

massør *(en -er)* masseur. **massøse** *(en -r)* masseuse.

mast *(en -er)* mast; *(til elekt ledninger)* pylon; *kappe -en* cut away the mast.

maste|knap *(en)* truck. **-kran** rigging-sheers. **-top** masthead. **-træ** tree suitable for a mast.

mastiks *(en) (plante og stof)* mastic; *(til maskering)* megilp.

masturbation *(en)* masturbation.

masturbere *vb* masturbate.

I. **mat** *(en -er) Φ (medhjælper)* mate *(fx* cook's mate); *✕ (lønnet fast menig)* enlisted private; *Φ able* seaman first class.

II. **mat** *(en) (i skak)* check mate.

III. **mat** *adj (kraftløs)* faint, weak; *(glansløs)* dull, lustreless, dim, dead; *(klangløs)* dull, dead; *(kedsommelig)* dull, flat, tame; *(modsat: blank fx om foto)* mat; *(om glas)* frosted, mat; *(merk)* dull, flat; *(i skak)* mated; *~! mate!*

matador *(en -er)* matador; *(stor mand ogs)* magnate; *(spil)* ® *(svarer til)* Monopoly.

match *(en -er)* match.

matematik *(en)* mathematics.

matematiker *(en -e)* mathematician.

matematisk *adj* mathematical; *~ -naturvidenskabelig linie (i gymnasiet)* science side.

materiale *(et -r)* material, stuff.

material|forvalter store clerk. **-handel** *(butik) (omtr =)* drysaltery; *(amr omtr =)* drugstore. **-handler** *se materialist.*

materialisation *(en -er)* materialization.

materialisere: *~ sig* materialize.

materialisme *(en)* materialism.

materialist *(en -er)* materialist; *(materialhandler) (omtr =)* druggist.

materialistisk *adj* materialistic.

materialskur tool shed, store shed.

materie *(en -r)* matter, substance; *(med.)* matter, pus; *(emne)* subject; *en bog i ~* a book in sheets.

materiedannelse suppuration.

I. **materiel** *(et)* matériel, equipment, supplies *(fx* school supplies); *rullende ~* rolling stock.

II. **materiel** *adj* material; *(økonomisk)* pecuniary. **math** *(en -er) se* I. **mat**.

mathed *(en)* faintness; *(træthed)* languor; *(merk)* dullness, flatness.

matiné *(en matineer)* matinée.

matriarkat *(et)* matriarchy.

matrice *(en -r)* matrix.

matrik|el *(en -ler)* land register. **matrikulere** *vb* register. **matrikulering** *(en)* registration.

matrone *(en -r) (neds)* big matron.

matroneagtig *adj (neds)* stout, matronly.

matros *(en -er)* able seaman, sailor. **matros|bluse** jumper, sailor blouse. **-dragt** sailor suit.

matslebet *adj (om glas)* ground, frosted.

mattere *vb* mat; *(glas)* frost.

Matthæus Matthew. **Matthæusevangeliet** the Gospel according to St. Matthew.

maurer *(en -e)* Moor. **maurisk** Moorish.

mausole|um *(et -er)* mausoleum.

I. **mave** *(en -r)* stomach, T tummy; *have en dårlig* ~ have indigestion, have a bad stomach, have stomach trouble; *få* ~ develop a paunch; *hård* ~ constipation; *have ondt i -n* have a pain in the stomach; *ligge på -n for* cringe to, grovel before; *(beundre)* idolize; *tynd* ~ *(o: borgmestermave)* paunch, corporation; *tynd* ~ *(o: diarré)* diarrhoea.

II. **mave:** ~ *sig frem* crawl forward (on one's stomach), worm one's way forward.

mave- gastric, stomach. **mave|betændelse** gastritis. **-bitter** bitters. **-bælte** abdominal belt; *(på cigar)* band. **-dans** belly dance. **-danserinde** belly dancer. **-forkølelse** stomach chill. **-katar** gastric catarrh. **-kneb** colic, gripes. **-krampe** stomach cramp(s). **-kræft** cancer of the stomach. **-landing** *(flyv)* belly landing. **-pine** stomach ache. **-plaster** T *(ved udspring)* belly flop. **-saft** gastric juice. **-sur** *(fig)* bilious. **-svær** *adj* stout. **-sygdom** disease of the stomach. **-syre** gastric juice; *for meget* ~ acidity (of the stomach). **-sæk** stomach. **-sår** gastric ulcer.

mayonnaise *(en -r)* mayonnaise.

mazurka *(en -er)* mazurka.

I. **med:** *uden mål og* ~ aimlessly, at random.

II. **med** *præp.*

a) with *(fx* fight, play, dine with sby; have nothing to do with sby; I feel with you; God is with us; he that is not with me is against me; cut with a knife, write with a pen; fill a glass with water; rise with the sun; fight with courage); *en mand* ~ *rødt hår* a man with red hair, a red-haired man; ~ *tiden* with time, in time;

b) *(selvstændigt virkende middel, befordringsmiddel etc)* by; *dividere, multiplicere* ~ divide, multiply by; *maskinen drives* ~ *hånden* the machine is worked by hand; *han har to sønner* ~ *hende* he has two sons by her; *tage* ~ *magt* take by force; *tage* ~ *toget* go by train, take the train;

c) *(måde)* with, in; *skrevet* ~ *blyant, blæk, store bogstaver* written in pencil, ink, capital letters; ~ *forsigtighed* with care; ~ *hatten i hånden* with his hat in his hand; ~ *andre ord* in other words; ~ *høj stemme* in *(el.* with) a loud voice, *(om flere)* in *(el.* with) loud voices;

d) *(påklædning etc)* in *(fx* a man in a grey coat, in spectacles);

e) *(indbefattet)* including, counting;

f) *(andre tilfælde:) (lige)* ~ *ét* suddenly; *hr X* ~ *familie* Mr X and family; *du* ~ *dine frimærker!* you and your stamps! *forlovet, gift, lig* ~ engaged, married, equal to; *godt* ~ *penge* plenty of money; ~ *disse ord forlod han værelset* with these words *(el.* so saying) he left the room; *til og* ~ *mandag* up to and including Monday.

III. **med** *adv* (along) with me (, you, *etc*); *(også, tillige)* also, too, as well; *gå* ~, *se gå*; *har De bogen* ~? have you brought the book? have you got the book with you? *lade én køre* ~ give sby a lift; *være* ~ *(o: forstå)* understand; *er De* ~? *(o: forstår De?)* you see? *vil De være* ~? will you join us? *jeg vil ikke være* ~ count me out; *han var* ~ *i krigen* he was in the war; *er du* ~ *(på den)*? see? *(amr)* get me? *være* ~ *til at gøre noget* take part in doing sth *(fx* he took part in building the house); *help to do sth; (om noget forkasteligt)* be a party to doing sth.

IV. **med.** *(fk f medicine):* dr. ~ Doctor of Medicine; *være stud.* ~ be a medical student, study medicine.

medalje *(en -r)* medal; *bagsiden (el. reversen) af -n* the reverse of the medal; *(fig)* the reverse *(el.* the other) side of the picture.

medaljon *(en -er)* medallion; *(smykke)* locket.

medaljør *(en -er)* medallist.

medansvar joint responsibility.

medansvarlig: *være* ~ share the responsibility.

medansøger fellow applicant *(el.* candidate).

medarbejder collaborator, colleague; *(ved blad)* contributor *(ved:* to); *de faste -e (ved blad)* the staff; *fra vor udsendte* ~ from our special correspondent; *vore -e (i firma, sagt af overordnet)* our staff.

med|arrestant fellow prisoner. **-bejler(ske)** rival. **-bestemmelsesret** participation (in decision making); *have* ~ have a voice in the management *(etc).* **-borger** fellow citizen; *(landsmand)* (fellow) countryman.

medbringe *vb* bring (along); *dette kort bedes medbragt* kindly bring this card; *min medbragte mad* my own sandwiches.

medbør fair wind; *(fig)* prosperity.

meddelagtig *adj* accessory, a party *(i:* to).

meddele ∗ *(lade vide)* inform *(en ngt:* sby of sth), tell *(en ngt:* sby sth, sth to sby), communicate *(en ngt:* sth to sby); *(ngt hemmeligt)* impart *(fx* one's plans to sby); *(om avis)* state, report; *(bekendtgøre)* announce; *(give)* give, grant; ~ *én kundskaber* impart knowledge to sby; *et brev som -r at* a letter to the effect that; *det -s herved at (i brev)* this is to inform you that, notice is hereby given that; ~ *sig til* open one's heart to, *(forplante sig til)* be imparted to *(fx* the motion is imparted to the wheels); impart itself to.

meddelelse *(en -r)* piece of information; communication, statement, report; *(officiel)* announcement, notice; *(kort artikel)* paragraph; *-r* information news; *nærmere -r* further particulars; *telefonisk* ~ a telephone message. **meddelelsesmiddel** medium (of communication).

meddeler *(en -e)* informant.

meddelsom *adj* communicative.

meddelsomhed *(en)* communicativeness.

meddirektør *(en -er)* joint manager.

I. **mede** *(en -r) (på slæde)* runner.

II. **mede** *vb* angle *(efter:* for).

medejer *(en -e)* joint owner.

medens *conj (om tid)* while; *(= hvorimod)* whereas, while.

mede|snøre fishing-line. **-stang** fishing-rod.

medfange *(en -r)* fellow prisoner.

medfart treatment, handling; *få en stem* ~ be roughly handled.

medfødt *adj* natural *(fx* charm, talents); native *(fx* tact); innate *(fx* courtesy; ideas); *(fagligt)* congenital *(fx* deafness, idiocy); *-e egenskaber (biol)* inherited characters.

medfølelse *(en)* sympathy; *have* ~ *med* sympathize with. **medfølende** *adj* sympathetic.

medfølge *vb (om bilag)* be enclosed.

medfølgende *adj (vedlagt)* enclosed.

medfør: *i* ~ *af* in pursuance of; *i* ~ *deraf* consequently; *(se ogs* embede).

medføre ∗ *(involvere)* involve *(fx* a certain risk), *(have til følge)* cause, result in *(fx* it will result in disaster); *(bringe med)* bring along with one, bring *(fx* he brought his dog); ~ *døden* be fatal.

medgang *(en)* prosperity, success, good fortune.

medgift *(en)* dowry, marriage portion.

medgive: ~ *en ngt* send sth (along) with sby; *(se ogs* indrømme).

medgørlig *adj* tractable, manageable, amenable.

medgørlighed *(en)* tractability, manageability, amenability.

medgå *vb* be consumed; *(om tid, penge)* be spent.

medhjælper *(en -e)* assistant.

medhold *(et):* *han fik* ~ *hos alle* everybody agreed with him; *hans anskuelser fandt* ~ *hos* .. his opinions were accepted by ..; *give én* ~ agree with sby *(i at:* that); *give sagsøgte* ~ find for the defendant.

medhustru concubine.

median *(en -er) (mat.)* median.

medicin *(en -er)* medicine; *(medikament, ogs)* drug;

(fag) medicine *(fx* study m.). **medicinal|direktør** chief medical officer. **-varer** *pl* drugs.

mediciner *(en -e)* medical student; *(i modsætning til kirurg)* physician.

medicin|flaske medicine bottle, phial. **-glas** *(til at drikke af)* medicine glass; *(se ogs -flaske)*. **-mand** medicine man.

medicinsk *adj* medical; *(tjenende som lægemiddel)* medicinal; ~ *embedseksamen* final examination in medicine; *(graden)* degree in medicine; *det -e fakultet* the Faculty of Medicine; ~ *kandidat* graduate in medicine, holder of a medical diploma; ~ *student* medical student. **medicinskab** medicine cupboard.

medikament *(et -er)* medicament, medicine, drug.

medindehaver *(en -e)* partner, joint owner.

medio : ~ *marts* in the middle of March.

medisterpølse [kind of sausage].

meditation *(en -er)* meditation.

meditere *vb* meditate.

medi|um *(et -er)* medium.

medkristen fellow-Christian.

medlem *(et -mer)* member; *(af lærd selskab ogs)* fellow. **medlemskab** membership.

medlems|kontingent subscription. **-kort** *(et -)* membership card. **-liste** *(en -r)* list of members. **-tal** number of members, membership.

medlidende *adj* compassionate, sympathetic.

medlidenhed *(en)* pity, compassion, sympathy; *af ~ (med)* out of pity (for); *føle ~ med* pity, feel pity for; *få ~ med* take pity on; *have ~ med* be *(el.* feel) sorry for, pity; *hav ~!* take pity on us! **medliden-hedsdrab** mercy killing, euthanasia.

med|lyd consonant. **-løber** *(en -e) (uselvstændig tilhænger)* follower; *(kommunistisk)* fellow traveller. **-menneske** *(et -r)* fellow creature, fellow being, fellow human being. **-menneskelig** *adj* brotherly, human. **-menneskelighed** *(en)* brotherliness.

med|mindre unless. **-redaktør** *(en -er)* co-editor. **-reder** *(en -e)* co-owner. **-regent** co-regent. **-regne** *vb* count (in), include. **-rejsende** travelling-companion, fellow-traveller. **-sammensvoren** (fellow) conspirator. **-skabning** fellow creature. **-skyld** *(en)* complicity.

medskyldig *adj* accessory *(i:* to), a party *(i:* to); *subst* accomplice. **medskyldighed** *(en)* complicity.

medspiller *(en -e)* fellow player, partner; *-ne (ogs)* the other players.

medtage *vb* bring (with one), bring along; *(bortfjerne)* take (with one), take along, carry off; *(transportere)* carry, convey; *(ikke forbigå)* include *(fx* in a list); *hunde må ikke -s* no dogs allowed.

medtaget *adj (beskadiget)* damaged; *(ramponeret)* battered; *(slidt)* worn; *(træt)* exhausted, worn out; *(bekymret)* careworn; *de hårdest medtagne* the worst sufferers; *de hårdest medtagne krigsinvalider* the most disabled servicemen; *medtagne nerver* shattered nerves.

med|udgiver *(en)* joint editor. **-underskrift** counter-signature. **-underskriver** co-signatory.

medusahoved gorgon's head, Medusa's head.

medvidende *adj* privy *(om:* to); ~ *smil* conspiratorial smile. **medvider** *(en -e): være ~ i* be privy to, be in the secret of, know of.

medvind following wind; ⚓ fair wind.

medvirke *vb* co-operate, assist *(til:* in), contribute *(til:* towards, to); *(om kunstner)* perform, take part. **medvirkende** *adj* contributory *(fx* cause), concurrent; *de ~ (kunstnere)* the performers, the actors, those taking part. **medvirken** *(en)*, **medvirkning** *(en)* co-operation, assistance; *under ~ af* assisted by, with the co-operation of.

medynk pity, compassion, commiseration.

medynkvækkende *adj* pitiful, pathetic.

mefistofelisk *adj* Mephistophelean.

megafon *(en -er)* megaphone.

megen *adj* much.

I. **meget** *adj* much; *han har fået lidt for ~ (spiritus)* he has had a drop too much; *gøre for ~ ud af det*

overdo it; *det er alt for ~ (ɔ: elskværdigt)* it is too kind of you; *det er ~* that is a lot; *det er ikke ~* that is not much; *det var ~ at han kom sig* it was a wonder that he recovered; *lige ~: se III.·lige*.

II. **meget** *adv.*
a) *(ved adj og adv i positiv, samt præs part og perf. part opfattet som adj)* very *(fx* very strong, quickly, interesting, bored);
b) *(ved komparativ)* much *(fx* much stronger, much more easily);
c) *(ved verber)* much, very much, greatly, a great deal *(fx* he amused us very much; a much discussed book; I was (very) much surprised by this); T a lot *(fx* he talked a lot);
d) *(ved afraid og* alike) much, very much;
e) *(= temmelig)* quite *(fx* the play was quite good, but the acting was poor);
f) *(andre tilfælde:)* ~ *for lille* much too small; *så ~ mere som* the more so because *(el.* as); *han ikke så ~ som svarede* he did not even answer, he did not so much as answer.

megetsigende *adj* meaning, expressive.

meje *vb* mow, reap. **mejemaskine** *(en -r)* reaper, reaping-machine. **mejer** *(en -e)* reaper, mower.

mejeri *(et -er)* dairy, creamery; *(-virksomhed)* dairy-work, dairying. **mejeriprodukter** dairy produce.

mejerist *(en -er)* dairyman.

mejeriudsalg dairy.

mejetærsker *(en -e)* combine (harvester).

mejs *(en -er) (rygsæk)* rucksack.

mejse *(en -r)* zo tit *(fx* blåmejse blue tit).

mejs|el *(en -ler)* chisel.

mejsle *vb* chisel; *-de træk* chiselled features.

mekanik *(en) (lære)* mechanics; *(maskineri)* mechanism; *(automatisk virken)* mechanical action. **mekaniker** *(en -e)* mechanic. **mekanisere** *vb* mechanize.

mekanisk *adj* mechanical; *(uvilkårlig ogs)* automatic; ~ *musik (om grammofon etc)* T canned music. **mekanisme** *(en -r)* mechanism; contrivance.

mel *(et)* meal; *(hvede-)* flour; *have rent ~ i posen (fig)* have a good conscience.

melagtig *adj* mealy, farinaceous.

melankoli *(en)* melancholy. **melankoliker** *(en -e)* melancholiac. **melankolsk** *adj* melancholy, gloomy.

melasse *(en)* molasses.

melde ✱ report; *(meddele)* report, state, *(kun med personsobjekt)* inform *(fx* i. them (, him etc) that . .); *(gæst)* announce; *(i kortspil)* bid, call; ~ *fra* excuse oneself, back out; ~ *en ind* enter sby; ~ *en til politiet* report sby to the police; ~ *ham ud af skolen* remove him from school; *lade sig ~* send in one's name; ~ *sig* report *(hos:* to), *(tilbyde sig)* offer oneself, *(indtræffe)* arise, turn up, *(mærkes)* make itself felt; ~ *sig frivilligt (for at hjælpe til)* volunteer; ~ *sig ind* enter one's name, join; ~ *sig selv (til politiet)* give oneself up; ~ *sig rask* report fit for duty; ~ *sig til tjeneste* ✕ report for duty; ~ *sig ud* resign membership; ~ *et tog* announce a train.

meldecentral ✕ reporting station.

melding *(en -er)* report; *(i kortspil)* bid.

meldrøje *(en -r)* ⚘ ergot (of rye).

meldug ⚘ mildew.

mele *vb* (sprinkle with) flour; ~ *sin (egen) kage* feather one's (own) nest, look after number one.

meleret *adj* mixed. **melet** *adj* mealy.

melis *(en)* (refined) sugar; *stødt ~* granulated sugar. **melklister** (flour) paste.

mellem *se* imellem.

Mellemafrika Central Africa.

mellem|akt interval; *(amr)* intermission; *i -erne (ogs)* between the acts. **-aktsmusik** entr'acte.

Mellemamerika Central America.

mellem|blå medium blue. **-bygning** middle building. **-bys** *adj* interurban; ~ *samtale* trunk call, *(ogs amr)* long-distance call. **-bølger** *pl (radio)* *(200–1000 m)* medium waves; *(50–200 m)* intermediate waves. **-distanceraket** intermediate-range ballistic missile, IRBM. **-dæk** between-deck; *(passagerklasse)* steerage. **-dækspassager** steerage passenger. **-dør** communicating door.

Mellemeuropa Central Europe.

mellem|fin *adj* medium. **-fod** *(en) (anat)* metatarsus. **-folkelig** *adj* international. **-fornøjet** *adj* not very pleased, disgruntled. **-grund** *(på maleri)* middle distance; *(på teater)* mid-stage. **-gulv** *(anat)* midriff, diaphragm. **-handler** *(en -e)* middleman. **-handleravance** middleman's profit. **-hånd** *(i kortspil)* second hand; *(anat)* metacarpus. **-istid** interglacial period. **-kjole** afternoon dress. **-kommunal** inter-municipal.

mellem|komst *(en)* intervention, mediation. **-krigstiden** the inter-war period. **-kvalitet** medium quality. **-lag** intermediate layer. **-landing** *(flyvers)* intermediate landing; *foretage en ~ (ogs)* touch down; *flyvning uden ~* non-stop flight. **-led** *(et -)* connecting link; *(person)* intermediary; *med noget som ~* through the medium of sth. **-leje** *(et)* intermediate bearing; *(musik)* middle register (of the voice). **-liggende** *adj* intervening *(fx* days), interjacent *(fx* area); *~ tid* interval. **-lægspapir** grease-proof paper. **-lægsserviet** doily. **-mand** intermediary, middleman; *(mægler)* mediator; *(iser neds)* go-between. **-måltid** *(et -er)* snack (between meals). **-proportional** mean proportional. **-regning** *(merk)* current account. **-ret** side dish.

mellemrum *(sted)* space (between), interval; *(typografisk etc)* space; *(tid)* interval; *anbringe i -mene* put in between; *med ~ at* intervals; *de døde med en uges ~* they died within a week of each other.

mellem|skole [middle school]. **-spil** interlude. **mellemst** *adj* middle.

mellem|stand middle class. **-standpunkt** intermediate position. **-station** intermediate station. **-statlig** *adj (mellem suveræne stater)* international; *(mellem enkeltstater i forbundsstat)* inter-state. **-stilling** intermediate position. **-stor** middle-sized, medium. **-stykke** middle piece; *(af fisk)* middle cut. **-størrelse** medium size; *af ~* medium-sized. **-svær** *adj* medium (heavy). **-tid** *(en)* interval, intervening time; *i -en* in the meantime, meanwhile.

mellemtime *(en -r)* intervening hour; *(fri-)* hour off *(fx* I have an hour off between 11 and 12).

mellemting: *en ~ mellem* something between, a cross between; *det er nærmest en ~* it is something between (the two).

mellem|vare: *den bløde ~ (fig)* the run of the mill. **-vej** middle course; *gå en ~* take a middle course. **-væg** partition wall. **-vægt** middle weight.

mellem|værende *(et -r)* score, *(regnskab ogs)* account, *(strid ogs)* difference; *jeg har et gammelt ~ at afgøre med ham* I have an old score to settle with him. **-værk** *(håndarbejde)* insertion(s).

mellemøre *(anat)* middle ear. **mellemørebetændelse** inflammation of the middle ear.

Mellemøsten the Middle East.

melodi *(en -er)* tune, air; *(velklang etc)* melody; *på -en 'Home Sweet Home'* to the tune of 'Home Sweet Home'; *køre på den samme ~ (fig)* harp on the same string. **melodisk, melodiøs** *adj* melodious.

melodrama melodrama.

melodramatisk *adj* melodramatic.

melon *(en -er)* 🍈 melon. **melonkaktus** melon thistle.

melorm *(en -e) zo* meal worm.

melspise *(en -r)* farinaceous food, starchy food.

membran *(en -er)* membrane; *(i telefon etc)* diaphragm.

memoirer *pl* memoirs.

memorandum *(et)* memorandum.

memorere *vb* commit to memory, memorize.

I. men *(en)* injury, harm; *varig ~ injury* of a per-

manent character; permanent injury *(el.* ill-effects); *endnu have ~ af* still be suffering from the after -effects of.

II. men *(et -ner)* but; *jeg tænkte jo nok der var et ~!* I thought there was a catch *(el.* snag) somewhere!

III. men *conj* but; *~ dog!* tut-tut! dear me!

menageri *(et -er)* menagerie.

mene * *(tænke, tro, være af en vis anskuelse)* think *(fx* John thinks we ought to stay), be of opinion, believe, hold, *(især om begrundet mening)* consider *(fx* Professor X considers that . .); *(sigte til, have en vis hensigt med;* om *den virkelige mening bag ord og handling)* mean (do you mean John? I see what you mean); *~ det alvorligt* be in earnest, T mean business; *~ det godt* mean well *(med en:* by sby); *~ hvad man siger* mean what one says; *man -r* they say, it is said, the theory is; *hvad -r du med det?* what do you mean by that? *ikke ~ noget ondt med det* mean no harm; *~ om* think of *(fx* what do you think of this book?); *det skulle jeg ~!* I should think so! rather!

mened perjury; *begå ~* perjure oneself.

meneder *(en -e)* perjurer.

menig *adj* common, private; *subst* private *(fx* three privates); *-! medlem (af parti, fagforening etc)* rank -and-file member; *(i parlamentet)* backbencher; *~ soldat* private (soldier); *degradere til ~* reduce to the ranks.

menighed *(en) (trossamfund)* Church *(fx* the Church of Christ); *(om sekter og ikke-kristne -er)* community *(fx* the Jewish c.); Communion *(fx* the Roman Catholic C.); *(sognefolk)* parishioners, parish; *(kirkegængere)* congregation; *(fig)* disciples, devotees, flock.

menigheds|hus parish hall. **-råd** *(omtr* =) vestry. **menigmand** the man in the street.

mening *(en -er) (anskuelse)* opinion; *(betydning, logisk sammenhæng)* meaning, sense; *(hensigt)* intention, idea; *den almindelige ~* the general *(el.* common) opinion; *give ~* make sense; *have (el. være af) den ~ at* be of opinion that; *den offentlige ~* public opinion; *sige sin ~* speak one's mind; *når jeg skal sige min ~* if you ask me; *skifte ~* change one's mind; *hvad er -en?* what's the intention? *(hvad skal det gøre godt for?)* what is the (big) idea? what is that in aid of? *det er da vel ikke din ~ at* . . you don't mean to say that . .; *det var ikke min ~* I did not mean that;

[m præp:] være af en anden ~ hold a different opinion, think differently; *efter min ~* in my opinion; *i den bedste ~* with the best of intentions; *det er der god ~ i* that makes sense; *optage i en god ~* put a good construction on; *der er ikke megen ~ i at gøre det* there is not much point in doing that; *jeg gjorde det ikke i nogen ond ~* I meant no harm; *-en med denne ordning er at* the idea of this arrangement is that; *-en med hans besøg* the object of his visit; *~ om* opinion about *(el.* of); *hvad er din ~ om det?* what is your opinion of it? what do you think of it?; *det kan der ikke være to -er om* there can be no two opinions about that.

meningitis *(en)* meningitis.

menings|forskel difference of opinion. **-frihed** freedom of thought. **-fælle** person of the same opinion; *(partifælle)* fellow partisan; *han er min ~* he shares my views. **-løs** *adj (tåbelig)* senseless, absurd; *(uden mening)* meaningless *(fx* words); *-t ord* nonsense word. **-løshed** absurdity, nonsense. **-udveksling** exchange of views; *(diskussion)* debate.

menneske *(et -r; bestemt form* i pl: *mennesker)* man *(pl.* men), human being, person; *-t (i al almindelighed)* man; *-ne* mankind, man, the human race; *-r* people *(fx* many people died); human beings, men; *alle -r* everybody *(fx* e. knows that); *alle -r et skabt lige* all men are created equal; *et ~ (ogs)* somebody *(fx* she needs sby to talk to); *et godt ~* a good man (, woman); *Gud skabte -t i sit billede* God created man in his own image; *vi mødte ikke et ~* we did not meet a soul; *ungt* ~ youth, young man; *unge -r* young people, youth; *voksent* ~ adult, grown-up.

menneske|abe *zo* anthropoid ape. **-alder** generation. **-blod** human blood. **-fjendsk** *adj* misanthropic(al). **-forstand** human intelligence; *sund* ~ (ordinary) common sense. **-føde:** *(u)egnet til* ~ (un)fit for human consumption. **-had** misanthropy. **-hader** misanthrope. **-heden** mankind, humanity. **-hår** human hair. **-kender** *(en -e)* judge of character. **-kundskab** knowledge of human nature, knowledge of the world. **-kærlig** *adj* humane, philanthropic. **-kærlighed** philanthropy, love of mankind. **-kød** human flesh.

menneskelig *adj* human *(fx* weaknesses); *(menneskekærlig)* humane; *(ordentlig)* decent; *(rimelig)* reasonable *(fx* price); *det -e* human nature; *hvis der hænder ham noget -t* (ɔ: *hvis han dør)* if anything should happen to him.

menneskelighed *(en)* humanity; humaneness.

menneske|liv human life; *tab af* ~ loss of life. **-materiale** human material. **-mængde** crowd (of people). **-natur** human nature. **-offer, -ofring** human sacrifice. **-rettighed** human right. **-sind** human mind. **-sjæl** human soul. **-skikkelse** human form; *en djævel i* ~ a devil incarnate, a fiend in human shape. **-sky** *adj* shy; *være* ~ shun human society. **-skæbne** fate, life. **-slagteri** butchery. **-slægten** mankind, the human race. **-stemme** *(en -r)* human voice. **-sønnen** the Son of Man. **-tom** *adj* deserted, empty, desolate. **-type** human type. **-venlig** *= -kærlig.* **-vrimmel** crowd, throng (of people). **-værd** *(et)* (human) worth. **-værdig** *adj* decent. **-værdighed** dignity as a human being. **-værk** *(et -er)* work of man. **-væsen** human being; *(-natur)* human nature. **-ædende** *adj (om dyr)* man-eating. **-æder** *(en -e)* cannibal; *(dyr)* man-eater. **-æderi** *(et)* cannibalism. **-ånd** *(en)* human intellect *(el.* mind).

mens *se medens.*

menses = *menstruation.* **menstruation** *(en -er)* menstruation; *-ens ophør (klimakterium)* the menopause. **menstruationsbind** sanitary towel. **menstruere** *vb* menstruate.

mensur *(en) (duel)* (sabre) duel; *(i musik)* measurement.

mensvoren *adj* perjured.

mental *adj* mental. **mentalhygiejne** mental hygiene. **mentalitet** *(en)* mentality.

mente *(en -r)* number carried; *1 op og 4 i* ~ (put) I down and carry 4.

mentol *(en)* menthol.

mentor *(en -er)* mentor.

menu *(en)* menu, bill of fare.

menuet *(en -ter)* minuet.

menukort menu, bill of fare.

mer *se mere.* **mer-** extra, additional, excess.

merbeskatning *(en),* **merbeskatte** *vb* surtax.

mere *adj og adv* more; *aldrig* ~ never again; no more *(fx* we saw him no more; no more war); *klokken er* ~ *end jeg troede* it is later than I thought; *ikke* ~ *end* (ɔ: *kun)* no more than, (ɔ: *ikke over)* not more than; ~ *end nok* more than enough, enough and to spare, plenty *(fx* we have p. of fuel); ~ *for æren end for pengenes skyld* for the honour of it rather than for money's sake; *en grund* ~ one more reason, an additional reason; *vil du have* ~ *te?* do you want some more tea? *holde* ~ *af* like better, be more fond of; *hvad* ~ *er* what is more; *ikke* ~ no more, not any more, *(om tid)* no longer, (ɔ: *aldrig igen)* no more *(fx* we saw him no more); *jeg kan ikke* ~ I can't go on, I give up; *ikke et ord* ~ not another word; *så er der ikke* ~ that's all; *med* ~ etc., and so on; *meget* ~ much more, far more; *så meget* ~ *dumt er det af dig at gøre det* the more fool you to do that; *så meget* ~ *som* the more so because *(el.* as).

merforbrug additional consumption.

mergel *(en)* marl. **mergel|grav** marl pit. **-holdig** *adj* marly. **-jord** marly soil. **-lag** layer of marl.

mergle *vb* marl. **mergling** *(en)* marling.

merian *(en)* ♣ marjoram.

meridian *(en -er)* meridian.

mer|import, -indførsel *(større end udførsel)* import surplus. **-indkomst** excess profits.

merindkomstskat excess profits tax.

merino *(et)* merino. **merinofår** merino (sheep).

meriter *pl (gale streger)* escapades; *(forbryders)* crime sheet.

merkantil *adj* commercial, mercantile.

Merkur Mercury.

merskum *(et)* meerschaum.

mer|udbytte extra profit, increased profit. **-udgift** additional expenditure. **-værdiafgift** value added tax, *(fk:* V.A.T.).

mesalliance *(en -r)* misalliance.

mesan *(en -er)* ♣ spanker. **mesanmast** mizzen mast

Mesopotamien Mesopotamia.

I. **messe** *(en -r) (merk)* fair.

II. **messe** *(en -r) (katolsk)* Mass; *(protestantisk)* intoning (of the lesson); *holde* ~ celebrate Mass; *høre* ~ attend Mass; *læse* ~ say Mass.

III. **messe** *(en -r)* (⚓, ♣) mess; *(lokale)* messroom; *holde* ~ *sammen* mess together.

IV. **messe** *vb (rel)* chant, intone; *(fremsige monotont)* drone (out).

messe|bog missal. **-dreng** *(rel)* server; ♣ cabin boy, messroom boy. **-fald:** *der er* ~ there is no service. **-hagel** *(en -er),* **-kåbe** *(en -r) (rel)* chasuble. **-skjorte** *(rel)* alb.

Messias the Messiah.

Messina Messina. **Messinastrædet** the Strait of Messina.

messing *(et)* brass. **messing|blæser** *(musiker)* brass instrumentalist. **-instrument** brass (wind) instrument. **-skilt** brass plate. **-suppe** T brass-band music.

mest most; *(for største delen, især)* for the most part, mostly, mainly; ~ *af alle* more than anyone else; ~ *af alt* most of all, more than anything else; *det -e af* most of, the bulk of; *for det -e* generally, mostly; *holde* ~ *af* like best; *det* ~ *mulige* as much as possible.

mestbegunstigelsesklausul most-favoured-nation clause.

mestendels *adv* for the most part.

mest|er *(en -re)* master; *(i sport)* champion; *(fremragende dygtig person)* master (i: of), adept (i: in, at), past-master (i: in, at); (♣ *maskin-)* engineer; *(i omtale af principal)* the boss; *-eren (bibl)* the Master; *anden* ~ ♣ second engineer; *første* ~ ♣ chief engineer; *øvelse gør* ~ practice makes perfect; *en satirens* ~ a master of satire; *være* ~ *for* (ɔ: *udføre)* be the author of, perpetrate, *(udtænke)* devise, contrive, *(anstifte)* instigate, be the ringleader of *(fx* a mutiny); *hvem har været* ~ *for dette her?* who did this? who is responsible for this? *det har han været* ~ *for* that is his doing.

mester|bokser boxing champion. **-kok** chef.

mesterlig *adj* masterly.

mester|mand executioner, hangman. **-skab** *(et)* mastery, mastership; *(i sport)* championship. **-skud** masterly shot. **-skytte** crack shot, *(mesterskabs-)* champion marksman. **-stykke** masterpiece. **-svømmer(ske)** champion swimmer. **-værk** masterpiece.

mestiz *(en -er)* mestizo.

mestre *vb* master, *(styre ogs)* manage.

meta: *a* ~ *(merk)* on joint account.

metafor *(en -er)* metaphor.

meta|fysik *(en)* metaphysics. **-fysiker** *(en -e)* metaphysician. **-fysisk** *adj* metaphysical.

metal *(et -ler)* metal. **metalagtig** *adj* metallic.

metal|glans metallic lustre. **-industrien** the metallic industries. **-klang** metallic sound, clang. **-legering** alloy.

metallisk *adj* metallic. **metallurgi** *(en)* metallurgy.

metal|sløjd metalwork. **-støber** founder. **-tråd** wire. **-trådslampe** metal-filament lamp. **-varer** metal goods. **-værdi** metal value.

metamorfose *(en -r)* metamorphosis.

metastase *(en -r)* metastasis.

meteor *(et -er)* meteor. **meteor|fald** meteoric fall. **-jern** meteoric iron.

meteoro|log *(en -er)* meteorologist. **-logi** *(en)* meteorology. **-logisk** *adj* meteorological; ~ *institut* the Meteorological Office; *(amr)* the Weather Bureau.

meteor|regn meteor(ic) shower. **-sten** meteorite.

meter *(en -)* metre. **meter|mål** metre; *(målebånd)* tape measure; *sælge i* ~ sell by the metre. **-stok** (metre) rule. **-systemet** the metric system. **-varer** *pl* piecegoods. **-vis** by the metre; *i* ~ *af (svarer til)* yards and yards of.

Methusalem Methuselah.

metier *(en)* trade, business, job.

metode *(en -r)* method; *bringe* ~ *i* methodize, reduce to a method. **metodik** *(en)* methodology. **metodiker** *(en -e)* methodical person. **metodisk** *adj* methodical.

metodisme *(en)* Methodism.

metodist *(en -er)* Methodist.

metrik *(en)* prosody. **metriker** *(en -e)* prosodist. **metrisk** *adj* metric *(fx* the m. system); *(i verslære)* metrical.

metronom *(en -er)* metronome.

metr|um *(et -a)* metre.

metylalkohol methyl alcohol.

meute *(en -r)* pack (of hounds).

mexikaner(inde) *(en)* Mexican. **mexikansk** *adj* Mexican. **Mexiko** Mexico.

mezzanin *(en -er)* mezzanine.

mezzosopran mezzo-soprano.

mg *(et) fk f meget godt* [mark, corresponding to B + or Beta plus].

midaldrende middle-aged.

middag noon, midday; *(måltid)* dinner, *(officiel)* banquet; *i går –(s)* yesterday (at) noon; *stor* ~ large dinner; *bede ham til* ~ invite him to dinner; *blive til* ~ stay for (el. to) dinner; *hvad fik I til* ~? what did you have for dinner? *være ude til* ~ dine out; *sove til* ~ take an after-dinner nap; *spise til* ~ have dinner, *(højtideligere)* dine; *spise kylling til* ~ dine on (el. off) chicken, have chicken for dinner; *ved -en at* dinner.

middags|bord dinner table; *ved -et* at dinner. **-gæst** dinner guest, diner; *vi skal have -er* we are having guests for dinner. **-hede** midday heat. **-herre** diner-out. **-hvile** siesta. **-højde** meridian altitude; *(fig)* zenith. **-køkken** catering establishment. **-lur** after-dinner nap. **-mad, -måltid** dinner. **-selskab** dinner party. **-sol** midday sun. **-søvn** after-dinner nap. **-tid** noon; *(tid til middagsmad)* dinner time.

I. **mid|del** *(et -ler)* means *(pl -)*; *(udvej)* expedient, resource; *(læge-)* remedy; *-ler (penge)* means, resources, money, funds; *leve af sine -ler* have a private income; ~ *mod* remedy for, *(forebyggende)* remedy against; *et* ~ *til at .. a* means of *-ing (fx it* has been the means of extending our trade), a means to *(fx* find a means to help them).

II. **middel** average, mean, medium; *over (, under)* ~ above (, below) (el. over (, under)) the average. **middel-** medium *(fx* medium size); *(gennemsnits-)* average, mean.

middel|alderen the Middle Ages. **-alderlig** *adj* medieval. **-bar** *adj* indirect. **-engelsk** Middle English. **-god** medium, of medium quality.

Middel|havet the Mediterranean. **-havs-** Mediterranean *(fx* countries).

middel|høj *adj* of average height. **-højde** average *(el.* medium) height; *over (, under)* ~ above (, below) (el. over (, under)) the average (height). **-høst** average harvest, medium crops. **-klasse** middle class; *-n*

the middle classes. **-mådig** *adj* indifferent, mediocre. **-mådighed** *(en)* mediocrity.

middel|pris average price. **-standen** the middle class(es). **-stor** *adj* medium(-sized), of average size. **-størrelse** medium size. **-tal** mean, average. **-temperatur** mean temperature; *den årlige* ~ the mean annual temperature. **-vej** middle course; *gå den gyldne* ~ strike the golden mean. **-år** average year.

mide *(en -r) zo* mite.

midje *(en -r)* waist(line).

midlertidig *adj* provisional *(fx* arrangement); temporary *(fx* appointment); interim; *adv* provisionally, temporarily.

midnat midnight; *ved* ~ at midnight.

midnats|forestilling midnight performance; m. show. **-sol** midnight sun. **-tid** midnight. **-time** midnight hour.

midsommer midsummer.

midt: ~ *ad* along the middle of; ~ *for huset* straight in front of the house; ~ *i* in the middle of. *han er* ~ *i 40'rne* he is in his middle forties; ~ *i juni* (in) mid-June; ~ *iblandt* among; ~ *igennem* through the middle of, straight through; ~ *imellem* (halfway) between *(fx* h. between Esbjerg and Hull); *(iblandt)* among; ~ *ind i* straight into (the middle of), into the centre of; ~ *inde i* in the centre of; ~ *om dagen* in broad daylight, at noon; ~ *om natten* in the middle of the night; ~ *om sommeren* in the middle of the summer, in mid-summer; *brække* ~ *over* break in two; ~ *på* in the middle of; ~ *under (sted)* immediately below; *(tid)* in the middle of *(fx* his speech, the meal).

midte *(en)* centre, *(ogs tid)* middle; *af vor* ~ from among us; *i vor* ~ in our midst, among us; *på -n* in the middle.

midter- central, middle.

midterst *adj* middle, central.

midter|gang (central) gangway; *(amr)* aisle; *(i kirke)* aisle. **-rabat** centre strip; *(amr)* median strip. **-stykke** central piece.

midt|linie central *(el.* centre) line. **-punkt** centre, *(amr)* center.

midt|punktflyende *adj* centrifugal. **-punktsøgende** *adj* centripetal. **-skibs** *adv* amidships; *adj* midship. **-vejs** *adv* halfway, midway.

midvinter midwinter.

mig me; *(refleksivt)* myself, *(efter præp dog:)* me; *det er* ~ it's me; *det er* ~ *der har gjort det* I did it; *en ven af* ~ a friend of mine; *han vasker* ~ he washes me; *jeg vasker* ~ I wash (myself); *hun sagde at jeg skulle vaske* ~ she told me to wash (myself); *jeg bad ham om at hjælpe* ~ I asked him to help me; *jeg tog det med* ~ I took it with me; *jeg bed* ~ *i tungen* I bit my tongue.

migræne *(en)* migraine.

mikado *(et -er)* mikado.

mikkel: ~ *ræv* Reynard.

mikkelsaften Michaelmas Eve.

mikkelsdag Michaelmas Day.

mikrobe *(en -r)* microbe.

mikro|biolog microbiologist. **-biologi** microbiology. **-film** microfilm.

mikrofon *(en -er)* microphone.

mikrofon|prøve audition. **-skræk** microphone nerves. **-tække** radio appeal.

mikrorille microgroove.

mikroskop *(et -er)*, **mikroskopere** *vb* microscope. **mikroskopisk** *adj* microscopic(al).

mikse *vb* mix, jumble up; *(kludre)* bungle.

mikstur *(en -er)* mixture.

mil *(en -(e)): dansk* ~ Danish mile = 4.68 statute miles; *engelsk* ~ (statute) mile.

Milano Milan.

mild *adj* mild, gentle, soft; *(overbærende etc)* lenient; *(om vejret)* mild; *-e gaver* charitable donations, benefactions; *give -e karakterer* mark generously; ~ *straf* mild *(el.* light) punishment; *for at bruge et -t*

udtryk, -est talt to put it mildly; *være ~ mod* be gentle with (*el.* to), be lenient with; (*se ogs mildt*).
mildhed (*en*) mildness, gentleness, softness.
mildne *vb* (*lindre*) relieve, alleviate, mitigate (*fx* the pain), soften, soothe; (*dæmpe*) dim (*fx* the light), tone down (*fx* an expression); (*om temperatur*) take the edge off (*fx* the sun took the edge off the frost), temper (*fx* God tempers the wind to the shorn lamb).
mildt *adv* mildly, gently, softly; *et ~ bebrejdende blik* a glance of gentle reproof; *behandle ~* treat leniently; *se ~ til* look kindly at; (*fig ogs*) smile on.
mile (*en -r*) (*klit*) dune; (*kul-*) charcoal stack; (*atom-*) atomic pile.
mile|pæl milestone. **-vidt** *adv* for miles.
milieu *se miljø.*
militarisering (*en*) militarization.
militarisme (*en*) militarism.
militarist (*en -er*), **militaristisk** *adj* militarist.
I.   **militær** (*et*) military, army, troops.
II. **militær** (*en -e*) military man, soldier.
III. **militær** *adj* military.
militær|attaché military attaché. **-flyver** air force pilot. **-gevær** service rifle. **-hospital** military hospital. **-læge** army surgeon; (*betegnes i England med den militære grad, fx* Lieutenant (, Captain, Major, Colonel) R.A.M.C. (*fk f* Royal Army Medical Corps)). **-musik** military music. **-nægter** (*en -e*) conscientious objector, *fk* C.O., (*slang*) conchie. **-orkester** military band. **-tjeneste** military service. **-uddannelse** military training.
miljø (*et -er*) environment, surroundings, background, milieu. **miljø|bestemt** *adj* environmental (*fx* changes). **-minister** (*i England*) Secretary of State for the Environment. **-skadet** *adj* maladjusted.
milliard (*en -er*) milliard; (*amr*) billion.
milli|bar (*en -*) millibar. **-gram** milligram. **-meter** millimetre.
million (*en -er*) million; *to -er bøger* two million books; *en befolkning på 10 -er* a population of 10 million(s); *-er af bøger* millions of books. **million|by** town of (over) a million inhabitants. **-vis**: *i ~* by the million; *bøger i ~ (ogs)* millions and millions of books.
millionær (*en -er*) millionaire.
milt (*en*) spleen. **miltbrand** anthrax.
mime (*en -r*), *vb* mime.
mimik (*en*) facial expression(s).
mimisk *adj* mimic.
mimose (*en -r*) ⚘ mimosa, sensitive plant.
mimoseagtig *adj* (over)sensitive.
mimre *vb* twitch one's mouth; (*om læber*) quiver, twitch; *en -nde olding* a dotard.
min (*mit, pl mine*) my, (*stående alene*) mine; *~ hat* my hat; *hatten er ~* the hat is mine.
minaret (*en -er*) minaret.
I.   **minde** (*et*) (*samtykke*) consent, permission.
II. **minde** (*et -r*) (*erindring*) memory, remembrance, recollection; (*eftermæle*) memory, remembrance; (*levn*) relic (*fx* visible relics of the past); (*ting til minde om noget*) souvenir, keepsake; (*mindesmærke*) memorial, monument; *-r fra ens barndom* memories of one's childhood; *have det i frisk ~* have a vivid recollection of it; *i mands ~* within living memory; *til ~ om* in memory of.
III. **minde** *vb*: *~ en om ngt* (*få til at huske*) remind sby of sth, (*gøre opmærksom på*) draw sby's attention to sth, (*advare*) warn sby of sth; *det -r om* it reminds you of, it suggests; *han -r mig om Dem* he reminds me of you; *~ svagt om* have (*el.* bear) a faint resemblance to; (*se ogs mindes*).
minde|digt commemorative poem. **-fest** commemoration. **-gudstjeneste** memorial service. **-højtidelighed** *se -fest.* **-krans** memorial wreath.
mindelig *adj* amicable (*fx* settlement); *adv* amicably; (*indtrængende*) urgently, earnestly.
mindelighed: *i ~* amicably.
mindelse (*en -r*) trace, vestige (*om:* of).
minde|lund memorial grove (*el.* park). **-ord** *pl*

commemorative words; (*nekrolog*) obituary. **-park** memorial park.
minderig *adj* rich in memories (of the past).
mindes (*erindre*) remember, recollect; (*fejre mindet om*) commemorate; *om jeg ~ ret* if my memory serves me right, if I remember rightly; *jeg ~ ikke at have truffet Dem før* I do not remember having met you before.
mindesmærke memorial, monument.
minde|sten monument. **-støtte** memorial column. **-tavle** plaque, memorial tablet. **-udstilling** commemorative exhibition. **-værdig** *adj* memorable.
mindre *adj* (*om størrelse*) smaller; (*modsat: mere*) less (*fx* less noise); (*om betydning, rang*) minor (*fx* a minor official); (*yngre*) younger; (*temmelig lille*) (rather) small; *adv* less (*fx* eat less); *~ behagelig* less agreeable, (*= ret ubehagelig*) not very agreeable; *~ digtere* minor poets; *~ forseelser* minor offences; *~ god* inferior, less good; *gøre ~* lessen, reduce; *ikke desto ~* nevertheless, all the same; *ikke ~ £5* (*: hele £5*) no less than £5, (*: mindst £5*) not less than £5; *intet ~ end* nothing less than (*fx* it was n. less than a miracle); nothing short of (*fx* n. short of a revolution can alter it); *med ~* (*conj*) unless; *på ~ end et år* in less than a year; *så meget ~ som* the less so because.
mindre|bemidlet *adj* of limited means. **-tal** minority. **-værd** (*et*) inferiority. **-værdskompleks** inferiority complex. **-årig** *adj* under age; *subst* minor, infant. **-årighed** (*en*) minority, infancy.
mindske *vb* reduce, diminish.
mindskelse (*en*) reduction, diminution.
mindst *adj* least, smallest; (*yngst*) youngest; (*af to*) smaller; younger; *adv* least; (*ikke under*) at least, not less than; *~ af alt* least of all; *det -e* the least (*fx* that is the least you can do); (*adv*) at all (*fx* if you feel at all tired); *ved -e berøring* at the slightest touch; *i de -e enkeltheder* to the last detail; *i det -e* at least (*fx* you might at least be polite), at any rate (*fx* at any rate I am politer than you); *ikke ~* especially; not least; *sidst men ikke ~* last (but) not least; *ikke det -e* (*= intet*) nothing at all (*fx* there was nothing left at all), (*slet ikke*) not at all, not in the least (*fx* it does not matter in the least); *ikke i -e måde* not in the least; *~ mulig* smallest (, least) possible, minimum; *det ~ mulige* as little as possible, a minimum; *det -e af to onder* the lesser of two evils; *ikke den -e smule* not the least bit.
mindste|beløb minimum sum. **-mål** minimum; (*for fisk til markedet*) minimum size limit.
I.   **mine** (*en -r*) (*udtryk*) air, look, (*litterært*) mien; *en barsk ~* a stern look, a frown; *fortrække en ~, se fortrække; give sig ~ af at være* pretend to be; *gøre gode -r til slet spil* put a good face on it; make the best of a bad job; *gøre ~ til at* make as if to (*fx* he made as if to go).
II. **mine** (*en -r*) (✕ ⚓) mine; *drivende ~* drifting mine; *udlægge -r* lay mines, mine.
III. **mine** (*en -r*) (*grube*) mine, pit.
mine|arbejde mining. **-arbejder** (*en -e*) miner. **-by** mining town, mining village. **-distrikt** mining district. **-drift** mining. **-felt** minefield. **-gang** gallery. **-kaster** (*en -e*) ✕ mine thrower. **-kran** ⚓ mine-recovery vessel. **-lægger** minelayer.
mineral (*et -er*) mineral. **mineralkilde** mineral spring. **minera|log** (*en -er*) mineralogist. **-logi** (*en*) mineralogy. **-logisk** *adj* mineralogical.
mineral|rige mineral kingdom. **-salt** mineral salt. **-samling** collection of minerals.
mineralsk *adj* mineral.
mineralvand mineral water.
minere *vb* mine.
mineskakt shaft.
minespil shifting facial expression.
mine|sprængning explosion of a mine. **-sprængt**: *skibet blev ~* the ship ran into a mine. **-stryger** (*en -e*) minesweeper. **-træ** (*tømmer*) mining-timber; (*props*)

pit props. **-udlægger** *(en -e)* ⚓ minelayer. **-udlæg-
ning** minelaying.

mingelere *vb* arrange things to suit one's own
ends, manage; *(blande)* mix.

miniatur *(en -er)* miniature; *i ~* in miniature, on
a small scale. **miniaturmaler** miniaturist.

mini|bil minicar. **-golf** midget golf.

minimal *adj (af mindste størrelse)* minimal, mini-
mum; *(meget lille)* diminutive, insignificant, neg-
ligible. **minimal|løn** minimum wage. **-pris** mini-
mum price, floor price.

minim|um *(et -a)* minimum.

minimums- minimum *(fx* m. thermometer).

minist|er *(en -re)* minister, *(i England om visse
ministre)* Secretary of State; *(gesandt)* envoy, min-
ister. **ministerchef** prime minister, premier.
ministerialkontor government office.

ministeriel *adj* ministerial; *(vedrørende det enkelte
departement)* departmental.

ministeri|um *(et -er)* ministry; *(kabinet)* Cabinet;
(departement) ministry, government department.
minister|krise Cabinet *(el.* ministerial) crisis.
-post ministerial office. **-præsident** prime minister,
premier. **-skifte** *(et) (regerings-)* change of govern-
ment; *(enkelt post)* ministerial change. **-taburet**
ministerial office.

mink *(en -er)* zo mink.

minoritet *(en -er)* minority.

minsandten really, upon my word.

I. **minus** *(et -ser) (mat.)* minus; *(NB det engelske
tegn er —, ikke ÷); (underskud)* deficiency, deficit;
(mangel) drawback.

II. **minus** *adv* minus, less; *~ 10 grader* ten degrees
below zero; *seks ~ fire er* to six minus four equals
(el. is) two, 6 — 4 = 2. **minusgrader** *pl* degrees be-
low freezing-point.

minuskel *(en, minuskler) (typ)* lower-case letter.

minut *(et -ter)* minute; *5 gange i -tet* 5 times a
(el. per) minute; *pd -ten* to the minute, *(straks)* in a
minute. **minutiøs** *adj* minute, close, thorough.

minut|skud *pl* ⚔ ⚓ minute guns. **-viser** minute
hand.

mirabel *(en -ler)* cherry plum.

mirak|el *(et -ler)* miracle; *gøre -ler* work miracles;
ved et ~ by a miracle, miraculously.

mirakel|doktor miracle man; *(kvaksalver)* quack.
-kur miraculous cure. **-mager** *(en -e)* miracle
-monger; m. worker. **-tro** *(en)* belief in miracles.

mirakuløs *adj* miraculous.

mis *(en -ser) (kat)* puss, pussycat; *som en ~* easily.

misantrop *(en -er)* misanthrope.

misantropisk *adj* misanthropic(al).

misbillig|e *vb* disapprove (of), take exception to,
frown on. **-else** *(en)* disapprobation, disapproval.

misbrug *(en el. et) (til slet formål)* abuse *(fx* the
abuse of narcotics); *(forkert brug)* misuse *(fx* of a
word); *~ af tillid* breach of trust *(se ogs misbruge).*

misbruge * *(til slet formål)* abuse *(fx* sby's con-
fidence), take advantage of *(fx* her inexperience),
trade on *(fx* his kindness); *(bruge forkert)* make
wrong use of, misuse *(fx* a word); *(chance)* muff.

mis|dannelse (congenital) deformity, malfor-
mation. **-dannet** *adj* (congenitally) deformed, mal-
formed.

misdæder *(en -e)* malefactor, evil-doer; *-en (o:
den skyldige)* the culprit, the offender.

miserabel *adj* miserable, wretched.

misere *(en -r)* misery, wretchedness; wretched
business.

misfarvet *adj* discoloured.

misforhold disproportion.

misfornøjelse displeasure, dissatisfaction.

misfornøjet *adj* displeased, dissatisfied.

misforstå *vb* misunderstand, mistake; *-et iver
(, idealisme)* misguided zeal *(,* idealism).

misforståelse *(en -r)* misunderstanding.

misfoster monster, abortion.

misgerning misdeed, evil deed.

misgreb *(et -)* mistake, error, *(grovere)* blunder.

mishag *(et)* displeasure, dislike, disapproval.

mishage *vb* displease.

mishandle *vb* ill-treat, maltreat; *(fig)* mangle *(fx*
a piece of music).

mishandling *(en -er)* ill-treatment, maltreatment
(af: of); cruelty *(af:* to); *(som skilsmissegrund)* cruelty;
~ af dyr cruelty to animals.

miskende * fail to appreciate.

miskendt *adj* unappreciated, misunderstood.

misklæde *: det -r hende* it does not become
(el. suit) her; *(om opførsel)* it is unbecoming in her.

miskmask *(et)* medley; jumble, hotchpotch.

miskredit discredit; *bringe i ~* bring into d.

miskundhed *(en)* mercy.

misliebig obnoxious, objectionable; *(se ogs mislig).*

mislig *adj* dubious, shady *(fx* transaction); *~ af-
fære (ogs)* fishy business.

mislighed *(en -er) (bedrageri)* fraud; *(i embeds-
førelse)* misconduct; *-er* irregularities, abuses.

misligholde *vb* fail to fulfil, break *(fx* a contract).

misligholdelse *(en)* breach of contract, non-ful-
filment.

mislyd *(en)* dissonance, discord.

mislykke|s *vb* fail; *det -des for ham* he failed; *for-
søget -des* the attempt failed *(el.* miscarried). **-t**
adj unsuccessful, abortive; *et ~ foretagende* a failure;
et ~ forsøg an unsuccessful attempt *(,* experiment).

mismod *(et)* despondency, dejection.

mismodig *adj* despondent, discouraged.

mispryde *vb* disfigure.

misregimente *(et)* misgovernment, misrule.

misrekommandere *vb* run down, disparage.

misrøgt *(en)*, **misrøgte** *vb* neglect.

misse: *~ med øjnene (blinke)* blink; *(knibe øjnene
sammen)* screw up one's eyes.

missekat pussycat.

missil *(et -er)* missile.

mission *(en)* mission; *indre ~* (the) Home Mission;
[an evangelical branch of the Church of Denmark];
i særlig ~ on a special mission; *opfylde sin ~* accom-
plish one's m.; *den har opfyldt sin ~ (fig)* it has served
its turn. **missions|arbejde** missionary work. **-sta-
tion** mission station. **missionær** *(en -er)* missionary.

misstemning *(en) (uvenlig stemning)* bad feeling;
(uenighed) disagreement; *(nedslåethed)* despondency;
det vakte megen ~ it caused a good deal of bad blood;
der var megen ~ mod loven the Act was very unpopular,
feeling ran high against the Act.

mistanke *(en)* suspicion; *blive genstand for ~*
come under suspicion, be suspected; *fatte ~ til* begin
to suspect; *have ~ om (el.* til) suspect; *have ~ om
at (ogs)* have a suspicion that; *det havde jeg ingen
~ om* I had no idea; *det har jeg ingen ~ om* T I
haven't a clue; *-n faldt på ham* he was suspected,
he fell *(el.* came) under suspicion.

mistbænk garden frame; *(varmebænk)* hotbed;
dyrkning i ~ forcing.

miste *vb* lose *(fx* a leg, one's life, money).

mistelten *(en -e)* ⚘ mistletoe.

mistillid *se mistro.* **mistillidsvotum** vote of no
confidence, vote of censure.

I. **mistro** *(en)* distrust, mistrust, suspicion *(til:
of); have (el.* nære) *~ til* distrust, mistrust.

II. **mistro** *vb* distrust, mistrust.

mistroisk *adj* distrustful, mistrustful, suspicious.

mistroiskhed *(en)* suspiciousness.

mistrøstig *adj* despondent.

mistrøstighed *(en)* despondency.

mistvivle *vb:* *~ om* doubt, despair of.

mistyde *vb* misinterpret, misconstrue.

mistydning *(en -er)* misinterpretation, mis-
construction, false interpretation.

mistænk|e * suspect *(for:* of); *en -t* a suspect;
have én -t suspect sby; *-t for at stjæle* suspected of
stealing.

mistænkelig *adj* suspicious, suspicious-looking.
mistænkeliggøre *vb* throw suspicion on.
mistænk|som *adj* suspicious, distrustful. **-som-hed** *(en)* suspiciousness, distrustfulness.

misunde * envy, grudge. **misundelig** *adj* envious; *være ~ på en for noget* envy sby sth; *jeg er ~ på ham for hans held* I envy (him) his luck, I am envious of his luck. **misundelse** *(en)* envy. **misundelses-værdig** *adj* enviable; *lidet ~* unenviable. **misunder** *(en -e): have -e* be envied.

misvisende *adj* misleading, deceptive; ⚓ magnetic; *~ kurs (, pejling)* magnetic course (, bearing).
misvisning *(en -er)* ⚓ variation.
misvækst failure of crops, crop failure(s).
mit *se min.*
mitrailleuse *(en -r)* mitrailleuse, machine gun.
mixer *(en -e)* mixer.
mjav *(et)*, **mjave** *vb* miaow.
mjød *(en)* mead. **mjødurt** ⚘ spiraea.
mm *(fk f millimeter)* millimetre.
m.m. *(fk f med mere)* etc.
mnemoteknik mnemonics.
mobil *adj* mobile, active. **mobilisere** *vb* mobilize.
mobilisering *(en)* mobilization.
I. **mod** *(et)* courage, heart; T pluck; *(lyst)* inclination, mind; *betage én -et* discourage sby, dishearten sby; *fatte ~, tage ~ til sig* take courage, take heart; *frisk ~!* cheer up! never say die! courage! *give ~, sætte ~ i* encourage, cheer up; *~ på livet* zest (for life); *have ~ på at* have a mind to; *jeg har ikke rigtig ~ på det* I don't feel up to it, I don't feel like it; *tabe -et* lose heart; lose courage; *have ~ til at* have the courage to; *vel til -e* at ease; *ilde til -e* ill at ease; *være ved godt ~* be of good heart.
II. **mod** *adj: ~ i hu* sad.
III. **mod** *præp, se imod.*
modangreb counter-attack.
modarbejde *vb* counteract, oppose.
modbeskyldning recrimination.
modbevis refutation, refutal, counterproof.
modbevise * refute.
modbydelig *adj* disgusting, loathsome, sickening.
modbydelighed *(en)* disgust, loathing; *få ~ for* conceive a loathing for; *have ~ for* loathe, abominate.
mode *(en -r)* fashion; *det er ~* it is fashionable, it is the fashion; *gå af ~* go out (of fashion); *på ~* in fashion, in vogue; *komme på* become the fashion, come in; *sidste ~* the latest fashion.
mode|artikler *pl* millinery. **-blad** fashion paper. **-dukke** *(en -r)* doll, fashion plate. **-farve** *(en -r)* fashionable colour; *blåt er ~* T blue is all the rage. **-forfatter** fashionable author. **-handlerinde** milliner. **-herre** man of fashion. **-hus** fashion house. **-journal** fashion magazine.
model *(en -ler)* model; *sidde ~ for en kunstner* sit for *(el.* to) an artist; *stå ~* pose.
modelaps dandy.
modelflyver model plane.
modellere *vb* model. **modellerer** *(en -e)* modeller. **modellering** *(en)* modelling. **modeller|pind** modelling tool. **-voks** plasticine.
modelsnedker pattern maker.
modelune whim of fashion; passing vogue, (passing) fad.
moden *adj* ripe, mature; *~ alder* mature years; *blive ~* ripen, mature, come to maturity; *(om byld)* come to a head; *efter ~ overvejelse* after mature consideration; *~ til* ripe for, ready for.
modenhed *(en)* ripeness, maturity.
mode|opvisning fashion show. **-præst** fashionable preacher. **-pynt** millinery.
moder *(en, mødre)* mother; *(dyr)* dam; *blive ~* become a mother; *-s dreng* mother's darling; *Deres fru moder* your mother; *gå i sin ~ igen* be abortive, come to nothing, be dropped; *hver -s sjæl* every mother's son.
moderat *adj* moderate, reasonable.

moderation *(en)* moderation; *(pris-)* reduction.
moderbinding *(psykologisk)* mother fixation.
moderere *vb* moderate, restrain; *~ sine udtryk* moderate one's language.
moder|følelse maternal feeling. **-glæde** joy of motherhood. **-kage** placenta. **-kirke** mother church. **-kærlighed** mother's love. **-land** *(for udvandrede)* mother country.
moderlig *adj* maternal, motherly.
moderlighed *(en)* motherliness.
moderløs *adj* motherless.
moder|mord, **-morder(ske)** matricide. **-mælk** mother's milk; *indsuge med -en* drink in with one's mother's milk. **-mærke** *(et -r)* birthmark.
moderne *adj* fashionable; *(nutids-)* modern, of today; *ikke ~ mere* no longer in fashion, out of fashion.
modern|isere *vb* modernize, renovate. **-isering** *(en)* modernization, renovation. **-isme** *(en -r)* modernism. **-istisk** *adj* modernist(ic).
moder|plante *(en -r)* mother plant. **-selskab** parent company. **-skab** motherhood, maternity; *frivilligt ~* birth control. **-skede** vagina. **-skib** *(for flyvemaskiner)* aircraft carrier.
modersmål mother tongue, native tongue.
moder|sprøjte vaginal syringe. **-stat** parent state.
mode|sag fashion, (passing) vogue. **-skuespiller** fashionable actor. **-tegning** fashion plate.
mod|falden *adj* depressed, dejected. **-faldenhed** *(en)* dejection, low spirits. **-foranstaltninger**, **-forholdsregler** counter-measures; *(som gengældelse)* retaliatory measures. **-forslag** counter-proposal. **-gang** adversity, bad luck. **-gift** *(en)* antidote.
modgående oncoming *(fx* traffic); contrary *(fx* current); in the opposite direction *(fx* a train in the opposite direction).
modhage barb; *forsynet med -r* barbed.
modificere *vb* modify, moderate.
modifikation *(en -er)* modification, moderation; *det er sandhed med ~* that is a qualified truth.
modig *adj* courageous, brave, bold, T plucky; *græde sine -e tårer* weep bitterly.
modist *(en -er)* milliner, modiste.
modkandidat rival (candidate).
modkrav counter-claim; *stille ~* set up a c.
modløs *adj* despondent, disheartened.
modløshed *(en)* despondency.
modmanøvre counter-manoeuvre.
modne *vb* ripen. **modnes** *vb* ripen, mature.
modning *(en)* ripening. **modningstid** ripening period.
mod|part adversary, opponent, opposite party; *-en (jur)* the other side. **-parti** opposite party, *(i sport)* opposing side; *holde med -et* side with the opposite party. **-pol** contrast. **-regning** set-off; *føres i ~ mod* be set off against. **-revolution** counter-revolution.
modsat *adj* opposite, contrary, *(omvendt)* reverse; *adv* in the opposite direction; *(tværtimod)* on the contrary; *(i modsætning til)* as opposed to, in contradistinction to, unlike; *den -te bred* the opposite bank; *det -te* the opposite, the contrary, the reverse; *er hun køn? nej, lige det -te* is she pretty? no, quite the reverse; *høj er det -te af lav* high is the opposite of low; *i ~ fald* otherwise, if not, failing which; *udtale sig i ~ retning* express oneself to the contrary.
mod|sige *vb* contradict. **-sigelse** *(en -r)* contradiction. **-skrift** rejoinder *(mod:* to). **-spil** *(i kort)* defence. **-spiller** *(en -e)* adversary, opponent.
modstand *(en -e)* *(fys, elekt)* resistance; *(forsvar, modarbejdelse)* resistance, opposition; *gøre (el. yde) ~ mod* offer resistance to, resist; *møde ~* meet with opposition; *passiv ~* passive resistance.
modstander *(en)* adversary, opponent, antagonist.
modstands|bevægelse resistance movement; *-n (ogs)* the Resistance. **-dygtig** *adj* capable of resistance, resistant; **-proof** *(fx* water-, weather-

proof). **-evne, -kraft** (power of) resistance. **-kamp** resistance. **-løs** adj unresisting.

modstille vb oppose; (til sammenligning) contrast (with).

modstrid inconsistency; være i ~ med be contrary to, clash with, be inconsistent with.

modstridende adj contradictory, conflicting.

modstræbende adj reluctant, grudging; adv -ly.

modstrøm counter-current.

modstykke counterpart; (modsætning) contrast.

modstød counter(-attack).

modstå vb (gøre modstand mod) resist, withstand (fx temptation); (klare sig over for) stand up to; (kunne tåle at udsættes for) be proof against (fx the fire); ikke til at ~ irresistible. **modstående** adj opposite (fx the o. sides of the square); (om side i trekant) subtending.

modsvare vb correspond to; -nde corresponding.

modsætning (en -er) contrast; (forskel) difference; danne en ~ til contrast with, form a contrast to; i ~ til contrary to, unlike, in contrast to, as opposed to, as distinct from; i diametral ~ til diametrically opposed to; stå i grel ~ til clash with. **modsætningsforhold** antagonism, clash of interests.

modsætte: ~ sig resist, oppose.

modtage vb receive; (ikke afslå, sige ja til) accept; (ved ankomst) welcome, (ved tog, skib etc) meet; ~ bestikkelse take bribes; ~ bestillinger (merk etc) take orders; ~ breve receive letters; drikkepenge -s ikke no gratuities; no tips; ~ en fremmed gesandt (, en gæst, indtryk, et slag) receive a foreign ambassador (, a guest, impressions, a blow); modtag vor tak please accept our thanks; vi har -t Deres brev af 4. maj we have received your letter of May 4; blive godt -t receive a hearty welcome.

modtagelig adj susceptible (fx to flattery); amenable (fx to reason); (følsom) sensitive, impressionable; et -t publikum a responsive audience; ~ for indtryk impressionable; ~ for en sygdom liable to catch a disease; (på grund af anlæg) predisposed to a disease; ikke ~ for en sygdom resistent to a disease; (immun) immune to a disease.

modtagelighed (en) susceptibility; (for sygdomme) predisposition (for: to).

modtagelse (en -r) reception (fx a kind r.; the r. of the guests); (af ting) receipt; (modsat afslag) acceptance; efter -n af Deres brev on receipt of your letter; få en hjertelig ~ receive a hearty welcome.

modtagelsesbevis receipt; (fra pakhus) warrant.

modtagelsestid office hours; (læges) surgery hours, (amr) office hours; (en ministers) time at which a minister is available to the public.

modtagelsesværelse reception room.

modtager (en -e) recipient, (ogs radio) receiver. **modtager|apparat** receiving set. **-station** receiving station.

mod|tryk counter-pressure. **-træk** (et -) counter -move; (fig ogs) counter-measure.

modul (en el. et, -er) (i byggeri) module.

modulation (en) modulation.

modulere vb modulate.

modus (en) mood.

mod|veksel re-draft, re-exchange. **-vilje** dislike, aversion. **-villig** adj reluctant. **-villighed** reluctance. **-vind** contrary wind, head wind; komme i ~ (fig) meet with opposition; (kritik) come under fire. **-virke** vb counteract; (ophæve) neutralize. **-virkning** counteraction; neutralization.

modvægt counterweight, counterbalance; counterpoise; danne en ~ til counterbalance, counterpoise.

modværge (et) defence; sætte sig til ~ resist, offer resistance, defend oneself.

mohikaner (en -e) Mohican; den sidste ~ the Last of the Mohicans.

moiré (et) moiré.

mokka (en) (kaffe) mocha. **mokkakop** demitasse.

mokkasin (en -er) moccasin.

I. mol (et) (tøj) (fine) muslin.

II. mol (en) (toneart) minor; h-mol B minor.

molakkord minor chord.

molbo (en -er) inhabitant of Mols; (fig) fool; -erne (svarer til) the wise men of Gotham. **molbo|agtig** adj stupid. **-historie** (svarer til) story about the wise men of Gotham.

mole (en -r) mole, breakwater; (tværs på kysten og ofte landingsbro) pier, jetty.

mole|kyle (et -r) molecule. **-kylær** adj molecular.

moler (geol) moler.

molest (en) molestation. **molestere** vb molest.

molevit: hele -ten the whole lot.

molok (en) Moloch.

molskala minor scale. **molskind** moleskin.

Molukkerne the Moluccas.

molybdæn et (min) molybdenum.

moment (et -er) (faktor) factor; (punkt) feature.

momentan adj momentary.

momentvis adv momentarily, for a moment.

moms (en), se merværdiafgift.

mon adv I wonder; ~ han lever endnu I wonder if he is still alive; ja ~ ikke I suppose so; T (ɔ: det kan du tro) you bet!

monark (en -er) monarch. **monarki** (et -er) monarchy. **monarkisk** adj monarchical. **monarkist** (en -er) monarchist. **monarkistisk** adj monarchist.

mondæn adj fashionable.

moneter pl (penge) T tin, dough.

mongol (en -er) Mongol. **mongolbarn** (med.) mongol. **Mongoliet** Mongolia. **mongolsk** adj Mongol, Mongolian.

monierglas wire(d) glass.

monisme (en) monism. **monitor** (en) monitor.

mono|gam adj monogamous. **-gami** (et) monogamy. **-grafi** (en) monograph. **-gram** (et -mer) monogram. **monok|el** (en -ler) monocle.

mono|lit (en -ter) monolith. **-log** (en -er) monologue, soliloquy. **-man** adj monomaniac(al). **-mani** (en) monomania. **-plan** (et -er) monoplane. **-pol** (et -er) (a) monopoly (på: of). **-polisere** vb monopolize. **-ton** adj monotonous. **-toni** (en) monotony.

monstrans (en -er) monstrance.

monstro se mon.

mons|trum (et) monster; (ngt stort og klodset) monstrosity. **-trøs** adj monstrous.

monsun (en -er) monsoon.

montage (en) (samling) assembling (fx the a. of automobiles); erection (fx of a machine); (især af mindre ting) mounting, fitting; (i film) montage. **montagebyggeri** industrialized building.

montere vb mount, fit (up), instal; ~ et broderi mount a piece of needlework; ~ en kanon mount a gun; ~ en maskine erect a machine; ~ et værelse fit up a room.

montering (en) mounting, fitting up; erection.

montre (en -r) showcase; (i museum) exhibition case.

montør (en -er) (machine) fitter; (amr) millwright; (elektriker) electrician.

monument (et -er) monument.

monumental adj monumental, imposing.

mop (en -per) mop.

I. moppe (en -r) (hunderace) pug (dog).

II. moppe vb (bearbejde med en mop) mop.

mops se I. moppe. **mopset** adj (arrig) ill-tempered; (gnaven) morose; (overlegen) snooty.

I. mor (en -er) (morian) Moor.

II. mor (en) (geol) raw humus.

III. mor se moder.

morads (et -er) bog, marsh.

morakke vb work like a horse, slave; (arbejde for stærkt) force the pace. **morakker** (en -e) (neds) worker who forces the pace at piecework; (sl.) tear -arse.

moral (en) (etik) ethics; (livsførelse) morals; (belæring i fabel etc) moral; (ånd i hær, i skole etc) morale; *(moral|system, -standard)* morality *(fx* an attack on accepted m.; commercial m.); *-en af alt dette er* the moral of all this is; *hun har ingen ~* she has no morals *(el.* principles), she is absolutely unprincipled; *den offentlige ~* public morals; *prædike ~* moralize. morale *(en -r)* moral. moralisere *vb* moralize. moralist *(en -er)* moralist. moralitet *(en -er)* morality.

moral|lov moral law. -lære *(en)* ethics. -princip moral principle. -prædikant moralizer. -prædiken *(neds)* lecture. moralsk *adj* moral.

morarenter *pl* interest on overdue payments. moratori|um *(et -er)* moratorium, respite. morbroder (maternal) uncle. morbær ⚕ mulberry. morbærtræ mulberry tree. mord *(et -)* murder *(på:* of). mordbrænder *(en -e)* incendiary. morder *(en -e)* murderer; *(snig-)* assassin. morderisk *adj* murderous.

morderlig *adv (se ogs meget)* jolly, awfully; *~ god* jolly good; *~ træt* dog-tired.

morderske *(en -r)* murderess.

mord|forsøg attempted murder. -instrument murderous instrument. -lyst bloodthirstiness. -lysten *adj* bloodthirsty, murderous. -stedet the scene of the murder.

mordvåben *(farligt våben)* murderous weapon; *(hvormed mord er begået)* murder weapon.

more *vb (underholde etc)* amuse, entertain, divert; *(få til at smile etc)* amuse *(fx* the incident amused us all); *det ~ mig at skrive* it amuses me to write, I enjoy writing; *~ sig* enjoy oneself, have a good time, *(over ngt)* be amused; *~ sig med* amuse oneself with; *~ sig over* enjoy, be amused by.

morel *(en -ler)* ⚕ morello. morfader (maternal) grandfather. Morfeus Morpheus. morfin *(en)* morphine, morphia. morfin|hunger craving for morphia. -indsprøjtning morphia injection.

morfinist *(en -er)* morphinist. morfinsprøjte *(en -r)* hypodermic syringe. morfologi *(en)* morphology. morfologisk *adj* morphological. morganatisk *adj* morganatic.

morgen *(en -er)* morning; god *~!* good morning! *fra ~ til aften* from morning till night; *i ~* tomorrow; *i ~ aften* tomorrow night; *tænke på dagen i ~* think of tomorrow; *i ~ tidlig* tomorrow morning; *i ~ ved denne tid* this time tomorrow; *i morges* this morning; *i går morges* yesterday morning; *om -en* in the morning.

morgen|andagt morning prayers. -avis, -blad morning paper. -bord breakfast (table). -bøn morning prayer. -dag: *-en* the next day; *(poetisk)* the morrow; *hvad -en vil bringe* what the future *(el.* the next day) has in store for us. -duelig *adj: være ~* be an early riser. -dæmring (early) dawn. -frue ⚕ marigold. -gave morning gift. -gnaven *adj* grumpy in the morning. -gry *(et)* dawn, daybreak. -gymnastik morning exercises. -kvist: *på -en* in the early morning. -mad breakfast. -mand early riser. -post morning post, this morning's mail *(el.* post). -røde *(en)* dawn. -salme morning hymn. -sang morning song; *(andagt i skoler)* morning prayers, *(ofte=)* (morning) assembly. -sko slipper. -skær *(et)* glow of dawn. -sol morning sun. -stjerne morning star; *(vægters)* (spiked) mace. -stund the early morning; *~ har guld i mund (svarer ofte til)* it is the early bird that catches the worm.

morges *se* morgen.

morian *(en -er)* blackamoor. morild phosphorescence. morlille *(en -r)* little old woman, granny. mormoder (maternal) grandmother. mormon *(en -er)* Mormon. mormonisme *(en)* Mormonism.

moro *(en)* amusement; *til stor ~ for* to the vast a. of. morse *vb* morse. morse|alfabet Morse alphabet, Morse code. -tegn Morse signal.

morskab *(en)* fun, amusement; *finde ~ i at gøre noget* think it fun to do something, derive amusement from doing something; *for -s skyld* for fun, for the fun of the thing.

morskabs|bog book of light reading, light novel, *(spændende)* thriller. -læsning light reading.

morsom *adj* amusing, entertaining, *(ogs = løjerlig)* funny; *(interessant)* interesting; *(rart)* pleasant, nice *(fx* that was p. for you; it is not so nice to travel alone); *det skal blive -t* it will be fun; *det er ved at blive lidt for -t* this is getting a bit thick; this is getting past a joke; *det var da -t!* how amusing! how nice! *det var -t at se Dem* I am delighted to see you.

morsomhed *(en -er)* joke; *sige -er* crack jokes. mortens|aften Martinmas eve. -dag Martinmas. mortér *(en, morterer)* ✕ mortar. morter *(en -e) (til stødning)* mortar. mortificere *vb* declare null and void. mortifikation *(en -er): ~ af noget* declaration by the court that sth is null and void.

moræne *(en -r) (geol)* moraine. moræne|aflejring glacial deposit. -ler moraine clay.

I. mos *(en) (kartoffel- etc)* mash; *(frugtmos ofte)* sauce *(fx* apple sauce).

II. mos *(et -ser)* ⚕ moss. mosagtig *adj* mossy. mosaik *(en -ker)* mosaic. mosaik|arbejde mosaic work. -gulv tessellated floor. -syge *(en)* mosaic. mosaisk *adj (rel)* Mosaic; *det -e trossamfund* the Jewish community.

I. mose *(en -r)* bog, moor. II. mose *vb* mash. moseand *zo* mallard.

Mosebog: *de fem Mosebøger* the Pentateuch; *1., 2., 3., 4., 5. ~* Genesis, Exodus, Leviticus, Numbers, Deuteronomy.

mose|bund boggy ground. -drag stretch of boggy land. -eg bog oak. -fund bog find. -gris *zo* water vole. -jord bog earth, peat soil. -kone: *-n brygger* there is a ground mist.

Moseloven the Mosaic law, the Law of Moses. mosel(vin) moselle. mosgroet *adj* moss-grown, mossy. moské *(en, moskeer)* mosque. moskito *(en -er)* mosquito *(pl -es)*. moskitonet mosquito net. moskus *(en)* musk. moskus|okse musk ox. -rotte musk rat.

Moskva Moscow.

most *(en) (drue-)* must, grape juice; *(ugæret æble-)* apple juice, *(amr)* cider; *(gæret æble-)* cider, *(amr)* hard cider; *(gæret pære-)* perry.

most|er *(en -re)* (maternal) aunt; *snakke for sin syge ~* have an eye to number one.

motel *(et -ler)* motel.

motion *(en)* exercise.

motiv *(et -er)* motive; *(tema i musik og kunst)* motif, theme; *(emne for litterær behandling, for billede)* subject.

motivation *(en -er)* motivation. motivere *vb* state the reason for, give the grounds for; *(psykologisk)* motivate; *(berettige)* justify; *-t anmodning* reasoned request; *~ en skål for* propose the health of.

motivering *(en -er)* statement of reasons; *(psykologisk)* motivation; *(berettigelse)* justification; *(ved prisuddeling)* citation; *med den ~ at* on the plea that.

motor *(en -er)* motor, engine. motor|bølle roadhog. -båd motor boat. -cykel motor cycle. -cyklist motor cyclist. -ejer car owner. -fartøj motor vessel. -folk motorists. -fører (certified) driver. -hjelm bonnet, *(amr)* hood.

motorisere *vb* motorize; *-t* motorized; ✕ *(motortransporteret)* motorized, *(m. lastbil)* lorry-borne; *(mekaniseret)* mechanized.

motorisering *(en)* motorization.

motor|køretøj motor vehicle. -kørsel motoring.

-ordonnans ✗ dispatch rider. -rum engine room; engine compartment. -skade motor trouble. -skib motor ship. -sport motoring. -sprøjte motor fire -engine. -stop engine failure. -tog diesel multiple unit, *fk* DMU. -vogn *(sporvogn)* motor car. -væddeløb motor race.

motto *(et -er)* motto *(pl -es)*.

mouilleret *adj* palatalized.

moussere *vb* effervesce, sparkle, fizz.

mousserende *adj* effervescent, sparkling, fizzy.

moustache *(en -r)* moustache.

movere: ~ sig take exercise.

mudder *(et)* mud, mire; *(støj)* noise, row *(utilfredshed)* grumbling; *gøre* ~ kick up a row, *(lave vrøvl)* make a fuss.

mudder|maskine dredger. -pram mud boat; *(selvlænsende)* hopper barge. -pøl puddle; *(fig)* slough. -vand muddy water.

mudre *(gøre mudret)* stir up the mud; ~ *op (uddybe)* dredge. mudret *adj* muddy.

muffe *(en -r)* muff; *(rørstykke)* socket; *være ved -n* T be flush. muffedise *(en -r)* muffetee, woolly wristlet.

mug *(en)* mould.

muge *vb* clean out, muck out *(fx* a stable); ~ *ud* clear away the dung, muck out.

muggen *adj* mouldy, musty, fusty; *(gnaven)* sulky, moody. muggenhed *(en)* mouldiness, mustiness; *(gnavenhed)* sulkiness.

mugne *vb* mould, go mouldy.

mugplet mould spot, spot of mould.

Muhamed Mohammed.

muhamedaner *(en -e)* Moslem, Mohammedan. muhamedanisme *(en)* Mohammedanism, Islam. muhamedansk *adj* Mohammedan.

muk *(et)* word, syllable; *han forstår ikke et (levende)* ~ he does not understand a word (of it all).

mukke *vb* grumble. mukkeri *(et)* grumbling.

mukkert *(en -er)* maul.

mulat *(en -ter)* mulatto *(pl -es)*.

muld *(en)* (vegetable) mould; *(det dyrkbare jordlag)* top soil; *under -e* under the sod.

muld|fjæl mould-board. -jord mould.

muldvarp *(en -e)* mole. muldvarpe|arbejde underground work. -grå *adj* mole-grey. -skud molehill. muldyr mule.

I. mule *(en -r) (snude)* muzzle.

II. mule *vb (surmule)* pout, sulk, look sulky; *(prygle)* thrash, lick.

mulepose nosebag.

mulig *adj* possible; *(gørlig)* practicable; *(tænkelig)* imaginable, conceivable; *al* ~ all possible, every *(possible)*; *alle -e (slags)* all sorts of; *alt -t* all sorts of things, anything, everything imaginable; *alt -t andet* anything else (you like); *jeg ønsker Dem alt -t godt* I wish you every happiness; *den bedst -e løsning* the best possible solution; *de flest -e* as many as possible; *højest* ~ highest possible, maximum; *så snart jeg på nogen* ~ *måde kan, så snart det er mig -t* as soon as I possibly can; *meget (el. nok) -t* quite possible, very likely; *mindst* ~ smallest (, least) possible, minimum; *det mindst -e* as little as possible, a minimum; *om -t* if possible; *snarest* ~ as soon as possible, as soon as may be; *størst* ~ the greatest possible; *så meget som -t* as much as possible; *så vidt -t* as far as possible.

muliggøre *vb* make possible.

mulighed *(en -er)* possibility, chance *(for:* of); *(gørlighed)* practicability; *(fremtids-)* prospect; *(den ene af to -er)* alternative; *(eventualitet)* contingency; *ingen anden* ~ no alternative, no other possibility; *en fjern* ~ a remote possibility, a slender chance; *have gode -er for* stand a good chance of.

muligvis *adv* possibly, perhaps.

mulkt *(en -er)* fine, mulct. mulktere *vb* fine.

mulm *(et)* darkness, gloom; *i* ~ *og mørke* in the dead of night, in pitch darkness.

multe *(en -r)*, multebær *(et -)* ⚘ cloudberry.

multi|plicere *vb* multiply; ~ *5 med 3* multiply 5 by 3. -plikand *(en -er)* multiplicand. -plikation *(en -er)* multiplication. -plikationstegn multiplication sign, *(på engelsk skrives* ×, *fx* 4 × 5 = 20). -plikator *(en -er)* multiplier. -plum *(et -pla)* multiple.

mulæsel hinny.

mumie *(en -r)* mummy. mumieagtig *adj* mummified.

mumle *vb (tale sagte)* mutter *(fx* m. threats), *(tale utydeligt)* mumble, *(enstonigt, dæmpet)* murmur *(fx* m. prayers); ~ *i skægget* mutter (to oneself). mumlen *(en)* mutter(ing); mumble, mumbling; murmur(ing).

mund *(en -e)* mouth; *bruge* ~ T jaw; *(sl)* shoot one's mouth off; *bruge* ~ *over for én* abuse sby; *holde* ~ hold one's tongue; *hold* ~! T shut up! *holde ren* ~ keep a secret; *lukke -en på en* silence sby, *(med magt)* gag sby, muzzle sby; *stoppe -en på en* silence sby, shut sby up; *tage -en for fuld (overdrive)* exaggerate, draw the long bow;

[m. præp:] *af hans egen* ~ from his own mouth; *tygge af -en* finish chewing; *snakke ham efter -en* echo him, play up to him; *beholde noget for sin egen* ~ keep sth for oneself; *sætte glasset for -en* put the glass to one's lips; *tage bladet fra -en* speak one's mind; *være grov i -en* be foul-mouthed; *han har det mest i -en* his bark is worse than his bite; *holde tungen lige i -en (fig)* watch one's step; *lægge én ordene i -en* put the words into sby's mouth; *snakke i -en på hverandre* speak all at once; *med én* ~ with one voice; *slikke sig om -en (ogs fig)* lick one's lips; *pas på din* ~ mind what you are saying; *slå sig selv på -en (fig)* contradict oneself, stultify oneself; *ikke kunne huske fra næse til* ~ have a memory like a sieve.

mund|aflæsning lip-reading. -art dialect. -bid *(et) (bidsel)* bit. -diarré: *have* ~ talk one's head off, talk the hind leg off a donkey.

munde: ~ *ud i (om flod)* flow *(el.* fall) into; *(fig)* end in; conclude in *(fx* his speech concluded in an appeal to the Government).

mundering *(en -er)* equipment; *(neds)* get-up *(fx* what are you doing in that get-up?), rig-out.

mund|fuld *(en -e)* mouthful. -harmonika mouth organ. -held saying, proverb, saw. -huggeri *(et -er)* quarrel, wrangling. -hugges *vb* quarrel, wrangle. -hule *(anat)* oral cavity.

munding *(en -er)* mouth, entrance; *(flod-)* mouth, *(tragtformet)* estuary; *(på skydevåben)* muzzle.

mund|kurv muzzle; *(fig)* muzzle, gag; *give* ~ *på* muzzle; *(fig)* muzzle, gag. -læder: *have et godt* ~ have the gift of the gab.

mund- og klovesyge foot-and-mouth disease.

mund|rap *adj* voluble; *(næsvis)* saucy. -ret *adj* idiomatic. -skænk cupbearer. -smag taste. -spejl stomatoscope. -stykke mouthpiece; *(cigaret-)* tip; *(på rør, slange)* nozzle.

mundsvejr idle talk; T gas, hot air.

mund-til-mund metode mouth-to-mouth method; T kiss of life.

mund-til-næse metode mouth-to-nose method.

mundtlig *adj* verbal, oral; *adv* -ly, by word of mouth; ~ *eksamen* oral examination, viva voce (examination), T viva *(fx* he was ploughed at the viva).

mundtlighed *(en):* ~ *i retsplejen* oral proceedings in the courts.

mund|tøj: *have -tøjet i orden* have the gift of the gab. -vand saliva, spittle. -vig corner of the mouth; *(anat)* commissure of the lips.

munk *(en -e)* monk, friar.

munke|bind *(bog-)* monastery binding. -celle (monk's) cell. -dragt monk's habit. -hætte cowl. -kloster monastery. -kutte cowl. -løfte *(et)* (monastic) vow. -orden monastic order. -væsen monasticism.

munter adj cheerful, gay, merry. **munterhed** (en) cheerfulness, liveliness, gaiety, mirth. **muntre** vb cheer (up); ~ sig play, lark, frisk about.

mur (en -e) wall; løbe panden mod en ~ run one's head against a wall; kæmpe med ryggen mod -en fight with one's back to the wall; stille én op mod en ~ stand sby up against a wall; (skyde én) put sby up against a wall. **mur|brokker** pl brick-bats, rubble. **-brækker** (en -e) ⚒ (battering-)ram.

mure vb build; (udføre murerarbejde) do brick-laying; ~ ind build into a wall; ~ inde wall up, immure; ~ til wall up.

murer (en -e) bricklayer. **murer|arbejde** brick-laying. **-arbejdsmand** bricklayer's assistant, hod-man. **-dreng** bricklayer's apprentice. **-formand** foreman bricklayer. **-håndlanger** bricklayer's as-sistant, hodman. **-håndværk** bricklaying. **-lav** mas-ter builders' association; (hist.) masons' guild. **-lære**: sætte en i ~ apprentice sby to a bricklayer. **-lærling** bricklayer's apprentice. **-mester** master builder. **-svend** bricklayer.

muret adj brick (fx a brick wall), brick-built.

muring (en) bricklaying, brickwork.

mur|kalk (brickwork) mortar. **-konstruktion** brickwork construction. **-krans** battlement; (gesims) cornice. **-krone** (arkit) battlement; (heraldisk) mural crown.

murmeldyr zo marmot; (fig) sluggard.

mur|pille pier. **-puds** (et) plaster(ing).

murre vb grumble (over: at); det -r i min tand there is a dull pain in my tooth.

murren (en) grumbling; (smerte) dull pain.

mur|sejler zo swift. **-ske** trowel. **-sten** brick. **murstens-** brick (fx house, wall).

mur|svale zo swift. **-tag** coping. **-tak, -tinde** merlon. **-værk** brickwork, masonry.

mus (en, -) mouse (pl mice); våd som en druk-net ~ as wet as a drowned rat; gå under med mand og ~ ⚓ be lost with all hands; når katten er ude spiller -ene på bordet when the cat is away, the mice will play.

muse (en -r) Muse.

muse|fælde mousetrap. **-hul** mousehole; jage ham i et ~ frighten him out of his wits; være lige ved at krybe i et ~ af skræk be frightened out of one's wits.

muselmand (en, muselmænd) Mohammedan, Moslem; (fig) human skeleton.

muse|rede (en -r) mouse's nest. **-stille** adj as quiet as a mouse; der var ~ you could have heard a pin drop. **-tænder** (smd tænder) small pointed teeth.

muse|um (et -er) museum; ~ for kunst art gallery, museum of art.

museums|besøg visit to a museum **-direktør** curator of a museum. **-genstand** exhibit, (ogs fig) museum piece. **-inspektør** museum keeper.

musicere vb play, make music.

musik (en) music; (orkester) band; med fuld ~ (fig) with drums beating and flags flying, in style; sætte ~ til noget set something to music; hendes ord var som sød ~ i hans ører her words were sweet music in his ears. **musikaften** musical evening.

musikalier pl music.

musikalitet (en) musicality.

musikalsk adj musical; være ~ have an ear for music, be fond of music, be musical.

musikanmelder music critic.

musikant (en -er) musician.

musikbibliotek music library.

musikdirigent conductor, bandmaster.

musiker (en -e) musician.

musik|forening musical (el. philharmonic) so-ciety. **-forlag** music house, music publishing firm. **-forlægger** music publisher. **-forstand**: have ~ be a connoisseur of music. **-forståelse** musical ap-preciation. **-handel** (butik) music shop; (handel) trade in music and musical instruments. **-handler** (en -e) music dealer. **-historie** musical history. **-in-**

strument musical instrument. **-konservatorium** academy of music, conservatoire. **-korps** band. **-lærer(inde)** music teacher. **-stykke** piece of music. **-time** music lesson. **-undervisning** music instruc-tion.

musi|kus (en -ci) musician.

musisk adj: -e fag [art and music].

muskat (en) ⚘ nutmeg.

muskatblomme mace.

muskateller (en) muscatel.

muskatnød nutmeg.

muskedonner (en -e) (bøsse) blunderbuss; (dun-hammer) reedmace, cat's-tail.

muskel (en, muskler) muscle. **muskel|bundt** bundle of muscles. **-fiber** (anat) muscle fibre. **-gigt** myositis. **-kraft** muscular strength. **-krampe** mus-cular cramp. **-sprængning** rupture of a muscle. **muskel|stærk** adj muscular, brawny. **-svind** progressive muscular atrophy. **-sygdom** my-opathy. **-trækning** muscular twitch. **-væv** (et) muscular tissue.

musket (en -ter) musket.

musketer (en -er) musketeer.

muskulatur (en) musculature.

muskuløs adj muscular, brawny.

muslet adj conchoidal.

musling (en -er) bivalve; (blå-) mussel.

muslingeskal shell; (af hjertemusling) cockleshell; (af kammusling) scallop (shell).

musselin (et -er) muslin; (uld-) mousseline de laine.

musselmalet adj: ~ porcelæn blue fluted china.

mustang (en) zo mustang.

musvit (en -ter) zo great tit.

musvåge (en -r) zo common buzzard.

mut adj sulky, moody, glum.

mutation (en -er) mutation.

muthed (en) sulkiness, moodiness, glumness.

mutter (en) old woman; (moder) mummy, ma; (min kone) my missus. **mutters**: ~ alene all alone.

mycelium (et) spawn (of fungi), mycelium.

I. **myg** (en -) gnat, mosquito (pl -es); gøre en ~ til en elefant make a mountain out of a molehill.

II. **myg** adj (smidig) supple, lissom; få én gjort ~ bring sby to heel.

myggestik gnat bite, mosquito bite.

myggesværm swarm of gnats (el. mosquitoes).

mylder (et) swarm, throng, crowd.

myldre vb swarm (fx the children swarmed round him); teem; ~ af (om ngt der er i bevægelse) swarm with (fx tourists; flies); be crawling with (fx insects); (være fuld af) teem with (fx the river teemed with fish, the book teems with errors); ~ ind (, ud) swarm (el. crowd, flock, troop) in (, out); det -r med røvere i bjergene the mountains are swarming with brigands; -nde fuld af swarming (, crawling, teeming) with; bristling with (fx errors).

myldretimer rush hours.

München Munich.

mynde (en -r) greyhound.

myndig (respektindgydende) authoritative, mas-terful; (jur) of age; blive ~ come of age.

myndighed (en -er) (respektindgydende væsen) authority, authoritativeness; (alder) full age, ma-jority; (offentlig ~) authority; (magt) power; -erne the authorities; ansvarlige -er responsible authorities; kommunale -r municipal authorities.

myndighedsalder full age, majority.

myndling (en -e(r)) ward.

mynte (en -r) ⚘ mint.

myr: det lille ~ the little thing.

myrde vb murder.

myrderi (et -er) massacre, butchery.

myre (en -r) ant. **myre|bo** ants' nest. **-flittig** adj hardworking, beaver-like, as busy as a beaver (el. bee). **-kryb**: det giver mig ~ it gives me the creeps. **-malm** bog iron ore. **-sluger** (en -e) zo anteater. **-tue** ant hill, ants' nest. **-æg** (et -) ant egg.

myriade *(en -r)* myriad.

myrra *(en)* myrrh. **myrraessens** (tincture of) myrrh.

myrte *(en -r)* ♧ myrtle. **myrtekrans** myrtle wreath; *(som brudesmykke bruges i Engl:)* (spray of) orange blossoms.

myseost [whey cheese].

mysteri|um *(et -er)* mystery.

mysteriøs *adj* mysterious.

mysti|cisme *(en)* mysticism. -ficere *vb* mystify. -fikation *(en)* mystification.

mystik *(en)* *(gådefuldhed)* mystery; *(rel)* mysticism; *omgivet af (el. hyllet i)* ~ wrapped *(el.* shrouded) in mystery. **mystiker** *(en -e)* mystic. **mystisk** *adj* *(gådefuld)* mysterious *(fx* crime); *(mistænkelig)* suspicious *(fx* person); *(rel)* mystic(al) *(fx* experiences).

myte *(en -r)* myth. **mytisk** *adj* mythical.

myto|log *(en -er)* mythologist. -logi *(en -er)* mythology. -logisk *adj* mythological.

mytteri *(et -er)* mutiny; *gøre* ~ mutiny; *stifte* ~ raise a mutiny. **mytterist** *(en -er)* mutineer.

mæcen *(en -er)* Maecenas, patron of art or literature.

mæfikke *(en -r)* zo turbit; *(skældsord)* goose.

mægle *vb* mediate.

mægler *(en -e)* *(forligs-)* mediator, conciliator, arbitrator; *(vare-)* broker; *(veksel-)* stockbroker. **mægler|forretning** broker's business. -gebyr, -løn brokerage. -virksomhed broking.

mægling *(en -er)* mediation; *(i arbejdsstrid, ved skilsmisse)* conciliation.

mæglingsforslag (proposed) compromise, compromise proposal.

mæglingsforsøg attempt at mediation.

mægte: ~ *at gøre ngt* be able to do sth.

mægtig *adj* powerful, mighty; *(stor)* vast, huge, enormous, T tremendous; *adv (meget)* immensely; greatly, T tremendously; ~ *god* splendid, marvellous; ~ *kraft* enormous force; *være noget* ~ master something; *han er ikke sig selv* ~ he is not master of himself.

mæh! baa!

Mæhren Moravia.

mæhæ *(et -er)* fool, simpleton.

mælam *(et -)* baa-lamb.

mælde *(en -r)* ♧ orache.

I. mæle *(et)* speech, voice; *få sit* ~ *igen* recover one's voice; *han er grov i -t* his voice is gruff; *miste -t* be struck dumb; *have tabt -t* be tongue-tied.

II. mæle *vb* utter, speak *(fx* he did not speak a word).

mælk *(en)* milk; *give* ~ yield milk, milk.

mælke *(en)* *(hos fisk)* milt, soft roe.

mælke|agtig *adj* milky, lacteous. -assistent milkboy. -bar milk bar. -bedømmelse *(kvalitets-)* milk grading; *(m h t bakterier etc)* milk testing. -bøtte ♧ dandelion. -dannelse lactation. -dreng milkboy. -fisk milter. -flaske milk bottle. -forsyning milk supply; *(butik)* dairy. -givning *(en)* lactation. -handler *(en -e)* milkman. -hvid milk -white. -junge milk can. -kande milk jug. -kirtel *(anat)* mammary gland. -kompagni dairy company. -kur milk cure. -kusk milkman.

mælkelignende *adj* milky.

mælke|mad milk foods. -mand milkman. -måler lactometer. -pulver milk powder.

mælkeri *(et -er)* milk bar.

mælke|spand milk pail. -sukker milk sugar, lactose. -syre lactic acid. -tand milk tooth. -udsalg dairy. -vej *(astr)* galaxy; *-en* the Milky Way. -vogn milk cart. -ydelse milk yield.

mænade *(en -r)* maenad.

mænd *pl af mand.*

mængde *(en -r)* *(kvantum)* quantity, amount; *(antal)* number; *(stort kvantum)* large quantity, T lot *(fx* a lot of butter); *(stort antal)* multitude, T lot *(fx* a lot of people), lots; *(menneskeskare)* crowd;

en ~ blomster a great many flowers; *en ~ mennesker* a great number of people, lots of people, a crowd (of people); *-n, den store* ~ *(hoben)* the masses, *(størstedelen)* the bulk, the greater part, the majority; *en forfærdelig* ~ an awful lot; *i rigelig* ~ abundantly, in large numbers *(el.* quantities); *findes i rigelig* ~ abound; *i tilstrækkelig* ~ in sufficient quantities; *hæve sig over -n* rise above the common herd.

mængdetal cardinal number.

mænge: ~ *sig med* rub shoulders with, mix with.

mær *(en -e)* *(nedsættende om kvinde)* bitch.

mærkat *(et -er)* ® sticker.

mærkbar *adj* perceptible, appreciable.

I. mærke *(et -r)* *(tegn)* mark, sign; *(indsnit)* notch, cut; *(etikette)* label; *(mærk)* brand *(fx* cigars of the best brand), make *(fx* a bicycle of the best make); ♧ sea mark, *(flydende)* buoy; *(fri-)* stamp; *(rabat-)* coupon; *(rationerings-)* coupon; *(pris-)* price tag, price label; *(emblem)* badge, emblem; *(kontrol-)* check; *bære* ~ *af (fig)* bear the stamp of; *bide* ~ *i* note; *lægge* ~ *til* notice; *værd at lægge* ~ *til* noteworthy; *skrive under -t X* write under the signature of X; *sætte* ~ *ved noget* put a mark against sth; *sætte* ~ *ved de enkelte poster* tick off each item.

II. mærke *vb* *(fornemme)* feel, notice, realize; *(ofte =)* see, hear, smell, taste; *(forsyne m mærke)* mark, *(m bogstaver)* letter, *(m tal)* number, *(m stempel)* stamp; *(ved indbrænding)* brand, *(m etikette)* label, *(påbundet)* tag; *mærk!* note! *vel at* ~ mind you; *lade sig* ~ *med* show, betray; ~ *sig* note; *det skal jeg* ~ *mig* I will bear that in mind; *mærk dig hvad jeg siger* mark my words; *man kan* ~ *på ham at han ved det* you can tell that he knows it; ~ *noget til* notice; *det kunne jeg ikke* ~ *noget til* I did not notice that; *billet -t X (svarer til:)* apply Box X.

mærke|blæk marking-ink. -bånd bookmark, tassel. -dag red-letter day; *(hvor der sælges mærker)* flag day. -jern marking iron.

mærkelig *adj* *(besynderlig)* queer, peculiar, odd *(fx* behaviour); *(usædvanlig)* strange, extraordinary *(fx* sight), remarkable *(fx* coincidence); *det var da -t* that is odd *(el.* strange); *-t nok* strange to say, oddly enough. **mærkelighed** *(en)* queerness, peculiarity, oddity; strangeness.

mærke|pæl *(grænse-)* boundary post; *(fig)* landmark. -seddel label; *(påbunden)* tag. -varer *pl* proprietary articles, branded goods. -år memorable year.

mærkning *(en)* marking, labelling *(etc, se II. mærke).*

mærk|værdig *adj* *(påfaldende)* strange, odd; *(bemærkelsesværdig)* striking, remarkable. -værdighed *(en -er)* strangeness, curiosity, peculiarity. -værdigvis oddly enough, strange to say.

mærs *(et -)* ♧ top. mærse|fald topsail halyard. -skøder topsail sheets. -stang topmast.

mærssejl topsail.

mæsk *(en)* mash. mæske *vb* *(ved brygning)* mash; *(fede)* fatten; ~ *sig med* gorge oneself with.

mæskekar mash tun. mæskning *(en)* mashing.

mæslinger *pl* measles *(mest m vb i sing fx* measles is caused by a virus).

mæt *adj* satisfied, full; *(fig)* satiated; ~ *af* satiated with; ~ *af dage* full of days; *han kunne ikke se sig* ~ *på billedet* he never tired of looking at the picture; *spise sig* ~ eat one's fill. **mæthed** *(en)* satiety.

mætning *(en)* *(kem)* saturation.

mætte *vb* satisfy, satiate; *(fys og kem)* saturate; *-nde (om måltid etc)* satisfying, substantial *(fx* meal); filling; *der er mange munde at* ~ there are many mouths to feed.

mø *(en -er)* maid, maiden; *(uberørt)* virgin.

møb|el *(et -ler)* piece of furniture; -ler furniture; *mange -ler* much *(el.* a lot of) furniture.

møbel|arkitekt furniture designer. -betræk furniture covering. -handler *(en -e)* furniture dealer. -lak cabinet varnish. -magasin furniture shop. -opbevaring furniture storage. -overtræk furniture cover. -plade blockboard. -politur furniture polish. -polstrer *(en -e)* upholsterer. -snedker *(en -e)* cabinet-maker.

møblement *(et -er)* furniture *(fx* the f. in the room was old and battered); *et ~* a suite *(fx* a bedroom suite).

møblere *vb* furnish; *-t lejlighed* furnished flat.

mødding *(en -er)* dunghill; *kaste på -en* scrap, discard.

I. **møde** *(et -r)* meeting; *(tilfældigt el. fjendtligt)* encounter; *(aftalt)* appointment; *(konference)* conference; *(forsamling)* assembly; *(parlaments-)* sitting; *(rets-)* hearing, sitting, session; *give ~* appear; *holde ~* hold a meeting, *(om forsamling ogs)* be sitting; *gå* (*, løbe*) *en i ~* go (*,* run) to meet sby; *gå sin undergang i ~* be heading for ruin; *sidde i et ~* be in conference; *på et ~* at a meeting; *han er (gået) til ~* he has gone to a meeting, he is in conference; *tinget udsatte sine -r en uge* the House adjourned for a week; *under -t* during the meeting; *åbne et ~* open a meeting.

II. **møde ★** meet; *(tilfældigt ogs)* come upon, come across; *(fjendtligt)* encounter; *(modstå)* face *(fx* face danger); *(blive genstand for)* meet with *(fx* he met with kindness); *(indfinde sig)* appear; *~ éns blik* meet sby's glance; *ikke ~ i retten* fail to appear before he court; *~ modstand* meet with opposition; *~ op* appear, arrive; turn up; *~ op med* present, bring forward; T trot out *(fx* t. out all the old arguments); *~ sin skæbne* meet one's fate; *~ til tiden* be there on time; *vel mødt!* welcome! hail! well met!

møde|pligt: *have ~* be under an obligation to appear. **-procent** turn-out *(fx* a large t.). **-protokol** minutes *(pl).*

mødes *vb* meet; *aftale at ~ med én kl.* 6 arrange to meet sby at six o'clock, make an appointment with sby for six o'clock; *vi ~ i morgen* T see you again tomorrow!

mødested meeting-place, rendezvous.

mødig *adj* weary. **mødighed** *(en)* weariness.

mødom virginity.

mødre *pl af moder.*

mødrehjælpen *(svarer til)* the National Council for the Unmarried Mother and her Child.

mødrene *adj* maternal, on the mother's side.

møg *(et)* dung; rubbish, trash; *(snavs)* filth, dirt; *sprede ~* spread dung.

møg|beskidt *adj* filthy. **-bør** *(en -e)* dung barrow. **-greb** *(en -e)* dung fork. **-kule** *(en -r)* dung pit. **-læs** *(et -)* cartload of dung. **-spredning** dung spreading. **-vejr** vile *(el.* foul, filthy*)* weather.

møje *(en)* pains, trouble; *med ~* with difficulty. **møjsommelig** *adj* laborious, difficult.

møjsommelighed *(en)* trouble, difficulty.

møl *(et -)* moth; *der er gået ~ i frakken* the moths have got into the coat, the coat is moth-eaten.

mølbehandlet *adj* mothproofed.

møl|kugle moth ball. **-larve** moth larva.

mølle *(en -r)* mill; *det er vand på hans ~* it is grist to his mill; *den der kommer først til ~ får først malet* first come, first served; *vende ~* turn cartwheels.

mølle|bygger millwright. **-byggeri** windmill construction. **-bæk** mill stream. **-dam** millpond. **-dæmning** milldam. **-hjul** mill wheel.

møller *(en -)* miller.

mølleri *(et -er)* milling; *(mølle)* mill. **mølle|sten** millstone. **-værk** millwork. **-å** mill stream.

møl|tablet moth ball. **-tæt** *adj* mothproof. **-ædt** *adj* moth-eaten.

mønje *(en -r)* red lead, minimum.

mønjere *vb* miniate.

mønning *(en -er)* ridge.

mønst|er *(et -re)* pattern; *(tegning til at arbejde efter)* design, *(udklippet, til kjole etc)* pattern; *(forbillede, eksempel)* pattern, model, paragon; *(gram)* paradigm; *være et ~ på* be a pattern *(el.* model*)* of; *tage en til ~* take sby for one's model, copy sby.

mønster|beskyttet *adj* registered. **-bog** pattern book. **-gyldig** *adj* model, exemplary, ideal. **-gård** model farm. **-tegner** (pattern) designer. **-værdig** *adj* exemplary, model; *-t adv* exemplarily. **-væv-ning** fancy weaving.

mønstre *vb* muster, inspect; *(holde revy over)* review, inspect; *(undersøge, betragte)* examine (critically), inspect; *(samle)* muster, collect, bring together; ⚓ *(tage hyre)* ship, sign on; *~ en fra top til tå* eye *(el.* look*)* sby up and down.

mønstret *adj* figured; *~ stof (ogs)* fancy material.

mønstring *(en -er)* muster; review; critical examination; ⚓ *(påmønstring)* signing on; *(afmønstring)* paying off; *holde ~* make a muster. **mønstringskontor** ⚓ seamen's employment bureau; *(svarer i England til)* the Mercantile Marine Office.

mønt *(en -er)* coin; *(valuta)* currency; *(penge)* money; *(møntanstalt)* mint; *~, mål og vægt* money, weights, and measures; *falsk ~* bad coin; *i fremmed ~* in foreign currency; *gangbar ~* current coin; *betale ham med samme ~* pay him back in his own coin, give him tit for tat; *slå ~* coin money; *slå ~ af noget (fig)* make capital of sth.

møntdirektør mintmaster; *(svarer i Engl til)* Deputy Master of the Mint.

mønte *vb* coin, mint; *det var -t på dig* that was aimed at you, that was one for you; *mine ord er ikke -t på dig* I am not referring to you.

mønt|enhed unit of coinage; monetary unit. **-fod** monetary standard; *dobbelt ~* bimetallism. **-guardein** assay master. **-konvention** monetary convention. **-mester** = *-direktør.* **-præg** stamp of a coin. **-prægning** *(en)* stamping of coins. **-reform** monetary reform. **-samler** *(en -e)* collector of coins. **-samling** collection of coins. **-sort** *(en -er)* species of coin. **-stempel** die. **-system** monetary system. **-telefon** pay phone. **-union** monetary union. **-videnskab** numismatics. **-væsen** coinage.

mør *adj (om kød)* tender; *(hensmuldrende, skør)* mouldering, crumbling; *(træt)* done up; *(føjelig)* submissive; *gøre én ~ (fig)* soften sby up; *jeg er helt ~ i armene* my arms are aching; *jeg var helt ~ efter fodboldkampen* I was quite done up after the football match; *koge ~* boil till tender.

mørbanke *vb* beat black and blue.

mørbrad *(en) (omtr =)* tenderloin.

mørbradsteg sirloin (of beef).

mørk *adj* dark; *-t hår* dark hair; *~ himmel* dark sky; *~ mine* sombre air, *(vrede)* black looks *(pl)*; *et -t punkt i hans fortid* a black spot in his past; *-t tøj* dark clothes, *(sæt tøj)* dark suit; *-e udsigter* gloomy prospects; *-t værelse* dark room; *før det bliver -t* before dark; *før it gets dark.*

mørke *(et)* dark, darkness, *(uhygge etc)* gloom; *-t falder på* darkness *(el.* night*)* falls; *efter -ts frembrud* after dark; *ved -ts frembrud* at nightfall; *-ts gerninger* deeds of darkness; *i ~* in the dark, in darkness; *i mulm og ~* at dead of night, in pitch darkness.

mørke|blond *adj* medium fair. **-blå** *adj* dark blue. **-brun** *adj* dark brown. **-kammer** dark-room. **-ræd** *adj* afraid of the dark. **-rød** *adj* dark red.

mørk|hudet *adj* dark(-skinned), swarthy. **-klædt** *adj* dressed in dark clothes. **-laden** *adj* darkish, *(om teint)* swarthy.

mørk|lægge black out *(fx* the town was blacked out); *~ sagen (fig)* keep the matter secret. **-lægning** *(en)* blackout. **-lægningsgardin** blackout curtain.

mørkne *vb* darken; *det begynder at ~* it is getting dark. **mørkning** *(en)* dusk, twilight; *holde ~* sit in the dark; *i -en* at dusk.

mørkøjet *adj* dark-eyed.

mørne *vb (om kød)* become tender; *(hensmuldre)* crumble.

mørtel *(en)* mortar. **mørtelværk** mortar mill. **møtrik** *(en -ker)* nut.

I. **må:** *på ~ og få* at random.

II. **må:** *præs af* II. **måtte.**

måbe *vb* gape; *stirre -nde på* gape at.

måde *(en -r)* way, manner; *(henseende)* respect; *(mådehold)* moderation; *(gram)* mood; *holde* ~ be moderate *(med:* in); *han kan ikke holde* ~ he does not know when to stop; *i alle -r* in all respects, in every way; *i lige* ~! *(svar på ønske)* the same to you! *(svar på skældsord)* you are another! *ikke i mindste* ~ not (in) the least; *med* ~ moderately, in moderation; *der er* ~ *med det* more or less; only moderately; *over al* ~ beyond (all) measure; inordinately *(fx* he is inordinately proud); **på** *alle (mulige) -r* in every (possible) way; *på en anden* ~ in another way, differently, otherwise; *på en eller anden* ~ somehow (or other); *på den* ~ in that way, like that; *det var på den* ~ *at* that was how; *på denne* ~ in this way, like this, thus; *på ingen* ~ by no means, not in the least, not at all; *så snart jeg på nogen* ~ *kan* as soon as I possibly can.
mådehold *(et)* moderation.
mådeholdende *adj* moderate.
mådelig *adj* mediocre, indifferent, poor; *adv.* indifferently. **mådesadverbium** adverb of manner.

måge *(en -r)* (sea) gull. **måge|koloni** gullery. **-rede** *(en -r)* gull's nest.

I. **mål** *(et -) (som man sigter på)* mark, *(skydeskive,* ~ *for artilleriild, bombenedkastning etc)* target; *(ved hestevæddeløb)* winning-post, *(ved kapløb)* goal; *(fodbold- etc)* goal; *(formål)* aim, purpose, object, end; *(bestemmelsessted)* destination; *(til måling)* measure; *(størrelse)* dimension, measure(ment); *(grad)* degree, extent;
syet efter ~ made to measure; *forfølge et* ~ pursue an aim *(el.* object *el.* end); *i fuldt* ~ in full measure, to the full; *nu er -et fuldt (fig)* that is the limit; *største fælles* ~ *(mat.)* greatest common measure, G.C.M.; *få* ~ score (a goal); *knapt* ~ short measure; *lave* ~ score (a goal); *med det* ~ *at* with the object of *-*ing; *militære* ~ military objectives; *(for luftangreb)* military targets; *nå sit* ~ attain one's end *(el.* object), succeed; *nå sine ønskers* ~ attain *(el.* reach) the object of one's desires; *i rigt* ~ abundantly; *skyde over -et* overshoot the mark; *skyde til -s* fire at a target; *skyde til -s efter* shoot at; *kunne stå* ~ *med* come up to, bear comparison with, compare (favourably) with; *tage* ~ *af en* take sby's measurements, measure sby *(til:* for), *(fig)* size sby up, measure sby with one's eye, look sby up and down; *uden* ~ *og med* aimlessly.
II. **mål** *(et -) (dialekt)* dialect; *(mæle)* speech.
målbevidst *adj* purposeful, determined; *adv* determinedly, purposefully.
målbevidsthed singleness of purpose.
måle ★ measure; *(rumindhold)* gauge; *(rumme)* hold, contain; ~ *efter (∂:* ~ *igen)* remeasure; ~ *én fra top til tå* look sby up and down; *kunne* ~ *sig med* compare with, come *(el.* be) up to; ~ *op* measure, *(land)* survey; *værelset -r 20×12 fod* the room measures 20 feet by 12.
måle|bordsblad topographical map on the scale of 1:20 000, *(ofte =)* ordnance map. **-bånd** tape measure. **-enhed** unit of measurement. **-glas** graduated *(el.* measuring) glass. **-instrument** measuring instrument, measure.
målelig *adj* measurable.
måler *(en -e)* measurer; *(gas-, elektricitets-)* meter; *(sommerfuglen)* carpet moth; *(larven)* looper.
måler|aflæser *(en -e)* meter reader; meterman. **-aflæsning** meter reading. **-kontrollør** meter reader, meterman. **-larve** looper.
målestok *(meterstok etc)* rule, measure, yardstick; *(målestoksforhold)* scale; *(vurderingsgrundlag)* standard; *(udstrækning)* extent; *anlægge en anden* ~ measure by another standard; *efter dansk* ~ *var han rig* by Danish standards he was rich; *efter en større* ~ *(∂:* i *store*

mængder) in enormous quantities; *i formindsket* ~ on a reduced scale; *kort i stor* ~ large-scale map.
målfelt *(sport)* goal area.
måling *(en -er) (se måle)* measuring, measurement; gauging.
målkast *(i sport)* goal throw.
mållinie *(fodbold)* goal line; *(løb)* finishing-line.
målløs *adj* speechless, dumbfounded.
mål|mand goal-keeper. **-skydning** ⚔ target practice. **-snor** *(i sport)* tape; *bryde -en* breast the tape. **-spark** goal kick. **-stang** goal post. **-sætning** object(s), objective(s).
måltid *(et -er)* meal; *let* ~ light meal, snack; *ordentligt (∂: tilstrækkeligt)* ~ square *(el.* proper) meal; *overdddigt* ~ sumptuous repast; *solidt* ~ substantial meal.
måne *(en -r)* moon; *(skaldet plet)* bald spot (on the top of sby's head); *aftagende* ~ waning moon; *tiltagende* ~ crescent moon.
måne|ansigt moon face. **-belyst** *adj* moonlit.
måned *(en -er)* month; *august* ~ the month of August; *hun er i sjette* ~ *(om gravid)* she is five months gone; *først (, sidst) på -en* at the beginning (, end) of the month; *-en ud* (for) the rest of the month.
månedlig *adj & adv* monthly *(fx* m. payments); *hun har sit -e* she has her period.
måneds|blad monthly (magazine). **-dag** day of the month; *hver* ~ every month. **-kort** monthly season ticket. **-lov** *(i skole)* a monthly holiday. **-løn** monthly wages *(el.* pay). **-lønnet** *adj* paid by the month. **-tid:** *en* ~ a month's time, about a month.
månedsvis *adv* monthly, by the month; *i* ~ for months (and months).
måne|fase *(en -r)* phase of the moon. **-formet** *adj* ☾ lunate. **-formørkelse** *(en -r)* eclipse of the moon. **-klar** *adj* moonlit, moonlight. **-krater** lunar crater. **-landing** landing on the moon. **-landskab** lunar landscape. **-rejse** *(en -r)* lunar flight. **-skib** mooncraft. **-skifte** *(et -r)* change of the moon. **-skin** moonlight. **-skinstur** walk (, drive, etc) by moonlight. **-skær** *(et)* moonlight. **-sonde** lunar probe. **-sten** moonstone. **-stråle** moonbeam. **-år** lunar year.
mår *(en -e(r))* zo marten.
mås *(en)* bottom, behind, fanny.
måske *adv* perhaps, maybe, possibly; *han kommer* ~ *(ogs)* he may come; *det er* ~ *sandt (ogs)* it may be true.
I. **måtte** *(en -r)* mat; *holde sig på -n (beherske sig)* control oneself; *(opføre sig godt)* behave oneself; *(overholde et forbud)* toe the line.
II. **måtte** *(må, måtte, måttet)*
a) *(have lov til)* be allowed to, be at liberty to; *jeg må (gerne)* I may; *må jeg gå?* may I go? *jeg måtte (gerne) gøre det* I was allowed to do it; *han sagde jeg (gerne) måtte gøre det* he told me I might do it; *om jeg må bede* if you please *(fx* less noise, if you please!); *jeg må vel ikke tale lidt med dig?* could I speak to you for a moment?
b) *(forbud) må ikke, måtte ikke* must not; *der må ikke ryges her* smoking is not allowed here;
c) *(nødvendighed)* have (got) to, be obliged to; *(logisk nødvendighed)* be bound to *(fx* it was bound to be a failure); *jeg må gå* I must go; *jeg måtte gå* I had to go; *jeg sagde at jeg måtte gå* I said that I must go; *jeg må af sted* I must be off; *jeg må hjem (, ind)* I must go home (, in); *jeg må (, jeg måtte) have glemt det* I must have forgotten it; *jeg måtte le* I could not help laughing; *der må tid til* it takes time;
d) *(ønske) må* may; *måtte* might; *gid du må leve længe* may you live long; *jeg håbede, at det måtte lykkes ham* I hoped that he might succeed;
e) *(andre tilfælde:) må* had; *du må hellere gøre det* you had better do it; *det må De nok sige!* you may well say so! *(amr)* you said it! *det må han om* that is his look-out, that is up to him.

N

N, n (et -'er) N, n.
n. (fk f nord) N. (North); (fk f neutrum) n. (neuter).
nabo (en -er) neighbour; optræde som en god ~ be neighbourly; nærmeste ~ next-door neighbour.
nabo- neighbouring, adjoining.
nabob (en -er) nabob.
naboerske (en -r) neighbour.
nabo|hus adjoining house; han bor i -et he lives next door. **-kone** neighbour. **-lag** (et) neighbourhood, vicinity. **-skab** neighbourhood; et ~ neighbourliness. **-venlig** neighbourly. **-vinkel** adjacent angle.
nadir (et) nadir.
nadver (en) supper; den hellige ~ the Eucharist, the Lord's Supper, the Sacrament, Holy Communion. **nadver|bord** communion table. **-brød** Host. **-gæst** communicant. **-kalk** (en -e) chalice.
nafta (en) naphtha.
naftalin (en el. et) naphthalene.
nag (et) resentment, grudge; bære ~ til en have a grudge against sby, bear (el. owe) sby a grudge; fatte ~ til en conceive a grudge against sby.
nage vb prey on, rankle in; (se ogs nagende).
nagelfast adj fixed; mur- og ~ tilbehør fixtures.
nagende adj rankling, gnawing; ~ misundelse rankling envy; ~ sult gnawing hunger.
I. nagle (en -r) (stort søm) spike, (rel) nail; (bloknagle) pin; (nitbolt) rivet.
II. nagle vb rivet, pin, bolt, nail; ~ en dør til nail up a door; stå som -t til stedet stand rooted to the spot.
naglegab (et -) stigma (pl stigmata); -ene i hans hænder the prints of the nails in his hands.
naglehoved rivet head.
naiv adj simple(-minded), naive; (umiddelbar) ingenuous, artless.
naivitet (en) simple-mindedness, naiveté; (umiddelbarhed) artlessness, simplicity, ingenuousness.
najade (en -r) naiad.
nakke (en -r) back of the head, nape of the neck; hun går med håret ned ad -n she wears her hair loose; stå med håret ned ad -n (fig) be left high and dry; kortklippet i -n (with one's hair) short at the back; klø sig i -n scratch (the back of) one's head; med hatten i -n with one's hat on the back of one's head; have øjne i -n have eyes at the back of one's head; tage ham i -n take him by the scruff of his neck; tage sig selv i -n (fig) pull oneself together; slå med -n toss one's head; han er på -n af mig he has got his knife into me, he is down on me; skaffe sig alle på -n set everybody against oneself; tage ngt på -n shoulder sth.
nakke|drag clout on the head. **-kam** (hår-) back comb; (anat) external occipital crest. **-knap** (en -per) back collar-stud. **-knude** (hår-) (mindre) bun; (længere) chignon. **-krøller** pl back curls. **-skilning** parting of the hair at the back of the head. **-skind** scruff. **-spejl** hand mirror. **-stivhed** stiffness of the neck.
nankin (et) nankeen; **-s bukser** nankeens.
I. nap (et -) (kniben) pinch, nip; (snappen) snatch; (arbejdsydelse): tage et ordentligt ~ put one's back into it; tage et ~ !med lend a hand.
II. nap: knap og ~ barely.
Napoleonskrigene the Napoleonic wars.
nappe vb (knibe) pinch, nip; (snappe) snatch; (stjæle) pinch; (arrestere) nab, nick.
nappes (slås) fight; (skændes) quarrel; ikke god at ~ med a hard nut to crack, a handful, a tough customer; komme op at ~ med have a tiff with.
nar (en -re) fool, (pro essionel) jester; indbildsk ~ conceited fool, (glds) coxcomb; gøre ~ mock, (godmodigt) banter; gøre ~ af poke fun at, make fun of, ridicule, hold up to ridicule; holde for ~ make a

fool of, fool, play the fool with; være til ~ be a butt for ridicule; be made to look a fool; være til ~ for be a laughing-stock to. **naragtig** adj foolish; (latterlig) ludicrous, ridiculous, laughable. **naragtighed** (en) foolishness; folly.
narcis (en -ser) ⚘ narcissus.
nardus (en) (spike)nard.
narhval narwhal. **narhvalstand** narwhal tusk.
narkoman (en -er) drug addict. **narkomani** (en) drug addiction.
narkose (en -r) narcosis, general anaesthesia.
narkose|læge (en -r) anaesthetist. **-sygeplejerske** nurse anaesthetist.
narkotika pl narcotics, drugs, T dope; (til bedøvelse) anaesthetics. **narkotikavrag** drug addict.
narkotisere vb narcotize. **narkotisk** adj narcotic; ~ middel narcotic, drug; (til bedøvelse) anaesthetic. **narkotisør** (en -er) anaesthetist.
narre vb take in, trick, fool, impose upon, deceive; (skuffe) fail, disappoint; nu må du ikke ~ mig (fx ved ikke at komme) you must not fail me; ~ en bort lure sby away; ~ en for ngt (franarre en ngt) trick sby out of sth, (skuffe ens forventning) disappoint sby of sth; ~ ngt fra en trick sby out of sth; lade sig ~ af be deceived by, let oneself be imposed upon by; lade sig ~ for sin løn be defrauded of one's wages; den bil er du ikke -t med you have got your money's worth with that car; you won't regret having bought that car; ~ sig selv deceive oneself; ~ en til at gøre ngt trick sby into doing sth; ~ en til at tro induce sby to believe.
narre|bjælde fool's bell. **-briks** bauble. **-hue** fool's cap. **narreri** (et) tomfoolery.
narrestreger pl (tossestreger) tomfoolery; (gavtyvestreger) tricks, pranks; fuld af ~ full of fun, always up to some trick; lad os være fri for flere ~ let's have no more nonsense; lave ~ play tricks (el. pranks).
narresut dummy, comforter.
narv (en) grain (side). **narve** vb grain.
nas: leve på ~ sponge; en der lever på ~ a sponger.
nasal (en -er) nasal. **nasalere** vb nasalize.
nasalering (en) nasalization. **nasallyd** nasal sound.
nasse vb sponge (på: on).
nasset adj messy.
nasturtie (en -r) ⚘ nasturtium.
nat (en, nætter) night; -tens dronning ⚘ night-blooming cereus; ved -tens frembrud at nightfall; -ten falder på night is falling; god ~! good night! gøre ~ til dag turn night into day; hele -ten all night; i -tens stilhed, i -tens mulm og mørke at dead of night; [m præp & adv:] -ten efter den 5. maj (on) the night of May 5th; i ~ (foregående) last night, (indeværende, kommende) tonight (fx will there be any more air raids tonight?); -ten igennem throughout the night, all night long; nu er det ~ med det now that is finished; det er ~ med ham he has had it! his number is up! -ten mellem mandag og tirsdag Monday night; om -ten in the night, at night, by night; blive -ten over stay overnight, stay the night; leve -ten over live through the night; til langt ud på -ten far into the night, till the small hours; -ten til i går the night before last; ~ til søndag Saturday night; ved ~ by night.
nat|angreb night attack. **-arbejde** (et) night work. **-bord** bedside table. **-dragt** night clothes; (natkjole) nightie. **-dyr** nocturnal animal. **-flyver** (en -e) night-flying aircraft, (ruteflyver) night liner. **-flyvning** night flying. **-himmel** night sky. **-hold** night shift. **-hue** (en -r) nightcap; (person) spineless person. **-hus** ⚓ binnacle.
nation (en -er) nation; De forenede Nationer the United Nations, the U.N.
national adj national.

national|bank national bank. **-bevidsthed** national consciousness. **-dag** national day. **-dragt** national costume. **-flag** national flag. **-formue** national wealth. **-forsamling** National Assembly. **-følelse** national feeling. **-helt** national hero.

national|isere vb nationalize; (give indfødsret) naturalize. **-isering** (en) nationalization; naturalization. **-isme** (en) nationalism. **-ist** (en -er) nationalist. **-istisk** adj nationalist.

nationalitet (en -er) nationality.

nationalitetsmærke (flyv etc) nationality mark, (nationality) markings (fx the aeroplane was seen to have German markings); (pd bil) nationality plate.

national|karakter national character. **-museum** national museum. **-produkt** national product. **-råd** national council. **-sag** matter of national importance. **-sang** national anthem. **-socialisme** National Socialism. **-socialist** (en -er), **-socialistisk** adj National Socialist, Nazi. **-teater** national theatre. **-økonom** economist. **-økonomi** economics. **-økonomisk** adj economic.

nat|jager (flyv) night fighter. **-kafé** all-night café. **-kikkert** night glass. **-kjole** nightgown, T nightie. **-klokke** night bell. **-klub** night club. **-kvarter** accommodation for the night; ✕ billet(s).

natlig adj nightly (fx the watchman on his nightly rounds); nocturnal.

nat|logi night's lodging, accommodation for the night. **-lys** ⚘ evening primrose. **-mad** midnight snack. **-mand** (renovations-) nightman; (tater) gipsy. **-manøvre** night manoeuvre.

Nato NATO (= North Atlantic Treaty Organization).

nat|portier night porter. **-potte** chamber (pot); (sl) jerry. **-ravn** zo nightjar. **-renovation** (removal of) night soil. **-renovationsvogn** night cart.

natrium (et) (kem) sodium.

natron (et el. en) soda; tvekulsurt ~ sodium bicarbonate. **natronlud** (kem) soda lye.

nat|side dark side. **-skjorte** nightshirt. **-skygge** ⚘ nightshade. **-stol** nightstool. **-sværmer** zo moth. **natte-** night, nocturnal; (se ogs nat-).

natte|blind adj night-blind. **-dug** night dew. **-frost** night frost(s).

nattegn ✕ late-pass.

natte|herberg shelter for the night; (for hjemløse) doss-house, (amr) flophouse. **-kulde** cold of the night. **-kvarter** se nat-. **-leje** (et -r) bed (for the night). **-liv** night life. **-logi** se natlogi. **-luft** night air. **-ly** shelter for the night. **-læsen** studying late at night, burning the midnight oil. **-ravn** (om person) night bird; zo, se nat-. **-regn** rain in the night. **-rejse** (en -r) night journey.

nattergal (en -e) nightingale.

natte|ro (en) night's rest; kan vi så få ~! can't you let us get some sleep! **-sjov** (et): holde ~ keep late hours. **-sved** night sweats. **-sæde** (i værtshus) serving customers after closing time; holde ~ (sidde længe oppe) keep late hours. **-søvn** night's sleep. **-tid:** ved ~ in the night time, by night. **-time** hour of the night. **-tåge** night mist. **-vagt** (ogs om person) night watch; (i fabrik etc) night watchman; (natsygeplejerske) night nurse; (nattjeneste) night service, night duty; have ~ be on night duty; holde ~ keep night watch. **-vandrer** night wanderer. **-vind** night wind. **-vågen** (det at vdge) vigil; (det at gå sent i seng) keeping late hours.

nat|tillæg extra pay for night work. **-tjeneste** night duty. **-tog** night train. **-trøje** (glds) night jacket. **-tøj** night clothes, night things. **-ugle** tawny owl.

natur (en -er) nature; (landskab) scenery; (åndelig beskaffenhed) nature, disposition, temper; (legemlig beskaffenhed) constitution; (tings beskaffenhed) nature, character; (menneske af en vis ~) character; (naturlighed) naturalness, nature; af -en naturally, by nature; male efter -en paint from the life; -ens gang the

course of nature; godt udrustet f ra -ens hånd naturally gifted, well endowed by nature; den menneskelige ~ human nature; -ens orden the natural order of things, the course of nature; ifølge sagens ~ in the nature of the case, inherently, ipso facto; ifølge sin ~ by nature; vende tilbage til -en return to nature.

natura: betale in ~ pay in kind.

naturalier pl specimens of animals, flowers, etc; (levnedsmidler) provisions, natural produce; betale i ~ pay in kind.

naturalisere vb naturalize.

naturalisering (en) naturalization.

natural|isme (en) naturalism. **-ist** (en -er) naturalist. **-istisk** adj naturalistic.

natural|ydelse payment in kind; (levering af proviant) supply of provisions. **-økonomi** primitive economy, subsistence economy.

natur|barn child of nature. **-begivenhed** natural phenomenon. **-besjæling** animism. **-beskrivelse** description of scenery (el. of nature). **-betragtning** view of nature. **-bænk** rustic seat. **-digt** nature poem.

naturel (et) nature, disposition, character.

nature morte still life.

natur|fag (natural) science. **-farvet** adj natural -coloured. **-film** nature film. **-filosofi** philosophy of nature. **-folk** primitive people. **-forhold** pl nature, natural conditions. **-forsker** naturalist, (natural) scientist. **-forskning** (natural) science. **-fredning** preservation of natural amenities, nature conservancy. **-frembringelse** natural product. **-fænomen** natural phenomenon. **-følelse** feeling for nature. **-gas** natural gas. **-glæde** delight in natural beauty. **-historie** natural history; (skolefag i underskolen) nature study. **-historiker** natural historian, naturalist. **-historisk** adj of natural history. **-isme** naturism. **-ist** (en -er) naturist. **-katastrofe** natural disaster, cataclysm. **-kraft** natural force. **-kundskab** knowledge of nature. **-kyndig** adj versed in natural science.

naturlig adj natural; (ukunstlet) artless, simple; (medfødt) natural, innate, native; en ~ død a natural death; i ~ størrelse full-scale (fx illustration); (om portræt etc) life-size, as large as life; det falder ham -t it comes naturally to him; det går ganske -t til there is nothing mysterious about it.

naturlighed (en) naturalness.

naturligvis adv of course, naturally.

natur|lov law of nature, natural law. **-lyd** natural sound. **-læge** (en) spiritual healer. **-lære** (en) physics. **-menneske** primitive man, child of nature; (-elsker) nature lover. **-myte** nature myth. **-nødvendig** adj inevitable, absolutely necessary. **-nødvendighed** physical necessity. **-opfattelse** view of nature. **-park** se -reservat. **-produkt** natural product. **-religion** nature worship. **-reservat** nature reserve. **-ret** (retslære) natural law. **-sans** feeling for nature. **-silke** real silk. **-skov** natural forest. **-skøn** adj beautiful, remarkable for the beauty of its scenery. **-skønhed** beautiful scenery (fx Wales is famous for its beautiful scenery); (i reklamesprog) scenic beauty. **-sten** unhewn stone. **-stridig** adj unnatural, contrary to nature. **-stridighed** unnaturalness. **-tilbedelse** nature worship. **-tilbeder** worshipper of nature. **-tilstand** natural state. **-tro** adj life-like, realistic. **-troskab** realism. **-træ:** af ~ rustic. **-videnskab** (natural) science. **-videnskabelig** adj scientific.

nat|vind night wind. **-viol** ⚘ night-smelling rocket. **-vægter** night watchman.

naur (en -e) ⚘ small-leaved maple, common maple; (amr) English maple.

naura! gosh! you'll catch it!

nautik (en) nautical science.

nautil (en -er) zo nautilus.

nautisk adj nautical.

nav (et -) (i hjul) hub.

navigation *(en)* navigation.

navigations|kunst art of navigation. **-lærer** navigation instructor. **-skole** nautical *(el.* navigation) school. **-tabel** nautical table.

navigatør *(en -er)* navigator.

navigere *vb* navigate.

navkapsel hub cap.

navle *(en -r)* navel; *verdens* ~ the hub of the Universe. **navle|beskuelse** navel-contemplation. **-beskuer** navel contemplator. **-bind** umbilical bandage. **-brok** umbilical hernia. **-snor, -streng** navel string, umbilical cord. **-svin** *zo* peccary.

navn *(et -e)* name; *han fik -et John* he was named John, *(i dåben)* he was christened John; *fulde* ~ name in full, full name; *give* ~ give a name to, name; *éns gode* ~ *og rygte* one's good name; one's character; one's reputation; *alt hvad der har* ~ *(ɔ: kendte menne-sker)* everybody who is anybody; everybody with a name; *mange kendte -e var til stede* many distinguished people (T: many of the (local) bigwigs) were present; *lyde -et X* answer to the name of X; *lægge* ~ *til* lend one's name to; *skabe sig et* ~ make a name for oneself; *have et smukt* ~ *som forfatter* have a good name *(el.* reputation) as a writer; *historiens store -e* the great names of history; *sætte sit* ~ *på (el. under) ngt* sign sth, set one's name to sth; *hvad er Deres* ~? what is your name? *mit* ~ *er Jones* my name is Jones;

[m *præp:*] *jeg kender ham* **af** ~ I know him by name; *som kun eksisterer af* ~ existing in name only, nominal; *af* ~ *og af gavn* in name and in fact; *mere af* ~ *end af gavn* more in name than in actual fact; *i Guds* ~ in God's name; *i Guds* ~ *da!* well if you must! *i kongens* ~ in the name of the King; *hvorfor i himlens* ~ why in the name of heaven; *værdipapirer lydende* **på** ~ registered securities; *pengene står på hans* ~ the money is (deposited) in his name; *svare til sit* ~ deserve one's name; **under** ~ *af* under the name of; *det går under* ~ *af* it goes by the name of, it is known as; *en mand* **ved** ~ N. a man by the name of N., a man called N.; *kalde (el. nævne) en ting ved dens rette* ~ call a thing by its right name, call a spade a spade; *nævne ved* ~ call by name.

navne|bog *(tlf)* (ordinary) telephone directory. **-bræt** ⚓ nameboard. **-dag** *(helgens)* saint's day; *(persons)* name day. **-forandring** change of name; *søge* ~ apply for permission to change one's name; *tage* ~ change one's name; *(i England i reglen)* change one's name by deed poll. **-fælle, -fætter** namesake. **-garn** marking-cotton. **-klud** sampler. **-liste** *(en)* list of names. **-måde** *(gram.)* the infinitive (mood). **-opråb** call-over, roll-call. **-ord** noun, substantive. **-plade** name plate. **-register** list *(el.* index) of names. **-skilt** name plate; *(ved butik etc)* sign(board). **-træk** *(et)* signature; monogram.

navngive: ~ *sig* state one's name, reveal one's identity. **navngiven** *adj* named; *ikke* ~ anonymous.

navnkundig *adj* renowned.

navnkundighed *(en)* renown.

navnlig *adv* particularly, especially.

navnløs *adj* nameless; *(uudsigelig)* indescribable, unspeakable *(fx* horror); *(anonym)* anonymous.

navnløshed *(en)* namelessness; anonymity.

navr *se naur.*

nazi Nazi. **nazi-** Nazi. **nazisme** *(en)* Nazism. **nazist** *(en -er),* **nazistisk** *adj* Nazi.

N B *(fk f notabene)* N.B.

Neapel Naples. **neapolitaner** *(en -e)* Neapolitan. **neapolitansk** *adj* Neapolitan.

necessaire *(en)* dressing-case.

ned *adv* down; ~ *ad gaden* down the street; ~ *af* down from, off; ~ *ad gaden* (down) from, off; *gå* ~, *se gå;* ~ *i* (down) into; ~ *med* .. *!* down with .. *! (fx* down with the tyrant!); ~ *med hænderne!* hands down! *jeg vil* ~ I want to get down.

nedad *adv* downwards, downward; *med hovedet* ~ head down; *(se ogs ned (ad)).*

I. **nedadgående** *subst: for* ~ going down.

II. **nedadgående** *adj* descending; *(om bevægelse)* downward; *(om pris, temperatur)* falling.

nedad|til *adv* downward. **-vendt** *adj* turned downwards; *(om figur på skjold)* reversed.

ned|arves *vb* be transmitted. **-arvet** *adj* hereditary *(fx* character). **-arvning** *(en)* heredity.

nedbede *vb* invoke; ~ *velsignelse over* invoke a blessing on, pray for.

ned|blændet: ~ *lys (på bil)* dipped light. **-blænding** dipping. **-blændingskontakt** dip switch.

nedblæst *adj* blown down (by the wind); ~ *frugt* windfall(s).

nedbringe *vb (nedsætte)* reduce.

nedbrudt *(om bygning)* demolished, pulled down; *(om person)* broken down; ~ *på sjæl og legeme* broken in body and mind.

ned|bryde *vb* demolish; *(fig)* destroy, subvert; *(kem)* break down, decompose. **-brydende** *adj* destructive, subversive; ~ *kræfter* subversive forces.

nedbrydning *(en)* demolition; *(fig)* destruction, subversion; *(fysiologisk)* decomposition.

nedbrydningsarbejde (work of) demolition.

nedbrænde ⁕ be burned down, be destroyed by fire.

nedbære *vb* carry down.

nedbøjet *adj (af sorg)* bowed down (with grief), broken-hearted.

nedbør *(en)* fall of rain (, snow, etc), precipitation.

nedbørsmængde *(en)* precipitation.

neddykket *adj* submerged.

neddykning *(en -er)* submergence, submersion.

neddyppe *vb* dip, immerse.

neddysse *vb* hush up *(fx* a scandal).

nede *adv* down, below; ~ *fra gaden* from the street; *langt* ~ low down; *(syg)* low; *(fattig)* down -and-out; *(nedtrykt)* dejected, low-spirited, T in the dumps; *længere* ~ *ad floden* further down the river; ~ *under* below; *(dækket af)* under. **nedefra** *adv* from below, from the bottom.

nedefter *adv* downwards.

neden *adv:* ~ *for* below, beneath; *fra* ~ from below, from the bottom *(fx* the third line from the bottom of the page); ~ *under* below.

neden|anført *adj* mentioned below. **-for** below; *(nederst på siden)* below, at the foot of the page. **-fra** *adv* from below, from the bottom. **-nævnt** *se -anført.* **-om** *adv* round the foot, round below; *gå* ~ *og hjem (gå til grunde)* go to the dogs, go to pot; *(gå fallit)* go bust. **-stående** *adj* mentioned (, given, etc) below. **-til** *adv* below, in the lower parts. **-under** *adv* & *præp* below, beneath, underneath; *(i huset)* below, downstairs.

nederdel *(en -e)* skirt.

neder|drægtig *adj* infamous, villainous; *(væm-melig)* beastly, vile, nasty; *adv* villainously; beastly, vilely. **-drægtighed** *(en)* villainousness, meanness; *(om handling)* (piece of) meanness.

nederlag *(et)* defeat; *lide* ~ suffer a defeat, be defeated; *tilføje én et* ~ defeat sby.

Nederlandene the Netherlands, the Low Countries. **nederlandsk** *adj* Dutch.

nedersaksisk *adj* Low Saxon; (= *ækel* T) nasty.

nederst *adj* lowest, bottom, nethermost; *adv* at the bottom; ~ *på siden* at the bottom of the page; ~ *ved bordet* at the bottom of the table.

nedertysk Low German.

nedfald *(et -)* *(om atomstøv)* fall-out.

nedfalden *adj* fallen; ~ *frugt* windfall(s).

nedfaldende: ~ *flip* turn-down collar.

nedfart descent *(til:* into).

nedfryse *vb* freeze; *(se ogs nedkøle).*

nedfælde *vb (mat.)* drop *(på:* on, *fx* ~ *en linje vinkelret på* drop a perpendicular on); ~ *sig (i bevidst-heden)* settle.

nedføring *(radio etc)* lead-down. **nedførings-
tråd** lead-down wire.
nedgang going down; descent; *(om himmel-
legemer)* setting; *(trappe etc)* way down, stairs; *(af-
tagen, fald)* decline *(fx of income)*, fall *(fx in prices,
of wages)*, decrease *(fx in prices, of (el. in) produc-
tion)*, reduction; ~ *i værdi* depreciation; *ved solens* ~
at sunset. **nedgangstid** *(økonomisk)* slump, depres-
sion; *(åndelig)* period of decline.
ned|gravning burying. **-groet** *adj*: ~ *negl* in-
growing nail. **-gøre** *vb* crush, destroy, wipe out.
-gående *adj (om solen)* setting. **-haler** *(en -e)* ⚓
downhaul. **-hugge** *vb* cut down. **-hængende** *adj*
hanging (down), pendent, drooping. **-ise** *vb* cover
with ice.
nedkalde ★ call down, invoke; draw down.
nedkaste throw down; ~ *bomber* drop bombs.
nedkastning *(en -er) (flyv: af forsyninger)* drop-
ping, *(enkelt)* air drop.
nedkomme *vb* be delivered, be confined; ~ *med*
be delivered of, give birth to.
nedkomst *(en)* delivery, confinement; *vente sin*
~ *i april* expect one's confinement in April.
nedkule *vb* pit *(fx vegetables)*; clamp *(fx potatoes)*;
(om penge: reinvestere) plough back.
nedkæmpe *vb* ✗ neutralize *(fx a hostile force, a
battery)*, defeat; *(oprør)* quell; *(følelse)* curb, restrain.
nedkøle *vb* cool down; *(med.)* induce hypo-
thermia; T freeze down.
nedkørsel descent; *(vej)* way down; incline,
ramp; *(det at køre én over)* running down.
nedlade *(-lod, -ladt)*: ~ *sig til at* condescend to;
~ *sig til at svare* vouchsafe a reply.
nedladende *adj* condescending, patronizing.
nedladenhed *(en)* condescension.
nedlægge *(afskaffe, ophæve)* close (down), shut
down; abolish *(fx a department, an office)*; *(sløjfe,
nedrive)* dismantle; *(frasige sig, opgive)* give up,
retire from, resign; *(konservere, sylte)* preserve, *(i salt
etc)* pickle; *(dræbe)* kill; ~ *arbejdet* stop work, *(strejke)*
(go on) strike, come out, down tools; ~ *forbud mod*
prohibit; *det arbejde der er nedlagt i bogen* the work
gone to the making of the book; *hans principper er
nedlagt i denne bog* this book embodies his principles;
~ *i jorden* put into *(el. place in)* the earth; ~ *en krans
på en grav* lay a wreath on a grave; ~ *påstand (jur)*
submit *(el. set up)* a claim; ~ *protest* make a protest,
protest; ~ *sild* pickle herrings; ~ *en skole* close down
a school.
nedlæggelse *(en) (se nedlægge)* closing (down),
shutting down, abolition; dismantling; giving up,
resignation; ~ *af arbejdet* strike; ~ *af grundsten* laying
of the foundation stone.
nedlægning *(en)* laying *(el.* putting) down;
(konservering) preservation, *(m salt)* pickling.
ned|løbsrør down-pipe. **-plukke** *vb* pick. **-pløje**
vb plough in.
nedrakke *vb* run down; pull to pieces, *(en bog ogs)*
slate.
nedrakning *(en)* running down, mud-slinging;
(om kritikken af en bog) slating.
nedramme *vb* ram down, drive in.
nedre *adj* lower; *Donaus* ~ *løb* the Lower Danube.
Nedreægypten Lower Egypt.
nedrig *adj* mean, base.
nedrighed *(en)* meanness, baseness.
nedringet *adj (om kjole)* low(-necked), cut low,
décolletée; *(om person)* décolletée, wearing a low
(-necked) dress.
nedrive *vb* demolish.
nedrivning *(en)* demolition.
nedrulle *vb* pull down, draw; *for -de gardiner*
with the blinds down.
nedruste reduce armaments, disarm. **nedrustning**
reduction of armaments, disarmament.
nedsable *vb* cut down, massacre; *(nedrakke)* slate,
pull to pieces.

nedsabling *(en)* cutting down, massacre; slating.
nedsalte *vb* salt (down), pickle.
nedsat *adj* reduced; *-te bøger* books offered at
reduced prices, remainders.
nedskrift *(en) (det at)* writing down; *(det skrevne)*
manuscript, notes.
nedskrive write down, take down; *(mærk)* write
down. **nedskrivning** *(en)* writing down.
nedskyde shoot down.
ned|skære *(formindske)* reduce, cut down; *(plan-
ter)* shorten, cut back. **-skæring** *(en -er)* reduction;
~ *af løn* cut in wages.
nedslag *(et -) (fx stempels)* downstroke; *(musik)*
down(ward) beat; *(taktdel)* thesis; *(projektils)* im-
pact; *(af damp)* condensation; *(nedsættelse)* reduction.
nedslagen: *nedslagne øjne* downcast eyes.
nedslagte *vb* kill; *(fig)* butcher, slaughter.
nedslå *(gøre nedtrykt)* depress, discourage; *(håb
etc)* destroy, dash; *(modstand)* beat down, suppress;
(blikket) cast down; ~ *ens mod* damp(en) sby's
spirits, discourage *(el. dishearten)* sby; ~ *visiret* lower
one's visor. **nedslående** *adj* disheartening, discour-
aging. **nedslået** *adj (nedtrykt)* depressed, dejected;
(om markise, visir etc) lowered; *(om kaleche)* down;
(om paraply) closed.
nedslåethed *(en)* dejection, depression.
nedspring *(sidste del af spring)* landing.
nedstamme *vb* descend, be descended *(fra:* from);
dette ord -r fra latin this word is derived from Latin.
nedstamning *(en)* descent; *direkte* ~ *fra* lineal
descent from. **nedstamningslæren** the theory of
evolution.
nedstemme ★ *(slå af på)* moderate; *(afdæmpe)*
mitigate, tone down; *(nedslå)* depress; *(ved afstem-
ning)* throw out, reject; ~ *sine fordringer* moderate
one's demands.
nedstemt *adj (afdæmpet)* subdued; *(nedslået)* de-
pressed. **nedstemthed** *(en)* dejection.
nedstigende descending; *i* ~ *linie* in direct line
of descent. **nedstigning** *(en)* descent.
nedstreg down stroke.
nedstryger *(en -e)* hacksaw.
nedstyrte *vb* hurl down, precipitate; *(fig)* over-
throw. **nedstyrtning** *(en -er)* precipitation; *(fald)*
fall, *(flyv)* crash. **nedstyrtningsskakt** *(til affald)*
rubbish chute; *(amr)* garbage shoot.
nedsvælge *vb* swallow, gulp down.
nedsynke *vb* sink; ~ *i armod* sink into poverty;
nedsunken i grublerier deep in meditation.
ned|sænke *vb* sink, lower, *(i væske)* sink, sub-
merge, immerse. **-sænkning** *(en)* sinking, immersion.
nedsætte *(formindske)* reduce, lower, cut down;
(i omdømme) lower, disparage; *(udnævne)* appoint,
set up *(fx* a committee); ~ *diskontoen* reduce the
bank rate; ~ *ens fortjenester* detract from sby's merits;
~ *én i folks omdømme* disparage sby; ~ *en straf* mitigate
(el. reduce) a punishment, reduce a sentence; ~ *sig*
establish oneself; ~ *sig som læge* set up as a doctor; ~
værdien af reduce the value of, depreciate.
nedsættelse *(en) (formindskelse)* reduction, lower-
ing; *(udnævnelse)* appointment; *(etablering, bosæt-
telse)* establishment; ~ *af priserne* cut in *(el. reduction
of)* prices; ~ *af straffen* mitigation of the punish-
ment.
nedsættende *adj* derogatory *(fx* term), dispar-
aging, depreciatory; *adv* disparagingly.
nedtage *vb* take down. **nedtagelse** *(en)* taking
down; *-n fra korset* the Deposition.
nedtrampe *vb* trample down.
nedtrykt *adj* depressed, in low spirits; *i* ~ *sindstil-
stand* suffering from mental depression, in a de-
pressed state of mind. **nedtrykthed** *(en)* depression.
nedtræde *vb* tread down, trample down.
nedtrådt *adj* trampled down.
nedtur *(en -e)* down trip, journey south; *(fra
bestigning, rumflyvning)* descent.
ned|tælle *vb* count down. **-tælling** count-down.

ned|vurdere *vb* depreciate, disparage, belittle. **-vurdering** depreciation, disparagement.

nedværdige *vb* degrade, disgrace, debase; ~ *sig* degrade oneself; ~ *sig til at* stoop to -ing.

nedværdigelse *(en)* degradation, debasement.

nedværdigende *adj* degrading.

nefrit *(en)* nephrite.

neg *(et -)* sheaf *(pl* sheaves); *binde (i)* ~ sheaf.

negation *(en -er)* negation.

I. **negativ** *(et -er) (fot)* negative.

II. **negativ** *adj* negative.

negativisme *(en)* negativism.

negativist *(en -er)* negativist, negationist.

neger *(en -e)* negro *(pl* -es); *(person der gør arbejde i en andens navn)* ghost.

neger|befolkning negro population. **-blod** negro blood. **-dreng** negro boy. **-kvinde** negress, negro *(el.* black) woman. **-kys** chocolate meringue. **-pige** negro girl. **-sang** negro song, plantation song; *(religiøs)* negro spiritual. **-slave** negro slave. **-slaveri** *(negro)* slavery; *modstander af* -*et* abolitionist. **-tjener** black servant. **-tromme** *(en -r)* tom-tom. **-unge** T piccaninny. **-ven** negrophil.

negl *(en -e)* nail; *bide, klippe, rense -e* bite, cut, clean one's nails; *han er en hård* ~ he is a tough customer; *(amr)* he is a tough guy; *ikke så meget som der kan ligge på en* ~ not a scrap; *som en lus mellem to -e* between the devil and the deep sea; *få noget op under -ene* get sth under one's nails; *(stjæle)* pinch sth.

negle *(stjæle)* pinch.

negle|bider *(en)* nail-biter. **-børste** nail brush. **-bånd** cuticle. **-fil** nail file. **-garniture** manicure set. **-klipper** *(en -e)* nail clipper. **-lak** nail varnish. **-renser** *(en -e)* nail cleaner. **-rod** root of the nail; *(løsrevet stykke hud)* agnail, hangnail. **-saks** nail scissors.

negligé *(et negligeer)* négligé; *i* ~ in deshabille, undressed.

negligere *vb* neglect, overlook; *(ignorere)* ignore.

negroid *adj* negroid.

I. **nej** *(et -er)* no; *få* ~ be refused, be rejected.

II. **nej** no; *(overrasket)* oh my! *(forstærkende)* no indeed; ~ *da!* really? indeed? is that so? ~ *hør nu* come, come; *jeg mener* ~ I think not; *sige* ~ til refuse, *(høfligere)* decline; ~ *se engang* just look; *du kan tro* ~*!* no fear! not likely! ~ *tak!* no, thank you! no, thanks! *vist ikke* ~ by no means, certainly not.

neje *vb* curtsy, make a curtsy *(for:* to); ⚓ pitch.

nejstemme *(en -r)* negative vote, no *(pl:* noes).

nekrolog *(en -er)* obituary (notice).

nekromanti *(en)* necromancy.

neksus *(en -)* nexus.

nektar *(en)* nectar.

nellike *(en -r)* pink, carnation; *(krydder-)* clove.

nellike|olie oil of cloves. **-rod** ⚘ avens.

nem *adj* easy, simple; *(omgængelig)* companionable; *(~ at håndtere)* handy, convenient; ~ *at kurere* *(, lære etc)* easily cured (, learned etc); *slippe -t fra det* have an easy job of it; *det er så -t med det!* that's all there is to it! (and) that's that! *han har -t ved at gøre det* it comes easy to him; *have -t ved* have a talent for, be quick at; *have -t ved at tale* be a ready peaker.

nemesis Nemesis.

nemhed *(en)* easiness, ease; *for -s skyld* for the sake of convenience, *(om forkortelse)* for short *(fx* Abraham, called Abe for short).

nemlig namely, viz *(fx* he left two sons, namely John and Henry; I will repeat what I said, namely, that I ...); it may be divided into three groups, viz ...), that is to say; *(begrundende)* for, because, as, *(ofte gengivet ved -ing form eller udeladt);* (T = *netop)* exactly, quite so; *(amr sl)* you said it! *han var* ~ *meget træt* for he was very tired; (the fact is that) he was very tired; he was very tired, you see; *byen var øde, det var* ~ *søndag* the town was deserted, it being Sunday.

I. **nemme** *(et):* ~ *for* aptitude for.

II. **nemme** *vb:* *hvad man i ungdommen -r man ikke i alderdommen glemmer* [one does not forget one's earliest lessons].

neo- neo-. **neolitisk** neolithic.

neon *(et)* neon. **neon|lampe** neon lamp. **-lys** neon light. **-rør** neon tube.

nepotisme *(en)* nepotism.

Neptun Neptune.

nereide *(en -r)* Nereid; *zo* nereid.

nerium *(en, nerier)* ⚘ oleander.

nertz *(pelsværk)* mink. **nertzpels** mink coat.

nerve *(en -r)* nerve; *(energi, livfuldhed)* vigour, spirit; *dårlige -r* weak *(el.* shattered) nerves; *hun går mig på -rne* she gets on my nerves; *han kender ikke til -r* he does not know what nerves are.

nerve|anspændelse nervous strain, strain on one's nerves. **-betændelse** neuritis. **-bundt** bundle of nerves *(fx* she is one bundle of nerves). **-centrum** nerve centre. **-chok** nervous shock. **-fiber** nerve fibre. **-gigt** neuralgia. **-klinik** nerve clinic; *(ofte =)* rest home. **-knude** ganglion. **-krig** war of nerves. **-lammelse** neuroparalysis. **-lidelse** nervous disease. **-læge** neurologist, nerve specialist. **-nedbrudt** *adj:* *være* ~ have shattered nerves, suffer from nervous prostration. **-pirrende** *adj* thrilling, hair-raising. **-sammenbrud** nervous breakdown. **-smerter** *pl* neuralgia. **-specialist** = *-læge.* **-styrkende** *adj* neurotonic, bracing. **-svag** neurasthenic. **-svækkelse** neurasthenia. **-sygdom** neurosis, nervous disorder. **-system** nervous system. **-tråd** nerve fibre. **-vrag** nervous wreck. **-væv** *(et -)* nervous tissue.

nervøs *adj* nervous; *(forsjamsket)* fidgety, flurried; ~ *ophidselse* nervous excitement; *-e trækninger i ansigtet* facial tic.

nervøsitet *(en)* nervousness; fidgetiness.

I. **net** *(et -)* net; *(bagage- i tog)* rack; *(som taske)* string bag; *(elekt lysnet)* mains, system; *(af trafiklinier, årer etc samt fig)* network, system; *(edderkops, ogs fig)* web; *han slap gennem det* ~ *som politiet havde trukket om kvarteret* he slipped through the police net drawn around the district.

II. **net** *adj* pretty, nice; *du er en* ~ *en!* a nice fellow you are! you're a fine one! *det er en* ~ *historie* here's a pretty kettle of fish; ~ *klædt* neatly dressed; *en* ~ *sum* a tidy sum; *synge ganske* ~ sing tolerably well.

net|bold *(i tennis)* let (ball). **-fiskeri** netting.

netformet reticular, retiform.

nethed *(en)* neatness.

net|hinde *(i øjet)* retina. **-mave** reticulum. **-melon** netted melon. **-nylon** net nylon.

netop *adv (akkurat)* just, exactly; *(lige i det øjeblik)* just, at the very moment; *(lige tilstrækkeligt, til nød)* (only) just *(fx* it is only just enough); *(tværtimod)* on the contrary *(fx* clever? no, on the contrary he is stupid); ~ *det* the very thing; ~ *det at du betænker dig viser* ... the very fact of your hesitating proves ...; *det var* ~ *det jeg ville sige* that's just what I was about to say; ~ *det emne* that particular subject; *hvorfor* ~ *i Norge?* why in Norway of all places? *ikke* ~ not exactly; *ja* ~*!* exactly! quite so! that's it; *hvorfor lige* ~ *i dag?* why today of all days? ~ *nu* just now, this very moment; *jeg skulle* ~ *til at gå* I was just about to go.

nette *vb:* ~ *sig* tidy oneself (up), T titivate oneself.

netto net; ~ *kontant* net cash; *det indbragte mig 100 kr.* ~ it brought me a clear hundred kroner.

netto|beløb net sum. **-fortjeneste** net profit. **-indtægt** net receipts, net income. **-pris** net price. **-tab** net loss. **-udbytte** net proceeds. **-vægt** net weight.

netvinger *(pl)* zo neuroptera.

neuralgi *(en)* neuralgia. **neuralgisk** neuralgic.

neurasteni *(en)* neurasthenia.

neurasteniker *(en -e)* neurasthenic.

neuro|kirurgi neuro-surgery. **-log** *(en)* neurologist. **-logi** *(en)* neurology.

neurose *(en -r)* neurosis. **neurotiker** *(en -e)* neurotic. **neurotisk** *adj* neurotic.

neuruppiner *(en -e) (kan gengives)* Christmas -cracker motto.

neutral *adj* neutral; *holde sig* ~ remain neutral. **neutralisation** *(en)* neutralization. **neutralisere** *vb* neutralize. **neutralitet** *(en)* neutrality.

neutralitets|erklæring declaration of neutrality. **-krænkelse** violation of sby's neutrality. **-mærke** mark of neutrality. **-politik** policy of neutrality.

neutron *(en -er)* neutron.

neutr|um *(et -a)* the neuter. **neutrums-** neuter.

newfoundlænder *(en -e) (hund)* Newfoundland dog.

nevø *(en -er)* nephew.

ni nine; *hjerter* ~ the nine of hearts; *slå alle* ~ *(i keglespil)* knock down all the pins.

niche *(en -r)* niche, recess; *(større)* alcove.

nid *(et) (misundelse)* envy, jealousy, *(ondskabsfuldhed)* spite, malice.

nidding *(en -e)* knave. **niddingsdåd** villainy.

nidkær *adj* zealous; *(bibl)* jealous; *jeg Herren din Gud er en* ~ *Gud* I the Lord thy God am a jealous God. **nidkærhed** *(en)* zeal.

nidstirre *vb:* ~ *én* stare hard at sby, stare sby out of countenance.

nidvise *(en -r)* satirical song.

niece *(en -r)* niece.

niende ninth; *for det* ~ in the ninth place, ninthly; *det* ~ *og tiende bud* the tenth commandment.

niendedel *(en -e)* ninth (part).

nier *(en -e)* nine; *(sporvogn etc)* number nine. **nifold** *adj* ninefold; *et* ~*igt hurra* nine cheers.

nihilisme *(en)* nihilism.

nihilist *(en -er)* nihilist. **nihilistisk** *adj* nihilistic.

nik *(et -)* nod.

nikant *(en -er)* enneagon. **nikantet** *adj* enneagonal.

nikke *vb* nod; ~ *med hovedet* nod one's head. **nikkedukke** *(fig)* nonentity, yes-man.

nikkel *(et)* nickel. **nikkelholdig** *adj* nickelous.

Nikolaj, Nikolaus Nicholas.

nikotin *(en)* nicotine. **nikotin|forgiftet** *adj* nicotine-poisoned. **-forgiftning** nicotine poisoning. **-fri** *adj* free from nicotine.

Nilen the Nile.

nimbus *(en)* nimbus, halo, glory.

Ninive Nineveh.

nip *(et -) (lille slurk)* sip; *være på -pet til at (:) skulle til at)* be on the point of -ing *(fx* of leaving); *(:) være nær ved at)* be within an ace of -ing *(fx* of drowning).

nipflod neap tide.

nippe *(tage små slurke)* sip; *(tage små bidder)* nibble; *(knibe)* pinch, nip; ~ *ståltråd over* cut wire; ~ *til maden* peck at one's food, nibble; ~ *til vinen* sip one's wine.

nippel *(en nipler)* nipple.

nips knick-knacks, bric-a-brac.

nipse *vb* play pushpin. **nipsenål** pushpin.

nipsgenstand knick-knack.

niptang pliers; *(bidetang)* nippers; *en* ~ a pair of pliers (, nippers).

nirvana *(et)* nirvana.

nisidet nine-sided, enneagonal.

nisse *(en -r) (omtr =)* pixy; *en gammel* ~ *(om en mand)* an old fogey. **nissehue** pixy hat.

nist *(en -er)* fleck. **nistret** *adj* flecked.

nital nine. **niti** ninety.

nitid *adj* elegant, dainty.

nitiden: *ved* ~ at about nine o'clock.

nitning *(en)* riveting.

nitrat *(et -er)* nitrate.

nitroglycerin nitroglycerine.

I. **nitte** *(en -r)* rivet; *vb* rivet.

II. **nitte** *(en -r) (i lotteri)* blank.

nitten nineteen. **nittende** nineteenth. **nittendedel** *(en -e)* nineteenth (part). **nittengryn:** *Per* ~ pedant, fusspot. **nitter** *(en -e)* riveter. **nitterdreng** rivet boy.

nive *(nev nevet)* *vb* pinch.

niveau *(et -er) (ogs fig)* level; *bringe i* ~ level; *være i* ~ *med* be on a level with, be flush with; *en konference på højeste* ~ a conference at the highest level, a summit conference. **niveau|overskæring** level crossing. **-sænkning** lowering of the level.

nivellere *vb* level. **nivellering** *(en)* levelling. **nivellerinstrument** levelling instrument.

Nizza Nice.

niårig, niårs *adj* nine-year-old; *(som varer ni år)* novennial.

N. N.: *hr* ~ ~ Mr So-and-so, Mr X.

Noahs ark Noah's ark.

nobel *adj (om udseende)* distinguished; *(om handling)* generous, noble, fine.

nobelprisen the Nobel Prize. **nobelpristager** *(en -e)* Nobel Prize winner.

noblesse *(en)* nobility.

nocturne *(en -r)* nocturne.

node *(en -r)* note; *-r (musikalier)* music *(fx* have you brought your music?); *spille efter -r* play from music; *få klø efter -r* get a sound drubbing; *skælde en ud efter -r* give sby a proper dressing-down; *(amr)* bawl sby out; *være med på -rne* know what is what, be with it.

node|blad sheet of music. **-bog** music book. **-hæfte** music book, sheets of music. **-linie** line; *de fem -r* the staff. **-læsning** music reading. **-mappe** music case. **-nøgle** clef. **-papir** music paper. **-pult** music desk. **-skrift** *(en)* musical notation. **-skriver** music copyist. **-stativ** music rest. **-stikker** music engraver. **-stol** music rest. **-system** notation; *(-linier)* staff. **-tegn** note. **-trykker** music printer. **-vender** *(en -e)* leaf turner. **-værdi** value (of a note).

nogen *pron (adjektivisk) (en vis mængde)* some, *(nogen som helst)* any; *(substantivisk) (en eller anden)* somebody, someone, *(nogen som helst)* anybody, anyone; ~ *af* any of *(fx* I never saw any of them); *sko var der ikke* ~ *af* shoes there were none; *der var* ~ *der fortalte mig det* somebody told me; *han havde ikke fortalt det til* ~ he had not told it to anyone; *er her* ~? is there anyone here? *her har ikke været* ~ nobody has been here; *i* ~ *grad* to some extent, somewhat; *de kunne ikke yde os* ~ *hjælp* they could not give us any help; ~ *løsning er endnu ikke fundet* no solution has as yet been found; *ikke på* ~ *måde* by no means! not at all! *har du* ~ *penge tilbage?* have you any money left? *har han penge; har du* ~? he has money; have you any? *i* ~ *tid* for some time; *uden* ~ *(som helst) vanskelighed* without any difficulty; *ikke uden* ~ *vanskelighed* not without some difficulty; *(se ogs noget, nogle).*

nogenlunde *adv* tolerably, fairly; *(tilnærmelsesvis)* approximately, more or less; *adj* tolerable, fair(ly good); *han har det* ~ he is tolerably well.

nogen sinde *adv* ever, at any time; *har du* ~ *hørt sådan noget vrøvl?* did you ever hear such nonsense?

nogen som helst *se* nogen.

noget *pron (adjektivisk) (en vis mængde)* some, a little, *(noget som helst)* any; *(substantivisk) (et eller andet)* something, *(noget som helst)* anything; *adv (i nogen grad)* somewhat *(fx* s. deaf); to some extent; *(i nogen tid)* for some time;

~ *af* some (, any) of *(fx* some of the cake is left; is any of it left?); *han er* ~ *af en tømrer* he is something of a carpenter; *jeg har* ~ *brød* I have some bread; *ikke* ~ *brød* not any bread, no bread; ~ *'efter* after a while, some time after; ~ *for* ~ one good turn deserves another; give and take; quid pro quo; *det er lige* ~ *for mig* that is just the thing for me; *han er* ~ *for sig* he is not like other people; *hvad*

for ~? what? *hvad er det for* ~? what is that? ~ *må
der gøres* something must be done; *kan jeg gøre* ~
for Dem? can I do anything for you? *jeg har* ~ (*af
det*) *her* I have some (of it) here; *har du* ~? have
you any? *det skulle jeg ikke have* ~ *af* I wasn't having
any; *ikke* ~ (= *ingenting*) not anything, nothing;
der er ~ *om det* there's something in it; *han er* ~ *på
et kontor* he has a job in an office; *jeg skal sige Dem*
~ I'll tell you what; *De siger* ~! a good idea! *hun
er* ~ *så sød* she is awfully sweet, she is too sweet
for words; **sådan** ~ things (*el.* a thing) like that,
that kind of thing; *eller sådan* ~ or something; *sådan*
~ *som* (= *cirka*) something like (*fx* he left something
like a million), (= *for eksempel*) for instance, say;
blive til ~ (*have succes*) succeed, get on, (*komme i
stand*) come off (*fx* the marriage never came off);
det blev ikke til ~ (*ogs*) nothing came of it; ~ *usæd-
vanligt var hændt* something unusual had happened;
der er ikke ~ *ved det* it is not much good; *det var også*
~ *at blive gal over* fancy losing your temper over a
thing like that; *han tror han er* ~ (*stort*) he thinks
he is somebody.

nogetsteds *adv* anywhere.

nogle *pron* some; ~ *af* some of; ~ *bøger* some
books; *ønsker De bøger?* her er ~ do you want books?
here are some; ~ *enkelte*, ~ *få* a few, some few; ~
siger some (people) say; ~ *og tyve* twenty odd.

I. **nok** (*en -ker*) ⚓ (*af rå*) yard arm; (*af gaffel*)
peak.

II. **nok** *adj* (*tilstrækkelig*) enough (*fx* have e.
money), sufficient; *adv* enough (*fx* you have slept
enough), sufficiently; (*sandsynligvis*) very likely,
probably; (*ganske vist*) to be sure, certainly, indeed;
besynderligt ~ oddly enough, strange to say; *brød*
~ bread enough, enough bread; *han 'finder det* ~ he
is sure to find it; *De forstår mig* ~ you know what
I mean; *jeg har fået* ~ *af din uforskammethed* I have
had (quite) enough of your impudence; *jeg gad* ~
vide I wonder; *jeg gad* ~ *se* I should like to see; *gam-
mel* ~ old enough; *det går* ~ it will be all right;
don't you worry! *hver dag har* ~ *i sin plage* sufficient
unto the day is the evil thereof; *ikke* ~ *med det* not
only that; to make matters worse; *du kan* ~ *tænke*
you can imagine; *han kommer* ~ he is sure to come;
det mente jeg ~ I thought so (*el.* as much); *jeg må* ~
hellere I suppose I had better; *det må du* ~ *sige* you
may well say so; *må jeg ikke* ~? do let me! ~ *om det*
enough said, enough of that; *være sig selv* ~ be
self-sufficient, be sufficient to oneself; *sagde jeg det
ikke* ~ I told you so; *du skal* ~ *høre fra mig* you
shall hear from me; ~ **så** (*mindst lige så*) rather more
(*fx* rather more tired than yesterday); (*meget*) very,
quite (*fx* ~ *så net* quite nicely); *om han havde* ~ *så
mange penge* however much money he had; ~ *så stor
som* at least (*el.* fully) as big as; *vil De ikke* ~ *fortælle
mig* would you be kind enough to tell me; *det vil jeg*
~ *sige!* (*foraget*) well, I never! **være** ~ suffice, be
sufficient, be enough; ~ *er det at* the fact remains
that; *det er godt* ~ *men* that's all very well, but; *det
kan være* ~ that will do; *nu kan det være* ~! enough
of that! stop it! *det kan* ~ *være han blev vred!* he was
angry and no mistake! and wasn't he angry!

III. **nok:** ~ *én* one more, another; ~ *en gang*
once more, once again.

noksagt (*som eufemisme for et andet ord*) so-and-so
(*fx* that dirty so-and-so), blankety-blank.

noksom enough, sufficiently; ~ *bekendt* famous,
(*berygtet*) notorious.

nole *vb* T pinch, pilfer.

nomade (*en -r*) nomad. **nomade|folk** nomadic
people, (*pl ogs*) nomads. **-liv** nomadic life.

nomen (*et, nomin|er el. -a*) (*gram*) noun.

nomenklatur (*en -er*) nomenclature.

nominativ (*en -er*) nominative; *i* ~ in the nom-
inative (case).

nominel *adj* nominal. **nominere** *vb* nominate.

nonchalance (*en*) nonchalance, off-hand manner.

nonchalant *adj* nonchalant, off-hand; (*adv*) non-
chalantly.

nonfigurativ *adj:* ~ *kunst* non-figurative art.

nonkombattant (*en -er*) noncombatant.

nonne (*en -r*) nun; (*insekt*) nun moth.

nonne|dragt nun's habit. **-kloster** convent. **-liv**
convent life. **-orden** order of nuns.

nonsens (*et*) nonsense.

nonstop non-stop.

nopret *adj* granulated; (*om tøj*) frizzy.

I. **nor** (*et -*) (*lille barn*) mite.

II. **nor** (*et -*) (*vig*) cove.

nord north; ~ *for* (to the) north of; *fra* ~ from
the north; *det høje* ~ the far North; *i* ~ (in the)
north; *mod* ~ (= *nordpå*) north, northward; *vende
mod* ~ face (the) north; *stik* ~ due north; ~ *til vest*
north by west.

Nordafrika North Africa.

Nordamerika North America; *-s forenede Stater*
the United States of America.

nordamerikansk *adj* North American.

nordbagge (*en -r*) Norwegian pony.

nordbo (*en -er*) Scandinavian.

nordbredde ⚓, *se nordlig* (*bredde*).

nordefter *adv* northward(s).

I. **Norden** the North; Scandinavia.

II. **norden:** ~ *for* northward of; ~ *om Skotland*
(round the) north of Scotland.

nordende (*en -r*) north end.

nordengelsk *adj* Northern English. **Nordeng-
land** the North of England, Northern England.

nordenstrøm southward current.

nordenvind north wind, northerly wind.

Nordeuropa Northern Europe.

nordeuropæisk *adj* North European.

nordfra from the north.

Nordfrankrig Northern France.

nord|grænse northern limit (, frontier, bound-
ary). **-gående** *adj* northbound (*fx* express), norther-
ly (*fx* current).

Nordhavet the Norwegian Sea.

nordisk *adj* northern; Scandinavian (*fx* language);
(*om race, statsforhold*) Nordic; *Nordisk Råd* the Nordic
Council.

nordist (*en -er*) Scandinavian philologist.

Norditalien North(ern) Italy.

Nordkap the North Cape.

nordkyst north coast.

nordlig *adj* northern, (*om vind ogs*) northerly;
(*i retning mod nord*) northerly; ~ *bredde* northern
latitude; *38°* ~ *bredde* 38° of latitude North, latitude
38° N.; *-ere* more northerly, farther north; *-ere end*
farther north than, to the north(ward) of; *den -e halv-
kugle* the northern hemisphere; *Det -e Ishav* the
Arctic Ocean; *den -e polarkreds* the Arctic Circle;
den -e vendekreds the Tropic of Cancer.

nordligst northernmost.

nord|lys (*et -*) aurora borealis, northern lights.
-mand Norwegian. **-ost** north-east. **-ostlig** north
-easterly. **-over** northwards.

Nordpol North Pole. **nordpolar-** arctic.

nordpols|ekspedition arctic expedition. **-farer**
(*en -e*) arctic explorer.

nordpå *adv* north, northward, towards the
north; (*i nordligere egne*) farther north.

nordre *adj* northern.

nordside north side.

Nord|sjælland North Zealand. **-slesvig** North
Schleswig. **-staterne** (*i U.S.A.*) the Northern States.
-stjernen the North Star. **-søen** the North Sea.

nordtysk, nordtysker North German.

nordvest north west. **nordvestlig** north wester-
ly, north western.

Nordvestpassagen the North-West Passage.

nordvestvind north-wester.

nordøst north east.

nordøstlig *adj* north easterly, north eastern.

Norge Norway.
norm (en -er) norm, standard.
I. **normal** (en -er) normal, standard; *over -en* above normal.
II. **normal** *adj* normal; *(åndeligt)* normal, sane.
normal|arbejdsdag normal working-day, standard hours. **-hastighed** normal speed. **-højde** standard height. **normalisere** *vb* normalize.
normal|kontrakt standard contract. **-løn** standard wages *(etc, se løn)*. **-skov** normal forest. **-spor** *(et -)* *(jernb)* standard gauge.
normalt *adv* normally; *forløbe* ~ take a (, its, their) normal course.
normal|temperatur *(med.)* normal temperature. **-tid** standard time. **-vægt** standard weight.
Normandiet Normandy.
normanner *pl* Normans.
normannisk *adj* Norman *(fx* N. architecture); *De -e Øer* the Channel Islands.
normativ *adj* normative *(fx* grammar).
normeret *adj* prescribed *(fx* the p. number of rooms), fixed *(fx* the fixed prices).
normeringslov [Act fixing the number and salaries of Government servants].
normgivende *adj* normative.
norne (en -r) Norn.
norrøn *adj* Norse.
norsk (et & adj) Norwegian.
northumbrisk *adj* Northumbrian.
I. **not** (en -er) *(fiskegarn)* seine.
II. **not** (en -er) *(fure)* groove.
nota (en -er) *(regning)* bill; *tage sig ad notam* take note of.
notabel *adj* notable.
notabene *adv* (please) note, N.B.
notabilitet (en -er) notability.
notar (en -er) notary.
notarial *adj* notarial.
notarial|forretning notarial act. **-kontor** notariate. **-protokol** notarial register. **-segl** notarial seal. **notariat** *(et -er)* notariate.
notarius publicus notary public.
notat *(et -er)* note; *(i ministerielt sprog)* minute; *gøre -er* take notes.
note (en -r) note, annotation; ~ *i margen* marginal note; ~ *under teksten* footnote; *diplomatisk* ~ diplomatic note; *memorandum; forsyne en bog med -r* annotate a book.
notere *vb* take down, make a note of; *(indføre)* enter, book *(fx* an order); *(en check)* certify; *(debitere)* put down, debit; *(føre på konto)* enter (on an account), *(især amr)* charge (to an account); *(kurs, pris)* quote *(i, til:* at); *(obligation etc på navn)* register; ~ *én (om politiet)* take (down) sby's name, report sby; ~ *sig* make a note of.
notering (en -er) *(se notere)* noting; booking; quotation, price; registration; report.
noteringsberettiget: ~ *vekselerer* member of the Stock Exchange.
noterings|bog notebook. **-kalender** agenda book, memorandum book. **-pris** quoted price.
notes|blok scribbling-block; *(amr)* scratch pad. **-bog** notebook.
noteudveksling exchange of notes.
notifi|cere *vb* notify. **-kation** (en) notification.
notits (en -er) notice, *(i avis ogs)* paragraph; *(notat)* note; *(ikke) tage* ~ *af* take (no) notice of, pay (no) attention to.
notorisk *adj* notorious.
nougat (en) nougat.
novelle (en -r) short story. **novelleforfatter, novellist** (en -er) short-story writer.
november November.
novice (en -r) novice. **noviciat** (et) noviciate.
nr. *(fkf nummer)* No (pl Nos).
I. **nu** *(et)* present (moment), now; *(øjeblik)* moment, instant; *i et* ~ in a moment, in the twink-

ling of an eye, in a flash, in no time; *leve i -et* live in the present; *i samme* ~ at that very instant.
II. **nu** *adv* now, at this moment; *(forklarende)* you see; *(forstærkende)* really, indeed; *fra* ~ *af* from now on; ~ *er han allerede langt borte* by now he is far away; ~ *da* now that; *det er* ~ *engang sådan* well, that's how it is; *da det* ~ *engang er sådan* this being so; *først* ~ only just, now at last; *hvad* ~? what next? *hvad er der* ~? what is it now? *bild dig* ~ *bare ikke ind at* (now) don't go and imagine that; *indtil* ~ till *(el.* up to) now; *men* ~ *barnet?* but what about the child? ~ *og da* now and then; *før og* ~ then and now, past and present; *er det* ~ *også sandt?* is that really true? ~ *regerende* present; ~ *til dags* nowadays; ~ *vel* very well, well (then).
nuance (en -r) shade; *(forskel)* slight difference, nuance. **nuancere** *vb* introduce light and shade into, vary. **nuancering** (en -er) shading.
nudansk present-day Danish.
nudisme (en) nudism. **nudist** (en -er) nudist.
nudler *pl* noodles.
nugældende *adj* present, now in force.
nuklear *adj* nuclear.
nul *(et -ler)* nought, cipher, *(i telefonnummer etc)* o *(udtales som bogstavet* o); *(-punkt)* zero; *(om person)* nonentity, nobody; *(i fodbold)* nil; *(i tennis)* love; *0,07 skrives .07 el.* 0.07 *og læses:* decimal nought seven *el.* nought point nought seven; *i løbet af* ~ *komma* ~ *(el. fem)* in no time, in the twinkling of an eye; *lig* ~ *(fig)* nil *(fx* his influence is nil).
nulevende *adj* (now) living.
nullitet (en -er) nullity; *(person)* nonentity.
nulpunkt zero (point); *absolut* ~ absolute zero.
nulre *vb* rub, stroke; *(kærtegne)* fondle.
numeralier *pl* numerals.
numerisk *adj* numerical; *adv* numerically.
numis|matik (en) numismatics. **-matiker** (en -e) numismatist. **-matisk** *adj* numismatic.
nummer *(et, numre)* number; *(post på liste etc)* item, *(på auktion)* lot; *(klædningsstykkes størrelse)* size; *(garderobe-)* cloak-room ticket; *(på program)* item, number; *(i varieté)* act, turn; *Oxford Street* ~ *25 25,* Oxford Street; ~ *et* number one, *(førstemand)* (the) first; *være* ~ *et i klassen* be top of the form *(el.* class); *stå som en smuk* ~ *et* stand an easy first; *gamle numre af* Times back numbers of the Times; ~ *i klassen (i skole)* position in class; *lave et* ~ *(fig)* play a trick; *hun er ikke mit* ~ she is not my cup of tea; *han er* ~ *sidst i klassen* he is bottom of the form; *gøre et stort* ~ *ud af* make a fuss about; *komme ind som en kneben* ~ be a poor second; *træde uden for* ~ *(om embedsmand)* get leave of absence without pay.
nummeratør (en -er) *(typ)* numbering machine.
nummerere *vb* number; **-t plads** (numbered and) reserved seat. **nummerering** (en) numbering.
nummer|kontoret *(tlf)* inquiries. **-orden** numerical order. **-plade** number plate; *(amr)* license plate. **-skive** *(på telefon)* dial. **-tavle** annunciator.
numse (en -r) behind, bottom, *(amr)* fanny.
nuntius (en, nuntier) nuncio.
nuomstunder *adv* nowadays.
nuppe *vb* lift, pinch.
nusse: ~ *med* potter at; ~ *omkring* potter about.
nusse|hoved, -peter old fuss, fusspot.
nusset *adj* *(snavset)* dingy, tatty; *(sjusket)* untidy, slipshod.
nutid present (time), present day; *(gram)* the present (tense); **-ens unge mænd** the young men of today. **nutidig** *adj,* **nutids-** present(-day), modern, contemporary; *(gram)* present, present-tense.
nutidsmenneske modern *(fx* we moderns).
nutildags *adv* nowadays.
nuttet *adj* sweet; *(især amr)* cute; *en* ~ *hat* a sweet little hat.
nuværende *adj* present.
I. **ny** *(et)* new moon; *i* ~ *og næ* now and then, off and on, at long intervals.

II. **ny** adj new; (yderligere) fresh (fx begin a fresh chapter, throw fresh light on the subject), new, additional; (anden) other (fx this match is no good, give me another); (anderledes) different (fx he wears a different coat every day); (hidtil ukendt) novel (fx this was a novel experience), new;
alt -t all that is new, all innovations; af ~ dato recent, of a recent date; det -este -e the latest thing, the last word (fx in radio sets); hvad kostede den fra ~ (af)? what did it cost originally (el. when new)? hvad -t? what's the news? ~ i tjenesten new to the job; ~ kapital fresh capital; -e kartofler new potatoes; begynde et -t og bedre liv turn over a new leaf; han blev et -t og bedre menneske he became a new man; (moralsk) he turned over a new leaf, he reformed; jeg føler mig som et -t og bedre menneske I feel a different man (, woman); som en ~ Napoleon like a second Napoleon; det er ikke noget -t it is nothing new; på ~ anew, afresh, once more; studere ngt på ~ re-examine sth; sidste -t the latest news, (i avis) stop-press news; (amr) hot news; det -e år the new year; (se ogs nyere, nyest).

ny- new-, newly, freshly (fx new-mown, newly baked); (på ny) re- (fx re-establish a system); (om sprog) Modern (fx Modern English); (geografisk) New (fx New England); (åndelig bevægelse etc) neo- (fx neo-classicism).

nyankommen adj newly (el. just) arrived; subst fresh arrival, new-comer.

nyanskaffelse new purchase, new acquisition.

ny|bagt adj new, fresh, newly baked; (fig) newly hatched. **-barberet** freshly shaved.

nybegynder (en -e) beginner, novice.

ny|bygd (en -er) settlement. **-bygger** (en -e) colonist, settler. **-bygning** (en -er) (hus) new building; (skib) new ship.

nydanne vb create, construct; (ord) coin.

nydannelse new formation, (med.) regeneration; (sproglig) neologism, new coinage.

nydansk Modern Danish.

nyde (nød, nydt) (føle behag ved) enjoy (fx a book), relish; (skadefro) gloat over (fx one's revenge); (spise, drikke) have, take, partake of (fx a meal); (som en luksus) indulge in (fx on Sunday he indulged in a bottle of wine); (beside, have) enjoy (fx good health); (få, modtage) receive, meet with; ~ stor agtelse be greatly respected; ~ godt af benefit by (el. from), profit by (el. from); (økonomisk) profit by (el. from); ~ gæstfrihed receive hospitality; jeg skal ikke ~ noget (fig) I am not having any; ~ tillid be trusted; ~ publikums tillid possess (el. command) the confidence of the public; ~ udsigten enjoy (el. admire) the scenery (el. the view); ~ den ære at have the honour to.

nydelig adj pretty, nice, (om person ogs) attractive; en ~ historie (el. redelighed) a nice state of affairs, a pretty kettle of fish; opføre sig -t behave beautifully; en ~ udtale an extremely good pronunciation; et -t resultat a very satisfactory result.

nydelse (en -r) enjoyment, pleasure; (af mad, drikke) taking, eating, drinking; (besiddelse) enjoyment, possession; en sand ~ a (real) treat; det var en stor ~ it was delightful; efter -n af denne kage (, vin) after eating (, drinking) this cake (, wine).

nydelses|middel stimulant. **-syg** adj self-indulgent, pleasure-loving. **-syge** (en) self-indulgence, love of pleasure.

nyder (en -e) (af et gode) recipient.

nyere (komparativ) newer; (moderne) modern, recent; af ~ dato (ɔ: ret ny) of comparatively recent date.

nyerhvervelse new acquisition.

nyerhvervet adj recently acquired.

nyest (superlativ) newest; (senest) latest; den -e mode the latest fashion; den -e tids historie contemporary history.

nyfalden adj newly fallen; så hvid som ~ sne white as the driven snow.

nyfigen adj inquisitive; (neds) prying. **nyfigenhed** (en) inquisitiveness.

nyforlovet adj recently engaged; de nyforlovede the recently engaged couple.

nyfødt adj new-born.

nygift adj newly married; de -e the newly married couple; T the newly-weds.

nygræsk Modern Greek, Romaic.

nyhed (en -er) (egenskaben) newness, novelty; (ny ting, tanke etc) novelty, something new; (ny fremgangsmåde) innovation; (efterretning) (piece of) news; en god ~ a piece of good news; -er news (N.B. news har verbet i ental, fx this news was alarming); have -ens interesse possess the charm of novelty; -en er over hele byen the news is all over the town.

nyheds|kræmmer newsmonger. **-stof** news. **-udsendelse** news broadcast.

nykke (en -r) whim, crotchet; få -r get ideas into one's head; have -r be crotchety.

nykogt fresh-boiled, freshly boiled.

nykonfirmeret newly confirmed.

nylagt: -e æg new-laid eggs.

nylavet fresh, new-made.

nylig: for ~ lately, of late, recently; for ganske ~ just now, a short time ago; ~ indtruffen recent; ~ udkommen recently published.

nylon (en el. et) nylon. **nylon|forstærket** reinforced with nylon. **-strømper** nylons.

nymalet (på mølle) freshly ground; (m maling) freshly painted.

nymalket adj: ~ mælk milk fresh from the cow.

nymfe (en -r) nymph.

nymodens adj new-fangled.

nymåne new moon.

nynne vb hum.

nyomvendt newly converted; subst new convert, neophyte.

nyopdaget recently discovered.

nyoprettet newly established.

nyordne vb reorganize, reform.

nyordning reorganization, reform.

nyplantning (det at) afforestation; (det plantede) new plantation.

nypresset adj newly pressed.

nyre (en -r) kidney; granske hjerter og -r search the hearts and reins.

nyre|bark (anat) renal cortex. **-betændelse** inflammation of the kidneys, nephritis. **-bælte** (for motorcyklist) body belt. **-fedt** suet; (anat) kidney fat. **-grus** renal calculus; gravel. **-kolik** renal colic. **-smerter** pl nephralgia. **-steg, -stykke** (kidney end of) loin. **-sygdom** kidney disease.

Nürnberg Nuremberg.

nyrøget adj fresh-smoked.

I. **nys:** få ~ om get wind of.

II. **nys** (et) (nysen) sneeze.

nyse (nøs el. nyste, nyst) sneeze.

nysen (en) sneezing; (et nys) sneeze.

nysepulver sneezing-powder.

nysgerrig adj curious (efter at: to); inquisitive; (stærkt neds) prying; jeg er ~ efter at vide hvad han vil gøre (ogs) I wonder what he will do.

nysgerrighed (en) curiosity, inquisitiveness.

nyskabe ✶ create; (genskabe) re-create.

nyslået adj (græs) new-mown; (mønt) newly struck; skinne som en ~ toskilling shine like a new penny.

nysnævnt just mentioned.

nysproglig: ~ linie (i gymnasium), -t gymnasium (svarer til) the modern side of the grammar school.

nysselig adj cute, dainty.

ny|stegt fresh-roasted. **-strøget** newly ironed.

nysølv German silver.

nyt (et) news; hvad ~? what's the news? what's new? (se ogs ny).

I. **nytte** (en) use, usefulness, utility; (fordel) advantage, benefit; drage ~ af profit by, turn to account, *(uberettiget)* take advantage of; *gøre* ~ be of use, make one**self** useful; *jeg har haft megen* ~ *af den* it has been very useful to me; *til hvad* ~ *er det?* what is the use of that? *det er ingen* ~ *til* it is no use *(el.* good) *(at vente:* waiting); *være én til* ~ be useful *(el.* of use) to sby; *komme til* ~ prove of use, come in handy *(el.* useful).

II. **nytte** *vb* be of use; *hvad -r det? hvad kan det* ~*?* what is the use (of that)? *det -r ikke* it is no use *(el.* good) *(at græde:* crying).

nytte|have *(en -r)* kitchen garden. **-last** *(flyv)* payload. **-lære** utilitarianism. **-løs** *adj* useless. **-moral** utilitarianism. **-plante** utility plant. **-virkning** useful effect, efficiency. **-værdi** utility value.

nyttig *adj* useful, profitable; *gøre sig* ~ *(i huset)* make oneself useful (about the house); *(se ogs behagelig)*.

nyttiggøre *vb* turn to account, utilize.

nytår *(et)* New Year; *glædeligt* ~*!* a Happy New Year! *med ønsket om et glædeligt* ~ with best wishes for the New Year; *skyde* ~ *ind* let off fireworks on New Year's eve.

nytårs|aften New Year's eve. **-dag** New Year's day. **-forsæt** New Year resolution. **-hilsen** New Year's greeting. **-kort** New Year card. **-løjer** *pl* New Year jollifications. **-morgen** the morning of New Year's day. **-nat** the night before New Year's day. **-ny** *(et)* the first new moon of the year. **-regning** New Year bill. **-ønske** *(et -r)* wish for the New Year.

nyudkommen recent, just out.

Ny-Zealand, ny-zealandsk New Zealand.

næ, *se I. ny.*

næb *(et -)* beak, bill; *(om rovfugles oftest)* beak; *(på hammer)* peen; *med* ~ *og kløer, se klo*; *hænge med -bet* be down in the mouth; *bleg om -bet* green about the gills; *få én over -bet* get one's knuckles rapped, be told off.

næbbes *vb (om fugle)* bill; *(skændes)* bicker.

næbbet *(næsvis)* saucy, pert.

næbdyr *zo (Ornithorhynchus paradoxus)* duckbill. **næbhval** *zo* bottle-nosed whale.

nægte *vb* deny; *(afslå)* refuse, *(høfligere)* decline; ~ *én ngt* refuse *(blidere:* deny) sby sth *(fx* he was refused admittance; he denies her nothing); ~ *at gøre det* refuse (, decline) to do it; ~ *at have gjort det* deny having done it; ~ *at modtage* refuse, decline; *det kan ikke -s* there is no denying it; it cannot be denied; ~ *sandheden af* deny the truth of; ~ *sig hjemme* refuse to see anybody; ~ *sig det nødvendige* deny oneself the necessaries of life; ~ *sig skyldig* deny the charge, *(ved retten)* plead not guilty; *(se ogs nægtende).*

nægtelse *(en -r)* denial; *(afslag)* refusal; *(gram)* negative. **nægtende** *adj* negative; *give et* ~ *svar* answer in the negative.

næh, *se nej.*

nælde *(en -r)* ♣ nettle; *gøre i -rne* put one's foot in it, make a gaffe; *tage fast om -n* grasp the nettle. **nældefeber** nettle rash.

nænne *vb: jeg kan ikke* ~ *at gøre det* I have not the heart to do it.

nænsom *adj* gentle. **nænsomhed** *(en)* gentleness. **næppe** hardly, scarcely; *(dårligt nok)* barely; *(sikkert ikke)* hardly, scarcely; ~ *.. før* hardly *..* when; hardly *..* before; no sooner *..* than; ~ *var han trådt ind i stuen før* hardly had he entered the room, when; *med nød og* ~ with difficulty, barely, only just; *med nød og* ~ *undgå faren* narrowly escape the danger, have a narrow escape, have a close shave, escape by the skin of one's teeth; *han undgik med nød og* ~ *at drukne* he narrowly escaped drowning.

I. **nær** *adj* near, close; *i (en)* ~ *fremtid* in the near future, before long; ~ *slægtning* close *(el.* near) relation; *i* ~ *tilknytning til* closely connected with; *øjeblikket er* ~ the moment is at hand.

II. **nær** *adv* near; *(næsten)* nearly; *jeg var* ~ *aldrig*

blevet færdig I had an awful job finishing it; ~ *beslægtet* closely related; ~ *forestående* approaching, coming, imminent *(fx* departure); *ikke* ~ *(rig) nok* not nearly (rich) enough, nothing like (rich) enough; *ikke* ~ *så rig som* nothing like as rich as, not nearly so rich as; *jeg vil skam gerne komme, det er ikke* ~ *sådan, men* not that I am unwilling to come, but; of course I'd like to come, but; *noget* ~ almost, little short of; *på én* ~ except one; *på nogle få undtagelser* ~ with a few exceptions; *ikke på langt* ~ not at all, not by a long chalk; *på en tomme* ~ less an inch; ~ *hen til* close to; ~ *ved* near by, close by, *(med styrelse)* near, close to; ~ *ved at (fx falde)* on the point of *(fx* falling); *jeg var* ~ *ved at falde (ogs)* I very nearly fell, I all but fell; ~ *ved at græde* on the brink of tears; *det er jeg* ~ *ved at tro* I rather think so, I am inclined to think so; ~ *ved de fyrre* close on forty, getting on for forty; *[m vb:]* *det gik ham* ~ *til hjerte* he took it to heart, he felt it deeply; *have* ~ *til skolen* live near the school; *jeg havde* ~ *dræbt ham* I very nearly killed him; *det havde jeg* ~ *glemt* I almost forgot; *denne – forbryder havde jeg* ~ *sagt* this, I am tempted to say criminal; this, I almost said criminal; *det ligger* ~ *at antage* it seems probable; *det ligger* ~ *at gøre det* it seems the obvious thing to do; *det ligger* ~ *at tænke at* it seems natural to think that; *stå én* ~ be closely connected *(el.* on intimate terms) with sby; *arter som står hinanden* ~ closely related species; *kilder der står præsidenten* ~ *oplyser at* sources close to the President report that; *tage sig ngt (meget)* ~ take sth (greatly) to heart.

III. **nær** *præp* near, close to; ~ *de fyrre* close on forty; *være døden* ~ be at death's door, be dying; *han er undergangen* ~ he is on the verge of ruin.

nærbeslægtet *adj* closely related.

nærbillede *(et -r)* close-up *(pl* close-ups).

nære *vb (følelser etc)* harbour *(fx* suspicions, treacherous designs), entertain *(fx* a hope), cherish *(fx* feelings, hopes), feel *(fx* friendship for him), have *(fx* illusions, doubts, respect, suspicion); *(være -nde)* be nourishing;

~ *afsky for* hate, loathe; ~ *agtelse for* respect; ~ *en anskuelse* hold a view; ~ *bekymring for* be uneasy about; ~ *foragt for* det hold it in contempt; ~ *frygt for* fear; ~ *éns had* keep sby's hatred alive; ~ *ilden* feed the fire; ~ *interesse for* take an interest in; ~ *kærlighed til* love; ~ *mistillid til* distrust; ~ *sig (dy sig)* behave oneself; resist the temptation; *jeg kan ikke* ~ *mig for varme* this heat is more than I can stand; *jeg kunne ikke* ~ *mig for at gøre det* I could not resist doing it; I simply had to do it; *kan du – dig!* behave (yourself)! no you don't! *du kan tro jeg kan* ~ *mig!* catch me (doing it)! ~ *tillid til* have confidence in, trust.

nærende *adj* nourishing, nutritious.

nærforestående *adj* imminent, impending.

nærgående *(næsvis)* impertinent; *(indiskret)* tactless *(fx* question); ~ *bemærkninger* offensive remarks, personalities; *være* ~ *over for* take liberties with, T be fresh with; *være* ~ *over for en kvinde (fx på gaden)* annoy a woman *(fx* constable, this man is annoying me); *(gøre tilnærmelser)* make advances to a woman, T make passes at a woman. **nærgåenhed** *(en)* impertinence, insolence; *(bemærkning)* offensive remark, personality.

nærhed *(en)* nearness, proximity; *(nær forestån)* imminence; *(nabolag)* neighbourhood; *en landsby her i -en* a neighbouring village; a village near by, *(amr ogs)* a nearby village; *i -en af* near, close to, in the neighbourhood of; *lige i -en* close by.

nærig *adj* stingy, mean, close(-fisted). **nærighed** *(en)* stinginess, meanness.

næring *(en) (føde)* food, nourishment; *(erhvervsvirksomhed)* trade, business; *gå én i -en* poach on sby's preserves; *give hadet* ~ keep sby's hatred alive; *give ilden (ny)* ~ feed the fire, add fuel to the flames; *sætte tæring efter* ~, *se tæring.*

nærings|bevis, -brev licence to trade. **-drivende**

(en) tradesman. **-frihed** freedom of trade. **-liv** trade, economic life. **-middel** food(stuff), article of food; **-midler** *(ogs)* provisions, supplies. **-sorger** *pl* pecuniary anxieties, financial difficulties. **-stof** nutrient. **-vej** (branch of) trade, industry; occupation; *Danmarks vigtigste -e* the principal industries of Denmark; *pas din ~!* mind your own business! **-værdi** food value, nutritive value.

nærkæmp hand-to-hand fighting.

nærliggende *adj* neighbouring; *(fig)* obvious *(fx* for obvious reasons), natural *(fx* questions).

nærlys dipped light.

nærme *vb* bring nearer to; *~ sig* approach, come nearer; *(om begivenhed)* approach, draw near; *pågåenhed som -r sig uforskammethed* forwardness that verges on insolence.

nærmer *adj* near; *den ~ hest* the near horse.

I. **nærmere** *adj (komparativ af nær)* nearer, closer; *(yderligere)* further, additional *(fx* details); *(nøjere)* more definite *(fx* information), more specified *(fx* account, explanation, instructions); more explicit; *vinde ved ~ bekendtskab* improve on acquaintance; *få ~ besked* learn the particulars; *ved ~ eftertanke* on second thoughts; *~ enkeltheder* (further) particulars; *på ~ hold* more closely; *de ~ omstændigheder (ved sagen)* the particulars (of the case); *~ oplysninger* (further) particulars; *~ ordre* further instructions; *efter ~ overvejelse* on reflection, on thinking it over, on second thoughts; *~ samarbejde* (more) intimate collaboration; *en ~ vej* a shorter way, a short cut; *han er ~ til det end jeg* it concerns him more than me.

II. **nærmere** *adv* more closely, nearer (to) *(fx* situated nearer to London), *(nøjere)* more precisely, more definitely; in detail, more explicitly; *(snarere)* rather; *angive ~* specify, state more precisely; *~ angivet* specified, given *(fx* a g. address); *ikke ~ angivet* unspecified; *~ bekendt med* better acquainted with; *bestemme ~* specify; *visse ord, ~ bestemt adjektiver* certain words, or to be more explicit, adjectives; *betragte noget ~* look closer at sth, get a closer view of sth; *datoen vil senere blive ~ fastsat* the (exact) date will be fixed later; *forklare ~* explain in detail, give further particulars of; *komme ~ ind på sagen* go into detail; *man ved (endnu) ikke noget ~* details are not (yet) known *(el.* available); *undersøge ~* examine more closely.

I. **nærmest** *adj* nearest; *(næste)* next; *mine -e* my closest relatives; those nearest and dearest to me; *en af de -e dage* within a day or two; *i de -e dage* within the next few days; *den -e familie* the closest relatives; *hans -e foresatte* his immediate superior(s); *i den -e fremtid* in the near future; *hans -e konkurrent* his chief competitor; *-e nabo* next-door neighbour; *i byens -e omegn* in the immediate vicinity of the town; *på det -e* (just) about, nearly, approximately; *på det -e rigtig* approximately correct, about right; *på det -e det samme* very much the same thing; *på det -e sikker* fairly certain.

II. **nærmest** *adv* nearest; *(snarest)* if anything *(fx* if anything, he is too conscientious); rather; *(gengives ofte med* not un-, *fx* she is not unattractive); *(næsten)* almost *(fx* he is almost an idiot); *(omtrent)* about *(fx* he is about my height); *~ foregående* (immediately) preceding; *~ følgende* next, following; *~ køn* rather good-looking, on the good -looking side; *~ liggende, ~ tilstødende* adjoining, adjacent; *jeg misunder ham ~* I rather envy him.

III. **nærmest** *præp* nearest (to), next to; *komme sandheden ~* get nearest to the truth; *enhver er sig selv ~* near is my shirt, but nearer is my skin.

nærstående *adj* near, closely related.

nærsynet *adj* short-sighted, near-sighted. **nærsynethed** *(en)* short-sightedness, near-sightedness.

nærtagende *adj* touchy, sensitive, squeamish.

nærtog local *(el.* suburban) train.

nærtrafik local *(el.* suburban) traffic.

nærved *adv* closely; *(i nærheden)* near by, close

by; *undersøge noget ~* examine sth closely; *~ skyder ingen hare* a miss is a good as a mile.

nærværelse *(en)* presence; *i ~ af* in the presence of, before.

nærværende *adj (tilstedeværende)* present; *(nuværende)* existing; *(modsat åndsfraværende)* attentive; *~ brev* this letter, the present letter; *for ~ (tid)* at the present time.

næs *(et -)* headland, foreland, cape.

næse *(en -r)* nose; *(irettesættelse)* reprimand; *(på fodtøj)* toe; *have en fin ~ (fig)* have flair; *det gik hans ~ forbi* it passed by him, he just missed it; *få en lang ~* be disappointed; *pille ~, pille sig i -n* pick one's nose; *pudse -(n)* blow one's nose; *pudse ~ på et barn* wipe a child's nose; *række ~ ad* cock a snook at, thumb one's nose at; *snyde -n* blow one's nose; *stikke sin ~ i* poke one's nose into; *stikke -n i sky (fig)* stick one's nose in the air; *sætte sin ~ op efter* fondly hope to get; *tabe ~ og mund* gape, be dumbfounded; *tage -n til sig* back out;

[m præp:] *han er som snydt ud af -n på sin far* he is the dead spit *(el.* spit and image) of his father; *gå lige efter -n* follow one's nose; *holde sig for -n* hold one's nose; *lige for -n af os* under our (very) noses; *lukke døren for -n af én* shut the door in sby's face; *ikke kunne huske fra ~ til mund* have a memory like a sieve; *have ben i -n* have grit; *det kan du bide dig i -n på* you bet your life; *rive ham det i -n, se II. rive*; *han ligger med -n i vejret (ɔ: er død)* he has turned up his toes; *sidde med -n i bøgerne* pore over one's books; *give ham over -n* give him a good dressing -down; **pr.** ~ a head, each; *rynke på -n ad* turn up one's nose at; *spille en på -n* fool sby; *tage en ved -n (fig)* take sby in, do sby.

næse- nasal, of the nose.

næse|ben nose bone. **-blod** nose-bleeding; *jeg har ~* my nose is bleeding. **-bor** *(et -)* nostril. **-brusk** nasal cartilage. **-fløj** wing of the nose.

næsegrus *adj & adv* flat on one's face, prostrate, prone; *~ beundring* uncritical admiration; *kaste sig ~ (af ærbødighed) for én* prostrate oneself before sby.

næse|hjul *(flyv)* front wheel. **-horn** *zo* rhinoceros. **-hule** *(anat)* nasal cavity. **-klemmer** *pl* pince-nez. **-lyd** nasal (sound). **-rod** *(en)* root of the nose. **-ryg** bridge of the nose. **-styver** *(en -e)* punch on the nose. **-tip** *(en)* tip of the nose.

I. **næst** *adv:* ~ *efter* next to, after.

II. **næst** *præp* next to; under *(fx* under God I owe my preservation to you).

næst- second, next *(fx* second *(el.* next) best; the second most important town); but one *(fx* the longest but one).

I. **næste** *(en)* neighbour; *du skal elske din ~ som dig selv* thou shalt love thy neighbour as thyself.

II. **næste** *adj* next; *(følgende)* next, the following; *(den) ~ dag* (the) next day, the following day; *han bor i ~ hus* he lives next door; *(i) ~ måned* next month; *den fjerde i -e måned* on the fourth of next month; *på -e side* overleaf; *værsågod, den ~!* next, please!

næstekærlig *adj* charitable.

næstekærlighed *(en)* charity.

næsten *adv* nearly *(fx* n. ready; n. finished; n. 60); almost *(fx* a. ready; a. immediately; it is a. a pleasure); all but; *(praktisk talt)* practically; *~ en halv time* nearly half an hour; *~ aldrig* hardly ever; *~ altid* nearly always; *~ ikke* hardly; *~ ingen* hardly any(body); *~ intet* hardly anything, next to nothing; *~ overalt* almost everywhere; *~ skyder ingen mand af hesten* a miss is as good as a mile; *jeg synes ~* I rather think; *~ umuligt* hardly possible, almost impossible.

næstformand vice-president; deputy chairman.

næst|kommanderende second in command; *(første styrmand)* first officer. **-mindst** smallest but one. **-nederste** the second from the bottom.

næst|sidst last but one. **-størst** second largest.

næst|søskendebarn (second) cousin. **-yngst**

youngest but one. **-ældst** oldest but one; *den -e søn* the second son; *(af to)* the younger son. **-øverst** *adj* second from the top.

næsvis *adj* pert, impertinent, saucy; *(amr)* fresh; *frøken ~* Miss Pert. **næsvished** *(en -er)* pertness, impertinence; *en ~* a piece of impertinence.

nætter *pl af nat.*

næve *(en -r)* fist; T paw; *bare -r* naked fists; *knytte -rne* clench one's fists; *den pansrede ~* the mailed fist; *slå en proper ~* be a handy man with one's fists; *stikke en på -ŋ* shake hands with sby.

næve|fuld *(en -e)* handful. **-nyttig** *adj* officious, T busy. **-nyttighed** *(en)* officiousness. **-ret** *(en)* fist-law, club-law.

nævn *(et -)* board, tribunal *(fx huslejenævn* rent tribunal).

nævne ✱ mention; *(opgive navn på)* name; *~ sit navn* state *(el.* give) one's name; *~ ved navn* call by name; *ikke ~ et ord om* not breathe a word of.

nævnefald the nominative (case).

nævnelse: *med navns ~* by name; *uden navns ~* without giving any name(s).

nævner *(en -e) (mat.)* denominator.

nævneværdig *adj* worth mentioning, appreciable.

nævning *(en -er)* juryman; *-erne* the jury.

nævninge|liste (jury) panel. **-sag** case tried by a jury. **-ting** (court sitting with a) jury.

I. **nød** *(en -der) (ogs =* *hoved)* nut; *en hård ~ at knække* a hard nut to crack, a poser.

II. **nød** *(en)* *(lidelse, modgang)* distress, trouble, affliction; *(fare)* distress, danger, peril; *(fattigdom)* distress, want, necessity, destitution, need; *~ bryder alle love* necessity knows no law; *komme i ~* fall into distress; *i -en skal man kende sine venner* a friend in need is a friend indeed; *i -ens stund* in the hour of need; *det har ingen ~* never mind; *lide ~* be in want, suffer (distress); *~ lærer nøgen kvinde at spinde* necessity is the mother of invention; *med ~ og næppe, se næppe*; *når -en er størst er hjælpen nærmest* the darkest hour is before the dawn; *til ~* in an emergency, T at a pinch, *(m kniberi)* barely, only just.

III. **nød** *imperf af nyde.*

nød|anker ⚓ jury anchor. **-belysning** emergency light(ing). **-blus** ⚓ signal flare. **-bremse** *(en -r)* emergency brake; *(grebe; svarer i England til)* communication cord; *trække i -n* pull the communication cord.

nøddebrun *adj* nut-brown, hazel.

nødde|busk hazel (shrub). **-kerne** kernel of a nut. **-knækker** *(en -e)* (pair of) nutcrackers. **-knækkeransigt** nutcracker face. **-koks** nut coke. **-kul** nut coal, nuts. **-olie** nut oil. **-skal** nutshell, *(båd)* cockleshell; *i en ~ (fig)* in a nutshell. **-træ** walnut (wood). **-tur:** *tage på ~* go nutting.

nøde ✱ *(overtale)* press, urge; *(tvinge)* force, compel, oblige, constrain; *-s til at* be obliged to; *(se ogs nødt).*

nøden *(en)* pressing, urging.

nød|flag distress signal. **-foranstaltning** emergency measure. **-forbindingskasse** first-aid surgical dressing-case. **-forordning** emergency decree. **-havn** port of refuge; *søge ~* put into a p. of r. **-hjælp** temporary expedient, makeshift; *(med.)* first-aid. **-hjælpsarbejde** relief work.

nødig *adv* *(ugerne)* reluctantly; *adj* necessary, needful; *jeg gør det ~ I* hate to do it, I do it reluctantly; *det gøres ikke ~* it is not necessary; *have ~* at need, have to; *det skulle ~ ske* that would be very unfortunate; I hope it won't come to that; *jeg vil ~* I don't like; I hate *(fx* to disturb you); *jeg ville ~* I should not like to.

nød|lande *vb (om flyver)* make a forced landing. **-landing** *(en -er)* forced landing; *foretage en ~* make a forced landing. **-lidende** *adj* destitute, needy, necessitous, indigent; *~ egne* distressed areas. **-løgn** white lie. **-mast** ⚓ jury mast. **-ror** ⚓ jury rudder. **-råb** cry for help, cry of distress.

nødsage *vb* compel, oblige, force; *se sig -t til at* be *(el.* find oneself) compelled to, have to.

nødsfald: *i ~* in an emergency, T at a pinch; *i yderste ~* in the last resort, in extreme cases.

nød|signal distress signal, S.O.S. **-situation** emergency. **-skilling** savings, nest egg; *lægge en ~ hen* put something by, provide for a rainy day. **-skrig** cry of distress, cry for help. **-stedt** *adj* distressed, in distress.

nødstilfælde *se nødsfald.*

nødt: *være ~ til at* be obliged to *(el.* compelled) to, have to.

nødtvungent *adv* under compulsion; *(modstræbende)* reluctantly.

nødtørft *(en)* forrette sin *~* relieve oneself, relieve nature. **nødtørftig** *adj* necessary; *(sparsom)* scanty.

nødtørftsanstalt public lavatory, public convenience; *(amr)* comfort station.

nødudgang emergency exit; *(ved brand)* fire escape.

nødvendig *adj* necessary, needful, requisite; *absolut ~* absolutely necessary, indispensable; *bydende ~* imperative; *foretage det -e* take the necessary steps; *en ~ følge* a necessary *(el.* inevitable) consequence; *-t onde* necessary evil; *det strengt -e* what is strictly necessary; *fortæl ham ikke mere end strengt -t* don't tell him more than you can help *(el.* than is strictly necessary). **nødvendiggøre** *vb* render necessary, necessitate; demand.

nødvendighed *(en)* necessity; *det er en bydende ~ at* it is imperative that; *-en af* the necessity of; *øre en dyd af -en* make a virtue of necessity.

nødvendighedsartikel necessity, necessary.

nødvendigvis *adv* necessarily, of necessity.

nødværge self-defence.

nøgen *adj* naked *(fx* body, person), *(især i kunst)* nude; *(bar)* bare *(fx* feet, shoulders); *(uden fjer)* bald, featherless; *nøgne fakta* naked facts; *efter ~ model* from the nude; *den nøgne sandhed* the naked truth; *i ~ vægt* stripped.

nøgen|dans nude dancing. **-danserinde** nude dancer, *(i afklædningsnummer)* strip-tease dancer.

nøgenfrø|et: *de -ede* the gymnosperms.

nøgenhed *(en)* nakedness, nudity.

nøgenkultur nudism; *dyrke ~* be a nudist.

I. **nøgle** *(en -r)* key; *(musik)* clef; *(til gåde)* clue.

II. **nøgle** *(et -r) (garn- etc)* ball.

nøgle|barn latchkey child. **-ben** collarbone, clavicle. **-bræt** key rack. **-børn** latchkey children. **-hul** keyhole. **-industri** key industry. **-kam** bit (of a key). **-knippe** bunch of keys. **-ord** key word. **-pung** key case. **-ring** key ring. **-roman** roman à clef. **-skilt** *(på dør)* keyhole plate; *(på nøgle)* key tag. **-stilling** key position.

nøgtern *adj* sober(-minded), matter-of-fact; *ved en ~ betragtning* on sober consideration.

nøjagtig *adj* exact, accurate, precise; *adv* exactly, precisely; *gå -t (om ur)* keep perfect time; *~ kl. 10* at ten o'clock sharp *(el.* exactly); *hvad er klokken ~?* what is the exact time? *en ~ kopi* an exact *(el.* a faithful) copy; *være ~ med noget* be precise about sth.

nøjagtighed *(en)* exactness, accuracy, precision; *med en tiendedels ~* accurate to a tenth, with an accuracy of one tenth.

I. **nøje** *adj (nær)* close, intimate; *(omhyggelig)* careful, scrupulous; *ved ~ eftersyn* on close inspection; *stå i ~ forbindelse med* be intimately connected with; *~ overvejelse* careful consideration; *~ regnskab* exact account; *~ undersøgelse* careful investigation (, examination).

II. **nøje** *adv (nært)* closely *(fx* be closely connected with), intimately; *(omhyggeligt)* carefully *(fx* consider sth carefully); *(nøjagtigt)* exactly, accurately, strictly; *iagttage ham ~* watch him closely; *kende ~* know intimately; *kende noget meget ~* know sth through and through; *overholde ~* observe *(el.* keep) strictly; *han tager det ikke så ~* he is not parti-

cular (med: about); ~ *underrettet om* well informed
of; (se ogs *nøjere, nøjest*).
 III. **nøje** vb: *lade sig ~ med* be content (el. satisfied)
with; (se ogs *nøjes*).
 nøjere (komparativ af *nøje*) adj closer; more
careful; (*yderligere*) further; *adv* more closely, more
carefully; more exactly; (*yderligere*) further.
 nøjeregnende adj scrupulous, particular (med:
about); (*påholdende*) close(-fisted).
 nøjes vb: ~ *med* be content (el. satisfied) with; *det
vil jeg ikke ~ med* that is not enough; *han nøjedes ikke
med det* he did not stop at that; *kan du ~ med ét
spejlæg?* can you do with one fried egg? *jeg kan ~
med lidt* I am easily satisfied; ~ *med at se ' til* content
oneself with looking on; (ɔ: *ikke blande sig*) remain
a passive spectator.
 nøjest: *på det -e* (næsten) nearly, almost, (*om-
hyggeligt*) scrupulously.
 nøjsom adj easily satisfied; frugal; *-t dyr* (, *plante*)
hardy animal (, plant). **nøjsomhed** (en) frugality.
 nøkke (en -r) water elf, nix.
 nøkkerose ♧ white water-lily.
 nøle (betænke sig) hesitate; (*trække tiden ud*) tem-
porize; ~ *med at gøre ngt* hesitate over doing sth;
uden at ~ without hesitating, unhesitatingly, without
delay.
 nølen (en) hesitation, shilly-shallying, delay.
 nølende adj hesitating, (*uvillig*) reluctant.
 nørkle vb potter about.
 nørre- North, northern.
 nøs imperf af *nyse*.
 I. **nå** vb (komme til) reach, arrive at, get to, come
to; (med besvær ogs) gain, make one's way to;
(komme tids nok til) be in time for; (*befordringsmiddel*)
catch (fx the train), make (fx make the nine-thirty);
(*indhente*) overtake, catch up with, (*komme på højde
med*) come up to, equal; (*opnd*) reach; attain (fx a
high degree of accuracy), attain to; (*overkomme, få
gjort*) manage, get done; (*kunne række hen til, få
fat i*) reach, get at (fx can you get at that branch?);
(*strække sig til*) reach to (fx his fields reach to the lake);
 ~ *en høj alder* reach (el. attain) a great age; ~ *at
få noget gjort* manage to get something done; *han
kan endnu ~ at gøre det* there is still time for him
to do it; ~ *fuldkommenheden* reach perfection; ~ *sin
hensigt* achieve one's purpose; *vi -ede ikke ret langt
sidste gang* we did not get very far last time; ~ *sit
mål* achieve one's end (el. aim), succeed; ~ *sine
ønskers mål* attain (el. reach) the object (el. the goal)
of one's desires; *jakken kan ikke ~ om dig* the jacket
won't meet; ~ *op på* (om størrelse etc) attain; ~ *til*
reach, come to, arrive at; ~ *til en afgørelse* (, til *enig-
hed*) come to (el. arrive at el. reach) a decision (, an
agreement); ~ (, *ikke ~*) *toget, skibet* catch (, miss)
the train, the ship; *han vil ~ vidt* he will go far.
 II. **nå**! well; (forundret) oh; why; indeed; (be-
roligende) there; (som svar) I see; ~ *~!* (bebrejdende)
now, now! come, come! ~ *da!* (forundret) why!

indeed! I say! (advarende) now then! ~ *sådan!* oh, is
that it?
 nåd (en, *nådder*) ⟰ seam.
 I. **nåde** (en) (gunst) grace, favour; (rel) grace;
(mildhed, barmhjertighed) mercy, clemency; *nåde!
nåde!* mercy! *Deres Nåde!* (til hertug(inde)) your Grace;
(til greve) your Lordship; (til grevinde) your Lady-
ship; *hans ~* (om hertug) his Grace; (om greve) his
Lordship; *hendes ~* (om hertuginde) her Grace; (om
grevinde) her Ladyship; *af ~ og barmhjertighed* out of
mercy; *finde ~ for éns øjne* find favour in sby's eyes;
lade ~ gå for ret temper justice with mercy, show
mercy; *af Guds ~* by the grace of God; *bede om ~*
ask for mercy, ⚔ ask for quarter; *overgive sig på ~ og
unåde* surrender unconditionally; *tage en til ~* restore
sby to favour; (*tilgive*) forgive sby; (lade *én slippe*)
let sby off; *uden ~ og barmhjertighed* without mercy,
mercilessly.
 II. **nåde** vb: *Gud ~ dig!* (may) God have mercy on
you! (truende) *Gud ~ dig, hvis ...* God help you if ...
 nåde|gave (i teologi) (gift of) grace; *ydmyghedens
~* the grace of humility. **-middel** means of grace.
 nådes|bevisning favour. **-sag** favour.
 nådestød coup de grâce, (ogs fig) deathblow.
 nådig adj gracious; *vor -ste konge* our most
gracious Sovereign; *en ~ skæbne* a merciful fate;
slippe -t be let off lightly; get off lightly; *Gud være
os ~!* God have mercy on us! *Gud være mig synder
~!* God be merciful to me, a sinner!
 nådle vb close. **nådler** (en -e) (boots and shoes)
closer.
 nådsensbrød: *spise ~ hos en* live on sby's charity.
 nål (en -e) (sy-, strikke-, hækle-, grammofon-, kom-
pas-, gran- etc) needle; (knappe-, pynte-, hatte-, sikker-
heds-) pin; *et brev -e* a packet of pins (, needles);
sidde (, stå) *som på -e* be on tenter-hooks, (amr)
be on pins and needles; *træde en ~* thread a needle.
 nåle|bog needle book. **-fabrik** needle factory.
 nåleformet adj needle-shaped.
 nåle|hus needle case. **-mager** (en -e) needle
-maker. **-penge** pl pin money. **-pude** pincushion.
-skov coniferous (el. softwood) forest.
 I. **nålespids** (en -er) needle point, pinpoint.
 II. **nålespids** adj sharp as a needle.
 nåle|stik (ogs fig) pinprick. **-stribet** adj pin
-stripe(d). **-støj** needle scratch. **-træ** coniferous tree,
conifer. **-øje** eye of a needle.
 når (tidsbindeord) when; (dersom) if; ~ *bare*, ~ *blot*
if only; ~ *engang*, ~ *først* once; ~ *vi først kommer i
land* kan vi *hvile* once on shore, we can rest; ~ *jeg
ikke kan lide ham er grunden den ...* the reason why I
dislike him is ...; ~ *som helst* (conj) whenever (fx I'll
see him whenever he likes to come); (adv) any time,
no matter ,when (fx you may come any time be-
tween two and four); ~ *han* (endelig) *taler, taler han
godt* when he does speak, he speaks well; *hvorfor
skulle jeg klage ~ jeg har alt hvad jeg behøver?* why
should I complain when I have all I need?

O

O, o (et -'er) O, o.
 o! oh! O!
 oase (en -r) oasis (pl oases).
 obducere vb perform a post-mortem (on).
 obduktion (en -er) post-mortem (examination),
autopsy.
 obelisk (en -er) obelisk.
 oberst (en -er) colonel. **oberst|inde** (en -r)
colonel's wife; ~ *Smith* Mrs Smith. **-løjtnant**
lieutenant-colonel.
 objekt (et -er) (ogs gram) object (for: of).

 I. **objektiv** (et -er) (linse) lens.
 II. **objektiv** adj objective; *-t set* objectively; ~
genitiv objective genitive.
 objektivere vb objectify.
 objektivering (en) objectification.
 objektivfatning lens attachment.
 objektivitet (en) objectivity, objectiveness.
 oblat (en -er) (alterbrød; papirstykke på brev) wafer.
 obligat adj obligatory (fx reward), (neds) inevi-
table (fx joke); (musik) obbligato; *med ~ obo* with
oboe obbligato.

obligation *(en -er)* bond, debenture.
obligations|ejer bond-holder. **-kurs** bond quotation. **-marked** bond market.
obligatorisk *adj* compulsory *(fx* compulsory subject), de rigueur *(fx* evening dress is de rigueur).
obo *(en -er)* oboe. **oboist** *(en -er)* oboist.
obs. *(fk f observer!)* note.
observans *(en -er) (klosterregel)* rule, observance; *(overbevisning)* conviction, views *(fx* of conservative views; they held different views).
observation *(en -er)* observation; *indlægge en til ~* put sby under observation. **observations|ballon** ⚹ observation balloon. **-post** observation post. **-tid** time of observation. **-ur** ⚓ hack.
observator *(en -er)* observer.
observatori|um *(et -er)* observatory.
observatør *(en -er)* observer.
observere *vb* observe; ⚓ take sights; *-t længde* ⚓ longitude by observation.
obskur *adj* obscure, unknown; *(lyssky)* doubtful, shady, *(om sted)* disreputable.
obskurant *(en -er)* obscurantist.
obskurantisme *(en)* obscurantism.
obskøn *adj* obscene.
obsternasig *adj* refractory, fractious, contrary.
obsternasighed *(en)* refractoriness, contrariness.
obstetrik *(en)* obstetrics.
obstruktion *(en -er)* obstruction; *(sabotage)* sabotage; *lave ~* obstruct; sabotage.
obstruktionspolitik obstructionism.
occidenten the Occident; *hørende til ~* Occidental.
ocean *(et -er)* ocean; *-er af penge (, tid)* oceans of money *(, time).* **ocean|damper** (ocean) liner. **-flyvning** trans-oceanic flight. **-gående** *adj* ocean-going.
oceanograf *(en -er)* oceanographer.
od *(en -de)* point.
odalisk *(en -er)* odalisque.
odde *(en -r)* spit, tongue of land, point.
odder *(en -e) zo* otter; *(skældsord)* fool.
oddfellow *(en -er el. -s)* Oddfellow.
odds odds; *~ er ti* the odds are ten to one.
ode *(en -r)* ode.
odel *(en)* allodium, freehold land.
odelsbonde freeholder, yeoman.
odeur *(en -er)* smell, odour.
Odin Woden, Odin.
odiøs *adj* odious, invidious *(fx* comparisons); *(mildere)* unpleasant *(fx* the word has an u. ring).
Odysseen the Odyssey. **Odysseus** Ulysses, Odysseus.
I. offensiv *(en -er)* offensive; *tage -en* take the offensive. **II. offensiv** *adj* offensive; *gå -t til værks* act on *(el.* take) the offensive.
offentlig *adj* publicly, in public; *-e arbejder* public works; *minister for -e arbejder* Minister of Public Works; *på ~ (el. det -es) bekostning* at the public expense; *-t fruentimmer* (common) prostitute; *en ~ hemmelighed* an open secret; *-t hus* house of ill fame, brothel; *det -e liv* public life; *den -e mening* public opinion; *~ tilgængelig* open to the public.
offentlig|gøre *vb* publish. **-gørelse** *(en)* publication.
offentlighed *(en)* publicity; *-en (publikum)* the public; *(den offentlige mening)* public opinion; *i -ens interesse* in the public interest.
offer *(et, ofre) (til guddom)* sacrifice, offering; *(fig)* sacrifice; *(den som ofres, som det går ud over)* victim; *(for ulykke etc)* victim, casualty; *(martyr)* martyr; *(til præst)* offering; *bringe et ~ (fig)* make a sacrifice; *bringe ~ for* become the (, a) victim of; *bringe som ~, se ofre; han kvalte sit ~* he strangled his victim; *trafikkens ofre (el. dødsofre)* the toll of the road; *ulykken krævede mange ofre* the disaster claimed many victims *(el.* a heavy toll); *kræve nye ofre af skatteyderne* demand fresh sacrifices from the taxpayers.
offer|bål sacrificial pyre. **-dyr** sacrificial animal, victim. **-gave** offering, sacrifice. **-kniv** sacrificial knife. **-lam** sacrificial lamb; *(fig)* innocent victim. **-måltid** sacrificial feast. **-præst** sacrificial priest. **-skål** sacrificial bowl.
offerte *(en -r), se tilbud.*
offer|vilje spirit of self-sacrifice, generosity. **-villig** *adj* self-sacrificing, generous. **-villighed** = -vilje.
officer *(en -er)* (commissioned) officer; ⚓ officer; *(i skab)* piece. **officers|aspirant** cadet. **-bestalling** commission. **-hæl** military heel. **-messe** officers' mess. **-rang** rank of an officer, commission. **-skole** military academy *(el.* college). **-uniform** officer's uniform.
officiant *(en -er)* ⚹ *(omtr =)* warrant officer; *(titlen nu afskaffet).*
officiantgang *(på hospital, svarer til)* private (patients') wing.
officiel *adj* official; *-t besøg* official visit, *(af statsoverhoved)* state visit; *-t forlovet* officially engaged (to be married).
officin *(et -er) (trykkeri)* printing house; *(i apotek)* dispensary; *(= apotek)* chemist's shop.
officiøs *adj* semi-official.
ofre *vb (til guddom)* sacrifice, offer up; *(give afkald på, give til pris)* sacrifice *(fx* s. one's life for a principle); *(anvende)* devote, dedicate, spend, give; *(spendere)* spend; *(kaste op)* be sick, T feed the fishes; *~ sit liv* give *(el.* sacrifice *el.* lay down) one's life; *~ sig for* sacrifice oneself for *(el.* to), *(hellige sig)* devote oneself to. **ofring** *(en -er)* sacrifice, offering.
offset *(et) (typ)* offset.
offside *(i fodbold etc)* off side.
ofte *adv* often, frequently, **oftere** more often; *(temmelig ofte)* more than once, several times; *(igen)* again *(fx* that must not happen again). **oftest** most often; *(som) -st* as a rule, usually, generally.
og and; *to ~ to er fire* two and two are four; *to ~ to (sammen)* two by two *(fx* they walked two by two); in twos; *han sad ~ spiste sin kage* he sat *(el.* was) eating his cake.
også also, too, as well; *(endog)* even *(fx* even he may make a mistake); *han stjal ~* he also stole *(el.* he stole too); *~ han stjal* he, too, stole; *ikke alene ... men ~* not only ... but (also); *eller ~* or else; *og han kom ~ (virkelig)* and he did come; and cóme he did; *og han var da ~ den første der kom* and he was in fact the first to come; *ikke ~?* don't you agree? *han er dum, ikke ~?* he is stupid, isn't he? *nu ~ (o: virkelig)* really *(fx* do you really mean that?), *(forklarende)* you see *(fx* he was somewhat tired, you see); *om ~* even if, though; *det er ~ hans skyld* it is all his fault; *det var ~ en måde at opføre sig på!* a pretty way to behave! *det var ~ et spørgsmål* what a question! ... *og det gjorde du ~ ...* and so did you; *ja, det gjorde jeg ~* well, so I did; *~ uden det* even without that.
oh! oh!
ohm *(en -)* ohm.
oho! oh! oho! I see!
ohøj! ⚓ ahoy! *(under arbejde)* heave ho! hey-ho!
ok! oh *(fx* oh yes! oh no!); *~ herregud* dear me.
okapi *(en -er) zo* okapi.
okarina *(en -er)* ocarina.
okker *(en)* ochre. **okker|farvet** ochreous. **-gul** ochre-yellow.
okkult *adj* occult. **okkultisme** *(en)* occultism.
okkupation *(en -er)* occupation. **okkupationsmagten** the occupying power. **okkupere** *vb* occupy. **okkupering** *(en)* occupation.
okse *(en -r)* ox *(pl* oxen). **okse|blod(sfarve)** ox-blood. **-bremse** *zo* ox warble-fly. **-bryst** brisket of beef. **-filet** fillet of beef. **-forspand** team of oxen. **-frø** *(en -er) zo* bullfrog. **-halesuppe** oxtail soup. **-hoved** head of an ox; *(rummål, omtr =)* hogshead. **-hud** ox-hide. **-kød** beef. **-kødsuppe** *(omtr)* consommé (of beef). **-mørbrad** undercut of sirloin. **-steg** roast beef; *(hel steg)* joint of beef.

-**tunge** ox-tongue; ⚘ bugloss. **-øje** *(en -r)* ⚘: *gul ~* corn marigold; *hvid ~* oxeye daisy.

okta|eder *(et -edre)* octahedron.

oktant *(en -er)* octant.

oktantal octane number.

oktav *(en -er) (format)* octavo; *(musik)* octave. **oktavformat** octavo. **oktet** *(en -ter)* octet.

oktober *(en)* October.

oktrojeret *adj* chartered.

okular *(et -er)*, **okularglas** eyepiece, ocular.

okulere *vb* bud. **okulering** *(en)* budding.

okulerkniv grafting knife.

ol *(en -):* en *~* eighty.

o.l. *fk f og lignende* and the like, etc.

olddansk *(et & adj)* Old Danish.

olde|barn great-grandchild. **-fader** great-grand-father. **-forældre** great-grandparents. **-moder** great -grandmother.

olden *(en -)* mast.

oldenborgerne *pl* the House of Oldenburg.

oldenborre *(en -r) zo* cockchafer.

oldengelsk Old English.

oldermand *(en, oldermænd)* master of a guild.

old|fransk Old French. **-frue** matron. **-gran-sker** archaeologist. **-granskning** archaeology.

olding *(en -e(r))* (very) old man.

oldingeagtig *adj* senile.

old|kirke primitive Church. **-kristendom** primitive Christianity. **-kyndig** antiquarian.

oldnordisk *(et & adj)* Old Norse; *(fig)* antediluvian.

old|sager *pl* antiquities; *-sag (fig, neds)* fossil, museum piece. **-skrift** *(et -er)* ancient text.

oldtid antiquity; *fra den grå* ~ very ancient, primeval, hoary; *-ens historie* ancient history; *den klassiske ~* classical antiquity; *en af -ens store forfattere* one of the great writers of antiquity.

oldtids|folk ancient people; *-ene* the nations of antiquity. **-historie** ancient history. **-kultur** ancient civilization. **-kundskab** *(skolefag)* classical civilization. **-levning** *(fig, neds)* fossil, museum piece. **-minde** monument *(el.* relic) of antiquity; *-r (ogs)* antiquities.

oleand|er *(en -re)* ⚘ oleander.

olie *(en -r)* oil; *amerikansk ~* castor oil; *gyde ~ på ilden* add fuel to the fire; *gyde ~ på de oprørte bølger* pour oil on troubled waters; *få (, give) den sidste ~* receive (, administer) extreme unction; *smøre med ~* oil, lubricate.

olie|agtig *adj* oily. **-bad**, **-badskædekasse** oil bath. **-bjerget** the Mount of Olives. **-distrikt** oilfield. **-farve** *(en -r)* oil colour; *male med ~* paint in oil(s). **-frakke** oilskin (coat). **-frø** *(et -)* oilseed. **-fyr** oil burner. **-fyret** *adj* oil-fired. **-fyring** *adj* oil-burning. **-gren** olive branch. **-holdig** *adj* oil -containing, oily. **-kage** oilcake. **-kilde** oil well. **-kridt** crayon. **-lampe** oil lamp. **-maleri** oil painting. **-malet** *adj* painted (with oil). **-maling** oil paint. **-mølle** oil mill. **-papir** oil paper. **-presse** oil press. **-raffinaderi** oil refinery.

oliere *vb* oil; *-t papir* oil paper. **oliering** *(en)* oiling.

olie|sump oil sump. **-tank** oil tank. **-tankskib** (oil) tanker. **-tryk** *(billede)* oleograph; *(trykning)* oleography; *(pres)* oil pressure. **-træ** olive (tree). **-trøje** oilskin jacket. **-tøj** oilskins, *(stoffet)* oilskin. **-tønde** oil drum.

oligarki *(et)* oligarchy. **oligarkisk** oligarchic(al).

oliven *(en -)* olive. **oliven|farvet** *adj* olive. **-grøn** *adj* olive-green. **-olie** olive oil. **-træ** olive; *(veddet)* olive wood.

olm *adj* mad, angry.

olmerdug fustian.

Olympen (Mount) Olympus.

olympiade *(en -r)* Olympiad; *(olympiske lege)* Olympic Games.

olympisk *adj (fra el. på Olympen)* Olympian; *(fra eller i Olympia)* Olympic; *-e guder* Olympian

gods; *de -e lege* the Olympic Games; *~ mester* Olympic champion; *~ rekord* Olympic record; *~ ro* Olympian calm.

I. om *præp* a) *(rundt om)* round, about *(fx* go round the corner; it is just round the corner; sit down round the table; she has a wrapper round her; he is always about her);

b) *(angående)* about, of, on *(fx* a book about *(el.* on) gardening; a story about dogs; what are you talking about *(el.* of)? have you ever heard of Clive? my opinion on free trade; he gave lectures on economics); *håb ~* hope of; *løfte ~* promise of; *minde én ~ noget* remind sby of sth;

c) *(for at få, opnå)* for *(fx* fight for sth); *bede ~ noget* ask for sth; *konkurrere med en ~ noget* compete with sby for sth;

d) *(tiden når noget sker)* in, by; *(foran dages navne)* on *(fx* we left on Monday at 7.30); *~ aftenen* in the evening; *~ dagen* by day, in the day-time; *~ eftermiddagen* in the afternoon; *~ formiddagen, ~ morgenen* in the morning; *~ natten* by night, at night; *~ sommeren* in summer; *~ søndagen* on Sunday, *(hver s.)* on Sundays; *mødet blev fastsat til ~ søndagen* the meeting was fixed for (the) Sunday; *~ vinteren* in winter;

e) *(efter forløbet af)* in; *~ to dage* in two days;

f) *(pr)* a; *én gang ~ måneden* once a month; *200 pund ~ året* £200 a year;

g) *(andre tilfælde):* *det er mig meget ~ at gøre* I am very keen on it; *det er mig meget ~ at gøre at du ser det* I am very anxious that you should see it; *nu er det ~ at finde ham* now the great thing is to find him; *lad mig ~ det* leave that to me; *det må han ~, ham ~ det* that is up to him, that is his look-out; *der er noget ~ det* there is some truth in it, there is something in it; *være ~ sig (aktiv)* be up and doing, *(egoistisk)* scrape money together, look after number one; *jeg har været alene ~ det* I have done it all by myself; *der har været flere ~ det* it is the work of several persons; *de måtte være to mand ~ ét tæppe* one blanket had to do for two men; *han var 3 timer ~ det* it took him 3 hours (to do it), he was 3 hours doing it;

II. om *adv (omkring)* about, round, around; *(omkuld)* down, over; *(igen, på ny)* (over) again, once more; *en park med en mur ~* a park surrounded by a wall; *løbe ~* run about, *(amr)* run around.

III. om *conj (betingende)* if *(fx* do it if you dare; if necessary; if possible); in case; *(spørgende)* if, whether *(fx* he asked if *(el.* whether) you were at home); *(indrømmende) ~ (end), selv ~* (even) if, (even) though; *om ... eller* whether ... or; *~ (da) ellers* if (only), provided *(fx* nobody will hurt you provided your explanation is correct); *~ Gud vil* God willing; *hvad ~ vi tog ferie* suppose we took a holiday, what if we took a holiday; *~ ikke* for andet, *så for at* if (it was) only to *(fx* I will do it, if only to annoy him); *~ ikke ... så dog* (even) if not ... at any rate *(fx* (even) if they are not wealthy, at any rate they are very well off); *~ jeg vil!* will I! won't I (just)! *~ jeg gør!* rather! you bet I do! *~ jeg kan lide øl! ja det kan du tro* do I like beer! you bet I do! **som ~** as if, as though; *~ så (= selv om)* (even) if, even though; *~ det så er hans fjender* his very enemies, even his enemies; *~ så (= selv om)* (even) if, even though; *~ der så er aldrig så mange* no matter how many there are; *~ (nu) så var?* what if it is (, if he does, etc)? **T** so what; *~ så skal være* if necessary; *~ jeg så må sige* so to speak, *(mere litterært)* as it were.

omadressere *vb* redirect, readdress, forward; *bedes -t* please forward.

omarbejde *vb (bog etc)* alter, revise, recast, re-write, re-edit; *(for teatret, filmen)* adapt; *-t udgave* revised edition. **omarbejdelse** *(en)* alteration, revising *(etc)*; *(omarbejdet værk)* revision, re-edition, adaptation.

ombejlet *adj* much courted; *(fig ogs)* popular.

ombestemme *: ~ *sig* change one's mind.

ombinde *vb* bind *(med:* with); *(en bog)* rebind.

om|blad *(i cigar)* binder. **-boende** *adj* neighbouring; *de* ~ the neighbours. **-bord** on board; *se ogs (om) bord.* **-bordværende:** *de* ~ those on board.

ombringe *(dræbe)* put to death, do away with.

ombrust *adj:* ~ *af bifald* greeted with a storm of applause.

ombryde *(typ)* make up. **ombryder** *(en -e) (typ)* maker-up. **ombrydning** *(typ)* making up.

ombud: *borgerligt* ~ public duty. **ombudsmand** ombudsman; *(den engelske -s officielle titel er)* Parliamentary Commissioner.

ombygge *vb* rebuild. **ombygning** *(en -er)* rebuilding; *huset er under* ~ the house is being rebuilt.

ombytning exchange; *(indbyrdes)* interchange; *(m h t rækkefølge)* inversion; *(erstatning)* replacement, substitution.

ombytte *(se ombytning)* exchange, change *(med:* for, *fx* he (ex)changed his hat for a cap; goods are exchanged free of charge); interchange; invert, reverse *(fx* the order of the names); replace *(med:* by, *fx* replace the worn-out parts by new ones). **ombyttelig** *adj* exchangeable, *(indbyrdes)* interchangeable.

ombære *vb* carry round, *(postsager)* deliver.

ombæring *(en -er)* delivery.

ombøje turn down, fold down. **ombøjning** *(en -er)* folding, bending; *(fold)* fold, crease, turning.

ombølge *vb (fig)* surround *(fx* surrounded by flattery and applause).

omdanne *vb* transform, convert, change, turn *til:* into); remodel, reshape; *(omordne)* reorganize, *(regering)* reorganize, reconstruct, reshuffle; *(kem)* transform. **omdannelse** transformation, conversion, change *(til:* into); reorganization, *(af regering)* reorganization, reshuffle.

omdebatteret *adj* under discussion; *et meget* ~ *spørgsmål* a vexed *(el.* much debated) question.

omdele * distribute; *(post)* deliver.

omdeling distribution; delivery.

omdigte *vb* rewrite, recast.

omdisputabel *adj* debatable, disputable; *et -t punkt* a moot point. **omdisputeret** *adj* disputed.

omdrejende *adj* revolving, rotatory.

omdrejning *(en -er)* rotation *(fx* the rotation of the earth round its axis), revolution; *(den enkelte ~)* turn, revolution *(fx* 1500 revolutions per minute); *gøre en* ~ (execute a) turn, revolve once. **omdrejnings|hastighed** speed of rotation. **-tal** number of revolutions. **-tap** pivot.

omdøbe * rechristen, rebaptize; *(give andet navn)* rename.

omdømme *(et) (anseelse, rygte)* reputation; *(dømmekraft)* judgment; *(mening)* opinion, estimation; *skade én i folks* ~ injure sby's reputation; *nyde et godt* ~ have a good reputation; *sundt* ~ sound judgment, common sense.

omega *(et)* omega.

omegn *(en)* neighbourhood, surrounding country, environs; *i -en af (ogs fig)* in the neighbourhood of; *York og* ~ York and environs; *samtale til -en (tlf)* toll call.

omegns|kommune borough in the metropolitan area. **-samtale** *(i telefon)* toll call.

omelet *(en -ter)* omelette, *(amr)* omelet.

omen *(et)* omen, augury.

omendskønt *conj* although.

omfang *(et) (omkreds)* circumference, girth *(fx* the girth of a tree); *(størrelse, udstrækning)* size, *(ogs fig)* extent *(fx* the size of the book, of our business; the full extent of the damage, of his goodness), dimensions, proportions *(fx* an undertaking of vast dimensions *(el.* proportions); assume alarming proportions); *(af åndsvirksomhed)* scope *(fx* of a scientific work); *(musik)* range, compass *(fx* of a voice); *af*

stort ~ extensive; *i stort* ~ to a great extent; *i det* ~ *det er muligt* as far as possible.

omfangsrig *adj* extensive; *(tyk)* bulky, voluminous; *(i musik)* of wide range.

omfartsvej by-pass.

omfatte *vb (indbefatte)* include, comprise, cover; *(berøre, angå)* affect; *(om følelser)* regard; ~ *med interesse* take an interest in.

omfattende *adj* comprehensive, extensive.

omfavne *vb* embrace, hug, clasp in one's arms.

omfavnelse *(en -r)* embrace, hug.

omflakken *(en)* roaming, ramblings, vagabondage. **omflakkende** *adj* roaming, vagabond, vagrant.

omflytning *(en -er)* shifting, moving, transfer.

omflytte *vb* shift, move, transfer.

omflyve *vb* fly round.

omforme *se omdanne.*

omformer *(en -e) (elekt)* converter.

omformerstation substation.

omformning *se omdannelse.*

omgang *(en -e) (runde)* turn, round; *(boksning etc)* round; *(baneomgang, ved væddeløb)* lap *(fx* he led during the first lap); *(af drikkevarer)* round *(fx* he stood a round (of drinks)); *(tur m h t arbejde)* turn; *(prygl)* beating; *(skænd)* dressing-down; *(omdrejning)* revolution, turn; *(samkvem, ogs kønsligt)* intercourse *(med:* with); *(omgangskreds)* associates; *(behandling)* handling *(med:* of); *en drøj* ~ a tough job; *en dyr* ~ an expensive affair; *uforsigtig* ~ *med* carelessness with; *ulovlig* ~ *med hittegods* larceny by finding; *pleje* ~ *med* associate with; *i denne* ~ this time; *i første* ~ the first time; *(ofte* =) to begin with; *på* ~ by turns; *det går på* ~ *mellem dem* they do it by turns.

omgangs|form social convention; manners. **-fælle** *(en -r)* companion. **-kreds** set, circle, (circle of) acquaintances, associates. **-sprog** everyday language, colloquial language. **-tone:** *deres* ~ the tone they use among themselves.

omgive *vb* surround, encircle; encompass; ~ *sig med* surround oneself with.

omgivelser *pl* surroundings; *(omegn ogs)* environs, surrounding country; *(levevilkår, miljø)* environment; *(personer)* surroundings, associates, entourage; *han er farlig for sine* ~ he is a danger to his surroundings.

omgruppere regroup, re-arrange; ⚔ regroup.

omgænge|lig *adj* sociable; companionable; *(føjelig)* tractable. **-lighed** *(en)* sociability; tractability.

omgænger *(en -e) (i skole)* repeater.

omgærde *vb* fence in, enclose; *(fig)* surround.

omgå *vb* evade, by-pass *(fx* the regulations); ⚔ outflank, *(gå uden om)* by-pass *(fx* an enemy stronghold). **omgåelse** *(en)* evasion; by-passing; outflanking.

omgående *adj (hurtig)* immediate *(fx* an immediate reply), prompt; ⚔ outflanking; *adv* immediately, at once; *pr.* ~ by return (of post).

omgås *vb* associate with, mix with; *(behandle)* handle *(fx* he does not know how to handle children), deal with, treat;

let at ~ easy to get on with, companionable; *vi* ~ *ikke* we don't see anything of each other, *(kender ikke hinanden så godt)* we are not on visiting terms; *vi* ~ *meget* we see a good deal of each other; *sig mig hvem du* ~, *og jeg skal sige dig hvem du er* a man is known by the company he keeps; ~ *noget med forsigtighed* handle something with care; *han forstår at* ~ *med penge* he is a good manager; ~ *med planer om at købe et hus* contemplate buying a house; ~ *med selvmordstanker* contemplate suicide.

omhandle *vb* treat of, deal with; be about; *den -de sag* the matter in question.

omhu *(en)* care *(for:* for); *(nøjagtighed ogs)* precision; *(kærlig* ~ *ogs)* solicitude; *vise* ~ *for* be careful (, solicitous) about.

omhugge *vb* cut down, fell.

omhyggelig *adj* careful, painstaking; *adv* care-

fully, with care; *være ~ med noget* be careful with
(el. about) sth.
  omhælde * decant.
  omhældning decantation.
  omhæng *(et -)* curtain, hanging(s).
  ominøs *adj* ominous.
  omkalfatre *vb* transform (radically), ⚓ recaulk.
  omkalfatring *(en -er)* transformation, radical
change; ⚓ recaulking.
  omkamp *(en -e) (forlængelse af kampen)* extra
time, *(ny kamp)* replay, play-off.
  omkarteringspostkontor sorting office.
  omklamre *vb* clasp, cling to; ✂ envelop, en-
circle.
  om|klædning *(en -er)* change (of dress). **-klæd-
ningsrum** *(et -)* changing-room; *(separat)* cubicle.
-klædt *adj* dressed, changed.
  omkomme *vb* perish, be killed, be lost; *~ af kulde*
be frozen to death, die from exposure; *vi er ved at ~
af sult* we are famished.
  omkostninger *pl* expenses, cost(s); *(jur)* costs;
blive idømt sagens ~ be ordered to pay costs; *sagens ~
hævedes* no order was made as to costs.
  omkostnings|frit cost free, free (of charge).
-konto charges account, expense account.
  omkranse *vb* wreathe, encircle.
  omkreds *(en)* circumference; *i ~* in circum-
ference, round; *i vid ~* for (many) miles around.
  omkredse *vb* circle, fly round, move round.
  omkring about, round; *(i én retning)* round,
(i alle retninger) around; *(cirka)* about; *(kommando)*
about turn! *gå ~* walk about; *der går en mur ~ byen*
there is a wall round the town; *gå ~ i gaderne* walk
about the streets; *gøre ~* turn round, swing round;
gøre kort ~ turn on one's heel; *her ~* hereabouts,
in this neighbourhood, around here; *med en mur ~*
with a wall round it; *rundt ~* all (a)round, all about;
se sig ~ look around, have a look round.
  omkring|boende *adj* neighbouring; *de ~* the
neighbours. **-liggende** surrounding. **-stående** sur-
rounding; *de ~* the bystanders. **-sædig** *adj* ⚛ peri-
gynous.
  omkuld *adv* down, over *(fx* fall down; knock
down; throw over).
  omkvæd *(et -)* refrain, chorus, *(især fig)* burden.
  omkørsel *(midlertidig omvej)* diversion, *(amr)* de-
tour, *(permanent)* by-pass.
  omlade *vb* trans-ship. **omladning** *(en -er)* trans
-shipment. **omladnings|havn** port of trans-ship-
ment. **-omkostninger** trans-shipment charges.
  omlave *vb* transform, change, convert.
  omliggende *adj* surrounding, neighbouring.
  omlyd (vowel) mutation, umlaut; *få ~* be mu-
tated. **omlyde** *vb* mutate.
  omlægge *(lægge om igen)* re-lay; *(forny)* renew;
(forandre) change, alter; *(reparere)* repair, mend;
(omordne) rearrange *(fx* a timetable), reorganize *(fx*
a system); *(i en anden retning)* reorientate *(fx* our
foreign trade); *(omfordele)* redistribute *(fx* consti-
tuencies); *(grænser)* rectify, adjust.
  omlægning *(en -er) (se ogs omlægge)* relaying;
renewal; change, alteration; repair; rearrangement,
reorganization; reorientation; redistribution; recti-
fication, adjustment.
  omløb *(et -)* circulation; *(astronomisk)* revolution;
(~ i hovedet) presence of mind, cleverness, smart-
ness, brains; *(typ)* overrun; *bringe (el. sætte) i ~
(penge etc)* put into circulation, *(rygte)* circulate;
have ~ i hovedet (ogs) be clever, be smart, be sharp
(-witted).
  omløbende *(omstrejfende)* itinerant, vagrant; *(ro-
terende)* revolving, rotating; *(om sats)* overrunning.
  omløbs|hastighed *(astr & om satellit)* orbital ve-
locity; *(maskines)* speed of rotation; *(penges)* rate of
turnover. **-tid** *(astr)* period of revolution; *(penges)*
circulation period. **-ventil** by-pass valve.
  omme *(til ende)* over, at an end; *tiden er ~ time*

is up; *før året er ~* before the year is out; *~ bag huset*
behind the house; *der ~* over there; *~ i en anden
gade* in another street; *jeg var ~ at se til ham* I went
round to see him.
  ommøblering *(en -er)* refurnishing; *(fig, politisk)*
reshuffle *(fx* a Cabinet reshuffle).
  omnibil *(en -er)*, **omnibus** *(en -ser)* (motor) bus.
omnibus|konduktør bus conductor. **-linie** bus
service, bus line. **-rute** bus route.
  omordne *vb* rearrange, reorganize. **omordning**
(en -er) rearrangement, reorganization.
  omplacere *vb* move, shift; *(på konti)* transfer;
~ spillerne re-form the team.
  omplante *vb (ogs fig)* transplant, *(potteplante)*
repot. **omplantning** *(en -er)* transplanting, trans-
plantation; repotting.
  ompostere *vb* transfer. **ompostering** transfer.
  omprioritere *vb* re-mortgage.
  omramme *vb* frame.
  omredaktion *(det at)* rewriting; *(det omredigerede)*
new version. **omredigere** *vb* rewrite.
  omregne *vb (omsætte)* convert *(til:* into). **om-
regning** *(en -er)* conversion. **omregnings|kurs** rate
of exchange. **-tabel** conversion table, ready reckoner.
  omrejsende *adj* travelling *(fx* circus), touring *(fx*
actors), itinerant *(fx* preacher).
  omrids *(et -) (ogs fig)* outline; *Englands historie i
~* an outline of English history; *tegne sig i utydelige ~*
loom.
  omringe *vb* surround, encircle.
  omryste *vb* shake. **omrystning** *(en -er)* shaking.
  omrøre * stir. **omrøring** *(en -er)* stirring.
  område *(et -r)* territory, area; *(fig)* department,
domain, field, province, sphere; *grønne -r (nær storby)*
green belts; *på alle -r (fig)* in all fields *(el.* respects);
på det ~ (fig) in that field.
  oms *(en)* purchase tax; *(amr)* sales tax.
  omsadling *(en -er)* re-saddling; *(fig)* change of
policy; *(pludselig)* volte-face.
  omsagnsled complement.
  omsejle *vb* circumnavigate, *(et næs)* round,
double. **omsejling** *(en -er)* circumnavigation.
  omsider *adv* at length, eventually.
  omsiggribende *adj* growing, increasing, spread-
ing.
  omsigt *(en)* circumspection; *(forsigtighed)* pru-
dence, caution; *(takt)* discretion.
  omsigtsfuld *adj* prudent, cautious, discreet.
  omskabe * transform *(til:* into). **omskabelse**
transformation, metamorphosis.
  omskifte *vb* exchange; *(forandre)* change. **om-
skiftelig** *adj* changeable; inconstant; unsteady; *(om
vejr ogs)* unsettled, variable. **omskiftelighed** *(en)*
changeableness, inconstancy, unsteadiness. **omskif-
telse** *(en -r)* vicissitude; *livets -r* the ups and downs
(el. the vicissitudes) of life. **omskifter** *(en -e) (om-
kobler)* change-over switch, *(til skifte af kørselsretning)*
reverser. **omskiftning** change.
  omskole *vb* re-educate; retrain; *(invalider)* reha-
bilitate; ✂ retrain. **omskoling** *(en)* re-education;
retraining; rehabilitation; retraining.
  omskrift *(på mønt)* legend.
  omskrive *vb (skrive på ny)* rewrite; *(fonetisk)*
transcribe; *(udtrykke anderledes)* paraphrase; *(i geo-
metri)* circumscribe; *omskrevne former (gram)* peri-
phrastic forms. **omskrivelig** *adj* circumscribable.
  omskrivning *(en -er)* rewriting; *(det omskrevne)*
copy; *(fonetisk)* transcription; *(med andre ord)* para-
phrase, *(med mange ord)* circumlocution; *(omregning)*
conversion; *(geometrisk)* circumscription.
  omskære *vb* circumcise. **omskærelse** *(en)* cir-
cumcision.
  omslag *(et -) (til bog, papirer)* cover, *(smuds-)* dust
cover, jacket; *(til postforsendelse)* wrapper; *(med.)*
compress *(fx* a cold compress), *(varmt)* hot compress,
(grød-) poultice; *(forandring)* sudden change; re-
versal; *der er ~ i vejret* the weather is changing;

lægge ~ *på foden* apply a compress to the foot; ~ *til det bedre* improvement, change for the better; ~ *til det værre* set-back, change for the worse.

omslags|tegning cover design. **-titel** cover title.

omslutte *vb* surround, encircle; ✂ encircle.

omslynge *vb* entwine; *(omfavne)* hug, clasp, embrace; *tæt -de* locked in an embrace.

omsmelte *vb* melt down.

omsnøre *vb (med.)* ligate. **omsnøring** *(en -er) (med.)* ligature.

omsonst *adv* in vain.

omsorg *(en)* care; *drage* ~ *for* take care of, look after, pay attention to; *drage* ~ *for at det sker* see that it is done, see to it. **omsorgsfuld** *adj* careful, *(beskyttende)* considerate, solicitous.

omspinde *vb* wind (about), cover, *(fig)* entangle; *omspundet med bomuld* cotton-covered.

omspænde ✱ *(med hånden)* span; *(med armene)* clasp; *(gå el. nå rundt om)* encircle; *(sno sig om)* twine round; *(udstrække sig over)* cover *(fx* our branches cover the whole country); *(rumme)* include, contain; *omspændt af flammer* enveloped in flames.

omspændende *adj* far-reaching *(fx* influence), wide *(fx* knowledge).

omstemme ✱ *(klaver etc)* retune; ~ *ham* make him change his mind, bring him round to another opinion; *lade sig* ~ come round to another opinion, change one's mind.

omstemple *vb* re-stamp.

omstigning *(en -er)* change. **omstigningsbillet** transfer ticket.

omstille *vb (tlf)* connect *(til:* with), put through *(til:* to); *(~ produktion etc)* switch over; *(til fredsproduktion)* reconvert; ~ *sig til nye forhold* adapt *(el.* adjust) oneself to new conditions.

omstilling *(en -er) (af produktion etc)* change -over, switch-over; *(til fredsproduktion)* reconversion; *(tlf)* putting through, switching through.

omstillingsbord *(tlf)* switchboard.

omstoppe *vb* re-stuff.

omstrejfende *adj* wandering, vagrant; *(om dyr)* stray. **omstrejfer** *(en -e)* vagabond, tramp.

omstridt *adj* disputed, in dispute; *et* ~ *spørgsmål* a much debated *(el.* a vexed) question.

omstuve *vb* ⚓ shift *(fx* cargo).

omstyrte *vb* overthrow, subvert.

omstyrtning *(en)* overthrow, subversion.

omstændelig *adj* circumstantial, detailed, elaborate; *(ordrig)* lengthy, prolix; *(besværlig)* troublesome, laborious; *(indviklet)* complicated; *(alt for omhyggelig)* over-particular, fussy, punctilious; *forklare noget -t* explain something at great length.

omstændelighed *(en)* elaborateness; prolixity; laboriousness; complicated character; fussiness.

omstændighed *(en -er)* circumstance, fact; *-er (overdreven høflighed etc)* (a) fuss, ceremony; *den* ~ *at* the fact *(el.* circumstance) that; *på grund af indtrufne -er* owing to unforeseen circumstances; *de nærmere -er* the details, the particulars; *særlige -er* special circumstances; *sammentræf af -er* coincidence; *alt efter -erne* as the case may be *(el.* may require), according to the circumstances; *være i -er* be in the family way; *under alle -er* under any circumstances, in any case, anyhow, at any rate; *under disse -er* under the(se) circumstances, this being the case; *under ingen -er* under no circumstances, on no account.

omstændighedskjole maternity frock *(el.* dress).

omstøbe ✱ recast. **omstøbning** recasting.

omstøde ✱ *(ophæve)* set aside, invalidate, annul; *(gendrive)* refute; ~ *en dom* reverse a judgment, *(i kriminalsag)* quash a sentence. **omstødelse** *(en)* invalidation, annulment; *(af en dom, cf dom)* reversal (of a judgment), quashing (of a conviction).

omstående *(på næste side)* overleaf; *de* ~ the bystanders; ~ *vil De finde en fortegnelse* overleaf you will find a list; *se* ~ see overleaf.

omsving *(fig)* revulsion *(fx* sudden r. of feeling).

omsværmet *adj* fêted, much courted.

omsvøb *(et -) (vidtløftighed)* beating about the bush; circumlocution(s); *(kontorpedanteri)* red tape; *(udflugter)* evasions; *bruge* ~, *gøre* ~ beat about the bush; *uden* ~ plainly, to the point, without beating about the bush. **omsvøbsdepartement** circumlocution office, red-tape department.

omsy *vb* alter, remake *(fx* a dress).

omsætning *(en) (handel)* trade, business; *(af en enkelt vare)* sale; *(forretnings* ~ *i en vis periode)* turnover; *(omregning)* conversion *(fx* c. of securities into cash); *(omdannelse)* transformation *(fx* of energy); *(cirkulation)* circulation *(fx* the coin went out of circulation); *(kem: nedbrydning)* decomposition; *(typ)* resetting; *-en med udlandet* the foreign trade.

omsætnings|afgift purchase tax, *(amr)* sales tax. **-hastighed** *(merk)* rate of turnover. **-middel** medium of exchange. **-tabel** conversion table.

omsætte *vb (sælge)* sell, realize; *(omregne)* convert *(til:* into); *(omdanne)* transform *(til:* into); *(typ)* reset; *(musik)* transpose; ~ *sine ord i handling* translate one's words into action; ~ *en veksel (ɔ: sælge)* negotiate a bill.

omsættelig *adj* transferable, negotiable.

omtaksere *vb* revalue.

I. **omtale** *(en)* mention; *(i pressen)* publicity; *kende én af* ~ know sby by repute; *hans* ~ *af* his reference to; *være genstand for* ~ be the subject of conversation *(el.* of comment), be mentioned.

II. **omtale** ✱ mention, refer to; *(se ogs omtalt)*.

omtalt *adj* mentioned; *(diskuteret)* discussed; *-e firma* the said firm, the firm in question; *ilde* ~ in bad repute.

omtanke *(en)* thought, circumspection, forethought, consideration; *(overvejelse)* reflection.

omtrent *adv* about; *(næsten, lidt mindre end)* nearly, almost; ~ *ens* almost identical; ~ *det samme* (very) much the same (thing); *eller sådan* ~ or so, or thereabouts; ~ *sådan* something like this; ~ *ved denne tid* about this time.

omtrentlig *adj* approximate, rough; *adv* -ly.

omtumle *vb* toss (about); *-t af stormen* storm -tossed; *han har ført en -t tilværelse* he has had a chequered career; *T* he has knocked about a good deal.

omtvistelig disputable, debatable, arguable. **omtvistet,** *se omstridt.*

omtælling *(en -er)* re-count.

omtænksom *adj* thoughtful, considerate; *(forudseende)* foresighted.

omtåget *adj (beruset)* fuddled, muzzy.

omtågethed *(en)* fuddled state, muzziness.

omvalg *(et -)* second ballot.

omvandrende *adj* itinerant, travelling.

omvej *(en -e)* detour, *(fig)* roundabout way *(el.* method); *lang* ~ long way round; *gå (el. gøre) en* ~ make a detour; *ad -e* by detours; *(fig)* by roundabout methods, indirectly; *jeg hørte det ad -e* I learnt it indirectly.

omvende ✱ convert; ~ *sig* be converted.

omvendelse *(en)* conversion.

omvendt *adj* inverted, reversed; *(om rækkefølge)* reverse, opposite, contrary, *(mat.)* inverse; *(religiøst)* converted; *adv* upside down, reversedly; reversely; inversely; *(modsætningsvis)* conversely; *det -e af* the opposite *(el.* reverse) of; *en* ~ a convert; *stå i* ~ *forhold til* be inversely proportional to; *det er lige* ~ it is the other way about *(el.* round); *og* ~ and vice versa; ~ *ordstilling* inversion; *det er den -e verden* it is putting the cart before the horse.

omverden *(en)* surroundings, outside world.

om|vikle *vb* wrap (up) *(med:* in), wind *(med:* with). **-viser** *(en -e)* guide, cicerone. **-visning** *(en -er)* conducted tour *(fx* of a museum). **-vurdere** *vb* revalue. **-vurdering** revaluation.

omvælte *vb* overturn, overthrow.

omvæltning *(en -er)* revolution, upheaval.

onanere *vb* masturbate. **onani** *(en)* masturbation.

ond *adj* evil, wicked, *(dårlig)* bad; ~ *cirkel* vicious circle; *(mht priser og lønninger)* vicious spiral; *den* -e the Evil One, the Devil; *det er af det* -e that is a bad thing; *med det gode eller med det* -e by fair means or foul; ~ *fe* bad fairy; *i* -t *lune* in a bad temper; *der har aldrig været et* -t *ord imellem os* there has never been a hard word between us; ~ *samvittighed* bad conscience; -e *tider* hard times; -t *vejr* foul weather; *det* -e *øje* the evil eye; ~ *ånd* evil spirit; *hans* -e *ånd* his evil genius; *så lang som et* -t *år* as long as a month of Sundays;

[*med vb:*] *ane* -t suspect mischief, T smell a rat; *døje* *(el. lide)* -t suffer hardship(s); *få* -t *(ɔ: få kvalme)* feel sick, *(besvime)* faint; *jeg fik* -t *i armene af det* it made my arms ache; *gengælde* -t *med godt* return good for evil; *give* -t *af sig* grumble, T grouse; *det gør* -t it hurts; *det gør* -t *i min finger* my finger hurts; *hvor gør det* -t? *(ogs)* where is the pain? *det gør mig* -t *for ham* I am sorry for him; *det gør mig* -t *at høre det* I am sorry to hear it; *hvor* -t *det end gør mig at sige det* however sorry I am to say it; reluctant as I am to say it; *det gør kun* -t *værre* it only makes matters worse; *jeg har* -t *af ham* I am sorry for him; *hvad øjet ikke ser har hjertet ikke* -t *af* what the eye doesn't see the heart doesn't grieve for; *jeg har* -t *i fingeren* my finger hurts; *have* -t *i halsen (, hovedet, maven, tænderne)* have a sore throat (, a headache, (a) stomach -ache, (a) toothache); *have* -t *i sinde* be up to no good; *jeg har* -t *ved at tro det* I find it difficult to believe (it); *ikke mene noget* -t *med det* mean no harm; **sætte** -t *for én* speak ill of sby; *sætte* -t *blod imellem dem* make bad blood between them; *man må tage det* -e *med det gode* one must take the rough with the smooth; *det er der ikke noget* -t *i* there is no harm in that.

ondartet *adj* pernicious; vicious; *(med.)* virulent *(fx* disease); malignant *(fx* tumour); *en* ~ *forbryder* a dangerous criminal.

onde *(et* -r) evil, nuisance; *(sygdom)* complaint; *et nødvendigt* ~ a necessary evil; *vælge det mindste af to* -r choose the lesser of two evils.

ondsindet *adj* ill-natured, malignant, spiteful.

ondsindethed *(en)* ill-nature, malignity.

ondskab *(en)* wickedness, malice, malignity.

ondskabsfuld *adj* malicious, malignant, spiteful; *(om dyr)* vicious.

ondskabsfuldhed *(en* -er) ill-nature, malice, spitefulness; *(i ord)* spiteful remark, T nasty crack.

ondulation *(en)* waving. **ondulere** *vb* wave.

onestep *(en)* one-step.

onk|el *(en* -ler) uncle. **onkel-** avuncular.

onomatopoietik|on *(et* -a) onomatopoeia.

onsdag Wednesday; *(se ogs fredag).*

onyks *(en)* onyx.

op *præp, adv* up; *(op i en højere etage)* upstairs; *(åbnet)* open *(fx* break open the box; the window flew open); *(modsat »i« el. »til« udtrykkes det ofte ved forstavelsen:)* un- *(fx* unbutton, unlace, unlock, unpack); *(fuldstændigt)* up *(fx* burn up, drink up, eat up);

lukke døren op open the door; *male ngt op (ɔ: på ny)* repaint sth; *skal du ikke op?* aren't you going to get up? *op og ned* up and down; *vende op og ned på ngt* turn sth upside down;

[*med præp:*] *op ad bakken (, floden, stigen, etc)* up the hill (, the river, the ladder, etc); *op ad dagen* later in the day; *stå op ad en væg* lean against a wall; *han tog hænderne op af lommen* he took his hands out of his pockets; *op af vandet* out of the water; *op imod en million* close on a million; *op med døren!* open the door! *op med humøret!* cheer up! *han skal op til eksamen næste år* he is taking *(om skriftlig ogs:* sitting for) his examination next year.

opad up, upwards; *(på emballage)* This Side Up. **opad|bøjet** turned up, bent upwards. **-gående** upward, rising; *være for* -gående be on one's way up,

(om priser etc) have an upward tendency. **-stigende** rising, ascending. **-stræbende** ambitious, aspiring, *(om næse)* retroussé, turned up. **-til** *(for oven)* above, at the top. **-vendt** up-turned.

opal *(en* -er) opal. **opalglans** opalescence. **opalisere** *vb* opalesce.

opankret *adj* (lying) at anchor.

opankring *(en* -er) anchoring.

oparbejde *vb* work up *(fx* a business, a connection), build up *(fx* a practice).

oparbejdelse *(en)* working up.

opbagt *adj:* ~ *sovs* sauce thickened with roux.

opbevare *vb* keep. **opbevaring** *(en)* keeping, storage; *(af værdier)* safekeeping. **opbevaringssted** depository; *det er ikke noget godt* ~ *for dine bøger* it is not a good place to keep your books.

opbinde *vb* prop up *(fx* roses), tie up, *(ofte =)* stake; *(korn)* sheave.

opblande *vb* blend, mix; *(fortynde)* dilute.

opblomstrende *adj* flourishing, rising.

opblomstring *(en)* rise, growth, prosperity.

opblussen fresh outbreak *(fx* of a fire); *(af følelse)* flash; *en kort* ~ *(fig)* a flash in the pan. **opblussende** blazing up, *(ogs fig)* rising *(fx* anger).

opblæst *adj* conceited. **opblæsthed** *(en)* conceit.

opbløde ★ *(gøre blød)* soften; *(gennembløde)* soak.

opblødning *(en)* softening; soaking.

opbragt *(vred)* indignant.

opbremsning *(en* -er) braking, application of the brake(s), stopping.

opbringe *vb (et skib)* capture, seize; arrest *(fx* a fishing-vessel).

opbringelse *(en* -r) *(af skib)* capture; arrest.

opbrud *(et)* departure; *(fra bordet)* rising; *der var almindeligt* ~ everybody was leaving; there was a general exodus.

opbrugt *adj* spent, used up.

opbrusen *(en) (fig)* sudden outburst (of feeling), ebullition. **opbrusende** *adj (fig)* quick-tempered, hot-headed.

opbryde *vb* break open, force. **opbrydning** *(en* -er) breaking open, forcing; *(af stenbro)* taking up.

opbud *(et): et stort* ~ *af politi* a strong *(el.* large) force of police; *med* ~ *af al sin energi* summoning all one's energy. **opbyde** *vb* exert, summon; ~ *alle kræfter* exert all one's strength. **opbydelse:** *med* ~ *af* exerting, summoning.

opbygge *vb* build (up), construct; *(fig)* edify. **opbyggelig** *adj* edifying; *(bog)* devotional. **opbyggelse** *(en)* edification; *til* ~ *for* for the edification of. **opbyggelsesskrift** *(et)* devotional book. **opbygning** *(en)* building (up), construction, *(struktur)* structure; *(komposition)* composition. **opbygningsarbejde** constructive work.

opbæring *(en)* carrying up.

opdage *vb* discover; *(komme efter, blive klar over ogs)* find, find out; *(gennemskue)* find out, see through; *(opspore)* detect; *(få øje på)* catch sight of, see. **opdagelse** *(en* -r) discovery; finding out; detection; *gøre en* ~ make a discovery; *gå ud på* ~ go exploring.

opdagelses|betjent detective constable. **-politi** criminal police; -*et (i England)* the Criminal Investigation Department. **-rejse** expedition, ⚓ voyage of discovery. **-rejsende** *(en)* explorer.

opdager *(en* -e) discoverer; *(detektiv)* detective.

opdele ★ divide up; cut up into small pieces.

opdigte *vb* invent. **opdigtet** *adj* fictitious *(fx* all the characters in the book are f.), *(usand)* trumped -up *(fx* story).

opdirke *vb:* ~ *en lås* pick a lock.

opdrag *(et* -): *få i* ~ *at* be entrusted with -ing, be commissioned to.

opdrage *vb* bring up; *(uddanne etc)* educate; *dårligt* -t badly brought up; -t *til at tro at* brought up to believe that.

opdragelse *(en)* upbringing, *(uddannelse etc)* edu-

cation, *(levemåde)* manners; *tage sig af éns* ~ take
sby in hand. **opdragelsesanstalt** *(for vanskelige
børn)* reformatory, approved school. **opdragende**
adj educative, educational. **opdrager** *(en -e) (pæda-
gog)* educationalist; *(lærer)* teacher.

opdrift *(en)* buoyancy, *(flyvemaskines)* lift; *der er
~ i ham* he is ambitious, he is bound to go far.

opdrive *vb (fremskaffe)* procure; *(vildt)* start; ~
penge raise funds; *det er ikke til at ~* it is not to be
had for love or money.

opdræt *(et) (opfødning)* breeding; *(ungkvæg)*
young stock. **opdrætning** *(en)* breeding, rearing.
opdrætte breed, rear. **opdrætter** *(en -e)* breeder.

opdukke *vb* emerge; *et -nde geni* a new genius.

opdynge *vb* pile up, heap up, amass, accumulate;
~ *rigdomme* pile up wealth.

opdyrke *vb* cultivate, till; *(bringe under kultur)*
bring under cultivation, *(om moser, heder etc)* re-
claim; *(fig)* cultivate. **opdyrkning** *(en)* cultivation;
(af heder etc) reclamation.

opdækning *(en)* laying (a table); *(kuvert)* cover;
(mad) spread; *(enkelt ret)* course; *en smuk ~* a beauti-
ful table arrangement.

opdæmme *vb* dam. **opdæmning** *(en)* damming.

opefter *adv* upwards.

opelske *vb (plante)* raise; *(fig)* cultivate, encour-
age, promote, foster. **opelskning** *(en)* raising;
cultivation, encouragement, promotion.

opera *(en -er)* opera; *(bygning)* opera house.

opera|repetitør *se repetitør.* **-sanger(inde)** opera
singer. **-selskab** opera company. **-tekst** libretto,
book (of an opera).

operation *(en -er)* operation; *gennemgå en ~*
undergo an operation.

operations|basis ✕ operational base. **-bord**
operating-table. **-klar** *adj* operational. **-plan** *(en -er)*
✕ plan of operations. **-stue** operating-room, *(til
demonstration)* operating-theatre.

operativ *adj (med.)* operative; *-t indgreb* surgical
operation.

operatør *(en -er) (kirurg)* operating surgeon;
(i biograf) operator, projectionist. **operatørrum** *(i
biograf)* projection room.

operere *vb* operate *(for:* for); ~ *en patient* operate
on a patient; *blive -t, lade sig ~* have *(el.* undergo)
an operation, be operated on; ~ *bort* remove; ~ *med
(= virke med)* employ, operate with, work with.

operette *(en -r)* musical comedy, *(især ældre)*
operetta.

opfanatisere *vb* fanaticize, work up.

opfange *vb* catch; *(opsnappe)* intercept; *(i radio)*
pick up *(fx* an S.O.S.).

opfarende *adj* quick-tempered, irascible, testy.

opfarenhed *(en)* irascibility, testiness.

opfarvet *adj* re-dyed. **opfarvning** *(en -er)* re-
-dyeing.

opfatte *vb* perceive *(fx* it cannot be perceived
by our senses); *(forstå)* understand, take in, grasp,
make out; *(opfange)* catch *(fx* I did not catch your
name, your remark); *(betragte på en vis måde)* under-
stand, regard *(som:* as, *fx* I regard it as a threat);
(tyde) interpret, construe, take *(som:* as, *fx* I take it
as a compliment); ~ *hurtigt* be quick to understand,
be quick of apprehension, T be quick in the uptake;
~ *langsomt* be slow to understand, T be slow in the
uptake; ~ *forkert* misunderstand, misconstrue.

opfattelse *(en -r)* perception; understanding;
(mening) view, opinion, conception; *(tydning)* inter-
pretation, reading; *være af den ~* be of (the) opinion
that; *jeg tillader mig at have en anden ~* I beg to differ;
bibringe ham den ~ at give him the impression that;
efter min ~ in my opinion, as I see it; *hurtig i -n*
quick of apprehension, T quick in the uptake.

opfattelsesevne *(en)* apprehension, perception.

opfede *vb* fatten.

opfinde *vb* invent. **opfindelse** *(en -r)* invention.
opfinder *(en -e)* inventor. **opfindsom** *adj* in-

ventive, *(snild)* ingenious. **opfindsomhed** *(en)*
ingenuity, invention, inventiveness; *med stor ~* with
great ingenuity, (very) ingeniously.

opfiske *vb* fish out.

opflamme *vb* fire, inflame.

opflaske *vb* bring up on the bottle; *blive -t med
(fig)* be brought up on.

opflytning *(en -er) (i højere klasse i skole)* remove.
opflytte *vb (i skole)* move up; *blive -t* get a
remove, be moved up.

opfodre *vb* feed; *(bruge)* consume.

opfodring *(en)* feeding; consumption.

opfordre *vb* ask, call (up)on *(fx* call on him to
fulfil his promise), invite *(fx* i. him to sing); *(an-
mode)* request, *(indtrængende)* urge; *det -r ikke til gen-
tagelse* it does not encourage repetition; ~ *én til at*
ask (etc) sby to. **opfordring** *(en -er)* request, invi-
tation, call; *på ~* by request, when requested; *på
hans ~* at his request; *rette en ~ til* appeal to.

opfor|gylde * regild. **-sølve** *vb* resilver, replate.

opfostre *vb* bring up, rear. **opfostring** *(en)*
bringing up, rearing. **opfostringshus** orphanage.

opfriske *vb* freshen up, touch up; *(i erindringen)*
revive *(fx* a memory), *(kundskaber)* brush up;
(bekendtskab) renew. **opfriskende** *(om vind)* in-
creasing, freshening. **opfriskning** *(en)* freshening;
revival; brush-up; renewal.

opfrossen *(fx om vindue)* frosted over; *(om plante)*
lifted by the frost.

opfrysning *(en) (af planter)* frost-heaving.

opfylde * fill (up), fill in; *(sindet)* fill; *(rette sig
efter)* comply with; *(løfte, forpligtelser)* fulfil; *(kon-
trakt ogs)* perform; ~ *sin bestemmelse* serve one's pur-
pose; ~ *en betingelse* fulfil a condition; *hans bøn blev
opfyldt (rel)* his prayer was granted; *jeg opfyldte hans
bøn* I complied with his request; ~ *hans fordringer
(, krav)* meet his demands; ~ *sin pligt* fulfil *(el.* do)
one's duty; ~ *mit ønske* comply with my wish; *få sit
ønske opfyldt* have one's wish, get what one wants.

opfyldelse *(en)* fulfilment; *(af kontrakt ogs)* per-
formance; *gå i ~* come true.

opfyldning filling up, filling (in); *(fyld)* filling,
earth, *(affald)* refuse.

opfyldt *adj:* ~ *af* full of, filled with *(fx* indig-
nation).

opføde * bring up, rear.

opføre * *(bygge)* build, erect; *(skuespil)* perform,
act, produce; *(optegne)* enter, put down *(fx* in a list);
~ *sig behave;* ~ *sig slet (, godt)* behave badly (, well);
opfør dig ordentligt! behave yourself! *stå opført (på
liste)* be entered, be included (in a list).

opførelse *(en -r)* building, erection, construction;
(om skuespil) performance; *huset er under ~* the house
is being built *(el.* is in process of construction);
huse under ~ houses in construction.

opførelsesret performing rights.

opførsel *(en)* behaviour, *(væsen, manerer)* man-
ners; *(vandel)* conduct; *præmie for god ~* good-con-
duct prize.

opgang *(en -e) (stigning)* rise *(fx* of prices);
(forøgelse) increase *(fx* in the birthrate); *(trappe)*
staircase; *vi bor i samme ~ (omtr =)* we use the same
stairs; *solens ~* sunrise.

opgangstid *(om handel)* time of prosperity,
boom (period); *(astr)* time of rising.

opgave *(en -r) (hverv)* task, duty, business; *(for-
mål)* object, purpose; *(problem)* problem *(fx* a
mathematical problem), *(regne-)* sum; *(stil, eksa-
mens-)* paper; *(gåde)* puzzle; *mit livs ~* my mission
(el. business) in life, the object of my life; *regne en ~*
do a sum, solve a problem; *skriftlig ~* (written)
exercise, paper; *stille sig en ~* set oneself a task; *få
til ~ at* be commissioned to, *(amr ogs)* be assigned
to; *han har til ~ at* it is his business to.

opgive *vb* give up, *(tanker ogs)* abandon, *(vane,
politik, ogs)* drop; *(~ at hjælpe el. redde)* abandon,

give up; *(ret, krav)* relinquish, waive; *(meddele)*
state, give, *(pris)* quote; *(til told)* declare; *(til eksamen)*
offer; *med -t emne* on a set subject; ~ *forretningen* close
down, go out of business; ~ *håbet om* give up the
hope of, despair of; ~ *sin indkomst til £900* give *(el.*
state) one's income at £900; *-t af lægerne* given up
by the doctors; ~ *at gøre det* give up doing it; *han
opgav at være blevet slået oven i hovedet* he stated that
he had been struck on the head; ~ *for højt* overstate;
~ *for lavt* understate; ~ *nøje* specify; ~ *ånden* give up
the ghost.

opgivelse *(en -r) (jvf opgive)* giving up, abandon-
ment; relinquishment, waiver; statement; quotation;
declaration; *-r (til eksamen)* books (, subjects, etc)
offered, prepared texts, *(til skattevæsen)* returns; *i
henhold til* ~ as stated.
   I. **opgivende** *(et -r)* statement.
   II. **opgivende** *adj* despairing, resigned, *adv* -ly.
opgrave *vb* dig up, unearth; *(lig)* exhume.
opgravning *(en -er)* digging up; exhumation.
opgæld *(en)* agio, premium.
opgør *(et -)* settlement; *(sammenstød)* showdown,
clash; *(scene)* scene *(fx* it came to a scene between
them); *(væbnet)* encounter; *-ets dag ,*the day of
reckoning; *have et* ~ *med én* have it out with sby,
have a showdown with sby; have a scene with
sby.
   opgøre *vb (regnskab)* make up; *(tælle sammen)*
add up, sum up; *(anslå)* estimate *(til:* at); *(beregne)*
compute; *(klarlægge)* settle; ~ *sit lager* take stock.
   opgørelse *(en -r) (det at opgøre)* making up;
(opgjort regnskab) statement; ~ *af lager* stock-taking;
specificeret ~ specification.
opgående *adj* rising *(fx* sun); *subst: for* ~ ascending.
ophale *vb* haul up. **ophalingsbedding** slipway.
ophav *(et)* source, *(begyndelse)* beginning, *(årsag)*
(primary) cause; *fædrene* ~ father, progenitor; *mit
fædrene* ~ T the governor.
ophavsmand originator *(til:* of, *fx* an idea),
author *(fx* of a scheme); *(anstifter)* instigator *(til:* of).
ophavsret *(forfatters etc)* copyright.
ophede *vb* heat; ~ *for stærkt* overheat.
ophedning *(en)* heating.
ophidse *vb* incite, stir up; *(gøre rasende)* exasperate,
infuriate; *ophids dig ikke* don't lose your temper!
T keep your hair on! **ophidselse** *(en)* excitement,
agitation; *(vrede)* exasperation; *(det at ophidse)* in-
citement, stirring up. **ophidsende** *adj* inciting;
exciting; *(om agitation)* inflammatory. **ophidser**
(en -e) agitator. **ophidset** *adj* excited, agitated;
exasperated; *en* ~ *diskussion* a heated discussion.
ophjælpe *vb* encourage, promote. **ophjælpning**
(en) encouragement, promotion, aid.
ophobe *vb* accumulate, heap up; ~ *sig* accu-
mulate.
   ophobning *(en)* accumulation.
ophold *(et -) (på et sted: midlertidigt)* stay, *(fast)*
residence; *(standsning, holden stille)* stop, wait; *(rejse-
afbrydelse)* break, *(amr)* stopover; *(pause)* pause; *(for-
sinkelse)* delay; *(kost og logi)* board and lodging;
tjene til livets ~ earn one's living; *det nødvendige til
livets* ~ the necessaries of life; *gøre* ~ *(under rejse)*
break one's journey; *(især amr)* stop over *(el.* off);
gøre et ~ *på 10 minutter* stop for ten minutes; *10
minutters* ~ *(i teater etc)* 10 minutes' interval; *tage fast
~ der* take up one's residence there; *uden* ~ incessantly,
without stopping, *(ufortøvet)* without delay; *en rejse
uden* ~ a non-stop journey.
   opholde *vb (sinke)* detain, delay, keep; ~ *sig
(midlertidigt)* stay, *(fast)* live, reside; ~ *sig over* take
exception to; ~ *sig ved et emne* dwell on a subject.
opholds|kommune *(omtr* ~) district of resi-
dence. **-rum** living-room; *(for vagt)* guard room;
(i skyttegrav) dug-out. **-sted** *(midlertidigt)* where-
abouts, *(fast)* residence. **-stue** living-room; ✕ day
room. **-tilladelse** residence permit. **-vejr** spell of
good weather; *hvis det bliver* ~ if it stops raining.

ophovnet *adj* swollen. **ophovning** *(en)* swelling.
ophugge *vb (hugge i stykker)* break up *(fx* a
ship), cut up *(fx* wood).
ophugger *(en -e) (af biler)* car breaker, *(af skibe)*
shipbreaker.
ophængle ✶ hang (up), suspend; *-t (af arbejde)*
overwhelmed with work; *-t i loftet* hung *(el.* sus-
pended) from the ceiling; *-t på et søm* hung up on
a nail.
ophængning *(en -er)* hanging, suspension.
ophæve *vb (afskaffe)* abolish; *(lov)* repeal; *(kon-
trakt etc)* annul, cancel; *(gøre ugyldig)* invalidate
(fx a will, a marriage); *(belejring, forbud etc)* raise,
lift; *(forretning etc)* give up; *(opveje, neutralisere)*
neutralize; *(midlertidigt)* suspend; *(kompagniskab)*
dissolve; *få sit ægteskab -t (ved skilsmisse)* get a di-
vorce; *de -r hinanden* they neutralize each other, they
cancel out.
   ophævelse *(en -r) (se ophæve)* abolition; repeal;
annulment, cancellation; invalidation; raising, lift-
ing; cessation; neutralization; dissolution; *gøre -r
over* make a fuss about, grumble about.
   ophøje *vb* raise; *(lovprise)* exalt, praise; ~ *i adels-
standen* ennoble, *(i England ogs)* raise to the peerage;
~ *til lov* put on the Statute Book. **ophøjelse** *(en)*
raising, promotion; ~ *i adelsstanden* ennoblement;
(i England ogs) raising to the peerage. **ophøjet** *adj*
(høj) high, elevated, *(som står frem)* raised; *(sublim)*
lofty, sublime; ~ *arbejde* relief, raised work; *ophøjede
bogstaver* embossed letters. **ophøjethed** *(en)* loftiness,
sublimity.
ophør *(et)* cessation, discontinuance; *(forretnings)*
closing down; *(udløb)* expiry, termination; *(afslut-
ning)* end, conclusion; *bringe til* ~ put an end to,
stop; *uden* ~ incessantly. **ophøre** ✶ cease *(fx* hos-
tilities ceased), stop, come to an end; *(om forret-
ning)* close down; *(udløbe)* expire; *få til at* ~ stop,
put an end to, terminate; ~ *med stop (fx* they stop-
ped work), cease.
   ophørsudsalg closing-down sale.
opildne *vb (anspore)* stir up, stimulate; incite *(fx
i.* them to rebel); rouse; *(ophidse)* fire, excite.
opinion *(en)* public opinion. **opinions|dannende**
opinion-forming. **-leder** opinion leader. **-under-
søgelse** opinion poll.
opirre *vb* irritate, exasperate, *(udæske)* provoke.
opium *(en el. et)* opium. **opiums|dråber** lauda-
num, tincture of opium. **-hule** opium den. **-ryger**
opium smoker.
opkald *(et -) (i telefon)* call.
opkalde ✶: ~ *efter* call *(el.* name) after, *(amr ogs)*
name for.
opkast *(et) (bræk)* vomit.
opkaste *vb* throw up; *(fig)* raise *(fx* doubt, a
question); ~ *sig til dommer* set oneself up as a judge
(over: of); *-t blod* vomited blood.
opkastning *(en -er)* vomiting; *(det opkastede)*
vomit; *have -er* vomit, be sick. **opkastningsfor-
nemmelser** *(pl)* nausea; *have* ~ feel sick.
opkiltet *adj* tucked-up; *med* ~ *skørt* with one's
skirt tucked-up.
opklare *vb (mysterium, problem etc)* clear up,
throw light on, unravel, solve; *det bliver sikkert
aldrig -t* it will probably remain a mystery; *hans
ansigt -des* his brow cleared, his face lit up (with a
smile); *-nde vejr* brightening weather.
opklaring *(en) (udredning)* clearing up, solution;
(om vejr) clearing up; *(forbrydelse ogs)* detection.
opklodse *vb* chock up; *(tage ud af brug)* lay up
(fx a laid-up car).
opklæbe *vb* paste, stick; *(billeder etc)* mount;
~ *på pap* mount on cardboard. **opklæbning** *(en)*
pasting, sticking, mounting; ~ *forbudt* stick no bills;
bill-posting prohibited.
opklække *vb* breed.
opknappet *adj* unbuttoned.
opkog *(et) (let kogning)* parboiling; *(ny kogning)*

reboiling; *(fig)* rehash. **opkoge** ★ parboil; reboil; *(fig)* rehash *(fx* an old story).

opkomling *(en -e)* upstart.

opkomst *(en)* beginning, rise; *(fremkomst)* emergence; *i ~* growing, progressing.

opkræve *vb* collect. **opkræver** *(en -e)* collector.

opkrævning *(en -er)* collection; *(post-)* cash on delivery *(fk* C.O.D.), *(blanket)* trade charge form.

opkvikkende *adj* stimulating.

opkøb *(et -)* buying; *(spekulation)* buying up, cornering. **opkøbe** ★ buy; buy up, corner. **opkøber** *(en -e)* buyer; buyer-up.

opkørsel driving up; *(vej)* drive; *(stigende vej)* (approach) ramp *(fx* to a bridge).

opkørt *adj (om vej)* rough, rutted, broken, churned up; *(udmattet)* exhausted, T washed-out, done in.

I. **oplade** *(-de -t) (elektr)* charge; *(på ny)* recharge.

II. **op|lade** *(-lod -ladt) (glds) (åbne)* open *(fx* one's mouth); *~ sin røst* raise one's voice, speak.

opladning *(en) (elekt) (det at)* charging; *(igen)* recharging.

opladt *adj: med ~ sind* with an open mind.

oplag *(et -) (af varer)* stock, store; *(af en bog)* impression, issue; *(antal trykte eksemplarer ogs)* number printed; *(af avis)* circulation; *(udgave)* edition; *nyt ~* new issue.

oplagre *vb* store, store up, *(i pakhus)* warehouse.

oplagring *(en)* storing, warehousing; *(til bered-skabslager)* stockpiling.

oplags|afgift *(for varen)* warehouse dues, *(pakhus-leje)* warehouse rent. **-næring** ⚕ (food) reserves, storage. **-plads** storage yard; *vi har rigelig ~* we have ample storage space. **-rum** store room.

oplagt *adj (om varer)* stored, warehoused; *(op-sparet)* saved, put by; *(om skib etc)* laid up; *(i humør)* in the mood *(til:* for, *til at:* to), in form, fit; *(afgjort, selvfølgelig)* evident, obvious; patent *(fx* fool); *(kun om ngt negativt)* flagrant *(fx* injustice); *(om sag)* open -and-shut; *~ fiasko* complete failure; *~ vinder (i væd-deløb)* T (dead) cert; *~ mælk* curds; *ikke ~* not in form; *udmærket ~* at the top of one's form; *jeg føler mig ikke ~ til det* I don't feel like it; *ikke ~ til spøg* in no mood for joking.

oplagthed *(en)* energy, spirit, high spirits.

opland surrounding area; *(mht forsyning etc)* catchment area *(fx* children within the school's c. area); *byen har et stort ~* the town (, city) serves a large area.

oplede ★ look up.

opleve *vb (lære at kende)* experience *(fx* poverty), *(være ude for)* meet with *(fx* many adventures), have *(fx* a happy time, an unhappy love affair), *(overvære)* see, witness *(fx* many curious scenes); *(gennemgå)* live *(el.* be *el.* go) through, undergo *(fx* a crisis); *(blive gammel nok til at ~)* live to see; *(psyk & om kunstværk)* experience *(fx* a poem); *det man har -t* one's experiences; *jeg -r aldrig noget* nothing ever happens to me; *jeg har aldrig -t noget lignende* I never saw (, heard) the like; *han har -t tre krige* he has lived through three wars.

oplevelse *(en -r)* experience; *(eventyr)* adventure; *-n af et kunstværk* the experience of a work of art; *kunstnerisk ~* artistic experience; *det var en ~ at høre ham* it was a treat *(el.* an experience) to listen to him; *fuld af -r* eventful; *uden særlige -r* uneventful.

oplive *vb (opmuntre)* encourage, enliven, cheer up; *(tilværelsen)* brighten up; *(stimulere)* stimulate, tone up. **oplivende** *adj* stimulating, bracing; *(mor-som)* amusing; *~ moment* bright spot *(fx* one of the bright spots of the evening). **oplivet** *adj* animated; *han blev kendelig ~ ved tanken* he brightened visibly at the idea. **oplivning** *(en)* resuscitation. **oplivningsforsøg** attempt at resuscitation.

oplukker *(en -e)* opener; *(dåse-)* tin opener, *(amr)* can opener; *(til flaskekapsel)* bottle opener.

oplukning *(en)* opening.

oplyse ★ light (up), illuminate; *(give kendskab*

om) throw light on, elucidate *(fx* a matter); *(ved eksempler)* illustrate; *(meddele)* state; report; *~ en om ngt (⊃: meddele)* inform sby of sth, point out sth to sby; *(se ogs oplysende, oplyst)*.

oplysende *adj* instructive, informative; *~ eksem-pel* illustration; *~ foredrag* popular lecture.

oplysning *(en -er) (belysning)* lighting, illumi-nation; *(folke-)* educational level *(el.* standard), enlightenment; education; *(kundskaber)* education, knowledge; *(meddelelse)* (piece of) information; *give én -er* inform sby, give sby information; *ind-hente -er* make inquiries; *mange interessante -er* much interesting information; *nærmere -er* (further) par-ticulars; *tage -er på en* make inquiries about sby.

oplysnings|arbejde educational work. **-bureau, -kontor** inquiry office, information office.

oplysningstiden (the Age of) Enlightenment.

oplyst *adj (med lys)* lit-up; *(fig)* enlightened, well-informed, educated; *efter det ~* according to information received; *~ enevælde* enlightened despotism; *i vore -e tider* in our enlightened age; *sagen foreligger fuldt ~* the matter is fully cleared up.

oplæg *(et -) (til diskussion)* introduction.

oplægge *(lægge op, ogs skib)* lay up; *(varer)* store up, warehouse; *(penge)* put by.

oplægning *(en)* laying up; *(af kabale)* lay-down.

oplære ★ *(opdrage)* bring up, educate; *(belære)* teach; *(opøve etc)* train; *(hest)* break in; *-s til handel* be trained for business.

oplæring *(en)* bringing up, education, training.

oplæse ★ read out; *(recitere)* recite. **oplæser** *(en -e)* reciter. **oplæsning** *(en -er)* reading, recitation.

opløb *(et) (sammenstimlen)* crowd; *(ved væddeløb)* finish, *(sidste del af banen)* straight; *(i fodbold)* attack; *standse noget i -et (fig)* nip sth in the bud.

opløben *adj* overgrown, lanky.

opløfte *vb* raise; *(åndeligt)* elevate; *(mat.: til potens)* raise *(fx* to the third power); *~ et skrig* utter a cry. **opløftelse** *(en)* elevation. **opløftende** *adj* edifying, elevating; inspiring; *det var ikke noget ~ syn* it was not a very edifying spectacle.

opløse ★ *(smelte)* dissolve *(fx* sugar in water); melt; *(kem)* dissolve, disintegrate, decompose; *(smuldre)* disintegrate; *(fig)* break up *(fx* a home); *(ødelægge)* disorganize *(fx* a system); *(sammenslut-ning, firma, ægteskab, parlament etc)* dissolve; *(hær)* disband; *(analysere)* analyse, parse *(fx* a sentence); *(i musik)* resolve *(fx* a discord); *~ sig* dissolve, be dissolved; *forsamlingen opløste sig* the assembly broke up; *~ sig i sine bestanddele* disintegrate; *(se ogs opløst)*. **opløselig** *adj* soluble. **opløsende** *(kem)* solvent; *~ tendenser* disintegrating *(el.* subversive) tendencies.

opløsning *(en -er)* dissolution *(fx* of salt in wa-ter; of a marriage, of a partnership, of Parliament); *(produkt opstået ved ~)* solution *(fx* rubber solution, copper solution); *(det at falde fra hinanden)* disinte-gration *(fx* the disintegration of an empire); *(desor-ganisation)* disorganization; *(forrådnelse)* decom-position, decay; *(i musik)* resolution *(fx* of a discord); *gå i ~* disintegrate, *(forrådne)* decompose, decay, rot.

opløsnings|proces (process of) disintegration. **-tegn** *(i musik)* natural (sign). **-tilstand** state of decomposition; *(uorden)* state of disorganization.

opløst *adj* dissolved *(etc, se opløse); et ~ hjem* a broken home; *~ i gråd* dissolved in tears; *et stærkt ~ lig* a body in an advanced state of decomposition.

opmagasinere *vb* store, warehouse.

opmagnetisere *vb* excite *(fx* a dynamo).

opmand arbitrator, *(i sport etc)* umpire.

opmarch *(strategisk)* concentration *(fx* of troops); *(taktisk ~, udvikling)* deployment; *(march)* march, marching up. **opmarchere** *vb (cf opmarch)* concen-trate; deploy *(fx* troops were deployed along the frontier); march (up). **opmarchområde** concen-tration area; deployment area.

opmaske *vb* re-mesh; *~ en strømpe* mend a ladder

(, *amr:* a run) in a stocking. **opmaskning** *(en -er)* re-meshing, mending of ladders (, *amr:* of runs). **opmasknings|maskine** ladder mender. **-nål** ladder repair needle.

opmudre *vb (rense)* dredge. **opmudring** *(en -er)* dredging.

opmuntre *vb (gøre munter)* cheer up, enliven; *(tilskynde)* encourage; *(fremme)* encourage, promote. **opmuntrende** *adj* encouraging; *lidet ~* discouraging. **opmuntring** *(en -er)* encouragement; *(adspredelse)* recreation.

opmærksom *adj* attentive *(fx* listener), heedful, *(spændt)* intent; *(høflig)* attentive *(mod:* to), *(hensynsfuld)* considerate *(mod:* to, towards); *blive ~ på* notice, become aware of; *gøre ham ~ på* at draw his attention to the fact that, point out to him that; *(advarende)* warn him that; *~ iagttager* close observer; *~ tilskuer* observant spectator; *være ~* be attentive, attend; *være ~ på* be aware of, realize.

opmærksomhed *(en -er) (ogs høflighed)* attention; *(gave)* present; *følge med ~* follow attentively; *henlede éns ~ på* draw sby's attention to *(at:* the fact that); *han skænkede det ingen ~* he paid no attention to it; *undgå éns ~* escape sby's attention, escape sby; *vise én ~* show attention to sby; *vise hende små -er* pay her little attentions; *vække ~* attract attention.

opmåle ★ measure, *(kortlægge)* survey. **opmåling** *(en -er)* measuring, surveying.

opnotere *vb* put *(el.* take) down, make a note of.

opnå *vb (få)* obtain *(fx* an advantage, an arrangement); get *(fx* higher wages); *(nå til)* attain (to) *(fx* a high rank, perfection); *(vinde)* gain *(fx* g. nothing by it); *(et resultat)* achieve *(fx* a result); *(sikre sig)* secure; *~ at* manage to; *ikke ~ at (ogs)* fail to; *~ en høj alder* live to a great age; *~ enighed* arrive at an agreement; *~ en fuldtræffer* score a direct hit; *~ sin hensigt* achieve one's object, succeed. **opnåelig** *adj* obtainable, attainable; *~ for* within the reach of, open to. **opnåelse** *(en)* obtaining, attainment; *til ~ af dette formål* in order to secure this end.

opofre *vb* sacrifice; *~ sig* make sacrifices *(fx* for one's children); give oneself up *(for en sag:* to a cause), devote oneself *(for:* to) *~ sit liv* give *(el.* lay down) one's life *(for:* for).

opofrelse *(en) (handling)* sacrifice; *(egenskab)* devotion, self-sacrifice.

opofrende *adj* devoted, self-sacrificing.

oppakning *(en)* ✕ kit, pack; *fuld ~* full marching equipment.

oppasser *(en -e)* batman, orderly.

I. **oppe** *adv* up, above; *(ovenpå i huset)* upstairs; *(stået op)* up, out of bed; *(om patient)* up (and about); *(oprømt)* in high spirits; *(om teaterstykke)* on; *blive ~ (om natten)* stay up, sit up; *broen er ~* the bridge is up; *der ~* up there; *her ~* up here; *~ fra* from above; from upstairs; *~ fra taget* from the roof; *være ~ i fransk* be examined in French; *han er ~ i årene* he is well on in years; *være tidlig ~* be up early; *være ~ til eksamen* take an examination; *(skriftlig ogs)* sit for an examination; *være ~ at slås* be fighting; *få lov at være ~ (om patient)* be allowed up, *(om barn)* be allowed to stay up; *øverst ~* at the top.

II. **oppe** *vb: ~ sig* pull oneself together, exert oneself; *(gøre fremskridt)* make progress.

oppe|bie *vb* await, wait for. **-bære** *vb (nyde)* receive. **-børsel** *(en)* (collection of) revenue. **-fra** from above; from upstairs *(cf oppe).* **-gående** *adj: ~ patienter* walking cases.

opplantet *adj: med opplantede bajonetter* with fixed bayonets.

oppolstre *vb* stuff.

opponent *(en -er)* opponent; *(ved disputats)* critic. **opponere** *vb* raise objections; *(ved disputats) (svarer til:)* act as critic; *~ imod* oppose, raise objections to.

opportun *adj* expedient, opportune. **oppor-**

tunisme *(en)* opportunism. **opportunist** *(en -er)*, **opportunistisk** *adj* opportunist.

opposition *(en)* opposition. **oppositionel** *adj* (of the) opposition. **oppositions|blad** opposition paper. **-lyst** argumentativeness. **-partierne, -partiet** the Opposition.

oppresning *(en)* pressing. **oppresse** *vb* press. **oppudsning** *(en)* (re)furbishing; (re)polishing; *(maling, etc)* smartening up, renovation.

oppumpe *vb* pump up *(fx* water); *(fylde med luft)* inflate, blow up *(fx* a tyre). **oppumpning** pumping up; inflation.

oppustet *adj (udspilet)* swollen, distended; *(fed)* fat, bloated; *(indbildsk)* pompous *(fx* he is a pompous ass); *(om priser etc)* inflated; *~ i ansigtet* with a puffy *(el.* puffed up) face.

oprakt *adj: med -e hænder* with raised hands.

opred|e ★ make; *-t* made-up *(fx* bed); *sengen står -t* the bed is made.

opredning making (of a bed); *(improviseret, fx på gulvet)* shakedown; *(i hotel, svarer til)* extra bed.

opregne *vb* enumerate. **opregning** enumeration.

oprejse ★ erect *(fx* a statue); *(mat.)* raise.

oprejsning *(en -er) (for krænkelse)* reparation, redress, amends, *(ogs ved duel)* satisfaction; *(æres-)* rehabilitation; *(revanche)* revenge.

oprejst *adj (om person)* upright, standing, erect; *(om ting)* on end, upright; *holde sig ~* keep on one's feet, keep upright; *med ~ pande* boldly; *~ stilling* upright position.

opreklamere *vb* advertize, boost, puff.

opremse *vb* rattle off, reel off.

opremsning *(en)* rattling off, reeling off.

oprensning cleaning out, *(for mudder)* dredging.

opret *adj (se ogs oprejst)* upright, on end.

opretholde *(håndhæve)* maintain *(fx* discipline, order in a town), keep up *(fx* a price); *(fastholde)* abide by *(fx* a decision), uphold *(fx* a verdict); *(bevare)* preserve; *(vedligeholde)* sustain, support; *~ livet* subsist; *nok til at ~ livet* enough to keep body and soul together. **opretholdelse** *(en)* maintenance *(fx* of order).

opretning *(en)* straightening out; *(af buler)* beating out.

opretstående *adj* upright *(fx* piano), vertical *(fx* engine).

oprette *vb (grundlægge)* establish *(fx* a business, an institution), *(især om noget der varer længe)* found *(fx* a school), set up *(fx* a court of law), form, create *(fx* an army); *(lade skrive)* draw up *(fx* a document); *(indgå, slutte)* conclude *(fx* a contract), make, enter into *(fx* an agreement); *(genoprette, bøde på)* put right, redress, make good; *(opveje)* make up for *(fx* a loss); *(rette ud)* straighten out; *(buler i bil etc)* beat out. **oprettelse** *(en)* establishment, foundation, setting up, creation; conclusion; redress; straightening.

oprevet *adj (sjæleligt)* shaken, agitated; T cut up. **oprevethed** *(en)* agitation.

opridse *vb* sketch, outline.

oprigtig *adj (ægte)* sincere *(fx* friend, hope, wish), genuine, heartfelt *(fx* joy); *(ligefrem)* frank, candid *(fx* I will be f. *(el.* c.) with you); *adv -ly; sige sin -e mening* speak one's mind; *~ talt* (quite) frankly, honestly. **oprigtighed** *(en)* sincerity, frankness, candour.

oprinde *vb (oprandt, oprundet) (indtræffe)* come. **oprindelig** *adj* original; *adv* originally; *den -e befolkning (urbefolkningen)* the aboriginal population. **oprindelighed** *(en)* originality.

oprindelse *(en)* origin *(til:* of).

oprindelses|certifikat certificate of origin. **-land** country of origin.

opringning *(en -er) (i telefon)* call.

oprive *(oprev, oprevet) (en hær)* cut up; *(ryste sjæleligt)* shock, shake, harrow. **oprivende** *adj* harrowing, agonizing.

oprulle *vb (rulle ud)* unroll, *(tov)* uncoil; *(rulle sammen)* roll up, *(tov)* coil up; ✕ roll up; *(skildre)* unfold; ~ *sig* unfold (itself).

opruste *vb* arm, rearm. **oprustning** *(en -er)* (re)armament; *moralsk* ~ moral rearmament.

oprydning *(en -er)* clearing.

oprykke *vb (af jorden)* tear up; *(se ogs rykke (op))*. **oprykning** tearing up; *(forfremmelse)* promotion; *(i skole)* remove; *(om sportshold)* promotion. **oprykningsprøve** terminal examination.

oprømning *(en) (merk)* clearance; *(af hul)* reaming.

oprømt *adj* elated, in high spirits.

oprømthed *(en)* elation, high spirits.

oprør *(et -)* rebellion, revolt, insurrection, *(af mindre omfang)* rising; *(røre, fx i hus, by)* commotion; *(i sindet)* excitement; *gøre* ~ revolt, rise (in rebellion), rebel; *komme i* ~ *(om lidenskaber)* flare up; *være i* ~ *(om sind)* be upset, be agitated; *(om hav)* be rough, *(om hus, by)* be in commotion, be seething with excitement.

oprøre * *(gøre harmfuld)* revolt, shock; *-s over* revolt at, be shocked at, be outraged at.

oprørende *adj* outrageous *(fx* treatment), shocking *(fx* sight), *(modbydelig)* revolting, atrocious.

oprører *(en -e)* rebel, insurgent.

oprørsbevægelse revolutionary movement.

oprørs|fane: *rejse -n* raise the standard of rebellion *(el.* of revolt). **-hær** rebel army.

oprørsk *adj* rebellious *(fx* subjects *(undersåtter)*, speeches, thoughts), mutinous *(fx* soldiers, subjects); *(neds)* seditious *(fx* speeches, writings).

oprørs|leder rebel leader, ringleader. **-regering** rebel government. **-ånd** disaffection, spirit of rebellion.

oprørt *adj (om hav etc)* rough, troubled; *(harmfuld)* indignant *(over:* at; *over at:* that).

opråb *(et -) (navne-)* call-over, roll-call; *(proklamation)* proclamation; *(ved auktion)* announcement (of a lot).

opsadle *vb (hest)* saddle. **opsadling** *(en)* saddling.

opsagt *(om personale)* under notice; *blive* ~, *se opsige*.

opsamle *vb* pick up, collect, gather (together); *(dråber)* catch; *(samle lager af)* accumulate.

opsamling *(en)* picking up, gathering; *(ophobning)* accumulation. **opsamlings|lejr** reception camp. **-løb** repêchage.

opsang song, *(sømandssang)* shanty; *(overhaling)* dressing-down, telling-off, **T** ticking off.

opsat *adj:* ~ *på (ivrig)* keen on, *(noget* sth; *at gøre ngt* doing sth); anxious, eager *(at gøre ngt* to do sth); *(fast besluttet)* set on *(at gøre ngt* doing sth), determined *(at gøre ngt* to do sth).

opsats *(en -er) (bord-)* centrepiece; *(overdel af møbel)* top; *(gevir)* antlers; *(afhandling)* article, essay, paper, *(mindre, i avis)* short article, paragraph.

opsejling: *være under* ~ *(om skib)* be approaching, *(fig)* be under way, be in the offing, be brewing; *et uvejr er under* ~ there is a storm brewing *(el.* gathering).

opsende * send up, *(bøn)* offer up, *(raket)* launch.

opsige *(afskedige)* give notice, discharge; *(lån)* call in; *(traktat, kontrakt)* denounce *(fx* a treaty), give notice to terminate *(fx* a contract); *(et blad)* cancel; *blive opsagt (om lejer)* get notice (to quit), *(få sin afsked)* be given *(el.* get) notice from sby; ~ *et lejemål* give notice to terminate a tenancy (, a lease); ~ *en lejer* give a tenant notice to quit; ~ *én med en måneds varsel* give sby a month's notice; ~ *sin plads* give notice; *(se ogs opsagt)*.

opsigelig *adj (om kontraktforhold)* terminable; *(om obligation)* redeemable; *(om lønmodtager)* subject to dismissal; *(om embedsmand)* removable.

opsigelse *(en -r) (af opsige)* notice, discharge; *(fra den ansattes side)* (notice of) resignation; calling in; denunciation; ~ *med en måneds varsel, en måneds* ~

a month's notice; *skriftlig* ~ notice in writing; *uden* ~ without (previous) notice. **opsigelsesfrist** term of notice.

opsigt *(en) (opmærksomhed)* sensation, stir; *(opsyn)* supervision, superintendence; *have* ~ *med, se opsyn; vække* ~ create a stir, attract attention, *(stærkere)* create *(el.* make) a sensation. **opsigtsvækkende** *adj* sensational, dramatic.

opskreget *adj:* ~ *i pressen* written *(el.* played) up by the press.

opskrift *(en -er) (til madlavning)* recipe *(på:* for); *tilberede noget efter en* ~ make sth from a recipe.

opskrive *vb* put down, make a note of; *(forhøje værdien af)* write up. **opskrivning** *(en -er)* writing -down, *(i værdi)* writing-up, *(om valuta ogs)* revaluation. **opskrivningsbog** notebook.

opskruet *adj:* ~ *is* ice pack; ~ *pris* exorbitant price.

opskræmme * alarm, scare, startle; *(om dyr)* start.

opskyde *vb (tovværk)* coil (up); *(ammunition)* use up, spend.

opskyllet *adj (på stranden)* washed up *(el.* ashore).

opskære *vb, se skære (op)*. **opskørtet** tucked-up.

opskåret *adj* cut up; *(om glds dragt)* slashed; ~ *bog* book with the pages cut; ~ *fløjl* cut velvet; ~ *gås* drawn goose; ~ *mekka* moquette.

opslag *(et -) (revers)* lapel; *(på ærme)* cuff; *(på benklæder)* turn-up, *(amr ogs)* cuff; *(plakat)* bill, poster; *(bekendtgørelse)* notice; *(i bog)* reference *(fx* to a dictionary), looking up (a passage etc); *(typ: to sider over for hinanden)* opening; *benklæder med* ~ permanently turned-up trousers; *benklæder uden* ~ trousers without turn-ups, trousers with plain bottoms.

opslags|ord headword, entry. **-tavle** notice board; *(amr)* bulletin board. **-værk** work of reference, reference book.

opslidende *adj* fatiguing. **opslidningskrig** war of attrition.

opslidse *vb (især tøj)* slit, *(især metal)* slot.

opslidt *adj* worn-out *(fx* clothes).

opsluge * *vb* swallow, devour; *(bevirke at noget forbruges)* swallow up *(fx* the expenses swallow up the profits); *(optage i sig)* absorb; *(helt optage)* engross *(fx* engrossed in a book), absorb.

opslæmmet *adj* suspended, in suspension.

opslå *vb (ledig stilling)* advertise *(fx* a post); *en -et bog* an open book; ~ *sin bolig* take up residence; ~ *sit kvarter* take up one's quarters; *med -ede paraplyer* with umbrellas up; ~ *en plakat* stick a bill; *(se ogs slå (op))*.

opsmøget *adj* rolled-up, tucked-up *(fx* sleeves), turned-up *(fx* trousers).

opsnappe *vb* intercept *(fx* a message); *(få fat på)* get hold of.

opsnuse *vb (opspore)* ferret out, nose out.

opspare *vb* save (up), accumulate; *det -de* the savings; *-de reserver* accumulated reserves. **opsparing** *(en)* saving up; *(det opsparede)* savings; *bunden* ~ compulsory saving.

opspile|t *adj* wide open *(fx* eyes, mouth); *(oppustet)* distended *(fx* stomach); *med -de øjne* wide -eyed.

opspind *(et)* fabrication, lie.

opspore *vb* track down *(fx* a fox, a criminal); *(finde)* discover, *(»grave frem«)* ferret out, unearth *(fx* the truth).

opsporing *(en)* tracking down; discovery.

opsprætte rip up, unstitch. **opsprætterkniv** *(til tøj)* ripper.

opspurgt: *få én* ~ find sby, discover sby's whereabouts.

opspyt sputum, expectoration.

opstable *vb* pile (up), stack. **opstabling** *(en)* piling (up), stacking.

opstadset *adj* rigged out, dressed up to the nines.

opstalde *vb (hest)* stable; *(kvæg)* stall.

opstalt *(en -er) (tegning, plan)* elevation; ⚓ sheer plan.

opstand *(en -e)* (up)rising, revolt; insurrection; *(større)* rebellion; *gøre ~* rise (in rebellion), revolt.

opstandelse *(en) (fra de døde)* resurrection; *(ståhej)* excitement, stir, commotion; *stor ~ (ogs)* a great to-do.

opstanden *adj* risen from the dead.

opstander *(en -e)* upright, stanchion, standard; *(stor, til elekt ledninger)* pylon.

opstemme *vb (vand)* dam (up).

opstemt *adj (i godt humør)* in high spirits; *(af spiritus)* elevated; *(eksalteret)* excited. **opstemthed** *(en)* high spirits; elevation; excitement.

opstigende *adj* ascending, rising; *i ~ linie (om slægt)* in lineal ascent. **opstigning** *(en -er)* ascent; *(bjergbestigning ogs)* climb; *(af væsker etc)* rising.

opstille *vb (anbringe)* place, set up; *(monument etc)* erect; *(montere)* mount *(fx* a machine); *(ordne)* arrange; *(soldater i bestemt orden)* draw up, dispose; *(etablere militære enheder)* establish, set up *(fx* an army, four battalions); *(postere)* post *(fx* sentries); *(fremsætte)* put forward, advance *(fx* a claim, a theory); pose, propound *(fx* a problem); *(formulere etc)* draw up *(fx* a budget, a contract, a programme); *(fastlægge)* lay down, make *(fx* conditions, a rule); *(til valg)* nominate, put up; *~ en formel (mat.)* set up a formula; *~ en fælde for* set a trap for; *~ som sit ideal* set up as one's ideal; *lade sig ~ (ved valg)* stand *(til:* for), *(amr)* run *(til:* for); *~ en ligning* set up an equation; *~ en liste* draw up a list; *~ et regnskab* draw up a statement of accounts.

opstilling *(en -er) (se opstille)* placing; erection; mounting; arrangement; *(af soldater (i bestemt orden))* disposition, order; *(af militære enheder)* establishment, formation; *(af vagter etc)* posting; *(af krav, teori etc)* putting forward; posing, propounding; *(formulering)* drawing up; *(af betingelse, regel etc)* laying down; *(af valgkandidat)* nomination; *(kandidatur)* candidature, *(amr)* candidacy; *(oversigt)* list, statement; *(i kunst)* arrangement; *(stillleben)* still life; *tage ~* take (up) one's position, *(på linie)* draw up, line up, fall into line.

opstoppernæse snub-nose, turned-up nose.

opstrakt *adj* upstretched, raised.

opstrammer *(en -e) (drik)* tonic, pick-me-up, stiffener; *(reprimande)* ticking-off, talking-to.

opstreg *(en -er)* upstroke.

opstrøget *adj: ~ hår* brushed-back hair.

opstyltet *adj* stilted.

opstød *(et -)* eructation, burp; *have ~* burp; *få moralske ~* have fits of moral rectitude; *surt ~* acid regurgitation; *(om person)* sourface, sourpuss.

opstøve *vb (om hund)* track down, *(finde, ogs)* ferret out, find, unearth.

opstå *vb* arise *(fx* a conflict, a difficulty, a quarrel, a storm arose); break out *(fx* a fire, an epidemic broke out); come into being; *(hurtigt)* spring up *(fx* new towns, new factories, a rumour sprang up); *(af graven)* rise (from the dead); *~ af* result from, arise from, be born of; *der opstod en pause* there was a pause, a pause ensued.

opståen *(en) (begyndelse)* beginning(s), start; *(tilblivelse)* rise, emergence, birth; *(oprindelse)* origin; *(af brand etc)* outbreak.

opstående *adj (begyndende)* arising, emerging; *(om sol etc)* rising; *(opret)* upright; *det ~ ⚓ (skanseklædningen)* the bulwark; *~ flip* stand-up collar; *~ kant* raised edge.

opsuge *vb* absorb; *~ ledige penge* mop up loose money; *-nde stof* absorbent (substance).

opsugning *(en)* absorption.

opsummere *vb* sum up; *~ sig* accumulate.

opsummering *(en)* summing up; summary.

opsving *(et -) (fremgang)* progress, advance; *(i næringslivet)* boom, *(efter nedgang)* recovery; *tage ~* progress, advance, make great strides.

opsvulmet *adj* swollen.

opsyn *(et -) (tilsyn)* superintendence, supervision;

care; *(opsynsmand)* attendant; *(inspektør)* inspector; *(ved eksamen)* invigilator(s), *(amr)* proctor(s); *have (el. holde) ~ med* superintend, supervise, inspect; *(fx med børn)* look after.

opsynsmand attendant, *(i anlæg ogs)* keeper; *(ved sportsplads)* groundsman.

opsætning *(en -er)* setting up; *(af stykke på teater)* staging, production; *(affattelse)* drawing up; *(layout)* lay-out *(fx* of an advertisement); *(af nyhed etc i avis)* display; *(typ)* setting up, type-setting; *bringe en artikel i stor ~* splash an article.

opsætsig *adj* disobedient, unruly, insubordinate. **opsætsighed** *(en)* disobedience, unruliness, insubordination.

opsætte *(udsætte)* put off, delay, defer, postpone, *(især jur & amr)* stay; *(sætte op)* set up, put up; *(stykke på teater)* stage; *(affatte)* draw up *(fx* a contract, a will); *(typ)* lay out.

opsættelse *(en) (udsættelse)* deferment, postponement, putting off, *(især jur & amr)* stay; *uden ~* without delay.

opsøge * *(besøge)* go to see, look up; *(finde etc)* seek out, *(m besvær)* hunt up.

optage *(optog, optaget) (tage op)* take up; *(ombordtage, ogs om tog, bus etc)* pick up *(fx* shipwrecked men, passengers, freight); *(⚓ hæve)* raise, refloat *(fx* a sunken ship); *(af jorden)* dig up, *(kartofler etc ogs)* lift; *(i sit hjem)* take in; *(i forening, skole etc)* admit *(i, på* to); *(trykke i blad)* accept; print, publish; *(på liste etc)* enter *(fx* on a list); *(fremmedord, tanke, mode etc)* adopt; *(vane etc)* pick up; *(i sig)* absorb, *(fordøje)* digest; *(opfatte)* take *(fx* seriously); *(tid, opmærksomhed)* take up, engross, occupy; *(interesse)* absorb, engross; *(plads)* engage *(fx* the seat is engaged), occupy *(fx* a chair, a shelf), take up *(fx* much room); *(genoptage)* resume, take up again; *(fotografere)* take *(fx* a photograph); *(på grammofonplade, bånd)* record;

~ en diskussion med enter into a discussion with; *~ en film* take (el. make, shoot) a film; *~ et forhør over én* examine (, interrogate) sby; *~ en fortegnelse over* make a list (el. an inventory) of; *~ i adelsstanden* ennoble, *(i Engl)* raise to the peerage; *~ i familien* receive into the family; *~ et lån* raise a loan; *~ det på sit program* embody (el. include) it in one's programme; *~ det som en fornærmelse* take it as an insult; *~ en som kompagnon* take sby into partnership; *~ som medlem* admit as (a) member; *~ ngt som spøg* take sth as a joke; *(se ogs optaget).*

optagelse *(en -r) (se optage)* taking up; picking up; raising; *(af jorden)* digging up, lifting; *(i forening, skole etc)* admission *(i:* to); *(offentliggørelse i blad)* publication; *(indførelse)* adoption *(fx* of loan-words, ideas, fashions); *(i sig)* absorption, assimilation; *(genoptagelse)* resumption; *(fot)* taking (of photographs), *(eksponering)* exposure, *(snapshot)* snap(shot); *(af film: det at)* shooting, *(enkelt scene)* shot; *(grammofon-)* recording; *~ af et lån* the raising of a loan.

optagelses|hjem *(for hjemløse børn)* orphanage; *(for unge forbrydere, svarer i England til)* approved school. **-prøve** entrance examination. **-rum** recording room.

optager *(en -e) (bånd-)* tape recorder. **optager-vogn** *(radio)* recording car.

optaget *adj (om person)* busy, engaged, *(fordybet i noget)* preoccupied *(af:* with), absorbed, engrossed *(af:* in, by); *(om taxa, telefon, wc etc)* engaged, *(om plads)* engaged, occupied, taken; *(om bus etc)* full; *alt ~* full up; *være ~ af at skrive* be busy writing; *stillingen er ~* the post is filled. **optagethed** *(en)* being busy, bustle, busyness; *(af tanker)* preoccupation *(af:* with), absorption *(af:* in). **optagning** *(en -er) (af roer etc)* lifting.

optakt *(i musik)* upbeat; *(i metrik)* anacrusis; *(fig)* prelude, preliminaries.

optant *(en -er)* optant.

optegne *vb (nedskrive)* make a note of, put down,

take down, record. **optegnelse** *(en -r)* note, memorandum, record; *gøre -r* take notes.

optere *vb* opt *(for:* for).

optik *(en)* optics; *(optiske instrumenter)* optical instruments. **optiker** *(en -e)* optician.

optimal *adj* optimum *(fx* dose).

optimisme *(en)* optimism. **optimist** *(en -er)* optimist. **optimistisk** *adj* optimistic.

option *(en)* option.

optisk *adj* optical; *~ bedrag* optical illusion; *~ nerve* optic nerve; *~ telegraf* semaphore.

optog *(et -)* procession; *(historisk etc)* pageant; *(rytter-)* cavalcade, *(cirkus-)* (circus) parade.

optrin *(et -) (scene)* scene, episode, incident.

optrukken *adj (om flaske)* uncorked, opened; *~ linie* full-drawn line, *(på ny)* touched-up line; *fuldt ~ linie (på vej etc)* continuous line; *optrukne øjenbryn* pencilled eyebrows; *(hævede)* raised eyebrows.

optryk *(et -)* new impression, reprint.

optrykke ★ reprint.

optræde *(optrådte, optrådt) (fremtræde)* appear *(som:* as); *(på scenen)* appear, act, perform; *(om dresserede dyr)* perform; *(opføre sig teatralsk)* pose, act a part; *(opføre sig)* behave; *(fungere)* act *(fx* as host); *(handle, gribe ind)* take action, intervene, step in; *(ytre sig, forekomme)* occur; *~ for første gang* make one's début, *(om fænomen, sygdom etc)* occur for the first time; *~ mildt (om sygdom)* be mild, be benign; *~ i Hamlet*« act in "Hamlet"; *~ på éns vegne* represent sby, act for sby; *de -nde* the performers, *(skuespillere)* the actors; *~ udfordrende (, uhøfligt)* be provocative (, rude).

optræden *(en)* appearance; *(opførsel)* behaviour, conduct; *(handlemåde, indgriben)* action; *(forekomst)* occurrence; *første ~* first appearance, début.

optræk: *der er ~ til uvejr* there is a storm brewing (el. gathering).

optrækkende *adj: ~ uvejr* gathering storm; *jeg har en ~ forkølelse* I have got a cold coming on.

optrækkeri *(et)* extortion.

optræne *vb* train.

optrævle *vb* unravel *(fx* a stocking; a mystery).

optugte *vb* discipline, bring up. **optugtelse** *(en)* discipline, upbringing; *naturen gik over -n* temptation became too strong for him (, her etc).

optur ascent; *på -en* going up, on the way up.

optælle *(optalte, optalt)* count; *(opregne)* enumerate. **optælling** *(en -er)* counting; enumeration; *~ af lager* stock-taking.

optænde ★ *(fig)* inflame, excite.

optændingsbrænde firewood, kindling.

optænkelig *adj* imaginable, conceivable.

optø *vb (ogs fig)* thaw (out).

optøjer *pl* riots, a riot, disturbances.

optøning *(en)* thawing out.

optårne *vb: ~ sig* accumulate, pile up.

opulent *adj* opulent.

opus *(et -)* opus.

opvakt *adj* bright, quick-witted.

opvakthed *(en)* brightness, intelligence.

opvarme *vb* heat, warm; *-t mad* warmed-up food.

opvarmning *(en)* heating; *(sport og fig)* warm-up.

opvarte *vb (m objekt)* wait on, attend on, serve; *(uden objekt)* wait, serve; *~ ved bordet* wait at table, *(amr)* wait on table; *~ en med ngt* treat sby to sth.

opvarter *en -e* waiter.

opvartning *(en)* waiting, attendance, service; *gøre en sin ~* pay one's respects to sby.

opvask *(en) (det at)* washing-up; *(det som vaskes)* washing-up, dishes.

opvaske|bakke draining tray. **-balje** washing-up bowl; *(amr)* dishpan. **-maskine** automatic dishwasher. **-middel** detergent. **-pige** scullery maid. **-stativ** dish drainer. **-vand** dishwater.

opvaskning *se opvask.*

opveje *vb* counterbalance, *(fig ogs)* make up for, compensate for, offset.

opvigle *vb* stir up.

opvise ★: *have at ~* have (to show); *man vil ikke kunne ~ magen dertil* you won't find the like of it.

opvisning *(en -er)* display, show.

opvokse *vb* grow (up); *den -nde ungdom* the rising generation; *-t på landet* country-bred.

opvække *vb (kalde til live)* resuscitate, restore to life; *(fremkalde)* give rise to, rouse; *~ de døde* raise the dead; *blive opvakt fra de døde* rise from the dead.

opvækkelse *(en) (fra de døde)* resurrection.

opvækst *(en)* years of growth, adolescence; *(i skov)* reproduction, regeneration.

opvågnen *(en)* awakening; *en brat ~ (fig)* a rude awakening.

opæde *(opåd, opædt)* eat up, devour.

opægge *vb* incite, instigate, rouse, stir up.

opøve *vb* train; *(øve sig på)* practise.

opøvelse *(en)* training; practice.

orak|el *(et -ler)* oracle. **orakel|agtig** oracular. **-sprog, -svar** oracle, *(fig)* oracular reply.

orange *(en -r & adj)* orange.

orangeade *(en)* orangeade.

orange|gul orange. **-marmelade** (orange) marmalade.

orangeri *(et -er)* orangery.

orangutang *(en -er)* orang-utan.

Oranien Orange.

Oranje-Fristaten the Orange Free State.

oratorisk *adj* oratorical.

oratori|um *(et -er) (musik)* oratorio.

ord *(et -)* word; *(talemåde, udtalelse etc)* saying; *-et (bibelsk)* the Word; *-et »hest«* the word "horse"; *det er et ~* that is a bargain; *et ~ er et ~* a bargain is a bargain; *a promise is a promise;*

[m adj:] godt ~ igen no offence meant; *for et godt ~ on the slightest provocation, on the least excuse, (så det står efter)* like anything; *det kan ikke fås hverken for gode ~ eller betaling* it is not to be had for love or money; *det er rene ~ for pengene* that is plain speaking, *(ironisk)* that is short and sweet; *for at sige det med rene ~* to put it bluntly; *jeg sagde ham med rene ~ at* I told him in so many words that; *der er ikke et sandt ~ i det* there is not a word of truth in it; *beholde det sidste ~* have the last word; *det er et stort ~ (at bruge)* that is a big word; *føre det store ~* be cock of the walk, *(prale)* talk big;

[m vb:] bede om -et request leave to speak, catch the chairman's (*, i underhuset:* the Speaker's) eye; *bryde sit ~* break one's word; *dirigenten fratog ham -et* the chairman stopped him (el. ordered him to sit down); *føre -et* act as spokesman, *(tale meget)* do the talking; *få -et* be called upon (to speak), be given the floor; *må jeg få -et?* may I say a few words? *få ~ for* get a reputation for; *give én -et* call upon sby to speak (el. to address the meeting); *jeg giver dig mit ~ på det* I give you my word for it; *have ~ for* have a reputation for; *have -et i sin magt* be a fluent (el. ready) speaker, T have the gift of the gab; *have et ~ at skulle have sagt* have a say in the matter; *holde sit ~* keep one's word (el. promise), be as good as one's word; *nægte en -et* refuse sby leave to speak; *tage -et* begin to speak; rise; *det ene ~ tog det andet* one word led to another; *han kan ikke tale et ~ engelsk* he cannot speak a word of English; *før jeg vidste et ~ af det* before I knew where I was; *before I could say knife* (el. Jack Robinson); *sulten? det er ikke -ct!* hungry isn't the word for it!

[m præp:] ~ for ~ word for word; *med ét ~* in a word; *med andre ~* in other words; *med disse ~* with these words, so saying; *strid om ~* quibbling, hair -splitting; *tage ham på -et* take him at his word; *De kan tro mig på mit ~* you may take my word for it; *~ til andet* word for word, verbatim; *jeg kunne næsten ikke komme til -e* I could hardly make myself heard; *tage til -e* begin to speak; *tage til -e for* advocate; *tage til -e imod* oppose, speak against.

ordbilledmetode *(ved læseundervisning)* look-and -say method.

ordblind *adj* word-blind.

ordblindhed *(en)* word-blindness.

ordbog dictionary. **ordbogsforfatter** dictionary -maker, lexicographer.

ord|bøjning inflexion. **-dannelse** word form-ation.

orden *(en -er) (i alle betydninger)* order; *(med skriftlige arbejder i skolen)* neatness; *for en -s skyld* as a matter of form; to make sure; *genoprette -en* restore order; *i ~* in order, *(om værelse etc)* tidy, *(om maskine)* in working order, working; *ikke i ~ (om maskine)* out of order, not working; *alt er i ~* everything is all right *(el.* O.K.*)*; *bringe i ~, bringe ~ i* arrange, get in order; adjust *(fx* one's dress); *(rydde op)* tidy up; *få sagen bragt i ~* get the matter settled; *gå i ~* be arranged, be agreed upon *(fx* the treaty was agreed upon); *det skal nok gå i ~* that will be all right; *kalde til ~* call to order.

ordens|broder brother of an order. **-bånd** rib-bon (of an order). **-dekoration** decoration. **-dragt** habit (of an order). **-duks** *(kan gengives:)* monitor. **-håndhæver** *(en -e)* representative of law and order, *(neds)* minion of the law. **-marskal** steward. **-men-neske** methodical person. **-politiet** the uniformed police. **-regel** rule, regulation. **-sans** love of order. **-tal** ordinal (number).

ordentlig *adj (som er i god orden, korrekt)* orderly, correct, regular, well-ordered, well-regulated; *(pæn, ryddelig)* tidy, neat; *(med ordenssans; om fremgangs-måde)* orderly, methodical; *(sober etc)* steady, of regular habits; *(punktlig, nøjagtig)* accurate, careful; *(anstændig; dannet)* decent *(fx* hotel, girl); nice; *(til-børlig, rigtig)* proper; *(som forslår)* regular, thorough, colossal; T some *(fx* some cigar (that)!); *(om vare, præstation etc: god)* good, decent; *(mods overordentlig)* ordinary; *adv -(t)* regularly, tidily, neatly; me-thodically; steadily; accurately, carefully; decently; properly; thoroughly, awfully, like anything; well *(fx* speak, play well); *føre et -t liv* lead a well -regulated life; *han bestiller ikke noget -t* he doesn't do any real work; *en ~ omgang klø* a sound beating; *opfør dig -t! nu skal du være ordentlig!* behave yourself! *sid ~!* sit properly! *komme hjem i ~ tid* get home at a decent hour.

ord|fattig having a limited vocabulary. **-flom** torrent of words. **-forklaring** explanation of a word (, of words). **-forråd** vocabulary *(fx* a rich v.). **-føjningslære** syntax. **-fører** *(en -e)* spokes-man; *(for nævninger)* foreman. **-gyder** *(en -e)* wind-bag. **-gyderi** *(et -er)* verbosity, verbiage. **-hol-dende** *(omtr =)* honest; *han er ~* his word is as good as his bond. **-holdenhed** *(en) (omtr =)* honesty.

ordinat *(en -er)* ordinate.

ordination *(en)* ordination; *(læges)* prescription.

ordinere *vb* ordain; *(om læge)* prescribe; *lade sig ~, blive -t* take (holy) orders, be ordained.

ordinær *adj (mods ekstraordinær)* ordinary, *(tarve-lig)* common *(fx* manners), vulgar.

ord|klasse part of speech. **-kløver** *(en -e)* hair -splitter, quibbler. **-kløveri** *(et -er)* hair-splitting, quibbling. **-knap** *adj* taciturn, sparing of words, reticent. **-knaphed** taciturnity, reticence. **-liste** list of words. **-lyd** wording, text; *efter -en (ɔ: bogstave-lig)* literally; *efter kontraktens ~* according to the terms of the contract.

ordne *vb* arrange *(fx* a. the books alphabetically); *(noget, der er kommet i uorden ogs)* adjust, put straight *(fx* one's clothes), put in order; *(gøre pæn, ryddelig)* tidy (up) *(fx* a room); *(regulere)* regulate; *(organisere)* organize; *(klare)* straighten out, put right, fix up, manage; *(få bugt med)* manage, settle *(fx* I'll settle him!); *(pengemellemværende)* settle, square; *sørge for, tage sig af)* see to; *(uden objekt: rydde op)* put things in order, tidy up; *~ sig (blive godt, komme i orden)* turn out all right, adjust itself; *~ sig med* come to

an arrangement with; *-de forhold* orderly con-ditions.

ordning *(en -er)* arrangement; *(system)* system; *træffe en ~* make an arrangement.

ordonnans *(en -er)* ⚔ orderly, runner; *(motor-)* dispatch rider.

ordre *(en -r) (befaling)* order, *(instruks)* instruc-tion(s); *(bestilling)* order; *efter ~* by order, according to order, *(efter bestilling)* to order; *vi har to skibe i ~ (om bestilleren)* we have ordered two ships *(hos:* with), *(om leverandøren)* we have orders for two ships; *få ~ til at* be ordered to, be instructed to; *give ~ til* give the order for *(fx* a retreat); *give ~ til at* give the order to *(fx* retreat); *have ~ til* have orders to; *parere ~* obey; *placere -r på ngt hos en* place orders for sth with sby; *betal til X eller ~* pay to X or order.

ordre|bog order book. **-seddel** *(blanket)* order form.

ordret *adj* literal, word-for-word; *adv* literally, word for word, verbatim.

ord|rig *adj* rich in words; *(vidtløftig)* verbose, wordy. **-samling** vocabulary. **-skifte** argument; *(trætte)* altercation. **-skvalder** verbiage, blether, T gas. **-spil** pun, play on words. **-sprog** proverb; *hans loyalitet er blevet til et ~* his loyalty has become proverbial. **-sprogsleg** (game of) charades. **-stil-ling** word order; *ligefrem ~* normal word order; *omvendt ~* inversion. **-strid** altercation, dispute. **-strøm** flow of words. **-styrer** *(en -e)* chairman. **-valg** choice of words.

oret *adj* mity.

organ *(et -er) (del af legemet; avis; institution)* organ; *(under* F.N. *etc)* agency; *(stemme)* voice, organ.

organdi *(en)* organdie.

organisation *(en -er)* organization; *(fagforening)* trade union. **organisations|talent** organizing abi-lity; *have ~ (ogs)* be a good organizer. **-tvang** (the principle of) the closed shop.

organisator *(en -er)* organizer. **organisatorisk** *adj* organizing. **organisere** *vb* organize; *~ sig* or-ganize; *-de arbejdere* trade-unionists, organized *(el.* union) labour.

organisk *adj* organic *(fx* disease, life, chemistry); *adv* organically; *et ~ hele* an organic whole.

organisme *(en -r)* organism; *-n (ɔ: den menneske-lige)* the system *(fx* it is harmful to the system).

organist *(en -er)* organist.

orgasme *(en -r)* orgasm.

orgel *(et, orgler)* organ. **orgel|bygger** *(en -e)* organ builder. **-pibe** organ pipe. **-pulpitur** organ loft. **-register** organ stop. **-spiller** *(en -e)* organ player, organist. **-værk** organ.

orgie *(et -r)* orgy.

orient *-en* the East, the Orient; *Den fjerne (, Den nære) ~* the Far (, the Near) East. **orientaler** *(en -e)* Oriental; *(i den nære Orient)* Levantine. **orientalist** *(en -er)* orientalist. **orientalsk** *adj* Oriental.

orientere *vb* supply with information, inform, brief; *~ sig* find one's bearings; *han kunne ikke ~ sig* he had lost his bearings; *~ sig i et emne* familiarize oneself with a subject. **orienteret** *adj: socialistisk ~* of a Socialist outlook; *~ i* informed of, familiar with; *~ mod syd (fx om hus)* facing south. **oriente-ring** *(en)* orientation; *(oplysning)* information *(fx* we enclose a prospectus for your information), briefing, guidance; *miste -en* lose one's bearings. **orienterings|evne, -sans** sense of locality, T (the) bump of locality.

·I. **original** *(en -er)* original, *(særling)* character; *en langhåret ~* a long-haired freak.

II. **original** *adj* original; *(sær)* eccentric, odd, *(stærkere)* freakish; *~ aftapning, se aftapning*.

originalitet *(en)* originality.

original|sprog original (language); *på -et in the* original. **-tegning** original drawing. **-udgave** first *(el.* original) edition.

orkan *(en -er)* hurricane. **orkanagtig** *adj* like a hurricane; *-t bifald* a storm of applause; *'~ storm* storm.

orke *vb* be able to; *spise alt hvad man -r* eat one's fill; *han -r ikke mere* he is exhausted, T he is done in.

orkere *vb* tat.

orkest|er *(et -re)* orchestra, *(ofte mindre)* band.

orkester|grav orchestra pit. **-koncert** orchestral concert. **-plads** (orchestra) stall *(fx* I bought two stalls); *(amr)* orchestra seat, seat in the orchestra. **orkidé** *(en, orkidéer)* ✿ orchid.

orkis *subst* tatting.

Orkneyøerne the Orkney Islands, the Orkneys.

Orleans: *Jomfruen fra ~* the Maid of Orleans.

orlogs|flag naval flag. **-flåde** navy. **-kaptajn** *(svarer til)* commander. **-mand, -skib** warship, man-of-war. **-værft** naval dockyard.

orlov *(en)* leave (of absence); *have ~* be on leave.

orm *(en -e)* zo worm; *(larve)* grub; *(maddike)* maggot; *han har ~ (med.)* he has worms; *der er ~ i æblet* the apple is worm-eaten. **orme|formet** vermiform. **-frø** wormseed. **-gård** snake pit. **-middel** anthelmintic, vermifuge.

ormstukken, ormædt worm-eaten; *(om tænder)* decayed, carious.

ornament *(et -er)* ornament. **ornamentere** *vb* ornament. **ornamentering** *(en)* ornamentation.

ornat *(et -er)* vestment(s).

orne *(en -r)* zo boar.

ornitolog *(en -er)* ornithologist. **ornitologi** *(en)* ornithology. **ornitologisk** *adj* ornithological.

orto|doks *adj* orthodox. **-doksi** *(en)* orthodoxy. **orto|grafi** *(en)* orthography, spelling. **-grafisk** *adj* orthographic(al); *adv* -ally. **-pæd** *(en -er)* orthopaedist. **-pædi** *(en)* orthopaedy. **-pædisk** *adj* orthopaedic; *~ sko* surgical shoe.

I. **os** *(en)* smoke; *(lugt)* reek; *(indelukket luft)* T fug.

II. **os** us; *(refleksivt)* ourselves, *(pl majestatis)* Ourself; *det er ~* it is we, T it's us; *han forsvarer ~* he defends us; *vi forsvarer ~* we defend ourselves; *en ven af ~* a friend of ours; *vi tog det med ~* we took it with us; *mellem ~ sagt, se imellem.*

oscillere *vb* oscillate.

ose *vb* smoke; *(lugte)* reek; T inspect goods without buying. **oser** *(en -e)* T person who inspects goods without buying.

osman(n)isk *adj* ottoman, Osmanli.

I. **ost** *(øst)* East; *(se øst)*.

II. **ost** *(en -e)* cheese. **oste** *vb:* *~ sig* curdle.

oste|anretning cheeseboard. **-bue** cheese wire. **-forretning** cheese shop, cheesemonger's. **-handler** *(en -e)* cheesemonger. **-høvl** cheese knife. **-klokke** cheese-dish cover. **-løbe** *(en)* rennet. **-mad** *(svarer til:)* cheese sandwich(es). **-mide** cheese mite.

Ostende Ostend.

oste|pind *(-snitter)* bread and cheese; *(-stang)* cheese straw. **-ri** *(et -er)* *(kro)* osteria. **-skorpe** cheese rind. **-stang** cheese straw. **-stof** *(kasein)* casein.

ostet *adj* cheesy; *(om mælk)* curdled.

ostindiefarer *(en -e)* (East-) Indiaman. **Ostindien** the East Indies. **ostindisk** *adj* East Indian.

ostrakisme *(en)* ostracism.

o.s.v. *(fk f og så videre)* etc *(fk f* etcetera).

otium *(et)* leisure, retirement.

otte *(talord)* eight; *~ dage (ɔ: en uge)* a week; *i dag ~ dage* this day week, a week today; *i morgen ~ dage* tomorrow week, a week tomorrow; *om en ~ dages tid* in a week's time, in a week or so; *~ timers arbejdsdag* (the) eight-hour day; *~ og tyve* twenty-eight.

otte|armet *adj* eight-armed; *~ blæksprutte* octopus. **-dagesur** eight-day clock. **-kant** *(en -er)* octagon. **-kantet** *adj* octagonal.

ottende eighth; *hver ~ dag* once a week. **ottendedel** *(en -e)* eighth; *tre -e* three eighths; *tre ottendedels takt* three-eight time.

ottendedels|node quaver. **-pause** quaver rest,

otter *(en -e)* *(ogs om båd)* eight; *(sporvogn etc)* number eight.

otte|sang matins. **-sidet** *adj* octagonal. **-tal** eight; *(i skøjteløb)* figure of eight. **-tiden:** *ved ~* at about eight. **-timersdagen** the eight-hour day. **-årig, -års** *adj* *(otte år gammel)* eight-year-old; *(som varer 8 år)* octennial.

otti *(talord)* eighty.

ottoman *(en -er)* ottoman, couch.

outreret *adj* exaggerated, outré.

outrigger *(en -e)* outrigger.

outsider *(en -e)* outsider.

ouverture *(en -r)* overture.

oval *(en -er & adj)* oval.

ovari|um *(et -er)* ovary.

ovation *(en -er)* ovation.

I. **oven** *adv:* *~ for* above; *fra ~* from above, *(fra himmelen)* from on high, *(i bog)* from the top; *fra ~ nedad* downwards, *(overlegent)* superciliously, patronizingly; *et slag ~ i hovedet* a blow on the head; *~ i købet* into the bargain, at that; *~ om* round (by) the top of, *(se ogs ovenom)*; *~ over* above; *~ på* on, on top of, *(på væske ogs)* on the surface of, *(= efter)* after, T on top of; *(se ogs ovenpå)*.

II. **oven** *præp:* *være ~ senge* be up (and about) again, be on one's feet again; *~ vande, se vand.*

oven|anført above(-mentioned); *-e liste* the above list, the list above. **-for** *adv* above. **-fra** from above, *(i bog)* from the top; *(se ogs I. oven)*. **-i** *adv* above, on top. **-lys** light from above. **-lysvindue** skylight.

oven|nævnt above(-mentioned). **-om** *adv* round by the top of, (up) at the top of. **-over** *adv* above. **-på** *adv* above, on top; *(i en højere etage)* upstairs; *(bagefter)* afterwards, after that, T on top of that; *komme ~ (fig)* come out on top; *en kuppel med et kors ~* a dome surmounted by a cross; *svømme (el. flyde) ~* float (on the surface), *(fig)* manage, fall on one's feet; *være ~ (have overtaget)* have the upper hand, T be top dog, *(gunstigt stillet, velstillet)* be well off, T be in clover; *et værelse ~* an upstairs room, a room upstairs. **-stående** *adj* the above; *~ liste* the list above, the above list. **-ud** *adv* *(ud foroven)* out above; *(overmåde)* inordinately, exceedingly.

I. **over** *præp.*

a) *(udbredt over, lodret over)* over *(fx* a rug lying over the sofa; pull a blanket over sby; hold an umbrella over sby's head; roast sth over a slow fire; be poring over one's books);

b) *(oven ~, hævet ~, højere end)* above *(fx* the stars above us; 500 ft. above sea level; a general is above a colonel in rank); *~ pari* above par;

c) *(tværs ~)* across *(fx* a bridge across the river; run across the street); *(hen over)* over *(fx* walk over the moor; pass over the frontier);

d) *(via)* via *(fx* to London via Esbjerg); by;

e) *(ud ~)* beyond *(fx* pass beyond this line; go beyond that price; far beyond his expectations);

f) *(mere end)* over, above *(fx* over 5 miles long; above (el. over) 200 members; 10 degrees above zero; he is over 50);

g) *(om klokkeslæt)* past *(fx* it is a quarter past ten; it was past (el. after) ten o'clock);

h) *(herskende over)* over *(fx* these people want a strong man over them);

i) *(på grund af)* at *(fx* angry, impatient, offended at sth), of *(fx* glad, proud of sth; complain of sth);

j) *(angående)* on *(fx* lecture on Dickens);

k) *(om præg, egenskab)* about *(fx* there is sth nervous (, aristocratic) about him);

l) *(andre tilfælde:)* hun er *~* den alder hvor she is past the age when; *~* hele byen all over the town; *et kort ~* Danmark a map of Denmark; *han rystede ~* hele kroppen he trembled all over; *~* det hele all over, everywhere; *hævet ~* enhver mistanke above suspicion; *blive natten ~* stay (for) the night, stay overnight; *ned ~* down *(fx* the tears streamed down her face); *arbejde ~* tiden work overtime; *vi er ~* det *værste* the worst is over; we have turned the corner.

II. **over** *adv* over; *(om klokkeslæt)* past; *(tværs ~)* across; *(itu)* in two, to pieces; *arbejde ~* work overtime; *gå ~: se gå*; *klippe, skære ~* cut through, cut in two; *springe et ord ~* skip a word; *sætte kedlen ~* put the kettle on; *~ for* opposite, facing, *(fig)* towards *(fx* their attitude towards the Government), to *(fx* his kindness to me; be responsible to sby), in the face of *(fx* his courage in the face of difficulties), face to face with *(fx* an opponent); *stå ~ for* face, be confronted with; *stille en ~ for* confront sby with; *ud ~* beyond; *(se i øvrigt de ord, hvormed »over« forbindes).*

overall *(en -s el. -) (arbejdstøj)* overalls.

overalt everywhere; *~ hvor* wherever; *~ i byen* all over the town, in all parts of the town; *~ på jorden* all over the world, in every part of the globe.

over|anfører supreme commander, commander -in-chief. **-anførsel** supreme command.

over|anstrenge ★ overwork *(fx* o. one's people); *~ sig* overstrain *(el.* over-exert) oneself, work too hard; T overdo it *(fx* don't overdo it!). **-anstrengelse** *(en)* overwork, over-exertion. **-anstrengt** overworked.

over|arbejde *(et)* overtime; *have ~* work over time. **-arbejdspenge** overtime pay. **-arm** upper (part of the) arm. **-balance:** *få ~* lose one's balance. **-bebyrde** *vb* overburden. **-befaling** supreme command. **-befolket** *adj* overpopulated, overcrowded. **-befolkning** overpopulation, overcrowding. **-begavet** extraordinarily gifted, too clever; *han er ikke just ~* he is not particularly bright. **-beglo:** *~ én* look sby up and down. **-belaste** *vb* overload; *(fig)* overtax. **-belyse** *(fot)* over-expose. **-beskæftigelse** over -full employment.

overbetjent *(omtr =)* (police) sergeant; *tjenstgørende ~* desk sergeant.

over|bevise ★ convince, persuade *(om:* of, *om at:* that); *(om forbrydelse)* convict *(om:* of); *~ sig om* convince *(el.* satisfy) oneself of; *~ sig om at* convince *(el.* satisfy) oneself that, make sure that. **-bevisende** *adj* convincing; *virke ~* carry conviction. **-bevisning** *(en -er)* conviction; *være af den ~ at* be convinced that; *handle efter sin bedste ~* act as one thinks best; *i den sikre ~ at* confident that. **-bevist** *adj* convinced; *~ forbryder* convicted criminal; *jeg føler mig ~ om at* I am convinced that.

over|bibliotekar chief librarian. **-bid** *(et -)* overbite, *(ofte =)* protruding front teeth.

overblik general view; *(evne)* breadth of view *(el.* of outlook); *(fremstilling)* survey; *tage et ~ over* survey *(fx* the position).

overbord overboard; *(se ogs bord).*

overborgmester *(kan gengives)* Chief Burgomaster.

over|bringe *vb* bring, deliver, convey. **-bringelse** *(en)* delivery, conveyance. **-bringer** *(en -e)* bearer *(fx* of a letter).

overbrodere *vb (fig)* over-elaborate, embroider; *-t stil* ornate style; *(mere neds)* over-elaborate style. **over|bruse** ★ sprinkle. **-brusning** *(en -er)* sprinkling.

over|bud higher bid. **-byde** outbid; T go one better than; *(søge at overgå)* outbid, outdo, surpass. **overbygge** *(med tag)* roof, cover.

overbygning superstructure; *(på jernbanelegeme)* bed (of the permanent way).

over|bærende *adj* indulgent, tolerant *(imod:* towards). **-bærenhed** *(en)* indulgence, tolerance *(imod:* towards), lenience *(imod:* to).

over|civiliseret over-civilized. **-del** upper part, top. **-dimensioneret** *adj* overdimensioned, oversized; *(fig)* exaggerated.

overdrage *vb* transfer, make over, *(myndighed)* delegate *(fx* one's power to sby); *(police)* assign; *(betro)* entrust (sby) with (sth); *den der har fået -t*

leveringen af noget the successful tenderer for the contract, the contractor; *som kan -s* transferable.

overdragelse *(en) (se overdrage)* transfer, making over; delegation; assignment.

overdrev *(et -)* common; *(fig)* outskirts, fringe.

over|dreven *adj* exaggerated *(fx* account of an event), excessive *(fx* modesty, use of sth); *(om pris)* exorbitant; *~ nydelse af* over-indulgence in; *~ samvittighedsfuldhed* over-scrupulousness. **-drive** *vb* exaggerate, T draw the long bow; *(i sin fremstilling ogs)* overstate; *~ sin beskedenhed* carry one's modesty to excess; *-r du nu ikke lidt?* isn't that putting it rather strong? *overdriv nu ikke!* don't exaggerate! draw it mild! *han har det med at ~* all his geese are swans. **-drivelse** *(en -r)* exaggeration; overstatement; *(m h t nydelse)* over-indulgence; *forsigtig indtil ~* cautious to a fault.

overdrysse sprinkle, *(m sukker)* dredge.

overdyne *(en -r) (svarer til:)* eiderdown.

over|dæk upper deck. **-dækket** *adj* roofed, covered *(fx* a c. verandah).

overdænge *vb* shower *(en med ngt* sth upon sby), pelt *(en med ngt* sby with sth).

overdøve drown *(fx* the noise drowned the speech), make oneself heard above; *~ en (ved at råbe)* shout sby down; *~ samvittighedens stemme* stifle the voice of conscience.

over|dådig *adj* sumptuous, luxurious; *(rigelig)* abundant; *i -t humør* in exuberant spirits. **-dådighed** sumptuousness, luxuriousness; *(rigelighed)* abundance, profusion.

overeksponeret *adj (fot)* over-exposed; *(om person)* highly-strung; *(= overdrevet)* exaggerated.

overekstremiteter *pl (med.)* upper extremities.

overens: *komme ~* agree, come to an agreement; *stemme ~* agree, tally; *ikke stemme ~* disagree.

overenskomst *(en -er)* agreement, arrangement; *(forlig)* compromise; *(med kreditorer)* composition; *efter fælles ~* by mutual consent; *slutte en ~* make an agreement. **overenskomst|ansat** *adj* appointed on a group contract basis. **-forhandlinger** *(mellem fagforeninger og arbejdsgivere)* collective bargaining.

overens|stemmelse *(en)* accordance, agreement, harmony; *(identitet)* identity; *i ~ med* in accordance with, in agreement with, in keeping with; *bringe ~ med* bring into agreement with; *være i ~ med* agree with, tally with, be in keeping with; *mangel på ~* incongruity. **-stemmende** *adj* concordant; *adv* in agreement *(med:* with); *efter alles ~ mening* by common consent.

over|ernære *vb* overfeed. **-ernæring** *(en)* overfeeding, *(sygelig)* hypertrophy.

overfald *(angreb)* assault, attack; *(klap)* flap; *voldeligt ~ (jur)* assault and battery. **overfalde** *vb* assault, attack; *blive -t af en byge* be caught in a shower. **overfaldsmand** assailant, assaulter.

overfart passage, crossing; *(skibstrafik)* service.

overfartssted ferry (station).

overfedning *(en)* overfeeding.

overflade *(en -r)* surface; *1000 fod over havets ~* a thousand feet above sea level. **overflade|hærdning** case-hardening. **-spænding** surface tension.

over|fladisk *adj* superficial *(fx* knowledge, treatment, view, wound, character), shallow *(fx* character, mind, talk, view), *(hastig)* cursory *(fx* examination, inspection). **-fladiskhed** *(en)* superficiality, shallowness.

overflod *(en)* abundance, profusion, plenty; *i ~* in abundance, in profusion; *til ~* abundantly, *(tilmed)* in addition.

overflytning *(en -er)*, **overflytte** *vb* transfer.

overflyve *vb* fly over; *(overgå)* excel, surpass.

overflødig *adj* superfluous, redundant; *det ville være -t at bemærke at han ikke kom* needless to say, he did not come. **overflødig|gøre** render superfluous. **-hed** *(en)* superfluity; *(se ogs overflod).*

-hedshorn cornucopia, horn of plenty; *(kage)* [a cake shaped like a cornucopia].

overfløje *vb (overgå)* surpass, excel.

overfodre *vb* overfeed.

overfor *adv* opposite; *huset* ~ the house across the road, the house opposite.

over|forfinelse over-refinement. **-forfinet** *adj* over-refined.

over|formynder *(kan gengives:)* public trustee. **-formynderi** *(et) (kan gengives:)* public trustee's office.

overfrakke overcoat, greatcoat.

overfuse *vb* abuse; ~ *én (ogs)* heap abuse on sby, jump upon sby; *(amr)* bawl sby out.

overfylde * *(fylde i for høj grad)* fill to overflowing, cram; *(læsse for stærkt)* overload; *(med mennesker)* (over)crowd, pack; *(med trafik)* congest; *(markedet (m varer))* glut, overstock; ~ *sig med mad* cram oneself with food, stuff (oneself).

overfyldt *adj (se overfylde)* full to overflowing, crammed, chock-full; overloaded; (over)crowded, overpacked; congested; glutted; *(med mad)* gorged.

overfølsom *adj* hypersensitive.

overfølsomhed hypersensitivity.

overføre * *(flytte, overdrage)* transfer, convey; *(forflytte)* transfer; *(blod)* transfuse; *(smitte)* transmit, communicate; *(kraft etc)* transmit; *(til ny side i regnskab)* carry *(el.* bring) forward; *(billede på andet underlag etc)* transfer; *(kalkere)* trace; *(bringe til anvendelse)* apply *(fx* you cannot apply the rules of the drama to a novel).

overførelse *(en -r) (se overføre)* conveyance, transfer, transference; *(af blod)* transfusion; *(af smitte)* transmission, communication; *(af kraft)* transmission; *(i regnskab: se overførsel);* *(af billede etc)* transference; *(kalkering)* tracing; *(anvendelse)* application *(fx* of the rules of the drama to a novel).

overføring *(jernb)* overhead crossing; *(af vej)* fly-over, overpass; *(se ogs overførelse).*

overføringsbillede transfer (picture).

overførsel *(en) (i regnskab)* amount carried forward; *(af penge)* transfer; *(se ogs overføring).*

overført *adj (fig)* figurative, transferred.

overgang *(en -e) (ogs om stedet)* crossing, passage; *(bjergpas)* pass; *(til fjenden)* desertion; *(til anden religion)* conversion; *(forandring, udvikling)* transition, change; *(stemmens)* breaking; *(kort tid)* a short time, some time *(fx* I had that job for some time); *(elekt afledning)* leak; *(nuance)* shade; *hans stemme er i* ~ his voice is breaking; *det er kun en* ~ it won't last; it is only a passing phase; ~ *over sporene forbudt* passengers must not cross the line; *uden* ~ without transition *(fx* pass from one idea to another without transition).

overgangs|alder *(hos børn)* (years of) puberty; *(kvindens)* climacteric, change of life. **-foranstaltning** temporary measure. **-form** transitional form. **-led** *(et* -) (connecting) link. **-periode** transitional period, period of transition. **-stadium** transitional stage. **-sted** crossing.

overgartner head-gardener.

overgemt *adj* stale.

overgeneral commander-in-chief.

overgive *vb (overlevere)* hand over; *(betro)* entrust *(én ngt:* sth to sby); *(udlevere)* give up, surrender; ⚔ surrender *(fx* a fort to the enemy); *(se ogs overrække);* ~ *sig* surrender *(fx* surrender to the enemy); ~ *sagen til sin sagfører* place the matter in the hands of one's solicitor.

overgivelse *(en)* surrender; *(se ogs overdragelse).*

overgiven *adj* hilarious, gay, light-headed.

overgivenhed *(en)* hilarity, gaiety.

over|glasur overglaze. **-gramse** *vb* paw.

overgreb *(et* -) *(mht rettigheder)* encroachment, infringement; *(uretfærdighed)* injustice.

over|groet *adj* overgrown; ~ *med (ogs)* rank with. **-gæring** top fermentation.

overgå *(være overlegen, distancere)* exceed, surpass,

outdo; *(forventninger)* exceed; *(vederfares)* happen to, *(om uheld etc)* befall, overtake; *(blive flyttet)* be transferred *(til:* to); *(til ny ejer)* pass *(til:* to); *(forandres)* be changed, be transformed *(til:* into); *Guds fred som* -r *al forstand* the peace of God that passeth all understanding; *den skam (, skæbne) der overgik ham* the disgrace (, fate) that befell him (el. that he suffered); *huset er -et på fremmede hænder* the house has passed into the hands of strangers; *han overgik sig selv* he surpassed himself.

overhale *vb* ⚓ overhaul; *(indhente)* overtake.

overhaling *(en* -er) ⚓ overhaul, *(rullen)* lurch; *(det at indhente)* overtaking; *(irettesættelse)* dressing **-down;** *(reparation)* overhaul; *(prygl)* beating; *få en* ~ *(fig)* be hauled over the coals.

overhed *adj* overheated. **overheder** *(en* -e) superheater. **overhedning** *(en)* overheating; *(af damp)* superheating.

overherredømme supremacy.

overholde *vb* observe *(fx* rules, neutrality, a tradition), keep *(fx* obligations, a diet). **overholdelse** *(en)* observance.

overhoved head; *(for stamme etc)* chief.

overhovedet *adv* at all *(fx* did you see it at all? if he comes at all); *(i det hele taget)* altogether, on the whole; *han kommer hvis han* ~ *kan* he will come if he possibly can.

overhud cuticle, epidermis.

overhugge cut (in two).

overhuset *(i Engl)* the House of Lords.

overhælde *:* ~ *med vand* pour water over, drench with water.

over|hængende *adj* overhanging; *(truende)* impending, imminent. **-hængt** *adj (om kød)* high; *vi er* ~ *med arbejde* we have too much work on our hands; *we are* snowed under with work; ~ *med smykker* overloaded with jewels.

overhøjhed sovereignty, suzerainty.

over|høre * *(eksaminere)* examine, *(i kirken)* catechize; *(ikke høre)* miss; *(lade uænset)* disregard, ignore; *(høre tilfældigt)* overhear. **-hørig** *adj: sidde noget* ~ ignore sth.

overhøring *(en* -er) *(eksamination)* examination.

overhånd: *få* ~ *over* get the better of; *tage* ~ get the upper hand, prevail, get out of control.

overhånd|tagen *(en)* prevalence. **-tagende** *adj* growing, spreading, rampant.

over|ile: ~ *sig* be hasty, act rashly. **-ilelse** *(en)* rashness. **-ilet** *adj* rash, hasty; *adv* rashly, hastily.

overilte *(en) (kem)* peroxide.

overingeniør chief engineer.

overiset *adj* iced up, covered with ice.

overjeg *(psyk)* super-ego.

overjordisk *adj (oven på jorden)* above ground; *(fig)* supermundane, superhuman, supernatural, *(himmelsk)* celestial, *(guddommelig)* divine.

overkant top, upper edge, *(fig)* upper limit; *prisen ligger i* -*en* the price is near the limit (of what I can afford etc).

over|kapitalisere *vb* over-capitalize. **-kirurg** chief surgeon. **-klassen** the upper classes.

over|klistre, -klæbe *vb* plaster all over, cover.

overkommando *(en) (overbefaling)* supreme command; *(institution)* General Headquarters, *(personerne ogs)* (the) High Command.

overkomme *vb* manage (to do) *(fx* how does he m. to do all that work?); be equal to; get done; *(have råd til)* afford. **overkommelig** *adj* practicable; *(om pris)* within the reach of everybody, moderate.

over|komp et *adj* supernumerary. **-kop** cup. **-korrekt** *adj* · overcorrect *(fx* pronunciation); ~ *væsen* punctilious manner. **-krop** upper part of the body; *med nøgen* ~ stripped to the waist. **-kurs** premium; *til* ~ at a premium. **-kæbe** upper jaw. **-køje** upper berth.

overkørsel *(sted)* crossing, passage; *(niveau-)* level crossing; *(det at køre én over)* running over.

overkørt *adj (udaset)* exhausted, worn out.

overlade *(overlod, overladt) (give)* let have, hand over; *(afse)* spare; *(sælge)* let have; *(låne)* lend; *(betro)* entrust *(én noget:* sby with sth, sth to sby); *overlad det til mig (ɔ: lad mig om det)* leave it to me; *jeg ~r til Dem at bestemme* I leave it to you to decide; *~ ham til sin skæbne* leave him to his fate; *~ en til sig selv (lade i fred)* leave sby alone, *(ikke hjælpe etc)* leave sby to his own devices, leave sby to himself *(fx* the children were left very much to themselves).

overlagen *(et -er)* top sheet.

overlagt *adj (overvejet)* premeditated; *~ mord (svarer til)* wilful murder; *~ td* overlaid toe.

overlappe *vb (gribe ind over hinanden)* overlap.

overlast *(forulempelse)* molestation; *(fortræd)* injury, harm; *(beskadigelse)* damage; *lide ~* be molested; suffer injury; be damaged.

overlaste *vb* overload.

overledelse supreme management.

overlegen *adj (som har overtaget)* superior; *(storsnudet)* supercilious, haughty, T stuck-up; *(begavet)* brilliant; *være én (langt) ~* be (greatly *el.* vastly) superior to sby; *en ~ sejr* a signal victory. **overlegenhed** *(en)* superiority, supremacy; superciliousness, haughtiness; brilliance.

overleve *vb (ulykke etc)* survive, *(leve længere end)* survive *(fx* one's children), outlive; *~ sig selv* outlive one's day. **overlevelsesrente** survivorship annuity. **overlevende** *adj* surviving; *subst* survivor.

overlevere *vb* deliver, hand over; *(til eftertid)* hand down. **overlevering** *(en -er)* delivery, handing over; handing down; *(sagn etc)* tradition; *(levn)* survival; *ifølge -en* according to tradition.

overligge|dag ⚓ demurrage day. **-dagspenge** demurrage.

overliggende superjacent; *(delvis dækkende)* overlapping; *de ~ etager* the upper storeys, the storeys above; *~ tæer* overlaid toes.

overligger *(en -e) (over dør)* lintel; *(teknisk: drager)* girder; *(i højdespring)* bar; *(i kricket)* bail; *(i fodbold)* crossbar; *(dæksten)* cover stone.

overliste *vb (narre)* outwit; *(liste sig ind på)* steal upon.

overlods chief pilot.

overlyds- supersonic *(fx* s. jet plane, s. speed).

overlæbe upper lip.

overlæder *(på skotøj)* uppers, *(forreste del)* vamp.

overlæg *(et)* premeditation, deliberation; *med ~* deliberately, on purpose, wilfully; *efter modent ~* after due deliberation, after careful consideration.

overlæge *(en -r) (kan gengives:) (mediciner)* chief physician, *(kirurg)* chief surgeon; *(svarer i Engl ofte til)* superintendent; consultant.

overlægge *vb (overveje)* deliberate, consider, *(forud)* premeditate.

overlærer senior master.

overlæsse *vb* overload *(fx* one's stomach), crowd *(fx* a room with furniture); *(overbebyrde)* overburden; *(med udsmykning)* overdecorate; *-t stil* ornate style.

overløber *(en -e)* deserter; *(politisk etc)* renegade.

overmagt *(en)* superiority; ✕ superior force.

overmale *vb* paint; *(skjule med maling)* paint over; *(overkradse m skrift etc)* scribble all over.

overmand superior; *han er min ~ (ɔ: mig overlegen)* he is more than a match for me; *finde sin ~* come off second-best.

overmande *vb* overpower; *(i kraft af større antal)* bear down; *blive -t af træthed* be overcome by fatigue.

overmenneske superman.

overmenneskelig superhuman.

overmod arrogance, presumption; *(dumdristighed)* rashness.

overmoden *adj* over-ripe.

overmodig *adj* arrogant, overbearing; *(dumdristig)* reckless, rash; *(overstadig)* hilarious, exuberant.

overmorgen: *i ~* the day after tomorrow.

overmund upper part of the mouth; *(kunstigt tandsæt)* upper dental plate; *ingen tænder i -en* no upper teeth.

overmægtig *adj* superior.

overmæt *adj* surfeited, glutted, gorged *(af:* with).

overmæthed *(en)* surfeit, satiety. **overmætte** *vb* surfeit, glut; *(kem)* supersaturate.

overmåde *adv* exceedingly, extremely.

overmål *(et)* excess; *til ~* to excess; to a fault.

overnational *adj (om internationalt organ)* supranational *(fx* authority).

overnatte *vb* stay overnight, stay (for) the night, put up for the night, spend the night *(fx* at a hotel).

overnaturlig *adj* supernatural *(fx* beings, forces, power); preternatural *(fx* phenomena; strength); *i ~ størrelse* larger than life.

overnervøs *adj* overstrung.

over|ophedet *adj* superheated. **-ophedning** superheating.

overopsyn superintendence, supervision; *føre ~ med* superintend, supervise.

overordentlig *adj* extraordinary; *adv* extraordinarily, exceedingly, extremely.

overordnet *adj & subst* superior; *~ stilling* responsible position, position of responsibility.

overpolstret *adj* overstuffed.

overpris overcharge; *(tillægspris)* excess charge.

overproduktion over-production; *(det producerede)* surplus production.

overrabbiner Chief Rabbi.

overraske *vb* surprise, *(komme bag på, ogs)* take by surprise; *~ én i at gøre ngt* catch sby (in the act of) doing sth; *det -r mig (ikke)* I am (not) surprised; *-t over* surprised at; *regnen -de os, vi blev -t af regnen* we were caught in the rain.

overraskelse *(en -r)* surprise; *til min store ~* to my great surprise, much to my surprise.

overraskelsesangreb surprise attack *(el.* raid).

over|rende *(plage)* pester; *-rendt* pestered *(af:* by, *fx* beggars); *(fuld)* crowded *(af:* with, *fx* tourists).

overretssagfører *(glds) (kan gengives:)* barrister.

over|risle *vb (lede vand hen over)* irrigate; *(overbruse)* sprinkle. **-risling** *(en -er)* irrigation; sprinkling.

over|rumple *vb* take by surprise; *~ én (ogs)* catch sby off his guard, catch sby napping. **-rumpling** *(en)* surprise, (✕ *ogs)* surprise attack.

overrække *vb* present *(én ngt:* sby with sth).

overrækkelse *(en)* presentation.

oversanselig *adj* transcendental; *læren om det -e* metaphysics.

oversave *vb* saw off; *-t haglgevær* sawn-off (, *amr:* sawed-off) shotgun.

oversavle *vb (ogs fig)* slobber over, slaver over.

overse *(overskue)* survey, take in; *(vurdere)* estimate; *(forudse)* foresee, see *(fx* it is impossible to (fore)see what the result may be); *(ikke se)* overlook, miss, fail to see; *(lade updagtet)* disregard, ignore; *(ringeagte)* look down on, slight.

oversende ✱ send, transmit; *(penge)* remit.

oversidder *(en -e) (eftersidder)* pupil who is kept in *(el.* detained); *(ikke opflyttet i næste klasse)* repeater; *(i kortspil)* sitter out.

overside top side.

oversidning *(en) (se oversidder)* detention; not being removed; sitting out.

oversigt *(en -er)* survey, *(resumé, ogs)* summary, outline.

overskride *vb* cross; *(fig)* exceed *(fx* an amount, a limit); *(om tilmålt tid)* overrun; *~ grænsen for det sømmelige* transgress *(el.* overstep) the bounds of propriety; *~ sin kompetence* exceed *(el.* overstep) one's powers; *(jur)* act ultra vires.

overskridelse *(en -r) (beløb)* excess; *(af tid)* overrun.

overskrift *(en -er)* heading; *(i avis)* headline; *(til digt, sang)* title; *fed ~ (i avis)* splash headline; *(over flere spalter)* banner headline.

overskrævs: ~ *på* astride; *sidde* ~ *på (ogs)* straddle.

overskud *(et -)* surplus, excess; *(fortjeneste)* profit, balance; ~ *af kraft* reserve of strength (, power); *give* ~ yield a profit; *der er én i* ~ there is one too many. **overskudslager** surplus stock.

overskue *vb* survey, take in; *(vurdere)* estimate; *det er ikke til at* ~ *hvad resultatet bliver* it is impossible to (fore)see what the result may be. **overskuelig** *adj* easy to see (el. grasp); *(om fremstilling)* well -arranged, clear; *i en* ~ *fremtid* in the foreseeable future, in the not too distant future. **overskuelighed** *(en)* clarity, clearness; *(om opstilling etc)* good layout, (, arrangement etc).

overskudende *adj* surplus, additional, extra, odd.

overskyet *adj (om himmel)* overcast, clouded over; *(om vejr)* cloudy.

overskygge *vb (ogs fig)* overshadow; *alt -nde* paramount *(fx* of paramount interest).

overskylle *vb* flood.

overskæg moustache, *(amr)* mustache.

overskære *vb (skære over)* cut, sever; *(krydse)* cross, intersect. **overskæring** *(en -er)* cutting; *(jernbane-)* (level) crossing.

overslag *(et -) (foreløbig beregning)* (rough) estimate, rough calculation *(over:* of); *(elekt)* flash-over; *gøre et* ~ *over* make an estimate of, make a rough calculation of, estimate, calculate roughly.

over|smøre *vb* (be)smear, coat; *(tilsmudse)* smear, soil; *(med skrift)* scrawl. **-spille** *(grammofonplade)* re-record; *(en rolle)* overact. **-spinde** *vb* overspin; *-spunden tråd* overspun wire. **-springe** *vb* skip, *(udelade)* omit, *(glemme)* leave out. **-springelse** *(en -r)* skipping, omission. **-sprøjte** *vb* sprinkle, spray; *(m snavs)* bespatter. **-spænding** *(elekt)* overvoltage.

overspændt *adj (overdreven)* exaggerated *(fx* hopes); *(om mennesker)* overwrought, highly strung, highly wrought; *(om ideer)* high-flown, quixotic. **overspændthed** *(en)* overwrought state; soulfulness.

overstadig *adj (lystig)* hilarious, *(let beruset)* exhilarated, elevated; *(overdreven)* excessive; *adv (overdrevent)* excessively; *i -t humør* bubbling over with joy, in exuberant spirits. **overstadighed** *(en)* hilarity.

overstatlig *adj* supranational.

I. **overstemme** *(en -r) (i musik)* upper part.
II. **overstemme** ★ outvote.

over|stemple overprint, **-stige** *vb* exceed, surpass; *det -r mine evner* it is beyond my powers.

overstrege *vb* cross out, strike out, delete; *det ikke ønskede bedes -t* delete as required.

overstregning *(en -er)* deletion.

overstryge *vb* coat, give a coat of paint.

overstrø *vb* sprinkle.

overstrømme *vb* overflow, submerge, flood.

overstrømmende *adj* brimming over *(fx* with joy), exuberant; *((over)elskværdig)* effusive; *adv* exuberantly; effusively; ~ *taknemmelighed* effusions of gratitude; ~ *venlig* effusive, gushing.

overstråle *vb (overgå)* outshine, eclipse.

over|stykke *(overdel)* upper part, top; *(kåbe)* coat. **-styret** *adj* oversteered. **-stænke** *vb* bespatter.

overstå *vb* get over, get through; *få det -et* get it over; *det er -et* it is over (and done with); *have -et en eksamen* have passed an examination; *det er et -et stadium* it is a thing of the past.

over|svømme *vb* inundate, flood, submerge; *(fig)* flood. **-svømmelse** *(en -r)* flood(s), inundation.

oversygeplejerske *(kan gengives)* head nurse; *(svarer omtr til, for afdeling)* ward *(el.* departmental) sister, *(for helt hospital)* matron.

oversædig *adj* ⚐ epigynous.

oversætte *vb* translate *(fx* a poem into English); *(gengive)* render. **oversættelse** *(en -r)* translation, *(version, bibeloversættelse)* version. **oversættelseslån** loan translation. **oversætter** *(en -e)* translator.

oversøisk *adj* oversea(s) *(fx* trade).

oversået *adj* dotted, studded, sprinkled *(med:* with).

overtag: *få -et* get the upper hand *(over:* of); *have -et* have the upper hand, T be top dog.

overtage *vb* take over *(fx* a business, a loan, the command, the risk, the watch), assume *(fx* control, power), undertake *(fx* a task); ~ *ansvaret for* take the responsibility for; ~ *ledelsen af* take charge of; ~ *magten* take over, take control, come into power; *(med vold)* seize power.

over|tagelse *(en)* taking over; ~ *af magten* assumption of power. **-tagelsespris** purchase price; *(ved licitation)* contract price.

overtal *(flertal)* majority; *(overskydende antal)* excess; *være i* ~ be in the majority; be in excess.

overtale ★ persuade, prevail upon, induce, talk over *(én til at:* sby to). **overtalelse** *(en -r)* persuasion; *efter mange -r* after much persuasion. **overtalelsesevne** persuasive powers, persuasiveness.

overtallig *adj* supernumerary, in excess, extra.

overtand upper tooth.

over|tegnet *(lån, liste)* over-subscribed. **-tegning** over-subscription.

over|tid overtime. **-time:** *en* ~ an hour's overtime, *(i skole etc ogs)* an extra period. **-tjener** head waiter.

I. **overtone** *(en -r)* overtone.
II. **overtone** *vb (i film)* mix, dissolve.

over|tro *(en)* superstition. **-troisk** *adj* superstitious. **-trukken** *adj (himmel)* overcast; *(konto)* overdrawn; ~ *med chokolade* coated with chocolate.

overtrumfe *vb (fig)* outdo, go one better than.

overtryk *(stærkere end atmosfærens)* pressure above the atmosphere; *(for stort tryk)* overpressure; *(på frimærke) (som ændrer værdien)* surcharge; *(påtryk)* overprint.

over|træde *vb (forse sig imod)* break, infringe, violate. **-trædelse** *(en -r)* breach, infringement, violation *(af:* of), offence *(af:* against). **-træder** *(en -e)* offender, transgressor.

overtræffe *vb* exceed, surpass.

overtræk *(et -) (hylster)* cover; *(lag)* coat, coating *(fx* of chocolate, of paint); *glasur på kage)* icing; *(af konto)* overdraft; *(i bridge)* overtrick.

overtrække *vb* cover; coat *(med:* with); overdraw *(fx* one's account by £10); *(om sproglyd)* carry over, link; *(se ogs overtrukken)*.

overtræks|benklæder leggings; overall trousers. **-chokolade** chocolate for coating. **-ærme** oversleeve.

overtræne *vb* overtrain.

overtræt *adj* worn-out; *være* ~ *(ogs)* be all in.

over|tværs, -tvært: *bryde* ~ cut the matter short; *bryde* ~ *med* break with; *tage det* ~ take the bull by the horns.

overtyde convince, persuade *(om:* of, *om at:* that).

overtænke ★ consider, think over.

overtøj *(outdoor)* things, (hat and) coat; *uden* ~ without a coat.

overveje *vb* consider, think over, reflect on; *(nære planer om)* contemplate; ~ *på ny* reconsider; *vel -t* considered *(fx* opinion), deliberate *(fx* step); *mindre vel -t* ill-considered, rash; *alt vel -t* everything considered.

overvejelse *(en -r)* consideration, reflection, contemplation, thought; *efter moden* ~ after careful consideration; *have under* ~ be contemplating, be considering; *tage under* ~ consider, look into; *tage under fornyet* ~ reconsider; *ved nærmere* ~ on (further) consideration, on second thoughts.

overvejende *adj* predominant, prevailing; *adv* chiefly, mainly, mostly; *den* ~ *del* the great majority; *det er* ~ *sandsynligt at han glemmer det* there is every probability that he will forget it.

overvinde *vb* defeat, overcome, vanquish, conquer, beat, get the better of; *(fig)* overcome *(fx* one's scruples), surmount *(fx* a difficulty, an obstacle), get the better of, overcome *(fx* one's fear, a tendency to exaggerate), conquer *(fx* one's passion);

~ *al modstand* overcome all resistance; carry every-
thing before one; ~ *sig til at give ham en undskyldning*
bring oneself to apologize to him.

overvindelse *(en)* overcoming, surmounting *(fx*
of an obstacle); *det kostede mig megen* ~ I had to force
myself to do it, it cost me a great effort to do it;
med nogen ~ somewhat reluctantly.

overvintre *vb* winter; *(ligge i hi)* hibernate.

overvintring *(en)* wintering; hibernation.

overvurdere *vb* overestimate *(fx* one's strength);
(nære for høje tanker om) overrate *(fx* an overrated
actor); ~ *sig selv* have too high an opinion of one-
self. **overvurdering** overestimate; overrating.

overvægt overweight, excess weight; *(fig)* pre-
ponderance; *(majoritet)* majority; *have -en (fig)* have
the upper hand *(over:* of). **overvægtig** *adj* too
heavy, overweight; *(fig)* preponderant; ~ *bagage*
excess luggage (, *amr:* baggage).

overvælde *vb* overwhelm, *(om følelser, smerter
ogs)* overcome; ~ *én med* load sby with *(fx* presents,
reproofs), shower *(fx* favours, honours) on sby.

overvældende *adj* overwhelming, staggering; *et* ~
flertal an overwhelming majority.

overvære *vb (-de, -t)* be present at, attend,
witness; watch *(fx* a football match). **overværelse**
(en) presence, attendance; *i* ~ *af* in the presence of.

overvættes *adj* excessive; *adv* excessively.

overvåge *vb* watch (over), look after, supervise;
~ *at* take care that, see (to it) that.

overøse *: ~ *en med ngt (fig)* load *(el.* shower)
sby with sth, shower sth on sby; *(se ogs overvælde).*

ovn *(en -e) (bage-, stege-)* oven; *(kakkel-, varme-)*
stove; *(centralvarmefyr; smelteovn)* furnace; *(til tørring,
brænding)* kiln. **ovn|fast** *adj* heat-resistant; *-e fade*
ovenware. **-lakere** stove-enamel. **-sværte** *(en)*
stove polish *(el.* black). **-tørre** *vb* kiln-dry; oven-dry.

ovre *adv* over; *(forbi)* over, past; *her* ~ here,
over here, out here; *være* ~ *(:: være kommet over)*
have got across, *(overstået)* be over (and done with).

oxyd *(et)* oxide. **oxydere** *vb* oxidize. **oxydering**
(en) oxidation.

ozon *(et)* ozone. **ozon|holdig** *adj* ozone-con-
taining. **-lampe** ozonizer, ozone apparatus.

P

P, p *(et -'er)* P, p.

pace *vb* pace; ~ *en frem til en eksamen* cram sby
for an examination.

pacer *(en -e)* pace-maker, pacer.

pacificere *vb* pacify. **pacifisme** *(en)* pacifism.
pacifist *(en -er)*, **pacifistisk** *adj* pacifist.

padde *(en -r)*. *zo* amphibian; *sløv* ~ T zombie.
paddefisk *zo* toadfish. **paddehat** ♧ *(især uspiselig)*
toadstool; *skyde op som -te* spring up like mush-
rooms. **paddehattesky** mushroom cloud.

padderokke *(en -r)* ♧ horsetail.

padle *(en -r & vb)* paddle. **padleåre** paddle.

I. **paf** *adj* staggered, flabbergasted, dumbfounded;
jeg var ~ *(ogs)* you could have knocked me down
with a feather. II. **paf!** *int: pif* ~! bang, bang!

pagaj *(en -er)* (double) paddle. **pagaje** *vb* paddle.

page *(en -r)* page *(hos:* to). **pagehår** page-boy
hair.

pagina *(en)* page. **paginere** *vb* page, paginate.
paginering *(en)* pagination.

pagode *(en -r)* pagoda.

pagt *(en -er)* pact *(fx* the Atlantic Pact); treaty
(fx non-aggression treaty); *(især bibelsk)* covenant
(fx the Old Covenant); *-ens ark* the Ark of the
Covenant; *være i* ~ *med* be allied to, *(være i samklang
med)* be in harmony with.

paillet *(en -ter)* spangle.

pak *(et) (pøbel)* rabble, riff-raff, scum; ragtag and
bobtail.

pakdyr *(et)* pack animal, beast of burden.

paketbåd packet (boat).

pak|hus warehouse, storehouse. **-husafgifter** *pl*
storage, warehouse charges. **-is** pack ice. **-kasse**
(packing-)case, box; *(især tremmekasse)* crate.

I. **pakke** *(en -r)* parcel, package; *(lille; fabriks-
pakket)* packet, *(amr ogs)* package, pack *(fx* of ciga-
rettes); *(bundt)* bundle *(fx* of letters); *(post-)* parcel;
(ung pige) T piece (of goods).

II. **pakke** *vb* pack *(fx* one's trunk, clothes into a
trunk, have you packed?); *(tætte m. pakning)* pack;
~ *ind* wrap up *(fx* goods, a child); ~ *sig ind* wrap
oneself up; ~ *ned* pack, stow away; ~ *op* unpack;
~ *sammen (gøre sig rejseklar)* pack (up), (= *forsvinde* T)
clear out, (= *give fortabt)* give up, throw up the
sponge, *(sl.)* pack it in; *(med objekt)* pack (up);
~ *ud* unpack.

pakenelliker *pl* traps, odds and ends, oddments.

pakkepost parcel post.

pakker *(en -e) (indpakker)* wrapper.

pakkesmør pre-packed butter.

pakning *(en -er) (indpakning, emballage, tætnings-
middel)* packing; *(til vandhane etc)* gasket, *(paknings-
skive)* washer. **pakningsskive** washer.

pak|rum store(room), depot. **-vogn** *(jernb)*
luggage van; *(amr)* baggage car. **-æsel** pack ass.

pal *(en -e)* ♧ pawl.

palads *(et -er)* palace. **palads|agtig** *adj* palatial.
-revolution palace revolution.

palatal *(subst & adj)* palatal. **palatalisere** *vb* palata-
lize. **palatalisering** *(en)* palatalization.

palaver *(en -er)* palaver, talk.

palet *(en -ter)* palette.

paletkniv *(ogs til mad)* palette knife.

palisade *(en -r)* palisade, stockade.

palisander *(et)* Brazilian rosewood, palisander.

palladium *(et)* palladium.

palle *(en -r)* pallet; *vb* palletize.

palliativ *(et -er)* palliative.

palme *(en -r)* palm; *stå med -rne i hænderne* get
all the credit, triumph, be triumphant; *sejrens -r* the
palm of victory. **palme|have** palm court. **-olie**
palm oil. **-søndag** Palm Sunday.

palmin *(en)* palm butter.

palpation *(en -er) (med.)* palpation. **palpe** *(en -r)*
zo palp, feeler. **palpere** *vb (med.)* palpate.

palæ *(et -er)* palace; *(fornemt hus)* mansion.

palæografi *(en)* palaeography.

palæontolog *(en -er)* palaeontologist.

palæontologi *(en)* palaeontology.

Palæstina Palestine.

palæstinensisk *adj* Palestinian.

pamfilius: *en lykkens* ~ a lucky dog.

pamflet *(en -ter)* lampoon.

pampas pampas.

pamper *(en-e) (kan gengives)* trade-union careerist.

panamahat Panama hat.

Panamakanalen the Panama Canal.

pan|amerikanisme *(en)* pan-Americanism
-amerikansk pan-American. **-arabisk** pan-Arab.
-arabisme *(en)* pan-Arabism.

I. **pande** *(en -r) (stege- etc)* pan; *(lejepande)*
liner; *de er pot og* ~, *se pot.*

II. **pande** *(en -r)* forehead; *(især poet.)* brow;
skyde én (, sig) en kugle for -n blow out sby's (, one's)

brains; *slå en stud for* -n fell an ox; *et ar i* -n a scar
on one's forehead; *labe -n mod en mur* run one's head
against a wall; *med løftet* ~ with head erect, with
one's head high; *rynke* -n knit one's brows, *(i vrede)*
frown; *med rynket* ~ with knitted brows, *(af vrede)*
frowning; *med åben* ~ openly. **pande|ben** frontal
bone. **-bånd** frontlet. **-hule** *(anat)* frontal sinus.
-hulebetændelse frontal sinusitis. **-hår** fringe.
-kage pancake; *flad som en* ~ flat as a pancake.
-krølle quiff; *(mands)* forelock. **-lok** *se -krølle;
(hests)* forelock. **-rynke** *(en -r)* wrinkle (on the
forehead). **-rynken** *(en)* frown. **-skal** skull.
   pandæmonium *(et)* pandemonium.
   panegyrik *(en -ker)* panegyric. **panegyriker**
(en -e) panegyrist. **panegyrisk** *adj* panegyric(al).
   panel *(et -er)* *(fod-)* skirting-board, *(amr)* base-
board; *(som når til brysthøjde)* dado; *(som når til
loftet)* wainscot; *(gruppe personer)* panel. **panel|dis-
kussion** panel discussion. **-opvarmning** panel
heating. **panele(re)** *vb* wainscot.
   panere *vb* bread *(fx breaded cutlets).*
   panfløjte *(en -r)* panpipe; *(i mytologien)* syrinx.
   pangermanisme pan-Germanism.
   panhellenisme pan-Hellenism.
   panik *(en)* *(skræk)* panic; *(halløj)* row, hullaba-
loo; *lave* ~ *(lave optøjer)* make a disturbance, *(halløj)*
kick up a row; *der opstod* ~ panic set in. **panik|-
agtig** *adj* panicky *(fx measures).* **-slagen** *adj* panic
-stricken. **panisk** *adj* panic; ~ *skræk* panic fear.
   pankromatisk *adj (fot)* panchromatic.
   panoptikon *(et -er)* waxworks.
   panorama *(et -er)* panorama; *(udsigt ogs)* view.
panorere *vb (i film)* pan.
   I. **panser** *(et -e)* *(på skib etc)* armour (plating);
(harnisk) cuirass, armour; *(ringbrynje)* coat of mail;
(på dyr) carapace, shell; ✗ armour; *(NB amr:* armor).
   II. **panser** *(en -e)* *(betjent)* copper, nick, *(amr)* cop.
panser|beklædning armour, armour plating.
-bil armoured car. **-dør** steel door. **-granat** armour
-piercing shell. **-mine** anti-tank mine. **-plade**
armour plate. **-skib** ironclad. **-skjorte** coat of mail.
-styrke ✗ armoured force. **-tog** armoured train.
-vogn armoured car. **-værnskanon** anti-tank gun.
   panslavisme *(en)* pan-Slavism.
   pansre *vb* armour; *den -de næve* the mailed fist.
   pant *(et -er)* security; *(i fast ejendom)* mortgage;
(håndpant) pledge; *(depositum, fx for flaske)* deposit;
(i panteleg) forfeit; *(symbol)* pledge, token; *give* ~
give security, *(i leg)* pay a forfeit; *give (el. sætte) i* ~
give as security, *(fast ejendom)* mortgage, *(håndpant)*
pledge, pawn; deposit; *(i leg)* pay as a forfeit, *(fig)*
pledge; *have* ~ *i ejendommen* have a mortgage on the
property; *indløse et* ~ redeem a pledge (, a forfeit);
udlåne mod ~ lend on security.
   pante *vb* levy a distress; ~ *én* levy a d. on sby;
distrain on sby's goods; *han blev -t for skat* distress
was levied on his goods for non-payment of taxes.
pante|bog register of mortgages. **-brev** mort-
gage deed. **-foged** bailiff, sheriff's officer. **-gæld**
mortgage debt. **-hæftelse** mortgage(s).
   panteisme *(en)* pantheism. **panteist** *(en -er)*
pantheist. **panteistisk** *adj* pantheistic(al).
   pante|leg (game of) forfeits. **-låner** pawnbroker.
-lånerforretning pawnshop, T popshop. **-obliga-
tion** mortgage deed.
   panter *(en -e)* *zo* panther; *sort* ~ black panther.
panteret *(en)* mortgage (right); *(del af juraen)* law
of mortgages and pledges.
   panthaver *(en -e)* pledgee, mortgagee; *ufyldest-
gjort* ~ holder of an unsatisfied mortgage.
   pantograf *(en -er)* pantograph.
   pantomime *(en -r)* pantomime, dumb show.
   pantsætte *vb* pledge, pawn, *(i pantelånerforret-
ning)* pawn, T pop, put up the spout; *(fast ejendom)*
mortgage; *være pantsat* be in pawn, T be in pop.
   pap *(et -per)* cardboard; *(tykt)* millboard; *limet* ~
pasteboard.

papa *(en)* papa, father; T daddy, dad, *(især amr)*
pop.
   papbind *(et -)* boards, pasteboard binding.
   papegøje *(en -r)* parrot; *(mål ved fugleskydning)*
popinjay; ⚓ jigger; *have skudt -n* have struck it
lucky, have made a lucky hit. **papegøjesyge**
psittacosis.
   pap|figur *(legetøj)* cut-out; *(fig, fx i roman)* card-
board figure. **-flaske** carton. **-hylster** carton.
   papil *(en -ler)* papilla.
   papillot *(en -ter)* curl paper.
   papir *(et -er)* *(ogs dokument)* paper; *(skrive- etc
som handelsvare)* stationery; *(til avistryk)* newsprint;
(værdi-) security; *han er ikke fint* ~ he is a shady cu-
stomer; *få sin afsked på grå* ~ be summarily dismis-
sed, T get the sack; *kigge ham i -erne* T check up
on him; *han er stiv i -erne (fig)* he is well up in the
subject; *på -et (mods i praksis)* on paper. **papir|affald**
waste paper; *(efterladt, fx af skovgæster)* litter. **-fa-
brik** paper mill. **-fabrikant** paper manufacturer.
-handel paper trade; *(m skrivepapir etc)* stationery
business; *(butik)* stationer's (shop). **-flyver** paper
aeroplane, paper dart. **-handler** stationer. **-klemme**
clip. **-kniv** paper knife, paper cutter. **-kugle** paper
ball; *(lille, fx til at kaste)* paper pellet; *(tygget)* spit-
ball. **-kurv** waste-paper basket, *(amr ogs)* waste-
basket. **-masse** (paper) pulp. **-mølle** paper mill.
-saks paper scissors. **-serviet** paper serviette, paper
napkin.
   papirs|penge paper money. **-pose** paper bag.
   papirvarer *pl* paper articles, *(brevpapir etc)* sta-
tionery.
   papisme *(en)* papism, popery, papistry. **papist**
(en -er) papist. **papistisk** *adj* papistic(al), popish.
   pap|maché papier maché. **-mundstykke** *(på ci-
garet)* cardboard tip; *med* ~ cardboard-tipped. **-næse**
cardboard nose, false nose.
   pappenheimer: *jeg kender mine -e* I know what
he (etc) is up to.
   paprika *(en)* paprika.
   papyrus *(en)* papyrus.
   papæske cardboard box, carton.
   par *(et -)* *(to sammenhørende)* pair *(fx a pair of
boots, of trousers); (om forlovede, gifte)* couple, pair
(fx a married (, loving) couple; the happy pair,
a pair of lovers); *(et spand)* pair *(fx* a pair of horses),
team; *et* ~ *(ɔ: nogle få)* a couple of, a few, one or
two, two or three *(fx* pages, days); *et* ~ *gange* once
or twice, a few times; *to* ~ *handsker, sko etc* two
pairs of gloves, shoes, etc; *et* ~ *kopper* a cup and
saucer; *et* ~ *og tyve år* twenty-odd years; *send mig
et* ~ *ord* drop me a line; *sige et* ~ *ord* say a few words.
   parab|el *(en -ler)* *(lignelse)* parable; *(mat.)* para-
bola.
   parade *(en -r)* *(mønstring)* parade; *(eftersyn af sol-
daters udrustning)* kit inspection; *(i fægtning)* parry;
(i boksning) block; *stille til* ~ ✗ turn out for parade;
stå til ~ be paraded, be displayed. **parade|forestil-
ling** *(neds): det var en ren* ~ it was merely show
-march *(strækmarch)* goose-step. **-nummer** star
turn; *(humbug etc)* (piece of) window-dressing.
-plads parade ground.
   paradere *vb* parade; ~ *i gaderne* parade the streets.
   paradigma *(et -er)* paradigm.
   Paradis *(et)* paradise; *(børneleg)* hopscotch; *-ets*
have the Garden of Eden.
   paradisfugl *zo* bird of paradise.
   paradisisk *adj* paradisiac, paradisal.
   paradisæble 💠 Siberian crab.
   para|doks *(et -er)* paradox. **-doksal** *adj* paradoxi-
cal. **-doksmager** *(en -e)* paradox-monger.
   para|fere *vb* countersign. **-fering** *(en -er)* counter-
signature.
   paraffin *(en)* paraffin; *(det tekniske produkt)* pa-
raffin wax. **paraffinolie** liquid paraffin, *(amr)* paraf-
fin oil.
   para|frase *(en -r)*, **-frasere** *vb* paraphrase.

paragraf *(en -fer) (afsnit, lov-)* section; *(i traktat, kontrakt etc)* clause, article; *klare -ferne* manage, cope with the situation. **paragraftegn** section mark.

paragummi para rubber.

parallakse *(en -r)* parallax.

I. **parallel** *(en -ler)* parallel; *drage en ~ imellem (fig)* draw a parallel between.

II. **parallel** *adj* parallel *(med:* to); *-t forbundet (elekt)* arranged in parallel.

parallelisere *vb* parallel. **parallelisme** *(en -r)* parallelism. **parallel|klasser** parallel classes. **-lineal** parallel ruler. **parallelogram** *(et -mer)* parallelogram.

para|lyse *(en)* paralysis. **-lysere** *vb* paralyse; *(elekt)* neutralize. **-lytiker** *(en -e)*, **-lytisk** *adj* paralytic.

paranød ♣ Brazil nut.

paraply *(en -er)* umbrella, T gamp, brolly; *slå en ~ op* put up an umbrella; *slå en ~ ned* close *(el.* put down) an u. **paraply|anker** ♣ mushroom anchor. **-antenne** umbrella aerial. **-hylster** umbrella case. **-stativ** umbrella stand. **-stel** umbrella frame.

para|sit *(en -ter)* parasite; *(om person ogs)* hanger -ön. **-sitisk** *adj* parasitic. **-sol** *(en -ler)* parasol, sunshade.

parat *adj* ready, prepared *(til:* for, *til at gøre ngt:* to do sth); *gøre sig ~* get ready; *have ngt ~* have sth ready *(el.* in readiness *el.* at hand).

para|takse *(en -r)* parataxis. **-taktisk** *adj* paratactic.

parathed *(en)* readiness.

paratyfus paratyphoid (fever).

paravane *(en -r)* ♣ paravane.

parcel *(en -ler)* lot, plot (of land); *(kolonihave)* allotment. **parcelbyggeri** residential development. **parcelhus** single-family house with a garden. **parcellist** *(en -er)* small-holder.

pardon *(en)* ✕ quarter; *give ~* give quarter; *pardon!* (I'm) sorry!

paré *(en, pareer)* wager, bet.

parentes *(en -er) (indskud)* parenthesis *(pl parentheses)*; *(mat.)* brackets; *(tegnet)* parenthesis, brackets; *firkantet ~* square brackets; *hæve -en (mat.)* remove the brackets; *i ~* in brackets; *i ~ bemærket* by the way; *rund ~* parentheses *(pl)*; *-en slutter (ved diktat)* close the brackets. **parentetisk** *adj* parenthetic(al).

parere *vb (afværge)* parry, ward off *(fx* a blow, a thrust); *~ ordre* obey orders, T toe the line. **parer-plade** guard.

parese *(en -r)* paresis.

parforcejagt hunt, hunting, riding to hounds.

parfume *(en -r)* scent, perfume. **parfume|flaske** scent bottle. **-forretning** perfumery. **-handler** *(en -e)* perfumer. **parfumere** *vb* scent. **parfumeret** *adj* scented. **parfumeri** *(et -er)* perfumery.

pari *(en)*; *i ~* at par; *over ~* above par, at a premium; *til ~* at par; *under ~* below par, at a discount.

paria *(en -er)* pariah.

parikurs par (of exchange); *til ~* at par.

Paris Paris. **pariser** *(en -e)* Parisian. **pariser-**Paris *(fx* Paris fashions).

pariser|grønt Paris green. **-inde** *(en -r)* Parisienne.

parisisk *adj* Parisian, Paris.

paritet *(en)* parity.

pariværdi par value.

park *(en -er)* park. **parkant** *(en -er)* parker.

parkere *vb* park; *(holde kort tid, fx uden for butik)* wait; *(fig,* T) park, dump.

parkering *(en)* parking; waiting; *~ forbudt* No Parking (Here); No Waiting.

parkerings|automat parking meter. **-lygte** *(på bil)* parking light. **-plads** parking space *(el.* ground), *(amr)* parking lot; *(større)* car park. **-skive** parking disc. **-vagt** car-park attendant.

parket *(et -ter) (i teater)* stalls, *(amr)* orchestra, parquet. **parket|gulv** parquet flooring. **-plads** seat in the stalls. **-stav** parquet block.

10*

parkometer *(et -re)* parking meter.

parlament *(et -er)* legislature, *(i britiske lande)* parliament; *-et (i Engl)* Parliament. **parlamenta-riker** *(en -e)* parliamentarian. **parlamentarisk** *adj* parliamentary. **parlamentarisme** *(en) (folketings-)* Cabinet responsibility; *(i det koloniale selvstyre)* responsible government.

parlamentere *vb* parley, negotiate; *(snakke frem og tilbage)* palaver, *(om pris)* haggle.

parlaments|bygningen the Houses of Parliament. **-ferie** recess. **-medlem** member of Parliament, M.P. **-møde** sitting of Parliament. **-samling** session. **-valg** (Parliamentary) election.

parlamentær *(en -er)* negotiator.

parlamentærflag flag of truce.

parløb partner race.

parlør *(en -er)* phrase book.

parmesanost Parmesan cheese.

parnas *(et)* Parnassus.

parodi *(en -er)* parody *(på:* of), skit *(på:* on); *(ogs fig)* travesty *(på:* of); *det er en ren ~ (fig)* it is a farce. **parodiere** *vb* parody, *(imitere ogs)* take off *(fx* have you heard him take off Churchill?).

parodisk *adj* parodic.

paroksysme *(en -r)* paroxysm.

parole *(en -r) (feltråb)* countersign, password; *(løsen)* watchword, slogan; *(ordre)* order(s); *(parade)* parade.

parre *vb* pair, match; *(han og hun)* mate, pair; *~ sig,* -s copulate, mate, pair.

parring *(en) (om dyr)* copulation, mating, pairing. **parrings|akt** copulation. **-dans,** **-leg** mating dance. **-tid** mating season; *(om vildt)* rutting time. **-valg** sexual selection.

part *(en -er) (del)* part, portion; *(andel)* share; *(deltager i retssag etc)* party; *alle -er* all parties (concerned), everybody (concerned); *hver af -erne* each party, each of the parties, each side; *jeg for min ~* as for me I *(fx* as for me, I forgive him), I for one, I for my part; *have ~ i* have a share in, *(forretning etc)* have an interest in; *være ~ i sagen* be a party to the case; *de høje kontraherende -er* the High Contracting Parties; *de stridende -er* the parties to the dispute.

partere *vb* cut up, cut into pieces; *(skære for)* carve; *(en henrettet)* quarter. **partering** *(en)* cutting up; carving; quartering.

parterre *(et) (i teater)* pit, *(amr ogs)* parterre; *(lav stueetage)* ground floor.

parthaver *(en -e)* partner, participant.

parti *(et -er) (del, stykke)* part; *(vare-)* lot, *(til forsendelse etc)* consignment; *(politisk etc)* party; *(i sport og leg)* side; *(giftermål)* match *(fx* make a good match; she is a good match); *(rolle)* part; *(i sang)* part; *(kortspillere)* table, four; *(spil)* game *(fx* a game of chess, whist); *(i tennisregnskab)* game; *(billedmotiv)* view *(fx* view of Dartmoor); *give -et* show off, lord it; *give -et som millionær* play *(el.* act) the millionaire; *i -er på 5 kg* in lots of 10 lbs.; *være på hans ~* side with him; *tage ~* take sides; *tage ~ for* side with, take the side of; *tage sit ~* make one's choice.

partialobligation debenture.

participi|um *(et -er)* participle; *perfektum ~* the past participle; *præsens ~* the present participle.

particulier *(en -er)* rentier, retired businessman (, farmer, etc.).

parti|dannelse the formation of parties; *(parti)* party. **-disciplin** party discipline.

partiel *adj* partial.

parti|farve party colour. **-formand** party leader. **-funktionær** party functionary. **-fælle** member of one's own party; fellow-partisan. **-gænger** *(en -e)* party man, party-liner.

partik|el *(en -ler)* particle.

partikularisme *(en)* particularism. **partikulær** *adj* particular.

parti|ledelse *(bestyrelse)* party committee, caucus. **-løs** *adj* independent. **-parole** party direction; *(generelt)* party line. **-politik** party politics. **-politisk** party-political. **-program** party programme, platform.

partisan *(en -er)* partisan.

partisk *adj* partial, biassed, one-sided.

partiskhed *(en)* partiality, bias, one-sidedness.

parti|spørgsmål party issue. **-stilling** position *el.* strength) of the parties. **-strid** party conflict.

partitiv *adj* partitive.

partitur *(et -er) (musik)* score.

parti|varer job goods. **-vis** by the lot, in lots. **-væsen** the party system. **-ånd** party spirit, faction.

partner *(en -e)* partner.

partout by all means; *han ville* ~ *se billedet* he insisted on seeing the picture.

partoutkort (permanent) pass.

partreder *(en -e)* part owner, joint owner.

parts|abonnent *(telefon-)* party-line subscriber. **-forklaring** evidence by one of the parties. **-system** party(-line) system. **-telefon** party telephone, party line.

parvenu *(en -er)* upstart, parvenu.

parvis *adv* in pairs, in couples, two by two.

paryk *(en -ker)* wig, *(glds)* periwig; *(uredt hår)* shock of hair, mop; *gå med* ~ wear a wig. **paryk-mager** *(en -e)* wig-maker.

I. **pas** *(et -) (rejsepas)* passport.

II. **pas** *(i kortspil)* pass, no bid; *melde* ~ say no bid, pass, *(fig)* give (it) up, throw up the game.

III. **pas** *(et -ser) (bjergpas)* pass, defile.

pas|eftersyn examination of passports; *(person(er))* passport official(s). **-form** *(om klæder)* fit. **-foto** passport photograph. **-gang** amble, ambling pace; *gå i* ~ amble. **-gænger** *(en -e)* ambler, pacer.

pasha *(en -er)* pasha.

pas|indehaver holder of a passport. **-kontor** passport office. **-kontrol** *se -eftersyn.*

paskvil *(en -ler)* lampoon.

pasning *(en) (pleje)* care, tending; *(pasform)* fit; *(i fodbold)* pass.

passabel *(farbar; antagelig)* passable.

passage *(en -r)* passage; *skaffe fri* ~ clear a passage *(el.* the way); *ingen* ~! no thoroughfare!

passager *(en -er)* passenger; *blind* ~ stowaway. **passager|båd** passenger ship; *(stor)* passenger liner. **-damper** passenger steamer; *(stor)* passenger liner. **-fart** passenger traffic. **-flyvemaskine** passenger plane; *(stor)* air-liner. **-flyvning** passenger flying (, flight). **-liste** passenger list. **-maskine** passenger plane; *(stor)* air-liner. **-skib** passenger ship, *(stor)* passenger liner. **-trafik** passenger traffic.

passant: *en* ~ by the way, in passing.

passat *(en -er)* trade wind.

I. **passe** *vb (i kortspil)* say no bid, pass.

II. **passe** *vb (have rigtigt mål)* fit; *(være sand, gælde)* be true *(fx* that is(n't) true), apply *(fx* the argument does not apply in this case); *(være belejligt)* be convenient, suit *(fx* if it is convenient to you, if it suits you); *(tage sig af)* take care of, look after, *(en syg)* nurse, *(maskine etc)* look after, tend, operate, *(forretning)* be in charge of, *(for kortere tid)* look after, *(pligter)* attend to, *(have ansvar for)* be in charge of;

~ *sit arbejde* go about *(el.* attend to) one's work; ~ *huset* look after the house, *(stå for det hele)* run the house; ~ *den lille* look after the baby; *det -r mig glimrende* it suits me fine *(el.* to a T *el.* down to the ground); *når det -r ham* when he likes; when it suits him; *-r det Dem i morgen?* would tomorrow suit you *(el.* be all right)? *pengene -r (= beløbet er rigtigt)* that is the correct amount, *(= behold resten)* keep the change; *ikke* ~ *sine pligter* neglect one's duties; ~ *telefonen* answer the telephone; ~ *tiden (være præcis)* be punctual, *(holde øje med tiden)* keep an eye on the time; ~ *sig (være passende)* be proper;

~ *sig for* become, be becoming for; ~ *sig selv* mind one's own business;

[m præp eller adv:] ~ **for** suit, be suitable for *(el.* to), be suited for; ~ **i** fit *(fx* the key fits the lock); ~ *ind i* fit into; ~ **med** fit in with *(fx* it fits in with what he said), be consistent with; ~ *ham op* waylay him; ~ **på** *(o: tage sig af)* take care of, look after, mind; *(tage sig i agt for)* mind, beware of, *(iagttage)* watch; ~ 'på *(være opmærksom)* pay attention, *(være forsigtig)* look out, take care, be careful; '~ på *(o: gælde, beskrive rigtigt)* fit, apply *(fx* this does not apply to him); *pas 'på!* look out! take care! ~ *på hunden!* beware of the dog! *pas på hovedet (, trinet)!* mind the head (, the step)! ~ *på ikke at* take care not to; *pas på du ikke falder* mind you don't fall; ~ *(godt)* **sammen** be well matched, be suited to each other, *(om ting)* go well together, match; '~ **til** fit, *(om farve etc: stå til)* suit, go well with, *(være egnet til)* be suited for; ~ *noget 'til* adjust sth; *nøglen -r til låsen* the key fits the lock; *flipper som -r til skjorten* collars to match the shirt.

passé *adj* passé *(om kvinde:* passée), past one's prime; *(umoderne)* passé(e), outmoded.

passende *adj* suitable, *(bekvem ogs)* convenient; *(sømmelig)* proper, decent; *(belejlig)* opportune; *(rimelig)* suitable, reasonable, *(tilstrækkelig)* adequate.

passer *(en -e)* compasses, dividers, *(til måling)* calipers; *en* ~ a pair of compasses *(el.* dividers, calipers). **passerben** leg of a pair of compasses.

passere *vb (gå forbi)* pass, pass by; *(gå igennem)* pass through, *(gå over)* cross *(fx* a river); *(gå an)* pass muster; *(hænde)* occur, happen; ~ *forbi* pass; *passér gaden!* move on! *det er aldrig -t mig før* it never happened to me before; *vejen kan ikke -s* the road is not passable *(el.* is impassable), *lade det* ~ let is pass.

passerseddel pass, permit.

passiar *(en -er)* chat, talk; *d* ~! nonsense!

passiare *vb* chat, talk.

passion *(en -er) (lidenskabelig interesse)* passion, mania *(for:* for); *(Kristi)* the Passion. **passioneret** *adj* keen, ardent, enthusiastic, passionate; ~ *ryger* confirmed smoker. **passions|blomst** passion flower. **-historien** the Passion. **-skuespil** passion play.

I. **passiv** *(en) (gram)* the passive (voice).

II. **passiv** *(et -er) (merk)* liability, debt.

III. **passiv** *adj* passive *(fx* resistance); *-t medlem (omtr =*) associate member.

passivisk *adj* passive. **passivitet** *(en)* passivity.

passus *(en)* passage.

pasta *(en -er)* paste.

pastel *(en -ler)* pastel; *(-stift)* pastel crayon.

pastel|farve pastel; *i -r* in pastel shades. **-maleri** pastel painting. **-stift** *(en -er)* pastel crayon.

pasteurisere *vb* pasteurize.

pasteurisering *(en)* pasteurization.

pastiche *(en -r)* pastiche.

pastil *(en -ler)* pastille, lozenge.

pastinak *(en -ker)* parsnip.

pastor: ~ *B. (i omtale)* the Rev. John B., *(på brev)* the Rev. Mr B., *(NB fornavn el.* Mr *skal altid medtages)*; *-en* the Rector, the Vicar *(etc se præst)*; *(i tiltale)* Mr B. *(etc).* **pastoral** *adj* pastoral. **pastorat** *(et -er)* living; *(sogn)* parish. **pastorinde**: ~ *B.* Mrs B; *-n (ogs i tiltale)* Mrs B. *(etc).*

pas|visering visaing of passports. **-visum** visa.

pat *adj (i skak)* stalemate; *gøre* ~ stalemate; *være* ~ be stalemated.

patent *(et -er)* patent; *anmelde et* ~ apply for a patent; *have* ~ *på* hold a patent for, *(fig)* have a monopoly of *(fx* the truth); *tage* ~ *på* take out a patent for.

patent- patent *(fx* a patent lamp). **patent|afgift** *(til indehaveren)* royalty; *(for at få et p.)* patent fee. **-anmeldelse** application for a patent. **-beskyttet** *adj* protected by patent, patented. **-bureau** patent agency.

patentere *vb* patent.
patent|haver *(en -e)* patentee. **-idiot** prize idiot.
-log ⚓ patent log. **-lov** Patents Act. **-løsning**
patent solution. **-medicin** patent medicine. **-rettig-**
hed patent right.
pater *(en -e)* Father.
paternitet *(en)* paternity, fatherhood; *(forfatter-*
skab) authorship. **paternitetssag** affiliation *(el.* bas-
tardy) case.
paternoster *(et) (katolsk)* the Our Father; *(rosen-*
krans) rosary, beads.
patetisk *adj (følelsesfuld)* passionate, *(bombastisk)*
high-flown; *(rørende)* pathetic; *adv* passionately,
with intense feeling; pathetically.
patient *(en -er)* patient; *(læges ogs)* case; *ambulant*
~ out-patient.
patina *(en)* patina, *(fig ogs)* mellowness.
patineret *adj* patinated.
patolog *(en -er)* pathologist. **patologi** *(en)* patho-
ogy. **patologisk** *adj* pathological, *(sygelig)* morbid.
patos *(en)* oratorical effect; *·(lidenskab)* passion;
(svulstighed) bombast.
patriark *(en -er)* patriarch. **patriarkalsk** *adj*
patriarchal. **patriarkat** *(et -er)* patriarchate.
patricier *(en -e)* patrician. **patricier-, patricisk**
adj patrician *(fx* p. home).
patriot *(en -er)* patriot. **patriotisk** *adj* patriotic.
patriotisme *(en)* patriotism.
I. **patron** *(en -er)* ✂ cartridge; *(til kuglepen)* refill;
blind ~ dummy cartridge; *løs* ~ blank cartridge;
skarp ~ ball cartridge.
II. **patron** *(en -er) (beskytter)* patron, protector;
(skytshelgen) patron saint; *en sær* ~ T a queer fish.
patronat *(et)* patronage.
patronbælte cartridge belt.
patronesse *(en -r)* patroness.
patronhylster cartridge case.
patronisere *vb* patronize.
patrontaske cartridge pouch.
patrulje *(en -r)* patrol. **patruljefører** patrol
eader. **patruljere** *vb* patrol. **patruljering** *(en)*
patrolling; *på* ~ on patrol. **patruljevogn** patrol car.
I. **patte** *(en -r) (på dyr)* teat, *(vulgært: bryst(vorte))*
tit; *(die)* breast; *falde til -n (makke ret)* come to heel.
II. **patte** *vb* suck; ~ *på* suck *(fx* a pipe).
patte|barn *(neds)* baby. **-dyr** mammal. **-flaske**
feeding-bottle. **-gris** sucking pig. **-vorte** teat.
pauke *(en -r)* kettledrum. **paukeslager** *(en -e)*,
paukist *(en -er)* timpanist.
paulinsk *adj* Pauline *(fx* the P. epistles).
paulun *(et -er): opslå sit* ~ pitch one's tent.
Paulus St. Paul.
pause *(en -r)* pause; *(i storm, kamp etc)* lull; *(for-*
styrrende afbrydelse) break, interruption; *(i forestil-*
ling) interval, *(amr)* intermission; *(i radio)* interval;
(i musikstykke, ogs tegn derfor) rest; *med -r (imellem)*
at intervals; *uden* ~ without a pause, without inter-
mission, incessantly.
pausekommatering [the use of commas to
indicate pauses].
pausere *vb* pause, make a pause.
pausesignal interval signal.
pauver *adj* poor *(fx* result).
pave *(en -r)* pope *(fx* Pope Pius XII); *stolt som*
en ~ proud as a peacock. **pave|bulle** (papal) bull.
-dømme papacy. **pavelig** *adj* papal. **pave|staten**
(kirkestaten) the Papal States; *(vatikanbyen)* the Vati-
can City. **-stolen** the Holy See. **-valg** papal election.
pavillon *(en -er)* pavilion.
peb *imperf af* II. *pibe.*
peber *(et)* pepper; *spansk* ~ red pepper; *gid han*
var hvor -et gror I wish he were at Jericho; ~ *og salt*
(tøj) pepper-and-salt.
peber|bøsse pepperbox. **-fugl** toucan. **-korn**
peppercorn. **-kværn** *(til bordbrug)* pepper quern.
-mynte peppermint. **-myntebolche** peppermint
(sweet). **-mø** old maid, spinster. **-rod** *(en)* horse

radish. **-rodssovs** horse-radish sauce. **-svend**
bachelor.
pebet *perf part af* II. *pibe.*
pebre *vb* pepper. **pebret** *adj* peppery; *(dyr)*
expensive; *(om pris)* stiff.
pedal *(en -er)* pedal.
pedant *(en -er)* pedant. **pedanteri** *(et)* pedantry.
pedantisk *adj* pedantic.
pedel *(en -ler)* porter, *(amr)* janitor.
pedicure *(en)* chiropody, pedicure.
pege *vb* point; ~ *frem imod (bebude)* point to;
~ *fingre ad* point (derisively) at, *(fig)* point the finger
of scorn at; ~ *på* point at; *(påpege)* point out; *hun*
får alt hvad hun -r på everything is hers for the asking.
pege|finger forefinger, index finger. **-pind** poin-
ter.
pejle *vb* ⚓ take a bearing, take bearings; *(be-*
stemme retningen mod) take bearing of *(fx* the land);
(om flyver, ved radiopejling) locate; *(bestemme væske-*
højden i) sound; *(lodde)* sound. **pejle|antenne** di-
rectional aerial. **-apparat** ⚓ direction finder.
pejling *(en)* bearing; *(lodskud)* sounding; *(radio-)*
radio location. **pejlings|modtager** direction finder.
-sender radio beacon.
pejl|kompas bearing-compass. **-rør** sounding
-pipe. **-stok** gauge, sounding-rod, *(til olie etc)* dip-
stick.
pejs *(en -er)* (open) fireplace.
pekingeser *(en -e)* zo pekinese, T peke.
pekuniær *adj* pecuniary, financial.
pelargonie *(en -r)* ✿ geranium.
pêle-mêle *adv* pell-mell.
pelikan *(en -er)* zo pelican.
Peloponnes the Peloponnese.
peloponnesisk *adj* Peloponnesian.
pels *(en -e) (dyrs)* fur, coat; *(klædningsstykke)* fur
(-lined) coat; *i* ~ in a fur coat; *redde -en* save one's
skin; *vove -en* risk one's skin.
pels|bereder *(en -e)* furrier. **-bræmmet** *adj* fur
-trimmed. **-dyr** furred animal; *(kollektivt)* fur *(fx*
fur and feather). **-dyravl** fur-farming. **-farm** fur
farm. **-for** fur lining. **-foret** *adj* fur-lined. **-frakke**
fur coat. **-handel** fur trade. **-handler** *(en -e)* furrier.
-hue fur cap. **-jæger** *(en -e)* trapper. **-krave** fur
collar. **-kåbe** fur coat. **-værk** furs *pl.*
pemmikan *(et)* pemmican.
I. **pen** *(en -ne)* pen; *(selve pennen uden skaft ogs)*
nib; *(fjer-)* quill; *leve af sin* ~ live by one's pen;
ordet løb mig i -nen the word just slipped in; *gribe -nen*
take up the pen.
II. **pen** *(en) (på hammer)* pane, *(amr)* peen.
penalhus pencil case; *(af træ)* pencil box.
penater *pl* Penates.
pencil *(en -ler)* propelling pencil.
pendant *(en -er)* counterpart, match, com-
panion piece (, picture etc); *danne* ~ *til* match, form
a counterpart to; *være -er* make a pair.
pendel *(en -er)* pendant.
pendul *(et -er)* pendulum. **pendul|kørsel** shuttle
service. **-svingning** swing of the pendulum.
penge money *(sing); aftalte* ~ the exact amount;
for en billig ~ cheap, cheaply; *disse* ~ this money;
(kun) få ~ little money; *gifte sig* ~ *til* marry money
(el. a fortune); *give* ~ *tilbage på* give change for; *gøre*
noget i ~ turn sth into money; *de ville have noget for*
deres ~ they wanted their money's worth; *komme til* ~
come by some money, *(ved arv)* come into money;
løse (adj) ~ loose cash, ready money; *mange* ~ a lot of
money, much money; *rede* ~ ready money, cash;
sætte ~ *i* invest money in; *tjene* ~ make money
(på: on, by); *det er alle -ne værd (fig)* it is (absolutely)
priceless.
penge|afpresning blackmail. **-afpresser** *(en -e)*
blackmailer. **-anbringelse** investment. **-aristokrati**
plutocracy. **-begærlig** *adj* avaricious. **-begærlighed**
avarice. **-beløb** amount (of money). **-belønning**
money reward. **-brev** [registered letter containing

money]. **-bøde** *(en -r)* fine. **-forhold** *pl* pecuniary *(el.* financial) affairs *(etc, se forhold).* **-forlegenhed** pecuniary embarrassment; *være i ~* be short of money, be hard up. **-forsendelse** remittance. **-fyrste** money baron. **-gave** present *(el.* gift) of money. **-grisk** *adj* avaricious. **-griskhed** *(en)* avarice. **-hjælp** pecuniary assistance. **-indsamling** subscription. **-institut** finance house; *(ofte =)* bank. **-kasse** money box, cash box; *sidde på -n (fig)* hold the purse strings. **-kiste** money chest. **-knaphed** shortage *(el.* scarcity) of money. **-krise** financial crisis. **-løs** *adj* penniless, moneyless. **-mand** capitalist, financier. **-mangel** scarcity of money; *(se ogs -forlegenhed).* **-marked** money market; *stramt ~* contracted money market. **-midler** *(pl)* funds, capital, money.

penge|ombytning currency reform. **-omløb** the circulation of money. **-politik** monetary policy. **-pose** money bag. **-puger** *(en -e)* money-grubber; *(gnier)* miser. **-pung** purse. **-rigelighed** abundance of money; *når der er ~* when money is easy. **-sager** *pl* money matters, financial affairs. **-seddel** bank note, *(amr)* bill. **-skab** safe, strongbox. **-skabstyv** safe cracker. **-skrin** money box. **-skuffe** *(i butik)* till. **-sorger** *pl* pecuniary worries. **-spørgsmål** question of money, money matter. **-stykke** coin. **-stærk** *adj* financially strong. **-sum** sum (of money), amount. **-sæk** money bag. **-tab** loss of money, financial loss. **-trang** *(en)* lack of money; *i ~* in want of money, T hard up. **-transaktion** money *(el.* financial) transaction. **-udlåner** *(en -e)* money lender. **-vanskelighed** financial difficulty *(el.* embarrassment). **-verden** financial world. **-værdi** moneᵗ:ry value. **-væsen** monetary matters, finances; *(møntsystem)* monetary system.

penibel *adj* painful.
penicillin *(en)* penicillin.
pennalhus pencil case.
penne|fejde controversy. **-fjer** quill. **-kniv** penknife. **-skaft** penholder. **-slikker** *(en -e)* pen-pusher. **-spids** pen point, *(især på fyldepen)* nib. **-strøg** stroke of the pen. **-tegning** pen drawing. **-ven** pen friend, pen pal. **-visker** *(en -e)* pen wiper.
penny *(en)* penny *(pl om beløbet:* pence, *om mønterne:* pennies), (penny, pence *skrives ofte:* d.); ½ ~ halfpenny, ½ d.; 1½ ~ three halfpence, a penny halfpenny, 1½ d.; 2½ ~ twopence halfpenny, 2½ d.; *et* 1½ ~ *frimærke* a three halfpenny stamp, a penny halfpenny stamp; *et* 2½ ~ *frimærke* a twopenny halfpenny stamp. **pennystykke** *(et -r)* penny *(pl* pennies).
pensel *(en, pensler)* (paint) brush. **penselstrøg** stroke of the brush, brushstroke.
pension *(en -er)* (retirement) pension, superannuation (pay); *(for officerer)* half-pay; *(kost)* board; *(pensionat)* boarding-house; *bo i ~ hos* board with; *afskedige med ~* pension off, dismiss with a pension; *gå af med ~* retire on *(el.* with) a pension (, on half -pay).
pensionat *(et -er)* boarding-house; *(finere)* guest -house; *(især lidt finere og uden for England og U.S.A.)* pension.
pensionatsværtinde (boarding-house) landlady.
pensionere *vb* pension, grant a pension to, *(en officer)* place on the retired list. **pensioneret** *adj* retired, superannuated. **pensionist** *(en -er)* pensioner.
pensions|berettiget *adj* pensionable, entitled to a pension. **-bidrag** contribution to a pension fund. **-fond** pension fund, superannuation fund. **-forsikring** deferred annuity assurance; *(organiseret af firma)* superannuation scheme. **-kasse** *se -fond.* **-lov** pensions act. **-ordning** superannuation scheme. **-pris** price for full board. **-ret** pension entitlement.
pensionær *(en -er)* boarder, paying guest.
pensle *vb* paint, wash *(fx* a wound with iodine); *blive -t i halsen* have one's throat painted *(el.* swabbed). **pensling** *(en)* painting, swabbing.

pens|um *(et -a)* curriculum; syllabus; *(daglig lektie)* task, *(især amr)* assignment; *(eksamens-)* examination requirements.
pentamet|er *(et -re)* pentameter.
pentode *(en -r) (radio)* pentode.
pep *subst* go, spirit; *(amr)* pep.
pepsin *(et)* pepsin.
I. **per, pr.** *(befordrings-, meddelelsesmiddel)* by *(fx* by letter, post, steamer, telephone, wire); *(om fordeling)* per *(fx* per pound, week, inhabitant), a (, an) *(fx* twice a week; 2s. a dozen); *(ved dato)* per, on *(fx* my salary falls due on July 1); *(i adresse)* near *(fx* Binsey near Oxford *(el.* Binsey, Oxford)); ~ *bane* by rail; ~ *dag* per day, a day; *sende varer ~ efterkrav* send goods C.O.D.; ~ *kontant* for cash, cash down; ~ *mand* per man, per head; ~ *omgående* by return (of post), *(fig)* at once; *opgørelse ~ 1. januar* statement as on *(el.* as of) Jan. 1; *6 pence ~ stk.* 6d. each, 6d. apiece.
II. **Per** Peter; ~ *og Poul* Tom, Dick, and Harry.
perfekt *adj* perfect (i: in); *adv* -ly.
perfektibel *adj* perfectible.
perfektionere *vb* perfect; ~ *sig* improve one's knowledge *(i et sprog:* of a language).
perfektum the perfect (tense); ~ *participium* the past participle.
perfid *adj* disingenuous; *(svigefuld)* perfidious.
perfidi *(en)* disingenuousness; perfidy, perfidiousness.
perforator *(en -er)* perforator. **perforere** *vb* perforate. **perforering** *(en)* perforation.
pergament *(et)* parchment; *(til bogbind)* vellum.
pergament|agtig parchment-like. **-bind** parchment binding, vellum (binding). **-gul** *adj* parchment -coloured. **-papir** parchment paper, vegetable parchment; *(smørrebrødspapir)* greaseproof paper.
pergola *(en -er)* pergola.
perialiseret *adj* drunk, tight, plastered.
perifer *adj* *(afsidesliggende)* remote; *(underordnet etc) se periferisk.*
periferi *(en -er)* periphery, circumference; *(af by)* outskirts, *(forstæder)* suburbs; *bo ude i ~* live on the outskirts of the town. **periferisk** *adj* peripheral, circumferential; *(underordnet)* subordinate, of secondary importance; *(overfladisk)* superficial *(fx* a s. knowledge of sth).
perifrase *(en -r)* periphrasis. **perifrastisk** *adj* periphrastic.
perik|on, -um *(en)* St. John's wort.
perimet|er *(en -re)* perimeter.
periode *(en -r) (ogs gram)* period; *(om vejr)* spell *(fx* a spell of rain, of dry weather). **periodisk** *adj* periodic; *(om tidsskrift)* period cal.
periskop *(et -er)* periscope.
peristaltik *(en)* peristalsis, peristaltic movement.
peristaltisk *adj* peristaltic.
peristyl *(et -er)* peristyle.
perkolator *(en -er)* percolator.
perkussion *(en)* percussion.
I. **perle** *(en -r)* pearl; *(af glas, træ etc)* bead; *(dråbe)* bead *(fx* beads of sweat); drop *(fx* of dew); *(fig om ting)* gem; *(fig om person)* brick, treasure; *kaste -r for svin* cast pearls before swine; *simili ~* artificial *(el.* imitation) pearl; *ægte ~* real *(el.* genuine) pearl.
II. **perle** *vb* bead, *(moussere)* sparkle; *sveden -de på hans pande* beads of perspiration covered his forehead.
perle|broderi beadwork; *(m. ægte perler)* pearl embroidery. **-fisker** pearl diver, pearl fisher. **-fiskeri** pearl fishing, pearling. **-garn** pearl cotton. **-halsbånd** pearl necklace. **-humør** excellent spirits. **-høne** guinea fowl. **-krans, -kæde** string of pearls (, beads). **-løg** pearl leek. **-mor** mother-of-pearl. **-morsknap** pearl button. **-musling** pearl oyster. **-rad** row of pearls (, beads). **-venner:** *de er ~* they are firm friends.
perlon *(en el. et)* perlon.

permanent *adj* permanent. **permanent|bølge** *vb* permanent-wave, T perm. **-bølgning** permanent wave, T perm; *(handlingen)* permanent waving.

permanente *vb* permanent-wave, T perm.

permission *(en) (orlov)* leave (of absence).

permissioner *pl (benklæder)* unmentionables.

permittere *vb (give orlov)* grant leave (of absence); *(hjemsende)* send home; *(sende bort)* dismiss, send away.

pernicios *adj* pernicious *(fx* anaemia).

pernittengryn *(en)* pedant; T fusspot, *(amr* T) fussbudget.

peroxyd peroxide.

perpendik|el *(en -ler)* pendulum. **perpendikulær** *(en -er & adj)* perpendicular *(på:* to).

perpetuum mobile perpetual motion (machine), perpetuum mobile.

perpleks *adj* bewildered, nonplussed, T flummoxed.

perron *(en -er)* platform. **perron|billet** platform ticket. **-overgang** (station) footbridge. **-tunnel,** **-undergang** subway, *(amr)* underpass. **-vogn** luggage truck.

perse *(en -r & vb)* press.

perser *(en -e)* Persian.

persianer *(en -e)* Persian lamb (coat).

Persien Persia, *(i nyere tid ogs)* Iran.

persienne *(en -r)* Venetian blind.

persiflage *(en -r)* persiflage. **persiflere** *vb* ridicule.

persille *(en)* ♧ parsley; *hakket* ~ chopped parsley. **persillerod** *(en, -rødder)* parsley root.

persisk *(en & adj)* Persian, *(i nyere tid ogs)* Iranian.

person *(en -er)* person; *(i skuespil etc)* character; *(gram)* person; *-erne (overskrift til personliste)* characters, *(i skuespil ogs)* the persons of the play, dramatis personae; *6-personers bil six-seater; for min* ~ for myself, personally; *offentlig* ~ public figure; *i egen høje* ~ in person, personally; *uden -s anseelse* without respect of persons.

persona: *pro* ~ each, per head, per person; ~ *grata* persona grata *(hos:* with).

personage *(en -r)* person, individual, creature.

personale *(et -r)* staff, personnel. **personale|blad** house organ. **-chef** personnel manager. **-indskrænkning** staff reduction.

personalhistorie biography.

personalia biographical data, personalia.

personalunion personal union.

person|banegård passenger station. **-befordring** the conveyance of passengers. **-bil** (passenger) car. **-dyrkelse** personality cult.

I. **personel** *(et)* personnel.

II. **personel** *adj* personal.

person|elevator (passenger) lift, *(amr)* elevator. **-galleri** gallery of characters; *Dickens'* ~ *(ogs)* the characters of Dickens.

personificere *vb* personify; *han er den -de hæderlighed* he is honesty personified, he is honesty itself. **personifikation** *(en -er)* personification.

personlig *adj* personal; *adv* -ly, *(i egen person ogs)* in person; ~ *frihed* personal liberty, liberty of the individual; *fremsætte sin -e mening* give one's personal opinion; ~ *samtale* personal interview; *(i telefon)* personal call, *(amr)* person-to-person call; *-t stedord* personal pronoun.

personlighed *(en -er) (egenskab)* personality, individuality; *(karakter, betydelig* ~*)* character; *(fremstående person)* personality, *(ofte let iron.)* personage; *-er (bemærkninger)* personalities, personal remarks; *historisk* ~ historical character; *en offentlig* ~ a public figure; *en stærk* ~ a man (, woman) of strong character, a forceful personality; *gå over til -er get* personal; *være en* ~ have personality. **personligheds-spaltning** split personality.

person|liste *(i skuespil)* list of characters; dramatis personae; *(skuespillerne)* cast. **-navn** personal name. **-register** list of persons, index of names. **-skifte**

change (in personnel); replacement. **-skildring** *(det at)* delineation of character; *(konkret)* character sketch. **-tog** passenger train; *(mods. hurtigtog)* stopping train. **-trafik** passenger traffic. **-vogn** *(bil)* (passenger) car, *(amr ogs)* automobile; *(i tog)* passenger coach *(el.* carriage). **-vægt** weighing-machine.

perspektiv *(et -er)* perspective.

perspektivisk *adj* perspective; *adv* -ly.

perspektivtegning perspective drawing.

pertentlig *adj* meticulous, punctilious, finicking. **pertentlighed** *(en)* meticulousness, punctiliousness.

Peru Peru. **peruaner** *(en -e)*, **peruansk** *adj* Peruvian. **perubalsam** Peru balsam.

pervers *adj (seksuelt)* perverted, sexually depraved; *(forkert)* perverted. **perversitet** *(en)* pervertedness; sexual perversion.

pessar *(et -er)* diaphragm, pessary.

pessimisme *(en)* pessimism. **pessimist** *(en -er)* pessimist. **pessimistisk** *adj* pessimistic.

pest *(en)* plague, pestilence; *afsky ngt som -en* hate sth like poison; *sky en som -en* avoid sby like the plague. **pest|agtig** *adj* pestilential. **-bacille** plague bacillus. **-befængt** *adj* plague-stricken; *(smittebærende)* pestiferous. **-byld** bubo.

pestilens *(en)* abomination.

Peterskirken St. Peter's (Cathedral).

petit *(en) (typ)* brevier.

petitesse *(en -r)* trifle.

petitjournalist paragraphist, par-writer; *(som skriver societynyheder)* gossip writer.

petroleum *(en)* kerosene, *(i Engl ogs kaldt)* paraffin; *(råpetroleum)* petroleum.

petroleums|apparat paraffin cooking stove, oil cooker. **-lampe** paraffin lamp. **-motor** kerosene engine. **-ovn** oil *(el.* paraffin) stove. **-tank** oil tank.

Pfalz the Palatinate. **pfalzgreve** Count Palatine.

ph- *se f-.*

phil.: *dr.* ⚥ *(svarer til)* Ph.D. *eller* D.Phil.

pianette *(et -r)* pianette.

pianist *(en -er)*, **pianistinde** *(en -r)* pianist.

I. **piano** *(et -er)* piano, upright piano, pianoforte

II. **piano** *adv* piano, softly.

piano|fabrikant piano-maker. **-forte** *(et -r)* piano, pianoforte. **-pedal** soft pedal. **-stemmer** *(en -e)* piano tuner.

piassava *(til koste)* piassava.

I. **pibe** *(en -r) (tobaks-, orgel- etc)* pipe; ⚓ whistle, pipe; *(⚓, brugt sammen med tromme)* fife; *(skorstens-)* chimney pot; *(læg i tøj)* fluting; *danse efter en andens* ~ dance to sby else's pipe; *~n fik en anden lyd* that made him *(etc)* change his tune; *ryge* ~ smoke a pipe, be a pipe smoker; *stikke -n ind (fig)* climb down, change one's tune.

II. **pibe** *(peb, pebet) (fløjte)* pipe, whistle; *(om vinden)* whistle; *(om projektiler)* whistle, whizz; *(om hængsel, mus etc)* squeak; *(om fugle)* cheep; *(om hund etc)* whimper, whine; *(klynke)* whimper, snivel; *(om åndedræt)* wheeze, whistle; ~ *i fingrene* whistle through one's fingers; ~ *en skuespiller ud* hiss an actor (off the stage), T give an actor the bird.

pibe|and *zo* widgeon. **-bræt** pipe rack. **-hoved** pipe bowl; *(en der klynker)* sniveller, cry-baby. **-koncert** catcalls, hissing. **-kradser** *(en -e)* pipe-bowl scraper. **-krave** ruff. **-ler** pipeclay; *rense med* ~ pipeclay. **-løg** ♧ Welsh onion.

piben *(en) (se II. pibe)* pipe, piping, whistle, whistling; whizz(ing); squeak(ing); cheep(ing); whimper(ing); snivel(ling); *(udpibning)* catcalls.

pibende *adj (se II. pibe)* (om åndedræt) wheezy; *(om stemme)* squeaky.

piberenser *(en -e)* pipe cleaner.

piberi *(et)* whimpering, snivelling.

pibe|rør pipe stem. **-spids** mouthpiece (of a pipe). **-stemme** squeaky voice. **-stilk** *(ogs fig om tynde arme, ben)* pipe stem; *(tyndbenet person)* spindle-shanks, *(splejs)* shrimp. **-strimmel** frill, ruche. **-svane** *zo*

Bewick's swan. **-tobak** smoking-tobacco. **-tøj:** *hele -et* T the whole lot.

pible *vb* trickle (*frem:* out). **piblen** *(en)* trickle.

piccoline *(en -r)* page girl; girl messenger.

piccolo *(en -er)* page boy, buttons, *(amr)* page, bellboy, bellhop. **piccolofløjte** *(en -r)* piccolo.

pickles pickles.

pick-up *(en) (til grammofon)* pick-up.

piedestal *(en -er) (fodstykke)* pedestal; *(skab)* cupboard; *pille ham ned af -en* knock him off his pedestal, debunk him; *anbringe ham på en ~ (fig)* place him on a pedestal.

pierrette *(en -r)* pierrette. **pierrot** *(en -er)* pierrot.

pietet *(en)* reverence, veneration, respect.

pietets|fuld reverent. **-hensyn:** *af ~* out of reverence *(el.* respect). **-løs** irreverent.

pietisme *(en)* pietism. **pietist** *(en -er)* pietist.

pietistisk *adj* pietistic.

pif paf! bang, bang!

pift *(et)* whistle. **pifte** *vb* whistle; *~ i fingrene* whistle through one's fingers.

pig *(en -ge) (af metal)* spike; *(pindsvins)* quill; *(på hundestejle)* spine; *(på plante)* prickle; *(på pigtråd)* barb.

pige *(en -r)* girl; *(poet.: mø)* maid, maiden; *(gadepige)* T tart; *(tjeneste-)* maid, servant (girl); *ung ~* (young) girl, *(tjeneste-)* maid. **pige|barn** *(ung pige)* girl, *(backfisch)* flapper. **-cykel** girl's bicycle. **-hjerte** girl's heart. **-jæger** skirt-chaser. **-kammer** maid's room; *(bagsæde på motorcykle)* pillion. **-navn** girl's name; *(navn før ægteskab)* maiden name.

pigeon *(en -er) (slags æble) (omtr =)* lady apple. **pige|sjov:** *gå på ~* go with girls, go wenching. **-skole** girls' school, school for girls. **-spejder** girl guide, *(amr)* girl scout. **-spejderchef** Chief Guide **-værelse** maid's room.

pig|finne spiny fin. **-finnefisk** spiny-finned fish.

pigget *adj* prickly, spiky.

pig|haj *zo* piked dogfish. **-hudet** *adj: de -hudede zo* the echinoderms. **-hvar** *(en -rer) zo* turbot. **-kæp** spiked stick; *(kvægdrivers)* goad.

pigment *(et)* pigment. **pigmentdannelse** pigmentation.

pigsko track shoe, spiked shoe.

pigtråd barbed wire. **pigtråds|hegn** barbed-wire fence. **-musik** (noisy) pop music. **-orkester** pop group. **-saks** wire-cutter. **-spærring** barbed-wire entanglement, wire.

pigæble ⚘ thorn apple.

pikant *adj (krydret)* piquant, spicy; *(om udseende)* piquant; *(vovet)* spicy *(fx* stories). **pikanteri** *(et)* piquancy.

piké *(et) (stof)* piqué.

pikeret *adj* nettled *(over:* at).

piket *(en)* ✕ picket; *(spil)* piquet.

pikke *vb (banke)* tap; *(om fugl)* peck.

pikkelhue spiked helmet.

I. **pil** *(en -e)* ⚘ willow.

II. **pil** *(en -e) (til bue)* arrow; *(kastepil og til luftbøsse)* dart; *(retningsviser)* direction indicator; *(fig)* shaft, dart *(fx* darts of irony).

pilast|er *(en -re)* pilaster.

Pilatus Pilate; *måtte løbe fra Herodes til ~* be driven from pillar to post.

pile *vb: ~ af* dart off *(el.* away), scurry off *(el.* away).

pile|fletning wickerwork. **-hegn** willow hedgerow. **-kogger** quiver. **-krat** willow scrub. **-kvist** willow twig, osier; *(ønskekvist)* divining-rod. **-regn** shower of arrows. **-skud** arrow shot; *(om afstand)* bowshot *(fx* within a bowshot of the house); ⚘ young shoot of a willow tree. **-spids** *(en -er)* arrowhead. **-træ** willow (tree).

pilfinger busybody.

pilgrim *(en -me)* pilgrim.

pilgrims|færd, **-gang**, **-rejse** pilgrimage. **-stav** pilgrim's staff.

pilk *(en -e)*, **pilke** *vb* jig.

I. **pille** *(en -r) (støtte)* pillar, column; *(bro-)* pier; *(med.)* pill; *en bitter ~ (fig)* a bitter pill.

II. **pille** *vb* pick *(fx* one's nose, one's toes); *(tage skal etc af)* peel *(fx* an orange, potatoes), shell *(fx* peas, shrimps, an egg); *(tage stilk af)* stem *(fx* red currants); *(plukke fjer af)* pluck; *(plukke, samle)* pick; *~ stikkelsbær* top and tail gooseberries; *~ 'af (ɔ: forsvinde)* T clear out, hop it; *~ ngt af* pick (, peel) sth off; *~ 'fra, se ~ ud*; *~ ngt fra hinanden* take *(el.* pick) sth to pieces; *ikke ~!* don't touch! hands off! *gå og ~ med noget* potter about sth; busy oneself with sth; *~ ned (skyde)* pick off, bring down; *~ en ned (fig)* take sby down a peg; *~ op (ɔ: samle op)* pick up, *(knude, strikning etc)* undo, *(~ fra hinanden)* pick to pieces; *fuglen -de sig the* bird preened itself *(el.* its feathers); *~ sig i næsen* pick one's nose; *~ ud (ɔ: fjerne)* remove, *(udvælge)* choose, pick out; *de nykker skal vi snart få -t ud af ham* we'll soon cure him of that nonsense; *~ ved* fidget with, fiddle with, finger, *(trods forbud, ukaldet)* tamper with.

pille|arbejde niggling work. **-glas** pill bottle. **-kartofler** potatoes suitable for boiling in their jackets.

pillen *adj (pertentlig)* finical, pernickety; *(net)* neat, dapper. **pillenhed** *(en)* finicalness; neatness.

pilleri *(et) (bagateller)* trifles; *(se ogs pillearbejde)*.

pillespejl pier glass.

pilot *(en -er)* pilot.

pilotere *vb* pile. **pilotering** *(en)* piling; *(pæleværk)* pilework.

pil|rådden rotten to the core. **-skaldet** *adj* as bald as an egg.

pilsner(øl) lager; *(fra Pilsen)* Pilsener beer.

pilsur *adj* sour as vinegar.

pimpe *vb* booze, tipple, bib.

pimpinelle *(en -r)* ⚘ burnet saxifrage.

pimpsten pumice (stone).

pinagtig *adj* painful.

pincenez *(en -er)* pince-nez.

pincet *(en -ter) (par of)* tweezers, pincers *(pl)*.

pincher *(en -e) zo: ruhåret ~* wire-haired German terrier, schnauzer.

pind *(en -e)* stick; *(til fugl)* perch; *(pløk)* peg; *(strikke-)* (knitting-)needle; *(række masker)* row *(fx* knit 3 rows); *(kniple-)* bobbin; *(i kricketgærde)* stump; *(i krocket)* peg; *(i spillet »pinde«)* cat; *(ror-)* tiller; *(se ogs blomsterpind)*; *vippe ham af -en* knock him off his perch, give him the push; *det kan du skyde en hvid ~ efter* you may whistle for that; *spille ~* play tip-cat; *stå på -e for en (være parat til at lystre éns mindste vink)* be at sby's beck and call; *(hoppe og springe for én)* wait on sby hand and foot; *så stiv som en ~* as stiff as a poker; *du bliver en ~ til min ligkiste* you will be the death of me; *vandrende ~ zo* stick insect. **pinde** *vb (hugge)* chop; *~ ud* chop up.

pinde|brænde kindling-wood; firewood; *blive slået til ~* be smashed to matchwood. **-huggeri** *(en) (ordkløveri)* hair-splitting. **-mad** canapés on cocktail sticks. **-værk** *(et): det er noget ~* it is rickety *(el.* flimsy).

pindsvin *zo* hedgehog; *(hule-)* porcupine.

pindsvinestilling ✕ hedgehog position.

I. **pine** *(en)* pain, torment; *død og ~!* by Jove! gosh! golly! *gøre -n kort* get it over quickly; *holde -n ud* stick it (out), sweat it out.

II. **pine** ★ *(tortere)* torture; *(volde smerter)* pain, torment, *(stærkere)* torture, rack; *(plage, genere)* torment, worry; *(volde sorg)* pain; *det -r mig it* gives me pain, it worries me; *~ livet af en* worry sby to death; *~ maden i sig* force the food down; *~ en tilståelse ud af ham* extort a confession from him.

pinebænk *(ogs fig)* rack; *spænde på -en (fig)* put on the rack, *(lade vente)* keep on tenterhooks.

pine|død by Jove. **-fuld** *adj* painful, *(stærkere)* agonizing. **-gal** *(forkert)* all wrong.

pingpong ping-pong.
pingvin *(en -er) zo* penguin.
pinje *(en -r)* stone pine.
pinlig *(ubehagelig)* painful, awkward, embarrassing; *(omhyggelig)* scrupulous, meticulous; *han rølte sig -t berørt af det* it made a painful impression on him; *underkaste én -t forhør* put sby through the third degree, torture sby; ~ *korrekt* meticulously correct; ~ *ædru* absolutely sober.
pinol *(en -er) (på drejebænk)* (lathe) centre.
pinse *(en)* Whitsuntide, Whitsun. **pinse|bevægelsen** the Pentecostal Movement. **-dag:** *første* ~ Whitsunday; *anden* ~ Whit Monday, *(i Engl ogs)* Whitsun Bank Holiday. **-ferie** Whitsun holidays; *Underhuset tager* ~ *i morgen* the House of Commons rises for the Whitsun(tide) recess tomorrow.
pins|el *(en -ler)* torture, torment.
pinse|lilje (white) narcissus. **-lørdag** Whit Saturday. **-morgen** Whitsunday morning. **-tid** Whitsuntide. **-ugen** Whit week.
pioner *(en -er) (ogs fig)* pioneer. **pionerarbejde** pioneer work; *gøre et* ~ *(ogs)* break new ground.
I. **pip** *(en) (fuglesygdom)* pip.
II. **pip** *(et -) (lyd)* chirp, cheep, peep; *tage -pet fra én* deflate sby, overwhelm sby.
III. **pip:** *få* ~ go batty; *have* ~ be batty; *det er det rene* ~ that is completely cuckoo *(el.* daft).
pipette *(en -r)* pipette.
pip|fugl dickybird. **-hans** canary.
pippe *vb (om fugl)* chirp, cheep; ~ *frem* peep (out).
pique *(en -) (i kortspil)* spade(s).
piqué *(et)* piqué.
pirat *(en -er)* pirate, buccaneer; *(piratboghandler)* pirate. **pirat|jolle** pirate dinghy. **-radio** pirate radio. **-udgave** pirated edition.
pirke *vb* poke, prod; ~ *ved* poke at, prod.
pirol *(en -er) zo* oriole.
pirre *vb* tickle, excite, stimulate; *(se ogs pirke)*; ~ *ens nysgerrighed* rouse sby's curiosity; ~ *op i* stir.
pirre|lig *adj* irritable. **-lighed** *(en)* irritability.
pirring *(en)* excitation, stimulation.
pirringsmiddel stimulant; *(seksuelt)* aphrodisiac.
piruet *(en -ter)*, **piruettere** *vb* pirouette.
pis *(et)* piss.
pisang *(en)* ♣ plantain.
pisk *(en -e)* whip; *(prygl)* (a) whipping; *(hårpisk)* pigtail.
piske *vb* whip, flog, *(m svøbe)* scourge; *(æg)* beat, whip, whisk; *(fløde)* whip; *(om regn etc)* beat, lash; *græde som man var -t* cry one's heart out; ~ *af sted* tear along; *den -de med halen* it lashed its tail; *regnen -de mod ruden* the rain lashed (against) the window pane; ~ *op (fig)* whip up; ~ *på hestene* whip the horses; *være -t til at* be forced to; *-nde regn* pelting rain.
piskefløde double cream, *(amr)* heavy cream.
pisker *(en -e) (hjul-)* (egg) beater. **piske|ris** *(et -)* whisk. **-skaft** whip handle. **-slag** cut (of a whip); *(let)* flick. **-smæld** crack of a whip. **-snert** whiplash; *(slag med piskesnert)* flick.
piskning *(en)* whipping.
pisse *vb* piss, make water.
pissoir *(et -er)* lavatory, urinal, public convenience; *(amr)* comfort station.
I. **pist** *(en -er) (spor, bane)* piste, track.
II. **pist, pst** *int* hey (you)! *(især amr)* hi!
pistacie *(en -r)* pistachio.
pistol *(en -er)* pistol; *(sprøjte-)* spray gun; *sætte ham -en for brystet (fig)* hold a pistol to his head.
pistolhylster holster.
pittoresk *adj* picturesque.
pjadder *(et)*, **pjadre** *vb* twaddle, drivel.
pjalt *(en -er) (las)* rag; *(person)* coward, worm; *slå deres -er sammen* combine forces, *(dele udgifter)* club together, share expenses, *(gifte sig)* T get spliced.
pjaltet *adj (laset)* ragged, tattered; *(om karakter etc)* cowardly, mean, contemptible.

pjank *(et)* tomfoolery, nonsense; *(sludder)* twaddle, nonsense; *(fjasen)* giddiness; *(flirt)* flirting dallying. **pjanke** *vb* fool about, *(stajende)* skylark; *(flirte)* flirt, dally; ~ *tiden bort* fritter away one's time. **pjankehoved** nitwit, silly.
pjask *(et -) (plask)* splash; *(søle)* slush; *(tynd drik)* slush, dishwater, catlap. **pjaske** *vb* splash.
pjask|regne *vb: det -r* it is pouring (with rain). **-våd** dripping wet, drenched.
pjat *(et) se pjank.* **pjatte** *se pjanke.*
pjece *(en -r)* leaflet, booklet, pamphlet; *(skyts)* piece of ordnance, gun.
pjerrette *(en -r)* pierrette. **pjerrot** *(en -er)* pierrot.
pjok *(et -)*, **pjokkehoved** sop, softie. **pjokket** *adj* soppy, soft.
pjusket *adj* tousled *(fx* hair), rumpled, dishevelled *(fx* hair, clothes); *(om skæg: tyndt og* ~) straggly.
pjække: ~ *den* shirk, play truant; ~ *fra en forelæsning* cut a lecture; ~ *fra skolen* shirk school, play truant. **pjækker** *(en -e)* truant. **pjækkeri** *(et -er)* playing truant, shirking.
pjækkert *(en -er)* pea jacket; *(dame-)* reefer.
pjævs *(en el. et, -e el. -er el. -)* weakling.
placere *vb* place, *(penge ogs)* invest; *(person på bestemt sted)* station, place; *blive -t (i sport)* be placed; ~ *en ordre hos* place an order with.
placering *(en -er)* placing.
pladask! flop!
pladder *(et) (pløre)* slush; *(sludder)* twaddle.
pladder|fuld *adj (fyldt)* cram-full; *(beruset)* blotto. **-sentimental** *adj* T slushy. **-våd** sopping wet.
plade *(en -r) (ogs fotografisk)* plate; *(bord-)* top, *(til forlængelse)* leaf; *(sten- etc)* slab; *(tynd* ~ *af metal etc)* sheet, *(rund)* disc; *(bage-)* baking-sheet; *(grammofon-)* record; disc; *(af tobak)* slice, flake; *(løgn)* fib; *en* ~ *chokolade* a block of chocolate; *stikke ham en* ~ T pitch him a tale, tell him a fib.
plade|indspilning recording. **-jern** sheet iron. **-klædning** plating. **-kondensator** plate condenser. **-køl** plate keel. **-optagelse** disc recording. **-skifter** *(en -e)* record changer. **-spiller** (automatic) record player. **-støj** *(i grammofon)* needle scratch, surface noise. **-stål** sheet steel. **-tallerken** *(på grammofon)* turntable. **-tobak** plug tobacco; sliced tobacco.
pladre *vb (plaske)* splash; *(snakke)* chatter.
plads *(en -er) (sted, placering)* place; *(anvist sted at være)* station, place; *(sidde-,* ~ *i bestyrelse etc)* seat; *(skibs position)* position; *(skibs liggeplads)* berth; *(by etc)* place, town; *(rum, mellemrum,* ~ *til noget)* room, space; *(i avis)* space; *(husrum,* ~ *i havn)* accommodation; *(åben* ~ *i skov, by etc)* open space; *(firkantet torv)* square; *(lege-)* playground; *(* ~ *til bestemt virksomhed)* yard *(fx* timber yard); *(lønnet stilling)* job, *(som hushjælp etc)* situation, place;
bestille ~ *(i tog, teater)* book a seat (, seats), *(på hotel)* book a room (, rooms), *(på skib)* book a passage, *(især amr)* make reservations; *bytte* ~ *med* change places with; *få* ~ find room *(til:* for), *(sidde-)* get a seat, *(lønnet)* get a job; *give* ~ *(o: afloses af)* give place to; *det giver ikke* ~ *for nogen tvivl* it leaves no room for doubt; *der er god* ~ there is plenty of room; *gøre* ~ *for* make room *(el.* way) for; *har* ~ *til (o: kan modtage, rumme)* can accommodate, accommodates, affords accommodation for; *ēn* ~ *i bestyrelsen* aseat on the board; *ledig* ~ *(sidde-)* vacant seat, *(stilling, post)* vacancy, vacant situation; *gå på* ~! take your places (, seats)! *lægge (el. sætte) ngt på* ~ put sth in its place, put sth away *(el.* back), replace sth; *sætte en på* ~ *(fig)* put sby in his place, T tell sby where he gets off; *på sin* ~ *(fig)* appropriate, suitable; *ikke på sin* ~ inappropriate, out of place; *fyldt til sidste* ~ filled to (its utmost) capacity; *søge* ~ look for a job, *(ansøge)* apply for a job; ~ *søges (, tilbydes) (avisrubrik)* situations wanted (, vacant); *tage* ~ *(o: sætte sig)* sit down, take a seat; *tage megen* ~ *(op)* take up much room *(el.* space); *tiltræde sin* ~ enter upon one's duties; *vige -en for* give way to.

plads|agent local agent. -angst agoraphobia.
-besparende *adj* space-saving. -billet seat reserva-
tion. -forhold room, space; accommodation; *have
dårlige ~* be cramped (for room). -hensyn: *af ~*
for reasons of space, to save space. -hund watch
dog. -ledighed vacancy. -loge [centre of the dress
circle]. -mangel lack of room (, space); lack of
accommodation.

plaffe *vb* pop, shoot; *~ ned* pick off. plafferi *(et)*
popping, shooting.

plag *(en -e)* colt.

I. plage *(en -r) (besvær, gene)* nuisance; *(lande-)*
pest, plague, *(bibelsk)* plague *(fx* the plagues of
Egypt); *hver dag har nok i sin ~* sufficient unto the
day is the evil thereof, T it is no use meeting trouble
half-way; *det er mig en ~ at læse den bog* I detest
reading that book.

II. plage *vb (pine)* torture, torment; *(tyrannisere)*
bully; *(besvære)* pester, badger *(fx* with questions,
requests); harass *(fx* a harassed housewife); worry,
trouble; *(med anmodninger etc ogs)* importune, *(om
børn især)* pester *(en om ngt* sby for sth); *~ livet af én*
worry sby to death.

plageri *(et -er) (fortrædelighed)* worry, nuisance;
(anmodninger) importunity; *(børns etc)* pestering.

plageånd tormentor *(fx* his tormentors); *(be-
sværlig)* nuisance, pest; *(kedelig)* bore; *(som anmoder
om ngt)* importunate person, nuisance.

plagiat *(et)* plagiarism; *(efterligning)* imitation.
plagiator *(en -er)* plagiarist. plagiere *vb* plagiarize;
imitate.

plagsom *adj* annoying, tiresome, irksome.

plaid *(en -er)* (travelling-)rug.

plakat *(en -er)* placard, bill, *(især illustreret)*
poster, *(løs)* handbill; *(teater-)* (play)bill; *(etikette)*
label; *(kundgørelse)* public notice; *sætte stykket på
-en* bill the play; *tage stykket af -en* take the play
off.

plakat|fuld tight, drunk (as a lord), T blotto.
-mand boardman, *(m plakater for og bag)* sandwich
man. -opklæber *(en -e)* billsticker. -skrift *(en)*
poster type, extrabold type. -søjle advertising pillar.
-tavle advertisement board, *(amr)* billboard.

plamage *(en -r)* blot, splotch.

I. plan *(en -er)* plan, design, project, *(foreha-
vende ogs)* scheme; *(program)* programme, *(amr)*
program; *(kort)* plan, map; *(køre-)* timetable; *have
-er om at* have plans for -ing, plan to; *lægge en ~*
make a plan; *nære -er om, omgås med -er om* enter-
tain schemes of, meditate, consider.

II. plan *(et -er) (mat., flyvemaskine)* plane;
(niveau) level; *(vinge på fly)* wing; *i ~ med* on a level
with; *døren er i ~ med væggen* the door is flush with
the wall; *i et andet (, i samme) ~* on a different (, on
the same) level; *sætte i andet ~ (fig)* put into the
background.

III. plan *adj* plane, level, flat.

planche *(en -r)* plate.

planere *vb* smooth; *(vej, terræn)* level.

planering *(en)* smoothing; levelling.

planet *(en -er)* planet; *slå ham på -en* knock him
on the head. planetarisk planetary. planetari|um
(et -er) planetarium, orrery. planetby satellite town.
planetoide *(en -r)* planetoid. planetsystem plane-
tary system.

plangeometri plane geometry.

planke *(en -r)* plank; *beklæde med -r* plank.
plankeværk hoarding; *(amr)* billboard.
plankeværkslytter pirate (listener).

plankton *(et)* plankton.

plan|lægge *vb* plan, make plans for; *(påtænke)*
contemplate. -lægning *(en)* planning. -løs *adj* plan-
less, aimless, desultory. -løshed *(en)* aimlessness,
desultoriness, absence of method.

planmæssig *adj (metodisk)* methodical, systema-
tic; ⚔ according to plan; *(efter regulativet)* regular,
regulation; *(efter fartplanen)* schedule(d); *-t adv* me-

thodically, systematically; according to plan, re-
gularly; to schedule. planmæssighed *(en)* method,
regularity.

plantage *(en -r)* plantation; *(frugt-)* orchard.
plantageejer *(en -e)* planter.

I. plante *(en -r)* plant; *en køn ~ (om person)* a
nice specimen.

II. plante *vb* plant *(fx* a tree, a flag); *~ om* re-
plant, transplant; *~ sig* plant oneself *(fx* in front of
sby); *~ ud* plant out.

plante|anatomi plant anatomy. -avl cultivation
of plants. -celle plant cell. -fedt vegetable fat.
-fiber vegetable fibre. -forstening fossil plant.
-føde *(en)* vegetable food. -gift vegetable poison.
-kemi plant chemistry, phytochemistry. -liv plant
life, vegetation, flora. -margarine vegetable mar-
garine. -olie vegetable oil. -pind *(til udplantning)*
dibble; *(til afstivning)* stick, *(tykkere)* stake.

planter *(en -e)* planter.

plante|rige vegetable kingdom. -samfund plant
community. -samling collection of plants; *(herba-
rium)* herbarium. -ske garden trowel. -skole nurs-
ery. -skoleejer nurseryman. -skulptur (piece of)
topiary art. -sygdom plant disease. -trævl vege-
table fibre. -verden *(lands, egns)* flora. -vækst vege-
tation. -ædende herbivorous, *(især om skadelige in-
sekter etc)* plantivorous; *~ dyr* herbivore.

plantning *(en -er) (det at plante)* planting; *(plan-
tage)* plantation.

plantør *(en -er)* planter.

planøkonomi planned economy.

plapre *vb* blab, jabber; *~ efter* repeat parrot-like;
~ ud med let *(el.* blurt) out *(fx* a secret).

plask *(et ~)*, plaske *vb* splash, plop. plask|regn
heavy shower, downpour. -regne: *det -r* it is pouring,
it is raining cats and dogs. -våd
adj drenched, dripping wet, sopping wet.

plasma *(et -er)* plasma.

plaster *(et -re)* plaster; *lægge ~ på ngt* apply a
plaster to sth; *et ~ på såret (fig)* a solatium; *som et ~
på såret (fig)* by way of consolation.

plastic *(et -s)* plastic. plasticitet *(en)* plasticity.
plastik *(en) (kunst)* plastic art; *(gymnastik)* pla-
stic gymnastics; *(lægekunst)* plastic surgery.

plastisk *adj (formfuldendt)* beautifully modelled,
finished; *(let at forme)* plastic *(fx* clay); *~ operation*
plastic operation; *~ træ* plastic wood.

I. plat *subst: ~ eller krone* heads or tails; *slå ~ og
krone om* toss up for.

II. plat *subst: leve af ~* live by one's wits; *slå ~*
swindle.

III. plat *adj (simpel)* vulgar; *~ kort* ♣ plane chart;
det er ~ umuligt it is absolutely impossible.

platan *(en -er)* ♣ plane (tree).

platbor *(et -)* bradawl.

plat-de-menage *(en -r)* cruet-stand.

plateau *(et -er)* plateau, *(afgrænset af bratte skræn-
ter)* table-land.

platfod flat-food. platfodet *adj* flat-footed.

platfodsindlæg arch support.

platform *(en)* platform.

plathed *(en -er)* vulgarity.

platin *(et)* platinum. platin|blond *adj* platinum
blonde. -ræv platinum fox.

platmenage *(en -r)* cruet-stand.

Platon Plato. platoniker *(en -e)* Platonist. pla-
tonisk *adj* Platonic *(fx* love, school).

platte *(en -r)* plaque; *(lille)* plaquette.

plattenslager *(en -e)* swindler, cheat; *(bonde-
anger)* confidence man. plattenslageri *(et -er)*
swindling, cheating; *(enkelt tilfælde)* swindle, fraud;
confidence trick.

plattysk Low German.

plausibel *adj* acceptable, reasonable, *(bestikkende)*
plausible *(fx* excuse, reason).

plebejer *(en -e)*, plebejisk *adj* plebeian.

plebiscit *(et -ter)* plebiscite.

plebs *(en el. et)* the plebs; the mob.
plejader *pl* Pleiad(e)s.
I. **pleje** *(en -r)* care, *(syge-, barne-, ogs)* nursing; *rettens* ~ the administration of justice; *røgt og* ~ care, tending, keeping; *sætte et barn i* ~ place out a child, *(om mindre barn)* put a child (, baby) out to nurse; *sætte en hund i* ~ board a dog *(fx* in a kennel); leave a dog *(fx* with friends).
II. **pleje** *vb (passe)* nurse *(fx* a patient, an influenza), take care of *(fx* oneself); *(hænder, negle)* manicure; *(interesser etc)* cultivate; ~ *sit helbred* take care of oneself; look after one's health; ~ *sin magelighed* make oneself comfortable, study one's own comfort; ~ *omgang med* associate with.
III. **pleje** *vb (være vant til):* ~ *at* be accustomed to, be in the habit of -ing; *han -de at sige* he used to say, he would say; *han -r at gøredet* he usually does it, he makes a practice of doing it; *man -r at gøre det* it is customary to do it, it is usually done; *vi -r ikke at gøre det* it is against our practice to do it, we don't usually do it; *som han -r as* is his wont, as usual, as he usually does; *senere end jeg -r* later than usual.
pleje|barn foster-child; *(adoptiv-)* adopted child. **-broder** foster-brother. **-datter** foster-daughter; *(adopteret)* adopted daughter. **-fader** foster-father. **-forældre** foster-parents. **-hjem** *(hos plejeforældre)* foster-home; *(børnehjem)* children's home, orphanage; *(klinik etc)* nursing-home; *(hvilehjem)* rest home. **-moder** foster-mother; *(på hospital)* head nurse, matron.
plejer *(en -e)* male nurse. **plejerske** *(en -r)* (female) nurse, sick-nurse.
pleje|søn foster-son; *(adopteret)* adopted son. **-søster** foster-sister.
plejl *(en -e)* flail. **plejl|skaft** handstaff of a flail. **-stang** connecting rod; *(amr ogs)* pitman *(pl* pitmans).
plekter *(et, plektre)* plectrum.
plenarforsamling plenary meeting, *(i F N)* General Assembly.
pleno: *in* ~ in full force.
pleonasme *(en -r)* pleonasm.
pleonastisk *adj* pleonastic; *adv* -ally.
I. **plet** *(et)* plateware.
II. **plet** *(en -ter) (snavset sted)* stain, spot, *(misfarvning)* discoloration, *(klat)* blot, *(lille* ~) speck; *(i mønster; på dyrs skind)* spot *(fx* the leopard's spots); *(del af en flade m. afvigende farve)* patch *(fx* a p. of sunlight on the floor; a white p. on the dog's head); *(sygdoms-)* spot; *(sygdoms- på frugt)* speck; *(opstået ved stød på frugt, hud etc)* bruise; *(moralsk)* stain, spot, blemish; *(centrum i skydeskive)* bull's-eye; *(sted)* spot; *en* ~ *jord* a patch of ground, a plot; *rør dig ikke af -ten!* don't stir! *-ter i halsen* an ulcerated throat; *ramme -ten: se (skyde) pletskud; første mand på -ten* first man on the spot; *møde på -ten* be punctual, arrive on the dot; *sætte en* ~ *på hans rygte* stain his reputation; *sætte -ter* stain, make spots, leave stains.
plet|fri *adj* spotless, *(fig ogs)* immaculate. **-middel** stain remover. **-rense** *vb* spot-clean. **-rensning** spot -cleaning. **-skud** *(ogs fig)* bull's-eye; *skyde* ~ hit the bull's-eye, *(fig)* hit the mark.
plette *vb* spot, stain; *(fig)* stain, blemish, sully.
plettere *vb* plate. **plettering** *(en)* plating.
plettet *adj* spotted *(fx* dog), speckled; *(snavset)* stained, soiled; *(om stødt frugt)* bruised.
plet|tyfus typhus fever, spotted fever. **-vand** stain remover. **-varer** *pl* plateware. **-vis** *adv* sporadically, in places, in spots.
pli *(en)* polish, (good) manners.
I. **pligt** *(en -er)* duty; *gøre sin* ~ do one's duty *(imod:* to, by); *han har* ~ *til at* it is his duty to, he is in duty bound to, he is under an obligation to; *en kær* ~ a pleasant duty, a privilege; *en tung* ~ a painful duty. II. **pligt** *(en -er)* ⚓ foresheets.
pligt|aflevering: ~ *af korn* compulsory deliveries of grain; ~ *af tryksager* statutory delivery of publica-

tions. **-anker** *(et, -ankre)* sheet anchor. **-arbejde** *(et -r)* duties, *(neds)* (piece of) drudgery. **-dans** duty dance. **-forsømmelse** dereliction of duty. **-følelse** sense of duty. **-hugger** *(en -e)* ⚓ bow(man). **-hugst** *(en)* compulsory felling.
pligtig *adj* (in duty) bound; *(obligatorisk)* compulsory; ~ *til* (in duty) bound to, under an obligation to; ~ *til at betale £5* liable to pay £5.
pligt|menneske person with a strong sense of duty. **-mæssig** *adj* due, compulsory; *adv* as in duty bound. **-opfyldende** *adj* conscientious. **-opfyldenhed** *(en)* devotion to duty. **-skyldigst** *adv* as in duty bound, dutifully. **-tro** *adj* faithful (to duty), conscientious. **-troskab** conscientiousness. **-visit** duty call. **-åre** ⚓ bow oar.
plimsoller *(en -e)* T coffin ship.
Plinius Pliny *(fx* Pliny the Younger).
plint *(en -e) (fodstykke af søjle)* plinth; *(gymnastikredskab)* (Swedish) box.
plire *vb* blink. **pliren** *(en)* blinking.
plissé *(en, plisseer)* pleat; *(stykke plisseret tøj)* pleating. **plissere** *vb* pleat. **plissering** *(en)* pleating.
plombe *(en -r)* lead seal; *(i tand)* stopping, filling. **plombere** *vb* seal (with lead seals); *(tand)* stop, fill. **plombering** *(en -er)* sealing; *(af tand)* filling.
plotte *vb* plot.
plov *(en -e)* plough, *(amr)* plow; *lægge hånd på -en (ogs fig)* put one's hand to the plough; *bringe under -en* put under (the) plough; *land under* ~ land under the plough *(el.* under cultivation). **plov|fure** *(en -r)* furrow. **-hest** plough horse. **-jern** coulter, *(amr)* colter. **-mand** ploughman; *(om pengeseddel)* T five hundred kroner note. **-skær** *(et -)* ploughshare.
pludder *(et (dynd)* mud, sludge, mire. **pludderbukser** plus fours.
pludre *vb (småsnakke)* chat; *(neds)* chatter; *(om barn)* prattle; *(om kalkun)* gobble; *(om bæk)* babble, chatter. **pludren** *(en)* chatting; chatter; prattle; gobble; babble.
pludselig *adj* sudden, abrupt; *adv* -ly, all of a sudden; *standse* ~ stop short; *vende sig* ~ turn short.
pludselighed *(en)* suddenness, abruptness.
pludskæbet *adj* chubby, jowly.
pluk *(et -)* *(udpluk)* scraps *(pl)*; *ikke et* ~ *værd* not worth a scrap; *jeg forstår ikke et* ~ I don't understand a word. **plukfisk** stewed codfish; *slå en til* ~ make mincemeat of sby.
plukke *vb* pick, gather, *(træfrugt ogs)* pluck; *(fjerkræ)* pluck; *(udplyndre)* fleece, pluck; ~ *af* pick off; ~ *i stykker* pick to pieces; *have en høne at* ~ *med én* have a bone to pick with sby. **plukker** *(en -e)* picker, plucker, *(ogs redskab)* fruit-gatherer. **plukning** *(en) (se plukke)* picking, gathering, plucking; cleaning; fleecing.
plumbudding plum pudding.
I. **plump** *(et - ø udråb)* plop, flop.
II. **plump** *(rå)* coarse, boorish, rude; *(klodset)* clumsy.
plumpe *vb* plump, flop; ~ *ud med hemmeligheden* blurt out the secret; T let the cat out of the bag; spill the beans.
plumphed *(en)* coarseness, rudeness; clumsiness.
plumre *vb* make muddy, make turbid, muddy; ~ *vandet* muddy the water, *(fig)* confuse the issue, spread confusion. **plumret** *adj* muddy, turbid; *en* ~ *kilde (fig)* a doubtful source.
plums! plop! flop!
pluralis *(en)* the plural (number); ~ *majestatis* the plural of majesty.
I. **plus** *(et -ser)* plus; *(fordel)* advantage.
II. **plus** *adv* plus *(fx* 3 plus 4 *(el.* 3+4)).
plusfours plus fours.
pluskvamperfektum the pluperfect (tense).
plutokrati *(et)* plutocracy.
plutonium *(et)* plutonium.
pluviusin *(et)* imitation leather.
plyndre *vb* plunder, pillage, *(ogs mennesker)* rob;

(træ) strip; *(erobret by etc)* plunder, pillage, sack, loot; ~ *en for ngt* rob sby of sth. **plyndring** *(en -er)* plundering, pillage, depredation; sack, loot; *(fig)* spoliation *(fx* of taxpayers). **plyndringstogt** raid, predatory expedition.

plys *(et)* plush. **plysklippe** *vb*, **plysse** *vb: blive -t* get a crew cut.

plædere *vb* plead; ~ *for én* plead sby's cause, *(i retten)* appear for sby.

plæne *(en -r)* lawn. **plæne|klipper** *(en -e)* lawn mower. **-vander** *(en -e)* lawn sprinkler.

pløje *vb* plough; *(amr)* plow; *(et bræt)* tongue and groove; *-de brædder* tongued and grooved boards; ~ *brædder sammen* match boards; ~ *(sig) gennem ngt* plough one's way through sth, *(om bog ogs)* wade through sth; ~ *ned* plough in; ~ *op* plough up. **pløje|jord**, **-land** arable land. **-mark** ploughed field. **pløjning** *(en)* ploughing, *(amr)* plowing; *(af bræt)* tonguing and grooving.

pløk *(en -ke)* peg. **pløkke** *vb* peg; ~ *ned* (T: *skyde ned)* plug. **pløkning** *(en)* pegging.

pløre *(et)* slush, mud. **pløret** *adj* slushy, muddy. **pløs** *(en -e)* tongue.

pneumatisk *adj* pneumatic *(fx* hammer).

pneumoni *(en -er) (med.)* pneumonia.

Po the Po.

pochere *vb* poach; *-de æg* poached eggs.

podagra *(en)* gout, podagra. **podagristisk** *adj* gouty.

I. **pode** *(en -r) (barn)* scion, offspring.
II. **pode** *vb* graft; *(med.: med smitstof)* inoculate. **pode|kniv** grafting-knife. **-kvist** scion. **-voks** grafting-wax.

podi|um *(et -er) (forhøjning)* platform, dais; *(til taler)* rostrum; *(dirigents)* (conductor's) desk.

podning *(en)* grafting; *(med.)* inoculation.

poesi *(en)* poetry, verse. **poesibog** album.

poesiforladt *adj* prosaic.

poet *(en -er) (digter)* poet; T *(natpotte)* jerry. **poetik** *(en)* poetics. **poetisk** *adj* poetic(al).

pogrom *(en -er)* pogrom.

point *(et -s)* point; *(ved eksamen)* mark; *få -s* score points; *vinde på -s* win on points.

pointe *(en -r)* point; *uden* ~ pointless.

pointere *vb* emphasize.

points|beregning calculation of points. **-sejr** victory on points.

pokal *(en -er)* cup. **pokalkamp** cup tie.

poker *(en)* poker. **pokeransigt** poker face.

pokker the devil, the deuce; *det bryder jeg mig* ~ *om* I don't care a damn; *(så) for* ~! *(svagere)* oh, bother! oh, hang it! confound it! *(stærkere)* damn! *fy for* ~! shame! ugh! *han gav* ~ *i fremtiden* he did not care two hoots about the future; *hvad (, hvem, hvorfor)* ~? what (, who, why) the deuce? *det gør han* ~ *ikke* the deuce he does; ~ *er løs* there is the devil to pay; *det var som* ~! well, I'll be blowed! golly! my word! *løbe som bare* ~ run like blazes; *ja det tror* ~ small wonder; ~ *stå i ham!* confound him! *det ligger* ~ *i vold* it's miles from anywhere; *gå* ~ *i vold!* go to blazes! **pokkers** *adj* confounded, damned; *adv* confoundedly, damn(ed); *en* ~ *karl* a devil of a fellow; ~ *dum* damn(ed) silly; ~ *også* hang it! damn! *(se ogs fanden(s))*.

pokulere *vb* carouse. **pokulering** *(en)* carousing.

pol *(en -er) (ogs elekt)* pole *(fx* negative pole).

polak *(en -ker)* Pole.

polar *adj* polar. **polar|cirkel** *se -kreds.* **-egn** polar region; *de nordlige (, sydlige) -e* the arctic (, antarctic) regions. **-ekspedition** *(nord-)* arctic expedition; *(syd-)* antarctic expedition. **-forsker** polar *(el.* arctic, antarctic) explorer. **-forskning** polar exploration. **-hare** *zo* polar hare. **-hav** circumpolar ocean; *det nordlige (, sydlige)* ~ the Arctic (, Antarctic) Ocean. **-is** polar ice.

polarisation *(en)* polarization.

polariseret *adj* polarized.

polar|kreds polar circle; *den nordlige (, sydlige)* ~ the Arctic (, Antarctic) Circle. **-ræv** *zo* arctic fox. **-stjernen** the pole star. **-vinter** polar winter.

polemik *(en)* controversy; polemic; *(som begreb)* polemics. **polemiker** *(en -e)* controversialist; polemist. **polemisere** *vb* polemize, carry on a controversy *(imod:* against). **polemisk** *adj* polemic(al).

Polen *(landet)* Poland.

polere *vb* polish, *(især metal)* burnish; ~ *op* polish up, furbish up; ~ *vinduer* clean windows.

polerer *(en -e)* polisher. **polervoks** wax polish.

polet *(en -ter)* token.

police *(en -r)* policy; *-n lyder på £2000* the policy is for £2000; *tegne en* ~ take out a policy.

poliklinik out-patient's department, policlinic.

polio *(en)* polio. **polioramt** *adj: en* ~ a polio victim.

polisk *adj* arch, sly; *adv -ly.* **poliskhed** *(en)* archness, slyness.

politbureau politbureau.

politi *(et)* police; *-et er efter ham* the police are after him. **politi|advokat** [police official charged with preliminary examinations and the presenting of cases in court]; *(amr omtr:)* district attorney. **-afspærring** police cordon. **-assistent** *(omtr =)* police inspector. **-beskyttelse** police protection. **-betjent** policeman, (police) constable; T cop, nick, copper. **-bil** police car. **-chef** chief of police. **-direktør** commissioner of police. **-gård** police headquarters. **-hund** police dog. **-inspektør** assistant commissioner of police.

politik *(en) (i alm.)* politics; *(en bestemt* ~) policy; *der er gået* ~ *i sagen* the issue has become a political one. **politiker** *(en -e)* politician; *(ofte =)* statesman; *(NB navnlig i U.S.A.* er politician *ofte neds).*

politi|knippel truncheon, baton; *(amr)* night stick. **-kommissær** *(omtr =)* superintendent (of police). **-korps** police force, constabulary. **-læge** police surgeon. **-mand** police officer. **-mester** chief constable. **-opbud** force of police.

politisere *vb (snakke politik)* talk politics; *(give sig af med politik)* dabble in politics.

politisk *adj* political.

politi|skilt policeman's badge. **-skole** police training school. **-stat** police state. **-station** police station; *tage ham med på -en* take him to the police station; T run him in. **-stav** truncheon, baton; *(amr)* night stick. **-styrke** police force. **-tilhold** [restriction imposed by the police]; *han fik et* ~ *om ikke at opholde sig der* he was forbidden by the police to frequent the place. **-vagt** police post, police station; *(betjente)* police guard. **-vedtægt** police regulation(s).

politur *(en -er)* polish.

polka *(en)* polka; *danse* ~ dance the polka.

pollen *(et)* pollen. **pollenanalyse** pollen analysis.

polo *(en)* polo.

polonæse *(en -r)* polonaise.

poloskjorte aertex shirt, (cellular) sports shirt.

polsk *(et & adj)* Polish; *leve på* ~ cohabit; live in sin.

pol|skrue terminal. **-spænding** terminal voltage.

polst|er *(et -re) (hynde)* cushion.

polstre *vb* pad, stuff, upholster; *-de møbler* upholstered furniture. **polstring** *(en)* padding, stuffing, upholstery.

polt *(en -e)* young pig, porker.

poly|andri *(et)* polyandry. **-eder** *(et) (mat.)* polyhedron. **-fon** *adj* polyphonic. **-foni** *(en)* polyphony. **-fonisk** *adj* polyphonic. **-gam** *adj* polygamous. **-gami** *(en)* polygamy. **-glot** *(en -ter)* polyglot. **-gon** *(en -er)* polygon. **-gonal** *adj* polygonal. **-histor** *(en -er)* polyhistor. **-krom** *adj* polychrome. **-kromi** *(en)* polychromy.

Polynesien Polynesia.

polynomi|um *(et -er) (mat.)* polynomial.

polyp *(en -per)* zo polyp; *(med.)* polypus; *-per (i næsen)* adenoids.

poly|teisme *(en)* polytheism. **-teist** *(en)* polytheist.

polyteknik *(en) (omtr =)* technology. **polytekniker** *(en -e)* [student or graduate of a college of engineering]. **polyteknisk** *adj (omtr =)* technological; *Polyteknisk Læreanstalt* [the Technical University of Denmark].

polær *adj* polar; *(om modsætning)* diametrical.

pomade *(en -r)* pomade; *(læbe-)* lip-salve.

pomadiseret *adj* pomaded.

pomerans *(en -er)* bitter orange, Seville orange.

pomerans|fugl zo dotterel. **-skal** bitter orange peel.

Pommern Pomerania.

pommersk *adj* Pomeranian.

pommes frites *pl* chips; *(især amr)* French fried potatoes.

pomp *(en)* pomp; ~ *og pragt* pomp and circumstance.

Pompeji Pompeii. **Pompejus** Pompey.

pompon *(en -er)* pompon.

pompøs *adj* stately, grandiose.

pondus *(en)* weight.

ponton *(en -er)* pontoon; *(flyv)* float. **ponton|bro** pontoon bridge. **-flyvemaskine** float plane.

pony *(en -er)* pony. **ponyvogn** pony chaise.

pop *(subst)* pop.

poplin *(et)* poplin.

popmusik pop music.

popo *(en -er)* behind, bottom.

poppedreng poll (parrot), Polly.

poppel *(en, popler)* ♣ poplar. **poppelpil** *(Populus alba)* white poplar, abele; *(P. nigra)* black poplar.

popularisere *vb* popularize. **popularisering** *(en)* popularization. **popularitet** *(en)* popularity.

populær *adj* popular *(hos:* with).

populærvidenskab popular science.

porcelæn *(et) (stoffet)* porcelain, china; *(genstande af ~)* china, *(især kunst-)* porcelain; *(tallerkener etc af fajance el. ~)* crockery *(fx* there was a good deal of crockery to wash up).

porcelæns|blomst ♣ London pride. **-fabrik** porcelain factory. **-figur** porcelain *(el.* china) figure *(el.* statuette). **-isolator** porcelain insulator. **-jord** china *(el.* porcelain) clay, kaolin. **-maler** china painter. **-maling** china painting.

pore *(en -r)* pore; ♣ pit. **pore|metal** porous metal. **-svamp** ♣ bracket *(el.* shelf) fungus.

porfyr *(en -er)* porphyry.

porno *(en)* pornographic literature, porn, porno. **pornografi** *(en)* pornography.

pornografisk *adj* pornographic; *adv* -ally.

porre *(en -r)* ♣ leek.

pors *(en)* ♣ bog myrtle, sweet gale.

port *(en -e)* gate; *(-åbning, -rum)* gateway; *(i dok, sluse)* gate; *(i skibsside)* port; *(fig)* gateway; *age en på -en* send sby packing.

portal *(en -er)* portal, door.

portbygning gatehouse.

portefølje *(en -r)* portfolio; *minister uden* ~ minister without portfolio.

portemonnæ *(en -er)* purse.

portepée *(en, portepeer)* sword knot.

porter *(en -e) (øl)* stout, porter.

port|fløj leaf (of a gate). **-hvælving** archway.

portier *(en -er)* hall porter.

portiere *(en -er)* door curtain, portière.

portion *(en -er) (part)* portion, share; *(mængde)* lot; *(tilstået ration)* allowance; *(~ mad)* portion *(fx* this fish will make eight portions), *(hvad der gives den enkelte ved bordet)* helping *(fx* may I give you another helping?); *i små -er* little by little, in *(el.* by) instalments. **portions|glas** sherbet glass. **-vis** *adv* in portions, in *(el.* by) instalments.

portner *(en -e)* porter, doorkeeper; *(især i kontorer, boligkompleks & amr)* janitor; *(i skole ofte)*

caretaker. portner|bolig porter's lodge. **-kone** porter's wife; *(se ogs portnerske).* **-loge** porter's lodge.

portnerske *(en -r)* (woman) caretaker, *(amr)* janitress.

porto *(en)* postage; *(taksten)* rate. **porto|forhøjelse** increase of postal rates. **-fri(t)** *adj & adv* post free, free of postage, free of charge. **-nedsættelse** reduction of postal rates.

portræt *(et -ter)* portrait. **portræt|buste** portrait bust. **-galleri** *(ogs fig)* portrait gallery. **-linse** *(fot)* portrait lens. **-maler** portrait painter. **-maleri** portrait painting. **portrættere** *vb* portray.

port|stolpe gatepost. **-tårn** gate tower.

Portugal Portugal.

portugiser(inde) *(en)* Portuguese *(pl -).*

portugisisk *(adj & subst)* Portuguese.

portulak *(en -ker)* ♣ purslane.

portvagt gatekeeper.

portvin port.

portør *(en -er) (jernbane-)* [railwayman in one of the lower income brackets]; *(hospitals-)* hospital porter, hospital orderly.

portåbning gateway.

porøs *adj* porous. **porøsitet** *(en)* porousness, porosity.

I. **pose** *(en -r)* bag; *(under øjnene)* pouch; *(fjer-)* quill, barrel; *snakke rent ud af -n* speak one's mind; *have rent mel i -n* have a good conscience; *man kan ikke få både i* ~ *og i sæk* you cannot eat your cake and have it, you cannot have it both ways.

II. **pose** *(en -r) (attitude)* pose, attitudinizing.

III. **pose** *vb (være for vid)* puff out, swell out, *(om bukser)* bag.

pose|blåt blue; *(i pose)* a blue-bag. **-fuld** *(en -e)* bagful. **-kigger** *(en -e)* Paul Pry, Nosey Parker. **-kiggeri** *(et -er)* prying, snooping.

poset *adj (om tøj)* puffy, *(om bukser)* baggy; *(om hud)* puffy, baggy.

poseur *(en -er)* poseur, windbag.

position *(en -er)* position; *skabe sig en* ~ establish a position for oneself.

positions|liste ♣ position list. **-lys** ♣ position light; *(på bil)* parking-light.

I. **positiv** *(en -er) (gram)* the positive (degree).

II. **positiv** *(et -er) (fot)* positive; *(lirekasse)* barrel organ.

III. **positiv** *adj* positive *(fx* picture, electricity, pole, number), *(virkelig, ogs)* actual *(fx* fact, expenses); *være -t indstillet til forslaget* be in sympathy with the proposal, approve of the proposal, take (up) a sympathetic attitude; *jeg ved det -t* I know it for certain; *-t svar* affirmative answer.

positiv|isme *(en)* positivism. **-ist** *(en -er)* positivist.

positivspiller organ grinder.

positur *(en -er)* pose, posture; *stille sig i* ~ strike an attitude, pose.

possement|arbejde passementerie, trimmings *(pl).* **-mager** *(en -e)* trimming maker.

possessiv *(et -er & adj)* possessive.

I. **post** *(en -er) (vindues-)* (window) post.

II. **post** *(en -e) (pumpe)* pump; *(vandhane)* tap, *(amr)* faucet.

III. **post** *(en -er)* (⚔ *vagt, stilling)* post; *(skildvagt)* sentry; *(blokpost)* block station, signalbox; *(embede, stilling)* post, appointment; *(i bogføring)* entry; *(enkelt punkt i opregning)* item; *(aktie- etc)* block; *forlade sin* ~ ⚔ leave one's post; *fremskudt* ~ ⚔ advanced post, outpost; *udstille -er* post sentries; *politibetjent på* ~ policeman on point duty; *blive på sin* ~ remain at one's post; *stå på* ~ stand sentry, be on guard; *være på sin* ~ *(fig)* be on one's guard *(over for:* against).

IV. **post** *(en) (postvæsen, postbesørgelse)* post; *(breve etc)* post, mail, *(amr oftest)* mail; *(postbud)* postman, *(amr ogs)* mailman; *afgående* ~ outgoing mail; *an-*

kommende ~ incoming mail; *er der* ~ *til mig?* any mail (*el.* post) for me? (*af*)*sende med -en* post, mail, send by post; *med -en i dag* by today's post; *med næste* ~ by the next mail (*el.* post); *pr* ~ by post; *pr omgående* ~ by return of post.
V. post: ~ *festum* too late, very late in the day, a day after the fair.
post|adresse postal address. -adressebog post office directory.
postal *adj* postal.
postament (*et -er*) pedestal.
post|anvisning (*for beløb mellem* 6 *d og* £5) postal order, (*indtil* £50) money order; (*amr: indtil* $10) postal note, (*indtil* $100) money order. -assistent post-office clerk. -befordring (*pr post*) conveyance by post; (*af posten*) transport of mail. -bevis certificate of posting. -bil mail van. -boks post-office box (*fk* P.O. box). -brevkasse = -kasse. -bud postman, (*amr ogs*) mailman. -båd mail boat. -damper mail steamer.
postdatere *vb* post-date.
postdistrikt postal district.
postdistriktbetegnelse district initials.
poste *vb* (*vand etc*) pump; (*sende m posten*) post, mail, (*amr oftest*) mail.
postej (*en -er*) pie; (*lille*) patty.
postekspedition (*brevsamlingssted*) branch post office, sub post office.
postelin T = *porcelæn.*
postere *vb* station, post; (*i regnskab*) post, enter.
poste restante to be called for, poste restante, (*amr*) general delivery.
postering (*en -er*) posting; (*i bøger*) entry, item.
postetat postal service.
postevand tap water, (*spøgende:*) Adam's ale.
post|flag mail flag. -flyvemaskine mail plane. -flyver air-mail pilot. -flyvning air-mail service. -forbindelse postal communication. -forening postal union. -forsendelse postal packet. -frimærke postage stamp. -førende mail-carrying; ~ *tog* (*, skib*) mail train (*, boat*). -gang post; *en* ~ *for sent* too late in the day, a day after the fair. -giro *se giro.* -hemmeligheden the secrecy of the mails. -horn coach horn.
posthum *adj* posthumous (*fx* work).
post|hus post office; *bringe det på -et* take it to the post (office). -håndbog post-office guide.
postil (*en -ler*) book of sermons.
postillon (*en -er*) mail-coach driver; ~ *d'amour* lovers' messenger.
post|kasse letter box; (*fritstående*) pillar box (*NB ikke i* U.S.A.); (*amr*) mail box; *lægge et brev i -n* post (*, amr:* mail) a letter. -kontor post office. -kort postcard; (*amr*) postal card; (*prospektkort*) picture postcard. -kvittering certificate of posting; (*for post-anvisning*) certificate of issue. -mester postmaster, (*kvindelig*) postmistress. -museum postal museum. -nummer post(al) code; (*amr*) zip code. -ombæring delivery. -opkrævning (*blanket*) trade charge form; *pr* ~ C.O.D. (ɔ: cash on delivery, (*amr*) collect on delivery). -ordre mail order. -pakke (*en -r*) (postal) parcel; *som* ~ by parcel post. -rute mail route.
post|scriptum (*et, -scripta*) postscript, P.S.
post|sparekasse post office savings bank; (*amr*) postal savings bank. -stempel postmark; *-stemplets dato* date as postmark. -sæk mail bag. -takst postage rate. -tjenestemand post-office employee. -tog mail train.
postulat (*et -er*), postulere *vb* postulate.
post|vogn (*diligence*) mail coach; (*jernbane-, postbil*) mail van. -væsen mail services, post office (authorities); -*et* (*i England*) the General Post Office; *være ansat ved -et* be a post-office employee.
postyr (*et*) (*uro*) commotion, row; (*anstalter*) fuss.
posør (*en -er*) poseur, windbag.
pot (*en -ter*) (*omtr* =) quart; *halv* ~ (*omtr* =)

pint; *de er* ~ *og pande* they are hand in glove, they are as thick as thieves.
potageske (*en -er*) (soup) ladle.
potaske (*en*) potash.
pote (*en -r*) paw; *giv* ~ (*til hund*) shake hands.
potens (*en -er*) (*mat.*) power; (*avlekraft*) potency, sexual power; (*intensitet*) intensity; *anden* ~ *af et tal* the square of a number; *y i anden* ~ the square of *y*; *y* squared; *i højeste* ~ (*fig*) to the highest degree; *tredje* ~ *af et tal* the cube of a number; *y i tredje* ~ the cube of *y*, *y* cubed; *fjerde* (*, n'te*) ~ *af et tal* the fourth (*, nth*) power of a number; *y i fjerde* (*, n'te*) ~ the fourth (*, nth*) power of *y*; *opløfte til anden* ~ square; *opløfte til tredje* ~ raise to the third power, cube.
potenseksponent (power) index, exponent.
potensere *vb* intensify. potensering (*en*) intensification.
potensopløftning involution.
potent *adj* potent.
potentat (*en -er*) potentate.
potential (*en -er*), potentiel *adj* potential.
potentil (*en -ler*) ♣ cinquefoil.
potentiometer (*et*) potentiometer.
potpourri (*en -er*) potpourri, (*musik ogs*) medley; (*fig*) medley.
I. potte (*en -r*) pot; (*nat-*) chamber (pot), jerry, (*i børnesprog ogs*) pottie; ~ *og pande, se pot; så er den* ~ *ude!* that's an end to that!
II. potte *vb* (*i gartneri*) pot; ~ *om* repot.
pottemager (*en -e*) potter. pottemager|arbejde pottery. -hjul potter's wheel. -ler potter's clay. -værksted pottery, potter's workshop.
potteplante (*en -r*) pot plant, potted plant.
potteskår potsherd.
poussere *vb*: ~ *en frem* push sby on; ~ *sig frem* elbow one's way to the front.
p-pille birth pill; -*n* the pill.
pr. *se per.* Prag Prague.
pragmatisk *adj* pragmatic; *adv* pragmatically.
pragt (*en*) magnificence, splendour; *i al sin* ~ in all its glory.
pragt- magnificent (*fx* magnificent flower, specimen), de luxe (*fx* de luxe edition). pragt|bind de luxe binding. -eksemplar magnificent specimen, beauty, jewel, treasure. -elskende splendour-loving, fond of display. -fuld *adj* splendid, magnificent, gorgeous, glorious. -lilje ♣ agapanthus; (*Gloriosa*) glory lily. -lyst (*en*) love of display. -skær (*en*) ♣ blazing star. -spir (*en*) ♣ astilbe. -stjerne ♣ campion. -stykke (*genstand*) showpiece, T beauty; (*se ogs -eksemplar*).
praj (*et -*) (*råb*) call, hail; (*vink*) warning, hint; *give én et* ~ warn sby.
praje *vb* hail. prajehold: *på* ~ within hail.
prakke *vb*: ~ *en ngt på* palm sth off upon sby.
praksis (*en*) (*i alle betydninger*) practice; *i* ~ (*mods teori*) in practice; *lægen er ude i* ~ the doctor is out on his calls; *føre ud i* ~ put into practice, practise.
praktik (*en*) practice; (*som del af uddannelse*) trainee service (*el.* period); (*seminariefag*) teaching practice, practice teaching. praktikabel *adj* practicable.
praktikant (*en -er*) trainee; (*lærer-*) student teacher; *være* ~ (*med.*) walk the wards.
praktiker (*en -e*) practical man, practician.
praktisere *vb* (*som læge*) practise; (*bruge i praksis*) practise (*fx* p. a rule); put into practice (*fx* put one's ideas into practice); ~ *bort* smuggle away; -*nde læge* (general) practitioner (*fk* G.P.).
praktisk *adj* (*dygtig*) practical; (*hensigtsmæssig ogs*) useful; (*fordelagtig*) profitable; (*mods teoretisk*) practical; *adv* -ly; ~ *talt* practically, for all practical purposes, to all intents and purposes, as good as.
pral (*et*) boasting, bragging.
pralbønne ♣ scarlet runner.
prale *vb* boast, brag (*af:* of); *ikke noget at* ~ *af* nothing to write home about (*el.* to brag about);

~ *med* show off, display, make a show of. **pralende**
adj boasting, bragging; *(prunkende)* ostentatious,
showy. **praleri** *(et -er)* boasting, bragging.
pral|hals, -hans *(en -er)* boaster, braggart.
praliné *(en, pralineer)* praline.
pram *(en -me)* barge, *(lægter)* lighter. **pram|fører,
-mand** bargeman, lighterman, bargee. **-penge**
lighterage.
prange *vb (stråle)* be resplendent; *(handle)* deal
(med: in), hawk, peddle; *(sjakre)* haggle, bargain;
~ *sejl* ♫ crowd sail, carry a press of sail. **prangende**
adj resplendent; *(neds)* showy, gaudy.
pranger *(en -e)* dealer; *(gadehandler)* hawker.
prekær *adj (vanskelig)* precarious; *(pinlig)* em-
barrassing.
prelle *vb:* ~ *af* glance off *(imod:* from); ~ *af på*
(fig) be lost upon.
premiere *(en -r)* first night, first performance.
premiereaften first night, opening night.
premierløjtnant first lieutenant.
premierminister Prime Minister, Premier.
pren *(en -e)* stiletto.
prent: *på* ~ in print. **prente** *vb* write carefully;
-t i min erindring stamped on my memory.
pres *(et)* pressure; *(fig: anspændelse)* strain; *føre* ~
af sejl crowd all sail, carry a press of sail; *lægge* ~ *på*
bring pressure to bear on; put pressure on; *under* ~
under pressure.
presbyterianer *(en -e),* **presbyteriansk** *adj*
Presbyterian.
presenning *(en -er)* tarpaulin.
present *(en -er)* present, gift.
presfoder silage.
presning *(en)* pressing; *(især af bukser)* creasing;
(til krigstjeneste) impressment.
   I. **presse** *(en -r) (redskab til presning, trykkemaskine)*
press; *(pressefolk)* press, pressmen, reporters; *(radio-
avis)* news; *-n (= aviserne)* the press; *få en god* ~
have a good press.
   II. **presse** *vb (trykke sammen, ogs frugter)* press,
squeeze; *(søge at tvinge; trænge ind på)* press; *(tøj)*
press, iron, *(lave pressefolder i)* crease; *(til krigstjene-
ste)* press; ~ *penge af ham* extort money from him;
T soak him; *(om pengeafpresning)* blackmail him;
~ ¹*på* (ɔ: *udøve tryk)* press, *(være presserende)* be
urgent, be pressing; ~ *sammen* compress, squeeze
together; ~ *ham til at gøre det* press him to do it;
-t glas pressed glass.
presse|angreb press attack. **-attaché** press atta-
ché. **-bureau** press bureau. **-fold** *(en -er)* crease;
skarp ~ knife-edge crease. **-folk** pressmen, journal-
ists. **-fotograf** press photographer, cameraman.
-frihed freedom *(el.* liberty) of the press. **-gær**
compressed yeast. **-jern** press iron. **-kampagne**
press campaign. **-konference** press conference. **-kort**
reporter's pass. **-loge** press box. **-meddelelse** *(i pres-
sen)* newspaper announcement, notice; *(til pressen)*
release, T hand-out. **-omtale** *(en)* (press) coverage.
presserende *adj* urgent, pressing.
presse|repræsentant press representative. **-ud-
sendelse** *(radio)* news broadcast.
pression *(en)* pressure. **pressionsgruppe** pressure
group.
prestige *(en)* prestige. **prestige|reklame** insti-
tutional advertising. **-sag:** *det er en* ~ *for ham* it is
a matter of prestige for him. **-tab** loss of prestige;
T loss of face.
pretiosa *pl* valuables.
pretiøs *adj* affected, artificial.
Preussen *se Prøjsen.*
   I. **prik** *(en -ker)* point, dot; *(lille plet, fx i mønster)*
spot; *(på skydeskive)* bull's-eye; ♫ perch, beacon;
-ker og streger (i morse) dots and dashes; *sætte* ~
over i'erne dot one's i's; *sætte -ken over i'et (fig)* give
(it etc) the finishing touch; *på en* ~ to a T, to a
nicety, exactly; *til punkt og -ke* to the letter, in every
particular, exactly.

II. **prik** *(et -) (let stik)* prick.
prikke *vb* dot, *(ogs stikke)* prick; *(perforere)* per-
forate; *(planter)* transplant; *(om -nde fornemmelse)*
tingle, prickle; ~ *huller i* prick holes in; ~ *hul på*
prick a hole in; prick *(fx* a balloon, a blister),
puncture *(fx* an abscess); ~ *til én* be sarcastic at sby's
expense.
   I. **prikken** *(en) (i hud etc)* prickly sensation.
   II. **prikken** *adj* touchy.
prikket *adj (m. pletter)* spotted, *(om linie etc)*
dotted.
prikle *vb (planter)* transplant; ~ *ud* prick out.
priklepind dibble. **prikling** *(en)* transplanting.
prim *(en) (i fægtning)* prime; *(i musik)* unison,
prime; *(tidebøn)* prime.
prima *adj* first-class, first-rate; ~ *kvalitet* top
quality.
primadonna *(en -er) (ved teater)* leading lady;
(ved opera & fig) prima donna.
primadonnanykker: *have* ~ queen it, put on airs.
primas *(en, primater)* primate.
primaveksel first of exchange.
primfaktor *(mat.)* prime factor.
primitiv *adj* primitive. **primitivisme** *(en)* prim-
itivism. **primitivitet** *(en)* primitiveness.
primo: *pro* ~ in the first place, firstly.
primtal prime number.
primula *(en -er)* ♣ primula, primrose.
primus(apparat) ® primus (stove).
primus motor *(en)* prime mover.
primær *adj* primary.
princip *(et -per)* principle; *af* ~ on principle;
efter dette ~ according to *(el.* on) this principle; *i -pet*
in principle.
   I. **principal** *(en -er) (arbejdsgiver)* employer;
(chef for et firma) chief, head, T boss.
   II. **principal** *adj* principal, chief.
principfast *adj* firm *(fx* a firm character), of
principle *(fx* a man of principle).
principiel *adj (fundamental)* fundamental; *(an-
gående principper)* as to principles *(fx* disagreement
as to principles); ~ *enighed* (general) agreement on
fundamentals; *af -le grunde* on grounds of principle;
-le hensyn considerations of principle; *-le indvendinger*
fundamental objections. **principielt** *adv* funda-
mentally, in principle, as a matter of principle.
princip|løs *adj* unprincipled. **-løshed** *(en)* lack
of principle. **-rytter** *(en -e)* doctrinaire, doctrinaire.
-rytteri doctrinarianism. **-spørgsmål** question *(el.*
matter) of principle.
prins *(en -er)* prince. **prinselig** *adj* princely.
prinsesse *(en -r)* princess.
prins|gemal Prince Consort. **-regent** Prince
Regent.
prior *(en -er)* prior. **priorinde** *(en -r)* prioress.
prioritere *vb* mortgage. **prioritet** *(en -er) (forret)*
priority, precedence, *(pant)* mortgage; *have første* ~
i have a first mortgage on.
prioritets|gæld mortgage debt. **-haver** *(en -e)*
mortgagee. **-lån** mortgage loan.
   I. **pris** *(en -er) (i penge) (ved køb, salg)* price,
(krævet betaling ogs) charge, terms; *(for befordring)*
fare; *(belønning, præmie)* prize; *(prismærke)* price
label, price tag, *(prisskilt i vindue)* show card;
bære -en be best; *-en for* the price of, the charge
for, *(præmien for)* the prize for; *for enhver* ~ at any
price, *(fig ogs)* at all costs; *ikke for nogen* ~ not at any
price, *(fig ogs)* on no account; *forlange for høje -er*
charge too much, overcharge; *opgive -en på* quote
(a price) for; *spørge om -en på* ask the price of; *stige
i* ~ go up; *-erne stiger* prices are rising *(el.* going up);
sætte ~ *på* appreciate, value; *sætte en* ~ *på éns hoved*
put a price on sby's head; *til en* ~ *af* at a price of; *til
en høj (, lav)* ~ at a high (, low) price *(el.* rate *el.*
figure); *til nedsat* ~ at a reduced price; *give én til* ~
for fjenden abandon sby to the mercy of the
enemy.

II. **pris** *(en) (lov, ros)* praise; *synge éns ~* sing sby's praises; *til éns ~* in praise of sby.

III. **pris** *(en) (snustobak)* pinch of snuff.

pris|afhandling prize essay. **-afslag** reduction (in price), discount, rebate. **-aftale** *(en -r)* price agreement. **-angivelse** *(en -r)* quotation, statement *(el.* indication) of price. **-belønne** *vb* award a prize to. **-belønnet** *adj* prize *(fx* a prize novel). **-billig** *adj* inexpensive, low-priced.

I. **prise** *(en -r) (opbragt skib)* prize.

II. **prise** ★ praise; *~ én i høje toner* be loud in sby's praise; *~ sig lykkelig* count oneself lucky.

prisedomstol prize court.

priselig *adj* commendable; laudable.

prise|mandskab prize crew. **-penge** prize money.

pris|fald fall in prices, *(pludseligt)* slump. **-forhøjelse** rise in *(el.* of) price(s). **-forskel** difference in price. **-fortegnelse** price list.

prisgive *vb* give up, abandon *(til:* to, to the mercy of); *være -t . . .* be at the mercy of *. . .*

pris|indeks price index. **-klasse** price range *(fx* goods at various price ranges). **-kontrol** price control, price regulation(s). **-kontrolrådet** *(i Engl)* the Price Regulation Committee; *(i U.S.A.)* the Office of Price Administration. **-krig** price war. **-kurant** price current, price list; *(over lønsatser)* schedule of wages. **-lag** *(et -)* price level. **-liste** *(en -r)* price list.

prismatisk *adj* prismatic.

prisme *(et -r)* prism; *(i lysekrone)* drop, crystal. **prisme|kikkert** prism(atic) binoculars. **-krone** crystal chandelier.

pris|nedsættelse reduction in prices. **-niveau** price level. **-notering** quotation. **-opgave** prize subject, *(besvarelse)* prize essay. **-politik** price policy. **-reguleret** *adj* price-regulated; *(ofte =)* controlled. **-seddel** price label, price tag. **-skilt** show card. **-stigning** rise in prices, *(pludselig)'* boom. **-stop** *(et -)* price stop, price freeze. **-svingning** fluctuation in prices. **-tager** *(en -e)* prize winner. **-tal** price index; *(for leveomkostninger)* cost-of-living index *(fx* the c. index rose by 4 points). **-talsreguleret** *adj* index-tied, tied to the cost-of-living index. **-værdig** *adj se* priselig.

privat *adj* private; *adv* privately, in private; *-e* private persons *(fx* sell to private persons); *læse ~* take private lessons.

privat|anliggende private affair. **-audiens** private audience. **-bane** private railway. **-bil** private car. **-bolig** private residence. **-brev** personal letter. **-chauffør** chauffeur. **-detektiv** private detective. **-eje(ndom)** private property. **-formue** private fortune *(el.* means).

privatim *adv* privately, in private.

privat|klinik nursing-home. **-kontor** private office. **-liv** private life, privacy; *-et* private life. **-lærer** private teacher. **-lærerinde** private teacher, *(for mindre børn)* governess. **-mand** private individual *(el.* person). **-nummer** *(tlf)* private number. **-person** = **-mand.** **-ret** civil *(el.* private) law. **-sag** private affair. **-sekretær** private secretary. **-skole** private school. **-undervisning** private lessons. **-vogn** private carriage; *(bil)* private car, *(amr)* private automobile.

privilegere *vb* privilege; *-t fordring* preferential claim. **privilegi|um** *(et -er)* privilege; *(monopol)* monopoly; *(bevilling)* licence; *have ~ på* at have a monopoly of -ing.

pro: *~ anno* per annum; *~ et contra* pro and con; *alt hvad der kan siges både ~ et contra* all the pros and cons; *~ mille* per thousand; *~ persona* each, per head, per person, each person.

probat *adj (virkningsfuld)* effective; *(fortræffelig)* first-rate.

probere *vb (prøve)* try, T have a try (at).

problem *(et -er)* problem.

problematisk *adj* problematic.

problem|barn problem child. **-skuespil** problem play. **-stilling** way of presenting the problem(s).

procedere *vb* plead; *(føre proces)* litigate; *~ en sag* conduct a case; *~ til frifindelse* ask for the case to be dismissed.

procedure *(en -r) (retslig fremgangsmåde)* procedure; *(en sags behandling)* hearing; *(advokatens ~)* pleading; *mundtlig ~* oral proceedings (, pleading).

procent *(en -er)* per cent, p. c., *(amr oftest)* percent; *(procentdel)* percentage; *-er* percentage, *(afgift til forfatter, patenthaver etc)* royalty; *betale -er af* pay a percentage on; *fem ~* five per cent, *(om skattebeløb i Engl ogs)* a shilling in the pound; *hvor mange ~?* how many per cent? *4 -s rente* 4 per cent interest; *4 -s papirer* 4 per cents; *et 100 -s mandfolk* a he-man. **procent|del** percentage. **-sats** rate per cent; percentage. **-vis** *adj & adv* per cent; *~ andel* percentage; *udtrykt ~* expressed in percentages.

proces *(en -ser)* process *(fx* a chemical process, a technical process); *(civil retssag)* lawsuit, action, case, *(kriminel retssag)* trial, case; *(procesordning)* rules of procedure; *anlægge ~* bring an action, take (legal) action *(imod:* against); *føre ~* carry on a lawsuit; *ligge i ~ med* be involved in a lawsuit with; *gøre kort ~* settle the question out of hand; *gøre kort ~ med én* make short work of sby; *processen mod X (civil)* the action against X, *(kriminel)* the trial of X.

proces|omkostninger costs of a lawsuit. **-ret** law of legal procedure.

procession *(en -er)* procession.

producent *(en -er)* producer. **producere** *vb* produce.

produkt *(et -er)* product, *(fabrikat ogs)* manufacture; *(mat.)* product; *-er (især natur-, landbrugs-)* produce. **produkthandler** *(en -e)* scrap merchant, second-hand dealer; T rag and waste dealer, junkman.

produktion *(en -er)* production, *(mængde af producerede varer ogs)* output *(fx* the output of the factory was larger than in 1966); *(forfatters værker)* works. **produktions|apparat** production potential. **-evne** productive capacity. **-middel** means of production. **-nedgang** decline in production. **-omkostninger** cost(s) of production. **-platform** production platform. **-sted** place of production *(el.* of origin).

produktiv *adj* productive.

produktivitet *(en)* productivity.

profan *adj* profane; *(verdslig ogs)* secular *(fx* art, history). **profanation** *(en)* profanation. **profanere** *vb* profane.

profession *(en -er)* occupation; *(håndværk)* trade; *(liberalt erhverv)* profession; *af ~* by trade; by profession. **professional** *(en -s)* professional, T pro.

professionel *adj* professional *(fx* spy, agitator).

professor *(en -er)* professor *(i engelsk:* of English; *ved universitetet:* in *(el.* at) the University). **professorat** *(et -er)* professorship; chair *(i:* of). **professorinde** *(en -r)* professor's wife; *(NB. bruges ikke som titel på engelsk).*

profet *(en -er)* prophet; *en ~ er aldrig agtet i sit fædreland* no one is a prophet in his own country; *(bibl)* a p. is not without honour save in his own country; *de små -er* the minor *(el.* lesser) prophets; *de store -er* the major prophets. **profetere** *vb* prophesy. **profeti** *(en -er)* prophecy. **profetinde** *(en -r)* prophetess. **profetisk** *adj* prophetic(al).

profil *(en -er)* profile; *(snit ogs)* section; *vejens opadrundede ~* the cambering of the road. **profilere** *vb* profile. **profilering** *(en)* profiling; *(profil)* profile, section. **profiljern** sectional iron.

profit *(en)* profit, gain; *med ~* at a profit; *gå af med -ten* get all the benefit; *ren ~* net profit. **profitabel** *adj* profitable. **profitbegær** love of gain. **profitere** *vb* profit *(af:* by). **profitjæger** profit -monger.

proforma *adj* pro forma; *adv* as a matter of form, pro forma. **proformafaktura** pro forma invoice.

prognose *(en -r)* prognosis; *(ikke-med. ogs)* forecast.

program *(et -mer)* programme, *(amr)* program; *(parti- ogs)* platform; *(partis programerklæring)* manifesto; *(trykt ~ for skole, kursus etc)* prospectus; *(til datamaskine)* program(me). **program|chef** programme controller. **-erklæring** manifesto. **-leder** *(radio, TV)* producer.

programmere *vb* program(me); **-t** *undervisning* programmed instruction.

program|meter audience meter. **-musik** programme music. **-mæssig** *adj & adv* according to programme *(el. schedule)*.

programmør *(en -er)* programmer.

program|oversigt *(radio, omtr =)* programme news. **-punkt** item of a programme; *(i partiprogram)* plank of a platform. **-sælger** *(en -e)* programme seller. **-tale** *(en -r)* manifesto (speech).

progression *(en -er)* progression.

progressiv *adj* progressive.

projekt *(et -er)* project, scheme, plan. **projektere** *vb* project, plan.

projektil *(et -er)* projectile, missile; *(gevær-)* bullet. **projektilbane** trajectory.

projektion *(en -er)* projection *(på:* on, to).

projektions|apparat *(lysbilled-)* projector. **-plan** *(et -er) (mat.)* plane of projection.

projektmager *(en -e)* crank.

projektor *(en -er) (til lysbilleder)* (slide) projector.

projektør *(en -er) (især* ✕*)* searchlight, *(til facadebelysning)* floodlight projector; *(teater-)* spotlight; *(på bil)* headlight. **projektør|belysning** *(af bygninger etc)* floodlighting. **-lys** *(på bygninger etc)* floodlight; *(teater-)* spotlight; ✕ searchlight.

projicere *vb* project.

proklama *(et -er)* notice, advertisement for creditors.

proklamation *(en -er)* proclamation.

proklamere *vb* proclaim *(fx* p. him King).

prokrustesseng Procrustean bed.

prokura *(en)* authority to bind the company *(,* firm etc); *meddele* én *~* entitle sby to sign for the firm (etc); *have ~ i firmaet* be authorized to sign for the firm; *pr ~* by procuration, per pro.

prokurator *(en -er)* attorney; *(neds)* pettifogger. **prokuratorkneb** pettifogging.

prokurist *(en -er)* [person entitled to sign for the firm], *(ofte =)* confidential clerk.

proletar *(en -er)* proletarian. **proletariat** *(et -er)* proletariat; *-ets diktatur* the dictatorship of the proletariat. **proletarisere** *vb* proletarianize. **proletarisk** *adj* proletarian.

prolog *(en -er)* prologue.

prolongere *vb* prolong; *(veksel)* renew.

prolongering *(en -er)* prolongation; renewal.

promenade *(en -r)* promenade; *(især ved badested)* parade. **promenade|dæk** promenade deck. **-vogn** *(barnevogn)* folding-pram, push chair, *(amr)* stroller.

promenere *vb* promenade, stroll; *(vise sig med)* parade, display, sport *(fx* a new suit).

promille *(en)* per thousand *(fx* 5 per thousand).

prominent *adj* prominent.

promiskuitet *(en)* promiscuity.

promotion *(en -er)* the conferring of degrees; *(ceremonien)* degree-giving. **promotor** *(en -er)* promoter. **promovere** *vb:* ~ én confer a (doctor's) degree on sby.

prompte *adj* prompt, punctual; *adv* promptly; *ordrer udføres ~* orders receive prompt attention.

pronomen *(et -er)* pronoun.

prop *(en -per) (til flaske)* cork, *(af glas, gummi etc)* stopper; *(til kumme, badekar etc; øre-)* plug; *(elekt sikrings-)* fuse; *(tyk person)* dumpling; *få en ~* (T: *fig)* throw a fit *(fx* he'll throw a fit when he hears it), have a (blue) fit.

propaganda *(en)* propaganda, *(i officielt sprog nu*

oftest) information; *(reklame)* advertising, publicity.

propaganda|maskine propaganda machine. **-minister** minister of propaganda. **-nummer** piece of propaganda, *(reklame-)* publicity stunt. **propagandere** *vb* make propaganda *(for:* for); advertise. **propagandistisk** *adj* propagandist.

propel *(en -ler)* propeller. **propeldrevet** *adj* propeller-driven.

proper *adj* tidy, clean, neat; *-t arbejde* good workmanship. **properhed** *(en)* tidiness, cleanness, neatness.

pro persona *se pro.*

prop|fuld *adj* brimful *(fx* of ideas), packed *(fx* with people). **-mæt** *adj* stuffed, full up.

proponere *vb* propose.

proportion *(en -er)* proportion, *(forhold ogs)* ratio. **proportional** *(en -er & adj)* proportional; *ligefrem (, omvendt) ~ med* directly (, inversely) proportional to, in direct (, inverse) ratio to. **proportionalskat** flat-rate tax. **proportioneret** *adj* proportioned; *vel ~* well-proportioned.

proposition *(en -er): -er (i sport)* conditions.

proppe *vb (sætte prop i)* plug, *(en flaske)* cork; *(stoppe fuld)* cram, stuff; *(presse)* cram, pack, squeeze *(ind i, ned i:* into); *~ sig* gorge (oneself); *~ sig med* cram *(el.* stuff) oneself with.

proppenge *pl* corkage.

proprietær *(en -er)* (large) farmer.

proptrækker *(en -e)* corkscrew.

proptrækkerkrølle corkscrew curl.

propylalkohol propyl alcohol.

pro rata pro rata.

prosa *(en)* prose; *på ~* in prose. **prosadigt** prose poem. **prosaisk** *adj* prosaic; *adv* prosaically; *(på prosa)* in prose. **prosaist** *(en -er)* prose author, prosaist.

proscenium *(et -er)* proscenium.

prosektor *(en -er) (med.)* prosector.

proselyt *(en -ter)* proselyte, convert; *hverve -ter* make proselytes, proselytize.

proskribere *vb* proscribe; *en -t* a proscript.

proskription *(en -er)* proscription.

proskriptionsliste proscription list.

prosodi *(en -er)* prosody.

prospekt *(et -er)* prospectus. **prospektkort** picture *(el.* pictorial) postcard.

prostata *(en)* the prostate.

prostituere *vb* prostitute; *(vanære)* disgrace; *(latterliggøre)* stultify; *~ sig* prostitute oneself, *(gøre sig latterlig)* make a fool of oneself. **prostitueret** *(en)* prostitute. **prostitution** *(en)* prostitution; *(vanære)* disgrace.

protegé *(en, protegeer)* protégé *(hunkøn:* protégée). **protegere** *vb* patronize.

protein(stof) *(et)* protein.

protektion *(en)* patronage; *(neds)* favouritism; *under ~ af* under the patronage of. **protektionisme** *(en)* protectionism. **protektionist** *(en)*, **protektionistisk** *adj* protectionist.

protektor *(en -er)* patron; *(kvindelig)* patroness; *(hist.)* protector. **protektorat** *(et -er)* patronage; *(politisk)* protectorate. **protektrice** *(en -r)* patroness.

protese *(en -r)* artificial limb, *(tand-)* denture.

protest *(en -er)* protest; *nedlægge bestemt ~ imod* protest emphatically against; *under ~* under protest. **protestant** *(en -er),* **protestantisk** *adj* Protestant. **protestantisme** *(en)* Protestantism.

protestere *vb* protest *(imod:* against); *~ en veksel (for manglende betaling)* protest a bill (for non-payment); *lade en veksel ~* have a bill protested.

protestmarch protest march.

protest|møde protest meeting, meeting of protest. **-note** protest note, note of protest. **-skrivelse** letter of protest. **-strejke** protest strike, *(hvor arbejderne forlader arbejdspladsen)* walk-out.

protokol *(en -ler) (regnskabs-)* ledger; *(merk: journal)* journal; *(forhandlings-)* minute book, *(møde-*

eferat) minutes, record; *(diplomatisk)* protocol; *(navneliste)* register; *(klasse- i skole)* school register; *føre -len* keep the record; *(i skole)* mark the register; *føre til -s* enter (in the minute book), *(jur)* take legal cognizance of, take down, **protokolfabrik** ledger factory.

protokollat *(et -er)* entry. **protokollere** *vb* enter, record, register; *(jur) se (føre til) protokol(s).*

protokol|sekretær *(ved domstol)* clerk of the court. **-udskrift** extract from the records.

proton *(en -er) (fys)* proton.

proto|plasma *(et)* protoplasm. **-type** prototype.

provencaler *(en -e),* **provencalsk** *adj* Provençal.

proveniens *(en)* origin, *(især om kunstværk)* provenance.

provenu *(et)* proceeds; *(af skat)* yield.

proviant *(en)* provisions. **proviantdepot** provision depot, stores *(pl);* *(opdagelsesrejsendes)* cache.

proviantere *vb* provision, victual *(fx* a ship); *(forsyne sig med proviant)* take in supplies, provision.

proviantering *(en)* provisioning, victualling.

provianteringshandler *(en -e)* marine-store dealer, ship's chandler.

proviant|forråd stores *(pl).* **-forvalter** ♏ *(i marinen)* paymaster; *(i koffardiskibe)* steward. **-skib** victualling ship.

provins *(en -er)* province; **-en** *(mods hovedstaden)* the provinces. **provins-** provincial. **provins|by** provincial town. **-central** *(tlf)* provincial exchange. **-folk** provincials.

provinsianer *(en -e),* **provinsiel** *adj* provincial. **provins|samtale** trunk call, *(især amr)* long -distance call. **-turné** provincial tour.

provision *(en) (en agents)* commission.

provisions|lønnet *adj* paid on a commission basis. **-salg** sale on commission.

provisor *(en -er)* head dispenser.

provisorisk *adj* provisional.

provisori|um *(et -er)* provisional measure, p. law.

provokation *(en-er)* provocation. **provokatorisk** *adj* provocative; *adv* **-ly.** **provokatør** *(en -er)* instigator, agent provocateur. **provokere** *vb* provoke, instigate.

provst *(en -er)* rural dean; *(regens-)* warden.

provsti *(et)* deanery. **provstinde** *(en -r)* (rural) dean's wife *(bruges ikke som titel i Engl).*

prr! whoa! **pruhest** *(en -e)* gee-gee.

prunk *(en)* show, ostentation, pomp.

prunkløs *adj* unostentatious. **prunkløshed** *(en)* absence of ostentation, unostentatiousness.

prust *(et -),* **pruste** *vb* snort.

prut *(en -ter)* fart.

prutte *vb (tinge)* haggle, bargain, *(amr ogs)* dicker; *(slippe en vind)* fart, break wind; **~ én ned** beat sby down. **prutten** *(en)* haggling, bargaining.

pryd *(en)* ornament; **en ~** for an ornament to; **være en ~ for** adorn; **til ~** ornamental. **pryd-** ornamental *(fx* garden). **pryde** *vb* adorn, ornament, embellish, decorate. **prydelse** *(en -r)* adornment, ornament.

prydplante *(en -r)* ornamental plant.

prügelknabe *(en)* scapegoat, whipping-boy.

prygl *(straf)* flogging; **en dragt ~** a beating, a thrashing, a whipping; **en stor ~** a big strapping fellow. **prygle** *vb* beat, thrash, whip, flog.

pryglestraf corporal punishment, flogging.

præ *(et -er)* (a first with) distinction; *(amr)* summa cum laude.

præcedens *(et -er)* precedent *(for:* for); *danne (, skabe)* **~ form** (, set up) a p.; **uden ~** without precedent, unprecedented.

præcis *adj* precise, exact, accurate, *(punktlig)* punctual; **-(t)** *adv* **-ly;** **~ klokken et** at one o'clock sharp; **klokken er ~ fem minutter over et** it is exactly five minutes past one; **komme ~** be punctual, be on time. **præcisere** *vb* define, state exactly, give a more explicit formulation of; *(påpege)* point out; *(specificere)* specify.

præcision *(en)* precision, exactness, accuracy; *(punktlighed)* punctuality. **præcisions-** precision *(fx* machine, tool, work, bombing).

prædestination *(en)* predestination. **prædestinationslære** *(en)* doctrine of predestination. **prædestinere** *vb* predestinate, predestine.

prædikant *(en -er)* preacher.

prædikat *(et -er)* designation, epithet, title, *(gram)* predicate. **prædikativ** *adj* predicative.

prædikatsled *(et -)* predicate.

prædike *vb* preach. **prædiken** *(en -er)* sermon; *(neds)* lecture; **holde en ~** preach *(el.* deliver) a sermon *(over* on). **prædiker:** **-ens bog** Ecclesiastes.

prædikestol pulpit; *på -en* in the pulpit; *gå op på -en* ascend the pulpit.

prædisponere *vb* predispose *(til:* to).

præfabrikation prefabrication. **præfabrikere** prefabricate.

præfekt *(en -er)* prefect. **præfektsystem** prefectorial system. **præfektur** *(et -er)* prefecture.

præference *(en)* preference. **præference|aktie** preference share. **-stilling** preferential position. **-told** preferential duty.

præfiks *(et -er)* prefix.

præg *(et -)* *(på mønt etc)* stamp; *(karakter)* character, stamp; **bære ~ af** bear the stamp *(el.* impress *el.* mark) of, be characterized by, have a look of; **be marked by;** **sætte sit ~ på** leave one's (, its) mark *(el.* stamp) on.

præge *vb (mønt)* strike; *(sætte sit præg på)* stamp, mark, characterize, leave one's (, its) mark on; **være -t af:** *se (bære) præg (af);* **-t i min erindring** indelibly stamped on my memory.

prægnans *(en)* conciseness, pithiness.

prægnant *adj* concise, pithy.

prægtig *adj* splendid, magnificent, fine.

præjudicere *vb* prejudice.

præk *(et)* nonsense, twaddle. **præke** *vb* preach, *(kedsommeligt)* sermonize, lecture.

prælat *(en -er)* prelate.

præliminær *adj* preliminary.

præludere *vb* (play a) prelude; *(før gudstjeneste)* play a voluntary. **præludi|um** *(et -er)* prelude; *(før gudstjeneste)* voluntary.

præmie *(en -r) (assurance- etc)* premium; *(belønning)* reward; *(prisbelønning)* prize; *(gevinst)* prize *(eksport- etc)* bounty; **første ~** first prize.

præmie|konkurrence (prize) competition. **-liste** prize list. **-obligation** premium bond. **-opgave** prize question, *(i avis etc)* competition.

præmiere *vb* award a prize to.

præmie|skydning shooting-match. **-tager** *(en -e)* prizewinner. **-tyr** prize bull. **-uddeling** prize-giving, distribution of prizes. **-whist** whist drive (with prizes).

præmisser *pl* premises, premisses; *(jur)* grounds *(fx* the grounds of a judgment).

prænumerant *(en -er)* subscriber.

præparand *(en -er)* [student preparing for admission to a college of education].

præparat *(et -er)* preparation *(fx* a chemical p.); *(til mikroskop)* slide.

præparatglas specimen tube; *(til mikroskop)* slide.

præparere *vb* prepare, *(mod fugtighed etc)* dress, impregnate, proof; *(instruere)* prime, *(fx* you will have to prime him in advance), brief.

præposition *(en -er)* preposition.

præpositionsled *(et -)* prepositional group.

prærafaelitisk *adj* Pre-Raphaelite.

prærie *(en -r)* prairie. **prærie|brand** prairie fire. **-hund** prairie dog. **-ulv** coyote. **-vogn** prairie schooner, prairie wagon.

prærogativ *(et -er)* prerogative.

præsens the present (tense); **~ konjunktiv** the present subjunctive; **~ participium** the present participle.

præsens|form present-tense form. **-stamme** *(en -r)* stem of the present tense.

præsent: *have ngt ~* keep sth in mind; remember sth; *jeg har det ikke ~* I can't tell on the spur of the moment.

præsentabel *adj* presentable; *(pæn)* personable.

præsentation *(en)* presentation; *(det at forestille to for hinanden)* introduction *(for:* to); *ved ~ (merk)* on presentation, at sight *(fx* pay a bill at sight).

præsenterbakke *(en -r)* salver.

præsentere *vb* present *(fx* a bill); *(forestille to for hinanden)* introduce *(for:* to), *(mere formelt)* present *(fx* be presented at court); *~ gevær* present arms; *må jeg ~ hr.* Thomson for Dem allow me to introduce Mr Thomson to you, *(mindre formelt)* this is Mr Thomson, *(amr* T) meet Mr Thomson; *~ sig* introduce oneself, *(se ud)* look, *(tage sig godt ud)* look fine.

præservativ *(et -er)* contraceptive sheath.

præservere *vb* preserve. **præserveringsmiddel** preservative.

præses *(en)* candidate (for the doctorate).

præsident *(en -er)* president; *(ved møde)* chairman, president. **præsident|emne** presidential prospect. **-kandidat** candidate for the presidency. **-valg** presidential election.

præsidere *vb* preside *(ved:* at, over), be in the chair. **præsidi|um** *(et -er) (forsæde)* chairmanship; *(bestyrelse)* presidium.

præst *(en -er)* minister of religion; *(især eng statskirke-)* clergyman, *(sogne-)* rector, vicar, T parson; *(skotsk og frikirkelig)* minister; *(katolsk; ikke-kristen)* priest; *(hospitals-, felt-, etc)* chaplain; *-erne* the clergy; *blive ~* take (holy) orders; *gå til ~* be prepared for confirmation; *det går ikke altid så galt som -en prædiker* things are not always as black as they are painted.

præstation *(en -er)* performance, achievement.

præste|bolig, -gård rectory, vicarage, parsonage; (i *Skotland og for frikirkepræst)* manse; *(katolsk)* presbytery. **-gårdsjord** glebe. **-kald** living, benefice. **-kjole** *(kan gengives)* gown, cassock. **-kone** clergyman's wife. **-krave** clergyman's ruff; ♧ oxeye daisy; *zo* plover; *almindelig ~ zo* ringed plover.

præstelig *adj* clerical, priestly.

præstere *vb (udføre)* perform, achieve, do; *(fremskaffe)* produce, furnish, supply; *(yde)* yield; *(udrede)* pay; *~ det utrolige* do wonders.

præste|skab, -stand priesthood, clergy. **-syge** *(en)* clergyman's sore throat. **-vie** *vb* ordain; *blive -t (ogs)* take holy orders. **-vielse** ordination.

præstinde *(en -r)* priestess.

prætendent *(en -er)* pretender. **prætendere** *vb* pretend (to), lay claim to *(fx* I do not p. *(el.* lay claim) to be an expert). **prætention** *(en -er)* pretension. **prætentiøs** *adj* prententious.

præteritum *(et)* the preterite.

prævention *(en) (svangerskabs-)* contraception.

præventiv *adj* preventive; *(med. ogs)* prophylactic; *-t angreb* pre-emptive strike; *-t middel (mod svangerskab)* contraceptive.

Prøjsen Prussia.

prøjser *(en -e)*, **prøjsisk** *adj* Prussian.

I. **prøve** *(en -r)* trial, test, *(ogs = eksamen)* examination; *(på teaterstykke etc)* rehearsal; *(i regning)* proof; *(som aflægges af sanger etc)* audition; *(film-)* (screen) test; *(vare-, kvalitets-)* sample; *(af tekstil, tapet etc, mønster-)* pattern; *(det at prøve tøj)* fitting; *(bevis, eksempel)* proof, sample *(fx* of one's courage); *aflægge ~* submit to a test, *(bestå)* pass a test (, an examination), *(ved teater)* be given an audition, *(ved film)* be given a test; *anstille en ~* make an experiment; *anstille ~ med* test, try; *bestå en ~ (ɔ: eksamen)* pass an examination; *bestå -n* stand the test; *holde ~ (på teater)* rehearse, hold a rehearsal; *holde ~ på et stykke* rehearse a play; *på ~* on trial, *(om vare ogs)* on approval, *(om person)* on probation, on trial; *blive flyttet op på ~ (i skole)* get a conditional remove; *løsladt*

på ~ released conditionally, *(amr)* released on parole; *stille på ~* put to the test, test, try; *hans tålmodighed blev stillet på en hård ~* his patience was severely taxed *(el.* tried).

II. **prøve** *vb (undersøge)* try, test, *(ogs = eksaminere)* examine; *(forsøge)* try, attempt *((på) at gøre ngt:* to do sth); *(prøve i brug)* try, try out; *(tage en prøve af, smage på)* sample; *(teaterstykke etc)* rehearse; *(tøj etc)* try on; *(udsætte for prøvelser)* try; *(erfare, døje)* experience, go through;

~ ad try; *han -de at gøre det* he tried to do it; *prøv at gøre det* try and do it, try to do it; *prøv en gang!* T have a try! *jeg har -t hvad det vil sige* I know what it is *(fx* to be poor); *jeg har -t lidt af hvert* I have been through the mill; I have tried a bit of everything; *~ sig frem* feel one's way; *~ lykken* try one's luck; *det kan du bare ~ på!* you just try! *~ på et skuespil* rehearse a play; *(se ogs prøvende, prøvet)*.

prøve|afstemning test ballot. **-ballon** pilot balloon, *(fig)* ballon d'essai, kite, feeler; *opsende en ~ (fig)* put out a feeler, fly a kite. **-billede** *(fot)* proof. **-bog** *(m. prøver)* sample book. **-boring** trial boring. **-eksemplar** specimen, sample; *(af bog)* specimen copy. **-fart** ⚓ trial trip, trial run. **-film** *(for aspirant)* film test. **-flyve** test, test-fly. **-flyvning** trial flight, test flight. **-hus** *(til forevisning)* show house. **-hæfte** *(et -r)* specimen (copy). **-kasse** sample case *(el.* box). **-klud** *(forsøgskanin)* guinea pig; *jeg vil ikke være ~* I won't be a guinea pig; I refuse to be experimented upon. **-kollektion** collection of samples, sample assortment. **-køre ✳ test**. **-kørsel** *(en)* trial run.

prøvelse *(en -r)* trial, examination, scrutiny; *(fig)* trial. **prøvelsestid** time of trial.

prøveløsladelse *se løsladelse (på prøve)*.

prøve|mobilisering test mobilization. **-måltid** *(med.)* test meal.

prøvende *adj* searching *(fx* a searching glance); *adv* searchingly.

prøve|nummer *(fx af avis)* specimen copy. **-pakke** *(en -r)* sample package. **-regning** *(i skole)* arithmetic test, *(opgaven)* test paper. **-sagkyndig** driving-test examiner. **-sejlads** trial run, trials *(pl)*. **-sending** *(af varer)* trial consignment, trial lot. **-side** specimen page. **-skud** trial shot. **-sprængning** *(af kernevåben)* nuclear test; *forbud mod -er* nuclear test ban. **-sten** *(ogs fig)* touchstone. **-stil** test paper. **-sølv** standard *(el.* hall-marked) silver; *(i England)* sterling silver.

prøvet *adj* tried *(fx* friendship), tested *(fx* steel); *(erfaren)* experienced; *(guld, sølv)* standard, hall -marked; *han er hårdt ~* he has been sorely tried.

prøve|tid *(period of)* probation. **-togt** ⚓ trial cruise. **-tryk** *(typ)* specimen sheet; *(af grafik)* specimen proof. **-tur** trial trip. **-vejning** trial weighing. **-værelse** *(i konfektionsforretning)* fitting-room. **-ægteskab** trial marriage. **-æske** sample box *(el.* case).

prøvning *(en)* trying, testing, examination; *(af tøj etc)* trying on.

pøs *(en -e) (lille lys)* dip; *(lille dreng)* nipper, little fellow; *der gik en ~ op for ham* a light dawned upon him.

P.S. *(fk. f. post scriptum)* P.S.

pseudo- pseudo- *(fx* pseudo-scientific).

I. **pseudonym** *(et -er)* pseudonym, assumed name, pen name, nom de plume.

II. **pseudonym** *adj* pseudonymous.

pst! hey (you)! *(amr)* hi!

psyke *(en -r)* psyche, mind, mentality.

psykiater *(en -e)* psychiatrist. **psykiatri** *(en)* psychiatry.

psykisk *adj* psychic(al); *~ forskning* psychical research.

psyko|analyse *(en)* psycho-analysis. **-analytiker** *(en -e)* psycho-analyst. **-analytisk** *adj* psycho-analytic(al).

psykolog *(en -er)* psychologist. **psykologi** *(en)*

psychology. **psykologisk** psychologic(al); *det -e øjeblik* the psychological moment.

psykopat *(en -er)* psychopath. **psykopat|anstalt** institution for criminal psychopaths. **-forvaring** preventive detention (of psychopaths). **psykopatisk** *adj* psychopathic.

psykose *(en)* psychosis *(pl* psychoses).

psyko|teknisk *adj* psychotechnical *(fx* test). **-terapi** *(en)* psychotherapy. **-tisk** *adj* psychotic.

p. t. pro tem., for the present, at present.

pubertet *(en)* puberty.

pubertetsalder age of puberty.

publicere *vb* publish. **publicist** *(en -er)* writer, *(politisk)* publicist. **publicitet** *(en)* publicity.

publikation *(en -er)*·publication.

publikum *(et) (offentligheden)* the public; *(de tilstedeværende)* the attendance; *(tilskuere)* spectators; *(tilhørere, teater-)* audience. **publikums|succes** hit. **-tække:** *have* ~ have a popular appeal.

puddel *(en, pudler)*, **puddelhund** poodle.

pudder *(et)* powder. **pudder|dåse** powder box; *(lille)* compact. **-kvast** powder puff. **-sukker** *(omtr =)* brown sugar.

pude *(en -r)* cushion; *(hoved-)* pillow; *(til beskyttelse; træde-)* pad. **pude|betræk** cushion case; *(hoved-)* pillow case, pillow slip. **-vår** *(et -)* pillow case, pillow slip; *(bolster)* pillow tick.

pudre *vb* powder; ~ *sig* powder (oneself).

I. **puds** *(et) (på mur)* plaster; *i stiveste* ~ *(:* stadstøj*)* dressed up (to the nines).

II. **puds** *(et -) (påfund)* trick; *spille én et* ~ play a trick on sby, play sby a trick.

I. **pudse** *vb (gøre blank)* polish; *(rense)* clean *(fx* windows); *(fjerne overflødige dele fra)* trim, *(træflade)* smooth; *(lægge kalkpuds på)* plaster; ~ *geværer* clean rifles; ~ *et lys* trim a candle; ~ *næse(n)* blow one's nose; ~ *næse på et barn* wipe a child's nose; ~ *op* polish up, *(pynte på)* smarten up, furbish up, brush up.

II. **pudse** *vb (hidse):* ~ *en hund på én* set a dog on sby; *puds ham!* at him! go for him!

III. **pudse** *vb (narre, snyde)* cheat, take in, trick.

pudse|creme polish. **-grejer** *(pl)* polishing-outfit. **-klud** polishing-cloth, cleaning-rag. **-pomade** polish.

pudserlig *adj se pudsig.*

pudshøvl smoothing-plane.

pudsig *adj* droll, funny; *-t nok* curiously enough.

pudsning *(en) (se* I. *pudse)* polishing; cleaning; trimming, smoothing, plastering.

pueril *adj* puerile. **puerilitet** *(en)* puerility.

I. **puf** *(et -) (skub)* push; *(let, med albuen)* nudge; *(fig)* incentive, stimulus.

II. **puf** *(en -fer) (møbel)* (box) ottoman, pouf(fe); *(på ærme)* puff.

puffe *vb* push, *(let)* nudge, *(kraftigt, for at komme rem)* elbow, thrust; ~ *en i siden* nudge sby.

puffer *(en -e)* buffer.

puf|seng box couch. **-ærme** puff sleeve.

puge *vb:* ~ *penge sammen* hoard up money.

puh! puha! *(af afsky)* ugh! *(af hede)* phew! *(a lettelse)* whew!

pukke: ~ *på (påberåbe sig)* assert, insist on.

pukkel *(en, pukler)* hump, hunch; *(fig, i statistik etc)* bulge, *(overskud)* surplus; *få på puklen* catch it; get it in the neck; *ærgre sig en* ~ *til* fret one's life out.

pukkel|okse *zo* zebu. **-ryg** hunchback. **-rygget** *adj* hunchbacked.

pukle *vb* swot, slog.

puklet *adj* humpy.

puld *(en -e) (på hat)* crown.

pulje *(en -r) (indsatser)* pool.

pullert *(en -er)* ♣ bollard, bitt.

pullover *(en -e)* pullover.

pulpitur *(et -er) (orgel-)* organ loft.

puls *(en -e)* pulse *(fx* rapid, slow, steady, irregular pulse; feel sby's pulse; have one's finger on the pulse of the public); *føle ham på -en (fig)* sound him (out).

pulse *vb (ryge)* puff; *han -de løs på sin cigar* he puffed away at his cigar.

pulsere *vb* pulsate, beat, throb; *byens -nde liv* the human tide *(el.* the throbbing life) of the town.

puls|slag pulsation, throb of the pulse, pulse beat. **-åre** artery.

pult *(en -e)* desk.

pulterkammer lumber room, box room.

pulver *(et -e)* powder; *få et ordentligt* ~ get a dressing-down. **pulver|form:** *i* ~ powdered. **-heks** hag.

pulverisere *vb* pulverize; *(sprænge i småstykker)* blow to bits; *(smadre)* smash up.

pulverkaffe instant coffee.

puma *(en -er) zo* puma.

I. **pumpe** *(en -r)* pump; *på -rne (om skib)* water -logged; *køre på -erne (fig)* be on one's last legs.

II. **pumpe** *vb (ogs = udfritte)* pump; *(fylde med luft)* blow up, pump up, inflate *(fx* the tyres of a bicycle); ~ *op* pump up; ~ *ud* pump out.

pumpeanlæg pumping plant.

pumpernikkel pumpernickel.

pumpe|slag stroke of a pump. **-stang** pump rod; *(håndgreb)* pump handle. **-station** pumping station. **-stok:** *og fanden og hans* ~ and what not, and what have you. **-ventil** pump valve. **-værk** pumping apparatus, pump.

pumpning *(en)* pumping.

pumps *(pl) (sko)* court shoes, *(amr)* pumps.

punch *(en)* punch. **punchebolle** punch bowl.

pund *(et -) (vægt)* 500.45 grammes, *(omtr =)* pound *(som er 453,6 g) (forkortet:* lb., *pl* lb(s).); *(møntenhed)* pound (sterling); *(guldmønt)* sovereign; *(evner)* talent(s); *2* ~ *smør* 2 pounds *(el.* 2 lbs.) of butter; *et* ~ *sterling* one pound sterling, £1; *ågre med sit* ~ make the most of one's talents; *en fem -s seddel* a five-pound note. **pundevis:** *i* ~ by the pound *(fx* sell sth by the pound); *have* ~ *af ngt* have pounds and pounds of sth. **punds|lod** *(et)* pound weight. **-seddel** pound note.

pung *(en -e) (penge-)* purse; *(pose, fx tobaks-; pungdyrs)* pouch; *(testikel-)* scrotum.

pungdyr *zo* marsupial.

punge: ~ *ud (med)* fork out, cough up.

pungrotte *zo* (carnivorous) opossum.

punisk *adj* Punic *(fx* the Punic Wars).

punkt *(et -er)* point; *(prik ogs)* dot; *(henseende)* respect; *(trin i udvikling)* point, stage; *(afsnit, post)* point, item, head; *(i anklage)* count (of an indictment); *dødt* ~ dead centre, *(fig)* standstill, deadlock; ~ *for* ~ point by point; *på alle -er* at all points, in every particular, *(i alle henseender)* in all respects; *han har ret på dette* ~ he is right on this point; *det springende* ~ the crux of the matter; *til* ~ *og prikke* to the letter, in every particular; *hans svage* ~ his weak point; *et ømt* ~ *(fig)* a sore point.

punktere *vb (om ring, bil, cykel)* be punctured, puncture; *(om bilist, cyklist)* have a puncture, *(amr* T) have a flat; *(stikke hul på, ogs med.)* puncture, *(uldk)* prick; *(tegne med prikker)* dot; *jeg (, min cykel) er -t* I have (had) a puncture; *-t linie* dotted line; *-t node* dotted note.

punkterfri *adj* punctureproof.

punktering *(en -er)* puncture; pricking; dotting. **punktforme|t** *adj* punctiform; *-de blodudtrædninger* petechiae.

punkthus tower block.

punktlig *adj* punctual *(med:* in); *adv* punctually. **punktlighed** *(en)* punctuality.

punktskrift *(en)* embossed printing, (the) Braille (system).

punktum *(et -(m)er)* full stop, period, *(amr)* period; *sætte* ~ *for noget* put a stop (, *amr:* a period) to sth; *og dermed* ~ *(ved afslag)* that's flat.

punktur *(en -er) (med.)* puncture, *(af vable etc* pricking.

punktvis *adv* here and there, sporadically.

puns|el *(en -ler)* punch. **punsle** *vb* punch; *(ciselere)* chase.

pupil *(en -ler)* pupil.

puppe *(en -r)* chrysalis, pupa *(pl* pupae). **puppe|-hylster** cocoon. **-stadium** pupal stage.

I. **pur** *(et) (krat)* scrub; *med håret i et* ~ with frizzy hair, *(pjusket)* with rumpled hair.

II. **pur** *adj (ren)* pure *(fx* gold); *(ubetinget)* absolute, flat *(fx* refusal); *(kun)* pure *(fx* malice), sheer *(fx* nonsense).

pure *adv* completely, flatly, point-blank.

puré *(en, pureer)* purée. **purere** *vb* pulp, mash.

purisme *(en -r)* purism. **purist** *(en -er)* purist. **puristisk** *adj* purist(ic).

puritaner *(en -e)* Puritan. **puritanisme** *(en)* Puritanism. **puritansk** *adj* Puritan, *(neds)* puritanical.

purk *(en -e)* little fellow, nipper.

purløg ♧ chive *(oftest i pl:* chives).

purpur *(et)* purple; *(højrød farve)* scarlet, crimson. **purpur|farvet** *adj (blårød)* purple, *(højrød)* scarlet. **-hejre** *(en -r)* zo purple heron. **-kappe** *(en -r)* purple *(robe).* **-rød** *se* -farvet. **-snegl** *zo* dog whelk; murex.

purre *vb (vække)* call, rouse; *han -de op i håret* he ran his fingers through his hair; *hun -de op i hans hår* she ruffled his hair; ~ *ud* call, rouse.

purret *adj (om hår) (naturligt)* frizzy, *(pjusket)* rumpled.

purung *adj* very young.

I. **pus** *(et -) (barn)* chit, mite, *(i tiltale)* ducky, darling.

II. **pus** *(en) (kat)* puss(y).

III. **pus** *(et) (materie)* pus.

pusdannelse suppuration.

pusle *vb (sysle)* potter (about); *(om lyd)* rustle; *(pleje, passe)* nurse; *(gøre i stand)* wash and dress; *jeg hørte det* ~ I heard a rustle; ~ *med* busy oneself with, fiddle with; ~ *om* nurse; ~ *sengen* straighten the bed. **puslebord** drying-table.

pusleri *(et)* pottering; *(lyd)* rustling, faint noise. **puslespil** puzzle, *(sammenlægnings-)* jig-saw puzzle; *lægge et* ~ do a jig-saw puzzle.

pusling *(en -er)* manikin; *(nisse)* goblin; *(barn)* little one, (tiny) tot.

pusselanke *(en -r)* tootsy, tootsy-wootsy.

pust *(et -) (vind-)* puff, breath of air; *(ånde-)* breath; *(antydning)* touch, suggestion; *(hvil)* breathing-spell, breather; *få -en igen* recover one's breath; *tabe -en* get out of breath; T get puffed; *han taber let -en* he is short-winded.

puste *vb* blow, puff *(bort:* away); *(ånde tungt)* pant; *(hvile)* breathe, pause, stop for breath, T take a breather; *(i damspil)* huff; *(tuberkulosepatient)* apply pneumothorax; ~ *glas* blow *(el.* make) glass; ~ *(nyt) liv i* breathe new life into; ~ *op* inflate, puff out, *(forstørre, overdrive)* enlarge, exaggerate; ~ *sig op* blow oneself up, *(fig)* blow oneself out; ~ *på* blow on; ~ *og stønne* puff and blow; ~ *til ilden (fig)* add fuel to the flames; ~ *ud (røg etc)* blow out, puff out, *(slukke)* blow out, *(holde hvil)* breathe, pause, *(rense ved blæsning)* blow (out) *(fx* eggs, gas pipes).

pust|el *(en -ler) (med.)* pustule.

puste|rum breathing-space. **-rør** *(våben)* blowgun; *(legetøj)* pea shooter.

put! chuck chuck!

I. **putte** *(en -r) (høne)* chuck-chuck; *(kælenavn)* ducky.

II. **putte** *vb (anbringe)* put; *(i seng)* tuck up; ~ *i lommen* put in one's pocket, *(ogs fig)* pocket; ~ *i postkassen* post, *(amr)* mail; ~ *sig (i sengen)* snuggle down in bed, *(gå i seng)* go to bed, go to bye-bye; ~ *sig ind til én* nestle against *(el.* close to) sby, snuggle up to sby.

puttehøne chuck-chuck.

pygmæ *(en -er)* pygmy.

pyh! *(på grund af held)* phew! *(på grund af lettelse)* whew! *(med foragt)* pooh!

pyjamas *(en -(ser))* pyjamas, *(amr)* pajamas; *en*

~ a suit of pyjamas; *min* ~ *er blå* my pyjamas are blue. **pyjamas|bukser** pyjama trousers. **-jakke** pyjama jacket.

pykniker *(en -e),* **pyknisk** *adj* pyknic.

pylre *vb:* ~ *om en* fuss over sby, coddle sby. **pylrehoved** coddle. **pylret, pylrevorn** *adj (klynkende)* whimpering, snivelling; *(irritabel)* peevish; *(overdreven omhyggelig)* fussy; *(skrantende)* sickly.

I. **pynt** *(en -er) (næs)* point; *klare -en* weather the point, *(fig)* weather the storm.

II. **pynt** *(en) (stads)* finery; *(besætning)* trimming(s); *(modepynt)* millinery; *(prydelse)* ornament; *(kun) til* ~ purely ornamental.

pynte *vb (smykke)* decorate *(fx* a Christmas tree, a room), dress *(fx* a shop window), deck (out) *(fx* a street with flags); *(dametøj)* trim *(fx* a hat); *(mad)* garnish; *(klæde pynteligt)* dress up, smarten up; *(være pyntelig)* be ornamental, look nice; ~ *i landskabet,* ~ *op* look decorative, look well in the picture; ~ *stuen op* decorate the room; ~ *på* touch up, embellish *(fx* a story), *(udseende)* smarten up; ~ *på regnskaberne* doctor the accounts; ~ *sig* make oneself smart, smarten oneself up; ~ *sig med* adorn oneself with; ~ *sig med titlen leksikograf* affect the title of lexicographer.

pynte|dukke doll. **-forklæde** fancy apron.

pyntelig *adj* neat; *(dekorativ)* decorative.

pyntesyg *adj* too fond of finery.

pyntet *adj (klædt fint på)* dressed up; *(beruset)* plastered. **pyntning** *(en)* decoration.

pyramidal *adj* pyramidal. **pyramidalsk** *adj* colossal. **pyramide** *(en -r)* pyramid; *(af geværer)* pile of arms; *stille geværerne i* ~ pile arms. **pyramide-pyramidal,** pyramid. **pyramideformet** *adj* pyramidal.

Pyrenæerne the Pyrenees. **pyrenæisk** *adj* Pyrenean; *den -e halvø* the Iberian Peninsula.

pyro|lyse *(en) (kem)* pyrolysis. **-lyseværk** pyrolysis works. **-man** *(en -er)* pyromaniac, incendiary; fire raiser; T fire bug. **-manbrand** fire caused by a pyromaniac. **-mani** *(en)* pyromania. **-teknik** pyrotechnics.

pyrrhussejr Pyrrhic victory.

I. **pyt** *(en -ter)* puddle.

II. **pyt!** pooh! *(= vrøvl!)* nonsense! ~ *med det* never mind.

pythagoræisk: *den -e læresætning* the Pythagorean theorem.

pythisk *adj* Pythian.

python *(en -er)* zo python.

pædagog *(en -er)* education(al)ist, *(ofte neds)* pedagogue, *(iser amr)* educator. **pædagogik** *(en)* pedagogy; *(som fag)* education. **pædagogisk** *adj* pedagogic(al), educational; ~ *legetøj* educational toys.

pæderast *(en -er)* pederast. **pæderasti** *(en)* pederasty.

pædiater *(en -e)* pediatrist, pediatrician.

pædiatri *(en)* pediatrics.

pægl *(en -e) (omtr =)* half a pint.

pægle *vb (drikke)* swill *(fx* beer); ~ *den* booze.

pæl *(en -e)* pole, stake, *(stolpe)* post; *(telegraf- etc)* pole; *(telt-, kroket-)* peg; *(til fundamentering)* pile; *(fortøjnings-)* bollard, dolphin; *hele huset (etc) stod på gloende* ~ *(fig)* everything was in a frenzy of excitement; *ramme en* ~ *gennem rygtet* stamp out the rumour.

pæle|bro pile bridge. **-bygning** pile dwelling. **-musling** *zo* common mussel. **-orm** shipworm. **-rod** *(en)* ♧ tap root. **-stik** bowline knot. **-værk** pilework, piling; ✕ stockade.

pæn *adj* nice *(fx* face, dress), *(~ og ordentlig)* neat *(fx* figure, handwriting); *(god)* good, decent, *(ganske god)* pretty good, quite good, fair; *(ærbar, korrekt)* decent, respectable, nice; *(velopdragen)* nice, *(som omsagnsled)* good form *(fx* it is not good form to reach across the table); *(ret stor)* nice, handsome, tidy *(fx* a tidy sum); *(ironisk)* nice, pretty, fine; *det* *er -t af dig* it is very kind of you; *hvor var det -t af Dem at komme* how nice of you to come; *-e menne-sker* respectable (*el.* nice) people; *ren og ~* nice and clean; *han klarer sig rigtig -t* he is doing quite well; *opføre sig -t* behave well; *~ i tøjet, -t klædt* neatly dressed; *-t væsen* good manners.

pæon (*en -er*) ♣ peony.

pære (*en -r*) ♣ pear; (*elektrisk*) (electric) bulb; (*forstand*) headpiece, brains, T noddle; *blød på -n* soft-headed, barmy.

pære|dansk *adj* very Danish. **-formet** pear -shaped, (*lærd ord*) pyriform. **-fuld** drunk as a lord, dead drunk. **-let** *adj* quite easy, as easy as falling off a log. **-træ** pear tree; (*veddet*) pearwood. **-vælling** pear soup; (*sammensurium*) hotchpotch.

pø: *~ om ~* T little by little.

pøbel (*en*) mob, rabble. **pøbel|agtig** *adj* ple-beian, vulgar. **-agtighed** (*en*) vulgarity. **-regimente** mob rule.

pøj! ugh!

pøjt (*et*) (*bras*) trash, bilge; (*drik*) dishwater.

pøl (*en -e*) puddle; *helvedes ~* the bottomless pit.

pølle (*en -r*) (cylindrical) cushion.

pølse (*en -r*) sausage; *bajersk ~* frankfurter, (*varm ogs, amr*) hot dog; *sorte -r* (*svarer til:*) black pudding. **pølse|gilde** sausage feast. **-mager** (*en -e*) sausage maker. **-pind:** *koge suppe på en ~* [get a lot out of next to nothing], (*ofte =*) spin a long yarn about nothing. **-skind** sausage casing, sausage skin. **-snak** nonsense, rubbish. **-vogn** sausage stall, hot-dog stand.

pønitense (*en*) penance. **pønitense-** penitential.

pønse *vb:* *~ på* consider, meditate (*fx* m. revenge), plan (*fx* one's escape); *~ på ondt* be up to mischief.

pøs (*en -e*) ⚓ bucket.

pøse *vb:* *det -r ned* it is pouring (down).

I. på *præp* a) (*oven på, med noget som baggrund eller underlag*) on, upon (*fx* on the ground, floor, wall, ceiling, coast, beach, chair, table; on one's knees; on a bicycle); *~ første sal* on the first floor; *~ side 4* on page 4;
b) (*i, inden for et område*) in; (*om øer*) in (*fx* in the Isle of Wight, in Sicily), (*om små el. fjerne øer*) on, at; (*ved navne på bydele, gader, pladser*) in (*fx* he lives in Oxford Street), (*amr*) on (*fx* he lives on Fifth Avenue); *~ et billede* in a picture; *~ flasker* in bottles; *~ gaden* in the street; *bo ~ en gård* live on a farm; *~ himmelen* in the sky; *~ landet* in the coun-try; *~ marken* in the field; *~ prædikestolen* in the pulpit; *~ slagmarken* on the battle field; *~ et sted* in (*el.* at) a place; *dræbt ~ stedet* killed on the spot; *~ torvet* in the market place; *~ hans værelse* in his room; *~ en øde ø* on a desert island;
c) (*om sted af ringe udstrækning, punkt; stedet, hvor noget sker, adresse etc*) at; *~ ballet* at the dance; *bo ~ et hotel* stay at a hotel; *~ en kafé* at a café; *~ kontoret* at (*el.* in) the office; *~ stationen* at the station;
d) (*mål for bevægelse*) at (*fx* look at, shoot at; knock at the door), on (*fx* drop sth on the floor), into (*fx* put sth into a bottle, go out into the country), to (*fx* go to the (post) office, to the sta-tion, to market);
e) (*tiden, der medgår; tiden, inden for hvilken noget sker*) in; *~ mindre end 5 minutter* in less than 5 min-utes; *~ dronning Elisabeths tid* at the time (*el.* in the days) of Queen Elizabeth;
f) (*tidspunkt*) at, (*dato, dag*) on; *~ denne tid af året* at this time of the year; *~ en søndag* on a Sunday; *~ søndag* next Sunday, on Sunday (next); this coming Sunday;
g) (*måde*) in; *~ denne måde* in this manner (*el.* way);
h) (*gentagelse*) after (*fx* shot after shot);
i) (*beskrivelse, samhørighed*) of (*fx* a sum of £10; a farm of 100 acres; a girl of ten (years); the roof of the house; the leaves of the trees; he was captain of the "Eagle");
j) (*begrænsning; mht*) in (*fx* blind in one eye; ill

in body and mind); *være rig ~* be rich in, abound in;
k) (*sprog*) in (*fx* in Danish, in English);
l) (*andre tilfælde:*) *~ betingelse af at* on condition that; *~ ferie* on (a) holiday; *gå ~: se gå; gå løs ~* go for, rush at; *omkring ~ markerne* about the fields; *jeg har ingen penge ~ mig* I have no money about (*el.* on) me; *rygtet har intet ~ sig* the rumour is without foundation; *~ én nær* except one; *ud ~ landet* (out) into the country; *skrive ~* (⊃: *forfatte*) *en bog* be writing a book; *spille ~ fløjte* play the flute.
II. **på** *adv* on (*fx* the lid is not on); (*se de verber hvormed ~ forbindes*); *med frakke ~* wearing a coat, with a coat on.

påanke *vb* (*jur*) appeal against; *~ en dom* appeal against a sentence (*til:* to).

på|begynde ★ begin, commence, start. **-begyn-delse** (*en*) beginning, commencement, start.

påberåbe ★: *~ sig* allege, plead, refer to.

påberåbelse (*en*) plea; *under ~ af* pleading.

påbud (*et* -) order, command. **påbudstavle** mandatory sign.

påbudt *adj* prescribed, compulsory; (*reglemen-teret*) regulation. **påbyde** *vb* order, command.

pådrage: *~ sig* incur, (*sygdom*) catch, contract; *~ sig gæld* contract (*el.* incur *el.* run into) debt.

pådutte: *~ en ngt* impute sth to sby; T put sth on to sby.

pådømme ★ judge (*fx* a case), decide (*fx* a dis-pute). **pådømmelse** (*en*) judgment, decision, ad-judication.

påfaldende *adj* striking, remarkable, extraordi-nary; (*mærkelig*) strange; *~ tit* with remarkable frequency, markedly often.

påfugl *zo* peacock, peafowl, (*hun*) peahen.

påfugle|fjer peacock feather. **-han** (*en -ner*) (male) peacock. **-høne** (*en -r*) peahen.

påfund (*indfald*) idea; (*lune*) whim, fancy; (*op-digt*) fabrication; (*opfindelse etc*) invention; (*tingest*) contraption, gadget.

påfylde ★ fill (up) with; (*på flaske*) bottle, (*på fad*) cask, barrel; *~ benzin* fill up; *~ kedlerne* (= *føde k.*) feed the boilers. **påfyldning** (*en*) (*se påfylde*) filling; bottling; casking, barrelling; feeding.

påfølge *vb* follow, ensue. **påfølgende** *adj* fol-lowing, next, ensuing; (*senere*) following, subse-quent; (*deraf følgende*) consequent, resulting; *med ~ middag* with a dinner to follow.

påføre ★ (*indføje*) insert in, (*tilføje*) add to, supply with; (*forårsage*) cause (*fx* sby a loss); (*anbringe på*) put on, apply to; *~ én krig* force (*el.* inflict) a war on sby; *-s éns regning* be charged to sby's account, be put on sby's bill; *~ én smitte* infect sby; *~ én udgifter* put sby to expense.

pågribe arrest, apprehend, seize.

pågribelse (*en*) arrest, apprehension.

pågældende *adj* in question, concerned (*NB sæt-tes efter substantivet, fx:* the firm in question, the firm concerned); *den ~* the party (*el.* person) con-cerned; *det ~ tilfælde* the case in question.

pågående *adj* aggressive, pushing, importunate; (*geskæftig*) officious. **pågåenhed** (*en*) aggressiveness, importunity; officiousness.

påhit (*en*) *se påfund*.

påholdende *adj* close(-fisted).

påholdenhed (*en*) close-fistedness, closeness.

påhvile *vb* rest with, lie with, be incumbent on, (*om udgifter*) be chargeable to, fall on.

påhæng (*et*) (*besværlig person*) hanger-on; (*fa-milie etc*) encumbrances. **påhængs|motor** (*på båd*) outboard motor. **-vogn** trailer.

påhør (*et*): *i hans ~* in his presence, in front of him (*fx* don't swear in front of the children).

påhøre ★ listen to, hear; *som forsamlingen påhørte stående* which the assembly received standing.

påkalde ★ (*anråbe*) call upon, invoke; (*bede om*) beseech, entreat (*fx* sby's protection); (*kræve*) de-mand; *~ ens opmærksomhed* attract sby's attention.

påkaldelse *(en)* invocation, *(bibelsk)* supplication; entreaty.

påkende ★ decide. **påkendelse** decision.

påklistre *vb* paste on (to), stick on (to), attach (to); *(fig)* superimpose (on); *virke -t (fig)* have the effect of something superimposed.

påklæde ★ dress. **påklæder(ske)** *(en)* dresser.

påklædning *(en -er)* dressing; *(dragt)* dress, clothes, *(litterært)* attire; *tvangfri* ~ informal dress, day dress; *være længe om sin* ~ take a long time to dress.

påklædnings|dukke *(papirdukke)* cut-out doll. **-værelse** dressing-room.

påklædt *adj* dressed *(fx* fully dressed); *let* ~ lightly clad; *(afklædt)* scantily clad; *varmt* ~ warmly clad.

påkomme *vb* come over, seize; *der påkom mig en stærk lyst til at* I was seized by a great desire to; *i -nde tilfælde* should the occasion arise, if necessary; *(i nødstilfælde)* in an emergency.

påkrav claim, demand. **påkrævet** *adj* required, necessary; *(stærkt ~)* imperative, urgent.

påkære *vb* appeal against *(fx* a sentence).

påkøre ★ *(køre imod)* run into, *(svagere)* bump into; *(støde sammen med)* collide with; *(køre over)* run over, run down. **påkørsel** *(sammenstød)* collision; *(det at køre over)* running over.

pålandsvind on-shore wind, sea wind.

pålidelig *adj* reliable, dependable, trustworthy; *(sandru)* truthful; *(om efterretning)* reliable, authentic; *(om referat etc)* faithful; *fra* ~ *kilde* on good authority, from a reliable source. **pålidelighed** *(en)* reliability, dependability, trustworthiness; truthfulness; authenticity; faithful character.

påligne *vb* assess. **påligning** *(en)* assessment.

I. **pålydende** *(et -r)* *(af pengeseddel,* obligation etc) denomination *(fx* two banknotes of the same d.); *(modsat markedskurs)* nominal *(el.* face) value.

II. **pålydende** *adj:* ~ *værdi* = I. *pålydende*.

pålæg *(et -)* *(forhøjelse)* increase, rise, *(amr)* raise *(på:* of, in); *(befaling)* injunction, order; *(på brød)* meat (, cheese, etc) laid on bread and butter, *(smørepålæg)* sandwich spread; *han fik* ~ *om at* he was ordered to; *med* ~ *om at* with orders to.

pålægge *vb* lay on, put on, place on, apply; *(afgift, pligt)* impose *(fx* a duty on sby); *(befale)* order *(fx* order sby to do sth); ~ *én diskretionspligt* enjoin secrecy on sby; ~ *sig tvang* put a restraint on oneself; *det blev ham pålagt at* he was ordered to. **pålæggelse** *(en)* laying on; imposition.

pålægger *(en -e)* *(typ)* layer-on, feeder.

pålægs|forretning delicatessen shop. **-gaffel** serving-fork. **-(skære)maskine** (meat) slicer, slicing -machine.

påløben *adj: påløbne omkostninger* expenses incurred; *påløbne renter* accrued interest, *(over flere terminer)* accumulated interest. **påløbende** *adj: den* ~ *rente* the accruing interest.

påmale *vb* paint on.

påminde *vb* *(formane)* admonish; *(minde)* remind *(om:* of); *(advare)* warn. **påmindelse** *(en -r)* admonition; reminder; warning, reprimand.

påmontere *vb* fit on.

påmønstre *vb* ⚓ sign on.

påmønstring *(en)* ⚓ engagement, signing on.

pånøde ★: ~ *en ngt* press *(el.* force) sth on sby.

påpasselig *adj* *(samvittighedsfuld)* careful *(med:* about); *(årvågen)* vigilant, watchful; *(økonomisk)* careful, thrifty. **påpasselighed** *(en)* care(fulness); vigilance, watchfulness; care, thrift.

påpege *vb* point out, call attention to. **påpegende** *adj (gram)* demonstrative *(fx* pronoun).

påregne *vb* count on, reckon on, expect.

pårørende *(en -)* relative, relation; *deres nærmeste* ~ their nearest relations; the next of kin.

påse *vb:* ~ *at* see (to it) that, take care that.

påsejle *vb* run into, run foul of, collide with.

påsejling *(en)* collision.

påske *(en)* Easter; *(jødisk)* Passover; *i -n, til* ~ at Easter. **påske|aften** Easter Eve. **-bryg** *(en -)* Easter brew. **-dag:** *første* ~ Easter Day, Easter Sunday; *anden* ~ Easter Monday. **-ferie** Easter holidays, Easter vacation. **-helligdag** Easter holiday. **-lam** *(et -)* *(jødernes)* paschal lamb; *(naivt menneske)* young innocent, lamb. **-lilje** ⚘ daffodil. **-morgen** Easter Morning. **-søndag** Easter Sunday. **-tid** Easter. **-ugen** Easter week. **-æg** Easter egg. **-øen** Easter Island.

påskrift *(en)* inscription; *(adresse)* address; *(påtegning)* endorsement; *(på flaske etc)* label.

påskrive: *få både læst og påskrevet* be hauled over the coals, be ticked off, be given a good telling off.

påskud *(et -)* pretext, pretence, excuse; *under* ~ *af* under the pretence *(el.* pretext) of, on the plea of; *under* ~ *af at* on the pretext that.

påskynde ★ hasten, quicken, accelerate.

påskønne *vb* appreciate; *blive -t efter fortjeneste* be properly appreciated. **påskønnelse** *(en -r)* appreciation. **påskønnelsesværdig** *adj* commendable.

påsmøre *vb* apply *(fx* apply the paint evenly), *(ngt fedtet)* smear on; *(besmøre)* coat, smear *(med:* with).

påsprøjte *vb* spray with *(fx* s. the surface with paint); spray on *(fx* s. paint on the surface).

påstand *(en -e)* assertion, allegation; *(erklæring)* declaration; *(krav)* claim *(på:* for); *tage sagsøgerens* ~ *til følge* find for the plaintiff.

påstemple *vb* stamp on.

påstryge *vb* coat with *(fx* c. wood with paint), apply *(fx* a. the paint carefully).

påstå *vb* *(hævde)* assert, claim, *(med tvivlsom ret)* allege; *(erklære)* declare; *(fastholde)* maintain, insist; *(kræve)* claim; ~ *sig frifundet* plead not guilty. **påståelig** *adj* obstinate, stubborn, T pig-headed. **påståelighed** *(en)* obstinacy, stubbornness.

påsy *vb* sew on; *-et lomme* patch pocket.

påsyn: *i hans* ~ in his presence, before him; *i alles* ~ in public, publicly.

påsætte *vb* put on, fix, mount; *med påsat bajonet* with fixed bayonet(s); *ilden er påsat* it is arson, the house (etc) has been deliberately set on fire.

påtage *vb:* ~ *sig* undertake *(fx* the responsibility for sth, a task, too much), take on; *(mine, væsen)* assume, put on *(fx* put on an innocent air); ~ *sig skylden* take the blame. **påtaget** *adj* assumed, put -on; *under* ~ *navn* under an assumed name; *have et* ~ *væsen* be affected.

I. **påtale** ★ *(klage over)* complain of, *(kritisere)* criticize, protest against.

II. **påtale** *(en)* *(indsigelse)* protest; *(anklage)* action; *offentlig* ~ public prosecution.

påtale|frist limitation period. **-myndighed** *(en)* prosecuting authority. **-ret** *(en)* right to take proceedings.

påtegne *vb* endorse; *(attestere)* certify; *(visere)* visa; *(underskrive)* sign; *-t broderi* traced needlework. **påtegning** *(en -er)* endorsement; certificate; visa; signature; *(tilføjelse)* note.

påtryk|ke ★ impress on, imprint on *(fx* impress a mark on sth); *konvolut med -t adresse* envelope with printed address; *varer -t fabrikantens navn* goods stamped with the maker's name.

påtrængende *adj (om person)* obtrusive, importunate, *(uafviselig)* urgent, pressing; ~ *nødvendig* urgent, urgently necessary; ~ *nødvendighed* urgent necessity. **påtrængenhed** *(en)* obtrusiveness, importunity.

påtvinge *vb:* ~ *én ngt* force sth on sby; *den tanke påtvang sig ham* that idea forced itself upon him.

påtænke ★ contemplate, think of; ~ *at besøge én* contemplate visiting *(el.* a visit to) sby, think of visiting sby. **påtænkt** *adj* contemplated, in contemplation *(fx* the contemplated visit, the visit in contemplation), projected.

påvirke *vb* *(udøve påvirkning på)* influence *(fx* Shaw was influenced by Ibsen); *(virke på)* affect *(fx* the climate affects their health), act on; *ikke lade sig ~ af* remain unaffected by, be proof against.

påvirkelig *adj* susceptible to influence, impressionable; *let ~* easily influenced *(af:* by), very impressionable.

påvirket *adj* influenced, affected; *(af spiritus)* under the influence of drink, intoxicated.

påvirkning *(en -er)* influence; action *(fx* exposed

to the action of the air); *under ~ af* influenced by, under the influence of.

påvise ★ point out, show; *(gøre indlysende)* demonstrate, prove, establish, show; *(tilstedeværelsen af,* i *kem forbindelse)* detect, show the presence of.

påviselig *adj* provable, demonstrable; *uden nogen ~ grund* for no apparent reason.

påvisning *(en) (se påvise)* pointing out; demonstration, proof; detection.

Q

Q, q *(et -'er)* Q, q; *quinde med ~* womanly woman.
qua *(conj)* qua, as, in one's capacity of.
quartier latin *(i Paris)* the Latin Quarter.
quasi- quasi- *(fx* quasi-scientific).

quickstep *(en -s)* quickstep.
quilte *vb* quilt.
quisling *(en -er)* quisling.
quiz *(et)* quiz.

R

R, r *(et -'er)* R, r.
R. *fk f Rex, Regina* R. *(fk f Rex, Regina).*
rabalder *(et)* noise, *(postyr)* commotion, row, **T** hullabaloo. **rabaldermøde** tumultuous meeting.
rabarber *(en)* rhubarb. **rabarber|dråber** *(pl)* tincture of rhubarb. **-grød** *(omtr =)* stewed rhubarb. **-stilk** rhubarb stalk, stick of rhubarb.
I. **rabat** *(en) (merk)* discount *(på ngt* on sth); *give ~* allow a discount; *give 2 % ~* allow *(el.* grant *el.* give) a 2 per cent discount; *~ mod kontant betaling* discount for cash.
II. **rabat** *(en -ter) (vejkant)* side, verge, shoulder; *(i have)* border; *(på uniform)* facing.
rabat|hæfte *(bus- etc)* book of tickets. **-kort** *(bus- etc)* [ticket coupon]. **-mærke** trading-stamp.
rabbiner *(en -e)* rabbi.
rabiat *adj* rabid. **rabies** *(en)* rabies.
rable: *~ af sig* rattle off *(fx* a speech); *det -r for ham* he is going off his head.
rabulist *(en -er)* demagogue, agitator.
rabundus: *gå ~* go to the dogs, *(fallit)* be ruined, **T** go bust.
race *(en -r)* race, breed; *(menneske-)* race; *af ren ~* thorough-bred. **race|adskillelse** racial segregation. **-ansigt** thorough-bred *(el.* aristocratic) face. **-biolog** racial biologist. **-biologi** racial biology. **-biologisk:** *~ spørgsmål* question of racial biology; *~ undersøgelse* study in racial biology. **-blanding** mixture of races, *(det at)* miscegenation. **-diskrimination** racial discrimination. **-fanatiker** racist. **-fordom** racial prejudice. **-had** racial hatred. **-hest** blood -horse, thoroughbred. **-hund** pure-bred dog. **-hygiejne** eugenics. **-hygiejnisk** *adj* eugenic. **-kamp** racial struggle. **-kendetegn** racial characteristic. **-optøjer** race riots. **-problem** racial problem. **-præget** *adj* thorough-bred, *(aristokratisk)* aristocratic.
racer *(en -e) (om bil, cykel)* racer.
raceren *adj* thorough-bred, pure-bred.
I. **rad** *(en -e) (krabat)* fellow; *en skør ~* a crazy fellow; *en snu ~* a sly fox.
II. **rad** *(en -er) (række)* row, line; *(om rækker bag hinanden, fx* i *teater)* tier; *(af perler)* string, row; *-en kommer snart til dig* it will soon be your turn; *i ~, på ~* in a row; *tre dage i ~* three days running *(el.* on end).

radar radar. **radar|afstandsbestemmelse** range resolution. **-anlæg** radar installation. **-modtager** radar receiver. **-skærm** radar screen.
radbrække *vb* maim; *(som straf)* break on the wheel; *(et sprog)* murder; *jeg føler mig helt -t* I am aching all over.
radere *vb (et billede)* etch; *(slette)* erase.
radergummi (ink) eraser.
radering *(en -er) (billede)* etching; *(udkradsning)* erasure.
rader|kniv eraser. **-nål** etching-needle. **-vand** ink eradicator. **-viskelæder** ink eraser.
-radet -rowed *(fx* six-rowed barley); *(om jakke etc)* -breasted *(fx* single-breasted, double-breasted).
radial- radial *(fx* drill, nerve, turbine).
radiator *(en -er)* radiator.
radikal *adj* radical, thorough-going; *(tilhørende det danske radikale parti, kan gengives)* Social-Liberal.
radikalisme *(en)* radicalism. **radikalt** *adv* radically, thoroughly; *gå ~ til værks* strike at the root of the matter, adopt drastic measures.
radio *(en)* wireless, radio; *(amr)* radio; *(se ogs radio|apparat, -station); høre ~* listen to the wireless; *i ~* on *(el.* over) the w., on the air; *høre ngt i ~* hear sth on the wireless; *udsende i ~* broadcast; *pr ~* by radio, by wireless.
radio|aktiv radioactive; *-t støv* radioactive *(el.* atomic) dust; *nedfald af -t støv, ~* spredning atomic fall-out; *~ stråling* radiation. **-aktivitet** radioactivity. **-anlæg** radio *(el.* wireless) installation. **-antenne** (wireless) aerial. **-apparat** wireless (set), radio (set), (wireless) receiver. **-avis** news (bulletin). **-bearbejdelse** radio version. **-bil** *(til forlystelse)* dodgem; *(politiets)* radio car. **-brev** radio letter. **-bølge** radio wave.
radiofoni *(en)* broadcasting; *(institution)* broadcasting service; *(i Engl)* the B.B.C. *(fk f* the British Broadcasting Corporation), *(i U.S.A.)* broadcasting company. **radiofonibygning** broadcasting house. **radiofonisk** *adj* wireless; *adv* by radio, by wireless. **radiofonistation** broadcasting station.
radio|forbindelse wireless communication; *få ~ med* get in touch with by wireless. **-foredrag** wireless talk. **-forhandler** radio dealer. **-forretning** radio shop. **-forstyrrelse** interference, *(fra atmosfæren)* atmospherics. **-fyr** *(et -)* radio beacon.

-gram *(et -mer) (telegram)* radiotelegram. **-gram-mofon** radiogram; *(amr)* radiophonograph. **-huset** *(svarer i Engl til)* Broadcasting House. **-ingeniør** wireless engineer. **-installation** wireless installation. **-installatør** wireless apparatus installer. **-isotop** radio isotope. **-koncert** broadcast concert. **-lampe** (wireless) valve; *(amr)* tube. **-licens** wireless licence.
radiolog *(en -er)* radiologist. **radiologi** *(en)* radiology. **radiologisk** *adj* radiological.
radio|lytter listener. **-mast** wireless mast. **-modtager** *se -apparat*. **-orkester** radio orchestra. **-pejle-apparat** radio direction finder. **-pejling** radio direction finding. **-program** radio programme. **-reklame** radio advertising; *(udsendelse)* commercial. **-reportage** running commentary *(fx* on a football match). **-roman** (radio) serial; *udsende som* ~ serialize. **-rør** *se -lampe*. **-sender** (radio) transmitter. **-skopi** *(en)* radioscopy. **-spole** *(en -r)* wireless coil. **-spredning** broadcasting. **-station** radio station. **-styret** *adj* radio-controlled, radio-guided. **-tale** broadcast address. **-tekniker** *(en -e)* radio engineer. **-telefoni** wireless telephony, radio telephony. **-telefonisk** *adj* radio-telephonic. **-telefonist** wireless telephonist. **-telegraf** wireless telegraph, radio telegraph. **-telegrafere** wireless, radio; ~ *til en* wireless sby. **-telegrafi** wireless telegraphy, radio telegraphy. **-telegrafisk** *adj* radio-telegraphic, wireless. **-telegrafist** wireless operator; ⚓ T sparks. **-telegram** radiotelegram, wireless message. **-terapi** radiotherapy. **-tilbehør** radio accessories. **-udsendelse** broadcasting, wireless *(el.* radio) transmission; *(den enkelte)* broadcast. **-vogn** *(til optagelse)* recording -car; *(politiets)* radio car.
radise *(en -r)* ⚘ radish.
radium *(et)* radium. **radium|behandling** radium treatment. **-holdig** *adj* containing radium. **-station** radium station.
radi|us *(en -er)* radius *(pl* radii); *i en* ~ *af* within a radius *(el.* range) of.
rad|mager skinny, bony. **-rense** *vb* hoe; *(med hest)* horse-hoe. **-renser** *(en -e)* hoe, weeder; *(med hest)* horse hoe. **-så** *vb* drill. **-såmaskine** seed drill.
Rafael Raphael.
raffinade *(en)* refined sugar.
raffinaderi *(et -er)* refinery.
raffinement *(et -er)* refinement; *(elegance)* (piece of) studied elegance.
raffinere *vb* refine. **raffineret** *adj* refined; *(spidsfindig)* subtle; *(elegant)* of studied elegance, smart; *(ikke naiv)* sophisticated. **raffinering** *(en)* refining.
rafle *vb* cast dice *(om:* for); *(amr svarer til)* shoot craps. **raflebæger** dice cup, dice box.
rafraichisseur *(en -er)* scent spray.
rafte *(en -r)* lath; *(gran-)* thin undressed spruce stem. **raftehegn** fence of undressed spruce stems.
I. **rage** *vb* ⚓: ~ *på grund* run aground; ~ *sammen* collide; ~ *uklar af* ⚓ run foul of; ~ *uklar med (fig)* fall foul of, fall out with.
II. **rage** *vb (om udstrækning)*: ~ *frem (være fremspringende)* jut out, protrude, project; ~ *op* rise, stand up, *(højt)* tower *(over:* above); ~ *op over (fig)* excel, surpass, *(højt)* tower above; ~ *ud over* project over, overhang.
III. **rage** *vb (rode, famle)* rummage *(fx* in a drawer); grope *(efter:* for); ~ *ngt frem* draw *(el.* rake) sth out; ~ *ned* tear down, pull down; ~ *op i* stir up; ~ *på dupe;* ~ *sammen* scrape *(el.* rake) together; ~ *ngt til sig* grab sth; ~ *sig ind i ngt* get oneself mixed up in sth; ~ *sig en sygdom til* contract a disease.
IV. **rage** *vb (vedkomme): hvad -r det mig?* what do I care? *det -r mig en bajer (el.* en *fjer)* I couldn't care less, I don't care two hoots; *hvad -r det dig?* mind your own business, it is none of your b.
V. **rage** *vb (barbere)* shave. **ragekniv** razor.
ragelse *(en)* odds and ends, junk, rubbish.
ragnarok the twilight of the Gods; *(fig)* Armageddon.

ragout *(en -er)* stew, ragout.
ragsok ski sock.
raillere: ~ *over* mock (at), make game of.
rajah *(en -er)* rajah.
rajgræs ⚘ rye grass; *giftig* ~ darnel.
rak *(et)* rabble, riff-raff; *det er noget* ~ they are a bad lot; *dupere -ket* impress the crowd.
raket *(en -ter)* rocket; *(missil)* missile; *affyre en* ~ fire a rocket; *opsende en* ~ launch a rocket. **raket|-apparat** rocket apparatus. **-base** missile base. **-drevet** rocket-propelled. **-flyvemaskine** rocket plane. **-kanon** rocket-firing gun. **-spids** nose cone; *(med krigsladning)* (rocket) warhead. **-stok** rocket stick. **-trin** stage. **-våben** (military) rocket, rocket weapon, *(ofte:)* missile.
rakitis *(en)* rachitis, rickets. **rakitisk** *adj* rachitic.
rakke *vb:* ~ *ned på en* run sby down; *(ligge og)* ~ *omkring* knock about, be gadding about; ~ *til (mishandle)* ill-treat, *(ødelægge)* spoil, *(tilsmudse)* soil, *(maje ud)* bedizen, *(tale ilde om)* run down; *være slemt -t til (fx af sygdom)* be in an awful state.
rakker *(en -e)* executioner's assistant.
rakker|mær *(en -e) (neds)* bitch. **-pak** *se rak*.
rakle *(en -r)* ⚘ catkin. **rakle|bærende** *adj* amentaceous. **-formet** *adj* amentiform.
rakt, rakte, *se* II. *række*.
ral *(en el. et)* (pebble) gravel.
ralle *vb* rattle (in the throat)
rallen *(en)* (death) rattle.
rallike *(en -r) (krikke)* jade.
I. **ram:** *få* ~ *på en* get at sby; *gå* ~ *forbi* go scot -free, escape, get off.
II. **ram** *adj (om lugt, smag)* acrid, *(harsk)* rancid; *for -me alvor* in dead earnest; *det er mit -me alvor* I am quite serious, I am in dead earnest.
ramasjang *(en el. et)* row, rumpus, shindy, hullabaloo; *lave* ~ kick up a row.
ramaskrig outcry; *opløfte et* ~ *over* raise an outcry against.
rambuk *(en -ke)* pile driver. **rambukklods** pile hammer, ram.
ramle *vb (larme)* make a noise, rattle; *(falde)* fall (down), tumble (down); *(med et brag)* crash down; *(krakke)* crash; *(skramle)* rumble, lumber; ~ *sammen (falde sammen)* collapse, fall in, *(kollidere)* collide *(med:* with), run *(el.* smash) into each other, *(skændes)* quarrel *(med:* with); ~ *ham én ud (= slå)* T sock him.
I. **ramme** *(en -r)* frame; *(baggrund, omgivelser)* setting *(fx* of a story); *(grænser, omfang)* scope, limits *(fx* within narrow limits), framework; *sætte i* ~ frame; *inden for denne bogs* ~ within the scope of this book; *det sprængte -rne* it could not be contained within the framework (of the system).
II. **ramme** *vb:* ~ *ind* frame.
III. **ramme** *vb (m rambuk etc)* drive, ram; ~ *ned* drive in.
IV. **ramme** * *(slå imod, træffe)* hit; *(hænde)* overtake, befall; *(berøre (pinligt))* touch (on the raw), affect; *(uden objekt, og) fig)* get *(el.* go) home, tell; *bemærkningen ramte* the remark went home *(el.* told); ~ *(i) centrum* hit the bull's eye; *føle sig ramt* feel stung; *hårdt ramt* hard hit; *ramt af lynet* struck by lightning; ~ *ved siden af* miss (the mark); *der ramte du det rigtige (fig)* you've hit it.
ramme|antenne frame aerial. **-fabrikant** (picture-)frame maker. **-liste** frame moulding. **-lov** framework law.
rammende *adj* incisive *(fx* criticism, remark), very much to the point, precise *(fx* definition).
rampe *(en -r) (skrå bane)* ramp, slope; *(til raket-affyring)* launching-pad; *(lamperække)* footlight.
rampelys footlights; *i -et (fig)* in the limelight.
ramponere *vb* damage; T knock about; *-t adj* damaged, battered; T knocked about.
ramsaltet *adj (skarp)* caustic *(fx* wit), *(grov)* racy *(fx* jokes).
ramse, *se* remse.

ran *(et -)* open theft; *(bytte)* spoil(s), booty, loot.

rand *(en -e)* edge; *(bræmme)* border; *(på noget rundt)* rim *(fx* of a coin); *(på bæger etc)* brim; *(af afgrund etc)* brink, verge; *(af sår)* lip, edge; *(på papir)* edge, *(margen)* margin; *(plet efter flaske etc)* circular stain, ring; *(på sko)* welt; *(fig)* verge *(fx* on the verge of ruin, of a collapse); brink *(fx* on the brink of war, of ruin); *gå på graven* ~ be at death's door, have one foot in the grave; *med sort* ~ black-edged; *sorte -e under øjnene* dark circles under one's eyes; *fylde et glas til -en* fill a glass to the brim; *fyldt til -en* brimful. **rand|bebyggelse** *(langs veje)* ribbon development. **-bemærkning** marginal note. **-form** circular mould, ring mould. **-note** marginal note. **-stat** border state. **-syet** *adj (om sko)* welted. **-syning** *(en -er)* welting, welt sewing.

randt *imperf af rinde.*

rane *vb* steal (openly).

rang *(en)* rank; *(forrang)* precedence; *af første* ~, *første* -s first-rate, first-class, tip-top; *(om varer)* choice; *af høj* ~ high-ranking *(fx* officer); *stige i* ~ be promoted; *være i* ~ *med* rank with.

ranger|banegård shunting *(el.* marshalling)-yard; *(amr)* switchyard. **-bjerg** shunting-incline.

rangere *vb (i rang)* rank; *(jernb)* shunt, *(amr)* switch; ~ *med (i rang)* rank with; ~ *over* rank over *(el.* above); ~ *under* rank under *(el.* below).

rangering *(en -er) (med tog)* shunting, marshalling; *(amr)* switching.

rangerlokomotiv shunting-engine; *(amr)* switching-engine.

rang|følge order of precedence. **-klasse** rank.

rangle *(en -r)* rattle.

ranglet *adj* lanky, gangling.

rangsperson person of rank.

rangstige hierarchy; *den sociale* ~ the social ladder.

rank *adj* straight, erect; *(stolt)* proud; *(frygtløs)* fearless, unbending; *(selvstændig)* independent; ⚓ crank; *holde ryggen* ~ hold oneself erect.

I. **ranke**: *ride* ~ ride on the knee, be dandled; *lade et barn ride* ~ dandle a child.

II. **ranke** *(en -r)* ⚘ *(vin- etc)* vine; *(udløber på jordbær etc)* runner.

III. **ranke** *vb (gøre rank)* straighten; ~ *ryggen,* ~ *sig* straighten oneself, draw oneself up.

rankhed *(en)* straightness; *(stolthed)* pride; *(frygtløshed)* fearlessness; *(selvstændighed)* independence; ⚓ crankiness.

ransage *vb* search, ransack; ~ *sig selv* search one's heart. **ransagning** *(en -er)* search.

rans|el *(en -ler)* knapsack.

ranunk|el *(en -ler)* ⚘ buttercup, crowfoot.

I. **rap** *(et -) (slag)* clip, rap; *(m pisk)* flick.

II. **rap** *(hurtig)* swift, quick, nimble; *-t svar* ready answer, quick repartee, *(næsvist)* pert reply; *give -pe svar, være* ~ *i munden* be quick at repartee, always have a ready answer, *(næsvis)* be pert.

III. **rap** *(en ands lyd)* quack. **rapand** quack-quack.

rapert *(en -er)* ⚔ (gun) carriage.

rapfodet *adj* swift-footed, fleet-footed, nimble.

raphed *(en)* swiftness, quickness, nimbleness.

rapmundet *adj* pert, saucy, cheeky.

I. **rappe** *vb (om anden)* quack.

II. **rappe**: ~ *sig* be quick, hurry (up).

III. **rappe** *vb (mur etc)* rough-cast.

rappenskralde *(en -r)* shrew, virago.

I. **rapport** *(en -er)* report; *aflægge* ~ report, make a report (om: on); *optage* ~ draw up a report, *(om politi)* make a report, *(af enkelt vidne)* take a statement.

II. **rapport** *(en) (kontakt)* touch, contact; *komme (el. sætte sig) i* ~ *med én* come (, get) in touch with sby, make contact with sby, contact sby; *stå i* ~ *med én* be in touch with sby, be in contact with sby.

rapportere *vb* report.

rapportør *(en -er) (observatør)* observer.

raps *(en)* ⚘ rape.

rapse *vb* pilfer, filch; T pinch. **rapseri** *(et -er)* pilfering, filching, petty larceny.

rapsfrø *(et -)* rapeseed.

rapsodi *(en -er)* rhapsody. **rapsodisk** *adj* rhapsodic. **rapsodist** *(en -er)* rhapsodist.

rapsolie rape(seed) oil, colza oil.

raptus *(en)* fit, craze.

rar *adj (om person)* nice, kind, (= *artig)* nice, good; *(om ting)* nice, *(hyggelig)* pleasant, cosy, *(brugt ironisk)* nice, pretty; *have det -t* be comfortable; *det var da -t* I am glad to hear that, that's good, how nice; *vær nu ~!* (now) be a good boy (, girl)!

raritet *(en -er)* curiosity, cur.o.

raritets|kabinet collection of curios; *(fig)* curiosity shop. **-samler** collector of curiosities.

rase *vb (af vrede ogs)* fume, be furious, be in a rage *(el.* a fury); *(skælde ud)* storm *(imod:* at); rage *(imod:* against); *(være vanvittig)* rave, be mad; ~ *af sted* tear along; ~ *ud* cool off, calm down, *(om uvejr)* spend itself, *(om ungdommen)* sow one's wild oats; *jeg tror du -r!* you must be crazy *(el.* mad).

rasen *(en)* fury, raging.

rasende *adj* furious, *(vred ogs)* infuriated, in a rage *(el.* a fury), T mad; *(vanvittig)* mad; *adv* furiously, madly *(fx* in love, jealous), *(i høj grad)* furiously, extremely, awfully; *blive* ~ fly into a rage; *i* ~ *fart* at a furious rate, at (a) breakneck speed; ~ *over* furious at *(el.* about); *det er til at blive* ~ *over* it is enough to drive one mad; ~ *på* furious with; *som* ~ furiously, frantically; *opføre sig som en* ~ behave like a madman; ~ *sulten* ravenously hungry.

rasere *vb (jævne med jorden)* raze to the ground, level with the ground; *(blotte, plyndre)* strip *(fx* the house was stripped of furniture).

raseri *(et)* rage, fury, frenzy; *elske en til* ~ love sby to distraction; *lade sit* ~ *gå ud over* vent one's rage on. **raserianfald** fit *(el.* paroxysm) of rage.

rask *adj (hurtig)* quick *(fx* pace, walk, movement; quick about one's work), rapid, swift *(fx* pace, movement), *(som bevæger sig hurtigt)* fast *(fx* horse, worker), *(livlig)* brisk *(fx* movements, walk); *(forhastet)* hasty; *(munter)* gay, lively; *(flot, overlegen)* offhand, smart, dashing; *(kæk)* plucky, brave; *(ved godt helbred)* healthy, sound *(fx* his one sound eye); *(som omsagnsled)* well, fit, in good health; *adv* quickly, rapidly, swiftly, fast, briskly; hastily; gaily; in an offhand manner; pluckily;

tage en ~ *beslutning* come to a rapid decision, take the bull by the horns; *blive* ~ recover (one's health), get well; *de -e* those who are well; *lad det nu gå lidt ~!* hurry up! be quick! *gå* ~ *'til* walk briskly, *(forøge farten)* quicken one's pace; ~ *i replikken* quick at repartee; *melde sig* ~ report fit for duty; ~ *på det (næsvis)* pert; *jeg er ikke rigtig* ~ I am not (feeling) very well; *er du rigtig* ~? *(ɔ: rigtig klog)* are you crazy? ~ *og rørig* hale and hearty; *arbejdet skrider* ~ *fremad* the work is making rapid progress; *med -e* ‹*kridt* at a rapid pace, apace *(fx* winter is coming on apace), rapidly; ~ *svar* ready answer, quick repartee; *være* ~ *til at gøre ngt* be quick to do sth; *være* ~ *til bens* be a good walker; *i* ~ *trav* at a brisk trot; ~ *væk* without ceremony.

rasle *vb* rattle; *(om maskineri, tallerkener etc)* clatter; *(om tørre blade, papir etc)* rustle; *(om tunge kæder)* clank; *(om nøgler etc)* jingle; *(om glas, mønter)* chink, clink; *(indsamle penge)* collect money (in a box), shake a collecting box; ~ *med* rattle; clatter; rustle; clank; jingle; clink; ~ *ned* rattle down, come clattering down, crash to the ground, *(om priser)* slump.

raslebøsse collecting box.

raslen *(en) (se rasle)* rattling, rattle; clatter(ing); rustling; clank(ing); jingling, jingle; clink(ing).

rasp *(en -e) (fil)* rasp; *(brød)* breadcrumbs.

raspe *vb* rasp; grate.

rast *(en -er)* rest, halt; *holde* ~ halt, make a halt, stop, rest. **rastdag** day of rest, resting-day.

raste *vb* rest, halt. **rasteplads** lay-by.
raster *(et -e) (typ)* screen; *(i fjernsyn)* raster.
rastløs *adj* restless. **rastløshed** *(en)* restlessness.
rat *(et -)* (⚓ & *i bil*) (steering-)wheel; *(flyv ogs)* control wheel; *sidde bag (el. ved) -tet* be at the wheel; *tage -tet* (⚓ & *i bil*) take the wheel.
rataksel *se ratstamme.*
rate *(en -r)* instalment; *(fragt-)* (freight) rate; *i -r by (el.* in) instalments.
ratebetaling payment by *(el.* in) instalments.
ratevis *adv by (el.* in) instalments.
ratgear *(på bil)* steering-column gear lever.
ratificere *vb* ratify. **ratificering, ratifikation** *(en)* ratification.
ratihabere *vb*, **ratihabering** *(en)* sanction.
ration *(en -er)* ration; *sætte på* ~ ration; *sætte dem på halv* ~ put them on half rations.
rational|isere *vb* rationalize. **-isering** *(en)* rationalization. **-iseringsekspert** efficiency expert. **-isme** *(en)* rationalism. **-ist** *(en -er)* rationalist. **-istisk** *adj* rationalist(ic).
rationel *adj* rational.
rationerings|kort ration card; *hæfte med* ~ ration book. **-mærke** coupon. **-periode** rationing period. **-system** rationing system.
rat|lås steering-wheel lock. **-slør** backlash. **-stamme, -søjle** *(en -r)* ⚓ barrel of the steering wheel; *(i bil)* steering column.
rav *(et)* amber.
ravage *(en) (forstyrrelse)* disturbance; *(ulejlighed)* inconvenience; *(ødelæggelse)* ravages *(pl)*, havoc; *(skade)* damage; *lave* ~ cause inconvenience; wreak havoc.
rave *vb* stagger, totter, reel; *-nde fuld* dead *(el.* blind) drunk; *-nde mørke* pitch dark.
ravelin *(en -er)* ✕ ravelin.
rav|gal *adj*, *se ravruskende.* **-gul** amber. **-holdig** *adj* containing amber. **-jysk** broad Jutlandish.
ravn *(en -e) zo* raven; *den ene* ~ *hakker ikke øjnene ud på den anden* dog does not eat dog; *hæs som en* ~ as hoarse as a crow; *stjæle som en* ~ steal like a magpie.
ravndug duck.
ravne|forældre unnatural parents. **-krog** hole, *(især amr)* one-horse town. **-moder** unnatural mother. **-skrig** croak *(H.* croaking) of ravens. **-unge** young raven.
ravnorsk broad Norwegian.
ravnsort *adj* raven(-black).
ravperle *(en -r)* amber bead.
ravruskende: ~ *gal* stark staring mad; *(forkert)* completely *(el.* utterly) wrong.
rav|rør amber (cigar) holder. **-spids** *(en -er) (på pibe)* amber mouthpiece.
rayon *(en el. et)* rayon.
razzia *(en -er)* raid; *foretage* ~ *(i)* make a raid (on), raid.
reagens *(en el. et -er)* reagent.
reagens|glas test tube. **-papir** test paper.
reagere *vb* react; ~ *imod* react against; ~ *over for* react to, respond to; ~ *positivt* react positively *(over for:* to).
reaktion *(en)* reaction (mod, *over* for: to), *(måde at reagere på, ogs)* response *(over for:* to).
reaktions|dreven jet-propelled. **-evne** reactivity, reaction. **-hastighed** reaction velocity *(el.* speed). **-motor** reaction engine. **-tid** reaction time.
reaktionær *adj* reactionary.
reaktivere *vb* reactivate.
reaktor *(en -er) (atomovn)* reactor.
reaktorkerne reactor core.
real *adj* real. **realeksamen** [leaving exam of a Danish "realskole"]; *(svarer i Engl omtr til)* (examination for the) General Certificate of (Education) O-level.
realisabel *adj (gennemførlig)* practicable, feasible; *(salgbar)* realizable.
realisation *(en -er) (gennemførelse)* realization,

carrying out; *(salg)* realization, sale. **realisere** *vb (gennemføre)* realize, carry out; *(sælge)* realize, sell.
realisering *se realisation.*
realisme *(en)* realism. **realist** *(en -er)* realist; *(elev i realklasse)* [pupil of a "realklasse"].
realistisk *adj* realistic; *adv* realistically.
realiter *adv* really, in actual fact.
realitet *(en -er)* reality; *blive en* ~ become a reality, be realized; *i-en* in reality, for all practical purposes; *-er* facts, realities.
realitets|forhandling discussion of points of fact. **-sans:** *have* ~ have one's feet on the ground.
real|klasse [one of the forms of the "reallinie"]. **-leksikon** encyclopaedia. **-linie** [three-year course leading to the "realeksamen"]. **-løn** real wages. **-politik** realpolitik. **-skole** [Danish secondary school preparing for a commercial *etc* career]. **-værdi** actual value.
reassurance *(en)* reinsurance. **reassurandør** *(en -er)* reinsurer. **reassurere** *vb* reinsure.
réaumur Réaumur.
I. reb *(et -) (tov)* rope, *(til hængning ogs)* halter; *(tyndere)* cord; *(om livet)* girdle.
II. reb *(et -) (i sejl)* reef; *stikke et* ~ *ind (, ud)* take in (, shake out) a reef; *tage* ~ *i sejlene* reef the sails, *(fig)* watch one's step. **rebe** *vb (sejl)* reef.
rebel *(en -ler)* rebel. **rebelsk** *adj* refractory.
rebende *(en -r)* end of a rope; piece of rope.
reberbane ropewalk.
rebning *(en)* ⚓ reefing.
reb|slager *(en -e)* ropemaker. **-slagerbane** ropewalk. **-slageri** *(et -er)* ropewalk. **-stige** rope ladder.
rebus *(en -ser)* picture puzzle, rebus.
recensent *(en -er)* reviewer, critic. **recensere** *vb* review, criticize. **recension** *(en -er)* review, critique.
recepisse *(en)* receipt.
recept *(en -er) (læge-)* prescription; *(opskrift)* recipe; *efter -en (fig)* according to the rules of the game; *det er ikke efter min* ~ it does not suit my book; *ekspedere en* ~ make up a prescription; *skrive* ~ *på ngt* prescribe sth.
reception *(en -er)* reception; *(sted i hotel)* reception desk. **receptionschef** reception clerk; *(amr)* room clerk.
receptiv receptive. **receptivitet** *(en)* receptivity. **reces** *(en -ser)* recess. **recessiv** *adj* recessive.
recidiv *(et -er) (nyt sygdomsanfald)* recurrence; *(jur)* relapse into crime. **recidivere** *vb (om sygdom)* recur; *(jur)* relapse (into crime). **recidivist** *(en -er)* recidivist.
reciprok *adj* reciprocal; *-t testamente (svarer til)* mutual wills.
recitation *(en -er)* recitation, recital. **recitativ** *(et -er)* recitative. **recitator** *(en -er)*, **recitatrice** *(en -r)* reciter. **recitere** *vb* recite.
reck *(en) (til gymnastik)* horizontal bar.
I. red *(en -e)* ⚓ roads, roadstead; *på -en* in the roads. **II. red** *imperf af ride.*
redaktion *(en -er) (det at udgive)* editing; *(redaktørs stilling)* editorship; *(redaktører)* editors; *(redaktionspersonale)* editorial staff; *(kontor)* editorial office; *(affattelse)* drawing up, drafting, wording; *nyheder indløbet efter -ens slutning* stop-press news; *ved -ens slutning* as we go to press; *under* ~ *af* edited by.
redaktionel *adj* editorial; *-le ændringer* verbal alterations; ~ *artikel* editorial, leader, leading article.
redaktions|kontor editorial office. **-personale** editorial staff. **-sekretær** sub-editor.
redaktør *(en -er)* editor. **redaktørstilling** editorship.
redde *vb* save; *(undsætte)* rescue, *(befri)* deliver; *(bjærge)* salvage, save; *(skaffe sig)* wangle *(fx* I wangled a month's leave), scrounge; *de -de* those saved, *(overlevende)* the survivors; ~ *fra* save from *(fx* save sby from drowning), rescue from; ~ *ngt i land* bring sth safely to land, *(fig)* pilot sth to safety, *(skaffe sig)* obtain; ~ *ens liv* save sby's life; ~ *livet*

save one's life, get off with one's life; ~ *sig* escape, make one's escape, save oneself; ~ *sig ngt (skaffe sig)* wangle sth, scrounge sth; ~ *sig i land* manage to reach the shore; ~ *sig ud af* get out of; ~ *situationen* save the situation; ~ *skindet* save one's skin; *ikke til at* ~ irretrievably lost, past praying for; ~ *én ud af en knibe* get sby out of a scrape.

redder *(en -e)* salvage-corps man.

I. **rede** *(en -r) (ogs fig)* nest; *(rovfugle- ogs)* aerie; *bygge* ~ build *(el.* make) a nest, nest.

II. **rede**: *gøre* ~ *for (fremstille)* state *(fx* one's case), give an account of, *(forklare nærmere)* explain, expound *(fx* a scheme), *(aflægge regnskab for, svare for)* account for *(fx* a sum of money, one's conduct); *finde (el. hitte)* ~ i make out; *få* ~ *på (blive klar over)* realize, grasp, find out, *(få orden på)* get straight; *have* ~ *på noget* (= *have kendskab til ngt)* know (about) sth, *(have orden i ngt)* have sth in order; *holde* ~ *på* keep in order, *(finde ud af)* make out, *(skelne fra hinanden)* tell one from the other.

III. **rede** * *(garn)* disentangle, unravel; *(hår)* comb, *(og sætte det op)* dress; *som man -r så ligger man* as you make your bed, so you must lie on it; ~ *op*, ~ *seng* make a bed; ~ *op til én på gulvet (, på en sofa etc)* make up a bed for sby on the floor (, on a settee), give sby a shakedown; ~ *sig* comb one's hair; ~ *ud (hår)* comb out, *(om garn)* disentangle, unravel; ~ *sig ud af* extricate oneself from.

IV. **rede** *adj (parat)* ready; *holde sig* ~ hold oneself ready, stand by; *han har altid et svar på* ~ *hånd* he is never at a loss for *(el.* he is always ready with) an answer; ~ *penge* ready money, cash; *være* ~ *til at* be ready *(el.* prepared) to; ~ *til brug* ready for use.

redebon *adj* ready, willing, prompt; *ånden er vel* ~ *men kødet er skrøbeligt* the spirit indeed is willing, but the flesh is weak.

redebonhed *(en)* readiness, willingness.

redefuld *(én)*: *en* ~ *unger* a brood *(el.* quiverful) of children.

rede|gøre *vb se* II. **rede**. **-gørelse** *(en -r)* account, statement *(for:* of); *(oversigt)* review *(for:* of, *fx* the situation).

redekam *(en -me)* comb; *spille på* ~ play a comb -and-paper.

redelig *adj*: ærlig og ~ honest; *adv* honestly.

redelighed *(en) (ærlighed)* honesty, integrity; *(virvar)* mess; *hele -en* the whole lot; *det er en køn* ~ here's a pretty kettle of fish.

reder *(en -e)* (ship)owner.

rederi *(et -er) (selskab)* shipping-company, owners *(pl)*; *(-virksomhed)* shipping-business, shipping. **rederi|flag** houseflag. **-forening** shipowners' association. **-kontor** shipping-office. **-virksomhed** *se rederi*.

redet *perf part af* **ride**.

redigere *vb* edit; *(affatte)* draw up.

rediskontere *vb* rediscount.

I. **redning** *(en) (seng)* making; *(hår)* combing.

II. **redning** *(en) (frelse)* saving, rescue, salvation; *(bjærgning)* rescue, salvage; *(udvej)* resort, hope (of salvation); *(i fodbold)* save; *det blev hans* ~ that was the saving of him, that was his salvation; *medalje for druknendes* ~ life-saving medal; *der er ingen* ~ there is no hope; *søge* ~ *ved flugt* seek safety in flight.

rednings|apparat salvage apparatus, life-saving apparatus. **-arbejde** rescue work. **-bælte** lifebelt; *(-krans)* lifebuoy. **-bøje** lifebuoy. **-båd** lifeboat. **-flåde** life raft. **-forsøg** attempted rescue. **-korps** salvage corps. **-krans** lifebuoy. **-lagen** jumping -sheet. **-line** lifeline. **-løs**: *-t fortabt* irretrievably lost. **-mand** rescuer, life-saver; *(befrier)* deliverer. **-mandskab** rescue party, *(fra redningskorps)* salvage men; ⚓ lifeboatmen. **-materiel** life-saving appliances. **-medalje** life-saving medal; *(i Engl)* the Royal Humane Society's medal. **-planke**: *min sidste* ~ my last hope. **-raket** life rocket. **-station** life-saving station. **-stige** fire escape, telescopic

ladder. **-stol** breeches buoy. **-vest** life jacket. **-væsen** lifeboat service *(el.* institution). **-øvelser** *(pl)* life-saving drill, *(på skib)* boat drill.

redouble *vb* redouble.

redoute *(en -r)* ✕ redoubt.

redressere *vb* redress, rectify, right; *(med.)* reduce *(fx* a dislocation, a fracture).

redskab *(et -er)* tool, implement, appliance, *(instrument)* instrument; *(zo etc* = *organ)* organ; *(om person)* tool *(fx* the tyrant and his tools); *(til gymnastik)* apparatus. **redskabs|skur** tool shed. **-øvelser** *(pl)* apparatus work.

reducere *vb* reduce; *kunne -s til (ogs)* boil down to, come down to *(fx* the whole difficulty comes down to this question).

reduktion *(en -er)* reduction.

reduplicere *vb* reduplicate. **reduplikation** *(en)* reduplication.

reeksport re-exportation, re-export.

reel *adj. (virkelig)* real; *(af god kvalitet)* of good quality, genuine, solid; *(om person)* trustworthy, reliable, honest; ~ *behandling* fair treatment; *-le hensigter* honourable intentions. **reelt** *adv* really, in reality, in actual fact; *(hæderligt, ærligt)* honestly fairly.

refektori|um *(et -er)* refectory.

referat *(et -er)* account, report.

reference *(en -r)* reference.

referendum *(et)* referendum.

referent *(en -er)* reporter.

referere *vb* report, give an account of; *(i journalistsprog)* cover; *(fortælle)* tell, relate; *(genfortælle)* repeat; *(i radio)* commentate; ~ *til* refer to; *-nde til mit brev* with reference to *(el.* referring to) my letter.

refleks *(en -er) (tilbagekastet lys, svagere billede)* reflection; *(i fysiologi)* reflex; *(refleksglas)* reflector; *betinget* ~ conditioned reflex.

refleks|bevægelse reflex movement. **-glas** reflector.

refleksion *(en -er)* reflection.

refleksiv *adj (gram)* reflexive.

reflektant *(en -er) (ansøger)* applicant; *(køber)* prospective buyer.

reflektere *vb* reflect; ~ *over* reflect on; ~ *på (annonce)* reply to, *(tilbud, forslag)* entertain; *(søge om)* apply for *(fx* a job). **reflekterende** *adj* reflective; *subst* = *reflektant*. **reflekteret** *adj* reflective, meditative. **reflektor** *(en -er)* reflector; *(kikkert)* reflecting telescope.

reform *(en -er)* reform.

reformation *(en -er)* Reformation.

reformator *(en -er)* reformer.

reformatorisk *adj* reformatory.

reformer|e *vb* reform; *den -te kirke* the Reformed Church; *de -te* members of the Reformed Church.

reformiver reformatory zeal.

reformven *(en)*, **reformvenlig** *adj* reformist.

refrain = *refræn*.

refraktion *(en -er)* refraction.

refræn *(et -er)* refrain; *synge med på -et* join in the chorus. **refrænsang** crooning. **refrænsanger(inde)** crooner.

refuge *(en -r) (helle)* street island, refuge.

refundere *vb* refund, reimburse.

refusere *vb* refuse.

refusion *(en)* reimbursement, repayment.

refusionsopgørelse completion statement.

regale *(et)* royal prerogative.

regatta *(en -er)* regatta.

regel *(en, regler)* rule; *(forskrift)* regulation, precept; *(princip)* principle; *undtagelsen bekræfter -en* the exception proves the rule; *en undtagelse fra -en* an exception to the rule; *give (el. opstille) regler* lay down *(el.* make) rules; *gøre sig det til* ~ *at* make it a rule to, make a practice of *-ing*; *i -en, som* ~ as a rule, usually.

regel|bunden *adj* regular. **-bundenhed** *(en)* re-

gularity. **-mæssig** *adj* regular; *adv (-t)* regularly.
-mæssighed *(en)* regularity. **-ret** *adj* regular.
regeneration *(en)* regeneration.
regenerationsevne *(en)* power of regeneration.
regenerator *(en -er)* regenerator.
regenerere *vb* regenerate.
regent *(en -er)* sovereign, ruler; *(rigsforstander)*
regent. **regentskab** *(et)* regency.
regere *vb (styre)* rule, govern; *(være konge etc)*
reign *(over:* over); *(støje etc)* carry on; ~ *med (herse
med)* domineer over, hector, *(tyrannisere)* bully.
regerende *adj* reigning, governing; ~ *dronning*
Queen Regnant, reigning queen.
regering *(en -er)* government; *(ministerium)* Go-
vernment, *(amr oftest)* administration; *(regeringstid)*
reign; *fratræde -en (om fyrste)* abdicate; *overtage -en
(om ministre)* come into office, take office; *tiltræde
-en (om fyrste)* accede to the throne; *under denne
konges* ~ during *(el.* in) the reign of this king.
regerings|blad Government organ. **-bænk** *(i*
House of Commons) Treasury bench. **-chef** Prime
Minister. **-fjendtlig** *adj* oppositional. **-form** (form
of) government. **-forslag** Government bill. **-kon-
tor** Government office. **-kredse** *(pl)* Government
circles. **-krise** Cabinet crisis. **-partiet** the Govern-
ment Party, the party in power. **-presse** Govern-
ment press. **-system** system of government. **-tid**
reign. **-tiltrædelse** *(kongens etc)* accession. **-tro** *adj*
loyalist. **-tropper** *pl* Government troops. **-troskab**
loyalty (to the Government). **-år:** *i hans fjerde* ~
in the fourth year of his reign.
regie *(en)* stage management; *(iscenesættelse)*
production, staging. **regiebog** property list.
regime *(et)* regime.
regiment *(et -er)* ✕ regiment.
regimente *(et)* rule, government; *(regime)* re-
gime; *føre -t* rule; *det er konen som fører -t* it is the
wife who wears the breeches.
regiments- regimental *(fx* surgeon).
regimentschef officer commanding a regiment;
commanding officer, C.O.
region *(en -er)* region. **regional** *adj* regional.
regissør *(en -er)* stage manager.
regist|er *(et -re) (indholdsfortegnelse)* table of con-
tents, *(alfabetisk)* index; *(protokol)* register; *(orgel-)*
stop; *(toneleje)* register; *(skala af følelser etc)* gamut.
register|certifikat ⚓ certificate of registry.
-knap stop knob. **-ton** register ton. **-tonnage** re-
gister tonnage.
registrator *(en -er)* registrar; *(på maskine)* regi-
stering apparatus, recorder.
registrere *vb* register, record; *(fig)* note.
registrering *(en)* registration, recording.
registrerings|apparat registering apparatus, re-
corder. **-mærke** ⚓ registration mark.
reglement *(et -er)* regulations *(pl).*
reglementeret *adj* regular, statutory, prescribed;
(foran substantiv ogs) regulation *(fx* regulation lights,
uniform, speed).
regn *(en)* rain; *(fig ogs)* shower *(fx* of gifts);
efter ~ *kommer solskin* if winter comes, can spring be
far behind? *det ser ud til* ~ it looks like rain.
regn|bue rainbow; *alle -ns farver* all the colours
of the rainbow. **-buehinde** iris. **-byge** shower,
(kraftig: med vindstød) rain squall, squally shower.
-dråbe raindrop.
I. **regne** *vb (om regn)* rain; *det har -t af* it has
stopped raining; *malingen er -t af* the paint has come
off in the rain; *det -r voldsomt* it is raining hard, it is
pouring; *det -de med indbydelser* it rained invitations;
buketterne (, slagene) -de ned over ham bouquets
(, blows) rained upon him.
II. **regne** *vb (m tal etc)* reckon, compute, figure,
do sums; *(en opgave)* work out, solve; *(beregne)*
reckon, calculate, compute; *(vurdere)* estimate *(til:*
at), reckon; *(tage hensyn til)* take into account,
consider; *(bryde sig om)* care for; *lære at læse, skrive*

og ~ learn to read, write, and reckon; learn the
three R's (ɔ: rɛading, (w)riting, and (a)rithmetic);
~ *et stykke* do a sum;
[*m præp & adv:*] ~ **blandt** reckon *(el.* number)
among, include among *(fx* we include him among
our friends); '~ **efter** *(bedømme ud fra)* judge by;
~ '*efter (gøre overslag)* make a calculation, *(kontrol-
lere)* check (up); ~ **fejl** miscalculate, make a mis-
take (in reckoning); ~ **for** consider (to be) *(fx* I
consider him (to be) a fool; I consider it my duty
to help him), regard as, take for, reckon as; *det er
for intet at* ~ *imod* it is nothing (compared) to; *de er
aldrig blevet -t for noget* they have never been held
in any esteem; *ikke* ~ *det for noget at* think nothing
of -ing; ~ '*fra* (= *fradrage)* deduct, subtract; *fra i
dag at* ~ counting from today; ~ **godt** be good at
figures; **højt** -*t* at (the) most, at the outside; ~ **i**
hovedet make a mental calculation; ~ *det i hovedet*
do it in one's head; **lavt** -*t* at a low estimate, at
least; '~ **med** *(tage med i beregningen)* allow for,
provide for, anticipate, *(tillægge betydning)* reckon
with, *(stole på)* count on, *(gå ud fra)* count on, calcu-
late on, take for granted; ~ '*med (medregne)* include
(in one's reckoning), count (in); ~ *med til* = ~
blandt; ~ *pund om til kroner* convert pounds into
kroner; **rundt** -*t* roughly, in round figures; ~ **sam-
men** add up, sum up, reckon up; *han -s til de min-
dre digtere* he is numbered among *(el.* classed with)
the minor poets; *det blev -t ham til last* it was laid
to his charge; ~ *sig det til fortjeneste* take the credit
for it (to oneself); ~ **ud** calculate, work out, *(ud-
tænke)* figure out, think out; *forstå at* ~ *den ud* know
a trick or two.
regne|bog arithmetic book. **-bræt** *(kugleramme)*
abacus; *(samvittighed)* conscience. **-fejl** miscalcula-
tion. **-kunst** arithmetic. **lærer** arithmetic teacher,
teacher of arithmetic. **-maskine** calculating-ma-
chine; *(elektron-)* computer. **-mester** arithmetician.
-måde method of calculation. **-opgave** sum, arith-
metical problem. **-stok** slide rule. **-stykke** sum,
arithmetical problem. **-time** arithmetic lesson.
regn|fang *(en)* ♃ tansy. **-frakke** waterproof
(coat), mackintosh, raincoat; T mac. **-fuld** *adj* rainy
(fx season), wet *(fx* a wet day). **-hætte** hood.
regning *(en -er) (fag)* arithmetic, reckoning; *(be-
regning)* calculation, computation, reckoning; *(af
opgave etc)* working out, *(nota for enkelt køb, fortæ-
ring etc)* bill *(fx* waiter, the bill, please!), *(især amr)*
check; *(nota for flere køb, månedsregning etc)* account;
(konto) account; *betale en* ~ settle an account, pay
a bill; *for egen* ~ at one's own expense, *(ogs fig)* on
one's own account; *gøre* ~ *på* count on, reckon on;
gøre ~ *uden vært* reckon without one's host; *kvitteret*
~ receipt; *løbende* ~ current *(el.* open) account;
føre i ny ~ carry forward; *på ens* ~ on sby's account;
tage på ~ buy on credit; *skrive en* ~ make *(el.* write)
out a bill; *skrive noget på ens* ~ *(ogs fig)* put sth down
to sby *(el.* sby's account); *en stor* ~ a heavy bill;
det svarer ikke ~ it does not pay.
regningsart: *de fire -er* the four basic arithmetical
operations.
regn|mængde rainfall. **-måler** rain gauge, plu-
viometer. **-orm** *zo* earthworm.
regnskab *(et -er)* account(s); *(selskabs balance)*
balance sheet; *(mellemværende i spil)* score; *afgøre sit*
~ *med* settle one's account with, *(fig)* settle accounts
with; *aflægge* ~ render *(el.* give) an account, *(se ogs
fremlægge* ~); *aflægge* ~ *for* give *(el.* render) an ac-
count of, account for; *-ets dag* the day of reckoning;
fremlægge ~ present the accounts; *føre* ~ keep (the)
accounts, *(i bridge)* keep the score; *føre* ~ *med* keep
an account of; *gennemgå et* ~ go over *(el.* examine)
the accounts; *(revidere regnskabet)* audit the accounts;
gøre ~ *for* give an account of, account for; *gøre et*
~ *op* make up *(el.* balance) an account, *(fig)* settle
an old score; *kræve én til* ~ call sby to account; *stå
til* ~ *for* account for, answer for.

regnskabs|aflæggelse presentation of accounts.
-bilag voucher. **-blok** (til bridge) (bridge) scorer.
-bog account book. **-chef** chief accountant. **-fø-
relse** keeping of accounts, accounting. **-fører** ac-
countant; (i hær, flåde) paymaster; (på passagerskib)
purser; (i spil) scorer. **-periode** accounting period.
-post item (of an account). **-væsen** book-keeping,
accountancy. **-år** financial year, (amr) fiscal year.
regn|skov rain forest. **-sky** rain cloud. **-skyl**
(et -) downpour, heavy shower. **-slag** (af tøj etc)
(rainproof) cape. **-spove** zo: stor ~ curlew; lille ~
whimbrel. **-stænk** splash of rain. **-tid** rainy season;
-tiden (ogs) the rains. **-tung** adj laden (el. heavy)
with rain, rainy. **-tæt** adj rainproof, waterproof.
-tøj waterproof clothes. **-tåge** rainy mist. **-vand**
rain water. **-vejr** rainy weather; det er ~ it is raining.
-vejrsdag rainy day, wet day.
regres (en -ser) recourse; søge ~ hos have recourse
against.
reguladetri (en) the rule of three.
regulativ (et -er) regulations (pl).
regulator (en -er) regulator.
regulatorur regulator.
regulerbar adj adjustable.
regulere vb regulate, (indstille ogs) adjust; (grænse)
adjust, rectify; (linie) straighten; (vej: udjævne stig-
ninger) grade; (omlægge linieføring) re-align; (over-
fladen) true (up). **regulering** (en) regulation, adjust-
ment; straightening; grading; re-alignment; truing
(up).
regulerings|fond (for dividende) dividend equali-
zation fund. **-mekanisme** regulator. **-spjæld**
throttle valve. **-tillæg** cost-of-living bonus.
regulær adj regular; (rigtig) proper, downright,
straight; der stod et -t slag there was a pitched battle.
rehabilitere vb rehabilitate.
rehabilitering (en) rehabilitation.
reineclaude (en -r) greengage.
reinkarnation (en -er) reincarnation.
reje (en -r) shrimp, prawn; pille -r shell shrimps;
han har ikke en rød ~ he hasn't a bean (el. a brass
farthing). **reje|fiskeri** shrimping. **-hop** skip.
rejemad [bread and butter with a layer of
shrimps].
rejicere vb plough; (amr) flunk.
rejnfan (en) ✚ tansy.
I. **rejse** (en -r) journey; (større sø-) voyage,
(overfart) passage, crossing; (mindre tur) trip; (rund-)
tour, (til søs) cruise; (det at rejse) travel; ~ (ogs)
travels; foretage en ~ til Tyskland make a journey to
Germany, pay a visit to Germany; god ~! lykke på -n!
a pleasant journey! være på ~ be travelling, be on a
journey; på ~ til ⚓ bound for; tiltræde en ~ set out
on a journey.
II. **rejse** ★ (bevæge sig fra sted til sted) go (til: to);
(afrejse) leave, start, depart, set out (til: for); (for-
lade sin plads) leave; (være på rejse, ogs som handels-
rejsende) travel; han rejste i går he left yesterday;
jeg -r i morgen I am leaving tomorrow; ~ bort go
away; ~ i (fx vin, kolonial) travel in (fx wine, gro-
ceries); ~ i forretninger travel on business; ~ med toget
go by train, travel by rail; ~ på 2. klasse travel second
class; ~ til fods travel on foot; ~ til Paris go to Paris;
~ til søs travel by sea; ~ udenlands go abroad; ~ videre
go on, continue one's journey; ~ videre til proceed to.
III. **rejse** ★ (opstille, opføre) set up (fx a monu-
ment), erect (fx a building), raise (fx 'a wall); (rejse
op; ophvirvle; fremføre) raise (fx a person, the dust,
objections, a problem); (fremkalde, vække) raise (fx
a storm of protests), stir up (fx strife), instigate (fx
a revolt); (skaffe til veje) raise (fx money, an army);
~ børster bristle; ~ hovedet (ogs fig) raise one's head;
~ kegler set up skittles; ~ oprørsfanen raise the standard
of revolt; ~ sag mod en bring an action against sby,
sue sby, take sby to court; ~ en stige put up a ladder;
~ et telt pitch a tent; ~ tvivl om raise doubts about;
~ **sig** get up, rise (to one's feet), stand up; (blive

bygget) rise, be built; (komme på fode) recover (efter:
from); (gøre oprør) rise, revolt; (om vind) rise, spring
up; (stige, om vand) rise, swell; (rage i vejret) rise,
(højt) tower; (opstå) arise; ~ sig (op) for en i spor-
vognen get up for sby in the tram; ~ sig fra bordet
leave the table, rise from table; ~ sig i sengen sit up
in bed; ~ sig imod rise (up) against; ~ sig op, se: ~ sig;
hesten -r sig på bagbenene the horse rears; hårene rejste
sig på mit hoved my hair stood on end.
rejse|afbrydelse break of journey; (amr) stop-
over. **-akkreditiv** letter of credit. **-apotek** (portable)
medicine chest. **-beskrivelse** account of a journey,
(bog) book of travel(s), travel book. **-bureau** travel
agency, tourist bureau. **-check** traveller's cheque.
-feber excitement before a journey. **-forberedel-
ser** preparations for departure. **-fælle** = -kammerat.
-færdig ready to depart. **-fører** guide; (bog) guide
(book). **-gilde** (svarer til) topping-out ceremony;
holde ~ (ogs) raise the rooftree. **-gods** luggage, (amr)
baggage. **-godsekspedition** (lokale) luggage (, bag-
gage) room. **-godsforsikring** luggage (, baggage)
insurance. **-godtgørelse** allowance for travelling
-expenses. **-grammofon** portable gramophone,
(amr) portable phonograph. **-hjemmel** (en) travel
document. **-håndbog** guide book. **-kammerat**
travelling-companion. **-kuffert** trunk, box. **-leder**
conductor (of a party of travellers), courier. **-liste**
timetable.
rejsende (en -) traveller, passenger; (merk) (com-
mercial) traveller, representative.
rejse|omkostninger (pl) travelling-expenses.
-pas: give en ~ send sby packing; tage ~ (forsvinde)
make off, (T = dø) kick the bucket. **-plan** (en -er)
itinerary; opgive sine -er give up one's plans of trav-
elling. **-selskab** (rejsefæller) travelling-companions;
(turister på selskabsrejse) (conducted) party. **-skrive-
maskine** portable typewriter. **-stipendium** trav-
elling-scholarship. **-taske** travel bag. **-tæppe** travel-
ling-rug. **-udgifter** (pl) travelling-expenses. **-vant**
adj: være ~ be an experienced traveller.
rejsning (en) (det at rejse op, opføre) raising,
erection; (opstand) rising, revolt; (holdning) carriage;
(rigning) rigging; (tag-) pitch, rise, slope.
rekambio|regning account of re-exchange.
-veksel redraft.
rekapitulation (en) recapitulation, summing up.
rekapitulere vb recapitulate, sum up.
reklamation (en -er) (krav) claim; (klage) com-
plaint; (indsigelse) objection.
reklame (en -r) advertising, publicity; (annonce
etc) advertisement; (-seddel) handbill, (-plakat) bill,
poster; gøre ~ for advertise; T boost; ærlig ~ truth
in advertising.
reklame|afdeling publicity (el. advertising-) de-
partment. **-brochure** advertising-circular (, folder).
-bureau advertising-agency. **-chef** advertising-man-
ager. **-fif** publicity stunt. **-film** screen advertisement,
publicity film. **-kalender** commercial calendar.
-kampagne publicity campaign. **-mager** (en -e)
booster, self-advertiser. **-mand** advertising-expert.
-motto slogan. **-plakat** poster, bill, pla-
card.
reklamere vb (fremsætte reklamation) complain;
(gøre reklame) advertise; ~ for, ~ med advertise.
reklamering (en) advertising.
reklame|seddel handbill, advertising-circular.
-skilt advertising-sign; (i vindue) showcard. **-tavle**
billboard, hoarding. **-tegner** publicity (el. commer-
cial) artist, advertising-designer. **-tekst** advertising
-copy. **-trick** = -fif. **-værdi** advertising-value.
-øjemed: i ~ for advertising purposes, with a view
to publicity.
rekognoscere vb reconnoitre. **rekognoscering**
(en) reconnaissance, scouting. **rekognoscerings-
rekonnaissance** (fx expedition, patrol).
rekommandere vb (brev) register.
rekommandør (en -er) (udråber) barker.

rekompensation *(en -er) (erstatning)* compensation; *(belønning)* recompense.
rekonstruere *vb* reconstruct.
rekonstruktion *(en)* reconstruction.
rekonvalescens *(en)* convalescence.
rekonvalescent *(en -er)* convalescent.
rekord *(en -er)* record; *have -en, være indehaver af -en* hold the record; *slå en ~* beat *(el.* break) a record; *sætte en ~* set up a record.
rekord- record *(fx* harvest, price, speed).
rekord|agtig record. **-indehaver** record-holder. **-jageri** *(et)* craze for record-breaking.
rekreation *(en) (det at komme til kræfter)* recuperation; *(hvilekur)* rest cure, *(adspredelse)* recreation; *rejse til Norge på ~* go to Norway for a holiday *(el.* for one's health). **rekreations|hjem** rest home, convalescent home. **-rejse** journey for the sake of one's health. **-sted** health resort.
rekreativ *adj* recreational *(fx* area).
rekreere *vb: ~ sig* recuperate, take a rest *(el.* a holiday).
rekrut *(en -ter)* recruit, *(sl)* rookie. **rekrutskole** training school. **rekruttere** *vb* recruit.
rekruttering *(en)* recruiting, recruitment.
rektang|el *(et -ler)* rectangle.
rektangulær *adj* rectangular.
rektor *(en -er)* headmaster (, *kvindelig:* headmistress), head, *(amr især)* principal; *(ved universitet, svarer omtr til:)* vice-chancellor, *(amr)* president.
rektorat *(et -er)* headmastership, *(amr især)* principalship; *(ved universitet)* vice-chancellorship; *(amr)* presidency.
rekvirent *(en -er) (jur)* claimant.
rekvirere order; ✂ requisition.
rekvisit *(en -ter)* requisite; **-ter** accessories, apparatus, *(på teater)* properties, T props.
rekvisition *(en -er)* requisition.
rekvisitionsseddel written requisition.
rekvisitør *(en -er)* property man.
rekyl *(en)*, **rekylere** *vb* recoil.
rekyl|fri *adj* recoilless. **-gevær** light machine gun. **-kanon** recoil gun.
relation *(en -er)* relation; *stå i ~ til* have a bearing upon, have relation to.
I. **relativ** *(et -er)* relative pronoun.
II. **relativ** *adj* relative, *(forholdsvis, ogs)* comparative; *-t pronomen* relative pronoun.
relativ|isme *(en)* relativism. **-ist** *(en -er)* relativist. **-itet** *(en)* relativity. **-itetsteori** theory of relativity.
relegere *vb* send down, expel, *(amr)* fire.
relevans *(en)* relevance. **relevant** *adj* relevant.
relief *(et -fer)* relief; *stille ngt i ~* throw sth in relief, set sth off. **reliefkort** *(et -)* relief map.
religion *(en -er)* religion; *(tro)* faith; *(skolefag)* scripture, religious instruction.
religions|filosofi philosophy of religion, religious philosophy. **-forfølgelse** religious persecution. **-frihed** religious liberty, freedom of conscience. **-krig** religious war. **-stifter** founder of a religion. **-strid** religious dispute. **-time** scripture lesson. **-tvang** religious compulsion. **-undervisning** religious instruction. **-vanvid** religious mania. **-øvelse** religious worship; *fri ~* liberty of worship.
religiøs *adj* religious; *(om litteratur)* devotional.
religiøsitet *(en)* religiousness, piety.
relikt *(en el. et -er) (zo, ⊕)* relict; *(levn)* relic, survival.
relikvie *(en -r)* relic.
relæ *(et -er) (elekt)* relay.
rem *(en -me)* strap, *(smal)* thong; *(driv-, liv-)* belt; *(stryge-)* strop; *(under tagspær)* head; *have en ~ af huden* be tarred with the same brush; *ride alt hvad -mer og tøj kan holde* ride hell for leather.
rembours *(en)* documentary credit.
remedier *pl (ting)* things, paraphernalia.
reminiscens *(en -er)* reminiscence *(fra:* of).
remis *(en)* drawn game, draw; *spillet er ~* it is a draw.

remise *(en -r) (sporvogns- etc)* depot, *(amr)* carbarn; *(lokomotiv-)* engine shed, roundhouse.
remisse *(en)* remittance.
remittent *(en -er)* payee. **remittere** remit, send. **remme|sko** strap shoe. **-sæl** *zo* bearded seal.
remontant *(en -er)* ⊕ remontant.
remonte *(en -r) (hest)* remount. **remontere** *vb* remount; *(om plante)* be remontant.
remoulade *(en -r)* remoulade.
remplacere *vb* replace.
I. **remse** *(en -r)* long string of words', , names etc), enumeration; *(neds)* rigmarole, screed; *(børne-)* jingle, *(tælleremse)* counting-out rhyme; *kunne på ~* know by rote; *lære på ~* learn by rote.
II. **remse** *vb: ~ op* reel off, rattle off.
rem|skive pulley. **-træk** belt drive.
I. **ren** *(en -er) (rensdyr)* reindeer.
II. **ren** *adj (mods. snavset)* clean; *(ublandet, uforfalsket; moralsk ~; strengt teoretisk)* pure *(fx* pure mathematics); *(ligefrem, ~ og skær)* pure *(fx* nonsense), sheer *(fx* ignorance, impossibility, madness), absolute *(fx* fool), downright *(fx* scoundrel); *(blot og bar)* mere *(fx* a mere boy); *(om omrids)* clean-cut, clear; *(om sprog: korrekt)* pure, faultless; *(om tone)* true; *(netto)* net *(fx* profit);
give ~ besked speak plainly, speak out; *give én ~ besked* give sby a piece of one's mind; *~ chokolade* plain chocolate; *feje stuen ~* sweep out the room; *for den -e er alting -t* to the pure all things are pure; *~ fortjeneste* a clear profit *(fx* a clear p. of £10); *det er ~ fortjeneste* it is all profit; *give et barn -t på* change a baby's nappie; *gøre -t i et værelse* clean a room; *kemisk ~* chemically pure; *~ kvart* (, kvint) perfect fourth (, fifth); *lægge -t på sengene* change the bed linen; *det er -e ord for pengene* that is short and sweet, that is plain speaking; *med -e ord* plainly, bluntly, in so many words; *bringe på det -e* clear up; *være på det -e med* know, realize; *~ samvittighed* a clear conscience; *den -e sandhed* the plain truth; *skrive ngt -t* write a fair copy of sth; *~ skønhed* perfect beauty; *~ smag* pure taste; *ved et -t tilfælde* by the merest chance, by sheer accident; *~ og skær uvidenhed* sheer ignorance; *af -este vand* of the first water; *det -e vanvid* sheer madness; *(se ogs rent).*
rend *(et)* run, running; *(føjten om)* gadding about; *der var et forfærdeligt ~ hele dagen* people kept running in and out all day; *vi har et ~ af tiggere* we are overrun by beggars; *stikke i ~* start running.
I. **rende** *(en -r) (rille, fure)* groove; *(tag-)* gutter; *(nedløbs-)* down pipe, drain pipe; *(afløbs-)* drain; *(grøft)* ditch; *(anden gravet fordybning)* furrow; *(sejlløb)* channel, fairway; *(slidsk til styrtegods)* shoot.
II. **rende** ✶ run, *(dråbevis)* trickle; *(være utæt)* leak; *(føjte om)* gad about; *~ af med* run away with; *~ efter en* run after sby; *'~ fra* run away from, *(sit ord)* go back on, *(ansvar)* shirk; *du kan ~ og hoppe!* go and boil your (ugly) head! go to hell! *vandet -r 'fra* the water runs off; *~ i vejret (o: vokse)* shoot up; *~ sværdet igennem en* run sby through with one's sword; *~ en ind (o: indhente)* run sby down, catch up with sby; *~ om hjørner med en* take sby in; *~ med sladder* talk scandal, tell tales; *~ panden mod en mur (ogs fig)* run one's head against a wall; *~ på (o: træffe)* come across, run into, *(kollidere med)* run into, run against; *~ en på dørene* pester sby with visits; *~ sin vej* run away, take to one's heels.
rende|garn warp. **-maske** *(person)* gadabout.
renderi *(et) se rend; (føjten om)* gadding about.
rendesten gutter; *smide sine penge i -en* pour one's money down the drain *(el.* the sink).
rendezvous *(et -er)* assignation, lovers' meeting, rendezvous.
rendyrke *vb* cultivate; *-t* in a state of pure cultivation, *(fig)* thorough, thoroughgoing; pure *(fx* selfishness). **rendyrkning** (pure) cultivation.
renegat *(en -er)* renegade.
renfærdig *adj (renlig)* cleanly; *(hæderlig)* honest;

(kysk) chaste; *(ærbar)* decent. **renfærdighed** *(en)*
cleanliness; honesty; chastity; decency.

rengøring *(en)* (house) cleaning, clean-up.

rengørings|assistent cleaner. **-dame** cleaner,
charlady. **-kone** charwoman. **-vanvid:** *hun har* ~
she has a mania for turning out her rooms, she is
terribly houseproud.

renhed *(en)* *(se II. ren)* cleanness; purity; ~ *i
tanken* purity of mind.

renholde *vb* keep clean. **renholdelse** *(en)* clean-
ing; *(af gader)* sweeping; *(dagrenovation)* scavenging;
(natrenovation) removal of night soil.

renkultur *(rendyrkning)* cultivation; *(resultat)*
pure culture; *i* ~, *se rendyrke.*

renlig *adj* cleanly. **renlighed** *(en)* cleanliness;
~ *er en god ting (omtr)* cleanliness is next to godliness.

renlivet *adj (ærbar)* decent; *(gennemført)* staunch.

renommé *(et)* reputation, repute; *godt* ~ *(ogs)*
(a) good name. **renommeret:** *vel* ~ well reputed.

renonce *adj* void; ~ *i hjerter* void of hearts.

renoncere *vb* give it up, resign oneself; ~ *på* do
without, *(krav, ret etc)* waive; ~ *på at gøre ngt* give
up *(el.* renounce *el.* drop) the idea of doing sth.

renovation *(en) (dag-)* removal of refuse, refuse
collection; *(nat-)* removal of night soil; *(det fjernede)*
refuse; night soil. **renovations|mand** *(dag-)* scav-
enger, dustman; *(nat-)* nightman. **-vogn** *(dag-)* dust
cart, *(bil)* refuse-collection truck; *(nat-)* night cart.

rensdyr *zo* reindeer *(pl d. s.).*

rensdyrlav ⚘ reindeer moss.

rense *vb* clean *(fx* one's clothes, a pipe, one's
nails), *(grundigt)* cleanse *(fx* a wound), *(ceremonielt)*
cleanse, *(især om væske, luftart)* purify; *(sigte)* screen,
sift; *(raffinere)* refine *(fx* petrol, sugar), rectify *(fx*
alcohol); *(rør etc)* clean out, clear; *(fisk)* clean; *(fjer-
kræ)* draw and truss; *(korn)* winnow; *(befri)* rid,
clear *(for:* of); *(moralsk)* purify; *(for beskyldning)*
clean *(for:* of), exculpate, exonerate *(for:* from);
~ *flasker* rinse bottles; ~ 'fra remove, eliminate;
kemisk ~ dry-clean; ~ *luften* purify the air, *(fig)* clear
the air; ~ *op* clean out, *(opmudre)* dredge *(fx* a
harbour, a river); ~ *ngt for pletter* remove stains *(el.*
spots) from sth; ~ *ud (ved afføring)* purge *(fx* the
bowels), *(fjerne uønskede personer)* weed out; ~ *ud i
et personale* weed out a staff; purge a staff of unde-
sirable elements; ~ *sig* clean oneself, *(for beskyldning)*
clear oneself, clear one's character.

rense|anlæg purifying plant. **-creme** cleansing
cream. **-lem** clean-out (door).

renselse *(en -r)* cleaning, cleansing, purification.

renselsesproces cleansing process, purification.

rensemiddel cleaning preparation, cleaner; *(plet-)*
stain remover.

renseri *(et -er)* dry-cleaning plant; (dry-)cleaners
fx send a coat to the (dry-)cleaners).

rensevæske *(en -r)* cleaning fluid.

renskrift *(en)* fair copy.

renskrive *vb* make a fair copy of.

rensning *(en) (se rense)* cleaning, cleansing;
purification; clearing; *kemisk* ~ dry-cleaning; *sende
noget til* ~ send sth to the cleaners.

rent *adv (moralsk)* purely, cleanly; *(helt, aldeles)*
quite, absolutely, completely; *han havde* ~ *glemt det*
he had clean forgotten it; ~ *historisk (etc)* from a
purely historical (etc) point of view; *skrive ngt* ~
make a fair copy of sth; *synge* ~ sing in tune, sing
true; *tale* ~ *(om børn)* speak properly; ~ *tilfældigt* by
sheer accident, by the merest chance; ~ *ud (ufor-
beholdent)* straight (out), bluntly, point-blank, *(fuld-
kommen)* absolutely; ~ *ud sagt* to put it bluntly, to
use plain language; *sige sin mening* ~ *ud* speak one's
mind.

rentabel *adj* profitable, remunerative, paying;
gøre landbruget -t make farming pay. **rentabilitet**
(en) profitableness, profitability, remunerativeness.

rente *(en -r)* interest *(af:* on); *(rentefod)* rate of in-
terest; *(understøttelse)* pension; *-r* interest; *-s* ~

compound interest; *bære (el. give)* **-r** *(om kapitalen)*
bear interest; *betale (, svare) -r (om låneren)* pay
interest *(af:* on); *tage* 4°/₀ *(i)* ~ charge four per
cent interest; *betale (el. give igen)* med ~ *(ogs fig)*
return *(fx* a blow) with interest; *sætte penge på* ~
put money out at interest; *udlåne penge mod* ~ lend
money at interest; *trække -r* bear interest.

rente|beregning calculation of interest. **-bæ-
rende** *adj* interest-bearing. **-fod** rate of interest. **-fri**
adj free of interest; interest-free *(fx* loan). **-frihed**
exemption from interest. **-indtægt** income from
securities, unearned income, private income. **-ku-
pon** interest coupon. **-penge** interest. **-sats** rate of
interest.

rentesregning computation of interest.

rentesrente compound interest.

rente|tab loss of interest. **-tabel** table of interest.

rentier *(en -er)* person of independent means,
rentier, independent gentleman.

rentryk: *bogen foreligger i* ~ the book is in sheets.

renvasket *adj* clean; *(fig)* whitewashed.

renæssance *(en)* renaissance; *-n* the Renaissance,
the Revival of Learning.

renæssancestil Renaissance style.

reol *(en -er)* shelves, bookcase. **reol|grave** *vb*
(kulegrave) trench. **-seng** cupboard bed.

reorganisation *(en)* reorganization.

reorganisere *vb* reorganize.

reparation *(en -er)* repair(s), *(omfattende)* recon-
ditioning, *(om småreparationer)* mending; *(istandsat
sted)* mend, *(lap)* patch. **reparationsværksted** re-
pair shop; *(bil- ogs)* service station.

reparatør *(en -er)* repairer, mender.

reparere *vb* repair, *(lappe etc)* mend.

repatriere *vb* repatriate.

repertoire *(et -r)* repertoire, repertory; *(fig)*
repertoire; *hans faste* ~ *af anekdoter* his stock anec-
dotes.

repetere *vb (læse igen)* read again; *(pensum)* revise,
do revision; *(gentage)* repeat.

repetition *(en) (af pensum)* revision; *(på teater)*
rehearsal. **repetitionstegn** repeat.

repetitør *(en -er) (på teater)* rehearser; *(for korets
vedkommende)* chorus master.

replicere *vb* reply, retort, rejoin.

replik *(en -ker) (gensvar)* reply, retort, rejoinder,
(kvik) repartee; *(jur)* replication; *(ytring i samtale)*
remark; *(teater-)* line(s), speech; *en afsides* ~ an aside.

replikskifte *(et)* exchange of words, *(i drama)*
dialogue.

report *(en) (merk)* contango.

reportage *(en) (det at)* reporting; *(meddelelse)*
report; *(radio-)* running commentary.

reporter *(en -e)* reporter.

repos *(en -er) (trappe-)* landing.

repressalier *pl* reprisals, retaliatory measures;
tage (el. bruge) ~ resort to reprisals *(mod:* against).

reprimande *(en -r)* reprimand, rebuke, reproof;
give én en ~ reprimand *(el.* rebuke, reprove) sby.

reprimandere *vb* reprimand, rebuke, reprove.

reprise *(en -r) (af skuespil)* revival; *(af radioudsen-
delse)* repeat; *(musik)* reprise, recapitulation.

reproducere *vb* reproduce.

reproduktion *(en -er)* reproduction; *(billede ogs)*
print *(fx* van Gogh prints).

repræsentant *(en -er)* representative, *(stedfortræ-
der ogs)* deputy, *(i forsamling ogs)* delegate; *(for firma
ogs)* agent; *(handelsrejsende)* (commercial) traveller,
representative, T rep; *Repræsentanternes Hus (i USA)*
the House of Representatives.

repræsentantskab *(et -er)* council, *(svarer i eng
aktieselskab omtr til)* shareholders' committee.

repræsentation *(en)* representation; *(merk)*
agency *(fx* sole a. for a firm); *(selskabelighed)* enter-
tainment.

repræsentations|godtgørelse entertainment al-
lowance. **-konto** entertainment account, *(ofte =)*

expense account. **-udgifter** *(pl)* entertainment expenses.

repræsentativ *adj* representative *(for:* of); *(præsentabel)* distinguished; *-e pligter* obligations to entertain; *være ~ (ɔ: præsentabel)* have a good presence.

repræsentere *vb* represent; *(i parlamentet ogs)* be member for, sit for; *(udgøre, beløbe sig til)* amount to; *(give selskaber)* entertain; *lade sig ~ ved* be represented by.

reps *(et -) (tøjsort)* rep(s), repp.

reptil *(et -(i)er) zo* reptile.

republik *(en -ker)* republic; *(Cromwells)* the Commonwealth. **republikaner** *(en -e)* republican. **republikansk** *adj* republican.

reseda *(en -er)* ♣ mignonette.

reservat *(et -er)* reserve, *(især amr)* reservation *(fx* the Indian reservations in the U.S.A.); *(for dyr, især fugle ogs)* sanctuary.

reservation *(en) (forbehold)* reservation, reserve; *(forbeholdenhed)* reserve; *(forudbestilling)* reservation, booking, *(amr)* reservation.

reserve *(en -r) (ogs i sport)* reserve; *i ~* in reserve; *en mand i ~* a spare hand; *-n* ✕ the reserve.

reserve- spare *(fx* anchor, wheel, propeller), reserve *(fx* ammunition, engine, bunker); *(nød-)* emergency. **reserve|befalingsmand** officer of the reserve. **-beholdning** reserve. **-belysning** emergency lighting. **-del** spare part *(til:* for). **-fond** reserve fund. **-forråd** reserve(s). **-hjul** spare wheel. **-kirurg** assistant surgeon. **-læge** (senior) registrar, *(amr)* (senior) resident; ✕ lieutenant (M.C.), ⚓ surgeon lieutenant. **-mandskab** spare hands; ✕ reserve(s). **-officer** officer of the reserve. **-postbud** auxiliary postman.

reservere *vb* reserve, *(forudbestille ogs)* book, *(amr)* reserve; *~ sig (forbeholde sig)* reserve, *(tage forbehold)* make reservations; *~ sig imod* guard against. **reserveret** *adj* reserved *(fx* seat, table); *(tilbageholdende)* reserved, guarded. **reservering** *(en -er)* reservation, booking; *(amr)* reservation.

reservering *(en ring til bil etc)* spare tyre.

reserverthed *(en)* reserve, guardedness.

reserve|skrue ⚓ spare propeller. **-styrke** ✕ reserve. **-trappe** emergency stairs, *(udvendig)* fire escape. **-udgang** emergency exit.

reservoir *(et -er)* reservoir.

residens *(en) (-slot)* (royal) residence; *(-stad)* [seat of a reigning monarch]; *forlægge -en (spøgende)* adjourn *(til:* to).

resident *(en -er)* minister resident; *(i Indien)* resident. **residere** *vb* reside, live.

resignation *(en)* resignation.

resignere *vb (opgive at gøre noget)* give up; *(finde sig i sin skæbne)* resign oneself to one's fate. **resigneret** *adj* resigned, uncomplaining; *adv* -ly.

resistens *(en)* resistance *(over for:* to). **resistent** *adj* resistant *(over for:* to).

reskontro *(en -er) (merk)* account-current book. **reskript** *(et -er)* rescript, ordinance.

resocialisere *vb* re-socialize.

resolut *adj (beslutsom)* resolute, determined; *(uden nølen)* prompt, unhesitating; *adv* -ly. **resoluthed** *(en)* resoluteness, determination; promptitude, promptness.

resolution *(en -er)* resolution; *vedtage en ~* pass a resolution. **resolvere** *vb* resolve; *(om øvrighed)* decide, decree.

resonans *(en)* resonance; *give ~* reverberate.

resonans|bund sounding-board. **-rum** resonance chamber.

respekt *(en)* respect, regard *(for:* for), deference *(for:* to); *have ~ for en* have respect for sby, hold sby in respect, *(frygte)* stand in awe of sby; *have ~ for sig selv* have (some) self-respect, be self-respecting; *sætte sig i ~* make oneself respected; *med ~ for sig selv* self-respecting; *med al ~ for* with all respect for *(el.*

deference to); *med ~ at melde* saving your presence. **respektabel** *adj* respectable.

respektere *vb* respect; *(en afgørelse)* abide by.

respekt|fuld *adj* respectful. **-indgydende** *adj* awe-inspiring, impressive, imposing.

respektiv *adj* respective, several. **respektive** *adv* respectively.

respekt|løs *adj* disrespectful *(mod:* to). **-løshed** *(en)* disrespect. **-stridig** *adj* disrespectful *(over for:* to).

respiration *(en)* respiration, breathing. **respirator** *(en -er)* respirator.

respit *(en)* respite. **respitdag** day of grace.

responsum *(et, responsa)* (expert) opinion; *afgive ~* give an opinion.

ressort *(en) (område)* province.

ressourcer *pl* means, resources.

rest *(en -er) (NB. det engelske ord* rest *bruges kun i bestemt form, fx* you can keep the rest); remainder *(fx* of one's life, of the year, of a company, of a debt); *(tilbagebleven smule)* remnant *(fx* of an old custom, of strength); *(i regnestykke)* remainder *(fx* add the r. to the original figure); *(tøjrest)* remnant; *(restbeløb)* balance; *(kem)* residue, residuum; **-en** *(ogs)* the rest, what is left, (T & *amr)* the balance, *(om personer)* the rest, the others; **-er** *(ogs)* remains *(fx* of a building, of a past civilization); *(stumper)* scraps *(fx* of metal, of paper); *(madrester)* leavings, remains, *(som skal bruges senere)* leftovers; *der er (endnu) en ~* there is something left; **for -en** incidentally, as it happens, as a matter of fact, *(apropos)* by the way, that reminds me, *(for den sags skyld)* for that matter, *(desuden)* besides, *(i andre henseender)* otherwise; *jordiske -er* mortal remains; *blive til ~* be left (over), remain; *have (, få) ngt til ~* have sth left; *stå til ~* remain.

restance *(en -r)* arrears; *være i ~ med* be in arrears with. **restant** *(en -er)* person in arrears.

restaurant *(en -er)* restaurant; *(på jernbanestation)* refreshment room; *(i hotel)* dining-room.

restauration *(en -er) se* restaurant, *restaurering*; *(politisk)* restoration.

restauratør *(en -er)* restaurant-keeper.

restaurere *vb* restore.

restaurering *(en -er)* restoration.

rest|beholdning remainder. **-beløb** balance, remainder.

restere *vb* remain, be left over; *(om skyldner)* be in arrears. **resterende** *adj* remaining; *det ~* the rest, the remainder. **restgæld** remaining debt.

restituere *vb* restore; *(helbrede)* restore to health, cure; **-t** *(rask)* recovered, restored to health. **restitution** *(en)* restoration; *(helbredelse)* recovery.

rest|lager surplus stock. **-oplag** *(af bog)* remaining copies *(pl)*; *(som sælges nedsat)* remainders. **-parti** remainder.

restriktion *(en -er)* restriction.

restsalg *(af tøj etc)* remnant sale.

resultat *(et -er)* result, upshot, outcome; *(bedrift etc)* achievement *(fx* the achievements of modern science); *(virkning)* effect; *(udbytte)* profit, return; *(logisk slutning)* conclusion. **resultat|løs** *adj* vain, futile, fruitless, ineffective; *være ~* result in nothing, be in vain, fail. **-rig** *adj* effective, successful.

resultere *vb* result *(i:* in).

resumé *(et, resumeer)* summary, synopsis. **resumere** *vb* sum up, give a summary of.

I. **ret** *(en -ter) (mad)* dish, *(del af større måltid)* course; *dagens ~ (på restaurant)* today's special; *tage for sig af -terne* help oneself; *tre -ter mad* three courses; *en middag med seks retter* a six-course dinner.

II. **ret** *(en -ter) (modsat uret)* right; *(rettighed)* right, privilege; *(retfærdighed)* justice; *(lovgivning, jura)* law; *(retspleje)* (administration of) justice; *(domstol)* court (of justice), law court; *(dommersæde)* Bench; *(retslokale)* court (room);

efter dansk ~ in *(el.* according to) Danish law; *for -ten* in court, before the court; *bringe sagen for -ten* take the matter to court; *stille ham for -ten* put him on trial; *forbeholde sig ~ til* reserve (for oneself) the right to; *få ~ (vise sig at have ~)* prove right, be right after all; *få sin ~* come into one's own; *-ten gik sin gang* the law took its course; *give ham ~* agree with him (*i at:* that); *give ham ~ i hans betragtning* admit the justice of his view; *give ~ til* entitle to; *gøre ~* do what is right; *hvis jeg gjorde dig din ~* if you had your deserts; **have** *~* be right; *det har du ~ i* you are right there; *have ~ til at* have a right to, be entitled to; *hæve -ten* adjourn the court; *-ten hævedes* the court rose; *i -ten* in court; *sætte i -te* rebuke; *være i sin gode ~* be (quite) within one's rights; *kræve sin ~* insist on one's rights; *naturen kræver sin ~* Nature will have her way; *lov og ~* justice; law and order; *uden for lands lov og ~* miles from anywhere; *med ~* rightly, justly, with justice; *med hvilken ~ kommer De herind?* what right have you to come in here? *pleje -ten* administer justice; *-tens pleje* the administration of justice; *skaffe sig sin ~* take the law into one's own hands; *-ten må ske fyldest* justice must be done; *sætte -ten* open the case; *hvor intet er har selv kejseren tabt sin ~ (omtr =)* you can't get blood out of a stone; *gå til -ten* go to law; *finde sig til -te (blive vant til forholdene)* find one's feet; (*blive tilfreds)* be satisfied with conditions; *(slå sig til ro)* settle down; *hjælpe en til -te* help sby, lend sby a (helping) hand; *han er ikke nem at komme til -te med* he takes some handling; *komme til sin ~ (ɔ: få sin ~)* come into one's own, *(komme til fuld udfoldelse)* do justice to oneself, *(tage sig godt ud)* show to the best advantage; *lægge til -te* arrange; *sætte sig til -te* settle oneself; *tage sig selv til -te* take the law into one's own hands; *tale en til -te* make sby listen to reason; *vise en til -te* show sby his way about, instruct sby, *(dadle)* reprimand sby; *gå -tens vej* go to law; *~ skal være ~* fair is fair.

III. **ret** *(en) (retside)* right side.

IV. **ret** *adj (lige)* straight *(fx* back, line); *(rigtig)* right *(fx* road), proper *(fx* everything in its proper place); *(retmæssig)* rightful *(fx* heir, owner), lawful, legitimate; *alle ~!* ⚡ attention! *det er ikke mere end ~ og rimeligt* it is only fair; *det var ~!* well done! good! *det -te* the right thing; *strikke ~* knit plain; *et ord i -te tid* a word in season; *komme i -te tid* come *(el.* be) in time *(til:* for); *på -te tid og sted* at the proper time and place; *~ vinkel* right angle; *~ og vrang (i strikning)* knit and purl, rib(bing); *strik to ~ og to vrang* knit two, purl two.

V. **ret** *adv (lige)* straight; *(rigtigt)* rightly, correctly, properly; *(temmelig)* fairly, rather, pretty; *~ beset* all things considered, when you come to think of it; *forstå mig ~* don't misunderstand me; *~ forude* ⚓ right ahead; *~ godt* pretty well; *ikke ~ godt* not very well; *deri gjorde du ~* you were right in doing that; *om jeg husker ~* if I remember rightly; *om jeg kender ham ~* if I know him; *~ nord* due North; *slet og ~:* se II. slet; *~ som* just as; *stå ~* ⚡ stand at attention; *uden ~ meget håb* without very much hope; *(se ogs rettere).*

retablere *vb* re-establish.

retarderet *adj:* ~ *person* person suffering from arrested development, retarded person.

retfærdig *adj* just, righteous; *(billig)* fair; *det -e i mine krav* the justice of my claims; *sove de -es søvn* sleep the sleep of the just; *~ vrede* righteous anger.

retfærdig|gøre *vb* justify; *~ sig* justify one's conduct, clear oneself. **-gørelse** *(en)* justification.

retfærdighed *(en)* justice, righteousness; *(billighed)* fairness, equity; *-en (myndighederne)* justice, the law; *lade én vederfares ~,* *yde én ~* do sby justice; *lade middagen vederfares ~* do justice to the dinner; *-en var sket fyldest* justice had been done.

retfærdighedssans sense of justice.

retfærdigvis *adv* in justice, in fairness.

rethaveri *(et)* obstinacy, pig-headedness.

rethaverisk *(påståelig)* self-opinionated.

retirade *(en -r)* privy.

retiré *adj* reserved.

retirere ⚡ retreat, retire, withdraw.

retlede *vb* guide. **retledelse** *(en)* guidance.

retlig *adj* legal.

ret|linet *adj* upright. **-liniet** *adj (mat.)* rectilinear, straight. **-maske** plain stitch.

retmæssig *adj* lawful, legitimate, rightful.

retmæssighed *(en)* lawfulness, legitimacy, rightfulness.

retning *(en -er)* direction; *(henseende)* respect; *(tendens)* tendency, trend; *(ånds-)* movement; *(linie i gymnasium)* side; *(det at gøre lige)* straightening; *(af fejl)* correction, *(af stile)* marking, *(amr)* grading; *(af kompasser)* adjustment; *i alle -er* in all directions, *(henseender)* in all respects, in every way; *påvirke i gunstig ~* influence favourably; *i nordlig ~* northwards; *i samme ~* in the same direction, the same way, *(af samme art)* to the same effect, of that kind; *i ~ af* in the direction of, towards, *(hvad angår)* as regards, in respect of; *noget i ~ af* something like, something in the nature of; *ikke noget i ~ af* nothing like, nothing in the way of; *eller noget i den ~* or something (like that); *trafikken i ~ mod* the traffic bound for; *~ til højre!* ⚡ right dress!

retnings|antenne directional aerial. **-givende** *adj* normative; *~ pris* suggested price. **-linie** line of direction; *(fig)* line; *-r (direktiver)* lines, instructions, directives; *efter konservative -r* along conservative lines. **-viser** *(på bil)* direction indicator.

retor *(en -er)* rhetor. **retorik** *(en)* rhetoric. **retorisk** *adj* rhetorical.

retorsion *(en -er)* retaliation.

retort *(en -er)* retort.

retouche *(en)* retouch. **retouchere** *vb* retouch, touch up. **retouchering** *(en) (det at)* retouching; *(den enkelte)* retouch. **retouchør** *(en)* retoucher.

retransmission retransmission.

retransmittere *vb* retransmit.

retro|grad *adj* retrograde. **-spektiv** *adj* retrospective.

retræte *(en -r)* retreat; *(tappenstreg)* tattoo.

retrætepost (comfortable) job to retire to.

rets|afgifter court fees. **-begreb** concept of justice, legal conception. **-belæring** summing up, charge (to the jury). **-beskyttelse** legal protection. **-bevidsthed** conception of justice. **-brud** *(et -)* breach of the law. **-forfølgning** (legal) proceedings. **-forhandling** hearing. **-formand** presiding judge. **-følelse** sense of justice. **-grundlag** legal basis. **-gyldig** *adj* valid. **-gyldighed** *(en)* validity. **-handling** judicial act. **-historie** history of law, legal history. **-hjælp** legal aid; *~ for ubemidlede (svarer til)* the Law Society's Statutory Legal Advice Scheme; *(i U.S.A.)* The Legal Aid Bureau.

ret|side right side, face. **-sind** uprightness, righteousness. **-sindig** *adj* upright, honest, honourable.

retskaffen *adj* upright, honest, honourable. **retskaffenhed** *(en)* uprightness, honesty, integrity.

rets|kendelse se *kendelse.* **-kraft** the force of law. **-krav** legal claim. **-kreds** jurisdiction.

retskrivning orthography, spelling.

retskrivnings|reform spelling reform. **-regel** orthographic rule.

retslig *adj* judicial, legal; *-e midler* legal remedies; *~ tiltale* proceedings; *~ undersøgelse* a judicial inquiry; *ad ~ vej* by legal means; *~ set* from a legal point of view.

rets|lokale court(-room). **-lægeråd** Medico-Legal Council. **-lærd** *adj* learned in the law; *subst* jurist. **-løs** *(uden retsbeskyttelse)* without legal rights, outlawed; *(uden love)* lawless, anarchic(al). **-løshed** *(en) (lovløshed)* lawlessness, anarchy. **-maskineri** machinery of justice. **-medicin** forensic medicine, medical jurisprudence. **-medicinsk:** ~ *institut* medico-legal institute. **-møde** sitting (of a court). **-opfattelse** conception of law. **-orden** legal system.

-**pleje** administration of justice. -**princip** principle of law. -**sag** case; (*kriminal-* ogs) trial; (*civil-* ogs) lawsuit. -**sal** court(-room). -**samfund** community founded on the rule of law. -**sikkerhed** law and order, public security. -**sprog** language of the courts; (*jur fagsprog*) legal language. -**stat** constitutional State, State governed by law. -**stilling** legal position; (*persons*) legal status. -**stridig** adj unlawful.
retstilling ✗ position of attention; stå i ~ stand at attention.
rets|tjener (court) usher. -**videnskab** jurisprudence. -**virkning** legal effect. -**væsen** administration of justice, judicial system.

I. **rette**: i ~, til ~, se II. ret.
II. **rette** vb (*gøre lige*) straighten; (*give retning*) direct, aim, level; (*henvende*) address (fx a few words to sby); (*fejl*) correct; (*opgaver*) correct, (*rette og bedømme*) mark, (*amr*) grade; (*kompas*) adjust; ~ an dish up, serve up; der er -t an dinner (etc) is served; ~ ind ✗ (*rækker*) dress (the ranks), (*kanon*) train; ~ mod (om våben, beskyldning etc) level at, (om bil, opmærksomhed, kurs) direct towards; ~ op (om bil med hensyn til styring) put the wheel straight, straighten out; (*kvikke op*) set up (fx a holiday will set you up); ~ én op (*moralsk*) make sby go straight; ~ økonomien op put the finances on a sound basis; ~ på adjust (fx one's clothes, one's tie), (*korrigere*) correct, ~ 'til adjust; ~ en opfordring til appeal to; ~ et spørgsmål til address (el. put) a question to; ~ ud straighten (out);
~ sig (*rette ryggen*) straighten (el. draw) oneself up, (om skib) right itself, (*blive rask*) get better, recover, (*bedre sig*) improve, (*moralsk*) make good, go straight; (om pris etc) recover; ~ sig efter comply with, conform to (fx the rules, sby's wishes), be guided by (fx him, his wishes), go by (fx what he says); (*bestemmes af*) be determined by, (*tilpasses efter*) be regulated by; (*gram*) agree with; ~ sig efter ham (ɔ: adlyde ham) do as he tells one; (ɔ: føje ham) comply with his wishes, give in to him; ~ sig op = ~ sig.
rettelig adv (*rigtigt*) properly, rightly; (*retmæssig, med rette*) by right(s).
rettelse (en -r) (*ændring*; det at rette fejl*) correction; (*se ogs retning*)
rettere adv: jeg husker ikke ~ end at han var der as far as I remember he was there; to the best of my recollection (, knowledge) he was there; eller ~ sagt or rather; jeg ser ikke ~ end at du bør gøre det as I see it, you ought to do it.
retter|gang legal proceedings. -**sted** place of execution.
rettesnor guide, rule; tage ngt til ~ take sth as an example (el. as a guide).
rettidig adj punctual (fx payment); -t adv (*præcist*) punctually, on time, (*tidsnok*) in time.
rettighed (en -er) right; (*forret*) privilege; *borgerlige -er* civil rights.
ret|troende adj orthodox. -**troenhed** (en) orthodoxy. -**tænkende** adj right-minded.
I. **retur** (en) return; gå ~ be returned; være på ~ (ɔ: i tilbagegang) be on the decline, be on the wane; (ɔ: til års) be past one's prime; (ɔ: i aftagende) be declining; (om kulde, feber) be abating; (se ogs tur).
II. **retur** adv back; gå ~ be returned; komme ~ return, come back; sende ~ return, send back.
retur|billet return ticket; (*amr*) round-trip ticket. -**fragt** return freight. -**gods** returns; tomt ~ returned empties. -**kommission** secret commission.
retur|postkontor dead-letter office. -**veksel** redraft.
retvinklet adj rectangular, right-angled.
retvisende adj ✗ true (fx course, north).
reumatisk adj rheumatic. **reumatisme** (en) rheumatism.

reussere vb succeed, arrive.
I. **rev** (et -) reef. II. **rev** imperf af rive.
revaccination (en -er) revaccination.
revaccinere vb revaccinate.
revalidend (en -er) rehabilitee. **revalidere** vb rehabilitate. **revalidering** (en -er) rehabilitation.
revanche (en) revenge; få (el. tage) ~ have one's revenge, retaliate, (*indhente det forsømte*) make up for lost time; give én ~ give sby his revenge. re-**vanche|kamp** return match. -**krig** war of revenge.
revanchere vb: ~ sig retaliate, take one's revenge.
reveille (en) reveille; blæse -n sound the reveille.
reven perf part af II. rive.
reverens (en) bow; (*kvindes*) curtsey.
reverenter: ~ talt not to put too fine a point on it.
revers (en -er) (af mønt) reverse; (på jakke) facing, lapel, revers; (se ogs medalje).
reversibel adj reversible.
revet perf part af rive.
revidere vb revise (fx a book, a price list, one's opinions); (*regnskab*) audit, check.
revir (et -er) (jagt-) (game) preserves.
revision (en) revision; (af regnskab) audit(ing), (*kritisk*) investigation.
revisionisme (en) Revisionism. **revisionist** (en -er) Revisionist.
revisions|ark revise. -**kontor** audit department. -**protokol** auditor's records.
revisor (en -er) auditor, accountant; (tog-) ticket inspector; statsautoriseret ~ (svarer til) chartered accountant; (*amr*) certified public accountant.
revisorat (et -er) (kontor) audit department.
revle (en -r) (sand-) bar, sand bank.
revling (en -er) ♣ crowberry.
I. **revne** (en -r) (i glas, i væg) crack; (i klippe, mur) crevice; (i metal) flaw; (i tømmer) split; (i hud) chap; (i tøj) tear, rent; (fig) split; slå -r crack, split.
II. **revne** vb crack, split; (om hud) chap; (sprænges) burst; (fig) split up; være ved at ~ af grin split one's sides with laughter; være ved at ~ af nysgerrighed be bursting with curiosity.
revnefærdig adj bursting (fx with curiosity).
revnende adv completely; jeg er ~ ligeglad, det er mig ~ ligegyldigt I don't care a damn; I couldn't care less.
revolte (en -r) revolt. **revoltere** vb (*gøre oprør*) revolt, rebel (imod: against).
revolution (en -er) revolution. **revolutionere** vb revolutionize. **revolutionerende** adj revolutionary. **revolutions-** revolutionary (fx leader, spirit). **revolutionær** adj revolutionary.
revolver (en -e) revolver. **revolver|bænk**, -**drejebænk** turret lathe. -**røver** hold-up man. -**skud** revolver shot.
revse vb chastise, castigate.
revselse (en -r) chastisement, castigation; korporlig ~ corporal punishment.
revy (en -er) ✗ review; (teater-) revue; (tidsskrift) review; holde ~ hold a review, inspect the troops; holde ~ over review, inspect; passere ~ march past, (fig) pass in review; lade passere ~ review, (fig) (pass in) review. **revy|forfatter** writer of revues. -**teater** revue theatre. -**vise** song from a revue.
rh- se ogs r-. **rhesus|negativ** rh(esus) negative. -**type** rh(esus) type.
Rhinen the Rhine. **rhinskvin** hock, Rhine wine. **Rhodos** Rhodes.
ri vb (sy) tack, baste; ♣ (lidse) lace, (surre) lash.
I. **ribbe** (en -r) (ogs i insektvinge og i blad) rib; (på bælg) string; (stilk) stalk; (fjer-) quill and shaft of a feather; ♣ batten, (dæks-) ledge; (til gymnastik) wall bar; i øverste ~ on the top bar.
II. **ribbe** vb (afspille) pluck, strip, (bælgfrugter) string; (plyndre) rob (en for ngt: sby of sth); -t for illusioner disillusioned.
ribben rib. **ribbens-** costal (fx muscle).

ribbens|steg rib roast. **-stykke** spare rib.
ribbet *adj* ribbed; *(nålestribet)* pin-striped.
ribbort ribbing.
ribning *(en -er) (se II. ribbe)* plucking, stripping;
stringing; robbing.
ribs *(et -)* (red) currant. **ribs|busk** (red-)currant
bush. **-gelé** red-currant jelly. **-saft** red-currant
juice; *(sukret)* red-currant syrup.
ribstrikning rib stitch.
ricinusolie castor oil.
rickshaw *(en)* rickshaw.
ridder *(en -e)* knight; *(forkæmper)* champion;
~ *af æreslegionen* Knight of the Legion of Honour;
slå sig til ~ *på noget* score a cheap point by ridiculing
sth, *(prale af noget)* boast of sth, *(tage æren for noget)*
take the credit for sth; *slå én til* ~ knight sby; *ud-
nævne én til* ~ make sby a knight, confer a knight-
hood on sby; *vandrende* ~ knight-errant.
ridder|borg baronial castle. **-digtning** poetry of
chivalry. **-kors** cross of an order of chivalry.
ridder|lig *adj* chivalrous. **-lighed** *(en)* chivalry.
ridder|orden order of chivalry. **-romantik** ro-
mance of chivalry; *(litteratur)* literature of chivalry.
-sal great hall, banqueting hall. **-skab** knighthood,
chivalry. **-slag** accolade. **-spore** ♣ larkspur. **-stand**
knighthood, chivalry; *(i oldtidens Rom)* equestrian
order, equites *pl*. **-tiden** the age of chivalry.
ride *(red, redet) (til hest)* ride (, go, travel) on
horseback; *(sidde overskrævs)* sit astride *(fx* on a
wall); ~ *en storm af* ♣ ride out a gale, *(fig ogs)*
weather a storm; ~ *for anker* ♣ ride at anchor; *(lære
at)* ~ *hos* take riding-lessons from; ~ *én ned* ride sby
down; ~ *på* ride (on); sit astride on; ~ *på veksler*
fly kites; ~ *'til (ɔ: hurtigere)* quicken one's pace; ~
en hest 'til break in a horse; ~ *hestene til vands* water
the horses; ~ *en tur* go for a ride; *(se ogs ridende)*.
ride|bane riding-ground. **-benklæder** riding
-breeches. **-dragt** riding-dress, *(dames)* riding-habit.
-foged bailiff. **-færdighed** horsemanship. **-hest**
saddle horse, mount; *(til jagt)* hunter. **-knægt**
groom. **-kunst** horsemanship. **-lærer** riding-master.
ridende *adj (bereden)* mounted *(fx* police); *(ryt-
ter)* rider; *komme* ~ come riding along, come on
horseback; *være* ~ be riding, be mounted, be on
horseback; *være godt* ~ be well mounted.
ride|pisk horsewhip, *(kort)* crop. **-skole** riding
-school. **-sport** riding. **-sti** bridle path. **-støvle**
riding-boot. **-time** riding-lesson. **-tur** ride. **-under-
visning** riding-lessons. **ridning** *(en)* riding.
rids *(et -)* sketch; *(grundrids)* ground plan; *(kon-
tur)* outline; *(se ogs I. ridse)*.
I. **ridse** *(en -r)* scratch; *(revne)* crack.
II. **ridse** *vb* scratch; *(afmærke træer)* mark, blaze;
~ *i ngt* scratch sth; ~ *ned (ɔ: tegne)* sketch (out);
~ *op (fig)* sketch, outline.
ridsefjer drawing-pen. **ridset** *adj* scratched.
ridt *(et -)* ride *(fx* a three days' ride).
riffel *(en, rifler) (gevær)* rifle. **riffel|gang** groove.
-kugle rifle bullet. **-skydning** rifle-shooting.
rifle *vb (gevær)* rifle; *(kannelere)* flute, channel.
riflet *adj* rifled; fluted, channelled; *(om fløjl etc)*
ribbed; ~ *rand (på mønt)* milling.
rift *(en -er)* scratch; *(større)* cut, tear, rent, *(stor
flænge)* slash; *der er* ~ *om det* it is in great demand.
I. **rig** *(en)* ♣ rigging; *(type af rigning)* rig *(fx*
Bermuda rig).
II. **rig** *adj (velhavende)* rich, wealthy; *(rigelig)*
rich, copious, plentiful, abundant; *(yppig)* exuber-
ant, luxuriant *(fx* foliage, imagination); *(kostbar)*
rich, costly; *den* ~ *e* the rich man; *de -e* the rich; ~
lejlighed til plenty of *(el.* ample) opportunity to; *i -t
mål* abundantly; ~ *på* rich in; *(se ogs rigt)*.
rigdom *(en -me)* riches *(pl)*, *(velstand)* wealth;
(rigelighed, mangfoldighed) richness, copiousness; *(yp-
pighed)* exuberance; *(overflod)* abundance; *-me*
riches; ~ *på* wealth of, abundance of, profusion of.
rige *(et -r)* empire *(fx* the Roman Empire), king-

dom *(fx* the Kingdom of God; the Kingdom of
Denmark; the mineral kingdom; my kingdom is
not of this world), realm *(fx* the realm of the dead;
the estates *(»stænder«)* of the realm; the realm of
Nature); *det britiske* ~ *(nu oftest:)* the (British) Com-
monwealth; *komme dit* ~ thy kingdom come; *det
tyske* ~ the Reich, the German Empire.
rig|el *(en -ler) (slå)* bolt; *(tværtræ)* crossbar.
I. **rigelig** *adj* plentiful, abundant, ample, co-
pious; *(lidt for stor)* a trifle large, on the large side;
(mindst) good *(fx* a good hour), at least, well over;
findes i ~ *mængde* abound; *have sit -e udkomme* be
comfortably off, suffer no want,
II. **rigelig(t)** *adv* abundantly, copiously, amply;
(lidt for) rather too, a bit *(fx* it is a bit far), *(mindst)*
at least *(fx* he has at least £800 a year), or more
(fx £800 a year or more).
rigge *vb* ♣ rig *(fx* rig a pump); ~ *af* unrig; ~ *til*
rig, *(= pynte)* rig out. **rigger** *(en -e)* rigger.
righoldig *adj* rich, copious, abundant.
rigmand rich man, plutocrat.
rigning *(en -er)* rigging; *entre op i -en* go aloft.
rigorisme *(en)* rigorism. **rigorist** *(en -er)* ri-
gorist. **rigoristisk** *adj* rigorous.
rigs|advokat *(svarer til) (i Engl)* Director of
Public Prosecutions; *(i Skotland)* Lord Advocate;
(i U.S.A.) Attorney General; *(i ikke-engelsktalende
lande)* Public Prosecuter. **-arkiv** Record Office.
-arkivar Keeper of the Public Records. **-banner**
national flag. **-bibliotekar** National Librarian.
rigsdag *(en)* Parliament; *(i U.S.A.)* Congress;
den tyske ~ the Reichstag; *-en i Worms* the Diet of
Worms. **rigsdagsbygning** Parliament house *(se ogs
folketings-)*.
rigs|daler rix-dollar. **-dansk** *(sproget)* standard
Danish. **-forstander** regent. **-forstanderskab** re-
gency. **-grænse** frontier; *(i U.S.A.)* border. **-kans-
ler** chancellor. **-klenodier** regalia. **-konference**
(Commonwealth) Prime Ministers' Meeting. **-mål**
standard language, *(norsk)* Riksmål. **-politichef**
Commissioner of Police. **-regalier** regalia. **-ret**
[court for the trial of high crimes and misdemean-
ours]; *blive stillet for -ten (svarer til)* be impeached.
-retsanklage impeachment. **-råd** *(et)* [until 1660
an aristocratic council of state in Denmark]; *(en -er)*
member of the "rigsråd". **-sprog** standard language;
dansk ~ standard Danish. **-stænder** *(pl)* estates of
the realm. **-telefon** *(svarer omtr til)* trunk exchange,
T trunks. **-våben** national (coat of) arms. **-æble** orb.
rigt *adv* richly *(fx* furnished, gilt), copiously,
abundantly.
rigtig *adj* right; *(korrekt)* right, correct; *(sand)*
true; *(passende)* right, proper; *(virkelig)* real *(fx*
pearls, wine, autumn weather), *(neds)* downright *(fx*
nonsense, fool); *adv (ogs -t)* right, correctly, prop-
erly; *(programmæssigt)* duly; *(i høj grad)* very, really,
(fuldt ud) quite, fully, *(temmelig)* quite;
~*!* quite right! quite (true)! *det er ikke -t af dig*
you ought not to do that; *æblevin er den (eneste) -e
drik når det er varmt i vejret* cider is 'the drink for
hot weather; *hans -e fader* his real father; *jeg kan
ikke* ~ *forstå* I don't quite understand *(el.* see); *det
går ikke -t til* there is more in this than meets
the eye; *ganske* ~ quite right, quite true, *(som ven-
tet)* sure enough; *gøre det -e* do the right thing;
gøre -t i at be right to; ~ *meget* quite a lot; ~ *mod-
taget* duly received; *det er noget af det -e* that's some-
thing like; *ramme det -e* hit the mark, hit the nail
on the head; ~ *underrettet* correctly informed; *jeg
ved ikke* ~ I do not quite know; *det er -t (ɔ: du har
ret)* that's it; quite right; *det er ikke -t mod ham* it is
not fair on him; *han er helt* ~ he is all right; *han er
ikke* ~ *i hovedet* he is not quite right in the head.
rigtighed *(en)* correctness, accuracy; *(sandhed)*
truth; *(berettigelse)* justice; *afskriftens* ~ *bekræftes* I
certify this to be a true copy; *bevidne -en af* bear
out, confirm (the truth of), verify; *bestride -en a*

contest, dispute; *det har sin* ~ it is quite correct (*el.* true), it is a fact.

rigtignok *adv* certainly, indeed, (*indrømmende ogs*) to be sure; *ja det gør* (*, er, vil, etc*) *jeg* ~! (*ogs*) rather!

Rikard Richard.

rikochettere *vb* ricochet.

rikse (*en -r*) *zo* water rail.

I. **rille** (*en -r*) groove; (*i jorden*) furrow; (*til såning*) drill. II. **rille** *vb* groove; ~ *op* furrow.

rille|kultur strip planting. **-plov** drill plough. **-såning** (*forst*) strip sowing.

I. **rim** (*en*) (*rimfrost*) hoar frost, white frost, rime; *bedækket med* ~ rimy.

II. **rim** (*et -*) (*i vers*) rhyme.

rimbrev rhymed epistle.

rime *vb* rhyme; (*stemme, passe*) agree, tally (*med:* with); ~ *på* rhyme with.

rimelig *adj* reasonable, fair; (*sandsynlig*) probable, likely; *til* ~ *pris* at a reasonable price.

rimelighed (*en*) reasonableness; (*sandsynlighed*) probability, likelihood; *alt inden for -ens grænser* anything (with)in reason; *det kan* (*nok*) *have sin* ~ it is quite likely; *med* ~ reasonably.

rimeligvis *adv* probably, very likely, in all probability.

rimeri (*et*) rhyming; (*digt*) doggerel.

rimesse (*en*) remittance; *sende én en* ~ send sby a remittance, remit a sum to sby.

rimet *adj* (*om vers*) rhymed. **rimfri** unrhymed.

rimfrost hoar frost, white frost, rime.

rimordbog rhyming dictionary.

rimpe *vb* baste, tack; ~ *munden sammen* purse up) one's mouth.

rim|skema rhyming scheme. **-smed** rhymester.

rimtåge frosty mist.

rinde (*randt, rundet*) run, flow; (*fig om tiden*) pass, elapse, slip by; *runden af kongeligt blod* sprung from royal blood; *det -r mig i hu* I remember, it comes to my mind.

rindende *adj:* ~ *vand* running water; ~ *øjne* watery (*el.* bleary) eyes.

ring (*en -e*) ring; (*kreds ogs*) circle; (*hjul-, bil-*) *tyre,* (*amr*) tire; (*til ringspil*) hoop; (*under øjnene*) circle; (*om sol, måne*) halo, ring; (*af tov, slange*) coil; (*bokse-*) ring; (*sammenslutning*) ring; (*plet*) circular stain; *gå med* ~ wear a ring; *køre i* ~ drive in a circle, (*fig*) argue in a circle; *køre i* ~ *med en* (*fig*) lead sby a dance.

ring|bane (*jernb*) circle line. **-bog** loose-leaf book. **-brynje** chain mail. **-drossel** *zo* ring ouzel. **-due** *zo* wood pigeon.

I. **ringe** *adj* (*lille*) small (*fx* price, quantity, extent), little (*fx* hope), scant(y) (*fx* income); (*dårlig*) poor (*fx* ability, quality), inferior (*fx* quality), feeble (*fx* performance); (*betydningsløs*) trifling, insignificant; (*lav, tarvelig*) mean, low; (*beskeden*) lowly, humble (*fx* birth, station in life);

~ *afstand* a short distance; *af ikke* ~ *dygtighed* of no mean ability; *udsætte for ikke* ~ *fare* expose to no small danger; ~ *fortjeneste* small profit; *i* ~ *grad* little, not much; *i ikke* ~ *grad* considerably; ~ *herkomst* low (*el.* humble) birth; *efter min* ~ *mening* in my humble opinion; *have* ~ *tanker om* have a low opinion of; *en* ~ *trøst* a poor consolation; (*se ogs ringere ringest*).

II. **ringe** *vb* (*forsyne m. ring*) ring; ~ *ud: se udringe.*

III. **ringe** *vb* (*om el. med klokke*) ring; ~ *en besked* (*tele*)phone a message; ~ '*af* (*på telefon*) ring off, (*især amr*) ring up; *det -r* the bell is ringing, there's the bell; '~ *efter* ring for (*fx* a servant, a cup of tea), (*tlf*) (*tele*)phone for; *det må* ~ *for hans ører* his ears must be burning; ~ *ind* (*i en skole*) ring in (*fx* ring in the children); ~ *med en klokke* ring a bell; ~ *solen ned* ring the evening bell; ~ *op* (*i telefon*) ring up (*fx* ring me up), (*m. objekt ogs*) (*tele*)phone, call, (*især amr*) call up; ~ '*på* ring (the bell); ~ *på klokken* ring the bell; ~ *på tjeneren* ring for the waiter; ~ *til*

én **ring** sby up, (*tele*)phone sby, put a call through to sby; ~ *til City 2023* phone (*el.* call) City 2023 (*udtales:* two o two three); ~ *til gudstjeneste* ring the bells for divine service; ~ *til begravelse* toll (the funeral bell); ~ *ud* ring out.

ringeagt (*en*) contempt (*for:* for, of), disdain, scorn, disregard; *med* ~ contemptuously, scornfully; *nære* ~ *for* despise, look down on; *vise* ~ *for* show contempt for. **ringeagte** *vb* despise, look down on, hold in contempt. **ringeagtende** *adj* contemptuous; *adv* **-ly** (*fx* speak contemptuously of sby).

ringeapparat bell (*fx* electric bell); (*knappen*) bell push. **ringer** (*en -e*) (bell)ringer.

ringere (*af* I. *ringe*) smaller (*end:* than), less (*fx* importance); (*dårligere*) inferior (*end:* to), poorer (*end:* than); (*lavere stående*) inferior (*end:* to), lower, humbler (*end:* than); *blive* ~ deteriorate; *blive* ~ *og* ~ go from bad to worse; *ingen* ~ *end* no less a person than. **ringest** smallest, least, slightest; (*dårligst*) poorest, worst; (*lavest stående*) lowest, humblest; *i det -e* at (the very) least; *ikke i -e måde* not in the least, by no means.

ring|finger ring-finger, third finger. **-forlovet** *adj* formally engaged. **-formet** *adj* ring-shaped, annular.

ringhed (*en*) smallness, littleness; (*i kvalitet*) inferiority; *min* ~ my humble self.

I. **ringle:** ~ *op* coil; ~ *sig* curl.

II. **ringle** (*som nøgler etc*) jingle, (*som små klokker*) tinkle; ~ *med sine nøgler* jingle one's keys.

ring|linie circular line, circle. **-mur** ring wall. **-mærke** *vb* ring.

ringning (*en*) (*klokke-*) ringing; (*enkelt*) ring. **ring|orm** (*med.*) ringworm. **-ridning** riding at the ring. **-vej** ring road, circular road.

rining (*en*) tacking, basting; (*under fransk broderi*) padding; ⚓ lacing.

rinke *vb* (*tov etc*) coil; ~ *sig op til at gøre noget* make up one's mind to do sth.

rinskvin hock, Rhine wine.

ripost (*en*) (*i fægtning*) riposte; (*svar*) repartee, retort. **ripostere** *vb* riposte; (*svare*) retort.

rippe *vb:* ~ *op i* (*fig*) rake up (*fx* old scandals).

I. **ris** (*et -*) (*kvantum papir*) ream.

II. **ris** (*et -*) (*kviste*) brushwood, twigs; (*til at binde ærter op med*) sticks; (*til straf*) rod, birch (rod); (*pisker*) whisk; *binde* ~ *til sin egen bag* make a rod for one's own back; *få* ~ get a birching, be whipped, be flogged; *give* ~ whip, birch, flog; *tugtens* ~ the rod of correction.

III. **ris** (*en*) 🌾 rice.

risbrænde brushwood.

rise *vb* (*slå med et ris*) birch.

risen|gryn (grain of) rice. **-grød** (*omtr* =) rice pudding.

ris|fletning wattle, hurdle. **-gærde** wattle.

risikabel *adj* risky, hazardous.

risikere *vb* risk; ~ *at blive set* risk being seen, run the risk of (*el.* be in danger of) being seen; *jeg vil ikke* ~ *noget* I am not taking any risks (*el.* chances); *der er ikke noget at* ~ *ved det* it is perfectly safe; no risk is involved.

risiko (*en -er el. risici*) risk; *på egen* (*regning og*) ~ at one's own risk; *løbe en stor* ~ run a great risk; *uden* ~ without risk, safely. **risiko|forsikring** risk assurance. **-moment** element of risk.

ris|klatter (*pl*) rice fritters. **-knippe** (*et -r*) bundle of brushwood. **-kost** besom.

risle *vb* run; (*om lyden*) purl, murmur; *det -de mig koldt ned ad ryggen* it sent a shiver down my spine. **rislen** (*en*) murmur.

ris|mel rice flour. **-papir** rice paper. **-stivelse** rice starch.

I. **rist** (*en*) (*ro*) rest; *han har hverken* ~ *eller ro* førend he cannot rest until; *hun undte ham ikke* ~ *eller ro* she gave him no peace.

II. **rist** (*en -e*) grating; (*i fyrsted*) grate; (*fod-*

skraberist) steel scraper mat; *(i afløb)* grating; *(til at riste på)* gridiron, grill.

I. **riste** *vb (stege på rist)* grill, *(amr)* broil; *(på pande el. i ovn)* roast; *(om kastanjer)* roast; *(brød)* toast; *-t brød* toast.

II. **riste** *vb (indridse)* cut, carve *(fx runes).*

risting *(et -) (i syning)* tacking-stitch.

I. **ristning** *(en -er) (af I. riste)* grilling, broiling; roasting; toasting.

II. **ristning** *(en -er) (af II. riste)* carving.

ristorno *(en) (assurance)* return of premium.

risvandgrød [rice boiled in water].

ritmester ✕ captain (of horse).

ritornel *(en -ler)* ritornelle.

ritråd tacking-thread.

ritual *(et -er)* ritual. **ritualmord** ritual murder.

rituel *adj* ritual. **ritus** *(en -)* rite.

rival *(en -er)*, **rivalinde** *(en -r)* rival.

rivalisere *vb* compete *(med: with).*

rivaliserende *adj* rival, competing.

rivalisering *(en)* rivalry, competition.

I. **rive** *(en -r)* rake.

II. **rive** *(rev, revet) (kradse)* scratch; *(flænge, ~ hul)* tear; *(fierne voldsomt)* tear *(fx t.* one's clothes off), snatch *(fx s.* a purse from sby); *(på rivejern)* grate; *(m riv)* rake; *(farver)* grind; *-s (slås)* fight, *(kævles)* quarrel;

~ *af* tear off; ~ *en tændstik af* strike a match; ~ *vittigheder af sig* crack jokes; ~ **bort** tear *(el.* snatch *el.* carry) away, *(om døden)* carry off; *blive revet bort (om varer)* be snapped up, sell like hot cakes; ~ *(og slide)* i tear at; ~ *i halsen (om en drik)* rasp *(el.* burn) one's throat; *have ngt at ~ i* have one's hands full; ~ *ham det i næsen* throw it in his teeth, bring it up against him; ~ *i stykker,* ~ *itu* tear (up), tear to pieces; ~ **løs** tear off, detach; ~ **med** *(sig) (ogs fig)* carry away; ~ *en med sig i faldet* pull sby down with one, *(fig)* involve sby in one's fall; ~ **ned** *(bryde ned)* pull down, demolish *(fx* a house)*, (rive løs)* tear off, *(så til at falde)* knock down *(fx* a vase); ~ **ned** *på (bagtale)* run down; ~ **omkuld** knock over, knock down; ~ **op** tear up, *(åbne)* tear open, *(et sår)* reopen; ~ **hø sammen** rake up hay; ~ **sig** get scratched; *scratch oneself (,* one's hands etc) *(på:* on); *(så flænge i sit tøj)* tear one's coat, *(,* trousers, etc) *(på:* on), *(være flot)* spread oneself, have a blow-out; ~ *sig i håret* tear one's hair; ~ *sig løs* break loose; ~ *sig løs fra* break away from, *(fig)* tear oneself away from; ~ **hånden til sig** snatch away one's hand; ~ **ud** tear out; ~ *en ud af hans sløvhed* rouse sby from his stupor; ~ *en ud af hans vildfarelse* undeceive sby, disillusion sby; *det er revet ud imellem dem* they have fallen out; ~ *øjnene ud af hovedet på en* tear sby's eyes out; ~ *væk, se* ~ *bort; (se ogs rivende).*

rivegilde *(omtr* =*)* inquest, post mortem.

rivejern *(et -)* grater; *(arrig kvinde)* shrew, vixen.

rivende *adj (hastig)* rapid, furious; *(om strøm)* violent, tearing; ~ *afsætning* (a) rapid sale; ~ *fart* tearing speed; *det er* ~ *galt* it is completely wrong; ~ *tilbagegang* rapid decline; ~ *tungefærdighed* terrific volubility; *i* ~ *udvikling* progressing by leaps and bounds.

Rivieraen the Riviera; *ved* ~ on the Riviera.

rivning *(en -er) (med rive)* raking; *(af farver)* grinding, rubbing; *(stridighed)* friction.

I. **ro** *(en) (hvile)* rest; *(fred, uforstyrrethed)* peace, tranquillity; *(stilhed)* quiet, stillness; *(sindsligevægt)* composure, equanimity, calm; *han kunne aldrig få* ~ *for naboerne* his neighbours would never leave him in peace; *han får ikke* ~ *før man giver ham det* he will not be happy till he gets it; *fred og* ~ peace and quiet; *ikke have* ~ *på sig* be restless; *(ikke) have* ~ *i sit sind* be (un)easy in one's mind; *tag det (bare) så har sjælen* ~*!* take it and let us hear no more about it! take it, if you must! *i* ~ at rest, *(i fred)* in peace, *(om gevær-lås)* at half-cock; *holde sig i* ~ keep quiet, *(ikke arbejde)* take a rest; *i* ~ *og mag* comfortably, *(uden hast)*

at (one's) leisure; *med stoisk* ~ stoically; *tage ngt med* ~ keep cool about sth; *tag den med* ~*! (ikke hidsig)* steady! keep your hair on! *(ikke for travl)* take it easy! *(du behøver ikke at skynde dig)* there is no hurry! *opretholde* ~ *og orden* keep order; *falde til* ~ calm down; *gå (el. begive sig) til* ~ go to bed, retire; *slå sig til* ~ calm down, *(slå sig ned, blive)* settle (down); *slå sig til* ~ *med at* resign oneself to the fact that; *hun slog sig til* ~ *med at han nok kun var blevet forsinket* she decided that he had only been delayed and left it at that.

II. **ro** *vb* row, pull, *(m 2 lette årer)* scull; *tage én med ud at* ~ take sby for a row; ~ *en båd* row a boat; ~ *godt* pull a good oar; ~ *i takt* pull together, keep stroke.

robe *(en -r)* evening gown.

robot *(en -ter)* robot.

robust *adj* robust, hardy, sturdy.

robåd rowing-boat.

I. **rod** *(en, rødder) (ogs mat.)* root; *(bølle)* tough, rough; *rykke op med -e* pull up by the roots, uproot, *(fig)* uproot, wipe out, exterminate; *sæd på -en* crop *(fx* sell the crop standing); *træ på -en* standing timber; *slå ~ (el. rødder) (ogs fig)* take root, strike root; *slå dybe rødder* become firmly rooted, take deep root; *-en til alt ondt* the root of all evil; *uddrage -en af (mat.)* extract the root of.

II. **rod** *(et)* muddle, jumble, disorder, mess; *i et* ~ in a muddle.

rodbehandle *vb (tand)* give a root treatment.

rod|behandling *(af tand)* root treatment. **-be-tændelse** *(i tand)* periodontitis.

I. **rode** *(en -r)* ✕ file; *blind* ~ blank file.

II. **rode** *vb (lave roderi)* make a mess of things; *(i jorden etc)* root; *(søgende)* rummage *(efter:* for); ~ *frem* rake out; ~ *i* rummage in *(el.* among); ~ *sig ind i* get mixed up in; ~ *med* mess about with, *(reparere på)* tinker with; ~ *op i (rippe op i)* rake up, *(rage i)* rummage about in; ~ *sammen* mix up.

rode|butik *se roderi.* **-hoved** untidy person. **-kontor** tax collector's office. **-mester** tax collector.

roderi *(et)* muddle, jumble, disorder, mess.

rodet *adj* messy, untidy, disorderly.

rodfrugter root crops, roots; *(mad)* root vegetables.

rodfæste: ~ *sig* take root. **rodfæstet** *adj* well-rooted, *(fig)* (deep-)rooted, ingrained.

rod|knold swollen root. **-løs** *adj* rootless.

rododendron *(en -er)* ✿ rhododendron.

rod|ord root word. **-skud** (root)sucker. **-stavelse** root syllable. **-tegn** *(mat.)* radical sign. **-uddragning** *(mat.)* extraction of a root (, of roots), evolution.

roe *(en -r)* beet; *(turnips)* turnip; *(kålroe)* swede; *(sukker-)* sugar beet. **roe|dyrkning** beet growing. **-kampagne** sugar-beet season. **-kule** clamp. **-optagning** beet lifting.

roer *(en -e)* rower, oarsman (*, kvinde:* oars-woman); *den bageste* ~ (the) stroke; *den forreste* ~ (the) bow.

roesukker beet sugar.

rogn *(en)* roe, *(gydt)* spawn; *gyde* ~ spawn.

rogn|fisk spawner. **-gydning** spawning.

I. **rok** *(en -ke) (spinderok)* spinning-wheel.

II. **rok** *(en) (fuglen)* Roc.

rokade *(en) (i skak)* castling. **rokere** *vb (i skak)* castle; ~ *med (fig)* move about, manipulate.

I. **rokke** *(en -r)* zo ray.

II. **rokke** *vb (bevæge sig* rock, wobble, *(langsomt)* sway; *(stavie)* dodder; *svække)* shake *(fx* sby's credit, faith)*; (flytte)* budge, move; *uden at lade sig* ~ without budging an inch; ~ *ved (fig)* shake *(fx* s. sby's faith). **rokkesten** rocking-stone.

roklub *(en -ber)* boat club, rowing-club.

rokoko *(en)* rococo. **rokoko|stil** rococo style. **-tiden** the rococo period.

rolig *adj* quiet *(fx* now keep quiet! a quiet sea; quiet neighbours, life, streets, colours), still *(fx* keep your feet still! still water), calm *(fx* weather, sea), *(især om dybere ro)* tranquil *(fx* air, life); *(som ikke ryster)* steady *(fx* hand; keep sth. steady); *(jævn, regelmæssig)* steady *(fx* flame, tendency), quiet, regular *(fx* breathing, pulse); *(ubekymret)* at ease, quiet; *(behersket, fattet)* calm, composed, unruffled; *adv* still, quietly, calmly, tranquilly; steadily; *(uden at gribe ind)* passively; *(trygt)* safely;

bare ~! steady! *ganske ~ (uden videre)* deliberately; as a matter of course; T just like that; *du kan være ganske ~* you can set your mind at rest, you needn't worry; *du kan være ~ for at* you may be sure that; *så er jeg mere ~ (som svar)* that's all right, then; *~ samvittighed* easy conscience; *sove -t* sleep soundly; *du kan sove -t* you may sleep in peace; *jeg havde ikke en ~ time mens han var borte* I kept worrying all the time while he was away.

rolle *(en -r)* part, role; *blive i -n* keep up one's part; *falde ud af -n (glemme den)* forget one's part, *(spille ukarakteristisk)* act out of character, *(røbe sin sande karakter)* give oneself away; *fordele -rne* cast *(el.* distribute) the parts; *få en ~* get *(el.* be cast for) a part; *spille en ~ (ogs fig)* play a part; *det spiller en stor ~* it is of great importance, it plays an important part, it matters very much; *det spiller ingen ~* it does not matter; *penge spiller ingen ~* money is no object; *spille -n som Macbeth, spille Macbeth's ~* take the part of Macbeth, play Macbeth; *tildele én skurkerollen* cast sby for the villain of the piece; *have udspillet sin ~ (fig)* have had one's (, its) day, be played out.

rolle|besætning cast. **-fag** (special) line. **-fordeling** cast. **-havende:** *de ~* the cast. **-hæfte** *(et -r)* part. **-liste** *(en -r)* cast.

rolling *(en -er)* toddler, tiny tot.

roll-on *(en -er)* girdle, roll-on.

I. **rom** *(en) (spiritus)* rum.

II. **Rom** *(byen)* Rome; *~ blev ikke bygget på én dag* Rome was not built in a day.

roman *(en -er)* novel, *(middelalderlig, eventyrlig)*; *ogs fig om romantisk hændelse)* romance.

romance *(en -r) (omtr =)* ballad, romance; *(musik)* romance.

roman|figur character in a novel. **-forfatter** novelist. **-litteratur** novels.

romansk *adj* Romance; *(arkitektur)* Romanesque; *-e sprog* Romance languages; *~ stil* Romanesque (style); *(svarer i Engl ofte til)* Norman *(fx* a Norman Church).

romantik *(en)* romance; *(åndsretning)* romanticism, romantic movement. **romantiker** *(en -e)* romanticist. **romantisere** *vb* romanticize. **romantisk** *adj* romantic.

rombe *(en -r)* rhomb. **rombisk** *adj* rhombic, rhomboid.

rombudding rum pudding.

romer *(en -e)* Roman. **romer|inde** Roman lady. **-kirken** the Roman (Catholic) Church, the Church of Rome. **-ret** Roman law. **-riget** the Roman Empire.

romersk *adj* Roman; *~ bad (svarer til:)* Turkish bath; *~ næse* Roman nose.

romersk-katolsk Roman Catholic.

romertal Roman numeral.

rommy *(en) (et kortspil)* rummy.

romtoddy rum toddy.

rondo *(en -er) (musik)* rondo.

roning *(en)* rowing.

roquefort(ost) Roquefort (cheese).

ror *(et)* rudder, *(især i faste ordforbindelser)* helm; *(rorpind)* tiller; *(rat)* steering-wheel; *lystre -et* answer the helm; *lægge -et bagbord* port the helm; *lægge -et om* shift the helm, *(fig)* turn over a new leaf; *statens ~* the helm of state; *komme til -et (fig)* come into power; *stå ved -et, stå til -s (ogs fig)* be at the helm. **ror|bænk** thwart. **-gænger** *(en -e)* helmsman. **-kætting** rudder pendant. **-pind** ⊕ tiller; *(flyv)* stick, control column.

I. **ros** *(en)* praise; *få ~* be praised; *tjene til ens ~* be to sby's credit.

II. **ros** *(et) (skrammel)* rubbish; *(pak)* riff-raff, rabble.

rosa *adj* (rose-)pink.

I. **rose** *(en -r)* ✿ rose; *ingen -r uden torne* no rose without a thorn, every rose has its thorn; *livet er ikke en dans på -r* life is no bed of roses; *vild ~* wild rose, brier.

II. **rose** ★ praise, *(mere formelt)* commend *(for:* for); *~ én i høje toner* praise sby to the skies, be loud in sby's praise, sing sby's praises; *~.sig af (være stolt af)* pride oneself on, *(prale af)* boast of; *uden at ~ mig selv* without wishing to boast; *(se ogs rosende)*.

rosen *(en) (med.)* erysipelas.

rosenbusk rose bush.

rosende *adj* commendatory, laudatory, *(stærkt)* panegyrical; *omtale én ~* speak highly of sby, *(stærkere)* sing sby's praises.

rosen|farvet *(ogs fig)* rose-coloured, rosy. **-fingret** *adj* rosy-fingered; *den -fingrede dagning* the rosy -fingered morn. **-flor** mass of roses (in bloom). **-gård, -have** rose garden. **-knop** rosebud. **-krans** *(katolsk)* rosary; *bede sin ~* say one's rosary. **-kål** ✿ (Brussels) sprouts *(pl)*. **-olie** rose oil, attar. **-rød** *adj* rosy, rose-coloured, rose-red; *se alt i et -t skær* see everything through rose-coloured spectacles. **-skær** rose colour, rosy hue; *(se ogs rosenrød)*. **-træ** rose tree; *(veddet)* rosewood.

roset *(en -ter)* rosette; *(emblem)* favour.

rosin *(en -er)* raisin; *som -en i pølseenden* as the climax; as a culminating treat. **rosin|brød** *(omtr =)* currant loaf. **-kage** sultana cake.

roskildesyge *(med.)* acute gastroenteritis.

rosmarin *(en -er)* rosemary.

rosport rowing, boating.

rosværdig *adj* praiseworthy, laudable.

rotarianer *(en -e)* rotarian.

rotaryklub Rotary Club.

rotation *(en)* rotation, revolution.

rotations|akse axis of rotation. **-bevægelse** rotary motion. **-hastighed** speed of rotation. **-presse** rotary press.

rotere *vb* rotate, revolve. **roterende** *adj* rotatory, rotary, revolving.

rotor *(en -er)* rotor.

I. **rotte** *(en -r) zo* rat; *en gammel ~ (fig)* an old hand; *han er helt til -rne (han er færdig)* he is done for, *(han er ruineret)* he is down and out, he is on his beam ends; *(han er syg)* he is in a terrible state.

II. **rotte:** *~ sig sammen* conspire *(imod:* against); *~ sig sammen imod (ogs)* get together against.

rotte|fælde rat trap. **-fænger** *(en -e)* ratcatcher. **-gift** rat poison. **-hale** rat's tail; *(fletning)* pigtail. **-hund** ratter; *(terrier)* rat terrier. **-krudt** white arsenic. **-lov** Rats and Mice Destruction Act. **-plage** rat nuisance. **-rede** rat's nest; *(lejekaserne)* rookery. **-udryddelse** extermination of rats, deratization. **-unge** young rat.

rotting *(en) (spanskrør)* rattan; *(straf)* flogging.

rotunde *(en -r)* rotunda.

rotur row; *tage en ~* go rowing.

rouge *(en) (kosmetik)* rouge.

roulade *(en -r) (musik)* roulade; *(slags kage)* jam roll, Swiss roll.

roulet *(en -ter) (til spil)* roulette.

rov *(et) (røveri)* rapine; *(plyndring)* pillage, depredation; *(rovdyrs føde)* prey; *(bytte)* booty, spoils, plunder, T loot; *gå på ~* go in search of prey.

rovbegærlig *adj* rapacious.

rovbegærlighed *(en)* rapacity.

rovdrift ruthless exploitation; *(af landbrugsjord)* soil exhaustion; *(instinkt)* predatory instinct; *drive ~ (m jord)* exhaust the soil; *drive ~ på ngt* exploit sth ruthlessly.

rovdyr *zo* beast of prey. **rovdyr|hus** carnivores' house. **-instinkt** predatory instinct.

rov|fugl *zo* bird of prey. **-grisk** *adj* rapacious.
rov|mord *(et)* murder with intent to rob.
-morder *(en -e)* person who has murdered with
intent to rob, robber and murderer.

royalisme *(en)* royalism. royalist *(en -er)* royalist.
royalistisk *adj* royalistic.

ru *adj* rough *(fx* hands, surface), rugged *(fx* sur-
face); ♧ scabrous; *(kornet)* granular; *(om stemme:*
hæs) hoarse, *(skurrende)* rasping.

rub: ~ *og stub* lock, stock, and barrel.
rubbe *vb: rub af!* clear out! get off! ~ *noget af sig*
knock off a good deal of work; get things done;
~ *sig* look sharp, hurry up; ~ *sig med ngt* be quick
about sth.

rubber *(en -e) (i kortspil)* rubber.
rub|el *(en -ler)* rouble.
rubin *(en -er)* ruby. rubinrød *adj* ruby.
rubladet *adj* ♧ rough-leaved.
rubri|cere *vb* classify. **-cering** *(en)* classification.
rubrik *(en -ker) (plads til udfyldning)* space, blank;
(avisartikel) article, *(kortere)* paragraph; *(overskrift)*
head, headline. rubrikannonce classified advertise-
ment, small ad.

ruche *(en -r)* ruche.

I. rude *(en -r)* ♧ rue.

II. rude *(en -r)* pane (of glass); *(vindue, ogs i kon-*
volut) window; *(firkant)* square, *(rombe)* lozenge,
diamond; *(i hinkeleg)* compartment; *hinke -r* play
hopscotch; *slå en* ~ *ud* break a window.
rude|glas window glass. **-knusning** window
-breaking. **-konvolut** window envelope.

ruder *(en -e) (i kortspil)* diamonds; *en* ~ a dia-
mond; ~ *es, konge, to, tre etc* the ace, king, two,
three, etc, of diamonds.
rudestige *(til gymnastik)* window ladder.
rudiment *(et -er)* rudiment; *(levn)* survival.
rudimentær *adj* rudimentary; surviving.
ruelse *(en)* repentance, compunction.

I. ruf: *i en* ~ in a jiffy, in no time.

II. ruf *(et -)* ♧ *(dækshus)* deckhouse; *(hytte)* poop;
(på bil: kaleche) hood, *(amr)* folding roof, *(tag)* hood,
(amr) top.

ruffer *(en -e)* procurer. rufferi *(et)* procuring.
rufferske *(en -r)* procuress.

rug *(en)* rye. rug|aks ear of rye. **-brød** rye bread;
et ~ a rye loaf.

ruge *vb (om fugle etc)* brood, sit; *(= udruge)* hatch
(out); ~ *over (grunde på)* brood over; *(om mørke)*
brood over; *den gerrige -r over sine penge* the miser
guards his money jealously; ~ *ud* hatch (out).
ruge|høne sitting hen. **-kasse** sitting-box. **-ma-**
skine incubator. **-plads** hatching-place. **-tid** brood-
ing-season; *(udrugningstid)* brooding-time.
rug|kiks rye biscuit. **-mel** rye flour.
rugning *(en)* brooding, incubation.
rugsigtebrød bread (, loaf of bread) made of
sifted rye flour.

Ruhr, Ruhrdistriktet the Ruhr.
ruhåret *adj* rough-coated; *(om hund)* wire-haired.
ruin *(en -er)* ruin; *ligge i -er* be in ruins; *slot som*
ligger i -er ruined castle.
ruinere *vb* ruin; *-nde for* ruinous to.

I. rulle *(en -r)* roll, *(valse, cylinder ogs)* roller,
cylinder; *(til møbelfod)* castor; *(til at vikle noget om)*
reel, spool, bobbin; *(til film)* spool; *(med optaget*
film) reel; *(til at rulle tøj)* mangle; *(tov etc)* coil;
♧ *(fortegnelse)* bill; *(lægds-)* conscription register;
blive slettet af -n ✗ [be taken off the conscription
register]; *indføre in i -n* register sby for national
service; *en* ~ *skrå* a twist of chewing-tobacco; *en*
~ *tapet* a roll of wallpaper.

II. rulle *vb (ogs om skib, bølger, øjne, lyd)* roll;
(om blodet) roll, course; *(tøj)* mangle, *(drive rullefor-*
retning) run a mangling business; *(med kagerulle)* roll
(out), flatten out; *(vikle omkring stok etc)* wind, roll;
(køre) roll, wheel, drive; *(sl.: plyndre)* roll;

~ *en film (ɔ: forevise)* run a film, exhibit a film;

~ *en ind i et tæppe* wrap sby (up) in a blanket; ~
med øjnene roll one's eyes; ~ *ned* roll down, let
down; ~ *(gardinet) ned* draw the blind; ~ *tæppet*
ned lower the curtain; ~ *op* roll up, *(omkring en stok*
etc) wind up, *(tov etc)* coil, *(rulle ud)* unroll, un-
wind, uncoil; ~ *et gardin op* pull up a blind; ~ *op for*
vinduet pull up the blind; ~ *på r'erne* roll one's r's;
~ *rundt* roll (over); ~ *sammen: se* ~ *op;* ~ *sig* roll; ~
sig sammen (om pindsvin etc) curl up; ~ *sig ud (uven-*
tet flotte sig) spread oneself, *(udfolde energi)* rise to
the occasion, get into one's stride, warm to one's
work, *(tage på veje)* let oneself go.

rulle|bord dinner wagon. **-film** roll film. **-forret-**
ning mangling business. **-gardin** blind. **-håndklæde**
roller towel. **-kone** woman who keeps a mangle,
mangler. **-krave** roll collar. **-kravesweater** roll-
neck sweater. **-leje** *(et -r)* roller bearing.

rullende *adj* rolling; ~ *fortov* moving platform.
travelator; ~ *materiel* rolling stock; ~ *trappe* escalator,
rulle|pølse [kind of sausage made of rolled meat].
-skøjte roller skate; *løbe på -r* roller-skate. **-sten**
pebble, cobble. **-stige** extension ladder. **-stok** roller;
(til rulletøj) mangling roller, *(af rulletøj)* roll of
mangling. **-stol** invalid *(el.* wheel) chair. **-strømpe**
roll-top stocking. **-trappe** escalator. **-tøj** mangling;
flatwork.

rulning *(en)* rolling; *(af tøj)* mangling.

I. rum *(et -) (verdens-)* space; *(værelse)* room;
(last-) hold; *(afgrænset del)* compartment, partition,
(i hylde, reol) pigeon hole; *(plads til ngt)* space, room;
(afstand) distance, space, interval, gap; *(tilflugts-)*
shelter; *luftomt* ~ vacuum; *tiden og -met* time and
space; *tomt* ~*: se tom; det ydre* ~ outer space.

II. rum: *i* ~ *sø* in the open sea; *en* ~ *tid* (quite)
a long time.

rumba *(en)* rumba.
rum|dragt space suit. **-fang** *(et)* volume, cubic
content. **-fart** space travel. **-flyvning** space flight.
-forskning space research. **-indhold** cubic content,
capacity. **-kapsel** space capsule.

rumle *vb* rumble. rumlen *(en)* rumble.
rumlig *adj* of space, relating to space, spatial.
rumme *vb* contain, hold; *(medføre etc)* involve
(fx a danger), imply *(fx* a contradiction).
rummel *(en)* rumble; *(politisk)* agitation; *hele -en*
the whole lot; *du kender -en* you know (how it is),
it's the usual story.
rummelig *adj* roomy, spacious, capacious, *(om*
tøj) loose-fitting; *(fig)* broad, elastic *(fx* definition).
rummelighed *(en)* spaciousness, capaciousness.
rummeter *(en -)* cubic metre.
rummål cubic measure, measure of capacity.
rumpe *(en -r)* behind, backside, rump.
rum|pilot space pilot, astronaut. **-raket** space
rocket. **-rejse** space flight. **-skib** space ship, space
craft.

rumstere *vb* rummage.
rumtid space-time.
rumæner *(en -e)* Rumanian.
Rumænien Rumania. rumænsk Rumanian.
run *(et): ~ på banken* run on the bank.
rund *adj* round *(fx* ball, table, arm, arch, back,
sum, numbers); *(se ogs rundt).*
rund|bordssamtale round table conference. **-bue**
round arch. **-buestil** Romanesque style, Norman
style. **-del** *(plads)* circus; *(amr)* circle. **-dysse** *(en -r)*
(arkæol) stone circle; *(gravhøj)* round barrow.

I. runde *(en -r)* round; *(politibetjents)* round,
beat; *(spadseretur)* stroll, turn.

II. runde *vb (gøre rund)* round; *(omsejle)* round,
double *(fx* a cape); *(være krum)* curve; ~ *af* round
off; ~ *et beløb op* round an amount off to a higher
figure; ~ *ryggen* stoop.

rundelig *adj* abundant, ample.
rund|en, **-et** *perf part af* rinde.
rund|fart sightseeing excursion. **-flyvning** plea-
sure flight. **-gang** *(spadseretur)* walk round; *(runde)*

(going the) rounds. **-hed** *(en)* roundness, rotundity. **-holt** ⚓ spar. **-horisont** *(på teater)* cyclorama. **-håndet** *adj* generous, liberal; ~ *med sine penge* free with one's money. **-håndethed** *(en)* generosity, liberality.

runding *(en -er) (det at gøre rund)* rounding; *(krumning)* bending, bend; *(vejbanes)* camber.

rund|kaste *vb* broadcast. **-kastning** broadcasting. **-kirke** round church. **-kreds** circle, ring. **-kørsel** *(systemet)* gyratory traffic, roundabout system; *(plads med ~)* roundabout; *(amr)* traffic circle. **-orm** *zo* roundworm. **-pind** *(strikke-)* circular needle. **-puldet** *adj* round-crowned; ~ *hat* bowler (hat); *(amr)* derby. **-rejse** circular tour. **-rejsebillet** circular ticket. **-rygget** *adj* round-shouldered, stooping; *være* ~ *(ogs)* stoop. **-ryggethed** *(en)* stoop. **-sav** circular saw; *(amr)* buzz saw. **-skrift** *(en)* round hand. **-skrivelse** circular (letter). **-skue** *(panorama)* panorama. **-skuedag** *(kan gengives)* Sightseeing Day. **-skåret** *adj (om kjole)* flared. **-spørge** *(et) (enquete)* enquiry, poll, symposium. **-stok** pole, round stick. **-strikket** *adj* circular knitted. **-stykke** *(brød)* roll.

rundt *adv* round, about, around; *(amr)* around; *præp.* round; *hele året* ~ all the year round; *byde* ~ hand round; *fare* ~ rush about; *flytte* ~ *på ngt* move sth about; **gå** ~ walk about, go round, *(dreje sig)* turn round, *(rotere)* rotate, revolve; *lade ngt gå* ~ pass sth round; *gå* ~ *i huset (, gaderne)* walk about the house (, the streets); *flasken gik* ~ the bottle went round; *lade flasken gå* ~ pass round the bottle; *jorden* ~ round the world; ~ *Kap Horn* round the Horn; *det kører* ~ *for ham, se: det løber* ~ *for ham;* **løbe** ~ run about, *(dreje sig)* turn round, *(rotere)* rotate, revolve; *få det til at løbe (el. gå)* ~ *(økonomisk)* make both ends meet; *det kan lige løbe* ~ *(ɔ: betale sig)* it only just pays; *det løber* ~ *for ham (ɔ: svimler)* his head is swimming; *(han er forvirret)* his head is in a whirl; *(han er småtosset)* he is dotty; ~ *om(kring) (præp)* on all sides of, round, *(adv)* round about, on all sides, around; *gå* ~ *om huset* walk round the house; ~ *regnet* approximately, roughly, about, *(gennemsnitlig)* on an average; *rejse* ~ travel about; *sende* ~ send round.

rundtenom *(en -mer)* slice of bread.

rund|tosset *adj* crazy, dotty; *(svimmel)* dizzy; *(forvirret)* confused. **-tur** circular tour; *(se ogs I. runde).*

rune *(en -r)* rune, runic letter; *riste -r* carve runes. **rune|alfabet** runic alphabet. **-indskrift** runic inscription. **-sten** runic stone.

runge *vb* ring, resound, peal, boom. **rungen** *(en)* ringing, ring, peal. **rungende** *adj* ringing, resonant, booming; ~ *latter* peal of laughter.

runkelroe ⚘ mangold, mangel(-wurzel).

runken *adj* shrivelled; *(især om person)* wizened. **runo|log** *(en -er)* runologist. **-logi** *(en)* runology.

I. **rus** *(en -ser) (student)* freshman, first-year student; *kvindelig* ~ first-year (woman) student.

II. **rus** *(en) (beruselse)* intoxication; *(fig)* ecstasy; *få sig en* ~ get drunk; *have en lille* ~ be fuddled; *sove -en ud* sleep it off.

ruse *(en -r) (fiske-)* trap; *(mængde)* lot; *hele -n* the whole caboodle.

I. **rusk** *(et) (støvregn)* drizzle; *(uroligt vejr)* rough weather.

II. **rusk** *(et -)* *(ryk)* shake, jerk, pull, twitch.

ruske *vb* shake, jerk, pull; ~ *i* tug at, shake; ~ *en i armen* shake sby by the arm; ~ *hør* pull flax; ~ *en i håret* pull sby's hair; ~ *op (ɔ: trække op)* pull up, *(åbne)* jerk open, *(vække)* rouse.

ruskind suède. **ruskinds-** suède *(fx* gloves).

ruskomsnusk *(et) (ogs fig)* hotchpotch.

rusk|regn *(en),* **-regne** *vb* drizzle. **-vejr** rough weather.

Rusland Russia. **ruslæder** Russia leather.
russer *(en -e)* Russian.

russer|bluse Russian tunic, Cossack blouse. **-inde** *(en -r)* Russian. **-støvle** Russian boot.

russisk Russian; ~ *bad* Turkish bath. **russisk|**-**fransk** Russo-French. **-japansk** Russo-Japanese.

rust *(en)* rust; *(på planter ogs)* mildew, blight; *sætte* ~ rust. **rustbeskyttende** *adj* anti-rust.

I. **ruste** *(blive rusten)* rust, become rusty; ~ *op* rust away; *gammel kærlighed -r ikke* [one returns to one's old love].

II. **ruste** *vb (forberede til krig)* arm, prepare for war; ~ *sig* arm oneself; *(forberede sig)* prepare (oneself); *(se ogs rustet).*

rusten *adj* rusty; *blive* ~ rust, become rusty; ~ *stemme* hoarse voice.

rustet *adj* armed; *(forberedt)* prepared; ~ *til tænderne* armed to the teeth.

rust|farvet *adj* rust-coloured, rusty. **-fri** *adj* stainless *(fx* steel).

rustificeret *adj* countrified.

rustning *(en -er) (brynje etc)* armour; *(krigsforberedelse)* armament; *begrænsning af -erne* limitation of armaments. **rustnings|industri** armament industry. **-kapløb** armament(s) race.

rustplet *(en -ter)* rust stain.

rustvogn *(ligvogn)* hearse.

rusår first year (at the university).

rute *(en -r) (vej)* route; *(trafikforbindelse)* service *(fx* there is a regular service between A and B), run, route; *gå i* ~ *mellem A og B* ply *(el.* run) between A and B. **rute|angivelse** itinerary. **-bil** bus, (motor) coach. **-bilcentral** bus(, coach) station. **-båd**, **-damper** liner; *(i indenrigs fart)* coasting steamer. **-fart** regular service. **-flyvemaskine** airliner. **-flyvning** air service.

rutine *(en)* routine; *have* ~ *i* be experienced *(el.* skilled) in. **rutine|arbejde** routine work. **-mæssig** *adj* (according to) routine, jog-trot; *adv* by routine.

rutineret *adj* experienced, skilled, practised.

rutsche *vb* glide, slide. **rutschebane** *(op og ned)* switchback; *(amr)* roller coaster; *(kun ned)* chute; *køre i* ~ ride on a switchback.

rutte *vb:* ~ *med* squander.

ry *(et)* reputation, *(berømthed)* fame, renown; *der gik stort* ~ *af hans bedrifter* his exploits were on everybody's lips; *have* ~ *for at være* have a reputation for being, *(menes at være)* have the reputation of being; *have et godt* ~ enjoy a good reputation; *komme i dårligt* ~ get a bad name *(el.* reputation).

rydde *vb* clear *(fx* land, a road through a forest, an attic, the slums, the roads of snow); ~ *af vejen* remove, clear away, *(ɔ: dræbe)* put out of the way; ~ *op* tidy up; ~ *op i tidy up (fx* a room); *(fig)* clean up; ~ *ud af et skab* clear out a wardrobe.

ryddelig *adj* orderly, tidy.

rydning *(en -er)* clearing. **rydningsmandskab** *(i civilforsvar)* demolition squad; *(efter togulykke etc)* break-down gang.

ryg *(en -ge) (ogs stole- og bogryg)* back; *(bjerg-, tag-)* ridge; *han har en bred* ~ *(fig)* his shoulders are broad; *he* can take it; *bag hans* ~ *(ogs fig)* behind his back; *for at have -gen fri* to secure one's retreat; *jeg vil have min* ~ *fri* I won't take any responsibility; *falde en i* -gen attack sby from behind, ✕ attack sby in the rear, *(fig)* stab sby in the back; *han har indflydelsesrige mænd i -gen* he has powerful backers; *han har betydelige midler i -gen* he has considerable resources to draw on; *jeg havde vinden i -gen* the wind was behind me; *katten krummer* ~ the cat arches its back; *krumme* ~ *for (fig)* toady to; *det fik det til at løbe koldt ned ad -gen på mig* it sent a shiver down my spine; *sidde med -gen til én* sit with one's back to sby; ~ *mod* ~ back to back; *på -gen* on one's back; *han stod med hænderne på -gen* he stood with his hands behind him *(el.* behind his back); *tage sækken på -gen* shoulder the sack; *skyde* ~: *se krumme* ~; *vende én -gen (ogs fig)* turn one's back on sby;

så snart jeg hav**de vendt** -gen til ham (, hende, dem) as soon as my back **was** turned.

rygdækning: have ~ ✕ have one's rear covered; (fig) have a backing.

ryge (røg, røget) (udsende røg) smoke; (tobak, pibe etc; skinke, sild etc) smoke; (desinficere) fumigate; (fare) rush, tear; (gå fløjten) go phut, be lost; ~ 'af (ɔ: flyve af) fly off; -r De? do you smoke? **døren røg** 'i the door banged to; ~ i lyset go phut, come to nothing; ~ i totterne på hinanden come to blows; ~ i vejret (om pris etc) jump, rise; lade det ~ let it go; ~ løs på go for; ~ ned rush down, (om temperatur) drop suddenly, (om pris) slump; ~ på en cigar be smoking a cigar; ryg og rejs! go to blazes! der er røget en sikring a fuse has blown; ~ en pibe 'til season a pipe; ~ ud (ɔ: fare ud) rush out, (blive uvenner) fall out, (en ræv) smoke out; det røg mig ud af munden I blurted it out, it just slipped out; ~ ud over cykelstyret be pitched over the handle-bars; (se ogs rygende).

ryge|bord smoker's table. **-kupé** smoker.

rygelig adj smokable. **rygelse** (en) sth to smoke.

rygende: i ~ fart at a tearing pace; ~ ruiner smouldering ruins; ~ svovlsyre fuming sulphuric acid; de er ~ uenige they totally disagree. **rygepause** smoking-break. **ryger** (en -e) smoker; -e (opslag i tog) Smoking; ikke-rygere (opslag i tog) No Smoking.

rygesalon ⚓ smoking room, smoke room.

ryg|felt (et) (på bogbind) panel. **-finne** zo dorsal fin. **-flyvning** inverted flying.

rygges|løs adj profligate, dissolute, loose. **-løshed** (en) profligacy, dissoluteness, loose living.

ryg|hvirvel thoracic vertebra. **-læn** (chair-)back. **-marv** spinal marrow, spinal cord. **-marvsbetændelse** inflammation of the spinal cord. **-marvsprøve** lumbar puncture. **-muskel** muscle of the back.

I. **rygning** (en) (tobaks- etc) smoking; (desinfektion) fumigation; ~ forbudt No Smoking.

II. **rygning** (en -er) (på tag) ridge.

ryg|rad spine, spinal column; (fig) backbone. **-skilt** (på bogbind) label. **-skjold** zo carapace. **-skævhed** scoliosis. **-smerter** back-ache. **-stykker:** garve ens ~ tan sby's hide. **-stød** back (of a seat, etc); (fig) support. **-svømning** backstroke (swimming); svømme ~ do the backstroke. **-sæk** rucksack. **-søjle** vertebral column.

rygte (et -r) (forlydende) rumour, report; (omdømme) reputation; han er bedre end sit ~ he is not so black as he is painted; have et dårligt ~ have a bad reputation; -t går at, der går -r om at it is rumoured that; et løst ~ a baseless (el. an unfounded) rumour, a vague rumour; -t har løjet the rumour is untrue; ens gode (navn og) ~ one's good name, one's character, one's reputation; -t om at the rumour that.

rygtes vb (blive kendt) get about (fx it got about that he had been in gaol); (forlyde) be rumoured.

rygtesmed rumour-monger.

rygvind following wind.

ryk (et -) tug, jerk; (sæt, spjæt) start, twitch, jerk; (travlhed) rush; det gav et ~ i ham he started, he gave a start. **rykind** (et) influx, crowd; et evindeligt ~ af kunder a constant stream of customers.

rykke (trække) tug, pull, (pludseligt) jerk; (bevæge sig; flytte fx brikker) move; (gå baglæns) back ; ~ en for penge press sby for payment, dun sby; ~ frem (ɔ: avancere) advance, move forward; ~ frem imod Paris advance on Paris; ~ frem med en indvending advance an objection; ~ i ngt tug at sth; ~ én i håret pull sby's hair; ~ ind (ɔ: flytte ind) move in, (typ: en linie) indent; ~ ind i ✕ advance into, enter, invade; ~ en annonce ind i en avis insert an advertisement in a newspaper; ~ nærmere approach, (se ogs ~ sammen); ~ sin stol nærmere draw up one's chair; ~ op (om sportshold) move up; (om elev) go up, be promoted to the next form; ~ ngt op (ɔ: trække op) pull sth up; ~ en elev op i næste klasse promote a pupil to the next form; ~ sammen (ɔ: nærmere til hinanden) sit

closer, close up, move up; ~ tilbage draw back, move back, step back, ✕ retreat, fall back; ~ ud (hår etc) pull out, pluck, (om brandvæsen etc) turn out; ~ ud med sandheden come out with the truth; ~ ud med sproget come out with it, make a clean breast of it.

rykker (en -e) dun.

rykkerbrev reminder, dunning letter.

rykvis adv in jerks, by (fits and) starts.

ryle (en -r) zo sandpiper; almindelig ~ dunlin.

I. **rynke** (en -r) wrinkle, (dyb, fx i pande) furrow; (i stof) pucker, gather.

II. **rynke** vb wrinkle, pucker; (fx en nederdel) gather, (ikke tilsigtet) pucker; ~ på næsen ad turn up one's nose at; ~ panden knit (el. pucker, wrinkle) one's brows, (i vrede) frown.

rynket adj wrinkled, wrinkly, puckered, (furet) furrowed; (om stof) gathered; med ~ pande with knitted brows, (af vrede) frowning.

rype (en -r) zo: skotsk ~ red grouse.

ryste vb shake (fx an apple tree, a bottle of medicine, a cocktail, a carpet, a duster; his hand was shaking), (skælve ogs) tremble (fx with fear), shiver (fx with fever, with cold); (om stemme) quaver, shake; ~ af sig shake off; ~ for én be scared of sby; ~ for at han skal opdage det tremble at the thought of his finding out; det -de mig at se it gave me a shock to see; ~ over hele kroppen shake all over, tremble in every limb; han -de på hånden his hand was shaking; ~ på hovedet shake one's head; blive -t sammen get together; ~ sig shake oneself; han -r vittigheder ud af ærmet he has an inexhaustible fund of jokes; (se ogs rystende, rystet).

rystelse (en -r) shaking, shake, shock; (kulde-) shiver; (dirrende bevægelse) vibration; (af jorden) tremor; (i vogn) jolt, bump; (fig) shock.

rysten (en) shake, shaking; (skælven) tremor.

rystende adj shaking, shaky; (rædselsfuld) appalling, terrible; shocking; (sørgelig, oprivende) harrowing; være ~ angst be in an agony of fear; det er mig ~ ligegyldigt I don't care two hoots; ~ stemme quavering voice.

ryste|ribs red currants with sugar. **-rist** shaking grate.

rystet adj shaken, (fig ogs) upset, (forfærdet) shocked (over: by, over at høre det: to hear it).

rytme (en -r) rhythm. **rytmik** (en) rhythmics. **rytmisk** adj rhythmical.

rytter (en -e) rider, horseman; spansk ~ ✕ cheval de frise; uden ~ riderless (fx horse).

rytteri (et) ✕ cavalry. **rytteriangreb** cavalry charge.

rytter|ske (en -r) horsewoman. **-statue** equestrian statue. **-veksel** accommodation bill.

ræb (et -) belch, burp. **ræbe** vb belch, burp.

ræben (en) belch(ing), burp(ing).

ræd adj scared, afraid; (af sig) timorous; være ~, ræddes be afraid (for: of).

ræddike (en -r) radish.

ræds|el (en -ler) horror, terror; (noget rædselsfuldt) nightmare, (om ting) monstrosity, fright (fx her hat is a fright); indgyde ~ terrify; det er min ~ it is my pet aversion; nære ~ for have a horror of.

rædselsbudskab terrible news.

rædselsfuld adj horrible, dreadful, appalling; (dårlig, grim etc) awful, abominable, appalling, beastly, vile; -t dårlig horrible, too bad for words.

rædsels|gerning atrocity. **-herredømme** reign of terror. **-kabinet** chamber of horrors.

rædsels|propaganda atrocity propaganda. **-regimente** reign of terror.

rædselsvækkende, rædsom se rædselsfuld.

ræer pl af rå.

ræk (en) (gymnastikapparat) horizontal bar.

ræk|el (en -ler) lanky fellow.

I. **række** (en -r) row, (om rækker oven over

hinanden ogs) tier; *(geled)* rank, line; *(serie)* series *(fx* of articles, stories), succession *(fx* of kings, losses); *(antal)* number *(fx* of years, of prominent persons), *(mat.)* series *(fx* of numbers), *(af tal under hinanden)* column, *(differens-, kvotient-)* progression; *(tallerken-)* rack; *(suite)* suite *(fx* a s. of rooms); *komme i anden (, første)* ~ *(fig)* be of secondary (, primary) importance; *være i første* ~ *(:* blandt de bedste) be in the front rank; *i første* ~ *må jeg nævne* first of all *(el.* first and foremost) I must mention; *stille sig i* ~ line up, queue up, *(side om side)* fall into line, fall in; *i* ~ *og geled* in serried ranks, drawn up in ranks, in their ranks; *inden for vore* -r *(fig)* in our ranks; *stå i* ~ *med (fig)* rank with.

II. **række** *(rakte, rakt) (give, lange)* pass *(fx* pass me the salt, please; pass sth out through the window), hand *(fx* hand the apples down); *(nå)* reach, *(om stemme)* carry, *(om skydevåben)* have a range of *(fx* 1000 yards); *(strække, forlænge)* stretch; ~ *efter* reach for; *så vidt min evne* -r *as far* as it is in my power; ~ *én hånden* offer sby one's hand, shake hands with sby; ~ *hånden frem* hold out one's hand; ~ *hånden i vejret* put up one's hand; ~ *(hånden) ud efter ngt* reach out for sth; *det* -r *ikke langt (:* slår *ikke godt til)* it does not go very far; ~ *næse ad* cock a snook at; ~ *over én (ved bordet)* reach over sby; ~ *sig (blive længere)* stretch; ~ *tunge ad én* put out one's tongue at sby; *så langt øjet* -r *as far as the eye* can reach!

række|følge *(en)* order, succession; *i* ~ in succession, *(efter tur)* by turns, in rotation; *i hurtig* ~ in rapid succession; *i omvendt* ~ in reverse order. **-hus** *(omtr)* terrace house, *(nyere)* town house; *(amr)* row house. **-vidde** reach *(fx* of an arm), range *(fx* of a gun, a sound, a broadcasting station); *(betydning)* scope, extent.

rækværk rail; *(balustrade)* parapet, balustrade; *(trappe-)* banisters *(pl)*.

ræling *(en* -*er) (i åben båd)* gunwale; *(det opstående omkring dækket)* bulwark, *(overkanten deraf)* rail(s); *lænet ud over* -en leaning over the rail.

rænke *(en* -r): -r underhand dealings *(el.* methods), schemes, wiles, plot; *smede* -r scheme.

rænkefuld *adj* underhand, crafty, wily.

rænke|smed intriguer, schemer. **-spil** *se rænke(r).*

rær *(et* -): *et langt* ~ a great lout of a fellow.

ræson *(en)* reason, sense; *tage imod* ~ listen to reason. **ræsonnement** *(et* -er) reasoning, argumentation. **ræsonnere** *vb* argue, reason *(over:* about).

ræsonnør *(en* -er) reasoner, arguer; *(i skuespil)* philosophizing character.

ræv *(en* -e) *(ogs fig)* fox; *(hunræv)* vixen; *(pelskrave)* fox (fur); *have en* ~ *bag øret* be up to some trick; *Mikkel* ~ Reynard (the Fox); *de er sure sagde -en om rønnebærrene* the grapes are sour; sour grapes! **ræve|agtig** *adj* foxy, fox-like. **-bælg** fox skin. **-farm** fox farm. **-grav** fox's earth. **-hale** fox brush; ⚘ foxtail grass. **-jagt** fox-hunting; *(med bøsse)* fox-shooting. **-lumsk** *adj* foxy; wily. **-pels** *(person)* fox. **-rød** *adj* foxy, fox(-red). **-saks** fox trap. **-skind** fox skin; *(pelsværk)* fox fur. **-streger** tricks, hanky -panky; *der er ingen* ~ *ved det* it is all fair and above -board *(el.* fair and square). **-søvn:** *sove* ~ sleep with one eye open; *(omtr)* lie doggo. **-unge** fox cub.

røbe *vb (afsløre)* betray, disclose *(fx* a secret), give away *(fx* his accent gave him away); *(vise)* show *(fx* an interest in, a taste for), display, indicate, betray; ~ *sig* give oneself away.

rød *adj* red; *(rødblond)* sandy, *(lyserød)* pink, *(stærkt* ~) scarlet, *(karmoisin)* crimson; *(om hår* T) carroty; *blive* ~ turn red, become red, redden; *blive* ~ *i hovedet (af undseelse etc)* blush, *(af vrede etc)* flush; *de røde (om politisk parti)* the Reds; *Det* -e *Hav* the Red Sea; -e *hunde (med.)* German measles, roseola; ~ *og hvid (om hud)* pink and white; ~ *i ansigtet* red-faced, ruddy; *det virker som en* ~ *klud på en tyr* it is like a red rag to a bull; *Røde Kors* (the) Red

Cross; *i dag* ~, *i morgen død* here today, gone tomorrow; *se* -t see red; *(se ogs rødt).*

rød|bede *(en* -r) ⚘ beetroot, *(amr)* beet. **-ben** *(en* -) *zo* redshank. **-blisset** *adj (om person)* blotchy, red-faced; *(om hest)* sorrel with a blaze; ~ *hest* blazed sorrel. **-blond** sandy. **-blå** *adj* reddish blue. **-brun** reddish brown; *(kastanie-)* chestnut. **-bøg** (= *blodbøg)* copper beech; *(bøg)* beech. **-eg** red oak. **-el** common alder. **-garvet** tanned. **-glødende** *(ogs fig)* red-hot. **-glødhede** *(en)* red heat. **-gran** common *(el.* Norway) spruce. **-grød** [red fruit juice thickened with flour]. **-gul** *adj* orange(-coloured). **-hals** = -kælk. **-hud** *(indianer)* Redskin. **-hætte:** *den lille* ~ Little Red Ridinghood. **-håret** *adj* red -haired; *(rødblond)* sandy. **-kløver** red clover. **-kridt** red chalk, red crayon. **-kælk** *(en* -e) *zo* robin, *(amr)* European robin. **-kål** ⚘ red cabbage. **-lig** *adj* reddish. **-løg** ⚘ (red) onion. **-malet** *adj* painted red.

I. **rødme** *(en)* blush, *(af vrede, feber)* flush; *hektisk* ~ a hectic flush.

II. **rødme** *vb* blush, colour, *(af vrede)* flush *(af:* with; *over:* at); ~ *dybt* blush crimson *(el.* scarlet).

rødmende *adj* blushing.

rød|mosset *adj* red-cheeked, ruddy. **-mossethed** *(en)* red cheeks, ruddiness. **-næset** *adj* red-nosed. **-plettet** red-spotted. **-randet** red-rimmed *(fx* eyes). **-skimlet** *adj* roan. **-skjoldet** *(om teint)* blotchy, *(solbrændt)* sunburnt. **-skægget** red-bearded. **-sprængt** *(om teint)* red-veined, *(om øjne)* bloodshot. **-spætte** *(en* -r) *zo* plaice. **-sten** *(mursten)* red brick. **-stjært** *zo* redstart. **-stribet** *adj* red-striped.

rødt *subst* red; *(rød sminke)* rouge; *køre frem mod* ~ drive through a red light; *standse for* ~ stop at the red light; *(se ogs rød).*

rød|tjørn ⚘ red hawthorn. **-vin** red wine, *(bordeaux)* claret; *(bourgogne)* burgundy. **-øjet** *adj* red-eyed.

røf|fel *(en* -ler) reprimand, rebuke, T telling off, dressing-down; *give én en* ~ reprimand sby, tell sby off, give sby a (good) dressing-down.

røfle *vb:* ~ *én, se røffel: give én en røffel.*

I. **røg** *(en)* smoke; *der går ikke* ~ *af en brand uden der er ild i den* there is no smoke without fire; *gå op i* ~ be consumed by fire, *(fig)* go up *(el.* end) in smoke.

II. **røg** *imperf af ryge.*

røg|agtig *adj* smoky. **-bombe** ✕ smoke bomb. **-dykker** *(en* -e) [fireman equipped with a smoke helmet].

røge *vb (madvarer)* smoke, smoke-cure; *(mod smitte)* fumigate; *(se ogs røget).*

røgelse *(en)* incense. **røgelsekar** censer, thurible.

røgeri *(et* -er) smokehouse.

røget *adj* smoked *(fx* ham, fish), smoke-cured *(fx* bacon).

røg|fang *(et* -) smoke bonnet; *(over komfur)* hood. **-farvet** *adj* smoke-coloured. **-flyver** skywriter. **-forgiftet** asphyxiated, overcome by the smoke. **-forgiftning** asphyxiation. **-fri** smokeless. **-fyldt** smoky, smoke-filled. **-hætte** chimneypot, cowl; *(drejelig)* turncap. **-kammer** smoke box; *(i røgeri)* smoking-chamber. **-kanal** flue. **-maske** smoke mask.

røgning *(en)* smoking, smoke-curing.

røg|plage *(en)* smoke nuisance. **-skade** *(en)* damage by smoke. **-skrift** *(en)* skywriting. **-sky** cloud of smoke, smoke cloud. **-slør** ✕ smoke screen. **-sværtet** smoke-blackened. **-søjle** column of smoke.

røgt *(en),* ~ *og pleje* care, tending, keeping.

røgte *vb* look after, take care of, tend; ~ *sit hverv* carry out one's task. **røgter** *(en* -e) cattleman, cowman.

røgtobak smoking tobacco.

røjser *(en* -e) *(gummi-)* rubber boot, Wellington (boot), gumboot.

røllike *(en)* ⚘ milfoil, yarrow.

rømme *vb (flygte)* run away, decamp; *(desertere)* desert; *(forlade)* leave, quit; *(✗: opgive)* evacuate; *(rydde)* clear, *(fjerne beboerne fra)* evacuate, vacate; ~ *fra* desert from, escape from; ~ *sit lager* clear one's stock; ~ *sig* clear one's throat, cough slightly.

rømning *(en -er) (se rømme)* flight, escape, desertion; evacuation; clearing; *(det at én rømmer sig)* slight cough.

rømningsmand runaway, deserter.

røn *(en)* ♣ mountain ash, rowan (tree).

rønne *(en -r)* hovel.

rønnebær ♣ rowan berry.

røntgen *(-stråler)* X-rays, *(-behandling)* X-ray treatment; *(enhed)* roentgen.

røntgen|afdeling radiotherapy department. **-apparater** *(pl)* X-ray apparatus. **-behandle** X-ray. **-behandling** X-ray treatment, radiotherapy. **-bestråling** X-raying. **-billede** X-ray picture, radiograph. **-fotografere** X-ray. **-fotografering** X-ray photography, radiography. **-fotografi** *se -billede.* **-gennemlysning** radioscopy, screening. **-olog** *(en -er)* roentgenologist. **-rør** X-ray tube. **-stråler** X-rays, roentgen rays. **-terapi** radiotherapy. **-undersøge** X-ray, examine by X-rays. **-undersøgelse** X-ray examination, radioscopy.

I. **rør** *(et -) (plante)* reed, *(bambus-)* cane; *(hul cylinder, lednings- etc)* pipe, tube; *(radio-)* valve, *(amr)* tube; *(telefon-)* receiver; *(cigar(et)-)* holder; *(suge-)* straw; *det eustachiske* ~ the Eustachian tube; *lægge -et på (tlf)* replace the receiver, put the r. down.

II. **rør** ✗ *etc: stå* ~ stand at ease; *rør!* stand at ease! stand easy!

rørdrum *(en -mer) zo* bittern.

I. **røre** *(et)* stir, commotion; *vække stærkt* ~ make a great stir *(el.* commotion).

II. **røre** ★ *(berøre)* touch; *(sætte i bevægelse)* move, stir; *(~ rundt i)* stir, *(blande)* mix; *(give motion)* exercise; *(bevæge, vække medfølelse hos)* touch, move; *jeg vil ud og* ~ *benene lidt* I am going out to stretch my legs a bit; ~ *harpen* touch *(el.* sound) the harp; ~ *i stir (fx* the porridge); *det -r ham ikke* it leaves him cold, he doesn't care; *ikke ~!* do not touch! *lade sig* ~ be moved (to pity), relent; ~ *det op med ukker* stir 'in some sugar; ~ *på sig* move, stir; ~ *rundt (i teen)* stir (the tea); ~ *sammen* mix (up); ~ *sig* stir, move, *(få motion)* take exercise; *ikke en vind -r sig* not a wind *(el.* breath) is stirring; *rør dig ikke!* don't move! ~ *trommen* beat the drum; ~ *ngt ud i vand* stir sth into water, mix sth with water; ~ *ved* touch *(fx* don't t. anything until the police arrive); *(omtale)* touch on; *(se ogs rørende, rørt).*

rørelse *(en -r) (sindsbevægelse)* emotion; *(medfølelse)* pity; *(åndelig strømning, bevægelse)* movement, current.

røremaskine (food) mixer.

rørende *adj* moving, touching, pathetic; *adv* movingly, touchingly, pathetically; *de er* ~ *enige* they agree completely; *(ironisk)* it is quite touching how they agree; *slå på de* ~ *strenge* appeal to the emotions.

rør|fletning canework. **-fløjte** *(en -r)* reed-pipe. **-formet** *adj* tubular, pipe-shaped. **-hat** ♣ boletus. **-høne** *zo: grønbenet* ~ moorhen.

rørig *adj* agile; *rask og* ~ hale and hearty; *stadig rask og* ~ still going strong. **rørighed** *(en)* vigour.

rørledning pipeline.

rørlig: *-t gods* movables; *(jur)* chattels personal.

rør|lægger *(en -e)* pipe fitter, tube fitter. **-post** pneumatic dispatch. **-postledning** pneumatic tube.

rør|sanger *zo* reed warbler; *lille* ~ paddy-field warbler. **-spurv** *zo* reed bunting.

rørstilling stand-at-ease position; *i* ~ at ease.

rørstol cane chair.

rørstrømsk *adj* sloppy. **rørstrømskhed** *(en)* sloppy sentiment.

rør|sukker cane sugar. **-sæde** cane seat.

rørt *adj (bevæget)* touched, moved, affected; *dybt*

(el. meget) ~ *over* deeply moved by, greatly touched by; ~ *smør* creamed butter; *fiske i* ~ *vande* fish in troubled waters.

rør|tag reed-thatched roof. **-tang** pipe tongs, pipe wrench. **-trækker** *(en -e)* tube drawer. **-tækket** *adj* reed-thatched. **-vagtel** *zo: lille* ~ little crake; *plettet* ~ spotted crake.

røræg scrambled egg(s).

I. **røst** *(en -er)* voice; *med høj* ~ in a loud voice; *opløfte sin* ~ raise one's voice.

II. **røst** *(et -er)* ♣ chains; channels *(pl).*

røstværk grating.

røv *(en) (vulgært)* arse, bum.

røve *vb* rob *(ngt fra en:* sby of sth, *fx* rob him of his money); steal *(fx* a kiss); *(et barn)* kidnap; *(plyndre)* loot, pillage.

røver *(en -e)* robber, *(landevejs- ogs)* highwayman, brigand; *(bibelsk)* thief *(fx* the thief on the Cross); *(spøgende om barn)* rascal; *falde iblandt -e* fall among thieves; *lege* ~ *og soldater* play cops and robbers.

røver|bande *(en -r)* gang of robbers. **-historie** *(løgn)* cock-and-bull story. **-hule** robbers' den. **-høvding** robber chief.

røveri *(et -er)* robbery, hold-up. **røveriforsøg** attempted robbery.

røverisk: ~ *overfald* hold-up.

røver|kaptajn robber chief. **-kule** robbers' den; *ikke gøre en* ~ *af sit hjerte* make no secret of one's feelings. **-køb:** *det er* ~ it is dirt-cheap. **-rede** *(en -r)* robbers' den. **-uvæsen** brigandage.

I. **rå** *(en -er) (rådyr)* roe, roe deer.

II. **rå** *(en, ræer)* ♣ yard.

III. **rå** *adj* raw *(fx* meat, milk, weather); *(ikke bearbejdet)* raw, crude, rough; *(primitiv, uciviliseret)* rude; *(i optræden, tale)* coarse; *(brutal)* brutal, brutish; ~ *huder* raw hides; *sluge det -t (fig)* swallow it hook, line, and sinker; *en* ~ *spøg* a brutal joke; *det er -t (= uforskammet)* it's a bit thick; *give -t for usødet* give tit for tat, give as good as one gets.

råb *(et -)* call, shout; ~ *om hjælp* cry *(el.* call) for help.

råbalance trial balance.

råbe ★ call (out), shout, cry; ~ *an* ✗ challenge; ~ *en taxa* an hail a taxi; ~ *efter* call after; ~ *med aviser (, fisk etc)* cry papers *(,* fish, etc); ~ *om hjælp* call *(el.* shout el. cry) for help; ~ *op (= højt)* shout, vociferate; ~ *navnene op* call over *(el.* read out) the names; *han(s navn) blev råbt op* his name was called; *han var ikke længere borte end at man kunne* ~ *ham op* he was within call; ~ *på* call, shout for, *(kræve)* clamour for, cry for, call for; ~ *til en* call *(el.* shout) to sby; ~ *til himlen* cry to heaven.

råben *(en)* shouting; ~ *og skrigen* yells *(pl),* uproar.

råber *(en -e)* megaphone, speaking-trumpet.

råbuk *(en -ke)* roebuck.

råbåndsknob reef knot.

I. **råd** *(et -) (vejledning)* (piece of) advice, *(højtideligere)* counsel; *(middel til at bøde på noget)* remedy *(for, mod:* for); *(rådsforsamling)* council, board; *finde på* ~ think of some expedient, find a way; *følge éns* ~ take *(el.* act on el. follow) sby's advice; *et godt* ~ a piece of good advice; *mange gode* ~ much good advice; *her var gode* ~ *dyre* this was a difficult situation; *det er der* ~ *for* that can be managed *(el.* remedied); *jeg har* ~ *til at holde bil* I can afford to run a car; *jeg har ikke* ~ *til det* I cannot afford it; *lægge* ~ *op* take counsel, deliberate, *(fjendtligt)* conspire, plot *(imod:* against); *stå bi med* ~ *og dåd* assist by word and deed; *spørge ham om* ~ *(el.* til -s) consult him, ask his advice; *på hans* ~ on *(el.* at) his advice; *tage en med på* ~ consult sby, hear sby *(fx* we must hear him first); *han ved altid* ~ he is never at a loss (what to do); *ikke vide sine levende* ~ be at one's wits' end; *der er* ~ *til det* we *(,* they, etc) can well afford it.

II. **råd** *(et) (i tømmer)* (dry-)rot.

rådden *adj* rotten *(fx* fruit, wood, egg), putrid

(*fx* water), decayed (*fx* teeth); (*fig*) rotten; ~ *lugt* smell of decay; *-t æg* bad egg; rotten egg (*fx* they pelted the speaker with rotten eggs); *behandle én som et -t æg* handle sby with kid gloves.
råddenskab (*en*) rottenness, decay, putrescence, (*især i tømmer*) rot.

råde *vb* advise, counsel; (*herske*) rule, be master (, mistress); (*være fremherskende, bestå*) prevail, be prevalent, reign (*fx* a complete silence reigned in the house); ~ *bod på* remedy, make good; *lad blot mig* ~ leave it to me; *lade sig* ~ be advised, listen to reason; *hvis jeg måtte* ~ if I had my way; ~ *for* be master (, mistress) of, control; *det -r jeg ikke for* it is beyond my control; ~ *en fra at gøre ngt* advise sby not to do sth; ~ *over* command, have at one's disposal; ~ *til ngt* advise (*el.* recommend) sth; ~ *en til at gøre ngt* advise (*el.* recommend) sby to do sth; *hverken* ~ *til eller fra* be non-committal.
rådelig *adj* advisable, safe.
råderum free scope, liberty of action, latitude.
rådføre *: ~ *sig med* consult.
rådgivende *adj* consultative, advisory; ~ *ingeniør* consulting engineer. **rådgiver** (*en -e*) adviser.

rådhus town hall, (*i en engelsk "City" og i U.S.A.*) city hall. **rådhuskælder** [(restaurant in the) town -hall vaults (*pl*)]. **rådhusvin** ♔ Japanese ivy.
rådig *adj*: *være* ~ *over sine midler* (*jur*) be in full capacity.

rådighed (*en*) command, disposal; *have* ~ *over* have at one's disposal; command; *have fri* ~ *over ngt* be free to dispose of sth; *til* ~ *for* at the disposal of; *stille* (*, stå*) *til ens* ~ place (, be) at sby's disposal; make (, be) available for sby; *som står til* ~ available; *forsøge alle til* ~ *stående midler* try every available means, leave no stone unturned.

råd|løs *se -vild.* **-mand** (*omtr* =) alderman.
rådne *: ~ *op* rot, putrefy, (*ogs fig*) decay.
rådplante (*en -r*) ♔ saprophyte.
råds|formand president of a council (, a board). **-forsamling** council, board. **-herre** councillor, senator.
råd|slagning (*en -er*) deliberation, consultation; *holde* ~ deliberate, consult. **-slå** *vb* deliberate, consult (*fx* we have consulted about the matter).
råds|medlem councillor, member of a council. **-møde** council meeting, board meeting.
råd|snar *adj* resourceful, resolute. **-snarhed** (*en*) resourcefulness, resource. **-spørge** *vb* consult (*fx* a doctor).
rådsrepublik Soviet republic.
rådvild *adj* perplexed, puzzled, irresolute, at a loss. **rådvildhed** (*en*) perplexity, irresolution.
rådyr *zo* roe, roe deer. **rådyrkølle** haunch of venison.
råemne raw material.
råge' (*en -r*) *zo* rook. **rågekoloni** rookery.
rå|glas rough plate. **-gummi** raw rubber, (*til såler etc*) crêpe rubber. **-gummisål** crêpe(-rubber) sole.
råhed (*en -er*) coarseness; brutality; *en* ~ a brutal act, (*i tale*) a coarse expression.
råjern pig iron. **råkold** *adj* raw.
råkost raw (*el.* uncooked) vegetables and fruit. **råkost|jern** shredder. **-spiser** raw-food eater.
rålam *zo* fawn.
rå|materiale raw material. **-metal** crude metal. **-nok** ⚓ yardarm. **-olie** crude oil. **-produkt** raw product. **-sejl** ⚓ square sail. **-silke** raw silk. **-sprit** crude alcohol. **-stof** raw material. **-sukker** unrefined sugar. **-sylte** preserve raw. **-vare** raw material. **-vildt** (*et*) *zo* roe deer; (*kødet*) venison.

S

S, s (*et -'er*) S, s. s. *fk f side* p. (*fk f* page).
Saar (*flod og distrikt*) the Saar.
sabbat (*en -er*) Sabbath; *bryde -en* break the Sabbath; *holde -en* keep the Sabbath.
sab|el (*en -ler*) sword, (*rytter-*) sabre; (*krum-*) scimitar; *drage sin* ~ draw one's sword; *rasle med -len* (*fig*) rattle the sabre.
sabel|bajonet sword bayonet. **-ben** *pl* sabre legs. **-fægtning** swordplay. **-gehæng** sword belt. **-hug** sabre (, sword) cut. **-raslen** sabre-rattling. **-sluger** (*en -e*) sword swallower.
sable *vb*: ~ *ned* cut down, (*i stor mængde*) massacre; (*om kritik af en bog etc*) cut to pieces, slate.
sabotage (*en -r*) sabotage; *øve* ~ *mod* sabotage.
sabotagevagt anti-sabotage guard. **sabotere** *vb* sabotage. **sabotør** (*en -er*) saboteur.
Sachsen Saxony; **~-Weimar** Saxe-Weimar.
sachser *se sakser*
sad *imperf af sidde.*
sadel (*en, sadler*) saddle; *sidde fast i -en* have a firm seat, be firmly seated, (*fig*) be firmly in the saddle; be secure; *kaste af -en* unhorse; *svinge sig i -en* vault (*el.* swing oneself) into the saddle.
sadel|gjord saddle girth, (*amr ogs*) cinch. **-knap** pommel (of the saddle). **-mager** (*en -e*) saddler; (*møbelpolstrer*) upholsterer. **-magerarbejde** saddlery; upholstery. **-næse** saddle nose. **-plads** (*ved væddeløb*) paddock, (*tilskuerplads omtr* =) the enclosure. **-taske** saddle bag; (*på cykel*) tool bag.
sadisme (*en*) sadism. **sadist** (*en -er*) sadist.
sadistisk *adj* sadistic.
sadle *vb* saddle; ~ *af* unsaddle, (= *stige af*) dismount; ~ *om* (*fig*) change one's mind, (*skifte parti*) change sides; (*skifte politik*) change one's policy;

(*ændre taktik*) shift one's ground. **sadleplads** = *sadelplads.*
safari (*en*) safari.
safian (*et*) morocco.
safran (*en*) saffron. **safrangul** saffron (yellow).
saft (*en -er*) juice; (*i træer*) sap; (*indkogt med sukker*) syrup; ~ *og kraft* (*fig*) vigour, (*fynd*) pith; *uden* ~ *og kraft* insipid. **saftevand** [fruit syrup and water].
saftfuld *adj* juicy, succulent, sappy.
saftig *adj* juicy, succulent, sappy; *-t græs* lush grass; ~ *historie* racy (*el.* juicy) story. **saftiggrøn** lush green.
saftighed (*en -er*) juiciness, succulence, sappiness; (*grovhed*) raciness, (*ytring*) racy remark.
saft|rig *adj* juicy, succulent, sappy. **-stigning** (*i planter*) ascent of sap.
sag (*en -er*) (*anliggende*) matter; (*emne*) subject; (*som man interesserer sig el. kæmper for*) cause (*fx* fight for the cause of freedom); (*rets-*) case, (law) suit; (*opgave*) business (*fx* that is not my business); *-er* (= *ting*) things; *en afgjort* ~ a settled thing; *det er en anden* ~ that is another matter, that's different; *blande sig i andres -er* meddle in other people's concerns; *anlægge* ~ *mod* bring an action against; *-en er den at* it is like this, the fact is that; *det er netop -en* that's the point; *det er -er!* that's something like! *det bliver hans* ~ that's his affair (*el.* look-out); *det må blive din* ~ *at* it is for (*el.* up to) you to; *det bliver en* ~ *mellem de to* they must settle that between themselves; *det forandrer -en* that alters the case; *hvis -en forholder sig således* if that is the case, if (that is) so; *gøre fælles* ~ *med* make common cause with; *føre en* ~ conduct a case; *få sin* ~ *'for* (*fig*) be in for it; *gøre sine -er godt* acquit oneself well; *i -en H kontra V* in re H versus V;

det er ingen ~ at it is an easy matter to; *det kommer ikke -en ved* it is beside the point, it is not (to) the point, it is irrelevant; *-en mod X* (om *kriminalsag*) the trial of X; *enhver ~ kan ses fra to sider* there are two sides to every question; *det er sådan sin egen ~* it is an awkward business (*el.* matter); *sikker i sin ~* sure of what one is saying, certain that one is right; *for den -s skyld* for that matter; *det var ikke store -er* it was little enough; *som -erne står* as matters stand; *få syn for -en* see for oneself; *tale ens ~* plead sby's cause, plead for sby; *holde sig* (, *komme) til -en* stick (, come) to the point; *det gør intet til -en* it makes no difference; *det er kun et øjebliks ~* it won't take a minute.

saga *(en -er)* saga; *en ~ blot* a thing of the past; *han er ude af -en* (= *han har ingen chance for at vinde)* he is out of the running.

sagatiden the time of the sagas.

sagde *imperf af sige.*

sagesløs *adj* unoffending, blameless; *overfald på ~ person* unprovoked violence.

sagfører *(en -e) se advokat.*

sagkundskab expert knowledge; *-en (de sagkyndige)* the experts.

sagkyndig *(adj el. subst)* expert; *~ bistand* expert advice, skilled assistance.

saglig *adj* objective, impartial, matter-of-fact.

saglighed *(en)* objectivity, impartiality.

sagn *(et -)* tradition, legend, myth; *-et fortæller* tradition says; *få syn for ~* see for oneself.

sagn|agtig *adj* legendary, mythical, fabulous. -figur legendary figure. -kreds cycle of legends. -omspunden *adj* storied, fabled. -tid legendary age.

sago *(en)* sago. sago|gryn pearl-sago. -mel sago flour. -palme sago palm.

sagregister subject index.

sags|anlæg action, (legal) proceedings; *true med ~* threaten proceedings. -fremstilling *(jur)* statement of claim. -omkostninger costs.

sagsøge * sue, proceed against. sagsøger *(en -e)* plaintiff. sagsøgte the defendant.

sagt *perf part af sige.*

sagte *adj (svag, let)* slight, gentle; *(om ild)* slow *fx* a slow fire; *(om lyd)* soft, low, subdued *(fx* a soft whisper; soft music; a low (el. subdued) voice); *adv* gently, *(om lyd)* softly, *(om tale)* in an undertone, under one's breath, sotto voce; *uret går 10 minutter for ~* the watch is ten minutes slow; *så ~!* gently!

sagtens *(let)* easily; *(vel-)* I dare say, I suppose; *han kan ~* he is a lucky fellow; *du kan ~ snakke* (, *le)* it's all very well for you to talk (, laugh).

sagtmodig *adj* mild, meek, gentle. sagtmodighed *(en)* mildness, meekness, gentleness.

sagtne *vb* slacken *(fx* slacken one's pace; the storm slackened); *~ farten* slow down.

Sahara the Sahara.

sakkarin *(et)* saccharin.

sakke: *~ agterud* fall *(el.* lag) behind; ♣ fall astern.

sakramental *adj* sacramental. sakramente *(et -r)* sacrament; *alterets ~* the Eucharist, the Sacrament; *meddele én -t* administer the Sacrament to sby.

sakristi *(et -er)* vestry, sacristy.

sakrosankt *adj* sacrosanct.

saks *(en -e)* (pair of) scissors, *(stor)* (pair of) shears; *(billet-)* ticket punch; *(fælde)* trap; *(dyreklo)* claw; *min ~* my scissors (, shears); *tre -e* three pairs of scissors (, shears); *gå i -en* fall into the trap.

sakser *(en -e)*, saksisk *adj* Saxon.

sakso|fon *(en -er)* saxophone. -fonist *(en -er)* saxophonist.

sal *(en -e)* hall; *(etage)* floor, storey, *(amr)* floor, story; *(publikum)* house, audience; *på anden ~* on the second floor, *(amr)* on the third floor.

salamand|er *(en -re) zo* newt.

salat *(en -er)* ⊕ lettuce; *(ret)* salad.

salat|fad salad bowl; *-et (fangetransportvogn)* Black

Maria. -hoved head of lettuce. -olie salad oil. -sæt salad servers *(pl).*

saldere *vb* balance; *~ en konto* balance an account. saldering *(en)* balancing of accounts.

saldo *(en)* balance; *-en fra 1966* the balance brought forward from 1966. saldokvittering receipt in settlement of all claims.

salep *(en)* arrowroot.

salg *(et -)* sale; *til ~* for sale.

salgbar *adj* saleable. salgbarhed *(en)* saleableness.

salgs|automat vending-machine. -betingelser terms of sale. -chef sales manager. -hal market hall. -kampagne sales campaign. -kontor sales office. -kontrakt sales contract. -lokale salesroom. -mulighed prospective market; *ingen ~ for* no market for. -nota sales note. -pris selling price. -regning account sales. -udbytte proceeds. -vare article, commodity; *god ~* marketable article. -værdi market value.

salicyl *(et)* salicyl. salicylsyre salicylic acid.

salig *adj* blessed; *(lyksalig)* blissful; *(afdød)* late, poor; *(berust)* exhilarated; *~ fryd* bliss; *blive ~ (religiøst)* be saved. saliggørelse *(en)* salvation. saliggørende *adj* saving; *det er det eneste ~* it is absolutely the only thing. salighed *(en)* salvation; *(lykke)* bliss; *(berusesle)* exhilaration; *nej min ~ om eg gør* I'll be hanged if I do; *-s ed* (Bible) oath.

saligprisningerne *(pl) (bibl)* the Beatitudes.

saling *(en)* ♣ *(lang-)* trestle trees; *(tvær-)* cross trees.

salme *(en -r)* hymn; *(især om Davids -r)* psalm. salme|bog hymn book. -digter hymn writer. -digtning hymn writing; *(salmer)* hymns. -sang hymn singing. -vers stanza of a hymn.

salmiak *(en)* sal-ammoniac, ammonium chloride. salmiakspiritus ammonia water.

Salomo(n) Solomon; *-s ordsprog (bibl)* the Book of Proverbs. salomonisk *adj* Solomonic *(fx* decision).

Salomonsøerne the Solomon Islands.

salon *(en -er) (dagligstue)* drawing-room; *(amr)* parlor; *(i hotel etc)* lounge, salon; *(billard-, barber-, etc)* saloon, *(amr)* parlor; ♣ saloon; *(litterær etc ~)* salon; *-en (kunstudstilling i Paris)* the Salon. salon|bøsse saloon gun. -fyrværkeri indoor fireworks. -fæhig *adj* presentable. -kommunist parlour Communist. -riffel saloon *(el.* gallery) rifle. -vogn saloon car, *(amr)* parlor car.

salpeter *(et)* salpetre, nitre. salpeter|agtig, -holdig *adj* nitrous. -sur: *-t salt* nitrate. -syre nitric acid; *rygende ~* fuming nitric acid.

I. salt *(et -e)* salt; *attisk ~* Attic salt *(el.* wit); *engelsk ~* Epsom salts; *livets ~* the salt of life; *lægge i ~: se salte; han ejer ikke ~ til et æg* he hasn't got a penny to his name.

II. salt *adj* salt.

salt|agtig *adj* saltish, saline. -bøsse salt castor, salt sprinkler. -dannelse salification.

salte *vb* salt; *(i lage)* pickle, *(flæsk)* cure.

saltetønde brine tub.

salt|grube salt pit. -holdig *adj* saline. -holdighed *(en)* salinity. -kar salt cellar; *(stort i køkkenet)* salt box; *(til nedsaltning)* brine tub. -kilde salt spring. -korn grain of salt. -lage brine, pickle. -mandel salted almond. saltning *(en)* salting, curing.

saltomortale *(en -r)* somersault; *slå en ~* make *(el.* turn) a somersault.

salt|opløsning saline solution, brine. -støtte pillar of salt. -syre hydrochloric acid. -sø salt lake.

Saltsøstaden Salt Lake City.

salt|tønde salt barrel. -urt ⊕ glasswort. -vand salt water, brine. -vandsfisk salt-water fish. -vandsindsprøjtning saline injection; *(fig)* shot in the arm. -værk saltworks.

salut *(en -ter)* salute; *(tirade)* tirade. salutere *vb* salute. salutering, salutskydning salute-firing.

salvarsan *(et)* salvarsan.

I. **salve** *(en -r) (skud)* volley, salvo, *(maskingevær-etc)* burst; *(skældsord)* volley (of abuse).

II. **salve** *(en -r) (til indgnidning)* ointment, unguent.

III. **salve** *vb (indvie)* anoint *(fx* anoint him king); *Herrens -de* the Lord's Anointed.

salvekrukke ointment jar.

salvelse *(en)* unction. **salvelsesfuld** *adj* unctuous.

salvere: ~ *sig* get out of harm's way.

salvet *(en): i -en* out of harm's way; *(især amr)* sitting pretty.

salvie *(en)* ⚘ sage.

salv(n)ing *(en)* anointing, anointment.

salær *(et -er)* fee.

I. **samarbejde** *(et)* collaboration, co-operation.

II. **samarbejde** *vb* collaborate *(fx* c. with him on a novel); co-operate *(fx* we shall have to c. with them if we are to succeed); *(til en helhed)* unify, fuse.

samarit *(en -ter)* first-aid man.

samaritan *(en -er)* Samaritan; *(sted, hvor fattige bespises)* soup kitchen; *den barmhjertige* ~ the good Samaritan.

samariter|kursus first-aid class *(el.* course). **-tjeneste** ambulance service.

sambeskatning joint taxation.

sambladet *adj* ⚘ sympetalous.

samboplante *(en -r)* ⚘ monoecious plant.

samdrægtig concordant, harmonious, in unison.

samdrægtighed *(en)* concordance, harmony.

sameksistens *(en)* co-existence.

samfuld: *-e fem dage* five whole days.

samfund *(et -)* community, society; *(forening)* association, society; *(tros-)* religious community, communion; *-et* society, the community; *de helliges* ~ the Communion of Saints.

samfunds|anliggende *(et -r)* public matter. **-borger** *(en -e)* citizen. **-farlig** *adj* dangerous to society, anti-social. **-fjende** *(en -r)* public enemy. **-fjendtlig** *adj* anti-social. **-forhold** social conditions. **-hjælper** *(en -e)* (T: *kapselåbner)* bottle opener. **-klasse** class of the community. **-kundskab** civics. **-lag** *se -klasse.* **-lære** *(en)* civics. **-mæssig** *adj* social; *-t set* from a social point of view. **-nedbrydende** subversive. **-nyttig** of public utility. **-omvæltning** revolution. **-onde** *(et -r)* social evil. **-opgave** social task, task incumbent on the community; *(se ogs -sag).* **-orden** social order. **-reformator** social reformer. **-sag** cause of national importance. **-sind** public spirit. **-stige** social ladder. **-stilling** social position.

samfærdsel *(en)* communication(s), traffic.

samfærdselsmiddel means of communication.

sam|følelse fellow-feeling, solidarity. **-gift** *adj* married to each other. **-handel** commercial intercourse, trade. **-hørighed** *(en)* solidarity, mutual connexion. **-klang** harmony, concord, unison. **-kvem** *(et)* intercourse, communication. **-kvemsret** *(m.h.t. børn)* visiting rights.

samle *vb* gather *(fx* g. pebbles, wealth, experience; g. people about one); *(indsamle)* collect *(fx* material for a book); collect *(el.* pick up) information; collect one's thoughts); *(om personer)* assemble *(fx* an audience); *(maskindele etc)* assemble; *(opdynge)* amass, accumulate; *(til en enhed)* unite;

~ *appetit* *(, mod)* get up an appetite (,courage); ~ *en hær* raise an army; ~ *kræfter (komme sig)* recuperate; ~ *alle sine kræfter* gather all one's strength; ~ *ind (foretage indsamling)* collect contributions *(til:* for); ~ *op* pick up; ~ *på bøger (,frimærker etc)* collect books (,stamps, etc); ~ *sammen: se samle;* ~ *sig* gather, assemble *(om:* round), *(ophobes)* collect *(fx* dust collected on the books), *(tage sig sammen)* collect oneself, *(koncentrere sig)* concentrate *(om:* on); ~ *sig en formue* amass a fortune; *interessen -r sig om ham* the interest centres on him; *de -de sig om deres fører* they rallied round their leader; *-s* meet, unite; *(se ogs samlet).*

samle|bånd assembly belt, assembly line. **-fabrik** assembly plant.

samleje *(et -r)* coitus, sexual intercourse.

samlelinse convex lens.

samler *(en -e)* collector; *-e (om visse naturfolk)* food gatherers. **samlermani** collection mania.

samleskinne *(elekt)* bus bar.

samle|t *adj (hel)* total, aggregate, whole; *(fælles)* joint; *(forsamlet)* assembled; *(se ogs samle);* *adv* in the aggregate, *(i fællesskab)* jointly, *(i flok og følge)* in a body; ~ *beløb* total (amount), sum total; *med -de fødder* with one's feet close together; *optræde* ~ act in concert, act as a body; ~ *optræden* joint action; ~ *overenskomst* package deal; *mens rigsdagen er* ~ while Parliament is sitting *(el.* in session); *-de værker* complete *(el.* collected) works.

samleve *vb* cohabit *(med:* with).

samle|værk composite work. **-værksted** assembly shop.

samling *(en -er) (det at samle)* gathering, assembling, collection; *(ophobning)* accumulation; *(af et rige)* unification; *(af maskindele)* assembling; *(det som er samlet)* collection *(fx* of paintings), *(af menne-sker)* gathering, crowd; *(neds)* gang, pack *(fx* of thieves); *(rigsdags-)* session; *(sammenføjning, fx på møbel)* joint; *gå (,være) fra sans og* ~ lose (,be out of) one's senses; *blæse til* ~ ✕ blow the assembly.

samlings|ministerium coalition government. **-muffe** pipe coupling. **-mærke** symbol of unity; standard bearer *(fx* of a party). **-regering** coalition government. **-sted** rallying-ground, rendezvous. **-stue** common room, ✕ day room.

samliv *(et)* life together, common life; *(ægteskabeligt)* married life, *(jur)* matrimonial cohabitation, *(seksuelt)* marital relations, *(uden ægteskab)* cohabitation; *genoptage -et* resume marital relations.

samme *adj* the same; *(lige stor)* equal; *(omtalte)* the said *(fx* the said gentleman); *i det* ~ just then; *med det* ~ at the same time, *(straks)* at once; *det er mig det* ~ it is all the same to me; *den selv* ~ the very same, the self-same; *det kan være det* ~ never mind; *det er det* ~ *som at sige* it is as much as to say; *det er godt det* ~ it is just as well; *den er til det* ~ that is what it is for; *der er kun den* ~ it is the only one there is.

sammen *adv* together; *(i forening, ogs)* jointly, between them (, us, you); *(til mindre omfang)* up *(fx* fold up, roll up); *alle* ~: *se allesammen; alt* ~ all (of it); *bo i hus* ~ live in the same house; ~ *med* (together) with; *tage sig* ~ pull oneself together; *(se øvrigt verberne).*

sammenarbejde *vb* unify, fuse, coordinate; *de er godt -de* they pull well together.

sammenbidt *adj* dogged, obstinate; *med -e tænder* with clenched *(el.* set) teeth.

sammen|binde *vb* bind together, *(til et bundt)* tie up. **-blande** *vb* mix (together); *(forveksle)* mix up, confuse *(med:* with). **-blanding** mixture; confusion.

sammenbrud *(et -)* breakdown, collapse.

sammenbygget *adj* built together.

sammenbøjet *adj* bent double, doubled up.

sammen|drag *(et)* summary, resumé, abstract. **-drage** *vb* summarize, sum up.

sammenfald *(et) (-styrtning)* collapse, *(-træf)* coincidence, *(opgåen i ét)* merging; *(identitet)* identity.

sammenfatte *vb* summarize, sum up.

sammenfiltret *adj* tangled, matted.

sammenflikke *vb* patch (up), piece together.

sammen|folde *vb* fold (up). **-foldelig** *adj* folding, collapsible. **-føje** *vb* join (together). **-føjning** *(en -er)* joining; *(stedet)* joint. **-hobe** *vb* heap up, accumulate; *-t (om personer)* huddled together. **-hobning** *(en)* accumulation.

sammen|hold *(et)* solidarity; *der må være* ~ *mellem os* we must stick together. **-holde** *vb (sammenligne)* compare.

sammen|hæng *(en)* connexion, *(indre, logisk)* coherence, *(med omgivende tekst)* context; *-en (kends-*

gerningerne) the facts; *i* ~ *(i rækkefølge)* consecutive, consecutively, *(som et hele)* as a whole; *i denne* ~ in this connexion (,context); *mangel på* ~ incoherence; *uden* ~ incoherent(ly); *sagens rette* ~ the true facts of the case. **-hængende** *adj* coherent; *(uafbrudt)* continuous, unbroken; *(umiddelbart følgende hinanden i tid)* consecutive; *(stødende op til hinanden)* adjoining; *en* ~ *fortælling (som udgør et hele)* a ¢onnected narrative; *(logisk* ~*)* a coherent narrative.

sammenhørende *adj* belonging together.

sammenkalde * call (together), *(mere officielt)* convene, summon *(fx* the members, a conference), convoke *(fx* a parliament).

sammenkitte *vb* cement (together).

sammenklappelig *adj* folding, collapsible.

sammenklumpet *adj* crowded, *(om personer ogs)* huddled together.

sammenklæbe *vb* paste *(el.* stick) together.

sammenkneb|en: *med -ne læber* close-lipped; tight-lipped; *med -ne øjne* with one's eyes screwed up.

sammenknytte *vb* link together, connect.

sammenkoble *vb* couple (up); *(rumskibe)* dock.

sammenkomst *(en -er)* gathering, meeting, reunion; T get-together; *selskabelig* ~ social gathering.

sammen|krøben *adj* crouching, huddled (up). **-krøllet** *adj* crumpled (up). **-kæde** *vb* chain together; *(fig)* link together, link up. **-lagt** put together, combined; *(sammenfoldet)* folded (up); ~ *sum* total.

sammenligne *vb* compare; ~ *med* compare with *(fx* compare the copy with the original); *(billedligt)* compare to, liken to *(fx* compare wisdom to gold); *det kan -s med* it is comparable with; *det kan ikke -s med* it cannot compare with, it cannot be compared with. **sammenlignende** *adj* comparative.

sammenligning *(en -er)* comparison; *anstille en* ~ make a comparison; *tåle* ~ *med* bear comparison with; *det tåler ikke* ~ *med* it cannot compare with, it cannot be compared with; *i* ~ *med* in comparison with, (as) compared with; *uden* ~ *(ved superlativ)* without comparison, far and away, easily.

sammenlignings|grundlag standard of reference. **-vis** *adv* by way of comparison.

sammenlime *vb* glue together.

sammenlodde *vb* solder.

sammenlægge *vb* put together; *(-folde)* fold up; *(-tælle)* add (up), aggregate; *(slå sammen)* join, unite. **sammenlægning** *(en)* putting together; folding (up); addition, joining, uniting.

sammen|løb *(af floder)* confluence, *(af linier, veje)* convergence. **-løben** *adj (om mælk)* curdled; ~ *hob* mob. **-løbende** *adj* confluent, convergent.

sammen|pakke *vb* pack (together); *tæt -t* closely packed together. **-presning** compression. **-presse** *vb* press together, compress. **-rotning** *(en)* conspiracy, plot. **-rotte** *vb:* ~ *sig* conspire. **-rullet** *adj* rolled up, coiled (up). **-ryste** shake up; *blive -t (fig)* get together.

sammensat *adj* compound; *(indviklet)* complex; ~ *af* composed of; *en* ~ *natur* a complex character; ~ *ord* compound; ~ *tid (gram)* compound tense.

sammen|skrive write in one word; *(af tekster)* compile. **-skudsgilde** Dutch treat; *(hvor hver medbringer en flaske)* bottle party.

sammenslutning *(en -er)* union, combination; fusion *(fx* of EEC and EFTA); *(af firmaer)* amalgamation, merger; *(trust)* trust; *(forening)* association, union, league. **sammenslutte** unite, combine; fuse; amalgamate, merge.

sammenslynget *adj* interlaced, intertwined; *tæt* ~ *(om elskende)* in a close embrace.

sammen|smelte *vb* melt *(el.* fuse) together; *(fig)* amalgamate, merge. **-smeltning** *(en -er)* melting together, fusion; *(fig)* amalgamation, merger.

sammen|snerpende *adj* astringent. **-snerpet** *adj (fx om mund)* pursed up. **-snøre** *vb* constrict, contract. **-snøring** *(en -er)* constriction. **-spare** save; *-de penge* savings. **-spil** *(i musik)* ensemble playing,

(i sport etc) teamwork; *(fig: vekselvirkning)* interplay, interaction. **-spillet** *adj: være godt* ~ play well together. **-spist** *adj* intimate.

sammen|stille *vb* place together; *(i gruppe(r))* group; *(sammenligne)* compare. **-stilling** *(en -er)* juxtaposition, collocation; grouping; comparison. **sammenstimling** *(en -er)* crowd, concourse.

sammenstuvet *adj* closely packed, *(om personer ogs)* huddled together; ⚓ stowed close.

sammenstyrtning *(en)* collapse, falling in.

. **sammenstød** *(et -)* *(kollision)* collision; *(skænderi)* quarrel; *(kamp)* clash, (⚓ *ogs)* encounter, engagement; *(uoverensstemmelse, fx mellem begreber)* clash; ~ *af (uheldige) omstændigheder* (unfortunate) coincidence. **sammenstødende:** ~ *omstændigheder* a combination of circumstances, a coincidence.

sammen|sunken *adj* collapsed, fallen in; *sidde* ~ sit hunched up. **-surium** *(et)* medley, hotchpotch, jumble. **-svejse** *vb* weld; *(fig)* weld together. **-svejsning** *(en -er)* welding. **-sværge:** ~ *sig* conspire *(om at:* to); *de -svorne* the conspirators. **-sværgelse** *(en -r)* conspiracy, plot.

sammensy *vb* sew together; *(sår)* suture.

sammensyning sewing together; *(af sår)* suture; *(søm, syning)* seam.

sammen|sætning *(en -er)* composition; *(sammensat ord)* compound. **-sætte** *vb* put together, compose *(fx* a letter); make up *(fx* a programme).

sammen|trykke *vb* compress. **-trykning** compression. **-træde** *(et)* meeting, assembly. **-træf** *(et -)* coincidence. **-træffende** *se -stødende.*

sammen|trække contract. **-trækning** contraction.

sammen|trænge * press together; *(til mindre omfang)* compress; *(fig)* condense. **-trængning** *(en)* pressing together; compression; condensation. **-trængt** *adj (om fremstilling)* compressed, condensed, compact, concise.

sammen|tælle *vb* add up; *(stemmer)* count. **-tælling** *(en -er)* summing up, addition; *(af stemmer)* counting, count.

sammentømret framed; *fast* ~ *(fig)* well-knit.

sammenvokse|t *adj* grown together, united; *(sår)* healed (up); *-de tvillinger* Siamese twins; *hans øjenbryn er -de* his eyebrows meet.

sammenvoksning *(en)* growing together, coalescence; *(af sår)* healing (up).

sammesteds *adv* in the same place, *(om citat)* ibidem. **sammesteds|fra** from the same place. **-hen** to the same place.

Samoaøerne *(pl)* Samoa, the Samoan Islands.

samojede *(en -r)* Samoyed.

samordne *vb* co-ordinate.

samovar *(en -er)* samovar.

samråd *(et -)* consultation; *efter* ~ *med* having consulted; *i* ~ *med* in concert with.

samspil *(et) (fig) (vekselvirkning)* interplay, *(forhold)* correlation.

samstemme * *(være enige)* agree; **-nde** *adj* concurrent; *efter alles* **-nde** *mening* by common assent.

samt and, and also, plus; *med* ~ together with.

samtale *(en -r)* conversation, *(mere uformel)* talk; *(dialog)* dialogue; *(interview)* interview *(fx* call the applicants in for an interview); *(telefon-)* call *(fx* put through a call to Oxford), (telephone) conversation; *(se ogs telefonsamtale);* *føre en* ~ carry on a conversation; *i* ~ *med* in conversation with.

samtale|anlæg intercommunication system, intercom. **-emne** *(et -r)* subject of conversation, topic. **-form:** *i* ~ in the form of a dialogue. **-stof** subjects of conversation.

samtid: *hans, vor* ~ his, our age *(el.* contemporaries); *-en (ofte =)* that age, that time.

I. **samtid|ig** *adj* contemporary; *(samtidigt indtræffende)* simultaneous, synchronous; *vore -e* contemporaries. II. **samtidig(t)** *adv* at the same time, simultaneously; ~ *med* at the same time as , while. **samtidighed** *(en)* simultaneousness, synchronism.

samtlige *(adj pl.)* all.

I. **samtykke** *(et)* consent; *give sit ~* consent *(til: to)*. II. **samtykke** *vb* consent; *~ i* consent to, agree to; *~ med* agree with; *nikke -nde* nod assent; *den der tier, -r* silence gives consent.

I. **samvirke** *(et)* co-operation; *(sammenslutning)* association, union.

II. **samvirke** *vb* co-operate, work together.

samvirkende *adj* co-operative; *de ~ fagforbund (svarer til)* the Trades Union Congress; *~ årsager* concurrent causes.

samvittighed *(en)* conscience; *en dårlig ~* a bad conscience; *en god ~* a clear conscience; *handle imod sin ~* act against (the promptings of) one's conscience; *lette sin ~* clear one's conscience; *ond ~* bad conscience; *have ngt på sin ~* have sth on one's conscience; *hvad har du på -en?* what's on your mind? *på ære og ~* honestly! (up)on my honour! *tale til éns ~* appeal to sby's conscience.

samvittigheds|fuld *adj* conscientious, scrupulous, painstaking. **-fuldhed** *(en)* conscientiousness, scrupulosity. **-kvaler** *pl* pangs *(el.* qualms) of conscience. **-løs** unprincipled, unscrupulous. **-nag** remorse, compunction, pangs of conscience. **-sag** matter of conscience. **-spørgsmål** indiscreet question.

samvær *(et)* being together; *vi havde et fornøjeligt ~* we had a pleasant time together; *kammeratligt ~* good fellowship; *selskabeligt ~* conviviality, convivial gathering; *tvangfrit ~* an informal gathering.

sanatorieophold stay in a sanatorium.

sanatori|um *(et -er)* sanatorium, *(amr ogs)* sanitarium.

I. **sand** *(et)* sand; *strø ~ på* sand, *(fig)* smooth things over; *løbe ud i -et* come to nothing, peter out, be abortive.

II. **sand** *adj* true; *(ægte)* real, true; *(veritabel)* regular, veritable; *-t at sige* to tell the truth; *det er -t* it is true, *(= apropos)* by the way; *-t for dyden upon my word; det skal være mig en ~ glæde at* I shall be delighted to; *det er godt, ikke -t?* it is good, isn't it? *han så det, ikke -t?* he saw it, didn't he? *det er da ikke -t!* don't say that! *en ~ kristen* a true Christian; *der er noget -t i det* there is some truth in it; *det var et -t ord* you never spoke a truer word; *ikke et -t ord* not a word of truth; *så -t jeg hedder George* as sure as my name is George; *så -t hjælpe mig Gud* so help me God; *for godt til at være -t* too good to be true.

sandal *(en -er)* sandal.

sandart *(en -er)* zo zander.

sand|banke sand bank; *(sandhøj)* sandhill. **-blæsning** sandblasting. **-bund** sand(y) bottom.

sanddru *adj* truthful, veracious.

sanddruhed *(en)* truthfulness, veracity.

I. **sande** *vb:* *~ til* sand up.

II. **sande** *vb: måtte ~* experience the truth of; *(om bitter erfaring)* find to one's cost.

sandelig *adv* indeed, in truth; *(bibl)* verily.

sandeltræ ⌀ sandalwood.

sandet *adj* sandy. **sandflugt** sand drift.

sandfærdig *adj* truthful, veracious.

sandfærdighed *(en)* truthfulness, veracity.

sandgrav sand pit.

sandhed *(en -er)* truth *(fx* the naked truth; scientific truths); *-en er ilde hørt* nothing hurts like the truth; *i -ens interesse må jeg tilføje* in fairness I' must add; *tale ~* speak *(el.* tell) the truth; *når jeg skal sige -en* to tell the truth; *i ~* indeed; *i overensstemmelse med -en* in accordance with the truth; *sige én nogle ubehagelige -er* tell sby a few home truths.

sandheds|kærlig *adj* veracious, truth-loving. **-kærlighed** *(en)* veracity, love of truth. **-søger** *(en -e)* seeker after truth. **-vidne** *(et -r)* martyr.

sand|jord sandy soil. **-kage** *(omtr =)* Madeira cake. **-kasse** sandbox; *(til leg)* sand pit. **-orm** zo

lug worm. **-papir** sandpaper; *slibe med ~* sandpaper. **-pumper** sand-pump dredger.

sandsiger *(en -e)* soothsayer.

sandskorn grain of sand.

sand|sten sandstone. **-storm** *(en -e)* sandstorm. **-strand** sandy beach.

sandsynlig *adj* probable, likely; *det -ste er at* it is most likely that, the odds are that.

sandsynliggøre *vb* render *(el.* make) probable.

sandsynlig|hed *(en)* probability, likelihood; *efter al ~* in all probability; *der er ~ for at* it seems probable that. **-hedsberegning** calculation of probability. **-vis** *adv* probably, in all probability; *han kommer ~ (ogs)* he is likely to come.

sandsæk sandbag.

sandten: *min ~* by Jove.

sandwich *(en -es el. -er)* sandwich.

sandørken sandy desert.

sanere *vb* reorganize *(fx* finances), reconstruct; *~ beboelseskvarterer* effect slum clearance. **sanering** *(en)* reorganization, reconstruction; slum clearance. **saneringsmoden** ripe for condemnation.

I. **sang** *(en -e)* song; *(det at synge)* singing, song; *(digt)* song; *(del af større digt)* canto, book; *tage (el. få) undervisning i ~* take singing-lessons.

II. **sang** *imperf af synge.*

sang|bar *adj* singable. **-bog** song book. **-bund** sounding-board; *det fandt ingen ~ hos tilhørerne* it met with *(el.* called forth) no response in the audience.

sangdrossel zo song thrush.

sanger *(en -e)* singer; *(digter)* poet, bard; *(troubadour)* minstrel; *(sangfugl)* song bird, *(poet.)* songster, *(Sylviidae)* warbler.

sangerinde *(en -r)* singer.

sang|forening choral society, glee club. **-fugl** song bird. **-kor** choir. **-leg** singing-game. **-lig** *adj* vocal. **-lærer** singing-master. **-lærke** zo skylark. **-spil** vaudeville. **-stemme** (singing-)voice. **-svane** zo whooper swan. **-time** singing-lesson. **-undervisning** singing-lessons.

sangviniker *(en -e)* sanguine person, optimist.

sangvinsk *adj* sanguine.

sanitets|artikler sanitary appliances. **-deling** *(en -er)* ✠ medical platoon. **sanitær** *adj* sanitary.

sank *imperf af synke.*

sanke *vb* gather, collect; *~ aks* glean.

sankt Saint, St *(fx* St *(el.* Saint) Bernard, St Bernard dog, St Croix, St Helena, St Peter).

sankt Gertrud: *glansen er gået af ~ ~* the gilt is off the gingerbread.

sankt Hans *(24. juni)* Midsummer Day.

sankthans|aften Midsummer Eve. **-bål** Midsummer bonfire. **-dag** Midsummer Day. **-orm** zo glow-worm. **-urt** ⌀ orpine.

sanktion *(en -er)* sanction, assent; *(strafforanstaltning)* sanction. **sanktionere** *vb* sanction.

sanktveitsdans St Vitus's dance.

I. **sans** *(en -er)* sense; *humoristisk ~* a sense of humour; *sund ~* (common) sense; *have ~ for* have a sense of *(fx* humour), be alive to *(fx* beauty), appreciate *(fx* literature); *være fra ~ og samling* be out of one's senses; *skræmme en fra vid og ~* scare sby out of his wits; *være ved sine -ers fulde brug* be in possession of all one's faculties.

II. **sans** *(i kortspil)* no trump(s); *én ~* one no trumps; *melde ~* call no trumps.

sanse *vb* *(opfatte)* perceive (by the senses); *(kunne modtage sanseindtryk)* have sensation; *han kan hverken ~ eller samle* his head is all in a whirl. **sanse|bedrag** sense illusion, hallucination. **-indtryk** sense impression.

sanselig *adj* *(som angår sansningen)* sensuous; *(erotisk etc)* sensual *(fx* enjoyment), carnal *(fx* desire); *den -e verden* the material world. **sanselighed** *(en)* sensualism, sensuality.

sanse|løs *adj* distracted, frantic; *~ af skræk* frantic

with terror. **-nerve** sensory nerve. **-organ, -redskab**
sense organ.
    sanskrit *(et)* Sanskrit.
    sansmelding *(i kortspil)* no-trump call.
    sansning *(en)* sense perception, sensation.
    sapphisk *adj* Sapphic *(fx* stanza).
    saracener *(en -e),* **saracensk** *adj* Saracen.
    sardin *(en -er)* sardine. **sardindåse** sardine tin.
    Sardini|en Sardinia. **-er** *(en -e)* Sardinian.
    sardonisk *adj* sardonic.
    sarkasme *(en -r)* sarcasm.
    sarkastisk *adj* sarcastic; *adv* -ally.
    sarkofag *(en -er)* sarcophagus *(pl* sarcophagi).
    sart *adj* delicate; *(som let bliver stødt)* touchy.
    I. **sat** *perf part af* **sætte.**
    II. **sat** *adj* sedate, staid, sober; *af ~ alder* of mature
years; *~ væsen* staidness, sedateness.
    satan Satan; *en (ren) ~* a devil (incarnate); *så
for ~!* damn it! oh hell! *kør som bare ~!* drive like hell!
ubekvem som bare ~ damned uncomfortable; *~ til
tid* a hell of a long time; *vig bort ~* get thee hence,
Satan; *-s flot* damned smart; *en -s historie* a devil of
a business; *-s også!* damn it! oh hell! *et -s spektakel*
an infernal noise; *det var -s!* well, I'll be damned!
(se ogs fanden).
    satanisk *adj* satanic, diabolical, fiendish.
    satellit *(en -ter)* satellite. **satellitstat** satellite (state).
    satin *(et)* sateen. **satinere** *vb* calender.
    satire *(en -r)* satire *(over:* on).
    satiriker *(en -e)* satirist.
    satirisere: *~ over* satirize. **satirisk** *adj (spottende)*
satirical *(fx* comment, laughter, person); *(om skrift,
forfatter etc)* satiric *(fx* poem, style).
    satisfaktion *(en)* satisfaction; *give (, kræve) ~* give
(, demand) satisfaction.
    sats *(en -er) (takst etc)* rate; *(typografisk)* matter
(fx standing matter); type *(fx* a legible type); *(det
at sætte)* composition; *(i musik)* movement; *(brænd-
bar ladning)* combustible composition; *(på tændstik)*
head.
    satse *vb: ~ på (vædde på)* bet on, put one's money
on; *(sigte efter)* aim at, have in view.
    satte *imperf af* **sætte.**
    Saturn Saturn.
    satyr *(en -er)* satyr. **satyragtig** *adj* satyr-like.
    satyrspil satyric drama.
    sauce *se sovs.*
    sauterne *(en)* Sauterne.
    savanne *(en -r)* savanna.
    sav|blad saw blade. **-buk** *(en -ke)* sawhorse.
    save *vb* saw.
    savfisk *(en -)* zo sawfish; *(= savhaj)* saw shark.
    savl *(et)* slobber, slaver. **savle** *vb* slobber, slaver,
(amr ogs) drool. **savlesmæk** *(en -ker)* bib.
    savn *(et -)* want, lack; *(nød)* want, privation; *af-
hjælpe et ~* meet a need; *efterlade et ~* leave a void;
det vil ikke være noget for mig I shall not miss it.
    savne *vb* miss *(fx* they miss one another; it will
never be missed; when did you miss the letter?);
(ikke have) be without, lack, want; *(trænge til)* be
in want of, feel the want of, want; *det -r ethvert
grundlag* it is devoid of all foundation, it is utterly
groundless; *jeg -r ord til at udtrykke det* I am at a loss
for words to express it; *-s* be missed, *(ikke være til
stede)* be missing; *-t* missed, regretted, *(fraværende,
ikke fundet)* missing; *de -de* ✗ the missing.
    savojard *(en -er)* Savoyard. **Savojen** Savoy.
    savojkål ♣ Savoy (cabbage).
    sav|skærer *(en -e)* sawyer. **-skæreri** *(et -er)*
sawmill. **-smuld** sawdust. **-snit** kerf. **-takket** *adj*
serrate(d), jagged. **-tand** saw tooth. **-udlægger**
(en -e) saw set. **-værk** sawmill.
    S-banen [the electrified metropolitan railways
of Copenhagen].
    scene *(en -r)* scene *(fx* the scene changes from
London to a country inn; scene II; the balcony

scene of 'Romeo and Juliet'; don't make a scene!);
((del af) teater, *ogs fig)* stage *(fx* put a play on the
stage; retire from the stage); *sætte i ~* produce, *(ogs
iværksætte)* stage *(fx* a demonstration); *gå over -n
(om stykke)* be acted, be performed; *gå til -n* go on
the stage; *det kom til en ~* there was a scene; *uden for
-n* off (the) stage.
    scene|anvisning stage direction. **-forandring**
change of scenery. **-instruktør** producer, director.
-kunstner actor, actress.
    sceneri *(et -er)* setting, *(ogs natur-)* scenery.
    scene|skifte *(et -r)* change of scenery. **-vant** *adj*
confident, experienced. **scenisk** *adj* scenic.
    scepter *(et -re)* sceptre; ⚓ stanchion.
    schattere *vb* shade; *(spille i nuancer)* shimmer.
    schattering *(en -er) (det at)* shading; *(nuance)* shade.
    Schelde(floden) the (river) Scheldt.
    schellak shellac.
    scherzo *(en -er)* scherzo.
    schizofreni: *se skizofreni.*
    schlager *(en -e)* hit.
    Schlesien Silesia. **schlesisk** *adj* Silesian.
    schuft *(en -er)* cad, scoundrel.
    Schwaben Swabia. **schwabisk** *adj* Swabian.
    Schwarzwald the Black Forest.
    Schweiz *se Svejts.*
    schæferhund Alsatian.
    scilla *(en -er)* ♣ squill, scilla.
    scirocco *(en)* sirocco.
    scooter *(en -e)* scooter.
    score *vb* score *(fx* a goal).
    scrapbog scrapbook, press-cutting book.
    se *(så,* set) *(have synsevnen, få øje på, opfatte, indse)*
see *(fx* I saw him fall; have you seen the paper?
we see from your letter that; I don't see the fun
of it; I am pleased to see you; see red); *(bruge syns-
evnen, se sig om, rette blikket)* look *(fx* he looked
and saw that I was right; I looked in at the window);
(prøve) see *(fx* I'll see what I can do);
    se! look! see! *se side 50* see page 50; *se engang!* (just)
look! *~ nu at blive færdig!* hurry up! *-r De (indledende)*
well, you see; *der kan du selv ~, der -r du* there you
are; I told you so; *-r man det! se, se!* indeed! really!
nu har jeg -t det med (el. aldrig -t så galt) well I never!
~ sin fordel ved at gøre det find it profitable (el. an
advantage) to do it; *vi får ~* we shall see; *jeg -r gerne
at* I would appreciate it if; *~ godt* have good eye-
sight; *~ ham!* look at him! *jeg vil aldrig mere ~ ham for
mine øjne* I never want to set eyes on him again; *vi -r
helst* we should prefer; *så vidt jeg kan ~* as far as I can
see; *lade sig ~* appear, show oneself; *lad mig ~ (ogs
= vent et øjeblik)* let me see; *men ~ om han gør* but
catch him doing it; *~ selv!* see (, look) for yourself!
~ sig nødsaget til at be compelled to; *man så ham smile*
he was seen to smile; *~ så!* there now! *(for at påkalde
opmærksomhed)* now then! *nej, vil du ~* just look;
vil du ~ du kommer ud out you go;
    kan det -s? does it show? *vi -s ofte* we often meet;
de sås ofte sammen they were often seen together;
set seen; *ilde -t* unwelcome, disliked; *politisk -t*
from a political point of view; *(se ogs seende).*
    [*m præp og adv*] *jeg skal ~ ad* (*:* hvad det er) I'll
(go and) see; (*:* hvad der kan gøres) I'll see what can
be done; *heraf -r* man hence it appears; *~ en mand
an* size up a man; *~ tiden an* wait and see, hold off;
~ bort fra leave out of account, ignore; *~ efter
(følge med øjnene, tage vare på)* look after, *(søge efter)*
look for, *(med efterfølgende bisætning)* see, *(uden ob-
jekt eller bisætning)* look, *(efterse)* examine, look
through, *(gøre i stand)* mend, overhaul; *han stod og
så efter mig* he stood looking after me; *jeg så efter
ham i alle værelserne* I looked for him in all the
rooms; *jeg skal ~ efter om hun er hjemme* I'll see if she
is at home; *~ ngt efter (i en bog)* look sth up; *han
så efter i bogen* he consulted the book; *han så ikke
regningen efter* he did not examine the account; *~
sig for* look where one is going; *jeg kan ~ det for mig*

I can see it; ~ *en i ansigtet* look sby in the face; *jeg gad vidst hvad hun -r i ham* I wonder what she sees in him; ~ *sig i spejlet* look at oneself in the glass; ~ *noget* igennem look through (*el.* over) sth; ~ ind *til mig en dag* drop in (and see me) one day; ~ ned *på (ogs fig)* look down on; ~ *sig* om look round, look about one; *inden man får -t sig om* before you know where you are; ~ *sig om efter* look about (*el.* round) for; ~ *sig om på et sted* take a look at a place, take a look round; *han har -t sig om i verden* he has seen the world, he has travelled a great deal; ~ op *til (fig)* look up to; ~ over *på lektien* look the lesson over; ~ på look at, *(opfatte, betragte)* look on, regard, *(hænge sig i)* mind, be particular about; *jeg kunne ~ på hans ansigt at* I could see from (*el.* tell by) his face that; ~ 'til *(være tilskuer)* look on; ~ *meget til en (o: ofte se en)* see much of sby; *har du -t ngt til ham?* have you seen anything of him? *når man -r nærmere* 'til on closer inspection; *køn at ~ til* handsome to look at; ~ *til* 'ham! look at him! ~ 'til *at (= sørg for at)* see that, look to it that; ~ 'til *om han gør det* catch him doing it; *han er ikke til at ~ nogen steder* he is nowhere to be seen; ~ *sig* tilbage look back; ~ *tilbage på* look back on; ~ 'ud *(om udseende)* look; '~ ud *(ad vinduet)* look out (of the window); ~ *bedrøvet ud* look sad; *hvor du -r ud!* what a sight you are! *hvordan -r han ud?* what does he look like? *(ved en bestemt lejlighed)* how does he look? *det -r sådan ud!* (= *det synes at være tilfældet)* it looks like it! *det ser ikke ud af meget* it is not much to look at; *det -t ud som om* it looks as if; *det -r ud til regn* it looks like rain; *det -r ud til at* it looks as if, it appears that; *det -r du også ud til* you look it.

seance *(en -r)* séance.
secernere *vb* secrete.
sedan *(en)* (bil) saloon, (amr) sedan.
seddel *(en, sedler)* slip (of paper); *(penge-)* (bank) note, *(amr)* bill; *(lotteri-, låne-, garanti-)* ticket; *(mærke-)* label, *(vedhængt)* tag; *(lille brev)* note. seddel|bank note-issuing bank. -cirkulation note circulation. -mappe note case. -penge paper money. -udstedelse note issue.
sediment *(et -er)* sediment.
sedimentær *adj* sedimentary.
seende *adj* seeing; *(modsat blind)* sighted; *blive ~* recover one's eyesight.
seer *(en -e)* seer, prophet; *TV* viewer. seer|blik, -gave gift of prophecy.
S. E. & O. *(fk f salvo errore et omissione)* errors and omissions excepted, E. & O.E.
I. segl *(et -)* seal; *lukke med ~* seal.
II. segl *(en -e)* *(krumkniv)* sickle *(fx* the hammer and sickle). segl|formet *adj* sickle-shaped, falciform. segl|lak sealing-wax. -ring seal ring.
segment *(et -er)* segment.
segne *vb* drop, sink *(fx* sink under the burden). segnefærdig *adj* ready to drop *(fx* with fatigue).
Seine(n) the Seine.
seismograf *(en -er)* seismograph.
I. sej *(en -er)* zo coalfish.
II. sej *adj* tough *(fx* meat, job); *(om metal)* ductile; *(om væske)* viscous; *(vigtig)* T swanky; *(stædigt vedholdende)* dogged *(fx* resistance), tenacious.
sejhed *(en)* *(jvf II. sej)* toughness; ductility; viscosity; swank; doggedness, tenacity.
sejl *(et -)* sail; *for fulde ~* at full sail; *sætte ~* make sail, set sail; *sætte alle ~ til (fig)* put every ounce of energy into it (*el.* into the work); *under ~* under sail. sejlads *(en -er)* navigation; *(sørejse)* sail *(fx* a week's sail from Hull), *(især længere sørejse)* voyage; *farlig for -en* dangerous to navigation.
sejl|bar *adj* navigable. -båd sailing boat. -dug canvas.
sejle *vb* sail; ~ *agterud (= komme bag efter)* lag behind, *(m objekt, fig)* outdistance, outstrip; *klar til at ~ kl 10* ready to leave at 10 o'clock; ~ *i ballast* sail in ballast; ~ *i sænk* run down; *komme -nde ind i*

værelset *(fig)* sail into the room; ~ *med damper (etc)* go by steamer (etc); ~ *med kul* carry coal; ~ *mellem Esbjerg og Harwich* run (*el.* ply) between E. and H.; ~ *på Kina* be in the China trade; *lade én ~ sin egen sø* leave sby to his own devices; *han er -t til Amerika* he has left for America.
sejler *(en -e)* *(sejlskib)* sailing-ship; *(sejlsportsmand)* yachtsman; *10 -e (skibe)* 10 sail; *en god ~ (om skib)* a good sailer.
sejl|færdig *adj* ready for sea. -føring *(en)* (spread of) canvas. -garn string, ✥ twine; *et stykke ~* a piece of string.
sejlivet *adj* tenacious of life, T tough; *være ~ (ogs)* die hard *(fx* old habits die hard).
sejlivethed tenacity of life.
sejl|klar *adj* ready for sea. -klub yacht club. -løb *(et -)* fairway, channel. -mager *(en -e)* sailmaker. -ordre sailing orders. -rende = -løb. -rute shipping route; *(meget befærdet)* sea lane. -skib sailing-ship; *20 -e* 20 sail. -sport yachting. -sportsforening = -klub. -sportsmand yachtsman. -tur sail.
sejl|pine ★ torment, keep on the rack; ~ *én (m venten etc)* keep sby on tenterhooks. -pineri *(et)* slow torture.
sejr *(en -e)* victory, *(fig)* triumph; *gd af med -en* be victorious, *(i konkurrence etc)* come out the winner, carry off the prize, *(fig)* prevail, triumph; *vinde ~* gain the victory, be victorious, *(fig)* triumph *(over:* over).
sejre *vb* gain the victory, be victorious, conquer, win; *(fig)* prevail, triumph; *(i konkurrence etc)* win, come out the winner; ~ *over* conquer, *(i sport)* beat, win over; *(fig)* prevail (*el.* triumph) over.
sejrende *adj* victorious; winning.
sejrherre conqueror, victor; *(sport etc)* winner; *-n fra Waterloo* the victor of Waterloo.
sejrrig *adj* victorious, triumphant.
sejrsbudskab news of a victory.
sejrsgang triumphal progress.
sejrsikker *adj* confident of victory (*el.* of winning *el.* of success).
sejrs|parade victory parade. -stolt *adj* triumphant. -trofæ trophy.
sejtflydende *adj* viscous.
sejtørre *vb* dry slowly.
sekant *(en -er)* secant.
sek|el *(et -ler)* century.
sekond|løjtnant second lieutnant. -violin second violin.
sekret *(et -er)* secretion.
sekretariat *(et -er)* secretariat.
sekretion *(en)* secretion; *indre ~* internal s.
sekretær *(en -er)* secretary, *(møbel)* escritoire, secretaire. sekretærfugl secretary bird.
seks six.
seks|cifret: ~ *tal* six-figure number. -dagesløb six-day (bicycle) race. -dobbelt *adj* sixfold, sextuple.
sekser *(en -e)* six; *(sporvogn etc)* number six.
seks|fodet *adj* six-footed, hexapod; ~ *vers* hexameter. -kant hexagon. -kantet *adj* hexagonal. -løber *(en -e)* six-shooter. -personers: ~ *bil* six -seater. -radet: ~ *byg* six-rowed barley.
sekst *(en -er)* *(musik)* sixth.
sekstal six; *et ~* a six.
sekstant *(en -er)* sextant.
seksten sixteen. sekstende sixteenth.
sekstende|del sixteenth. -delsnode semiquaver.
sekstet *(en -ter)* sextet.
seksti sixty.
sekstiden: *ved ~* at about six o'clock.
seksual- sexual *(fx* crime, hygiene, life).
seksualundervisning sex education.
seksuel *adj* sexual.
seks|årig *adj* of six *(fx* a child of six), six-year -old; *(som varer 6 år)* sexennial. -års six-year-old.
I. sekt *(en)* *(mousserende hvidvin)* sparkling hock.

II. sekt *(en -er)* *(kirkesamfund)* sect. **sekterer** *(en -e)* sectarian. **sekterisk** *adj* sectarian.
sektion *(en -er)* section; *(med.)* post-mortem (examination).
sektor *(en -er)* sector.
sektvæsen *(et)* sectarianism.
sekularisere *vb* secularize.
I. sekund *(et -er)* second.
II. sekund *(en -er)* *(i musik)* second; *(i fægtning)* seconde.
sekunda *(andenklasses)* second-rate.
sekundant *(en -er)* second.
sekundavarer *pl* second-rate goods, seconds.
sekundaveksel second (bill) of exchange.
sekundere *vb* second.
sekundviser *(en -e)* *(i ur)* second hand.
sekundær *adj* secondary.
sekvens *(en -er)* sequence.
sele *(en -r)* strap; *(seletøj)* harness; *(til at løfte med)* sling; *(til småbørn)* reins; *(svømme-)* swimming -belt; *(fx på forklæde)* shoulder strap; *-r (bukse-)* braces, *(amr)* suspenders; *lægge sig i -n (fig)* get down to one's work, pull one's weight; *lægge sig i -n for at* spare no efforts to, make a special effort to; *lægge ~ på en hest* harness a horse.
selektiv *adj* selective. **selektivitet** *(en)* selectivity.
selen *(et)* selenium.
sele|strop brace(s) end. **-tøj** harness.
selleri *(en)* *(blad-)* celery; *(knold-)* celeriac; *(selve knolden)* celery root. **selleri|knold** celery root. **-top** celery leaves *pl*.
selskab *(et -er)* *(forening)* society, association; *(merk)* company; *(selskabelig sammenkomst)* party; *(personer som er sammen (fx på rejse))* party; *(samvær; omgang; gæster)* company *(fx* I enjoyed his company; he is not fit company for you; entertain the company); *(selskabslivet, den fine verden)* society; *være i godt ~* be in good company; *gøre os ~* join us; *have (el. holde) ~* give *(el.* have) a party; *holde en med ~* keep sby company; *jeg har set dig i ~ med ham* I have seen you in his company; *for -s skyld* for company('s sake), to keep him (, me etc) c.
selskabelig *adj* social *(fx* gathering, accomplishment); *(som ynder selskab)* sociable, companionable; *(om dyr)* gregarious; *~ dannelse* good manners; *-e forpligtelser* social obligations; *-e talenter* (drawing -room) accomplishments. **selskabelighed** *(en): han kan godt lide ~* he likes parties; *drive megen ~ (som vært)* entertain a great deal.
selskabs|dame (lady's) companion. **-dans** ball -room dancing. **-dragt** evening dress; *(for kvinder ogs)* evening gown. **-kjole** *(dame-)* evening gown. **-leg** parlour game. **-livet** society. **-mand:** *han er den fuldkomne ~* he has every social accomplishment. **-papegøje** *zo (undulat)* budgerigar; *(fig neds)* chatterer. **-rejse** conducted tour.
selters(vand) seltzer water.
I. selv *(et)* self.
II. selv *pron* myself, yourself, himself, herself, itself, oneself, ourselves, yourselves, themselves *(fx* I did it myself; one had better do it oneself; you saw it yourselves); *mig ~* myself, *hende ~* herself (etc); *hun syr ~ sit tøj* she makes her own clothes; *de har ~ et hus* they have a house of their own; *døren lukker ~* the door shuts automatically, *(på skilt:)* self-closing; *det må du ~ om* that's up to you; that's your look-out; *den ~ samme* the very same, the self -same; *når jeg ~ skal sige det* though I say it myself; *det kan du sige dig ~, det siger sig ~* it goes without saying; *~ tak! se II.* tak; *du er et fæ! Det kan du ~ være!* you are a fool! Same to you! *eller* You are another! *han var uskyldigheden ~* he was innocence itself; *han er ærligheden ~* he is the soul of honesty; *bide sig ~ i fingeren* bite one's own finger; *tage sig ~ af dage* commit suicide, take one's (own) life; *han er ikke sig ~* he is not himself; *han er ikke mere sig ~* he is not his old self;

han gjorde det af sig ~ he did it of his own accord; *det knækkede af sig ~* it cracked of itself; *det følger af sig ~* it is a matter of course, it goes without saying; *som virker af sig ~* automatic, self-acting; *være ude af sig ~* be beside oneself *(fx* with rage); *for sig ~ (alene)* alone, by oneself; *begynde for sig ~* set up for oneself, start on one's own; *han er noget for sig ~* he is not like other people; he is quite a character; *hos mig ~* in my own house; *i sig ~* in itself; *gå i sig ~ (ɔ: angre)* think better of it, repent; *komme til sig ~ igen* come to, come round; *(se ogs* selve).
III. selv *adv* even; *~ hans fjender* even his enemies, his very enemies; *~ om* (even) if, (even) though.
selv|agtelse self-respect; *som har ~* self-respecting. **-angivelse** *(til skat)* (income) tax return; *(blanket)* (income) tax form. **-anklage** self-accusation. **-antændelse** spontaneous *(el.* self-)ignition. **-bebrejdelse** self-reproach. **-bedrag** self-deception, self -delusion. **-behag** (self-)complacency. **-behagelig** (self-)complacent. **-beherskelse** self-control, self -command; *(fattethed)* self-possession. **-beskuelse** introspection. **-besmittelse** self-abuse. **-bestaltet** self-appointed. **-bestemmelsesret** (right of) self -determination. **-bestøvning** autogamy, self-pollination. **-betjening** self-service; *restaurant med ~* cafeteria. **-betjeningsforretning** self-service store. **-bevidst** *adj* (self-)conceited, arrogant. **-bevidsthed** *(en)* (self-)conceit, arrogance. **-binder** *(en -e)* reaper -binder. **-biografi** autobiography. **-bdden:** *~ gæst* intruder, T gatecrasher. **-disciplin** self-discipline. **-død** *adj (om kreatur)* dead (from accident or disease).
selve himself, herself, itself; *-(ste) kongen* the king himself; *~ den luft hun indånder* the very air she breathes; *i ~ dette hus* in this very house; *~ den omstændighed at* the very fact that.
selv|eje *(et)* freehold. **-ejende:** *~ institution* independent *(el.* self-governing) institution. **-ejer** freeholder; *(af bil)* owner-driver. **-ejerbil** private car. **-erhverv** independent employment. **-erhvervende** *adj* self-supporting. **-erkendelse** self-knowledge. **-forgudelse** self-worship. **-fornedrelse** self -abasement. **-fornægtelse** self-denial. **-fornægtende** *adj* self-denying. **-forskyldt** *adj* self-inflicted, which one has brought on oneself. **-forsvar** self-defence. **-forsynende** self-sufficient. **-forsyning** self-sufficiency. **-foryngelse** *(i skov)* natural reproduction. **-følelse** self-esteem, pride. **-følende** *adj* conceited, proud.
selvfølge *(en)* matter of course. **selvfølge|lig** *adj* obvious, natural, inevitable; *adv* of course, naturally; *en ~ sag* a matter of course. **-lighed** *(en -er)* matter of course, obviousness; *(banalitet)* truism; *(naturlighed)* naturalness.
selv|gjort *adj* of one's own making. **-glad** pleased with oneself, self-satisfied. **-glæde** self-satisfaction. **-god** self-righteous, smug. **-hersker** autocrat. **-hjælp** self-help. **-hævdelse** self-assertion. **-hævdende** *adj* self-assertting, self-assertive. **-indlysende** self-evident, obvious. **-induktion** self-induction. **-ironi** self-irony.
selvisk *adj* selfish. **selviskhed** *(en)* selfishness.
selv|klog *adj* self-opinionated; *(indbildsk)* conceited. **-kritik** self-criticism. **-lavet** home-made, of one's own making. **-lukkende** self-closing. **-lyd** vowel. **-lysende** luminous. **-lært** self-taught.
selvmodsigelse self-contradiction.
selvmodsigende *adj* (self-)contradictory.
selv|mord suicide; *begå ~* commit suicide. **-morder(ske)** suicide. **-morderisk** *adj* suicidal. **-mordsforsøg** attempted suicide; suicide attempt. **-mordskandidat** would-be suicide. **-mordstanker:** *omgås med ~* meditate suicide. **-mål** *(i sport)* own goal. **-opgivelse** despair, *(især national)* defeatism. **-opgivende** *adj* despairing; defeatist.
selv|opholdelsesdrift instinct of self-preservation. **-oplevelse** personal experience. **-opofrelse** self-sacrifice. **-opofrende** self-sacrificing. **-optaget**

self-centred. **-optagethed** self-centredness. **-over-vindelse** self-conquest, (ofte =) resignation.
selv|plager (en -e) self-tormentor. **-plageri** self-torture. **-portræt** self-portrait.
selv|registrerende self-registering, self-recording. **-regulerende** self-regulating. **-retfærdig** self-righteous. **-risiko** (ass) own risk. **-ros** self-praise; ~ stinker self-praise is no recommendation. **-rådig** adj self-willed, wilful. **-rådighed** (en) wilfulness.
selv|sagt adv of course, obviously. **-samme** adj the self-same, the identical, the very same. **-sikker** self-assured, cocksure. **-sikkerhed** (self-)assurance, cocksureness.
selv|skabt self-created, of one's own making. **-skreven** (egenhændig) in one's own handwriting; (berettiget) natural, obvious; være ~ til at be the very person to. **-skyldner** (jur) surety. **-spillende:** ~ klaver player-piano. **-starter** (en -e) self-starter. **-studium** private study; til ~ for self-tuition. **-styre** (et) self-government. **-styrende** adj self-governing. **-stændig** adj independent, (original) original. **-stændighed** (en) independence. **-suggestion** self-suggestion. **-syn** personal inspection; af ~ from personal experience. **-sået** adj self-sown. **-tilfreds** self-satisfied, (self-)complacent, smug. **-tilfredshed** self-satisfaction, (self-)complacency, smugness. **-tillid** self-confidence, self-reliance; mangel på ~ diffidence, lack of self-confidence.
selv|tægt (en) self-help; gribe til ~ take the law into one's own hands. **-udslettende** adj self-effacing. **-valg** (tlf) direct dialling by subscribers; (af udenbys samtaler) subscriber trunk dialling (fk S.T.D), (amr) direct distance dialing (fk DDD). **-valgt** adj self-elected; over ~ emne on a subject chosen by the candidate himself. **-virkende** adj automatic, self-acting.
semafor (en -er) semaphore.
semantik (en), **semasiologi** (en) semantics, semasiology.
semest|er (et -re) term (of six months), (amr ogs) semester; i -ret during term.
semifinale semifinal; deltager i ~ semifinalist.
semikolon (et -er) semicolon.
seminar (et -er) seminar.
seminarie|elev = lærerstuderende. **-rektor** principal of a college of education (, amr: teachers' college). **-uddannet** educated in a college of education (, amr: teachers' college). **seminarist** (en -er) person with a college of education (, amr: teachers' college) education; (se ogs lærerstuderende). **seminarium** (et, seminarier) teacher training college, (hedder nu officielt i Engl) college of education; (amr) teachers' college.
semit (en -ter) Semite. **semitisk** adj Semitic.
semuljegryn semolina.
sen adj late; (fremrykket ogs) advanced (fx at an advanced age); (sendrægtig) slow, tardy; (om fremtid) remote (fx the remotest generations); det -e forår the belated spring; ~ middag late dinner; ~ til at gøre noget slow to do sth (fx be slow to act); (se ogs senere, senest, sent).
senat (et -er) senate. **senator** (en -er) senator.
sende ★ send, (merk ogs) forward, transmit; (radio) transmit; ~ af sted send off, dispatch, (brev) post; ~ bud efter send for. **sendebud** messenger.
sendelse (en) mission.
sendemand (delegeret) delegate.
sender (en -e) (radio-) transmitter. **senderstation** transmitting station.
sendetid sending period (el. time).
sending (en -er) (i telegrafi) transmission; (vareparti) consignment, shipment; (med skib) cargo.
sendrægtig adj slow, dilatory, tardy.
sendrægtighed (en) slowness, tardiness.
sene (en -r) (anat) sinew, tendon.
sene|hinde (en -r) synovial membrane; (øjets) sclera. **-hindebetændelse** synovitis; (i øjet) sclerotitis.

senere adj later; (fremtidig) future; adv later, afterwards; i de ~ år in recent years; of late years; 3 år ~ 3 years later; før eller ~ sooner or later; ~ hen later on; den ~ middelalder the late Middle Ages; i den ~ tid lately, of late.
seneskede (en -r) synovial sheath.
senest adj latest; (i den fjerneste fremtid) remotest (fx r. posterity); (sendrægtigst) slowest; adv at the latest; ~ fredag not later than Friday, by Friday; onsdag aften eller ~ torsdag morgen on Wednesday evening, or at the latest on Thursday morning; i den - tid quite recently; i de -e år during recent years.
senestærk, senet adj sinewy.
seng (en -e) bed; (uden sengeklæder etc) bedstead; holde -en keep one's bed, be confined to one's bed; gå i ~, gå til -s go to bed; ligge i -en be in bed, (være syg) be laid up, be ill in bed; være oven -e be up (and about); få te på -en have tea in bed; tage én på -en find sby in bed; (fig: overrumple) catch sby napping; (overraske) take sby by surprise; få det forkerte ben først ud af -en get out of bed on the wrong side; stå ud af -en get out of bed; sidde ved hans ~ sit at his bedside.
senge|forligger (bedroom) rug. **-hest** bedstaff. **-himmel** canopy, tester. **-kammerat** bed fellow. **-kant** edge of the bed, bedside (fx sit at his b.). **-klæder** pl bed clothes, bedding. **-leje** (et): der venter ham et længere ~ he will be confined to his bed for some length of time. **-liggende** confined to one's bed, (langvarigt) bedridden; syg og ~ ill in bed. **-linned** bed linen. **-pladser** (pl) (på hospital) beds. **-sted** bedstead. **-stolpe** bedpost. **-tavle** (på hospital) bed chart. **-tid** bedtime. **-tæppe** (over sengen til pynt om dagen) bedspread, bed covering, counterpane; (uldtæppe) blanket, (vatteret) quilt, (duntæppe) eiderdown. **-tøj, -udstyr** bed clothes, bedding.
senil adj senile. **senilitet** (en) senility, dotage.
senior (en -er, adj) senior.
seniorchef senior partner.
sennep (en) mustard. **senneps|frø** (et -) mustard seed. **-gas** mustard gas. **-korn** mustard seed. **-krukke** mustard pot. **-plaster** mustard plaster.
sennesblade (pl) senna leaves.
sensation (en -er) sensation; vække ~ cause (el. make) a sensation. **sensationel** adj sensational.
sensationslysten adj sensation-seeking.
sensibel adj sensitive. **sensibilitet** (en) sensitivity.
sensommer late summer (fx a day in (the) late summer).
sensualisme (en) sensualism. **sensualist** (en -er) sensualist. **sensuel** adj sensual.
sent adv late; bedre ~ end aldrig better late than never; for ~ too late; 10 minutter for ~ 10 minutes late; komme for ~ be late, arrive too late; komme for ~ til noget be late for sth, miss sth; komme (10 minutter) for ~ til toget miss the train (by 10 minutes); som man ~ vil glemme not soon to be forgotten; ~ om aftenen late at night; ~ på dagen late in the day; ~ på sommeren in late summer; være ~ på den be late; så ~ som i går as late as yesterday, only yesterday.
sentens (en -er) maxim, apophthegm.
sententiøs adj sententious.
sentimental adj sentimental, T slushy, sloppy; (flæbende) maudlin.
sentimentalitet (en) sentimentality, sentiment.
separat adj separate; adv separately; (i en konvolut for sig selv) under separate cover.
separatfred separate peace.
separation (en -er) (judicial) separation. **separationsbevilling** separation order.
separatisme (en) separatism. **separatist** (en -er) separatist. **separatistisk** adj separatist.
separat|kabinet private room, cabinet particulier. **-konto** separate account.
separator (en -er) separator.
separere vb separate (judicially).
sepia (en) sepia.

september September.
septet *(en -ter)* septet.
septiktank septic tank.
septim *(en -er) (musik)* seventh.
septisk *adj* septic; ~ *tank* septic tank.
seraf *(en -er)* seraph. serafisk *adj* seraphic.
serail *(et -ler)* seraglio.
serber *(en -e)* Serb.
Serbien Serbia. serbisk *adj* Serbian.
serenade *(en -r)* serenade; *bringe én en* ~ serenade sby.
serge *(et)* serge.
sergent *(en -er)* ✗ sergeant.
serie *(en -r)* series *(pl* series). serie|forbindelse series connection. -fremstillet mass-produced. -fremstilling mass production.
seriøs *adj* serious.
serpentine *(en -r) (af papir)* streamer; *(bugtning)* serpentine winding.
serum *(et, sera)* serum. serum|behandling serotherapy, serum treatment. -indsprøjtning injection of serum. -laboratorium serum laboratory.
servante *(en -r)* wash stand. servante|spand slop pail. -stativ wash stand, wash hand stand. -stel wash-stand set.
I. serve *(en -r) (i tennis etc)* service *(fx* lose one's s.).
II. serve *vb (i tennis etc)* serve; *du skal* ~ it is your turn to serve, it is your service. servebold service.
servere *(varte op)* wait (at table); *(sætte på bordet)* serve; *der er -t, middagen en -t* dinner is served; ~ *for* wait on *(fx* we were waited on by two servants), serve *(fx* the waiter served us with soup).
servering *(en)* service.
serverings|dame waitress. -lokale refreshment -room. -personale waiters (and waitresses).
I. service *(et -r) (bordstel)* service, (dinner) set; ~ *udlejes* tableware for hire.
II. service *(en) (betjening)* service.
service|station service station. -tårn *(for raket)* gantry.
serviet *(en -ter)* (table) napkin, serviette; *(gaze-stykke)* swab; *(barber-)* towel. serviet|mappe napkin holder. -ring napkin ring.
servil *adj* servile, cringing. servilitet *(en)* servility, cringing.
servitrice *(en -r)* waitress.
servitut *(en -ter)* easement.
servo|motor servomotor. -styret *adj* servo -controlled.
sesam *(en)* ✛ sesame.
session *(en -er)* session; ✗ examination of men liable for military service; *(udskrivningsmyndigheder, omtr =)* medical board, *(amr)* draft board.
setter *(en -e) (hund)* setter.
settlement *(et -er)* settlement.
Sevilla Seville.
sèvresporcelæn Sèvres (porcelain).
seværdig *adj* worth seeing. seværdighed *(en -er)* sight; *besé -er* go sightseeing.
sex-appeal sex appeal. sexet *adj* sexy.
sfinks *(en -er)* sphinx. sfinksagtig sphinx-like.
sfære *(en -r)* sphere. sfærisk *adj* spherical.
sgu *(kan gengives:)* by Jove *(fx* by Jove, that's smart!), I'm damned if not *(fx* I'm damned if that is not Peter); *det er* ~ *ærgerligt* it is damned annoying.
shag *(en)* (smoking) tobacco; *(billigere, fintskåret)* shag. shag|pibe (short) pipe. -tobak = *shag.*
shah *(en -er)* shah.
shakespearesk *adj* Shakespearian.
shampooe *vb* shampoo.
shanghaje *vb* shanghai.
shantung *(et)* shantung.
sheik *(en -er)* sheik; *(charmør)* glamour boy; *(kæreste)* young man.
shellak *(en)* shellac.

sherif *(en -fer)* sheriff.
sherry *(en)* sherry.
Shetlandsøerne the Shetland Isles, the Shetlands.
shirting *(et) (til bogbind)* cloth; *indbundet i* ~ cloth-bound, in cloth.
shop *(en -per) (biks)* (small) shop.
shorts *(pl)* shorts.
shrapnel *(en -s)* ✗ shrapnel.
I. si *(en -er)* strainer *(fx* tea s., milk s.); sieve; *(dørslag)* colander.
II. si *vb* strain, filter; ~ 'fra strain off *(fx* barley boiled in water and then strained off).
Siam Siam. siameser *(en -e)* Siamese *(pl -).*
siamesisk *adj* Siamese *(fx* Siamese twins).
Sibirien Siberia. sibirisk *adj* Siberian.
sibylle *(en -r)* sibyl. sibyllinsk *adj* sibylline.
sicilianer *(en -e),* siciliansk *adj* Sicilian.
Sicilien Sicily.
sid *adj* long and loose, ample, full.
sidde *(sad, siddet)* sit; *(om ting: være anbragt)* be *(fx* the key was in the door); *(om tøj)* fit; *(om hund)* sit up; *(være i fængsel)* be in prison, T do time; ~ *og læse* be (el. sit) reading; *hvordan -r mit hår (,slips)?* is my hair (,tie) all right? *den sad (der)!* that remark went home; *en lussing der sad* a well -aimed box on the ear;
[m præp & adv.] ~ 'af *(stå af hest)* dismount; ~ *en bøde af* T work off a fine; ~ 'efter be kept in; be detained; ~ **fast** stick, be stuck; *(se ogs sadel);* ~ **for** *en maler* sit to an artist; ~ **i** *en komité* sit on a committee; ~ *dårligt i det* be hard up; ~ *godt i det* be well off; *vi -r net i det* we are in a nice fix; ~ **inde** *med* hold, possess; ~ **ned** be sitting, *(sætte sig)* sit down, be seated; ~ **op** sit up, *(til hest)* mount, *(i vogn)* get in; ~ **oppe** sit up; ~ 'over *(ɔ:* ~ *efter)* be kept in, *(ikke blive rykket op)* not go up, *(i kortspil)* be dummy, *(«varme bænke»)* be a wallflower; ~ **på** *(ɔ:* ikke ville give fra sig) hold on to; *(holde nede)* sit on; *det vil jeg ikke lade* ~ *på mig* I won't have anybody believe that of me; ~ **tilbage** *(efterladt)* be left behind; ~ **tilbage** *med smerten* be left to foot the bill; T be left holding the baby.
siddebadekar sit-down bathtub.
siddende *adj* sitting, seated, sedentary, *(om regering)* in office; *blive* ~ remain sitting *(el.* seated), keep one's seat, *(fast)* stick, *(forblive)* remain, stay.
siddeplads seat; *der er* ~ *til 500 i salen* the hall can seat 500; *26 -er (opslag i rutebil etc)* seating capacity 26, to seat 26 passengers.
side *(en -r)* side *(fx* of bacon; of a ship, of a house, of a question; of the body); ✗ flank; *(af bjerg)* side, face; *(i bog)* page; *(af en sag)* aspect, side; *(parti)* side, party; *(kant, hold)* quarter *(fx* we cannot expect help from that q.); *(karakteristisk træk)* point;
hans stærke (,svage) ~ his strong, (,weak) point; *en sag har altid to -r* there are two sides to every question; *den juridiske* ~ *af sagen* the legal aspect of the matter; *fra alle -r* from all sides, from every side; from all quarters; *undersøge et spørgsmål fra alle -r* examine a question in all its aspects *(el.* from all angles); *angribe fra -n* ✗ attack in the flank; *fra ansvarlig* ~ from responsible quarters; *jeg kender ham ikke fra den* ~ I do not know that side of his character; *vise sig fra sin bedste* ~ show oneself in the most favourable light; *(om opførsel)* be on one's best behaviour; *bestræbelser fra hans* ~ endeavours on his part; *fra hvilken* ~ *man end ser sagen* whichever way you look at it; *se alt fra den lyse* ~ look on the bright side of everything; *med hænderne i -n* arms akimbo; ~ **om** ~ side by side; **på** *den anden* ~ on the other side, *(fig)* on the other hand; *men på den anden* ~ *er det ikke svært at* but then it is (el. again it is) not difficult to; **på** *den ene* ~ *.. på den anden (~)* on the one hand .. on the other (hand); *én på -n af hovedet* a box on the ear; *komme op på -n af* catch up with; *(fig)* compare with; *ligge på den lade* ~ be idle;

lægge sig på -n lie down ,turn over) on one's side, *(om skib)* heel over; *nederst (,øverst) på -n* at the foot *(,the top)* of the page; *han er på vor ~* he is on our side; *til ~* aside; *lægge noget til ~* put sth away, *(udskyde)* put sth on one side, *(opspare)* put sth by, put sth away, lay sth by; *spøg til ~* joking apart; *stikke noget til ~* conceal sth, *(reservere)* put aside sth *(fx* for a good customer); *til alle -r* in all directions, *(= på alle -r)* on all sides; *han er lidt til en ~* he is a little queer; *ved -n af* by the side of, beside, *(for- uden)* besides, *(i sammenligning med)* compared with; *(som bibeskæftigelse)* on the side *(fx* he had a night job on the side); *det er helt ved -n af* it is completely beside the point, *(ɔ: forkert)* it is quite wrong; *lige ved -n af* quite near, next door (to); *værelset ved -n af* the next room; *stå ved ens ~ (fig)* stand by sby.

side|antal number of pages. **-bane** branch line. **-bemærkning** passing remark; *(ɔ: afsides)* aside. **-ben** rib *(fx* food that sticks to your ribs). **-blik** sidelong glance. **-bygning** (side) wing. **-dør** side door. **-gade** side street. **-gang** *(i tog)* corridor. **-gren** (lateral) branch; *(på stamtræ)* collateral branch. **-hand- ling** secondary plot. **-kammerat** [pupil with whom one shares a desk]; *min ~* the boy (, girl) I sit next to. **-linie** *(af boldbane)* side line, *(i fodbold)* touchline; *(slægts)* collateral branch; *(jernbane)* branch line. **-lomme** side pocket. **-lygte, -lys** sidelight. **-læns** *adv* sideways. **-løbende** parallel. **-mand** person standing (, sitting etc) next to one, neighbour. **-moræne** lateral moraine.

I. **siden** *adv* since *(fx* he disappeared and has not been seen since; better than ever before or since); *(derefter)* afterwards, later (on); *(om lidt)* presently, by and by; *lige ~* ever since; *(for) længe ~* long ago; *for ikke længere ~ end i går* only yesterday; *for en måned ~* a month ago, *(set i forhold til datiden)* a month before *(fx* I had already done it a month before); *i dag for en uge ~* a week ago today.

II. **siden** *præp & conj* since; *(i betragtning af at, ogs)* seeing that; *~ han ønsker at* since (el. seeing that) he wants to; *det er 20 år ~ han døde* he died 20 years ago, it is 20 years since he died; *~ sidst* since the last time, *(ofte =)* since we met last.

side|ordnet *adj* co-ordinate. **-ror** rudder. **-skib** *(i kirke)* aisle. **-spor** side track, siding; *føre ind på et ~ (fig)* sidetrack *(fx* the conversation). **-spring** side leap, *(fig)* digression. **-spørgsmål** side issue.

sidestille *vb* compare; *(ligestille)* put on the same footing *(med:* as). **sidestillet** co-ordinate, on the same footing.

side|stykke side (piece), *(fig)* parallel, counter- part; *uden ~* unparalleled, unequalled, *(uden fortil- fælde)* unprecedented. **-tal** *(antal)* number of pages; *(nummer)* page number. **-vej** side road. **-vogn** *(til motorcykel)* side car. **-våben** *(et -)* side arm.

sidst *adj* last, *(nyest, senest)* latest; *adv* last; *conj* when .. last *(fx* when I was there last); *de -e 14 dage* the last (el. this) fortnight; *de -e dages hellige* the Latter-Day Saints; *-e halvdel af* the latter half of; *til -e mand* to the last man; *-e mode* the latest fashion; *den 30. -e måned (mrk)* on the 30th ult.; *i den -e tid* lately, of late; *-e år* last year; *i de -e år* these last years, in recent years; *den -e* the last, *(sidstnævnte af to)* the latter; *den fjerde -e* the last but three; *det -e* the last (thing) *(fx* that was the last thing I should do; the last I heard of him); *har du hørt hans -e?* have you heard his latest? *den, der ler ~, ler bedst* he laughs best who laughs last; *~ men ikke mindst* last (but) not least; *hvornår så du ham ~?* when did you see him last? *~ jeg så ham* when I saw him last;

~ i juli late in July, in late July; *~ i tyverne (om alder)* in his (,her) late twenties, *(om årstal)* in the late twenties; *~ på sommeren* late in the summer; *til ~* at last, *(til slut)* finally, *(i slutningen)* at the end; *fra først til ~* from first to last; *til det -e* to the last *(fx* faithful to the last); *kæmpe til det -e* fight to a finish.

sidst|levende *adj* surviving. **-nævnte** last-named; last-mentioned; *(af to)* the latter.

siesta *(en)* siesta; *holde ~* take a siesta.

sifon *(en -er)* siphon.

sig oneself, himself, herself, itself, themselves, *(efter præp)* one, him, her, it, them *(fx* he enjoyed himself, he looked about him); *frygtsom af ~* timid (by nature), naturally timid; *en klasse for ~* a class apart *(el.* by itself); *holde piger for ~ og drenge for ~* keep girls and boys apart; *det er en sag for ~* that is another matter; *i og for ~* in itself, *(i virkeligheden)* actually; *hver for ~* separately; individually; *ud med ~!* out you go! *bide ~ i tungen* bite one's tongue; *rejse ~, skynde ~, vise ~, etc: se verberne; (se ogs selv).*

sige *(sagde, sagt)* say; *(fortælle)* tell *(fx* can you tell me the name of this lake? tell us what you know); *(betyde)* mean *(fx* it means a lot); *(om ting: lyde)* go *(fx* crack went the whip);

man kan ikke ~ andet end at han gør fremskridt there is no denying that he is making progress; *det -r du ikke!* you don't say so! *det -r mig ikke noget* that doesn't convey anything to me; *så -r vi det* all right, then I *sagde jeg det ikke nok?* var det ikke det jeg sagde? didn't I tell you so? *nå, det må jeg ~!* I say! well, I never! *det må De nok ~* you may well say so; *hvad skal det ~?* *(forarget)* what is the meaning of this? *(især amr)* what's the big idea? *det vil ~* that is (to say); *ved du hvad det vil ~?* do you know what that means? **have meget at ~** *(om person)* have a great influence, *(om for- hold)* be very important; *han har ikke noget at skulle have sagt i den sag* she has no say in the matter; **hvad -r De?** I beg your pardon? what did you say? *(ɔ: forbavset)* do you (really) mean that? *hvad jeg ville ~* what I was going to say; *jeg har hørt ~ at* I have heard (it said) that; *det har intet at ~* it does not matter; never mind! *det lod han sig ikke ~ to gange* he did not wait to be told twice; *jeg har ladet mig ~, man har sagt mig* I have been told; *man -r at* it is said that, people *(el.* they) say that; *som man -r* as the saying goes *(el.* is) *(fx* more haste less speed as the s. goes); *man -r så meget* people will talk; *jeg skal ~ dig noget* I'll tell you what; *De -r noget!* a good idea! *(amr T)* you said it! *~ sandheden* speak the truth; *sig mig sand- heden!* tell me the truth! *det -r sig selv* it goes without saying; *når jeg selv skal ~ det* though I say it myself; *som sagt* as I said before; *som sagt så gjort* no sooner said than done; *om jeg så må ~* so to speak, as one might say; *så at ~* so to speak; as it were; *(ɔ: næsten)* practically; *han -s at* he is said to;

[m præp & adv:] ~ en avis 'af cancel (one's sub- scription to) a paper; *~ ngt 'efter* repeat sth; *~ fra (melde fra)* cry off, back out, excuse oneself; *(give besked)* say so; *~ sig løs fra* dissolve one's connection with; break away from; *~ ngt 'frem* recite sth; *sig frem!* speak out! *~ 'imod* contradict; *det samme kan -s om ham* the same is (el. holds) true of him; *~ 'op* give notice; *du har intet at ~ over mig* I don't take my orders from you; *~ én ngt på* accuse sby of sth; *det eneste der kan -s ham på* the only thing that can be said against him; *~ 'til* say so, say the word; *~ farvel til* say good-bye to; *jeg sagde til ham: »Du må ga«* I said to him, "You must go"; *jeg sagde til ham at han tog fejl* I told him that he was mistaken; *jeg sagde til ham at han skulle gå* I told him to go; *jeg har sagt det til ham* I have told him; *hvad -r du til et parti skak?* what do you say to (el. how would you like) a game of chess? *far rejser i morgen, hvad -r du til det?* daddy is leaving tomorrow, what do you think of that? *han sagde ikke noget til det (ɔ: protesterede ikke)* he did not object; *det er der ikke noget at ~ til* that is only fair; *I can't blame you (,him, etc).*

sigel *(et sigler)* symbol, sign.

I. **sigende** *(et): efter ~ er han (den skyldige)* he is said to be (the culprit); *efter hans ~* according to him.

II. **sigende** *adj: meget ~* significant, eloquent *(fx* gesture, look); meaning *(fx* smile).

signal *(et -er)* signal; *(horn-, tromme ogs)* call;

fremskudt ~ (på jernbane) distant signal; give ~ til afgang give the signal for departure; på et givet ~ at a given signal (el. sign); ændre -er change the signals; (fig) change front, reverse one's policy.
signalement (et -er) description.
signalere vb signal. **signalering** (en) signalling.
signal|flag signal flag. **-fløjte** signal whistle. **-horn** ✗ bugle; (bil-) horn. **-hus** (jernb) signal box. **signal|isere** vb signal. **-isering** (en) signalling. **signal|lygte** (jernb) signal lantern, signal lamp. **-lys** signal light. **-mand** signalman. **-mast** signal mast. **-passer** (en -e) signalman. **-station** signal station. **-trompet** ✗ bugle. **-vinge** signal arm.
signatarmagt signatory (power).
signatur (en -er) signature; (på landkort etc) sign.
signe vb bless, pronounce a blessing on.
signere vb sign; -t krans inscribed wreath.
signet (et -er) signet, seal. **signetring** seal (el. signet) ring.
sigt (et) sight; (sigtbarhed) visibility; efter ~ after sight; på 40 dages ~ (merk) at forty days' sight; på kort ~ (fig) on the short view; på langt ~ (fig) on the long view, far ahead; arbejde på langt ~ take the long view; betale ved ~ pay at sight.
sigtbar adj clear; -t vejr good visibility, a clear day. **sigtbarhed** (en) visibility.
I. sigte (et) (det at sigte) aim; (sigtemiddel) sight; (synlighed) sight; tabe af ~ lose sight of; ude af ~ out of sight; i ~ (ogs fig) in sight; få i ~ sight, catch sight of; tage ~ på take aim at, (fig) aim at, have as an object, (angå) concern; have videre ~ (fig) aim further.
II. sigte (en -r) (si) sieve, (til mel) bolter, (til væsker) strainer.
III. sigte vb (tage sigte) aim, take aim (efter, på: at); ~ til (have til formål) aim at, (hentyde til) allude to, mean; jeg ved ikke hvad du -r til I don't know what you are talking about.
IV. sigte vb (anklage) charge (for: with); den sigtede the suspect; (i retten) the prisoner.
V. sigte vb (si) sift; (mel) bolt; ~ fra sift out.
sigtebrød bread (,loaf of bread) made of bolted rye flour (and wheat flour).
sigte|korn ✗ fore sight. **-kærv** ✗ notch of the rear sight. **-linie** line of sight.
sigtelse (en -r) (anklage) charge.
sigtning (en) (se V. sigte) sifting; bolting.
sigtveksel bill payable at sight, sight draft.
sigøjner (en -e) gipsy, (s. kalder sig selv) Romany.
sigøjner|agtig adj gipsyish. **-bande** gipsy band. **-liv** gipsy life. **-orkester** tzigane (el. gipsy) band. **-ske** (en -r) gipsy woman. **-vogn** gipsy caravan.
sikkativ (et -er) siccative.
sikke(n) what (a) (fx what a fool (he is)! what an idea! what nonsense! what fools!); adv how (fx (see) how they run! how dirty he is!); sikke tider! I wonder what the world is coming to!
sikker adj (utvivlsom, faktisk, ufejlbarlig; forvisset) certain, sure (på: of); (tryg, ufarlig; som kan holde el. bære) safe, secure; (pålidelig) safe, reliable, trustworthy; (som ikke ryster el. vakler) steady; (bestemt, tillidsfuld) confident; (selvsikker) self-confident;
have et -t blik (,instinkt) for have an unerring eye (,instinct) for; i ~ forvaring in safe keeping, (om fange) in safe custody; er isen ~? is the ice safe? fra ~ kilde from a reliable source, on good authority; i den sikre overbevisning at confident that; sejren syntes ~ victory seemed certain; på den sikre side on the safe side; ~ smag unerring taste; et -t sted a safe place; så meget er -t so much is certain; han er ~ vinder (ɔ: vil sikkert vinde) he is sure to win; T he is a dead cert; det er både -t og vist that is absolutely certain;
~ for (el. imod) safe from, secure from (fx attack); være ~ i ngt be well up in sth, master sth; ~ i sin sag sure of what one is saying, certain that one is right;

være ~ på en (stole på en) rely (el. depend) on sby; være ~ på at vinde (= sejrssikker) be sure (el. confident) that one will win; ~ på benene steady on one's legs; være ~ på hånden have a steady hand; (se ogs sikkert).
sikkerhed (en) safety, security; (vished) certainty; (selvtillid) confidence, assurance; (dygtighed) skill, proficiency; (garanti) security (fx for a loan); få ~ (ɔ: vished) for at get proof that; for en -s skyld for safety's sake; bringe i ~ carry to safety, remove to a safe place (el. out of harm's way), secure; et lån med ~ i hans ejendom a loan secured on his property; jeg kan ikke sige det med ~ I cannot say with certainty (el. for certain); stille ~ provide (el. give) security.
sikkerheds|bælte (i fly) seat belt. **-foranstaltning** (measure of) precaution, precautionary measure. **-forvaring** preventive detention. **-kæde** safety chain; (på dør) door chain. **-lampe** safety lamp. **-net** safety net. **-nål** safety pin. **-politi** security police. **-rådet** (i F.N.) the Security Council. **-sele** (i bil) safety harness. **-ventil** (i kedel & fig) safety valve.
sikkert adv (hvor tvivl er udelukket) (most) certainly, for certain; (højst sandsynligt) undoubtedly, without doubt, no doubt; (formodentlig) probably, very likely; (i god behold) safely (fx get safely into port); (bestemt, tillidsfuldt) confidently; (uden at ryste el. vakle) steadily; (om optræden) with complete self-assurance, self-confidently; han kommer ~ he is sure to come, (ɔ: formodentlig) I suppose he will come; langsomt men ~ slowly but surely; ~ virkende infallible, unfailing.
sikre vb (skaffe, sørge for) secure, ensure; (beskytte) secure, protect, (safe)guard (imod: against, from); (hindre i at bevæge sig) secure, fasten; (skydevåben) put at safety; ~ én ngt ensure (el. secure) sth for sby; ~ sig ngt secure sth, make sure of sth; ~ sig at (forvisse sig om at) make sure that; ~ sig imod protect (el. secure) oneself against, provide against.
sikring (en -er) securing, protection; ✗ protection, (amr) security (fx protection (, security) on the march); (på skydevåben) safety catch; (elekt) fuse; der er sprunget en ~ (elekt) a fuse has blown; til ~ imod as a protection (el. precaution) against.
sikrings|anordning safety device. **-prop** plug fuse.
siksak i ~ zigzag (fx the road runs zigzag).
siksak|kurs zigzag course. **-linie** zigzag line. **-lyn** forked lightning.
sild (en -) zo herring; død som en ~ dead as a doornail; røget ~ smoked herring, (saltet og røget) kipper; ikke en sur ~ værd not worth a scrap; (så tæt) som ~ i en tønde packed like sardines (in a tin).
silde adv late; tidlig og ~ at all hours; early and late.
silde|anretning assorted herring dishes. **-ben** herringbone. **-bensmønster** herringbone pattern. **-bensvævet** adj herringbone. **-fiskeri** herring fishery. **-fødning** late-born child; T afterthought. **-garn** herring net. **-olie** herring oil. **-røgeri** herring smokehouse. **-salat** [salad of pickled herring, beetroot, etc]. **-stime** (en -r) shoal of herrings.
sile vb (om regn) pour down monotonously; (sive) seep, ooze.
silhouet (en -ter) silhouette; i ~ in silhouette; tegne sig i ~ mod aftenhimlen be silhouetted against the evening sky. **silhouetklipper** (en -e) silhouettist.
silicium (kem) silicon. **silikat** (et) silicate. **silikose** (en) (med.) silicosis.
silke (en) silk.
silke|agtig adj silky. **-avler** (en -e) silk breeder. **-bånd** silk ribbon. **-for** (et) silk lining. **-kjole** silk dress. **-orm** silkworm. **-papir** tissue paper. **-snor** silk cord; sende en -en send sby the bowstring. **-spinderi** silk mill. **-strømpe** silk stocking. **-tøj** silk, silk fabric. **-væver** silk weaver.
silo (en -er) silo. **silopakhus** silo warehouse.
simili (et) imitation. **simili-** artificial, imitation **similidiamant** paste diamond.
simle (en -r) roll.

simoni *(en)* simony.

simpel *adj (enkel, ligefrem)* simple, plain *(fx* a simple method, problem; plain food, dress; it is quite simple *(el.* as plain as can be)); *(blot og bar)* mere *(fx* mere justice demands it); common *(fx* honesty); plain *(fx* it is your plain duty to do it); *(vulgær)* common, vulgar *(fx* manners); *(nedrig)* low, mean; *af den simple grund at* for the simple reason that; *af ~ høflighed* out of common courtesy; *en ~ karl* a vulgar fellow; *~ majoritet* a simple *(el.* an ordinary) majority; *en ~ soldat* a common soldier.

simpelhed *(en) (se simpel)* simplicity, plainness; vulgarity; meanness.

simpelt *adv (ufint)* meanly; *ganske ~* very simply, *(slet og ret, absolut)* simply; *~ hen* simply.

simplificere *vb* simplify.

simplifikation *(en)* simplification.

simulant *(en -er)* malingerer. **simulation** *(en)* simulation. **simulere** *vb* feign, pretend to be, sham; *(anstille sig syg)* feign *(el.* sham) illness, malinger, pretend to be ill.

simultan simultaneous. **simultan|oversættelse** simultaneous translation. **-parti** *(skak)* simultaneous game.

sin, sit, sine his, her(s), its, one's *(fx* he took his hat; she took her hat; she took my hat and hers; hurt one's finger); *betale enhver sit* pay everyone his due; *det har sine grunde* there are good reasons for it; *de gik hver til sit* they went their several ways, *(ofte =)* they separated; *gøre sit (til ngt)* do one's share (towards sth), do all one can, do one's level best; *passe sit* mind one's own affairs; *de sad på hver sin side af kaminen* they sat on either side of the fire; *på sine steder* in places; *i sin tid, til sin tid, se tid;* *han tænkte sit* he had his own ideas on the subject; *på sin vis, se I. vis.*

sind *(et -)* mind, *(sindelag)* temper, disposition; *(stemning, lune)* mood; *ude af øje, ude af ~* out of sight, out of mind; *et heftigt ~* a violent temper; *få i -e at* take it into one's head to; *have i -e at* intend to, mean to; *have ondt i -e* mean no good; *i sit stille ~* inwardly, secretly; *hvad der ligger mig mest på -e* what I have most at heart; *lægge en på -e at* strongly advise sby to, exhort sby to; *lægge sig det på -e* bear it in mind, *(stærkere)* lay it to heart; *skifte ~* change one's mind; *et tungt ~* a brooding disposition; *et vanskeligt ~* a difficult temperament; *være til -s at* mean to, *(være tilbøjelig til)* be inclined to.

sindbillede emblem, symbol *(på:* of). **sindbilledlig** *adj* emblematical, symbolic(al). **sinde** *(gang): ingen ~* never; *nogen ~* ever; *aldrig nogen ~* never (in my (etc) whole life). **sindelag** *(et)* disposition, temper.

sindet *adj* disposed *(fx* friendly disposed); *engelsk ~* pro-English; *kongelig ~* royalistic.

sindig *adj* sedate, sober-minded; *(rolig)* steady; *(langsom)* slow. **sindighed** *(en)* sedateness; steadiness; slowness.

sindrig *adj* ingenious, clever. **sindrighed** *(en)* ingenuity, cleverness.

sinds|bevægelse emotion, excitement. **-forvirret** distracted, insane. **-forvirring** distraction, insanity. **-lidelse** mental disorder. **-ligevægt** equanimity; *bringe en ud af ~* upset sby, ruffle sby's temper. **-ligevægtig** placid, cool, imperturbable. **-oprivende** nerve-racking, harrowing. **-oprør** tumult of mind, (state of) agitation. **-ro** peace of mind; *(uanfægtethed)* equanimity, coolness, imperturbability; *bevare sin ~* remain calm. **-stemning** frame of mind, mood. **-svag** *(urimelig)* preposterous; *~ fart* terrific speed; *~ pris* exorbitant price; *-t grinagtig* screamingly funny. **-syg** insane, mad, mentally deranged; *subst* insane person, madman, lunatic. **-sygdom, -syge** *(en)* mental disease; *(det at være sindssyg)* unsoundness of mind, insanity. **-sygehospital** mental hospital. **-sygelæge** alienist, psychiatrist. **-tilstand** state of mind, frame of mind; *i nedtrykt ~* suffering from mental depression.

sinecure *(en -r)* sinecure.

singaleser *(en -e),* **singalesisk** Singhalese.

singels *pl (sten)* shingle.

single *(en) (i tennis)* singles; *en ~* a game of s.

singleton *(en)* singleton.

singrøn *(en -)* ⚘ periwinkle.

singularis *(en)* the singular (number).

sinkadus: *en på -en* a clip over the ear, a slap in the face; *give ham én på -en (ogs)* clout him; land him one.

I. **sinke** *(en -r) (mindre begavet barn)* backward child *(el.* pupil); *jeg er en ren ~ ved siden af ham* I simply am not in it with him.

II. **sinke** *(en -r) (i fodtøj)* heel plate.

III. **sinke** *(en -r) & vb (i snedkeri)* dovetail.

IV. **sinke** *vb* delay, detain.

sinnober cinnabar. **sintre** *vb* sinter.

sinus *(en -er) (mat.)* sine; *(med.)* sinus.

sionisme *(en)* Zionism. **sionist** *(en -er),* **sionistisk** *adj* Zionist.

sippe *(en -r),* **sippernip** *(en -per)* prude.

sippet *adj* prudish; *(pertentlig)* prim.

sippethed *(en)* prudery; primness.

sirat *(et -er)* ornament.

sirbusk ornamental shrub.

sirene *(en -r)* siren; *-rne lød* the sirens sounded *(el.* went). **sirenesang** siren song.

sirlig *adj (pyntelig)* neat, trim, dapper; *(pertentlig)* meticulous, finical, finicky; *(om stil)* finical, finicking. **sirlighed** *(en)* neatness, *(pertentlighed)* meticulousness; *(i stil)* finical character.

sirplante *(en -r)* ornamental plant.

sirts *(et)* print, chintz.

sirup *(en)* treacle, *(amr)* molasses; *(fin, lys)* syrup, *(amr ogs)* sirup.

sisal *(en)* sisal.

sisken *(en -er) zo (grøn-)* siskin.

sisyfusarbejde Sisyphean labour.

sitre *vb* tremble, quiver. **sitren** *(en)* trembling, quivering.

situation *(en -er)* situation; *komme på højde med -en* rise to the occasion; *vanskelig ~* predicament, fix *(fx* we are in the same fix); *være -en voksen* be equal to the occasion; *være i en fortvivlet ~ (ogs)* have one's back to the wall.

situeret: *vel ~* well off; *dårligt ~* badly off; *hvordan er han ~?* how is he situated financially?

siv *(et -)* rush; *det gamle ~ (om person)* the old bird.

sive *vb* ooze, filter, *(om væske ogs)* seep; *(om lys)* filter; *~ ud* ooze out, *(ogs fig)* leak out.

sivebrønd cesspool.

siv|kranset *adj* fringed with rushes. **-måtte** rush mat. **-sanger** *zo* sedge warbler. **-sko** rush shoe.

sixpence *(en -r) (kasket)* cloth *(el.* tweed) cap.

sixtinsk *adj* Sistine, Sixtine *(fx* the S. Chapel).

sj. *(fk. f sjælden(t))* rare, rarely.

sjak *(et)* gang; *hele -ket* the whole lot of them.

sjakal *(en -er) zo* jackal.

sjakformand ganger.

sjakre *vb* barter; *(om gadehandel)* hawk, peddle; *~ med* deal in, traffic in, buy and sell.

sjal *(et -er)* shawl. **sjalskrave** shawl collar.

sjap *(et)* slush. **sjapis** *(en)* slush ice. **sjappe** *vb* slosh. **sjappet** *adj* slushy.

I. **sjask** *(et)* slush. II. **sjask!** splash!

sjaske *vb* splash; *(sjokke)* shuffle. **sjasket** *adj* slushy.

sjaskregn downpour.

sjat *(en -ter)* drop, spot; *(rest)* heel tap, slop.

sjette sixth. **sjettedel** sixth.

sjippe *vb* skip. **sjippetov** skipping-rope.

sjofel *adj (gemen)* dirty *(fx* trick), vile, foul; beastly *(fx* behaviour); shabby *(fx* treatment); *(lurvet)* shabby *(fx* clothes); *(uanstændig)* dirty, bawdy, obscene *(fx* song). **sjofelhed** *(en -er) (sjoverstreg)* dirty trick; *(sjofel historie etc)* dirty story, obscenity.

sjofle *vb.* treat shabbily, neglect.

sjok: *nummer ~* the last (one).

sjokke *vb* shuffle, shamble.

I. **sjov** *(et) (løjer)* fun, lark; *(besvær)* trouble; *det er ikke ~ at vente* it is no fun waiting; *det er ikke bar ~* it is not all beer and skittles; *for ~* in fun, for the fun of the thing, for a lark; *lave ~* have fun, have a lark; *de lavede en masse ~* they were up to all sorts of pranks, they had lots of fun; *holde ~ med en* have a lark with sby, play tricks on sby; *gå på ~* go on the booze; *tilfældig ~ (ɔ: arbejde)* odd jobs; *det er der ikke meget ~ ved* that is not much fun.

II. **sjov** *adj* funny; *(løjerlig)* funny, odd, rum; *det -e ved det* the fun of it, the joke; *vi havde det vældig -t* we had great fun.

sjover *(en -e)* blackguard, cad, skunk.

sjover|agtig *adj* dirty, caddish, blackguardly. **-streg** dirty trick; *lave en ~ mod én* play sby a dirty trick.

sjus *(en -ser)* whisky-and-soda, *(amr)* highball.

sjusk *(et)* scamped work.

I. **sjuske** *(en -r)* slattern, slut.

II. **sjuske** *vb* scamp one's work; *~ med* scamp.

sjuske|dorte slattern, slut. **-fejl** careless mistake. **-hoved** sloven, *(om kvinde ogs)* slattern.

sjuskeri *(et)* slovenliness; scamped work.

sjusket *adj (om person)* slovenly; *(om arbejde ogs)* scamped. **sjuskethed** *(en)* slovenliness.

sjæl *(en -e)* soul; *(i sild)* sound; *alle -es dag* All Soul's Day; *en glad ~* a merry soul; *af hele min ~* with all my heart; *han er -en i foretagendet* he is the moving *(el.* driving) spirit of the enterprise; *lægge hele sin ~ i* put one's whole heart into; *rystet i sin -s inderste* shaken to the core of one's soul; *uden at have mødt en (levende) ~* without having met a (living) soul; *min ~ og salighed* upon my soul; *på ~ og legeme* in mind and body; *to -e og én tanke* two minds with but a single thought; great minds think alike.

sjælden *adj* rare, infrequent; *(mærkelig)* rare, remarkable, exceptional; *adv -(t)* seldom, rarely; *en ~ gang* at rare intervals, once in a blue moon; *i ~ grad* exceptionally.

sjældenhed *(en -er)* rarity, infrequency; *(sjælden ting)* rarity, rare thing; *høre til -erne* be a rare thing.

sjæle *vb* sentimentalize, attitudinize.

sjæle|fred peace of mind. **-glad** *adj* delighted, overjoyed. **-hyrde** pastor; spiritual adviser. **-kval** agony.

sjælelig *adj* mental, psychic(al); *-e lidelser* mental sufferings.

sjæle|liv mental life. **-messe** requiem (mass).

sjæleri *(et)* sentimentalizing, attitudinizing.

sjæle|sorg cure of souls. **-sørger** *(en -e)* spiritual adviser. **-vandring** transmigration of souls, metempsychosis. **-varmer** *(en -e)* bed jacket.

sjælfuld *adj* soulful, expressive.

sjælfuldhed *(en)* soulfulness, expressiveness.

Sjælland Zealand. **sjællandsk** *adj* Zealand; *(dialekt)* Zealand dialect; *den -e syge* laziness.

sjællænder *(en -e)* Zealander.

sjælløs *adj* soulless. **sjælløshed** *(en)* soullessness. **sjæls|adel** nobility of soul. **-højhed** high-mindedness, magnanimity. **-renhed** purity of soul. **-rå** *adj* cynical, brutal. **-råhed** cynicism, brutality. **-storhed** greatness of soul; *(se ogs -højhed)*. **-styrke** strength of mind.

I. **skab** *(et -e)* cupboard, *(finere, ogs radio-)* cabinet; *(klæde-)* wardrobe; *(penge-, mad-)* safe; *(bog-)* (closed) bookcase; *(lille afdiseligt væg-)* locker; *sige ham hvor -et skal stå* tell him where he gets off; *det er konen som siger hvor -et skal stå* the wife wears the breeches.

II. **skab** *(et) (sygdom)* scab, *(især hos hunde)* mange; *(skadedyr)* vermin; *(om ting)* muck.

skab|agtig *adj* affected. **-agtighed** *(en)* affectation.

skabe * create, make; *(fremkalde)* cause, give rise to; *klæder -r folk* fine feathers make fine birds; *~ en forandring* bring about a change; *~ interesse for* arouse an interest in; *~ kontakt med* establish contact

with; *~ tillid* inspire confidence; *~ utilfredshed* give rise to dissatisfaction; *~ sig* be affected, attitudinize, *(«spille komedie«)* put on an act, *(tage på vej)* make a fuss, T create; *~ sig en karriere* carve out a career (for oneself); *~ sig et navn* make a name for oneself; *~ sig om* transform oneself; *(se ogs skabende, skabt)*.

skabekrukke affected person; poseur.

skabelon *(en -er) (form)* shape; *(model)* templet, pattern; *(til farvelægning)* stencil. **skabelonmæssig** *adj* according to a set pattern, stereotyped.

skabelse *(en)* creation, making.

skabelseshistorien the Story of the Creation; *(1. Mosebog)* Genesis.

skabende *adj* creative *(fx artist, art)*.

skaber *(en -e)* creator, maker.

skaberak *(et -ker) (sadeldækken)* housings, caparison.

skaber|evne creative power. **-glæde** creative zest. **skaberi** *(et)* affectation, make-believe. **skaber|kraft** creative power. **-trang** creative urge.

skabet *adj* mangy, scabby; *(væmmelig)* beastly.

skabhals *se skabekrukke.*

skabilken(hoved) (milliner's) block, barber's block; *(fig)* scarecrow, fright.

skabiose *(en -r)* ✿ scabious.

skabning *(en -er) (væsen)* creature; *(det skabte)* creation; *-ens herre (mennesket, manden)* the Lord of Creation.

skabrøs *adj* scabrous.

skabs|dør cupboard door. **-kuffert** wardrobe trunk. **-låge** *se -dør.* **-model** *(af radio etc)* cabinet model. **-seng** wardrobe bed.

skabt *adj* created, made; *være godt ~* be shapely, have a good figure; *jeg har ikke begreb ~ om det* I don't know the first thing about it; *der er ikke mening ~ i det* it does not make sense; *være som ~ til at være lærer* be cut out to be a teacher, be a born teacher.

I. **skade** *(en -r) (fugl)* magpie.

II. **skade** *(en -r) (fisk)* skate.

III. **skade** *(en -r) (beskadigelse, afbræk)* damage, injury; *(med.)* injury; *(sygelig tilstand)* mischief; *(maskin-)* breakdown; *(fortræd)* harm; *(tab)* loss; *anrette ~* cause damage; *~ at han ikke kom* what a pity he did not come; *det er ~* it is a pity; *en gammel ~ (ɔ: sygdom)* an old trouble; *godtgøre -n* make good the damage; *gøre ~* do harm, do damage; *det gør mere ~ end gavn* it does more harm than good; *stå halv ~ og* fifty-fifty; *hændelig ~* accident; *der er ingen ~ sket* there is no harm done; *lide ~, tage ~ (om ting)* be damaged, suffer damage, *(om person)* be hurt; *tilføje én ~, volde én ~* do harm to sby, injure sby; *ubodelig ~* irreparable damage;

[m præp:] af ~ bliver man klog once bitten twice shy; *han er blevet klog af ~* he has been taught by bitter experience; *han havde ikke taget nogen ~ af sit uheld* he was none the worse for his accident; *han tager ingen ~ af at arbejde* work will do him no harm; *han kom for ~ at vælte vasen* as ill-luck would have it he upset the vase; *dække imod al ~* cover against all risks; *~ på* damage to, injury to; *føje spot til ~* add insult to injury; *komme til ~* come to harm, be hurt, be injured; *til ~ for* to the detriment of; *være til ~ for* be injurious to, be detrimental to; *det er ingen ~ til at komme lidt for tidligt* there is no harm in being a little before time; *du kan uden ~ nævne hans navn* you can safely mention his name; *du kunne uden ~ være lidt hefligere* a little more politeness would not be amiss *(el.* would not do any harm).

IV. **skade** *vb* hurt, injure, do injury to, do harm to, *(især materiel skade)* damage; *det -r ikke* it will do no harm, there is no harm in it; *det vil ~ mere end gavne* it will do more harm than good; *hvad kan det ~ at forsøge?* where is the harm in trying? what harm is there in trying? *det har -t vor handel* it has injured our trade.

skade|dyr noxious animal, *(ogs om menneske)*

pest; *pl (ogs)* vermin. **-fro** *adj* malicious; *være ~ over noget* gloat over sth. **-fryd** malicious pleasure, malice; *betragte med ~* gloat over. **-lidt** injured; *den -e* the sufferer, the injured person, *(i forsikringssprog)* the claimant, the insured.

skadelig *adj* injurious (*fx* to health), detrimental (*fx* to my interests), bad (*fx* for the digestion), harmful (*fx* to the eyes); *(i høj grad)* noxious, pernicious. **skadelighed** *(en)* harmfulness, noxiousness.

skades\anmeldelse advice of claim. **-erstatning** compensation, *(tilkendt ved retten)* damages; *(krigs-)* (war) indemnity, reparations. **-løs** *adj: holde ~* indemnify. **-løsholdelse** *(en)* indemnification.

skade\stue casualty ward. **-volder** *(en -e)* person causing the loss.

I. **skaffe** *vb (få fat i)* procure, obtain, get, *(levere)* provide, supply; *(volde)* cause (*fx* it caused me endless worry); *(transportere)* get (*fx* get him out of the country); *~ en ngt* procure sth for sby, get sby sth, obtain sby sth (*fx* he procured tickets for us; I'll try to get you a job; his ability obtained him the post); provide sby with sth (*fx* he provided me with information); *~ én af med ngt* rid sby of sth; *~ én af vejen* get sby out of the way, *(dræbe)* put sby out of the way; *~ ngt af vejen* remove sth, take sth away; *~ én bryderier* give sby (a lot of) trouble; *~ en køber* find a buyer; *~ lindring* bring relief; *jeg vil ikke have noget at ~ med dem* I will have nothing to do with them; *~ penge* find money, raise money; *~ plads* make room; *~ sig* procure, secure, get, obtain; *~ sig af med* get rid of; *~ sig fjender* make enemies; *~ sig at vide* find out, ascertain; *~ sig ørenlyd* make oneself heard; *~ til veje* procure; *(ikke) til at ~* (un)obtainable.

II. **skaffe** *vb* ♣ eat, mess; *pibe til at ~* ♣ pipe dinner. **skaffe\grejer** *(pl)* mess gear. **-tid** mess time.

skafot *(et -ter)* scaffold; *bestige -tet* mount the scaffold.

skaft *(et -er) (på redskab)* handle; *(spyd-, søjle-)* shaft; *(støvle-, strømpe-)* leg; *(koste-)* stick; *(piske-)* stock, handle; *(på anker, nøgle etc)* shank; *kniv med ~ af elfenben* ivory-handled knife; *hans hænder sidder godt på -erne* he is handy; *hans hænder sidder løst på -erne* he is free with his fists. **skaftestøvle** top boot. **Skagen** the Skaw. **Skagerak** the Skagerak.

skagle *(en -r)* trace; *slå til -rne (more sig)* have a fling; *(gå på sjov)* go on the spree, *(skeje ud)* kick over the traces.

skak chess; *holde én i ~* hold sby in check; *et parti ~* a game of chess; *sige ~* give check; *spille ~* play chess. **skak\brik** chessman. **-bræt** chessboard.

skakke: *på ~* aslant.

skak\klub chess club. **-mat** *adj* checkmate; *(udmattet)* fagged out, done in; *gøre én ~* checkmate sby, *(fig)* drive sby into a corner. **-mester** chess champion. **-opgave** chess problem. **-spil** chess; *(bræt og brikker)* chessboard and chessmen. **-spiller** chessplayer.

skakt *(en -er) (mineskakt, elevatorskakt)* shaft; *(trappe-)* well; *(affalds-)* chute, shoot.

skak\træk *(et -)* move. **-turnering** chess tournament.

I. **skal** *(en -ler) (ægge-, muslinge-, østers-, skildpadde-, nødde- etc)* shell; *(halvdel af muslingeskal)* valve; *(frugt-)* peel, skin; *(bælg)* pod, husk; *(på korn)* husk; *(melon-)* rind; *(fra huden)* flake, scale; *(hjerne-)* skull; *(= hoved)* nut, nob; *blive gal i -len* cut up rough; *trække sig ind i sin ~ (ogs fig)* retire into one's shell.

II. **skal** *præs af* skulle.

skala *(en -er) (målestoksforhold)* scale; *(musik ogs)* gamut; *(på radio)* dial; *efter en stigende ~* on an ascending scale, progressive(ly); *hele -en af følelser* the whole gamut of emotions; *spille -er* practise scales.

skaldepande *(en)* bald head; *(person)* bald-head, bald-pate.

skaldet *adj (på hovedet)* bald(-headed); *(hårløs)* hairless; *(sølle)* wretched, paltry.

skaldethed *(en)* baldness.

skal\dynge *(en -r)* shell heap. **-dyr** *(et -)* zo shellfish; *toskallede ~* zo bivalves.

skalkagtig *adj* roguish, arch.

skalkagtighed *(en)* roguishness, archness.

skalke *vb: ~ lugerne* batten down the hatches.

skalke\jern ♣ batten. **-klampe** *(en -r)* ♣ cleat. **skalkeskjul** blind; *et ~ for* a blind for, a cloak for.

I. **skalle** *(en -r)* zo roach.

II. **skalle** *(en -r): nikke én en ~* smash one's head into sby's face.

III. **skalle** *vb: ~ af* peel (off), flake (off), scale (off). **skalle\sluger** *(en -e)* zo merganser; *lille ~* smew; *stor ~* goosander. **-smækker** *(en -e)* rough, hooligan.

skalmeje *(en -r)* shawm.

skalotteløg ♣ shallot.

skalp *(en -e)* scalp. **skalpe\jagt**: *være ude på ~* be scalp-hunting. **-jæger** scalp-hunter.

skalpel *(en, skalpler)* scalpel.

skalpere *vb* scalp.

I. **skam** *(en) (vanære)* shame, disgrace, dishonour, ignominy; *(skamfølelse)* shame; *(anstændighedsfølelse)* sense of decency; *det er en ~ (o: skammeligt)* it is a shame, what a shame! *(o: kedeligt)* it is a pity; *bringe ~ over* disgrace, bring shame on *(fx* one's family); *få ~ til tak* reap ingratitude; *gøre ham ~* disgrace him, be a disgrace to him; *gøre én til -me* put sby to shame; *gøre ngt til -me (overgå)* throw sth into the shade, *(kuldkaste ngt)* frustrate (*el.* falsify) sth; *gøre ens ord til -me* belie sby; *hun har ~ af ham* he is a disgrace to her; *have bidt hovedet af al ~* be lost to all sense of decency, have thrown decency to the winds; *han har ikke ~ i livet* he is lost to (all sense of) shame; *for ~s skyld* in common decency; (if only) for the sake of appearances; *til min (egen) ~, med ~ at melde* to my shame.

II. **skam** *adv* indeed, I am sure, to be sure.

skam\ben *(anat)* pubis. **-bide** *vb* savage. **-byde**: *~ én* make sby a disgracefully low offer.

skamfere *vb* damage; *(vansire)* disfigure.

skamfering *(en)* disfiguration.

skamfile *vb* ♣ fret, chafe. **skamfiling** chafing.

skamfuld *adj* ashamed; *gøre én ~* make sby feel ashamed, make sby blush; *~ over ngt* ashamed of sth; *~ over at* ashamed that.

skam\fuldhed *(en)* (feeling of) shame. **-følelse** sense of shame. **-løs** *adj* shameless, impudent. **-løshed** *(en)* shamelessness, impudence.

skamme *vb: ~ én ud* scold sby, tell sby to be ashamed of himself, take sby to task; *~ sig* be ashamed (of oneself); *du skulle ~ dig! skam dig!* you ought to be ashamed of yourself! *~ sig for at* be ashamed to (*fx* he is ashamed to tell); *~ sig over* be ashamed of; *~ sig over at* be ashamed that (*fx* I am ashamed that you should see this).

skammekrog: *stille én i -en* put sby in the corner. **skam\mel** *(en -ler)* (foot)stool; *(knæle-)* prie-dieu, kneeler.

skammelig *adj (vanærende)* disgraceful, shameful; *(oprørende)* outrageous, gross; *det var -t (o: en skam)* what a shame.

skam\plet stigma; *sætte en ~ på én* stigmatize sby, cast a stain on sby's honour; *være en ~ på* be a disgrace to. **-ride** *vb: ~ en hest* founder (*el.* override) a horse. **-rose** ★ praise fulsomely. **-rødme** *(en)* blush (of shame). **-skyde** *vb* maim. **-skænde** *vb (mishandle)* mutilate; *(vansire)* disfigure; *(smæde)* defame, smear. **-slå** manhandle, beat up; cripple. **-støtte** *(en -r)* [monument of infamy].

skandale *(en -r)* scandal; *(optrin)* scandalous scene. **skandalehistorie** *(piece of)* scandal.

skandalisere *vb* disgrace, *(afsløre)* expose.

skandaløs *adj* scandalous, disgraceful.

skandere *vb* scan. **skandering** *(en)* scanning.

skandinav *(en -er)* Scandinavian. **Skandinavien**

Scandinavia. **skandinavisk** Scandinavian. **skandinavisme** *(en)* Scandinavism.
skandskrift *(et -er)* lampoon.
skank *(en -er)* shank, leg; *bruge sine -er, røre -erne* stir one's stumps; *stryge ~ (om heste)* interfere.
skanse *(en -r)* redoubt, entrenchment; ⚓ quarterdeck; *holde -n (fig)* hold the fort *(el.* the field); *dø som den sidste på -n* die in the last ditch.
skanse|klædning ⚓ bulwark. **-pæl** palisade.
skar *imperf af* **skære**.
skarabæ *(en -er) zo* scarab.
I. **skare** *(en -r)* band, troop, *(stor og uordentlig)* crowd; *(hærskare)* host *(fx* of admirers).
II. **skare** *vb*: ~ *sig om* flock round.
skarevis *adv* in crowds.
skarlagen *(et),* **skarlagenrød** *adj* scarlet.
skarlagensfeber scarlet fever, scarlatina.
skarn *(et) (snavs)* dirt, filth, *(gade-)* mud, *(affald)* refuse; *(ekskrementer)* excrement(s), dung, droppings, *(flue-)* flyspecks; *(slet person)* beast, wretch; *man kan også gøre et ~ uret* one must give the devil his due; *hjælpe en op af -et (fig)* raise sby from the gutter; *kaste ~ på (fig)* throw mud at; *slæbe hans navn i -et* drag his name through the mud.
skarn|basse *zo* dung beetle. **-bøtte** dustbin, *(amr)* garbage can.
skarns|knægt scamp. **-kvinde** hussy.
skarnsstreg *(en -er)* dirty trick.
skarntyde *(en)* ⚘ hemlock. **skarntydesaft** hemock juice.
I. **skarp** *(en) (æg)* edge.
II. **skarp** *adj* sharp, keen *(fx* knife, edge, sight, intelligence); *(tilspidset)* sharp *(fx* corner), pointed; *(tydelig)* sharp *(fx* image), clear-cut *(fx* features, profile, division); *(hvas, streng)* sharp, severe *(fx* rebuke), *(om satire)* biting, cutting; *(om smag)* acrid, pungent, sharp;
-t angreb violent attack; *under ~ bevogtning* closely guarded; *have et -t blik for* have a keen eye for; *~ drejning* sharp turn; *forfølge -t* be in hot pursuit of; *~ forfølgelse* hot pursuit; *-e forholdsregler* severe measures; *~ grænse* sharp *(el.* well-defined) limit; *~ iagttager* keen observer; *~ konkurrence* keen compe*t*ition; *~ kontrast* sharp contrast; *~ lyd* piercing *(el.* shrill) sound; *-t lys* glaring light; *~ ost* strong cheese; *~ parentes* square brackets; *~ patron* live cartridge, ball cartridge; *se -t på* look keenly at; *skelne -t mellem* make a sharp distinction between; *~ stemme* rasping voice; *i -t trav* at a smart trot; *~ tunge* sharp tongue; *holde -t udkig* keep a sharp look-out; *-t øje* sharp *(el.* keen) eye; *skyde med -t* fire live cartridges.
skarp|hed *(en)* sharpness, keenness; severity. **-ladt** loaded with live cartridges. **-retter** *(en -e)* executioner. **-sindig** *adj* acute, penetrating, shrewd. **-sindighed** *(en)* acuteness, penetration, shrewdness. **-skydning** shooting (with live cartridges), target practice. **-skytte** sharpshooter. **-skåren** *adj* sharp cut; *(om profil)* clear-cut. **-sleben** *adj* sharp edged. **-syn** sharp eyes; *(fig)* penetration, acuteness. **-synet** *adj* sharp-sighted, penetrating, acute.
skarv *(en -e) zo* cormorant.
I. **skat** *(en -te) (kostbarhed)* treasure; *(skjulte kostbarheder)* treasure *(fx* a buried treasure), hoard; *(forråd)* store *(fx* of learning); *min ~! (til person)* darling! sweetheart! my dear! *(især amr)* honey!
II. **skat** *(en -ter) (til staten)* tax; *(til lokale myndigheder, uden for England)* local taxes, *(i England, kun af fast ejendom)* rates; *(told, afgift)* duty; *(produktionsafgift)* excise (duty); *(tribut)* tribute; *(beskatning)* taxation; *-ter og afgifter* taxes and dues; *betale ~ af* pay tax *(,* taxes) on; *betale £100 i ~* pay £100 in tax; *(in)direkte -ter* (in)direct taxes *(el.* taxation); *lægge ~ på noget* tax sth, lay a tax on sth; *-tens mønt* the tribute money; *opkræve -ter* collect taxes; *sætte én i ~ for £100* assess sby at £100; *udskrive -ter* levy **taxes**.

skat|kammer treasury, *(fig)* storehouse. **-kammerbevis** treasury bill. **-kiste** treasure chest. **-mester** treasurer. **-skyldig** tributary.
I. **skatte** *vb (værdsætte)* appreciate, esteem highly.
II. **skatte** *vb (yde skat)* pay taxes; pay a tribute.
skatte|ansættelse assessment. **-billet** *(opkrævning)* tax demand note. **-borger** ratepayer, taxpayer. **-byrde** burden of taxation. **-departement** inland revenue department. **-evne** ability to pay taxes *(,*rates). **-forhøjelse** increase of taxation. **-fradrag** *(ved indtægtsangivelse)* deduction; *(fra skattevæsenets side, fx forsørgerfradrag)* allowance. **-fri** *adj* tax-free; *(om vare)* duty-free. **-frihed** exemption from taxation. **-graver** treasure hunter. **-indtægt** *(skatteyders)* taxable income; *(statens)* revenue. **-kilde** source of taxation. **-lettelse** tax relief. **-ligning** assessment (of taxes). **-liste** register of ratepayers. **-lovgivning** fiscal legislation. **-ly** *(mht statsskat)* tax haven. **-mæssig** *adj* fiscal. **-nedsættelse** tax reduction. **-nægtelse** refusal to pay taxes; *(lovgivende forsamlings)* refusal to grant supplies. **-nægter** *(en -e)* tax refuser. **-objekt** object of taxation. **-opkræver** *(en -e)* tax collector. **-pligtig** *adj* liable to pay taxes; *(om ting el. værdier)* taxable. **-politik** fiscal policy. **-procent** rate of taxation. **-pålæg** imposition of taxes, taxation; *(se ogs -forhøjelse).* **-restance** unpaid (balance of) taxes *(,* rates), tax arrears. **-seddel** demand note. **-snyder** tax evader. **-svig** tax evasion. **-tryk** pressure *(el.* burden) of taxation. **-udskrivning** imposition of taxes, taxation. **-unddragelse** tax evasion. **-væsen** *(myndigheder)* taxation authorities, *(system)* system of taxation. **-yder** *(en -e)* ratepayer, taxpayer. **-år** tax year, fiscal year.
skavank *(en -er)* fault, defect, shortcoming, *(mindre)* flaw *(fx* in his character, in the scheme); *(ulempe)* drawback *(fx* about the scheme); *(legemlig)* disability.
I. **ske** *(en -er)* spoon; *(stor, med langt skaft)* ladle; *(mur-, plante-)* trowel; *give ham det ind med -en* it into his head, spoon-feed him; *han er ikke god at bide -er med* he is a handful; *tage -en i en anden hånd* change one's tune; *(o: forbedre sig)* turn over a new leaf.
II. **ske** * happen, occur, come to pass, take place; *(udføres)* be done, be made; *-t er -t* what's done cannot be undone; *der er -t en forandring* a change has come about *(el.* taken place); *der er -t mig noget frygteligt* something dreadful has happened to me; *det kan godt ~ du har ret* you may be right; *lad det ~ lidt hurtigt* be quick about it; *Gud ~ lov* thank God; *det er -t med ham* T he has had it; *det skal ~* it shall be done; *der er -t en ulykke* there has been an accident; *der er -t ham uret* he has been wronged; *~ hvad der vil* come what may; *~ din vilje!* Thy will be done!
ske|and shoveler. **-blad** bowl; ⚘ water plantain.
skede *(en -r)* sheath; *(fx o: anat)* sheath; *(moder-)* vagina; *trække af -n* unsheathe; *stikke i -n* sheathe.
skede|kniv sheathknife. **-vand** aqua fortis.
ske|formet spoon-shaped. **-fuld** *(en -e)* spoonful. **-hejre** *zo* spoonbill.
skeje: ~ *ud* ⚓ knock off, *(fig)* kick over the traces.
skejs *(en -er)* T: *-er* dibs, dough; *ikke en ~* not a bean.
skel *(et -)* *(grænse)* boundary, dividing line; *(adskillelse)* distinction, barrier; *komme til -s år og dag* reach the years of discretion; *gøre ret og ~ til alle sider* give everyone his due; *sætte ~ (i en udvikling)* mark an epoch.
skele *vb* squint; ~ *til* squint at, *(fig)* have an eye to; *han -r på venstre øje* he has a squint in his left eye. **skelen** *(en)* squint. **skelende** *adj* squinting, squint-eyed.
skelet *(et -ter)* skeleton; *(af en konstruktion, roman etc)* framework. **skelettere** *vb* skeletonize.
skellig: ~ *grund* good reason.
skelne *vb* distinguish, make out, discern; ~ *a*

fra b, ~ mellem a og b distinguish (el. discern el. tell) a from b, distinguish between a and b; jeg kunne ikke ~ dem fra hinanden I could not tell them apart; ikke til at ~ fra hinanden indistinguishable.

skelne|evne discrimination. -lig adj discernible. skelnen (en) discrimination (mellem: between), differentiation (mellem: of).

skelsættende adj epoch-making (fx event).

skelsår: komme til ~ og alder come to (el. reach) the years of discretion.

skeløjet adj squint-eyed, cross-eyed; ikke så ~ T not bad. skeløjethed (en) squint(ing), strabismus.

skema (et -er) (grundrids) framework; outline; (diagram) diagram; (blanket) form, (amr) blank; (spørge-) questionnaire; (skole-, etc) timetable; (regelmæssig plan) schedule; scheme; lægge ~ (i skole) arrange (el. draw up) a timetable.

skemad (en -) spoon meat, spoon food.

skematisk adj schematic; ~ fremstilling schematic (el. general) outline; ~ tegning diagram.

skepsis (en) scepticism; (tvivl ogs) doubt (fx religious doubt).

skepticisme (en) scepticism.

skeptiker (en -e) sceptic. skeptisk adj sceptic.

sketch (en, -es el. -er) sketch.

ski (en -) ski; stå på ~ ski, go ski-ing.

skib (et -e) ship, vessel; (i kirke) nave, (side-) aisle; (typ) galley; næste afgående ~ next sailing; brænde sine -e burn one's boats; dødt ~ derelict; pr. ~ by sea; ørkenens ~ (kamelen) the ship of the desert.

skibakke ski slope.

skibbrud (et -) shipwreck; lide ~ be (ship)wrecked, (kun om person ogs) be cast away, (fig) be (ship)-wrecked, fail; go on the rocks (fx their marriage went on the rocks); lide ~ i livet fail in life. skibbruden adj shipwrecked, castaway.

skibs|agent shipping agent. -aktie shipping share. -apotek (ship's) dispensary. -besætning (ship's) crew, ship's company. -bygger (en -e) shipbuilder. -byggeri (værft) shipyard; (bygning af skibe) shipbuilding. -bygningskunst naval architecture. -dagbog ship's log, log book. -dreng (ship's) boy. -dæk deck (of a ship). -efterretninger shipping news. -fart navigation; (som erhverv) shipping (trade). -fører (ship)master. -førerbevis master's certificate. -handler (en -e) ship's chandler. -ingeniør naval architect (el. constructor). -inspektør (i rederi) (marine) superintendent; (i skibstilsyn etc) ship surveyor. -jolle (en -r) dinghy. -journal ship's log, log book. -kammerat shipmate. -kanon naval gun. -kaptajn shipmaster, sea captain. -kiste sea chest. -klarerer (en -e) ship broker. -klokke ship's bell. -kok ship's cook. -kompas ship's compass. -konstruktør naval architect (el. constructor). -kost sea fare. -kronometer marine chronometer. -ladning cargo, shipload. -lanterne (navigation) light. -lejlighed shipping opportunity; få ~ til obtain a passage to. -læge ship's doctor. -længde ship's length. -mandskab ship's company, crew. -model ship's model. -motor marine engine. -mægler shipbroker. -officer ship's officer. -papirer ship's papers. -provianteringsforretning marine stores. -provianteringshandler ship's chandler. -præst chaplain. -reder (ship)owner. -rederi firm of (ship)owners, shipping company. -register ship's register. -rum (tonnage) tonnage. -rute shipping route. -side ship's side. -skrog hull (of a ship). -skrue (screw) propeller, screw. -tilsyn inspection of ships. -tvebak ship's biscuit. -værft shipyard, shipbuilding yard.

skid (en) (vulgært) (vind) fart, (som skældsord) turd (fx he is a little turd); slå en ~ fart. skide (sked, skidt) (vulgært) shit. skide|balle: få en ~ be blown up; give én en ~ blow sby up. -fuld pissed.

skiden adj (snavset) filthy; (uhøvisk) dirty, obscene. skiden|grå dirty grey. -hed (en) filthiness. -tøj soiled linen.

skiderik (en -ker) (vulgært) stinker.

I. skidt (et) (snavs) dirt, filth; (fig) trash, rubbish; hele -et the whole boiling; komme ned i -et go to the bad; det lille ~ poor little mite; ~ med det! never mind! have penge som ~ be lousy with money.

II. skidt adj bad, rotten; adv badly; komme ~ fra noget (kludre med ngt) make a mess of sth; det kom han ~ fra (o: det lykkedes ikke) he did not get away with it; en ~ fyr a bad lot; jeg er ~ tilpas I feel rotten; ~ stillet badly off; (se ogs dårligt).

skidteri (et) rubbish, trash.

skidtfisk trash fish.

skidtvigtig adj stuck-up, bumptious.

skifer (en) slate; tække med ~ slate. skifer|brud (et -) slate quarry. -dækker (en -e) slater. -ler shale. -sten slate. -tag slate(d) roof. -tavle slate. -tækker (en -e) slater.

skift (et -) (arbejds|hold, -periode) shift; arbejde i ~ work (in) shifts; på ~ by turns (fx work by turns), in turn, alternately; gøre ngt på ~ take turns at doing sth; det går på ~ mellem dem they take turns at it.

I. skifte (et -r) (arve-) administration (and distribution) of a deceased person's estate; (forandring) change; (arbejdshold) shift (fx work in 3 shifts); (arbejdsperiode) shift, turn; (vagthold ♂.) watch; (i mur) course; (spor-) changing of the points, (skiftespor) points, (amr) switch; (del af stafetløb) lap; (afløsning) relief (fx of the watch), relay (fx of horses); månens -r the changes of the moon.

II. skifte vb (ombytte, forandre) change, shift; (forandre sig) change, alter, vary; (veksle) alternate; (stige om) change; (om arv) administer (el. distribute) an estate; ~ ejer change hands, pass into sby else's possession; ~ gear change gear; ~ klæder, ~ tøj change one's clothes; ~ kørebane change from one lane to the other, (pludselig) cut out; ~ lagener change the bed linen; rejsende til Windsor -r her change here for Windsor; ~ retning alter one's course; ~ sporene change the points; ~ tænder cut one's second teeth; ~ ud change, replace; ~ det ud med ngt andet replace it with sth else, substitute sth else for it; -s take turns; -s til at arbejde take turns at working, work by turns; (se ogs skiftende).

skifte|behandling administration of an estate. -dag [day on which servants used to change jobs]; (omtr =) quarter-day.

skiften (en) change; (vekslen) alternation.

skiftende adj changeable (fx moods), changing, varying (fx with varying success), shifting; (vekslende) alternate, alternating; ~ regeringer successive governments.

skifte|nøgle (universal-) adjustable spanner, (amr) monkey wrench; (på skrivemaskine) shift key. -ret probate court; (konkurs-) bankruptcy court. -samling meeting of heirs (or creditors). -sko a change of shoes, spare shoes. -spor switch; (sporskifte) points, (amr) switch. -tøj a change of (clothes), spare clothes. -vis adv by turns, alternately.

skifting (en -er) changeling.

skiftning (en) changing, change.

ski|føre: det er godt ~ it is good ski-ing snow. -hop ski jump.

skik (en -ke) custom, usage, practice; ~ og brug custom, common practice; have for ~ at be in the habit of -ing, make a practice of -ing; (man skal) ~ følge eller land fly when in Rome do as the Romans do; få (el. sætte) ~ på noget get (el. lick) sth into shape; det er ~ hos araberne it is a custom among the Arabs.

I. skikke vb (sende) send.

II. skikke vb: ~ sig (passe sig) be proper; (opføre sig) behave; det ~ sig ikke for mig at it is not for me to.

skikkelig adj inoffensive, harmless, good-natured; (rimelig) reasonable (fx price); en ~ brumbasse a rough diamond; opføre sig -t behave properly; et -t skrog a poor harmless fellow.

skikkelse *(en -r)* form, shape; *(tilstand)* state; *(legemsform; fremtrædende personlighed;* ~ *i drama, maleri etc)* figure; *(i roman etc ogs)* character; *hans planer antager fastere* ~ his plans are taking a more definite shape; *ridderen af den bedrøvelige* ~ the Knight of the Rueful Countenance; *i* ~ *af* in the shape of; *i menneskelig* ~ in human shape.

skikket *adj* fit, qualified, suitable *(til:* for).

skilderhus sentry box.

skilderi *(et -er)* picture.

skildpadde *zo (en -r)* tortoise; *(hav-)* turtle; *(om materialet)* tortoise shell; *forloren* ~ mock-turtle.

skilpadde|skal tortoise shell; **-suppe** turtle soup.

skildre *vb* describe, *(levende)* paint, portray, depict, *(indgående)* delineate.

skildrer *(en -e)* portrayer, delineator.

skildring *(en -er)* description, picture.

skildvagt sentry, sentinel; *stå* ~ stand sentry, mount guard.

skille * separate *(fx* separate chaff from grain, religion from philosophy, two fighters); part *(fx* part the hair in the middle; until death parts us), come between *(fx* no one can come between us), *(brat, voldsomt)* sever *(fx* sever the head from the body); *(om mælk: løbe sammen)* curdle; *(åbne sig, om tøj etc)* come apart;

~ **ad** = *skille;* ~ *en maskine ad* take a machine to pieces, disassemble a machine; ~ *en af med ngt* relieve sby of sth, take sth off sby's hands; ~ *noget fra* separate sth, sift sth out; *lade sig* ~ *fra sin mand (,hustru)* divorce one's husband (,wife); ~ *én ved livet* put sby to death; ~ **sig** part *(fx* the waters parted); ~ *sig af med* part with *(fx* one's house); *(tage af, fx frakke)* take off; ~ *sig godt fra sit hverv* acquit oneself well; ~ *sig ud fra* be different from, *(fjerne sig)* break away from, detach oneself from; ~ *sig ved* part with; **-s** *(om personer)* part, separate, *(ved skilsmisse)* be divorced; *(om ting)* part, come apart; *(om mælk)* curdle; *deres veje skiltes* their ways parted; **-s** *ad* = *skilles; da vi skiltes* when we parted, at parting; ~ *s som venner* part friends.

skille|linie dividing line. **-mur** partition wall. **-mønt** *(kollektivt)* (small) change, small coins. **-rum** partition. **-tegn** punctuation mark. **-vej** crossroads, *(fig ogs)* parting of the ways; *stå på -en* be at the parting of the ways; *Frankrig på -en* France at the crossroads. **-væg** partition; *(anat)* septum.

skilling: *han ejer ikke en* ~ he hasn't got a penny; *få smæk for -en* have a run for one's money; *holde på -en* be close-fisted; *holde på -en og lade daleren rulle* be penny-wise and pound-foolish; *tjene en net* ~ clean up a packet; *hun levnede ham ikke ære for to* ~ she tore his character to rags. **skillinge** *vb:* ~ *sammen* club together.

skilning *(en -er)* parting; *lægge en* ~ make a parting.

skilre: ~ *af (el. fra)* partition off.

skilsmisse *(en -r)* *(opløsning af ægteskab)* divorce; *(afsked)* parting, separation. **skilsmisse|barn** child of divorced parents. **-begæring** petition for divorce. **-bevilling, -dom** divorce decree. **-grund** ground(s) for divorce. **-sag** divorce case.

skilt *(et -e)* *(forretnings-)* sign, signboard, *(reklame-)* advertisement board, *(gade-, færdsels-)* sign, *(vej-)* signpost, *(navne-)*- (name)plate, *(tavle, ogs på bus etc)* board; *(mærke, kendetegn)* badge *(fx* a policeman's badge).

skilte: ~ *med* display, *(prale med)* show off, make a show of *(fx* one's learning).

skilte|fabrikant sign maker. **-maler** sign writer.

skiløb ski-ing. **skiløber** skier.

skimle *vb* go mouldy. **skimlet** *adj* mouldy.

I. **skimmel** *(en)* *(mug)* mould.

II. **skim|mel** *(en -ler)* *(gråskimmel)* dapple-grey, *(hvidskimmel)* roan.

skimmelsvamp ♣ mould fungus.

skimte *vb* see dimly; *(få et glimt af)* catch a

glimpse of; *jeg kunne lige* ~ *det* I could just make it out.

skin *(et)* *(lys)* light, *(stærkt)* glare; *(fig)* appearance(s), *(foregivende)* show, pretext; *-net bedrager* appearances are deceptive; *bevare -net* keep up appearances; *han har -net imod sig* appearances are against him; *redde -net* keep up appearances, save one's face; *under* ~ *af venskab* under a show of friendship.

skin|angreb feint. **-barlig** *adj* incarnate; *den -e djævel* the devil incarnate.

skind *(et -)* skin *(fx* of a calf, a snake, a potato, a grape, a sausage, boiled milk); *(af okse, hest etc)* hide; *(dyrs pels)* coat; *(til pelsværk)* fur, pelt; *(læder)* leather; *(på tromme)* skin, vellum; *(om person: stakkels* ~*)* poor thing; *ikke andet end* ~ *og ben* all skin and bone; *være bange for sit* ~ fear for one's skin; *være ved at gå ud af sit gode* ~ be ready to jump out of one's skin; *det gyldne* ~ the Golden Fleece; *holde sig i -et* control oneself; behave oneself; *danske i sind og* ~ Danish through and through; *trække -et af et dyr* skin *(el.* flay) an animal; *våd til -et* wet to the skin, wet through.

skind|beklædning leather clothing. **-bind** leather cover, *(helbind)* full leather (binding). **-båd** skin boat. **-for** *(pelsfor)* fur lining. **-handske** leather glove. **-hue** fur cap. **-kant** *(pels-)* fur edge. **-krave** fur collar. **-pels** fur coat; *sætte lus i -en* make mischief. **-ryg** *(på bog)* leather back.

I. **skindød** *(en)* apparent death, suspended animation, asphyxia.

II. **skindød** *adj* apparently dead, in a state of suspended animation, asphyxiated; *subst* asphyxiated person.

skinfægtning sham fight.

skinger *adj* shrill, strident.

skingre *vb* shrill. **skingrende** *adj* shrill, strident.

skinhellig hypocritical, sanctimonious.

skinhellighed hypocrisy, false piety.

skinke *(en -r)* ham.

skinkeærme leg-of-mutton sleeve.

skinmanøvre demonstration, feint.

I. **skinne** *(en -r)* *(jernbane- etc)* rail; *(til forstærkning)* (iron) band; *(til brækket lem)* splint; *(se ogs benskinne); løbe af -rne* leave the rails.

II. **skinne** *vb* shine; *hans ansigt -r af glæde* his face shines with happiness; ~ *af renlighed* be spotlessly clean; ~ *igennem (kunne ses)* show through; *(= lægge sig for dagen)* be *(el.* become) apparent; be transparent; *lade det* ~ *igennem at* hint that; let it be understood that; *(se ogs skinnende).*

skinne|ben shin(bone), tibia. **-bremse** *(en -r)* rail brake. **-brud** *(et -)* rail breakage. **-bus** rail car. **-cykel** cycle trolley. **-køl** ♣ bar keel. **-legeme** permanent way.

skinnende *adj* shining, bright; ~ *ren* spotlessly clean.

skinne|rømmer *(en -e)* *(på lokomotiv)* cow -catcher, *(amr ogs)* fender, pilot. **-stød** (rail) joint.

skin|syg *adj* jealous *(på:* of). **-syge** *(en)* jealousy.

skipper *(en -e)* skipper, master (of a ship). **skipper|eksamen** examination for the master's certificate. **-historie** yarn, traveller's tale. **-skæg** Newgate fringe.

skisma *(et -er)* schism. **skismatiker** *(en -e)* schismatic. **skismatisk** *adj* schismatic.

ski|sport ski-ing. **-stav** ski stick. **-støvle** ski boot. **-tropper** ski troops.

skitse *(en -r)* sketch, *(til plan, bog etc)* (rough) outline, (rough) draft. **skitsebog** sketch book.

skitsemæssig *adj* rough; sketchy.

skitsere *vb* sketch, rough out, *(fig ogs)* outline.

I. **skive** *(en -r)* *(rund plade)* disk; *(af brød, kød, frugt etc)* slice; *(pottemager-)* potter's wheel; *(i blok)* sheave; *(pakning)* washer; *(ur-)* face, dial; *(på automatisk telefon)* dial; *(skyde-)* target; *(for spydigheder)* butt, target; *være ~ for hans vittigheder* be a butt for his jokes; *skære i -r* slice (up).

II. **skive** *vb (en åre)* feather.

skiveskydning target practice.

skizofren *adj* schizophrenic. **skizofreni** *(en)* schizophrenia.

skjald *(en -e)* bard; *(om oldtidsforhold)* scald.

skjaldedigtning scaldic poetry.

skjalv *imperf af skælve*.

I. **skjold** *(en -er) (plet)* discoloration, blotch.

II. **skjold** *(et -e) (dækvåben)* shield, *(mindre)* buckler; *(våben-)* escutcheon, coat of arms; *zo* shield.

skjoldbrusk *(anat)* thyroid cartilage.

skjoldbruskkirtel thyroid gland.

skjolddrager *(en -e)* shieldbearer; ♐ skullcap.

skjoldet *adj* blotched, discoloured, stained.

skjoldlus scale insect.

skjoldmø valkyrie.

skjorte *(en -r)* shirt; *i bar ~* in his (,one's, etc) shirt; *hvid stivet ~* dress shirt, boiled shirt; *klæde én af til -n (fig)* clean sby out, bleed sby white.

skjorte|bluse shirtblouse, *(amr)* shirtwaist. **-bryst** shirt front. **-knap** shirt button, *(kraveknap)* stud. **-ærme** shirt sleeve; *i -r in* (one's) shirt sleeves; *trække i -r* take off one's coat.

skjul *(et -) (ly)* cover, shelter; *(skjulested)* hiding -place; *komme frem af sit ~* come out of hiding; *i ~ af* under cover of; *krybe i ~* seek shelter, *(skjule sig)* hide *(for:* from); *lege ~* play hide-and-seek; *lægge ~ på* make a secret of; *lægge ~ på at* make a secret of the fact that, disguise the fact that.

skjule ★ hide, conceal *(for:* from); *(fig)* conceal, disguise, hide *(for:* from); *~ sig (gemme sig)* hide *(for:* from), hide oneself, conceal oneself, *(holde sig skjult)* be (in) hiding, *(om ting: være skjult)* lie hidden; *(se ogs skjult)*.

skjulested hiding-place; *(for person ogs)* hide-out.

skjult *adj* hidden, concealed, disguised, latent; *(hemmelig)* secret, covert; *holde ngt ~* hide *(el.* conceal) sth; *holde sig ~* be (in) hiding; *i det -e* secretly; **T** on the quiet.

sklerose *(en)* sclerosis.

I. **sko** *(en -)* shoe; *børste ~* clean shoes, *(amr)* shine shoes; *over en lav ~* indiscriminate(ly); *den ved bedst hvor -en trykker, som har den på* everyone knows best where his own shoe pinches; *skyde en ngt i -ene* impute sth to sby. II. **sko** *vb* shoe *(fx* a horse).

sko|børste shoe brush. **-bånd** shoe lace, *(amr ogs)* shoestring. **-creme** shoe polish.

I. **skod** *(et -der)* ♐ bulkhead.

II. **skod** *(et -)* stump, *(cigaret- ogs)* fag end.

I. **skodde** *(en -r) (vindues-)* shutter.

II. **skodde** *vb (m årerne)* back the oars, back water.

III. **skodde** *vb*: *~ en cigaret (for at gemme resten)* top a cigarette, *(mase den ud)* butt a cigarette.

skoflikker *(en -e)* cobbler.

skoggerlatter roar of laughter, *(neds)* guffaw.

skoggerle *vb* roar with laughter, *(neds)* guffaw.

skohorn shoehorn.

skolastik *(en)* scholasticism. **skolastiker** *(en -e)* scholastic. **skolastisk** *adj* scholastic.

skolde *vb* scald, *(om solen: ~ huden)* scorch; *-t ihjel* scalded to death. **skoldhed** *adj* scalding (hot).

skoldkopper *(pl)* chicken pox, varicella.

I. **skole** *(en -r)* school *(fx* build a new school; the whole school knew it; the Romantic school); *(højere ~, ofte)* college; *(uddannelse)* training; *(lærebog i musik)* musical primer; *sladre af ~* tell tales out of school; *gå ud af -n* leave school; *-n begynder kl. 8* school begins at 8 o'clock; *danne ~ (ny skik)* set a fashion; *gå fra ~* walk home from school; *-n fik fri* the school was given a holiday; *af den gamle ~* of the old school; *højere ~* secondary school, *(amr)* high school; *gå i ~* go to school, be at school; *sende (el. sætte) i ~* send to school; *tage ham i ~* take him to task; *gå til ~* walk to school.

II. **skole** *vb* school, train.

skole|afgift school fee(s). **-alder** school age. **-arbejde** school work. **-bal** school dance. **-barn** school child. **-bespisning** school meals service. **-bestyrer** principal, headmaster. **-bestyrerinde** principal, headmistress. **-betjent** school porter. **-bibliotek** school library. **-blad** school magazine. **-bog** school book, *(lærebog)* textbook. **-bogsforfatter** school-book (, textbook) writer. **-bord** desk. **-brug:** *til ~* for (the use of) schools; *en englandshistorie til ~* a School History of England. **-bænk** form. **-dag** school day. **-direktør** director of education. **-dreng** schoolboy. **-eksempel** textbook example, object lesson. **-elev** pupil, schoolboy, schoolgirl. **-fag** school subject. **-ferie** holidays *(amr)* vacation. **-gang** schooling; *(det at gå i skole)* school attendance; *ingen ~ i dag* no school today; *6 timers ~ 6* hours' school. **-gård** playground. **-hjem** *(opdragelses-)* approved school. **-hygiejne** school hygiene. **-inspektør** head teacher. **-kammerat** schoolfellow; *vi var -er* we were at school together. **-kommission** education committee. **-kundskaber** *(pl)* knowledge acquired at school; *have gode ~* be well educated. **-køkken** school kitchen; *(fag)* domestic science. **-leder**, *se -bestyrer*. **-lov** Education Act. **-læge** school medical officer. **-lærer** *(en -e)* schoolmaster, school teacher. **-mad** lunch packet. **-mand** teacher, educationist. **-mester** schoolmaster. **-modenhed** school readiness. **-patrulje** school safety patrol. **-penge** school fees. **-pige** schoolgirl. **-pligt** compulsory school attendance.

skolepligtig *adj* of (legal) school age; *~ alder* compulsory school age; *forlængelse af den -e alder* raising of the (compulsory) school age.

skole|program annual report of a school; school prospectus. **-psykolog** school psychologist. **-radio** broadcasting for schools. **-reform** school reform. **-ret:** *stå ~ (fig)* be taken to task, be called to account. **-ridning** haute école. **-skema** timetable. **-skib** training-ship. **-skovtur** school picnic. **-stue** classroom. **-søgende** *adj: jeg har to ~ børn* I have two children at school. **-taske** school bag. **-tavle** blackboard; *(skifer-)* slate. **-tid** school hours; *(den tid man gik i skole)* school days; *efter ~* after school. **-time** lesson. **-udsendelse** schools broadcast. **-undervisning** school teaching, education, schooling. **-vej** way to (and from) school. **-vogn** learner car, tuition car; *(vognen er mærket:* L). **-væsen** education, educational system. **-år** school year.

skoliast *(en -er)* scholiast.

skoling *(en)* schooling, training.

skolopender *(en -dre) zo* centipede.

skomager *(en -e)* shoemaker, bootmaker; *(lappe-)* cobbler, *(amr ogs)* shoe repairer; *~ bliv ved din læst* (cobbler) stick to your last. **skomager|dreng** shoemaker's apprentice; *det regner -e ned* it is raining cats and dogs. **-mester** master shoemaker. **-svend** journeyman shoemaker. **-værksted** shoemaker's (shop).

skoning *(en) (af hest)* shoeing; *(på nederdel)* bottom lining.

skonnert *(en -er)* schooner.

sko|næse toe (of a shoe). **-pudser** *(en -e)* shoeblack, *(amr)* shoeshine.

skorpe *(en -r) (brød-, jord-, lava-, is- etc; ogs fig)* crust; *(på sår)* crust, scab; *(oste-)* cheese rind, *(afskåren)* cheese paring; *med en ~ af snavs* crusted with filth; *sætte ~ crust, (med.)* form scabs, produce a scab. **skorpedannelse** *(en -r)* encrustation.

skorpet *adj* crusty; *(med.)* scabby.

skorpion *(en -er) zo* scorpion.

skorsten *(en -e)* chimney; *(lokomotiv-, skibs-)* funnel, smokestack; *(murværk om flere skorstensrør på tag)* chimney stack; *(ildsted)* fireplace.

skorstens|fejer *(en -e)* chimney sweep. **-ild** chimney fire. **-pibe** chimney pot. **-rør** flue; *(se ogs -pibe);* (T: *høj hat)* stovepipe (hat).

skorte *vb: det -r på* there is a lack of; *det -r ham på* he is short of (*fx* money), he lacks, he is wanting in (*fx* courage); *ikke lade det ~ på* be liberal with.

skorzonerrod (*en*) ♣ viper's grass.
I. **skose** (*en -r*) taunt, gibe, sneer.
II. **skose** *vb* taunt, gibe at, sneer at.
sko|snude, -spids (*en -er*) toe (of a shoe). **-spænde** shoe buckle.
skosse (*en -r*) (*af is*) floe.
sko|sværte (*en*) shoe polish. **-sål** sole of a shoe.
skot (*et -ter*) ♣ bulkhead.
Skotland Scotland.
I. **skotsk** *adj* Scottish, Scots.
II. **skotsk** (*dialekt*) Scotch, Scots.
skotskternet *adj* tartan; *~ stof* artan.
I. **skotte** (*en -r*) Scot, Scotsman, Scotchman; (*terrier*) Scotch terrier; *-rne* (*om hele nationen*) the Scots; *fem -r* five Scotsmen.
II. **skotte** *vb:* *~ til* steal a glance at; look at out of the corner of one's eye.
skottehue (highland) bonet; (*skråhue*) glengarry; (*rund*) tam-o-shanter.
skotøj boots and shoes, footwear.
skotøjs|fabrikant (boot and) shoe manfa cturer. **-forretning** shoe shop. **-æske** shoe (*el.* boot) box.
skov (*en -e*) wood; (*st*) forest; (*fig*) forest (*fx* a forest of masts); *han kan ikke e -en for bare træer* he cannot see the wood for the trees; *tage i -en* go out into (*el.* go to) the woods; (*ofte =*) go on a picnic; *det er helt i -en* (*fig*) it is all wrong.
skov|arbejder woodman, (*især amr*) lumber jack. **-areal** forest area. **-bevokset** (well-)wooded. **-brand** forest fire. **-brug** (*et*) forestry. **-bryn** edge of a wood. **-bund** forest floor. **-distrikt** forest district. **-due** (*ringdue*) wood pigeon; (*huldue*) stock dove.
skove *vb* (*fælde træer*) fell (and sort) timber, log.
skov|egn woodland area. **-ejer** (*en -e*) forest owner. **-fattig** sparsely (*el.* poorly wooded. **-foged** ranger. **-fredning** forest preservation. **-fyr** ♣ Scotch pine. **-grænse** timber line. **-hugger** *se -arbejder*. **-hugst** felling, cutting. **-jordbær** ♣ wood strawberry. **-kant** edge of a wood. **-klædt** *adj* wooded, forest-clad.
skovl (*en -e*) shovel, (*mindre*) scoop; (*på hjulskib*) paddle; (*på vandhjul*) bucket; (*på turbine*) blade; (*på gravemaskine*) bucket; (*skovlfuld*) shovelful; *få -en under ham* S get at him, get him where one wants him; get sth on him; (*få ham verfet ud*) put the skids under him.
skovlblad blade.
skovle *vb* shovel, scoop; *~ mad i sig* shovel food into one's mouth; *~ penge ind* make heaps of money.
skovl|fuld (*en -e*) shovelful, scoop. **-hjul** paddle wheel. **-skaft** handle of a shovel.
skov|løber forest guard, gamekeeper. **-løs** *adj* treeless, woodless. **-mus** zo long-tailed field mouse. **-mærke** ♣ woodruff. **-mår** zo pine marten. **-natur** woodland scenery. **-omkranset** *adj* (*poet*) wood-embosomed. **-parti** piece of woodland; woodland scene. **-rider** (*en -e*) forest supervisor. **-rig** (well-) wooded, well-timbered. **-rydning** forest clearing. **-sanger** zo wood warbler. **-skade** zo jay. **-slette** glade. **-snegl** zo black slug. **-sneppe** zo woodcock. **-stjerne** ♣ chickweed wintergreen. **-strækning** woodland. **-svin** litter lout, (*amr*) litterbug. **-syre** ♣ wood sorrel. **-sø** forest lake. **-trold** woodland troll. **-træ** forest trée. **-tur** outing in the woods, picnic. **-tykning** thicket. **-vej** forest road, road through a wood. **-viol** ♣ wood violet. **-æble** crab (apple). **-økse** felling-axe.

skrab (*et*) scrape, (*lyd, ogs*) scraping sound; (*rak*) trash.
skrabe *vb* scrape (*fx* a carrot, one's elbow, one's chin (= shave), a ship's bottom, hides, a dish; scrape with one's feet); (*~ skæl af*) scale; (*fiske*) dredge (*fx* for oysters); (*kradse*) scratch; *bukke og ~* bow and scrape; *-t byggeri* austerity building;

~ sammen scrape together; *brød med -t smør* bread and scrape; *~ til sig* scrape money together, feather one's nest; *blive -t ud* (med.) be curetted. **skraber** (*en -e*) scraper; (*til at fiske med*) dredge; *slibe sig en ~* take a nap.
skrabnæsespil spillikins.
skrabsammen (*et*) scratch collection, trash.
skrabud (*et*) a bow and a scrape.
skral *adj* (*om vinden*) scant; *det er -t med ham* he is poorly; *det er -t med forretningerne* business is slack.
I. **skrald** (*et -*) clap, peal, crack (*fx* of thunder); (*af trompet etc*) blare; *tage -et* face the music.
II. **skrald** (*et*) (*affald*) refuse, rubbish.
I. **skralde** (*en -r*) rattle; (*på værktøj*) ratchet.
II. **skralde** *vb* (*runge*) peal. (*skratte*) rattle; (*om trompet etc*) blare; *en -nde latter* a roar of laughter, a guffaw.
skralde|bøtte dustbin; (*amr*) garbage can. **-mand** dustman, scavenger, garbage collector, (*amr*) garbage man. **-vogn** dustcart; (*bil ogs*) refuse -collection truck.
skralle *vb* ♣ haul forward.
skramle *vb* clatter, rattle; (*om vogn*) rumble, rattle; *~ med* rattle. **skramlekasse** (*om bil*) rattle-trap, old tin can, (*amr ogs*) jalopy. **skramlen** (*en*) clattering, rattling; rumbling.
I. **skramme** (*en -r*) (*rift, ridse*) scratch, (*efter slag, stød*) bruise. II. **skramme** *vb* scratch; bruise.
skrammel (*et*) lumber, rubbish, junk.
skrammellegeplads junk playground, adventure playground.
skrammet *adj* (*med rifter*) scratched, (*forslået*) bruised, battered, (*arret*) scarred.
skranke (*en -r*) bar, barrier; (*jur*) bar; (*alter-*) altar rail; (*disk*) counter; (*fig*) barrier, bar, (*grænse*) bound; *sætte -r for* set bounds to; *træde i -n for* take up the cudgels for, champion.
skrante *vb* be ailing, be in poor health.
skrap (*streng, hård*) sharp, severe, harsh, hard, rigorous; (*hvas i munden*) sharp-tongued; (*vanskelig, ubehagelig, urimelig*) stiff, tough; (*vovet*) risky, spicy (*fx* stories); (*kraftigt virkende*) drastic, (*om kulde*) sharp, severe, hard; (*dygtig*) sharp, smart (*til:* at); *~ farve* harsh (*el.* garish) colour.
skratte *vb* (*skralde*) rattle; (*om skydevåben*) rattle, crack; (*om blæseinstrument*) blare; (*om pen*) scratch; (*skurre*) grate (*fx* a grating voice); (*om fugl*) chatter; (*le*) roar with laughter, guffaw. **skratten** (*en*) rattle, rattling; cracking; blare; scratching; grating; chatter.
skravere *vb* hatch. **skravering** (*en -er*) hatching.
skravl (*et -*) weakling.
I. **skred** (*et -*) (*lavine*) avalanche; (*jord- og fig*) landslide, (*mindre*) earth slip, (*sammenstyrtning*) subsidence; (*prisfald*) slump; *komme i ~* (*fig*) begin to move; get going; *være i ~* (*fremgang*) make progress.
II. **skred, skredet** *se* **skride**.
skreg,..skreget *se* **skrige**.
skrev, skrevet *se* **skrive**.
skribent (*en -er*) writer, author, man of letters.
skribentvirksomhed literary activity.
skrible *vb* scribble. **skribler** (*en -e*) scribbler.
skride (*skred, skredet*) (*gd*) stalk, stride; (*glide*) slip, (*om bil*) skid; (*om tid*) pass, wear on; (*sætte aks*) ear; (*gå sin vej*) T make oneself scarce, pop off; (*dumpe til eksamen*) T be ploughed, (*amr*) be flunked; (*gå fallit*) T go bust; *nu -r det* (*fig*) now we are getting somewhere; *~ frem(ad*) proceed, (*gøre fremskridt*) progress; *~ ind* take measures (*el.* action) (*mod:* against), step in, interfere; *~ sammen* fall in, (*ogs fig*) collapse; *~ til* proceed to (*fx* they proceeded to divide the money); (*ty til*) resort to (*fx* other measures); *~ til handling* take action; *~ ud* (*om stof*) give way, (*om bilhjul*) skid.
skrid|fast, -fri, -sikker *adj* non-skid (*fx* tyre).
skridt (*et -*) pace, step; (*anat og i benklæder*) crutch; (*lysken*) groin (*fx* a kick in the groin); (*foranstaltning*) step, measure, move; *~ for ~* step by step; *foretage de*

nødvendige ~ take the necessary steps; *gøre* ~ *til at* take steps to; *i* ~ *(-gang)* at a walking pace; *med raske* ~ at a rapid pace; *retslige* ~ legal proceedings; *tage -et fuldt ud (fig)* go the whole hog; *holde én tre* ~ *fra livet* keep sby at arm's length *(el.* at a distance).

skridte *vb:* ~ *af (afmåle)* pace out; ~ *fronten af* ⚔ walk down the front; ~ *ud* step out.

skridt|gang: *i* ~ at a walking pace. **-måler, -tæller** pedometer. **-vis** step by step.

I. **skrift** *(en) (hånd-)* (hand)writing; *(typ)* type; *(skrifttype)* fount; *(modsat tale)* writing; *-en, den hellige* ~ (Holy) Scripture, Holy Writ; *have en god* ~ write a good hand.

II. **skrift** *(et -er)* book, publication; *(afhandling)* treatise, paper; *(pjece)* pamphlet; *-er (ogs)* writings; *samlede -er* (complete *el.* collected) works.

skriftbillede *(typ)* type face.

I **skrifte** *(et)* confession.

II. **skrifte** *vb* confess *(for:* to).

skrifte|barn penitent. **-fader** (father) confessor.

skriftekspert handwriting expert, graphologist.

skrifte|mål *(et* ~ *)* confession; *privat* ~ auricular confession; *modtage ens* ~ hear sby's confession. **-stol** confessional.

skrift|fortolkning exegesis. **-kasse** *(typ)* type case. **-klog** *(bibelsk)* scribe.

skriftlig *adj* written, in writing; ~ *eksamen* written examination; ~ *opgave* exercise, paper. **skriftligt** *adv* in writing, in black and white *(fx* I want your promise in w. *(el.* in black and white); *(pr. brev)* by letter *(fx* inform him by letter).

skrift|linie *(skreven)* written line, *(typ)* alignment (of type). **-prøve** *(en -r)* specimen of handwriting *(,*of type). **-rulle** scroll. **-sprog** written *(el.* literary) language. **-sted** text. **-støber** type founder. **-støberi** *(fabrikken)* type foundry. **-støbning** type founding. **-størrelse** size of type. **-tegn** character. **-træk** *(et* ~ *)* stroke. **-type** *(kursiv etc)* type; *(Caslon etc)* fount.

skrig *(et* ~ *)* cry, *(stærkere)* scream, shriek, *(skingrende)* screech; *(skrål)* squall, bawl; *(hyl)* yell; *(hvin)* squeal; *(af dyr)* cry, call, *(af krage)* caw(ing), *(af papegøje)* screech, *(af ravn)* croak(ing), *(af påfugl)* scream, *(af ugle)* hoot(ing); *(protest-)* outcry; *(om hængsel etc)* creak, squeak; *give et* ~ *(fra sig)* give (el. utter) a cry, cry out, scream, shriek; *det sidste* ~ *(nyeste ny)* the last word *(i hatte:* in hats), the latest craze.

skrige *(skreg, skreget) (råbe)* cry; *(stærkere)* scream, shriek *(fx* with pain), *(skingrende)* screech, *(brøle)* bawl, *(skråle)* squall, *(hvine)* squeal; *(om dyr)* cry, call, scream; *(om krage)* caw, *(om papegøje)* screech, *(om ravn)* croak, *(om påfugl)* scream, *(om ugle)* hoot, *(om svin)* squeal; *(knirke)* squeak, creak; *råbe og* ~ bawl; ~ *af glæde* shout with joy; ~ *af latter* shriek with laughter; ~ *op* cry out, squall, scream; ~ *op om* raise an outcry about.

skrige|ballon squeaking balloon. **-dukke** squeaking doll; *(om person)* squaller, cry-baby.

skrigen *(en)* screaming *(etc se skrige).*

skrigende *adj* screaming *(etc se skrige); (fig)* glaring *(fx* contrast); flagrant; *(om farve)* glaring, garish, loud.

skrighals squaller; *(især barn)* cry-baby.

skrin *(et* ~ *)* chest, case, box; *(relikvie-)* reliquary, *(helgen-)* shrine; *stikke ham en på -et* T sock him.

skrinlægge *(opgive)* abandon, shelve; *(i helgenskrin)* enshrine.

skrive *(skrev, skrevet)* write *(fx* learn to write; write well; write one's name); *(i hast)* scribble; *(på maskine)* type; *(føre på éns regning)* put down to sby *(fx* put it down to me), charge to sby's account *(fx* she ordered it to be charged to her account); ~ *én (o: der har forbrudt sig)* book sby, take sby's name and address; *hvad -r vi i dag?* what date is it (today)? *den der -r disse linier* the present writer; *hvorledes -s Deres navn?* how do you spell your name? *det skrevne ord* the written word; *som skrevet står* as it says in Holy Writ;

[*m præp & adv*] ~ *'af* copy *(efter:* from), *(på uærlig vis)* crib *(efter:* from), *(på regnskab)* write off; ~ *sig ngt* **bag** *øret* make a mental note of sth; ~ *bag på en check* endorse a cheque; *'*~ **efter** *(= rekvirere)* write for; ~ *noget efter ens diktat* write sth at sby's dictation; ~ *ens håndskrift 'efter* imitate sby's handwriting; ~ *ens underskrift 'efter (o:* ved bedrageri) forge sby's signature; ~ *(o: debitere) ham* **for** *det* charge it to his account, put it down to him; ~ *ham for £5 (om bidrag)* put him down for £5; ~ *sig for £10* subscribe £10; ~ *sig* **fra** be derived from, *(fra person)* originate with, *(datere sig fra)* date from; ~ *sig* **fri** *af ngt (om forfatter)* get sth out of one's system; ~ **i** *et blad* contribute to a paper, write for a paper; *skrevet i hånden* written by hand, hand-written; *det stod skrevet i hans ansigt* it was written all over his face; ~ **ind** *(i en bog)* enter, book, *(renskrive fx en stil)* make a fair copy of; *navnet -s med h* the name is spelt *(el.* written) with an h; *skrevet med blæk* written in ink; ~ **ned** *(notere)* write down, *(især efter diktat)* take down, *(i værdi)* write down, *(om vare i butik)* mark down; ~ **'om** *(igen)* rewrite; *'*~ **om** *(berette om)* write about, *(behandle)* write on; ~ **op** *(notere)* write down, *(ordinere)* prescribe, *(forhøje prisen på)* write up, *(om vare i butik)* mark up; ~ **på** *en bog* work at a book, be writing a book; ~ *ngt* **rent** make a fair copy of sth; ~ **til** *en* write to sby; ~ *ngt 'til (= tilføje)* add sth; ~ **ud** *(afskrive)* copy (out), *(fylde med skrift)* write full; ~ *ordet helt ud* write the word in full; ~ **uden** *på et brev* address a letter; ~ *(ngt)* **under** sign (sth); ~ *under på (fig)* endorse; *det navn (o: pseudonym) han -r under* his pen-name; *skrevet under et falsk navn* written under a false name.

skrive|blok writing-pad. **-blæk** writing-ink. **-bog** exercise book, copybook. **-bord** (writing-) desk; *(stort)* writing-table. **-bords-** desk; *(fig: teoretisk)* armchair *(fx* strategist). **-bordsstol** desk chair. **-fast:** ~ *papir* sized paper. **-fejl** slip of the pen. **-garniture** writing-set. **-hæfte** *se -bog.* **-kløe** itch to write. **-krampe** writer's cramp. **-kridt** white chalk.

skrivelse *(en -r)* letter *(fx* in reply to your letter of 25th April).

skrive|lærer writing-master. **-maskindame** typist. **-maskine** typewriter; *skrive på* ~ type, typewrite. **-maskinepapir** typing paper. **-materialer** stationery, writing-materials. **-måde** *(stil)* style (of writing); *(stavemåde)* spelling. **-papir** writing-paper, notepaper. **-pult** (writing-)desk. **-rekvisitter** *(pl)* writing-materials.

skriveri *(et -er) (neds)* scribbling.

skrive|sager writing-materials, stationery. **-tavle** (writing-)slate. **-time** writing-lesson. **-tøj** writing -set, inkstand. **-underlag** blotting-pad.

skrivning *(en)* writing.

skrofulose *(en)* scrofula. **skrofuløs** scrofulous.

skrog *(et* ~ *) (af skib, flyvemaskine)* hull, *(af dyr)* carcass; *(af æble)* core; *et (stakkels)* ~ a poor wretch, a weakling, a crock; *et skikkeligt* ~ a harmless fellow.

skroget *adj* miserable; sickly.

skrot *(en el. et) (afskårne metalstykker)* scrap.

skrub *(et): tage -bet* do the dirty work.

I. **skrubbe** *(en -r)* scrubber, scrubbing-brush.

II. **skrubbe** *(en -r) (fisk)* flounder.

III. **skrubbe** *vb* scrub; *skrub af!* clear out! hop it! *(amr)* scram! *skrub i seng med dig!* go to bed and be quick about it! ~ *ud* clear out; *(se ogs skrubhøvle).*

skrubbet *adj (ru; ogs fig)* rough.

skrubhøvl *(en)* roughing plane, rough-plane.

skrubhøvle *vb* rough-plane.

skrubtudse toad; *(fyrværkeri)* rip-rap, jumping Jack.

skrud *(et* ~ *)* vesture; *mit fineste* ~ T my Sunday best, my best bib and tucker.

I. **skrue** *(en -r)* screw; ⚓ screw, propeller; *(på violin etc)* peg; *højreskåren* ~ right-handed screw; *venstreskåren* ~ left-handed screw; *have en* ~ *løs (fig)* have a screw loose; *sætte sine ord på -r (tale kunstlet)* mince one's words; ~ *uden ende* endless screw; *(fig)* vicious spiral.

II. **skrue** *vb* screw; *(isen)* press together *(fx* the wind pressed the ice together), *(om is)* pack *(fx* the ice packs round the ship); be packed together; *(i sport)* screw *(fx* a ball); ~ *af* unscrew, screw off; ~ *fast* screw up, fasten with screws; ~ *fra* unscrew, screw off; ~ *i* screw in; ~ *i bund* screw home; ~ *i vejret: se* ~ *op*; ~ *løs* unscrew, loosen; ~ *ned (for)* turn down; *skibet blev -t ned af isen* the ship was pressed down by the ice; ~ *op (*~ *i vejret)* screw up *(fx* the rents), force up, drive up, *(åbne,* ~ *løs)* unscrew; ~ *op for* turn up, *(lukke op for)* turn on *(fx* the water); ~ *på (= dreje)* screw, turn; ~ *ngt 'på* screw sth on, fasten sth with screws; ~ *ngt 'til (lukke med skruer)* screw sth down; ~ *tiden (el. udviklingen) tilbage* put back the clock; ~ *ud* screw out, unscrew.

skrue|aksel propeller shaft. **-bakterier** *pl* spirilla. **-blad** ⚓ propeller blade. **-blyant** propelling pencil. **-brækker** *(en -e)* blackleg, *(amr)* scab. **-damper, -dampskib** screw steamer. **-gang, -gænge** (screw) thread. **-hoved** screw head. **-is** pack ice. **-låg** screw cap. **-nøgle** spanner, wrench; *svensk* ~ adjustable spanner, *(især amr)* monkey wrench. **-skib** screwship. **-stik** *(en)* vice, *(amr oftest)* vise; *holde ngt fast som i en* ~ hold sth in a vice-like grip. **-stol** swivel chair.

skruet *adj (affekteret)* affected; *(højstemt)* high -flown, bombastic; *(søgt)* strained, far-fetched.

skrue|trækker *(en -e)* screwdriver. **-tvinge** *(en -r)* cramp, clamp.

skruk *adj (liggesyg)* broody. **skrukhøne** *(liggesyg høne)* broody hen, *(rugende)* brooding hen, *(m kyllinger)* hen with chickens.

skrumle *vb* rumble. **skrumlekasse** = *skramlekasse.*

skrummel *(et)* big unwieldy thing, monstrosity, *(vogn)* lumbering vehicle; *(person)* lump.

skrumpe *vb:* ~ *ind,* ~ *sammen* shrink, shrivel (up); *(fig)* shrink.

skrumpenyre cirrhosis of the kidney.

skruning *(en -er)* screwing; *(pres af is)* packing, *(samling af is)* ice pack.

skrup|el *(en -ler): jeg gør mig ingen -ler ved at gøre det* I have no scruples about doing it, I don't scruple to do it. **skrupelløs** *adj* unscrupulous.

skrup|forelsket: ~ *i hende* completely gone on her. **-forkert** *adj* all wrong. **-gal** *adj* crazy, mad as a hatter, stark staring mad; *(-forkert)* all wrong. **-grine** *vb* guffaw. **-kedelig** *adj* deadly dull. **-skør** *se -gal.* **-sulten** ravenously hungry. **-tøsset** *se -gal.*

skrut: *få ngt i -ten* have a good tuck-in *(el.* feed). **skrutrygget** *adj* round-shouldered.

skryde *vb* bray; *(prale)* brag, boast *(af:* of).

skryden *(en)* bray(ing); *(pral)* bragging, boasting.

skryder *(en -e)* braggart.

skrædder *(en -e)* tailor; *(skrog)* weakling; *(kujon)* coward; *det forslår som en* ~ *i helvede* it is like a snowball in hell. **skrædderbutik** tailor's shop.

skrædderere *vb* tailor.

skrædderi *(en -er) (håndværket)* tailor's trade, tailoring; *(det udførte arbejde)* tailoring; *(butik)* tailor's shop.

skrædder|kridt tailor's chalk. **-lære:** *blive sat i* ~ be apprenticed to a tailor. **-mester** (master) tailor. **-regning** tailor's bill. **-stilling:** *sidde i* ~ sit cross-legged. **-svend** journeyman tailor. **-syet** tailored, bespoke, *(amr)* custom-made. **-syning** dressmaking; *(om herretøj)* bespoke tailoring, *(amr)* custom tailoring. **-værksted** tailor's workshop.

skræk *(en) (frygt)* fear, *(stærkere)* terror, *(pludselig)* fright, alarm; *(noget skrækindjagende)* terror, an object of dread; *straffe en til* ~ *og advarsel* as a deterrent (to others); *straffe en til* ~ *og advarsel* make an example of sby; *af* ~ *for* for fear of; *dø af* ~ be frightened to death; *ryste af* ~ tremble with fear; *få en* ~ *i livet*

get frightened, get a fright; *jage én en* ~ *i livet* give sby a fright; *have en* ~ *for* be mortally afraid of, *(uvilje)* have a violent aversion to; *indjage én* ~ strike terror into sby; *han er min* ~ he is my pet aversion; *panisk* ~ panic terror, panic; ~ *og rædsel* fear and dread; *slippe med -ken* be more frightened than hurt.

skrækindjagende *adj* terrifying.

skrækkelig *adj (rædselsvækkende)* terrible, dreadful, frightful, horrible; *(stor, umådelig)* terrific, awful, terrible; *adv* awfully, terribly, dreadfully, horribly.

skrækslagen *adj* terror-stricken.

skræl *(en -ler)* peel; *(som kan trækkes af, fx banan-)* skin. **skrælle** *vb* peel, pare; ~ *(: flå) af* rip off. **skrælleknive** paring-knife.

skrælling *(en -er) (person)* weakling.

skræmme * scare, frighten, *(pludselig)* startle; ~ *livet af en* frighten sby to death; ~ *en fra at gøre noget* frighten sby out of doing sth; ~ *en agerhøne op* start a partridge.

skræmme|billede bogey. **-skud** warning shot.

skrænt *(en -er)* (steep) slope, (face of a) cliff.

I. **skræppe** *(en -r)* ⚓ dock.

II. **skræppe** *vb (om ænder)* quack; *(om gæs)* cackle; *(om skader)* chatter; *(om person)* = ~ *op* chatter, cackle, jabber.

skræv *(et) (legemsparti; på benklæder)* crutch, fork. **skræve** *vb* straddle; ~ *over (: stå, sidde over)* straddle, *(passere)* stride over; *med -nde ben* with legs far apart.

skrøbelig *adj (skør)* brittle, fragile; *(svag)* frail, weak, feeble; *(om karakteren)* frail, weak.

skrøbelighed *(en -er)* brittleness, fragility; frailty, weakness, feebleness; *(svagt punkt)* weakness, infirmity, frailty, failing; *weak point; menneskelig* ~ human weakness.

skrømt *subst: gøre noget på* ~ pretend to do sth, *make a show (el. a pretence) of* doing sth; *gøre modstand på* ~ make a show of resistance.

skrøne *(en -r)* cock-and-bull story, tall story.

I. **skrå** *(en) (tobak)* chewing-tobacco; *en* ~ a quid, a plug; *en rulle* ~ a twist of chewing-tobacco.

II. **skrå** *(en) (groftmalet korn)* crushed corn, grits.

III. **skrå** *vb (tygge skrå)* chew tobacco.

IV. **skrå** *vb (groftmale)* crush.

V. **skrå** *vb (skråne)* slant; *(klippe skråt)* cut (on the) bias; *(gå i skrå retning)* slant; ~ *over gaden* cross the street diagonally.

VI. **skrå** *adj* sloping *(fx* shoulders); slanting *(fx* handwriting, eyes); oblique *(fx* line); inclined *(fx* plane); *de* ~ *brædder* the stage, the boards; ~ *kant* chamfered edge, bevel; *i* ~ *stilling* sloping, slanting; *på* ~, *skråt (adv)* obliquely, on the slant, slantingly; *klippe stof på* ~ cut material on the bias; *lægge hovedet på* ~ put one's head on one side; *-s over for* diagonally opposite.

skrå|bjælke diagonal brace; *(heraldisk)* bend. **-hue** *(amr)* overseas cap, garrison cap.

skrål *(et -)* bawl, shout, yell, *(babys)* squall.

skråle *vb* bawl, shout, yell, *(om baby)* squall; *(græde)* howl; ~ *en ordre* bawl out an order; ~ *op* = *skråle, (i protest)* clamour. **skrålhals** vociferous person, bawler; *(om barn)* cry-baby.

skråne *vb* slope, slant; *-nde* sloping, shelving.

skråning *(en -er)* slope; *(hævning ogs)* rise, *(sænkning ogs)* declivity; *(stejlhedsgrad)* gradient; *(bakke, skrænt)* slope, hillside.

skrå|parkering angle parking. **-plan** *(et)* inclined plane; *(fig)* downward path, slippery slope *(fx* the country is going down the s. s.); *det er et* ~ *at komme ind på* it is the thin end of the wedge. **-pude** *(omtr =)* bolster.

skrås *se* VI. **skrå.**

skrå|skrift *(en)* italics. **-tobak** chewing-tobacco. **skråtstillet** oblique. **skråvæg** sloping wall.

skub *(et -)* push, *(kraftigt)* thrust; *der er* ~ *i ham* he has plenty of push; *sætte* ~ *i ngt* hurry up sth; *sætte på* hurry up.

skubbe *vb* push, shove, *(voldsomt)* thrust; ~ *bag på* push; ~ *bag på ngt* push sth forward; ~ *ansvaret (,pligterne) fra sig* shirk one's responsibility (,one's duties); ~ *ngt over på en anden* push sth on to sby else; ~ *til én* push sby, give sby a push, *(tilskynde)* push sby on; ~ *til den hældende vogn (omtr =)* hit a man when he is down; ~ *til side* push (,thrust) aside; *(fig)* brush *(fx* his objections) aside. **skubber** *(en -e)* pusher.

skud *(et -) (af plante)* shoot; *(efterkommer)* scion; *(med skydevåben og i fodbold,* T *om indsprøjtning)* shot; *(ladning, patron)* round; *(signal-)* gun; *(knald)* report; *se ogs* II. **skod;** *der faldt et* ~ a shot was fired; *et* ~ *for boven* ⚓ a shot across the bows; *stå for* ~ *(være skudvant)* be steady under fire, *(udsat for beskydning)* be under fire, *(ikke vige)* stand fire, *(få ubehageligheder)* catch it, *(kritik etc)* come under fire; *få et* ~ *i armen* be shot in the arm; *-det gik af* the gun (, pistol, etc) went off; *være i -det* be successful; be fashionable; *(være oplagt)* be in form; *et* ~ *krudt* a shot, a bullet; *ikke et* ~ *krudt værd* not worth powder and shot; *løsne (el. affyre) et* ~ fire a shot; *løst* ~ blank shot; *på* ~ *(inden for skudvidde)* within range; *skarpt* ~ round.

skuddag intercalary day.

skuddermudder: *gå i* ~ go to rack and ruin, T go to pot.

skude *(en -r)* (small) craft, ship *(fx* desert the sinking ship), *(neds)* old tub; *(kvinde)* big lump of a woman. **skudefuld:** *en* ~ *suppe* a big helping of soup.

skud|hold *se -vidde.* **-linie** *(kuglebane)* trajectory; *(sigtelinie)* line of sight; *(skudfelt)* field of fire. **-sikker** bullet-proof; *-t rum* bomb-proof shelter.

skudsmål character.

skudsmålsbog *(glds)* servant's conduct book.

skudsår bullet wound; gunshot wound.

skudt *perf part af skyde;* *være* ~ *i én* *(forelsket i)* be sweet on sby, have a crush on sby.

skud|vidde range; *på* ~ within range; *uden for* ~ out of range. **-vinkel** ⚔ angle of elevation. **-år** leap year.

I. **skue** *(et) (syn, udsigt)* sight, spectacle; *(udstilling)* show; *bære til* ~ make a display of; *bære sine følelser til* ~ wear one's heart on one's sleeve; *stille til* ~ display, *(med stolthed)* show off, make a display of; *(frækt)* flaunt *(fx* one's vices).

II. **skue** *vb* see, behold; *det er pragtfuldt at* ~ *it* is a magnificent sight.

skue|brød shewbread. **-plads** *(teater)* theatre; *(scene)* scene *(fx* a short time after the police arrived on the scene). **-ret** show dish. **-spil** play; *(optrin)* scene, spectacle. **-spildigter** playwright, dramatist.

skuespiller *(en -e)* actor. **skuespiller|faget** the theatrical profession. **-foyer** green-room. **-inde** *(en -r)* actress. **-kunst** dramatic art; *(det at spille)* acting. **-trup** theatrical company.

I. **skuffe** *(en -r) (i møbel etc)* drawer, *(penge-ogs)* till; *(aske-)* ash pan; *(skovl)* scoop; *(mund) (sl)* trap; *af første* ~ *(fig)* first-class, out-and-out; *af samme* ~ *(fig)* of the same kind.

II. **skuffe** *vb (skovle)* shovel; *(m skuffejern)* hoe, weed.

III. **skuffe** *vb (ikke opfylde forventning)* disappoint; *-t kærlighed* disappointed love; *-t i kærlighed* disappointed *(el.* crossed) in love; *-t over en* disappointed in *(el.* with) sby; *-t over ngt* disappointed in *(el.* at) sth; ~ *ens tillid* let sby down; *(se ogs skuffende).*

skuffedari|um *(et -er) (kommode)* chest of drawers; *se ogs skuffemøbel.*

skuffejern Dutch hoe.

skuffelse *(en -r)* disappointment.

skuffemøbel *(kommode)* chest of drawers; *(kartotek)* card-index (cabinet).

skuffende *adj* deceptive, striking *(fx* likeness); *ligne ngt (,én)* ~ be remarkably like sth (,sby); *det ligner* ~ it is true to the life.

skuld|er *(en -re)* shoulder; *vise én en kold -er* give

sby the cold shoulder; *klappe én på -eren* pat sby's shoulder; *trække på -rene* shrug one's shoulders; *trække på -rene ad ngt* shrug sth off; ~ *ved* ~ shoulder to shoulder.

skulder|blad shoulder blade, scapula. **-bred** *adj* broad-shouldered. **-klap** *(et)* pat on the shoulder. **-led** *(et -)* shoulder joint. **-strop** shoulder strap **-søm** *(en -me)* shoulder seam. **-taske** shoulder bag. **-træk** *(et -)* shrug (of the shoulders).

skuldre *vb* shoulder; *godt -t (fig)* well done.

skule *vb* scowl; ~ *til* scowl at; *-nde blik* scowl.

skulen *(en)* scowl.

skulke *vb* shirk (one's duty); ~ *fra en forelæsning* cut a lecture; ~ *fra skolen* play truant, *(amr ogs)* play hooky. **skulkeri** *(et)* shirking; *(i skole)* truancy.

skulle *(skal, skulle, skullet)*
a) *(befaling):* skal must, *(især højtideligt)* shall; *(i direkte ordre)* will *(fx* you will report at headquarters at once); *du skal gøre hvad der bliver sagt* you must *(el.* shall *el.* are to) do what you are told; *sige til at han skal gøre ngt* tell sby to do sth; *hvad skal jeg gøre?* what am I to *(el.* shall I) do? T what do I do (now)? *hvad vil du have jeg skal gøre?* what do you want me to do? *jeg vidste ikke hvad jeg* ~ *gøre* I did not know what to do; *det skal du ikke være sikker på* don't be too sure (of that)!

b) *(pligt, nødvendighed)* be obliged to; *jeg skal gå nu* I must go now; ~ *(= burde)* should, ought to *(fx* I should *(el.* ought to) have been more careful; should I open the door? you ought to know better; it ought not to be allowed; you should not speak so loud; you should have seen him); *du* ~ *hellere lade være* you had better not;

c) *(løfte):* skal *(i 1. person)* will, *(i 2. og 3. person)* shall; *hvis du er artig skal du få bogen* if you are a good boy you shall have the book; *jeg skal nok være artig for fremtiden* I'll *(el.* I will) be a good boy in future;

d) *(bestemmelse, besked, aftale)* be to; *det* ~ *ikke så være* it was not to be; *jeg skal underrette dig om at* I am to inform you that; *hvad skal jeg der?* what am I to do there? *vi skal mødes kl 5* we are to meet at 5 o'clock;

e) *(det umiddelbart forestående)* be going to, be about to, be on the point of; *jeg* ~ *lige til at begynde* I was just going to begin; *jeg skal ud at spadsere* I am going out for a walk;

f) *(siges at)* be said to, be reported to; *han skal være rig* he is said to be rich;

g) *(andre tilfælde:) du skal altid kritisere* you are always criticizing; *hvorfor skal du altid kritisere?* why must you always criticize? *hvad skal det betyde?* what's the meaning of that? what do you mean? *det* ~ *gøre mig ondt hvis* I should be sorry if; *skal jeg gøre det?* shall I do it? would I do it? would you like me to do it? *hvis vi* ~ *tabe (el.* ~ *vi tabe)* if we should be defeated, should we be defeated; *for at hun ikke* ~ *høre det* in order that she should not hear it; *hvor skal De hen?* where are you going? *jeg skal hjem* I am going home; *hvad skal du her?* what are you doing here? *hvad skal det koste?* how much is it? *(el.* will it be?); *skal du noget i aften?* are you doing anything this evening? are you going out tonight? *det skal jeg ikke kunne sige* I couldn't tell; *så* ~ *da også!* damn it all! *man* ~ *tro .* . one would think . .; *du* ~ *vel ikke vide* do you by any chance know; *hvordan* ~ *jeg vide* how should I know; *hvad det skal* **være** anything; *hvad det skal være?* *(i butik)* what can I do for you, sir? *hvis det skal være* if necessary; *hvor det skal være* anywhere; *nu skal jeg være der!* coming! *når det skal være* any time! *det* ~ *ikke så være* it was not to be; *det* ~ *da være i Kina* except perhaps in China; ~ *det være en anden gang* any other time you like; *det* ~ *være en vittighed* it was meant for a joke;

[m. præp & adv] jeg skal af her I want to get off here, this is where I get off; *jeg skal i skole* I am going to school; *hvad skal jeg med det?* what am I to do

with that? what do you want me to do with that?
skibet skal til *England* the ship is bound for England;
~ *'til (behøves)* be required, be necessary; *hvad skal
det til? (hvad nytter det)* what is the good of that?
(hvad skal det gøre godt for) T what's that in aid of?
der skal så lidt til at glæde et barn it takes so little
to make a child happy; *der ~ 4 mand til at holde ham*
it took 4 men to hold him; *jeg skal* ud *i aften* I'm
going out tonight.

skulpe *(en -r)* ⚘ silique.

skulptur *(en -er)* sculpture. **skulpturarbejde**
sculpture. **skulpturel** *adj* sculptural.

skum *(et) (på vand; ogs til brandslukning)* foam;
(-sprøjt) spray; *(om munden)* foam, froth; *(sæbe-)*
foam, lather; *(hos hest)* foam, lather; *(på øl)* foam,
head, froth; *(på saft, på kogende suppe)* scum; *(cham-
pagne)* T bubbly *(fx* a bottle of bubbly).

skum|bedækket *adj* covered with foam, *(om hest
ogs)* (all) in a lather. **-gummi** foam rubber. **-kam**
crest of foam.

skumle *vb* grumble *(over:* about); *der -s om at*
it is whispered that. **skumler** *(en -e)* grumbler.
skumleri *(et -er)* grumbling.

I. **skumme** *vb (om havet, om øl)* foam, froth;
(om sæbe) foam, lather; *(om vin etc)* sparkle, *(mous-
sere)* effervesce, *(om sodavand)* fizz; *(om hest)* foam,
be in a lather; *(af raseri)* fume, foam (with rage);
(se ogs skummende).

II. **skumme** *vb (mælk etc)* skim; ~ *fløden (af
mælken)* skim the cream off the milk; ~ *fløden af
ngt (२: det bedste)* take *(el.* skim) the cream of sth.

skummel *adj* sinister *(fx* look), forbidding *(fx*
place, face); *(mørk)* sombre, gloomy; *(slem)* nasty,
ugly; ~ *fyr* ugly customer; ~ *hensigt* sinister purpose;
omgås med skumle planer om at harbour sinister
designs to *(el.* of -ing).

skummende *adj* foaming, frothy; *(om hest)*
foaming; lathered; *(om vin)* sparkling, effervescent;
(af raseri) fuming.

skummetmælk skim-milk, skimmed milk.

skumpelskud *(et -)* outcast, scapegoat.

skumple *vb* jolt, bump.

skumre *vb: det -r* night is falling, it is getting dark.

skumring *(en)* dusk, twilight, gloaming.

skum|ske *(en -er)* skimmer. **-slukker** *(en -e)* foam
extinguisher. **-sprøjt** *(et)* spray. **-sprøjte** *(en -r)*
foam fire-engine. **-sved** *(på hest)* lather.

skunk *(en -s) zo* skunk.

skur *(et -e)* shed; *(m. halvtag)* lean-to; *(læskur)*
shelter; *(hytte)* shanty, hut.

I. **skure** *(en -r) (rille)* groove; *(hak i træ etc)*
notch, nick; *i den gamle ~ (fig)* in the old groove.

II. **skure** *vb (for at rense etc)* scour, scrub, *(m
skuresten)* holystone; *(gnide hårdt (mod))* scrape,
rub, grind, *(ridse etc)* score.

skure|børste scrubbing-brush. **-kone** char-
woman. **-pulver** scouring-powder. **-sten** *(geol)*
striated stone. **-striber** *pl (geol)* glacial striae.

skurk *(en -e)* villain, scoundrel; *(i drama, roman)*
villain; *(spøgende)* rascal, rogue. **skurkagtig** *adj*
villainous, scoundrelly. **skurkagtighed** *(en)* villainy.

skurke|fjæs hang-dog face. **-streg** piece of vil-
lainy, T dirty trick.

skurre *vb* grate, jar; ~ *i ørerne* grate *(el.* jar) on
the ear.

skurren *(en)* grating, jarring.

skurv *(en) (med.)* favus; ⚘ common scab.

skutte: ~ *sig* shake oneself.

skvadder *(et)* cackle. **skvadderhoved** ass, clot.

skvadre *vb* cackle.

skvadronere *vb* bluster, swagger.

skvadronør *(en -er)* blusterer, swaggerer.

skvalder *(en)* cackle. **skvalderkål** ⚘ goutweed.

skvaldre *vb* cackle; *(brovte)* swagger.

skvat *(et)* spineless individual, little rat, twirp;
han er et ~ he has got no guts; *(se ogs skvæt).*

skvatte *vb:* ~ *om* flop down; ~ *sammen* collapse.

skvulp *(et) (lyd)* splash, *(bevægelse)* lapping,
ripple. **skvulpe** *vb* ripple, splash, lap; ~ *over* splash
over. **skvulpen** *(en)* splashing, lapping.

skvæt *(et -) (lille portion)* spot, *(sprøjt)* spray.

sky *(en) (kødsaft)* gravy; *(kraftsuppe)* stock;
(stivnet) jelly.

II. **sky** *(en) (kødsaft)* cloud; *i vilden ~* at the top of
one's voice; *hæve til -erne (fig: rose)* laud *(el.* praise)
to the skies.

III. **sky** *(en) (frygt)* fear.

IV. **sky** *adj* shy *(for:* of); *blive ~ for (om hest)* shy at.

V. **sky** *vb* shun, avoid; *ikke ~ nogen møje* spare
no pains; *han -r ingen midler for at* he sticks at nothing
to; ~ *vand* repel water.

sky|banke *(en -r)* mass of clouds. **-brud** *(et -)*
cloudburst.

skyde *(skød, skudt) (puffe)* push, shove; *(om plan-
ter)* put forth *(fx* leaves), *(= vokse)* shoot, grow;
(om muldvarp) throw up earth; *(om og med skyde-
våben; i fodbold)* shoot *(fx* with a gun, with a bow
and arrows); *(stjæle)* pinch; *(typ)* lead (out);
skyd! fire! *(i fodbold)* shoot! *desertøren blev skudt*
the deserter was shot; ~ *en god fart* make good
headway; ~ *ham (skifte ham)* cast off the slough,
slough (the skin); *hans øjne skød lyn* his eyes flashed;
katten -r ryg the cat arches its back; ~ *et skud* fire a shot;
[*m. præp & adv*] ~ **'af** *(fjerne ved skud)* shoot off,
(affyre) fire, discharge, let off, *(pil)* shoot; ~ **efter**
shoot at; ~ *slåen* **'for** draw the bolt, bolt the door;
~ *én en kugle for panden* blow out sby's brains; ~
forbi *(fejl)* miss (the mark); ~ *ansvaret fra sig* shirk
one's responsibility; ~ *tanken fra sig* dismiss the idea;
~ *slåen fra* unbolt the door; ~ *ngt* **frem** push sth
forward; ~ *brystet* **frem** expand one's chest; ~ **frem**
(rage frem) jut (out), project, *(gro frem)* shoot;
~ **i** *sænk* sink; ~ *i vejret* shoot up; ~ *sig* **ind** *under
(undskylde sig med)* plead; ~ *nytår* **ind** let off fire-
works on New Year's eve; ~ *sig* **ind** ⚒ find the
range (by straddling the target); *hun skød med mig*
T she gave me the glad eye; ~ **ned** *(dræbe)* shoot
dead, shoot down, *(i luften)* bring down, shoot
down *(fx* a bird, an aeroplane); ~ **op** *(vokse)* shoot
up; ~ *ammunitionen op* use up *(el.* expend) the ammu-
nition; ~ *en dør* **op** push open a door; ~ *en ende* **op**
⚓ coil a rope; ~ **over** *målet* overshoot the mark;
~ **'på** *(skubbe)* push; '~ *på en* shoot at sby; *jeg -r
(२: gætter) på at* my guess is that; ~ *skylden* **på** lay
the blame on; ~ **sammen** *(२: skillinge sammen)* club
together; ~ **'til** *(bidrage)* contribute; '~ *til en* give
sby the glad eye; ~ *døren* **'til** push the door to; ~
til skive shoot at a target; ~ **ud** *(skubbe ud)* push out,
(opsætte) put off, *(affyre)* fire, discharge, *(fare ud)*
shoot out, dart out, *(rage ud)* jut (out).

skyde|bane shooting-range, ⚒ rifle range; *(over-
dækket)* shooting-gallery. **-bomuld** guncotton. **-dør**
sliding door. **-færdighed** marksmanship. **-hul** loop-
hole. **-lære** *(måleværktøj)* slide gauge. **-låg** slide,
sliding lid.

skyden *(en)* shooting. **skydepram** shooting punt.

skyder *(en -e) (slå)* sliding bolt; *(på instrument)*
slide; *(skydevåben)* T shooting-iron.

skyderi *(et -er)* (aimless) firing; *(ildkamp)* shooting
affray.

skyde|rigel sliding bolt. **-skive** target; *(fig)* butt.
-skår embrasure. **-stilling** firing position. **-telt**
shooting-booth. **-terræn** rifle range. **-vindue** *(op
og ned)* sash window, *(til siden)* sliding window.
-vold stop butt. **-våben** firearm. **-øvelse** target
practice; *(fægtningsskydning)* musketry practice;
(artilleri-) gunnery practice.

skydning *(en -er)* shooting, firing, fire; *(typ)*
leading; *begynde* **-en** open fire; *holde inde med* **-en**
cease fire.

skydække *(et)* cloud (ceiling).

skydækket, skyet *adj* cloudy, clouded.

sky|formation cloud formation. **-fri** cloudless,
unclouded. **-fuld** cloudy, clouded, overcast.

I. **skygge** (en -r) (modsat lys) shade; (-omrids) shadow (fx one's own shadow; long shadows); (på hat) brim; (på kasket) peak; (genfærd) shade, ghost; (antydning) shadow, shade (fx not a shadow (el. shade) of doubt), ghost (fx not the ghost of a chance (,of an idea)), particle (fx not a particle of truth); han er kun en ~ af sig selv he is the mere shadow of his former self; 15 grader i -n 15 degrees in the shade; stille en i ~ (fig) throw sby into the shade, outshine sby; følge én som en ~ follow sby like his shadow; kaste ~ throw (el. cast) a shadow.

II. **skygge** vb shade; (yde skygge) afford shade; (udspionere) shadow; ~ for én stand in sby's light; træet -r for huset the tree shades the house; ~ med hånden for øjnene shade one's eyes with one's hand.

skygge|agtig adj shadowy. **-billede** shadow figure (el. picture). **-boksning** shadow boxing. **-fuld**, **-givende** adj shady, shadowy. **-kabinet** shadow Cabinet. **-komedie** galanty show. **-konge** puppet king. **-løs** (se I. skygge) shadeless; shadowless; brimless. **-side** shady side, shade; (mangel) drawback; de der lever på livets ~ the outcasts of fortune. **-tilværelse**: føre en ~ (ɔ: updagtet) live in obscurity, (ɔ: trist) drag on a miserable existence. **-verden** (indbildt) shadowy (el. imaginary) world; (beboet af skygger) world of shades.

sky|hed (en) shyness. **-høj** adj sky-high. **-højde** height of cloud, cloud base. **-klapper** pl (ogs fig) blinkers; med ~ på in blinkers, blinkered. **-lag** (layer of) cloud.

skyld (en) (brøde) guilt; (forseelse, fejl) fault; (gæld) debt; (se ogs ejendoms-, grund-); bære (,få) -en bear (,get) the blame; forlad os vor ~ (i fadervor) forgive us our trespasses; fralægge sig al ~ for wash one's hands of; give én -en lay the blame (for sth) on sby, hold sby responsible (for: for); hvor ligger -en? whose fault is it? who is to blame? -en ligger hos ham the blame is his, the guilt lies with him; skyde -en på én lay the blame on sby; tage -en take the blame; det er (ikke) min ~ it is (not) my fault; være ~ i be the cause of; for ens ~ for sby's sake, for the sake of sby; for nogets ~ (af hensyn til) for the sake of sth (fx of the rhyme), (på grund af) for (fx marry sby for his money); for begges ~ for both their sakes; gør det for min ~ do it for my sake; for min ~ gerne I don't mind; for Guds ~ for God's sake; (se ogs form, gang, morskab, nemhed, orden, sag, sikkerhed, skam, syn, tilfælde); uden ~ blameless; han var uden ~ i ulykken he did not cause the accident, he was in no way to blame for the a.; uden egen ~ through no fault of one's own.

skyld|betynget conscience-stricken, guilty. **-bevidst** conscious of guilt, guilty. **-bevidsthed** guilty conscience, consciousness of guilt.

skylde * owe; (være i gæld) owe money; ~ én ngt owe sby sth, owe sth to sby, (kunne takke én for) owe sth to sby, be indebted to sby for sth; hun -r alle vegne she owes money all round; du -r dig selv at you owe it to yourself to; ~ for kost og logi owe for one's board and lodging; hvad -r jeg fornøjelsen (af Deres besøg)? to what do I owe this pleasure? hvad jeg -r mine lærere my indebtedness to (el. what I owe to) my teachers.

skyldes (være ubetalt) be owing (fx a large sum is still owing), be owed, (stamme fra; være forårsaget af) be due to (fx the difficulty is due to our ignorance), be owing to (fx his death was owing to an accident, stem from, be the work of; be caused by.

skyldfri adj guiltless, blameless, innocent.
skyldfølelse sense of guilt.

skyldig adj guilty; (tilbørlig) due (fx with due respect); (som skyldes bort) owed; den -e the culprit, the offender; det -e beløb the amount owing; han blev hende svar ~ he could not think of an answer; han blev aldrig nogen svar ~ he was never at a loss for an answer; dømme én ~ find sby guilty; gøre sig ~ i be (el. render oneself) guilty of, commit; med -t hen-

syn til with due regard to; ikke ~ not guilty; nægte sig ~ deny the charge, (i retten) plead not guilty; være én ngt ~ owe sby sth; owe sth to sby; være én tak ~ owe a debt of gratitude to sby.

skyldighed (en) duty.
skyldner (en -e) debtor.
skyldspørgsmål question of guilt.
skylight (et -er) skylight.

I. **skylle** (en -r) (regnbyge) shower, drencher; give én en ~ (røffel) give sby a good dressing-down.

II. **skylle** vb (strømme) pour, rush; (for at rense) wash, rinse (fx one's hands, clothes), rinse out (fx one's mouth, a glass), (tør, kloset, motordele) flush; ~ af (rense) rinse out, (motordele) flush (out), (= bortskylle) rinse away; ~ bort rinse away, (om strøm etc: fjerne) wash away, sweep away, wash off, (blive skyllet bort) be washed away; ~ efter (efter vask) rinse; ~ efter med whisky wash it down with whisky; ~ i land be washed ashore; ~ i sig gulp down; ~ ned (øsregne) pour (down), (drikke) gulp down, (få til at glide ned) wash down; ~ op wash out (fx stockings); ~ en (,ngt) over bord wash sby (,sth) overboard; bølgerne -de over dækket the waves washed over the deck; ~ ud rinse out (fx a bottle); flush (out) (fx a w.c., a drain).

skylle|skål finger bowl. **-vand** rinsing water.
skylning (en) rinsing, flushing.
skylregn (en) downpour.
skylregne vb: det -r it is pouring (down).

skynde *: ~ på en hurry sby; ~ sig hurry up, make haste; skynd dig! hurry up! T get a move on! ~ sig at hasten to, lose no time in -ing; jeg skal ~ mig I am in a hurry; ~ sig af sted (,op, ud etc) hurry along (,up, out, etc).

skynding (en): i -en in one's hurry.
skyndsom adj quick, hurried; -st adv with all possible speed.

skypumpe (en -r) waterspout.
skyskraber (højt hus) skyscraper; (sejl) skysail.
skysovs gravy.
skyts (et) ordnance, artillery, guns; køre op med -et (ogs fig) bring one's guns into position; svært ~ heavy guns (el. ordnance).
skyts|engel guardian angel. **-gud(inde)** tutelary deity. **-helgen** patron saint. **-ånd** guardian (el. tutelary) spirit.

skytte (en -r) (geværbevæbnet soldat) rifleman; (dygtig) marksman, shot; (herregårdsskytte) gamekeeper; Skytten (stjernebillede) Sagittarius, the Archer; (se ogs skyttel). **skytte|forening** rifle club. **-grav** trench. **-gravskrig** trench warfare. **-korps** rifle corps. **-kæde** line of skirmishers.

skyt|tel (en -ler) shuttle.

skæbne (en -r) (livsskæbne etc) lot (fx his lot has been a hard one), fate (fx nothing is known about their fate), (højtideligere, om større begivenheder, personer) destiny (fx it was his d. to conquer half the world); (højere magt, -n) fate, destiny (fx no one can fight against destiny), fortune (fx those favoured by fortune); (tilfældet) chance (fx c. brought them together); hun blev hans ~ she was to be his fate; finde sig i sin ~ resign oneself to one's fate; få (el. lide) samme ~ suffer the same fate; tak ~! oh dear! oh Heavens! en ublid ~ a hard fate; ved -ns ugunst by ill-luck, as ill-luck would have it; ingen undgår sin ~ there is no striving against fate.

skæbne|bestemt fated, destined. **-gudinderne** the Fates. **-svanger** fateful; (ødelæggende) fatal; (ulykkelig) disastrous, ill-fated. **-time** fateful hour, hour of destiny. **-tro** (en) fatalism. **-tung** adj big with fate, momentous.

I. **skæfte** (et -r) (på gevær) stock.
II. **skæfte** vb (forsyne med skaft) haft, helve; (forsyne med skæfte) stock.

I. **skæg** (et -) (ogs hos ged, østers) beard; (overskæg) moustache; (kind-; ogs om knurhår) whiskers; (sjov) fun, a lark; mumle i -get mumble (under one's breath); *le i -get* laugh in one's sleeve; *tage én i -get* (= *snyde én*) lead sby up the garden (path); *lade -get stå* let one's beard grow.

II. **skæg** *adj* funny.

skægabe *(en -r) zo* lion-tailed macaque; *(skægget person)* beaver.

skægget *adj* bearded; *(ubarberet)* unshaved.

skæg|løs beardless. **-løshed** *(en)* beardlessness. **-mejse** *zo* bearded tit. **-pest** barber's itch, sycosis. **-stubbe** *(pl)* stubble. **-vækst** growth of beard. **-værling** *zo* rock bunting.

skæl *(et -)* scale; ~ *i håret* dandruff; *der faldt som ~ fra hans øjne* the scales fell from his eyes.

skældannelse squamation. **skældannet** *adj* scaly.

skælde ★ scold; ~ *og smælde* storm and rage, *(stadig småskænde)* nag; ~ *én huden fuld*, ~ *én hæder og ære fra* blow sby up; ~ *én ud (bruge skældsord)* abuse sby, call sby names; *(irettesætte)* scold sby, T tell sby off *(fx* for being lazy); ~ *én ud for en tyv* call sby a thief; ~ *ud over maden* grumble about the food.

skælden: ~ *og smælden* scolding, *(stadig)* nagging.

skældsord term of abuse, invective; *pl ogs* abuse.

skældud *(en -)* dressing-down, scolding.

skældyr *zo* pangolin.

skællet *adj* scaly, squamous.

skælm *(en -e)* rogue; *have en ~ i øjet* have a (roguish) twinkle in one's eye. **skælmeri** *(et)* roguishness, roguery. **skælmsk** *adj* roguish.

skælve *(-de el. skjalv, -t)* tremble, shake,*(voldsomt)* quake; *(især af kulde)* shiver; ~ *af vrede* tremble with anger; ~ *for en (af angst)* tremble before sby; *jeg -r for at møde ham* I tremble at the thought of meeting him; ~ *over hele kroppen* tremble in every limb, tremble all over.

skælven *(en)* tremble, shake, quake, shiver, trembling, shaking, quaking, shivering.

skæmme *vb* disfigure, mar; ~ *sig* lose flesh, grow thin.

skæmt *(en)* jest, joke; *for ~* in jest.

skæmte *vb* jest, joke.

skænd a rebuke, a sound rating; T a talking-to; *få ~* be reprimanded, T be told off; *jeg fik ordentlig ~* I got told off properly; *du får (o: vil få)* ~ T you'll catch it.

skænd|e *(i tyd: irettesætte: -te -t; i tyd: voldtage -ede, -et) (tale irettesættende)* scold; *(vanære)* dishonour; *(voldtage)* ravish, violate; *(vanhellige)* desecrate; *(ødelægge)* ravage; ~ *på* scold.

skænderi *(et -er)* quarrel, row; *komme i ~ med* start quarrelling with; *ligge i ~ med* be quarrelling with, have a quarrel with, be at loggerheads with.

skændes quarrel *(med:* with, *om:* over, about); *komme op at ~ med* start quarrelling with.

skændig *adj (vanærende)* disgraceful, shameful; *(nederdrægtig)* outrageous, gross. **skændighed** *(en -er)* disgracefulness, shamefulness; *(handling)* outrage.

skænds|el *(en -ler)* disgrace, dishonour, infamy. **skændselsgerning** infamous action *(el.* deed), outrage, infamy.

I. **skænk** *(en -e) (møbel)* sideboard; *(i restaurant)* bar counter, buffet.

II. **skænk** *(en) (drik)* drink; *(gave)* gift.

I. **skænke** *vb (give)* give; grant; ~ *én noget* present sby with sth, make sby a present of sth; *hun -de ham et barn* she bore him a child; ~ *noget bort* give sth away; ~ *en sin fortrolighed* take sby into one's confidence; *Gud -de ham et langt liv* God granted him a long life; ~ *én livet (o: lade én leve)* spare sby; *jeg -de det ingen opmærksomhed* I paid no attention to it; *resten -r jeg Dem* never mind the rest; *hans skældsord -r jeg ham* as for his abuse I shall ignore it; *jeg havde aldrig -t ham en tanke* I had never given him a thought.

II. **skænke** *vb (hælde)* pour (out); ~ *te* pour out the tea; ~ *af flasken* pour out of the bottle; ~ *for en* pour out a drink for sby, help sby to a drink, *(som opvarter)* serve sby; ~ *fuld* fill; ~ *i glasset* fill the glass,

pour wine (etc) into the glass; ~ *op* pour out.

skænke|prop spirit pourer. **-stue** taproom.

I. **skæppe** *(en -r): sætte sit lys under en* ~ hide one's light under a bushel; *måle en -n fuld (fig)* let sby have it.

II. **skæppe** *vb (om jord: give udbytte)* yield; *(give fortjeneste)* pay, be profitable; *det -r i kassen* it pays; *det -r ikke* there is no money in it.

I. **skær** *(et -) (snit)* cut; *(på kniv)* cutting edge; *(på bor)* bit; *(plov-)* ploughshare.

II. **skær** *(et -) (lys)* gleam, glimmer, glow, *(stærkere)* glare; *(farvetone)* tinge; *(anstrøg)* tinge, touch; *(fig: belysning)* light *(fx* see it in a romantic light).

III. **skær** *(et -) (klippe)* rock, skerry; *(fig)* rock; *blindt* ~ sunken rock; *klare -ene (fig)* pull through.

IV. **skær** *adj* pure; *(sart)* tender; *-t kød* meat without bones, fat, etc, *(ofte =)* fillet; *det er ren og ~ misundelse* it is envy pure and simple; *ren og ~ tåbelighed* sheer folly.

skære *(skar, skåret)* cut; *(forme i træ etc)* carve; ~ *ansigter* make *(el.* pull) faces *(ad:* at); ~ *hinanden (mat.)* intersect; ~ *sig* cut oneself *(på:* on); ~ *tænder* grind one's teeth; ~ ¹*af* cut off, *(afbryde brat)* cut short; ~ *en skive af stegen* carve a slice off the joint; ~¹ *for* carve; *lyset -r mig i øjnene* the light hurts my eyes; ~ *sig i fingeren* cut one's finger; *det -r mig i hjertet* it wrings my heart; ~ *igennem* cut through, *(trænge igennem, ogs)* penetrate; ~ *igennem det uvæsentlige* come to the point; ~ **ned** *(ogs løn etc)* cut down; ~ *ham ned (o: ydmyge)* take him down a peg or two; ~ **op** *(åbne)* cut open, *(~ i stykker)* cut up; ~ *en bog op* cut the pages of a book; *(se ogs opskære)*; ~ **over** cut (through); ~ *halsen over på en* cut sby's throat; ~ **til** *(tøj etc)* cut out; ~ **ud** cut out, *(afskære)* cut off; *(~ i stykker)* cut up *(fx* a cake), *(tildanne, forme)* carve; *(se ogs skærende)*.

skære|brænder *(en -e)* cutting blowpipe. **-bræt** *(til mad)* trencher. **-kasse** *(m savsnit)* mitre box.

skærende *adj* cutting; *(= grel)* glaring *(fx* contrast); *(om lyd, stemme)* shrill; ~ *ironi* scathing irony; ~ *lys* glaring light, glare.

skærf *(et -)* sash.

skærgård skerries *(pl)*, archipelago.

skæring *(en -er) (se skære)* cutting; carving; *(liniers)* intersection.

skærings|dag *(om salg)* day for completion of a sale; *(om overtagelse og fig)* terminal date, appointed day, deadline. **-punkt** (point of) intersection.

skærm *(en -e) (skærmbræt, røntgen-)* screen; *(for øjnene, lampe-)* shade; *(på cykel)* mudguard, *(på bil)* mudguard, wing, *(amr)* fender; ⚜ umbel; *(for plantning)* shelter, cover; *(panser-)* shield; *(værn, beskyttelse)* protection, shield; *(mod radioaktiv stråling)* shield. **skærm|bevoksning** nurse crop. **-blomstret** *adj* ⚜ umbelliflorous. **-bræt** (folding) screen.

skærme *vb* protect, shield *(imod:* from, against). **skærm|gitter** *(radio)* screen grid. **-plante** umbellifer, umbelliferous plant.

skærmyds|el *(en -ler)* skirmish; *(skænderi)* quarrel, wrangle.

I. **skærpe** *(en -r) (æg)* edge.

II. **skærpe** *vb* sharpen; *(hest, hestesko)* calk; *(afskrå)* bevel; *(gøre strengere)* make more rigorous, intensify *(fx* a blockade, the control); *(forværre)* aggravate, deepen; ~ *appetitten* sharpen *(el.* whet) the appetite; ~ *en straf* increase a sentence; *-nde omstændigheder* aggravating circumstances.

skærpelse *(en)* sharpening; *(det at gøre strengere)* intensification; ~ *af dommen* increase of the sentence.

skærpning *(en)* sharpening; calking; bevelling.

skærsild *(en)* purgatory; *(fig)* ordeal; *i -en* in purgatory.

skærslipper *(en -e)* knife-grinder.

skærsommer midsummer; *En Skærsommernatsdrøm* A Midsummer-Night's Dream.

skærtorsdag Maundy Thursday.

skærv *(en)* mite; *enkens ~* the widow's mite. **skærve|ballast** ballast of broken stone. **-knuser** *(en -e) (maskine)* stonebreaker; *(cykel)* T boneshaker. **skærver** *pl* broken stones; *slå ~* break stones. **skærve|slager** *(en -e)* stonebreaker. **-vej** metalled road.

skætning *(en)* scutching. **skætte** *vb* scutch. **skættemaskine** scutching-machine. **skætteri** *(et -er)* scutching-mill.

I. **skæv** *(en -e): slå -e (i keglespil)* roll the ball(s) wide; *(solde)* kick over the traces.

II. **skæv** *adj (skrå)* oblique, slanting; *(unormal)* wry *(fx* face, neck, nose), crooked *(fx* legs, nose), lopsided *(fx* chair, window), skew *(fx* teeth); *(om skohæl)* worn down on one side; *(forkert)* wrong, distorted, lopsided; *-t (adv)*, awry, askew, *(på skrå)* aslant, slantwise, obliquely, *(forkert)* wrongly, perversely; *lade tingene gå deres -e gang* let things slide; *-e helligdage* [holidays as distinct from Sundays]; *~ kegle* oblique cone; *stille en i et -t lys* place sby in a false light; *~ opfattelse* distorted view; *~ ryg* curvature of the spine; *se -t til (›: med uvilje)* look askance at, frown at *(el.* on); *din hat sidder -t* your hat is awry; *han har -e skuldre* he is crooked-shouldered; *-t smil* wry smile; *smile -t* give a wry smile; *~ stilling (fig)* false position; *gå sine støvler -e* wear one's boots down on one side; *det -e tårn i Pisa* the Leaning Tower of Pisa; *-e øjne* oblique eyes. **skævbenet** *adj* crooked-legged.

I. **skæve:** *-n i din broders øje* the mote that is in thy brother's eye.

II. **skæve** *vb: ~ til* cast a sidelong glance at, look at (sby) out of the corner of one's eye; *(med uvilje)* look askance at, frown at *(el.* on).

skævhalset *adj* wry-necked.

skævhed *(en -er) (se II. skæv)* obliquity; wryness, crookedness, lopsidedness; *(ryg-)* curvature of the spine; *(fig)* crookedness, falseness; *(fejl)* fault.

skævøjet slant-eyed.

I. **skød** *(et -er) (frakke-)* tail, skirt; *(omkring hofterne på damedragt)* basque; *(et -) (del af legemet)* lap, knee; *(moder-)* womb; *(fig)* bosom; *hvad fremtiden bærer i sit ~* what the future holds in store; *i familiens ~* in the bosom of one's family; *lægge hænderne i -et (fig)* fold one's arms, sit back; *sidde med hænderne i -et* twiddle one's thumbs; *på hendes ~* on her lap, on her knee.

II. **skød** *imperf af skyde.*

I. **skøde** *(et -r) (jur)* deed (of conveyance); *få ~ på et hus* receive the deed(s) of a house.

II. **skøde** *(et -r)* ⚓ sheet; *fire på -rne* ease off the sheets.

III. **skøde** *vb (overdrage)* convey, deed.

skøde|barn infant, baby; *(som ikke optager plads i sporvogn etc)* baby in arms. **-frakke** frock coat. **-hund** lap dog.

skødesløs *adj* careless, negligent *(med:* of, in); *(om ytring)* careless, casual; *(om arbejde)* sloppy. **skødesløshed** *(en)* carelessness, negligence; sloppiness.

skødesynd *(en -er)* besetting sin.

skødskind leather apron.

skøge *(en -r)* prostitute, harlot, whore.

I. **skøjte** *(en -r) (transportfartøj)* schuit.

II. **skøjte** *(en -r)* skate; *løbe på -r* skate. **skøjte|bane** ice rink. **-løb** skating. **-løber** skater. **-støvler** skating-boots.

I. **skøn** *(et -)* *(mening)* opinion, judgment, estimate; *(vurdering)* estimate; *(forgodtbefindende)* discretion; *(evne til at skønne)* judgment; *(skønsforretning)* appraisal, valuation; *danne sig et ~ over* form an estimate *(el.* opinion) of, size up, gauge; *efter mit ~* in my judgment *(el.* opinion); *handle efter bedste ~* act to the best of one's judgment; *holde lovligt ~* submit a question to the opinion of experts appointed by the court; *efter et løst ~* on a rough estimate; *sagkyndigt ~* expert opinion.

II. **skøn** *adj* beautiful, lovely; *(ophøjet, ædel)* beautiful, lofty, noble; *de -ne (kvinderne)* the fair (sex); *den -ne* the fair one; *det -ne* the beautiful; *en -ne dag (fortidigt)* one day, *(fremtidigt)* one (fine) day, some day, one of these fine days; *de -ne kunster* the fine arts; *i ~ forening* in brotherly harmony; *i den -neste orden* in perfect order.

skønhed *(en -er)* beauty.

skønheds|dronning beauty queen. **-dyrkelse** worship of beauty. **-ekspert** beauty specialist. **-elskende** *adj* beauty-loving. **-fejl** (slight) blemish. **-forladt** *adj* devoid of beauty. **-gudinde** goddess of beauty. **-klinik** beauty parlour. **-konkurrence** beauty competition *(el.* contest). **-middel** cosmetic. **-pleje** *(en)* beauty culture; *salon for ~* beauty parlour. **-plet** beauty spot; *(se ogs -fejl).* **-præparat** beauty preparation, cosmetic. **-salon** beauty parlour. **-sans** sense of beauty. **-specialist** beauty specialist. **-søvn** beauty sleep. **-åbenbaring** marvel of beauty.

skøn|jomfru fair maiden. **-litteratur** *(omtr =)* fiction (and poetry); imaginative literature. **-litterær** *adj* fictional; *~ forfatter* writer of fiction.

skønne *vb (mene)* judge *(fx* they judged it necessary to begin at once), think, consider; *(bedømme)* assess, estimate *(fx* I estimate that the job will take a week), find *(fx* the experts found that . .); *(om spædbørn)* take notice *(fx* baby is beginning to take notice); *tabene -s at beløbe sig til £100* the losses are estimated at £100; *så vidt jeg kan ~* as far as I can see, in my opinion; *så vidt man kan ~* to all appearance, as far as can be seen; *~ om (el. over)* estimate *(fx* the distance, the number), form an estimate of *(fx* you have formed a wrong estimate of the amount); *~ på* appreciate.

skønskrift *(en) (omtr =)* copybook writing; *(kalligrafisk)* calligraphy.

skøns|mand expert, valuer. **-mæssig** *adj* estimated *(fx* e. price); *adv* on a rough estimate.

skønsom *adj* judicious, discriminating. **skønsomhed** *(en)* discretion, judiciousness, discrimination.

skønssag matter of opinion.

skønsvis *adv* on a rough estimate.

skønt *conj (endskønt)* though, although; *(og dog)* (but) still, but no *(fx* come tomorrow, but no, better wait till Sunday).

skønånd bel-esprit *(pl* beaux-esprits); aesthete.

skør *adj (skrøbelig)* brittle, fragile; *(let smuldrende)* friable; *(forrykt)* crazy, crack-brained, daft, *(især amr)* nuts; *~ efter* crazy about; nuts on; *blive ~* go crazy.

skørbug *(en)* scurvy; *lidende af ~* scorbutic; *middel mod ~* anti-scorbutic.

skørhed *(en) (se skør)* brittleness, fragility; friability; craziness.

skørlevned loose living, fornication, a life of sin.

skørne *(gøre skør)* make brittle *(etc, se skør); (blive skør)* become brittle *(etc, se skør),* crumble.

skørt *(et -er) (underskørt)* petticoat; *(nederdel)* skirt; *(højskottes)* kilt; *(kvinde)* skirt; *hænge i sin moders -er (fig)* be tied to one's mother's apron strings.

skørte|jæger skirt-chaser. **-regimente** petticoat government *(el.* rule).

skøtte *vb: ~ om* at be anxious to; *~ sig selv* shift for oneself; *lade det ~ sig selv* leave it to look after itself.

skål *(en -e)* bowl, *(især drikke-)* cup; *(grødtallerken etc)* porringer; *(skålfuld)* bowlful; *(vægt-)* scale; *(udbragt)* toast, *(for person ogs)* health; *~! (formelt)* your (very good) health! T cheers! here's luck! happy days! *en bitter ~ (fig)* a bitter cup; *en ~ for hr NN!* let us drink to Mr X; *drikke en ~ for hr NN* drink the health of Mr X; *udbringe en ~ for hr NN* propose the toast *(el.* the health) of Mr X; *udgyde sin vredes ~* pour out the vials of one's wrath.

skåle *vb (klinke)* touch glasses; *~ med* take wine with, drink with; *(klinke med)* touch glasses with. **skål|formet** *adj* bowl-shaped, cup-shaped. **-fuld** *(en)* bowlful. **-pund:** *et ~ kød* a pound of flesh.

-tale toast; *holde en ~* propose a toast. **-vægt** (pair of) scales.

I. **Skåne** *(geogr)* Scania.

II. **skåne** *vb* spare *(fx* death spares nobody; spare my life! he does not spare himself; spare her feelings!); *(behandle forsigtigt)* take care of *(fx* one's health), be careful of *(el.* about); *~ en for ngt* spare sby sth. **skåne|diæt**, **-kost** protective diet.

skåning *(en -er)* Scanian.

skånsel *(en)* mercy, leniency; *uden ~ (adverbielt)* mercilessly, without mercy. **skånselsløs** *adj* merciless. **skånselsløst** *adv* mercilessly.

skånsk *adj* Scanian.

skånsom *adj* lenient, gentle, forbearing; *(varsom)* careful; *meddele det -t* break it gently.

skånsomhed *(en)* leniency, gentleness; care.

skår *(et -) (glas- etc)* broken piece, broken fragment; *(potte-)* potsherd; *(hak)* chip. *(i metal ogs)* jag; *(en række afmejet korn)* swath; *gøre ~ i (fig)* damage, detract from, impair; *(spolere)* mar; *det var et ~ i hans glæde* it marred his pleasure.

I. **skåret** *perf par af skære.*

II. **skåret** *adj (m skår i)* chipped *(fx* cup), jagged *(fx* knife).

slabberads *(en -er) (sprøjt)* catlap, hogwash; *(te-, kaffe-)* hen party.

slacks *pl* slacks.

sladder *(en)* gossip, scandal; *give én en sludder for en ~* put sby off with a lot of talk; *rende med ~* talk scandal, gossip, tell tales.

sladder|agtig *adj* gossiping; *(om barn)* sneaky, blabbing. **-hank** gossipmonger; *(skoleudtryk)* sneak. **-historie** piece of gossip. **-kælling** gossip scandalmonger.

sladre *(snakke)* chatter, gossip; *(løbe med sladder)* gossip, talk scandal; *(være angiver)* sneak; *~ af skole* tell tales out of school; *~ om én* sneak on sby, tell on sby; *~ til én* tell sby, peach to sby.

slag *(et -) (m hånd, våben etc)* blow, stroke, knock; *(let)* tap; *(m pisk)* cut, lash; *(m boldtræ, ketcher etc)* stroke; *(takt-, tromme-)* beat; *(hjertets, pulsens)* beat, throb; *(ɔ: banken)* beating, throbbing, pulsation; *(af klokke, ur; stempel- etc)* stroke; *(af bølger, vind etc)* beating; *(kort spadseretur)* turn, stroll; *(drejning, vending)* turn; *(due-)* dovecot; *(overraskelse)* blow, shock; ✕ battle; *(klædningsstykke)* cape; *(side af kreatur)* flank; *(spil)* game *(fx* of cards);

et hårdt ~ a smart *(el.* hard) blow, *(fig)* a hard blow; *falde i ~* prepare to strike; *komme (el. gå) ~ i ~* follow (each other) in rapid succession; *et ~ i ansigtet (ogs fig)* a slap in the face; *et ~ i hovedet* a blow on the head; *et ~ i luften (fig)* an ineffectual gesture; *stor i -et (ɔ: vigtig)* high and mighty; *han er stor i -et (ɔ: flot)* he likes to do things in style; *ikke et ~* not a bit; *han har ikke bestilt et ~* he has not done a stroke of work; *med ét ~* with one stroke, *(fig)* at a blow, at one fell swoop, *(i et nu)* all at once; *et ~ med halen* a flick of the tail; *-et om England* the Battle of Britain; *være der på -et 9* be there on the stroke of 9; *slå et ~ for* strike a blow for; *små ~!* *(fig)* steady! gently! *der stod et ~* a battle was fought; *tilføje én et ~* deal sby a blow; *-et ved Waterloo* the battle of Waterloo.

slagbænk [bench which can be used for sleeping].

slagen *(glds & poet. perf part af slå) (overvunden)* beaten, defeated; *den slagne landevej* the beaten track; *~ af rædsel* horror-stricken; *~ med blindhed* struck blind.

slag|færdig *adj* quick at repartee, quick-witted. **-færdighed** *(en)* quickness at repartee, ready wit.

slagge|bane cinder track. **-belagt** *adj* surfaced with cinders. **-dynge** slag heap. **-fri** *adj* slagless.

slagger *pl (af metaller)* slag; *(af kul etc)* cinders, clinker; *(fig)* dross.

slag|instrument *(musik)* percussion instrument. **-kraft** striking power, effectiveness; *(om argument)* cogency. **-krydser** battle cruiser. **-lodning** brazing,

hard-soldering. **-længde** (length of) stroke. **-mark** battlefield; *på -en* on the battlefield. **-ord** catchword, *(fyndord, ogs)* watchword, slogan. **-orden** battle order, *(poet.)* battle array. **-plan** *(en -er) (ogs fig)* plan of action.

slags *(en el. et, -)* kind, sort, description, type, *(præg)* stamp *(fx* what kind of tree is that? all sorts of people *(,* of things); a man of that description; she was wearing a sort of cloak; people of your sort *(el.* stamp, kind, type)); *(kvalitet)* quality; *han er af den ~ mænd som* he is the kind of man that; *nå han er af den ~!* so that is the sort of man he is! *noget af den ~ sth* of the kind; *den ~ (ting)* that sort of thing; *den ~ bøger* that kind *(el.* sort) of book, books of that kind, such books; *i al ~ vejr* in all weathers.

slagsang *(kampsang)* battle song; *(kendingssang)* (distinctive) song. **slagsbroder** rowdy.

slag|side ⚓ take a list; *(om konstruktionsfejl og fig)* lopsidedness; *få ~* take a list; *styrbords ~* a list to starboard; *et skib der er bygget med ~* a lopsider. **-skib** battleship. **-skygge** *(en -r)* shadow.

slagsmål *(et -)* scuffle, rough-and-tumble, (disorderly) fight; *de kom i ~* they began fighting, they came to blows.

slag|styrke ✕ striking force. **-sværd** broadsword.

slagte *vb* kill, slaughter; *(slå ned for fode)* butcher, slaughter, massacre; *-t vægt* slaughter weight.

slagte|affald offal. **-hus** slaughterhouse, abattoir. **-kvæg** fat stock.

slagter *(en -e)* butcher. **slagter|butik** butcher's shop. **-bænk**: *føre én til -en* lead sby to the slaughter. **-dreng** butcher's boy. **-forretning** butcher's shop. **-hund**: *fræk som en ~* bold as brass.

slagteri *(et -er)* slaughterhouse, abattoir; *(svine-)* bacon factory, *(slagtning)* slaughtering, *(fig)* butchery, slaughter, massacre.

slagter|kniv butcher's knife. **-mester** butcher. **-svend** butcher's assistant. **-trug** butcher's tray. **-økse** pole axe.

slagte|svin porker. **-tid** killing season.

slagtilfælde stroke, apoplectic stroke.

slagtning *(en)* killing, slaughtering.

slagtoffer *(et, slagtofre)* sacrifice, *(fig)* victim.

slagtøj *(slaginstrumenter)* percussion.

slag|vand ⚓ bilge water. **-værk** striking train *(fx* of a clock).

slalom *(skiløb)* slalom.

slam *(et) (dynd)* mud, ooze; *(kloak-, olie-)* sludge; *(krudt-)* fouling. **slambad** mud bath.

slambert *(en -er)* scoundrel, lout.

slang *(et)* slang; *bruge ~* talk *(el.* use) slang.

slangagtig *adj* slangy.

I. **slange** *(en -r) zo* snake, *(litterært, bibl)* serpent; *(træsk kvinde)* viper, cat; *(gummi-)* rubber tubing, tube; *(cykel-, bil-)* (inner) tube; *(sprøjte-, have-)* hosepipe; *(se ogs barm)*.

II. **slange**: *~ sig (bugte sig)* serpentine, twist and turn; *(dase)* sprawl.

slange|agtig *adj* snake-like. **-bid** *(et -)* snakebite. **-bugtninger** *(pl)* windings, twists and turns; *(om flod)* meandering. **-bøsse** catapult, *(amr)* slingshot. **-gift** snake poison *(el.* venom). **-krølle** corkscrew curl. **-løs**: *-t dæk* tubeless tyre. **-menneske** contortionist. **-skind** snakeskin. **-tæmmer** *(en -e)* snake charmer.

slank *adj* slim, slender, *(om kvinde ogs)* svelte; *holde sig ~, bevare den -e linie* keep one's figure, keep one's waistline down.

slanke *vb* reduce one's figure, slim; *(om klæder)* have a slimming effect, *(amr)* slenderize; *~ sig* grow thinner, slim; *-nde* slimming *(fx* exercises); *virke -nde (om klæder)* have a slimming *(,* amr: slenderizing) effect.

slankhed *(en)* slimness, slenderness.

I. **slap** *imperf af slippe.*

II. **slap** *adj (ogs fig)* slack *(fx* spring), loose *(fx* skin), limp (*fx* hand), flabby; (*om disciplin, principper*) lax; (*om organ*) slack, flabby, atonic (*fx* muscle); ~ *fyr* spineless individual; *hænge -t ned* hang slack; ~ *i knæene* wobbly at the knees; *optræde på* ~ *line* perform on the slackrope; (*fig*) give an exhibition of oneself; ~ *moral* lax (*el.* loose) morals; *-pe træk* flabby features; *ride med -pe tøjler* ride with a slack (*el.* on a loose) rein.

slaphed (*en*) slackness; laxity; atony.

slappe *vb* slacken, loosen, (*ogs fig*) relax; ~ *af* relax; *-s* slacken, relax, (*om disciplin, moral*) grow lax, (*om interesse*) abate, flag, (*om muskel*) relax.

slappelse (*en*) relaxation; flagging.

slapsvans (*en -e*) spineless individual, slacker.

slaraffen|land land of milk and honey, El Dorado, (*mere litterært*) Cockaigne. **-liv:** *leve et* ~ live on the fat of the land.

slaske *vb* (*hænge løst*) flap, flop.

slat (*en -ter*) *se sjat.*

slatten *adj* loose, flabby; ~ *i benene*, ~ *i knæene* wobbly at the knees.

I. **slave** (*en -r*) slave; (*straffefange*) convict; (*fyr*) blighter, beggar; *være en* ~ *af* (*fig*) be a slave to, be the slave of; *gøre til -r* reduce to slavery, enslave, make slaves of. II. **slave** *vb* slave.

slave|arbejde slave work, (*fig*) drudgery. **-binde** reduce to slavery, enslave. **-handel** slave trade (*el.* traffic); *hvid* ~ white-slave traffic. **-handler** (*en -e*) slave dealer, slave trader. **-jæger** slave hunter. **-lænke** (*en -r*) slave chain. **-marked** slave market. **-pisker** slave driver.

slaver (*en -*) (*folkenavn*) Slav.

slaveri (*et*) slavery.

slave|sjæl slavish (*el.* servile) mind; slave. **-skib** slaver, slave ship. **-tilværelse** (*fig*) dog's life, (life of) drudgery.

slavinde (*en -r*) (female) slave, slave woman, slave girl.

I. **slavisk** *adj* (*nøje*) slavish (*fx* imitation).

II. **slavisk** (*slavonsk*) Slav, (*ogs om sprog*) Slavonic.

sleb *imperf af slibe.*

sleben *adj* (*se slibe*) (*skarp*) sharp-set, sharp -edged; (*poleret*) polished; (*om glas, ædelstene*) cut; (*om væsen*) polished, (*neds*) smooth; *karaffel af slebet glas* cut-glass decanter.

sled *imperf af slide.*

I. **slem** (*en pl - el. -mer*) (*i kortspil*) slam; *blive lille* (*, store*) ~ get (*el.* make) little (*, grand*) slam.

II. **slem** *adj* bad, nasty; (*om sygdom, smerte*) bad, severe; (*uartig*) naughty, bad; *en* ~ *fejltagelse* a bad (*el.* sad) mistake; *en* ~ *forskrækkelse* a nasty shock; *have det -t* have a bad time of it; *det er en* ~ *historie* it's a bad business; *der går -me historier om ham* there are some nasty stories about him; *han mener det ikke så -t* his bark is worse than his bite; *være* ~ *imod* (*el. ved*) be hard on; *være* ~ *til at prale* be given to boasting, have a weakness for boasting; *være* ~ *til at drikke* be given to drink; *komme -t til skade* be badly hurt.

slendrian (*en*): *alting går i den gamle* ~ things are (stuck) in a rut; *komme ud af den gamle* ~ get out of the (*,* one's) rut.

slentre *vb* saunter (*fx* s. along the street; s. through life); stroll (*fx* s. down to the harbour). **slentren** (*en*) sauntering, strolling.

slentretur stroll, saunter.

slesk *adj* (*indsmigrende*) wheedling, insinuating, (*underdanig*) obsequious, oily, (*krybende*) fawning. **sleske** *vb:* ~ *for* make up to, fawn on, toady to; ~ *sig ind hos en* insinuate oneself into sby's favour.

sleskhed (*en*) obsequiousness, toadyism.

Slesvig Slesvig, Schleswig. **slesviger** (*en -e*) Slesviger, Schleswiger. **slesvigsk** (*of*) Slesvig, (of) Schleswig.

I. **slet** (*et -ter*) [the lowest possible mark].

II. **slet** *adj* (*dårlig*) bad, poor; (*ond*) bad, evil, wicked; *adv* badly, ill; (*ondt*) wickedly; ~ *skjult*

tilfredshed ill-concealed satisfaction; ~ *og ret* (*adv*) simply, (*kun*) merely, (*adj*) pure and simple, sheer; ~ *ikke* not at all; ~ *intet* nothing at all; *ikke* ~ *så stor* (*, morsom etc*) not quite so big (*,* amusing etc).

slet|fil (*en -e*) smooth file. **-hed** (*en*) badness, wickedness. **-hugge** cut smooth. **-hvarre** (*en*) *zo* brill.

I. **slette** (*en -r*) (*fladt land*) plain; *på -n* in the plain.

II. **slette** (*en -r*) *zo* dab.

III. **slette** *vb* strike out, delete, (*med svamp*) sponge out, (*med viskelæder*) rub out, erase; (*annullere*) cancel; *blive -t af landkortet* be blotted (*el.* wiped) off the map; ~ *et navn på* (*el. af*) *en liste* strike a name off a list.

sletteland level country.

slettere (*af slet*) worse. **slettest** worst.

slev (*en -e*) ladle.

slibe (*sleb, slebet*) grind (*fx* a knife, a lens); (*barberkniv el. -blad*) hone; (*marmor etc, ogs fig*) polish; (*ædelstene, glas*) cut; ~ *'til* grind (in) (*fx* grind in a glass stopper); (*se ogs sleben*).

slibe|maskine grinding-machine; (*til barberblade*) hone. **-pulver** polishing-powder. **-sten** (*roterende*) grindstone; (*hvæssesten*) whetstone, hone.

slibning (*en*) grinding; honing; polishing; cutting.

slibrig *adj* (*uanstændig*) obscene, dirty, salacious, smutty. **slibrighed** (*en -er*) obscenity, dirtiness, salacity; *en* ~ an obscenity, a smutty joke.

slid (*et*) (*på ting*) wear (and tear); (*geol*) attrition; (*hårdt arbejde*) grind, drudgery, fag; ~ *på* (*bil*)*dæk* tyre wear.

slidbane (*på bil- og cykeldæk*) tread.

slide (*sled, slidt*) (*ved brug*) wear (out); (~ *og slæbe*) toil (and moil), drudge, plod; (*trække, rive*) pull, tear (*fra hinanden:* apart); ~ (*hårdt*) *i det* work hard, toil, drudge, (*m lektier*) swot; *rive og* ~ *i* tear at; ~ *op* wear out; ~ *på* wear; *det -r på nerverne* it tells on one's nerves; ~ *sig ihjel* work oneself to death; ~ *sig løs fra* (*ogs fig*) tear oneself away from; *-s* wear, be worn; (*se ogs slidt*).

slider (*en -e*) hard worker, toiler; (*i skolen*) swot. **slid|fast** hard-wearing. **-flade** wearing surface.

slids (*en -er*) (*i tøj*) slit, slash, vent.

slidse *vb* slit, slash.

slidsk (*en -er*) skids (*pl*).

I. **slidske** (*en -r*) skids (*pl*). II. **slidske** *vb* skid.

slidsom *adj* (*besværlig*) laborious, toilsome.

slidstyrke (*en*) wearing qualities. **slidstærk** *adj* hard-wearing; *være* ~ (*ogs*) wear well.

slidt *adj* worn, the worse for wear; (*luv-*) thread-bare, shabby; (*om reb*) frayed; (*banal*) hackneyed, stale.

slig (*sådan*) such; *og -t* and the like.

I. **slik** (*et*) (*godter*) sweets (*pl*), (*amr*) candy; (*i skolesprog*) tuck.

II. **slik** (*en*) (*slam*) silt.

III. **slik:** *købe noget for en* ~ buy sth for a (mere) song.

slikasparges choice asparagus.

slikke *vb* lick; (*spise slik*) eat sweets (*,*candy); ~ *sig om munden* (*ogs fig*) lick one's lips; ~ *solskin* sun oneself, bask in the sun; ~ *sine penge op* spend all one's money on sweets (*,*candy); ~ *op ad* (*om flammer*) lick, (*om bølger*) lap upon; ~ *på* lick.

slikken *adj* fond of sweets, sweet-toothed; *han er* ~ he has a sweet tooth; *jeg er ikke* ~ *efter det* I am not very keen on it.

slikke|pind lollipop. **-pot** (*en*) first finger.

slikker (*et -r*) (*godter*) = I. **slik.**

slikket *adj* (*fig*) sleek.

slik|mund: *han er en* ~ he has a sweet tooth. **-mundet** *adj* sweet-toothed.

slim (*en*) mucus; (*ophostet*) phlegm; (*af planter*) mucilage; (*på snegle, fisk*) slime.

slimafsondring mucous secretion.

slimet *adj* slimy.

slim|hinde mucous membrane. **-kirtel** mucous gland.

slinger: *der er ~ i valsen* there is a hitch somewhere; *uden ~ i valsen* without a hitch.

slingre *vb (fx om beruset person)* reel, lurch; *(om hjul, cyklist)* wobble; *(om køretøj)* sway, rock; ⚓ roll. slingre|bræt ⚓ fiddle. -køl ⚓ bilge keel.

slingren, slingring *(en) (se slingre)* reeling, reel, lurching, lurch; wobbling, wobble; swaying, rocking; rolling.

I. slip: *give ~* let go (one's hold); *give ~ på ngt* let go one's hold of sth, let go (of) sth.

II. slip *(et) (ophold)* lull; *(afbrydelse)* break.

slipover *(en -e el. -s) (slags trøje)* slip-over.

slippe *(slap, sluppet) (m objekt)* let go (one's hold of), release; *(opgive)* give up; *(uden objekt) (give slip)* let go; *(glide, smutte)* slip; *(blive fri for ngt)* be let off, get off; *(holde op)* leave off *(fx* where did we leave off last time?); *slip mig!* let me go! *kagen vil ikke ~ formen* the cake sticks to the tin; *~ sit tag* release *(el.* let go) one's hold; *~ en vind* break wind;

[*m præp & adv*] *~ af med* get rid of; *~ billigt (fra det)* get off *(el.* be let off) cheaply; *~ bort* get away, escape; *~ for ngt* escape sth; *~ for at gøre ngt* escape doing sth, be let off (doing) sth; *~ forbi* get past; *~ fra en* get away from sby, escape from sby; *~ godt fra det (mht et forehavende)* succeed, *(mht noget frækt)* get away with it, *(mht ulykke)* escape unhurt, *(mht et arbejde)* acquit oneself well; *~ levende fra det, ~ fra det med livet* escape with one's life, survive; *~ igennem* manage to get through, *(til eksamen)* pass, *(kneben!)* squeeze through; *~ ind* get in, *(m objekt)* admit, let in; *~ løs* break loose, *(m objekt)* let loose; *lade ham ~ med en bøde* let him off with a fine; *~ med en brækket arm* escape with a broken arm; *~ op* give out, come to an end; *~ ud* get out, *(om hemmelighed)* leak out, *(ved en fortalelse)* slip out, *(flygte)* escape; *~ én ud* let sby out; *(af fængsel)* release sby; *~ damp ud* let off steam; *nå, dér slap det ud!* so that's it!

slippers *pl (morgensko)* slippers.

slips *(et -)* (neck)tie, slipsnål tie pin.

slitage *(en)* wear and tear.

slof *(en -fer)* room mate, chum.

slog *imperf af slå.*

slogan *(et -s)* slogan.

sloges *imperf af slås.*

slot *(et -te)* palace, *(især befæstet)* castle; *(herregård)* manor house, hall.

slots|forvalter *(på kgl slot)* palace steward, *(på herregård)* land steward, *(historisk)* castellan. -grav *(castle)* moat. -gård palace yard, castle yard. -have palace garden. -kirke chapel (of a palace *el.* castle). -plads *(foran slot)* palace square. -præst *(court)* chaplain. -ruin ruined castle, ruined palace. -trappe palace steps.

slovak *(en -ker)* Slovak. Slovakiet Slovakia. slovakisk Slovakian.

slovener *(en -e)* Slovene. slovensk Slovenian.

slubbert *(en -er)* scoundrel.

slubbertagtig *adj* scoundrelly.

slubre *vb (drikke el. spise støjende)* feed (,drink) noisily, slurp; *(om fodtøj)* be loose, flop about; *~ i sig* gulp down, slurp.

slud *(et)* sleet.

sludder *(en el. et)* nonsense, rubbish, bosh; *(samtale)* chat, talk; *sige en masse ~* talk a lot of nonsense; *sld en ~ af med* have a chat with; *det slår ~ for ham* he trips over his words; *benene slog ~ under ham* his legs gave way; *~ og vrøvl* (stuff and) nonsense, fiddlesticks.

sludfuld *adj* sleety.

sludre *vb (vrøvle)* talk nonsense, twaddle; *(passiare)* have a chat, talk; *~ løs* talk away, rattle away.

sludre|chatol chatterbox. -hoved twaddler, gasbag. -vorn *adj (snakkesalig)* chatty; *(vrøvlet)* twaddling.

sluge * swallow *(fx* a pill, a syllable, he will

swallow anything you tell him); *(i hast, utygget)* bolt *(fx* one's dinner); *(spise grådigt)* wolf (down); *(æde, fortære)* eat up, devour; *(lytte opmærksomt til)* drink in; *(læse hurtigt)* devour; *(finde sig i)* swallow, pocket *(fx* an insult); *(opsluge, optage i sig)* swallow up, absorb; *(lægge beslag på, koste)* swallow up *(fx* the house swallows up his whole income), eat up; *(forbruge)* consume *(fx* this stove consumes a lot of coal); *~ med øjnene* devour with one's eyes.

slughals *(en -e)* glutton.

slugt *(en -er)* ravine, gorge.

slugvorn *adj* greedy.

slukke *vb* put out, extinguish *(fx* the light, the fire); *(gas)* turn off; *(elekt lys)* switch off; *~ sin tørst* quench one's thirst; *~ for gassen* turn off the gas; *-s* go out, *(om lidenskab)* die out; *lukket og -t* dark and deserted; *lysene er -t* the lights are out; *med -de lanterner* without lights; *så er den sorg -t* so that is all right.

slukning *(en)* putting out, extinction; *(brandvæsens)* fire-fighting.

sluknings|apparat *(fire)* extinguisher. -forsøg attempt to extinguish a fire. -øvelse fire drill.

slukøret *adj* crestfallen.

slumkvarter slum, slum area, slum district.

slummer *(en)* slumber, *(lur)* nap, doze.

slump: *på ~* at random, at haphazard, *(efter løst skøn)* on a rough estimate.

slumpe: *~ til* chance *(el.* stumble) upon; *~ til at gøre noget* chance to do sth.

slumpetræf chance, stroke of luck, fluke; *ved et rent ~* by the merest chance, by a mere fluke.

slumre *vb* slumber; *(fig)* lie dormant; *~ hen, ~ ind* fall into a slumber, doze off, *(dø stille)* pass away quietly; *-nde lidenskaber* dormant passions.

slumretæppe rug.

slumsøster slum sister, welfare worker.

slunken *adj* lea, lank; *en ~ mave* an empty stomach; *en ~ pung* a slender purse. slunkenhed *(en)* leanness, lankness.

slup *(en -per) (skib)* sloop; *(båd)* pinnace.

sluppet *perf part af slippe.*

slurk *(en -e)* gulp, pull, swallow; *en lille ~* a drop, a spot.

sluse *(en -r)* sluice; *(til gennemsejling; lyd-, lys-, etc)* lock; *åbne for -rne (fig)* open the floodgates *(fx* of one's anger). sluse|kammer *(i sluse)* lock chamber; *(i undervandsbåd)* escape lock. -mester lock keeper. -passer *(en -e)* locksman. -penge lockage. -port lock gate. -pris *(fig)* sluice-gate price. -ventil sluice valve. -værk *(system of)* locks (, sluices).

I. slut *subst end; til ~* at last, finally, in the end; in conclusion; *nu må det være ~* this cannot go on, this state of things must end; *det er ~ med krigen* the war is at an end.

II. slut *adj (endt)* at an end, finished, over.

slut|afregning final settlement. -akkord *(musik)* final chord. -kamp *(i sport)* final; *deltager i ~* finalist. -kurs closing price. -løn terminal salary (,pay).

slutning *(en -er) (ende)* close, end, conclusion; *(måde hvorpå bog etc ender)* ending *(fx* happy ending); *(af elekt strøm)* closing; *(logisk)* conclusion, inference; *drage en ~* draw a conclusion, conclude; *drage forhastede -er* jump to conclusions; *i -en af* at the end of; *han er i -en af trediverne* he is in the late thirties; *mod -en af* towards the end of; *komme til en ~* come to *(el.* arrive at) a conclusion.

slutnings|effekt final effect. -scene final scene.

slut|pris closing price. -resultat final result. -seddel contract note, *(ved køb)* bought note, *(ved salg)* sold note. -spurt final spurt. -sten keystone; *(fig)* copestone, consummation *(fx* the consummation of his career). -sum *(sum)* total.

slutte *vb (med objekt)* finish (up), end, close, conclude, bring to a conclusion, wind up; *(drage den slutning)* conclude, infer *(af:* from, *at:* that); *(elekt strøm)* close; *(indgå)* enter into, conclude;

(uden objekt) (holde op) end, finish, close, conclude; *(drage slutning)* draw a conclusion, draw conclusions; *(sidde stramt)* fit tightly *(el.* closely);

(se ogs forlig, fred, kontrakt, kreds, overenskomst, venskab etc); ~ *fast* ¡*om børs)* close firm; ~ *geledderne* close the ranks; ~ *mødet* close the meeting; *mødet -de* the meeting came to an end; ~ *regnskabet* close the accounts; ~ *toget* bring up the rear;

[*m præp & adv*] ~ *af* = *slutte;* ~ *bøgerne* 'af close the books; ~ **fra** *virkning til årsag* infer the cause from the effect; ~ *fra sig selv til andre* judge others by oneself; ~ *en i sine arme* clasp sby in one's arms; ~ **op** close up; *vi må* ~ *op om ham* we must rally round him; ~ **sammen:** *se sammenslutte;* ~ *sig sammen* unite, join hands, combine; *(om firmaer)* become merged, merge; ~ *sig til (person)* join, attach oneself to, *(holde med)* side with, *(være enig med)* agree with, *(parti, skare etc)* join, *(erklæring, optræden)* associate oneself with, join in, *(en sag)* espouse, adopt, *(en tro, lære, mening etc)* adopt, ☛embrace, subscribe to, endorse, *(ved tænkning)* infer, conclude; ~ **tæt** *(om vindue etc)* shut tight; *(se ogs sluttet).*

sluttelig *adv* finally, in conclusion.
slutter *(en -e)* gaoler, jailer, turnkey.
sluttet *adj (i tæt formation)* close; *(endt)* closed, concluded; *(eksklusiv)* select, exclusive; ~ *selskab* private party; *i* ~ *trop* in close order, in a body.
I. **slynge** *(en -r) (vdben)* sling; *(til arm)* sling *(fx* have one's arm in a sling); *(bugtet del af organ fx tarm)* loop.
II. **slynge** *vb* fling, hurl, sling; *(honning)* extract; ~ *armene om en* fling one's arms round sby; ~ *sig* wind, *(om vandløb ogs)* meander, *(om plante ogs)* twine; *han blev -t ud af vognen* he was thrown *(el.* flung) out of the car; *(se ogs udslynge); (se ogs slynget).*
slyng|el *(en -ler)* scoundrel.
slyngel|agtig *adj* scoundrelly. **-agtighed** *(en)* scoundrelism. **-streg** dirty trick.
slynget *adj (som slynger sig)* winding; *(sammenslynget)* interlaced *(fx* pattern).
slyngning *(en -er) (bugtning)* winding.
slyng|plante twiner, twining plant. **-rose** ♣ rambler (rose). **-tråd** ♣ tendril.
slæb *(et -) (på kjole)* train; *(slid og* ~) toil, drudgery; *have (,tage) på* ~ have (,take) in tow.
slæbe * *(trække)* drag, haul, lug, (~ *efter sig, ogs)* trail; *(bugsere)* tow, tug; *(bære)* lug; *(arbejde hårdt)* toil, drudge; *(hænge ned, blive slæbt bagefter)* drag, trail; *det kan lige* ~ *af* it will just do, it is only so so; ~ *af sted med ngt* drag (, lug) sth along; ~ *ngt efter sig* trail sth after one; ~ *fødderne efter sig* drag one's feet; ~ 'på drag *(fx* the wheel drags); ~ *sig af sted* drag oneself along, *(om tid)* drag on.
slæbe|båd tug. **-damper** (steam) tug. **-grejer** *pl* towing-gear. **-løn** towage.
slæbende *adj* dragging, *(om gang)* shambling, shuffling, *(om stemme)* drawling.
I. **slæber** *(en -e) (slæbebåd)* tug; *(trosse)* towing -hawser; *(godstog)* goods train, *(bumletog)* slow train.
II. **slæber** *pl (tøfler)* slippers, mules.
slæbe|tov *(til ballon)* trail rope; *tage på* ~ take in tow. **-vod** trawl.
slæde *(en -r)* sledge, *(især amr)* sled, *(kælk)* toboggan; *(på afjutage, drejebænk)* slide; *(på skrivemaskine)* carriage; *køre u* ~ sledge, sled, toboggan, go sledging; *der kom en mand med en* ~ *i vejen* there was a hitch. **slæde|føre** *(et)* sledding *(fx* hard sledding). **-hund** sledge dog. **-kørsel** sledging, sledding; *(tur)* sledge ride.
slægt *(en -er)* family; *(afstamning)* stock, *(især fornem)* lineage; *(generation)* generation, age; *(naturhistorisk)* genus *(pl* genera); *være i* ~ *med* be related to; *kommende -er* future generations; *den opvoksende* ~ the rising generation; *den sidste af sin* ~ the last of his race; ~ *og venner* friends and relations.
slægt *vb:* ~ *én på* take after sby.
slægtled *(et -)* generation.

slægtning *(en -e)* relation *(fx* a distant (,near) relation), relative, *(mere litterært)* kinsman (,kinswoman).
slægts|forskning genealogy. **-gård** family farm. **-historie** genealogy. **-historiker** *(en -e)* genealogist.
slægtskab *(et -er)* relationship, kinship; connection; *(ved ægteskab)* relationship by marriage; *(naturhistorisk, sprogligt, åndeligt)* affinity *(med:* with, to); *(afstamning)* descent; *(samfølelse)* affinity, kinship; *åndeligt* ~ congeniality. **slægtskabsbånd** *pl* ties of kinship. **slægtskabsforhold** relationship.
slægts|navn family name, surname; *(dyrs og planters)* generic name. **-register** genealogical table, genealogy. **-stolthed** family pride, pride of race. **-tavle** genealogical table, table of descent. **-våben** family arms *(el.* crest).
slække *vb* slacken; ~ *på sine fordringer* reduce one's demands.
slæmme *vb (væde planterødder med dynd)* puddle; *(rense)* wash. **slæmmekridt** precipitated chalk.
slæng *(et)* gang, set, crowd; *(mindre neds)* train.
slænge * fling, chuck, throw, toss; ~ *sig på en sofa* fling oneself down on a sofa; *ligge og* ~ *sig* sprawl.
slængkappe cloak; (Inverness) cape.
sløj *adj (dårlig, ringe)* poor, inferior; *(om handel)* slack, *(om marked)* dull; *(energiløs)* slack, listless, lazy; *(ikke rask)* poorly, T seedy, out of sorts.
sløjd *(en)* woodwork, sloid.
sløje *vb:* ~ *af* get slack; *(om en syg)* get worse.
I. **sløjfe** *(en -r) (bundet)* bow; *(krum linie, sporvogns-* etc) loop; *(i musik)* slur.
II. **sløjfe** *vb (jævne med jorden)* demolish; *(udelade)* leave out, omit; *(afskaffe)* discontinue, abolish.
sløjfning *(en) (se* II. *sløjfe)* demolition; omission; discontinuance, abolition; *(i musik)* slur.
sløjhed *(en) (se sløj)* poorness, inferiority; slackness, dullness; laziness; seediness.
slør *(et) (ogs fig)* veil; *(fot)* fog; *(i lejer)* play, *(rat-)* backlash, *(i hjul)* wobble.
sløre *vb (gøre uklar)* blur, dim; *(dæmpe lys)* dim; *(dæmpe lyd)* muffle; *(fot)* fog; *(om hjul)* wobble, be loose; ⚔ camouflage; *-t stemme* husky voice, *(om sangstemme)* veiled voice.
slør|hale *zo* veil-tail(ed goldfish). **-ugle** *zo* barn owl.
sløse *vb (sjuske)* scamp one's work; *(smøle)* dawdle; *(ødsle)* waste, squander; ~ *sin tid bort* fritter one's time away; ~ *med sit arbejde* scamp one's work; ~ *med sine penge* squander *(el.* fritter away) one's money; *-t (om person)* slovenly.
sløseri *(et) (sjuskeri)* slovenliness; *(sjusket arbejde)* mess, scamped work; *(ødslen)* waste.
sløv *adj (ikke skarp)* blunt *(fx* knife); *(åndeligt)* dull, lethargic, apathetic. **sløve** *vb* blunt; *(fig)* dull, blunt, deaden. **sløvende** *adj* deadening.
sløvhed *(en)* bluntness; *(fig)* dullness, lethargy, stupor, apathy. **sløvhedstilstand** torpor.
sløvsind stupor; *(ungdoms-)* dementia præcox.
I. **slå** *(en -er)* bolt; *skyde -en for døren* bolt the door; *skyde -en fra døren* unbolt the door; *under lås og* ~ under lock and key.
II. **slå** *(slog, slået)* beat, *(enkelt slag)* strike, knock, hit; *(støde (en legemsdel), så det smerter)* hurt *(fx* one's finger, one's back), bump *(fx* one's head); *(besejre)* beat, defeat; *(overgå)* beat; *(gøre indtryk på)* strike, impress; *(kaste)* throw *(fx* stones at sby, three sixes *(i terningspil)); (tegne)* draw *(fx* a circle); *(eng. græs)* mow, cut; *(præge)* strike *(fx* a medal); *(spille på et instrument)* strike *(fx* the lyre), play *(fx* the harp); *(om ur)* strike; *(om fugl)* warble, sing; *(om hjertet)* beat, *(hurtigt)* throb; *(om sejl)* flap; *(om alkohol)* be heady, T kick, have a kick in it; *(om gevær)* kick;

~ *alarm* give the alarm; ~ *én bevidstløs* knock sby senseless, stun sby; ~ *glas* ☆ strike bells; ~ *hovedet på sømmet* hit the nail on the head; ~ *ild* strike a light; ~ *en klat* make a blot; *klokken -r 5* it strikes 5; ~ *en knude* tie a knot; ~ *takt* beat time; *det slog mig (* = *det* *faldt mig ind)* it struck me; *(se ogs fold, I. hul, kolbotte, kreds, rekord, I. rod, skærver, slag, streg etc)*;

~ **sig** hurt oneself *(fx* did you hurt yourself?), be hurt, be injured, *(om træ)* warp, *(om skinne etc)* buckle; ~ *sig for brystet* beat one's breast; ~ *sig igennem* fight one's way through, *(klare sig)* manage, rub along, *(økonomisk)* make both ends meet; ~ *sig løs* break away, *(more sig)* let oneself go, kick over the traces; ~ *sig ned (bosætte sig)* settle; ~ *sig op (fig)* prosper *(på:* by), rise in the world; ~ *sig på låret* slap one's thigh; ~ *sig på ngt (fig)* go in for sth, take up sth; ~ *sig på én (tilslutte sig én)* attach oneself to sby; ~ *sig på flasken* take to the bottle; ~ *sig på (om sygdom)* attack, affect *(fx* the lungs); ~ *sig sammen* join forces *(med:* with, *imod:* against), *(ɔ: skyde penge sammen)* club together; ~ *sig sammen om at* join together to; club together to *(fx* buy him a present);

[*forb med præp & adv*] ~ *'af (fjerne ved slag)* knock off, strike off, *(i pris)* knock off, take off; ~ *en handel af* strike a bargain; ~ *en sludder af* have a chat; ~ *af på (fig)* reduce *(fx* the price);

~ **an** *(tangent, tone)* strike; *(begynde at spille)* strike up; *(blive populær, gøre lykke)* catch on, take on, make a hit; become popular *(hos:* with); *(om vare)* find favour *(hos:* with), take on; *(om vaccination)* take;

~ **bagud** kick; ~ **bak** ⚓ reverse the engines;

~ **efter** *én* strike at sby, aim a blow at sby; ~ *ngt 'efter (i en bog etc)* look up sth; ~ *'efter i en ordbog* consult a dictionary; ~ *med sten efter* throw stones at;

~ **fast** fix, nail down, *(fig)* establish *(fx* e. his innocence);

~ *én for penge* touch sby for money;

~ *'fra* (~ *løs)* knock off, *(maskindel, fx bremse)* release, *(fx motor)* cut out, *(damp)* shut off; ~ *fra sig* defend oneself, fight back;

~ *det hen* disregard it, pass it off, *(bagatellisere det)* make light of it; ~ *ngt hen i spøg* laugh sth off, pass sth off with a laugh;

~ *i bordet* thump the table, *(fig)* put one's foot down; ~ *bremserne 'i* jam the brakes on; ~ *døren 'i* slam the door; *et brøl slog os i møde* our ears were assaulted by a roar, we were met *(el.* greeted) by a roar; *lugten slog os i møde* we were met by the smell; ~ *i stykker* break, smash, dash to pieces, *(fig)* break up; ~ *et søm i væggen* drive a nail into the wall;

~ *'igen* hit back;

~ *'igennem (trænge igennem)* strike through, come through, *(om ideer etc)* become generally accepted, penetrate, *(om bog)* make a hit, *(om kunstner)* make a name for oneself, come to the front, become recognized;

~ **ihjel** kill; *(se ogs ihjel)*;

~ **imod** strike (against), *(om bølger, regn)* beat against;

~ **ind** knock in, *(m. hammer)* hammer in, *(knuse)* smash (in) *(fx* a window), *(tøndestaver, skibsside)* stave in; *(i gartneri)* heel in; *(bøje ind)* fold down; *(blive opsuget)* soak in; *(om sygdom)* strike inwards; *det slog ind med regn* rain set in; ~ *ind på (fx en vej)* strike into, turn into, take *(fx* a path, a road); *(en bane, levevej)* enter upon, take up;

han slog løs he laid about him, he hit out in all directions; *(ɔ: hamrede)* he hammered away; ~ *kvæget løs* let the cattle loose; ~ *løs på én* pitch into sby; ~ *en med blindhed* strike sby with blindness; ~ *med døren* slam the door; ~ *med nakken* toss one's head; ~ *med sten* throw stones *(efter:* at); *fuglen -r med vingerne* the bird flaps its wings;

~ *'ned (ɔ: få til at falde ned)* knock down; *(sænke)* lower, pull down, let down; *(~ til jorden, ~ i gulvet)* knock down; *(dyr)* slaughter, kill, destroy; *(afgrøde etc)* lodge, flatten; *(i gartneri)* heel in; *(undertrykke)* suppress, crush, beat down; *(bringe til tavshed)* silence; *(gøre modløs)* cast down; *(falde)* fall, drop *(fx* bullets fell among the crowd); *(om rovfugl)* swoop (down), *(ogs fig)* pounce *(på:* on, *fx* on a

mistake); *(om fugl: sætte sig)* perch; *(om lyn)* strike; ~ *feberen ned* get the temperature down; ~ *kraven ned* turn down one's collar; *lynet slog ned i huset* the house was struck by lightning; ~ *en paraply ned* close *(el.* put down) an umbrella; *blæsten får røgen til at* ~ *ned* the wind beats down the smoke; ~ *termometret ned* shake down the thermometer; ~ *øjnene ned* cast down one's eyes; *det slog ned i ham* it suddenly occurred to him *(el.* struck him);

~ **om** *(vikle om)* wrap *(el.* pass) round *(fx* wrap a shawl round sby; pass a rope round sth); *(om vejret)* change; *(om vinden)* shift; *(skifte mening)* veer (round), change one's mind; *(ɔ: skifte tone)* change one's tune; *(ɔ: skifte emne)* change the subject (of conversation); *(ɔ: skifte taktik)* shift one's ground; reverse one's policy; *hans kærlighed slog om til had* his love turned to hatred; ~ *armene om en* throw one's arms round sby; ~ *om sig lay* about (one); ~ *om sig med citater, eder etc* lard one's conversation (, one's writings) with quotations, oaths, etc; ~ *om sig med penge* splash one's money about, spend lavishly; *det er -et om til tø* a thaw has set in;

~ *op (åbne)* open *(fx* a book); *(en plakat)* post (up), put up, stick (up); *(i strikning)* cast on; *(ord etc i bog)* look up; *(smøge op)* turn up *(fx* one's collar); *(rejse, opstille)* put up, pitch *(fx* a tent); *(opreklamere)* boost, puff; *(om flammer)* leap up; *(om lyd etc)* surge up; ~ *en kaleche (, en paraply) op* put up a hood (, an umbrella); ~ *en latter op* burst into a laugh; ~ *en stilling op* advertise a post; ~ *æg op* break eggs (i: into); ~ *øjnene op* open one's eyes; ~ *ngt stort op (i avis)* splash sth; ~ *forretningen (etc) stort op* start in a grand style; ~ *op i en ordbog* consult a dictionary; ~ *det op i en ordbog* look it up in a dictionary; ~ *op med hende* break off the engagement (with her); ~ *op på side 7!* open your book(s) on page 7! turn to page 7!

~ **over** *(om stemme)* break; *blive -et over bord (af bølgerne)* be washed overboard; ~ *bro over* throw a bridge across, *(ogs fig)* bridge; *bølgerne slog over dækket* the waves washed over the deck; ~ *over i change* into *(fx* English), *(bevægelse)* break into *(fx* a gallop); ~ *over i en anden tone (fig)* change one's tune;

~ **på** strike (on), beat (on), *(let)* tap (on) *(fx* tap sby on the shoulder); *(fig: antyde)* hint at; ~ *på flugt* put to flight, rout;

~ **sammen** *(folde sammen)* fold up *(fx* a screen); *(forene)* combine, pool, knock into one; *(merk)* merge, amalgamate *(fx* two companies); *(sammenfatte)* lump (together), bracket (together); *(lukke sig)* close; *(ramme hinanden)* knock together; ~ *hælene sammen* click one's heels; ~ *hænderne sammen* clap one's hands; *'~ til* strike; ~ *'til (slå løs)* hammer away, hit out, *(fig)* strike *(fx* the Government decided to strike); *(være nok)* suffice, *(»strække«)* last; *(gå i opfyldelse)* prove correct, come true; *(acceptere)* accept (the terms); *få indtægterne til at* ~ *til* make both ends meet; ~ *til jorden* knock down, fell *(fx* fell a man with a single blow);

~ **tilbage** throw back, push back; *(angreb)* beat off, repulse; *(springe tilbage)* rebound; *(genlyde)* be thrown back, resound; *(om fjeder etc)* recoil;

~ **ud** *(m. slag)* knock out; *(udfolde)* unfurl, spread; *(knuse, fx rude)* break, smash; *(hælde ud)* pour out, *(en spand)* empty; *(i boksning og tøg)* knock out; *(rival, konkurrent)* cut out; *(fortrænge, erstatte)* supersede; *(om flammer og røg)* burst out, pour out; *(om sygdom)* break out; ~ *glasset ud af hånden på én* knock the glass out of sby's hand; ~ *det ud af hovedet* put it out of one's head; ~ *ud efter* hit out at; ~ *ud i lys lue* burst into flames; ~ *ud med armene* gesticulate, fling one's arms about; ~ *øjet ud på én* knock out sby's eye; *(se ogs slående, slås, slagen).*

slåbrok *(en)* dressing-gown.

slåen *(en -* ⚘ sloe, blackthorn; *(frugt)* sloe.

slående *adj (påfaldende)* striking *(fx* likeness); *(overbevisende)* convincing *(fx* argument).

slåer *(en -e) (i kricket)* batsman.

slået adj (mejet) mown; (overvunden) defeated.
slåmaskine mower, (til havebrug) lawn-mower.
slås (imperf: sloges) fight; ~ med en fight (with) sby; ~ med ngt contend with sth, struggle with sth (fx difficulties, a problem); ~ om fight over, struggle for; komme op at ~ come to blows; start a fight; være oppe at ~ be fighting.
smadder: gå i ~ T be smashed; slå i ~ T smash up.
smadderfuld adj chock-full.
smadderkasse (vogn) rattletrap, (hus) old barn.
smadre vb smash (up).
smag (en) taste; (især velsmag) flavour, relish; (stil, manér) manner, style, taste; ~ og behag er forskellig tastes differ; efter min ~ (according) to my taste (fx this is to my taste; it is a bad picture according to my taste), to my liking; enhver sin ~ tastes differ; få ~ for acquire a taste for; falde i éns ~ please sby, be to sby's taste, appeal to sby; give ngt ~ give a flavour to sth, flavour sth; være besk i -en have a bitter taste; noget i den ~ sth of that sort; noget i ~ med det sth (rather) like that (, it); en mand med ~ a man of taste; hun er ikke min ~ she does not appeal to me, T she is not my cup of tea;
smage ★ taste; ~ af taste of, (fig) savour of; det -r ikke af ngt it does not taste of anything, there is no taste in (el. to) it; hvad skal det ~ af? what's the big idea? det -r godt it has a good taste, it tastes nice; -r middagsmaden Dem? do you like (el. are you enjoying) your dinner? det -r mig ikke I do not like it; ~ på taste, try; ~ på det (nyde at sige det) roll it on one's tongue.
smagfuld adj tasteful, in good taste.
smagfuldhed (en) good taste, tastefulness.
smagløs adj tasteless, distasteful, in bad taste.
smagløshed (en) bad taste, vulgarity.
smags|dommer arbiter of taste. **-knop**, **-løg** (anat) taste bud. **-organ** organ of taste. **-prøve** (en -r) taste, sample. **-sag** matter of taste. **-sans** sense of taste.
smakke (en -r) smack.
smal adj narrow; (slank) slender, slim; det er en ~ sag that is quite easy; der var ingen -le steder he (etc) had enough and to spare, (om traktement) everything was on a lavish scale.
smal|ben small of the leg. **-film** substandard film. **-filmskamera** cine camera. **-hans** poverty, want, scarcity. **-kost** short commons; på ~ on short commons. **-skuldret** adj narrow-shouldered. **-skygget** adj narrow-brimmed. **-sporet** adj narrow-gauge; (åndeligt) narrow-minded, shallow-brained. **-stribet** narrow-striped.
smaragd (en -er) emerald.
smart adj smart.
smask (et) (smasken) noisy chewing; (kys) smack.
smaske vb champ (one's food); smack one's lips.
smasken (en) champing, noisy chewing.
smattet adj slippery, greasy, sloppy.
I. smed (en -e) smith, (grov-) blacksmith, (klejn-) locksmith; enhver er sin egen lykkes ~ everyone is the architect of his own fortune; passe på som en ~ keep a sharp look-out, T keep one's eyes peeled.
II. smed imperf af smide.
smede vb forge; ~ mens jernet er varmt make hay while the sun shines, strike while the iron is hot; ~ rænker scheme, plot.
smede|arbejde (et -r) smith's work, forging. **-dreng** smith's apprentice. **-jern** wrought iron. **-jernsgitter** wrought-iron lattice. **-lære**: gå (, stå) i ~ become (, be) apprenticed to a smith. **-mester** (master) smith. **-svend** journeyman smith.
smedje (en -r) forge, smithy.
smedning (en) forging.
smelte vb melt, (metal ogs) fuse; (erts) smelt; (fig) melt; ~ af (afsmelte fx fedt) render, melt down; ~ bort (ogs fig) melt away; ~ hen i tårer dissolve in tears; ~ i munden (om mad) melt in one's mouth; ~ om melt down, remelt; ~ ngt sammen fuse sth

(together); ~ sammen (uden objekt) fuse, (fig) become fused (fx the tribes became fused into a single nation), melt into each other; ~ sammen med melt into, merge into; -nde hed baking (hot); -nde stemme melting voice; -nde varme baking heat; -t melted (fx butter); (om metaller) molten (fx molten lead).
smelte|digel crucible, (ogs fig) melting-pot. **-lig** adj fusible. **-ost** processed cheese. **-ovn** melting -furnace. **-punkt** melting-point. **-sikring** fuse. **-temperatur** temperature of fusion. **-vand** melt water. **-vandsflod** glacial stream. **-varme** (en) heat of fusion. **smeltning** (en) melting; smelting; fusion.
smergel (en) emery. **smergel|lærred** emery cloth. **-papir** emery paper. **-pind** emery stick.
smerling (en -er) zo loach.
I. smerte (en -r) pain; (lidelse) suffering; (sorg) grief, sorrow, affliction; have -r be in pain (fx is he in pain?); have a pain (fx in the leg); jagende -(r) a shooting pain; -r i maven (, knæet etc) a pain in the stomach (, the knee, etc); have stærke -r suffer much pain; med ~ skal du føde børn in sorrow thou shalt bring forth children; sidde tilbage med -n be left to foot the bill.
II. smerte vb (bedrøve) pain, grieve; (legemligt: gøre ondt) ache; et -nde sår an aching wound.
smerte|fri adj painless. **-fuld** adj painful. **-lig** adj sad, distressing, painful.
smertens|barn (om barn) child of pain; (fig, omtr =) problem child (fx the club is our p. c.). **-leje** (et): ligge på sit ~ toss in pain, be suffering.
smertestillende adj pain-stilling, analgesic; ~ middel anodyne, analgesic, T pain-killer.
smide (smed, smidt) fling, pitch, chuck, throw, toss; (aftage) take off; hesten smed ham af the horse threw him; ~ om sig med penge chuck one's money about; ~ en dreng ud af skolen expel a boy from the school; ~ pengene ud af vinduet throw the money out of the window; ~ én ud chuck (el. throw el. kick) sby out; ~ noget væk throw sth away; ~ sig ned throw oneself down.
smidig adj supple, lithe, flexible; (plastisk) plastic, soft; (fig: snild, behændig) adroit; (som kan tilpasses efter omstændighederne) elastic, flexible.
smidiggøre make supple, (om læder ogs) soften.
smidighed (en) suppleness, litheness, flexibility; plasticity, softness; adroitness; elasticity.
smidt perf part. af smide.
smig (en -e) bevel.
smiger (en) flattery, adulation.
smigre vb flatter; ~ for flatter; ~ sig med det håb at indulge in the hope that; føle sig -t feel flattered.
smigrende adj flattering; lidet ~ unflattering.
smigrer (en -e) flatterer, (stærkere) sycophant.
smil (et -) smile; affekteret ~ simper.
smile vb smile; ~ ad smile at; ~ til smile at (el. on); lykken har altid -t til ham fortune has always smiled on him.
smile|bånd: trække på -et smile. **-hul** dimple.
smilende adj smiling (fx face, landscape); adv smilingly, with a smile.
I. sminke (en) rouge; make-up; (teater-) grease paint. **II. sminke** vb make up, paint; ~ sig make up; stærkt -t heavily made up. **sminkekrukke** make-up pot. **sminkning** (en) making-up. **sminkør** (en -er) maker-up, make-up man.
smiske vb smirk; ~ for make up to, fawn on.
smitsom adj contagious, infectious, T catching.
smitsomhed (en) contagiousness, infectiousness.
smitstof infectious matter; (disease) germs (pl).
I. smitte (en) infection.
II. smitte vb infect; (uden objekt, ogs fig) be infectious, be contagious; blive -t af en sygdom catch a disease; ~ 'af come off (på: on); (se ogs smittende).
smitte|befængt infected. **-bærer** (en -e) (disease) carrier. **-fare** danger of infection. **-farlig** infectious. **-fri** non-infectious. **-kilde** source (el. centre) of infection.

smittende adj contagious, infectious, **T** catching fx laughter, gaiety).

smittespreder (en -e) (disease) carrier.

smocksyning smocking.

smoking (en) dinner-jacket, **T** black tie; (amr) tuxedo.

smovs (en) treat, blow-out; (neds om jøde) sheeny.

smovse vb have a blow-out; ~ i noget regale oneself with sth.

smuds (et) dirt; drage ens navn i -et drag sby's name in the mud; kaste ~ på (fig) fling mud at.

smudsblad (typ) half-title page; (neds om avis) gutter paper.

smudse vb: ~ til soil, dirty; ~ sig til get dirty.

smudsig adj dirty, soiled; (sjofel) dirty, smutty, obscene; (lav) sordid; (om farve) dirty, dingy.

smudsighed (en -er) dirtiness; smuttiness, obscenity; (en sjofelhed) smutty joke.

smudske vb: ~ til dirty, soil.

smuds|konkurrence unfair competition. **-litteratur** pornography. **-omslag** dust-cover, jacket. **-presse** gutter press, yellow press. **-titel** half title. **-tøj** soiled linen.

smug: i ~ secretly, clandestinely, on the sly.

smug|handel illicit traffic. **-kro** illicit drink -shop; (amr) speakeasy.

smugle vb smuggle (ind: in, ud: out).

smugler (en -e) smuggler. **smugler|bande** gang of smugglers. **-båd** smuggling boat. **-gods** (et) smuggled goods.

smugleri (et -er) smuggling; -er smuggling; grebet i ~ caught smuggling.

smuglervarer pl smuggled goods.

smuk adj beautiful (fx a b. face, woman), (prægtig, flot etc) fine (fx a f. building, a f. result), handsome (fx a h. boy, a h. man); (køn) pretty (fx face; NB pretty har ofte en neds klang: »glansbilledagtig« etc); (køn, om person ogs) good-looking; det var -t af ham that was handsome of him; det var -t af Dem at komme how nice of you to come; en ~ gestus (fig) a handsome gesture; det -ke køn the fair sex; -t vejr fine weather; -t (på barometer) Fair; Filip den Smukke Philip the Fair; -t adv beautifully, finely, handsomely (fx dance, write, dress beautifully; behave, reward handsomely).

smukkesere vb: ~ sig smarten oneself up, titivate oneself.

smul: -t vande a smooth sea.

smuld (et) dust; (af kul) coal dust; (tørve-) peat litter; (sav-) sawdust.

smuldre vb crumble; ~ bort (el. hen el. væk) crumble away, disintegrate.

smule (en -r) bit, scrap, (af væske) drop; (brødkrumme) crumb (fx the crumbs which fell from the rich man's table); -r et også brød half a loaf is better than no bread; den ~ that trifle; den ~ penge that trifling sum; den ~ som what little (fx I lost what little I had; what little light a December day could offer); en ~ a little, a bit, (af væske) a drop, (adv) a little, a bit, somewhat (fx tired, difficult); bare en lille ~ just a little bit (, drop); ikke en ~ (substantivisk) nothing at all, (adjektivisk) not a bit of (fx bread), not a drop of (fx whisky); (adverbielt) not at all (fx I am not at all surprised), not a bit.

smult: ~ vande a smooth sea.

smurt perf part. af smøre. **smurte** imperf af smøre.

smut (et) (sviptur) flying visit, trip; slå ~ play ducks and drakes; skim (stones); slå ~ med øjnene make eyes.

smuthul hiding-place, hide-out, (tilflugtssted) shelter, refuge; (fig) loophole (fx in the law).

smutte vb nip, slip, pop; (vimse) scurry, scud; ~ mandler blanch almonds; ~ bort slip away; ~ fra ham slip out of his hands, (om person) give him the slip; ~ ind til byen nip (el. pop) into (el. up to) town; ~ med øjnene make eyes.

smut|tur flying visit, trip. **-vej** short cut.

smyge (smøg, smøget): ~ noget af sig slip sth off, (fig) shirk sth (fx shirk one's duties); ~ sig ind til nestle close up to; ~ sig om noget cling round sth (fx the dress clung round her forms); ~ sig ud af stuen slip out of the room.

I. **smykke** (et -r) ornament, (juvel-) piece of jewellery, (mindre kostbart) trinket; -r jewellery.

II. **smykke** vb decorate, adorn, ornament.

smykkeskrin jewel case.

smæde vb defame, (skriftligt) libel, (mundtligt) slander. **smæde|digt** pasquinade. **-ord** invective, term of abuse. **-skrift** (et -er) libel, lampoon. **-skriver** libeller, lampoonist. **-vers** pasquinade.

smægte vb languish, pine; ~ efter pine for; -nde languishing; -nde toner languorous (el. melting) notes.

I. **smæk** (et -) (lyd) snap, smack, click, (stærkere) slam, bang; (slag) smack, slap; (tab, knæk) loss, blow; få ~ get a spanking, be spanked; give ~ give a spanking, spank; ~ med tungen click of the tongue; slå to fluer med ét ~ kill two birds with one stone.

II. **smæk** (en -ker) (hage-) bib, (bag-) tailboard.

smæk|fed fat, obese. **-fornærmet** mortally offended, **T** in a huff. **-fuld** chock-full; (beruset) dead drunk.

I. **smække** (en -r) (hage-) bib; (bag-) tailboard.

II. **smække** vb (ved svag lyd) click, (om stærkere lyd) bang, slam; (ramme med slag) smack, slap, (give endefuld) spank, give a spanking, smack, slap; (anbringe ned en hurtig bevægelse) clap (fx clap one's hat on); ~ én en lussing slap sby's face; ~ en bog i shut a book with a snap; ~ en dør i slam a door, (så at låsen fanger) latch a door; døren -de i the door banged (el. closed with a bang); ~ med døren slam the door; ~ med en pisk crack a whip; ~ med tungen click one's tongue; ~ døren op fling (el. throw) the door open; ~ et hus op (⊃: bygge) run up a house; ~ en plakat op stick (up) a bill; ~ én over fingrene rap sby's knuckles, give sby a rap on the knuckles; ~ hælene sammen click one's heels; ~ kæberne sammen snap one's teeth together; ~ sig ned i en stol flop down in a chair.

smækker adj slender, slim.

smæk|kys smack. **-lås** latch.

smæld (et -) click (fx of the tongue), (om stærkere lyd) crack (fx of a whip, of a rifle), bang (fx of a door).

I. **smælde** (en -r) ♣ bladder campion.

II. **smælde** vb crack (fx the whip cracked), flap (fx the sail flapped in the wind); ~ i (lukke sig) close with a snap, (om dør) slam, slam to; ~ døren i, ~ med døren slam the door; skælde og ~ storm and rage; ~ en march ud (med hornmusik) blare out a march.

smælden (en) cracking; banging, slamming (fx of doors); flapping; skælden og ~ storming and raging.

smælder (en -e) zo click beetle.

smøg (en) (cigaret) fag; få en ~ have a smoke.

I. **smøge** (en -r) narrow passage, alley.

II. **smøge** vb: ~ af (sig) slip off, (om dyr) slip (fx the dog slipped its collar); (fig: unddrage sig) shirk (fx one's duties); ~ op turn up, (ærmer) roll (el. tuck) up.

III. **smøge** vb (ryge) smoke.

smøl (et -) slowcoach, dawdler. **smøle** vb dawdle (med: over, bort: away). **smøleri** (et) dawdling.

smør (et) butter; det kommer ikke det ~ ved that is quite another pair of shoes.

smør|blomst ♣ buttercup. **-bøtte** butter tub. **-drittel** butter cask.

I. **smøre** (en -r) (klamamus) rigmarole, screed; hele -n the whole lot.

II. **smøre** (smurte, smurt) (overstryge) smear, coat, (male) daub, (indgnide) rub into (fx rub oil into one's face); (med smøreolie) oil, (maskineri) lubricate; (med fedt) grease; (~ smør på) butter; (bestikke) grease, oil (sby's palm); (prygle) lick; (skrive slet) scribble; (male slet) daub; ~ haser take to one's heels; ~ maden make the sandwiches; det gik som det var smurt it went like a house on fire; ~ *sig i ansigtet med ngt* smear one's face with sth, rub sth on one's face; ~ *en om munden* butter sby up; ~ *ngt over med olie* rub oil over sth; ~ *smør på brødet* butter the bread, spread butter on the bread; ~ *tykt på (fig)* pile it on, lay it on thick.

smøre|apparat lubricator. **-bræt** trencher, platter. **-hul** oil hole. **-kande** oil can. **-kop** oil cup.

smørelse *(en)* lubricant.

smøre|olie lubricating oil. **-ost** cheese spread.

smører *(en -e)* oiler, greaser; *(apparat)* lubricator; *(forfatter)* scribbler, penny-a-liner; *(maler)* dauber. **smøreri** *(et -er) (skriveri)* scribbling, *(litterært makværk)* (piece of) trash; *(maleri)* daubing, *(det malte)* daub.

smør|farve *(en)* butter colour. **-fedt** butter fat. **-grosserer** butter merchant. **-handel** butter trade. **-handler** *(en -e)* butter retailer; *(se ogs -grosserer).*

smøring *(en) (af maskine)* lubrication.

smør|kniv butter knife. **-krukke** butter jar. **-kærne** *(en -r)* churn. **-køler** *(en -e)* butter cooler. **-notering** butter quotation.

smørrebrød [slices of bread and butter covered with meat, cheese, etc]; *et stykke ~ (kan gengives:)* an open sandwich. **smørrebrøds|jomfru** *(omtr =)* sandwich maker. **-papir** greaseproof paper.

smørret *adj* pawky; *smile ~* grin.

smør|siden the buttered side. **-ske** butter pat. **-skål** butter dish. **-smager** *(en -e)* butter taster. **-sovs** melted butter; *skål til ~* butter boat. **-syre** butyric acid. **-tenor** lush tenor. **-tønde** butter tub. **-ælter** *(en -e)* butter worker.

små *(pl af lille, se ogs mindre, mindst)* small, little; *de ~* the little ones; *de ~ i samfundet* the humbler members of the community; ~ *200 pund* something under £200; *-t begavet* not very bright; *(for) -t fodtøj* tight shoes; *gå ganske ~t* walk quite slowly; *det går meget -t (fremad)* we *(etc)* are not making much headway; *have det -t, sidde -t i det* be badly off; *i det ~* in a small way, on a small scale; ~ *går* narrow *(el.* straitened) circumstances; *de ~ profeter* the minor prophets; *skære ngt -t (:> findele)* cut sth small *(el.* fine); ~ *slag!* gently! steady! *store og ~* great and small; *jeg har så -t lyst til at* I have half a mind to; *jeg begyndte så -t at mistænke ham* I began to suspect him (a little); *vore tab var ~ (i krig)* our losses were light; *de ~ timer* the small hours; *det er -t med frugt* fruit is scarce; *det er -t med hans flid* he is not over -industrious.

små- small *(fx* bushes, houses, tables, farmers, groups), little *(fx* houses, rivers, birds, verses, boys, girls), *(ofte neds)* petty *(fx* fees, expenses, troubles, states, princes); *(relativt små)* minor *(fx* authors, poets, expenses); *(ved verber)* a little *(fx* complain a little).

små|aks spikelet. **-arbejder** *pl (skribents ord)* minor works, *(om alm arbejde)* small jobs. **-artikler** *pl (i forretning)* smallwares, *(især amr)* notions; *(syartikler)* haberdashery. **-blad** ❀ leaflet. **-bladet** *adj* ❀ parvifolious. **-blomstret** ❀ small-flowered, *(om tøj)* sprigged. **-blunde** *vb* doze. **-borgerlig** *(petit)* bourgeois. **-børn** babies, infants. **-børnslærerinde** *(omtr =)* infant school teacher. **-dele** *pl* particles. **-folk** *(børn)* little ones; *(se ogs småkårsfolk).* **-forseelser** *pl* peccadilloes. **-fyre** *pl* kids, *(drenge ogs)* nippers. **-gader** *pl* by-streets. **-handlende** *pl* small tradespeople *(el.* shopkeepers). **-hoste** *vb* cough slightly. **-kage** *(svarer til)* (sweet) biscuit, *(amr ogs)* cookie. **-koge** ✳ simmer. **-kornet** *adj* small-grained. **-kravl** small fry; *(børn)* tiny tots. **-kævl** bickerings. **-køb** sausage meat. **-kårsfolk** people of humble means, humble folk. **-le** *vb* chuckle.

smålig *adj (snæversynet)* petty(-minded), small -minded; *(påholdende)* stingy; *(for spidsfindig)* carping *(fx* criticism), captious *(fx* critics); *(for nøjeregnende)* over-particular, fussy; *uden -t hensyn til* regardless of; ~ *kritik (ogs)* cavilling. **smålighed** *(en)* pettiness, petty-mindedness; stinginess; captiousness; fussiness.

små|mønt small coins, (small) change. **-ord** particle. **-partier:** *i ~* in small lots. **-penge** (small) change. **-regne** drizzle. **-roller** small *(el.* minor) parts, T bit parts. **-skænde** grumble, *(til stadighed)* nag. **-skændes** bicker. **-sløjd** *(omtr =)* handwork. **-snakke** chat. **-sten** *pl* pebbles. **-stumper, -stykker** small pieces *(el.* bits). **-ternet** small-checked. **-ting** *pl* small things, trifles; *(i varehus)* smallwares, *(især amr)* notions; *(syartikler etc)* haberdashery; *det er ikke ~* that is quite a lot, it is not to be sneezed at; *(om penge)* it is quite a respectable sum; *hænge sig i ~* stick at trifles. **-tingsafdeling** *(i varehus)* smallware *(el.* notions) department, *(m. syartikler etc)* haberdashery counter. **-tosset** a bit dotty, not all there. **-trolde** *(pl) (om børn)* kiddies, (tiny) tots.

småtskåren *adj* cut small, *(fig)* ,small-minded, petty. **småtskårenhed** *(en)* small-mindedness, pettiness.

småtterier *(pl)* trifles.

småttærende *adj: være ~* be a poor eater.

småøer islets, small islands.

snab|el *(en -ler)* proboscis, *(elefants ogs)* trunk; *(= næse)* nose, T conk; *(på romersk krigsskib)* rostrum *(pl* rostra), beak.

snadde *(en -r)* short pipe, T nose-warmer.

snadre *vb (om and)* grub, *(= rappe)* quack; *(snakke)* chatter, jabber.

snage *vb:* ~ *i* pry into, nose into; nose about among.

snak *(en) (samtale)* talk, chat; *(snakken op)* chatter; *(vås)* twaddle, nonsense, bosh; *(sladder)* gossip; *å ~!* nonsense! bosh! *det er en anden ~* that is another pair of shoes, *(det lader sig høre)* now you are talking; *falde i ~ med* get into talk with; *løs ~* idle talk, gossip; *det er den rene ~* it is all nonsense; *sikken noget ~!* nonsense! bosh! *det blev ved -ken* nothing ever came (out) of it.

snakke *vb* talk, chat; *(pjatte)* chatter; *(vrøvle)* talk nonsense; ~ *engelsk* talk English; ~ *politik* talk politics; *han -r fanden et øre af* he would talk the hind leg off a donkey; ~ *ham (, sig) fra det* talk him (, oneself) out of it; ~ *frem og tilbage om ngt* discuss sth at great length; ~ *med en* talk to *(el.* with) sby; ~ *'med* join in the talk, *(:> afbryde)* T chip in; ~ *om ngt* talk about *(el.* of) sth, talk sth over; ~ *over sig* give oneself away.

snakke|hjørnet: *være i ~* be in a talkative mood. **-salig** *adj* talkative, chatty, garrulous. **-salighed** *(en)* talkativeness, chattiness, garrulousness, garrulity. **-tøj:** *have et godt ~* have the gift of the gab.

snaksom *adj* talkative, chatty, loquacious.

snappe *vb* snatch, *(med næb el. tænder)* snap (up); *(uden objekt)* snap; ~ *efter* snatch at, snap at; ~ *efter vejret* gasp for breath; *(en enkelt gang)* catch one's breath.

snaps *(en -e)* snaps, schnap(p)s; *en* ~ a glass of s., *(ofte =)* a dram. **snapseglas** *(omtr. =)* liqueur glass.

snapshot *(et -s)* snapshot, snap.

snare *(en -r)* snare, trap, springe; *(fig)* snare, trap; *lægge en ~ for én* set a snare *(el.* trap) for sby.

snarere *(hurtigere)* sooner *(fx* the more you work, the sooner you will get it finished); *(i højere grad)* rather *(fx* it is grey rather than white); *(nærmest, tværtimod)* if anything *(fx* it is not getting warmer; it is colder, if anything); ~ *end* rather than; *han vil* ~ *hjælpe dig* he is more likely to help you.

snarest *(nærmest, tværtimod)* if anything; ~ *(muligt)* as soon as possible; ~ *belejligt* at your earliest convenience; *han vil* ~ *opgive det* (= *mest sandsynligt)* he is most likely to give it up.

snarlig *adj* early, approaching, impending, speedy; *adv* soon, shortly; *imødese et -t svar* await an early reply; *på -t gensyn* I hope we shall meet again soon, T see you again soon.

snar|rådig *adj* resourceful, quick-witted, *(beslutsom)* resolute. **-rådighed** *(en)* resourcefulness, resource; resolution; *(åndsnærværelse)* presence of mind.

snart *adv* soon, shortly, presently; *(kort efter)* soon, shortly after(wards); *(~ sagt, næsten)* almost, nearly, practically; *snart .. snart* now .. now *(fx* now on one side, now on the other); *jeg ved ~ ikke* I hardly know; *det er ~ ti år siden han rejste* it will soon be ten years since he left; *i ~ ti år* for nearly ten years; *nu kan det ~ være nok!* really, this is the limit! *det er ~ på tide* it is about time; *så ~ (som)* as soon as; *ikke så ~ .. før* no sooner .. than.

I. **snask** *(en -er) (knejpe)* joint, dive.

II. **snask** *(et) (griseri)* mess.

snaske *vb:* ~ *i* mess about with.

I. **snavs** *(et)* dirt, filth, mud.

II. **snavs** *adj (slet)* bad; *(syg)* ill, poorly.

snavse *vb:* ~ *til* dirty, soil; ~ *sig til* get dirty.

snavset *adj* dirty, soiled; *være ~ om fingrene* have dirty fingers. **snavsetøj** soiled linen, washing.

I. **sne** *(en)* snow; *hvor er den ~ der faldt i fjor?* where are the snows of yester-year? *høj ~* deep snow; *slås med ~* snowball (one another); *være ude i den kolde ~ (fig)* be (left) out in the cold.

II. **sne** *vb* snow; ~ *inde* be snowed up, *(om bil, tog)* be stuck in the snow; ~ *'til* be covered with snow.

sne|blind *adj* snow-blind. **-bold** snowball; *kaste med -e* throw snowballs, snowball; *slås med -e* snowball (one another); *vokse som en ~* snowball. **-boldkamp** snowball fight. **-bolle, -bolletræ** ♣ guelder rose. **-briller** snow goggles. **-byge** snow shower, *(amr)* snow flurry; *(stærk)* snow squall. **-bær** ♣ snowberry.

sned: *på ~* aslant, on one side; *med hatten på ~* with one's hat cocked over one ear.

snedig *adj* cunning, crafty; *(snild)* ingenious.

snedighed *(en)* cunning; ingenuity.

snedker *(en -e) (møbel-)* cabinet-maker; *(bygnings-)* joiner, carpenter. **snedkerarbejde** cabinet -making, joinery. **snedkerere** *vb* do carpentering.

snedkeri *(et -er) (håndværk)* cabinet maker's trade; joiner's trade; *(værksted)* joiner's workshop.

snedker|lim joiner's glue. **-lære:** *være i ~* be apprenticed to a cabinet-maker (, joiner). **-mester** master cabinet-maker (, joiner). **-svend** journeyman cabinet-maker (, joiner). **-værksted** cabinet -maker's (, joiner's) (work)shop.

sne|drive *(en -r)* snowdrift. **-dække** *(et)* cover *(el.* blanket) of snow. **-fald** snowfall. **-fnug** snowflake. **-fog** *(et)* snowdrift, *(m. snefald)* snowstorm.

sneg, sneget *imperf og perf part. af* snige.

snegl *(en -e) zo (m. skal)* snail, *(uden skal)* slug; *(anat: i øret)* cochlea; *(teknisk)* worm, *(vand-)* Archimedean screw; *en gammel ~* an old buffer; *en løjerlig ~ (fig)* a queer fish.

snegle *vb:* ~ *sig af sted* go *(el.* crawl) along at a snail's pace, *(fig)* drag on.

snegle|bælg ♣ medic. **-fart:** *med ~* at a snail's pace. **-gang** spiral staircase, winding *(el.* corkscrew) stairs; *(anat)* cochlear duct. **-hus** snail shell.

sne|grænse snow line. **-hare** *(en -r) zo* mountain hare. **-hvid** snow-white, snowy.

Snehvide Snow White.

sne|hytte snow hut; *(eskimoisk)* igloo. **-kaster** *(en -e)* snow shoveller. **-kastning** *(en -er)* snow -shovelling, snow-clearing.

I. **snekke** *(en -r)* ⚓ ship.

II. **snekke** *(en -r) (teknisk)* worm; screw.

snekke|drev worm drive. **-hjul** worm wheel.

sne|klædt *adj* snow-clad, snow-covered. **-kæde** anti-skid chain. **-linie** snow line. **-mand** snowman. **-mark** snow field. **-masse** mass of snow. **-plov** snow plough, *(amr)* snowplow.

sneppe *(en -r) zo* snipe. **sneppejagt** snipe shooting.

snerle *(en -r)* ♣ bindweed.

I. **snerpe** *(en -r)* prude.

II. **snerpe** *vb:* ~ *sammen* contract, draw together; ~ *munden sammen* purse (up) one's lips; *(om sure ting)* be astringent. **snerpende** *adj* astringent.

snerperi *(et)* prudery, prudishness.

snerpet *adj* prudish, prim.

I. **snerre** *(en -r)* ♣ bedstraw.

II. **snerre** *vb* snarl *(ad:* at). **snerren** *(en)* snarl.

snert *(en -e(r)) (piske-)* whiplash; *(piskeslag)* flick (of a whip); *(hib)* gibe, taunt, sarcasm; *(antydning)* touch. **snerte** *vb:* ~ *én* gibe at sby.

snerydning snow clearing.

snes *(en -e)* score; *en halv ~* half a score, *(mindre præcist)* some ten, about a dozen; *5 -e æg* 5 score of eggs; *-e af gange* scores of times.

snesevis: *i ~* in scores; *i ~ af* scores of.

sne|sjap slush. **-sko** *pl* snowshoes. **-skraber** snow scraper. **-skred** *(et)* snowslide, *(lavine)* avalanche. **-skærm** snow shield, *(stakit)* snow fence. **-spurv** *zo* snow bunting. **-storm** snowstorm, blizzard. **-ugle** *zo* snowy owl. **-vejr** snowy weather, snow. **-vejrsdag** snowy day. **-vinter** snowy winter.

snige *(sneg, sneget) vb:* ~ *sig (liste)* steal *(ind på:* upon); *(lumsk)* sneak *(fx* sneak away); ~ *sig til at gøre ngt* do sth on the sly. **snigende** *adj* sneaking, *(fig)* insidious *(fx* disease), creeping *(fx* fear).

snigløbe *vb* attack insidiously, stab in the back.

snig|mord assassination. **-morder, -morderske** assassin. **-myrde** *vb* assassinate. **-skytte** *(en -r)* sniper.

sniksnak nonsense, rubbish.

snild *adj* ingenious; *være ~ til ngt* be clever at sth, **T** be a dab at sth; ~ *på fingrene* handy, deft.

snilde *(et)* ingenuity; *have teknisk ~* be technically gifted.

snildhed *(en)* ingenuity, cleverness, sagacity.

snip *(en -per)* corner, tip, end, point.

snirkel *(en -ler)* scroll, *(i skrift)* flourish. **snirklet** *adj* scrolled, *(bugtet, fx om vej)* tortuous; *(om udtryksmåde etc)* ornate, tortuous.

snit *(et -)* cut, *(ogs med.)* incision; *(på bog)* edge; *(facon i tøj)* cut; *(præg)* style, stamp; *(tvær- etc)* section; sectional view; *det gyldne ~* the golden section; *i ~ (T: gennemsnit)* on an average; *se sit ~ til at* see one's chance to.

snit|mønster pattern. **-sår** incised wound, cut.

I. **snitte** *(en -r) (skive)* slice; *(smørrebrød, omtr =)* canapé.

II. **snitte** *vb (tildanne)* carve, whittle, cut; *(skære i stykker)* cut up, slice; *(i boldspil)* cut; ~ *af* cut off, slice off; ~ *sig i fingeren* cut one's finger.

snittebønne kidney bean, French bean.

snive *(en) (hestesygdom)* glanders.

sno *vb* twist, twine; ~ *sit overskæg* twirl one's moustache; ~ *sig* twist (oneself), *(om vej, flod)* wind, *(om ranker)* twine, *(fig)* thread one's way through difficulties, be dexterous; ~ *sig fra* wriggle out of, dodge; *(se ogs snoet).*

snob *(en -ber)* snob. **snobbe** *vb* be a snob; ~ *for* toady to, make up to; ~ *nedad* be an inverted snob. **snobberi** *(et)* snobbery, snobbishness. **snobbet** *adj* snobbish.

snoet *adj* twisted; *(bugtet, fx om vej)* winding, meandering *(fx* path), tortuous.

snog *(en -e) zo* grass snake.

snohale *(en -r) zo* prehensile tail.

snolde *vb* buy tuck.

snoldet *adj* paltry, miserable; *(nærig)* mean.

snoning *(en -er) (det at sno)* twisting, twining; *(bugtning)* winding, bend *(fx* of a river), coil; *(riffelgangs)* twist.

snor *(en -e)* string; *(elekt, telefon-, gardin-)* cord; *(tøj-)* (clothes-)line; *(wc-)* chain; *(mål-, ved kapløb etc)* tape; *(til perler)* string; *(til at snøre)* lace; *(om livet)* girdle, cord; *(møbelbesætnings-)* braid; *(til hund)* lead, leash; *binde en ~ om en pakke* tie a parcel up with string; *det går som efter en ~* things are going like clockwork; *føre en hund i ~* have *(el.* take) a dog on a leash *(el.* lead); *trække perler på en ~* string beads (, pearls).

snore|besat *adj* braided, corded; frogged. **-besætning** braiding. **-loft** *(i teater)* rigging loft.

snorke vb snore. **snorke|el** (en -ler) snorkel.
snorken (en) snoring, snore.
snorksove vb sleep like a log.
snorlige adj straight as an arrow, ruler-straight.
snot (et) snot.
snot|dum adj oafish, bone-headed. **-klud** (en -e)
snotrag. **-næse** (barn) snotty brat.
snottet adj snotty; (snoldet) paltry.
snu adj sly, wily, cunning.
snubbe vb : ~ én af cut sby short; ~ ordene af
clip one's words.
snuble vb stumble, trip (up); ~ over (ogs fig)
stumble over, trip over; det ligger -nde nær it is
obvious, T it stares you in the face.
snude (en -r) (dyrs) nose; snout; (menneskes, neds)
snout; (på skotøj) toe; give ham en på -n sock him in
the face; stikke sin ~ i ngt poke one's nose into sth.
snudebille zo weevil.
I. **snue** (en) a cold in the head.
II. **snue** vb (sove) T snooze.
snuhed (en) slyness, cunning.
snup: i en ~ in a jiffy.
snuppe vb snatch; (stjæle) pinch; (anholde) nab.
snuptag quick pull; i et ~ in a jiffy.
snur: på ~ aslant, on one side; sætte hatten på ~
cock one's hat; med hatten kækt på ~ with one's hat
at a jaunty angle.
I. **snurre** (en -r) gyroscope.
II. **snurre** vb (om lyd) hum, whirr, buzz, (om kedel)
sing, (om kat: spinde; om motors jævne gang) purr;
(småkoge) simmer; (om bevægelse) spin, whirl, twirl;
det -r i mine fingre my fingers are tingling; ~ på
t'erne roll one's r's; ~ rundt spin (round); ~ rundt
på hælen turn on one's heel.
snurreben (albuespids) funny-bone.
snurren (en) (se II. snurre) hum, whirr, whirring,
buzz, buzzing; singing; purr, purring; spinning,
whirling; tingling; rolling.
snurre|piberier pl curiosities, (nips ogs) knick
-knacks. **-top** top. **-vod** Danish seine.
snurrig adj droll, funny, odd, queer.
snurrighed (en -er) oddity, queerness.
snus (en) snuff; ikke en ~ not a scrap.
snusdåse snuffbox.
snuse vb sniff; (tobak) take snuff; ~ efter nose
about for; ~ i pry into; ~ omkring nose about,
snoop around; ~ op (i næsen) sniff up, (opspore)
nose out; ~ til sniff at.
snusfornuft matter-of-fact outlook, stolidity.
snusfornuftig adj matter-of-fact, stolid.
snushane Paul Pry.
snusket adj scruffy, (snavset) dingy, (sjusket) slov-
enly, untidy; (fig) unsavoury.
snus|tobak snuff. **-tobaksdåse** snuffbox.
snut (en) T ducky; min ~l ducky!
snyd (et) = snyderi.
snyde (snød, snydt) (narre) cheat, take in, T do;
(i skolen: skrive af etc) crib; ~ ham for cheat (el. do)
him out of; blive snydt for noget be balked of sth;
~ for en time (= udeblive) cut a lesson; ~ i skat
evade (income) tax; ~ lyset snuff the candle; ~ næsen
blow one's nose; ~ sig fra shirk (fx s. one's duty);
~ sig til at gøre ngt do sth on the sly; ~ ved eksamen
cheat at an examination; som snydt ud af næsen på, se
næse.
snyde|bluse dickey. **-dum** bone-headed. **-fuld**
(beruset) drunk as a lord, blind drunk. **-kontakt**
(en -er) (elekt) double plug.
snyder (en -e) cheat, swindler.
snyderi (et -er) cheating, deception, dishonest
trick, swindle. **snydeseddel** (i skolen) crib.
snylte vb be parasitic, be a parasite (på: on), (om
menneske) sponge (på: on). **snylte|dyr** parasite.
-gæst parasite, sponger, hanger-on. **-hveps** zo
ichneumon fly. **-plante** ♣ parasitic plant, parasite.
snylter (en -e) parasite; (se ogs snyltegæst).
snylteri (et) parasitism, sponging.

snyltesvamp ♣ parasitic fungus.
snære vb constrict, cut into; (uden objekt) be too
tight; -nde bånd (fig) trammels.
snæver adj narrow; (om klæder etc) tight, close
-fitting; (intim, nøje) close, intimate; i snævrere for-
stand in a more restricted sense; inden for snævre
grænser within narrow bounds; den snævre port
(bibelsk) the strait gate; i en ~ vending at a pinch.
snæver|hed (en) narrowness; tightness. **-hjertet**
adj narrow-hearted, mean. **-sind** narrow-minded-
ness. **-syn** narrow-mindedness, narrow outlook.
-synet adj narrow(-minded).
snævre vb: ~ sig ind narrow, grow narrow(er).
snævring (en -er) narrow passage (, pass, part),
(bjergpas ogs) narrow; (af vej, gade ogs) bottleneck.
snøb|el (en -ler) cub, pup.
snød imperf af snyde.
snøft (et -) (se snøfte) snuffle, sniffle; sniff; snort.
snøfte vb (af snue) snuffle, sniffle; (af gråd) blubber,
sniff, (ynkeligt) snivel; (af harme) snort (with rage),
(af foragt) sniff; (om dyr: snuse) sniff (til: at), (pruste)
snort. **snøften** (en) snuffling, snuffle; blubbering,
snivelling; snorting; sniffing.
I. **snøre** (en -r) cord, line; (fiske-) line.
II. **snøre** vb lace (up); ~ op unlace; ~ sammen lace
up, cord up, (stramme) constrict; ~ sig lace oneself
(in); ~ sig sammen contract (fx his throat contracted).
snøre|bånd lace. **-fiskeri** angling. **-hul** (et -ler)
eyelet. **-lidse** (en -r) lace. **-sko** laced (el. tie) shoe.
-støvle laced boot.
snørklet = snirklet.
snørliv stays; et ~ a pair of stays; hendes ~ her
stays.
snøvl (et -) (smøl) slowcoach, dawdler.
snøvle vb speak through one's nose, snuffle;
(smøle) dawdle. **snøvlen** (en) snuffling, nasal twang.
snøvlende adj snuffling (fx person), nasal (fx sound).
snøvs: gå fra ~en lose one's head.
so (en, søer) sow; (om kvinde) slattern, slut.
sobel(skind) sable.
sober adj sober, sober-minded.
soberhed (en) sobriety, sober-mindedness.
social adj social.
social|demokrat Social Democrat. **-demokrati**
social democracy; (politisk parti) Social Democratic
Party. **-demokratisk** adj Social Democratic. **-for-
sorg** social services. **-hjælp** public assistance; (i Eng-
land nu) National Assistance; (amr) relief. **-hjælper**
social worker.
socialisere vb socialize, nationalize. **socialisering**
(en) socialization, nationalization. **socialisme** (en)
socialism. **socialist** (en -er) socialist. **socialistisk** adj
socialistic, socialist.
social|kontor public assistance office. **-lov** social
law. **-lovgivning** social legislation. **-minister** Min-
ister of Social Affairs. **-ministerium** Ministry of
Social Affairs. **-politik** social policy. **-reform** social
reform. **-rådgiver** social worker. **-understøttelse**
se -hjælp.
societet (et -er) society.
sociolog (en -er) sociologist. **sociologi** (en)
sociology. **sociologisk** adj sociological.
sod (en) soot; (i motor) carbon.
soda (en) soda; (se ogs -vand). **soda|lud** soda-lye.
-pastil soda mint. **-vand** (hvid) soda water; (kulørt)
(svarer til) mineral (water), fizzy lemonade, T pop;
whisky og ~ whisky-and-soda.
sode vb soot. **sodet** adj sooty.
Sodoma Sodom.
sofa (en -er) settee, sofa. **sofa|bord** coffee table.
-pude settee (el. sofa) cushion. **-vælger** abstainer
(at elections); non-voter.
soffitter pl (på teater) borders.
Sofie Sophia.
sofisme (en -r) sophism. **sofist** (en -er) sophist.
sofisteri (et) sophistry. **sofistisk** adj sophistic(al).
sogn (et -e) parish.

sogne|barn parishioner. **-bånd** [obligation to avail oneself exclusively of the services of the incumbent of the parish]. **-foged** [official performing certain judicial functions in the parish]. **-grænse** parish boundary. **-gård** parish community centre. **-kald** living, incumbency. **-kirke** parish church. **-præst** incumbent, rector, vicar; *(i den katolske kirke)* parish priest; *(presbyteriansk, metodistisk etc)* minister. **-råd** parish council. **-rådsformand** chairman of a parish council. **-rådsmedlem** parish councillor.

soignere *vb* trim, tidy (up); ~ *sig* tidy oneself (up). **soigneret** *adj* neat, trim, well-groomed.

soigneringsanstalt clean towel supply.

soiré *(en, soireer)* soirée.

soja *(en)* soy. **soja|bønne** soya bean; *(amr)* soybean. **-kage** soya-bean cake. **-mel** soy flour.

sok *(en -ker)* sock; *(fjerbeklædning)* stocking; *få en (våd)* ~ get wet feet; *mat i -kerne (sløj)* seedy, *(træt)* run down. **sokkeholder** *(en -e)* (sock) suspender; *(amr)* garter.

sok|kel *(en -ler)* *(for statue, mur, møbel)* plinth; *(for søjle)* base; *(hvori noget er fastgjort)* socket; *(til glødelampe)* holder.

soklet *(en -ter)* anklet.

Sokrates Socrates. **sokratisk** *adj* Socratic.

sol *(en -e)* sun; *(fyrværkeri)* Catherine wheel; *-en står op (, går ned)* the sun rises (, sets); *-ens opgang* sunrise; *-ens nedgang* sunset; *når man taler om -en så skinner den* talk of angels (and you will hear the flutter of their wings); talk of the devil (and he is sure to appear); *en plads i -en (ogs fig)* a place in the sun; *intet nyt under -en* nothing new under the sun; *skifte ~ og vind lige* be fair.

solar- solar *(fx microscope, oil)*.

solaveksel sola bill of (exchange); *(egenveksel)* promissory note.

sol|bad sun bath; *tage* ~ sun-bathe; take a sun bath. **-bane** ecliptic. **-batteri** solar battery. **-beskinnet** *adj* sunlit, sunny. **-bleget** *adj* sunbleached. **-briller** sun glasses. **-brændt** sunburnt, tanned. **-brændthed** *(en)* sunburn, tan. **-bær** ♧ black currant. **-bærrom** (crème de) cassis. **-creme** suntan lotion

I. **sold** *(et -)* *(lønning)* pay; *syndens* ~ *er døden* the wages of sin is death; *i en fremmed magts* ~ in the pay of a foreign power.

II. **sold** *(et -)* *(drikkegilde)* blow-out, binge.

III. **sold** *(et -)* *(sigte)* sieve, (grovere) riddle.

soldat *(en -er)* soldier; *da jeg var* ~ when I was in the Army; *ligge inde som* ~ do one's national service; *den ukendte* ~ the Unknown Warrior.

soldater|bog *(omtr =)* service record. **-breve** soldiers' letters. **-hjem** soldiers' institute. **-livet** soldiering. **-mæssig** *adj* soldierly; *lidet* ~ unsoldierly. **-papirer** *(pl)* service record. **-råd** soldiers' council. **-tid:** *hans* ~ the time he was a soldier. **-tjeneste** military service. **-ånd** military spirit.

solde *vb* be on the spree, (svire) be drinking, T booze; *(om skoledrenge)* buy tuck, have a blow-out; ~ *pengene op* squander the money, *(ved solderi)* spend the money on drink.

solde|broder toper, T boozer; *hans -brødre* his drinking companions.

solderi *(et)* dissipation, T boozing; *(ødslen)* waste. **solderist** *(en -er)* toper, T boozer.

sol|dug ♧ sundew. **-dyrkelse** sun worship. **-dyrker** sun worshipper.

sole *vb* sun; ~ *sig (ogs fig)* sun oneself.

soleklar *adj* obvious, as clear as daylight; crystal -clear; *det er -t (ogs)* it stands to reason.

soleksem summer rash.

solemærke: *efter alle -t at dømme* in all probability. **solennitetssal** ceremonial hall.

solfattig not very sunny.

solformørkelse eclipse of the sun, solar eclipse. **solgt,** **solgte** *se sælge*.

sol|gud sun god. **-hed** *adj* sun-baked, hot. **-hede** *(en)* heat of the sun. **-hjelm** sun helmet, topee, topi.

-hverv *(et)* solstice. **-hvervs-** solstitial. **-højde** altitude of the sun; *(toppunkt)* acme.

solid *adj (svær)* solid, strong; *(om måltid)* substantial; *(merk)* solid, well-established, solvent, sound; *(pålidelig)* steady; reliable; *(velbegrundet)* sound; *-t bygget* solidly *(el.* firmly) built; *-e kundskaber i et fag* a thorough knowledge of a subject.

solidarisk *adv (jur)* jointly; ~ *ansvar* joint and several liability; *stå* ~ *med* make common cause with, stand shoulder to shoulder with. **solidaritet** *(en)* solidarity. **solidaritetsfølelse** feeling of solidarity. **soliditet** *(en)* solidity. **solidum:** *in* ~ jointly.

solist *(en -er)* soloist.

sollys *(et)* sunlight; *adj* sunny, sunlit.

solnedgang sunset.

I. **solo** *(en -er)* solo *(pl* solos *el.* soli).

II. **solo** *adj: synge* ~ sing solo.

solo- solo *(fx* dance, flight, motor cycle, singer).

sololie suntan oil.

sol|opgang sunrise. **-plet** sunspot. **-rig** sunny. **-ring** solar halo. **-sejl** ⚓ awning. **-side** sunny side. **-sikke** *(en -r)* ♧ sunflower. **-skin** sunshine; *slikke* ~ sun oneself, bask in the sun. **-skinsdag** sunny day. **-skinstag** *(på bil)* sliding roof. **-skinsvejr** sunshine. **-skive** disc of the sun; *(solur)* sundial; *(arkæologisk)* sun disc. **-skoldet** *adj* sun-scorched. **-skærm** *(øjen-)* eyeshade; *(på bil; parasol)* sunshade. **-sort** *(en -er)* *zo* blackbird. **-spektrum** solar spectrum. **-stik** sunstroke. **-stråle** sunbeam, *(fig)* ray of sunshine. **-system** solar system. **-tilbedelse** sun worship. **-tørret** *adj* sun-dried. **-ur** sundial.

solution *(en)* rubber solution.

solvarme *(en)* heat of the sun.

solvens *(en)* solvency. **solvent** *adj* solvent.

sol|ægte *adj* fadeless, sunproof. **-år** solar year.

I. **som** *pron (om person: som subjekt)* who; *(som objekt)* who(m); *(efter præp)* whom; *(om alt andet)* which; *(i bestemmende relativsætninger ogs)* that; *(efter such el.* the same) as; *denne mand,* ~ *var her i går, og* ~ *du bad om at hjælpe os* this man, who was here yesterday, and whom you asked to help us; *den pige* ~ *jeg mødte* the girl that *(el.* whom) I met; *penge* ~ *ikke tilhørte ham* money that *(el.* which) did not belong to him; *de samme* ~ *jeg så i går* the same as I saw yesterday; *den, det, de: ~ se disse ord.*

II. **som** *conj (sætningsindledende, samt = i egenskab af, fungerende som)* as *(fx* as I had expected, he came home early; do as you are told; he was famous as a composer; he served as a captain during the war); *(lige som, i lighed med)* like *(fx* he climbed the tree like a cat; they were behaving like children); *(= for eksempel)* such as *(fx* metals such as gold and silver), like *(fx* animals like the horse and the cow; words like "piano"); *(efterhånden* ~) as;

~ *han dog snorker!* how he snores! *klog* ~ *han var prøvede han ikke at* being wise he did not try to; ~ *bekendt er han en løgner* it is a well known fact that he is a liar; *allerede* ~ *dreng* even as a boy; *E* ~ *Ellen (ved stavning fx i telefon)* E for Ellen; *det er ikke for folk* ~ *dig og mig* it is not for the likes of us; *han døde* ~ *en fattig mand* he died (as) a poor man; *han stod* ~ *(om han var)* forstenet he stood as if petrified; *fungere* ~ *act* as; ~ *før* as before; *med en mine* ~ *en hertuginde* with the air of a duchess; *netop* ~, *just* ~ just as; ~ *oftest* as a rule, generally; ~ *om* as if, as though; *optræde (i rollen)* ~ *Macbeth* appear as Macbeth; act (the part of) Macbeth; ~ *sådan (ɔ: i sin helhed)* as such; *sådan* ~ such as, as; *sådan(ne)* .. *som* such .. as; *som* .. *således as* .. so *(fx* as you treat them, so will they treat you); *(lige)så .. som* as .. as; *(så)* ren ~ sne (as) pure as snow; *ikke så stor* ~ not so big as *(fx* I am not so big as you); *så meget mere* ~ the more so as; ~ *svar* by way of answer; ~ *sædvanlig* as usual; *tale* ~ *en tåbe* speak like a fool; ~ *ved et mirakel* as (if) by a miracle.

so|mikkel *(en -mikler)* pig.

somme *pron* some; ~ *tider* sometimes.

sommer *(en, somre)* summer; *i* ~ this summer, *(sidste* ~) last summer; *i -en 1966* in the summer of 1966; *om -en* in summer; *til* ~ next summer.

sommer- summer *(fx* morning, evening month, season, dress, frock, pleasures, visitor, heat, rain).

sommer|bolig summer residence. **-brug:** *til* ~ for summer use, *(om tøj)* for summer wear. **-dag** summer('s) day. **-ferie** summer holidays, *(amr: oftest)* summer vacation; *(ved universitet)* long vacation. **-forkølelse** summer cold. **-frakke** summer coat, light coat. **-fugl** butterfly. **-fuglelarve** caterpillar. **-fuglenet** butterfly net. **-hus** summer cottage, bungalow. **-kursus** summer school, vacation course. **-lastelinie** ⚓ summer load line. **-lejlighed** summer residence. **-lejr** summer *(el.* holiday) camp.

sommerlig *adj* summer-like, summery.

sommer|nat summer night. **-pensionat** *(svarer til)* seaside boarding-house; *(uden for England)* summer pension. **-pære** summer pear, early pear. **-solhverv** summer solstice. **-tid** *(sæsonen)* summertime, summer season; *(forskudt tid)* summer time, *(amr)* daylight-saving time, D.S.T. **-villa** summer cottage, *(større)* summer villa. **-æble** summer apple, early apple.

somnambulisme *(en)* somnambulism.

sonate *(en -r)* sonata. **sonatine** *(en -r)* sonatina.

sonde *(en -r)* sound, probe; *(mave-)* stomach pump; *(tandlæges)* explorer.

sondere *vb* sound, probe; ~ *terrænet* reconnoitre, *(fig)* feel one's way, see how the land lies.

sondre *vb (skelne)* distinguish, make a distinction *(mellem:* between). **sondring** *(en)* distinction.

sone *vb* atone for, expiate.

sonet *(en -ter)* sonnet.

soning *(en)* atonement, expiation; *til* ~ *af* in atonement for. **sonoffer** propitiatory sacrifice.

sonor *adj* sonorous.

soppe *vb* paddle. **soppedam** paddling-pond.

sopran *(en -er)* soprano.

sopranstemme *(parti)* soprano part.

sordin *(en -er)* mute, sordine.

sorg *(en -er)* sorrow, grief, affliction; *(beklagelse)* regret; *(bekymring)* worry, care; *(sørgedragt)* mourning; *dø af* ~ die of grief; *anlægge* ~ go into mourning; *bære* ~, *gå i* ~ wear *(el.* be in) mourning *(for:* for); *han har* ~ *af sin søn* his son causes him many worries; *huslige -er* domestic worries; ~ *over* grief for *(el.* at); *den tid den* ~, *du skal ikke tage -erne på forskud* don't cross your bridges before you get to them; *(it is)* no use meeting trouble half-way; *(it is)* no good looking ahead for trouble; *til min store* ~ to my great sorrow, much to my regret.

sorg|betynget *adj* care-laden, careworn. **-fri** *adj* carefree, *(økonomisk)* comfortable *(fx* old age); *leve -t* be comfortably off. **-fuld** *adj* sad, sorrowful, mournful. **-løs** *adj* carefree, careless. **-løshed** *(en)* freedom from care(s).

I. **sort** *(en -er)* *(slags)* sort, kind; *(kvalitet)* quality *(fx* of the best quality), *(mærke)* brand.

II. **sort** *adj* black; *(i heraldik)* sable; *gaden var* ~ *af mennesker* the street was black with people; *de -e (negrene)* the blacks; *Det -e Hav* the Black Sea; *gøre* ~ *til hvidt* prove that black is white; *give ham* ~ *på hvidt for det* show it him in black and white; ~ *kaffe* black coffee; *købe* ~ buy on the black market; *den -e liste* the black list; *komme på den -e liste* be black-listed; *være* ~ *på næsen* have a smudge *(el.* a smut) on one's nose; *se* ~ *på tingene* look on the dark side of things; *det ser* ~ *ud* the outlook is black; ~ *sjæl* black soul; *snakke* ~ talk nonsense, rave; *være* ~ *under øjnene* have dark rings round one's eyes.

sort|broget piebald. **-børs** black market. **-børsgrosserer** black-marketeer, T spiv.

sorte|blå blackish blue. **-broder** Black Friar, Dominican. **Sortehavet** the Black Sea.

sorteper Black Man; *blive* ~ *(fig)* T be left holding the baby; *lade* ~ *gå videre (fig)* pass the buck *(el.* the can).

sortere *vb* sort, *(efter kvalitet)* grade; ~ *fra* sort out; ~ *under* be responsible to, be under the orders of, *(om sag)* be within the competence of, belong under. **sorterer** *(en -e)* sorter, grader; *(maskine)* separator, grader. **sortering** *(en -er)* sorting, separation; *(klasse)* sort, quality, grade.

sort|farvet *adj* black(-coloured). **-håret** *adj* black-haired.

sortie *(en)* exit.

sortiment *(et -er)* assortment.

sort|klædt *adj* (dressed) in black. **-kridt** black crayon, black chalk. **-kridtstegning** black-crayon drawing. **-kunst** mezzotint. **-laden** *adj* blackish, swarthy. **-malet** *adj* painted black. **-mejse** *(en -r) zo* coal tit.

sortne *vb* darken, grow dark; *det -de for mine øjne* everything went black.

sort|randet *adj* black-edged; *have -randede øjne* have dark rings round one's eyes. **-seer** pessimist. **-skjorte** *(fascist)* Blackshirt. **-smudsket** swarthy; *(snavset)* sooty. **-stribet** black-streaked; *(om tøj)* black-striped. **-syn** pessimism. **-øjet** black-eyed.

S.O.S. *(nødsignal)* S.O.S.

sot *(en)* disease; *(epidemi)* epidemic.

souper *(en -er)* supper.

souschef deputy chief; *(i politiet)* deputy commissioner.

soutenør *(en -er)* pimp.

souvenir *(en -s)* souvenir.

sove *(sov, sovet)* sleep, be asleep; *min fod -r* I have pins and needles in my foot, my foot is asleep; ~ *fast (el.* trygt) be sound *(el.* fast) asleep; *(vanemæssigt)* be a sound sleeper; *sov godt* sleep well; ~ *hen (dø)* pass away; ~ *hos* sleep with; ~ *ind* fall asleep; *(dø)* pass away; ~ *let* sleep lightly; *(vanemæssigt)* be a light sleeper; ~ *længe* sleep late; ~ *middagssøvn*, ~ *til middag* take a nap after dinner, take an after -dinner nap; ~ *over sig* oversleep (oneself); *jeg vil* ~ *på det* I'll sleep on it; *tage noget at* ~ *på* take sth to make one sleep; *komme -nde til noget* get sth without any effort of one's own; *lægge sig til at* ~ compose oneself to sleep, settle down to sleep, (ɔ: *gå i seng*) go to sleep; ~ *ud (få udsovet)* have one's sleep out, get a good (night's) sleep; ~ *rusen ud* sleep it off; *sov vel!* sleep well!

sove|briks plank bed. **-by** dormitory town *(el.* suburb). **-drik** sleeping-draught. **-hjerte:** *have et godt* ~ be a good *(el.* sound) sleeper. **-kammer** bedroom. **-kammerat** bedfellow. **-middel** sleeping -medicine. **-pille** sleeping-pill. **-pose** sleeping-bag. **-pulver** sleeping-powder. **-sal** dormitory. **-sofa** bed-settee. **-sted:** *finde et godt* ~ find good sleeping -accommodation; *tre -er* sleeping-accommodation for three. **-syge** *(en) (afrikansk)* sleeping-sickness, *(australsk)* sleepy sickness. **-tablet** sleeping-tablet. **-tryne** sleepyhead. **-vogn** sleeping-car, sleeper. **-vognskonduktør** sleeping-car attendant. **-værelse** bedroom. **-værelsemøblement** bedroom suite.

sovjet *(en -ter)* soviet. **Sovjet** Soviet Russia.

sovjet- Soviet *(fx* government, press, republic). **Sovjetrusland** Soviet Russia.

Sovjetunionen the Soviet Union, the Union of Soviet Socialist Republics, the U.S.S.R.

sovs *(en -er)* sauce, *(af kødsaft)* gravy; *(tobaks-)* tobacco juice.

sovse *vb (om tobak)* be juicy; *-t ind* i smothered in. **sovse|kande**, **-skål** gravy boat, sauceboat.

soya *se soja.*

spade *(en -r)* spade; ✂ entrenching tool.

spade|blad blade of a spade. **-fuld** *(en)* spadeful. **-skaft** handle of a spade. **-stik** spit *(fx* dig it two spits deep).

spadille *(en)* spadille.

spadsere *vb* walk; *gå ud at* ~ go for a walk. **spadsere|dragt** walking-costume, tailor-made suit. **-stok** walking-stick. **-tur** walk.

spag *adj* meek, submissive; mild *(fx* protest).

spagat the splits; *gå ned i* ~ do the splits.
spage *(en -r) (svær stang)* handspike.
spag|færdig meek, quiet, mild, subdued. **-fær-**
dighed *(en)* meekness, quietness, mildness.
spaghetti *(en)* spaghetti.
spalier *(et -er)* lane *(fx* of police, of troops);
danne ~ form a lane, *(til beskyttelse)* line the streets
(, the route).
spalt *(en) (tyndt stykke hud)* split.
I. **spalte** *(en -r) (revne)* crack, fissure, cleft,
(lille) chink; *(i tøj, redskab etc)* slit; *(gletscher-)*
crevasse; *(typ)* column.
II. **spalte** *vb* split (up), cleave, *(kem)* decompose;
(uden objekt) split; ~ *atomer* split atoms; ~ *sig* split
(up) *(i, ud i:* into), *(kem)* decompose.
spalte|frugt ⊕ schizocarp. **-korrektur** galley
proof(s). **-lig** *adj* fissile. **-podning** cleft grafting.
-spaltet -column *(fx tospaltet* two-column, in
two columns).
spalteåbning ⊕ stoma *(pl* stomata).
spaltning *(en -er)* splitting (up), cleavage, *(biol)*
fission *(fx* of cells); *(atom-)* splitting, fission; *(kem)*
decomposition; *(deling i partier)* split, schism, split-
ting up (into factions); *(en spalte)* split, fissure; *for-
mering ved* ~ schizogenesis, reproduction by fission.
I. **spand** *(en -e)* pail, bucket; *(til mælk altid)* pail;
(-fuld) pailful, bucketful; *være på -en (ɔ: i forlegen-*
hed) be in a fix, be in the soup, *(økonomisk)* be
broke, be on the rocks.
II. **spand** *(et -) (af trækdyr)* team, *(2 ogs)* pair;
gå godt i ~ *sammen (fig)* pull well together.
III. **spand** *(et) (af tid)* span; *et* ~ *af år* a number
(el. span) of years.
spandemælk milk sold unbottled.
spandevis *adv* by the pail; *i* ~ in buckets.
spandfuld *(en)* pailful, bucketful.
spandgardin brise-bise.
spandt *imperf af spinde.*
Spanien Spain.
spanier(inde) *(en)*, **spaniol** *(en -er)* Spaniard.
spanke, spankulere *vb* strut.
spanner *(en -e) (vindueskigger)* peeping Tom.
spansk Spanish; ~ *flue zo* Spanish fly, *(lægemiddel)*
cantharides; ~ *peber* Guinea pepper; *-e ryttere* ✗
chevaux-de-frise; ~ *syge* the (Spanish) flu.
spanskgrønt verdigris.
spanskrør (rattan) cane; *give én af -et* cane sby,
give sby a caning. **spanskrørs-** cane *(fx* furniture).
spant *(et -er)* ⚓ frame; *(i træskib)* timber, rib;
(i flyvemaskine) rib.
spar *(i kort)* spades; *en* ~ **a** spade; ~ *es (, konge,*
tre etc) the ace (, king, three, etc) of spades; *sige* ~
to til beat.
spare *vb (op-, ikke bruge)* save; *(være sparsommelig*
med) spare, husband, economize on; *(skåne, ikke*
dræbe etc) spare; *(være sparsommelig)* economize,
practise economy, save (up); *hvad der er spart er*
fortjent a penny saved **is a** penny gained; *spar mit*
liv! spare my life! *ikke* ~ *nogen møje for at* spare no
pains to; ~ *op* save (up), lay up, put by; ~ *på* eco-
nomize on, cut down on, spare, **T** go easy on, *(fig)*
be sparing of *(fx* praise); ~ *på kræfterne* husband
one's strength; ~ *sammen* save (up), lay up, put by;
~ *sammen til en bil* save up for *(el.* to buy) a car; *han*
-r ikke sig selv he does not spare himself; *spar mig for*
det spare me that; ~ *sig selv for ulejlighed* save oneself
trouble; *du kan godt* ~ *dig ulejligheden* you may save
your pains; ~ *en time ved at cykle* save an hour by
cycling.
spare|bøsse savings box, money box. **-foran-**
staltning economy measure. **-gris** piggy bank.
-kampagne economy campaign. **-kasse** savings
bank. **-kassebog** savings-bank book. **-kommission**
economy committee. **-mærke** savings stamp.
-penge savings. **sparer** *(en -e)* saver, depositor.
spareskillinger (modest) savings.
spark *(et -)* kick; *et* ~ *bagi* a kick in the pants.

sparke *vb* kick; ~ *af sig* kick one's bedclothes off;
~ *bagud* lash out; ~ *efter* kick at; ~ *en i enden* kick
sby in the pants; ~ *en over skinnebenet* kick sby's
shin; ~ *til ngt* kick sth; ~ *ud (i fodbold & fig)* kick out.
sparre *(en -r)* chevron.
sparsom *adj (karrig)* sparing *(med:* of); *(spredt,*
tynd) sparse, scattered, thin; slender *(fx* means);
scanty *(fx* supplies); *-t befolket* sparsely populated.
sparsommelig *adj* economical *(med:* with),
thrifty. **sparsommelighed** *(en)* economy, thrift;
vise ~ practise economy.
spartaner *(en -e)*, **spartansk** *adj* Spartan.
spartel *(en, spartler) (til kit)* putty knife, *(malers)*
filling-knife, *(skraber)* scraper. **spartelmasse** stop-
ping. **spartle** *vb* fill, stop, *(m. kit)* putty.
sparto: *sige* ~ *til* beat.
spas *(en)* joke, jest; *drive* ~ *med* make fun of,
play tricks on; *det er ingen* ~ *at gøre dette* it is no joke
doing this. **spasmager** *(en -e)* wag.
spasme *(en -r) (med.)* spasm.
spastiker *(en -e)* spastic. **spastisk** *adj* spastic.
I. **spat** *(en) (mineral)* spar.
II. **spat** *(en) (hos heste)* spavin.
spat|el *(en -ler) (læges, kemikers, kunstmalers)*
spatula; *se ogs spartel.*
spatie *(en -r)* space. **spatiere** *vb* space.
spattet *adj* spavined.
I. **spe** *(en): være til spot og* ~ *for folk* be a common
laughing-stock, be an object of derision.
II. **spe:** *in* ~ future, to be *(fx* a future minister;
his wife to be).
speaker *(en -e) (radio-)* announcer.
special- special *(fx* library, correspondent, steel),
specialist *(fx* firm, treatment).
specialarbejder *(en -e)* semi-skilled worker.
speciale *(et -r)* speciality, *(amr)* specialty, *(ved*
eksamen) special subject. **specialisere** *vb* specialize;
~ *sig* specialize. **specialisering** *(en)* specialization.
specialist *(en -er)* specialist *(i:* in), expert *(i:* on).
specialitet *(en -er)* speciality, *(amr)* specialty; *»Da-*
gens ~*« (på menukort)* today's special.
speciallæge *(en -r)* specialist.
speciel *adj* special, particular.
specielt *adv* (more) especially, particularly, speci-
ally; ~ *i den hensigt* for that special purpose.
specificere *vb* specify, detail; *-t regning* itemized
account. **specifik** *adj* specific. **specifikation** *(en -er)*
specification, detailed statement.
spedalsk *adj* leprous; *en* ~ a leper.
spedalskhed *(en)* leprosy.
spedition *(en -er)* forwarding of goods.
speditionsforretning forwarding agency, ship-
ping business.
speditør *(en -er)* forwarding *(el.* shipping) agent.
speed *(en)* speed; *for fuld* ~ at full speed.
speeder *(en -e) (i bil)* accelerator; *træde på -en*
step on the accelerator, *(amr)* step on the gas.
speedometer|er *(et -re)* speedometer.
spege *vb* cure in salt, salt.
spege|pølse Danish salami. **-sild** salt herring.
speget: *spegede tråde* tangled threads.
spejde *vb* watch, be on the look-out *(efter:* for);
✗ scout, reconnoitre; ~ *efter* look for, be on the
look-out for, watch for.
spejder *(en -e) (-dreng)* boy scout; *(-pige)* girl
guide, *(amr)* girl scout; ✗ scout.
spejder|bevægelsen the Boy Scout movement.
-bukser shorts. **-chef** Chief Scout. **-dreng** boy
scout. **-korps** Boy Scouts Association. **-lov** scout
law. **-pige** girl guide, *(amr)* girl scout.
spejl *(et -e)* looking-glass, *(især mindre)* mirror,
(hånd-) (hand) mirror, *(i bil)* driving-mirror; *(med.*
& fig) mirror; ⚓ stern; *(på fuglevinge)* speculum,
wingbay; *(på rådvildt)* escutcheon; *blank som et* ~, *se*
spejlblank; se sig i -et look into the glass, look at
oneself in the glass.
spejl|belægning silvering. **-billede** *(et -r)* re-

flected image, reflection. **-blank** *adj* smooth as a mirror, glassy, *(om metal, gulv)* shiny.
  spejle *vb (æg)* fry; ~ *sig* be reflected (*el.* mirrored) (*i:* in); *(se sig i et spejl)* look at oneself in a glass.
  spejl|fabrikant looking-glass maker. **-galleri** gallery of mirrors. **-glas** plate glass. **-glasvindue** plate-glass window. **-glat** *adj* slippery; smooth (as a mirror).
  spejling *(en -er)* reflection; *(luft-)* mirage.
  spejl|kabinet mirror room. **-klar** glassy, mirror **-like. -skrift** *(en)* mirror writing. **-æg** *(et -)* fried egg.
  spektak|el *(el -ler) (støj)* noise, *(voldsommere)* din; *(klammeri)* row; **-ler** *(optøjer)* a riot, riots; *et langt ~* an overgrown fellow; *lave ~ (støj)* make a noise; *lave -ler* T kick up a row, *(optøjer)* create a riot, make a disturbance.
  spektakel|mager *(en -e)* noisy person; rioter. **-møde** tumultuous meeting.
  spektral|analyse spectrum analysis. **-farver** *pl* spectral colours. **spektroskop** *(et -er)* spectroscope.
  spektr|um *(et -er)* spectrum *(pl* spectra).
  spekulant *(en -er)* speculator.
  spekulation *(en -er)* speculation; *pd ~* on speculation. **spekulations-** speculative *(fx* enterprise, transaction). **spekulations|hensigt:** *i ~* on speculation. **-papirer** *(pl)* gambling stocks.
  spekulativ *adj* speculative.
  spekulere *vb* speculate *(over:* on, about; *i:* in); *~ pd* speculate on *(el.* about), ponder over, *(omgås med tanker om)* meditate, contemplate, think of; *~ på at gøre noget* meditate *(el.* contemplate *el.* think of) doing sth; *~ på hvordan (, hvorfor etc)* wonder how *(, why, etc)*; *~ ud* invent, make up.
  spelt *(en)* ⊕ spelt.
  spencer *(en -e)*, **spencerkjole** *(en -r)* pinafore dress.
  spendabel *adj* free with one's money.
  spendere *vb* stand *(fx* stand sby a dinner), spend *(fx* spend one shilling on cigarettes); *~ noget på sig selv* treat oneself to sth.
  spergel *(en)* ⊕ spurrey.
  spermacet *(en)* spermaceti. **spermacet|hval** sperm whale. **-olie** sperm oil.
  spid *(et -)* spit; *stege på ~* roast on a spit; *sætte på ~* spit *(fx* spit a chicken).
  spidde *vb.* transfix, pierce; *(som straf)* impale; *han -de ham på sin bajonet* he ran him through (*el.* spiked him) with his bayonet.
  I. **spids** *(en -er) (yderste ende)* point *(fx* of a knife, pin, pencil, spear), tip *(fx* of a finger, a nose, a tongue, a wing), end *(fx* cut the end of a cigar), *(af mole)* head; *(af pen)* nib; *(øverste ende)* top *(fx* the top of a mountain); *(lungespids)* apex; *(på gitter etc)* spike; *(pibespids)* mouthpiece; *(på gaffel)* prong, tine; *(gren af hjortegevir)* prong, tine, point; *(hunderace)* spitz; *(mat.: på kurve)* cusp; *-erne på (om personer)* the bigwigs; *gå i -en* lead the way; *i -en for* at the head of, leading; *gå i -en for optoget* head the procession; *stille én i -en for* put sby at the head of; *stille sig i -en for* place oneself at the head of, take charge of; *løbe ud i en ~* taper to a point; *stå i -en for noget* be at the head of sth *(fx* a party); *sætte det på -en (fig)* push it to extremes.
  II. **spids** *adj* pointed *(fx* chin, nose, gable), sharp *(fx* pencil, needle, thorn); *(løbende ud i en spids)* tapering; *(om ansigt: mager)* pinched; *(spydig)* pointed, cutting *(fx* remark), tart *(fx* answer), dry *(fx* smile); *~ pen* fine nib, *(fig)* caustic pen; *-t skæg* pointed beard; *~ vinkel* acute angle.
  spids|artikel leading article, editorial. **-borger** philistine. **-borgerlig** *adj* philistine. **-borgerlighed** philistinism. **-bue** pointed (*el.* Gothic) arch, ogive. **-buestil** Gothic style. **-bukser** *(pl)* breeches.
  spidse *vb (gøre spids)* point, sharpen, put a fresh point to *(fx* a pencil); *~ 'til (blive spidsere)* taper; *situationen -de (sig) til* the situation became critical; *~ munden* purse one's lips; *~ ører* prick up one's ears.

spidsfindig *adj* quibbling, sophistic, hair-splitting.
  spidsfindighed *(en -er)* quibbling, sophistry, hair-splitting; *en ~* a quibble.
  spids|kål spring cabbage. **-mus** *(en -)* *zo* shrew (-mouse). **-næset** *adj* sharp-nosed; *(fodtøj)* pointed. **-puldet** *adj* steeple-crowned. **-rod:** *løbe ~ (ogs fig)* run the gauntlet. **-vinklet** *adj* acute-angled.
  spiger *(et -e)* nail, spike. **spigre** *vb* spike.
  I. **spil** *(et -)* play, *(underholdningsspil)* game *(fx* bridge is an amusing game); *(hasard)* gambling; *(parti, omgang)* game *(fx* a game af cards, chess, cricket); *(samling kortblade)* pack, *(amr)* deck; *(skuespillers)* acting; *(musikers)* playing; *(boldspillers)* play; *(teaterstykke)* play;
  drive sit ~ med én play tricks on sby; *give sin fantasi frit ~* give a free rein to one's imagination; *give én frit ~* allow sby free scope; *holde -let gående* keep it up; *højt ~* high play, *(play for)* high stakes, *(fig)* a dangerous game; *et ~ kegler* a set of ninepins; *med klingende ~* with drums beating; *et ~ kort* a game of cards; *(o: kortbladene)* a pack of cards, *(amr)* a deck of cards; *have let ~* have the game all to oneself; *de havde let ~ med ham* he was no match for them, he was an easy prey; *have en finger med i -let* have a hand in it; *sætte pd ~* stake, risk, hazard; *være pd ~* be at work; *spille et ~ skak (, billard)* play a game of chess (, of billiards); *tabe (, vinde) -let* lose (, win) the game; *gå til ~* take music lessons; *uafgjort ~* drawn game, draw; *sætte en ud af -let (fig)* put sby out of the running, eliminate sby *(fx* a competitor); *-let er ude* the game is up; *uheldig i ~* unlucky at cards; *ærligt ~* fair play.
  II. **spil** *(et -)* ⚓ *(med lodret aksel)* capstan; *(med vandret aksel)* windlass, winch.
  spilbom ⚓ capstan bar.
  spild *(et) (ødslen)* waste, loss; *(affald)* refuse; *gå til -e* run to waste; *lade ngt gå til -e* waste sth.
  spilde ∗ *(især væske)* spill, slop; *(bortødsle)* waste *(fx* one's energy, one's words, one's time *(på:* on)), lose; *ingen tid at ~* no time to be lost; *spildt mælk* spilt milk *(fx* it is no use crying over spilt milk); *det er spildt på ham* it is lost *(el.* wasted) on him; *spildt ulejlighed* (a) waste of energy.
  spilde|damp exhaust steam. **-vand** waste water, discharge water; *(kloakvand)* sewage.
  spildindsamling refuse salvage campaign.
  spildolie waste oil. **spildprodukt** waste product.
  spile: *~ ud* stretch, distend; *~ øjnene op* open one's eyes wide.
  spilfægteri *(et)* humbug, make-believe, pretence.
  spilkoge ∗ boil furiously.
  spille *vb* play *(fx* a sonata, the piano, the violin, billiards, cards, football, half-back; *ogs uden objekt, fx* he plays well, the organ is playing); *(opføre ogs)* act, perform; *(optræde)* play, appear; *(udføre (en rolle)) act*, play; *(give sig ud for at være)* pretend to be *(fx* angry, ill, a doctor), act *(fx* act the hero); *(hasard)* gamble; *(funkle)* sparkle; *(om flammer)* play, flicker;
  ~ en film show a film; *~ en grammofonplade* play a record; *~ herre* play the master, lord it; *~ hovedrollen* take the principal part, play the lead; *hvad -r de? (på teater, i biograf)* what is on? *~ klovn* play the buffoon; *~ komedie (fig)* be play-acting; *~ én et puds* play sby a trick; *~ en rolle* play *(el.* act) a part, *se ogs* rolle;
  [m. præp & adv] ~ ngt bort gamble sth away; *~ fallit* go bankrupt, fail; *~ falsk (i musik)* play out of tune, *(i kortspil)* cheat (at cards); *~ for én* play for *(el.* to) sby; *~ ind (gøre sig gældende)* make itself felt, come into play, *(indbringe)* bring in; *se ogs* indspille; *~ 'med (deltage)* join in the game, *(i kortspil)* take a hand; *~ med én* play with sby; *~ med musklerne* ripple one's muscles; *(fig)* flex one's muscles; *~ om ngt* play for sth; *der -de et smil om hans mund* a smile played *(el.* hovered) on his lips; *~ op (om orkester)* strike up; *~ op til vals* strike up a waltz; *~ en formue op* gamble away a fortune; *~ sig*

op warm up, get into one's stride; ~ over *i (om farver)* shade into *(fx* green shading into blue); ~ **på** play (on) *(fx* the flute, the piano); *(fig)* play on *(fx* their fear); ~ **ud** *(i kortspil)* lead; *du -r ud!* (it is) your lead! ~ *den ene stat ud mod den anden* play off one state against another.

spille|automat gambling-machine. **-bank** gambling-establishment, casino. **-bord** card table; *(i spillebank)* gambling-table; *(del af orgel)* console. **-bule** gambling-den. **-dåse** musical box. **-film** feature film. **-fugl** gambler. **-gæld** gambling -debt(s). **-kort** *(et -)* playing-card. **-lidenskab** gambling mania. **-lærer** music teacher. **-lærerinde** music teacher. **-mand** fiddler, musician. **-mærke**, **-mønt** counter, token.

spiller *(en -e)* player; *(hasard-)* gambler.

spille|rum *(for maskindele)* clearance, play; *(handlefrihed)* freedom to act, scope, margin. **-tid** playing -time; *(films)* running-time. **-time** music lesson.

spillevende *adj* full of life, alive and kicking.

spilopmager *(en -e)* wag; *en lille* ~ a little mischief. **spilopper** *pl* fun, merry tricks, pranks; *lave* ~ make fun, play tricks.

spil|tosset raving *(el.* stark staring) mad. **-vågen** *adj* wide awake.

spin *(et) (flyv)* spin; *gå i* ~ go down in a spin. **spinalvæske** *(en)* spinal fluid.

spinat *(en)* spinach; *træde i -en (fig)* put one's foot in it, drop a brick. **spinatgrøn** spinach-green.

spind *(et -)* web.

spinde *(spandt, spundet)* spin; *(om kat)* purr; ~ *en ende* spin a yarn; ~ *rænker* plot, scheme.

spind|el *(en -ler)* spindle.

spindelvæv *(et -)* cobweb, spider's web.

spindelvævstynd *adj* cobwebby, gossamer.

spindemaskine spinning-machine.

spinder *(en -e)* spinner; *zo* bombycid.

spinderi *(et -er)* spinning-mill.

spinde|rok spinning-wheel. **-siden** the distaff side. **-stof** material for spinning.

spinet *(et -ter)* spinet.

spinke: ~ *og spare* pinch and scrape.

spinkel *adj* slight, thin, delicately built; *(usolid)* flimsy; *(fig)* slender; flimsy *(fx* argument, pretext).

spion *(en -er)* spy. **spionage** *(en)* espionage. **spionere** *vb* spy. **spioneri** *(et)*, **spionering** *(en)* espionage.

spir *(et -)* spire; ⚓ spar, ⊤ *(penge)* tin, dough; *langt* ~ lanky fellow; *50* ~ *(svarer til)* 50 bob.

spiral *(en -er)* spiral; *(svangerskabshindrende)* coil. **spiral|bind** spiral binding. **-fjeder** spiral spring. **-format** *adj* spiral, helical. **-madras** spring mattress.

spirant *(en -er) (fon)* spirant, fricative.

I. **spire** *(en -r)* sprout, shoot; *(fig)* germ, seeds, beginnings; *(ætling)* scion; *kvæle ngt i -n* kill sth in the germ, nip sth in the bud; *gå med -n i sig til ngt* carry the seeds of sth.

II. **spire** *vb (om frø)* germinate, *(om plante)* sprout, *(komme op)* sprout, come up; *(fig)* germinate, bud; ~ *frem* come up; *-nde* germinating, sprouting, *(fig)* budding *(fx* genius), incipient *(fx* love).

spire|dygtig *adj* capable of germinating. **-evne** germination capacity.

spiril *(en -ler)* spirillum *(pl* spirilla).

spiring *(en)* germination, sprouting.

spiritisme *(en)* spiritualism. **spiritist** *(en -er)* spiritualist. **spiritistisk** *adj* spiritualistic.

spiritualisme *(en)* spiritualism. **spiritualist** *(en -er)* spiritualist. **spiritualistisk** *adj* spiritualistic.

spirituel *adj* witty. **spirituosa** *pl* spirits.

spiritus *(en)* alcohol, spirits; *(drikke)* spirits, alcoholic beverages, *(amr)* liquor, ⊤ booze; *påvirket af* ~ under the influence of alcohol; *sætte i* ~ preserve in spirits. **spiritus|afgift** duty on spirits. **-beskatning** taxation of spirits. **-bevilling** licence to sell spirits. **-forbud** prohibition. **-indhold** alcohol percentage *(el.* content). **-kørsel** drunken driving.

-prøve *(en -r)* sobriety test; *(fig: ord der er svært at udtale)* tongue twister. **-påvirket** *adj* under the influence of alcohol.

spirituøs *adj* spirituous, alcoholic; *-e drikke* alcoholic beverages, spirits.

spirrevip *(en -per)* whipper-snapper.

spiræ|a *(en)* ⚘ spiraea.

spis *(en -er) (typ)* pick.

I. **spise** *(en -r)* food; *(ret)* dish.

II. **spise** ⋆ eat *(fx* bread), *(uden objekt oftest)* have breakfast (, dinner etc), take nourishment, *(amr)* eat; ~ *af en tallerken* eat off *(el.* out of) a plate; ~ *en a med* fob sby off with *(fx* a promise); ~ *for to* eat enough for two people; ~ *frokost* lunch, have (one's) lunch; *en restaurant, hvor man -r godt* a restaurant where the food is good; ~ *hos en* have one's meals with sby, board with sby, *(enkelt måltid)* dine (, etc) with sby; *hvornår -r De?* when do you have your meals (, dinner, etc)? *appetitten kommer mens man -r* the appetite comes with eating; *han -r meget* he is a great eater; ~ *morgenmad* have (one's) breakfast; ~ *sig mæt* get enough to eat, eat one's fill; ~ *'op* finish one's food (, porridge, dinner etc); clean up one's plate; eat up; ~ *ngt op* eat sth up; ~ *en formue op* run through a fortune; *skal vi snart ~ l* is dinner (etc) nearly ready? ~ *til aften* have (one's) supper; ~ *kylling til aften* have chicken for supper; ~ *til middag* have (one's) dinner; ~ *en ud af huset* eat sby out of house and home; ~ *ude* (o: *ikke hjemme)* dine out.

spise|bestik *(kollektivt)* cutlery, *(amr)* flatware; *et* ~ a knife, fork and spoon. **-bord** dining-table. **-fedt** edible fat. **-frikvarter** lunch interval. **-grejer** *(pl)* eating-utensils, ✗ mess kit. **-kammer** larder, *(ogs til service)* pantry. **-kort** menu. **-krog** dining -alcove, *(i køkken)* dinette. **-køkken** kitchen-dining room.

spiselig *adj (ikke giftig etc)* edible *(fx* mushrooms); *(værd at spise)* eatable.

spise|olie salad oil. **-pind** chopstick. **-rør** *(anat)* gullet, *(fagligt)* oesophagus. **-sal** dining-hall. **-salon** dining-saloon. **-seddel** menu; *(for avis)* contents bill. **-ske** tablespoon. **-skefuld** *(en -e)* tablespoonful. **-sted**: *et godt* ~ a place where the food is good. **-stel** dinner service *(el.* set). **-stue** dining-room. **-stuemøblement** dining-room suite. **-tid** meal time. **-varer** *(pl)* foodstuffs, provisions, victuals. **-vogn** restaurant car, dining-car. **-æble** eating-apple, dessert apple.

spisning *(en -er)* eating; *(festmåltid)* banquet.

spjæld *(et -) (på ovn)* damper, register; *(i dampmaskine)* throttle-valve; *(i skjorte etc)* gusset; *(arrest)* lock-up, jug, clink; *sidde i -et* be in jug *(el.* clink).

spjæt *(et -)* start. **spjætte** *vb* kick, twitch.

spleen *(en)* spleen; *have* ~ have the spleen.

splejs *(en -e)* shrimp (of a man, boy), weed.

splejse *vb (heb)* splice *(fx* two ropes); *(⊤ vie)* splice (up); *(skyde penge sammen)* club together *(til ngt:* to buy sth).

splejset *(spinkel)* weedy.

splejsning *(en -er)* splicing; *(det splejsede)* splice.

splendid *adj* sumptuous *(fx* repast).

splid *(en)* discord, dissension; *et hus som er i ~ med sig selv* a house divided against itself; *sætte ~ mellem dem* make bad blood between them, set them by the ears. **splidagtig** *adj* quarrelsome. **splidagtighed** *(en)* discord, dissension, quarrelling.

splidse, splidsning *(en -er) se* splejse, splejsning.

I. **splint** *(en -er)* splinter *(fx* of wood, of bone, of a shell); get a splinter in one's finger), chip *(fx* of wood, of stone); *der går ingen -er af dig at den grund* that won't do you any harm.

II. **splint** *(en)* ⚘ sapwood.

splinterny *adj* brand-new.

splintfri: *-t glas* safety glass.

splintre *vb* shatter, splinter, shiver; *-s* be shattered; *-t brud (på knogle)* comminuted fracture.

split *(en -ter) (slids)* slit; *(i pen)* slit; *(i flag)* cleft end; *(til sikring af bolt)* split pin; *(til papir)* (paper) fastener. **splitflag** swallow-tailed flag.

splitte *vb (se ogs splittet) (sprede)* disperse *(fx* a crowd, the enemy), scatter *(fx* the clouds); *(kløve)* split; *(opdele)* split up; *(gøre uenige)* disunite, break up, split; *-s (spredes)* disperse, scatter, *(dele sig)* split up, break up; *~ ad (sprede)* disperse, scatter; *(opdele)* split up; *(tage fra hinanden)* take to pieces, *(ødelægge)* break *(fx* a new toy).

splittelse *(en -r) (uenighed)* disunion, division, discord, split; *(opdeling)* disruption, split-up.

splittelsesparti splinter party.

splitter|gal raving *(el.* stark staring) mad; *(forkert)* all wrong. **-nøgen** stark naked.

splittet *adj* divided; *(opdelt)* split up; *en ~ personlighed* an unintegrated personality; a divided mind.

I. **spole** *(en -r) (til garn, tråd)* spool, bobbin; *(filmrulle til kamera)* spool, *(til forevisning)* reel; *(elekt, radio)* coil.

II. **spole** *vb (garn)* spool, reel, wind; *(film)* reel. **spole|apparat** bobbin winder. **-ben** *(anat)* radius.

spolere *vb* spoil, ruin, wreck.

spolorm *zo* roundworm.

spondæ *(en -er)* spondee. **spondæisk** spondaic.

spontan *adj* spontaneous *(fx* movement).

spontaneitet *(en)* spontaneity.

spor *(et -) (fod-)* footprint(s), footmark(s), track, trail; *(af vildt etc)* track, trail; *(fært)* scent; *(hjul-)* wheel track, rut; *(jernbaneskinne)* rail; *(skinnepar)* track, line; metals; *(efterladt mærke)* trace, vestige, mark; *bære ~ af* bear *(el.* show) traces *(el.* marks) of; *dobbelt ~* double track; *bringe politiet på et falsk ~* put the police on a false scent; *politiet følger flere ~* the police are following up several clues; *følge i ens ~* follow in sby's footsteps; *af ~* nothing at all, *(= slet ikke)* not at all, not a bit; *ikke ~ af* not a trace of *(fx* fear), not the slightest *(fx* doubt); *løbe af -et* leave the rails, be derailed; *komme på -et af* get on the track of; *lede en på -et* put sby on the (right) track, give sby a clue; *skifte ~* change the points, *(amr)* throw the switches; *de har sat deres ~* they have left their mark; *tabe -et (ogs fig)* be thrown off the scent, lose the scent.

sporadisk *adj* sporadic; *adv* -ally.

I. **spore** *(en -r) (rytters, ridders, hanes)* spur; *(kage-)* jagger; *(fig)* stimulus, incentive, spur; ⊕ *(formeringsorgan)* spore; *give hesten -rne* spur one's horse; *vinde sine -r* win one's spurs.

II. **spore** *vb (en hest)* spur; *(fig)* spur on, incite.

III. **spore** *vb (følge sporet af)* track; *(vejre)* scent; *(opspore)* track down; *(mærke)* notice, perceive, feel; *(kem)* trace; *kunne -s (ogs)* be perceptible; *det kan -s tilbage til* it can be traced back to.

spore|dannelse ⊕ spore formation. **-hjul** rowel. **-hus** ⊕ sporangium.

sporenstrengs *(straks)* at once, immediately, without delay; *(med stor hast)* with all possible speed, post-haste.

sporeplante ⊕ spore plant.

-sporet *(jernb etc)* -track *(fx* single-track); *(om skole)* -form entry *(fx* two-form entry school).

sporhund tracker dog, *(især fig)* sleuth-hound.

sporingsisotop tracer.

sporløst *adv* without leaving a trace; *forsvinde ~* disappear completely, vanish into thin air; *tiden er gået ~ hen over det* time has left no trace on it.

sporsans *(hunds)* scent, *(persons)* flair.

spor|skifte *(et)* points *(pl)*, *(amr)* switch; *(det at skifte spor)* switching. **-skifter** *(en -e)* pointsman, *(amr)* switchman.

sport *(en)* sports, sport; *(fri idræt)* athletics; *(boldspil)* game *(fx* cricket is a splendid game; he is good at games); *drive ~* go in for sports; *der er gået ~ i det* it has become a sport.

sportler *pl* perquisites.

sports|anmelder sporting-journalist. **-bedrift** (athletic) feat. **-begivenhed** sporting event. **-flyve-**

maskine sports plane. **-fodtøj** athletic *(el.* sports) footwear. **-folk** *pl* athletes. **-forretning** sports shop. **-gren** sport. **-helt** *(en -e)* sports star, ace. **-interesseret** interested in sports. **-kamp** match. **-klub** sports club. **-lig** *adj* sporting; sportsmanlike; athletic. **-mand** athlete. **-plads** sports ground, *(skoles: til boldspil)* playing-field. **-præstation** (athletic) feat. **-redaktør** sports editor. **-side** *(i avis)* sporting-page. **-strømpe** *(omtr =)* half-sock. **-trænet** *adj* athletic. **-tøj** sports clothes. **-udstyr** sports equipment. **-udtryk** sporting term. **-vogn** *(bil)* sports car. **-ånd** sporting spirit, sportsmanship.

spor|tunge *(jernb)* switch blade; *(ved sporvogn)* tongue. **-vej** tramway (line), *(amr)* trolley line. **-vejsfunktionær** tramway (, *amr:* streetcar) employee. **-vejslinie** tramline, *(amr)* trolley line. **-vejsselskab** tramway company, *(amr)* streetcar corporation. **-vidde** gauge.

sporvogn tram(car), *(amr)* streetcar; *tage med -en* go by tram (, streetcar). **sporvogns-** *se ogs sporvejs-*. **sporvogns|billet** tram ticket. **-konduktør** tram conductor. **-penge** tram fare. **-remise** tram depot, *(amr)* carbarn. **-skinne** tram rail; *(amr)* trolley rail. **-standsning** tram breakdown. **-stoppested** tram stop.

spot *(en)* mockery, derision, sneers *(pl)*, sarcasm, ridicule; *(hånlig bemærkning)* taunt, gibe; *drive ~ med én* mock at sby, deride sby; *blive til ~* become an object of derision; *være til ~ for hele byen* be the laughing-stock of the whole town; *(se ogs spe, skade)*.

spotpris absurdly low price; *til ~* dirt cheap, for a mere song.

spotsk *adj* mocking, derisive *(fx* smile), sneering.

spotte *vb* mock, deride, ridicule, scoff at, sneer at; *(føre ugudelig tale)* blaspheme; *(trodse)* defy; *Gud lader sig ikke ~* God is not mocked; *~ over* mock at, scorn at; *(se ogs spottende)*. **spotte|fugl** *(person)* mocker, scoffer. **-glose** taunt, gibe, scoff.

spottende *adj* mocking, derisive; *adv* -ly.

spotter *(en -e)* mocker, derider, scoffer.

spove *(en -r)* zo curlew.

spradebasse *(en -r)* fop, coxcomb.

spraglet *adj* variegated, parti-coloured, *(m. stærke farver)* gaudy, gaily coloured.

sprak *imperf af* sprække.

sprang *imperf af* springe.

sprechstallmeister *(en -e)* ringmaster.

sprede ★ spread *(fx* manure over a field, payments over a longer period, terror, knowledge, sunshine about one, disease, one's fingers); *(til forskellige sider, splitte)* scatter, disperse; *(fordrive, fx tungsind)* dispel, dissipate; *(udsende, fx lys)* diffuse, give out; *~ sig, -s* spread, scatter, disperse; *(se ogs spredt, vind)*. **spredelinse** concave lens.

spredning *(en) (se sprede)* spreading; scattering, dispersal; dispelling, dissipation; diffusion; *(i statistik)* dispersion.

spredt *adj* scattered *(fx* troops, villages), *(~ og fåtallig)* sparse *(fx* population, vegetation); *(usystematisk)* desultory *(fx* reading, remarks); *(ikke epidemisk)* sporadic; *~ orden* ⋉ extended order.

spredthed *(en)* diffusion; *(om persons karakter)* lack of concentration.

spring *(et -)* jump, leap, spring, bound, *(let)* skip; *(m. støtte for hænder)* vault(ing); *(udspring)* plunge, dive; *(geol)* fault; ⚓ *(krumning i skibs dæk)* sheer; *i store ~ (fig)* by leaps and bounds; *på ~ ready to jump, (om rovdyr)* crouching for a spring; *stå på ~ til at* be on the alert to; *vove -et* take the plunge; *et ~ ud i det uvisse* a leap in the dark.

spring|avancement promotion over the heads of others. **-balsamin** ⊕ touch-me-not. **-bind** spring binder. **-bræt** springboard; *(fig)* jumping-off ground.

springe *(sprang, sprunget)* jump, *(især om større spring)* leap, *(pludseligt, raskt)* spring *(fx* s. out of bed, s. upstairs, *(i sæt, (s)om en bold)* bound; *(~ om-*

kring) jump about, skip, frisk; *(løbe)* run, T pop; *(om væske)* gush (out), *(i tynd stråle)* spurt; *(om kilde)* well up; *(om springvand)* play; *(briste)* burst, *(om snor, streng etc)* snap; *(eksplodere)* explode, burst; *(om gnist)* fly; ~ *buk* play leap-frog; ~ *højdespring* do the high jump; *lade daleren* ~ make the money fly; *der er sprunget en sikring* a fuse has blown *(el. gone);*

[m præp & adv:] ~ *'af (af tog etc)* jump off, *(om knap)* come off; *(hoppe og)* ~ *for en* wait on sby hand and foot; ~ *andre* forbi *(ved forfremmelse)* be promoted over the heads of others; ~ *'fra* back out (of it), jib; ~ *frem* jump out, *(om sved)* start out, *(rage frem)* project, jut out; ~ **i** *luften* blow up, explode; ~ *i vandet* jump into the water; ~ *i øjnene* leap to the eye; ~ *'om (om vinden)* shift, veer round; ~ **op** jump up, spring *(el.* leap) to one's feet; *døren sprang op* the door flew open; *hunden sprang op ad mig* the dog jumped up at me; *såret sprang op at bløde* the wound began to bleed; ~ **over** *ngt* leap over sth, jump (over) sth, clear sth; ~ *ngt over* skip sth, leave out sth, *(ikke med vilje)* miss sth; ~ **på** *toget* jump on to the train; ~ *løs på* fly at, go for; ~ **ud** jump out, *(om træ)* come into leaf, *(om knop)* burst, *(om blomst)* come out; ~ *ud (i vandet)* jump in; ~ *ud af* jump out of; ~ *ud på hovedet* take a header.

springende *adj (usammenhængende)* disconnected, desultory; *det* ~ *punkt* the crux of the matter.

springer *(en -e) (gymnast)* jumper; *(i skak)* knight; *(delfin)* dolphin.

spring|fjeder spiral spring. **-flod** spring tide. **-fyr** *(en -e)* whipper-snapper; *(laps)* fop; *-ene (hos H. C. Andersen)* the Jumpers. **-gås** skipjack. **-kilde** spring. **-kniv** flick knife, *(amr)* switchblade knife. **-madras** spring mattress; *(til gymnastik)* mat. **-melding** *(i bridge)* jump bid.

springsk *adj (kåd)* frisky; *(gejl, om handyr)* rutting, *(om hundyr)* in heat.

spring|sko jumping *(el.* spiked) shoe. **-stang** pole. **-støtte** *(en -r)* jumping-post. **-tid** ⚇ spring tide. **-vand** fountain.

sprinkelværk *(usolidt kram)* gimcrack (furniture, ornaments etc.).

sprinkle *vb* sprinkle. **sprinkler** *(en -e)* sprinkler. **sprinte** *vb* sprint. **sprinter** *(en -e)* sprinter.

sprit *(en)* spirit, alcohol, *(koge-)* methylated spirits, *(spirituosa)* spirits, *(amr)* liquor, T booze; *sætte noget i* ~ preserve sth in spirits. **sprit|apparat** spirit stove. **-bilist** drunken driver. **-duplikator** spirit duplicator. **-fabrik** distillery. **-fabrikant** distiller. **-holdig** *adj* spirituous, alcoholic. **-kompas** liquid compass. **-lampe** spirit lamp. **-smugler** liquor smuggler; *(amr)* bootlegger.

spritte *vb* wash with spirit.

spritter *(en -e)* methylated-spirit drinker.

sprog *(et -)* language; *(talesprog, måde at tale på)* speech *(fx* used in English s.; the fluency of his s.); *(stil)* diction, style; *hjertets* ~ the language of the heart; *et levende (, dødt)* ~ a living (, dead) language; *ud med -et!* out with it! *på et* ~ in a language.

sprog|behandling diction. **-blomst** *(sprogfejl)* solecism, idiomatic blunder. **-brug** *(en)* usage. **-bygning** linguistic structure. **-ejendommelighed** idiom. **-forsker** linguist. **-forskning** linguistics. **-forvirring** confusion of languages; *en babylonisk* ~ a Babel of tongues. **-fællesskab** community of language. **-færdighed** command of *(el.* proficiency in) a language. **-følelse** linguistic instinct. **-geni** linguistic genius. **-gruppe** group of languages. **-grænse** linguistic frontier. **-historie** the history of (a) language; *engelsk* ~ the history of the English language. **-kender** linguist. **-kort** *(et -)* language map. **-kundskaber** *pl* knowledge of languages (, of a language); *have gode* ~ be a good linguist. **-kursus** language course. **-kyndig** *adj* with a knowledge of foreign languages; *subst* linguist.

-kyndighed linguistic proficiency. **-laboratorium** language laboratory.

sproglig *adj* linguistic; ~ *retning (i gymnasiet)* modern side, (= *klassisk-sproglig)* classical side; *-t begavet* a good linguist.

sprog|lyd speech sound. **-lære** *(en)* grammar. **-lærer(inde)** language teacher. **-mand** linguist. **-nemme** *se -talent.* **-prøve:** *engelske* -*r* specimens of English. **-renser** *(en -e)* purist. **-rigtig** *adj* correct, idiomatic. **-rigtighed** linguistic correctness. **-sans** linguistic instinct. **-stamme** *(en -r)* family of languages. **-studium** study of languages (, of a language); *-studier* linguistic studies. **-talent** (a) talent for languages. **-time** language lesson. **-undervisning** language instruction *(el.* lessons). **-videnskab** linguistics, philology; *sammenlignende* ~ comparative philology. **-æt** family of languages. **-øre** linguistic instinct. **-øvelse** linguistic exercise.

sprosse *(en -r)* bar *(fx* window bar); *(på stige)* rung; *(i gelænder)* baluster.

sprude *vb* belch forth, vomit *(fx* fire), breathe *(fx* the dragon breathed fire), emit *(fx* sparks).

sprudle *vb (om væske)* gush, well, bubble; (= *moussere; ogs fig)* bubble, sparkle; ~ *af* bubble over with *(fx* high spirits, vitality), sparkle with *(fx* wit); ~ *frem* gush out. **sprudlende** *adj* gushing *(fx* spring), bubbling *(fx* brook), sparkling *(fx* wine, wit), bubbling *(fx* laughter, spirits).

sprukken *adj* cracked *(fx* bell, voice, wall); *(om hud)* chapped; *(i glasuren)* crackled; *(se ogs sprække).*

sprunget *perf part af springe.*

I. **sprut** *(et) (spiritus)* T booze.
II. **sprut** *(et) (sprøjt)* squirt.

sprutrød *adj* scarlet *(fx* his face went scarlet).

sprutte *vb* sputter, splutter; *(om noget der steges)* sizzle, sputter; ~ *ud i latter* explode with laughter.

I. **sprække** *(en -r) (naturlig)* crevice, crack, fissure, *(lille)* chink, *(skåret)* slit, slot; *(brev-)* slit; *(dør-)* chink; *(i hud)* chap.

II. **sprække** *(sprak el. sprækkede, sprukken)* crack, burst; *mine hænder -r* my hands get chapped; *være ved at* ~ *af* latter nearly split one's sides with laughter; *(se ogs* sprukken; II. revne).

spræl *(et): lave* ~ have fun; *der er* ~ *i ham* T he is full of beans.

sprælle *vb (m arme og ben)* fling one's arms and legs about, kick about, *(i vandet)* splash about; *(m kroppen)* wriggle, squirm; *fisken -de* the fish wriggled; ~ *sengeklæderne af sig* kick off one's bedclothes. **sprællemand** jumping-jack.

sprællevende *adj* full of life, alive and kicking.

sprælsk *adj* frisky, *(ustyrlig)* unruly.

sprængbombe high-explosive (bomb).

sprænge ✱ burst *(fx* a blood vessel, a boiler); *(ved eksplosive midler)* blow up, explode, *(en klippe etc)* blast; *(atomer)* split; *(åbne med magt)* break open, force open *(fx* a door, a lock), burst (open); *(adsplitte)* disperse; *(opløse)* break up *(fx* a meeting, a coalition), disrupt *(fx* a union); *(farve bogsnit)* sprinkle; *(ride i stærk fart)* ride at full speed;

~ *banken* break the bank; ~ *sine handsker* split one's gloves; ~ *noget i luften* blow up sth; ~ *ngt i stumper og stykker* blow sth to bits; ~ *en tunnel gennem klippen* blast *(el.* drive) a tunnel through the rock; **-s** burst; *(dele sig)* split (up) *(fx* the Cabinet split up); *mit hoved er ved at* **-s** my head is splitting; *(se ogs* sprængt).

spræng|kraft explosive force. **-ladning** bursting -charge. **-lærd** erudite, immensely learned.

sprængning *(en -er) (se sprænge)* rupture *(fx* of a blood vessel), bursting; explosion, blasting, splitting; breaking open; dispersal; breaking up, disruption.

spræng|sats explosive composition. **-stof** explosive. **-stykke** splinter of a shell (, a bomb).

sprængt *adj (om bogsnit)* sprinkled; *(let saltet)* pickled *(fx* pork), corned *(fx* beef); *(se ogs sprænge).*

sprængvirkning bursting-effect.

sprætte: ~ *af* rip off; ~ *op* rip up; *(bog)* cut.
sprød *adj* brittle, friable; *(især om mad)* crisp.
sprøjt *(et -)* *(stænk)* splash; *(bølge-)* spray; *(om) drik)* dishwater.
I. **sprøjte** *(en -r)* syringe, squirt; *(forstøvnings-)* sprayer, atomizer; *(brand-)* fire engine, ⚓ fire pump; *(avis)* rag.
II. **sprøjte** *vb* spray *(fx* spray water on a burning house; spray fruit trees), *(i mindre stråle)* squirt, *(m slange ogs)* hose; *(med.)* inject; syringe *(fx* an ear); *(stænke)* splash, spatter; ~ *frem* squirt (out), spurt (out); ~ *vand på ngt (m slange ogs)* play a hose on sth.
sprøjte|båd fire boat. -**hus** engine house. -**maling** spray painting. -**pistol** spray gun. -**slange** hose. -**støbning** die casting.
sprøjtning *(en)* spraying, squirting; *(ind-)* injection; *(af øre etc)* syringing.
spule *vb* wash (down), sluice; ~ *dæk* wash down the decks. **spuling** *(en)* washing (down), sluicing.
spundet *perf part af spinde.*
spuns *(en el. et, -er)* *(i tønde)* bung; *sætte* ~ *i en tønde* bung (up) a cask. **spunsbor** bung borer.
spunse *vb:* ~ *til* bung (up) *(fx* a cask). **spunshul** bunghole. **spunsvæg** sheet piling.
spurgt, spurgte *perf part og impf af spørge.*
spurt *(en -er)* spurt. **spurte** *vb* spurt.
spurv *(en -e)* zo sparrow; *skyde -e med kanoner* break a butterfly on a wheel; *en* ~ *i tranedans* a sparrow among hawks.
spurve|fugl passerine (bird). -**hagl** small shot. -**høg** *(en -e)* zo sparrow hawk. -**kvidder** the chirping of sparrows. -**ugle** *(en -r)* zo pigmy owl. -**unge** young sparrow.
I. **spy** *(et)* fly-blow.
II. **spy** *adj* funny.
III. **spy** *vb* belch forth, vomit *(fx* fire); eject; emit *(fx* sparks); spit out *(fx* oaths).
spyd *(en -)* spear; *(kaste-)* dart, *(ogs til sport)* javelin; *(til at stikke regninger etc på)* spike. **spyd|blad** spearhead. -**bærer** *(en -e)* spearman.
spydig *adj* sarcastic; *adv* -ally.
spydighed *(en -er)* sarcasm.
spyd|kast(ning) throwing the javelin. -**spids** spearhead. -**stage** shaft of a spear; *retten sidder i -n* might is right.
spyflue *(en -r)* zo bluebottle, blowfly.
spygat *(et -ter)* ⚓ scupper.
spyt *(et)* spittle, saliva. -**kirtel** salivary gland. -**klat** clot *(el.* gob) of spittle. -**krølle** kiss curl, *(amr)* spit curl. -**slikker** *(en -e)* lickspittle, toady. -**slikkeri** toadyism. -**suger** *(en -e)* *(tandlæges)* saliva ejector.
spytte *vb* spit; ~ *en i ansigtet* spit in sby's face; ~ *i bøssen (fig)* T fork out; ~ *i næverne* spit on one's hands; *(fig)* pull up one's socks; *spyt ud! (ɔ: sig det)* spit it out! **spytte|bakke** spittoon, *(amr ogs)* cuspidor. -**krus** spitting-mug. **spytten** *(en)* spitting.
spæd *adj* tender; *(spinkel)* slender; *(lille)* tiny; -*t barn* infant, baby; ~ *barndom* tender years, infancy, babyhood; ~ *stemme* frail *(el.* thin *el.* feeble) voice. **spæd|barn** infant, baby. -**børnsdødelighed** infant mortality. -**børnshjem** infant home. -**børnsudstyr** baby things; *et sæt* ~ a layette.
spæde*: ~ *op* dilute, thin (down), water (down); ~ ¹*til* contribute, make a contribution.
spædekalv sucking calf.
spædhed *(en)* tenderness; slenderness; tininess.
spædlemmet *adj* slight, slightly built.
spæge: ~ *sig,* ~ *sit kød* mortify the flesh.
spægelse *(en)* mortification (of the flesh).
spæk *(et)* blubber, *(hos svin)* fat.
spækhugger *(en -e)* zo killer.
spækhøker pork butcher; provision dealer. **spækhøkerbutik** delicatessen shop.
spække *vb* lard, *(fig ogs)* interlard; -*t med (især som pynt)* larded with *(fx* quotations, compliments, propaganda); *(fuld af)* studded with *(fx* pitfalls),

bristling with *(fx* guns); *en vel -t tegnebog* a fat *(el.* well-lined) notecase. **spække|bræt** larding-board, trencher. -**nål** larding-needle.
spæklag layer of blubber.
spænd *(et -)* *(løjer)* fun, lark; *sidde i* ~ be firmly fixed, *(i presse)* be (kept) in press; *(se ogs II. spand).*
spændbøjning span bending.
I. **spænde** *(et -r)* buckle *(fx* of a belt), clasp *(fx* of a book).
II. **spænde** ✶ *vb* *(udspænde)* stretch; *(stramme, trække til)* tighten *(fx* a screw, a spring, a muscle); *(fastgøre med spænde)* buckle, clasp, *(med rem)* strap; *(være stram, klemme)* be tight, *(gå trangt)* work stiffly, be tight; ~ *ben for én* trip sby up; ~ *en bue* bend a bow; ~ *ens forventninger (, nysgerrighed)* raise sby's expectations (, curiosity); ~ *hanen på en bøsse* cock a gun;
[*m præp & adv*] ~ *af* unbuckle, unclasp, *(rem)* unstrap, (= *ende)* end, go off, turn out; ~ *en hest for* harness a horse; ~ *en hest for en vogn* hitch a horse to a carriage; *være hårdt spændt for* be hard -worked, *(økonomisk)* be hard up; ~ *(en hest)* **fra** unharness (a horse); ~ **ind** tighten *(fx* one's belt); ~ **om** *noget (med fingrene)* span sth; ~ **over** span *(fx* a bridge spans the river), *(fig)* cover, embrace; ~ *ngt* **på** buckle on sth, *(m rem(me))* strap on sth, *(på en maskine etc)* mount sth; ~ **vidt** *(fig)* cover a wide field; *(se ogs spændende, spændt).*
spændende *adj* exciting *(fx* book), thrilling *(fx* news); *det er* ~ *om* I am curious to know if.
spænde|skive washer. -**sko** buckled shoe. -**tamp** *(i frakke)* half-belt; *(i benklæder, vest)* backstrap. -**trøje** *(ogs fig)* strait-jacket.
spænding *(en -er)* *(stramning)* tightening, *(af bue)* bending; *(i materialer)* tension, strain, stress; *(elekt)* voltage, tension, potential; *(spændt forhold)* tension *(fx* between two countries); *(spændt interesse, uro etc)* excitement *(fx* a life full of e.), *(forventning)* suspense *(fx* wait in great s.); *åndeløs af* ~ breathless with excitement; *holde en i* ~ keep sby in suspense.
spændings|fald *(elekt)* voltage drop. -**transformator** *(elekt)* voltage transformer.
spændkraft elasticity, spring, tension.
spændstig *adj* elastic, springy; *(smidig)* supple; *en* ~ *gang* a springy step. **spændstighed** *(en)* elasticity, springiness, spring, suppleness.
spændt *adj* *(strammet)* tense, tight, stretched; *(ivrig, nysgerrig etc)* anxious, curious, in suspense; ~ *forhold* strained relations, tension; ~ *forventning* tense *(el.* eager) expectation; ~ *opmærksomhed* strained attention; ~ *på* anxious *(el.* curious) to know; ~ *på at* anxious to *(fx* he was anxious to see it).
spændvidde *(en)* span; *(fig)* scope.
spæne *vb* T run, bolt.
spær *(et -)* rafter; *(spyd)* spear.
spærre *vb* bar, block, stop, close; *(være i vejen for)* obstruct *(fx* o. the traffic); *(merk)* block; *(typ)* space out; ~ *for udsigten* obstruct the view; ~ *én inde* lock sby up; ~ *en konto* block an account; ~ *munden (, øjnene)* op open one's mouth (, eyes) wide; -*t skrift* spacing; ~ *af* block up *(fx* a door); *vejen er -t for motorkørsel* the road is closed to motor traffic; ~ *vejen for én* bar *(el.* obstruct) sby's way *(el.* passage); ~ *inde* lock up, shut up; *gaden (, vejen) spærret!* No Thoroughfare! Closed to Traffic!
spærre|ballon barrage balloon. -**ild** barrage. -**tid** *(udgangsforbud)* curfew. -**zone** prohibited area.
spærring *(en -er)* *(se spærre)* barring, blocking, stopping, closing; obstruction; *(merk)* blocking; *(typ)* spacing; *(vej-)* road block; *(blokade)* blockade; *(kordon)* cordon; *(ind- el. udførselsforbud)* embargo.
spætmejse *(en -r)* zo nuthatch.
spætte *(en -r)* zo woodpecker.
spættet *adj* spotted, speckled, mottled.
spøg *(en)* joke, jest, pleasantry; *(i handling)* (practical) joke; *for* ~ in joke, in jest, for fun; *han forstår ikke* ~ he cannot take a joke; *(ɔ: er ikke til*

at spøge med) he is not to be trifled with; *gd ind på -en* fall in with the joke; *det her er ikke ~* this is no laughing matter, *(ɔ: ikke længere)* this is getting beyond a joke; *det er ingen ~ at være fange* it is no joke to be *(el.* being) a prisoner; *det var kun min ~* I was only joking; *slå ngt hen i ~* laugh sth off; *~ til side* joking apart.

I. **spøge** ★ *(skæmte)* joke, jest; *~ med ngt* make a joke of sth, jest about sth; *det er ikke noget at ~ med* it is no laughing matter; *han er ikke til at ~ med* he is not to be trifled with.

II. **spøge** *(gå igen)* haunt the place (, the house, etc), walk; *det -r i huset* the house is haunted; *den tanke -r stadig i hans hjerne* he is haunted *(el.* obsessed) by that idea.

spøge|fugl *vb* jocular, playful. **-fuldhed** *(en -er)* jocularity, *(bemærkning)* pleasantry.

spøgelse *(et -r)* ghost, phantom, T spook, *(fig om noget skræmmende)* spectre *(fx* the s. of war).

spøgelses|agtig *adj* ghostlike, spectral, weird. **-historie** ghost story. **-skib** phantom ship. **spøgeri** *(et -er)* (the appearance of) ghosts, haunting.

spøjs *adj* T rum, funny.

spølkum *(en)* bowl; *(til tebord)* slop basin.

spørge *(spurgte, spurgt)* ask, ask questions; *(med objekt)* ask, *(udspørge)* question, *(indgående)* interrogate; *-s (rygtes)* transpire, become known; *~ ad* inquire; *~ ham ad* ask him; *~ efter* inquire for, ask for; *~ sig for* inquire, make inquiries; *jeg skulle ~ fra far om De ville hjælpe ham* father sends his compliments and says, do you think you could help him? *~ nyt* hear news; *~ ham om prisen* ask him the price; *jeg spurgte ham om han kunne komme* I asked him if he could come; *~ om vej* ask one's *(el.* the) way; *~ en politibetjent om vej* ask one's way of a policeman; *~ på ngt* ask the price of sth; *~ til en* inquire after *(el.* about) sby, ask after sby; *~ ham til råds* ask his advice; *~ en ud* question sby.

spørge|alder: *i -en* at the question stage. **-bisætning** interrogative clause. **-lyst** inquisitiveness. **-melding** *(i kortspil)* asking bid.

spørgen *(en)* questioning, (asking) questions.

spørgende *adj* inquiring, interrogative; *~ stedord* interrogative pronoun.

spørger *(en -e)* questioner, interrogator, inquirer.

spørge|skema questionnaire. **-sætning** interrogative sentence. **-time** *(i parlamentet)* Question Time.

spørgsmål *(et -)* question; *(sag, problem)* question, matter, issue; *brændende ~* burning question; *det er ikke det der er -et* that is not the point; *rejse et ~* pose *(el.* bring up) a question; *stille (el. gøre) én et ~, rette et ~ til én* ask sby a question, put a question to sby; *stille ~ til fremmede* ask questions of strangers; *et ~ om liv og død* a matter of life and death; *det er et ~ om penge (, tid)* it is a question of money (, time); *det er et stort ~ (ɔ: tvivlsomt)* om han kan hjælpe os it is very doubtful whether he can help us. **spørgsmålstegn** mark *(el.* note) of interrogation, question mark; *sætte ~ ved noget (fig)* call sth in question, query sth.

spå *vb* prophesy, predict, foretell; *(varsle)* bode, augur; *(uden objekt)* predict *(el.* foretell) the future, prophesy, *(om spåkone)* tell fortunes; *~ én* tell sby's fortune *(fx* in the cards); *mennesket -r, Gud rå'r* man proposes, God disposes.

spå|dom *(en -me)* prophecy. **-domsgave** gift of prophecy. **-kone, -mand** fortune teller.

spån *(en -er)* chip; *(høvl-)* shaving; *(tag-)* shingle; *(sæbe-)* flake. **spån|kurv** chip basket. **-tag** shingled roof.

st. *se* sankt.

stab *(en -e)* staff.

stabejs *(en -er): gammel ~* old fogey; *sær ~* queer fish.

stab|el *(en -ler)* pile, stack; ⚓ stocks; *løbe af -elen (ogs fig)* be launched. **stabel|afløbning** *(en*

-er) launch(ing). **-artikel** staple commodity. **-plads** emporium, trading centre.

stabil *adj* steady *(fx* prices, progress, young man), stable *(fx* government, equilibrium), constant *(fx* temperature). **stabilisator** *(en -er)* stabilizer. **stabilisere** *vb* stabilize, steady. **stabilisering** *(en)* stabilization. **stabilitet** *(en)* stability.

stable: *~ op* pile (up), stack.

stabs|chef chief of staff. **-læge** [army medical officer ranking as colonel]. **-officer** staff officer.

staccato staccato.

stad *(en, stæder)* city, town.

stade *(et -r)* stand, *(salgsbod ogs)* stall; *(bi-)* hive; *(trin)* level, plane; *tage ~* take one's stand. **stadeplads** stand, stall.

stadfæste *vb* confirm, affirm; ratify; *~ en dom (i kriminalsag)* confirm a sentence, *(i civilsag)* affirm a judgment; *loven blev -t af kongen* the Bill received the Royal Assent.

stadfæstelse *(en -r)* confirmation, affirmation, ratification; *kongelig ~ (af lov)* Royal Assent.

stadig *adj (uforandret, ens)* constant, *(om vejr)* settled; *(uafbrudt)* continuous, unbroken, steady, *(uafladelig)* incessant, unceasing; *(hyppigt gentaget)* continual; *(om persons karakter)* steady; *adv* constantly; continuously, steadily, incessantly; continually; *(endnu)* still; *~ bedre* better and better; *~ ligevægt* stable equilibrium; *~ mere* increasingly *(fx* i. painstaking, prosperous); *~ tiltagende* steadily increasing, progressive.

stadighed *(en)* steadiness; *til ~* permanently, constantly. **stadigvæk** *se* stadig *(adv)*.

stadion *(et -(n)er)* stadium.

stadi|um *(et -er)* stage, phase; *et overstået ~* a thing of the past; *indtræde i et nyt ~* enter upon a new phase; *på et fremskredet ~* at an advanced stage.

stads *(en) (pynt)* finery, *(unyttigt)* frills, *(bras)* trash, rubbish; *gøre ~ af* make much of; *i -en (i stadstøjet)* in one's Sunday best; *til ~* for show.

stads|arkitekt city architect. **-arkiv** city archives. **-bibliotek** city library.

stadse *vb: ~ én op* dress *(el.* get) sby up, deck sby out, *(neds)* rig sby out.

stads|grav city *(el.* town) moat. **-ingeniør** city engineer. **-karl** splendid fellow; *du er en ~! (ogs)* you are a brick! **-læge** city medical officer, municipal officer of health. **-tøj:** *i -et* in one's Sunday best, T in one's best bib and tucker.

stafet *(en -ter)* ✗ dispatch rider; *(stav ved stafetløb)* baton. **stafet|løb** relay race. **-løber** relay runner. **-stav** baton.

staffage *(en)* figures in a landscape, *(pynt etc)* ornaments; *kun til ~* purely ornamental.

staffeli *(et -er)* easel.

staffere *vb (pynte)* ornament; *(med linier)* line; *(med striber)* stripe.

stag *(et -e)* ⚓ stay; *gå over ~* go about, tack.

I. **stage** *(en -r)* pole, *(pæl)* stake; *(lyse-)* candlestick. II. **stage** *vb (drive båd frem)* pole, punt; *~ en mast* stay a mast; *~ sig frem* pole, punt.

stagnation *(en)* stagnation.

stagnere *vb* be stagnant, stagnate.

stag|sejl ⚓ staysail. **-vende** ★ ⚓ tack, go about.

I. **stak** *(en -ke)* stack *(fx* of hay, of peat), rick *(fx* hayrick).

II. **stak** *(en -ke)* ⚘ awn.

III. **stak** *imperf af* stikke.

stakater *pl* T dibs, dough.

stakit *(et -ter)* railing, paling, (picket) fence.

stakke *vb* stack, rick *(fx* hay).

stak|kel *(en -ler)* poor fellow, poor creature, T poor devil; *den lille ~!* poor little thing! *din ~* poor you! *selle ~* wretch.

stakkels *adj* poor; *~ dig!* poor you! *de ~ unger* (the) poor little devils *(el.* kids).

stakket *adj* short, brief, short-lived; *~ frist* short respite; *~ stund* brief hour.

stakle *vb* pīty.

stakåndet *adj* breathless, out of breath, short of breath. **stakåndethed** *(en)* breathlessness, shortness of breath.

stalagmit *(en -ter)* stalagmite.

stalaktit *(en -ter)* stalactite.

stald *(en -e)* stable; *(til køer)* cowhouse, cattle shed; *sætte en hest på* ~ stable a horse.

stald|broder companion. **-dreng** stable boy. **-dør** stable door.

stalde *vb:* ~ *op (heste)* stable, *(kvæg)* stall. **stald|fodre** stall-feed. **-fodring** stall-feeding. **-gødning** farmyard manure. **-karl** groom, stableman; *(i kro)* ostler. **-kåd** *adj* frisky, skittish.

I. **stalle** *vb (flyv)* stall.

II. **stalle** *vb (om heste)* make water, stale.

I. **stalling** *(en -er) (flyv)* stalling.

II. **stalling** *(en -er)* zo grayling.

stam|aktie ordinary share. **-besætning** ⚓ skeleton crew; *(af kvæg)* breeding strain. **-bog** *(poesibog)* album; *(for heste)* studbook, *(for kvæg og svin)* herdbook; ✗ muster roll. **-fader** progenitor, (first) ancestor, founder of a family. **-gods** entailed estate. **-gæst** regular (customer), habitué. **-herre** heir, eldest son. **-hus** entailed estate. **-kafé** café which one frequents regularly, haunt; *en* ~ *for kunstnere* a rendezvous of artists.

I. **stamme** *(en -r) (træ-)* stem, trunk, bole, *(fældet* ~*)* log; *(folke-)* tribe; *(herkomst)* stock; *(af ord)* stem; *(af husdyr)* strain; *(fig: kerne)* nucleus *(pl* nuclei) *(fx* the nucleus of the collection).

II. **stamme** *vb:* ~ *fra (nedstamme fra)* descend *(el.* be descended *el.* originate) from, *(hidrøre fra)* come from, derive from, originate in, *(gå tilbage til, i tid)* date from, date back to; *han* ~ *fra Berkshire* he hails *(el.* comes) from Berkshire.

III. **stamme** *vb (om talefejl)* stammer, stutter; *(af sindsbevægelse)* stammer, falter.

stammefrænde kinsman (, kinswoman).

stammehøvding tribal chief.

stammen *(en)* stammer.

stam|moder (first) ancestress. **-ord** etymon.

stamp *(et -)* stamp.

I. **stampe** *sb: stå i* ~ *(ikke skride fremad)* be at a standstill, mark time, stagnate, *(ikke vokse)* be stunted, have stopped growing.

II. **stampe** *vb* stamp (one's foot); *(gå tungt)* tramp, trample; *(om skib)* pitch, plunge, pound; *(presse sammen)* stamp, *(jord, beton)* ram; *(valke)* mill; *(pantsætte)* T pop *(fx* one's watch), put (sth) up the spout; ~ *mod brodden* kick against the pricks; ~ *op af jorden* conjure up, improvise.

stampemølle stamp(ing) mill.

stamper *(en -e)* stamper; rammer.

stam|publikum regular customers, habitués. **-sprog** parent language. **-tavle** genealogical table, pedigree. **-træ** genealogical tree, family tree.

I. **stand** *(en) (tilstand)* state, condition; *(pl: stænder) (samfundsstilling)* (social) position, condition of life, standing; *(erhverv)* trade, occupation; *(læge-, sagfører- etc)* profession; *(samfundsklasse)* class, rank; *(en af de tre rigsstænder)* estate;

af (høj) ~ of (high) rank; *den gejstlige* ~ the clergy; *holde* ~ stand one's ground, hold out; *bringe i* ~ *(få arrangeret)* bring about, negotiate, *(i orden)* put in order; *i brugbar* ~ fit for use, in working order; *i god* ~ in good condition *(el.* order), *(om bygning etc)* in good repair; *være godt i* ~ be stout, T be well covered; *gøre i* ~ put in order, *(sit hår, et værelse)* do, *(om barn)* wash and dress, *(reparere)* repair, mend, *(madvarer)* dress; *gøre sig i* ~ tidy oneself (up), *(ofte:)* dress; *få ligheden gjort i* ~ have the flat redecorated; *holde i* ~ keep in order, *(bygning etc)* maintain, keep in repair; *komme i* ~ *(blive til noget)* come off, be brought about, be arranged; *se sig i* ~ *til* be in a position to, find oneself able to; *sætte i* ~ put in order; *sætte i* ~ *til at* enable to *(fx* the money

enabled him to buy a house); *være i* ~ be in order; *være i* ~ *til at* be able to, be capable of -ing, be in a position to; *han er i* ~ *til alt* he is capable of anything; *over sin* ~ above one's station; *tredje* ~ the third estate; *ude af* ~ *til at* incapable of -ing, unable to; *ugift* ~ unmarried state; *leve i ugift* ~ be unmarried; *gifte sig under sin* ~ marry below one's station.

II. **stand** *(en, -e el. -s) (på udstilling)* stand.

standard *(en -er) (mønster, norm)* standard; *(niveau)* level. **standard-** standard *(fx* parcel, price, size, clothes, edition).

standardeksempel stock *(el.* standard) example.

standardisere *vb* standardize.

standardisering *(en)* standardization.

standart *(en -er) (fane)* standard.

standende: *den* ~ *strid* the present dispute, the dispute in progress.

stander *(en. -e)* standard, *(lysmast etc)* pylon; *(trekantet flag)* pennant, *(yachts, handelsskibs)* burgee.

standerlampe standard lamp.

standfugl zo sedentary bird.

stand|haftig *adj* steadfast, firm, staunch, resolute. **-haftighed** *(en)* steadfastness, firmness, resolution.

stand|kvarter (fixed) quarters, station. **-køje** bunk. **-lejr** permanent camp.

standpunkt *(stadium)* stage; *(niveau)* level, *(i kundskaber)* standard, proficiency; *(synspunkt)* standpoint, point of view, *(holdning)* attitude, position; *tage* ~ *til* make up one's mind about.

standret *(en -ter)* summary court, military court, *(kun for militære forseelser)* court-martial; *(i felten ogs)* drumhead court martial.

standse *vb* stop, come to a standstill, *(om vogn, tog, rytter etc, ogs)* pull up; *(med objekt)* stop, hold up, *(midlertidigt, fx arbejde)* suspend; ~ *sine betalinger* suspend payment; ~ *blødningen* stop *(el.* arrest) the bleeding; ~ *ngt i væksten* stunt sth; *han lader sig ikke* ~ *af noget* nothing will stop him; *toget -r ikke før Crewe* the train does not stop before Crewe, next stop Crewe, non-stop (train) to Crewe; ~ *op* stop short.

stands|fordom class prejudice. **-forskel** difference of station. **-fælle** *(en -r)* equal; *(kollega)* colleague. **-mæssig** *adj* consistent with one's station; **-t** *(adv)* in a manner consistent with one's station.

standsning *(en -er)* stopping, stoppage, *(ogs togs)* stop; *(ophør)* cessation; *(i trafik)* stoppage, hold-up; *(pause)* pause; *(afbrydelse)* interruption, break, suspension; *bringe til* ~ bring to a standstill *(el.* halt *el.* stop); *uden* ~ without a stop.

standsperson person of rank.

stang *(en, stænger)* bar; *(fiske-, gardin-, pumpe-, stempel-)* rod; *(vogn-, telt-, maj-, spring-, stage)* pole, *(flag-)* pole, staff; *(på sporvogn til strøm)* trolley pole; *(vandret* ~ *på cykel)* cross-bar; *(brille-)* side bar; *(brændselselement til reaktor)* slug; *(kort stang)* stick *(fx* of liquorice, of sealing wax); ⚓ top mast; *stænger* (T: *ben)* stumps, pins; *en* ~ *barbersæbe* a shaving-stick; *der var stænger for vinduerne* there were bars to the windows, the windows were barred; *på halv* ~ at half-mast; *på hel* ~ at full mast; *holde én -en* hold one's own against sby.

stang|bidsel curb bit. **-drukken** *adj* dead drunk.

stange *vb* butt; *(så det medfører sår)* gore; *(kaste op i luften)* toss; ~ *ham en flaske ud* T chuck him a bottle; ~ *ål* spear eels; ~ *tænder* pick one's teeth.

stang|jern bar iron. **-lakrids** stick liquorice; *solgt til* ~ T done for. **-lorgnet** lorgnette. **-magnet** bar magnet. **-spring** pole vault(ing). **-sæbe** soap in bars.

I. **stank** *(en)* stench, stink.

II. **stank** *imperf af* stinke.

stankelben *(en -)* zo crane fly, daddy longlegs.

stanniol *(et)* tinfoil.

stanse *vb (præge)* punch, stamp.

stansemaskine punching-machine.

stansning *(en)* punching, stamping.
stanze *(en -r)* stanza.
star *(en)* ⚘ sedge.
star|blind purblind; *(helt blind)* as blind as a bat.
-græs ⚘ sedge.
start *(en -er)* start *(fx* of a race, of an engine;
a good start in life); *(flyvemaskines)* take-off; *(af
foretagende)* starting, launching; *snuble i -en (fig)*
make a false start.
startbane *(flyv)* runway.
starte *vb* start *(fx* a car, a movement; we must
start early); *(et foretagende ogs)* launch; *(om flyve-
maskine)* take off; ~ *-en bil med startsving* crank (up)
a car. starter *(en -e)* starter.
start|kapital initial capital. -klar *adj* ready to
start. -kontakt starter (switch). -linie starting-line.
-nøgle ignition key. -signal starting-signal. -sving
crank, starting-handle.
starut *(en -ter)* T chap, bird.
stase *(en -r)*, stasis *(en)* stasis.
stassanisere *vb* stassanize.
stassanisering *(en)* stassanizing.
stat *(en -er)* state; ~ *-en* the State, the Government,
(i monarki ogs, især jur) the Crown; *De forenede
Stater* the United States (of America), T the States;
en ~ i -en a state within the State.
statarisk *adj:* ~ *læsning* specially prepared books
(, texts).
statelig *adj* stately, imposing, dignified. state-
lighed *(en)* stateliness.
statholder *(en -e)* governor, vicegerent. stat-
holderskab *(et -er)* governorship, vicegerentship.
statik *(en)* statics.
station *(en -er)* station; *(jernbane-, amr ogs)* depot;
(telegraf-) telegraph office; *fri ~* board and lodging;
all found.
stationcar estate car, *(især amr)* station wagon.
station|ere *vb* station. -ering *(en -er)* stationing.
stations|by railway town. -forstander station
master. -mester station master (at a small station).
stationær *adj* stationary.
statisk *adj* static; *adv* statically.
statist *(en -er) (på teater)* supernumerary, T super;
(i film) extra.
statistik *(en)* statistics *(over:* of). statistiker *(en
-e)* statistician. statistisk *adj* statistical; *-e oplys-
ninger* statistical information, statistics.
stativ *(et -er)* stand *(fx* umbrella stand, bicycle
stand); rack *(fx* drying-rack, pipe rack, bicycle rack
(ɔ: til række af cykler)); *(støtte)* rest; *(til fotografiappa-
rat)* tripod.
stats- State, Government; *(i U.S.A.)* Govern-
ment, Federal, *(i enkeltstaterne)* State. stats|advokat
Public Prosecutor. -anerkendt *adj* approved. -ansat
adj State-employed. -autoriseret *adj* approved by
the (Government) authorities; *(ofte* =) chartered;
(se ogs revisor).
stats|bane State railway; *De danske -r (D.S.B.)*
the Danish State Railways. -bankerot national
bankruptcy. -borger subject *(fx* a British subject),
citizen, national. -borgerlig *adj* civic. -borgerret
(right of) citizenship; *få ~* become naturalized. -chef
se -overhoved. -dreven *adj* State-operated. -drift
State management *(el.* control). -ejendom Govern-
ment property, national property; *gøre til ~* natio-
nalize. -ejet *adj* State-owned. -farlig *adj* dangerous
to the State; ~ *virksomhed* subversive activities.
-forbrydelse political crime; *((høj)forræderi)* (high)
treason. -forbryder political criminal. -forbund
association of states, confederation; union. -forfat-
ning constitution. -form form of government.
-forvaltning public administration. -fængsel State
prison. -garanteret guaranteed by the State *(el.* by
the Government).
stats|gæld national debt. -hemmelighed State
secret. -hjælp State aid. -hospital mental hospital.
-husholdning public finance (administration). -hus-

mand [State smallholder]. -husmandsbrug *(et -)*
[State small-holding]. -indgreb Government inter-
vention. -indtægt (public) revenue. -institution
Government institution. -kassen the Exchequer,
the Treasury. -kirke national *(el.* established) church;
den engelske ~ the Church of England, the Established
Church. -kløgt statesmanship. -kontrol State con-
trol. -kundskab political science. -kunst states-
manship. -kup coup d'état. -løs *adj* stateless. -lån
Government loan. -magten the State, the Govern-
ment. -mand statesman. -mandskunst states-
manship. -minister premier, prime minister. -mi-
nisteriet the Prime Minister's Department. -mini-
sterpost premiership. -monopol Government *(el.*
State) monopoly. -obligation Government bond.
-opfattelse conception of the State. -overhoved
Head of the State; *udenlandske -er* foreign Heads of
State. -politi State police; *-et (for hele U.S.A.)* the
Federal Bureau of Investigation *(fk.* the F.B.I.).
stats|radiofoni State broadcasting service. -regn-
skab public accounts. -ret *(forfatningsret)* constitu-
tional law. -retlig *adj* constitutional. -revisor audi-
tor of public accounts. -ror helm of State. -råd *(et)*
[meeting of Ministers of State, presided over by the
King]. -sager affairs of State. -samfund: *det britiske
~* the (British) Commonwealth (of Nations). -sekre-
tær Secretary of State. -skat tax. -skole State school.
-skov State forest. -socialisme State Socialism.
-støtte *(en)* State aid. -telegraf State telegraph
service. -tidende official Gazette. -tilskud State aid,
a Government grant *(el.* subsidy). -tilsyn Govern-
ment service. -tjenestemand Government official,
(i centraladministrationen) civil servant. -understøt-
telse *se -tilskud.* -understøttet *adj* State-aided, State
-supported, subsidized. -videnskab political science;
(nationaløkonomi) economics. -økonom economist.
-økonomi economics. -økonomisk *adj* economic.
statuarisk statuesque *(fx* beauty).
statue *(en -r)* statue; *rejse en ~* erect a statue.
statuere *vb:* ~ *et eksempel* make an example
(of sby, of him, of her, etc).
statuette *(en -r)* statuette.
statur *(en)* stature.
status *(en) (tilstand)* state of affairs; *(årlig opgø-
relse)* balance sheet; *(boopgørelse)* statement of affairs;
(over beholdninger) stocktaking; *gøre ~* make out *(el.*
draw up) the balance sheet, *(over beholdninger og fig)*
take stock; ~ *quo* status quo.
status|opgørelse *se status; (fig)* stocktaking. -salg
stocktaking sale. -symbol status symbol.
statut *(en -ter)* regulation, by-law, statute; *(aktie-
selskabs) -ter* articles of association; *(forenings love)*
rules. statutmæssig *adj* statutory, *(merk ogs)* as
prescribed in the articles, pursuant to the articles.
staude *(en -r)* ⚘ perennial. staudebed *(svarer til)*
herbaceous border.
I. stav *(en -e)* stick; *(vandrings-)* staff; *(trylle-)*
wand; *(marskal-)* baton; *(politi-)* truncheon, baton;
bryde -en over noget denounce sth.
II. stav *(en -er) (til tønder etc)* stave; *falde i -er*
drop to pieces, *(fig)* go off into a reverie.
stave *vb* spell; ~ *ngt forkert* mis-spell sth; *han kan
både ~ og lægge sammen (fig)* he can put two and
two together; ~ *sig igennem noget* spell one's way
through sth; ~ *sig til noget* spell out sth.
stavefejl mis-spelling, spelling mistake.
stavelse *(en -r)* syllable. stavelse|accent syllabic
accent. -deling word division.
stavemåde spelling.
staver: *løbe sig en ~ i livet* get into hot water,
get into a mess, *(lave en bommert)* put one's foot in it.
stav|formet *adj* rod-shaped. -lygte torch.
stavning *(en)* spelling.
stavns|bunden *adj* adscript. -bånd adscription.
stavre *vb (især om affældig)* stump, dodder; *(om
barn)* toddle.
stavrim *(et -)* alliteration.

stavær *(et -er) (ting)* big unwieldy thing, long thingummybob.

stearin *(en)* stearin. **stearinlys** (stearin) candle.

sted *(et -er)* place, spot; *(i bog)* passage; *(gård)* homestead; **af** ~! let us be off! (= *af ~ med dig)* off you go! be off! *komme af ~* get off, depart, start; *komme galt af ~ (ogs om pige)* get into trouble, *(løbe sig en staver i livet)* get into hot water, *(lave en bommert)* put one's foot in it, *(komme til skade)* get hurt; *hvis jeg kan komme af ~ med det* if I can manage it *(el.* get away with it); *vi kommer ikke ud af -et* we are making no progress, we are not getting anywhere; *jeg må af ~* I must be off, I must be going; *tage af ~* set out, start, leave *(til:* for); *hesten ville ikke ud af -et* the horse refused to budge; *rør Dem ikke ud af -et!* don't move! **alle -er** everywhere; *et andet ~* somewhere else, in another place; *et (eller andet) ~* somewhere; *finde ~* take place, happen; *fra det ~ hvor* from (the place) where; *geometrisk ~ (mat.)* locus *(pl* loci); **i** *-et* instead *(fx* he did not go to Paris, but went to London instead); *i -et for* instead of *(fx* he gave me water instead of beer; to play instead of working); *i dit ~* in your place; *i dit ~ ville jeg betale* if I were you I would pay; *ingen -er* nowhere; **på** *et ~* in *(el.* at) a place, on a spot; *på -et (ogs fig)* on the spot; *march på -et* marking time; *marchere på -et* mark time; *på sine -er* in places; *på højere -er* in high quarters; *på rette tid og ~* at the proper time and place; *han har hjertet på det rette ~* his heart is in the right place; *til det ~ hvor* to (the place) where; *til -e* present, there *(fx* if the will is there we can come to an agreement), *(hjemme)* at home, in *(fx* is Mrs X in?); *komme til -e* arrive, appear, **T** turn up; *være til -e ved* be present at, attend *(fx* a meeting).

sted|barn stepchild; *samfundets -børn* those not favoured by fortune. **-datter** stepdaughter.

stede *: -s for kongen* be admitted into the King's presence; *-s i (el. være stedt i) fare* be in danger; *~ en til hvile (el. til jorden)* lay sby to rest, consign sby to the earth.

stedfader stepfather.

stedfindende *adj* taking place, in progress.

stedfortræder *(en -e)* deputy, proxy, substitute; *(midlertidig)* stopgap.

sted|funden *adj* having taken place; *nylig ~* recent. **-fæste** *vb* locate. **-kendt** *adj: være ~* have a knowledge of local conditions, know the locality.

stedlig *adj* local.

sted|moder st*e*pmother. **-moderlig** *adj: få en ~ behandling, blive -t behandlet* be left out in the cold, be unfairly treated. **-modersblomst** ♧ pansy, heartsease. **-navn** place name. **-ord** *(gram)* pronoun.

stedsadverbium adverb of place.

stedsans sense of locality, the bump of locality.

stedse *adv* ever, always; *for ~* for ever.

stedse|grøn *adj* evergreen. **-varende** *adj* everlasting, perpetual.

sted|søn stepson. **-søster** stepsister.

stedvis *adj* local *(fx* showers, thunder); *adv* locally, in places.

I. **steg** *(en -e)* roast *(fx* a r. of veal), *(stor)* joint.
II. **steg** *imperf af* II. *stige.*

stege ★ roast; *(på rist)* broil, grill; *(på pande)* fry; *(i ovn)* roast, bake; *stegt kylling* roast chicken; *stegt lever* fried liver; *stegte æbler* baked apples; *let stegt underdone, (amr)* rare; *stegt for meget* overdone; *-nde hed* baking hot, scorching hot; *solen -r* the sun scorches.

stege|fedt dripping. **-gryde** stewpan. **-os** smell of cooking. **-ovn** oven. **-pande** frying-pan. **-rist** gridiron, grill. **-so** roaster. **-spid** spit.

steget *perf. part. af* stege.

steg|hed *adj* scorching hot. **-hede** scorching heat.

stegning *(en) (se stege)* roasting; broiling; frying; baking.

stejl *adj* steep, *(meget ~)* precipitous, abrupt; *(fig)* unyielding, uncompromising, stiff, intransigent.

I. **stejle** *(en -r) (til fiskenet)* stake (for drying nets); *han blev dømt til ~ og hjul* he was condemned to (be broken on) the wheel.
II. **stejle** *vb (om hest)* rear; *(blive forbløffet)* be staggered *(fx* he **was** s. to hear what it cost); *(løbe)* run, tear along; *~ over ngt (fig)* boggle at sth.

stejleplads drying ground.

stejl|hed *(en)* steepness, abruptness; *(fig)* unyieldingness, uncompromising attitude, intransigence. **-skrift** *(en)* backhand.

stel *(et -)* *(til paraply, cykel, briller etc)* frame; *(service)* service, set.

I. **stemme** *(en -r)* voice; *(i musik: parti)* part; *(i orgel)* stop; *(ved afstemning)* vote; *afgive sin ~* vote, give *(el.* cast) one's vote; *den afgørende ~ (ved afstemning)* the casting vote; *synge anden ~* sing second; *han ejer ikke ~ i livet* T he can't sing for nuts; *med høj ~* in a loud voice; *en indre ~* a voice within me (, him, etc); *-rne står lige* the voting is equal; *vedtaget med alle -r mod én* passed with (only) one dissentient vote; *med 30 -r mod 20* by 30 votes to 20; *være ved ~* be in voice *(fx* she is not in v. today).

II. **stemme** *vb* ★ *(udtale stemt)* voice; *(et instrument)* tune (up); *(en person)* dispose; *(om tal, regnskab)* agree, balance; *(være rigtig)* be correct, be right; *(afgive sin stemme)* vote, *(om parlament)* divide; *~ bøgerne af* balance *(el.* check off) the books; *~ af efter* check with; *~ blankt* return a blank voting -paper; *~ en blidere (fig)* soften sby; *~ for* vote for, vote in favour of; *de som -r 'for rækker hænderne i vejret* those in favour will raise their hands; *~ én højtideligt* put sby in a solemn mood; *~ i* begin to sing, *(synge med)* join in; *~ imod* vote against the proposal (, the Bill etc); *de der -r imod* those against; *kassen -r* the cash account balances; *~ med* agree with, tally with; *-nde med* consistent with, in keeping with; *~ ned (forslag etc)* throw out, reject, vote down; *~ tonen ned (fig)* pipe down; *~ om ngt* put sth to the vote, take a vote on sth; *~ overens* agree, tally; *~ på én* vote for sby; *~ på de konservative (etc)* vote Conservative (etc); *(se ogs stemt).*

III. **stemme** *(m. stemmejern)* chisel (out); *(~ op for)* stem, dam up *(fx* water, the current); *det -de ham for brystet* he felt oppressed; *~ fødderne mod ngt* put *(el.* thrust) one's feet against sth.

stemme|afgivning voting, *(ved valg ogs)* poll. **-begavet:** *være ~* have a good voice. **-berettiget** *adj* entitled to vote; *subst. (ɔ: vælger)* elector; *~ medlem* voting member. **-bånd** vocal chord. **-flerhed** majority of votes. **-gaffel** tuning-fork. **-hvervning** canvassing (for votes). **-jern** wood chisel. **-kugle** ballot. **-kvæg** ignorant voters. **-leje** *(et)* vocal pitch. **-lighed** *(ved afstemning)* parity of votes. **-midler** *(pl)* voice. **-nøgle** tuning-key. **-optælling** counting of (the) votes. **-procent** *(valgdeltagelse)* poll *(fx stor ~* a heavy poll).

stemme|ret franchise, suffrage, the right of voting, the vote; *almindelig ~* universal suffrage; *~ for kvinder* woman suffrage, votes for women; *give én ~* enfranchise sby, give sby the vote. **-retskvinde** suffragette, *(mindre krigerisk)* suffragist. **-ridse** *(en -r)* glottis. **-seddel** voting-paper. **-spild:** *det er ~ at stemme på de liberale (svarer til)* a Liberal vote is a wasted vote. **-tab** loss of the voice, aphonia; *(ved afstemning)* loss of votes. **-tal** number of votes, poll. **-urne** ballot box. **-værk** *(spærredæmning)* dam; *(overfaldsdæmning)* weir.

stemning *(en -er) (af instrumenter)* tuning; *(sjælelig)* mood, frame of mind, temper, *(lune)* whim, *(i kunstværk, på et sted etc)* feeling, atmosphere, *(blandt folk)* (public) feeling, atmosphere, (general) sentiment *(fx* of a meeting); *(munter ~)* good spirits, gaiety, animation; *(begejstring)* enthusiasm; *(på markedet)* tone (of the market), tendency;

begejstret ~ enthusiasm; *der er ~ f or forslaget* the proposal has been well received; *er der ~ for en kop te?* what about a cup of tea? *være i ~ (ɔ: glad)* be in good spirits, *(inspireret)* be in the vein; *i løftet ~* in high spirits, *(beruset)* slightly elevated; *i nedtrykt ~* in low spirits, depressed; *være i ~ til at* be in the mood to *(el.* for *-ing); lys ~* atmosphere of optimism; *-en var ophidset* feelings ran high; *trykket ~* depression, gloomy atmosphere.

stemnings|bølge wave of public feeling. **-fuld** *adj* impressive, moving *(fx* ceremony); evocative, poetic *(fx* description), suggestive, instinct with feeling; emotional. **-menneske** impulsive *(el.* temperamental) person. **-omslag** revulsion of (public) feeling; *(merk)* sudden turn of the market.

stemp|el *(et -ler)* stamp; *(til mønter)* die; *(bogbinders)* tool; *(i dampmaskine, motor)* piston; *(post)* postmark; *(præg)* stamp, impress, hallmark; *blåt ~* quality mark; *(fig)* cachet.

stempel|afgift stamp duty. **-mærke** *(et -r)* stamp. **-papir** stamped paper. **-pude** stamp pad. **-slag** piston stroke. **-stang** piston rod.

stemple *vb* stamp, *(ved brænding)* brand; *(m. poststempel)* postmark, *(frimærke, ogs)* cancel; *(karakterisere)* stamp; *~ som (fig)* stamp as, brand as, denounce as *(fx* a liar). **stempling** *(en)* stamping; branding; postmarking.

stemt *adj (om musikinstrument)* in tune; *(om lyd)* voiced; *(fig)* disposed *(for at:* to); *være ~ for ngt* favour sth, be in favour of sth; *venligt ~ mod én* kindly *(el.* well) disposed towards sby; *vemodig ~* in a sad mood.

sten *(en -)* stone; *(lille)* pebble; *(kampesten)* boulder; *(mur-)* brick; *(kedel-)* scale; *(nyre-)* calculus, stone; *(i cigartænder)* flint; *(testikel)* stone, T ball; *der faldt en ~ fra mit hjerte* it was a load off my mind; *ildfast ~* fire-brick; *kaste med ~* throw stones; *det kunne røre en ~* it would melt a heart of stone; *sove som en ~* sleep like a log; *de vises ~* the philosophers' stone; *ædle -e* precious stones.

sten|alder stone age; *den yngre ~* the neolithic age, the later stone age; *den ældre ~* the palaeolithic age, the earlier stone age. **-ballast** stone ballast. **-bider** *(en -e) zo* lumpsucker. **-bro** *(brolægning)* pavement. **-brud** *(et -)* quarry. **-bræk** *(en -)* ⚕ saxifrage. **-buk** *zo* Alpine ibex; **-ken** *(stjernebillede)* Capricorn; *Stenbukkens vendekreds* the Tropic of Capricorn.

stencil *(en -s)*, **stencilere** *vb* stencil.

sten|drossel *zo* rock thrush. **-dysse** *(en -r)* cromlech, dolmen.

stendød *adj* stone-dead, T dead as a doornail.

stene *vb* stone *(fx* sby to death).

steneg holm oak, evergreen oak.

stenet *adj* stony.

sten|flise stone flag. **-fri** stoneless; seedless. **-frugt** stone fruit, drupe. **-grund** stone soil, *(bibelsk)* stony places; ⚕ stony bottom. **-gulv** stone floor. **-gærde** stone fence *(el.* wall). **-hugger** *(en -e)* stone mason, *(som hugger indskrifter)* monumental mason. **-høj** *(haveparti)* rock garden, rockery. **-højsplante** rock plant. **-høne** *zo* rock partridge. **-hård** hard as stone, stony. **-kast** throw with a stone *(pl* throws with stones), *(= kort afstand)* stone's throw. **-kiste** *(arkæol)* stone cist; *(til afvanding)* culvert. **-kul** *(pit)* coal. **-kulsnafta** petroleum naphtha. **-kulstjære** coal tar. **-mår** *zo* stone marten.

steno|graf *(en -er)* shorthand-writer, stenographer. **-grafere** *vb* take down *(fx* a letter, a speech) in shorthand, write in shorthand. **-grafi** *(en)* shorthand, stenography. **-grafihæfte** *(et -r)* shorthand note book. **-grafisk** *adj* shorthand, stenographic. **-gram** *(et)* shorthand report (, note).

sten|olie petroleum. **-operation** lithotomy, operation for stone.

stenotypist *(en -er)* shorthand typist.

stenrig: *være ~ (ɔ: velstående)* be rolling in money.

sten|salt rock salt. **-skærer** *(en -e)* lapidary. **-sætning** *(arkæol)* stone circle; *(se ogs stenhøj).*

stente *(en -r)* stile.

stentor|røst, -stemme stentorian voice.

sten|trappe (flight of) stone steps. **-tryk** *(kunsten)* lithography; *(billede)* lithograph. **-trykker** lithographic printer. **-tøj** stoneware. **-vender** *(en -e) zo* turnstone. **-ørken** stony desert, *(fig om by, ogs)* stone wilderness.

step(dans) tap dance, tap dancing. **stepdanser** tap dancer.

I. **steppe** *(en -r)* steppe.

II. **steppe** *vb* do tap dancing.

steppehøg *(en -e) zo* pallid harrier.

stereo stereo. **stereo|fonisk** *adj* stereophonic. **-metri** *(en)* stereometry. **-metrisk** *adj* stereometric. **-skop** *(et -er)* stereoscope. **-typ** *adj* stereotyped *(fx* phrase). **-typere** *vb* stereotype. **-typi** *(en)* stereotype, *(det at)* stereotyping; *(biol)* stereotypy.

steril *adj* sterile. **sterilisator** *(en -er)* sterilizer. **sterilisere** *vb* sterilize. **sterilisering** *(en)* sterilization. **sterilitet** *(en)* sterility.

sterling sterling. **sterling|område** sterling area. **-sølv** sterling silver.

stetoskop *(et -er)* stethoscope. **stetoskopere** *vb* stethoscope. **stetoskopi** *(en)* stethoscopy.

steward *(en -er)* steward. **stewardesse** *(en -r)* stewardess, *(i flyvemaskine ogs)* air hostess.

st. Hans *se* sankt Hans.

sti *(en -er) (vej)* path; *(fx* vildtsti) track; *(svine-)* sty; *holde sin ~ ren* keep to the straight and narrow path.

stif|barn, -datter *(etc) se* sted-.

stifinder *(en -e)* pathfinder.

I. **stift** *(en -er) (søm)* sprig, brad; *(grammofon-)* needle, *(safir- etc)* stylus; *(til blyant)* lead, *(til cigarettænder)* flint; *(læbestift etc)* stick.

II. **stift** *(et -er) (kirkeligt område)* diocese.

III. **stift** *adj:* *se* stiv; *adv* stiffly, rigidly; *se (el. stirre) ~ på* look *(el.* stare) hard *(el.* fixedly) at.

stiftamtmand *(kan gengives)* prefect.

I. **stifte** *vb (fæste med stifter)* tack, nail, sprig, pin.

II. **stifte** *vb (oprette)* found, establish, set up; *(fremkalde)* instigate, stir up; *~ et aktieselskab* found *(el.* promote) a company; *~ familie* marry and have a family; *~ forlig* bring about a reconciliation; *~ fred* make peace; *~ gæld* contract *(el.* incur) debts *(,* a debt); *~ et legat til fordel for* establish a trust for the endowment of; *~ et lån* raise a loan; *~ en skole* found a school; *~ splid* make bad blood, cause dissension.

stiftelse *(en -r)* founding, establishing, setting up, *(ogs = institution)* institution, foundation, establishment; *velgørende ~* charitable institution.

stiftelses|brev deed of foundation. **-dag** day of the foundation of sth; anniversary (of the foundation). **-fest** commemoration.

stifter *(en -e) (grundlægger)* founder; *(af legat)* donor.

stiftning *(en -er)* tacking, nailing.

stifts|provst *(kan gengives:)* archdeacon. **-øvrighed** diocesan authorities.

stifttand pivot tooth.

stig|bord sluice gate. **-bøjle** stirrup; *(i øret)* stapes, stirrup bone.

I. **stige** *(en -r)* ladder.

II. **stige** *(steg, steget)* rise, ascend, go up; *(om fugl)* rise, *(højt)* soar; *(om aeroplan)* climb; *(om humør)* rise; *(om pris)* rise, go up; *(tiltage)* rise, grow, increase; *hans aktier -r (fig)* his stock is rising; *barometeret -r* the barometer is rising; *~ og falde* rise and fall, *(være ustabil)* fluctuate; *i -nde grad* increasingly; *få priserne til at ~* send up prices; *få temperaturen til at ~* raise the temperature; *sterling steg* the pound rose; *terrænet steg stejlt* the ground rose sharply;

[m præp & adv:] ~ *'af* alight, get off, *(af hest*

ogs) dismount; ~ *af cyklen* get off one's bicycle, dismount from one's bicycle; ~ **frem** emerge; ~ **i** *ens agtelse* rise in sby's esteem; ~ **i** *land* go ashore; *han steg £50 i løn* he got a rise (*amr:* raise) of £50; ~ **i** *pris* go up, rise (in price); ~ **i** *værdi* rise in value; ~ **ind** get in; ~ *ind i en bus* get on a bus, board a bus; ~ **med** *10 procent* rise by 10 per cent; ~ **ned** descend, come down; ~ **om** (*i andet befordringsmiddel*) change; ~ **op** ascend, rise, go up; ~ *op af graven* rise from the grave; ~ *op af havet* emerge from the sea; ~ *op i* climb; ~ *op på* mount (*fx* a chair, one's bicycle, the pulpit); climb (*fx* a mountain); ~ **til** *hest* mount (a horse); ~ *til hovedet* go to the head; ~ **ud** alight (*af:* from), get off.

stigen (*en*) rise; ~ *og falden* rise and fall, (*mangel på stabilitet*) fluctuation.

stigevogn ladder truck.

stigma (*et -ta*) stigma. **stigmatisere** *vb* stigmatize.

stigning (*en -er*) rise; ascent; (*af en vej*) gradient, rise, (up-)grade; (*skrues*) pitch; (*i pris*) rise, advance, increase; (*forøgelse*) increase; ~ *i værdi* rise in value; *være i* ~ be on the rise, be on the up-grade.

I. **stik** (*et -*) prick; (*m våben*) stab; (*af insekt*) sting, bite; (*smerte*) stab of pain, twinge, (*fig*) pang; (*elekt*) point, (*stikprop*) plug; (*i kortspil*) trick; ♻ bend, hitch; (*kobber-, stål-*) print, engraving; *holde* ~ hold good, come true; *lade en i -ken* leave sby in the lurch; *føle et* ~ *i hjertet* feel a pang.

II. **stik** *adv:* ~ *imod* dead against, (*fig*) directly contrary to, in diametrical opposition to; ~ *modsat* directly opposite; *det* ~ *modsatte* the very opposite; *have* ~ *modvind* have the wind dead ahead; ~ *øst* (*, nord etc*) due east (*, north etc*).

stik|bækken bedpan. **-dåse** (*elekt*) (wall) socket. **-flamme** spurt of flame. **-flue** *zo* stable fly.

stik-i-rend-dreng errand boy.

stikke (*stak, stukket*) thrust (*fx* a bayonet into sby, one's hands into one's pockets), (*anbringe, putte, ogs*) slip, stick, put; (~ *med spids genstand*) prick, stick; (*med kniv, dolk etc*) stab; (*slagte fx en gris*) stick; (*om bi, hveps etc*) sting; (*om loppe, myg etc*) bite; (*om solen*) burn; (*i metal*) engrave; (*om syning*) stitch, (*om vatteret arbejde*) quilt; (*overgå*) beat; (*i kortspil*) cover; ♻ (*om dybgående*) draw; (*løbe*) run, nip (*fx* nip across to the baker's); (*give, række*) give, chuck, pitch; (*m bold*) hit; (*angive*) inform against;

~ *asparges* cut asparagus; *kan De* ~ *den?* can you beat that? *jeg ved ikke hvad der -r ham* I don't know what is biting him; *det stak ham at* he took it into his head to; *han gør det når det -r ham* he does it when he feels like it (*el.* when he chooses); ~ *ham en på kassen* fetch him a clout; ~ *hul på* prick (*fx* a balloon); ~ *hul et el fad* broach a cask; ~ *sig* prick oneself (*på:* on, *fx* on a needle); ~ *sig* i *fingeren* prick one's finger;

[*m præp & adv:*] ~ **'af** (*fortrække*) be off, clear out, take oneself off, cut and run, make oneself scarce, ♻ (*fraslå sejl*) unbend; (= *afmærke*), *se afstikke*; ~ *af fra kone og børn* desert one's wife and family; ~ *af imod* form a glaring contrast to, clash with; *skibet -r for* **dybt** the vessel draws too much water; *han -r ikke dybt* he is pretty shallow, there is not much in him; '~ **efter** (*m stok etc*) prod at, (*m våben*) stab at; ~ (*af*) **fra** *en give sby the slip*; ~ **frem** project, stick out, (*ses*) peep out, (*m objekt*) put out (*fx* he put out his hand), thrust out, stick out; ~ **hen** *til en* nip round to sby; '~ **i** *ngt* prod (at) sth; ~ *i at hyle* start howling; ~ *i at le* burst out laughing; ~ *noget i brand* set sth on fire, set fire to sth; *han stak det i lommen* he put it in his pocket, he slipped it into his pocket; ~ *en fornærmelse i lommen* pocket an insult; ~ *sin næse i* poke one's nose into; ~ *penge i* invest money in; ~ *i rend* start running; ~ *i søen* put to sea; *solen -r mig i øjnene* the sun is in my eyes; *det stak hende i øjnene* (*fig*) it struck (*el.* caught) her eye; ~ *én* **ihjel** stab sby

to death; *han stak hovedet* **ind** *ad døren* he put his head in at the door; ~ *ngt ind i ngt* thrust sth into sth; ~ *ngt ind imellem ngt* insert sth between sth; *jeg stak min arm ind under hans* I slipped my arm through his; ~ **ned** (*dolke*) stab; ~ **op** (*rage op*) stick up; *han stikker ikke op for nogen* he is afraid of no man; ~ *ham* **på** *næven* shake hands with him; ~ *hul på*, ~ *sig på, se ovenfor; de stak hovederne* **sammen** they put their heads together; ~ **til** *en* (= *prikke, støde*) prod (at) sby, (= *stadig kritisere*) nag (at) sby; get at sby; *han stak til mig hele tiden* he was getting at me all the time; ~ *noget til en* slip sth into sby's hand; ~ *til maden* peck at (*el.* toy with) one's food; ~ *til* **side** conceal; (*gemme til senere*) put by, (*reservere*) put aside; ~ *til sig* pocket; ~ *til søs* put to sea, (*løbe bort og* ~ *til søs*) run away to sea; ~ *én* **ud** (*ɔ: fortrænge en*) cut sby out; ~ *et glas* **ud** toss off (*el.* gulp down) a glass; ~ *én ngt ud* (*ɔ: prakke en ngt på*) palm sth off on sby; ~ *ud:* *se ogs* ~ **frem**; ~ *hovedet* **ud** *af vinduet* put one's head out of the window; ~ *øjnene ud på én* put out sby's eyes; *der -r noget* **'under** there is more in this than meets the eye; (*ɔ: en fælde etc*) there is a catch in it somewhere; ~ *noget under* **stolen** conceal something, keep something back; ~ *et glas under vesten* (*ɔ: drikke*) put away a glass.

stikkelsbær gooseberry. **stikkelsbær|busk** gooseberry bush. **-grød** (*omtr* =) stewed gooseberries.

I. **stikken** (*en*) (*fornemmelse*) pricking sensation, (*jagende*) shooting pain, twinge.

II. **stikken** *adj* touchy, easily offended.

stikkende *adj* pricking (*fx* sensation); (*smerte*) stabbing, shooting; ~ *blik* gimlet (*el.* ferrety) eyes; *blive* ~ *i* stick in, get stuck in; *komme* ~ **med** proffer.

stikker (*en -e*) (*angiver*) informer; (*professionel politi-*) nark; (*amr*) stool-pigeon.

stikkesting backstitch.

stik|kontakt (*stikdåse*) socket; (*stikprop*) plug. **-lagen** drawsheet.

stikle *vb:* ~ *til en* be sarcastic at sby's expense, get at sby.

stikledning (*til vand, gas etc*) service pipe, (*elekt*) service line.

stiklen (*en*), **stikleri** (*et -er*) sarcasm(s).

stikling (*en -er*) ♻ cutting.

stikning (*en -er*) (*syning*) stitching, (*søm*) seam.

stik|ord (*skuespillers*) cue; (*opslagsord, slagord*) catchword. **-ordsregister** subject index. **-pille** (*med.*) suppository; (*fig*) sarcasm. **-prop** plug. **-prøve** (*det at*) spot test; (*det udtagne*) test sample; (*fx i regnskaber og om toldvæsen, politi*) spot check; *tage en* ~ take (*el.* make) a spot test. **-sav** compass saw. **-sår** stab wound. **-våben** pointed weapon.

stil (*en, i tyd:* '*opgaver*' *etc pl -e*) style (*fx* a clear style; the style of Shakespeare, of Raphael; classical, Gothic style); (*malers ogs*) manner; (*opgave i skole*) exercise; (*fristil med opgivet emne*) essay; (*med selvvalgt emne*) free composition; *bunden og ubunden* ~ verse and prose; *noget i den* ~ (*fig*) sth on those lines; *noget i* ~ *med Keats* sth like Keats; *den store* ~ the grand style; *i stor* ~ on a large scale; *der er ingen* ~ *over det* it lacks distinction (*el.* style).

stilart style.

stile *vb* address (*til:* to); ~ *efter* aim at, aspire to; ~ *hen imod* make for; ~ *højt* aim high; *ansøgninger -s til ministeren* application must be made to the Minister; ~ *mod* (*fig*) aim at.

stilebog exercise book.

stilet (*en -ter*) stiletto. **stilethæl** stiletto heel.

stilfuld *adj* stylish, graceful, in good taste.

stilfærdig *adj* quiet, gentle. **stilfærdighed** (*en*) quietness, gentleness; *i al* ~ quietly, in a quiet way.

stilhed (*en*) stillness, quiet, calm, hush; (*tavshed*) silence; *-en før stormen* the calm before the storm; (*al*) ~ quietly, privately, T on the quiet, (*i tavshed*) silently, in silence; (*i hemmelighed*) secretly; *begravelsen foregår i* ~ the funeral will be private.

stilig adj correct, distinguished.
stilisere vb conventionalize, stylize.
stilist (en -er) stylist. **stilistik** (en) stylistics.
stilistisk adj stylistic.

stilk (en -e) stalk, (ogs på glas og pibe) stem; hans øjne stod på -e his eyes were popping out of his head, he was all agog. **stilket** adj stalky, ⚘ petiolate.
stillads (et -er) scaffold(ing), staging.
I. **stille** (et) (modsat storm) calm.
II. **stille** adj (rolig) still, quiet, tranquil, calm; (uden støj, tavs) hushed, silent, quiet; (merk) slack, dull, quiet; adv quietly, calmly, silently, still; stille! be quiet! (i forsamling) silence! dø en ~ død, dø ~ die (el. pass away) peacefully; ganske ~ (i hemmelighed) T on the quiet; Det ~ Hav the Pacific (Ocean); nolde ~ stop, halt, (være standset) be standing (still); holde sig ~ keep still; i det ~ on the quiet, secretly, tacitly; liste af lige så ~ slip away quietly; så ~ som en mus as quiet as a mouse; stå ~ stand still, (om maskine, fabrik) be idle, (om vand etc) stagnate; hans forstand stod ~ he was at his wit's end; en ~ tid a period of quiet, (merk) a slack period; tie ~, se tie; en ~ tvivl a secret doubt; den ~ uge Holy Week; det ~ vand har den dybe grund still waters run deep; ~ vejr calm weather.
III. **stille** vb (tilfredsstille) satisfy (fx one's hunger); (tørst) quench, slake; (lindre) allay, alleviate.
IV. **stille** vb (anbringe) place, put, set; (anbringe i lodret stilling, ogs) stand (fx he stood the gun against the wall); (skaffe) furnish, supply (fx a witness), find (fx £500); (indfinde sig) present oneself, turn up; (⚔ = melde sig) report, (møde) muster;
~ betingelser lay down (el. impose) conditions; ~ den betingelse at make it a condition that; ~ et depositum pay a deposit; ~ fordringer make demands; ~ én en opgave (= et problem) set sby a problem, (= hverv) set sby a task; ~ sig place oneself, (som kandidat) stand (, amr: run) (as candidate), (indtage en vis holdning) take a line, take up an attitude (fx take up a friendly attitude); ~ sig afventende hold one's hand, refuse to commit oneself; hvordan vil han ~ sig? what will be his attitude? sagen -r sig således the facts are these; ~ én et spørgsmål ask sby a question, put a question to sby; ~ tilfreds satisfy; ~ et ur set a watch (, a clock) (fx set one's watch by the time signal); ~ uret til at vække kl. 7 set the alarm for 7 o'clock;
[m præp & adv:] ~ sig an som om man er syg pretend to be ill; blive -t for en dommer be brought before a judge; ~ frem set out, (til skue) display, (et ur) put forward; ~ én frit give sby a free hand; det -r os gunstigere it leaves us in a better position; ~ hos én report to sby; ~ én i spidsen for noget put sby at the head of sth; ~ ind set in, (indstille) adjust, set, (i en retning) train, point; ~ ind på en (radio)station tune in to a station; ~ om til (på radio) switch on to, (under transmission) switch over to, (telefon) put through to; ~ op put, place, (statue) erect, set up, (ordne) arrange, (tropper) draw up, line up, (regnskab) draw up; (= gøre) do (fx what shall I do with them? there is nothing to be done about it); ~ (sig) op take one's stand, (i række) line up, fall in, (i kø) queue up; blive -t over for be faced with (el. by); ~ ham over for confront him with (fx his accusers, a choice); ~ sig på hans side side with him; ~ dem på prøve put them to the test; ~ på en skrue adjust a screw; ~ noget til ens disposition place sth at sby's disposal; ~ ngt under ens beskyttelse place sth under sby's protection; ~ sig under ens kommando place oneself under sby's command (el. orders);
dårligt (, godt) -t (økonomisk) badly (, well) off; være frit -t be a free agent; uheldigt -t in an unfortunate position; -t som jeg er situated as I am; in my position.
Stillehavet the Pacific (Ocean).
stillemøtrik adjusting nut.
stiller (en -e) (kan gengives:) supporter.

stille|siddende adj sedentary. **-skrue** (en -r) adjusting screw. **-ståen** (en) stagnation. **-stående** adj stationary, (om vand, handel etc) stagnant; (om person: sløv etc) stolid.
stillids (en -er) zo goldfinch.
stilling (en -er) (måde, hvorpå legemet anbringes) position, attitude, posture; (~ i forhold til andet; ~ i terrænet (ogs ⚔)) position; (holdning, standpunkt) attitude, position; (arbejde, plads) employment, appointment, (især beskednere) job, (især huslig) situation, place, (embede etc) post; (erhverv, livsstilling) occupation; (samfundsstilling) position; (situation) situation (fx in an embarrassing s.), position (fx the financial p.), state of affairs (fx the present s. of affairs); (politisk ~, retsstilling) status;
beklæde en ~ fill a post; besætte en ~ fill a vacancy, appoint sby to a post, ⚔ occupy a position; gøre -en op (fig) take stock (of the situation); gå i ~ ⚔ move into position; holde -en ⚔ hold the position, (fig) hold one's own, hold one's ground; -en på markedet (merk) the state of the market; sagernes ~ the state of affairs; hans ~ til kunsten his attitude to art; tage ~ til make up one's mind about, come to a decision as to.
stillingskrig (skyttegravs-) trench warfare.
stillingtagen (en) attitude (til: to), making up one's mind (til: about).
stilleben (et -) still-life.
stilløs adj devoid of style, without style.
stilne vb: ~ af calm down, die down (fx the noise (, the wind) died down), abate (fx the storm (, the agitation) abated), decrease (fx the rain decreased), subside.
stilstand (en) standstill, stagnation, lull.
stiltiende adj tacit, implied; adv tacitly; ~ forbehold mental reservation; ~ forudsætning implied condition.
stiløvelse (bog) book of passages for translation; (øvelse) exercise.
stimand robber.
I. **stime** (en -r) shoal.
II. **stime** vb: ~ sammen crowd, throng, (om fisk) shoal.
stimle vb: ~ sammen crowd (om: round), throng.
stimmel (en) crowd, throng.
stimulans (en -er) stimulant. **stimulere** vb stimulate; -nde middel stimulant. **stimulering** (en) stimulation.
sting (et -) stitch; have ~ i siden have a stitch in one's side.
stinkador|os (en -es) weed.
stink|bombe (en -r) stink bomb. **-brand** ⚘ stinking smut. **-dyr** zo skunk.
stinke (stank, stinket) stink; '~ af stink of, reek of (el. with). **stinkende** adj stinking, fetid.
stink|skab fume cupboard. **-svamp** ⚘ stinkhorn.
stipendiat (en -er) holder of a scholarship, holder of a bursary. **stipendi|um** (et -er) bursary, (især vundet ved konkurrence) exhibition, (større) scholarship.
stiplet adj: ~ linie dot-and-dash line; (punkteret linie) dotted line.
stipulere vb stipulate. **stipulering** (en) stipulation.
stirre vb stare, (mere poetisk) gaze (på: at); ~ ondt glower; ~ sig blind på become hypnotized by.
stirren (en) staring, gazing.
stirrids (et -er) ⚓ pantry.
stiv adj (neutrum: stift) (modsat bøjelig el. blød) stiff, rigid; (stivet) starched; (modsat lind) stiff, thick, firm; (om bevægelse) stiff, (om optræden) stiff, formal;
i stift bind in boards, hard-covered; ~ flip starched collar; en ~ kuling a stiff breeze; et stift led a stiff joint; en ~ pris a stiff price; stift skæg bristly beard; et stift (ɔ: anstrengt) smil a forced smile; det er et stift stykke T that's a bit thick; en ~ time a solid hour; en ~ whisky a stiff whisky; blive ~ grow stiff, (om cement, gelé etc) set; gøre ~ make stiff, stiffen; det er

den -este T that's the limit! that beats everything!
~ *af skræk* paralysed with terror; *være ~ i* (= *være dygtig i*) be well up in; *(se ogs III. stift).*
stiv|armet stiff-armed. -benet stiff-legged.
stive *vb* starch (*fx* a shirtfront); ~ '*af* brace, shore up, prop up, steady, *(fig)* strengthen, support, prop up, *(neds)* bolster up (*fx* a weak government); ~ *sig af* brace oneself.
stivelse *(en)* starch. stivelse|holdig *adj* starchy. -korn starch grain.
stiver *(en -e) (støtte(bjælke))* brace, prop, stay, *(i skibs lastrum)* stanchion, pillar; *(i korset)* bone, steel, *(i bæltebånd etc)* stay; *(i paraply)* rib; *(flip-)* collar stiffener.
stivetøj starched linen; linen to be starched.
stivfrossen *adj* frozen stiff.
stivhed *(en) (ogs fig)* stiffness, *(modsat bøjelighed ogs)* rigidity; *(af dej, sovs etc)* stiffness, thickness.
stiv|krampe *(med.)* tetanus. -lærred buckram.
stivnakket *adj* = *stivsindet.*
stivne *vb* stiffen, grow *(el. get)* stiff, *(om gelé, cement etc)* set, *(koagulere)* coagulate; *(stagnere)* stagnate, fossilize, settle into a rut; ~ *af skræk* become paralysed with terror; *det fik blodet til at ~ i mine årer* it made my blood run cold; *et -t smil* a fixed smile. stivnen *(en)* stiffening; setting.
stiv|sind obstinacy, stubbornness. -sindet *adj* stiff-necked, obstinate, stubborn, headstrong. -skørt stiff underskirt, crinoline.
stivstikker *(en -e) (m et stift væsen)* stiff, sourpuss; *(stivsindet)* pigheaded fellow.
stjal *imperf af stjæle.*
stjerne *(en -r) (ogs fig)* star; *(i bogtryk)* asterisk; *kigge -r* observe the stars; *have en høj ~ hos én* stand high in sby's favour; *født under en uheldig ~* born under an unlucky star; *hans ~ er i dalen* his star is waning.
stjerne|banneret the Star-Spangled Banner, the Stars and Stripes. -billede constellation. -formet *adj* star-shaped, stellate. -himmel starry sky. -kaster *(en -e)* sparkler. -kikker *(en -e)* star-gazer. -klar *adj* starry. -kort *(et -)* star atlas, astronomical chart. -observation stellar observation. -skud shooting star, falling star. -tyder *(en -e)* astrologer. -tydning astrology. -tåge nebula *(pl* nebulae). -vrimmel host of stars.
stjæle *(stjal, stjålet)* steal, T lift; *(rapse)* filch, pilfer, pinch; ~ *sig til at gøre ngt* do sth by stealth; ~ *sig til at se på* steal a glance at.
stjært *(en -e) (hale)* tail, *(plov-)* plough handles.
stjålen *adj* stolen; *(fig)* stealthy, *(neds)* furtive.
stjålet *perf part af stjæle.*
Stockholm Stockholm. stockholmsk *adj* Stockholm; *det -e blodbad* the Massacre of Stockholm.
I. stod *(et -)* stud. II. stod *imperf af stå.*
stodder *(en -e)* beggar. stodderagtig *adj* beggarly.
stof *(et -fer)* matter, substance; *(modsat ånd)* matter; *(tøj)* fabric, material, stuff; *(fig)* matter, material, *(journalistisk)* copy, *(i en bog)* subject-matter, *(emne)* subject; *brændbare -fer* combustibles; *fast ~* solid, solid substance; *flydende ~* liquid; *der er godt ~ i ham* he has got the right stuff in him; *der er ~ i ham til en digter* he has the makings of a poet; *afgive ~ til* (*fx* samtale) provide (el. furnish) a subject for; ~ *til eftertanke* food for thought.
stof|handske fabric glove. -lig *adj* material, physical. -misbrug drug addiction. -misbruger drug addict. -mængde quantity of material (, of copy). -skifte *(et)* metabolism. -skiftesygdom metabolic disorder. -tryk textile printing.
S-tog [metropolitan and suburban electric train].
stoicisme *(en)* stoicism.
stoiker *(en -e)* stoic. stoisk *adj* stoic; *adv* -ally.
stok *(en -ke)* stick, *(tynd)* cane; *(anker-)* stock; *(takt-)* baton; *(tømmer-)* log; *(til oprulning fx af kort)* roller; *(kål-)* stalk; *den faste ~* the regular

attendants (, customers), the old guard; *fare af sted over ~ og sten* tear along.
stokdøv stone-deaf, deaf as a post.
stokerfyr automatic stoker. stokfisk stockfish.
stokke|prygl a caning. -slag blow with a stick.
stok|konservativ ultra-Conservative; *en ~ a diehard* (Tory). -rose *(en -r)* ✚ hollyhock; *(læge-stokrose)* marsh-mallow. -værk *(et -)* storey, floor.
stol *(en -e)* chair; *(uden ryg)* stool; *(kirke-)* pew; *(elevator-)* cage, car; *(væve-)* loom; *(på strygeinstrument)* bridge; *(på artiskok)* bottom; *den elektriske ~ se elektrisk; den hellige (el. pavelige) ~* the Holy See; *sætte ham -en for døren* put one's foot down (with him); *sætte sig mellem to -e* fall between two stools; *stikke ngt under -en* conceal sth, keep sth back.
stola *(en -er)* stole.
stole *vb:* ~ *på* rely on (*fx* he is not to be relied on in such matters; r. on his loyalty); depend on (*fx* if you get into trouble you can d. on him for help; you can d. on what he says); trust to (*fx* chance, one's memory); *(have tillid til)* trust (*fx* he is a man to be trusted); *jeg -r på at du gør det* I rely on you to do it; *du kan ~ på at jeg skal være præcis* you may rely on my being punctual; *det kan De ~ på* you can take my word for it; *ja det kan du stole på!* you bet! ~ *på Gud* trust in God, put one's trust in God; *ikke ~ på (ogs)* distrust.
stole|arm arm of a chair. -ben leg of a chair, chair leg. -betræk chair cover. -mager *(en -e)* chairmaker. -ryg back of a chair, chair back. -række *(en -r)* row of seats. -sæde bottom *(el. seat)* of a chair, chair bottom.
stolle *(en -r)* gallery.
stolpe *(en -r)* post; *snakke op ad -r og ned ad vægge* talk nineteen to the dozen.
stolpre *vb (gå usikkert)* totter, toddle.
stolt *adj* proud; *(herlig)* noble, grand, splendid, glorious; ~ *af* proud of; *være ~ af (el. over)* be proud of, take pride in; *klare sig ~* do splendidly, give a good account of oneself; *jeg var ikke ~ ved det* I did not like the look of it, I was not at all *(el., svagere:* not quite) happy about it. stolthed *(en)* pride; *han er sin moders ~* he is his mother's pride; *domkirken er byens ~* the cathedral is the boast *(el. pride)* of the town.
stoltsere *vb* strut.
stop *(et)* stop; *(pibefuld)* fill; *køre på ~* (= *blaffe*) hitchhike; thumb it.
stop|fodre cram, fatten (up). -forbud *(for biler)* no waiting. -fuld *adj* chock-full, crammed. -hane stop cock. -lygte *(på bil)* stop light.
stopning *(en -er) (fyldning)* cramming, stuffing; *(polstring)* padding; *(fyld)* stuffing; *(af hul)* stopping; *(af el. på strømper etc)* darning, mending.
I. stoppe *vb (fylde)* fill, cram, *(m mad)* stuff; *(stikke, putte)* stuff, tuck; *(polstre)* upholster, pad; *(et hul, en læk)* stop; *(tilstoppe)* choke, block up, obstruct, *(m en prop)* plug (up); *(strømper etc)* darn, mend; *(virke forstoppende)* be constipating; ~ *munden på én* silence sby; ~ *en pibe* fill a pipe; ~ *sengeklæderne ned om en tuck* sby up in bed; ~ *sig* (➔ *spise for meget)* stuff oneself, gorge (oneself); ~ *vat i ørerne* stuff one's ears with cotton wool.
II. stoppe *vb (holde op, standse sin bevægelse)* stop, pull up; *(få til at standse)* stop, hold up, check, *(midlertidigt)* suspend; ~ *op* stop; *pludselig ~ op* stop short, come to a sudden stop; *sige stop (når der skænkes)* T say when; *nu må vi sige stop* we must stop now; *stop tyven!* stop thief!
stoppe|bom buffer stop. -garn *(uld)* mending -wool; *(bomuld)* darning-cotton. -klods *(på skinner)* check block; *(bag dør)* door stop; *(stoppeæg)* darning -egg. -nål darning-needle.
stopper *(en -e)* stop; *(⚓ på tov)* stopper; *sætte en ~ for ngt* put a stop to sth.
stoppe|sted *(bus-, sporvogns-)* stop (*fx* I get off at the next stop). -æg *(et -)* darning-egg.

stop|signal halt sign; *(for tog)* stop signal. **-ur** stop watch.

stor *adj (større, størst; se disse ord) (om omfang, mål)* large *(fx* car, country, profit, sum); *(især om ngt ikke måleligt)* great *(fx* joy, difficulty, poet, coward); *(især* T *& barnesprog; udtrykker ofte, at man er imponeret af størrelsen)* big *(fx* what a big cigar; a big dog; a big swindle); *(høj)* tall *(fx* man, tree); *(voksen)* grown-up;
et -t A a capital A; *et -t antal* a large number; *~ appetit* (a) good *(el.* hearty) appetite; *til min -e beklagelse* to my great regret, much to my regret; *når jeg bliver ~* when I grow up; *hvor han er blevet ~l* how he has grown! *-t bogstav* capital (letter), *(om størrelsen)* large *(el.* big) letter; *min -e broder* my big brother; *en check ~* £10 a cheque for £10; *Alexander den Store* Alexander the Great; *i det -e og hele* on the whole, by and large; *ih du -el* good Heavens! gosh! Great Scott! *det -e flertal* the great majority, the greater part; *lige -e* equal, the same size; *~ oktav* great *(el.* double) octave; *-e penge* big money; *det -e publikum* the general public; *~ på det* high and mighty; *så ~ som* as big as, the size of; *dobbelt så ~ som han* twice his size; *-e tab* heavy losses; *den -e tå* the big toe; *denne verdens -e* the great ones of the earth; *gøre -e øjne* stare, open one's eyes wide; *ikke -t andet end* little more than, little better than; *-t anlagt* on a large scale; *se -t på det* take a liberal view of it; *det ser vi -t på* we don't worry about that; *-t set* on the whole.

stor- *(ved bynavn)* Greater *(fx* Greater Copenhagen). **stor|abonnent** big subscriber. **-admiral** Grand Admiral. **-agtig** *adj* haughty. **-agtighed** *(en)* haughtiness. **-aktionær** *(en -er)* large shareholder.

storartet *adj (fortræffelig)* splendid, grand, capital; *(skøn)* gorgeous, magnificent, grand; *vi morede os ~* we had a gorgeous time; *jeg har det ~* I feel fine.

stor|bladet *adj* large-leaved. **-blomstret** large -flowered. **-bonde** large farmer. **-borger** T swell, toff. **-brand** conflagration, holocaust.

Storbritannien Great Britain.

stor|by (large) city. **-båd** ♏ longboat. **-drift** large-scale operations; *(landbrug)* large-scale farming. **-dåd** great achievement, glorious deed.

store- ♏ main *(fx* storebramsejl main topgallant sail). **storebroder** big brother.

Store Bælt the Great Belt.

stores net curtain.

store|slem grand slam; *den er ~* T it's awful. **-søster** big sister. **-tå** big toe.

stor|fabrikant great *(el.* large-scale) manufacturer. **-film** *(omtr.:)* epic. **-forbruger** large-scale consumer. **-forbryder** super-criminal. **-fyrste** grand duke. **-fyrstendømme** grand duchy. **-fyrstinde** grand duchess. **-handel** large-scale commerce. **-hed** *(en)* grandeur, greatness, glory. **-hedstid** days of glory, palmy days. **-hedsvanvid** megalomania, T a swelled head. **-hertug** grand duke. **-hertugdømme** grand duchy. **-hertuginde** grand duchess. **-industri** large-scale industry.

stork *(en -e)* stork. **storke** *vb* stalk, stride. **storke|næb** stork's beak; ♏ crane's bill. **-rede** *(en -r)* stork's nest. **-unge** young stork.

stor|kornet *adj* coarse-grained. **-kors** Grand Cross. **-købmand** merchant. **-laden** *adj* grand, grandiose.

storm *(en -e)* gale; *(m. uvejr)* storm, *(voldsom)* tempest; *(fig)* storm, tempest; ⚔ *(ogs fig)* storm, assault; *en ~ i et glas vand* a storm in a teacup; *tage med ~* take *(el.* carry) by storm; *tage dem med ~ (fig ogs)* carry them off their feet; *-en på byen* ⚔ the storming of the town; *løbe ~ mod en* stilling make an assault on a position; *det rejste en ~ af harme* it roused a storm of indignation; *ride -en af* ♏ ride out the gale; *(fig ogs)* weather the storm.

stor|magasin department store, stores. **-magt** Great Power. **-mand** magnate.

stormangreb storm, assault.

stormast mainmast.

storme *(ile)* rush, dash; *(indtage med storm)* storm, take *(el.* carry) by storm; *(løbe storm mod)* make an assault on; *(om politiet)* raid; *det -r* it is blowing a gale; *~ løs på* rush at.

stormende *adj. (ogs fig)* stormy, tempestuous; *~ bifald* tumultuous applause, a storm of applause; *det gjorde ~ lykke* it was a tremendous success, *(i teater ogs)* it brought down the house; *en ~ velkomst* a boisterous welcome.

stormester Grand Master.

storm|flod storm surge; *(oversvømmelse)* flood. **-fugl** *zo* fulmar petrel. **-fuld** *adj* stormy, tempestuous. **-klokke** tocsin. **-kur** *gøre ~ til* make furious love to. **-løb** storm, assault, onslaught *(mod: on).*

stormogulen the (Great) Mogul.

storm|omsust, -pisket *adj* wind-swept. **-signal** storm signal. **-skade** *(en)* storm damage. **-skadeforsikring** windstorm insurance. **-skridt:** *gå frem med ~* advance by leaps and bounds; *nærme sig med ~* draw nearer apace. **-stige** scaling-ladder. **-svale** *zo: lille ~* stormy petrel. **-tag** *(hist.)* mantelet; *(af skjolde)* testudo. **-tropper** *(pl)* ⚔ assault troops, shock troops; *(i politisk organisation)* storm troops. **-tændstik** fusee. **-varsel** gale warning. **-vejr** stormy weather.

stor|mægtig mighty; *(del af fyrstes titel og =* arrogant) high and mighty. **-politik** high politics. **-politisk** high political. **-pralende** bragging, swaggering. **-praler** braggart, swaggerer. **-ryger** heavy smoker. **-sejl** mainsail. **-sind** magnanimity. **-sindet** *adj* magnanimous. **-slået** *adj* grand, grandiose, magnificent; *(se ogs storartet).* **-snudet** *adj* arrogant, T stuck-up. **-snudethed** *(en)* arrogance. **-stad** large town, (large) city. **-stilet** *adj (fig)* large -scale, grandiose *(se ogs storartet).* **-talende** *adj* bragging. **-tromme** bass *(el.* big) drum; *slå på -n (fig)* bang the big drum. **-trøje** pea jacket, reefer. **-tude** *vb* howl, blubber.

Stortyskland Greater Germany.

stor|vask wash; *holde ~ (fig)* have a clean-up; *vi holder (el. har) ~ i dag* we are doing the washing today. **-vesir** Grand Vizier. **-vildt** big game. **-værk** great achievement; monumental work, magnum opus.

stovt *adj* strapping, burly; *(om sind)* stout-hearted.

strabadser *pl* hardships. **strabadsere** *vb* overwork, fatigue; T put (sby) through it.

straf *(en -fe)* punishment, penalty; *(dom)* sentence *(fx* a light sentence); *(tugtelse)* chastisement, castigation; *få ~ for* be punished for; *lovens strengeste ~* the maximum penalty; *til ~* by way of punishment, as a punishment; *under ~ af* on pain of, under penalty of. **straf|ansvar** liability to punishment; *det medfører ~* it involves criminal liability, it is an offence; *under ~* under penalty of the law. **-arbejde** penal servitude, imprisonment with hard labour. **-bar** *adj* punishable; *det er -t at* it is an offence to; *en ~ handling* an offence.

straffe *vb* punish *(for:* for, *med:* with); *(tugte)* chastise, castigate; *en tidligere -t person* an old offender, a previously convicted person; *en ikke tidligere -t person* a first offender; *tidligere -t for vold* previously convicted of assault, with previous convictions for assault; *et -nde blik* a reproving look.

straffe|anstalt prison, penitentiary. **-bestemmelse** penalty clause. **-dom** sentence; *(Guds)* judgment. **-ekspedition** punitive expedition. **-fange** *(en -r)* prisoner, convict. **-foranstaltning** punitive measure. **-koloni** penal *(el.* convict) settlement. **-lov** penal code. **-middel** (means of) punishment. **-prædiken** lecture. **-ret** *(kriminalret)* criminal law. **-sag** criminal case. **-spark** penalty kick. **-sparkfelt** penalty area. **-tid** term of punishment; *udstå sin ~* serve one's time.

straf|fri unpunished, exempt from punishment; **-t** *(adv)* with impunity. **-frihed** impunity, exemption from punishment. **-nedsættelse** *(før strafudmålingen)* mitigation of sentence, *(efter)* reduction of (the) sentence, *(under afsoningen)* remission of punishment. **-porto** surcharge. **-skyldig** liable to a penalty, culpable.

straks *adv* at once, immediately, instantly, straight away, T right away; *(snart)* presently; *(i begyndelsen)* at first; *klokken er ~ tolv* it is close on twelve; *jeg kommer (lige) ~* I'll come at once; *~ (da) jeg hørte det* directly *(el.* as soon as) I heard it, the moment I heard it; *~ da han kom i skole kunne han ikke lide det* when he first went to school he did not like it; *~ efter* immediately after; *~ fra begyndelsen* from the very start; *~ i morgen tidlig* first thing tomorrow; *~ når jeg får det* directly I get it.

strakt, strakte *perf part. og imperf af strække.*

stram *adj (udspændt)* tight; ⚓ taut *(fx* haul a rope taut); *(om tøj ogs)* tight-fitting; *(om person: stiv)* stiff, *(stramtandet)* severe, harsh, forbidding, *(sur)* acid, sour; *(streng, fx om regel)* strict; *(om lugt, smag)* rank, acrid; *(ubillig, overdreven)* stiff; *et -t budget* a tight budget; *blive ~ i ansigtet* look disapproving.

stramaj *(et)* canvas.

stramhed *(en) (se stram)* tightness; ⚓ tautness; stiffness; severity, harshness; acridness; strictness.

stramme *vb (gøre stram)* tighten *(fx* a rope, a muscle, a nut); *(fig)* intensify *(fx* the blockade), stiffen *(fx* discipline, one's demands); *(være for stram)* be too tight; *~ kreditten* tighten up the credit facilities; *~ en op* brace sby (up); *~ sig op* brace oneself (up), *(med spiritus etc)* fortify oneself; *-s* tighten, be tightened; *markedet -des (merk)* the market hardened. **stramning** *(en)* tightening.

stramtandet *adj* severe, harsh, forbidding.

stramtsiddende tight(-fitting).

strand *(en -e)* beach, (sea)shore, *(poet.)* strand; *der er løbet meget vand i -en siden da* a lot of water has flowed under the bridges since then.

strand|arve ⚘ sea purslane. **-bred** *(en -der)* beach. **-dragt** beach costume.

strande *vb (om skib)* be stranded, be beached; *(forlise)* be wrecked, *(om person)* be cast away, be shipwrecked; *(fig)* fail, miscarry, *(om forhandlinger)* break down; *bringe ngt til at ~ (fig)* wreck sth, bring about the failure of sth; *~ på (fig)* fail owing to, break down on *(el.* over).

strandfoged *(en -er)* receiver of wreck, *(amr)* wreck master.

stranding *(en -er)* stranding, *(med forlis)* wreck. **strandings|gods** wreckage. **-sted** place of stranding.

strand|jagt inshore shooting. **-kant** beach. **-løber** *(en -e)* zo buff-breasted sandpiper. **-løg** *(et -)* ⚘ squill. **-plante** *(en -r)* seashore plant. **-promenade** (sea) front, promenade, esplanade. **-pyjamas** beach pyjamas. **-sand** beach sand. **-vagt** coastguard. **-vasker** *(en -e)* body washed ashore. **-vej** coast road.

strangulation *(en -er) = strangulering.* **strangulere** *vb* strangle, throttle. **strangulering** *(en -er)* strangulation.

strateg *(en -er)* strategist; *(i det gamle Athen)* strategus *(pl* strategi). **strategi** *(en)* strategy; *(som videnskab)* strategics. **strategiker** *(en -e)* strategist. **strategisk** *adj* strategic(al).

stratenrøver highwayman; *han lignede en ~* he looked like a scarecrow.

stratosfære *(en)* stratosphere.

stred *imperf af stride.*

streg *(en -er)* line, stroke; *(typ) (linie)* rule; *(tankestreg; i telegrafi)* dash; *(stribe)* streak; *(kompas-)* point; *(påfund)* trick; *(tegners stil)* manner, line; *dumme ~er* stupid tricks; *gale -er* mad pranks; *en gemen (el. grim el. lumpen) ~* a dirty trick; *over -en (i bridge)* above the line; *gå over -en (fig)* overstep

the mark; *han har en ~ på* T he has had one over the eight; *en ~ i regningen* a disappointment, an unforeseen obstacle; *det var mig en ~ i regningen* it upset my calculations; *slå en ~* draw a line; *slå en ~ over* strike out, *(eftergive)* cancel, *(tilgive)* (forgive and) forget, overlook, *(opgive)* abandon, drop; *sætte ~ gennem t* cross the t; *lige til -en (vovet)* close to the wind, near the knuckle; *sætte ~ under* underline.

strege *vb (slå streger)* draw lines, *(liniere)* rule; *(slette)* strike out, cross out, cancel, delete; *~ af (= krydse af)* tick off; *~ en bog ind* underline passages in a book; *~ over, ~ ud* strike out, cross out, cancel, delete; *~ under* underline, underscore.

stregepapir [lined sheet to place under plain writing paper]. **stregmål** marking gauge.

strejf *(et -) (glimt)* gleam, ray; *(let berøring)* graze, brush.

strejfe *vb (berøre)* brush, graze, just touch; *(omtale flygtigt)* touch on, glance at; *tanken -de mig lige* the thought just crossed my mind; *~ om* rove, roam, ramble; *~ om i (el. på)* rove, roam about *(fx* the wood, the island).

strejf|lys *(et)* gleam of light; *(fig)* sidelight *(fx* throw a sidelight on sth). **-skud** grazing shot. **-tog** raid, incursion, inroad.

I. strejke *(en -r)* strike; *afblæse -n* call off the strike; *erklære ~* declare *(el.* call) a strike; *gå i ~; se II. strejke; ~ på stedet* sit-down strike, stay-in strike; *ulovlig ~* illegal strike.

II. strejke *vb (nedlægge arbejdet)* go on strike, strike (work), come out; *(have nedlagt arbejdet)* be on strike, be out; *(ikke fungere)* refuse to operate; *-nde (subst)* striker.

strejke|bryder *(en -e)* strike-breaker, blackleg, *(især amr)* scab. **-fond, -kasse** strike fund. **-lammet** *adj* strikebound. **-leder** strike leader. **-ret** the right to strike. **-vagt** picket; *sætte (, gå) ~ ved en fabrik* picket a factory. **-varsel** strike notice.

I. streng *(en -e) (violin-, klaver-, bue- etc)* string; *(klokke-)* bell-pull; *(i snor)* strand; *anslå en ~* touch a string, *(fig)* strike a chord; *have flere -e på sin bue* have two strings to one's bow; *spille på de patriotiske -e* touch patriotic chords.

II. streng *adj (ubøjelig, ufravigelig)* strict *(fx* justice, orders, rules, discipline, schoolmaster, neutrality); *(hård, ublid)* severe *(fx* criticism, judge, punishment), hard *(fx* master, life, times, work), rigorous *(fx* peace terms, discipline); *(barsk af væsen, udseende)* stern *(fx* man, look); *(om levevis)* austere *(fx* Puritan, life, morals); *(fordringsfuld)* exacting; *(om vejrlig)* severe, hard *(fx* frost, cold, winter); *(om kunstnerisk stil)* severe, austere; *under ~ bevogtning* closely guarded; *~ diæt* a strict diet; *~ faste* a strict *(el.* rigid) fast; *i -este forstand* in the strictest sense of the word; *~ over for* strict with, severe with, hard on; *(se ogs strengt).*

strenge ✱: *~ sig an* exert oneself.

strengeinstrument stringed instrument.

strenges *vb* grow harder, grow more severe.

strenghed *(en) (se II. streng)* strictness; severity, hardness, rigour; sternness; austerity.

strengt *adv (se II. streng)* strictly; severely, hard, rigorously; sternly; austerely; *arbejde ~* work hard; *~ forbudt* strictly prohibited *(el.* forbidden); *~ nødvendig* absolutely necessary; *ikke mere end -t nødvendigt* no more than strictly necessary; *~ taget* strictly speaking.

streptokok *(en -ker)* streptococc|us *(pl* -i).

stribe *(en -r) (regelmæssig, fx i mønster)* stripe, *(uregelmæssig, ogs lys-)* streak; *(række)* row; *på ~* in a row. **stribet** *adj* striped, streaked, streaky; *~ flæsk* streaky bacon.

I. strid *(en) (poet.)* fight, strife, struggle; *(uenighed)* strife *(fx* in a family), dispute *(fx* about wages), quarrel *(fx* between two brothers), conflict *(fx* political conflicts), *(videnskabelig)* controversy; *(mellem følelser, ideer etc)* conflict, clash; *i ~ med (fig)* at variance with, contrary to, against (*fx* against regulations); *(på trods af)* in contravention of, in defiance of *(fx* act in d. of one's orders); *komme i ~ med* fall out with, quarrel with; *ligge i ~ med* be at odds with, have a quarrel with; *den sag hvorom -en står* the matter at issue.

II. **strid** *adj (strittende, stiv)* rough, bristly, stiff, hard; *(om strøm)* swift, rapid; *(om vind)* stiff; *det regner i -e strømme* it is pouring (down); *tårer i -e strømme* a flood of tears.

stridbar *adj (krigerisk)* combative, bellicose; *(trættekær)* quarrelsome. **stridbarhed** *(en)* combativeness; quarrelsomeness.

stride *(stred, stridt) (kæmpe)* fight, struggle; *(i ord, skrift)* fight; *(anstrenge sig)* struggle; *~ sig frem* struggle onward; *~ imod* resist; *~ imod ngt (være i modstrid med)* be *(el.* go) against sth *(fx* it is against my principles), conflict with sth, be contrary to sth; *~ med døden* be in one's last throes; *han har stridt ud* he is at peace; *-s* quarrel, fight, dispute; *-s om* dispute about, fight over, *(kappes om)* contend for; *et spørgsmål man kan -s om* a question open to dispute; a moot point; *de -nde parter* the contending parties, *(i retssag)* the litigants; *-nde imod* contrary to.

stridhåret *adj* rough-haired.

stridig *adj* headstrong, obstinate, stubborn; *gøre én ngt -t* dispute sth with sby; *gøre én rangen ~ (fig)* emulate sby, run sby close.

stridighed *(en -er) (stridigt sind)* obstinacy, stubbornness; *-er (strid)* disputes, quarrels, conflicts, controversies.

stridser *(en -e)* T cop, copper.

strids|handske gauntlet *(fx* throw down the gauntlet to sby). **-hest** war horse, charger. **-kræfter** (military) forces. **-lysten** *adj* eager to fight; *(se ogs stridbar)*. **-mand** warrior, *(fig ogs)* champion. **-punkt** *(et -er)* point in dispute, issue. **-spørgsmål** *(et -)* controversial question, (matter at) issue. **-vant** *adj* seasoned, veteran *(fx* a v. army). **-vogn** (war) chariot. **-økse** battle axe; *begrave -n (fig)* bury the hatchet.

stridt *perf part af* stride.

I. **strigle** *(en -r)* currycomb.

II. **strigle** *vb* currycomb, groom, rub down.

strik *(en)* (little) rogue.

I. **strikke** *(en -r)* rope, cord; *(til hængning)* halter, rope.

II. **strikke** *vb* knit; *~ på en strømpe* be knitting a stocking.

strikke|bog knitting-book. **-garn** knitting-yarn. **-kurv** knitting-basket. **-maskine** knitting-machine. **-mønster, -opskrift** knitting-pattern. **-pind** knitting-needle. **-pose** knitting-bag.

strikker *(en -e),* **strikkerske** *(en -r)* knitter.

strikketøj *(et)* knitting. **strikning** *(en)* knitting.

striks *adj* strict.

strime *(en -r) (efter slag)* weal.

strimet *adj* streaked, *(efter slag)* wealed.

strimle *vb* shred.

strimmel *(en, strimler)* slip, strip, ribbon, shred; *(lang papir-, tøj-; telegraf-)* tape; *(kruse*) frill; *(pibe-)* ruff; *en ~ land* a strip of land.

stringens *(en)* cogency, stringency. **stringent** *adj* cogent, stringent.

strippe *(en -r)* piggin.

I. **stritte** *vb (kaste)* shy, chuck, throw.

II. **stritte** *vb (om børster, hår etc)* bristle; *~ imod (med hænder og fødder)* resist (tooth and nail).

strittende *adj* bristly *(fx* moustache); erect *(fx* with ears erect); *(om yver)* distended; *med ~ lillefinger* with one's little finger extended.

strofe *(en -r)* stanza; *(i græsk tragedie)* strophe.

strop *(en -per)* strap; *(støvle- etc)* loop; *(til ophængning af frakke etc)* hanger, loop; *(i underbenklæder)* loop; *hænge i -pen (i sporvogn etc)* be a straphanger, straphang. **stropløs** strapless.

stroppe *vb: ~ op* shake up, rouse.

stroppetur *(omtr:)* punishment drill, pack drill.

strube *(en -r)* throat; *(-hoved)* larynx; *skære -n over på en* cut sby's throat; *gribe én i -n* seize sby by the throat. **strube|hoste** *(en)* croup, acute catarrhal laryngitis; *falsk ~* false croup. **-hoved** *(anat)* larynx. **-lyd** guttural (sound). **-låg** *(anat)* epiglottis. **-spejl** laryngoscope.

struds *(en -e)* ostrich. **struds(e)|fjer** ostrich feather. **-mave:** *have en ~* have a stomach like an ostrich. **-politik** ostrich policy. **-æg** ostrich egg.

struggler *(en -e)* climber, careerist.

struktur *(en -er)* structure. **strukturel** *adj* structural. **strukturere** *vb* structuralize; structure.

struma *(en) (med.)* struma, goitre.

strunk *adj* erect, upright; *stiv og ~* bolt upright. **strutmave** pot belly.

strutte *vb (svulme)* bulge; *(stritte)* bristle; *~ a sundhed* be bursting with health; *-nde skørter* ample skirts.

stryg *(prygl)* a thrashing.

stryge *(strøg, strøget) (m. hånden)* stroke, *(feje m. hånden)* sweep, brush; *(m. strygejern)* iron; *(hvæsse)* sharpen, whet, *(barberkniv)* strop; *(tændstik)* strike; *(flag, sejl etc)* strike, lower; *(mursten)* mould; *(slette)* cut out, cancel, suppress, delete; *(afskaffe)* stop, discontinue, cut out; *(springe over)* skip; *(male)* coat; *(violin etc)* bow; *(løbe, fare)* run, shoot, streak; *(om vind)* sweep;

~ pengene af bordet sweep the money off the table; *~ en(s navn) af listen* strike sby's name off the list; *~ en hat af* polish a hat; *~ ngt bort* brush sth away; *~ forbi* brush *(el.* sweep) past; *han strøg fortjenesten* he bagged the profits; *katten strøg sig op ad mit ben* the cat rubbed against my leg; *~ hen over bølgerne* skim (over) the waves; *~ 'over (med farve)* coat; *~ en over håret* stroke sby's hair; *~ rejer* catch shrimps; *~ et sejlløb for miner* sweep a fairway for mines; *~ sig om hagen* stroke one's chin; *~ håret tilbage* brush one's hair back; *-nde afsætning* a rapid *(el.* brisk) sale; *det går -nde* it goes swimmingly; *(se ogs strøget)*.

stryge|bræt ironing-board. **-flade** *(på tændstikæske)* striking-surface. **-fri** *adj (om stof)* non-iron. **-instrument** string instrument. **-jern** iron. **-jomfru** ironer. **-kvartet** string quartet. **-orkester** string band.

stryger *(en -e)* one who plays a string instrument; string player; *-ne* the strings.

strygerem *(razor)* strop.

strygeri *(et -er) (omtr =)* laundry.

strygerske *(en -r)* ironer.

stryge|spån scythe sharpener, strickle. **-tøj** clothes to be ironed, ironing. **-tør** damp-dry.

strygning *(en -er) (se stryge)* stroking; ironing; sharpening, stropping; striking; moulding; striking -out, *(i skuespil, bog)* cut.

stryknin *(en)* strychnine.,

stræbe ★ exert oneself; *~ efter (anstrengé sig for at opnå)* strive for, *(have som mål)* aim at; *~ efter at* endeavour to, strive to; *~ én efter livet* seek sby's life; *~ opad* aspire to higher things.

stræbe|bjælke strut. **-bue** *(arkit)* flying buttress.

stræben *(en)* endeavour(s), efforts; *(ærgerrighed)* ambition; *~ efter* striving towards.

stræbepille *(arkit)* buttress.

stræber *(en -e)* climber, careerist.

stræbsom *adj* industrious, hard-working.

stræbsomhed *(en)* industry.

stræde *(et -r)* narrow street, lane, alley; *(sund)* strait(s); *på gader og -r* in highways and byways; *-t ved Gibraltar* the Straits of Gibraltar.

stræk *(et) (med.)* extension; traction *(fx* a leg in t.); *i ét ~* at a stretch; *jeg læste bogen i ét ~* I read the book at one sitting (, T: at one go). **strækbar** *adj* ductile, extensible.

strække *(strakte, strakt)* stretch, *(gøre længere, ogs)* draw out; *(få til at slå bedre til)* make *(fx* the butter) go a longer way; *~ benene* stretch one's legs; *~ gevær*

lay down one's arms; ~ *hånden frem* hold (*el.* stretch) out one's hand; ~ *én til jorden* knock sby down; ~ *kølen* lay the keel; *lade sig* ~ (*om materiale*) stretch, give; ~ *langt (fx om penge)* go far; ~ *til* be enough, stretch; ~ *ud* stretch out; *(om hest)* gallop at full speed; ~ **sig** stretch, *(om slette etc: ligge udstrakt)* stretch out, spread, lie; ~ *sig sd langt man kan (fig)* go to the greatest possible length, go as far as one can; ~ *sig over (tid, rum)* cover, spread over.
strækkemuskel extensor.
strækmarch goose-step.
strækning *(en -er) (det at strække(s))* stretching; tension; *(distance)* distance, way; *(vej-)* stretch; *(jernbane-)* section; *lige* ~ level (, straight) stretch, *(af flod)* reach. **strækstyrke** *(en)* tensile strength.
strø *vb* strew, sprinkle; ~ *om sig med ngt (fig)* be profuse of (*el.* liberal with) sth; ~ *sukker på ngt* sprinkle sugar on sth, sprinkle sth with sugar; ~ *under en hest* litter down a horse.
strøelse *(en)* litter, bedding.
I. **strøg** *(et -) (let berøring)* touch; *(med bue el. pen)* stroke; *(påstrygning, lag)* coat *(fx* of paint); *(egn, kvarter)* neighbourhood, part; *(forretnings-)* shopping centre. II. **strøg** *imperf af stryge.*
I. **Strøget** [a line of shopping streets in central Copenhagen].
II. **strøget:** *en* ~ *skefuld* a level spoonful; *(se ogs stryge).*
strøm *(en -me) (i hav, sø, luft etc, ogs elekt)* current; *(elekt kredsløb)* circuit; *(vandløb, å)* stream; *(rivende bjergstrøm)* torrent; *(rolig vand-, fx i rør)* flow; *(tidevand)* tide; *(mængde)* stream *(fx* of cars, of lava, of immigrants), flood *(fx* of tears, of abuse); flow *(fx* of words); *slutte -men* close the circuit; *afbryde -men* break the circuit; *i -me* in torrents; *følge med -men (fig)* swim with the current.
strøm|afbryder *(elekt)* switch, contact breaker. **-aftager** *(en -e) (på elekt tog etc)* (current) collector. **-forbrug** current consumption. **-fordeler** *(en -e)* controller, *(i bil)* distributor. **-fordelingstavle** switchboard. **-førende** *adj* live *(fx* wire, rail). **-hvirvel** eddy, whirlpool. **-kreds** circuit. **-kæntring** turn of the tide. **-linet** *adj* streamlined.
strømme *vb* stream, flow, pour; *(i stort tal)* flock, crowd; *brevene -r ind* letters are pouring in; *regnen har -t ned* the rain has been pouring down; *tårerne -de ned ad hendes kinder* tears ran down her cheeks; ~ *over* overflow *(af:* with); ~ *ind over (om vand)* flood, *(om mennesker, dyr)* swarm over; *folk -de til* people flocked (*el.* crowded) to the place; *blodet -de mig til hovedet* the blood rushed to my head; ~ *ud af* stream *(el.* flow) out of, *(voldsomt)* gush from, *(om gas, vand etc)* escape from, leak out of.
strømning *(en -er)* flow, stream; *(fig)* current.
strømpe *(en -r)* stocking. **strømpe|bukser** tights. **-bånd** *(rundt)* garter; *(se ogs -holder).* **-fod** foot of a stocking; *på -fødder* in one's stocking feet. **-holder** *(en -e)* suspender, *(amr)* garter. **-skaft** leg of a stocking. **-sokker** *(pl): på* ~ in one's stocking feet.
strøm|pil *(fig)* straw in the wind. **-retning** direction of the current. **-slutning** closing of the circuit. **-slutter** *(en -e)* circuit closer, connector. **-styrke** *(en)* current intensity. **-tavle** switchboard. **-vender** *(en -e)* reversing switch.
strø|pulver sprinkling-powder. **-ske** *(en -er)* dredging-spoon, sugar sifter. **-sukker** castor sugar. **-tanke** aphorism; *-r (ogs)* obiter dicta.
strå *(et -)* straw; *trække det korteste* ~ get the worst of it; *være højt på* ~ be a person of consequence, T be a bigwig. **strå|død:** *dø -døden* die a natural death, die in one's bed. **-fletning** straw plaiting; *(det flettede)* straw plait. **-hat** straw hat.
I. **stråle** *(en -r) (lys- etc)* ray; *(lyn-)* flash; *(glimt, fx af håb)* ray, gleam; *(varme- etc)* ray; *(i finne etc)* ray; *(i fjer)* barb; *(af væske, damp etc)* jet, *(tynd)* squirt; *(udgydelse)* rigmarole.
II. **stråle** *vb* shine, beam, *(om ædelsten, øjne)*

sparkle; *hun (, hendes ansigt) -de af glæde* she (, her face) was radiant with joy; ~ *ud* radiate; *(se ogs -nde).*
stråle|bundt pencil of rays. **-formet** *adj* radiated. **-glans** *(en)* radiance, refulgence.
stråleje *(et -r)* straw bed.
strålekrans halo.
strålende *adj* radiant, beaming *(fx* smile), glittering, sparkling *(fx* jewels); *(glimrende, herlig)* brilliant *(fx* idea), glorious *(fx* victory); ~ *humør* high spirits. **stråle|rør** jet pipe, nozzle. **-varme** *(en)* radiant heat.
stråling *(en)* radiation. **strålingssyge** radiation sickness.
strå|mand *(fig)* puppet, *(amr)* stooge *(for:* of). **-måtte** straw mat. **-tag** thatched roof. **-tækker** *(en -e)* thatcher. **-tækt** *adj* thatched.
stub *(en -be) (ogs tegne-)* stump; *-be (af korn og skæg)* stubble; *(se ogs rub).*
stubmark stubble field.
I. **stud** *(en -e)* bullock, *(ung)* steer; *(fig)* boor; *den der ager med -e kommer også med* slow and steady wins the race.
II. **stud.** *fk. f. studiosus;* *være* ~ *jur.* [read for the bar]; *være* ~ *mag.* [study for a degree qualifying for positions in grammar schools etc]; *være* ~ *med.* [be a medical student]; *være* ~ *polit.* [be a student of economics]; *være* ~ *polyt.* [be a student of engineering]; *være* ~ *theol.* [study divinity].
studehandel cattle trade; *(fig)* horse trade.
student *(en -er)* university student.
studenter|eksamen (examination for the) school-leaving certificate; *(i Engl omtr =)* (examination for the) General Certificate of Education A-level. **-forening** students' association; *-en (ved engelske universiteter)* the Union. **-hue** student's cap. **-kammerat** fellow student, college friend. **-liv** student life. **-løn** student wage. **-nellike** sweet william. **-råd** students' representative council. **-sangforening** students' choral society.
studentikos *adj* undergraduate *(fx* u. manner).
studepranger *(en -e)* cattle dealer.
studere *vb* study; *lade ham* ~ send him to a university *(amr:* to college); ~ *jura,* ~ *til sagfører* read for the bar, be a law student; ~ *medicin,* ~ *til læge* study medicine, be a medical student; ~ *til langt ud på natten (ogs)* burn the midnight oil; *(se ogs II. stud.).*
studere|kammer study. **-lampe** reading-lamp.
studerende *(en -)* student; *den* ~ *ungdom* young students. **studeret:** *en* ~ *mand* a scholar, a man who has had a university education.
studereværelse study. **studering** *(en -er)* study.
I. **studie** *(en -r) (udkast)* study.
II. **studie** *(et -r) (atelier)* radio- / studio.
studie|fag subject. **-hoved** study of a head. **-kreds** study circle, study group. **-plan** *(en -er) (trykt)* syllabus; *(pensum)* curriculum. **-rejse** study tour; *tage på* ~ *til England* go to England to study. **-tid** time (*el.* period) of study; *-en er tre år* it is a three-year course (of study).
studine *(en -r)* girl student.
studio *(et -er)* studio *(fx* a broadcasting s.).
studi|um *(et -er)* study.
I. **studs:** *på en* ~ straight off, off-hand.
II. **studs** *(en -er) (rør-)* connecting-piece, *(lille rørstump)* pipe stub.
III. **studs** *adj* gruff, brusque, curt.
I. **studse** *vb (klippe)* trim, *(en hale)* dock *(fx* dock the tail of an animal); *(ører)* crop.
II. **studse** *vb (forbavses)* be startled *(over:* at).
studsning *(en -er) (se* I. *studse)* trimming.
stue *(en -r)* room, *(daglig-)* sitting-room; *(på hospital)* ward; *(stuetage)* ground floor, *(amr)* first floor; *i -n (o: i stuetagen)* on the ground floor, *(amr)* on the first floor.
stue|antenne indoor aerial. **-arrest:** *have* ~ be kept in. **-butik** ground-floor shop. **-etage** *se* stue. **-flue** housefly. **-fugl** cage bird. **-gang** *(på hospital)*

round(s); *gå ~* go the rounds. **-gulv** floor. **-hus** farmhouse. **-lærd** bookish person. **-orgel** harmonium. **-pige** *(i et hjem omtr)* parlourmaid, housemaid; *(i kro, hotel)* chambermaid. **-ren** *adj (om hund)* house -trained; *hans historier var ikke helt -e* his stories were not exactly drawing-room. **-temperatur** room temperature. **-ur** clock.

stuk *(en el. et)* stucco; *beklæde med ~* stucco.

stukkatur stucco (work). **stukkatør** *(en -er)* stucco worker.

stukket *perf part af* stikke.

stum *adj* dumb *(fx* person); mute *(fx* admiration); *(blive) ~ af rædsel* (be struck) dumb with terror; *-t bogstav* mute *(el.* silent) letter; *-t spil* by -play, *(hel scene)* dumb show. **stumfilm** silent film.

stumhed *(en)* dumbness, muteness.

I. **stump** *(en -er) (lille stykke, smule)* bit, piece, fragment, scrap; *(rest)* stump, *(af cigaret etc ogs)* stub, end; *(om barn)* tiny tot; *(kæleord)* pet; *-er (rester, ogs)* odds and ends, remnants; *rive i -er og stykker* tear to bits *(el.* shreds); *slå i -er og stykker* smash to bits *(el.* smithereens), smash up; *redde -erne* save something out of the wreck.

II. **stump** *adj* blunt; *(om vinkel)* obtuse.

stumpe *vb* be too short. **stumpet** *adj* (too) short, skimpy.

stump|næset *adj* snub-nosed. **-rumpet** *adj* short -tailed. **-vinklet** *adj* obtuse-angled.

stumtjener hat-and-coat stand; *(amr)* clothestree.

stund *(en -er) (stykke tid)* while *(fx* for a short while); *(tidspunkt, time)* hour *(fx* in the hour of need, of peril; in a happy hour, in an evil hour); *jeg har ikke -er til det* I have no time for it; *nu om -er* nowadays; *i samme ~* at the same moment; *til min sidste ~* to my dying day.

stunde: *aftenen -r til* evening is drawing near.

stundesløs *adj* fussy, restless.

stundesløshed *(en)* fussiness, restlessness.

stundom *adv* sometimes, at times.

stup *(en -per) (til tegning)* stump.

stupid *adj* stupid, oafish. **stupiditet** *(en)* stupidity, oafishness.

Sturm und Drang Storm and Stress (Period).

stutflag ♣ square (flag).

stutteri *(et -er)* stud farm.

I. **stuve** *vb (mad): -t blomkål (etc)* boiled cauliflower (etc) in white sauce.

II. **stuve** *vb* ♣ stow; *dårligt -t* badly stowed, *(om lasten ogs)* out of trim; *~ folk sammen i en kupé* pack *(el.* cram) people into a compartment; *-nde fuld* packed, crammed, chock-full.

stuver *(en -e)* ♣ stevedore.

I. **stuvning** *(en) (mad) (omtr)* white sauce.

II. **stuvning** *(en)* ♣ stowage, stowing.

styg *adj* (grim) ugly; *(uartig)* naughty; *(ubehagelig)* bad *(fx* taste, habit), nasty *(fx* weather, remark, taste), ugly *(fx* wound, rumour).

stykgods parcels; ♣ general cargo, mixed cargo.

I. **stykke** *(et -r)* piece, bit; *(afskåren skive)* slice, *(af kød ogs)* cut; *(del af strækning)* part *(fx* walk part of the way); *(af jernbanelinie)* section; *(~ vej)* distance, way; *(lille mark)* patch *(fx* a patch of rye, of beans); *(tekst-)* passage *(fx* a famous p. from King Lear); *(del af paragraf)* subsection; *(afsnit af tekstside)* paragraph; *(avisartikel)* piece, article; *(regnestykke)* problem, *(addition)* sum; *(dyr ved optælling)* head *(fx* 20 head øf cattle); *(kanon)* gun, piece; *(maleri)* composition; *(genstand i samling)* piece; *(skuespil)* play, T piece;

han er et ~ af en digter he is sth of a poet; *der går ingen -r af dig for de:* what harm can it do you? *et ~ arbejde* a piece of work, a job; *blæse et ~ se blæse; et ~ brød* a piece *(el.* a slice) of bread; *et ~ mad (svarer til:)* a sandwich; *~ for ~* piece by piece, bit by bit; *gå i -r* go *(el.* come) to pieces, break, *(i tale etc)* break down; *(blive ødelagt, svækket)* go to pieces; *(strande)* go on the rocks; *forlovelsen gik i -r* the

engagement was broken off; *planen gik i -r på at* the scheme broke down over the fact that; *rive noget i -r* tear sth to pieces, tear sth up; *slå i -r* break, smash, dash to pieces, *(fig)* break up; *kan du slå en tier i -r?* can you change a ten kroner note? *være i -r* be broken, *(i uorden)* be out of order; *obligationer i -r på £100* bonds in denominations of £100; *et ~ jord* a plot of land; *nogle -r* some, a few; *en 30 -r* some thirty, about thirty; *et ~ papir* a piece of paper; *et par -r* one or two, a couple; *6 pence stykket (el. pr stk)* 6 d. each, 6 d. apiece; *regne et ~* do a sum; *et ~ sukker* a lump of sugar; *et ~ sæbe* a cake *(el.* tablet) of soap; *et ~ tid* some time; *når det kommer til -t* after all, when one gets down to brass tacks; *et ~ vej* some distance; *et godt ~ vej* a fair distance; *et ~ af vejen* part of the way.

II. **stykke** *vb: ~ noget sammen* piece sth together; *~ ud* parcel out.

stykkevis *adv* by the piece, piecemeal, piece by piece. **styksalg** retail sale.

stylte *(en -r)* stilt; *gå på -r* walk on stilts.

stymper *(en -e)* poor wretch; *(fusker)* bungler.

styne *vb* pollard *(fx* pollarded trees).

styr *(et -)* *(cykel-)* handlebars *(pl);* *holde ~ på* rule, control, manage, keep in check; *gå over ~ (blive til intet)* come to nothing, *(om forlovelse)* be broken off; *sætte over ~ (tabe)* lose, *(bortødsle)* squander, run through; *uden ~* ♣ *(⊃: ikke under kommando)* not under control, unmanageable.

styrbar *adj* dirigible; *-t projektil* ✕ guided missile.

styrbarhed *(en)* dirigibility.

styrbord starboard; *~ med roret!* starboard the helm! *om ~* on the starboard side. **styrbords-** starboard.

I. **styre** *(et -r)* management, rule, government *(fx* a democratic government); *stå for -t* be at the head of affairs, be at the helm; *tage -t* take the helm.

II. **styre** *vb* steer *(fx* a ship, a course, along the land); *(regere)* govern, rule, *(lede)* manage *(se ogs styr: holde styr på);* *(stå for styret)* be at the head of affairs; *(tings el. redskabs bevægelse)* direct, control, *(maskine etc)* operate, control; *(gram)* govern, take; *~ efter stjernerne* steer by the stars; *~ hus for én* keep house for sby; *~ (hen)imod* steer for, make for; *~ imod land, ~ indefter* stand in; *~ lige imod (el. los på)* head straight for, bear down on; *~ landet gennem krisen* pilot the country through the crisis; *let at ~ (om personer)* tractable, manageable; *~ sine lidenskaber (, sin tunge, sin vrede)* curb one's passions (, one's tongue, one's anger); *han har fået sin lyst -t* he has had enough, he has got more than he bargained for; *~ sig* restrain oneself.

styre|apparat steering-gear. **-arm** steering-arm. **-fjer** *(fugls)* tail feather. **-grejer** *(pl)* steering-gear; *(flyv)* controls. **-hus** *(i bil)* steering-box; ♣ wheel house. **-kompas** ♣ steering-compass. **-line** ♣ tiller rope. **-liste** *(på skydedør)* guide.

styrelse *(en -r)* government, administration; *(se ogs bestyrelse);* *(gram)* regimen, government; *ved forsynets ~* by an act of Providence, providentially; *guddommelig ~* divine dispensation.

styre|maskine ♣ steering-engine. **-mekanisme** steering-gear. **-pind** ♣ tiller; *(flyv)* control column, T stick. **-raket** steering-rocket. **-rille** guideway. **-skinne** guide rail. **-spindel** kingpin. **-tøj** steering -gear. **-åre** steering-oar.

styring *(en)* steering; *tabe -en* lose control.

I. **styrke** *(en)* strength *(fx* of a horse, of a man, of will, of an army, of a fortress, of a rope, of a poison, of a friendship, of an argument, of an electric current), force *(fx* of a blow, of the wind); *(antal)* strength *(fx* of a regiment); *(organiseret afdeling; i denne tyd pl -r)* force *(fx* land forces, naval forces, a strong force of police); *(lyd-, tone-)* intensity, volume; *(magnets, linses, brillers etc)* power; *tiltage i ~* grow stronger, intensify; *prøve ~ med* try one's strength against; *han har ikke sin ~ i latin*

Latin is not his forte (*el.* strong point); *hævde det med stor* ~ assert it vigorously.

II. **styrke** *vb* refresh (*fx* a refreshing cup of tea, refreshing sleep), brace (up) (*fx* the sea air braces you up, a bracing climate); (*forstærke*) strengthen (*fx* one's conviction), fortify; -*nde middel* tonic.

styrke|drik cordial. **-forhold** relative strength. **-liste** ✕ muster roll.

styrkelse (*en*) (*se II. styrke*) refreshment; strengthening, fortifying.

styrkeprøve (*en -r*) trial of strength, tug-of-war; (*m h t materiale*) strength test.

styrmand mate; (*i robåd*) coxswain; *første* ~ chief officer, (*på mindre skibe*) first mate; *anden* ~ second officer (, mate); *uden* ~ (*om robåd*) coxless.

styrmands|bevis certificate of competency as first mate. **-eksamen** mate's examination.

styrt (*et -*) (*flyv*) vertical dive; (*m motorcykel etc*) crash; (*m hest, cykel*) fall.

styrt|angreb dive attack. **-bombemaskine** dive -bomber. **-dykning** (*flyv*) vertical dive.

styrte *vb* (*falde*) fall down, tumble down, topple down (*el.* over), (*af trætthed etc*) drop; (*fare*) rush, dart, dash; (*slynge, lade falde*) precipitate, throw, (*ad slidsk etc*) shoot (*fx* shoot coal into a cellar); (*berøve magten*) overthrow;

arbejde til man -r work till one drops; ~ *af hesten* fall from one's horse; ~ *af sted* rush along, dash off; ~ *frem* rush (*el.* plunge) forward; ~ *det i grus* lay it in ruins; ~ *ham i ulykke* bring disaster upon him; ~ *ind i stuen* burst into the room; ~ *med cyklen* (, *hesten*) have a fall; ~ *ned* fall down, (*flyv*) crash; ~ *ned af en stige* fall down from (*el.* fall off) a ladder; ~ *ngt ned i afgrunden* precipitate sth into the abyss; *regnen* (*el.* det) -*r ned* the rain (*el.* it) is pouring down; ~ *om* fall down; ~ *død om* drop dead; ~ *løs på* rush at; ~ *sammen* fall down, collapse, (*om jord etc*) fall in; ~ *landet ud i en krig* plunge the country into war; ~ *sig i hinandens arme* rush into one another's arms; ~ *sig om halsen på én* fling one's arms round sby's neck; ~ *sig over* rush at, (*mad, fjende etc*) throw oneself on, (*arbejde*) throw oneself into; ~ *sig ud i* throw oneself into, plunge into; *en* -*nde masse* a tremendous lot; *gøre* -*nde lykke* be a tremendous hit, be a huge success; *have* -*nde travlt* be in a terrible rush; -*nde rig* tremendously rich.

styrte|bad shower (bath). **-gods** ♣ bulk cargo. **styrt|flyver** dive bomber. **-hjelm** crash helmet. **-regn** torrential rain. **-sø** sea; *få en* ~ ship a sea.

stædig *adj* obstinate, stubborn, (*neds*) pigheaded, mulish, (*genstridig*) refractory; (~ *og udholdende*) dogged; ~ *som et æsel* stubborn as a mule. **stædig-hed** (*en*) obstinacy, stubbornness, pigheadedness, mulishness, refractoriness.

stække *vb* clip (*fx* the wings of a bird); ~ *éns vinger* (*fig*) clipsby's wings.

stænder *pl af* stand. **stænderforsamling** Assembly of the Estates of the Realm.

I. **stænge** (*et -r*) hayloft.

II. **stænge** *vb* (*lukke med tværstang*) bar; (*med slå*) bolt; ~ *én inde* lock sby up; (*fig*) coop sby up; ~ *én ude* shut sby out.

stænge- ♣ topmast.

stængel (*en -ler*) stem, (*urteagtig*) stalk.

stænk (*et -*) (*regn- etc*) drop, splash; (*plet*) spot, dot, speckle, (*af snavs*) stain, splash; (*fra bølger el. fra vandfald*) spray; (*fig*) touch (*fx* of irony, of bitterness), dash (*fx* of vinegar), spot (*fx* of whisky); *han har grå* ~ *i håret* he has got a touch of grey in his hair; *der faldt et par* ~ there was a spatter of rain.

stænke *vb* splash (*fx* water at sby, gravy over the table; the mud splashed up), spatter (*fx* sby with mud, water on sth), (*lettere*) sprinkle (*fx* scent on one's handkerchief, linen with water, sby with holy water); *det -de* (*om regn*) there was a spatter of rain; it was spotting (*el.* spitting) with rain; ~ *til med snavs* spatter with mud.

stænke|kost (*katolsk*) aspergillum.- **lap** (*på cykel, bil*) mud flap. **-prop** sprinkler (stopper). **-skærm** splashboard, splash guard. **stænkregn** drizzle.

I. **stær** (*en -e*) *zo* starling.

II. **stær** (*en*) (*øjensygdom*): *grå* ~ cataract; *grøn* ~ glaucoma; *sort* ~ black cataract.

stærblind = starblind.

stærekasse (starlings') nest box.

stærk *adj* strong (*fx* man, arm, nerves, boots, rope, likeness, character, faith, feeling, temptation, poison, coffee, taste, smell); (*energisk, livskraftig*) vigorous (*fx* attack, plant, applause); (*kraftigt virkende, i besiddelse af stor kraft*) powerful (*fx* adversary, battery, government, lens, telescope, remedy, argument); (*om lyd*) loud; ~ *blæst* a strong wind; -*e drikke* strong drinks, alcoholic beverages, intoxicants; ~ *efterspørgsel* (*merk*) brisk (*el.* strong) demand; *med* ~ *fart* at a high speed; ~ *farve* bright (*el.* vivid) colour; (*i kortspil*) strong suit; ~ *feber* high fever; ~ *kulde* intense cold; *det -e køn* the sterner sex; ~ *mand* (*ogs fig*) strong man; ~ *regn* heavy rain; ~ *sennep* hot mustard; *med -e skridt* rapidly; -*t slag* vigorous (*el.* heavy, powerful) blow; ~ *strøm* rapid current, (*elekt*) strong current; ~ *varme* intense heat; -*t verbum* strong verb; *200 mand* ~ 200 strong; *være* ~ *i latin* be good at Latin; (*se ogs stærkt*).

stærkstrøm power current. **stærkstrøms|anlæg** power plant. **-kabel** power cable. **-ledning** power line.

stærkt *adv* (*kraftigt*) strongly, powerfully; (*lydeligt*) loudly; (*rigeligt*) profusely; (*hurtigt*) fast; (*i høj grad, meget*) greatly (*fx* exaggerated, improved, interested, tempted), heavily (*fx* armed, loaded, underlined), highly (*fx* recommended, discontented, coloured), seriously (*fx* damaged), very (*fx* intoxicated); *det blæser* (, *fryser, regner*) ~ it is blowing (, freezing, raining) hard; ~ *efterspurgt* in great demand; *uret går for* ~ the watch is fast; *leve -t* go the pace; *stå -t* (*fig*) be in a strong position; *tænke* ~ *på at gå hjem* think seriously of going home, have a good mind to go home.

stævn (*en -e*) (*for-*) stem, bow; (*bag-*) stern; *skyde over* ~ make headway.

I. **stævne** (*et -r*) (*møde*) rally; (*sports-*) meeting; *sætte én* ~ make an appointment with sby, (*ved ordre*) summon sby.

II. **stævne** *vb* (*indkalde*) summon, (*jur*) summons (*fx* he can summons you for assault), take out a summons against, serve a writ upon, subpoena; ~ *sammen* (*kalde sammen*) summon, convene.

III. **stævne** *vb* (*styre*) head (*mod:* for); ~ *sammen* meet.

stævnemøde assignation, T date; (*poet.*) tryst.

stævning (*en*) summons, writ; *forkynde en* ~ *for én* serve a writ on sby.

stævningsmand bailiff, sheriff's officer.

støbe* (*metal*) cast, found; (*i beton ogs*) concrete; *støbt jern* (, *stål*) cast iron (, steel); *frakken sidder som om den var støbt* the coat fits like a glove; ~ *lys* make candles; ~ *'om* recast, refound.

støbe|form mould, (*amr*) mold. **-gods** castings. **-jern** cast iron. **støbelig** *adj* fusible.

støbeovn foundry furnace.

støber (*en -e*) founder. **støberi** (*et -er*) foundry. **støbe|sand** moulding (*,amr*) sand. **-ske** (foundry) ladle; *forfatningen er i* -*en* the constitution is in the melting-pot. **-stål** cast steel.

støbning (*en*) founding, casting; (*i beton*) concreting; (*fig*) cast, mould (*,amr:* mold), fibre.

stød (*et -*) (*skub*) push; (*rystelse; elekt*) shock; (*med kårde etc*) thrust; (*med dolk*) stab; (*dumpt slag*) bump; (*i billard*) stroke; (*boksestød*) blow, punch; (*i vogn etc under kørsel*) jolt, bump; (*vind-*) gust; (*i trompet, dampfløjte etc*) blast (*i:* on); (*fig: slag, sorg*) blow, shock, (*tilskyndelse*) impulse; (*i sproglyd*) glottal stop; (*trærod*) stump; (*samling*) butt, joint; *give -et til ngt* originate sth, be the original cause of sth; *de* ~

verden giver the buffets of fortune; *et ~ i fløjten (ogs)* a blast of the whistle; *tage -et 'af* break the force of the blow, cushion the blow, *(parere)* ward off the blow (, the thrust), fend off the blow; *være i -et* be in (great) form, have got into one's stride.

stød|brænde *(subst)* stump wood. **-dæmper** *(en -e)* shock absorber.

støde ★ *(skubbe)* push; *(m stødvåben)* thrust; *(knuse)* pound; *(fint)* bray; *(skumple)* jolt; *(om gevær)* kick; *(frugt)* bruise; *(en legemsdel, så det smerter)* hurt *(fx* one's finger); *(virke ubehageligt på)* offend, *(iser om lyd)* jar on; *(fornærme, krænke)* offend, hurt;

~ *an* give offence; ~ *an mod* offend against; ~ *efter én* thrust at sby; ~ *fra* ⚓ put off; ~ *fra sig* push back, thrust aside, *(fig)* alienate, estrange; ~ *frem* ⚔ advance; ~ *i hornet* blow the horn; ~ *imod noget* hit sth, knock *(el.* bump) against sth; ~ *op til* adjoin, be adjacent to; ~ *på* encounter, come up against, *(træffe tilfældigt)* come across, *(tilfældigt finde)* run into, chance upon, light on; *han stødte foden på en sten* he knocked his foot against a stone; ~ *på grund* strike (the ground); ~ *på en klippe (, en mine)* strike a rock (,a mine); ~ *sammen* come into collision, collide, *(fig)* clash, *(mødes)* meet, join; ~ *sig hurt* oneself; ~ *til (skubbe)* push, *(forene sig med)* join, *(om uheld etc)* supervene; *(se ogs stødende, stødt).*

stødende *adj* offensive, objectionable.

støder *(en -e)* *(i morter)* pestle; *en gammel* ~ T an old buffer *(el.* fogey).

stødpude *(en -r)* buffer. **stødpudestat** buffer state.

stødt *adj (knust)* ground *(fx* pepper); *(om frugt)* bruised; *(fornærmet)* offended; *blive* ~ *(ogs)* be offended, take offence *(over:* at).

stød|tand tusk. **-tropper** *(pl)* shock troops.

stødvis *adv* by fits and starts, *(i ryk)* jerkily, *(m afbrydelser)* intermittently; *(om vind)* in gusts; *adj* jerky, intermittent.

støj *(en)* noise, *(i radio ogs)* interference; *lave* ~ make a noise. **støj|bekæmpelse** noise abatement. **-dæmper** silencer.

støje *vb* make a noise. **støjen** *(en)* noise, noisiness. **støjende** *adj* noisy, *(om opførsel, tale)* boisterous *(fx* manner, mirth).

støj|fri *adj* noiseless. **-plage** *(en -r)* noise nuisance. **-sender** *(en -e)* jamming station.

stønne *vb* groan. **stønnen** *(en)* groaning, groan. **stør** *(en -er)* zo sturgeon.

størkne *vb* solidify, harden, congeal, *(koagulere)* coagulate, *(om cement, gelé)* set; *(om blod)* coagulate, clot; *-t blod* clotted blood.

størkning *(en)* solidification, hardening, congealment, coagulation, setting; clotting.

større *adj (komparativ af stor)* greater, larger, bigger; *(om højde)* taller; *(temmelig stor)* largish, biggish, fair-sized, large, big, major; *de ~ børn* the older children; *uden ~ vanskelighed* without much difficulty.

størrelse *(en -r)* *(dimensioner)* size, dimensions; *(format, nr)* size; *(højde)* height; *(det noget fylder)* bulk *(fx* the bulk of the parcel); its large bulk); *(areal)* area, extent, size; *(vældig ~)* vastness; *(sum, beløb)* amount *(fx* the amount of my expenses); *(hærs etc)* strength; *(mat.)* quantity; *(stjernes)* magnitude; *(omfang)* extent *(fx* of the damage), volume *(fx* of exports); *erstatningens ~* the amount of indemnity; *en lille ~ (om barn)* a tiny tot; *naturlig ~* full size, *(se ogs naturlig); være på ~ med* be the size of; *en ubekendt ~* an unknown quantity; *en underlig ~* a queer specimen *(el.* fish).

størrelsesorden (order of) magnitude, size.

størst *adj (superlativ af stor)* greatest, largest, biggest, maximum; *(om højde)* tallest; *med -e lethed* with the greatest ease. **største|delen, -parten** the greater part, *(flertallet ogs)* the majority; *for ~ for* the most part, chiefly, mostly.

støt *adj* steady; *adv* steadily.

l. støtte *(en -r)* *(lodret)* support, stay, *(ofte kort)* prop; *(til afstivning)* brace; *(skrå)* shore; *(stræbepille)* buttress; *(bog-)* book end; *(søjle)* pillar; *(billed-)* statue, monument; *(hjælp)* support, backing; *(pengeunderstøttelse)* financial support. *(stats-)* grant, subsidy; *(om person)* pillar *(fx* he is a pillar of the Church), mainstay, standby; *søge ~ hos en* seek sby's support; *til ~ for (fig)* in support of.

II. støtte *vb (afstive)* support, prop (up), stay, *(m skråstøtte)* shore up; *(lade hvile, læne)* support, lean; *(hjælpe)* support, aid, back up, stand by; *(virke for, bekræfte)* support; *anbefale)* second, support *(fx* a proposal); *(begrunde)* support, base; *(i. bridge)* support; ~ *på benene* stand upon one's legs; ~ *sig til* lean on *(fx* a stick *, sby's arm)*, *(m. ryggen)* lean against, *(fig)* lean on *(fx* a rich friend), take one's stand on *(fx* the contract); ~ *sig til et manuskript (idet man holder tale)* speak from a manuscript.

støtte|ben *(til cykel)* kick stand. **-melding** *(i bridge)* raise. **-parti** supporting party. **-pille** *(en -r)* buttress. **-punkt** point of support; *(✗: base)* base; *(fig)* support. **-stav** staff; *(fig)* support *(fx* of one's old age).

støv *(et)* dust *(fx* trample him in the dust); *(på sommerfuglens vinger)* scales; *(blomster-)* pollen; *(jordiske levninger)* dust, ashes, mortal clay; *70 er -ets år* threescore and ten is the age of men; *ryste -et af sine fødder* shake the dust off one's feet; *tørre ~ af møblerne* dust the furniture; *hun var ved at tørre ~ af* she was dusting (the room); *kaste sig i -et for en* prostrate oneself before sby.

støv|bold ⚙ puffball. **-briller** *(pl)* goggles. **-drager** *(en -e)* ⚙ stamen.

I. støve *vb:* ~ *ngt igennem* search sth *(fx* a house); ~ *omkring* nose about; ~ *ngt op* nose sth out, scent sth, *(opdage ngt)* ferret sth out, nose sth out.

II. støve *vb (hvirvle støv op)* raise (the) dust; *det -r* it is dusty; ~ *'af* dust; ~ *til* collect dust.

støve|klud duster. **-kost** hand brush, *(af fjer)* feather duster.

støver *(en -e)* *(omtr =)* hound.

støvet *adj* dusty.

støv|fang *(et -)* stigma. **-fnug** = **-gran.** **-frakke** dust coat. **-fri** *adj* dustless, free from dust. **-gran** *(et -)* speck of dust, dust particle, *(især i solstråler)* mote. **-knap** ⚙ anther.

støvle *(en -r)* boot; *(om lav ~ bruger amr* shoe).

støvle|hæl boot heel. **-knapper** *(en -e)* button-hook. **-knægt** bootjack. **-næse** toe of a boot. **-pudser** *(en -e)* boot-black, *(amr ogs)* shoeshine. **-skaft** bootleg. **-snude** toe of a boot.

støvlet *(en -ter)* bootee.

støv|regn drizzle, *(fra vandfald etc)* spray. **-regne** *vb* drizzle. **-sky** cloud of dust. **-storm** dust storm. **-suge** *vb* vacuum-clean, vacuum, T vac. **-suger** *(en -e)* vacuum cleaner. **-sugning** vacuum-cleaning. **-tråd** ⚙ filament. **-tæt** dustproof. **-vej** ⚙ pistil.

I. stå: *gå i* ~ stop, come to a standstill, come to a stop, *(i tale ogs)* T be stuck, *(om motor)* stop, stall; *(om ur)* stop.

II. stå *(stod, stået) (mods: sidde, ligge)* stand *(fx* I have been standing all day), stand up; *(= være)* be *(fx* there is a tree in front of the house);

~ *alene* be alone *(fx* I was alone in the world); **blive -ende** *(modsat: sætte sig)* remain standing, *(modsat: flytte sig)* remain (standing), stand, *(modsat: blive flyttet, svinde bort)* remain *(fx* our luggage can r. here; this visit will always r. in my memory), *(om penge)* remain invested, *(modsat: blive nedrevet)* be left standing *(fx* not a column we was left s.), *(stadig gøre sig gældende)* stand *(fx* his philosophy will stand), *(standse)* stop; *blive -ende ved* stop at, *(holde fast ved)* stick to; **bryllupet** *stod i domkirken* the wedding was solemnized in the cathedral; *bryllupet stod i London* the wedding was celebrated in London; *når skal bryllupet ~?* when is the wedding to be? **der -r** *at . . (i brev etc)* it says that . .; *der stod en*

debat om *det* there was a debate about it; *det* ~*r 3-2*
(om sportskamp) the score is 3-2; *det hele* ~*t og falder
med ham* it all depends on him; *kom som du* ~*r og går*
come as you are; *lade ngt* ~ let sth stand, *(= lade det
være i fred)* leave sth alone, *(ikke slette det)* leave sth,
keep sth; *lade døren* ~ leave the door open; *lade
skægget* ~ grow a beard; *han stod og så på mig* he
stood looking *(el.* and looked) at me; *som sagerne* ~*r*
as matters stand; ~ *og skulle til at* be about to, be on
the point of -ing; *der stod et slag* a battle was fought;
uret ~*r* the watch has stopped;

~ **sig** *(hævde sig)* hold one's own; ~ *sig godt med*
be on good terms with, stand well with; *kunne* ~
sig mod (el. over *for) én* be a match for sby; ~ *sig ved*
find one's account in, profit by; *jeg* ~*r mig ved at
vente (ogs)* it pays me to wait;

[*forbindelser m præp & adv*]

~ **'af** *(af hest, cykel)* dismount, *(af køretøj, cykel)*
get off; ~ *af bussen (etc)* get off the bus (etc); ~ *af
cyklen* get off one's bicycle, dismount from one's b.;
~ **bag** *(ɔ: støtte)* stand behind; *(ɔ: være ophavsmanden)*
be behind; ~ *bag én (støtte ogs)* back sby up; *det er
ham der* ~*r bag ved (ɔ: er ophavsmanden)* he is the one
who pulls the wires; ~ *én* **bi** stand by sby; *lykken* ~*r
den kække bi* fortune favours the brave; *så det* ~*r* **efter**
with a vengeance, like anything;

~ **'for** screen from view, *(om flere)* stand round
in a ring; ~ *for ngt (= forestå, lede)* be at the head of
sth, manage sth, be in charge of sth, *(= modstå)*
resist sth; *kunne* ~ *for kritik* be proof against criticism,
(om bog etc) pass muster; *hans ansigt* ~*r stadig for mig
(ɔ: for mit indre blik)* his face is still before me *(el.*
still haunts me); *det* ~*r for mig (i tankerne)* som om it
seems to me that; *det er umuligt at* (el. *ikke til at)* ~ *for*
it is irresistible; *det* ~*r Dem frit for om De vil gøre det
eller ej* you can decide for yourself whether you will
do it or not; *det* ~*r dig frit for* you can do it if you like;

~ **foran** stand in front of; *når der* ~*r en vokal foran*
when preceded by a vowel; ~ **frem** stand forward,
(rage frem) stand out; *lade det* ~ **hen** leave it in abey-
ance, leave it open *(el.* undecided); *som der* ~ **hos**
Byron as Byron has it; *det* ~*r hos Byron* it is in Byron;
~ **'hos** stand by;

det ~*r i avisen* it is *(el.* it says so) in the paper; *der* ~*r
i avisen at han er her* it says in the paper that he is
here; *det* ~*r i akkusativ* it is in the accusative; *det* ~*r
ikke i min magt* it is not in my power; *det tøj jeg går
og* ~*r i* the clothes I stand up in; *aktierne* ~*r i pari* the
shares are quoted at par; *pengene* ~*r i en bank* the
money is (deposited) in a bank; *pengene* ~*r i land-
ejendomme* the money is invested in landed property;
huset stod ham i £1000 the house cost him £1000;

~ *ngt* **igennem** come through sth; *vi håber hun
vil* ~ *det igennem* we hope she will pull through;
~ **'imod** resist; ~ **ind** *mod land* head for the shore;
~ **inde** *for* answer for; ~ **op** stand (up), *(af sengen)*
get up, rise, *(om solen etc)* rise; ~ *op fra de døde* rise
from the dead; ~ **op på** mount; ~ **over** *(overvåge)*
stand over, *(være højere stillet end)* be above, *(være
bedre end)* be superior to; *de der* ~*r over ham* his
superiors; ~ *over for* face, stand facing, *(fig)* be con-
fronted with, face;

~ **'på** *(stige ind)* get up; *barometeret* ~*r på regnvejr*
the barometer is at rain; *den* ~*r på bøf hver dag* we
(, they) have steak every day; ~ *på cyklen* get on one's
bicycle, mount one's b.; *en plade på hvilken der stod* ..
a tablet, on which was written .., a tablet bearing
the inscription ..; ~ *på sporvogn (ɔ: stige ind)* board
a tram; *termometeret* ~*r på 90°* the thermometer stands
at 90°; *viseren* ~*r på 3* the hand points to 3; ~ *på sin ret*
stand upon one's rights; *mens det stod 'på* while it
lasted, while it was going on; *mens forhandlingerne
stod 'på* pending *(el.* during) the negotiations; *den
side hvor vinden* ~*r 'på* the windward side, the side
exposed to the wind; *når solen* ~*r 'på* when (it is) ex-
posed to the sun;

~ **stærkt** *(,svagt)* be in a **strong** *(,*weak) position;

~ **til** *(passe til)* go well with, *(om farver ogs)* match;
mit håb ~*r kun til dig* I set all my hopes on you;
han ~*r til 4 år* he stands to get 4 years; *lade* ~ **til** *(tage
chancen)* chance it, *(opgive ævred)* let things slide;
hvordan ~*r det til (med dig, etc)?* how are you (etc)?
det ~*r dårligt til* things are not (any) too good; ~ **til søs**
put to sea; *det* ~*r til Deres disposition* it is at your dis-
posal; *det* ~*r til dig at gøre det* it is up to you to do it;
hvis det stod til ham if he had his way; *han* ~*r ikke til
at redde* he is past praying for;

~ **tilbage** *(være til rest)* be left, remain; *(i udvik-
ling)* be backward; ~ **tilbage** *for* be inferior to, fall
short of; *han* ~*r ikke tilbage for nogen* he is second to
none; ~ **ud** *(fx af vogn)* get out, *(rage frem)* protrude,
project; ~ *ud af sengen* get out of bed; ~ **ud fra land** ⚓
stand off the land; ~ **udenfor** *(fig)* have no part in it;
~ **under** *én (under éns kommando)* be under (the
command of) sby, *(i rang)* rank below sby; *(være
ringere end én)* be inferior to sby, be below sby;

~ **ved** *sit løfte* stand by one's promise; *han tør* ~
ved sine meninger he has the courage of his convictions.

stående *adj (se ogs II. stå)* standing *(fx in a s.*
posture); *(stadig)* permanent; *(fx invitation),*
constant *(fx complaint); (stereotyp)* stock, *(banal)*
hackneyed; *på* ~ *fod* offhand, on the spur of the
moment; ~ *hær* standing army; ~ *souper* buffet supper;
~ *vending* set *(el.* stock) phrase; ~ *vittighed* standing
joke.

ståhej *(en)* fuss; *(støj)* noise, T hullabaloo; *stor* ~
for ingenting much ado about nothing.

stål *(et)* steel; *(på værktøjsmaskine)* tool; *rustfrit* ~
stainless steel; *nerver af* ~ nerves of steel.

stålampe *(bord)* table lamp, *(stander-)* standard
lamp.

stål|børste *(en -r)* wire brush. **-bånd** steel tape.
-fjeder *(en, -fjedre)* steel spring. **-grå** steel-grey.
-hjelm steel helmet, T tin hat. **-møbler** *(pl)* (tubu-
lar) steel furniture. **-orm** *zo* slow-worm. **-pen** steel
pen. **-plade** steel plate. **-rør** steel tube. **-sat** *adj (om
karakter)* firm, staunch. **-skelet** steel framework.
-skib steel ship. **-stik** steel engraving. **-tov** (steel)
wire rope. **-tråd** (steel) wire. **-trådshegn** wire fence.
-trådsnet wire netting. **-uld** steel wool. **-vask**
stainless steel sink. **-værk** steelworks.

ståplads *(en -er)* standing-room; *5* ~*er* standing
-room for 5; *jeg måtte nøjes med en* ~ I had to stand.
s. u. *fk f svar udbedes* r. s. v. p. *(fk f* répondez s'il
vous plaît).

subaltern *adj* subaltern, subordinate.

I. **subjekt** *(et -er) (gram)* subject.

II. **subjekt** *(et -er) (neds om person)* ne'er-do-well,
seedy individual, *(fordrukken)* sot.

subjektiv *adj* subjective. **subjektivitet** *(en)* sub-
jectivity.

subjektsprædikat subjective complement.

sublim *adj* sublime.

sublimat *(et -er) (kem)* corrosive sublimate.

sublimere *vb (kem)* sublime; *(i psykoanalyse)*
sublimate. **sublimering** *(en)* sublimation.

subordination *(en)* subordination.

subordinere *vb* subordinate.

subsidier *(pl)* a subsidy; *betale* ~ *til* subsidize.

subsidiær *adj* subsidiary; *-t (jur)* in the alternative;
han blev idømt en bøde på £ 500, ~ *6 måneders fængsel*
he was fined £500, with the alternative of six
months' imprisonment.

subsistensløs *adj* without means, destitute.

subsistensmidler *(pl)* means (of subsistence).

subskribent *(en -er)* subscriber. **subskribere** *vb*
subscribe *(på:* for, to, *fx* for a book, to a journal).
subskription *(en -er)* subscription. **subskriptions-
indbydelse** prospectus.

substans *(en)* substance.

substantiel *adj* substantial.

substantiv *(et -er)* noun, substantive. **substan-
tivere** *vb* substantivize. **substantivisk** *adj* substan-
tival, substantive.

substituere *vb* substitute. **substitut** *(en -ter)* substitute. **substitution** *(en)* substitution.

substrat *(et -er)* subtratum *(pl* substrata); *(til bakteriekulturer)* culture medium.

subtil *adj* subtle; *-t adv* subtly.

subtilitet *(en -er)* subtlety.

subtrahend *(en -er)* subtrahend. **subtrahere** *vb* subtract. **subtraktion** *(en -er)* subtraction.

subtropisk *adj* subtropical.

subvention *(en -er)* subsidy, subvention. **subventionere** *vb* subsidize.

succedere *vb* succeed. **succes** *(en -er)* success, *(om bog, skuespil etc ogs)* hit; *have ~* be a success. **succession** *(en -er)* succession. **successiv** *adj* successive. **successive** *adv* successively.

Sudan the Sudan. **sudaneser** *(en -e)* Sudanese.

suder *(en -e) zo* tench.

Sudeterne *pl* the Sudeten Mountains.

Suezkanalen the Suez Canal.

suffiks *(et -er)* suffix.

suffisance *(en)* self-importance, arrogance.

suffisant *adj* self-important, arrogant.

sufflere *vb* prompt. **sufflør** *(en -er)* prompter.

sufflør|bog prompt book. **-kasse** prompt box.

suffløse *(en -r)* prompter.

suffragette *(en -r)* suffragette.

sug *(et -)* suck; *han følte et ~ i maven* he had a sinking feeling.

suge *vb* suck; *(opsuge)* suck in *(el.* up), absorb; *~ sig fast* adhere, stick (fast); *~ på labben* go on short commons; *~ til sig = suge; ~ ud* suck out, *(tømme ved at ~)* suck *(fx* an egg); *have en -nde fornemmelse i maven, se sug.*

suge|fisk *zo* sucking-fish. **-glas** *(blodkop)* cupping -glass; *(til bryst)* breast reliever. **-kop** *(blodkop)* cupping-glass; *(sugeskive)* sucking-disc.

sugen *(en)* sucking, suction.

sugepumpe *(en -r)* suction pump.

suger *(en -e) (til kornlosning)* suction apparatus.

suge|rør suction pipe; *(til drik)* (drinking) straw. **-skive, -skål** sucking-disc.

suggerere *vb* suggestionize; *(ofte =)* hypnotize. **suggestibel** *adj* suggestible. **suggestion** *(en)* suggestion. **suggestiv** *adj* suggestive; *-t spørgsmål* leading question.

sugning *(en)* suction.

suite *(en -r) (værelser)* suite (of rooms); *(følge)* retinue, suite; *(musik)* suite; *(i kortspil)* sequence.

suk *(et -)* sigh; *et dybt ~* a deep sigh; *han forstår ikke et ~ (af det hele)* he does not understand a word (of it all); *drage et lettelsens ~* breathe *(el.* heave) a sigh of relief; *drage sit sidste ~* breathe one's last, draw one's last breath.

sukat *(en)* candied peel.

sukke *vb* sigh; *et dybt* fetch a deep sigh; *~ efter* sigh for, pine for; *~ over* sigh for, lament; *~ under* groan under. **sukken** *(en)* sighing.

sukker *(et)* sugar; *hugget ~* lump sugar; *komme ~ i kaffen* put sugar in one's coffee; *et stykke ~* a lump *(el.* cube) of sugar.

sukker|bøsse sugar castor. **-fabrik** sugar mill. **-godt** sweets, *(amr)* candy. **-holdig** *adj* sugary, sugar-containing, sacchariferous. **-høst** sugar crop. **-indhold** sugar content. **-kugle** sugar plum; *(lille, til strøning)* dragée. **-løn** ⚓ sugar maple. **-overtræk** sugar coating; *(glasur)* icing; *med ~* sugar-coated. **-plantage** sugar plantation. **-raffinaderi** sugar refinery. **-roe** sugar beet. **-rør** sugar cane. **-skål** sugar basin, *(især amr)* sugar bowl. **-stads** *(neds)* sweet *(el.* sickly) stuff; *(godter)* sweets, *(amr)* candy. **-stang** rock, *(amr)* stick candy. **-syge** diabetes. **-syge-** diabetic *(fx* food, patient). **-sød** sugary. **-tang** sugar tongs. **-top** sugar loaf. **-vand** sugar water. **-varefabrik** sweet factory; *(sugar)* confectionery factory. **-varefabrikant** sweet manufacturer; *(sugar)* confectionery manufacturer. **-varer** *(pl)*

sweets; confectionery. **-vat** candy floss; spun sugar. **-ært** sugar pea.

sukre *vb* sugar.

sul *(et)* meat; *(svinekød)* pork; *få ~ på kroppen* put on flesh.

sule *(en -r) zo* gannet.

sulefad *(et)* dish of meat.

sulfapræparat sulpha *(,amr* sulfa) drug.

sulfat *(et -er) (kem)* sulphate, *(amr ogs)* sulfate.

sulfid *(et -er)* sulphide, *(amr ogs)* sulfide.

sulfosæbe (synthetic) detergent.

sulky *(en -er)* sulky.

sult *(en)* hunger; *dø af ~* die of starvation, starve to death; *holde -en fra døren* keep the wolf from the door; *lide ~* starve.

sultan *(en -er)* sultan. **sultaninde** *(en -r)* sultana.

sulte *vb* starve; *~ ihjel* die of starvation, starve to death; *~ sig* starve oneself; *~ en by ud* starve out a town.

sulte|død *(en)* death from starvation; *dø -døden* starve to death. **-føde** *(en),* **-kost** *(en),* **-kur** *(en)* starvation diet. **-løn** starvation wages.

sulten *adj* hungry; *~ som en ulv* ravenously hungry; hungry as a hunter.

sultestrejke *(en -r)* hunger-strike.

sultfornemmelse sensation of hunger.

sum *(en -mer)* sum; *(ved sammentælling ogs)* total.

sumerer *(en -e),* **sumerisk** *adj* Sumerian.

summa *(en)* sum; *~ summarum* total, *(= kort sagt)* in short.

summarisk *adj* summary; *adv* summarily.

summe *vb* hum; *(mere snerrende)* buzz; *(dybere, ofte monotont)* drone.

summen *(en)* hum(ming), buzz(ing) *(fx* of bees, of voices), drone *(fx* of a machine, of an aeroplane).

summer *(en -e) (elekt)* buzzer.

summere: *~ op* sum op.

summetone *(i automatisk telefon)* dialling tone.

sump *(en -e)* swamp, marsh.

sumpbæver *zo* coypu.

sumpet *adj* swampy, marshy.

sump|feber marsh *(el.* swamp) fever, malaria. **-gas** marsh gas. **-jord** swampy soil. **-mejse** *(en -r) zo* marsh titmouse. **-plante** marsh plant. **-skildpadde:** *europæisk ~* European pond tortoise.

I. **sund** *(et -e)* sound, strait(s); *Sundet* (Øresund) the Sound; *alle -e er lukkede* there is no way out.

II. **sund** *adj (rask, frisk)* sound, healthy; *(gavnlig for sundheden)* wholesome *(fx* food, laughter), healthy, *(i åndelig henseende ogs)* salutary, *(om klima, luft etc)* healthy, salubrious; *(rigtig, fornuftig)* sound; *~ appetit* a healthy appetite; *mælk er -t* milk is good for you; *være -t for* be good for; *~ fornuft, ~ sans* common sense; *en ~ sjæl i et -t legeme* a sound mind in a sound body; *~ på sjæl og legeme* sound in mind and body.

sunde *vb: ~ sig* collect oneself.

sundhed *(en) (godt helbred)* health; *(gavnlighed for helbredet)* healthiness, wholesomeness, salubrity; *drikke på ens ~* drink sby's health.

sundheds|farlig *adj* injurious to health, unhealthy, *(bolig etc)* insanitary. **-hensyn:** *af ~* for the sake of one's health, for sanitary reasons. **-kommission** health committee. **-lære** *(en)* hygiene. **-minister** Minister of Health. **-ministerium** Ministry of Health. **-pas** ⚓ bill of health. **-pleje** *(en)* hygiene. **-plejerske** health visitor. **-politi** [sanitary police]. **-tilstand** (state of) health. **-vedtægt(er)** sanitary regulations. **-væsen** health service(s); *(myndigheder)* health authorities.

sundtolden the Sound Dues.

sunget *perf part af* synge.

sunk|en *adj* sunken; *hæve de -ne livsånder* revive one's drooping spirits; *han var som ~ i jorden* he had completely vanished; he had vanished into thin air; *(se ogs synke).*

super- super-*(fx* supercargo).

superb *adj* superb.
superfosfat superphosphate.
superlativ *(en -er)* superlative; *(gram)* the superlative. **superlativisk** *adj* superlative.
super|mand superman. **-marked** supermarket.
supersonisk *adj* supersonic *(fx* jet plane).
supin|um *(et -er)* the supine.
suppe *(en -r)* soup, *(kødsuppe ogs)* broth.
suppedas: *en slem* ~ a nice pickle.
suppe|gryde soup pot. **-ske** soup spoon; *(øseske)* ladle. **-tallerken** soup plate. **-terning** meat cube. **-terrin** soup tureen. **-urter** vegetables, potherbs. **-visk** bunch of potherbs.
suppleant *(en -er)* deputy, substitute.
supplement *(et -er)* supplement; *(tilføjelser til bog ogs)* addenda. **supplements-** supplementary *(fx* volume), supplemental *(fx* arc, angle).
supplere *vb* supplement; ~ *hinanden* be complementary to one another. **supplerende** *adj* supplementary. **supplering** *(en)* supplementing; supplementation; *til ~ af vore lagre* in order to supplement our stores.
suppleringsvalg by-election.
supplikant *(en -er)* petitioner, supplicant.
supponere *vb* suppose. **supponeret** *adj* imaginary. **supposition** *(en)* supposition.
supremati *(et)* supremacy.
I. **sur:** *det løber* ~ *for mig* my head is all in a whirl; I am all at sixes and sevens; *løbe* ~ *i det* get confused, get it all mixed up.
II. **sur** *adj* sour, acid; *(i kemi)* acid; *(om jordbund)* sour; *(om vejr)* dull, dank, foul; *(besværlig)* hard, laborious; *(gnaven)* sour, cross, sulky, surly, *(amr ogs)* sore; *blive* ~ *(om mælk)* sour, become sour; *gøre én* (*,sig) livet -t* make life a burden to sby (,to oneself); *sætte en* ~ *mine op* look sullen, sulk; ~ *pibe* foul pipe; *ikke en* ~ *sild værd* not worth a scrap; *de er -e sagde ræven (om rønnebærrene)* the grapes are sour; sour grapes! *bide i det -e æble* swallow the bitter pill; pocket one's pride; *-t fortjent* hard-earned; *se -t til* look sourly on, frown at; *smage -t* taste sour, have a sour taste.
sur|brød [loaf of leavened bread made of bolted rye meal]. **-dej** leaven; *af samme* ~ tarred with the same brush; *af samme* ~ *som* of a piece with. **-hed** *(en)* sourness, acidity; *(gnavenhed)* sourness, crossness, sulkiness. **-kål** *(en)* sauerkraut. **-mule** *vb* sulk. **-muleri** *(et)* sulkiness. **-mælk** curdled milk.
I. **surre** *vb (summe, snurre)* buzz, hum, drone.
II. **surre** *vb (m tov)* lash, secure.
surrealisme *(en)* surrealism. **surrealist** *(en -er)* surrealist. **surrealistisk** *adj* surrealist.
surring *(en)* lashing.
surrogat *(et -er)* substitute, ersatz.
sursød sour-sweet; *(fig)* subacid.
I. **sus:** *leve i* ~ *og dus* live in a whirl of pleasures.
II. **sus** *(et -)* *se* susen; *der gik et* ~ *gennem forsamlingen* there was a stir; *ikke det store* ~ nothing sensational, nothing to write home about.
suse *vb (om vinden)* whistle, sing, *(mere dæmpet)* sough, whisper; *(fare af sted)* rush, tear (along), *(fare hvislende af sted)* whistle *(fx* the bullets whistled about our ears), whiz; *det -r for mine ører* my ears are buzzing; *i -nde fart* at full *(el.* top) speed; *han skal ud og* ~ T he is going on the bust.
susen *(en) (se suse)* whistling, singing, soughing, whisper; rushing; whiz; *have* ~ *for ørerne* have a buzzing in one's ears; ~ *i løvet* rustling of the leaves.
suspekt *adj* suspect, suspicious.
suspendere *vb* suspend; *(et møde)* adjourn. **suspension** *(en)* suspension. **suspensiv** *adj* suspensive, suspensory *(fx* condition), veto.
suspensori|um *(et -er)* suspensory bandage.
sut *(en -ter) (på sutteflaske)* teat, *(amr)* nipple; *(narresut)* dummy, comforter; *(sko)* carpet slipper; *(drukkenbolt)* sot; *barnet havde en* ~ *i munden* the baby was sucking a dummy. **sutte** *vb* suck; ~ *på* suck

(fx a toffee, one's thumb), suck (away) at *(fx* a pipe).
sutteflaske feeding-bottle.
suveræn *(en -er, adj)* sovereign.
suverænitet *(en)* sovereignty.
svaber *(en -e)* ♣ swab. **svabergast** *(en -er)* swabber.
svabre *vb* swab (down).
svada *(en)* claptrap; T hot air.
svag *adj (uden kraft)* weak *(fx* legs, heart, eyes, sight, army, team, government, state, resistance, argument, market), feeble *(fx* old man, pulse, attempt, attack); *(eftergivende)* fond, weakly indulgent, weak; *(ubetydelig, lille)* faint *(fx* hope, chance, resemblance, suspicion), slight *(fx* improvement), slender, feeble; *(om kunstværk)* feeble, mediocre; *(om lys, farve, lyd, erindring etc)* faint *(fx* colour, smell, sound, cry), dim *(fx* light, recollection); ~ *af helbred* delicate; ~ *bøjning (af subst og adj)* weak declension, *(af vb)* weak conjugation; *en* ~ *forestilling om* a faint *(el.* vague) idea of; *stå på -e fødder* be shaky; *-t helbred* delicate health; ~ *i latin* weak in Latin; ~ *karakter* weak character; *det -e køn* the weaker sex; ~ *over for (fx* barn) weak with, indulgent to, *(fristelser)* unable to resist; *hans -e side (el. punkt)* his weak point; *et -t smil* a faint smile; *et -t verbum* a weak verb; ~ *vind* light breeze, *i et -t øjeblik* in a moment of weakness; *(se ogs svagt).*
svagbørn delicate children.
svagelig *adj* delicate, weakly, infirm; *(kronisk syg)* invalid. **svagelighed** *(en)* delicate state of health, weakliness, infirmity.
svagfør *adj* handicapped; *subst* h. person.
svaghed *(en -er)* weakness, feebleness, infirmity; *(eftergivenhed)* fondness, weakness; *(svag side)* weak point, weakness, foible, failing; *(forkærlighed)* fondness, weakness *(for:* for); ~ *dit navn er kvinde* frailty, thy name is woman.
svaghedstilstand (state of) weakness.
svag|hjernet *adj,* **-hovedet** *adj* weak-headed, weak-minded. **-strøm** low current. **-synet** *adj* weak-sighted.
svagt *adv* weakly, feebly; faintly, slightly, *(etc, se svag);* *(om farve)* pale; *jeg tør* ~ *antyde at han var vred* T I'll say he was angry; ~ *begavet* deficient in intelligence, backward; ~ *lysende* faintly luminous; ~ *oplyst* dimly lit.
svaj *adj* lithe, pliable, pliant, lissom.
svaje *vb* sway, swing, bend; *(om beruset)* reel; ♣ swing.
svajer *(en -e)* messenger boy.
svajerum ♣ room to swing, swinging-space.
svajning *(en)* swaying, ♣ swinging; *(af ryg)* curve. **svaj|ryg** sway-back. **-rygget** *adj* sway-backed.
sval *adj* cool.
I. **svale** *(en -r)* *zo* swallow; *en* ~ *gør ingen sommer* one swallow does not make a summer.
II. **svale** *(en -r) (arkit)* gallery.
III. **svale** *vb* cool; *-s af* cool down.
svale|bajer *(en -e)* bottle of cold beer. **-drik** cooling drink. **-gang** *(arkit)* (external) gallery. **-hale** *(ogs sommerfugl)* swallowtail; *(tap)* dovetail. **-kar** cooler, cooling-vat. **-klire** *(en -r) zo* green sandpiper. **-rede** *(en -r)* swallow's nest.
svamp *(en -e)* sponge; ♣ fungus *(pl* fungi), *(især om spiselige)* mushroom, *(paddehat)* toadstool; *(i tømmer)* dry-rot; ~ *i fødderne* athlete's foot; *han drikker som en* ~ he drinks like a fish.
svampeagtig, svampet *adj* spongy *(fx* the s. character of the soil); ♣ fungous.
svandt *imperf af* svinde.
svane *(en -r) zo* swan. **svane|dun** swan's down. **-fjer** swan's feather. **-hals** swan's neck. **-ham** *(en -me)* swan shift; *i* ~ transformed into a swan. **-sang** *(fig)* swan song. **-unge** cygnet.
I. **svang** *(en)* arch (of the foot).
II. **svang:** *gå i* ~ be rife, be rampant.
III. **svang** *imperf af* svinge.

svanger *adj* pregnant; *(om luft)* heavy *(med:* with); *gå ~ med (fig)* be brooding over.

svangerskab *(et)* pregnancy; *(perioden ogs)* period of gestation; *afbryde et ~* terminate a pregnancy; induce an abortion.

svangerskabs|afbrydelse *(en -r)* induced abortion; termination of pregnancy; *ulovlig ~* criminal abortion. **-forebyggende** *adj* contraceptive. **-periode** pregnancy, period of gestation. **-tegn** symptom of pregnancy.

svanhop swan dive.

svans *(en -e)* tail.

svanse *vb* swing the hips (in walking); *~ ud af stuen* flounce out of the room.

I. **svar** *(et -)* answer, reply; *(= fyldestgørende ~)* answer *(fx* that is no a. to my question); *(skarpt gensvar)* retort, *(vittigt)* repartee; *~ betalt* reply paid; *bekræftende (,benægtende) ~* answer in the affirmative *(,* in the negative); *give ham (et) ~* give him an answer; *give én ~ på hans spørgsmål* answer sby's question, reply to sby's question; *have ~ på alt* have an answer for everything; *han har altid ~ på rede hånd* he is never at a loss for *(el.* is always ready with) an answer; *som (el. til) ~* by way of an answer; *som (el. til) ~ på* in reply to *(fx* in r. to your letter of 10th July we would inform you that . .); *han bliver aldrig ~ skyldig* he is never at a loss for an answer; *~ udbedes (fk: s.u.)* r.s.v.p. *(ɔ:* répondez s'il vous plait). .

II. **svar** *adj (let glds)* sore, dire *(fx* distress).

svare *vb* answer, reply; *(give svar på tiltale)* retort; *(betale)* pay; *(om gengældelsesforanstaltning)* counter; *~ en* answer sby; *~ enhver sit* pay everyone his due; *-r ikke! (om telefon)* no reply! *~ for (ɔ: i stedet for)* reply for *(fx 'he* replied for the minister); *(garantere for)* answer for, vouch for, guarantee; *~ for sig (ɔ: klare sig)* hold one's own; *~ igen* retort, *(især næsvist)* answer back; *~ på* answer, reply to; *svar mig på mit spørgsmål* answer my question; *~ regning, ~ sig* pay; *~ til (stemme med)* correspond to *(fx* a county roughly corresponds to a Danish *»amt«);* answer to *(fx* a description), match *(fx* shoes to match her dress); *(passe i forhold til)* fit, *(have ansvar for)* be responsible for; *hvad -de han til det?* what did he reply to that? *det -de ikke til vore forventninger* it did not come up to *(el.* it fell short of) our expectations; *~ til hensigten* answer the purpose; *og dertil -nde konvolut* and envelope to match.

svar|kupon reply coupon. **-kuvert** addressed envelope *(fx* a stamped and addressed e. is enclosed for your reply). **svarlig** *adv* grievously, sorely.

svarnote reply (note).

svar|porto stamps for reply. **-skrivelse** reply.

svartbag *(en)* zo greather black-backed gull.

svartelegram telegraphic reply.

svastika *(et)* swastika.

I. **sved** *(en)* perspiration, sweat; *angstens kolde ~ sprang frem på hans pande* a cold sweat broke on his forehead; *i sit ansigts ~ (fig)* by the sweat of one's brow; *i dit ansigts ~ skal du æde dit brød (bibl)* in the sweat of thy face shalt thou eat bread; *være badet i ~* be bathed in perspiration *(el.* in sweat); *blod, ~ og tårer* blood, sweat, toil, and tears.

II. **sved** *imperf af svide.*

sved|afsondring secretion of sweat. **-drivende** *adj* sudorific. **-dryppende** *adj* streaming with sweat. **-dråbe** *(en -r)* drop *(el.* bead) of perspiration.

svede ★ perspire, sweat; *(sidde efter)* be kept in; *~ angstens kolde sved* be in a cold sweat; *~ over (fig)* sweat over, T swot at *(fx* one's Latin); *~ ud* sweat out, *(= glemme)* forget; *~ ud af (fx træ)* exude from.

svede|bad sweat bath, sweating-bath. **-dug** sudarium. **-kur** sweating treatment.

sveden *adj (om mad, smag, lugt etc)* burnt; *(om hår, tøj etc)* singed; *(udspekuleret)* pawky, canny; *der lugter -t* there is a smell of burning; *(se ogs svide).*

svede|rem sweatband. **-time** *få en ~* be kept in for an hour.

svedig *adj* perspiring, in a sweat, sweaty. **sved|kirtel** sweat gland. **-lugt** smell of perspiration, sweaty smell. **-perle** *(en -r)* bead of perspiration.

svedt *adj* perspiring, in a sweat, sweaty.

sveg *imperf af svige.* **sveget** *perf part af svige.*

svejse *vb* weld. **svejse|apparat** welder, welding -apparatus. **-briller** *pl* welder's goggles. **-evne** welding-power. **-flamme** welding-flame. **-lig** *adj* weldable. **-ovn** welding-furnace. **-stål** weld steel. **-søm** *(en)* welding-seam, weld.

svejsning *(en)* welding; *(svejset sted)* weld.

Svejts Switzerland. **svejtser** *(en -)* Swiss *(pl -);* *(dørvogter)* commissionaire. **svejtser|garde** Swiss guards. **-ost** Swiss cheese. **svejtsisk** Swiss.

svelle *(en -r)* sleeper, *(amr)* tie.

svend *(en -e) (håndværks-)* journeyman; *(poet.: om ung mand)* swain; *(følge-)* man *(fx* Robin Hood and his merry men); *(fyr)* fellow; *han er en ~ (fig)* he is a brick *(el.* a fine fellow); *(amr)* he is a great guy; *som herren er så følger hans -e* like master like man.

svende|brev [certificate of having finished one's apprenticeship]. **-stykke** [test piece of work for a person finishing his apprenticeship].

svensk *(ogs adj)* Swedish. **svensker** *(en -e)* Swede. **svensknøgle** adjustable spanner, *(især amr)* monkey wrench.

Sverige **Sverrig** Sweden.

sveske *(en -r)* prune, dried plum. **sveske|blomme** damson plum. **-sten** plum stone.

svibel *(en, svibler)* ⚘ bulb. **svibelglas** hyacinth glass.

svide *(sved, svedet)* singe *(fx* the hair, a pig); scorch *(fx* a shirt with a hot iron); *(mad)* burn; *(smerte, svie)* smart; *~ af (afbrænde)* burn down, set on fire. **svidende** *adj* scorching, smarting, *(fig)* biting, scathing *(fx* sarcasm), pungent.

I. **svie** *(en)* (smarting) pain, sting.

II. **svie** *(sved, svedet)* smart; *røgen sved mig øjnene* the smoke made my eyes smart; *det sved til ham* he had to pay for it, he had to pay the penalty.

svig *(en)* deceit, guile, *(jur)* fraud. **svigagtig** *adj* fraudulent, deceitful. **svigagtighed** *(en)* fraudulence. **svige** *(sveg, sveget) (være troløs mod)* be disloyal to, betray; *(se ogs svigte).* **svigefuld** *adj* faithless, deceitful.

sviger|datter daughter-in-law. **-fader** father-in -law. **-forældre** parents-in-law. **-inde** sister-in-law. **-moder** mother-in-law. **-søn** son-in-law.

svigte *vb (med objekt)* fail, let down, desert, *(løfte, forpligtelse)* go back on *(fx* one's principles), disregard, break, *(om mod, kræfter, hukommelse etc)* fail; *(uden objekt)* fail *(fx* the brakes failed), *(om benene etc)* give way, *(være ved at slippe op)* run short, give out, *(udeblive)·* fail to appear, *(trække sig tilbage)* fall away *(fx* his supporters fell away); *~ i farens stund* be found wanting in the hour of peril; *(se ogs svigtende).*

svigten *(en)* failure; *(udebliven)* failure to appear, non-appearance; *(frafald)* desertion, falling away.

svigtende *adj* failing; *~ helbred* failing health; *med aldrig ~ iver* with unfailing zeal.

svik|kel *(en -ler) (på strømpe)* clock.

svikmølle *(en) (i ræsonnement)* vicious circle, *(i prisudvikling)* vicious spiral.

svimle *vb: det -r for mig* I feel dizzy *(el.* giddy), my head is swimming. **svimlende** *adj* dizzy, giddy *(fx* height); *(enorm)* enormous, prodigious; *(om pris ogs)* exorbitant; *i ~ fart* at a breakneck speed.

svimmel *adj* dizzy, giddy, *(af sult etc)* faint.

svimmelhed *(en)* dizziness, giddiness; faintness.

svin *(et -)* zo pig, hog, *(amr)* hog; *(urenlig person)* pig, dirty beast; *(sjover)* swine; *det dumme ~* the silly ass, the bloody fool; *det fulde ~* the drunken swine; *dit heldige ~* you lucky devil; *holde ~* keep pigs; *kaste perler for ~* cast (one's) pearls before swine.

svinagtig *adj (nederdrægtig)* beastly, dirty.

svind *(et)* waste, wastage, loss; *(især ved skrumpning etc)* shrinkage; *(med.)* waste, atrophy.

svinde *(svandt, svundet) (forsvinde)* vanish, *(om tid)* pass; *(mindskes)* dwindle (down), decrease, shrink, decline, fail, *(om lys etc)* fade away; *(om lyd)* die away; ~ *bort* fade away; ~ *ind* shrink, decrease, dwindle; *-nde kræfter* ebbing *(el.* waning) strength; *(se ogs svunden).*

svindel *(en)* swindle, humbug *(fx* it is a swindle; it is humbug); *(det at svindle)* swindling *(fx* accused of s.); *lave* ~ swindle; *lave* ~ *med (om penge)* misappropriate; *(forfalske)* manipulate fraudulently, T fiddle *(fx* the accounts, the lists).

svinden *(en) (se svinde)* vanishing, passing; dwindling, shrinking, decline; fading (away); dying away.

svindle *vb* swindle; ~ *med, se svindel: lave s. med.*

svindler *(en -e)* swindler.

svindsot *(en) (glds)* consumption.

svindsotig *adj (glds)* consumptive.

svine *vb,* ~ *'til* make a mess *(fx* he made a mess with his dirty boots); ~ *noget til* soil sth, dirty sth; ~ *sig til* get messed up.

svine|avl pig breeding. **-bestand** *(gårds)* herd of pigs; *Englands* ~ the pig population of England. **-binde** hog-tie, *(fig ogs)* bind hand and foot, cripple, paralyse. **-blod** pig's *(el.* hog's) blood. **-blære** pig's *(el.* hog's) bladder. **-bæst** *(urenlig person)* pig, dirty beast; *(sjover)* swine. **-børster** *pl* pig's bristles. **-drengen** *(af H. C. Andersen)* The Swineherd. **-fedt** lard. **-føde** *(en) (neds)* hogwash. **-held** fluke. **-heldig:** *han er* ~ he is a lucky devil. **-hold** pig keeping. **-hoved** pig's head. **-hyrde** pig boy; *(glds)* swineherd. **-kam** *(hals-)* neck of pork; *se ogs -ryg.* **-kotelet** pork chop. **-kød** pork. **-lever** pig's liver. **-læder** pigskin, hogskin. **-mikkel** *(en, -mikler)* pig. **-producent** pig breeder.

svineri *(et)* filth, filthiness, mess; *det er noget* ~ *at spise af samme fad* it is a dirty habit to eat out of the same dish.

svine|ryg hog's back; *(mad)* chine of pork. **-skind** pigskin, hogskin. **-slagteri** bacon factory. **-sti** *(ogs fig)* pigsty. **-streg** dirty trick. **-trug** pig trough. **-tryne** pig's snout. **-tønde** swill tub.

sving *(et -) (svingning)* swing; *(drejning, retningsændring)* turn; *(vej- etc)* turning, bend, corner, curve; *(med hånd etc)* sweep, *(flot; ogs i skrift)* flourish; *(håndtag)* handle; *(tur)* turn, stroll; *(stil)* turn, ring *(fx* his sentences have not got an English ring *(el.* turn)); *i fuldt* ~ in full swing; *komme i* ~ get going; *sætte i* ~ set going.

sving|bro swing bridge. **-dør** swing door, *(drejedør)* revolving door.

svinge *(-de el. svang, -t el. svunget) (gøre svingende bevægelse med)* swing, wave, *(truende)* brandish; *(omkring tap etc, m el. uden objekt)* swivel, pivot; *(lade ændre retning)* turn; *(som pendul)* swing, oscillate; *(om dør på hængsler)* turn, swing; *(vibrere)* vibrate, oscillate; *(forandre retning)* turn, swing; *(være ustadig)* fluctuate, vacillate; *(skifte standpunkt)* change sides, swing over, veer round; ~ *om hjørnet* turn the corner; ~ **sig** *fra gren til gren* swing from branch to branch; ~ *sig i sadlen* vault into the saddle; ~ *sig op (fig)* rise *(fx* rise to the position of chief manager); ~ *sig op i luften (om fugl)* soar; *en svingende tallerken* a heaped plate.

svingefeber undulant fever.

sving|el *(en -ler) (på vogn)* swingle tree; *(græs)* fescue grass.

sving|fjer flight feather. **-hjul** fly wheel; *(på symaskine)* balance wheel.

svingle *vb* reel, stagger.

svingning *(en -er)* swing *fx* of a pendulum), oscillation; *(retningsforandring)* turn; *(vibration)* vibration *(fx* of a string); *(variation)* fluctuation *(fx* of prices, of public feeling); *(elekt)* oscillation. **svingnings|kreds** oscillatory circuit. **-tal** frequency.

svingom *(en)* dance; *få sig en* ~ shake a leg.

swingpjatte *(en -r)* zoot suiter.

svingtaske shoulder bag.

svinkeærinde detour; *(i tale etc)* digression.

svinsk *adj* filthy, *(sjofel ogs)* dirty, smutty; *en* ~ *tankegang* a dirty mind.

svip *(et -) (m pisk etc)* flick; *(lille tur)* trip; *det er til at få* ~ *af* it's enough to drive you crazy.

svippe *vb* swish; *(= smutte)* pop, nip; ~ *med en stok* swish a cane.

svipse *vb* fail, go wrong. **svipser** *(en -e)* T failure, flop.

sviptur trip, run, flying visit.

svir *(en)* boozing; *det er en ren* ~ it is a treat *(fx* to listen to him); *gå på* ~ go on the booze.

svire *vb* T booze. **svire|broder** toper, T boozer; *hans -brødre* his drinking companions. **-gilde** drinking-bout; *(orgie)* orgy.

svirp *(et -)* flick. **svirpe** *vb* flick, *(om lyd)* zip; *-nde* stinging *(fx* blow).

svirre *vb* whir; *(om insekter og rygter)* buzz; *(om kugler)* whiz; *det -r med rygter* the air is thick with rumours.

svog|er *(en -re)* brother-in-law. **svogerskab** relationship by marriage.

svor *imperf, svoret perf part af sværge.*

svovl *(et)* sulphur, *(amr ogs)* sulfur.

svovl|agtig *adj* sulphurous. **-ammonium** ammonium sulphide. **-bad** sulphur bath. **-brinte** hydrogen sulphide. **-damp** sulphurous vapour.

svovle *vb* sulphur; *(bande)* curse and swear.

svovlet *adj* sulphurous.

svovl|gul *adj* sulphur yellow. **-holdig** *adj* containing sulphur, sulphurous.

svovling *(en)* sulphuring, sulphuration.

svovl|kilde sulphur spring. **-kis** pyrites. **-mælk** milk of sulphur. **-natrium** sodium sulphide. **-prædikant** fire-and-brimstone preacher. **-pølen** the lake of fire and brimstone. **-stik** *(en, -stikker)* (sulphur) match; *Den lille pige med -stikkerne (af H. C. Andersen)* The little Match Girl. **-sur:** *-t bly* lead sulphate; *-t natron* sodium sulphate. **-syre** sulphuric acid. **-syrlig:** ~ *kali* potassium sulphite. **-syrling** *(en)* sulphurous acid.

svullen *adj* swollen, tumid, tumefied.

svulme *vb* swell *(fx* the sails swell, his heart swelled with pride); ~ *op* swell (up), become distended. **svulmen** *(en)* swelling. **svulmende** *adj* full *(fx* lips), swelling *(fx* buds).

I. **svulst** *(en -er) (med.)* tumour.

II. **svulst** *(en) (svulstighed)* bombast, turgidity.

svulstagtig *adj* tumour-like, tumorous.

svulstig *adj* bombastic, turgid, high-flown.

svulstighed *(en)* bombast, turgidity.

svunden *adj (se svinde): svundne dage* bygone days; *svundne forhåbninger* vanished hopes; *i en* ~ *tid, i svundne tider* in times past.

svunget *perf part af svinge.*

svup *(et -)* pop, plop; ~*!* pop! plop!

svuppe *vb* pop, plop.

svække *vb* weaken, impair, *(om helbred etc ogs)* debilitate; *-s* be weakened, weaken, flag, *(om priser)* be going down. **svækkelse** *(en -r)* weaking, debilitation; *(om tilstanden)* weakness, infirmity.

svækling *(en)* weakling.

svælg *(et -)* throat, pharynx; *(fig)* gulf.

svælge *vb* swallow; ~ *i* revel in, wallow in; *et -nde dyb* a yawning abyss.

svælgkatar pharyngitis.

I. **svær** *(en) (flæske-)* rind; *(stegt)* crackling.

II. **svær** *adj (tung)* heavy; *(korpulent)* stout; *(massiv)* massive; *(stærk, solid)* solid, heavy, strong, stout, thick; *(vældig, stor)* tremendous, big; *(vanskelig)* difficult, hard; ~ *kaliber* heavy calibre; *have* ~ *lyst til at* be greatly tempted to; ~ *sygdom* severe illness; *en* ~ *sø* a heavy sea; *-e tab* heavy losses; *det var -t (o: forbavsende)* well I never! *(se ogs svært).*

sværd *(et -)* sword. **sværd|fisk** *zo* swordfish.

-fæste *(et)* hilt (of a sword). -klinge *(en -r)* sword blade. -lilje ⚜ iris. -side spear side, male line. -slag: *uden* ~ without striking a blow.

sværge *(svor, svoret)* swear *(fx* I s. that I will do it; s. fidelity to sby; s. by all that is sacred; curse and s.); *(love (sig selv) højtideligt)* vow; ~ *falsk* commit perjury; *(give én ~ tavshed, lade én ~ pd at holde ngt hemmeligt* swear sby to secrecy; ~ *pd* swear, swear to; *det tør jeg ~ pd* I will take my oath on it; ~ *til (fig)* swear by *(fx* he swears by castor oil); ~ *ved* swear by *(fx* swear by all the gods); *svorne fjender (,venner)* sworn enemies (,friends).

sværgen *(en)* swearing.

svær|hed *(en) (se II. svær)* heaviness; stoutness; solidity, thickness; difficulty. -industrien the heavy industries. -lemmet *adj* strong-limbed.

sværm *(en -e)* swarm; *(om mennesker ogs)* crowd.

sværme *vb (om bier)* swarm; *(drømme)* be day -dreaming; *(om elskende)* go courting; ~ *for (person)* be sweet on, have a crush on, *(for noget)* be passionately fond of, be enthusiastic about, be mad about; ~ *omkring én* swarm *(el.* buzz) about sby; *(om mennesker)* crowd round sby.

sværmer *(en -e) (drømmer)* visionary, *(religiøs)* fanatic; *(fyrværkeri)* serpent.

sværmeri *(et -er) (forelskelse)* infatuation, passion, *(genstand for ens ~)* flame; *(religiøst)* fanaticism; *han er hendes* ~ she is infatuated with him.

sværmerisk *adj* romantic, *(upraktisk)* visionary *(fx* ideas), *(fanatisk)* fanatical.

svært *adv (tungt)* heavily, *(særdeles)* very, most, exceedingly, tremendously; ~ *bygget* stoutly built; *trænge* ~ *til ngt* need sth badly, be badly in need of sth.

I. sværte *(en -r) (sort)* blacking; *(tryk-)* ink; *(sko-)* shoe polish.

II. sværte *vb (farve sort)* blacken *(fx* one's face); *(fodtøj)* black; *(med tryksværte)* ink; *(tale ondt om)* blacken, run down, T smear.

sværtepude pad.

sværtning *(en)* blackening, blacking; *(med tryksværte)* inking.

sværvægt heavyweight. sværvægts- heavyweight *(fx* champion, boxer).

svæv *(et)* plankton.

svæve *vb* float, hang; *(især om fugl)* hover, *(~ opad)* soar; *(bevæge sig -nde, drive)* drift, sail; *(flyv)* glide; *(være, befinde sig)* be *(fx* in danger); ~ *mellem liv og død* be hovering between life and death.

svæve|bane aerial ropeway. -flyver *(en -e) (maskine)* glider, *(pilot)* glider pilot. -flyvning gliding; *(flyvetur)* glide.

svævende *adj* floating, hovering, suspended, *(uafgjort)* in suspense, open; *(ubestemt)* vague; *(om gæld)* floating; ~ *gang* light footstep, airy tread.

svæveplan *(et -er)* glider.

svøb *(et -)* baby clothes, *(glds)* swaddling-clothes; *(omkring blomsterstand)* involucre; *ligge i -et (fig)* be in its infancy, be in embryo.

I. svøbe *(en -r)* scourge.

II. svøbe * wrap, *(lægge i svøb)* swaddle; ~ *ind* wrap up; ~ *papir om ngt* wrap sth up in paper; ~ *et tæppe om sig* wrap oneself up in a blanket; ~ *sig om* cling round *(fx* a thin dress which clung round her body).

svøbelsesbarn baby in long clothes.

svømme *vb* swim; *(flyde)* float, swim; *(om bokser: være svimmel)* be groggy; ~ *hen (i rørelse)* become sentimental; ~ *i blod* be weltering in blood, *(om gade etc)* be running with blood; ~ *i penge* be rolling in money; ~ *i tårer* be dissolved *(el.* bathed) in tears; ~ *ovenpå* float (on the surface), *(fig)* manage, come down on one's feet; ~ *over en flod* swim (across) a river; *være ude at* ~ *(fig)* be all at sea, be out of one's depth; *(se ogs svømmende)*.

svømme|bassin *(i have etc)* swimming-pool. -blære sound, air bladder. -bukser *(pl)* swimming -trunks. -bælte swimming-belt. -finne *(en -r)* zo

fin. -flåde bathing-raft. -fod webbed foot; *-fødder (til frømand)* swim fins, flippers; *med -fødder zo* web -footed. -fugl web-footed bird. -hal swimming -bath. -hud web; *med* ~ webbed. -lærer swimming-instructor.

svømmende *adj* swimming, floating; *(merk)* afloat.

svømme|pige girl swimmer. -prøve swimming -test.

svømmer *(en -e) (person)* swimmer; *(i cisterne)* ball float; *(i motor)* float.

svømme|sele swimming-belt. -stævne swimming-gala. -tag (swimming-)stroke. -tur swim. -undervisning swimming-lessons.

svømning *(en)* swimming.

sy *vb* sew, stitch; ~ *en kjole* make a dress; ~ *en kjole af stoffet* make the material into a dress; ~ *ngt færdigt* finish sth; *få -et en kjole (hos en skrædder etc)* have a dress made; *hvem får De -et hos?* who is your dressmaker *(,tailor)*? ~ *en knap i* sew on a button; ~ *ngt om* remake sth; ~ *pd ngt (være ved at* ~ *ngt)* be making sth; ~ *sammen* sew up, *(sår ogs)* suture, *(samle i en søm)* seam up.

syartikler sewing-materials; *(merk)* haberdashery. sybarit *(en -ter)* sybarite. sybaritisk *adj* sybaritic. sybord worktable.

syd *(en)* south; -en the South; *stik* ~ due south; ~ *for* (to the) south of; *fra* ~ from the south; *lige i* ~ due south; *mod* ~ *(ved den sydlige grænse etc)* on the south, *(vendende mod* ~*)* facing (the) south, *(~ = sydpd)* south, southward, towards the south; ~ *om øen* south of the island; ~ *til vest* south by west.

syd- southern *(fx* the s. frontier); *(sammen m landes navne)* South *(fx* Greenland, Korea).

Sydafrika South Africa.

Sydamerika South America.

syd|bo southerner. -bredde southern latitude.

syde *vb* seethe; *(give brusende lyd)* fizz.

sydefter south, towards the south.

I. syden *(de sydlige lande)* the South.

II. syden *(en) (det at syde)* fizzing.

sydende *(en -r)* south end.

Sydengland the South of England.

Sydeuropa Southern Europe.

sydfra from the south.

Sydfrankrig the South of France.

syd|frugt *(ofte =)* exotic fruit; *(appelsin etc)* citrus fruit. -gående south-bound; ~ *strøm* southward current.

Syd|havet the South Sea. -havsøerne the South Sea Islands; *(spøgende ogs om)* Lolland and Falster. -ishavet the Antarctic Ocean.

sydkinesisk: *Det -e Hav* the South China Sea.

Syd|korea South Korea. -korset the Southern cross.

sydlandsk *adj* southern; *(ofte =)* exotic.

sydlig *adj* southern, *(om vind ogs)* southerly; *(i retning mod syd)* southerly; ~ *bredde* southern latitude; *i det -e England* in the South of England; *den -e halvkugle* the Southern Hemisphere; *den -e vendekreds* the Tropic of Capricorn. sydligere more southern; ~ *end* farther south than. sydligst southernmost, most southern; *det ligger* ~ it is farthest (to the) south.

syd|lænding *(en -e)* southerner. -ost south-east. -over southwards. -pol south pole.

Sydpolarhavet the Antarctic Ocean.

syd|polsekspedition Antarctic expedition. -på south, southward(s), towards the south; *(i sydligere egne)* farther south; *langt* ~ far to the south. -side south side, southern side.

Syd|sjælland South Zealand. -slesvig South Schleswig. -staterne the Southern States, the South. syd|tysker South German. -vendt *adj* facing south. -vest south-west; *(en -e(r)) (sømandshat)* sou'wester. -vestvind south-wester. -øst south-east.

syerske *(en -r) (pd fabrik)* sewer; *(ved institution)* seamstress; *(kjole-)* dressmaker.

syfilis *(en)* syphilis. **syfilitiker** *(en -e)*, **syfilitisk** *adj* syphilitic.

syg *(foran subst)* sick; *(som prædikatsled)* ill, *(amr)* sick; *(om legemsdel)* bad, diseased; *en ~* a sick person, a patient, *(mere varigt)* an invalid; *de -e* the sick; *-e og sårede* sick and wounded; *blive ~* become ill, be taken ill, fall ill; *ligge ~* be ill in bed; *ligge ~ af* be laid up with, be down with; *lægge sig ~* take to one's bed; *melde sig ~* report sick; *være ~* be ill *(amr:* sick), *(sygemeldt)* be on the sick list; *~ af ærgrelse* beside oneself with vexation; *være ~ efter at* be desperately anxious to, be dying to; *være ~ efter ngt* be dying for sth; *et -t sind* a disordered mind; *et -t smil* a sickly *(el.* wan) smile.

sygarn sewing-thread, sewing-cotton.

sygdom *(en -me)* *(mods sundhed)* illness, *(især om en bestemt art)* disease *(fx* pneumonia is a dangerous d.), disorder *(fx* a d. of the liver); *(lettere)* complaint; *(plante-, dyre-)* disease.

sygdoms|billede pathological picture. **-kim**, **-spire** disease germ. **-tegn** symptom. **-tilfælde** case; *i ~* in case of illness.

syge *(en)* disease; *engelsk ~* rachitis, rickets; *den spanske ~* the (Spanish) flu.

syge|afdeling infirmary; *(på kostskole etc især)* sick bay. **-attest** medical certificate.

syge|besøg visit to a patient; *(præsts)* sick call; *på ~* sick-visiting, on a sick call; *(om læge: ude på ~)* on his rounds. **-båre** stretcher. **-dage** *(pl)* days lost through sickness. **-forsikring** health *(el.* sickness) insurance. **-gymnastik** health exercises. **-hjem** home. **-hjælper** assistant nurse. **-hus** hospital *(fx* he is in h.). **-journal** *se journal.* **-kasse** sick-benefit association; *(NB. findes ikke i Engl. efter 1948).* **-kasselæge** panel doctor, *(svarer nu til)* Health Service doctor. **-kassepatient** panel patient, *(svarer nu til)* Health Service patient. **-kost** (sick-)diet. **-leje** *(et -r)* sickbed; *en uges ~* a week's illness, a week in bed.

sygelig *(svagelig)* sickly; *(som skyldes sygdom; overdreven)* morbid; *(abnorm)* morbid, unhealthy *(fx* state of mind). **sygelig|hed** *(en)* sickliness, ill -health; morbidity. **-hedsprocent** sickness rate.

syge|liste sick list. **-melding** report that one is ill. **-meldt** *adj* absent owing to illness, unfit, on the sick list. **-orlov** sick leave. **-passer** *(en -e)* ✂ medical orderly; ⚓ sick-berth attendant. **-pleje** *(en)* nursing. **-plejeartikler** nursing-requisites. **-plejeelev** student nurse. **-plejer** *(en -e)* male nurse. **-plejerske** nurse. **-seddel** sick note. **-seng** *se -leje.* **-stol** invalid chair. **-vat** absorbent cotton. **-vogn** ambulance. **-værelse** sick room.

sygne *vb:* ~ *hen* waste away *(fx* he was wasting away for lack of food), languish, pine away, *(om plante)* droop; *(fig)* flag, languish.

syklub sewing-circle; *(amr)* sewing bee.

sykurv workbasket.

syl *(en -e)* awl. **sylblad** ⚘ awlwort.

sylespids *adj* (sharply) pointed.

sylfe *(en -r)*, **sylfide** *(en -r)* sylph.

sylformet *adj* awl-shaped.

syllogisme *(en -r)* syllogism.

I. **sylte** *(en -r)* brawn; *(amr)* headcheese.

II. **sylte** *vb* preserve: *(lave syltetøj)* make jam; *(i eddike)* pickle; *(en sag)* pigeon-hole, shelve; *-de jordbær* strawberry jam.

sylte|bær berries for preserves. **-krukke** jam jar, jam pot; *(til agurker etc)* pickle pot. **-tøj** jam, preserve(s). **-tøjsglas** glass jam jar. **-tøjskrukke** *se sylte-krukke.*

syltning *(en)* preserving, jam-making; pickling.

symaskine sewing-machine.

symbol *(et -er)* symbol; *være ~ for* be a s. of, symbolize. **symbolik** *(en)* symbolism; *(læren om symboler)* symbolics. **symbolisere** *vb* symbolize. **symbolsk** *adj* symbolic; *(ofte =)* token *(fx* a token payment, token forces).

symfoni *(en -er)* symphony. **symfoni|koncert** symphony concert. **-orkester** symphony orchestra. **symfonisk** *adj* symphonic.

symmetri *(en)* symmetry. **symmetrisk** *adj* symmetrical.

sympatetisk *adj se sympatisk;* ~ *blæk* sympathetic ink.

sympati *(en -er)* sympathy; *-er og antipatier* likes and dislikes; *få ~ for* take a liking to, take to; *have ~ for (synes om)* have a liking for, be fond of; *~ med* sympathy with. **sympatisere** *vb* sympathize *(med:* with). **sympatisk** *adj* engaging, attractive, pleasant; *(på bølgelængde med)* congenial; *det -e nervesystem* the sympathetic nervous system; *være ~ stemt over for én* sympathize with sby.

sympatistrejke sympathetic strike.

sympatisør *(en -er)* sympathizer.

sympatitilkendegivelse demonstration of sympathy.

symposi|on *(et -er)* symposium.

symptom *(et -er)* symptom.

symptomatisk *adj* symptomatic *(fx* fever).

syn *(et -)* *(synsevne)* sight, eyesight, vision; *(noget man ser, et skue)* sight, spectacle; *(indbildt syn) (pl -er)* vision; *(genfærd etc)* apparition; *(anskuelse)* view(s) *(fx* what are your views on this? we take a different view of it); outlook, opinion; *(synsforret-ning)* expert appraisal, ⚓ survey; *slippe en af -e* let sby out of one's sight; *tabe af -e* lose sight of; *ude af -e* out of sight; *få et andet ~ på det* come to see it in another light; *det ramte ham lige i -et* it hit him smack in the face; *miste -et* lose one's sight; *få ~ for sag(e)n* see for oneself; *vort ~ på sagen* our view of the matter; *have et skarpt ~* be keen-sighted; *se -er* have visions; *for et -s skyld* for the sake of appearances; *komme til -e* appear *(fx* he suddenly appeared); come into view *(fx* the lake came into view).

synagoge *(en -r)* synagogue.

synd *(en -er)* sin; *-en (i alm)* sin; *begå en ~* commit a sin; *det er ~ (o: ærgerligt etc)* it is a pity; *det er ~ at drille ham* it is a shame to tease him; *det er ~ og skam* it is a downright shame; *det er ~ for ham* I am sorry for him, T it is hard lines on him; *for mine -ers skyld (ogs fig)* for my sins; *han skal ikke dø i -en* he has not heard the last of it yet; *-ernes forladelse* the remission of sins; *som hjemsøger fædrenes -er på børnene* visiting the iniquity of the fathers upon the children.

synde *vb* sin. **synde|buk** scapegoat. **-faldet** the Fall (of Man). **-fri** *adj* sinless. **-fuld** *adj* sinful.

synder *(en -e)* sinner; *-en (o: den skyldige)* the culprit *(fx* who is the culprit?), the offender.

synderegister list *(el.* catalogue) of (one's) sins *(el.* crimes). **synderinde** *(en -r)* sinner.

synderlig: *ikke ~ (adj)* not much, little, no particular *(fx* we have little *(el.* not much) to be thankful for; he showed no particular enthusiasm), *(adv)* not much, not very, little, not particularly *(fx* I do not care much for him; he is not very *(el.* particularly) keen about it; she is little better); *ikke have ~ lyst til* have no great mind to; *uden ~ vanskelighed* without much difficulty.

syndflod deluge, flood; *-en* the Flood; *fra før -en* antediluvian; *en ~ af skældsord* a torrent of abuse.

syndig *adj* sinful; *(= vældig)* awful *(fx* noise, lot of money). **syndighed** *(en)* sinfulness.

syndikalisme *(en)* syndicalism.

syndikalist *(en -er)* syndicalist.

syndikat *(et -er)* syndicate.

synds|bevidsthed consciousness of sin, sense of guilt. **-forladelse** absolution.

syne *vb* *(tage sig ud)* look; *(besigtige)* appraise, ⚓ survey; ~ *godt* look well; *det -r ikke af meget* it is not much to look at.

synes *(syntes, syntes) (mene)* think; *(gøre indtryk af, have udseende af)* seem, appear; ~ *(at være)* seem (to be); *der ~ at foreligge en fejltagelse* there seems (*el.* appears) to be a mistake; *det ~ så* it seems so; *~ du det?* (do) you think so? *det ~ mig* it seems to me; *hvis du ~* if you think so, if you like; *gør som du selv ~* do as you like (*el.* think best); *~ om, ~ godt om* like (*fx* do you like it?); *hvad ~ De om det?* what do you think of it? how do you like it?

synge (*sang, sunget*) sing; *han fik en lussing så det sang* he got a resounding box on the ear; *~ 'for* lead the singing; *~ 'med* join in, join in the singing; *~ med på omkvædet* join in the chorus; *med en -nde stemme* in a sing-song voice.

synge|pige cabaret singer. **-spil** singspiel, ballad opera.

I. **syning** (*en*) (*det at syne*) expert appraisal, ⚓ survey.

II. **syning** (*en*) (*det at sy, sytøj*) sewing, needlework; (*med.*) suture, suturation; *gå op i -en* come unstitched.

I. **synke** (*sank, sunket*) (*bevæge sig nedad*) sink, (*om skib ogs*) go down, founder; (*om jord*) settle; (*om vandstand*) sink, fall; (*om tidevand*) ebb; (*om solen*) sink, set; (*om temperatur og barometer*) fall, go down; (*aftage, blive mindre*) decrease, (*i pris, værdi*) sink, decline, come down, fall, go down; *~ dybt* (*fig*) sink low; *~ i ens agtelse* sink in sby's estimation; *hans mod sank* his heart sank; *~ ned* sink (*i:* into); *~ død om* drop dead; *~ sammen* collapse; (*se ogs sunken*).

II. **synke** (*sank, sunket*) (*nedsvælge*) swallow, gulp (down).

synke|fri unsinkable. **-færdig** in a sinking condition.

synken (*en*) (*se I. synke*) sinking; fall; ebbing; decrease; decline.

synkope (*en -r*) syncope. **synkoperet** *adj* syncopated.

synkron *adj* synchronous. **synkronisere** *vb* synchronize; (*film: eftersynkronisere*) dub. **synkronisering** (*en*) synchronization. **synkroniseringsmekanisme** synchronizing mechanism. **synkronisk** *adj* synchronous.

synkrotron (*en -er*) synchrotron.

synlig *adj* visible; (*mærkbar*) noticeable; (*iøjnefaldende*) conspicuous; *-t bevis* visible proof; *blive ~* come into view, become visible.

synode (*en -r*) synod.

I. **synonym** (*et -er*) synonym.

II. **synonym** *adj* synonymous (*med:* with).

synopse (*en -r*) synopsis. **synoptisk** *adj* synoptic.

syns|bedrag optical illusion. **-evne** (*en*) visual power, faculty of vision. **-felt** (*et*) field of vision. **-forretning** expert appraisal, ⚓ survey. **-indtryk** visual impression.

synsk *adj* second-sighted, clairvoyant.

syns|kreds horizon. **-mand** surveyor. **-måde** view. **-nerve** optic nerve. **-organ** organ of sight, organ of vision. **-prøve** sight test. **-punkt** point of view, viewpoint. **-rand** horizon. **-sans** sight, vision. **-styrke** visual power. **-vidde** range of vision, visual distance; *uden for ~* out of sight. **-vinkel** visual angle; *under den ~* from that point of view, from that angle.

syntaks (*en*) syntax. **syntaktisk** *adj* syntactic(al).

syntese (*en -r*) synthesis (*pl* syntheses).

syntetisk *adj* synthetic (*fx* rubber, oil).

sy|nål sewing-needle. **-pige** *se* syerske. **-pigeroman** novelette. **-pose** workbag.

I. **syre** (*en -r*) acid. II. **syre** (*en -r*) ⚓ sorrel.

syre|bad acid bath. **-ballon** carboy. **-dannelse** acidification. **-fast** *adj* acid-proof. **-fri** free from acid. **-holdig** *adj* acidiferous. **-indhold** (*i maven*) acid content, acidity. **-mangel** (*i maven*) anacidity. **-måler** acidimeter.

syren (*en -er*) ⚓ lilac.

syrer (*en -e*) Syrian.

Syrien Syria. **syrisk** *adj* Syrian.

syrlig *adj* sourish, acidulous, (*ogs fig*) sour, acidulated, subacid; *-e bolsjer* acid drops. **syrlighed** (*en*) subacidity, sourness.

syrne *vb* (*gøre sur*) make sour, sour, (*kem*) acidify; (*blive sur*) turn sour, sour (*fx* milk sours easily); *-t brød* leavened bread.

sy|silke sewing-silk. **-skrin** workbox.

sysle *vb* be busy; *~ med ngt* be busy with sth, be doing sth; *han -r med store planer* he is revolving ambitious schemes in his mind.

sys|sel (*en -ler*) occupation, pursuit.

syssel|sætte *vb* occupy; *være -sat med ngt* be busy with sth, be busy doing sth.

system (*et -er*) system; *sætte ngt i ~* reduce sth to a system, systematize sth; *se ogs nodesystem*.

systematik (*en*) systematism. **systematiker** (*en -e*) systematist. **systematisere** *vb* systematize, reduce to a system. **systematisk** *adj* systematic, methodical; *adv* methodically.

systemskifte (*et -r*) change of (political) system. **sy|stue** (dressmaker's) workroom. **-tråd** sewing-thread, sewing-cotton.

sytten (*talord*) seventeen. **syttende** seventeenth.

sytøj needlework.

syv seven; *være i ~ sind* be in two minds about it; *det varede ~ lange og ~ brede* it lasted for ages, it was ages (*fx* before he arrived).

syv|armet *adj:* ~ *lysestage* seven-branched candlestick. **-dobbelt** sevenfold.

syvende seventh; *i den ~ himmel* in the seventh heaven; *til ~ og sidst* at last, ultimately, (*når alt kommer til alt*) when all is said and done. **syvendedel** seventh.

syver (*en -e*) seven; (*sporvogn etc*) number seven.

syv|kant heptagon. **-kantet** *adj* heptagonal. **-mileskridt** *pl* giant strides; *gå fremad med ~* (*fig ogs*) advance by leaps and bounds. **-milestøvler** seven-league boots. **-sover** (*en -e*) (*fig*) sluggard, (*glds*) slug-abed; *zo* dormouse; *-ne* (*i legenden*) the Seven Sleepers.

Syvstjernen the Pleiades (*pl*).

syv|tal seven; (*kludesamlers*) spike. **-ti** seventy. **-tiden:** *ved ~* at about seven o'clock. **-årig** seven-year-old; of seven. **-årskrigen** the Seven Years' War.

syæske workbox.

I. **sæbe** (*en -r*) soap; *blød ~* soft soap; *et stykke ~* a cake (*el.* tablet) of soap.

II. **sæbe** *vb:* ~ *af* soap, wash with soap; *~ én ind* (*til barbering*) lather sby's face.

sæbe|automat soap dispenser. **-boble** (*en -r*) soap bubble. **-fabrikation** soap-making. **-kasse** soapbox. **-lud** lye. **-pulver** (*et -e*) soap powder. **-skum** lather. **-skål** soap dish. **-spåner** (*pl*) soap flakes. **-vand** soapsuds, soapy water. **-vaske** *vb* (wash with) soap.

I. **sæd** (*en -er*) (*skik*) custom; *-er* manners, (*moral*) morals; *-er og skikke* manners and customs.

II. **sæd** (*en*) (*frø, ogs fig*) seed; (*korn, til udsæd*) seed, grain; (*korn m strå*) corn, (*amr*) grain, (*afgrøde*) crop; (*hos mennesker og dyr*) semen, sperm.

sæd|celle sperm cell. **-donor** donor.

sæde (*et -r*) seat (*fx* a car with two seats; the seat of a chair; the family seat; he has a seat in Parliament); (*forretnings*) domicile, headquarters; (*legemsdel*) seat, buttocks; *få ~ i* obtain a seat in; *en hare i -t* a sitting hare; *regeringens ~* the seat of Government; *sygdommens ~* the seat of the trouble; *komme til ~* get seated; *vige sit ~* (*om dommer*) vacate one's seat on the bench.

sæde|bad hip bath, sitz bath. **-fødsel** breech presentation, breech birth. **-korn** seed corn.

sædelig *adj* moral; (*kysk*) chaste, virtuous; ~ *fordærvet* depraved; *~ renhed* chastity, purity.

sædelighed (*en*) morality; (*kyskhed*) chastity.

sædeligheds|attest certificate of good conduct.

-forbrydelse *(en -r)* sexual crime. -forbryder *(en -e)* sexual criminal.

sædelære *(en)* ethics, moral philosophy.

sædemand sower.

sæd|fim *se -legeme.* -flåd spermatorrhoea. -legeme *(fysiol)* spermato|zoon *(pl -zoa).* -overføring: *kunstig ~* (artificial) insemination. -skifte *(et -r)* rotation of crops. -streng *(en -e) (anat)* spermatic cord. -udtømmelse *(fysiol)* ejaculation.

sædvane custom, usage, practice; *(enkeltmands)* habit, wont; *efter ~* according to the usual practice, according to custom; as is my (,his, etc) habit; *imod ~* contrary to his (etc) usual practice, contrary to custom. sædvanemæssig *adj* customary.

sædvanlig *adj (almindelig)* usual *(fx* the u. error; at the u. time); *(sædvanemæssig)* customary *(fx* the c. vote of thanks to the chairman; his c. vigour); habitual; *bedre end ~* better than usual; *som ~* as usual; *noget ud over det -e* something out of the ordinary. sædvanligvis *adv* usually *(fx* u. reliable sources), generally, as a rule.

sædvæske *(en)* seminal fluid.

sæk *(en -ke)* sack, *(ofte mindre)* bag; *i ~ og aske* in sackcloth and ashes; *købe katten i -ken* buy a pig in a poke.

sækfuld *(en -e)* sackful, bagful.

sække|lærred sackcloth, sacking. -pibe *(en -r)* bagpipe. -væddeløb sack race.

sæl *(en -er)* seal; *den spættede ~* the common seal. sæl|fanger seal catcher, sealer. -fangst sealing.

sælge *(solgte, solgt)* sell *(fx* s. apples at 6d. a pound; s. a car for £100); *(fig)* sell; *være let at ~* sell readily; *ikke til at ~* unsaleable; *hus -s* house for sale; *~ ud* sell out, clear off.

sælgelig *adj* saleable, marketable.

sælger *(en -e)* seller, *(af profession)* salesman; *han er den fødte ~* he is a born salesman. sælgerkurs selling price; *(pa kursliste)* ask price.

sæl|hund seal. -jagt sealing. -skind sealskin.

sælsom *adj* strange, mysterious.

sænk: *bore (,skyde) i ~* sink; *køre en forretning i ~* wreck a firm; *løbe i ~* run down, sink.

sænke *vb* lower *(fx* one's arms, the price level, prices, one's voice); *(et fartøj)* sink, *(ved at bore huller i det)* scuttle; *(devaluere)* devalue; *~ blikket* look down, cast down one's eyes; *med -t blik* with downcast eyes; *~ ned i* drop into, lower into, sink in; *~ sig (skråne)* slope down, *(om mørke, tavshed etc)* fall, descend *(over:* on); *~ stemmen* lower one's voice.

sænke|kasse caisson. -køl drop keel.

sænkning *(en -er) (se sænke)* lowering; sinking; devaluation; *(fordybning i terræn)* dip, depression, hollow.

sær *adj (underlig)* strange, odd, peculiar, singular, *(om person ogs)* eccentric, queer; *(gnaven)* cross, grumpy; *en ~ fyr* an odd *(el.* queer) fish, *(sl)* a rum 'un; *-t nok* strangely enough.

særaftale *(en -r)* special agreement.

særdeles *adv* most, highly, extremely, very.

særdeleshed: *i ~* in particular, especially.

særegen *adj* peculiar, proper, specific *(for:* to), characteristic *(for:* of); *(underlig), se sær.* særegenhed *(en)* peculiarity, characteristic.

sær|eje *(et)* separate estate; *(det ejede)* separate property. -foranstaltning special measure. -forsorg the care of handicapped persons. -fred separate peace.

særhed *(en -er) (se sær)* strangeness, oddness, oddity, peculiarity, eccentricity *(fx* he has his little eccentricities), *(gnavenhed)* crossness, grumpiness.

særk *(en -e)* shift; *i bar ~* in her shift.

sær|kende *(et)* characteristic; distinctive feature. -klasse: *han er i ~* he is in a class by himself.

særlig *adj* particular *(fx* in this p. case; on this p. occasion; of p. interest); special *(fx* this is a s. case; on s. occasions; there is sth s. about it); especial *(fx* my e. friend); specific; *(ganske ~)* exceptional, *(ogs = særegen)* peculiar *(fø :* to); *(særskilt)* separate,

distinct; *adv* particularly, specially, especially; *~ aftale* special agreement; *under -e forhold* under exceptional circumstances; *ganske ~* exceptional, *(adv)* exceptionally, *(= især)* (more) especially; *i ~ grad* particularly, especially; *have sine -e grunde* have reasons of one's own; *ikke ~* not particularly, none too, not very *(fx* good); *ikke ~ mange* not very many; *ikke noget ~* nothing (in) particular, nothing special; *~ indgang* a separate entrance; *-t kendemærke* distinctive mark; *lægge sig ~ efter* specialize in; *som en ~ tjeneste* as a special favour; *ikke af ~ vigtighed* of no particular importance; *i -t øjemed* for a special purpose.

særling *(en -e): en ~* an eccentric, a character, *(m sære ideer)* a crank, a faddist.

sær|melding special communiqué *(el.* announcement). -pris special price. -præg distinctive mark, (distinctive) character, *(fornemt)* cachet. -præget *adj* with a character of its (,his, etc) own, peculiar, individual. -rabat special discount. -ret(tighed) privilege. -skilt *adj* separate, individual, distinct; *adv -ly; sende ~ (i særlig konvolut)* send under separate cover. -standpunkt individual point of view; *indtage en ~* take up a separate attitude. -stilling exceptional position, place apart. -syn rare thing. -tog special (train). -tryk reprint, offprint.

sæson *(en -er)* season. sæson|arbejde seasonal employment; a seasonal job. -arbejder seasonal worker. -mæssig *adj* seasonal.

sæt *(et -) (spring)* bound; *(ryk)* start *(fx* he woke with a start), jump; *(sammenhørende dele;* ogs i tennis) set; *(måde)* manner, way; *det gav et ~ i ham* he started; he gave a start; *et ~ skakbrikker* a set of chessmen; *et ~ tøj* a suit (of clothes); *et ~ undertøj* set *(el.* change) of underwear; *et ~ værktøj* a set of tools; *et ~ årer* a set of oars.

sæter *(en -e)* mountain pasture. sæterhytte saeter cottage; *(i Svejts)* chalet.

sætning *(en -er) (typ)* composing; *(gram)* sentence; clause *(fx* a subordinate clause); *(mat.)* theorem; *(opstillet påstand)* thesis, proposition.

sætnings|bygning sentence structure. -led *(et -)* member of a sentence.

sætstykke *(pd teater)* set piece, flat.

sætte *(satte, sat) (anbringe)* place, put; set; *(typ)* compose, set up *(fx* set up a page); *(uden objekt)* set (up) type; *(som indsats)* stake, put; *(plante)* plant; *(fastsætte)* fix, appoint; *(antage, forudsætte)* suppose; *(ansid)* estimate, put; *(om strøm)* set;

~ aks put forth ears, ear; *~ frugt* set fruit; *~ én et monument* erect a monument to sby; *~ en pris* fix *(el.* set) a price; *(se ogs pris); ~ sit præg på* leave its mark on, stamp; *~ vagt ved døren* set a guard at the door; *sæt (det tilfælde) at* suppose (that); *(se ogs blod, blomst, fælde, hår, rekord, sejl, tegn);*

[*m præp & adv) ~ 'af (til én, til brug)* set apart, set aside; *(amputere)* amputate; *(til løb, spring)* take off, *(med båd)* shove off; *~ passagerer af* set down *(el.* deposit) passengers; *han satte mig af ved mit hotel* he dropped me at my hotel; *~ efter én* set off in pursuit of sby; *~ fast* fix, make fast, *(= arrestere)* arrest, T run in; *~ et måltid for én* set a meal before sby; *~ sikkerhedskæden for* put on the chain; *~ skodderne for* put up the shutters; *~ skodder for vinduerne* shutter the windows; *~ én fra bestillingen* discharge sby, T sack sby, fire sby; *~ fra sig* put down; *~ frem (til beskulse)* display; *~ en stol frem* place a chair; *~ hen: se ~ til side; ~ højt (fig)* value highly, have a high opinion of; *~ A højere end B* put A above B, prefer A to B; *~ penge i aktier* invest (money) in stocks; *~ sine penge i en bank* deposit one's money in a bank; *~ ngt i avisen* insert *(el.* put) sth in the newspaper; *~ i fængsel* send to prison, put in prison; *~ i at le* begin to laugh, burst out laughing; *~ i løb* start running, break into a run; *~ i med en sang* break into a song; *musikken satte i (med en melodi)* the band struck up (a tune); *(se ogs I. arbejde, gang, I.lære, musik, verden); ~* igennem carry through, effect; *~ sin vilje* *igennem* get one's way, carry one's point; ~ **ind** *(ind-sætte)*put in, set in, insert, *(som indsats)* stake, *(begynde)* set in; ~ *flere tog ind* run *(el.* put on) more trains; ~ *tropper ind* bring troops into action; ~ *én ind i noget (fig)* acquaint sby with sth, inform sby of sth; brief sby about sth; ~ *alle kræfter ind på at gøre noget* strain every nerve to do sth, concentrate on doing sth; ~ **ned** *(formindske)* reduce, lower; ~ *farten ned* reduce (one's) speed, slow down; ~ **op** put up, *(opstille)* set up, fit up, mount, *(tapet)* hang, *(teaterstykke)* put on, *(= iscenesætte)* produce, stage, *(priser etc)* raise, *(skrivelse)* draw up; ~ *en drage op* fly a kite; ~ *farten op, se fart;* ~ *en alvorlig mine op* put on a grave face; ~ *én op i gage* raise sby's salary; ~ *dem op imod ham* set *(el.* turn) them against him; ~ **over** *(med et hop)* leap, jump, clear, *(sejle over (selv))* cross, *(færge (andre) over)* ferry across, carry across, *(foretrække for)* put above, prefer to; ~ *partiets interesser over landets* put party before country; ~ *vand over (til kaffe etc)* put the kettle on, put the water on to boil; ~ **'på** *(fastgøre)* fix; fit on; ~ *fart på* hurry up; *(i bil)* step on it; ~ *fingeren på (fig)* put one's finger on *(fx* there is nothing you can put your finger on); ~ *en plade på (grammofonen)* put on a record; *(se ogs diæt, gade, ild, plads,* I. *spids, spil)*; ~ **sammen** put together, assemble, *(udarbejde)* draw up, compose, *(et brækket lem)* set *(fx* set a broken leg); ~ *geværer sammen (i pyramide)* pile arms; ~ **til** *(miste)* lose, *(bortødsle)* waste, *(tilføje)* add; *(til stikkontakt)* plug in; ~ *hans indtægt til £5000 (= ansld til)* put his income at £5000; ~ *et møde til kl.3* fix a meeting for 3 o'clock; ~ *musik til et digt* set a poem to music; ~ *prisen til 2d.* fix the price at 2d.; ~ *til side (sætte bort)* put away; *(opspare)* put by, put away, lay by, set aside; ~ *en tændstik 'til* apply a match; ~ *ham til at* set him to; ~ **tilbage** put back, *(fig)* handicap, retard; ~ **ud** *(om motor)* misfire; ~ *en ud (af lokalet)* put sby out; ~ *en båd ud* put a boat out; ~ *en lejer ud* evict a tenant; ~ *vagter ud* post guards; ~ *ud af kraft* annul, cancel, *(midlertidigt)* suspend; *(se ogs spil)*; ~ **under** *afstemning* put to the vote; ~ *sit navn under ngt* sign sth, set one's name to sth;

[*m* **sig:**] ~ *sig (tage plads)* sit down, take a seat, seat oneself, *(om fugl)* perch, *(bundfælde sig; synke)* settle, *(fortage sig)* subside, die down; ~ *sig fast* become fixed, stick, *(i klemme)* jam *(fx* the brakes jammed), *(om hær etc)* establish oneself firmly; ~ *sig 'for at* decide to, undertake to; ~ *sig i gæld* run *(el.* get) into debt; ~ *sig noget i hovedet* take sth into one's head; ~ *sig i ens sted* put oneself in sby's place; *(se ogs respekt)*; ~ *sig imod* oppose, *(stærkere)* set one's face against; ~ *sig ind i* make oneself acquainted with, study, get up, *(forestille sig)* imagine, enter into; ~ *sig ned* sit down; ~ *sig op imod* revolt *(el.* rise) against; ~ *sig op på* mount; ~ *sig på (tilegne sig)* appropriate, monopolize, *(kue)* T sit on; ~ *sig til at læse* set about reading, begin to read; ~ *sig ud over* disregard, ignore.

sættemaskine type-setting machine.
sætter *(en -e) (typ)* compositor.
sætteri *(et -er)* composing room.
sætteskipper home-trade master.
sø *(en -er) (indsø)* lake; *(hav, bølge, søgang)* sea; *(pyt)* pool; *i åben ~, i rum* ~ on the open sea; *lade en sejle sin egen.* ~ leave sby to his own devices; *-ens folk* sailors; *stikke i -en* put to sea; *(ude) på -en (o: havet)* at sea; *vi fik en svær* ~ *over os* we shipped a heavy sea; *jeg tåler ikke -en særlig godt* I am not much of a sailor; *til -s* at sea; *rejse til -s* travel by sea; *stikke til -s (om skib)* put to sea, *(om person)* go to sea, *(løbe hjemmefra)* run away to sea; *sd til -s!* oh, hang it!
sø- *(hav-)* sea-, marine, maritime; *(flåde-)* naval; *(indsø-)* lake-. **sø|alperne** the Maritime Alps. **-anemone** *zo* sea anemone. **-artilleri** naval artillery. **-bad** bathe (in the sea); *(badeanstalt)* (public) baths *(pl)*; *(badested)* bathing-resort.
søbe *vb* eat (noisily) with a spoon, spoon up.
søbefæstning coast defence(s).

søbemad spoon food, slops.
sø|bred edge of a lake, shore. **-brise** 'sea breeze.
sød *adj* sweet; *(artig)* good; *(nydelig, kær)* sweet, nice, dear, *(især amr)* cute; *hvor er det -t af hende!* how sweet of her! *hævnen er* ~ revenge is sweet; *være* ~ *imod* be sweet *(el.* nice). to; *-e sager* sweet stuff *(el.* things), sweets; *sd er du* ~ there's a dear; *dufte -t* smell sweet; *smage -t* taste sweet; *smile -t* smile sweetly; *sove -t* sleep soundly.
søde *vb* sweeten; have a sweetening effect.
sødelig: *sove* ~ sleep soundly.
sødemiddel sweetening (agent), sweetener.
sødhed *(en)* sweetness.
sødistriktet the Lake District.
sødladen, sødlig *adj* sweetish; *(vammel, ogs fig)* cloying, luscious; *(slesk)* sugary, saccharine.
sødme *(en)* sweetness; *(det liflige ved noget, ogs)* sweets *(fx* the sweets of revenge).
sødmælk whole milk, full-cream milk.
sødmælksost full-cream cheese.
sødsuppe [a Danish kind of soup made of sago with fruit syrup etc]; *(fig)* sweetish stuff, sentimental *(el.* mawkish) stuff.
sødygtig *adj* seaworthy. **sødygtighed** *(en)* seaworthiness.
søelefant *zo* sea elephant, elephant seal.
I. **søer** *pl af so.* II. **søer** *pl af sø.*
sø|farende *adj* maritime, sea-faring; *subst* mariner. **-fart** navigation, shipping; *handel og* ~ trade and shipping. **-fartsbog** discharge book. **-fartskredse** *pl* shipping circles. **-fartstidende** shipping gazette. **-folk** seamen, mariners, sailors. **-forhør** (maritime) inquiry. **-forklaring** (captain's) protest; *(efter anmeldt protest)* extension of protest; *(fig)* long rambling story, prevarications; *afgive* ~ extend the protest. **-forsikring** marine insurance. **-fugl** sea bird. **-fyrbøder** stoker. **-gang** sea, seaway; *der er stærk* ~ there is a heavy sea.
søge ★ *(lede)* look, search; *(m objekt; ogs:* ~ *efter)* look for, search for, be in search of, be on the look -out for, *(mere litterært)* seek; *(ivrigt)* hunt for, *(guld, olie etc)* prospect for; *(besøge hyppigt)* frequent, *(skole ogs)* attend; *(ansøge om)* apply for; *(sagsøge)* sue; *(bevæge sig)* go *(fx* further inland), take to *(fx* the woods);

~ *arbejde* seek employment, T look for a job; ~ *at* endeavour to, try to; ~ *benådning* petition for mercy; *bydreng -s* boy wanted; ~ *døden* seek death; *jeg har søgt ham flere gange* I have called on him several times; ~ *havn* put into port; ~ *hjælp hos en* apply to sby for help, ask sby to help one; *hvem -r De?* who(m) do you want to see? ~ *læge* consult *(el.* see) a doctor; ~ *oplysninger* make inquiries; ~ *råd* seek advice; ~ *ens selskab* seek sby's company; ~ *dårligt selskab* keep bad company;

[*m præp & adv:*] ~ *bort* apply for a job elsewhere; ~ **efter** seek, look for, search for, be in search of; ~ *efter ordene* hesitate for words; falter; *gå (ud) for at* ~ *efter noget* go in search of sth; ~ **frem** *(til sandheden* try to get at the truth; ~ **i** *sine lommer* search *(el.* ransack) one's pockets; ~ **ind** *(l, ved)* apply for a post in; ~ **om** apply for; ~ *om benådning* petition for mercy; ~ *(hen)* til make for, go to; ~ **ud** pick out, single out, select; *(søge at komme ud)* try to get out; *andre udtryk md -s* **under** . . for other expressions see . .; *(se ogs søgende, søgt)*.
søgelys *(et -)* searchlight, *(på bil, på scene)* spotlight; *i -et (fig)* in the limelight.
søgen *(en)* search. **søgende** *adj* searching *(fx* glance), inquiring, *(fx* mind). **søger** *(en -e)* seeker, searcher *(fx* after truth); *(i fotografiapparat)* view -finder; *(til osteprøver)* taster.
søgnedag weekday.
søgning *(en)* searching, search; *(kunder)* custom, patronage; *have god* ~ have plenty of custom, be well patronized.
søgræs ✿ sea grass. **søgrøn** sea-green.

søgsmål *(et -)* action, suit, proceedings *(pl)*; *anlægge* ~ mod én bring an action against sby.

søgt *adj (populær, velbesøgt)* popular, *(om butik)* well-patronized; *(efterspurgt om varer)* in demand; *(kunstig)* far-fetched *(fx* argument), affected *(fx* language).

sø|gående *adj* sea-going, ocean-going *(fx* vessel), deep-sea *(fx* deep-sea fishing, deep-sea navigation). **-handel** maritime trade. **-handelsstad** seaport (town). **-havn** seaport. **-helt** *(en -e)* naval hero. **-hest** *zo* sea horse.

søjle *(en -r)* column *(fx* a Doric c.), pillar; *(batteri)* pile. **søjle|fod** base of a column. **-gang** colonnade, cloister. **-hal** colonnade, portico *(pl* -es), peristyle. **-helgen** stylite. **-hoved** capital (of a column).

sø|kabel submarine cable. **-kadet** midshipman. **-kaptajn** sea captain. **-kikkert** (marine) telescope. **-konge** *(viking)* sea king; *zo* little auk. **-kort** *(et)* chart. **-krig** maritime war, naval war(fare). **-kyndig** *adj* experienced in seamanship; *en* ~ a naval expert.

I. **søle** *(et)* slush, mud.

II. **søle** *vb* slush; ~ *sig i* wallow in; ~ *ngt til* soil sth, *(fig)* sully sth. **sølet** *adj* dirty, muddy, slushy.

søliv life at sea.

sølle *adj* poor; *(om pengesum)* paltry.

sø|lov maritime law, Merchant Shipping Act. **-luft** sea air.

sølv *(et)* silver; *tale er* ~, *tavshed guld* speech is silver, silence is golden.

sølv|agtig *adj* silvery. **-alder** silver age. **-amalgam** (silver) amalgam. **-arbejde** silver work. **-bakke** silver salver, silver tray. **-beslag** silver mounting. **-beslået** silver mounted. **-bronze** *(maling)* aluminium *(,amr:* aluminum) paint. **-brudepar** husband and wife celebrating their silver wedding. **-bryllup** silver wedding. **-bæger** silver cup. **-dåse** silver box.

sølvglød *(kem)* litharge.

sølv|erts silver ore. **-fad** silver dish. **-fod** *(møntfod)* silver standard. **-gaffel** silver fork. **-glinsende** silvery. **-grube** silver mine. **-holdig** *adj* argentiferous. **-holdighed** *(en)* silver content. **-klar** *adj* silvery; *(om vand)* limpid. **-kræ** *zo* silver fish. **-legering** silver alloy. **-lignende** *adj* silvery. **-mine** silver mine. **-mønt** silver coin. **-møntfod** silver standard. **-nitrat** silver nitrate. **-papir** silver paper; *(stanniol)* tinfoil, T silver paper. **-penge** *pl* silver (money); *tredive* ~ thirty pieces of silver. **-pil** ♧ white willow. **-plet** silverplate. **-poppel** ♧ white poplar. **-ræv** silver fox. **-ske** silver spoon; *være født med en* ~ *i munden* be born with a silver spoon in one's mouth. **-skær** silver sheen. **-smed** silversmith. **-snor** silver cord; *-ene* [the medium and lower State functionaries]. **-stribe** silver stripe. **-stænk:** *hår med* ~ hair with silver threads. **-tråd** *(omvundet med sølv)* silver thread, *(af sølv)* silver wire. **-tøj** silver, silver plate.

søløjtnant *(en -er)* naval lieutenant; ~ *Brown (i England)* Lieutenant Brown, R. N.

søløve *(en -r) zo* sea lion.

I. **søm** *(et -)* nail; *(lille m bredt hoved)* tack; *(m stort, ofte dekorativt, hoved)* stud; *(ved fodgængerovergang)* stud; *ramme -met på hovedet* hit the nail on the head; *slå et* ~ *i* drive in a nail.

II. **søm** *(en -me)* seam; *(ombøjet tøjkant)* hem; *(♧ amal)* suture; *gå op i -mene* come unsewn; *se ngt efter i -mene* go carefully over sth, scrutinize sth.

sømagt naval *(el.* sea) power; *(nation)* maritime power.

sømand sailor, *(i mere officielt sprog)* seaman, mariner. **sømandshjem** seamen's home. **sømandsskab** seamanship. **sømands|missionen** the Missions to Seamen. **-mæssig** *adj* seamanlike. **-sang** sailor's song. **-tøj** sailor's dress. **-udtryk** nautical term.

sømbeslået *adj* studded, *(om støvler)* hobnailed.

sø|mil (nautical) mile. **-mine** mine.

sømkasse nail box. **sømløs** *adj* seamless.

I. **sømme** *(ved syning)* hem.

II. **sømme** *(slå fast)* nail; ~ *fast (el. til)* nail down.

III. **sømme:** ~ *sig* be becoming, be proper; ~ *sig for en* become sby, befit sby, be becoming to (*el.* in) sby; *det -r sig ikke for mig at (ogs)* it is not for me to *(fx* criticize him).

sømmelig *adj* proper, seemly, decent. **sømmelighed** *(en)* decency, decorum, propriety.

sømmeligheds|følelse sense of decency *(el.* propriety), propriety. **-hensyn:** *af* ~ for the sake of decency, for decency's sake.

sømærke *(et -r)* navigation mark; *(flydende)* buoy.

søn *(en -ner)* son; *Jones &* ~ Jones & Son.

søndag Sunday; *(se ogs fredag)*. **søndags|barn** child born on a Sunday; *være et* ~ *(fig)* be born under a lucky star. **-bilist** Sunday driver. **-hvile** Sunday rest. **-jæger** week-end sportsman. **-kører** = *-bilist*. **-lukning** Sunday closing. **-middag** Sunday dinner. **-skole** Sunday school. **-tillæg** *(til avis)* Sunday supplement. **-tøj** Sunday clothes, Sunday best.

sønden: ~ *for* south(wards) of. **sønden|fra** from the south. **-storm** southerly gale. **-vind** south wind, southerly wind.

sønder *adv:* ~ *og sammen* to bits, to fragments, to pieces; *kritisere bogen* ~ *og sammen* cut the book to pieces; *prygle én* ~ *og sammen* beat sby into a jelly. **sønder|brudt** broken. **-bryde** *vb* break to pieces, break up, shatter. **-brydning** breaking. **-dele** * cut up; *(kem)* decompose. **-deling** *(en -er)* cutting up; decomposition. **-flænge** *vb* tear to pieces, tear up, *(om står etc)* lacerate. **-gnave** *vb* gnaw to pieces. **sønderjyde** Slesviger.

Sønderjylland (North) Slesvig.

sønder|knuse * crush. **-knust** *(fig)* broken-hearted; *(af anger ogs)* contrite. **-lemme** *vb* dismember; *-nde kritik* scathing criticism. **-lemmelse** *(en)* dismemberment. **-rive** *vb* tear (to pieces), tear up, rend; *-reven* torn. **-skyde** shatter. **-slide** tear to pieces, tear up. **-slå** smash (to pieces), shatter.

I. **søndre** *adj* southern.

II. **søndre** *vb (knuse)* break to pieces; *(skille)* sever.

sønlig *adj* filial.

sønne|datter son's daughter, granddaughter. **-kone** daughter-in-law. **-søn** son's son, grandson. **-sønssøn** great-grandson.

sø|officer naval officer. **-officersskole** naval college, *(amr)* naval academy. **-panteret** maritime lien; ~ *i ladningen* a lien on the cargo. **-papegøje** *zo* puffin. **-pindsvin** *zo* sea urchin. **-rejse** *(en -r)* voyage; *(krydstogt)* cruise; *(overfart)* crossing.

søren: *fy for* ~ ugh; *så for* ~ hang it; *hvad* ~ *..?* what ever *..?* what on earth *..? slå til* ~ paint the town red; *(se ogs fanden, satan)*.

søret *(domstol)* maritime court; *(lov)* maritime law; *sø- og handelsretten* [the Maritime and Commercial Court].

sørge *vb* grieve, be grieved, *(ved dødsfald ogs)* mourn, be mourning; ~ *for (tage sig af)* take care of, provide for, see to, look after, *(skaffe)* provide; ~ *for at* see (to it) that, take care that, *(m infinitiv)* take care to; *sørg for at komme i rette tid* mind you come in time; *jeg skal* ~ *for det* I will see to it; ~ *over* grieve over, *(afdød ogs)* mourn for, regret, lament; *de -nde* the mourners, *(de -nde efterladte)* the bereaved.

sørge|bind *(om armen)* crape band. **-budskab** sad news. **-digt** elegy, *(i sangform)* dirge. **-dragt** mourning; *(se ogs sorg)*. **-fest** funeral solemnity. **-flor** black mourning crape; *(= -bind)* crape band. **-højtid** *se -fest.* **-klædt** *adj* (dressed) in mourning.

sørgelig *adj* sad, grievous *(fx* loss, mistake), distressing, pitiful *(fx* sight), tragic *(fx* accident); melancholy; *(ynkelig)* lamentable, pitiful, wretched, poor; *i en* ~ *forfatning* in a sad plight, in a miserable condition; *i en* ~ *grad* sadly; *det er -t men sandt* it is unfortunately true, it is a regrettable fact; *de -e rester* the sad remains.

sørge|march funeral march, dead march. **-pil** ♧

weeping willow. -rand: *med* ~ black-edged. -spil
tragedy. -tog funeral procession. -år year of mourn-
ing.
sørg|modig *adj* sad, melancholy. -modighed
(en) sadness, melancholy. -munter *adj* tragi-com-
ic(al).
sø|risiko marine risk. -rute sea route.
sørøver pirate. **sørøveri** piracy. **sørøverskib**
pirate (vessel).
sø|side: *fra -n* from the sea; *mod -n, på -n* sea-
ward. -skade *(en -r)* damage sustained at sea.
søskende *pl* brothers and sisters, *(hvis kun to)*
brother and sister; *have ni* ~ have nine brothers and
sisters, be one of a family of ten. **søskende|barn**
(nevø, niece) nephew, niece; *(= fætter, kusine)* (first)
cousin. -flok family (of brothers and sisters).
sø|slag naval battle, naval action. -slange sea
serpent. -spejder sea scout. -stad seaport.
søster *(en, søstre)* sister. **søster|datter** sister's
daughter, niece. -kærlighed sisterly love.
søsterlig *adj* sisterly.
søster|skib sister ship. -søn sister's son, nephew.
sø|stjerne *zo* starfish. -stridskræfter *pl* naval
forces. -stykke seascape. -stærk *(om menneske)* a
good sailor; *(om skib)* seaworthy. -støvle sea boot.
-syg seasick. -syge *(en)* seasickness. -sætte *vb*
launch. -territorium territorial waters. -træfning
naval engagement. -tunge *zo* sole. -udtryk sea term,
nautical term. -uhyre sea monster. -ulk *(en -e)*
(sømand) (jack) tar, old salt. -ur chronometer. -vand
sea water. -vant *adj* accustomed (el. used) to the
sea. -vej sea route; *ad -vejen* by sea; *ført ad -vejen* sea
-borne; *-vejen til Indien* the sea route to India. -vejs-
regler rules of the road at sea; *internationale* ~ inter-
national regulations for preventing collisions at sea.
søvn *(en)* sleep; *(sekret i øjnene)* sleep; *vække en af*
-e rouse sby from his sleep; *jeg har ikke fået* ~ i
øjnene hele natten I have not slept a wink all night;
dysse i ~ put (el. lull) to sleep; *falde i* ~ fall asleep, go
to sleep; *falde i dyb* ~ fall into a sound *(el. deep el.*
profound) sleep; *ligge i dyb* ~ be sound asleep; be in
a deep sleep; *synge én i* ~ sing sby to sleep; *gå i -e*
walk in one's sleep; *tale i -e* talk in one's sleep; *sove*
de retfærdiges ~ sleep the sleep of the just.
søvn|drukken *adj* heavy with sleep, drowsy.
-dyssende *adj* soporific; *virke* ~ have a soporific
effect, induce sleep. -gænger *(en -e)* sleepwalker,
somnambulist. -gængeragtig *adj* somnambulistic.
-gængeri *(et)* sleepwalking, somnambulism.
søvnig *adj* sleepy. **søvnighed** *(en)* sleepiness.
søvnløs *adj* sleepless, wakeful.
søvnløshed *(en)* sleeplessness, insomnia.
sø|værnet *(flåden)* the Navy. -værnskomman-
doen *(i Engl)* the Admiralty; *(i U.S.A.)* the Navy
Department. -værts *adj* by sea; *adj (transporteret til*
søs) sea-borne *(fx goods).* -væsen maritime affairs.
I. **så** *vb (ogs fig)* sow.
II. **så** *imperf af se.*
III. **så** *adv (i den grad)* so *(fx* I am so glad; I was
so tired that I had to lie down); *(ligeså)* as, *(then*
nægtelse) so, as *(fx* as much as possible; you are as
good as he; it is not so *(el. as)* easy as you think);
(om tid: derefter) then, next *(fx* then he began to
tell the story; what will you do next?); *(derfor)*
so *(fx* he was not there, so I came back), therefore;
(i så fald) then *(fx* then it must be here); *(altså)*
so *(fx* so you despise me?); *(desuden)* then, besides;
(således) thus; *(efter imperativ for at indlede løfte el.*
trussel) and *(fx* read it, and you will understand
everything); *(omtrent)* so *(fx* a month or so), there-
abouts; *(som indledning til eftersætning ofte uoversat, fx*
when I see him again I shall not forget to tell him);
~ *at* so that; *(se ogs V. så)*; *jeg er ikke* ~ *dum at* tro
ham I am not so foolish *(el.* such a fool) as to believe
him; *han er* ~ *dum at* han he is so foolish that he;
det er utroligt ~ *dum han er* it is incredible how stupid
he is; *en* ~ *rig mand* such a rich man, a man so rich

(as he); *enten han* ~ *kommer eller ej* whether he comes
or not; ~ *er du (efter imperativ)* that's, there's *(fx* hand
me that book, that's a good boy! (, girl!), there's a
dear!); ~ *godt han kunne* as well as he could; as best he
could; ~ *godt som (= næsten)* practically, as good as;
ja, hvad ~? well, what of it? *(o: hvad følger deraf)* T so
what? *hvad jeg* ~ *(= end) gør* whatever I do; *men*
hvorfor gjorde du det ~? but then, why did you do it?
~ *lala* so so; ~ *og* ~ *mange* so many, such and such
a number (of); ~ *og* ~ *meget* so much; ~ *meget mere*
som the more so as; *uden* ~ *meget som at svare* without
even answering; *nå* ~ *det siger han* so that's what he
says, is it? *om det* ~ *var hans fjender* his very enemies,
even his enemies; *om* ~ *(= selv om)* (even) if, even
though; *om der* ~ *er aldrig* ~ *mange* no matter how
many there may be; *om* ~ *var* if such were the case,
if so; *om* ~ *skal være* if necessary; *at sige* as it were,
so to speak; ~ *snart han hørte det* as soon as he heard it,
directly he heard it; ~ *som* ~ so so; *som* ~ like this,
like that; *han er ikke større end som* ~ he is only 'so
high *(el.* T that high); *vel kan jeg* ~ of course I can;
~ *vidt jeg ved* for all I know, as far as I know; *for* ~
vidt (som) in so far as, provided that; *vær* ~ *god: se god*;
~ *vær dog stille!* do be quiet! *vær* ~ *venlig: se venlig.*
IV. **så** *(udråb) (spørgende)* indeed? really? *(beroli-*
gende) there, there! come, come! *(befalende)* now
then; *(lettet)* there! come! *(fortrædeligt)* there! *ja* ~ I
see, *(= virkelig?)* indeed?
V. **så** *conj (så at)* so that; *(ofte* =) till *(fx* he
squeezed my hand till I cried out).
VI. **så** *adj* that; *i* ~ *fald* in that case, if so; *i* ~ *hen-*
seende in that respect.
sådan *adj* such, like this, like that *(fx* on such an
occasion; such a big one; such things; such an idiot;
one like this; a man like that; people like that);
adv (på den(ne) måde) like this, like that, in this
(,that) way, so; *(så meget)* so much *(fx* I loved him
so much); *(omtrent)* something like, about;
~*!* (= *det var net!)* good! that's it! ~ *at* in such a way
that, so that; ~ *da (o: nogenlunde)* more or less, up
to a point; *hvis det forholder sig* ~ if that is the case,
if so; *ikke* ~ *(at forstå) at* han *var fej* not that he was
a coward; *det er ikke* ~ it isn't like that, *(= ikke let)*
it isn't easy; *nå* ~*!* I see! so that's the way it is! ~
noget things (el. a thing) like that, that kind of thing;
~ *noget som (= omtrent)* something like, about, a
matter of, sth in the region of *(fx* five hundred
pounds); *(se ogs noget)*; ~ *og* ~ in such and such a way,
(det og det) this and that; ~ *set* in a way; *som* ~ *(o: i*
sin helhed) as such; ~ *som* such as, as, *(på den måde)*
the way *(fx* it can't be done the way you think);
sådan(ne) . . som such . . as.
såfremt *conj* if, provided, in case.
sågar *adv* even.
sågu *int* certainly, I am sure; *(stærkere)* damned
well *(fx* I should damned well hope so).
såkaldt so-called.
sål *'(en -er)* *(fodsål,* ~ *på fodtøj)* sole.
sålbænk *(arkit)* sill.
således *adv* like this, like that, in this (,that) way,
so, thus; *(for eksempel)* for instance, such as; *(se ogs*
sådan).
såle|gænger *(en -e)* *zo* plantigrade. -læder sole
leather; *så sej som* ~ as tough as leather.
sålydende which ran (,runs) as follows.
såmaskine sowing machine, *(rad-)* drill.
såmænd *adv (sandelig)* indeed; *(egentlig)* really
(fx it is not so bad, really); *(udtryk for ligegyldig-*
hed) I am sure; *det skal du* ~ *ikke bekymre dig om*
don't you worry about that; *det ved jeg* ~ *ikke* I am
sure I don't know; *ja* ~ *(= på en måde)* yes in a way;
(se ogs jo); *det går* ~ *nok* it will be all right.
såning *(en)* sowing.
sår *(et -)* *(ogs fig)* wound; *(kronisk)* ulcer, sore;
(brandsår) burn; *forbinde et* ~ dress a wound; *læge et* ~
heal a wound; *tiden læger alle* ~ *(fig, svarer til)* time
heals all sorrows; time is the great healer.

sårbar *adj* vulnerable; *et -t punkt* a sore *(el.* weak) spot. **sårbarhed** *(en)* vulnerability.
sår|behandling treatment of wounds. **-betændelse** sepsis. **-dannelse** ulceration.
I. **såre** *adv (meget)* very, greatly; *sd ~ han hørte det* directly he heard it.
II. **såre** *vb* wound, hurt, injure; *(fig)* hurt *(fx* his feelings), wound, offend; *de -de* ⚔ the wounded, *(ved ulykke)* the injured; *dræbte og -de* killed and wounded, casualties; *de hårdt -de* the severely wounded, ⚔ the severe casualties.

sårende *adj* wounding *(for:* to, *fx* to one's pride); *(krænkende ogs)* offensive.
sår|feber wound fever. **-skorpe** crust (of a wound), scab. **-væske** *(en)* pus.
såsom *(eftersom)* as, since, seeing that; *(for eksempel)* as for instance, such as.
så|sæd seed corn. **-tid** sowing-time, seed-time. **-vejr** sowing-weather.
såvel *adv: såvel . . som* both . . and *(fx* both England and France), as well as *(fx* England as well as France).

T

T, t *(et -'er)* T, t; *t. fk f ton(s)* t; *t. fk f til* by *(fx N t.* Ø N by E).
tab *(et -)* loss; *erstatte et ~* make good *(el.* repair) a loss; *give ~* involve a loss; *lide ~* suffer *(el.* sustain) a loss; *uden selv at lide noget ~ (ogs* ⚔.) without loss to myself (, yourself, etc); *lide store (el. svære) ~* ⚔ sustain heavy losses *(el.* casualties); *sælge med ~* sell at a loss; *uden ~ af menneskeliv* without loss of human life; *vinding og ~* profit and loss.
tabe ✱ lose *(fx* a battle, a game, money, a lawsuit, patience, one's heart to sby, interest in sth); *(ud af hænderne)* drop *(fx* I have lost my purse, I must have dropped it somewhere); *(lide nederlag)* lose, be defeated, be beaten, get the worst of it;
~ af syne lose sight of; *jeg har tabt meget for ham* he has gone down a lot in my estimation; *give tabt* give it up, throw up the sponge; *gå tabt* be lost; *du er ikke gået tabt af noget* you did not miss anything; *det gik tabt for mig* I lost *(el.* missed) it; *der er gået en skuespiller tabt i ham* he would have made a good actor; *~ hovedet* lose one's head; *ikke ~ hovedet* keep one's head; *han tabte meget i anseelse* his reputation suffered greatly; *~ i kampen* lose the battle; *~ i tennis (etc)* be beaten at tennis *(etc)*; *~ i vægt* lose weight; *~ i værdi* lose (in) value; *~ luften (om slange etc)* go down, go flat; *~ modet* lose heart; *~ ngt på gulvet* drop sth on the floor; *~ penge på ngt* lose money by sth; *~ sin sag* lose the case; *tabte sager (ɔ: ejendele)* lost property; *~ sig (forsvinde)* disappear, *(om lyd)* die away, fade, *(om farve)* fade, *(blive mager)* lose weight, become thinner, *(miste skønhed)* lose one's looks, *(forringes)* deteriorate; *spillet er tabt (fig)* the game is up; *~ sporet (ogs fig)* lose the scent, be thrown off the scent; *uret -r 10 min. om dagen* the watch loses ten minutes a day; *~ ved* lose by *(fx* you will lose nothing by waiting); *~ vejret* lose one's breath, get out of breath; *se ogs tabende.*
tabel *(en -ler)* table; *lære ~* learn one's tables; *den lille ~* the multiplication table (from 2 to 10, *i Engl:* up to 12 times 12).
tabellarisk *adj* tabular.
tabende *adj* losing; *den ~, den ~ part* the loser.
taber *(en -e)* loser *(fx* a good loser).
tabernak|el *(et -ler)* tabernacle; *(spektakel)* T hullabaloo.
tabgivende *adj* losing *(fx* speculation), involving a loss.
tableau *(et -er)* tableau *(pl* tableaux).
tablet *(en -ter)* tablet.
tabs|konto loss account. **-liste** ⚔ casualty list.
tabu *(et & adj)* taboo; *erklære for ~* taboo.
tabulator *(en -er)* tabulator.
tabuord taboo word.
taburet *(en -ter)* stool, tabouret; *(fig)* (ministerial) office; *klæbe ved -ten* cling to office.
taburetklæber *(en -e)* limpet.
tachist *(en -er)*, **tachistisk** tachist.
tackle *vb* tackle.
tackling *(en -er)* tackle.

taffel *(et, tafler) (bord)* (royal) table; *(fest)* royal banquet; *hæve taflet* rise from table; *være til -s* dine at court.
taffel|and *zo* pochard. **-formet:** *~ klaver* square piano. **-musik** table music. **-salt** table salt. **-ur** mantel clock.
taft *(et)* taffeta.
I. **tag** *(et -) (med hånd)* hold, grasp, grip; *(dre-, svømme-)* stroke; *(ryk)* tug, jerk; *(håndelag, færdighed)* knack; *et fast ~ i* a firm hold on; *have ~ i (ogs fig)* grip; *tage et ~ (i) med lend* a hand; *tage et ordentligt ~* put one's back into it; *have ~ på at gøre noget* have the knack of doing sth; *slippe -et* let go (one's hold).
II. **tag** *(et -e) (på hus etc)* roof; *belægge et ~. med strå, teglsten eller skifer* thatch, tile, or slate a roof; *lægge ~ på* roof; *have ~ over hovedet* have a roof over one's head; *under ~* under cover.
tag|anlæg roof garden. **-antenne** roof aerial, *(amr)* roof antenna. **-beklædning** roofing. **-bjælke** rafter. **-brand** roof fire; *der var ~* the (, a) roof was on fire. **-dryp** dripping from the eaves.
tage *(tog, taget)* take *(fx* a book from the shelf, a fort, prisoners, medicine, a bath, a taxi, a photograph, a holiday, a hurdle, one's own life, things coolly, people as they are); *(høre i radio)* get; *(fange)* catch, T nab *(fx* a thief), *(arrestere)* arrest; pick up; *(udholde)* stand, take; *(kunne rumme)* hold; *(i betaling)* charge; *(behandle)* take, deal with, handle; *(snyde)* take in, do, have; *(berøre)* graze, just touch, ⇩ take; *(rejse, begive sig)* go;
~ eksamen: se eksamen; det er som man -r det it is a matter of opinion, it all depends; *tag og hjælp mig!* lend me a hand, will you! *tag og ring på klokken!* ring the bell, will you? *det tog os fire timer* it took us four hours;
[m præp & adv:] ¹af (uden objekt) (formindskes) decrease, diminish, *(blive kortere)* grow shorter, *(om kulde)* relax, *(om feber)* abate, *(om vind)* fall, abate, *(om lyd)* grow fainter, *(om lys)* fade, *(i vægt)* lose weight, *(i kortspil)* cut, *(i strikning)* slip; *(med objekt) (beklædningsgenstand)* take off, pull off, *(fjerne)* remove; *~ af bordet* clear the table, clear away; *der er nok at ~ af* there is enough and to spare; *~ af sted* set out, start, leave; *~ af for (give læ for)* (provide) shelter from, protect from; *~ af for stødet, ~ stødet af, se stød;*
~ bort (= rejse) go away; *~ ngt bort* take sth away, remove sth; *¹~ efter (m hånden)* reach for, *(famle efter)* grope for; *jeg tog ham for hans broder* I took him for his brother; *~ £10 for det* charge £10 for it; *~ for sig (med hånden)* put out one's hand; *~ for sig af retterne* help oneself, do justice to the food; *tage ngt fra en* take sth (away) from sby; *~ vejret fra en* take sby's breath away; *~ fra hinanden* take to pieces *(fx* take a machine to pieces);
~ frem bring *(el.* take) out, produce; *~ i døren* try the door; *~ en i hånden* take (hold of) sby's hand; take sby by the hand; *~ sine ord i sig igen* withdraw

(one's remarks), retract, T eat one's words; ~ **igen-nem** *(gennemgå)* go through;

~ **imod** *(få overgivet)* receive, *(modtage gæster)* receive, *(hente ved ankomst)* meet, *(sige ja til)* accept, *(finde sig i)* stand for, put up with, *(gribe)* catch; ~ *godt imod en* give sby a good reception; ~ *imod fornuft* listen to reason; ~ *imod ordrer fra en* take orders from sby; ~ *imod en på banegården* meet sby at the station; ~ **ind** take in, ♫ take in, ship, *(i strikning)* decrease; ~ *kjolen ind i livet* take in the dress at the waist; ~ *ind på et hotel* put up at a hotel, *(amr)* register at a hotel; ~ *ind til London* go up to London;

~ *en (, ngt)* '**med** *(medbringe)* bring sby (, sth), *(bortfjerne, ~ med sig)* take sby (, sth) with one, take sby (, sth) away *(el.* off), (= *ikke forbigå)* include sby (, sth); ~ *børnene med i Zoologisk Have* take the children to the Zoo; ~ '*med, ~ med en* come with sby, join sby, come; *-r De med?* are you coming (too)? ~ *med toget (, sporvognen, damper etc)* go by *(el.* take the) train (, tram, steamer, etc); ~ *med damperen til Hull* take the steamer for (, to) Hull; ~ *noget med i sin beregning* allow for sth, take sth into account; *det må man* ~ '*med* it's all in the day's work; *han -r det ikke så strengt (el. nøje) med det* he is not particular about that; ~ *noget om bord* take sth on board, embark sth *(fx* passengers); ~ *ngt* '*om (gentage)* repeat sth, do sth over again; ~ *scenen om (i film)* retake the scene; ~ *et sjal om skuldrene* throw a shawl round one's shoulders;

~ **op** *(samle op)* pick up, *(af lomme etc)* take out, *(kartofler etc af jorden)* lift *(el.* dig (up)), *(noget syet)* unpick, *(noget strikket)* unravel, *(et emne)* take up *(til behandling:* for treatment), *(om elev: høre)* examine; ~ *op af kapitalen* break into one's capital; ~ *bolden op (fig)* accept the challenge; ~ *op igen: se genoptage;* ~ *ngt ilde op* resent sth, take sth amiss; ~ *ngt op af lommen* take sth out of one's pocket; ~ *megen plads op* take up much room; *han kan* ~ *det op med dig* he is a match for you; ~ *over Berlin* go via Berlin; ~ *over kanalen* cross the Channel; ~ *over til Jylland* go (over) to Jutland;

~ '**på** *(beklædningsgenstand)* put on *(fx* one's clothes, hat, shoes), *(mine)* assume, *(vægt)* put on *(fx* he has put on two pounds), *(uden objekt)* put on weight; '~ *på (føle på)* touch, handle, finger, *(behandle, fx en sag)* handle, *(svække)* tell on *(fx* the strain told on him a good deal); ~ *på sig: se påtage; det -r på kræfterne* it is very exhausting, it takes it out of one; ~ *hårdt på* handle roughly, *(om sygdom etc)* tell severely on; ~ *en på ordet* take sby at his word; ~ *på landet* go into the country;

~ '**til** *(forøges)* increase; *(se ogs tiltage)*; ~ *til (rejse til)* go to *(fx* go to England); ~ *til fange* take prisoner; ~ *til huen* touch one's cap; ~ *hende til hustru* marry her, take her to wife; ~ *et barn til sig* take a child into one's home; *(adoptere)* adopt a child; ~ *hånden til sig* withdraw one's hand; ~ *næring til sig* take nourishment; ~ **tilbage** take back, withdraw, *(i strikning)* unpick, (= *rejse tilbage)* go back, return; ~ **ud** take out, *(barn af skole)* remove, *(udvælge)* pick out, select, *(i strikning)* increase, *(ɔ: af bordet)* clear away; *(penge af bank)* withdraw; ~ **ved** *(hjælpe)* lend a hand, *(gå i gang)* set about it;

[forbindelsen: ~ **sig]** *(spise, drikke)* have *(fx* a drink); ~ *sig et bad (, en ferie etc)* take a bath (, a holiday, etc); ~ *sig af* attend to, take care of, take in hand, see to, look after, *(være bekymret over)* worry about; *ikke* ~ *sig af (ogs)* not mind *(fx* don't mind him, never mind what he says), take no notice of, *(forsømme)* neglect *(fx* she neglected her children); ~ *sig noget* '*for* do something; ~ *sig for at gøre det* set oneself to do it; ~ *sig fri* take a day (, an evening etc) off; ~ *sig i det* check oneself, think better of it; *det -r jeg mig let* I don't let that worry me; ~ *sig sammen* pull oneself together; ~ *sig* '*til* do; *han har ikke ngt at* ~ *sig til* he has nothing to do, he does

not know what to do with himself; ~ *sig godt ud* look well, make a good appearance; *således -r det sig ud for ham* that's how he sees it; ~ *sig ud som* look like.

tagetage top storey.

tagfat *(leg)* tag; *lege* ~ play tag.

tag|have *(en -r)* roof garden. **-kammer** *(et -kamre)* garret. **-konstruktion** roof construction. **-lagt** *adj* overlapping. **-pap** roofing-felt. **-reklame** *(en -r)* sky sign. **-rende** *(en -r)* gutter, *(på bil)* drip moulding. **-ryg** ridge of a roof. **-rytter** ridge turret. **-rør** ♫ reed. **-skæg** eaves *(pl).* **-spån** roofing -shingle. **-sten** (roofing-)tile. **-terrasse** roof terrace. **-vindue** *(kvist-)* dormer window, *(i flugt med taget)* skylight.

tagåren the stroke.

taifun *(en -er)* typhoon.

I. **tak** *(en -ker)* (spids) jag, point; *(på blad)* serration, tooth; *(på tandhjul)* cog, tooth; *(på sav)* tooth; *(på gevir)* branch, point; *(på frimærke)* tooth; *-ker* (= *gevir)* antlers, *(på frimærke)* perforation; *en* ~ *bedre end* a cut above *(fx* he is a cut above them).

II. **tak** *(en* ~) thanks *(pl);* ~*! ~ skal De ha'!* thank you! thanks! *nu skal du snart have* ~*!* look here, really! *mange* ~*!* thank you very *(el.* so) much, many thanks, T thanks very much! *min bedste* ~ my best thanks; *ja* ~*! (svar på tilbud)* yes please! *(svar på forespørgsel)* yes thanks! *nej* ~*!* no, thank you! no, thanks! ~ *for mad,* ~ *for sidst (tilsvarende siges ikke i England); det er en* ~ *for sidst* he (, she) is getting his (, her) own back; *som* ~ *for sidst (fig)* by way of return; *modtage med* ~ accept with thanks; *rette en* ~ *til en* express *(el.* offer) one's thanks to sby; *selv* ~*!* thank you! *(ɔ: jeg be'r)* not at all! don't mention it! *sige ham* ~ thank him *(for:* for); *være én* ~ *skyldig* owe a debt of gratitude to sby; *til (el.* som) ~ *for* in acknowledgment of, in return for; *tage til -ke med* be content with; *tage til -ke med hvad huset formår* take pot-luck. ⬮

takke *vb* thank, *(besvare en tale)* return thanks; *du behøver ikke at* ~ there is no need to thank me (, him etc); *det kan De* ~ *Dem selv for* you may thank yourself for that; *have meget at* ~ *en for* be much indebted to sby; *vi kan* ~ *ham for det* we are indebted to him for it, we owe it to him, (= *det er hans skyld)* it is his fault; *ikke noget at* ~ *for!* don't mention it! not at all! *-t være* thanks to *(fx* we were saved thanks to his courage); ~ '*af* resign.

takke|brev letter of thanks; *pligtskyldigt* ~ *til en man har boet hos* T bread-and-butter letter. **-bøn** (prayer of) thanksgiving. **-fest** *(helligdag i U.S.A.)* Thanksgiving (Day). **-gudstjeneste** service of thanksgiving. **-kort** (written (, printed)) acknowledgment.

tak|kel *(et -ler)* ♫ tackle.

takkelage *(en)* ♫ rigging.

takkeskrivelse letter of thanks.

takket *adj* jagged, indented; *(om blad)* serrate; *(om frimærke)* perforated; ~ *gavl* corbiestep gable.

takketale speech of thanks; *(ofte =)* reply.

takle *vb* ♫ *(anbringe takkelagen på)* rig *(fx* a ship); *(omvikle)* whip *(fx* a rope).

takling *(en)* ♫ rigging; whipping.

taknem(me)lig *adj* grateful, *(over for forsynet)* thankful; *(som giver gode resultater)* rewarding, worthwhile; *dybt* ~ deeply (, profoundly) grateful; *vi er Dem meget -e* we are very grateful *(el.* very much obliged) to you; *-t hverv* rewarding task; ~ *jord* productive soil; *han er et -t offer* he is an easy victim; *-t publikum* appreciative audience; *vise sig* ~ show gratitude.

taknem(me)lighed *(en)* gratitude; *(over for forsynet)* thankfulness.

taknem(me)lighedsgæld debt of gratitude; *stå i* ~ *til en* owe sby a debt of gratitude, be indebted to sby.

takning *(en)* *(på frimærke)* perforation.

takoffer thank-offering.

taks *(en)* ♙ yew, yew tree.
taksation *(en)* valuation, appraisement.
taksationspris estimated value. **taksator** *(en -er)*,
taksatrice *(en -r)* valuer, appraiser.
taksere *vb* value, appraise, estimate, *(embedsmæssigt)* assess *(til:* at); *(bedømme)* estimate, 'assess; *jeg -r ham til at være officer* I should take him to be an officer. **taksering** *(en)* valuation, appraisement, estimate; assessment.
taksigelse *(en -r)* thanksgiving.
takskyldig: *være en ~* be indebted to sby.
takst *(en -er)* rate, charge; *(for personbefordring)* fare; *(-liste)* tariff. **takst|forhøjelse** increase of rates; *(for personbefordring)* fare(s) increase. **-grænse** fare stage. **-nedsættelse** reduction of rates; *(for personbefordring)* fare(s) reduction. **-pligtig** *adj* chargeable.
takstræ yew (tree); *(veddet)* yew (wood).
takt *(en -er)* time, *(i musik ogs)* measure, *(mellem to taktstreger)* bar; *(i roning; i motor)* stroke; *(finfølelse)* tact, tactfulness; *angive -en* mark the time; *holde -en* keep time; *i ~* in time, *(om march)* in step; *i ~ med (fig)* concurrently with; *en pause på 3 -er* a rest of three bars; *slå ~* beat time; *to-takts motor* two-stroke engine; *~ og tone* etiquette, (rules of) good form; *trefjerdedels ~* three-four time; *ude af ~* out of time, *(om march)* out of step. **takt|angivelse** *(i noder)* time signature. **-art** time. **-del** beat.
taktere *vb (i musik)* beat time.
taktfast *adj* measured, regular, rhythmical; *adv* in time, *(om march)* in step, at a measured step.
takt|fuld *adj* tactful, discreet. **-fuldhed** *(en)* tactfulness. **-følelse** (sense of) tact.
taktik *(en)* tactics *(fx* I dislike these tactics), tactic *(fx* a new tactic). **taktiker** *(en -e)* tactician.
taktisk *adj* tactical; *adv* -ly.
takt|løs *adj* tactless. **-løshed** *(en -er)* want of tact, tactlessness; *en ~* a piece of tactlessness. **-slag** beat. **-stok** baton. **-streg** bar (line).
tal *(et -)* *(antal, mat., gram)* number; *(-tegn, ogs om pris, i statistik etc)* figure; *(ciffer i flercifret tal)* digit; *(-ord)* numeral; *-let 13* the number 13; *arabiske (, romerske) ~* Arabic (, Roman) numerals; *blandet ~* mixed number; *helt ~* whole number, integer; *fem i -let* five in number; *lige ~* even number; *ulige ~* odd number; *holde ~ på* keep count of; *have let ved ~* have a good head for figures.
taladverbium numeral adverb.
talar *(en -er)* robe, gown.
talblindhed acalculia.
I. **tale** *(en -r)* speech, *(til en forsamling ogs)* address; *(samtale)* talk, conversation; *afvise al ~ om* reject all talk of; *-ns brug* the power of speech *(fx* lose the power of s.); *daglig ~* everyday speech; everyday language; *i daglig ~* colloquially; *direkte ~* direct speech; *indirekte ~* indirect *(el.* reported) speech; *holde en ~* make *(el.* deliver) a speech; *holde ~ for en (om bordtale)* propose sby's health; *jeg vil ikke høre ~ om sådan noget* I won't hear of such a thing; *i en ~ for X sagde han* proposing X's health he said; *kan jeg få ham i ~ nu?* can I see him now? *falde en i -n* interrupt sby; *den mand der er ~ om* the man in question; *det er ikke det der er ~ om* that is not the point; *det kan der ikke være ~ om* that is out of the question; *der er ikke ~ om at han* there is no question of his -ing; *der er ~ om at bygge en bro* there is some talk of building a bridge; *bringe på ~* bring up; *bringe emnet på ~ (ogs)* broach the subject; *være på ~* be talked of, be under discussion.
II. **tale** *vb* ✻ *(holde tale)* speak, make a speech; *(udtrykke sig i ord)* speak, talk *(fx* speak fluently, in a low voice, in riddles; talk in one's sleep, talk too much; learn to talk *(el.* speak)); *(samtale)* talk, speak *(med:* to, with; *om:* about, of); *(sige, udtrykke)* speak *(fx* words of wisdom, the truth); *(diskutere)* talk *(fx* business, golf, music); *(et (fremmed) sprog)* speak *(fx* French);
praktisk talt practically (speaking); *~ sin sag* plead

one's cause; *~ sig hæs* talk oneself hoarse; *~ sig varm* warm to one's subject; *vel talt!* well spoken! *ærlig talt* honestly;
[*m. præp & adv*:] *~* **for** *(til gunst for)* speak for *(el.* in favour of), *(i retten)* plead for; *(tyde på)* point to *(at han har:* his having), *(på ens vegne)* speak for; *~ for en (om bordtale)* propose sby's health; *meget -r for at denne påstand er rigtig* there is a lot to be said in favour of this assertion; *han fremførte meget det talte for hende (i retten)* he made out a strong case for her; *han -r godt for sig* he is a fine speaker; *dette -r for sig selv* this speaks for itself; *~ ham* **fra** *det* talk him out of it; *~* **frem** *og tilbage om* argue about; *~* **imod** speak against *(fx* a proposal); *der er meget der -r imod det* there are many arguments (*el.* there is a lot to be said) against it; *han fremførte meget der talte imod hende (i retten)* he made out a strong case against her; '*~* **med** talk to *(el.* with), speak to *(el.* with), *(for at rådspørge)* consult, see *(fx* you ought to see a doctor); *jeg ønsker at ~ med ham* I want to see him; *~ med sig selv* talk to oneself; *hvem -r jeg med?* *(i telefon)* who is speaking? *De -r med John Smith (i telefon)* (it is) John Smith speaking; *han er ikke til at ~ med* he will not listen to reason; *han er til at ~ med* he is open to argument; *~* '*med* put in a word; *det kan han ~ med om* he knows a thing or two about that; *~* **om** speak *(el.* talk) about *(el.* of), *(nævne)* mention, refer to, *(holde foredrag om)* speak on, talk on; *~ om noget andet* talk about something else, change the subject; *hele byen -r om det* it is the talk of the town; *det er ikke noget at ~ om* it is nothing to speak of, it is not worth mentioning; *for ikke at ~ om* to say nothing of, not to mention, let alone; *siden vi -r om bøger* talking of books; *høre ~ om* hear of; *~* **over** *en tekst* preach on a text; *~ over sig* say too much; *let the cat out of the bag, (røbe sig)* give oneself away; *~* **sammen** talk, converse; *vi -r ikke sammen for tiden* we are not on speaking terms at present; *~* **til** speak to, *(mere litterært)* address, *(appellere til)* appeal to *(fx* sby's feelings); *~ en til fornuft* bring sby to reason, make sby listen to reason; *~* **ud** *med ham om det* have it out with him; *tillad mig at ~ ud* allow me to finish (what I have got to say); *vi -s ved senere* we'll discuss this later; *(se ogs talende).*
tale|evne power of speech. **-fejl** impediment of speech, speech defect. **-figur** figure of speech. **-film** sound film, T talkie. **-fod:** *komme (, være) på ~ med* get (, be) on speaking terms with. **-frihed** liberty of speech, free speech. **-færdighed** *(i et sprog)* fluency; *(veltalenhed)* eloquence. **-gaver** *(pl)* oratorical gifts, eloquence; *have gode ~ (ogs)* be a fluent speaker, T have the gift of the gab. **-kor** speech choir. **-kunst** art of speaking, rhetoric. **-lidelse** speech defect. **-maskine** *(om en person)* chatterbox. **-måde** *(måde at udtrykke sig på)* manner of speaking; *(udtryk)* phrase, *(forslidt)* commonplace, platitude, *(dagligdags)* colloquialism, *(for et sprog ejendommelig)* idiom, idiomatic phrase; *(tomme) -r* mere words, *(hykleriske)* cant; *smukke -r* fine words.
talen *(en)* talking, talk.
talende *adj (f II. tale)* speaking, talking; *(meget ~)* talkative; *(udtryksfuld)* expressive, meaning, significant, eloquent; *(slående)* striking *(fx* example); *den ~* the speaker, the person speaking.
-talende -speaking *(fx* German-speaking).
talent *(et -er)* talent; *have ~ for* have a talent for; *han har ~* he is talented.
talent|fuld *adj* talented, gifted; *(om bog etc)* promising. **-løs** *adj* untalented, uninspired, **-løshed** *(en)* want of talent. **-spejder** *(en -e)* talent scout.
taleorgan *(et -er)* speech organ.
taler *(en -e)* speaker, *(veltalende)* orator; *den sidste (ærede) ~* the last *(el.* previous) speaker.
talerstol platform, rostrum.
tale|rør *(et)* speaking-tube; *(fig)* mouthpiece. **-sprog** spoken language; *det engelske ~* spoken English. **-stemme** speaking voice. **-strøm** flow of talk,

(stærkere) torrent of speech. -øvelse conversation lesson; conversation practice.

talg *(en)* tallow, *(nyre-)* suet.

talgkirtel sebaceous gland.

talisman *(en)* talisman.

I. **talje** *(en -r) (liv)* waist *(fx* a slender waist).

II. **talje** *(en -r) (mekanisme)* tackle, *(♣ ogs)* purchase. **taljeblok** ♣ block.

talk *(en)* talc. **talkum** *(et)* talcum powder.

tallerken *(en -er)* plate; *dyb ~* soup plate; *flad ~* plate; *flyvende ~* flying saucer; *en ~ suppe* a plate(ful) of soup. **tallerken|fuld** *(en)* plateful. **-række** *(en -r)* plate rack. **-vasker** *(en -e)* dishwasher.

talløs *adj* innumerable, countless, untold.

talmudisk *adj* Talmudic. **talmudist** *(en -er)* Talmudist.

talmæssig *adj* numerical *(fx* superiority).

talon *(en -er) (i checkhæfte etc)* counterfoil, *(amr)* stub; *(pd kuponark)* talon; *(i kortspil)* stock, talon.

talord numeral.

talrig *adj* numerous; *være -ere end* outnumber; *-t repræsenteret* represented in large numbers.

talrække *(en -r)* series *(el.* sequence) of numbers.

talsmand spokesman *(for:* for, of, *fx* a spokesman for the government; he is the s. of the government); *(som tilrdder noget)* advocate *(for:* of); *gøre sig til ~ for* advocate.

tal|stærk *adj* numerous; *de mødte -t op* they turned out in strength. **-størrelse** number, numerical quantity. **-system** system of (arithmetical) notation, scale *(fx* the decimal scale).

talt, talte *se tælle, tale.*

tal|tegn figure, numeral character, arithmetical symbol. **-værdi** numerical value.

tam *adj (ikke vild; ogs = uinteressant)* tame; *(om husdyr ogs)* domestic *(fx* pigeons); *(om person = medgørlig)* tractable; *i ~ tilstand* when domesticated.

tam- domestic *(fx* goose, pig), tame *(fx* swan).

tamarinde *(en -r)* ♣ tamarind, Indian date.

tamarisk *(en -er)* ♣ tamarisk.

tambur *(en -er) (trommeslager)* drummer.

tamburin *(en -er) (musikinstrument)* tambourine.

tamburmajor *(en -er)* ✕ drum major.

tamhed *(en) (se tam)* tameness; domesticity.

tamp *(en -e) (pd tov)* end, rope end; *(strafferedskab)* cat-o'-nine-tails; *(straf)* flogging; *(kraftig fyr)* (big) strapping fellow; *-en brænder* you are getting hot; *det er der -en brænder* that is the crux of the matter. **tampe** *vb* flog, thrash.

tampon *(en -er)* wad, plug, tampon.

tamponere *vb* plug, tampon.

tamtam *(en)* tom-tom.

tand *(en, tænder) (ogs pd kam, sav, rive etc)* tooth *(pl* teeth), *(pd gaffel, fork etc)* prong; *(pd hjul)* cog, tooth; *en ~ bedre* end a cut above; *bide tænderne sammen* clench one's teeth, *(fig: holde ud)* keep a stiff upper lip; *få tænder* cut (one's) teeth; *føle en pd tænderne* sound sby; *holde ~ for tunge* hold one's tongue, keep one's own counsel; *mine tænder løber i vand* my mouth waters; *have ondt for tænder* be teething; *skifte tænder* cut one's second teeth; *skære tænder* grind one's teeth; *sætte tænderne i ngt* dig *(el.* sink) one's teeth into sth; *tidens ~* the ravages of time; *bevæbnet til tænderne* armed to the teeth; *vise tænder* show one's teeth.

tand|ben tooth bone. **-beskytter** *(boksers)* mouthpiece. **-brud** *(et)* teething, dentition. **-byld** gumboil. **-børste** tooth brush.

tande *(en -r) (pd lys)* snuff.

tandem *(en) (forspand og cykel)* tandem.

tand|formet *adj* dentiform, tooth-shaped. **-fyldning** *(en -er)* stopping, filling. **-hals** neck of a tooth. **-hjul** gear (wheel); cogwheel. **-hjulsbane** rack-railway. **-hjulsdrev** pinion. **-klinik** dental clinic. **-krus** tooth mug. **-kød** gum, gingiva. **-lyd** dental (sound). **-læge** dentist, dental surgeon. **-lægebehandling** dental treatment. **-lægeskole** school

of dentistry. **-lægestol** dentist's chair. **-løs** toothless. **-løshed** *(en)* toothlessness. **-pasta** toothpaste. **-pine** *(en)* toothache. **-pleje** *(en)* care of the teeth. **-pulver** tooth powder. **-rensning** scaling, tooth-cleaning. **-række** row of teeth. **-skifte** *(et)* secondary dentition. **-stang** rack. **-sten** tartar. **-stikker** toothpick. **-sæt** set of teeth, *(kunstigt)* set of false teeth, denture. **-tekniker** dental technician. **-udtrækning** extraction (of teeth).

I. **tang** *(en, tænger) (redskab)* (pair of) tongs; *(knib-, bide-)* (pair of) nippers, *(niptang)* (pair of) pincers; *(læges, tandlæges)* forceps *(fx* the child was taken with forceps); *(billet-)* punch; *(pd høvlebænk)* (bench) vice.

II. **tang** *(en)* ♣ seaweed.

tange *(en -r) (som forbinder)* isthmus; *(= landtunge)* tongue (of land).

tangens *(en) (mat.)* tangent.

tangent *(en -er) (mat.)* tangent; *(pd klaver, skrivemaskine etc)* key; *hvid ~* white key; *sort ~* black key.

tangere *vb* touch; be tangent to; *(fig)* border on; *~ en rekord* equal a record.

tangforløsning forceps delivery.

tango *(en)* tango; *danse ~* dance the (, a) tango, tango.

tank *(en -e, i tyd: kampvogne pl tanks) (beholder, kampvogn)* tank; *(pdfyldningsstation)* filling station. **tank|bil** tank lorry, (petrol) tanker, *(amr)* tank truck. **-båd, -damper** tanker.

I. **tanke** *(en -r)* thought; *(forestilling, indfald)* idea; *(hensigt)* intention, idea; *(ringe mængde)* suspicion, thought;

kødet har en ~ the meat is high; *have høje (el. store) -r om* think much of, have a high opinion of; *optage éns -r* occupy sby's thoughts *(el.* mind); *jeg skænkede det ikke en ~* I did not give it a thought; *det var ikke min ~ at gøre det* I did not mean *(el.* intend) to do it, I had no intention of doing it;

[*m. præp:*] *han har ikke ~ for andet* he cannot think of anything else; *jeg havde overhovedet ikke ~ for det* I never gave it a thought; *i -n, i -rne* in one's thoughts, mentally; *i den ~ at* thinking that *(fx* t. that it might be useful, he put it in his pocket); *i dybe -r* deep in *(el.* absorbed in) thought; *gå i sine egne -r* be lost in thought; *være en stor mand i sine egne -r* be a great man in one's own opinion; *falde i -r* become lost in thought; *jeg gjorde det i -r* I did it in a fit of absence of mind; *have en i -rne* have sby in mind; *hvad er -n med det?* what is the idea of it? what is intended by it? *med ~ pd* with a view *(el.* an eye) to; *(i forventning om)* in expectation of; *-n om* the thought of *(fx* death); *alene -n derom* the mere idea *(el.* thought) of it; *jeg har mine egne -r om det* I have my own ideas about that; *komme i ~ om* remember (about), (come to) think of; *han kom i ~ om* at it occurred to him that; *vække -n om* suggest, be suggestive of; *hvordan kommer du på den ~?* what makes you think so? *komme pd andre -r* change one's mind; *bringe en pd andre -r* make sby change his mind; *komme pd bedre -r* think better of it; *jeg kom pd den ~ at* it struck *(el.* occurred to) me that; *det blev ved -n* it was never realized; it never came off; *ved -n om* at the thought of.

II. **tanke** *vb* fill up (with petrol etc), refuel.

tanke|bane *(en -r)* train of thought. **-eksperiment** supposition; *lad os som ~ antage at* let us suppose for the sake of argument that. **-fattig** jejune. **-forbindelse** association of ideas. **-fuld** *adj* thoughtful, pensive. **-fuldhed** *(en)* thoughtfulness, pensiveness. **-gang** mentality, ideas, thoughts, mind; *(mdde at tænke pd)* way of thinking. **-læser** *(en -e)* thought-reader. **-læsning** thought-reading. **-løs** thoughtless, unthinking. **-løshed** thoughtlessness. **-overføring** telepathy. **-række** train of thought(s). **-spring** sudden transition; *(sidebemærkning)* digression. **-sprog** apophthegm. **-streg** dash. **-tom** *adj* empty-headed, vacant. **-torsk** slip, blunder. **-udveksling**

interchange of ideas. -virksomhed thinking, mental activity -vækkende adj suggestive, thought-provoking.

tank|fælde (en -r) ✗ tank trap. -passer (en -e) (ved benzintank) filling-station attendant. -skib tanker. -spærring anti-tank defences (pl). -vogn se -bil; (jernb) tank car.

tant (en el. et) vanity.

tantaluskvaler (pl) torments of Tantalus.

tante (en -r) aunt.

tantieme (en -r) commission on profits, bonus.

tap (en -per) (i snedkerarbejde) tenon, (svalehaleformet) dovetail, (løs) pin, dowel; (mellem stenblokke) gudgeon; (på aksel) journal; (hvorom noget drejer) pivot; (i tønde) bung, (hane) tap.

tapet (et -er) (vævet) tapestry, hangings; (papirs-) wallpaper; bringe på -et bring up for consideration; komme (, være) på -et come (, be) on the tapis; sætte ~ op i, se tapetsere.

tapet|dør jib door. -opsætning paperhanging. -papir wallpaper.

tapetsere vb (hang with) paper; (opsætte nyt tapet i) repaper; (~ med stof) hang with tapestry.

tapetserer (en -e) (sadelmager og ~) upholsterer; (tapetopsætter) paperhanger. tapetsererarbejde (et -r) upholstery; paperhanging.

tapetsering (en) paperhanging.

taphane drain cock, (amr) faucet.

taphvirvel (anat) axis.

tapir (en -er) zo tapir.

tapning (en -er) (se tappe) drawing (off), tapping, draining; (i snedkerarbejde) mortising.

tappe vb (væsker) draw (off), tap, drain; (i snedkerarbejde) tenon, mortise; ~ af = tappe; ~ for blod bleed; ~ på flaske(r) bottle.

tappenstreg (en) tattoo.

tapper adj brave, valiant, courageous, T plucky; holde sig ~ (over for smerte) not flinch, keep a stiff upper lip. tapperhed (en) bravery, valour, courage, T pluck.

tara (en) (merk) tare.

I. tarantel (en -ler) (edderkop) tarantula.

II. tarantel (en -ler) (dans) tarantella.

tararegning tare-account.

tarere vb (merk) tare.

tarif (en -fer) (told-) tariff; (lønnings-, takst- etc) scale, rates. tarifmæssig adj in accordance with the tariff (, scale).

tarlatan (et) tarlatan.

tarm (en -e) intestine, gut; -e (ogs) bowels. tarm|betændelse enteritis. -blødning intestinal haemorrhage. -kanal intestinal canal. -katar enteritis, enterocolitis. -renser (en -e) gut scraper, gut cleaner. -slyng (med.) volvulus. -streng (en -e) catgut, gut string. -sygdom intestinal disease. -væg intestinal wall. -åbning (endetarms-) anus.

tarok (en) (kortspil) tarot.

tartelet (en -ter) patty shell.

tarv (en el. et) interest(s), good, want, need; det tjener hans ~ it serves his interests.

tarvelig adj (nøjsom, beskeden) simple (fx furniture, habits), frugal (fx meal), humble (fx dwelling), plain (fx food), modest (fx dress, livelihood); (primitiv) primitive, rough; (ringe, dårlig) poor, inferior, shoddy; (gemen) mean (fx it was mean of him), shabby; T low-down; (vulgær) common, vulgar (fx language), low (fx taste). tarvelighed (en) (nøjsomhed) simplicity, frugality, plainness, modesty; (ringe kvalitet) poorness, inferiority; (vulgaritet) meanness; commonness, vulgarity.

taske (en -r) bag; (dame-) handbag; (mappe) briefcase; (tøjte) hussy, minx. taskekrabbe zo edible crab.

taskenspiller (en -e) conjurer. taskenspillerkunst conjuring trick.

taske|røver bag-snatcher. -røveri bag-snatching.

tastatur (en -er) keyboard. taste (en -r) key.

tatar (en -er), tatarisk adj Tartar, Tatar.

tater (en -e) gipsy. taterkvinde gipsy (woman).

tatovere vb tattoo. tatoverer (en -e) tattooist, tattooer. tatovering (en -er) tattooing.

tautologi (en -er) tautology.

tautologisk adj tautological, redundant.

tav imperf af tie.

tave (en -r) fibre.

tavle (en -r) (plade af sten, træ el. metal) table, (især tynd) tablet, (især tyk) slab; (planche i bog) plate; (minde-) (memorial) tablet, plaque; (opslags-) notice board; (salme-) hymn board; (sort vægtavle) blackboard; (skifer-) slate; (alter-) altarpiece; (i bistade) comb; (instrument-) switchboard; (tabel) table; lovens -r the tables of the law; den sorte ~ the blackboard. tavle|formet adj tabular. -klud (en -e) (blackboard) duster.

tavlet adj chequered.

tavs adj silent, (ordknap, ogs) taciturn; (ikke udtalt) tacit (fx consent), mute (fx appeal, evidence), silent (fx prayer); ~ som graven silent as the grave.

tavshed (en) silence, (ordknaphed ogs) taciturnity; (hemmeligholdelse) secrecy, silence; love ~ promise secrecy; en forventningsfuld ~ a hush of expectation; i ~ in silence; under -s løfte under promise of secrecy; bringe til ~ silence, put (el. reduce) to silence.

tavsheds|løfte (et) promise of secrecy. -pligt (læges etc) professional secrecy.

taxa (en -er) taxi(cab). taxa|chauffør taxi driver. -fly taxiplane. -meter (et -metre) taximeter.

I. te (en) tea; ~ komplet a set tea, a tea; en kop ~ a cup of tea; det er en køn kop ~! this is a nice kettle of fish!; to ~ (på restaurant) two cups (, pots) of tea.

II. te vb: ~ sig behave, (neds) carry on.

teaktræ teak tree; (veddet) teak.

teat|er (et -re) theatre; (scenen, skuespillerprofessionen) stage; gå i -ret go to the theatre; gå til -ret (blive skuespiller) go on the stage; spille ~ (fig) play -act.

teater|aften visit to the theatre, evening at the theatre. -anmelder (en -e) dramatic critic. -billet theatre ticket. -direktør theatre manager. -forestilling theatrical performance. -gal adj stage-struck. -gænger (en -e) theatre-goer, playgoer. -historie stage history. -kikkert (pair of) opera glasses. -kritiker dramatic critic. -maler scene painter. -plakat playbill. -rekvisitter (pl) theatrical properties. -sal auditorium. -stykke (stage) play. -sæson theatrical season. -torden stage thunder.

teatralsk adj theatrical; (neds) histrionic.

te|blad tea leaf. -bord tea table; (på hjul) tea wagon. -busk tea shrub, tea plant.

teddybjørn teddy bear.

tedeum (et) Te Deum.

te|dug (afternoon) tea cloth. -dyrker tea grower. -dåse tea caddy.

teen-ager (en -e) teen-ager.

tegl (en -) (til tag) tile; (til mur) brick; stryge ~ mould tiles (, bricks). tegl|ovn tile kiln, brick kiln. -sten se tegl. -stensrød brick red. -strygning tile (, brick) moulding. -tag tile roof. -tækker (en -e) tiler. -værk brickyard, tileworks (sing, fx the tileworks is closed).

tegn (et -) sign, mark, indication; (himmel-, mat., musik etc) sign; (kemisk) symbol; (skrift-) sign, character, (skille-) punctuation mark; (emblem) badge; (sygdoms-) symptom; (varsel) sign, presage, omen; (undergerning) sign (fx signs and wonders); (aftalt ~, signal) signal, sign; (i edb) character;

korsets ~ the sign of the cross; et tidens ~ a sign of the times; gøre ~ til en make a sign (, signs) to sby, signal sby; hun gjorde ~ til ham at han skulle sætte sig she motioned him to a seat; på et givet ~ at (el. on) a given sign; et ~ på at a sign that; være ~ på ngt indicate sth, be a sign of sth; som (el. til) ~ på in token of, as a mark of; sætte ~ (kommaer etc) punctuate; vise ~ til show signs of.

tegne *vb* draw, *(flygtigt)* sketch, outline; *(skildre)* depict, paint *(fx* paint a gloomy picture of the prospects for trade), delineate; *(give tegning, udkast til)* design; ~ *abonnement på* take out a subscription for; ~ *aktier til et beløb af* subscribe shares to an amount of; ~ *aktier i* take shares in; *(gå rundt og)* ~ *annoncer* canvass for advertisements; ~ *forsikring (om forsikringstageren)* take out a policy, effect an insurance, *(om selskabet)* write insurance *(på:* on); ~ *godt (være lovende)* look promising, be full of promise; *jeg* ~ *med højagtelse* I remain, yours faithfully; ~ *et lån* subscribe a loan; *direktøren -r selskabet* the manager's signature binds the company; ~ **sig** *(skrive sig)* put down one's name, *(som deltager etc)* enroll *(fx* for a conference), *(vise sig, ses)* show, appear, *(i omrids)* be outlined, be silhoutted *(imod:* on, against); ~ *sig for aktier* subscribe shares, apply for shares; ~ *sig for et beløb* subscribe an amount, put down one's name for an amount; *tegn mig for £5* put me down for £5; ~ *til* at bid fair to *(fx* he bids fair to become a great scholar); *det -de til at blive varmt (den dag)* it promised to be a hot day, it looked like a hot day.

tegne|bestik set of geometrical instruments, drawing-set. **-blok** drawing-block. **-blyant** drawing-pencil. **-bog** *(til penge etc)* wallet. **-bord** drawing-table. **-bræt** drawing-board. **-film** cartoon film, animated cartoon. **-kridt** drawing-chalk. **-kunst** art of drawing; *(den enkeltes dygtighed)* draughtsmanship. **-lærer** *(en -e)* drawing-master. **-papir** drawing-paper.

tegner *(en -e) (kunstner)* black-and-white artist; *(illustrator)* illustrator; *(især politisk, komisk)* cartoonist; *(af mønstre)* designer; *(teknisk)* draughtsman.

tegne|serie comic strip; -r *(ogs)* comics. **-serie-hæfte** comic paper. **-stift** *(en -er)* drawing-pin, *(amr)* thumbtack. **-stue** drawing office. **-stup** *(en, -stupper)* stump. **-time** drawing lesson.

tegnfejl error in punctuation.

tegning *(en -er) (det at tegne)* drawing, sketching; *(billede etc)* drawing, sketch, *(udkast, mønster)* design; *(til en bygning)* plan; *(i dyrs lød)* marking; *(af lån, aktier)* subscription; *(af forsikring)* effecting, *(fra selskabets side)* writing; *en blev sluttet* the subscription was closed, the lists were closed; *der indbydes til* ~ *af £500 præferenceaktier* subscription is invited for £500 of preference shares; *ødelægge -en for én (fig)* upset sby's apple-cart.

tegnings|liste subscription list. **-ret** right of subscription.

tegn|sprog sign language. **-system** notation, set of symbols. **-sætning** punctuation.

te|handel tea trade; *(butikken)* tea shop. **-handler** *(en -e)* tea dealer, *(grossist)* tea merchant. **-hætte** tea cosy.

tein *(kem)* theine.

teint *(en)* complexion; *lægge* ~ make up.

teisme *(en)* theism. **teist** *(en -er)* theist.

teistisk *adj* theistic.

tejst *(en -er)* zo black guillemot.

tekedel tea kettle.

teknik *(en) (fremgangsmåde)* technique; *(dygtighed, rutine)* technical skill, technique; *(som videnskab)* technical science, technology; *(maskin-)* engineering; *-kens fremskridt* the advances of technology.

tekniker *(en -e)* technician.

teknikum *(et teknika) (skole, omtr =)* technical college.

teknisk *adj* technical *(fx* difficulty, education, skill); *-e fremskridt* technological advances; *Danmarks -e Højskole* the Technical University of Denmark; *Hærens -e Korps* the Army Ordnance Corps; ~ *skole* technical school, polytechnic; ~ *uheld* technical hitch.

tekno|krati *(et -er)* technocracy. **-log** *(en -er)* technologist. **-logi** *(en)* technology. **-logisk** *adj* technological; ~ *institut* technological institute.

tekop tea cup.

tekst *(en -er)* text; *(til musik)* words; *(til schlager*

etc) lyric; *(til opera)* libretto, book; *(mods illustrationer)* letterpress; *(til illustration)* text, legend, caption; *(ordlyd)* wording; *(sammenhæng, omgivende* ~*)* context *(fx* the meaning appears from the c.); *dagens* ~ the text for the day; *læse* an *-en* lecture sby; *videre i -en!* go on! *vi må vel se at komme videre i -en* I suppose we had better get on with it; *anmærkning under -en* footnote.

tekst|annonce reading notice. **-bog** book of accompanying text; *(til opera)* libretto, book.

tekste *vb:* ~ *en film* provide a film with subtitles.

tekstforfatter *(til opera)* librettist, *(til film)* scriptwriter, *(til reklametekst)* copywriter.

tekstil *(et -er)* textile. **tekstil|arbejder** textile worker. **-fabrik** textile factory. **-industri** textile industry. **-varer** *(pl)* textiles.

tekst|kritik textual criticism. **-kritisk** critical. **-lig** *adj* textual. **-rettelse** emendation. **-udtale** articulation.

tekøkken kitchenette.

telefon *(en -er)* telephone, T phone; *(hovedtelefon)* earphone; *har De* ~*?* are you on the telephone? *i -en, pr* ~ over the telephone, on the telephone; *må jeg låne Deres* ~*?* may I use your telephone? *lægge -en* put down the receiver; *tage -en* pick up the receiver, *(gå hen og tage den, når den ringer)* answer the telephone; *der er* ~ *til Dem* you are wanted on the telephone, there is a call for you; *vente ved -en* hold the line.

telefon|abonnent telephone subscriber. **-aflytning** wire tapping, telephone tapping. **-apparat** telephone apparatus, telephone instrument. **-automat** slot telephone, *(offentlig)* public call box; *(amr)* pay station. **-besked** telephone message. **-bog** telephone directory *(el.* book). **-boks** telephone box, call box, *(især amr)* telephone booth. **-bombe** *(omtr =)* (telephone) hoax. **-bruser** hand shower. **-central** telephone exchange. **-dame** (telephone) operator.

telefonere *vb* telephone, T phone; ~ *til en* telephone sby, ring sby up, call sby. **telefonering** *(en -er) (telefoni)* telephony; *(det at telefonere)* telephoning; *(opringning)* telephone call.

telefon|fagbog classified telephone directory. **-forbindelse** telephone connection. **-gaffel** cradle, rest; *(på vægapparat)* (receiver) hook. **-håndbog** telephone directory.

telefoni *(en)* telephony.

telefonisk *adj* telephonic; *adv* over the telephone, by telephone; *jeg har været i* ~ *forbindelse med ham* I have been on the line to him; ~ *ordre* telephoned order.

telefonistinde *(en)* (telephone) operator.

telefon|kiosk telephone kiosk, call box, *(især amr)* telephone booth. **-ledning** telephone wire. **-meddelelse** telephone message. **-montør** telephone fitter. **-møde** *(et -r)* link-up. **-net** *(et -)* telephone network. **-nummer** telephone number. **-opringning** (telephone) call. **-pæl** telephone pole. **-samtale** *(en -r)* call, telephone conversation; *indenbys* ~ local call; *mellembys* ~ trunk call, *(ogs amr)* long -distance call; ~ *med omegnen* toll call. **-selskab** telephone company. **-skab** telephone box. **-snor** telephone cord. **-svarer** *(en -e)* automatic telephone answering device. **-tråd** telephone wire. **-væsen** telephone service.

tele|foto telephoto(graph). **-fotografi** *(virksomheden)* telephotography, *(billedet)* telephoto(graph).

telegraf *(en -er)* telegraph. **telegraf|apparat** telegraph apparatus, telegraphic instrument. **-assistent** telegraphist. **-bestyrer** *(en -e)* telegraph manager. **-bud** telegraph messenger *(el.* boy).

tele|grafere *vb* telegraph, wire, *(oversøisk)* cable; *(radio-)* wireless. **-grafering, -grafi** *(en)* telegraphy. **-grafisk** *adj* telegraphic, *(adv)* -ally, by wire, by cable. **-grafist** *(en -er)* telegraphist, telegraph operator; *(radio-)* wireless operator; ⚓ radio officer; T sparks.

telegraf|kabel telegraph cable. **-kontor** telegraph office. **-mast** telegraph pole. **-nøgle** telegraph key. **-pæl** telegraph pole. **-selskab** telegraph company. **-stang** telegraph pole. **-station** telegraph station (*el.* office). **-tråd** telegraph wire. **-væsen** telegraph service.

telegram (*et -mer*) telegram, wire, telegraphic message; (*oversøisk*) cable(gram); *trådløst* ~ wireless message. **telegram|adresse** telegraphic address. **-befordring** telegraphic transmission. **-blanket** telegram form, (*amr*) telegram blank. **-bureau** news agency. **-kode** telegraphic code. **-stil** telegraphic style, T telegraphese.

tele|kommunikation telecommunication. **-linse** telelens.

teleo|logi (*en*) teleology. **-logisk** *adj* teleological. **tele|pati** (*en*) telepathy. **-patisk** *adj* telepathic. **-skop** (*et -er*) telescope. **-skopi** (*en*) telescopy. **-skopisk** *adj* telescopic; *adv -ally*. **-teknik** telecommunication. **-vision** (*en*) television.

tellur (*et*) (*kem*) tellurium. **tellurisk** *adj* telluric.

telt (*et -e*) tent; (*stort*) marquee; (*markeds-*) booth; *rejse et* ~ pitch a tent; *ligge i* ~ camp, be camping. **telt|dug** tent canvas. **-holder** (*en -e*) stall holder. **-lejr** camp of tents. **-ligger** camper. **-lærred** *se -dug*. **-pløk** tent peg. **-pæl** tent peg; *rykke sine -pæle op* (*ogs fig*) strike camp. **-stang** tent pole. **-underlag** groundsheet.

tema (*et -er*) (*i musik*) theme, (*i sonateform etc*) subject; (*emne*) subject, theme, topic.

temaskine tea urn; (*russisk*) samovar.

temmelig *adv* fairly, rather; ~ *mange* quite a lot; ~ *meget* a good deal.

temp|el (*et -ler*) temple.

tempel|herre, **-ridder** (Knight) Templar (*pl* (Knights) Templars). **-tjener** temple servant.

temperafarve (*en -r*) tempera.

temperament (*et -er*) temperament.

temperamentsfuld *adj* temperamental.

temperatur (*en -er*) temperature; (*i musik*) temperament; *have* ~ have (*el.* run) a temperature; *tage ens* ~ take sby's temperature. **temperatur|fald** drop of (*el.* in) temperature. **-forandring** change of temperature. **-kurve** temperature curve. **-stigning** increase of temperature. **-svingning** variation of temperature.

temperere *vb* (*rødvin etc*) warm, take the chill off; *-t zone* temperate zone.

tempo (*et, tempi*) (*fart*) pace, speed, rate; (*i musik*) tempo; (*fig*) pace, tempo (*fx* the breathless tempo of our age); (*trin*) stage; *i et rasende* ~ at a furious pace; *i tre tempi* in three stages. **tempoangivelse** (*i musik*) time-signature.

temporær *adj* temporary.

ten (*en -e*) (*til spinding*) spindle, (*håndten*) distaff; (*til udvalsning*) rod.

tendens (*en -er*) tendency, trend, (*om sindet ogs*) inclination, (*uheldig*) propensity; *en fast* (, *faldende*) ~ (*merk*) a firm (, falling) tendency; *barometret har faldende* ~ the barometer is falling; *have* ~ *til* at have a tendency to, be inclined to, tend to. **tendensskuespil** propaganda play, play with a purpose.

tendentiøs *adj* tendentious, biassed, distorted.

tender (*en -e*) tender.

tendere *vb* tend (*imod:* towards).

tennis tennis. **tennis|bane** tennis court. **-bold** tennis ball. **-ketsjer** tennis racket. **-net** (*et -*) tennis net. **-sko** tennis shoe. **-spiller** tennis player.

tenor (*en -er*) tenor. **tenor|basun** tenor trombone. **-nøgle** tenor clef. **-sanger** tenor (singer). **-saxofon** tenor saxophone. **-stemme** (*en -r*) tenor voice, (*parti*) tenor part.

teolog (*en -er*) theologian, (*glds*) divine. **teologi** (*en*) theology, divinity. **teologisk** *adj* theological; ~ *embedseksamen* (examination for a) degree in divinity.

teoretiker (*en -e*) theorist. **teoretisere** *vb* theo-

rize. **teoretisk** *adj* theoretic(al); *adv* theoretically.

teori (*en -er*) theory; *i -en* in theory.

teosof (*en -fer*) theosophist. **teosofi** (*en*) theosophy. **teosofisk** *adj* theosophic(al).

te|plante (*en -r*) tea plant. **-potte** tea pot.

terapeutisk *adj* therapeutic(al).

terapi (*en*) therapy.

terme (*en -r*): *-r* thermae.

termik (*en*) (*varmelære*) thermology; (*opvind ved svæveflyvning*) thermals.

termin (*en -er*) (*betalingstid*) time fixed for payment; (*fast betalingsperiode for leje, lån*) settling-period; (*forfaldsdag*) due date, settling-day; (*frist, fx for udførelse af arbejde*) date; deadline.

terminologi (*en*) terminology.

termins|dag settling-day. **-forretning** business (, deal) in futures. **-vidnesbyrd** terminal report, end-of-term report. **-ydelser** (*pl*) payments (due) during settling-periods; payments of instalment(s) and interest.

termin|us (*en -i*) (*udtryk*) term; (*endepunkt*) terminus (*pl* termini).

termit (*en -ter*) (*insekt*) white ant, termite. **termitbo** (*et*) termitary.

termo- thermo- (*fx* thermodynamics, thermograph). **termo|flaske** ® thermos flask, vacuum flask. **-kande** vacuum jug. **-kernereaktion** thermonuclear reaction. **-meter** (*et -metre*) thermometer (*fx* the thermometer fell; the t. showed 100°). **-meterstand** thermometer reading. **-stat** thermostat. **-statstyret** *adj* thermostatically controlled.

tern (*en el. et -*) (*mønster*) check pattern; (*ogs =* II. *terne*).

I. **terne** (*en -r*) *zo* tern; *hvidskægget* ~ whiskered tern; *hvidvinget* ~ white-winged black tern; *sodfarvet* ~ sooty tern.

II. **terne** (*en -r*) (*firkant*) square; (*spidsstillet*) diamond.

ternet *adj* chequered, checked; ~ *mønster* check (pattern).

terning (*en -er*) die (*pl* dice); (*mat.*) cube; *-erne er kastet* the die is cast; *skære noget i -er* cut sth into cubes; *skære kød i -er* dice meat.

terning|bæger dice box. **-formet** cubic(al). **-kast** throw of the dice. **-side** face of a die. **-spil** game of dice.

terøse (*en -r*) ♧ tea rose.

terpe (*slide*) T swot, cram; (*slide for at lære*) T mug up (*fx* one's Latin); (*undervise i*) grind (*fx* Latin) (*into* sby's head).

terpentin (*en*) (*mineralsk*) white spirit; (*fransk*) turpentine. **terpentinolie** oil of turpentine.

terperi (*et*) grinding.

terrakotta (*en*) terracotta.

terrari|um (*et -er*) vivarium.

terrasse (*en -r*) terrace. **terrasseformet** terraced.

terrazzo (*en*) terrazzo.

terrespil fivestones.

terrier (*en -e*) *zo* terrier.

terrin (*en -er*) tureen.

territorial, **territorial-** territorial.

territorial|farvand territorial waters. **-grænse** ⚓ limit of territorial waters.

territori|um (*et -er*) territory; *på dansk* ~ in Danish territory.

terror (*en*) terror; *indføre* ~ establish a system of terror. **terror|balance** balance of terror. **-handling** act of terrorism.

terrorisere *vb* terrorize.

terrorisme (*en*) terrorism. **terrorist** (*en -er*) terrorist.

terroristisk *adj* terroristic.

terrorregimente reign of terror.

terræn (*et -er*) country, ground, terrain; *bakket* ~ hilly country (*el.* ground); *sondere -et* reconnoitre, (*fig*) see how the land lies; *vinde* (, *tabe*) ~ gain (, lose) ground.

terræn|bord relief model. **-forholdene** *pl* the conditions of the ground. **-gående:** ~ *køretøj* cross -country vehicle. **-løb** cross-country running. **-øvelse** ✕ field practice.

tertiær *adj* tertiary.

tertiærtid tertiary (period).

terts *(en -er) (i fægtning)* tierce; *(musik)* third; *stor (, lille)* ~ major (, minor) third.

terzet *(en -ter)* trio, terzetto, *(i sonet)* tercet.

tese *(en -r)* thesis *(pl* theses).

tesi *(en -er)* (tea) strainer.

tesis *(en, teser)* thesis *(pl* theses).

teske teaspoon. **teskefuld** *(en -e)* teaspoonful.

test *(en -s)* test. **Testakten** the Test Act.

testamentarisk *adj* testamentary *(fx* testamentary guardian), by will *(fx* gift by will).

testamente *(et -r)* will, testament; *gøre (el. oprette)* ~ make a will; *Det gamle (, Det ny) Testamente* the Old (, the New) Testament; *dø uden (at have gjort)* ~ die intestate.

testamentere *vb* bequeath, leave by will, will.

testamentjæger legacy-hunter.

testamentseksekutor executor under a will.

testator *(en -er)* testator.

teste *vb* test.

testel *(et -)* tea set, tea service.

testik|el *(en -ler)* testicle.

testimoni|um *(et -er)* testimony, certificate.

tête *(en)* ✕ head *(fx* march at the head); *tage -n* take the lead. **tête-a-tête** *(en -r & adv)* tête-à-tête.

tetra- tetra- *(fx:* tetrachord, tetrameter, tetravalent). **tetraeder** *(mat.)* tetrahedron.

tetraklorkulstof carbon tetrachloride.

teuton *(en -er)* Teuton. **teutonisk** *adj* Teutonic.

te|varmer *(en -e)* tea cosy. **-æg** *(et -)* tea ball, tea infuser.

th *se ogs t.*

Theben Thebes. **Themsen** the Thames.

theol. *fk. f. theologia: cand.* ~ [graduate in divinity]; *dr.* ~ Doctor of Divinity, D. D.; *stud.* ~ student of divinity.

thespiskærre Thespian cart.

Thessalien Thessaly.

thi *(conj)* for.

Thor Thor.

thraker *(en -e)* Thracian. **Thrakien** Thrace. **thrakisk** *adj* Thracian.

Thule Thule; *det yderste* ~ ultima Thule.

Thüringen Thuringia.

thyrsos(stav) thyrsus.

ti *(talord)* ten; *hjerter* ~ the ten of hearts.

tiara *(en -er)* tiara.

Tiberen, Tiberfloden the Tiber.

Tibet Tibet. **tibetaner** *(en -e)*, **tibetansk** Tibetan.

tid *(en -er)* time, *(tidspunkt, ogs)* hour *(fx* at the proper hour), moment; *(årstid)* season, time of the year; *(tidsalder)* time, age; *(aftalt* ~, *fx hos læge)* appointment; *(gram.)* tense; *(tidevand)* tide; **-en** *(i alm)* time *(fx* time and space), times *(fx* move with the times); *alle -ers største maler* the greatest painter ever seen *(el.* of all time); *det var -er!* those were the days! *han har haft sin bedste* ~ he is past his prime; *få* ~ *hos lægen* make an appointment with the doctor; *få -en til at gå* kill time, while away the time; *giv nu bare* ~! all in good time! *giv dig (god)* ~! take your time! *give sig* ~ *til at høre pd ham* take the time to listen to him; *han giver sig aldrig* ~ *til at tænke sig om* he never stops to think; *giv mig* ~ *til i morgen!* give me till tomorrow! *vi har god* ~ we have *(el.* there is) plenty of time; *hele -en* all the time, all along; *i kommende -er* in days to come; *kort* ~ *efter* shortly after, a short time afterwards; *hvor lang* ~ *tager det?* how long does it take? *det tager lang* ~ it takes a long time; *en* ~ *lang* for some *(el.* a) time; *fra -ernes morgen* since the beginning of time; *se -en an* wait and see; *somme -er* sometimes, at times, now and then; *strenge -er* hard times; *det tager* ~ it takes

time; *tage* ~ *pd en (ved væddeløb)* time sby; *et -ens tegn* a sign of the times; *søge at vinde* ~ play for time; *det vil -en vise* time will show; it remains to be seen;

[*m. præp. & adv:*] **for** -en at present; *for en* ~ for a *(el.* some) time; *for* ~ *og evighed* for ever (and ever), for good; *være forud for sin* ~ be ahead of one's time; *for lange -er* for a long time to come; **fra** ~ *til anden* from time to time; *fra den* ~ *af* from that time; *fra gammel* ~ of old; *gammel før -en* prematurely old, old before one's time; *i* ~ *in time; før i -en* formerly; *i denne* ~ *(for øjeblikket)* at present, just now; *i disse -er* (in) these days, as things are at present; *i god* ~ in good time; *i lang* ~ for a long time; *i min* ~ in my time; *i nogen* ~ for some time; *i rette* ~ in (due) time *(fx* arrive in due time; come *(el.* be) in time); *i rette* ~ *til* in time for; *et ord i rette* ~ a word in season; *i den senere (el. sidste)* ~ lately, of late; *i sin* ~ at one time, *(gengives ofte m.* used to, *fx* there used to be a house here); **med** -en in time; *følge med -en* move with the times; **om** *et drs* ~ in a year or so, in a year's time; *om kort* ~ shortly, soon, before long; *blive* **over** -en stay after hours; *det er (snart)* **på** -e it is (about) time; *det er pd høje* ~ it is high time; *pd den* ~ at the time, at that time in those days; *(i løbet af den* ~*)* in that time; *pd Napoleons* ~ in *(el.* at) the time of Napoleon; *optagelse* **på** ~ *(fot)* time exposure; **til** *alle -er* at all times; *til den* ~ by then; *til enhver* ~ at any time, at all times; *til evig* ~ for ever; *komme til den fastsatte* ~ come at the time appointed; *til sin* ~ in due course, some day; *til (sine) -er* at times; *næste år (, i fjor)* **ved** *denne* ~ this time next year (, last year).

tide|bønner *(pl)* hours. **-hverv** epoch, age.

tidende *(en -r)* tidings *(pl)*, news *(sing.)*.

tidevand tide. **tidevands-** tidal *(fx* ↑dal wave), tide *(fx* tide signal).

tid|fæste *vb* date. **-krævende** time-consuming.

tidlig *adj & adv* early; *i en* ~ *alder* at an early age; *for* ~ too early, premature(ly); *komme for* ~ be (too) early; *i morgen* ~ tomorrow morning; *-t om fordret* in early spring; *være* ~ *pd den* be early, be in good time; *-t pd året* early in the year; ~ *og silde* at all hours. **tidligere** *adj* earlier, *(forudgående)* previous, *(forhenværende)* late, former; *adv* earlier, *(i* ~ *tid)* formerly, *(gengives ofte m.* used to, *fx* he used to live in London), *(ved en* ~ *lejlighed)* previously, on a previous occasion, *(forhen)* formerly *(fx* Mr X, formerly director of the company); ~ *elev* old pupil, T old boy; *(amr)* alumnus; *hans* ~ *kone (fraskilt)* his ex-wife; *den* ~ *nævnte bog* the above-mentioned book; *som* ~ *nævnt* as mentioned above, as previously mentioned; *i* ~ *tider* in former times. **tidligst** *adj* earliest; *adv* at the earliest; ~ *muligt* as soon as possible.

I. **tidløs** *(en -)* ♣ meadow saffron.

II. **tidløs** *adj* timeless.

tidnød *(i skak)* time trouble; *være i* ~ be pressed for time.

tidobbelt *adj* tenfold; *det -e beløb* ten times the amount.

tids: ~ *nok* early enough, in time; *komme* ~ *nok* be in time *(til:* for, *til at:* to); *det er* ~ *nok når jeg bliver gift* time enough when I am married.

tids|afsnit period. **-alder** age, era. **-angivelse** indication of time; *(dato)* date. **-begrænset** *adj* limited (in time), *(midlertidig)* temporary. **-besparelse** *(en -r)* saving of time. **-besparende** time -saving. **-bestemmelse** dating; *(gram)* indication of time. **-bindeord** conjunction of time. **-biord** adverb of time. **-bisætning** temporal clause.

tids|el *(en -ler)* ♣ thistle.

tids|fordriv *(en el. et)* pastime; *til* ~ to pass the time. **-frist** time limit, respite. **-fæste** *vb* date. **-følge** *(en)* chronology; chronological order. **-indstillet:** ~ *bombe* delayed action bomb, time bomb. **-optagelse** *(fot)* time exposure. **-punkt** moment *(fx* at an inopportune m.), time, date *(fx* at a later date), hour; *på dette* ~ at this point, *(nu)* at the present moment. **-regning** chronology, *(kalender)* calendar, *(epoke)* era *(fx* the beginning of the Christian era); *i år 400 efter vor* ~ in A.D. 400; *i år 400 før vor* ~ in the year 400 B.C.; *ny (∂: gregoriansk)* ~ Gregorian *(el.* new-style) calendar. **-rum** period, space (of time). **-signal** time signal. **-skrift** *(et -er)* periodical. **-spilde** *(en el. et)* waste of time. **-spildende** time-wasting. **-spørgsmål** matter of time *(fx* it is only a matter of time). **-studium** *(et, -studier)* *(i bedriftsrationalisering)* time study. **-svarende** modern, up-to-date, in keeping with the times. **-tavle** chronological table. **-ånd** spirit of the time(s), time-spirit.

tidtager *(en -e) (i sport)* timekeeper.

tie *(tav, tiet),* ~ *stille (∂: være tavs)* be silent, keep silent *(med ngt:* about sth), be quiet; *(holde op med at tale)* become silent, stop talking; *få til at* ~ silence, put to silence; *ti stille!* be quiet! T shut up! *(til flere ogs)* silence! ~ *stille med ngt (ogs)* keep sth dark.

I. **tiende** *(en -r)* tithe.

II. **tiende** *(talord)* tenth.

tiendeafløsning commutation of tithes.

tiendedel *(en -e)* tenth.

tier *(en -e) (tikroneseddel)* ten-kroner note; *(sporvogn etc)* number ten.

tiere *(komp af tit)* oftener, more frequently.

tiger *(en -e)* tiger. **tiger|kat** tiger cat. **-skind** tiger skin. **-unge** tiger cub.

tigge *vb* beg; ~ *og bede* beg, entreat, beseech, implore; *leve af at* ~ live by begging; ~ *én om noget* beg *(el.* implore) sth of sby; *beseech* sby for sth; ~ *én om at gøre noget* beg *(el.* implore *el.* beseech) sby to do sth; ~ *sig noget til* get sth by begging; ~ *ved dørene* beg from door to door.

tigger *(en -e)* beggar. **tigger|brev** begging letter. **-gang:** *gå* ~ beg one's bread from door to door, *(fig)* go cap in hand. **tiggeri** *(et -er)* begging.

tigger|munk mendicant friar. **-pose** beggar's wallet, scrip. **-stav** beggar's staff; *bringe én til -en* beggar sby, reduce sby to beggary.

tikamp decathlon.

tikant *(en -er)* decagon. **tikantet** *adj* decagonal.

tikke *vb* tick.

tikroneseddel ten-kroner note.

tik-tak *(urets)* tick-tock.

I. **til** *præp.*

a) *(i alm, især om sted)* to *(fx* go to London; return to England; keep to the right; write a letter to sby; from end to end; with my back to the fire; to my delight, horror, despair, surprise); *invitere ham til middag* invite him to dinner; *blive til middag* stay to dinner; *født til* born to; *lytte til* listen to; *en tendens til* a tendency to; *vant til* accustomed to;

b) *(ved arrive og* arrival) at, *(dog foran navne på lande og store byer)* in *(fx* arrive at one's destination, in England, at Dover, in London);

c) *(om bestemmelsessted i forbindelse med* start, leave, depart etc) for *(fx* start for Edinburgh; our departure for York); *rejsende til Crewe* passengers for Crewe; *bagage indskrevet til London* luggage registered for London; *tog til Hull* train for Hull;

d) *(op imod, støttet til)* against *(fx* lean against a wall);

e) *(tid: indtil)* till, until; *(mellem to tidspunkter)* to *(fx* from ten to twelve o'clock; from 1770 to 1850); *fra morgen til aften* from morning till night; *vent til i morgen* wait till *(el.* until) tomorrow; *til og med (om dato)* until *(el.* up to) and including, *(om sted i bog etc)* up to and including;

f) *(senest, sidste frist)* by *(fx* we must have them by Friday);

g) *(tidspunkt)* at *(fx* come at the same time; he gave me presents at Christmas and on birthdays); *(om arrangementer)* for *(fx* the ceremony was arranged for two o'clock); next *(fx* next Easter, next summer); *til enhver tid* at all times; *til sidst* at last;

h) *(når »til« + styrelse = hensynsobjekt)* to *(fx* give money to the poor; sell it to Peter);

i) *(bestemmelse)* for *(fx* here is a letter for you; buy a present for her; a basket for potatoes; for use in the kitchen; your task for tomorrow; tickets for »Hamlet«; get soup for dinner; what is that wheel for?); *komme for sent til middag* be late for dinner; *til salg* for sale; *god nok til* good enough for;

j) *(samhørighed)* of *(fx* the author of the book; the key of the door; the mother of 5 children); to *(fx* the heir to the estate); for *(fx* the boot for the left leg);

k) *(pris, værdi, vurdering)* at; *til indkøbspris* at cost price; *vurdere til* value at;

l) *(mellem 2 tal i omtrentlig mængdesangivelse)* to, or *(fx* 25 to 30 persons; 5 or 6 persons);

m) *(forandring)* into; *forvandle til* change into; *oversætte til* translate into;

n) *(som)* by way of *(fx* by way of answer, punishment); for *(fx* I wouldn't like to have him for my father); as *(fx* he had Smith as a teacher);

o) *(efter adj, der betegner (u)dygtighed)* at *(fx* good (, clever, bad) at history);

p) *(andre tilfælde:) til at* to *(fx* too good to be true; not to be seen; not fit to live); *for tung til at jeg kan løfte den* too heavy for me to lift (it); *her er ikke til at være for fluer* you can't move for flies here; *her er ikke til at være for varme* it is unbearably hot here; *3 til 6 er 9* 3 and 6 are 9; *tage ham til fange* take him prisoner, capture him; *til fods* on foot; *til hans forsvar* in his defence; *et værelse til gaden* a room facing the street, a front room; *gøre (, udnævne) ham til guvernør* he was appointed governor; *hvad skal det til?* what's the idea? *drikke te til sine måltider* take tea with one's meals; *være til møde* attend *(el.* be at) a meeting; *be in conference (fx* you cannot see Mr Smith, he is in c.); *den slyngel til Peter* that rascal of a Peter; *(se ogs de andre ord, hvormed »til« forbindes).*

II. **til** *adv (yderligere)* more *(fx* three more bottles), additional *(fx* I bought two additional bottles), another *(fx* another drink, another three bottles); *(efter vb = energisk)* hard *(fx* run (, hit) hard), with a will *(fx* hammer away with a will); *(efter vb = fuldstændig)* up *(fx fryse 'til* freeze up); *ad (byen) til* towards (the town); *af og* ~ now and then, occasionally, from time to time; *én* ~ another, a second; *det gør hverken fra eller* ~ that makes no difference; *én gang* ~ once more; *en halv gang* ~ *så lang* half as long again; ~ *og med (tilmed)* even, into the bargain; *være* ~ exist, be.

III. **til** *conj* till, until *(fx* wait till I come).

tilbage back *(fx* go back to England; ride to Oxford and back; look back); *(baglæns)* backward(s); *(bagude)* behind *(fx* stay behind, leave sby behind); *(tilovers)* left; *(om byttepenge)* change *(fx* three shillings change, sir); *(mods fremmelig)* backward;

tilbage! (stand) back! ⚔ fall back! *betale* ~ pay back, return; *blive* ~ remain (behind), stay behind, *(sakke agterud)* fall *(el.* lag) behind, *(blive tilovers)* be left (over), remain, *(overleve)* survive; *få ngt* ~ get sth back, *(noget tabt)* recover sth, regain sth; *få 6d.* ~ get sixpence change *(på en shilling:* for a shilling); *hvor er de penge du fik* ~*?* where is the change? *give* ~ give back, return; *give* ~ *på en shilling* give change for a shilling; *kun have få dage* ~ have only a few days left *(el.* to go); *holde* ~ *for (i trafik)* give way to; *tænke* ~ *på* call back to memory, recall; *et barn der er* ~ a backward child; *være* ~ *med betalingen* be behindhand *(el.* be in arrears) with the payment; *(se ogs de andre ord, hvormed* ~ *forbindes, fx stå, vende).*

tilbage|betale ✱ pay back, return; *(refundere)* refund. **-betaling** return; refund(ment). **-blik** retrospect *(fx* he gave a short retrospect of recent events); *(i film, bog)* flashback. **-erobre, -erobring** recapture. **-fald** relapse. **-fart** *se -rejse.* **-gang** *(fig)* decline, falling off; *i* ~ declining. **-give** *vb* hand back, return, restore. **-givelse** *(en)* return, restoration. **-gående** backward, retrograde. **-holde** *vb* hold *(el.* keep) back, *(hindre i at forlade et sted ogs)* detain; *(følelser)* keep down, restrain; *(udbrud)* suppress, stifle; *(om politiet)* detain; *(ikke udlevere)* keep back, withhold, stop *(fx* stop 5s. out of his wages); *med tilbageholdt åndedræt* with bated breath; *jeg kunne ikke ~ en bemærkning om at* I could not refrain from remarking that. **-holdelse** *(en)* detention; restraining; suppression. **-holdende** *adj* reserved, reticent; *(beskeden)* unobtrusive, modest. **-holdenhed** *(en)* reserve, reticence; unobtrusiveness, modesty.

tilbage|kalde ★ call back, recall; *(ord, mening, løfte)* retract, revoke, withdraw; *(annullere)* cancel, annul, *(en ordre)* countermand; *~ sine ord* recant. **-kaldelse** *(en)* recall; retraction, revocation, withdrawal; cancellation, annulment, countermand; recantation. **-kaste** *vb* throw back, *(lys, varme ogs)* reflect. **-kastning** *(en)* throwing back, reflection. **-kobling** *(i radio)* back-coupling, feedback. **-komst** *(en)* return. **-købsret** right of repurchase. **-købsværdi** *(polices)* surrender value. **-levere** *vb*, **-levering** *(en)* return. **-lægge** *vb (distance)* do, cover, accomplish, travel (over); *-lagt distance* distance covered; *et -lagt stadium* a thing of the past. **-lænet** *adj* recumbent, reclining. **-rejse** *(en)* return journey (, passage, voyage), journey (etc) home. **-sende** ★ send back, return. **-skridt** step backwards, *(fig ogs)* retrograde step, retrogression; *et ~ i kultur* a step backwards culturally.

tilbageslag rebound; *(af stempel)* backstroke; *(af sø)* backwash; *(af skydevåben)* recoil, kick; *(fig)* repercussion; backlash; *(modgang etc)* setback; *(økonomisk)* recession.

tilbagestrøget *adj (om hår)* brushed back.

tilbagestående *adj (underudviklet)* underdeveloped, backward.

tilbagetog *(et)* retreat, *(fig ogs)* climb-down *(fx* the British retreat on the Suez issue; a humiliating climb-down); *foretage et ~* retreat, *(fig ogs)* climb down.

tilbage|trukken *(afsondret, ensom)* secluded, retired *(fx* lead a retired life), solitary; *(mods. fremtrædende)* unobtrusive, humble; *(mods. fremspringende)* recessed. **-trukkenhed** *(en)* seclusion, retirement, solitude; unobtrusiveness.

tilbage|træden *(en)* retirement, resignation *(fx* the resignation of the Ministry). **-trække** *vb* draw back, *(ogs fig)* withdraw. **-trækning** *(en)* withdrawal *(fx* of troops). **-trænge** ★ force back; *(fig)* repress, restrain, suppress. **-vej** way back, return journey; *de var på -en* they were on their way back. **-venden** *(en)* return, *(stadig)* recurrence. **-vendende** *adj* returning; recurrent.

tilbagevirkende *adj*·retroactive; *(gram.)* reflexive *(fx* pronoun); *gensidig ~* reciprocal; *give ~ kraft* make retroactive *(el.* retrospective); *have ~ kraft* be retroactive; have retroactive effect; *lov med ~ kraft* ex post facto law; *lønforhøjelse med ~ kraft fra 1. marts* increase in salary back-dated to March 1st.

tilbage|vise ★ reject, repudiate; *(person)* rebuff; *(slå tilbage)* beat off, repel. **-visende** *adj (= henvisende)* relative, *(= tilbagevirkende)* reflexive. **-visning** *(en)* rejection, repudiation; rebuff; repulse. **-værende** *adj* remaining.

tilbede *vb* adore; *(religiøst)* worship; *den tilbedte* the beloved object, the object of one's affections; *hans tilbedte* his beloved. **tilbedelse** *(en)* adoration; worship.

tilbedelsesværdig *adj* adorable.

tilbeder *(en -e)* worshipper; *hendes -e* her admirers.

tilbehør *(et)* accessories, fittings.

tilberede ★ prepare, make, *(mad ogs)* cook, *(salat)* dress; *(huder)* curry, dress; *(blandet drik)* mix *(fx* punch). **tilberedelse** *(en)* preparation, making, cooking, dressing; currying; mixing.

tilbinde *vb (en krukke)* tie down, *(en sæk)* tie up; *med -bundne øjne* blindfolded.

tilblivelse *(en)* origin, birth, creation, genesis. **tilblivelses|historie** genesis. **-sted** place of origin.

tilbringe *vb (tid)* spend, pass; *~ tiden med at læse* spend the time reading; *få varerne tilbragt* have the goods sent *(el.* delivered) to one; *frit tilbragt* carriage paid, delivered free.

tilbud *(et -)* offer *(om:* of); *(pris-)* quotation *(på:* for), *(ved licitation)* tender *(på:* for), *(amr)* bid; *~ og efterspørgsel* supply and demand.

tilbundsgående *adj* thorough(going).

tilbyde *vb* offer *(fx* help, to help), tender *(fx* a sum in satisfaction of a claim; one's advice), *(især uopfordret)* volunteer *(fx* a contribution; to help); *~ sig* offer one's services, volunteer, *(om lejlighed, chance)* offer, present itself.

tilbygge add. **tilbygning** *(en -er)* extension, addition.

tilbytte: *~ sig* get by barter; *~ sig våben for guld* barter (, især *amr:* trade) gold for arms.

tilbøjelig *adj (med tendens til)* inclined, apt, liable *(til at gøre ngt:* to do sth); *(forfalden)* addicted, given *(fx* to drinking, to drunkenness); *(disponeret for)* predisposed *(fx* to rheumatism), liable *(fx* to colds); *(til sinds)* disposed *(fx* to help you), inclined *(fx* to believe it).

tilbøjelighed *(en -er) (villighed)* willingness, disposition, inclination *(til at:* to); *(tendens)* inclination, tendency *(til, til at:* to); *(hang)* propensity *(til ngt:* to sth; *til at gøre ngt:* for doing sth, to do sth, *fx* for getting drunk, for lying, to contradict); *(disposition (for sygdom)* predisposition, liability *(fx* to a disease); *(kærlighed)* affection *(for:* for), attachment *(for:* to); *fatte ~ for* form an affection for; *forbryderiske -er* criminal proclivities; *følge sin ~* follow one's inclination; *have ~ til* have an inclination *(el.* bent) towards; have a tendency to, be prone to; have a propensity to *(el.* towards), have a predisposition to *(el.* towards); *sygelig ~* morbid propensity.

tilbørlig *adj* due, proper, suitable; *holde sig i ~ afstand* keep at a safe distance.

tildanne *vb* shape, fashion.

tildele ★ allot, assign, give *(en ngt:* sth to sby); *(især udmærkelse, gunst, titel etc)* bestow, confer *(en ngt:* sth on sby); *(præmie, erstatning etc)* award *(en ngt:* sby sth), adjudge *(en ngt:* sth to sby); *(ration, kvota etc)* allocate *(en ngt:* sth to sby); *(straf)* inflict, impose *(fx* a penalty on sby), *(prygl)* give, administer; *(bibringe, om slag etc)* deal *(fx* deal sby a blow), administer *(fx* a blow to sby); *~ én baronettitlen* confer a baronetcy on sby; *~ én en rolle* assign a part to sby, *(på teater)* cast sby for a part; *~ én rollen som Hamlet* cast sby for Hamlet. **tildeling** *(en -er)* allotment, allocation, *(ration)* ration.

tildigte add. **tildigtning** *(en)* addition.

tildrage: *~ sig (hænde)* occur, happen, come to pass; *det tildrog sig opmærksomhed* it attracted attention. **tildragelse** *(en -r)* incident, occurrence.

tildække *vb* cover (up). **tildækning** covering (up).

tildænge *se* **dænge**.

tilegne *vb* dedicate *(fx* a book to sby); *(især håndskrevet)* inscribe *(til:* to); *~ sig (= tage)* appropriate (to oneself), possess oneself of, seize upon, *(magt, embede etc, uberettiget)* usurp, *(= stjæle)* abstract, *(penge etc, bedragerisk)* embezzle; *(viden)* acquire *(fx* knowledge), *(uden besvær)* pick up *(fx* a language, the correct intonation). **tilegnelse** *(en -r)* dedication; appropriation; usurpation; embezzlement; acquisition.

tilende|bringe finish, bring to an end, conclude, complete. **-bringelse** *(en)* conclusion, completion.

tilfalde *(et)* devolve on, be allotted to, go to. **tilfangetagelse** *(en)* capture, taking.

tilflugt *(en)* refuge; *finde ~ hos* find a refuge with; *søge ~ hos* take *(el.* seek) refuge with; *tage sin ~ til (fig)* take refuge in; resort to *(fx* lies).

tilflugtsrum *(mod luftangreb)* (air raid) shelter.
tilflugtssted *(et -er)* (place of) refuge, asylum; *(befæstet)* stronghold; *(for vildt)* cover.
tilflyde *vb* accrue to; *lade en ~ ngt* grant sth to sby; *lade ham ~ meddelelse* inform him, let him know.
tilflytte take up residence (in).
tilflytter *(en -e)* new arrival.
tilforladelig *adj* reliable, trustworthy.
tilforladelighed *(en)* reliability, trustworthiness.
tilforn *adv* formerly, before.
tilfreds *adj* contented; *(fuldt tilfredsstillet)* satisfied; *være ~ (= lade sig nøje)* be content *(med:* with); *et du ~ med mit arbejde?* are you satisfied with my work? *han er meget ~ med sig selv* he is very' pleased with himself; *give' sig ~* calm down, be content; *stille ~* satisfy, please *(fx* he is hard to please). **tilfredshed** *(en)* satisfaction *(fx* it has been done to my entire satisfaction); *(følelse af ro og ~)* content, contentment, contentedness.
tilfreds|stille satisfy, gratify; *~ et behov, ~ et krav* meet *(el.* satisfy) a demand; *vanskelig at ~* hard to please. **-stillelse** *(en)* satisfaction. **-stillende** *adj* satisfactory; *(glædelig)* gratifying; *adv* satisfactorily, to (sby's) satisfaction; *være ~ (ogs)* give satisfaction.
tilfrossen *adj* frozen over, icebound.
tilfulde *adv* entirely, fully.
tilfælde *(et -)* case, instance; *(sygdomstilfælde)* case; *(anfald)* attack, fit; *(hændelse)* occurrence, incident, event; *(træf)* chance; *(sammentræf)* coincidence; *(kendsgerning)* case, fact *(fx* if that is the case; if that is a fact); *-t (o: skæbnen)* chance *(fx* chance threw them together);
det er ikke -t that is not the case, that is not true; *få et ~* **T** have a fit; *heldigt ~* lucky chance; *vi er i det heldige ~ at kunne hjælpe Dem* we are in the fortunate position of being able to help you; *et let ~ af influenza* a slight attack of influenza; *lade -t råde* leave everything to chance, trust to luck; *et rent ~* the merest chance, a mere coincidence; *det er et ~ der ser ud som en tanke* it looks as if it was done on purpose; *-t ville at* chance would have it that;
[*m præp:*] *for det ~ at de kommer* in case they (should) come; *for alle -s skyld* (just) in case, to be on the safe side; *for -t* for the occasion; *lave ngt for -t* improvise sth; *i ~ af at han kommer* in case he should come; *i alle ~ (= i hvert fald)* in any case, at all events; *i bedste ~* at best; *i begge ~* in both cases, in either case; *i dette ~* in this case; *i hvert ~* at any rate, in any case, anyhow; *i bekræftende ~, i så ~* if so, in that case; *i 9 af 10 ~* in 9 cases out of 10; *i nægtende ~* if not; *i givet (el. påkommende) ~* should the occasion arise; *i værste ~* at worst, if the worst comes to the worst; *ved et ~* by chance, by accident.
tilfældig *adj* accidental, chance, fortuitous; *(uden bestemt hensigt)* casual *(fx* remark); *(lejlighedsvis)* occasional *(fx* visits); *(uforudset, ekstra)* incidental *(fx* expenses); *(på må og få)* random *(fx* choice), haphazard *(fx* in a haphazard way); *adv se tilfældigvis, (= på må og få)* at random; *-t arbejde* odd jobs; *-t bekendtskab* chance acquaintance; *ganske ~* by a mere chance, quite accidentally; *det var rent -t* it was a mere chance, it was a mere coincidence.
tilfældighed *(en -er)* chance; *(sammentræf)* coincidence; *(tilfældig karakter)* fortuitousness. **tilfældigvis** *adv* accidentally, by accident, by chance; *(for resten)* incidentally, as it happens *(fx* as it happens I have got the book here); *han kom ~* he happened to come; *De skulle vel ikke ~ vide hvor han bor?* do you by any chance know his address *(el.* where he lives)?
tilfælles *adv* in common *(med:* with).
tilføje *vb (føje til)* add; *(bibringe)* inflict on *(fx* inflict a wound (, a defeat) on sby); *(volde)* cause *(fx* damage, losses), do *(fx* harm); *~ én et nederlag* defeat sby. **tilføjelse** *(en -r)* addition; *(tilføjet bestemmelse i et dokument)* rider, appendix, annex; *(indføjelse)* insertion; *(note)* note; *-r (bag i bog)* addenda.
tilføre ★ *(transportere)* convey, carry *(til:* to);

(tilføje) add *(til:* to); *(give adgang for, fx luft, vand)* admit; *(yde, skaffe)* supply; *(nedskrive i)* enter in; *~ en by levnedsmidler* supply a town with food; *~ protokollen noget* put sth on record, enter sth in the record(s).
tilførs|el *(en -ler) (tilføring)* introduction, conveyance; *(forsyning)* supply, *(af luft, vand etc)* admission; *-ler fra udlandet* foreign supplies; *~ af levnedsmidler* food supply.
tilførselsvej supply route, approach (route).
tilgang *(en) (forøgelse)* augmentation, increase; *(af mennesker)* accession *(fx* of members), influx *(fx* of immigrants), intake, *(til et fag etc)* recruitment *(fx* a heavy recruitment of new pupils), intake *(fx* of new students); *(af luft, vand etc)* admission, *(mængde som tilføres)* supply. **tilgangs|rør** supply pipe. **-ventil** inlet valve.
tilgift *(en)* something thrown in; *give ngt i ~* give sth into the bargain, throw sth in.
tilgitret *adj* grated, barred.
tilgive *vb* forgive, pardon, overlook, *(især jur)* condone. **tilgivelig** *adj* forgivable, pardonable, excusable. **tilgivelse** *(en)* forgiveness, pardon.
tilgodehavende *(et -r)* outstanding debt(s) *(el.* account), amount due to one; *mit ~* the amount due to me, the balance in my favour; *mit ~ hos Dem* my account against you, the amount you owe me; *indefrosne -r* frozen balances.
tilgroet *adj* overgrown.
tilgrundliggende *adj* basic *(fx* facts), underlying *(fx* motives).
tilgrænsende *adj* adjacent, adjoining, contiguous.
tilgængelig *adj* accessible; *(forståelig)* comprehensible, intelligible; *(modtagelig)* accessible *(fx* to bribery, to pity), amenable *(fx* to reason), open *(fx* to advice); *offentlig ~* open to the public.
tilgængelighed *(en)* accessibility.
tilgå reach, be sent to.
tilhold *(et -)* order; *(tilholdssted)* haunt, resort; *få et ~* be bound over (to keep the peace); *give en ~ om at* order sby to.
tilholdssted haunt, resort; **T** hang-out; *(befæstet)* stronghold; *(utilgængeligt)* fastness.
tilhugge dress, *(råt)* rough-hew.
tilhviske: *~ en ngt* whisper sth to sby.
tilhylle veil, cover.
tilhænger *(en -e)* adherent, supporter, follower; *(ivrig)* votary, devotee; *være ~ af (fx* fremgangsmåde, system) believe in. **tilhængerskare** following.
tilhøre ★ belong to. **tilhørende** *adj* belonging to it (, him, etc); *(dertil svarende)* to match *(fx* paper and envelopes to match); *den ham ~ statue* the statue belonging to him.
tilhører *(en -e)* listener, hearer; *mange -e* a large audience; *mine -e!* ladies and gentlemen!
tilhører|loge *(i parlamentet)* strangers' gallery. **-plads** (public) seat; *-pladser (ogs)* auditorium. **-skare** audience.
tilhørsforhold *(statsligt)* nationality; *(medlemskab)* membership; *politisk ~* political affiliation(s).
tilhøvle plane. **tilhøvling** planing.
tililende *adj* hurrying up; *de ~* those who came hurrying up.
tilintet|gøre *(ødelægge)* destroy, annihilate, *(udrydde)* wipe out, *(knuse)* crush, *(planer)* frustrate; *~ hans forhåbninger* dash his hopes; *~ hans udsigter* ruin his prospects; *-gjort (fig)* crushed; *et -gørende slag* a crushing *(el.* devastating) blow. **-gørelse** *(en)* destruction, annihilation; frustration.
tiliset *adj* iced over *(el.* up), icebound.
tiljuble *vb* cheer, acclaim.
tilkalde ★ send for *(fx* a doctor, the police); summon *(fx* a secretary); *(til hjælp)* call in *(fx* assistance).
tilkaldelse *(en)* summoning, calling (in).
tilkaste *vb (fylde med jord)* fill in, fill up; *~ en et blik* give sby a look, *(hastigt)* dart a glance at sby.
tilkende ★ award; *få -t erstatning* recover dama-

ges, be awarded damages; *moderen fik -t barnet* the mother got the custody of the child.

tilkendegive *(give udtryk for)* show, manifest, give expression to; *(antyde)* intimate *(fx* he intimated that the audience was over); *(kundgøre, erklære)* declare, signify, proclaim; *(meddele)* inform *(én ngt:* sby of sth), *(officielt)* notify *(en ngt:* sby of sth). **tilkendegivelse** *(en -r)* manifestation, expression; intimation; declaration; information; notification.

tilklipning *(en)* cutting. **tilklippe** *vb* cut.

tilknappet buttoned up; *(fig)* reserved, aloof. **tilknappethed** *(en)* reserve, aloofness.

tilknytning *(en)* connection, association *(til:* with); *i ~ til* in connection with.

tilknytningspunkt point of contact.

tilkomme *(skyldes)* be due to, be owing to; *det -r ham at* it is up to him to, it is for him to, it rests with him to; *der -r ham en andel* he is entitled to a share; *give enhver hvad der -r ham* give everyone his due.

tilkommende future *(fx* wife); *hans (, hendes) ~* his fiancée (, her fiancé), T his (, her) intended; *i det ~ liv* in the life to come; *den ham ~ løn* the wages due to him.

tilkæmpe: *~ sig* win, conquer; *~ sig adgang* force one's way in; *~ sig sejren* carry off the victory; *med -t ro* with hard-won composure, with studied calm.

tilkøbe *: *~ sig (ogs fig)* buy. **tilkøbsbillet** additional *(el.* supplementary) ticket.

tilkøre * *(hest)* break in, *(bil)* run in; *frit -t* carriage paid. **tilkørsel** *(en) (af varer)* carriage, haulage; *(tilkørselsvej)* approach.

tillade *(tillod, tilladt)* allow, permit; *(m upersonligt subjekt: muliggøre)* admit of *(fx* it admits of no doubt), allow of *(fx* it allows of several interpretations), permit (of) *(fx* alterations; so far as health permits); *(se ogs tilladt);* *-r De? (fx når man vil forbi)* excuse me! thank you! *(fx når man vil hjælpe)* may I? allow me! *-r De at jeg ryger?* do you mind if I smoke? may I smoke? *~ sig at* allow *(el.* permit) oneself to, *(driste sig til)* venture to, take the liberty of -ing; *jeg -r mig at (i brevstil)* allow me to, *(glds merk)* I beg to, *(ironisk)* I take leave to *(fx* doubt this); *vi -r os at meddele a: (merk)* we (would) inform you that; *han tror han kan ~ sig alt* he thinks he can do anything he likes; *kunne ~ sig at (o: have råd til)* be able to afford to; *jeg kan ikke ~ mig at holde bil* I cannot afford to run a car; *hvis vejret -r det* weather permitting.

tilladelig *adj* permissible; *(lovlig)* legal, lawful.

tilladelse *(en -r)* permission; *(bevilling etc)* licence; *få ~ til* get permission to, be allowed *(el.* permitted) to; get a licence to, be licensed to; *med Deres ~* with your permission, by your leave, *(ved modsigelse)* with respect.

tilladt *adj* allowed, permitted, *(efter lovene)* legal, lawful; *det er ikke ~ at ryge her* smoking is not allowed *(el.* permitted) here.

tillave prepare, make, *(mad ogs)* cook.

tillavning *(en)* preparation, making; cooking.

tillempe adapt *(efter, til:* to). **tillempning** *(en)* adaptation.

tillid *(en)* confidence *(til:* in, *fx* in the government; win their c.), trust *(til:* in, *fx* a promise); *her childlike trust in him), (stolen på)* reliance *(til:* on); *blind ~* blind faith, implicit confidence; *have (el. nære) ~ til* have confidence in, rely on, trust, trust in; *jeg nyder hans ~* I enjoy his confidence; *he trusts me; nyde publikums ~* possess *(el.* command) the confidence of the public; *i ~ til* relying on, trusting to.

tillids|brud *(et -)* breach of confidence. **-forhold** relationship of trust. **-fuld** *adj* trusting, trustful; *(m h t fremtiden)* confident, full of confidence. **-fuldhed** *(en)* trust, trustfulness; *(m h t fremtiden)* confidence. **-hverv** *(offentlig (ulønnet) post)* honorary office,

(meget betroet hverv) position of trust. **-krise** crisis of confidence. **-mand** agent; *(repræsentant)* representative, deputy; *(fagforenings-)* shop steward. **-post** *(en -er) se -hverv.* **-sag** matter of confidence. **-votum** vote of confidence.

tillidvækkende *adj* inspiring confidence; *være ~* inspire confidence.

tillige *adj* also, too, as well, in addition; *~ med* together with, (along) with.

I. **tilliggende** *(et)* adjoining land.

II. **tilliggende** *adj* adjacent, adjoining.

tillokkelse *(en -r)* allurement, attraction.

tillokkende *adj* alluring, attractive, *(fristende)* tempting.

tillukket *adj* closed, *(om væsen)* reserved.

tillæg *(et -)* addition; *(til bog el. blad etc)* supplement; *(trykt bag i bog)* addendum *(pl* addenda), appendix; *(opdræt)* breeding; *(lønforhøjelse)* rise, advance, *(amr)* raise; *(supplement til gage)* bonus; *(til pris)* extra charge, *(til billetpris på jernbane etc)* excess fare; *(skrædders)* trimmings.

tillægge *(føje til)* add; *(overdrage)* confer on, bestow on; *(tilskrive)* ascribe to, attribute to; *(opdrætte)* breed, rear; *søen er tillagt* the lake is frozen over *(el.* icebound); *~ ngt vigtighed* attach importance to sth.

tillægs- additional, supplementary, extra.

tillægs|agtig *adj* adjectival. **-billet** supplementary ticket. **-dyr** breeder. **-gebyr** extra charge *(el.* fee). **-måde** *(gram)* participle; *fortids ~* the past participle; *nutids ~* the present participle. **-ord** *(gram)* adjective.

tillært *adj* acquired, *(kunstlet)* artificial; *-e fraser* second-hand phrases.

tilløb *(et -) (af vand)* flow, *(gennem ledning)* inlet, admission, *(vandløb)* tributary; *(af mennesker)* concourse, crowd; *(til spring)* (preliminary) run; *(forsøg)* attempt *(til:* at); *(antydning)* touch *(til:* of), *(tegn, begyndelse)* signs *(til:* of), approach *(til:* to); *der er stort ~ til forelæsningerne* large crowds are flocking to the lectures; the lectures draw large audiences; *tage ~* take a (preliminary) run; *spring uden ~* standing jump.

tilløbende: *~ hund* stray dog.

tilløbsstykke *(på teater)* draw.

tilmed *adv* moreover, into the bargain, even, at that; *~ da ... especially as ...*

tilmelde * report, notify; *~ sig* report, *(fx til kursus)* enroll. **tilmelding** *(en -er)* reporting; notification, notice; enrollment.

tilmure brick up.

tilmåle * allot; *knapt tilmålt* scanty *(fx* leisure, rations).

tilnavn surname, *(øgenavn)* nickname; *med -et* called, nicknamed.

tilnærmelse *(en -r)* approach, approximation; *(politisk)* rapprochement; *-r (for at opnå forståelse)* approaches, overtures; *(over for det andet køn)* advances; *gøre ~* make advances *(til:* to).

tilnærmelsesvis *adj* approximate, rough; *adv -ly; ikke ~ så godt* nothing like as good.

tilovers *(levnet)* left, left over; *(ikke i brug)* spare, to spare *(fx* a bed to spare); *jeg er ~ her* I am not wanted here, I am de trop here; *have noget ~ for ham* be (rather) fond of him, care for him.

tiloversbleven *adj* left (over) *(fx* the bread left over from supper), remaining *(fx* the remaining £5); *det tiloversblevne* the remainder.

tilpas *adj* right, suitable; *adv* at the right moment, opportunely, *(om grad)* sufficiently, suitably *(fx* large); *er det ~?* will that do? *kødet var lige ~ (kogt el. stegt)* the meat was done to a turn; *prøve at gøre ham ~* try to please him; *jeg kan aldrig gøre ham ~* I can never do anything to please him; *komme ~* come at the right moment; *det kom ham ~* it suited him; *~ sød* just right, properly sweetened; *være dårlig ~* feel ill, feel out of sorts; *være ilde ~* be ill at ease, be uncomfortable; *være godt ~ (ɔ: rask)* feel fit, *(ɔ: have det rart)* be comfortable.

tilpasning *(en)* adaptation, adjustment; *(til klima)* acclimatization. **tilpasnings|evne** adaptability. **-vanskelig** maladjusted. **-vanskeligheder** *pl* adjustment difficulties.

tilpasse *vb* adjust *(fx* oneself to new conditions), *(især om lidt større ændring)* adapt *(efter:* to, *fx* a. oneself to one's surroundings; *til:* for, a. the novel for the stage); *(skære (, file etc) til)* fit *(fx* a carpet to the floor; fit the key to the lock); *(til klima)* acclimatize.

tilplante *vb* plant. **tilplantning** *(en)* planting.

tilproppe *vb* cork *(fx* a bottle), plug, stop *(fx* a hole).

tilrakke *(kritisere)* run down; *(tilsmudse)* soil, dirty; *(mishandle)* knock about, *(om tøj)* ruin. **tilrakning** *(en)* running down; soiling; rough handling.

tilrane: *~ sig* usurp, seize, possess oneself of.

tilrede *: *~ slemt (el. ilde)* maltreat, knock about, handle roughly; *ilde tilredt* badly knocked about, roughly treated.

tilregnelig *adj* of sound mind, sane, in full possession of one's faculties. **tilregnelighed** *(en)* sanity, soundness of mind.

tilrejsende *(en)* visitor; *adj* recently arrived; *komme ~* arrive.

tilrette|lægge *vb* arrange, organize, prepare, *(tilpasse)* adjust, adapt. **-lægning** *(en)* arrangement, organization, preparation; adjustment, adaptation. **-vise** *, **-visning** *(en -er)* reprimand.

tilride *vb* break in. **tilridning** *(en)* breaking in.

tilrigge *vb* rig. **tilrigning** *(en)* rigging.

tilrive: *~ sig* usurp, arrogate to oneself.

tilrøget smoky; *(om pibe)* seasoned.

tilråb *(et -)* call, shout, *(bifald)* acclamation, cheering; *hånligt ~* jeer, taunt. **tilråbe** * shout to, *(bifaldende)* cheer.

tilråde *vb* advise, recommend; *(være tilhænger af)* advocate *(fx* reform). **tilrådelig** *adj* advisable.

tilsagn *(et -), bindende ~* promise, undertaking.

tilsammen in all, altogether; *(i fælleskab)* between us (, you, them); *mere end alle de andre ~* more than all the others combined *(el.* put together); *~ udgøre* total, aggregate.

tilsande *vb* sand up.

tilse *vb* attend to, inspect; *(en syg)* attend.

tilsende * send, forward; *(penge)* remit. **tilsendelse** *(en)* sending, forwarding; remittance.

tilside|sætte *(forsømme)* neglect *(fx* one's duty); *(ikke ænse)* disregard, ignore; *føle sig -sat* feel slighted. **-sættelse** *(en)* neglect; disregard; *en ~* a slight; *med ~ af* in defiance of, disregarding.

tilsige *(love)* promise; *(befale at møde)* summon, order to attend, *(et vidne, en nævning)* summons; *(tilskynde)* dictate, prompt.

tilsigelse *(en -r)* summons, order to attend.

tilsigte aim at, have in view, intend. **tilsigtet** *adj* intentional; *den tilsigtede virkning* the desired effect.

tilsikre *vb* guarantee.

tilskadekommen *adj* injured.

tilskikkelse *(en -r) (forsynets)* decree (of Providence); *(heldig)* chance; *(uheldig)* mischance, reverse (of fortune); *-r (ogs)* vicissitudes; *livets -r (ogs)* the ups and downs of life; *ved en skæbnens ~* as chance would have it, by accident.

tilskrive *vb (indføre i bog etc)* enter; *(tillægge)* ascribe to, attribute to, *(give skylden for)* put down to, impute to.

tilskud *(et -)* contribution; *(fra det offentlige)* grant, subsidy, grant-in-aid; subvention; *et ~ på £100, £100 i ~* a grant of £100.

tilskuer *(en -e)* spectator, onlooker; *-ne (fx i teater)* the audience; *(fx ved sportskamp, ofte =)* the crowd. **tilskuerplads** auditorium, seats *(pl).*

tilskyde *vb* contribute, add.

tilskynde *vb* prompt, actuate, impel, *(kraftigt)* urge, *(til forbrydelse etc)* instigate, incite. **tilskyndelse** *(en -r)* prompting, impulse, *(kraftig)* urge; *efter éns ~* at the instance (, instigation) of sby.

tilskære *(tøj)* cut out, *(træ)* cut up. **tilskærer** *(en -e)* cutter. **tilskæring** *(en)* cutting out; cutting up.

tilskøde *vb* convey *(en ngt:* sth to sby).

tilslibe *vb* grind. **tilslibning** *(en)* grinding.

tilslutning *(en) (samtykke)* consent, approval; *(støtte)* support; *(tilhængerskare)* following; *(antal fremmødte)* attendance *(fx* at a meeting); *(forbindelse (, trafik, elekt etc))* connection; *(indgåen i større forening)* affiliation; *(fortsættelse)* continuation; *give ngt sin ~* give one's support to sth; *i ~ til* in connection with, in continuation of; *udtale sin ~ til et forslag* second a motion; *vinde almindelig ~* meet with general approval.

tilslutte *(forbinde)* connect up; *(forening til større organisation)* affiliate *(til:* to); *~ sig* join.

tilsløre *vb* veil, *(fig ogs)* cover up, draw a veil over. **tilsløring** veiling, covering up.

tilsmile *vb* smile upon.

tilsmudse *vb* dirty; smudge; *(fig)* sully.

tilsneet *adj* snowed up, snowbound.

tilsnige: *~ sig* obtain by underhand means *(el.* by a trick). **tilsnigelse** *(en -r)* misrepresentation (of facts), (piece of) disingenuousness.

tilsnit shape, form, appearance; *(præg)* stamp.

tilspidse *vb* point, taper; *~ sig (om situation)* come to a head. **tilspidset** *adj* pointed, tapering; ⌗ acuminate; *(om situation)* critical, acute. **tilspidsning** *(en)* sharpening, tapering; *(forværring)* aggravation.

tilstand *(en)* condition *(fx* his c. is described as serious); state *(fx* the castle is preserved in its original state); *tingenes ~* (the) state of things; *i dårlig ~* in bad condition, *(dårligt vedligeholdt)* in bad repair, *(beskadiget)* damaged; *i kold (, varm, tam etc) ~* when cold (, hot, tame etc). **tilstandsform** state.

tilstede * permit, *(give)* grant, allow; *~ én adgang* admit sby.

tilstede|komst *(en)* arrival; *ved hans ~* on his arrival. **-værelse** *(en)* presence. **-værende** *adj* present; *subst* person present, bystander, onlooker; *de ~* those present.

tilstille *vb* forward, send, give; *(penge)* remit.

tilstoppe *vb* choke (up), clog (up), *(med vilje)* stop (up), plug *(fx* a leak).

tilstræbe * aim at, have in view.

tilstrækkelig *adj* sufficient, enough; *adv* sufficiently, enough; *i ~ mængde* in sufficient quantities, sufficiently; *~ stor* large enough, sufficiently large; *~ med penge* money enough; *det er -t* that is enough, that will do.

tilstrømmende *adj (om blod)* affluent, *(om vand)* flowing in; *(om personer)* flocking up, crowding in.

tilstrømning *(en)* influx *(fx* of water, of tourists); *(af blod)* afflux; *(af personer)* rush, *(menneskemasse)* concourse, crowd; *der er stor ~ til stykket* the play draws crowded audiences.

tilstøde * befall, happen to; *der er tilstødt ham en ulykke* he has had *(el.* met with) an accident. **tilstødende** *adj (ved side)* adjacent, adjoining; *(uventet)* unexpected, unforeseen.

tilstå *(bekende)* confess, *(indrømme ogs)* admit, *(i retten)* plead guilty; *(bevilge)* grant, allow. **tilståelse** *(en -r)* confession; *aflægge fuld ~* make a full confession.

tilsvar: *på eget an- og ~* on one's own responsibility; *han har et ~ på £100* he is liable for the payment of £100. **tilsvarende** *adj* corresponding; *(forholdsmæssigt)* proportional, proportionate; *(af samme værdi)* equivalent; *adv* -ly; *brevpapir med ~ konvolutter* paper and envelopes to match.

tilsvine *vb* dirty, soil; *(fig)* sully.

tilsværge swear to *(fx* swear fidelity to sby).

tilsyn supervision, superintendence, inspection;

(ved eksamen) invigilation; *(se ogs tilsynsførende)*; *føre ~ (ved eksamen)* invigilate; *føre ~ med* superintend, supervise, look after.

tilsynekomst *(en)* appearance.

tilsyneladende *adj (som ser sådan ud)* apparent; *(kun ~, ikke i virkeligheden)* seeming; *(foregiven)* ostensible; *adv* apparently, to all appearances, seemingly; ostensibly.

tilsyns|førende, -havende *adj* supervising, on duty, in charge; *subst* superintendent, supervisor, inspector; *(ved eksamen)* invigilator, *(amr)* proctor.

tilsætning *(en -er) (tilføjelse)* addition, admixture; *(krydderi)* seasoning; *(kaffe-)* coffee substitute, *(svarer til)* chicory; *(tab)* loss; *det er den rene ~ (ɔ: tab)* it is a dead loss.

tilsætte *(tilføje)* add; *(tabe)* lose; *tilsat sukker* containing sugar; with sugar added; *vand tilsat alkohol* water with an admixture of alcohol.

tilsøle *vb* soil, dirty, *(med gadesnavs)* spatter.

tilså *vb* sow *(med:* with). **tilsåning** sowing.

tiltage *vb* increase, grow (larger); *(om månen)* wax; *(blive længere)* grow longer; *(blive værre)* grow worse; *(om mørke)* deepen; *~ sig* assume, usurp, arrogate to oneself *(fx* he arrogated more and more power to himself).

tiltagende *adj & subst, i ~* increasing, growing, on the increase; *(om månen)* waxing.

I. **tiltale** *(en)* address; *(jur)* charge; *frafalde ~* withdraw the charge; *dette ord bruges i ~* this word is used in addressing a person; *-n mod ham lød på kassesvig* he was charged with embezzlement; *rejse ~ mod* prosecute, charge; *give svar på ~* give tit for tat; *slippe for videre ~* be let off; *sagen sluttede uden ~* the case was dropped; *sætte én under ~* charge sby.

II. **tiltale** ★ *(henvende sig til)* address *(fx* address him as "my Lord"), speak to *(fx* he came up and spoke to me), *(mere litterært, ofte neds)* accost *(fx* accost ladies in the street); *(jur)* prosecute *(for:* for), charge *(for:* with); *(behage)* please, appeal to, be attractive to; *føle sig tiltalt af* take to, be attracted by; *(den) tiltalte (jur)* the accused, *(ofte =)* the prisoner. **tiltalende** *adj* pleasing, pleasant, attractive, engaging.

tiltigge: *~ sig* beg, obtain by begging.

I. **tiltro** *(en)* confidence, trust, *(stærkere)* faith; *have ~ til* have confidence in, trust; *vinde ~* gain credence, be believed, be credited.

II. **tiltro** *vb*: *~ én ngt* credit sby with sth, think that sby has sth; *jeg -r ham alt* I believe him capable of anything; *det kunne jeg godt ~ ham* I would not put it past him.

tiltræde *(begynde)* commence, begin, set out on *(fx* a journey); *(overtage)* come into *(fx* an inheritance), enter upon, take up *(fx* one's duties); *(være enig i)* subscribe to, endorse *(fx* a view, a statement), concur *(fx* a decision); *(gå ind på)* accept *(fx* an arrangement), agree to *(fx* a proposal); *(traktat etc)* accede to *(fx* a treaty); *~ regeringen* take office, *(om fyrste)* accede to the throne; *~ éns synspunkt* adopt sby's point of view.

tiltrædelse *(en)* beginning; *(af arv, embede etc)* accession *(af:* to, *fx* an office, the throne, a treaty); *(billigelse)* acceptance. **tiltrædelsestale** inaugural address *(el.* speech).

tiltrække attract; *~ sig opmærksomhed* attract attention. **tiltrækkende** *adj* attractive.

tiltrækning *(en)* attraction. **tiltrækningskraft** attractive force, force of attraction, *(fig)* charm, attraction.

tiltræng|es ★ be needed; *hårdt -t* much needed.

tiltuske: *~ sig = tilbytte sig.*

tiltvinge: *~ sig* compel, force; *~ sig adgang* force an entrance.

tiltænke ★: *~ en ngt* intend *(el.* mean) sth for sby; *han havde tiltænkt dem en gave* he had thought of *(el.* intended) giving them a present.

tilvalgsskole [type of school where a number of subjects is optional].

tilvant *adj* habitual, usual, customary.

tilveje|bringe procure, provide; *(penge ogs)* raise; *(bevirke)* bring about *(fx* a reconciliation), produce *(fx* a result), establish *(fx* friendly relations); *~ beviser* furnish evidence. **-bringelse** *(en)* procurement; raising; bringing about, establishment.

tilvende ★: *~ sig* appropriate, *(ved underslæb)* embezzle; *(rapse)* abstract, make away with.

tilvirke *vb* make, manufacture. **tilvirkning** *(en)* making, manufacturing; *(= fabrikat)* make *(fx* of foreign make, of our own make), manufacture.

tilvækst *(en)* increase, growth, accession, increment.

tilvænning *(en) (til narkotika) (forfaldenhed)* addiction *(til:* to), *(evne til at tåle)* tolerance *(til:* for), *(afhængighed)* habituation *(til:* to); *(bakteriers til bakteriedræbende midler)* (acquired) resistance *(til:* to).

tilværelse *(en)* existence, life; *kampen for -n* the struggle for existence *(el.* for life).

time *(en -r)* hour; *(undervisnings-)* lesson; *busserne går hver fulde ~* the buses leave every hour on the hour; *en -s gang (vej)* an hour's walk; *en halv ~* half an hour; *hver halve ~* every half-hour; *hver ~* every hour, hourly; *hver ~ på dagen* at all hours of the day; *i en ~* for an hour, *(i skolen)* during a lesson, in class; *i den ellevte ~* at the eleventh hour; *to gange i -n* twice an hour; *40 miles i -n* 40 miles per *(el.* an) hour; *få 10 shilling i -n* get ten shillings an hour (, a lesson); *hans ~ er kommet* his hour has come; *om en ~, på en ~* in an hour; *otte -rs arbejdsdag* an eight-hour day; *for en ~ siden* an hour ago; *hans sidste ~* his last hour; *de små -r* the small hours; *en -s tid* an hour or so.

time|betaling *(beløb)* pay per hour; *få ~* be paid by the hour. **-glas** hourglass. **-lang** lasting an hour, lasting for hours. **-lig** *adj* temporal, earthly. **-lærer** temporarily engaged master. **-løn** time wages *(el.* rate); *få ~* be paid by the hour; *hans ~* his hourly wage. **-plan** timetable.

times *vb* befall *(fx* a disaster befell him).

time|slag striking of the hour; *slå ~* strike the hour. **-tal** *(i skole)* number of weekly periods. **-vis** *adv* by the hour; *i ~* for hours, by the hour. **-viser** *(på ur)* hour hand.

timian *(en -) ♣* thyme.

tin *(et)* tin; *(legering til krus etc)* pewter.

tinde *(en -r)* peak, summit, pinnacle; *(mur-)* merlon; *(fig)* pinnacle, zenith, acme *(fx* of power).

tinding *(en -er)* temple. **tindingeben** temporal bone.

tindre *vb* sparkle *(fx* his eyes sparkled with joy); *(af vrede)* flash; *(om stjerne)* twinkle. **tindren** *(en) (om stjerne)* twinkling.

tinfolie tinfoil.

I. **ting** *(en -)* thing; *(genstand ogs)* object; *døde ~* inanimate objects; *forstå sine ~* know one's job *(el.* business); *hver ~ til sin tid* one thing at a time, *(ɔ: det er ikke at passende tidspunkt)* there is a time and place for everything; *ingen ~* nothing; *passe sine ~* attend to one's business, *(være samvittighedsfuld)* be conscientious; *det er en ~ for sig* that is quite another matter *(el.* thing).

II. **ting** *(et -) (ret)* court; *(i rigsdag)* House; *(historisk)* thing; *på -e (= i rigsdagen)* in Parliament.

tingbog *(svarer til)* Land Registry.

tinge *vb* bargain, haggle *(om:* over).

tingest *(en -er)* thing, thingummy, *(især mekanisk)* gadget.

ting|lyse ★ register. **-lysning** registration. **-læse** ★ register. **-læsning** registration.

tingsret the law of property.

tingsted place where the court sits.

tinkrus pewter tankard.

tinktur *(en -er)* tincture.

tin|mine tin mine. **-soldat** tin soldier; *Den*

standhaftige ~ the Steadfast Tin Soldier. **-støber**
(en -e) pewterer. **-tallerken** *(en -er)* pewter plate.
  I. **tinte** *(en -r) (farvetone)* tint, shade.
  II. **tinte** *(en -r)* zo bladder worm; *-r (i svinekød)*
measles. **tintet** *adj* measly.
  tintøj, tinvarer pewter(ware).
  tip *(et -s)* tip *(fx* give sby a tip).
  tipning *(en -er) (af fodboldkampe)* doing the pools;
vinde i ~ win the pools; *vinde £10 i* ~ win £10 on the
pools.
  tipoldefader great-great-grandfather.
  tipoldemoder great-great-grandmother.
  I. **tippe** *vb (give tips (om))* tip; *(deltage i tipskon-*
kurrence) do the pools; *jeg -de ham som vinder* I backed
(el. put) him to win.
  II. **tippe** *vb (vippe)* tip, tilt.
  tippelad dump body; *lastvogn med* ~ tipper, *(amr)*
dump truck.
  tips|gevinst pools dividend. **-kupon** pools cou-
pon. **-midler** receipts from the state football pools.
  tiptop *adj* tiptop, first-rate, A 1; ~ *moderne* ultra-
modern.
  tipvogn dumping waggon, *(amr)* dump car.
  tirade *(en -r)* tirade.
  tirre *vb* irritate, provoke, bait, tease.
  tirsdag Tuesday; *hvide* ~ Shrove Tuesday; *(se*
ogs fredag).
  tis *(et)* pee, wee-wee.
  tiske *vb: hviske og* ~ whisper.
  tisse *vb* wee-wee, pee, piddle; ~ *i bukserne (, i sen-*
gen) wet one's pants (, one's bed).
  tit *adv* often, frequently; ~ *og mange gange* time
and again, many a time.
  tital ten. **titalsystemet** the decimal system.
  titan *(en -er)* Titan; *(et) (kem)* titanium.
  titanisk *adj* titanic.
  titel *(en, titler)* title. **titel|billede** frontispiece.
-blad title page. **-kamp** title match. **-rolle** name
part, title part, title role.
  titiden: *ved* ~ at about ten o'clock.
  titrere *vb* titrate. **titrering** *(en)* titration.
  titte *vb* peep, *(amr ogs)* peek. **tittit!** bo-peep!
(især amr) peek-a-boo!
  titulatur *(en -er)* style (of address), title.
  titulere *vb* address (by the title of), style *(fx* an
Archbishop is styled "His Grace"). **titulær** *adj* titular.
  tivoli *(et -er)* amusement park, fun fair; *et om-*
rejsende ~ a travelling fun fair.
  tiøre ten-øre piece; *der faldt -n* the penny dropped.
  tiår *(et -)* decade, decennium. **tiårig** ten-year-old;
(som varer 10 år) of ten years, ten-year. **tiårs** *se tidrig.*
  tjans *(en -er)* opportunity, chance; *(arbejde)* job.
  tjat *(et -),* **tjatte** *vb* flip.
  tjavs *(en -er)* wisp. **tjavset** *adj* wispy.
  tjekker *(en -e),* **tjekkisk** *(et & adj)* Czech.
  tjekkoslovak *(en -ker)* Czechoslovak.
  Tjekkoslovakiet Czechoslovakia.
  tjekkoslovakisk *adj* Czechoslovak(ian).
  tjene * serve; *(indtjene)* earn, make; *(have for-*
tjeneste) (make a) profit; ~ *sit brød* earn one's living,
make a living; ~ *et formål* serve a purpose; ~ *en for-*
mue make a fortune; ~ *godt* have a good income;
make a good profit; ~ *Gud* serve God; ~ *to herrer*
serve two masters; ~ *hos en* be in sby's service; *vi kan*
ikke ~ *Dem* i *denne sag* we cannot oblige you in this
matter; *tjen mig i at* do me the favour of -ing; ~ *et*
tab **ind** recover a loss; *hvormed kan jeg* ~ *Dem?*
what can I do for you? *ham vil De være tjent med*
you won't regret having him; *det kan jeg ikke være*
tjent med that is not good enough; ~ *sig op* work
one's way up; ~ *sig op fra menig soldat* rise from
the ranks; ~ *penge* make money *(på ngt:* on *(el.* by)
sth); ~ *på* make a profit on, profit by; ~ *£50 på en*
forretning make £50 over *(el.* by) a transaction;
~ *som (el.* til) serve as; *det vil* ~ *til at belyse sagen*
it will serve to illustrate the matter; *det -r ham til*
undskyldning it is some excuse for him; *det må* ~ *til*

min undskyldning at jeg ikke vidste det my excuse must
be that I did not know; *tage ud at* ~ go into service.
  tjener *(en -e) (i restaurant)* waiter; *(herskabs-)*
(man-)servant, man, *(i liberi)* footman; *(kammer-)*
valet; *(fig)* servant *(fx* of Christ, of the people);
en Herrens (el. kirkens) ~ a minister of the Lord.
  tjener|elev apprentice waiter. **-inde** *(bibelsk &*
fig) handmaid.
  tjenerskabet the servants, the domestic staff.
  tjeneste *(en -r)* service *(fx* active, diplomatic,
foreign service; leave the service); *fritage for* ~
exempt from duty, *(suspendere)* suspend; *afskedige*
fra -n discharge; *trække sig tilbage fra -n* retire from
service; **gøre** ~ serve *(som:* as); *gøre én en* ~ do *(el.*
render) sby a service, do sby a favour *(el.* a good
turn); *gør mig den* ~ *at* do me the favour of -ing, be so
kind as to; oblige me by -ing; *gøre ham en dårlig* ~
do him a bad turn; *have* ~ be on duty; *ikke have* ~
be off duty; **i** *aktiv* ~ on active service; *tage en i sin* ~
take sby into one's service; *passe sin* ~ attend to
one's duties; *tage* ~ *på en gård* take a job on a farm;
til ~*!* at your service! *melde sig til* ~ ✗ report for
duty; *hvad er til* ~*?* what can I do for you? *den ene* ~
er den anden værd one good turn deserves another.
  tjeneste|alder *(anciennitet)* seniority; *(for værne-*
pligt) military age. **-bolig** official residence. **-dreng**
farm(er's) boy. **-folk** servants. **-frihed** leave. **-gren**
branch of service. **-karl** farmhand, farm labourer.
-kupé guard's compartment. **-mand** public servant,
(især højere) official, *(i centraladministrationen)* civil
servant. **-mandsorganisation** organization of public
servants. **-pige** maid, (domestic) servant, *(især på*
landet) servant girl. **-rejse** official journey. **-tid**
period of service.
  tjenlig *adj (brugbar)* serviceable, fit (for use);
(moden) ripe.
  tjenst|dygtig fit for duty *(el.* service), effective.
-dygtighed fitness for service. **-gørende** *adj (i*
funktion) on duty, *(som befalende)* in charge; *(i aktiv*
tjeneste) on active service. **-ivrig** *adj* zealous, keen;
(påtrængende ~ *)* officious.
  tjenstlig *adj* official; *ad* ~ *vej* officially, through
the official channels; *i -e anliggender* in official
matters; *-t er der intet at udsætte på ham* there is
nothing against him in his official capacity.
  tjenst|udygtig unfit for active service. **-villig**
obliging, helpful, willing. **-villighed** obligingness,
helpfulness, willingness.
  tjep(t): *det gik* ~ it was quick work; *lad det gå*
lidt ~ look sharp about it.
  tjur *(en -er)* zo capercaillie.
  I. **tjære** *(en)* tar.
  II. **tjære** *vb* tar; ~ *ned* scribble; *-t* tarred.
  tjære|beton tarmac. **-kost** tar brush. **-nellike**
(en -r) ✿ catchfly. **-pap** *(tagpap)* tarred roofing
felt. **-salve** tar ointment. **-sæbe** tar soap. **-tønde**
tar barrel.
  tjæring *(en)* tarring.
  tjørn *(en -e)* ✿ hawthorn, whitethorn.
  to *(talord)* two; *en to(er) (i kortspil)* a two, a deuce;
begge ~ both (of them); ~ *gange* twice; *jeg lod mig*
det ikke sige ~ *gange* I didn't need to be told twice;
~ *eller tre gange* two or three times; ~ *gange* ~ *er fire*
twice two are four; *hjerter* ~ the two of hearts;
~ *og* ~ *er fire* two and two are four; *det er så sikkert*
som ~ *og* ~ *er fire* it is dead certain, it is as sure as
eggs is eggs; *komme* ~ *og* ~ come two by two, come
by twos; *spadsere* ~ *og* ~ walk two and two, walk
in pairs; *lægge* ~ *og* ~ *sammen (fig: forstå)* put two
and two together; *2-3 bøger* two or three books;
bøger og bøger er ~ *ting* there are books and books.
  toakter *(en -e)* two-act play.
  tobak *(en -ker)* tobacco; *han er ikke større end* ~
for en skilling he is a mere shrimp.
  tobaks|afgift tobacco duty. **-arbejder** *(en -e)*
tobacco worker. **-avl, -dyrkning** tobacco-growing.
-dåse tobacco tin, *(af stentøj etc)* tobacco jar; *(snus-)*

snuffbox. **-handel** tobacco trade; *(butik)* tobacconist's (shop). **-handler** *(en -e)* tobacconist. **-monopol** tobacco monopoly. **-pibe** tobacco pipe. **-plante** tobacco plant. **-pung** tobacco pouch. **-ryger** *(en -e)* smoker. **-rygning** smoking. **-røg** tobacco smoke. **-skat** tobacco duty. **-sovs** tobacco juice.

tobenet *adj* two-legged; ~ *dyr* biped.

toccata *(en -er) (musik)* toccata.

toddy *(en -er)* toddy.

todelt *adj* in two parts; two-piece *(fx* bathing suit; dress); *(mere litterært)* bipartite; *(i grene)* bifurcate.

todækker *(en -e)* ⚓ two-decker; *(bus)* double -decker; *(flyv)* biplane.

toer *(en -e)* two; *(sporvogn etc)* number two; *(i kortspil)* two, deuce.

toetages two-storeyed; ~ *bus* double-decker.

tofamiliehus two-family house.

tofaset *adj* two-phase.

toft *(en -er)* paddock, croft.

tofte *(en -r)* ⚓ thwart.

I. tog *(et -)* *(jernbanetog)* train; *(færd, rejse)* expedition; *(optog)* procession; *(felttog)* campaign; *der er spisevogn i -et* there is a dining-car on the train; ~ *til London* London train, train for London, *(fra omegnen ogs)* up train; ~ *fra London* train from London, down train; *nå -et* catch the train; *ikke nå -et* miss the train; *-et standser ikke før York!* next *(el.* first) stop York! *tage (med) -et* go by train, take the train.

II. tog *imperf af tage.*

toga *(en -er)* toga. **togaklædt** *adj* togaed.

tog|betjent ticket collector; *se ogs -fører.* **-forbindelse** train service. **-fører** guard, *(amr)* conductor. **-gang** train service. **-kort** *(abonnements-)* season ticket, *(amr)* commutation ticket. **-personale** train staff. **-plan** *(en -er)* timetable. **-rejse** journey by train, train journey.

togrenet *adj* forked, bifurcate; *(om fork, gaffel)* two-pronged.

togsammenstød train collision, train smash.

tog|stamme train, set of carriages (, wagons). **-standsning** stoppage, breakdown.

togt *(et -er) (kryds-)* cruise, *(krigs-)* expedition.

togulykke railway accident.

tohjulet *adj* two-wheeled.

tohundredårsdag: *-en for* the bicentenary of, the two-hundredth anniversary of.

tohændig *adj* for two hands.

to-i-en seng spare-bed divan.

toilet *(et -ter)* *(= wc)* lavatory, toilet; *offentligt* ~ public convenience, *(amr)* comfort station; *(i restaurant ofte =)* cloakroom, *(amr)* men's (, ladies') room.

toilet|artikler *(pl)* toilet requisites. **-bord** dressing -table, toilet table, *(amr)* dresser. **-garniture** toilet set. **-møbel** dressing-table. **-papir** toilet paper. **-pose** sponge bag. **-rulle** toilet roll. **-spand** slop pail. **-spejl** toilet glass, *(stort)* cheval glass. **-sæbe** toilet soap. **-taske** sponge bag.

toilette *(et -r)* toilet; *grande* ~ full dress; *gøre* ~ make one's toilet, dress.

tokammersystem bicameral system.

tokayer *(en)* Tokay (wine).

tokimbladet *adj* ⚘ dicotyledonous; ~ *plante* dicotyledon, plant with two seed leaves.

toksin *(et -er)* toxin. **toksisk** *adj* toxic.

I. told *(en -e) (afgift)* duty *(af, på:* on), customs *(duty);* '*(tarif)* tariff; *-en (lokalet)* the customs *(fx* pass through the customs); *betale* ~ *af* pay duty on; *skal der betales* ~ *af denne vare?* is this article liable to duty? *lægge* ~ *på* impose a duty on.

told|afgifter customs duties *(el.* dues). **-berigtige** *vb* (examine and) clear. **-berigtigelse** *(en -r)* clearance. **-beskyttelse** protection; *tilhænger af* ~ protectionist. **-bod** custom house. **-eftersyn** customs examiniation. **-embedsmand** customs officer.

tolder *(en -e)* customs officer; *(bibelsk)* publican. **told|etaten** the Customs *(pl).* **-fartøj** revenue vessel. **-forhøjelse** increase of duty. **-forvalter** *(en -e) (omtrent =)* inspector of customs. **-forvaltning** customs administration. **-fri** *adj* duty-free; *(som prædikatsled ogs)* free of duty, exempt from duty; *(hvoraf told er betalt)* duty paid; *tanker er* ~ thought is free; *-frit adv* duty-free, free of duty. **-frihed** freedom from duty. **-indtægter** *(pl)* customs receipts. **-kammer** custom house. **-klarere** *vb* clear. **-klarerer** *(en -e)* custom-house agent. **-klarering** (custom-house) clearance. **-kontor** custom house. **-kontrollør** *(omtr =)* senior examining officer. **-krig** tariff war. **-kutter** revenue cutter. **-lovgivning** tariff legislation. **-mur** tariff wall, tariff barrier. **-myndigheder** *(pl)* customs authorities. **-område** tariff area. **-oplag** bonded warehouse; *i* ~ *(under toldsegl)* in bond. **-pligtig** dutiable. **-reform** tariff reform. **-sats** rate of duty, tariff rate. **-skranke** tariff barrier. **-station, -sted** custom house. **-tarif** (customs) tariff. **-undersøgelse** customs examination. **-union** customs union. **-vagt** *(person)* customs guard; *(ombord under losning)* tidewaiter; *(sted)* custom gatehouse. **-visitation** customs examination. **-væsen** customs service, customs authorities; *Direktoratet for -et (svarer til)* the Customs and Excise Department.

toleddet *adj,* ~ *størrelse* binomial.

tolerance *(en)* toleration, tolerance. **tolerant** *adj* tolerant. **tolerere** *vb* tolerate.

tolk *(en -e)* interpreter. **tolke** *vb* interpret, expound, explain; *(udtrykke)* give expression to. **tolkning** *(en)* interpretation.

tolleknív sheath knife; *(amr)* bowie knife.

tolv *(talord)* twelve; *klokken* ~ *(middag)* at noon, at twelve o'clock.

tolv|fingertarm duodenum. **-kant** dodecagon.

tolvte twelfth. **tolvtedel** twelfth.

tolv|tiden: *ved* ~ at about 12 o'clock. **-årig** twelve-year-old; *of* twelve; *(som varer 12 år)* of twelve years, twelve-year.

tom *adj* empty *(fx* bottle, room, pleasures, words, promises, titles); *(fig ogs)* idle *(fx* talk); *(ubeskrevet)* blank; *(udtryksløs)* vacant *(fx* look), blank *(fx* expression); ~ *for* empty of, void of; *-t rum* empty space, void, blank, *(i fysik)* vacuum, *(på blanket)* blank space, *(fig)* gap, blank, vacancy *(fx* stare into vacancy).

tomahawk *(en -er)* tomahawk.

tomands- two-person *(fx* canoe), for two *(fx* a tent for two), *(om kortspil)* two-handed *(fx* whist). **tomandshånd:** *på* ~ in private, tête-a-tête, (when) alone (together).

tomaster *(en -e)* two-master.

tomastet *adj* two-masted.

tomat *(en -er)* tomato *(pl -*es). **tomatpuré** tomato purée.

tombak *(en)* tombac.

tombola *(en -er)* tombola.

tomgang idle running, idling; *gå i* ~ idle, run idle.

tomhed *(en) (se tom)* emptiness; idleness; blankness; vacancy; *(følelse af* ~) blank, void.

tomhjernet *adj* empty-headed, inane.

tomhjernethed *(en)* inanity.

tomhændet *adj* empty-handed.

tomme *(en -r)* *(= 2,615 centimeter) (omtr =)* inch *(= 2,540 centimeter);* ~ *for* ~ inch by inch.

tommel|finger thumb; *hun har for mange -fingre (fig)* her fingers are all thumbs, she is all thumbs; *trille -fingre* twiddle one's thumbs; *rejse på -fingeren* hitchhike, *(især amr)* thumb it. **-fingret** *adj* (*ubehændig*) butter-fingered, *(klodset)* ham-fisted.

tommeliden Tom Thumb.

tommeltot *(en -ter)* thumb.

tommeskrue *(en -r)* thumbscrew.

tommestok rule; *(sammenfoldelig)* folding-rule.
tommetyk inch-thick, an inch thick.
tomotoret *adj* twin-engined.
tomrum gap, vacuum, void *(fx* his death left a void).
tomt *(en -er)* site; *(amr)* lot.
ton *(en -s)* ton; *(1000 kg)* metric ton.
tonart key, mode; *(fig)* tone, key; *slå over i en anden* ~ change one's tune.
  I. **tone** *(en -r) (lyd)* sound, tone; *(musik)* tone, *(den enkelte)* note, *-r (ogs)* strains; *(tonehøjde)* pitch; *(farve-)* tone, tint; *(tonefald)* tone (of voice); *(intonation)* intonation; *(tryk)* stress, emphasis; *(omgangs-)* tone, manners; *(fig: grund-, stemning)* tone, note; *angive -n* give the pitch, *(fig)* set the tone, lead, *(i mode)* set the fashion; *anslå en* ~ *(ogs fig)* strike a note; *det er ikke god* ~ it is not good form, it is not done; *han har ikke en* ~ *i livet* he cannot sing a note; *ramme den rigtige* ~ *(fig)* strike *(el.* hit) the right note; *rose en i høje -r* praise sby to the skies, be loud in sby's praise, sing sby's praises; *stemme -n ned (fig)* pipe down, soft-pedal; *slå en anden* ~ *an (fig)* change one's tune; *til -rne af* to the strains of.
  II. **tone** *vb (klinge)* sound; *(med farve; fot)* tone; *(hår)* tint; ~ *flag* show one's colours; ~ *rent flag (fig)* come into the open; ~ *frem* appear, loom; *(ankomme)* turn up, roll up.
tone|afstand interval. **-angivende** leading, setting the fashion; *de* ~ the leading people. **-anlæg** sound-projecting plant. **-arm** *(på grammofon)* tone arm. **-art** *se tonart.* **-bad** *(fot)* toning-bath. **-billede** tone picture. **-digtning** composition, *(i programmusik)* tone poem. **-fald** tone (of voice); *(dialekt el. fremmed)* accent *(fx* a German accent); *(stemmens stigen og falden)* modulation, cadence. **-film** talkie, sound film. **-højde** pitch. **-kunst** (art of) music. **-kunstner** musician. **-skala** scale, gamut. **-spor** sound track. **-stige** = *-skala.* **-trin** step, degree.
tonika *(en)* tonic.
toning *(en -er) (af hår)* tinting.
tonisk *adj* tonic.
tonløs *adj* toneless, flat; *(ubetonet)* unstressed, unaccented.
tonnage *(en)* tonnage.
tonsil *(en -ler) (anat)* tonsil.
tonsur *(en)* tonsure.
  I. **top** *(en -pe) (øverste del)* top, *(af bjerg ogs)* summit, *(spids)* peak; *(fugls)* tuft, crest; *(hår-)* tuft of hair; *(af bølge)* crest; *(maste-)* masthead; *(plantes)* top *(fx* carrot top); *(fig)* pinnacle, summit *(fx* of fame, power); *(legetøj)* (spinning) top; *en skefuld med* ~ *på* a heaped spoonful; *spille* ~ spin a top; *en* ~ *sukker* a sugar loaf, a loaf of sugar; *fra* ~ *til tå* from head to foot, from top to toe; *flaget går til -s* the flag is run up.
  II. **top!** done!
topas *(en -er)* topaz.
topersonersvogn two-seater.
top|figur *(fig)* figurehead. **-form**: *være i* ~ be at the top of one's form, be in top form. **-hastighed** maximum speed. **-hue** pixie cap. **-klasse**: *i* ~ *(om sportsmand)* in the top class; *(om varer)* top-grade. **-konference** summit conference, summit meeting. **-lanterne** ♧ masthead light. **-lærke** *(en -r) zo* crested lark. **-mave** potbelly. **-mejse** *(en -r) zo* crested tit. **-mål** heaped measure; *-et af uforskammethed* the height of impudence. **-målt** *(fig)* thorough, arch-, out-and-out *(fx* scoundrel); ~ *uforskammethed* the height of impudence. **-notering** top price. **-nøgle** box spanner; *(amr)* socket wrench.
topograf *(en -er)* topographer. **topografi** *(en)* topography. **topografisk** *adj* topographic(al).
topolet *adj* bipolar.
toppe *vb (kulminere)* culminate, reach its summit; ♧ top. **toppes** *vb (slås)* fight, *(skændes)* bicker.
toppet *adj (om brolægning)* rough, bumpy; *(om fugl)* tufted, crested; *(om bølge)* crested.

top|pris top price. **-punkt** *(højeste punkt)* summit; *(vinkels etc)* vertex *(pl* vertices); *(fig)* height *(fx* of happiness, of insolence), pinnacle, summit, zenith *(fx* of fame). **-sejl** topsail; *stryge -et (fig)* doff one's cap (, hat). **-skud** *(på træ)* top shoot. **-stilling** top position; *(i maskine)* top dead centre. **-stykke** *(på motor)* cylinder head. **-sukker** loaf sugar. **-ventil** overhead valve. **-vinkel** vertical angle.
toradet *adj (frakke)* double-breasted; ♧ distichous, two-rowed *(fx* barley).
torbist *(en -er) zo* chafer.
torden *(en)* thunder; *(-vejr)* thunderstorm; *som lyn og* ~ like greased lightning; *der er* ~ *i luften* there is thunder in the air; *det trækker op til* ~ a (thunder-) storm is gathering.
torden|brag clap *(el.* peal) of thunder. **-byge** thunder shower. **-kile** thunderbolt. **-luft** sultry air. **-røst** voice of thunder, thundering voice. **-skrald** clap *(el.* peal) of thunder. **-sky** thunder cloud. **-skylle** *(en -r)* thunder shower. **-slag** thunderclap *(fx* the news came on me like a t.). **-tale** philippic, T *(skældud)* blowing-up. **-vejr** (a) (thunder)storm.
tordne *vb (ogs fig)* thunder; *det -r* it is thundering; *-nde bifald* thunderous applause.
toreador *(en -er)* toreador.
torn *(en -e)* thorn, spine; *(lille)* prickle; *det er ham en* ~ *i øjet* it is a thorn in his side; *ingen roser uden -e* no rose without a thorn.
tornado *(en -er)* tornado *(pl -es).*
tornblad ♧ gorse, furze.
torne|busk hawthorn; *den brændende* ~ the burning bush. **-fuld** *adj (ogs fig)* thorny. **-krone** *(en -r)* crown of thorns. **-rose** *(i eventyret)* the Sleeping Beauty. **-strøet** *adj* thorny *(fx* the t. path to success).
tornet *adj* thorny, prickly.
torn|irisk *zo* linnet. **-sanger** *zo* whitethroat. **-skade** *zo* shrike. **-tap** *(anat)* spinous process.
tornyst|er *(et -re)* knapsack, pack.
torpedere *vb* torpedo *(fx* a ship, sby's plans).
torpedo *(en -er)* torpedo *(pl -es) (fx* fire a t.).
torpedo|båd torpedo boat. **-flyvemaskine** torpedo-carrying aircraft, torpedo plane. **-(båds)-jager** destroyer. **-net** torpedo net. **-rør** torpedo tube. **-udskydning** torpedo firing.
torsdag Thursday; *(se ogs fredag).*
torsk *(en -)* cod(fish); *(fig)* ass, fool; *give ham en på -en* sock him, clout him over the head; *trække* ~ *i land (o: snorke)* drive pigs to market.
torske|bukser *(pl)* cod roe. **-dum** *adj* oafish. **-levertran** cod-liver oil. **-mund** ♧ toadflax. **-rogn** cod roe. **torsket** *adj* stupid, idiotic.
torso *(en -er) (ogs fig)* torso.
tort *(en) (ydmygelse)* humiliation; *(jur)* injury to a person's reputation; *jeg måtte lide den* ~ *at blive …* I suffered the indignity of being …
tortere *vb* torture.
tortur *(en)* torture; *underkaste* ~ torture, put to the torture. **tortur|kammer** torture chamber. **-redskab** instrument of torture.
torv *(et -e) (salgs-)* market, *(stedet)* market place; *(= plads)* square; *på -et* in the market place; *in* the square; *gå på -et* go marketing; *bringe til -s* bring to market; *bringe nyheder til -s* retail news.
torve|dag market day. **-hal** market hall. **-kone** market woman. **-pris** market price. **-stade** market stall. **-tid** market hours. **-vogn** market cart.
to|sidet *adj (om traktat etc)* bilateral *(fx* treaty, negotiations). **-spaltet** *adj* double-column. **-sproget** *adj* bilingual. **-spænderkøretøj** two-horse carriage.
  I. **tosse** *(en -r)* fool, simpleton.
  II. **tosse** *vb* fool; ~ *rundt* fool about.
tosse|god foolishly kind, T soft. **-godhed** foolish kindness, T softness. **-hoved** *se tosse.*
tosseri *(en -r)*, tossestreger *pl* tomfoolery, nonsense; *(gavtyvestreger)* pranks.
tosset *adj* foolish, silly, stupid; *(gal)* crazy, daft, balmy, potty, *(især amr)* nuts; *(kedelig, slem)* awk-

ward, beastly; *adv* foolishly, stupidly; crazily; *blive* ~ go crazy; *det er til at blive* ~ *over* it is enough to drive one crazy; ~ *efter* crazy about; *en* ~ *rad* a rum bloke; a rum 'un; *det er slet ikke så* ~ it is not at all bad; it is not a bad idea; *han er ikke så* ~ *som han ser ud til* he is not such a fool as he looks.

tostavelses *adj* of two syllables, disyllabic.

tostavelsesord word of two syllables, disyllable.

tostemmig *adj* for two voices, two-part.

tosædet *adj:* ~ *jager* two-seater.

I. **tot** *(en -ter)* *(især stiv)* tuft *(fx* of hair, of straw), *(især blød)* wad *(fx* of cotton), *(slatten)* wisp *(fx* of hair); *ryge i -terne på hinanden* come to blows; scrap *(fx* they are always scrapping).

II. **tot** *adj* ⚓ taut, tight.

III. **tot** *adj: ligge* ~ sham dead, (⊃: *ubemærket)* lie doggo.

totakts two-stroke *(fx* engine).

I. **total** *(et -ler)* two; *(gram: dualis)* (the) dual.

II. **total** *adj* total *(fx* solar eclipse, war); *-t adv* totally, completely, entirely.

total|afholdenhed total abstinence, teetotalism. **-afholdsmand** total abstainer, teetotaller. **-beløb** total (amount). **-forbud** total prohibition. **-forlis** total loss. **-indtryk** general impression.

totalisator *(en -er)* totalizator, T tote.

totalitet *(en)* totality.

totalitær *adj* totalitarian *(fx* State, war).

to-talsystem binary system.

totalvirkning general effect.

totempæl totem pole.

totenschlæger *(en -e)* life preserver, T cosh.

totiden: *ved* ~ at about two o'clock.

touche *(en)* flourish.

tournure *(en -r)* bustle.

tov *(et -e)* rope; *trække* ~ *(ogs fig)* have a tug-of -war *(om:* about). **tov|bane** *(svævebane)* aerial rope-way, *(m åbent sæde)* chair lift; *(på skinner)* funicular railway. **-ende** rope end.

tovinget *adj* two-winged, dipterous.

tovrulle coil (of rope).

tov|trækning *(ogs fig)* tug-of-war. **-værk** cordage, ropes.

toværelses *adj:* ~ *lejlighed* two-room flat, *(amr)* three-room apartment *(i U.S.A. regnes køkkenet med)*.

toårig *adj (to år gammel)* two-year-old; *(som varer to år)* two-year *(fx* course), biennial; ⚘ biennial.

toårs ⚌ *toårig.*

tradition *(en -er)* tradition; *der er* ~ *for at* it is traditional to (, that); *-en tro sendte man ham et telegram* according to the traditional practice a telegram was sent to him.

traditionel *adj* traditional.

traditionsbunden *adj* bound by tradition.

traf *imperf af træffe.*

trafik *(en)* traffic; *(fremgangsmåde)* practice(s); *stærk* ~ heavy traffic.

trafikal *adj* (of) traffic *(fx* traffic problems).

trafikant *(en -er)* road user.

trafikchef traffic manager.

trafikere *vb* use; *stærkt -t* busy, carrying a great deal of traffic, *(om jernbanelinie)* heavily trafficked.

trafik|flyvemaskine commercial aeroplane, airliner. **-flyver** commercial pilot. **-flyvning** civil aviation. **-fyr** *(et -)*, **-lys** *(et -)* traffic light(s). **-middel** means of conveyance *(el.* of communication); *offentlige -midler* public transport. **-minister** Minister of Transport. **-ministerium** Ministry of Transport. **-prop** traffic jam. **-sammenbrud** traffic breakdown. **-standsning** traffic hold-up. **-tælling** traffic census. **-ulykke** traffic *(el.* road) accident.

tragant(gummi) (gum) tragacanth.

tragedie *(en -r)* tragedy. **tragedie|digter** tragedian. **tragedienne** *(en -)* tragedienne. **tragik** *(en)* tragedy, tragic character *(fx* of the situation). **tragiker** *(en -e)* tragedian. **tragikomedie** tragicomedy.

tragikomisk tragi-comic. **tragisk** *adj* tragic *(fx*

writer, play), tragical *(fx* event); *det -e ved det* the tragedy of it.

tragt *(en -er)* funnel; *(grammofon-)* horn; *(telefon-)* mouthpiece; *(på hørerør)* ear trumpet.

I. **tragte** *vb* pour through a funnel; *(filtrere)* filter; *(sigte)* strain.

II. **tragte** *vb:* ~ *efter* aspire to, covet, hanker after; ~ *en efter livet* seek sby's life. **tragten** *(en)* aspiration *(efter:* for, after), hankering *(efter:* after).

tragtformet *adj* funnel-shaped.

trak *imperf af trække.*

trakasserier *pl* persecutions, pinpricks.

traktat *(en -er)* treaty *(fx* enter into *(el.* conclude) a treaty); *(lille skrift)* tract. **traktat|brud** *(et -)* breach of a treaty. **-mæssig** *adj* according to a treaty; ~ *forpligtelse* treaty obligation. **-stridig** *adj* contrary to the terms of a treaty.

traktement *(et -er)* entertainment; *et lækkert* ~ a treat, T a spread; *et overdådigt* ~ a sumptuous repast.

traktere *vb (= spille på)* play, perform on; *(betale for alle)* stand treat; ~ *en med ngt* treat sby to sth, *(fig)* regale sby with sth *(fx* dirty stories).

traktor *(en -er)* tractor.

traktørsted restaurant; *(ofte =)* beer garden, tea garden.

tralle *vb* sing, troll.

tramp *(et -)* se *trampen.*

trampdamper tramp (steamer).

trampe *vb (nedtrampe etc)* trample; *(stampe)* stamp; ~ *med fødderne* stamp one's feet; ~ *noget ned* trample down sth *(fx* trample down the grass); *hun blev -t ned* she was trampled underfoot; ~ *på (ogs fig)* trample on.

trampen *(en)* tramping, stamping; tramp *(fx* of horses).

trampfart tramp trade.

trampolin *(en -er)* trampoline; *(springbræt)* springboard.

tran *(en)* train oil, whale oil; *(lever-)* cod-liver oil; *svede* ~ sweat profusely, T sweat like a pig.

trance *(en -r)* trance; *falde i* ~ fall *(el.* go) into a trance; *falde i* ~ *over (fig)* gush over. **trancetilstand** trance; trancelike state.

tranchere *vb* carve. **trancher|kniv** carving knife. **-saks** poultry shears *(pl).*

trane *(en -r)* zo (common) crane.

tranebær ⚘ cranberry.

I. **trang** *(en) (lyst)* desire; *(begær)* craving; *(behov)* need; *(nød)* want, need, poverty, indigence; *drevet af en indre* ~ *til at* feeling an urge to, compelled by an urge to; ~ *til* need of, craving for; *føle* ~ *til ngt* want sth; *føle* ~ *til at* feel impelled to, want to.

II. **trang** *adj (om plads)* narrow, cramped; *(stram)* tight; *(vanskelig, fattig)* hard, difficult; *døren går -t* the door sticks; *-e kår* straitened circumstances; *-e tider* hard times.

trangbrystet *adj (som har ondt ved at ånde)* asthmatic, wheezy.

tranghed *(en)* narrowness.

tran|kogeri try-works, train-oil factory. **-lampe** train-oil lamp. **-lygte** train-oil lantern.

trannet *adj (om smag)* rancid, oily, fishy.

transaktion *(en -er)* transaction.

trans|alpinsk transalpine. **-atlantisk** transatlantic.

transformator *(en -er) (elekt)* transformer. **transformatorstation** sub-station. **transformere** *vb* transform.

transfusion *(en -er)* transfusion; *(blod-)* blood transfusion.

transistor *(en -er)* transistor. **transistorisere** *vb* transistorize. **transistorradio** transistor radio.

transit *(en)* transit. **transitere** *vb* convey in transit. **transit|gods** transit goods. **-hal** *(i lufthavn)* waiting lounge for transit passengers. **-handel** transit trade. **-havn** port of transit.

transitiv *adj* transitive.

transit|oplag bonded warehouse. **-told** transit duty.

translatrice (en -r), **translatør** (en -er): statsautoriseret ~ sworn interpreter.

translokation (en -er) (omtr =) Speech Day, (amr) Commencement.

transmission (en -er) transmission; (radio ogs) relay(ing). **transmittere** vb transmit; (radio) relay.
I. **transparent** adj transparent.
II. **transparent** (et -er) (billede) transparency; (m slogan etc) banner.

transpiration (en) (sved) perspiration.

transpirere vb (svede) perspire.

transplantation (en -er) transplantation, grafting.

transplantere vb transplant, graft.

transponere vb transpose. **transponering** (en) transposition.

transport (en -er) transport, conveyance, carriage, (især amr) transportation, (med tog, lastbil etc) haulage; (det der sendes) (især fanger, sårede) convoy, (vognladning) load, (skibsladning) shipment; (overdragelse) transfer; (i bogføring) carrying forward, (i bogen står:) carried forward, brought forward.

transportabel adj transportable, movable, (som kan bæres) portable (fx radio); (om værdipapirer) negotiable, transferable (fx cheques).

transport|arbejder transport worker. **-bånd** belt conveyer, conveyer belt. **-cykel** carrier cycle.

transportere vb transport, convey, carry; (sende) forward; (overdrage) transfer; (i bøger) carry forward (i ny regning: to new account).

transport|flyvemaskine transport plane, (til gods ogs) freighter. **-forhold** pl communications. **-middel** means of transport. **-skib** transport (vessel); (til tropper ogs) troopship. **-snegl** worm conveyer. **-vogn** truck, waggon, van.

transportør (en -er) conveyer, (i landbrug) elevator, stacker; (i symaskine) feed; (vinkelmål) protractor.

transskribere vb transcribe. **transskription** (en -er) transcription.

transsubstantiation (en) transubstantiation.

Transvaal the Transvaal.
I. **transversal** (en -er) (mat.) transversal (line).
II. **transversal** adj transverse, transversal.
I. **trapez** (en -er) (til gymnastik) trapeze.
II. **trapez** (et -er) (mat.) trapezium.

trapezkunstner trapeze artist.

trappe (en -r) staircase, stairs; (mellem to afsatser flight (of stairs); (især udvendig) steps, (foran gadedør) doorstep; ned ad ~ downstairs; op ad ~ upstairs; være på -rne (fig) be coming, be on the way; rullende ~ moving staircase, escalator.

trappe|afsats landing. **-automat** automatic staircase switch, staircase time switch. **-gang** (= trappe) staircase. **-gavl** corbie gable. **-gelænder** banisters. **-løb** flight (of stairs). **-løber** stair carpet. **-opgang** staircase, stairway. **-skakt** stair well. **-sten** (foran gadedør) doorstep. **-stige** step ladder. **-trin** step, stair.

trappist (en -er) (munk) Trappist.

traske vb trudge, plod, slog.

trassat (en -er) drawee. **trassent** (en -er) drawer.

trassere vb draw; -t veksel draft. **tratte** (en -r) draft; udstede en ~ draw a bill (på: on).

trauma (en traumer) trauma. **traumatisk** adj traumatic.

traume (et -r) trauma.

traurig adj glum; (om omgivelser etc) dreary.

trav (et) trot; (-sport) trotting; i (skarpt) ~ at a (smart) trot; sætte i ~ (om hest) break into a trot; (skynde sig) trot off; rent ~ regular trot; blive hængt ud for urent ~ be disqualified for irregular trot.
I. **trave** (en -r) (korn-) shock, stook.
II. **trave** vb trot; (traske) trudge, (vandre) hike.

traver (en -e) (hest) trotter; gammel ~ (fig) cliché, (vittighed) stale joke, chestnut.

traverbane trotting-course.

travesko walking-shoe.

travestere vb, **travesti** (en -er) travesty.

travetur tramp, hike.

trav|hest trotting horse, trotter. **-kusk** sulky driver.

travl adj busy (fx day, life, time); de -e timer the rush hours; de fik -t they got busy; have -t be busy (med: with, med at gøre ngt: doing sth), (skulle skynde sig) be in a hurry.

travl (en el. et, -) trawl. **trawle** vb trawl; politiet -ede distriktet igennem the police combed out the district. **trawler** (en -e) trawler. **trawlfiskeri** trawling.

travlhed (en) busyness, pressure (of work), pressure of business; (rastløs ~) bustle, hurry.

trav|løb trotting (race). **-sport** trotting.

tre (talord) three; ~ gange three times (se ogs gang); ruder ~ the three of diamonds; en, to, ~ (o: hurtigt) in a trice; før du kan tælle til ~ before you can say knife.

tre|akter (en -e) three-act play. **-benet** adj three -legged. **-cifret** adj three-figure (fx number). **-cylindret** adj three-cylinder (fx engine). **-dele ★** divide into three; (i geometri) trisect. **-deling** tripartition, trisection. **-delt** adj tripartite; ~ takt triple time. **-dimensional** adj three-dimensional; ~ film (ogs) 3-D (film).

tredive thirty; i -rne in the thirties.

trediveårskrigen the Thirty Years' War.

tredivte thirtieth. **tredivtedel** (en -e) thirtieth.

tredje third, 3rd; for det ~ thirdly, in the third place; ~ grads forhør the third degree (fx put a prisoner through the third degree); ~ kapitel Chapter III; den ~ sidste the last but two; (om stavelse) antepenultimate; den ~ største the third largest.

tredje|dagsfeber tertian fever. **-del** third; to -e two thirds. **-klasses** adj third-class; (om kvalitet etc) third-rate. **-mand** (a) third party; (til kortspil) (a) third. **-rangs** third-rate. **-stand** the third estate.

tredobbelt adj treble, threefold, triple. **tredoble** vb treble. **tredobling** (en) trebling.

tredækker (en -e) (skib) three-decker; (fugl) great snipe; (bommert) howler, (amr) boner.

treenigheden the Trinity. **treenighedslæren** the doctrine of the Trinity, Trinitarianism.

treer (en -e) three; (sporvogn etc) number three.

tre|etages adj three-storeyed. **-fags** se fag. **-farvet** three-coloured. **-faset** adj three-phase. **-fjerdedelstakt** three-four time. **-fod** tripod; (lav, til ildsted) trivet. **-fold** threefold. **-foldig** adj: et - -t hurra three cheers. **-foldighed** (en) Trinity. **-fork** three -pronged fork; (Neptuns etc) trident. **-gangsdampmaskine** triple expansion engine. **-grenet** adj three -pronged (fx fork). **-hjulet** adj three-wheeled; ~ cykel tricycle. **-holdsdrift** treble shift. **-hundredårsdag** -en for the tercentenary of. **-kant** (en -er) triangle; ægteskabelig ~ matrimonial triangle. **-kantet** triangular; (kejtet, klodset) clumsy; ~ forlig tripartite (el. triangular) agreement; ~ hat three -cornered hat, cocked hat. **-klang** triad; stor (, lille) major (, minor) triad. **-kløver ♣** trefoil; (fig) trio. **-kvart** three quarters; ~ liter (etc) three quarters of a litre (etc); han blev lynende ~ he went up in the air. **-kvartlang** adj three-quarter length (fx sleeve). **-længet** with three wings.

trema (et -er) diaeresis (pl diaereses).

tremagts|forbund triple alliance. **-pagt** tripartite (el. three-power) pact.

tremandsbridge three-handed bridge.

tremaster (en -e) three-master.

tremilegrænsen the three-mile limit.

tremme (en -r) (i bur, vindue) bar; (i gærde etc) rail; (i jalousi, tremmekasse) slat; -r (krydsede) (fx i lysthus) trellis, (især for vindue) lattice; vindue med -r for barred (, krydsede: lattice) window; sidde bag -rne (o: i fængsel) be inside, be in quod, be in clink.

tremme|kalv factory calf. **-kasse** crate. **-seng**

cot, *(amr)* crib. **-værk** latticework, *(til slyngplanter etc)* trellis.

tremulant *(en -er)* tremolo. **tremulere** *vb* quaver.

trend *(en -er)*, **trende** *vb* warp.

trense *(en -r)* *(til hest)* bridle; *(løkke til knap el. hægte)* button-hole loop; *(på skistav)* disk.

trepan *(en -er)* trephine. **trepanation** *(en -er)* trephining. **trepanere** *vb* trephine.

tre|penny(stykke) threepenny bit, threepence. **-radåret** *adj* with three banks of oars; ~ *skib* trireme. **tres** sixty; *i -serne* in the sixties.

tre|sidet, -sidig *adj* three-sided, trilateral, *(mellem 3 parter)* trilateral, tripartite.

tresinds|tyve sixty. **-tyvende** sixtieth.

treslået *adj (om tov)* three-stranded.

tresporet *adj (om skole)* three-form entry.

trespring triple jump; hop, step and jump.

tresse *(en -r)* braid, galloon.

tre|stavelses *adj* trisyllabic. **-stavelsesord** trisyllable. **-stemmig** *adj* three-part, for three voices. **-stjernet**: ~ *cognak* three-star (cognac). **-strenget** *adj* three-stringed. **-tal** three. **-ti** thirty. **-tiden**: *ved* ~ at about three o'clock. **-trinsraket** three-stage rocket.

tretten thirteen. **trettende** thirteenth.

tretårnet *adj*: ~ *sølv (svarer til)* hallmarked silver.

treven *adj (uvillig)* reluctant, unwilling; *(langsom)* slow; *(lad)* torpid, sluggish, lazy; *(merk)* dull, flat; *samtalen gik -t* the conversation languished. **trevenhed** *(en)* reluctance, unwillingness; slowness, torpidness, sluggishness.

treværelses *adj*: ~ *lejlighed* three-room flat, *(amr)* four-room apartment *(se toværelses)*.

tre|årig *adj* three-year-old; of three; *(som varer 3 år)* triennial. **-års** *se* **-årig**.

triang|el *(en -ler)* triangle.

triangulation *(en -er)* triangulation. **triangulere** *vb* triangulate. **triangulær** *adj* triangular.

trias *(i geologi)* Trias. **trias-** Triassic.

tribun *(en -er)* tribune. **tribunal** *(et -er)* tribunal.

tribune *(en -r)* *(tilskuer-)* (grand) stand; *(for optrædende, taler)* platform; *(musik-)* bandstand.

tribut *(en -ter)* tribute.

trick *(et -s)* trick.

tricykel tricycle.

trifli *(en)* trifle.

triftong *(en -er)* triphthong.

trigonometri *(en)* trigonometry.

trigonometrisk *adj* trigonometrical.

trikin *(en -er)* trichina *(pl* trichinae).

trikin|holdig *adj* trichinous. **-syge** trichinosis.

trikolore *(en -r)* tricolo(u)r.

trikot *(et, -er el. -s)* *(artists)* tights, *(kødfarvet)* fleshings.

trikotage *(en)* hosiery, knitwear. **trikotage|fabrik** knitwear factory. **-handler** *(en -e)* hosier.

I. **trille** *(en -r)* *(i sang og musik)* trill; *(fugls)* warble; *slå -r* trill, *(om fugl)* warble; *det spiller ingen* ~ that makes no difference.

II. **trille** *vb* roll; *(om tårer)* trickle; *(hjulbør)* wheel; *(trillebånd, tønde)* trundle; ~ *omkuld* roll over. III. **trille** *vb* *(slå triller)* trill, *(om fugl)* warble.

trille|bør *(en -e)* (wheel)barrow. **-bånd** hoop. **-fløjte** pea whistle.

trilling *(en -er)* triplet; *få -er* have triplets.

trillion *(en -er)* trillion, *(amr)* quintillion.

trilogi *(en -er)* trilogy.

trimle: ~ *om* roll over.

trimme *vb* trim *(fx* the cargo; a dog).

trimming *(en)* trimming.

trin *(et -)* step *(fx* take a step forward; I heard (foot)steps; a staircase of 50 steps); *(i stige ogs)* rung; *(stadium)* stage; *(musik)* degree; *(raket-)* stage; *han løb op ad trappen tre* ~ *ad gangen* he ran upstairs three (steps) at a time.

trinbræt footboard, running board; *(holdeplads)* halt; *(amr)* whistle stop.

trind *adj* round, plump, chubby; *-t om* all round.

trin|deling gradation. **-delt** *adj* stepped.

trine *vb* step, stalk, sail *(fx* into the room).

trinitatis Trinity (Sunday).

trinvis *adj* stepwise; phased; *(gradvis)* gradual; *adv* stepwise; gradually.

trio *(en -er)* trio.

trip *(et -)* short step, trip; *(tur)* trip.

tripelalliance *(en)* Triple Alliance.

Tripolis Tripoli; *(landet)* Tripolitania.

trippe *vb* trip, *(som lille barn)* toddle; *(affekteret)* mince; ~ *af utålmodighed (svarer til)* fidget with impatience; *stå og* ~ shuffle one's feet.

I. **trisse** *(en -r)* pulley; *(garn-)* reel.

II. **trisse** *vb* pad, *(som en olding)* dodder; ~ *af* toddle off, shuffle off; ~ *rundt* potter about.

trist *adj* sad *(fx* fate), *(nedstemmende)* depressing, dismal, dreary *(fx* landscape), *(kedelig)* tedious *(fx* book), boring, dull, *(uden hygge)* cheerless *(fx* room).

trit *(et)* step; *holde* ~ keep step; *holde* ~ *med* keep step with, *(fart)* keep pace with; *være ude af* ~ *(ogs fig)* be out of step *(med:* with).

triton *(en -er)* *zo* triton; *(guddom)* Triton.

triumf *(en -er)* triumph; *jeg havde den* ~ *at* I had the gratification that. **triumfator** *(en -er)* triumphator. **triumfbue** triumphal arch. **triumfere** *vb* triumph, exult, *(især skadefro)* gloat *(over en:* over sby). **triumferende** *adj* triumphant, exultant, *(skadefro)* gloating; *adv* -ly, in triumph. **triumf|tog** triumphal procession. **-vogn** triumphal car.

trium|vir *(en -er)* triumvir. **-virat** *(et -er)* triumvirate.

trivelig *adj* plump, stoutish; *(især om mand)* portly; *(om kvinde)* buxom.

trivelighed *(en)* plumpness.

trives *vb* thrive; *(befinde sig vel)* feel comfortable, be happy; *(blive trivelig)* put on flesh.

trivialitet *(en -er)* *(fortærsket bemærkning)* commonplace, truism; *(fortærskethed)* triteness; *(kedsommelighed)* tediousness.

triviel *adj* *(fortærsket)* commonplace, hackneyed, trite; *(kedelig)* tedious, tiresome.

trivsel *(en)* vigorous development, growth; prosperity.

I. **tro** *(en)* *(mods viden og tvivl)* belief *(fx* b. in ghosts); *(religion)* faith; *(trosbekendelse)* creed; *(tillid)* trust; *-ens forsvarer* Defender of the Faith; ~, *håb og kærlighed* faith, hope, and charity; *i den* ~ *at* thinking that, in the belief that; *lad ham blive i -en!* don't undeceive him! *i god* ~ in good faith; *den kristelige* ~ the Christian faith *(el.* religion); *erklæring på* ~ *og love* solemn declaration; *min* ~! upon my word! ~ *på* belief in; *have* ~ *til* have faith *(el.* confidence) in.

II. **tro** *adj* faithful, loyal *(imod:* to); *(nøjagtig)* accurate, faithful *(fx* copy), close *(fx* imitation); ~ *mod sin overbevisning* true to one's convictions; ~ *som guld* true as steel.

III. **tro** *vb* *(mene)* think, believe; *(fæste lid til)* believe, give credit to; *(religiøst)* believe; *(stole på)* trust; *nå, det -r du?* do you think so? (= *du tager fejl)* that's what you think! *det kan du* ~ you bet; *du kan* ~ *nej!* no fear! (>: *du får ikke lov)* not if I know it! ~ *én* believe sby; *hvem skulle have -et det?* who would have thought it? *ja, det -r jeg, det vil jeg bedst* ~ I can quite believe it; *jeg -r ham ikke over en dørtærskel (svarer til)* I wouldn't trust him an inch; ~ *sig sikker* believe oneself secure; ~ *godt om* think well of; *så må du* ~ *'om igen* then you had better think again, T then you·have another think coming to you; ~ *på* believe in *(fx* God, ghosts), believe *(fx* a story); *jeg -r på ham* (= *har tillid til ham)* I trust him; *jeg -r Dem på Deres ord* I take your word for it; *han kunne knap* ~ *sine egne øjne* he could hardly believe his eyes.

I. **trods** *(en)* defiance; *(hos barn)* refractoriness; *byde* ~ defy, brave, *(holde stand mod)* hold one's own against; *på* ~ in sheer defiance, out of bravado; *på* ~ *af* in defiance of; *til* ~ *for* in spite of.

II. **trods** *præp* in spite of; ~ *alt* in spite of everything, *(alligevel)* after all.

trodsalder: *i -en* at an assertive age.

trodse *vb* defy, bid defiance to; brave *(fx* death); *(holde stand imod)* hold one's own against; *det -r enhver beskrivelse* it baffles description.

trodsig *adj (udfordrende)* defiant; *(genstridig, om børn)* refractory; *(stædig)* obstinate. **trodsighed** *(en)* defiance; refractoriness; obstinacy.

I. **troende:** *hans ord står til* ~ he *(el.* his words) can be trusted, his words deserve credit.

II. **troende** *adj* believing *(fx* a b. Christian); *en* ~ a believer; *I lidet* ~ *(bibl)* ye of little faith.

trofast *adj* faithful, loyal *(mod:* to); *adv* -ly, *(støt)* steadily. **trofasthed** *(en)* faithfulness, fidelity, loyalty *(mod, over for:* to).

trofæ *(en el. et, -er)* trophy.

trohjertig *adj* simple, ingenuous.

trohjertighed *(en)* simplicity, ingenuousness.

Troja Troy. **trojaner** *(en -e)*, **trojansk** Trojan.

trojka *(en -er)* troika.

troklesting herringbone stitch.

trokæ *(en -er)* trochee. **trokæisk** *adj* trochaic.

trold *(en -e)* ogre, monster, *(i nordisk mytologi)* troll; *(arrig-)* spitfire; ~ *kan tæmmes (skuespillet)* The Taming of the Shrew; ~ *i en æske* jack-in-the -box.

trold|and *(en, troldænder) zo* tufted duck. **-dom** *(en)* witchcraft, sorcery, magic. **-domskraft** magic power.

trolderi *(et)* witchcraft, sorcery.

trold|kvinde witch, sorceress. **-mand** sorcerer, wizard, magician. **-unge** *(uartigt barn)* imp, brat.

trolig *adj (sandsynlig)* likely, credible; *-t adv (stadig, trofast)* steadily, faithfully, religiously.

trolje *(en -r)*, **trolley** *(en -er)* trolley.

trolley|omnibus, **-vogn** trolley bus.

tro|love *vb* betroth. **-lovelse** *(en)* betrothal. **-løs** *adj* faithless, perfidious; *(forræderisk)* treacherous. **-løshed** *(en)* faithlessness, perfidy; treachery.

I. **tromle** *(en -r) (til jord)* roller; *(i maskine)* drum.

II. **tromle** *vb* roll; ~ *al modstand ned* steamroller all opposition.

I. **tromme** *(en -r)* drum; ~ *in går* the drum is beating; *røre -n* beat the drum; *slå på* ~ drum, play the drum; *stor* ~ bass drum, big drum.

II. **tromme** *vb* drum, beat the drum; ~ *med fingrene på bordet* drum the table with one's fingers; ~ *på* drum (on); ~ *sammen* drum together.

tromme|hinde ear drum, tympanic membrane; *sprænge ens -r* split sby's ear drums. **-hvirvel** *(en, -hvirvler)* roll (of drums), drumbeat. **-ild** drumfire. **-skind** drumhead. **-slager** *(en -e)* drummer; *(by-)* town crier. **-stik** *(en -ker)* drumstick. **-syge** *(en)* tympanites, blast.

trompet *(en -er)* trumpet; *støde i -en (ogs fig)* blow the trumpet. **trompete** *vb (ogs om elefant)* trumpet. **trompeter** *(en -e)* trumpeter. **trompetfanfare** flourish of trumpets. **trompetist** *(en -er)* trumpeter. **trompetstød** trumpet blast.

tron|arving heir to the throne. **-bestigelse** *(en)* accession (to the throne).

I. **trone** *(en -r)* throne; *bestige -n, komme på -n* come *(el.* accede) to the throne; *støde fra -n* drive from the throne, dethrone; *frasige sig -n* abdicate.

II. **trone** *vb* sit enthroned, sit in state, throne.

tron|frasigelse abdication. **-følge** *(en)* succession. **-følger** *(en -e) (tronarving)* heir to the throne; *(efterfølger)* successor (to the throne). **-himmel** canopy. **tron|prætendent** *(en -er)* pretender. **-raner** *(en -e)* usurper. **-sal** throne room. **-skifte** *(et -r)* accession of a new king *(,* queen). **-stol** throne. **-tale** *(en -r)* speech from the throne.

trop *(en -pe) (se ogs tropper)* squad, detachment, *(ogs spejder-)* troop, *(pigespejder-)* company, *(amr)*

troop; *følge* ~ keep the pace, *(ɔ: gøre som de andre)* follow suit; *i sluttet* ~ in a body.

trope|dragt tropical suit; T ducks *(pl).* **-egn** tropical region. **-feber** malaria. **-hjelm** topee. **-klima** tropical climate. **-landene** the tropics. **-lastelinie** tropical load line. **-regn** tropical rain.

troperne *pl* the tropics.

tropesygdom tropical disease.

tropisk *adj* tropical.

troposfære *(en)* troposphere.

troppe: ~ *op (samle sig)* gather; *(møde op)* turn up. **troppe|bevægelse** movement of troops. **-koncentrationer** *pl* concentrations of troops. **-kontingent** contingent.

tropper *pl* troops, forces.

troppetransport transportation of troops; *(styrke)* force. **troppetransport|maskine** troop carrier. **-skib** troop ship, transport.

tropsfører *(for spejdere)* scoutmaster, *(for pigespejdere)* captain.

tros *(et)* ⚔ *(glds)* baggage (train); train.

tros|artikel article of faith. **-bekendelse** *(tro)* creed, *(trosformular)* creed, confession; *aflægge sin* ~ confess one's faith. **-frihed** religious liberty, liberty of conscience. **-fælle** co-religionist; *politisk* ~ fellow partisan. **-fællesskab** community of religion. **-iver** religious zeal.

troskab *(en)* fidelity, faithfulness, loyalty *(mod:* to); *(undersåtlig)* allegiance *(mod:* to). **troskabs|brud** *(et -)* breach of faith, *(forræderi)* treachery. **-ed** oath of allegiance; *sværge én* ~, *aflægge* ~ *til én* swear allegiance to sby. **-løfte** *(et -r)* vow of fidelity.

troskyldig *adj* simple-minded, artless, *(tillidsfuld)* unsuspicious. **troskyldighed** *(en)* simple-mindedness, artlessness, unsuspiciousness.

tros|sag matter of faith. **-samfund** religious community.

trosse *(en -r)* hawser.

trossætning *(religious)* dogma, doctrine.

trotyl *(et) (kem)* TNT, trinitrotoluene.

troubadour *(en -er)* minstrel, troubadour.

troværdig *(sandsynlig)* credible, likely *(fx* story); *(pålidelig, sanddru)* trustworthy, reliable *(fx* witness). **troværdighed** *(en)* credibility; reliability.

true *vb* threaten, menace *(fx* he did not actually threaten me, but his tone was menacing); ~ *ad en med fingeren* shake one's finger at sby; ~ *en med* threaten sby with *(fx* imprisonment); ~ *med selvmord (, sagsanlæg)* threaten suicide *(,* proceedings); *det -r med regn* it looks like rain; ~ *med at* threaten to; ~ *en på livet* threaten sby's life; ~ *en til at gøre ngt* intimidate *(el.* bully *el.* blackmail) sby into doing sth; *(se ogs truende).* **truen** *(en)* threatening, threats. **truende** *adj* threatening; *(overhængende)* imminent *(fx* danger); *(ildevarslende)* ominous *(fx* silence).

truffet *perf part af* **træffe.**

trug *(et -)* trough.

trukket *perf part af* **trække.**

trumf *(en -er)* trump; *(fig)* trump card *(fx* play one's trump card); *have en* ~ *i baghånden* have a card up one's sleeve; ~ *es* the ace of trumps; *hjerter er* ~ hearts are trumps; *spille sin sidste* ~ *ud (fig)* play one's last card; *tage én med en* ~ take sby by surprise. **trumfe** *vb* trump; ~ *noget igennem* force sth through. **trumf|farve** *(en)* trump suit. **-stik** trump trick. **trummerum:** *den daglige* ~ the (old) jog-trot, the (old) grind.

trup *(en -pe)* troupe, company.

trus|sel *(en -ler)* threat, menace; *en* ~ *mod* a menace to. **trusselsbrev** threatening letter.

trusser *(pl) (dame-)* briefs, *(herre-)* Y-cut drawers.

trust *(en -er)* trust. **trustdannelse** trust formation.

trut *(et -) (i horn etc)* toot, *(i bilhorn ogs)* honk.

trutmund pout; *lave* ~ pout.

trutte *vb* toot; *(i bilhorn etc)* honk, hoot.

tryg *adj (sikker)* safe, secure; *(rolig)* easy, confident; *gøre én* ~ reassure sby, set sby's mind at ease, (*gøre en mindre vagtsom*) throw sby off his guard; *i ~ søvn* sound **asleep**; *se ogs* **trygt**.

tryghed (*en*) safety, security; confidence, (*ofte =*) peace of mind.

trygle *vb* beg, entreat, implore, supplicate; *~ en om at gøre ngt* beg sby to do sth; *~ om ngt* beg (for) sth. **tryglen** (*en*) begging, supplication.

trygt *adv* safely, confidently; *stole ~ på* rely confidently on, have complete confidence (*el.* implicit faith) in.

I. **tryk** (*et -*) pressure; (*på stavelse*) stress; (*byrde*) weight, load, burden (*fx b.* of taxation); (*anspændelse*) strain; (*tvang*) pressure, constraint; *4 atmosfærers ~* a pressure of 4 atmospheres; *lægge ~ på en stavelse* stress a syllable; *udøve et ~ på én* bring pressure to bear on sby, put (*el.* exert) pressure on sby.

II. **tryk** (*en el. et*) print; (*typer ogs*) type; (*det at trykke*) printing; *gå i -ken* go to press; *parat til at gå i -ken* ready for press; *være i -ken* be in the press; *på ~* in print; *komme på ~* be printed, get into print; *småt ~* small (*el.* fine) print, small type. ·

trykfarve (*en -r*) printer's ink, printing ink.

tryk|fejl misprint, printer's error, erratum (*pl* errata). **-fejlsliste** (list of) errata. **-fod** (*på symaskine*) presser foot. **-færdig** ready for press. **-kabine** (*flyv*) pressurized (*el.* pressure) cabin.

I. **trykke** *vb* press; (*klemme, ~ sammen*) squeeze; (*skubbe*) push; (*om fodtøj etc*) pinch; (*markedet, priser*) depress, (*underbyde*) cut; (*tynge, besvære*) lie heavy on, burden, oppress, weigh heavily on;

~ (blæk) af blot the paper; *~ et gevær af* fire a gun, pull the trigger; *der er noget der -r ham* he has sth on his mind; *~ flad* flatten; *~ éns hånd, ~ én i hånden* shake hands with sby, (*hjerteligere*) press (*el.* clasp) sby's hand; *~ én en shilling i hånden* slip a shilling into sby's hand; *han -de mig i sine arme* he hugged (*el.* clasped) me in his arms; *~ døren i* push the door to; *~ en rude ind* push in a pane; *~ itu* squeeze to pieces; *~ ned* press down, (*tynge ned*) weigh down; *~ på en knap* press a button; *han -de et kys på hendes pande* he imprinted a kiss on her forehead; *~ sammen* compress, squeeze, (*~ flad*) flatten; *~ til* (*o: hårdt*) press hard; *~ døren til* push the door to; *~ ud* squeeze out; *~ sig ved at* jib at; *~ sig ved at gøre sin pligt* shirk one's duty; (*se ogs* **trykkende, trykket**).

II. **trykke** ∗ (*bøger etc*) print (*fx* books, cotton, an etching); *trykt hos* printed by; *~ op* reprint (*fx* a book); (*se ogs* **trykt**).

trykke|frihed liberty (*el.* freedom) of the press. **-maskine** printing-machine.

trykken (*en*) (feeling of) oppression; (*en*) *~ for brystet* a weight on the chest.

trykkende *adj* (*om vejr*) oppressive, close, sultry; (*byrdefuld*) heavy (*fx* load), oppressive (*fx* taxes); (*pinlig*) uneasy, awkward (*fx* silence).

trykker (*en -e*) (*til forskel fra sætter*) printer.

trykkeri (*en -e*) printing-house (*el.* -office *el.* -works); (*modsat: sætteri*) pressroom.

trykkested place of publication.

trykket *adj* depressed, oppressed, ill at ease; *~ stemning* depression, gloomy atmosphere.

trykkeår year of publication; *uden ~* no date.·

tryk|knap (*kontakt etc*) push-button; (*se ogs* **-lås**). **-koger** (*en -e*) pressure cooker. **-kys** smack.

trykluft compressed air. **trykluft|bremse** pneumatic brake, air brake. **-pumpe** (*en -r*) air compressor. **-værktøj** pneumatic tools.

tryk|løs (*om stavelse*) unstressed, unaccented. **-lås** press stud, snap fastener. **-måler** pressure gauge.

trykning (*en*) printing; *bogen er under ~* the book is being printed, the book is in the press.

tryk|sag printed paper; *-sager* printed matter. **-seksten** (*et*) squeeze. **-stavelse** stressed syllable. **-stærk** stressed, accented (*fx* syllable); *i ~ stilling* when stressed. **-svag** unstressed, unaccented; *i ~ stilling* when unstressed. **-sværte** (*en -r*) printer's ink, printing ink.

trykt *adj* printed; *-e bogstaver* print, type, (*håndskrevne*) block letters.

trylle *vb* conjure; *~ frem* conjure up; *~ ud af* conjure out of (*fx* conjure a rabbit out of a top hat); *~ bort* spirit away.

trylle|binde *vb* bewitch, cast a spell over. **-bunden** *adj* spell-bound, bewitched. **-drik** magic potion; (*elskovs-*) philter, love potion. **-fløjte** magic flute. **-formular** magic formula, charm, spell. **-kraft** magic power. **-kunst** conjuring trick. **-kunstner** conjurer. **-middel** charm.

trylleri (*et -er*) magic, witchcraft; (*fig.*) charm. **trylle|ring** magic ring. **-skær** (*et*) glamour. **-slag:** *som ved et ~* as if by magic. **-spejl** magic mirror. **-stav** magic wand.

tryne (*en -r*) snout.

træ (*et -er*) tree; (*som stof, ved*) wood; (*tømmer etc*) timber; *af ~* wooden, made of wood; *livets ~* the Tree of Life; *de hænger ikke på -erne* (*fig*) they don't grow on trees, they are not found every day. **træ|ben** wooden leg. **-bevokset** wooded, timbered. **-blæseinstrument** wood-wind instrument. **-blæser** (*en -e*) wood-wind player; *-ne* (*i orkester*) the wood wind(s). **-brolægning** wood-block paving. **-buk** (*en -ke*) *zo* longicorn (beetle).

I. **træde** (*trådte, trådt*) tread, step; *~ vande* tread water; *~ af* ✗ fall out; *træd af!* dismiss! *~ af på naturens vegne* fall out to relieve nature; *~ an* fall in; *~ fejl* stumble; *~ fra* retire, withdraw; *~ frem* step forward, (*rage frem*) project, protrude, stand out, (*ses tydeligt*) stand out; *~ frem for offentligheden* appear before the public; *~ hen til en* step (*el.* go) up to sby; *~ i* step on (*fx* the grass), step into (*fx* a pool); *~ i det* (*blive ved med at sige det samme*) labour the point, (*om bebrejdelse etc*) rub it in, (*= ~ i spinaten*) put one's foot in it; *~ i ham i hælene* tread on his heels; *~ i kraft* come into force, take effect; *~ i ens sted, ~ i stedet for en* act as a deputy for sby, (*som efterfølger*) succeed sby; *~ i éns tjeneste* enter sby's service; *~ i virksomhed* commence operations; *~ ihjel* trample to death; *~ ind* enter, come in; *~ ind i enter* (*fx* a room), step into; *~ ind i ægtestanden* enter into matrimony; *~ ind i en ny fase* enter on a new phase; *~ indenfor* enter, come in; *~ ngt itu* step on and break it, crush sth with (*el.* under) one's foot; *~ ned* step down; *~ ngt ned* (*ødelægge*) tread (*el.* trample) sth down, (*så at det dækkes af jord*) tread sth in, (*tynge ned med foden*) press sth down, depress sth (*fx* the pedal); *~ nærmere* come nearer, approach; *~ om* change (one's) step; *~ en torn op i foden* get a thorn in one's foot; *~ op* mod make a stand against; *~ op på* mount; *~ én over tæerne* (*ogs fig*) tread on sby's toes; *~ på* step on, tread on; *~ sammen* meet; *~ til* (*fig*) lend a hand, help, (*tage ledelsen*) take charge; *~ til side* stand aside; *~ tilbage* stand back, (*gå af*) retire, (*om minister, regering*) resign; *~ ud* (*som medlem etc*) resign; retire; (*tvære ud*) tread out; *~ under fode* trample underfoot.

II. **træde** (*trådte, trådt el. trædte, trædt*) (*en nål*) thread.

træde|bræt treadle. **-maskine** treadle (sewing-) machine. **-mølle** treadmill; *livets ~* the daily grind. **-pude** *zo* pad.

træet *adj* woody; (*om grønsager*) tough; stringy.

træf (*et -*) coincidence, chance; *heldigt ~* happy chance, stroke of luck, fluke.

træffe (*traf, truffet*) (*ramme*) hit; (*efterligne træffende*) hit off, hit (*fx* you hit him off to a tee); (*møde*) meet, come across, meet with, fall in with; (*finde*) find (*fx* nobody at home); (*foretage*) make (*fx* arrangements, preparations);

-s (*mødes*) meet, (*findes*) be found; *han -s på sit kontor* you can see him at his office;

jeg følte mig truffet I felt that the cap fitted (me), I felt that the remark applied to me, (*om bebrejdelse*) I felt that the reproof was merited; *føler du dig truffet?* if the cap fits, you wear it; *jeg traf ingen hjemme*

I found nobody at home; ~ *hinanden (mødes)* meet; *-r jeg hr. X?* is Mr X in? *(i telefonen)* can I speak to Mr X? *kuglen traf ham ikke* the bullet missed him; *loddet traf ham* the lot fell on him; *jeg skal ~ nogen kl. 1* I have an appointment at (el. for) one o'clock; ~ *på (ting)* come across, hit upon, *(se ogs træffe)*; ~ *sammen* meet, *(om begivenheder)* coincide; ~ *sig* (so) happen; *det traf sig at jeg var hjemme* I happened to be at home; *det traf sig så heldigt at de netop var kommet* fortunately they had just arrived; ~ *alles smag* suit all tastes, please everybody; ~ *sit valg* make one's choice.

træffende *adj (lighed)* striking; *(bemærkning)* apt, appropriate, to the point, pertinent.

træffer *(en -e) (skud, succes)* hit *(fx* score a hit); *(bemærkning)* home thrust.

træffetid office hours, *(læges)* surgery hours, *(amr)* office hours.

træfning *(en -er)* ✗ engagement, encounter.

træfri: *-t papir* wood-free paper.

træfrugt tree fruit.

træf|sikker accurate; *en ~ skytte* a good marksman. **-sikkerhed** accuracy of fire.

træg *adj* sluggish, slow, inert, slack; *adv* -ly; *gå -t* drag, lag; *samtalen gik -t* conversation languished.

trægbed *(en)* sluggishness, slowness, inertness, slackness; *(fys)* inertia.

træ|grænse timber line. **-gulv** wooden *(el.* boarded) floor. **-handler** *(en -e)* timber merchant. **-hest** wooden horse. **-hus** wooden house. **-industriarbejder** *(en -e)* wood worker.

I. **træk** *(et -) (ryk, drag)* pull *(i:* at); stroke; *(enkelthed)* touch, trait, feature; *(episode)* episode, incident *(fx* he told us episodes from his early life); *(ansigts-)* feature; *(karakter-)* trait, feature; *(i skak etc, ogs fig)* move; *(i bridge)* trick; *(fugles)* passage, migration, *(ogs sværm)* flight *(fx* a flight of starlings);

3 gange i ~ 3 times running *(el.* in succession); *5 uger i ~* 5 weeks on end, 5 weeks in succession; *i ét ~ (uden ophold)* without stopping, at a stretch; *jeg læste bogen i ét ~* I read the book at one sitting *(el.* at one go); *i korte ~* briefly, in brief; *i store ~* in (broad) outline; *gå på ~ (om prostitueret)* walk the streets.

II. **træk** *(en)* draught *(fx* sit in the draught); *(amr staver ordet:* draft); *der er ingen ~ i skorstenen* the chimney won't draw; ~ *i øjet* a cold in the eye.

trækkasse wooden box, *(tremme-)* crate.

træk|basun trombone. **-dyr** *(anvendt til at trække)* draught animal. **-fugl** *zo* bird of passage, migratory bird. **-gardin** draw curtain. **-harmonika** accordion. **-hest** draught horse.

trække *(trak, trukket)* (~ *til sig, rykke)* pull *(i:* at); *(slæbe)* draw, pull, haul, *(dyr i reb)* lead, *(cykel)* wheel, *(bugsere)* tow; *(føre fx snor, streg etc gennem ngt)* pass, run; *(udspænde, ophænge)* suspend *(fx* a rope between two posts); *(tegne)* draw; *(tiltrække publikum)* draw, be a draw; *(kunder)* attract, draw; *(rejse, drage)* go, pass, march, *(om fugle etc)* migrate; *(skorsten, cigar etc)* draw; *(te)* infuse, draw; *(indsuge)* absorb; *(lotteri)* draw; *(beløb, veksel)* draw *(på:* on); *(i automat)* draw; *(i fodbold)* move; *(om prostituere)* walk the streets; *(i skak etc)* move;

~ *blank* draw (one's sword); *det -r* there's a draught; ~ *en kniv* draw *(el.* pull) a knife; ~ *lod* draw lots *(om:* for); ~ *frisk luft* get some fresh air, have a breath of air; ~ *en nitte* draw a blank; ~ *renter* bear interest; *træk og slip* Pull the Chain; ~ *vand (fx om sko)* let in *(el.* soak up) water, ⚓ leak; ~ *vejret* breathe; [*m. præp & adv:*] ~ *en barberkniv* **af** set a razor; ~ *et gevær af* fire a gun; ~ *en høj hat af* brush up a top hat; ~ *frakken (, støvlerne etc) af* pull off one's .coat (, boots, etc); ~ *af (sted) med* carry off, march off *(fx* march him off to jail), lead off; ~ **an** *(fx møtrik)* draw tight, *(bremse)* pull back, apply; ~ **bort** *(fjerne sig)* go away, leave, *(om fugle)* depart,

migrate, *(om skyer, tåge etc)* clear away; ~ *gardinet* **for** draw the curtain; ~ **'fra** *(gardin)* draw (back), *(fradrage)* deduct, *(subtrahere)* subtract, take away; ~ *2 fra 5* subtract *(el.* take) 2 from 5; ~ *5%/₀ fra lønnen* deduct 5 per cent from the salary; ~ **frem** pull out, draw out, *(fremhæve)* call attention to, emphasize; ~ **i** *(rykke i)* pull at, *(iføre sig)* put on, get into; ~ *en i håret* pull sby's hair; ~ *i land (fig)* beat a retreat, climb down; *det trak i hans ansigt* his face twitched; *tropperne trak* **igennem** *byen* the troops marched through the town; ~ *en tråd igennem et nåleøje* pass a thread through the eye of a needle; ~ **ind** draw in, pull in, *(om væske)* soak in; ~ *sig ind* **i** fall back on *(fx* a fortress), withdraw into; ~ *sig ind i sig selv* retire into oneself; *blive trukket med ind i ngt* be drawn into sth, be mixed up in sth; ~ *en med sig i faldet* drag sby down with one; *(have at) -s med* be afflicted *(el.* saddled) with; ~ **ned** pull down, draw down; ~ *gardinet (, vinduet) ned* lower the blind (, the window); ~ *én ned (fig)* drag sby down; ~ **om** wander about; ~ *om med ngt* carry (, drag) sth about with one; ~ **op** draw up, pull up, *(af vand, af lomme)* draw out, pull out, *(mekanisme)* wind *(fx* a watch), *(flaske)* uncork, open, *(prop)* draw, *(i pris)* overcharge *(fx* the customers), *(m. blæk)* ink in; *det -r op til krig (, regn)* it looks like war (, rain); ~ *op i bukserne* hitch up one's trousers; *det -r op til uvejr* a storm is gathering; *vagtparaden -r op (omtr =)* they are changing the guard; ~ **over** *(rive over)* tear, *(overtrække)* cover, *(om uvejr, fare etc)* blow over; ~ **'på** *(fx strømper, støvler)* pull on; ~ *på for et beløb* draw on sby for an amount; ~ *på det ene ben* walk with a limp; ~ *på skuldrene* shrug one's shoulders; ~ *perler på en snor* string beads (, pearls); ~ *på årerne* ply the oars; ~ **sammen** draw together, gather, *(forkorte)* contract, condense; *skyerne -r sammen* the sky is clouding over; ~ *sig sammen* contract, shrink; *nettet -r sig sammen om ham* the net is tightening round him; ~ **'til** *(tiltrække)* attract, draw, *(lukke fx dør)* pull to, *(rykke kraftigt)* pull hard, *(stramme)* tighten *(fx* a screw, a knot), *(om byld)* come to a head;

~ **tilbage** draw (, pull) back *(fx* one's chair), withdraw *(fx* one's hand, troops, an accusation); ~ *sig tilbage* retire *(fx* r. to one's room; r. for the night; r. from the world), withdraw, *(bevæge sig tilbage ogs)* draw back *(fra:* from); *(fra embede etc)* retire *(fx* from a post), resign *(fx* he offered to r.); ✗ retire *(fx* to prepared positions), retreat *(fx* force the enemy to r.); ~ **ud** draw out, pull out, *(uddrage)* extract, *(forlænge)* draw out, stretch, *(få til at vare længe)* spin out, *(vare længe)* make slow progress, drag on, take a long time; ~ *tiden ud* draw out the time; temporize; *for at ~ tiden ud* in order to gain time; *det -r ud med forhandlingerne* the negotiations are making slow progress, the n. are hanging fire; ~ *sig ud af* withdraw from *(fx* political life), back out of *(fx* an undertaking).

trækkeevne *(en)* haulage capacity, tractive power.

trækkenål bodkin.

trækkerdreng male prostitute.

træklods wooden block, *(om person)* (dry) stick.

trækning *(en -er)* drawing; *(krampe-)* twitching, spasm, *(i ansigtet) (sygelig)* tic, *(af smerte, ubehag)* wince; *(i lotteri)* draw *(fx* the last draw).

trækningsliste list of prizes; *(over udtrukne obligationer)* list of bonds drawn.

træk|papir blotting-paper. **-plaster** *(fig)* draw. **-rude** ventilator. **-sti** towpath.

trækul charcoal.

træk|vind draught. **-vogn** handcart, pushcart, *(til gadehandel)* barrow.

trækølle wooden club, *(værktøj)* mallet.

træl *(en -le)* bondsman, slave, thrall.

trælast timber, *(amr)* lumber. **trælasthandler** *(en -e)* timber merchant, *(amr)* lumber merchant.

trælbinde *vb* enslave.

trældom *(en)* bondage, slavery.
trælle *vb* slave, toil like a slave.
trælle|mærke *(et)* brand of slavery. **-sind** servile spirit. **-åg** yoke of bondage.
trælsom *adj* toilsome, laborious.
træløber *(en -e)* zo tree creeper.
træ|løs treeless. **-mand** *(fig)* (dry) stick. **-masse** *(til papir)* wood pulp.
træn *(et)* baggage, train, *(nu oftest)* transport.
trænattergal *(en -e)* zo rufous warbler.
træne *vb* train *(til:* for); *(som sportstræner)* coach.
træner *(en -e)* trainer; *(sports-)* coach.
I. **trænge** * *(presse)* press, force; **-s** crowd, press, throng *(fx* round sby); **~ bort** drive away, crowd out, *(fig)* oust; **~ frem** advance, push forward; **~ sig frem** push forward; **~ igennem ngt** force one's way through sth, penetrate sth; **~ igennem** *(o: blive anerkendt)* prevail, be accepted, *(om stemme)* carry; **~ ind i** force one's way into, penetrate into, *(om mængde ogs)* crowd into, *(gradvis)* insinuate oneself into, permeate, percolate into; *(om invasion)* invade; *(lære at kende)* become better acquainted with *(fx* a subject), penetrate into; **~ ind på én** press sby (hard), *(for at få ham til at gøre ngt:* to do sth); **~ en op i en krog** corner sby, force sby into a corner; **~ 'på** push (forward), *(om flere ogs)* crowd; **~ sig på** push (oneself forward), butt in, *(kræve løsning etc)* be urgent; **~ fjenden tilbage** drive *(el.* push) back the enemy; **~ en ud** force sby out, *(fig)* oust sby; **hårdt trængt af** hard pressed by.
II. **trænge** * *(være i trang)* be in want; **~ til** need, want, require; **~ hårdt til ngt** need sth badly.
trængende *adj (fattig)* indigent, needy, necessitous; *de værdige* **~** the deserving poor.
trængs|el *(en -ler) (af folk)* crowd, crush, throng; *(modgang)* adversity, troubles, hardship(s); *fyldt til* **~** (over)crowded, packed.
trængsels|tid (, **-år**) hour (, year) of distress.
træning *(en)* training; *(sportsinstruktion)* coaching; *gå i* **~** go into training; *være ude af* **~** be out of t.
træningsdragt track suit, sweat suit.
træ|orm zo wood borer. **-rod** *(en -rødder)* root of a tree, tree root. **-sejler** *(en -e)* zo tree swift.
træsk *adj* wily, crafty.
træske *(en -er)* wooden spoon.
træskhed *(en)* wiliness, craftiness, guile.
træsko wooden shoe; *(med overlæder)* clog. **træsko|bund** clog sole. **-dans** clog dance. **-mager** *(en -e)*, **-mand** clog maker. **-støvle** wooden-soled boot.
træ|skærer *(en -e) (billedskærer)* wood carver; *(xylograf)* wood engraver. **-sløjd** woodwork, sloid. **-snit** *(billede)* woodcut. **-sort** *(en -er)* (type of) wood; **-er** woods. **-splint** splinter of wood. **-sprit** wood alcohol. **-stamme** *(en -r)* stem, trunk, bole (of a tree), *(fældet)* log. **-stub** stump (of a tree).
træt *adj* tired, T fagged, *(mere litterært)* weary, fatigued, *(om materiale)* fatigued; **~ af** *(ked af)* tired of, weary of, *(udmattet af)* tired with *(fx* standing), tired from *(fx* the journey); *køre én* **~** tire sby out; *han er kørt* **~** he is run down. **træthed** *(en)* fatigue, tiredness, *(højtideligere)* weariness, *(i materiale)* fatigue. **træthedsbrud** *(et -)* fatigue fracture.
træ|tjære *(en)* wood tar. **-top** *(en -pe)* treetop.
I. **trætte** *(en -r)* dispute, quarrel; *ligge i* **~** *med* have a quarrel with.
II. **trætte** *vb (gøre træt)* tire, fatigue, *(især åndeligt)* weary; *(kede)* bore; *(se ogs trættende)*.
trættekær *adj* quarrelsome, cantankerous.
trættende *adj* tiring, fatiguing; *(møjsommelig)* wearisome, weary; *(kedelig)* boring, tedious.
I. **trættes** *vb (blive træt)* get *(el.* grow) tired, tire, weary. II. **trættes** *vb (strides)* quarrel.
træ|uld wood wool, *(amr ogs)* excelsior. **-varer** articles of wood, wooden articles.
trævl *(en -er) (af tøj)* thread, *(= las)* rag, shred; *(i plante, muskel)* fibre; *(kød-)* shred of meat *(, flesh)*;

uden en **~** *på (kroppen)* without a stitch on (one's back).
trævle *vb:* **~ ud** fray, become frayed; **~ ngt op** unravel sth, ravel sth out, *(fig)* dissect sth *(fx* sby's arguments); *(rippe op i)* rake up; **~ en organisation op** roll up an organization; *(se ogs trævlet)*.
trævlerod *(en)* fibrous root.
trævlet *adj* fibrous; *(om tøj)* frayed; *(om kød)* stringy.
træ|vækst tree growth. **-værk** woodwork.
trøf|fel *(en -ler)* truffle.
trøje *(en -r)* jacket, coat; *(under-)* vest; *(strikket)* jersey, *(fodbold- etc)* jersey, shirt; *vove -n* risk one's neck; *få en våd* **~** get a wetting.
I. **trøske** *(en) (på tungen)* thrush.
II. **trøske** *(en) (forrådnelse)* dry-rot, *(råddent træ)* dry-rotten wood.
trøsket *adj* dry-rotten.
trøst *(en)* comfort, consolation, *(mere litterært)* solace *(fx* he was a great comfort to his parents; that is a poor (, his only) consolation; find consolation *(el.* solace) in sth; seek comfort from sby); *få* **~** be comforted; *det er altid en* **~** that is one comfort.
trøste *vb* comfort *(fx* she comforted her sobbing child), console, *(mere litterært)* solace; *ikke til at* **~** inconsolable; **~ sig** console oneself *(med:* with); **~ sig med (den tanke) at** take comfort in the thought that; *jeg kan* **~** *dig med at ingen ved det* cheer up, no one knows; **-nde ord** words of consolation; **-nde** *(adv)* consolingly *(fx* "Cheer up", he said consolingly).
trøste|brev consolatory letter. **-præmie** consolation prize.
trøster *(en -e)* comforter, consoler; *(pude)* cylindrical cushion.
trøsterig *adj* comforting, consoling, cheering.
trøstesløs *adj (håbløs)* hopeless; *(trist)* dreary *(fx* region). **trøstesløshed** *(en)* hopelessness; dreariness.
trøstig *adj* trustful, *(frejdig)* cheerful; *adv* trustfully, confidently, *(trolig)* steadily, faithfully.
tråd *(en -e)* thread; *(metal-)* wire; *(til perler; til marionetter)* string; *(fiber)* fibre; *(fisks føle-)* barb, barbel; *(i glødelampe)* filament; *(fig)* thread; *holde -ene i sin hånd* be in a key position; *trække i -ene* pull the wires *(el.* the strings); *hans liv hænger i en* **~** his life hangs by a thread; *falde i* **~** *med* be in keeping with; *løs på -en* of easy virtue; *hun er løs på -en* she is no better than she should be; *den røde* **~** *(fig)* the leitmotif; *det går som en rød* **~** *igennem . .* it forms the leitmotif of . .; *slå på -en (ring mig op)* give me a ring (, T: a tinkle), ring me up; *pr.* **~** by wire; *tabe -en (fig)* lose the thread *(i:* of); *tage -en op* pick up the thread; *tage -ene ud af et sår* take the stitches out of a wound.
tråde *vb* thread.
-trådet *(om garn)* -ply *(fx* 4-ply).
tråd|fabrik *(metal-)* wire works, drawing-mill. **-handske** thread glove. **-hegn** wire fence; *(materialet)* wire fencing. **-løs** *adj* wireless *(fx* telephony, telegraphy, telegram). **-løst** *adv* by wireless. **-net** wire netting, *(fint)* wire gauze. **-rulle** *(en -r)* reel (, *amr:* spool) (of thread). **-saks** wire cutter, nippers *(pl)*.
trådt, trådte *se* **træde.**
tråd|udløser *(på fotografiapparat)* cable release. **-væv** *(et)* wire cloth, *(fint)* wire gauze.
tsar *(en -er)* Tsar; *(se ogs zar etc)*.
tsetseflue *(en -r)* zo tsetse fly.
tsherkesser *(en -e)*, **tsherkessisk** Circassian.
tuba *(en -er) (musikinstrument)* tuba.
tube *(en -r)* tube *(fx* a tube of toothpaste).
tuberk|el *(en -ler)* tubercle; **-ler:** *se* **tuberkulose.**
tuberkel|bacille tubercle bacillus. **-fri** tubercle free. **-patient** tuberculosis patient.
tuberkulin *(et)* tuberculin. **tuberkulin|fri** tubercle-free *(fx* herd). **-prøve** *(en -r)* tuberculin test. **-prøvet** *adj* tuberculin-tested. **-undersøgelse** tuberculin test.

tuberkulose *(en)* tuberculosis; *(lunge-)* pulmonary tuberculosis. **tuberkulose|sanatorium** tuberculosis sanatorium. **-station** *(omtr =)* chest clinic.
tuberkuløs *adj* tuberculous.
tud *(en -e)* *(på pumpe, tepotte)* spout; *(på rør, slange)* nozzle; **T** *(næse)* snout, conk.
tudbrøle *(græde)* howl, blubber.
tude *vb* howl *(fx* the wind (, the dog) howls); *(om ugle, sirene)* hoot; *(om bilhorn)* hoot, honk; *(græde)* howl, blubber; ~ *en ørene fulde med ngt* din sth into sby's ears; *man må ~ med de ulve man er iblandt* when in Rome do as the Romans do.
tude|grim as ugly as sin. **-horn** *(på bil)* horn. **-kop** feeding-cup. **-søren** *(en)* cry-baby. **-vorn** *adj* snivelling.
tudse *(en -r)* *zo* toad.
tue *(en -r)* hillock, mound; *(græs-)* tuft, tussock; *(myre-)* ant hill; *liden ~ kan vælte stort læs* little strokes fell great oaks.
tuf *(en)* *(vulkansk)* tuff, *(kalktuf)* (calcareous) tufa.
tugt *(en)* discipline; *i ~ og ære* decently, in all decency; *-ens ris* the rod of correction; *med ~ at melde* saving your presence.
tugte *vb* chastise, castigate, punish; *den der elsker sin søn -r ham tidlig (svarer til)* spare the rod and spoil the child. **tugtelse** *(en)* chastisement, castigation, punishment.
tugtemester chastiser, corrector; castigator.
tugthus *(omtr =)* prison; *(straf)* (imprisonment with) hard labour. **tugthus|fange** *(en -r)* convict. **-kandidat** gaolbird.
tugtig *adj* decent, modest.
tuja *(en -er)* ⚘ arbor vitae, thuja.
tukan *(en -er)* *zo* toucan.
Tule Thule; *det yderste ~* ultima Thule.
tulipan *(en -er)* ⚘ tulip. **tulipan|løg** ⚘ tulip bulb. **-træ** ⚘ tulip tree.
I. **tulle** *(en -r): en lille ~ (ɔ: barn)* a tiny tot.
II. **tulle** *vb* trundle, trot, *(om barn)* toddle; ~ *rundt* fool *(el.* trundle) about, *(om barn)* toddle about.
tumle *vb* *(falde)* tumble; *(gå vaklende)* stagger, lurch; *(boltre sig)* romp, gambol; *(styre, beherske)* manage, handle; ~ *med* handle, deal with, *(et problem)* grapple with, *(planer etc)* revolve in one's mind; ~ *om(kuld)* tumble over; *-s om på bølgerne* toss on the waves; ~ *sig* romp, gambol, frisk. **tumleplads** playground.
tumler *(en -e)* *(marsvin)* porpoise.
tumling *(en -er)* *(due, legetøj)* tumbler, *(lille barn)* toddler.
tummel *(en)* bustle *(fx* in the streets), *(kamp-)* turmoil, din.
tummelumsk *adj* bewildered; *(svimmel)* giddy.
tummerum *se trummerum.*
tumpet *adj* crazy, cracked.
tumult *(en -er)* *(larm)* uproar, tumult; *(opstand)* riot, disturbance; *(slagsmål)* scuffle.
tun *(en -)* *zo* tunny, tuna.
tundra *(en -er)* tundra.
tuneser *(en -e)* Tunisian. **Tunesien** Tunisia. **tunesisk** *adj* Tunisian.
tunfisk *(en)* *zo* tunny, tuna.
tung *adj* heavy *(fx* burden, metals, air, food, taxes, responsibility, duty, heart, style, sigh, sleep); *(besværlig)* hard, difficult; *(sørgelig)* hard *(fx* fate, times), sad; *(tungnem)* slow-witted, slow; *(af sind)* melancholy, brooding; *(af væsen)* heavy; *(atomfys)* heavy *(fx* hydrogen, water); *det er den -e ende vi har tilbage* the worst is yet to come; ~ *om hjertet* heavy -hearted; *jeg er ~ om hjertet* my heart is heavy; *jeg er ~ i hovedet* my head feels heavy; *-t vejr* close *(el.* oppressive) weather; *(se ogs tungt).*
I. **tunge** *(en -r)* *(ogs fig)* tongue; *(i musikinstrument)* reed; *(på vægt)* pointer, index; *(broderi etc)* scallop; *en giftig (, glat) ~* a venomous (, glib) tongue; *få éns ~ på gled* loosen sby's tongue; *holde -n lige i munden (fig)* watch one's step; *række ~* put out one's

tongue *(ad:* at); *med -n ud af halsen (om hund)* with its tongue lolling out of its mouth; *løbe med -n ud af halsen (fig)* run like mad; *være -n på vægtskålen* tip the scale; *det lå mig på -n* I had it on the tip of my tongue.
II. **tunge** *(en -r)* *(fisk)* sole.
III. **tunge** *vb:* ~ *ud* scallop.
tunge|bånd frenum; *være godt skåren for -et* have the gift of the gab. **-færdighed** glibness, volubility *(fx* her terrific v.). **-mål** tongue. **-spids** *(en)* tip of the tongue. **-tale** *(en)* gift of tongues.
tung|hed *(en)* heaviness. **-hør** *adj* hard of hearing. **-hørighed** *(en)* hardness of hearing. **-nem** *adj* slow-witted, slow. **-nemhed** *(en)* slowness, slow wits. **-sind** *(et)* melancholy, depression, sadness. **-sindig** *adj* melancholy, sad. **-sindighed** *(en)* *se* tungsind. **-sten** tungsten.
tungt *adv* heavily *(fx* fall h.); *have ~ ved at lære* be a slow learner; *tage for ~ på alt* take things too hard; *hans ord vejer ~* his word carries weight.
tungt|fordøjelig *adj* hard to digest. **-smeltelig** *adj* refractory. **-vejende** *adj* weighty.
tunika *(en -er)* tunic.
Tunis *(byen)* Tunis; *(landet), se* Tunesien.
tunnel *(en -er)* tunnel; *(gade-, perron-)* subway.
tunneldal *(geol)* subglacial stream trench.
tur *(en -e)* *(spadsere-)* walk, stroll; *(vandre-)* walking-tour, tramp; *(udflugt)* outing, excursion, tour; *(rejse)* trip, journey; *(til søs)* voyage, *(m turistskib)* cruise, *(overfart)* crossing, passage; *(ride-)* ride; *(køre-)* ride, *(i privat køretøj)* drive, *(kort)* run, *(længere)* tour, trip *(fx* to Paris); *(cykel-)* (bicycle) ride, spin; *(større)* cycling tour; *(ro-)* row; *(sejl-)* sail; *(til at gøre noget)* turn; *(i dans)* figure; *(af smerter)* attack of pain;
cykle en ~ go for a ride *(el.* a spin); *en drøj ~ (om lidelse)* a bad time; *efter ~* in turn *(fx* I will visit you all in turn), *(skiftevis)* by turns *(fx* we worked by turns); *gå af efter ~ (fx om bestyrelsesmedlemmer)* retire by rotation; *stå for ~* be next (in turn) *(til:* for); *gå en ~* go for a walk, take a walk; *gå ~ med hunden* take the dog out for an airing; *pengene er gået sig en ~* the money is gone; *en ~ i karussel (, bus)* a ride on a merry-go-round (, bus); *nu var det min ~ til at blive vred* it was now my turn to be angry; *da -en kom til ham* when his turn came; ~ *-retur* there and back, *(dobbeltbillet)* return (ticket), *(amr)* round trip (ticket); *ro en ~* go for a row; *tage en ~ i skoven (, på landet)* go for an outing in the woods (, the country); *hun tog den store ~* she went into hysterics; *han er vant til -en* he has been through it before.
turban *(en -er)* turban.
turbine *(en -r)* turbine.
turdans figure dance; *(med to rækker dansende)* country dance.
turde *(tør, turde, turdet)* dare; *tør jeg spørge* may I ask; *det tør jeg ikke* I dare not (do it); *det tør jeg svagt antyde!* you bet! I'll say so! *det ~ være en selvfølge* that goes without saying.
ture *vb:* ~ *rundt* go about, travel about, *(ɔ: føjte om)* gad about; *de -de rundt på beværtninger i fire timer* they went on a pub-crawl for four hours.
turisme *(en)* tourism.
turist *(en -er)* tourist, *(som »gør« seværdigheder)* sight-seer. **turist|attraktion** tourist attraction, sight. **-bil** (sight-seeing) coach. **-brochure** travel folder. **-bureau** tourist bureau *(el.* agency). **-forening** tourist association. **-klasse** tourist class. **-kort** touring-map. **-land** tourist country. **-plakat** travel poster. **-propaganda** tourist propaganda.
Turkestan Turkestan.
turkis *(en -er)* turquoise.
turné *(en, turneer)* tour; *på ~* on tour; *være på ~ i provinsen* tour the provinces.
turnere *(forme)* turn *(fx* a compliment); *(deltage i ridderturnering)* joust, tilt; *(være på turné)* tour.
turnering *(en -er)* tournament.

turnips *(en -)* turnip.
turnus *(en)* rotation; *(med.)* [compulsory post -graduate terms of hospital service]. turnuskandidat *(svarer til)* houseman, *(amr)* intern.
turteldue *(en -r)* zo turtle dove.
tusch *(et) (farvestof)* Indian ink. tuschere draw in Indian ink. tuschpen pen for Indian ink; *(til skrift)* lettering pen.
tusind(e) *(et, -(e)r el. -;* ogs *talord)* a thousand *(fx* a thousand times easier); *et ~* one thousand; *to ~* two thousand; *flere ~ mennesker* several thousand people; *-r af mennesker* thousands of people; *én af ~* one in a thousand; *Tusind og én Nat* the Arabian Nights; *~ tak* thank you so much, T thanks awfully, *(højtideligere)* a thousand thanks.
tusindben *(et -)* zo millipede, myriapod.
tusinde se *tusind; (ordenstal)* thousandth.
tusindedel thousandth *(fx* three thousandths).
tusind|fold thousandfold, a thousand times. -foldig thousandfold. -fryd *(en)* ⚘ daisy. -kunstner Jack of all trades. -tal: *i -tal se i tusindvis.* -tallig *adj* numbering thousands. -vis: *i ~* in (their) thousands *(fx* people turned up in their thousands), by the thousand. -årig *adj* a thousand years old. -årsriget the millennium.
tuske *vb* barter. tuskhandel barter.
tusmørke twilight, *(om aftenen ogs)* dusk.
tut *(en -ter) (finger-)* fingerstall; *(rulle)* roll *(fx* a roll of coins).
TV, *se: fjernsyn.* tvandt *imperf af tvinde.*
I. tvang *(en)* compulsion *(fx* he did it under compulsion), *(især urimelig, ved magtmisbrug etc)* coercion; *(hindrende)* restraint *(fx* he had to impose some restraint on himself); *retsstridig ~, ulovlig ~ (jur)* duress; *moralsk ~* moral pressure.
II. tvang *imperf af tvinge.*
tvangfri *(om påklædning, selskab etc)* informal *(fx* dress, gathering).
tvangs|arbejde forced labour; *(i tugthus)* hard labour. -auktion sale by order of the court, forced *(el.* compulsory) sale. -fodre *vb* feed forcibly. -fodring forcible feeding. -foranstaltning coercive measure. -forestilling obsession. -indlægge: *~ en på sindssygehospital* commit sby to a mental hospital. -indlæggelse commitment to a mental hospital. -lån forced loan. -middel means of compulsion. -salg forced *(el.* compulsory) sale. -situation situation that leaves one no choice; *(ofte =* emergency. -tanke obsession.
tvebak *(en -ker)* rusk, *(lommeur)* turnip.
tve|bo *adj* ⚘ dioecious. -delt bipartite, bifurcated, divided into two (parts). -dragt *(en)* dissension, discord. -kamp single combat; *(duel)* duel. -kulsur: *-t natron* sodium bicarbonate. -kønnet *adj* hermaphrodite, bisexual. -kønnethed *(en)* hermaphroditism, bisexuality. -lyd diphthong.
tvende two; *de ~* the twain.
Tveskæg: *Svend ~* Swein Forkbeard.
tvetunget *adj* double-tongued, double-faced.
tvetydig *adj* ambiguous, equivocal; *(tvivlsom)* dubious; *(slibrig)* improper, risqué. tvetydighed *(en -er)* ambiguity, *(slibrighed)* double entendre; *-er* risqué stories *(etc).*
tveægget *adj* double-edged, two-edged *(fx* sword); *ironi er et ~ sværd* irony is a double-edged weapon; *det er et ~ sværd (ogs)* it cuts both ways.
tvilling *(en -er)* twin. tvilling|broder twin brother. -fødsel twin delivery. -par pair of twins. -skrue *(en -r)* twin screw.
tvinde *(tvandt, tvundet)* twist.
I. tvinge *(en -r) (skrue-)* clamp.
II. tvinge *(tvang, tvunget)* compel, constrain, *(stærkere)* force, *(især ved magtmisbrug etc)* coerce; *~ en i knæ* bring sby to his knees; *~ maden i sig* force down the food; *~ ngt igennem* force sth through; *~ sin vilje igennem* carry one's point; *~ låget op* force the lid open; *~ en til at* force *(el.* compel) sby to,

force sby into -ing; *~ sig til at le (,* smile) force a laugh (, a smile); *(se ogs tvungen).*
tvingende cogent *(fx* reason), compelling; *~ nødvendig* urgent, absolutely necessary.
I. tvist *(en) (uenighed)* dispute.
II. tvist *(et) (bomuldsaffald)* cotton waste; *(bomuldsgarn)* twist.
tvistes *vb* quarrel *(om:* about); *et spørgsmål som der ikke kan ~ om* a question beyond dispute.
tvivl *(en)* doubt; *drage i ~* question, call in question; *komme i ~* begin to doubt; *nære ~ om* doubt; *nære ~ om at* doubt that; *der er ingen ~ om det* there is no doubt about it; *jeg er ikke i ~ om at* I have no doubt that; *det er hævet over enhver ~* it is beyond doubt *(el.* question); *uden ~* without doubt, doubtless, undoubtedly, *(sandsynligvis)* no doubt, doubtless.
tvivle *vb* doubt; *~ om, ~ på* doubt; *jeg -r om (el. på) at* I doubt if; *det -r jeg ikke om* I have no doubt about that. tvivlende *adj (som føler tvivl)* doubting, *(som udtrykker tvivl)* doubtful *(fx* in a doubtful tone); *stille sig ~ over for* be doubtful of. tvivler *(en -e)* doubter, sceptic.
tvivlrådig *(adj)* in doubt, doubtful, irresolute.
tvivlrådighed *(en)* irresolution.
tvivlsom *adj* doubtful *(fx* it is d. whether he will come); *(neds)* doubtful *(fx* pleasure; of d. value), dubious *(fx* compliment), shady *(fx* transaction), questionable.
tvivls|spørgsmål matter of dispute, disputed point, moot point. -tilfælde: *i ~* in case of doubt.
tvundet *perf part af tvinde.*
tvungen *adj (pligtig, påbudt)* compulsory *(fx* military service), obligatory; *(påtvungen)* enforced *(fx* silence); *(unaturlig)* forced *(fx* laugh), constrained *(fx* manner); *~ skolegang* compulsory school attendance; *(se ogs II. tvinge).*
tvær|bane cross line. -bjælke crossbeam. -dal cross valley. -deling transverse partition. -drager *(i bro)* cross girder. -driver *(en -e) (stædig person)* pighead, *(gnaven)* sourpuss.
tvære *vb:* ~ ud *(mase)* mash, crush, *(smøre ud)* smear, *(blæk, farve etc)* smudge, *(gøre langtrukken)* spin out, drag out; *lad være med at ~ det ud (om bebrejdelse etc)* T don't rub it in.
tvær|fløjte *(en)* transverse flute. -gade cross street. -gående *adj* transverse, cross *(fx* cross traffic). -hed *(en)* sullenness, sulkiness.
tvær|linie cross line; *(mat.)* transversal (line). -mål diameter; *3 tommer i ~* 3 inches across. -politisk *adj* cutting across party lines, cross-party.
tværs *adv: få vinden ~* ⚓ get the wind abeam; *~ af* ⚓ abeam of; *agten for ~* ⚓ abaft the beam; *foran for ~* ⚓ before the beam; *~ for* ⚓ across; *~ igennem* right through; *~ om bagbord* ⚓ on the port beam; *~ over* across *(fx* the street), *(i 2 stykker)* in two *(fx* break in two); *på ~* across; *komme én på ~* put a spoke in sby's wheel, upset sby's apple cart; *noget er kommet ham på ~* something has upset him; *på ~ af* across, athwart, transversely to, *(fig)* contrary to, in opposition to; *gå på ~ af* run across, run transversely to, *(fig)* cut across *(fx* this cuts across all party lines).
tvær|skib *(i kirke)* transept. -skibs *adj* ⚓ transverse; *adv* athwartships. -snit cross section; *vise ngt i ~* show a cross section of sth. -stang crossbar. -streg cross line; *(gennem bogstav)* cross. -stribe *(en -r)* transverse stripe, cross stripe. -stribet *adj* cross -striped; *~ muskel* striated muscle. -stykke cross piece. -sum sum of the digits. -sæk *(over ryggen på lastdyr)* pannier. -sø ⚓ beam sea.
tvært: *~ imod* contrary to.
tværtimod *adv* on the contrary.
tværvej crossroad.
tvætte *vb* wash.
ty *vb: ~ til en* turn to sby, have recourse to sby; *~ til ngt* have recourse to sth, resort to sth; *~ hen til, ~ ind i (sted, havn)* take refuge in.

Tycho Brahes dag [day when everything goes wrong], unlucky day; *det er en ~ for mig i dag* this is one of my unlucky days.

tyd *(en -)* meaning, sense.

tyde *vb (udtyde)* interpret; *(skrift)* make out, decipher; *det -r i samme retning* it points in the same direction; *det -r ikke godt* it is a bad sign; *det -r ikke godt for* it bodes ill for *(fx* his future); *hans opførsel blev -t som svaghed* his behaviour was put down to *(el.* interpreted as) weakness; *~ på* indicate, be indicative of, suggest; seem to show; *alt -r på at* everything points to the fact that, everything seems to show that, there is every indication that.

tydelig *adj (let at se el. høre)* clear, distinct; *(om skrift)* clear, legible; *(om fremstilling)* clear, explicit, plain; *(indlysende)* obvious, evident; *(ikke til at tage fejl af)* unmistakable, clear; *(bestemt)* distinct, explicit *(fx* orders); *(udpræget)* marked *(fx* difference, change); *(mærkbar)* appreciable, perceptible; *skriv ~ adresse* write the address clearly; *-t bevis* clear proof; *jeg husker -t* I distinctly remember; *læse (, tale) -t* read (, speak) distinctly; *han har ~ nok uret* he is obviously wrong; *han var -t nok* (ɔ: synligt) *nervøs* he was visibly nervous; *jeg så -t at jeg havde uret* I saw plainly that I was wrong; *-t svar* plain answer; *et -t tegn* a clear indication; *et -t vink* a broad hint.

tydelig|gøre make plain, elucidate. **-hed** *(en)* distinctness, ,clearness, plainness; obviousness; *med al ønskelig ~* so as to leave no room for doubt, *(om ord ogs)* in no uncertain terms. **-vis** evidently, obviously, clearly, plainly.

tydning *(en)* interpretation; *(af skrift)* deciphering, reading.

tyende *(et)* servant; (staff of) servants, domestic servants, *(på bondegård)* farmhands.

tyfon *(en -er)* typhoon.

tyfus *(en)* typhoid fever. **tyfusepidemi** typhoid epidemic.

tygge *vb* chew; *~ af munden* finish chewing; *~ på* chew (at), *(grunde over)* turn over in one's mind, chew on; *nu kan du ~ på den (fig)* put that in your pipe and smoke it.

tygge|flade masticating surface. **-gummi** chewing-gum. **-organ, -redskab** masticatory organ.

tygning *(en)* chewing, *(fagord:)* mastication.

tyk *adj* thick *(fx* wall, paper, lips, rope, sauce); *(om lag ogs)* deep; *(om person)* stout, *(sed)* fat; *(op-svulmet)* swollen; *blive ~ (om mælk)* curdle; *(om person)* grow stout, get fat; *~ bog* thick *(el.* bulky *el.* T fat) book; *den er for ~!* tell that to the marines! *i -t og tyndt* through thick and thin; *-ke kinder* chubby cheeks; *en ~ løgn* a patent lie; *snavset lå -t* the dirt was lying thick; *smøre -t på (fig)* lay it on thick; *tjene -t* make big money, make a packet; *~ tåge* dense fog; *~ uvidenhed* crass ignorance.

tyk|halset *adj* thick-necked. **-hovedet** *adj* thick-headed, thick-skulled, fat-headed; *~ person* fathead. **-hud** *(en -er)* zo pachyderm. **-hudet** *adj* pachydermatous; *(fig)* thick-skinned. **-hudethed** *(en) (ogs fig)* thickness of hide.

tykke: *efter eget ~* at one's discretion.

tykkelse *(en -r)* thickness; *(af lag ogs)* depth; *(diameter)* diameter *(fx* of a tree); *(persons)* stoutness, *(om livet)* girth.

tykkes *vb: det ~ mig* it seems to me.

tykmavet *adj* paunchy, pot-bellied; *(om flaske)* fat.

tykmælk *(omtr =)* junket.

tykning *(en -er) (skov-)* thicket.

tyk|pandet *adj* thick-skulled. **-sak** *(en -ke(r))* podge, dumpling. **-skallet** *adj* thick-shelled; *(om korn)* thick-husked. **-steg** *(omtr =)* porterhouse steak. **-sålet** *adj* thick-soled. **-tarm** large intestine.

tyktflydende *adj* viscid, thick.

tyl *(et)* tulle.

tylle *vb* pour; *~ ngt i en* pour sth down sby's throat; *~ i sig, ~ sig med* swill (down), swallow.

tynd *adj* thin *(fx* wall, paper, rope, clothes, man, grass, hair, soup, air); *(slank)* slender, slim; *(om befolkning, vegetation etc)* sparse; *(om te, kaffe, opløsning etc)* weak; *(indholdsløs)* thin, slight, meagre; *skære ngt -t* cut sth thin; *-t øl* thin *(el.* weak) beer; *-t befolket* sparsely populated.

tyndbenet *adj* thin-legged; *(om te etc)* weak; *(indholdsløs)* thin, slight, meagre.

tynde *vb: ~ ud* thin (out); *~ ud i* thin (out); *det -t ud i deres rækker* their ranks are thinning.

tynd|hudet *adj (ogs fig)* thin-skinned. **-håret** thin-haired. **-slidt** *(om)* thin, *(ogs fig)* threadbare; *-e nerver* frayed nerves. **-tarm** small intestine.

tyndtflydende thin.

tyngde *(en)* heaviness, weight *(fx* he felt the weight of his responsibility); *(især i fysik)* gravity. **tyngde|felt** gravitational field. **-kraft** gravitation; *(-ens virkning)* gravitational pull. **-lov** law of gravity. **-punkt** centre of gravity; *(hovedpunkt)* chief point, central point, *(i anklage)* gravamen.

tynge *vb* be heavy, weigh heavy; *(m objekt)* weigh down, *(fig)* weigh on, lie heavy on *(fx* one's conscience), weigh down *(fx* weighed down with grief), oppress; *alderen -r ham ikke* his years sit lightly on him. **tyngende** *adj* heavy, oppressive, onerous.

type *(en -r)* type *(fx* men of his type; the type of house I like best; he is the perfect type of a gentleman); *trykt med store -r* printed in large type; *han er ikke min ~* he is not my type.

typehus standard house.

typisk *adj* typical *(for:* of).

typo|graf *(en -er)* typographer, printer, *(sætter)* compositor. **-grafi** *(en)* typography. **-grafisk** *adj* typographical.

tyr *(en -e)* bull; *tage -en ved hornene* take the bull by the horns; *det virker som en rød klud på en ~* it is like a red rag to a bull.

tyran *(en -ner)* tyrant. **tyranni** *(et)* tyranny. **tyrannisere** *vb* tyrannize (over), bully. **tyrannisk** *adj* tyrannical.

~tyre *vb (slide med)* grind away at.

tyre|fægter bullfighter. **-fægtning** bullfighting; *(enkelt kamp)* bullfight. **-hals** bull neck; *med ~* bull -necked. **-kalv** bull calf. **-nakke** se *-hals.*

tyrk *(en -er)* Turk. **tyrkertro** *(fig)* implicit faith *(på:* in). **Tyrkiet** Turkey; *Det asiatiske Tyrki* Turkey in Asia. **tyrkisk** *(et & adj)* Turkish; *~ bad* Turkish bath; *~ tæppe* Turkey carpet.

Tyrol the Tyrol. **tyroler** *(en -e)* Tyrolese, Tyrolean. **tyrolerhat** Tyrolese *(el.* Tyrolean) hat. **tyrolsk** *adj* Tyrolese, Tyrolean.

tys! hush!

tysk *(et & adj)* German; *på ~* in German.

tysker *(en -e)* German; *(i soldaterslang)* Jerry, *(amr)* kraut; *så gal som en ~* as angry as a bear with a sore head. **tyskerhad** anti-German feeling.

tyskfjendtlig anti-German.

tyskhed *(en)* Germanism. **Tyskland** Germany.

tysk|sindet, -venlig pro-German.

tysse *vb* shush; *~ på en* tell sby to be quiet.

tyst *adj* hushed, silent; *adv* silently.

tyttebær ✿ cowberry.

tyv *(en -e)* thief *(pl* thieves); *(indbruds-)* housebreaker, *(som bryder ind om natten)* burglar; *(i et lys)* snuff; *lejlighed gør -e* opportunity makes the thief; *stop -en!* stop thief! **tyvagtig** *adj* thievish. **tyvagtighed** *(en)* thievishness.

tyve *(talord)* twenty; *en og ~* twenty-one; *først (, sidst) i tyverne* in the early (, late) twenties.

tyve|bande *(en -r)* gang of thieves. **-knægt** thief; *enarmet ~* (ɔ: *spilleautomat)* one-armed bandit. **-koster** *(pl)* stolen goods, stolen property, T swag.

tyvende twentieth. **tyvendedel** twentieth (part).

tyveri *(et -er)* theft, *(jur)* larceny; *(indbruds-)* housebreaking, burglary *(cf indbrud).* **tyveri|alarm** burglar alarm. **-anmeldelse** charge of theft; *indgive*

~ notify the police of a theft. **-forsikring** insurance against theft (, burglary).

tyve|sprog thieves' slang. **-værktøj** housebreaking (el. burglar's) tools. **-årig, -års** (om alder) twenty-year-old, of twenty; (om varighed) twenty years' (fx war).

tyvstart breakaway.

tyv|starte vb start too early, (ogs fig) jump the gun. **-stjæle** vb steal, (uden objekt) thieve.

tyvte vb: ~ én accuse sby of theft.

tæer pl af tå.

tæft (en) flair, (i jægersprog) scent; få -en af noget scent sth.

tæge (en -r) zo bug.

I. **tække** (et) charm; appeal.

II. **tække** vb roof; (med strå) thatch.

tækkelig adj comely, winsome.

tækkemand (en, tækkemænd) thatcher.

tækkes vb please.

tækning (en) roofing; thatching.

I. **tælle** (en) tallow.

II. **tælle** (talte, talt) count (fx can you count? count (up to) ten; count on one's fingers); (optælle) count (up); (udgøre) number (fx the army numbers 40,000); det -r ikke that doesn't count; hans dage er talte his days are numbered; ~ én blandt sine venner number (el. count) sby among one's friends; ~ 'efter re-count, count over again; ~ ngt 'fra deduct sth, take sth away; ~ 'med (medregne) count (in), include; han -r ikke med he does not count; ikke ~ én med leave sby out of account; ~ sammen add up; ~ én ud (i boksekamp) count sby out.

tælleapparat (ved indgang) turnstile.

tællelys (et -) tallow candle, dip.

tæller (en -e) (i brøk) numerator; (på telefon etc) meter, counter.

tælleremse counting-out rhyme.

tælling (en -er) counting; (folke-) census; på ~ to numbers (fx do exercises to numbers), by numbers, at the word of command (fx they cheered at the word of c.); tage ~ (om bokser) take the count.

tæmme vb tame, (til husdyr) domesticate; (lidenskaber etc) control, curb; (modstander etc) tame, subdue, bring to heel. **tæmning** (en) (se tæmme) taming, domestication; curbing.

tænde * light; (elektrisk lys) switch on, turn on, put on; (uden objekt) switch (el. put) on the light(s), light the lamp(s) (, the candle); (om motor) spark, fire;

lyset var blevet tændt (ogs) the lights had come on; ~ bål light a fire; ~ for radioen turn on the radio; ~ ild i noget set fire to sth, set sth on fire; lygten -s kl. fem five o'clock is lighting-up time; stjernerne -s the stars come out; ~ en tændstik strike a match; ~ op light a (, the) fire; ~ under noget light the gas (, a fire etc) under sth.

I. **tænder** (en -e) (cigaret-) lighter.

II. **tænder** pl af tand.

tænder|klaprende adj with chattering teeth. **-skærende** adj gnashing one's teeth.

tænding (en) lighting; (i motor) ignition; høj ~ advanced ignition; lav ~ retarded ignition; slå -en fra switch off the ignition. **tændings|nøgle** ignition key. **-tid** (for lygter) lighting-up time.

tænd|rør sparking plug. **-sats** priming composition, (på tændstik) friction composition, (ofte =) head.

tændstik (en -ker) match (fx strike a match); (uden satsen) matchstick. **tændstik|fabrikant** match manufacturer. **-figur** stick figure. **-stativ** match holder. **-æske** matchbox.

tændvæske (til cigarettænder) lighter fuel.

tænger pl af tang.

tænke * think; (tro, formode) think, suppose, believe; (have i sinde) intend, mean (at: to); tænk bare! just fancy (that)! only think! just imagine! tænk at jeg skulle møde dig her! fancy meeting you here! tænk at han kun er 20 år! and to think that

he is only twenty! tænk hvad der kunne være sket just think what might have happened; tænk hvis (el. om) what if; suppose; det -r jeg I think so; det tænkte jeg nok, tænkte jeg det ikke nok! I thought so (el. as much); som du kan ~ as you can imagine; det kan (godt) -s it is (quite) conceivable; som -s kan imaginable (fx the finest thing i.); så fattig som -s kan as poor as poor can be; jeg tænkte mit I had my own opinions about it; I had my own ideas on the subject; ~ sig imagine, fancy, (antage) suppose; jeg kunne ~ mig (have lyst til) I shouldn't mind (fx a holiday); I could do with (fx a drink); jeg kunne godt ~ mig at gå derhen I have a good mind to go there; du kan ikke ~ dig you can't imagine; det var det jeg havde tænkt mig that was what I had in mind, (ɔ: ventet) that was what I had expected;

[m præp & adv:] ~ efter consider, reflect; ~ ngt igennem think sth over; '~ om think of (fx I would not have thought it of him); ~ sig om reflect, consider; ~ sig godt om før ... think carefully (el. twice) before ...; ~ over sagen think the matter over, consider the matter; ~ på think of (el. about), (have planer om) contemplate (fx suicide), think of (fx getting married), intend (fx to do it); (mindes) think of, remember, (sigte til) mean, refer to, think of, (tage hensyn til) consider (fx the feelings of others); (finde på) think of; ~ på at gøre ngt intend to do sth; give ham noget at ~ på give him food for thought, give him something to think about; hvad -r du dog på! what 'are you thinking of! dette får mig til at ~ på this reminds me of; jeg kommer til at ~ på at it occurs to me that; ~ på et tal think of a number; ~ på sig selv think of oneself; ~ sig til guess, imagine; ~ tilbage look back, cast one's mind back; ~ tilbage på recollect, recall; ~ ved sig selv think to oneself; (se ogs tænkende, tænkt).

tænkeboks isolation booth.

tænke|evne (en) capacity for thinking, intelligence, reasoning power. **-frihed** liberty of thought.

tænkelig adj imaginable, conceivable.

tænkemåde way of thinking, mentality.

tænkende: ~ mennesker thoughtful (el. intelligent) people; et ~ væsen a rational (el. thinking) being.

tænker (en -e) thinker. **tænkning** (en) thinking, thought. **tænksom** adj thoughtful, reflective. **tænksomhed** (en) thoughtfulness, reflectiveness.

tænkt adj imaginary (fx an i. line); et blot ~ til fælde a purely hypothetical case; bogen er ~ som lære bog the book is intended as a textbook.

I. **tæppe** (et -r) (gulv-) carpet, (lille) rug; (fortæppe) curtain; (bord-) table cover; (uld-) blanket; (plaid) (travelling-) rug; se ogs sengetæppe, vægtæppe; (fig) carpet (fx of snow, of moss); -t falder (, går op) the curtain falls (, rises); vatteret ~ quilt.

II. **tæppe** vb: ~ af remove the bedspread.

tæppe|banker (en -e) carpet beater. **-belagt** carpeted. **-fejemaskine** carpet sweeper.

tære vb (metal) corrode; søluften -r the sea air gives you an appetite (el. whets your appetite); -s hen waste away (fx he was wasting away for lack of food), pine away; ~ på sin kapital eat into one's capital; ~ på éns kræfter tax sby's health (el. energy); -nde sygdom wasting disease.

tæring (en) (af metal) corrosion; (svindsot) consumption; sætte ~ efter næring cut one's coat according to one's cloth.

tærsk pl a thrashing; mange ~ a sound beating.

tærske vb thresh; (prygle) thrash; ~ i klaveret pound (el. thump) the piano; ~ et stof igennem (fig) (selv) swot up a subject; (med elever) drill a subject into the pupils.

tærsk|el (en -ler) threshold; (psyk) threshold (fx of consciousness); på dødens ~ at death's door; på livets ~ on the threshold of life; kom ikke over min ~ igen do not darken my door again.

tærskemaskine threshing-machine.

tærsker *(en -e)* thresher; *æde som en ~* eat like a horse. **tærskeværk** threshing-machine.

tærskning *(en)* threshing.

tærte *(en -r)* tart, *(amr oftest)* pie.

tæt *adj* close *(fx* thicket, print, handwriting), dense *(fx* wood, foliage, population, crowd, fog), thick .*(fx* corn, hair, hedge); *(om nedbør)* heavy; *(om person)* stocky, thickset; *(mods utæt)* tight, *(vand-)* watertight, waterproof, *(luft-)* airtight;

adv close *(fx* behind, together), closely *(fx* packed, written, woven, veiled), densely *(fx* populated), thickly *(fx* to sow thickly); heavily *(fx* the rain was falling heavily); tightly *(fx* shut);

~ besat (m. mennesker) crowded, packed, *(m. ædelstene etc)* studded *(fx* with rubies); *drikke ~* drink heavily; *~ forbi* close by; *~ herved* close by, near by; *holde ~* keep tight, *(fig)* keep one's mouth shut; *holde ~ med ngt* keep quiet about sth, keep sth dark; *~ is* closely packed ice; *~ klippet, se tætklippet; ~ mørke* impenetrable darkness; *~ op ad* close to; *~ sammen* close (together); *~ (ind, op) til* close to; *~ uden for byen* just outside the town; *~ under land* close to the shore; *~ ved (m. styrelse)* close to, near (to), *(uden styrelse)* close by, close at hand.

tæt|bebygget densely built-up. **-befolket** densely populated. **-bygget** *(om person)* stocky, thickset.

tæthed *(en) (se tæt)* closeness, density, thickness; *(uigennemtrængelighed)* imperviousness; *(for vand)* watertightness.

tætklippet *(om hår)* close-cropped, *(karseklippet)* crew-cut; *(om græs etc)* close-cut *(fx* lawn).

tætne *(blive tættere)* thicken, become denser; *(se ogs tætte).* **tætning** *(en)* tightening, proofing.

tætningsliste *(en -r)* weather strip.

tæt|pakket *adj* closely packed, crammed. **-siddende** *adj* close-set *(fx* eyes, teeth); closely spaced *(fx* windows). **-skreven** *adj* closely written. **-sluttende** tight-fitting, close-fitting.

tætte *vb* make tight, tighten, *(en læk)* stop.

tættekam fine-toothed comb.

tættrykt *adj* closely printed.

tæv *(pl)* a beating, a walloping.

I. **tæve** *(en -r) (hunhund, ogs fig)* bitch.

II. **tæve** *subst* T: *få på -n* get a beating; *få en på -n* get a sock on the jaw.

III. **tæve** *vb* lick, thrash, wallop.

I. **tø** *(en)* thaw *(fx* a thaw is setting in).

II. **tø** *vb* thaw; *~ op (m. og uden objekt, ogs fig)* thaw; *(madvarer)* unfreeze; *det -r* it is thawing.

tøbrud *(et)* (sudden) thaw, break of (el. in) the frost.

tøddel *(en, tødler)* jot, tittle; *ikke en ~* not one jot or tittle.

tøf *int* puff-puff, chug-chug. **tøffe** *vb* puff, *(om bil, motorbåd)* chug.

tøffel *(en, tøfler) (morgensko)* slipper; *være under -en* be henpecked. **tøffelhelt** *(en -e)* henpecked husband.

tøfle *vb: ~ af* shuffle off, trot off.

tøj *(et -er) (stof)* fabric, material *(fx* buy m. for a dress), *(klæde)* cloth; *(klæder)* clothes; *et sæt ~* a suit (of clothes); *gå i -et (fig)* be taken in; *pæn i -et* neatly dressed; *lægge -et (overtøj)* take off one's (outdoor) things, take off one's (hat and) coat, *(alt tøjet)* take off one's clothes, undress; *tage sit gode ~ og gå* clear out, walk out.

tøjeri *(et)* tommy-rot, stuff and nonsense.

tøjhus *×* armoury; T*øjhuset, Tøjhusmuseet (i København)* [museum of arms and uniforms], *(omtr =)* War Museum.

tøjklemme *(en -r)* clothes-peg.

tøjkurv clothes-basket, laundry basket.

I. **tøjle** *(en -r)* rein; *give én frie -r* give sby a free hand; *give sin fantasi frie -r* give (a free) rein to one's imagination; *ride med slappe -r* ride with slack reins; *slippe -rne* drop (el. let go) the reins; *køre en i stramme -r (fig)* keep a tight rein on sby; *stramme -rne* tighten the reins.

II. **tøjle** *vb* bridle; *(fig ogs)* curb, control, check.

tøjlesløs *adj* unrestrained, unbridled *(fx* passion); *(udsvævende)* dissolute *(fx* life), licentious. **tøjlesløshed** *(en)* lack of restraint; licentiousness.

tøjr *(et -)* tether. **tøjre** *vb* tether.

tøjrekølle mallet (for tethering cattle).

tøjrenseri *(et -er)* dry-cleaning establishment, (dry-)cleaners.

tøjrensning dry-cleaning.

tøjrepæl stake, picket.

tøj|sko carpet slipper. **-snor** clothes-line.

tøjte *(en -r)* hussy, T bitch, *(prostitueret)* tart.

tølper *(en -e)* boor, churl. **tølperagtig** *adj* boorish, churlish.

I. **tømme** *(en -r)* rein; *holde i ~ (fig)* keep under control, curb, check *(fx* one's anger).

II. **tømme** * empty, *(for væske ogs)* drain (off), *(postkasse)* clear; *-s (blive tom)* empty *(fx* the hall gradually emptied); *postkassen -s fire gange daglig* there are four collections a day; *postkassen -s kl. 4* next collection: 4 p.m.

tømmer *(et)* timber, *(især amr)* lumber; *der er godt ~ i ham* he is made of the right stuff. **tømmer|-flåde** *(en -r)* raft. **-handler** *(en -e)* timber merchant. **-mand** carpenter; *-mænd (efter svir)* a hangover. **-plads** timberyard. **-stabel** pile of timber, woodpile.

tømning *(en)* emptying; *(postkasses)* collection (of mail); clearing (of letter boxes).

tømningstid *(for postkasse)* time of collection.

tømre *vb* carpenter, do carpentry; *(med objekt)* build, frame, make, construct; *~ sammen* build, make, knock together.

tømrer *(en -e)* carpenter.

tømrer|håndværk carpentry. **-mester** master carpenter. **-svend** journeyman carpenter.

tønde *(en -r)* barrel, cask, *(af jern etc)* drum *(fx* of oil); *(latrin-)* soil tub; *⚓ (sømærke)* buoy; *en ~ land* [measure of land equal to about 1.363 acres]; *så tæt som sild i en ~* packed like sardines (in a tin).

tønde|bånd hoop. **-hvælving** barrel vault.

tønder *(et) (i fyrtøj)* tinder; *fænge som ~* burn like tinder.

tøndestav barrel stave.

I. **tør** *præs af turde.*

II. **tør** *adj* dry *(fx* air, weather, clothes, style, lecture, humour, facts); *(modsat sød)* dry *(fx* dry sherry); *(ikke iblandet vand)* neat, straight *(fx* whisky); *-t adv* dryly, drily; *-t brød (uden smør etc)* dry bread, *(gammelt)* stale bread; *give et barn -t på* change a baby's nappie *(, amr:* diaper); *give én -t på (fig)* give sby a dressing-down; *han kan ikke ligge ~* he cannot sleep without wetting the bed; *løbe ~* run dry; *løbe ~ for* run out of; *have sit på det -re* be comfortably off; *være ~ i halsen* have a dry throat, *(være tørstig)* feel like a drink, be thirsty; *det kom på et -t sted* it was very welcome; it was a godsend.

tør|dok ⚓ dry dock. **-element** dry cell. **-gær** dry yeast. **tørhed** *(en)* dryness.

tørke *(en)* drought. **tørkeramt** drought-stricken.

tørklæde *(et -r) (hoved-)* headscarf; *(hals-)* scarf.

tørkost *(en) (svarer til)* sandwiches *(pl).*

tørlægge drain *(fx* a pond); *(for at indvinde land)* reclaim *(fx* a marsh); *(ved spiritusforbud)* make dry; *tørlagt (under spiritusforbud)* dry *(fx* town).

tørlægning *(en) (se tørlægge)* draining; reclamation; making dry, introduction of prohibition.

tørmælk dried milk, powdered milk.

tørn *(en)* turn; *(arbejds- ogs)* spell; *en hård ~* a tough job; *tage den værste ~* have the toughest job, *(mere litterært)* bear the brunt of the work *(,* the fight, etc); *tage sin ~* take one's turn.

tørne *vb: ~ imod* hit, run into, collide with, crash into, *(⚓ ogs)* foul, strike; *~ ind (gå til køjs)* turn in; *~ sammen* collide.

I. **tørre** *subst se tørring; tøj som er hængt til ~* clothes hung out to dry.

II. **tørre** *vb (gøre tør)* dry; *(aftørre ogs)* wipe *(fx* a glass; one's shoes on a mat); *(blive tør)* dry, become dry; ~ *af* wipe, *(fjerne)* wipe off, *(service etc)* dry *(el.* wipe) the dishes; ~ *ind* dry up; ~ *op* mop up, wipe up; ~ *hænderne i et håndklæde* wipe one's hands on a towel; ~ *sig i ansigtet* wipe one's face, dry one's face; ~ *sig med et håndklæde* dry *(el.* wipe) oneself with a towel; ~ *sig om munden* wipe one's mouth; *-t* dried *(fx* cod, fruit).

tørre|apparat drier. **-hjelm** hair drier. **-loft** *(til vasketøj)* [loft used for drying washing].

tørrelse *(en) (i maling etc)* siccative, drier.

tørre|ovn kiln. **-plads** drying-ground, drying -yard, *(til vasketøj)* clothes-yard. **-snor** clothes-line. **-stativ** *(sammenklappeligt etc)* clothes-drier, drying -rack, clothes-horse; *(stolper til tøjsnore)* clothes-posts; *(til opvask og fot)* drying-rack. **-stue** drying -room.

tørring *(en)* drying; *hænge tøjet til* ~ hang *(el.* put) the washing out to dry.

tørskoet *adj* dry-shod.

tørsprit methylated spirit tablets.

tørst *(en)* thirst *(efter:* for).

tørste *vb* be thirsty; ~ *efter* be thirsting for, *(fig* ogs) thirst after; ~ *efter at gøre det* thirst to do it.

tørstetræ ♣ alder buckthorn.

tørstig *adj* thirsty. **tørstighed** *(en)* thirstiness.

tørstof dry matter.

tørv *(en -)* peat; *(græs-)* turf; *skære* ~ cut peat.

tørve|gas peat gas. **-graver** *(en -e)* peat cutter. **-jord** peat soil.

tørvejr dry weather; *det blev* ~ the rain stopped; it stopped raining; *komme i* ~ get under cover.

tørve|koks peat coke. **-mos** *(et)* ♣ bog moss. **-mose** *(en -r)* peat bog. **-røg** peat smoke. **-skæring** peat cutting. **-smuld, -strøelse** peat litter; *(til jordforbedring)* peat mull. **-triller** *(en -e) (fig)* dry stick.

tøs *(en -e)* girl, lass; *(neds)* wench, hussy; *(umoralsk)* tart. **tøse|agtig** *adj (om pige)* coltish, schoolgirlish, *(om dreng)* soft, sissyish. **-dreng** mother's darling, softie, mollycoddle, sissy. **tøset** = *tøseagtig.*

tø|sjap slush. **-sne** melting snow; *(regnblandet)* sleet.

tøve *vb* hesitate, hang back; *(give -nde svar)* falter; *(dvæle)* linger; *tøv lidt!* wait a bit! ~ *med at gøre ngt* hesitate to do sth, *(opsætte det)* put off doing sth.

tøvejr thaw.

tøven *(en)* hesitation, *(opsættelse)* delay; *uden* ~ unhesitatingly; without delay.

tå *(en, tæer)* toe; *træde en over tæerne (ogs fig)* tread on sby's toes; *let på* ~ light-footed; *gå på tæerne* walk on tiptoe, tiptoe; *stå på tæerne* stand on tiptoe; *være på tæerne (i aktivitet)* be on the move, *(trænge sig frem)* push oneself forward; *fra top til* ~ from top to toe, from head to foot.

tåbe *(en -r)* fool, simpleton. **tåbelig** *adj* foolish, silly, stupid; *(-t) adv* -ly; *bære sig -t ad* make a fool of oneself; *det -e i* the folly *(el.* stupidity) of *(fx* an action). **tåbelighed** *(en)* foolishness, folly, silliness, stupidity; *(tåbelig handling)* (act of) folly, *(bemærkning)* stupid remark.

tåg: *gå i -et* be wool-gathering; *snakke hen i -et* talk at random; *svare hen i -et* answer at random.

tåge *(en -r)* fog, *(lettere, =* tågedis) mist, haze; *(røgfyldt gul* ~) pea-soup fog; *(røgblandet* ~) smog; *kunstig* ~ ✗ smoke screen; ~ *for øjnene* mist *(el.* haze) before the eyes.

tåge|banke *(en -r)* fog bank. **-bøje** *(en -r)* fog buoy. **-dis** mist, haze. **-horn** foghorn; *han er et* ~ he is a muddled thinker. **-kammer** *(i atomfysik)* cloud chamber. **-signal** fog signal. **-slør** veil of mist. **-snak** nebulous talk, vapourings.

tåget *adj* foggy, *(lettere)* misty, hazy; *(fig)* misty, hazy, dim, nebulous, vague; *tågede hjerner* woolly brains.

tågænger *(en -e)* zo digitigrade.

tål: *slå sig til -s* resign oneself; *slå sig til -s med* resign oneself to, be content with.

tåle ★ *(lide, underkaste sig)* bear *(fx* bear pain without flinching), suffer, endure; *(ikke tage skade af)* stand *(fx* I can stand any amount of cold), *(om medicin)* tolerate; *(finde sig i)* put up with, tolerate, *(udholde)* stand, bear *(fx* I can't bear to see him suffer), T stick *(fx* I can't s. him); *han kan ikke* ~ *hummer* (, *kaffe, etc)* lobster (, coffee, etc) does not agree with him; *han -r ikke spøg* he cannot take a joke; *frugten -r ikke at gemmes* the fruit won't keep; *ikke* ~ *opsættelse* admit of no delay, brook no delay; *han var kun tålt der* he was there on sufferance.

tålelig *adj (udholdelig)* bearable, supportable, endurable; *(middelmådig)* passable, tolerable, T so-so; *adv* passably, tolerably.

tålmod *(et)* patience. **tålmodig** *adj* patient.

tålmodighed *(en)* patience; *en engels* ~ angelic patience; *tabe -en* lose patience.

tålsom *adj (tolerant)* tolerant; *(overbærende)* forbearing, indulgent. **tålsomhed** *(en)* tolerance; forbearance, indulgence.

tå|negl toe nail. **-næse** toe cap.

tår *(en)* drop; *en* ~ *kaffe* a cup of coffee; *drikke en* ~ *over tørsten* have a drop too much.

tåre *(en -r)* tear; *fælde -r* shed tears; *hun fik -r i øjnene* her eyes filled with tears; *svømme i -r* be bathed *(el.* dissolved) in tears; *græde sine modige -r* weep bitterly; *have let til -r* be easily moved to tears; *græde store -r over ngt* look rue dry-eyed at sth.

tåre|blændet *adj* tear-dimmed. **-fyldt** *adj* tearful. **-gas** tear gas. **-kanal** lachrymal canal, lachrymal duct. **-kirtel** lachrymal gland. **-strøm** flood of tears. **-sæk** *(anat)* lachrymal sac. **-vædet** *adj* tear-stained, *(om øjne)* tearful.

tårn *(et -e)* tower; *(spidst kirke-)* steeple; *(klokke-)* belfry; *(mindre, ogs* ✗) turret; *(kommando- ⚓)* conning-tower; *(fange-)* keep, donjon; *(i skak)* castle, rook; *det skæve* ~ *i Pisa* the Leaning Tower of Pisa.

tårnbygning *(det at bygge)* building of towers; *(= tårn)* tower; *(bygning med -(e))* turreted building.

tårne *vb:* ~ *op* pile up, heap up; ~ *sig op* accumulate, pile up.

tårn|falk zo kestrel. **-høj** *adj* towering, *(fig)* soaring *(fx* prices). **-skib** turret ship. **-svale** zo swift. **-ur** tower clock, turret clock. **-vogn** tower wagon. **-vægter** watchman (on a tower).

tåspids *(en -er)* tip of the toe; *på -erne* on tiptoe. **tåspids|dans** toe dancing. **-danser(inde)** toe dancer

U

U, u *(et -'er)* U, u; *u. d. (fk. f. uden år (ɔ: trykkeår)* n. d. *(fk. f.* no date).

u! ugh!

u- un- *(fx* uninterrupted), in- *(fx* inseparable), il- *(foran* l, *fx* illegal), im- *(foran* b, m, p, *fx* impossible), ir- *(foran* r, *fx* irregular); non- *(fx* non-professional); NB. *findes det søgte ord ikke under* u, *henvises man til det usammensatte ord.*

uadelig *adj* non-aristocratic; ~ *person* commoner; ~ *stand* commonalty.

uadskillelig *adj* inseparable; *være en* ~ *del af* be an integral part of, be part and parcel of; *de er -e (ogs)* T they are as thick as thieves.

uafbarket *adj* unbarked.

uafbrudt *adj (uden afbrydelse)* continuous, uninterrupted, unbroken, steady *(fx* progress); *(stadig*

gentaget) continual (*fx* showers, losses); (*uophørlig*) unceasing, incessant; *adv* -ly, without a break, on end (*fx* work for 6 hours on end); ~ *forestilling* non-stop (*el.* continuous) performance.
uaffekteret *adj* unaffected.
uafgjort *adj* unsettled, undecided; (*genstand for forhandling*) pending (*fx* the matter is still pending); (*om sportskamp*) drawn; ~ *kamp* draw, tie; *kampen endte* ~ the game ended in a draw; *de spillede* ~ *2-2* they drew 2-2.
uafhentet *adj* unclaimed (*fx* letters, prizes, tickets).
uafhændelig *adj* inalienable (*fx* property).
uafhængig *adj* independent (*af*: of); (*selvstyrende*) autonomous. **uafhængighed** (*en*) independence.
uafhængigheds|erklæring declaration of independence. **-krig** war of independence.
uafklaret *adj* unclarified; *situationen er endnu* ~ the situation is not yet clarified (*el.* is still confused); *han er endnu* ~ *i sine synspunkter* he is not yet quite settled in his views.
uafkortet *adj* unabridged; *adv* in full.
uafladelig *adj* incessant, unceasing, ceaseless, unremitting, perpetual; *adv* -ly.
uaflåset *adj* unlocked.
uafsat (*ikke solgt*) unsold; (*ikke gift*) unmarried.
uafsluttet *adj* unfinished, not concluded (*etc, se afsluttet*).
uafsættelig *adj* (*usælgelig*) unsaleable, unmarketable; (*fra embede*) irremovable.
uaftvættelig *adj* indelible (*fx* shame).
uafvendelig *adj* inevitable, unavoidable. **uafvendelighed** (*en*) inevitability.
uafvidende *adv* unwittingly; *mig* (*, dig, etc*) ~ unknown to me (*, you, etc*), without my (*, your, etc*) knowledge.
uafviselig *adj* imperative, not to be refused, (*, rejected*); *det er min -e pligt at gøre det* I am in duty bound to do it.
uagtet *conj* (al)though, notwithstanding (that); *præp* in spite of, notwithstanding.
uagtsom *adj* (*forsømmelig*) negligent; (*ikke med vilje*) inadvertent; *-t manddrab* [homicide by misadventure]. **uagtsomhed** (*en*) negligence, inadvertence; *grov* ~ gross negligence; *af* ~ by an oversight, inadvertently, through negligence.
ualmindelig *adj* exceptional, unusual, uncommon, extraordinary; (*fremragende*) eminent, outstanding; *adv* -ly.
uamerikansk *adj* un-American (*fx* un-American activities).
uanet *adj* undreamt-of, unsuspected.
uanfægtet *adj* (*ubestridt*) uncontested, undisputed; (*upåvirket*) unmoved, unconcerned (*af*: by).
uangribelig *adj* unassailable; (*udadlelig*) blameless, irreproachable; (*om police*) indisputable.
uanmeldt unannounced; ~ *besøg* (*ogs*) surprise visit.
uanselig *adj* unimpressive, insignificant. **uanselighed** (*en*) unimpressiveness, insignificance.
uanset *præp* regardless of (*fx* expense), irrespective of; notwithstanding; ~ *hvad* (*, hvem, hvor, hvordan*) no matter what (*, who, where, how*).
uanstændig *adj* (*sjofel*) improper, indecent, lewd, obscene; (*oprørende*) improper, indecent, (*stærkere*) shocking, outrageous. **uanstændighed** (*en* *-er*) indecency, lewdness, obscenity; *-er* (*i bog*) improper passages.
uansvarlig *adj* (*fri for ansvar*) not responsible; (*letsindig etc*) irresponsible.
uansvarlighed (*en*) irresponsibility.
uantagelig *adj* unacceptable.
uantagelighed (*en*) unacceptability.
uantastet *adj* unchallenged.
uanvendelig *adj* inapplicable (*i, til*: to), unfit (*til*: for), unemployable (*fx* person), T no good; (*om billet*) not available (*til*: for). **uanvendelighed** (*en*) inapplicability, unfitness, unavailability.

uappetitlig *adj* unappetizing, (*stærkere*) disgusting, unsavoury; ~ *person* disgusting person, unsavoury fellow. **uappetitlighed** (*en*) unsavouriness.
uarbejdsdygtig *adj* unfit for work, disabled. **uarbejdsdygtighed** (*en*) unfitness for work, disablement.
uartig *adj* naughty, bad; (*uhøflig*) rude; (*uanstændig*) dirty, obscene. **uartighed** (*en*) naughtiness; rudeness; dirtiness, obscenity.
uartikuleret *adj* inarticulate (*fx* sound).
uautoriseret *adj* unauthorized, unlicensed.
ubanet *adj* untrodden (*fx* path).
ubarberet *adj* unshaven (*fx* an u. chin), unshaved *fx* he is u.).
ubarmhjertig *adj* merciless, pitiless, ruthless, remorseless. **ubarmhjertighed** mercilessness, pitilessness, ruthlessness, remorselessness.
ubearbejdet *adj* (*om råstof*) raw, unmanufactured; (*om tømmer*) undressed.
ubeboelig *adj* uninhabitable.
ubeboet *adj* uninhabited, unoccupied, untenanted, tenantless; (*øde*) desert (*fx* island).
ubebygget *adj* undeveloped (*fx* site), unbuilt (on) (*fx* a plot of unbuilt ground), not built on.
ubedragelig *adj* unmistakable, infallible, sure (*fx* sign). **ubefrugtet** *adj* unfertilized.
ubefærdet *adj*: ~ *vej* road with little traffic, (*øde vej*) deserted road.
ubefæst|et *adj* unfortified, open (*fx* town); *-ede sjæle* the weaker brethren, (*bibl*) unstable souls.
ubeføjet *adj* baseless, unfounded, groundless (*fx* accusation), unwarranted (*fx* anger, suspicion); *være* ~ *til* at have no authority to.
ubegavet *adj* unintelligent.
ubegribelig *adj* incomprehensible (*fx* it is i. to me).
ubegrundet *adj* groundless, unfounded (*fx* fear, rumour).
ubegrænset *adj* unbounded (*fx* confidence), unlimited (*fx* resources), boundless; *et* ~ *antal gange* (*ogs*) any number of times.
ubehag (*et*) dislike (*ved*: of), distaste (*ved*: for).
ubehagelig *adj* unpleasant, disagreeable; *han blev* ~ he became rude; *en* ~ *fornemmelse* an uneasy feeling; ~ *til mode* ill at ease; *være* ~ *mod én* be unpleasant to sby, behave unpleasantly to sby. **ubehagelighed** (*en* *-er*) disagreeableness, unpleasantness; *-er* trouble, annoyance, inconvenience; *få -er* get into trouble; *sige ham -er* give him the rough side of one's tongue, (*ubehagelige sandheder*) tell him a few home truths.
ubehandlet *adj* untreated; (*om tømmer*) undressed
ubehersket *adj* unrestrained, uncontrolled (*fx* laughter), (*om person*) having no self-control. **ubeherskethed** (*en*) lack of self-control, lack of restraint.
ubehjælpsom *adj* awkward, clumsy; (*om tale etc*) halting (*fx* in halting English).
ubehjælpsomhed (*en*) clumsiness, awkwardness.
ubehæftet *adj* unencumbered.
ubehændig *adj* clumsy, maladroit, blundering.
ubehøvlet *adj* ill-bred, ill-mannered, rude, boorish; ~ *person* (*ogs*) boor, churl. **ubehøvlethed** (*en*) rudeness.
ubekendt *adj* unknown; (*ikke berømt*) obscure; *ligning med to -e* equation with two unknown quantities (*el.* two unknowns); ~ *med* unacquainted with, ignorant of.
ubekræftet *adj* unconfirmed (*fx* rumour).
ubekvem *adj* (*umagelig*) uncomfortable; (*ubelejlig*) inconvenient; (*ubehagelig*) awkward.
ubekymret *adj* unconcerned (*fx* mine air), carefree (*fx* existence); (*uden tanke for følgerne*) reckless; *vær blot* ~ *i den henseende* don't let that worry you.
ubelejlig *adj* inconvenient (*for*: to), inopportune (*for*: for); unwelcome (*fx* unwelcome visitors).
ubemandet *adj* unmanned (*fx* space craft).

ubemidlet adj of limited means, (stærkere) necessitous.

ubemærket adj unnoticed, unobserved, unperceived; føre en ~ tilværelse live in obscurity; han gik ~ ud he stole out of the room; han kiggede ~ på papirerne he stole a glance at the documents.

ubemærkethed (en) obscurity.

ubenyttet adj unused, not used; (om kapital) idle; lade en lejlighed gå ~ hen miss an opportunity.

ubenævnt adj (mat.) abstract (fx number).

uberegnelig adj incalculable (fx loss); (ikke til at forudsige) unpredictable (fx consequences); erratic (fx person); han er ~ (ogs) you never know where you have got him.

uberegnelighed (en) incalculability; unpredictability; erratic nature.

uberettiget adj unwarranted, unjustified, (ubegrundet) groundless; (overdreven) undue (fx optimism); (uden tilstrækkeligt motiv) gratuitous (fx insult); ~ til at gøre det unjustified in doing it.

uberigtiget adj uncorrected; (ikke betalt) unsettled, unpaid.

uberygtet adj of unblemished reputation.

uberørt adj (upåvirket) unaffected (af: by); (jomfruelig) virgin (fx snow, forest); ~ kvinde virgin; det lod mig ~ it left me cold; ~ natur unspoilt (, virgin) nature (, scenery).

ubesat adj vacant; ※ (om land) unoccupied; ~ embede vacancy.

ubesejret adj unconquered, unvanquished.

ubeset adj unseen, unexamined; acceptere det ~ take it at its face value, take it on trust; købe det ~ buy it without seeing it first; buy it sight unseen.

ubesindig adj reckless, thoughtless, rash, hasty.

ubesindighed (en -er) recklessness, rashness; en ~ a piece of recklessness, a thoughtless action.

ubeskadiget adj uninjured, undamaged, intact, sound.

ubeskeden adj forward, pushing, exacting; (om krav) immoderate; ville det være -t hvis jeg bad Dem komme igen would it be asking too much if I asked you to come again. **ubeskedenhed** (en) forwardness, lack of moderation.

ubeskrev|en adj blank; et -et blad a blank page, (om person) an unknown quantity.

ubeskrivelig adj indescribable (fx horrors); unspeakable; adv indescribably, beyond description; ~ komisk (ogs) too funny for words.

ubeskyttet adj unprotected, unsheltered; (ubefæstet) unfortified, open.

ubeskæftiget adj unoccupied, idle; (arbejdsløs) unemployed, out of work.

ubeskåret adj uncut; (uforkortet) unabridged (fx novel); få beløbet ~ get the whole amount.

ubeslutsom adj irresolute, wavering, hesitating.

ubeslutsomhed (en) irresolution, hesitation.

ubesmitte|t adj unblemished, immaculate; den -de undfangelse the Immaculate Conception.

ubestandig adj inconstant, fickle; (kem) unstable. **ubestandighed** (en) inconstancy, fickleness; (kem) instability.

ubestemmelig adj indeterminable, indefinable, (især neds) nondescript; af ~ alder of uncertain age. **ubestemmelighed** (en) indeterminable character.

ubestemt adj (ogs gram) indefinite; (vag, svævende) vague, indefinite; (mat.) indeterminate; på ~ tid indefinitely (fx defer the matter i.).

ubestemthed (en) indefiniteness; vagueness.

ubestikkelig adj incorruptible, unbribable; (redelig) uncompromising, upright; ~ ærlighed uncompromising honesty.

ubestikkelighed incorruptibility; uprightness.

ubestridelig adj indisputable, incontestable.

ubestridt adj undisputed, uncontested.

ubesvaret adj unanswered; (ugengældt) unrequited (fx love).

ubesværet adj unencumbered, untroubled (af:

by); effortless; (ubekymret) carefree; han udførte det let og ~ he did it with effortless ease.

ubesørg|et adj not carried out, undone; (om forsendelse) undelivered; -ede breve (ogs) dead letters.

ubetalelig adj invaluable, inestimable, priceless; (storartet, ~ komisk) priceless (fx what a p. joke!).

ubetalt adj unpaid.

ubetimelig adj inopportune, ill-timed.

ubetinget adj unconditional (fx surrender, consent); absolute (fx necessity, truth); (uforbeholden) unqualified (fx praise, support); implicit (fx faith, obedience); wholehearted (fx approval); adv unconditionally; absolutely; implicitly; ~ afslag flat refusal; ~ flertal clear majority; en ~ nødvendighed an absolute necessity, a sine qua non, T a must.

ubetonet adj unaccented.

ubetrådt adj untrodden (fx path).

ubetvingelig adj indomitable (fx courage, will), unconquerable (fx nation); ~ lyst irrepressible desire (til: for, til at: to).

ubetydelig adj insignificant (fx town); inconsiderable, negligible (fx quantity), trifling, trivial (fx affair), slight (fx difference); adv insignificantly, inconsiderably, slightly; en ~ person an insignificant person, a mere nobody, a nonentity.

ubetydelighed (en -er) insignificance, triviality; en ~ a trifle, a negligible factor, (en lille smule) a trifle, a negligible quantity, a suspicion (fx a s. of salt in the soup), (om person) a nobody, a nonentity.

ubetænksom adj (hensynsløs) inconsiderate, (uden omtanke) thoughtless, unthinking; i et -t øjeblik in an unthinking moment. **ubetænksomhed** (en) inconsiderateness, lack of consideration, thoughtlessness.

ubevidst adj unconscious; (instinktiv) instinctive.

ubevislig adj unprovable, incapable of proof.

ubevogtet adj unguarded; ~ jernbaneoverskæring ungated level crossing; (på færdselsskilt står: Crossing No Gates); i et ~ øjeblik in an unguarded moment.

ubevæbnet adj unarmed.

ubevægelig adj immovable; (som ikke bevæger sig i øjeblikket) motionless; (ubøjelig) inflexible.

ubevægelighed immobility; inflexibility.

ubillig adj unfair, unjust.

ubillighed (en) unfairness, injustice.

ublandet adj unmixed, unblended, (uforfalsket) pure, unadulterated; (om metal) unalloyed; (fig) unmixed (fx pleasure), unalloyed (fx happiness), unqualified (fx admiration).

ubleget adj unbleached.

ublid adj rough, harsh; (om vejr) rough, inclement; ~ skæbne hard (el. unkind) fate.

ublidhed (en) roughness, inclemency.

ublodig adj bloodless (fx revolution).

ublu adj shameless, barefaced (fx conduct); extravagant (fx demands); (om pris etc) exorbitant, extortionate; adv -ly. **ublufærdig** adj shameless, unchaste. **ublufærdighed** (en) shamelessness, chastity.

ubodelig adj irreparable (fx damage).

ubrudt adj unbroken (fx seal); (uafbrudt) uninterrupted (fx an u. series of victories).

ubrugelig adj unserviceable, unfit for use, useless, T no good.

ubrugt adj unused (om tøj ogs) unworn.

ubrydelig adj inviolable, sacred (fx promise), unswerving (fx fidelity); -t sammenhold firm solidarity. **ubrydelighed** (en) inviolability, sanctity.

ubrændt adj unburnt; (om kaffe) unroasted; (om keramik etc) unfired.

ubrødelig(hed) = ubrydelig(hed).

ubuden adj uninvited, unbidden; ~ gæst uninvited guest, intruder; T gate-crasher.

ubunden adj (tvangfri) free, independent; lawless (fx life); ~ form (af pronomen etc) absolute form; ~ stil prose. **ubundethed** (en) freedom, independence.

ubændig adj indomitable (fx strength), uncontrollable *fx* desire, **rage**), irrepressible (*fx* desire).

ubøjelig *adj (fig)* inflexible, unbending, unyielding, rigid; *(ubønhørlig)* inexorable, relentless; *(stiv)* stiff, rigid; *(gram)* indeclinable, having no inflexions. **ubøjelighed** *(en)* inflexibility, rigidity.

ubønhørlig *adj* inexorable, relentless. **ubønhørlighed** *(en)* inexorableness, relentlessness.

u-båd *(en -e)* submarine, *(tysk)* U-boat. **u-båds|-angreb** submarine attack. **-jager** submarine chaser. **-krig** submarine war (, warfare).

uciviliseret *adj* uncivilized, barbarous, savage; *adv* barbarously.

ud *adv* out; *(i sceneanvisning)* exit *(flertal:* exeunt) *(fx* exit Hamlet); *drik ~!* drink up! empty your glass(es)! bottoms up! *bogen er lige kommet ~* the book is just out; *han kommer meget ~* he goes out a great deal; *læne sig ~* lean out; *læse bogen ~* read the book through, finish the book; *måneden (, ugen) ~* the rest of the month (, the week), till the end of the month (, the week); *tale ~* finish speaking; *år ~ år ind* year in year out;

[*m præp & adv:*] *~* **ad** out at *(fx* in at one ear and out at the other); *~* **ad** *vejen* along the road; *(se ogs udad)*; *~* **af** out of; *~* **for** *(i højde med)* on a level with, ⚓ off; *(ved)* opposite *(fx* stop opposite number 10), *(i tekst ogs)* against; *~* **fra** from *(fx* from what I heard); *~* *fra den forudsætning at* on the assumption that; *kom* **her** *~* come (out) here; *~* **og** *hjem (el. tilbage)* there and back; *vende ~* **imod** face, front, look (out) on; *kende ngt ~ og ind* know sth inside out, know the ins and outs of sth; *jeg ved hverken ~ eller ind* I am (quite) at sea, I am at my wits' end; *~* **med** *det!* out with it! *~* **med** *dig!* out you go! get out! *~* **med** *ham!* out with him! throw him out! *han måtte ~* **med** *10 kr.* he had to pay (, T: fork out) 10 kroner; *~* **med** *sproget* out with it! *~* **over** (out) over, *(på den anden side af)* beyond, *(mere end)* over (and above), more than, in excess of, *(undtagen)* except, but *(fx* I do nothing except *(el.* but) eat and drink); *~* **på** *isen* out on the ice; *langt ~* **på** *natten* far into the night; *~* **på** *vinteren* late in (the) winter.

udad *adv* outwards; *gå ~* **på** *fødderne* turn one's toes outwards.

udadlelig *adj* blameless, irreproachable, unexceptionable; *(om tøj)* immaculate.

udadtil *adv* outwardly; *(over for udlandet)* abroad; *(om udenrigspolitik etc)* externally.

udadvendt *adj* turned outwards, out-turned; *(om sindet)* extrovert.

udannet *adj* uneducated, *(ubehøvlet)* ill-bred, rude. **udannethed** *(en)* lack of education; rudeness, bad manners.

udansk un-Danish.

udarbejde *vb* prepare, draw up, work out; *(meget detaljeret)* elaborate; *(fx liste, ordbog)* compile; *(en tale etc)* compose. **udarbejdelse** *(en)* preparation; elaboration; compilation; composition; *under ~* in (course of) preparation, being prepared.

udarme *vb* impoverish.

udarte *vb* degenerate *(til:* into), deteriorate. **udartning** *(en)* degeneration, deterioration.

udaset *adj* worn out, T knocked up, fagged out, dead beat.

udateret *adj* undated.

udbasunere *vb* trumpet *(el.* blazon) abroad, proclaim from the housetops.

udbede *vb: ~ sig* request, solicit, ask for; *jeg -r mig tilbud på* please send me your quotation(s) for; *svar -s (s. u.)* R. S. V. P. (ɔ: répondez s'il vous plaît), please reply.

udbedre *vb* repair, *(især om mindre udbedring)* mend, *(gennemgribende)* recondition. **udbedring** *(en)* repair, repairing, mending; reconditioning.

udbene *vb* bone *(fx* herrings).

udbetale ★ pay (out), disburse; *(om check etc)*

cash; *som kan (el. skal)* - payable; *~ en prioritet* pay off *(el.* redeem) a mortgage.

udbetaling *(en -er)* payment, disbursement; *(som del af større beløb)* down payment; deposit; *~ £100 og resten i rater* £100 down and the balance by instalments; *anvise et beløb til ~* order an amount to be paid out; *forfalde til ~* fall due; *give £10 i ~* pay £10 down.

udbetalingsdag date of payment.

udblik *(et -)* view.

udblokke *vb (om fodtøj)* tree, stretch.

udblæse ★ *(en kedel)* blow down *(el.* off *el.* out).

udblæsning *(en -er) (af kedel)* blowing off; *(motors)* exhaust; *fri ~* open exhaust.

udblæsnings|rør *(i dampmaskine)* blow-off pipe, *(i motor)* exhaust pipe. **-ventil** *(i dampmaskine)* blow-off valve; *(i motor)* exhaust valve.

udbløde ★ soak, steep, macerate. **udblødning** *(en)* soaking, steeping, maceration.

udbombe *vb* bomb out.

udbore *vb* bore (out), *(bilmotor)* rebore; *(udvide)* widen. **udboring** *(en -er) (det at)* boring (out); *(hullet)* bore; *(af bilmotor)* rebore *(fx* the car has had a rebore).

udbrede ★ spread out; *(fig)* spread *(fx* terror, rumours, disseminate *(fx* knowledge), propagate *(fx* ideas), diffuse *(fx* knowledge), put about *(fx* rumours); *~ sig* spread *(fx* the valley spread before our eyes); *~ sig om (el. over)* enlarge upon; expatiate upon; *(se ogs udbredt)*.

udbredelse *(en)* spread(ing), dissemination, propagation, diffusion; *(forekomst)* extension, distribution, *(avis', tidsskrifts)* circulation.

udbredelsesområde area of distribution.

udbredt *adj* spread; *(almindelig)* widespread *(fx* belief, opinion), widely distributed, *(om avis)* widely-read; *ligge ~* spread *(fx* the prairie spreads on every side).

udbringe *vb (breve, varer etc)* deliver; *(i penge)* yield *(fx* the loan yielded a sum of ...); *~ hr X's skål* propose the toast of Mr X.

udbringning *(en -er)* delivery.

udbrud *(et -) (begyndelse)* outbreak *(fx* of disease, of war, *(vulkansk)* eruption; *(anfald)* burst, outburst; *(udråb)* exclamation, cry *(fx* with a cry of surprise); *(i fodbold)* break-away; *komme til ~* break out.

udbryde *vb* break out; *(sige, ytre)* cry, exclaim, burst out; *der udbrød ild (, krig)* a fire (, a war) broke out. **udbryder** *(en -e) (fra fængsel)* gaol-breaker; escaped convict. **udbryderkonge** escape artist.

udbrænde ★ burn out; *(rense ved brænding)* cleanse by burning; *(sår)* cauterize; *udbrændt vulkan* extinct volcano. **udbrænding** *(en)* cleansing by burning, *(med.)* cauterization.

udbud *(et -) (af varer)* supply.

udbuet *adj* convex, bulging.

udbule *vb*, **udbulning** *(en -er)* bulge.

udbyde *vb* offer *(fx* o. sth for sale); *~ i licitation* invite tenders for; *~ et lån* invite subscriptions for a loan.

udbygge *vb (udvide)* enlarge, extend; *(udforme nærmere)* work out, organize, elaborate; *(yderligere forbedre)* develop, improve.

udbygning *(en -er)* annexe, addition; *(udhus)* outhouse; *(fremspring)* projection; *(udvidelse)* enlargement, extension; *(nærmere udformning)* working out, organization, elaboration; *(yderligere forbedring)* development, improvement.

udbytning *(en) (se II. udbytte)* exploitation; sweating.

I. udbytte *(et -r) (høst- etc)* yield; *(provenu)* proceeds, *(fortjeneste)* return(s), profit(s), *(aktie-)* dividend; *(fordel)* advantage, profit, benefit; *(af tyveri)* haul, proceeds; *med ~ at* a profit *(fx* sell sth at a p.); with profit *(fx* read a book with p.).

II. udbytte *vb* exploit; *(give sulteløn)* sweat.

udbytte|deling profit-sharing. **-kupon** dividend warrant.

udbytter *(en -e)* exploiter; *(af arbejdskraft)* sweater.

udbytterig *adj* profitable, advantageous.

uddanne *vb* train (i: in, til: for), *(især om boglig uddannelse)* educate, *(undervise)* instruct; ~ *sig i* study *(fx* a language, a science), learn *(fx* a trade); ~ *sig som* qualify as *(fx* a teacher); ~ *sig til* qualify for *(fx* a job); *fuldt -t* fully qualified *(el.* trained).

uddannelse *(en)* training, *(især boglig)* education, *(undervisning)* instruction; *få sin* ~ receive one's training (, education), be trained (, educated); *særlig* ~ special training.

uddebatteret *vb* exhausted *(fx* that subject has been exhausted).

uddele * distribute *(fx* gifts), serve out *(fx* rifles), deal out *(fx* gifts, blows), give (away); *(i sparsomme portioner)* dole out; ~ *ordrer* give orders; ~ *en præmie* (*, pris)* award a prize *(fx* the Nobel Prize); give away a prize *(fx* at a school); ~ *rollerne i et stykke* cast a play. **uddeler** *(en -e) (i brugsforening)* manager of a cooperative store.

uddeling *(en -er)* distribution, serving out, dealing out, giving away; ~ *af roller* casting.

uddifferentiere *vb* differentiate.

uddrag *(et -)* extract, abstract.

uddrage *vb (mat.)* extract; *(udvinde)* extract, obtain; *(udlede)* deduce. **uddragning** *(en)* extraction.

uddrive *vb* drive out, expel; *(ond ånd)* exorcise; *(kem)* drive off. **uddrivelse** *(en)* driving out, expulsion, exorcism; driving off; *-n af paradiset* the loss of Paradise; the expulsion from Paradise.

uddunstning *(en -er)* exhalation, emanation.

uddybe *vb* deepen, *(opmudre ogs)* dredge; *(fig)* study thoroughly; elaborate *(fx* a description); ~ *sit kendskab til* improve one's knowledge of.

uddybning *(en -er)* deepening; dredging; elaboration, profound study.

uddø *vb* die out, become extinct; *(om sted: blive øde)* become deserted.

uddød *adj* extinct; *(folketom)* deserted.

ude out, *(udenfor ogs)* outside; *(i fri luft)* in the open (air), out (of doors); *(i udlandet)* abroad; *(forbi)* at an end *(fx* all hope is at an end), up *(fx* (the) time is up);

han er helt ~ *af det* he is beside himself; *være* ~ *af sig selv* be beside oneself *(fx* with joy, with rage); ~ *af stand til at* unable to, not in a position to; ~ *af syne* out of sight; *han er* ~ *at gå en tur* he has gone for a walk; ~ *at rejse* travelling, on a journey; *(i udlandet ogs)* abroad; ~ *at tjene* in service; *der* ~ out there; *være* ~ *efter (begære)* be after, be out for; *han var hele tiden* ~ *efter mig (›: kom med skoser etc)* he was getting at me all the time; *være* ~ *for* meet with *(fx* an accident; I never met with anything so awful as this), come across; be involved in *(fx* an accident); *det er* ~ *med ham* it is all up with him, he is done for; *han var selv* ~ *om det* he only got what he had asked for, he was asking for it; *være* ~ *over sin første ungdom* be past one's first youth; ~ *på havet* (out) at sea; ~ *på landet* (out) in the country; *spillet er* ~ the game is up; *tiden er* ~ time is up; *være* ~ *til middag* be dining out.

udearbejde *(et) (udendørs)* outdoor work; *(uden for hjemmet)* work away from home.

udebane away ground; *spille på* ~ play away; *kamp på* ~ away game.

udeblive stay away, fail to appear *(el.* come, turn up); *(jur)* fail to appear in court, default; *(ikke ske)* not come off, fail to come off, not happen, not take place; not materialize *(fx* the expected effect did not m.); *(ikke komme til ventet tid)* be overdue *(fx* the mail was overdue); *de udeblevne* those absent, those who did not turn up. **udeblivelse** *(en)* absence, failure to appear, non-arrival, non-attendance; *(fra retten)* default. **udeblivelsesdom** judgment by default.

udefinerbar *adj* indefinable.

udefra *adv* from without, from outside, *(fra udlandet)* from abroad.

udefter *adv* outwards, out; ✥ off from the land.

udelade *(-lod, -ladt)* leave out, omit; *(stryge)* rule out, strike out, cancel, suppress. **udeladelse** *(en -r)* omission.

udelelig *adj* indivisible. **udelighed** *(en)* indivisibility.

udelikat *adj* unsavoury.

udelt *adj* undivided *(fx* remain undivided in sby's possession; undivided attention), *(fig ogs)* entire; *(enstemmig)* unanimous *(fx* approval), general *(fx* admiration); *adv* -ly.

udeltagende *adj* indifferent, cold; *adv* -ly.

udelukke *vb* exclude, shut out; *(umuliggøre, forhindre)* preclude, exclude; *(udvise)* expel *(fx* sby from a club). **udelukkelse** *(en)* exclusion.

udelukkende *adj* exclusive, sole; *adv* -ly.

udelukket: *det er* ~ it is out of the question.

udemokratisk *adj* undemocratic.

uden *præp* without; *(gengives ofte ved)* -less *(fx* he went hatless; a sleeveless dress); *(undtagen)* except, but *(fx* no one but he); *(ikke iberegnet)* not including, exclusive of *(fx* a dinner e. of wine);

ingen ~ none but, nobody but; *intet* ~ nothing but; ~ *at vide det* without knowing it; ~ *at blive set* unseen; ~ *at lade sig forstyrre af* undisturbed by; ~ *at jeg vidste det* without my knowing it, unknown to me; ~ *for* outside *(fx* the town, the door, his competence), out of *(fx* England, danger, reach; keep out of it), (= *foran)* in front of; *være* ~ *interesse* be of no interest; ~ **om** round; *gå langt* ~ *om én* give sby a wide berth; *gå* ~ *om* en vanskelighed evade *(el.* get round) a difficulty; *man kan ikke komme* ~ *om* at one cannot ignore *(el.* there is no getting away from) the fact that; ~ **på** on the outside of, *(om overtøj etc)* over *(fx* he wore a mackintosh over his greatcoat); ~ *videre: se videre.*

udenad *adv* by heart *(fx* I know it by heart), *(især neds)* by rote. **udenadlært** *adj* learnt by heart; *(neds)* learnt by rote. **udenadslæren** *(en)* cramming, learning by rote, rote learning.

udenbords *adv* ✥ outboard; *(over bord)* overboard.

udenbys *adj* out of town; non-resident, non -local; *adv* outside the town, out of town; ~ *telefonopringning* trunk-call, *(amr)* long-distance call.

udendørs *adj* outdoor; *adv* out (of doors). **udendørs|arbejde** outdoor work. **-optagelse** *(fot)* outdoor shot.

udenfor *adv* outside; *holde sig (, føle sig)* ~ keep (, feel) out of it; *(se ogs uden (for))*; *sætte én* ~ *(i skole)* send sby outside.

udenforstående *adj* outside; *subst* outsider, detached spectator, third party.

udenlands *adv* abroad. **udenlandsk** *adj* foreign.

udenlandsrejse *(en -r)* journey abroad; *tage på en* ~ go abroad.

udenom *adv*: *der er ingen vej* ~ there is no getting round it, we have got to face it; *gå* ~ go round sth (, it etc), *(om sagens kerne)* beat about the bush; *(se ogs uden (om)).* **udenoms|beꜱvemmeligheder** offices; *(toilet)* convenience. **-parlamentarisk** extraparliamentarian. **-snak** irrelevant talk; *komme med* ~ beat about the bush.

udenpå *adv* outside, on the outside; *(se ogs uden (på)).*

udenrigs|fart foreign trade *(el.* navigation). **-handel** foreign trade. **udenrigsk** *adj* foreign.

udenrigskorrespondent foreign correspondent.

udenrigs|minister Minister of Foreign Affairs; *(i Engl)* Foreign Secretary, Secretary of State for Foreign Affairs; *(i U.S.A.)* Secretary of State. **-ministerium** Ministry of Foreign Affairs; *(i Engl)* Foreign Office; *(i U.S.A.)* State Department. **-politik** *(en)* foreign politics (, policy); *(ofte =)*

foreign affairs (*fx* interested in foreign affairs). **-politisk** *adj* relating to foreign politics, foreign. **-tjeneste** foreign service.

udensogns *adj* extra-parochial; *adv* -ly.

udenværk outwork(s).

udeoptagelse (*en* -*r*): ~ *af films* shooting films on location.

I. **udestående** (*et*) (*strid*) quarrel; an old score (*el.* an account) to settle (*med:* with); (*krav*) claim. II. **udestående** *adj*: ~ *fordringer* outstanding (*el.* book) debts.

udfald (*et* -) (*resultat*) issue, result, upshot; ✕ (*fra belejret sted*) sortie, sally; (*i fægtning og gymnastik*) lunge; (*angreb i ord*) attack; (*det at falde ud*) falling out; *dårligt* ~ failure; *få et heldigt* ~ prove a success, turn out well, be successful; *få et andet* ~ turn out differently.

udfalds|port sally-port; (*fig*) gateway (*fx* Bristol was the g. of the Atlantic). **-vej** radial road. **-vinkel** angle of reflection.

udfinde *vb* (*finde ud af*) find (out), make out; *se ogs udtænke*.

udfletningsanlæg (*ved motorvej*) approach system.

udflugt (*en* -*er*) (*tur*) excursion, outing, trip, (*med madkurv*) picnic; (*undvigende svar*) evasion, quibble, evasive answer; *komme med* -*er* quibble, shuffle, prevaricate, beat about the bush.

udflugts|sted resort. **-tog** excursion train.

udflydende *adj* flowing out, (*udvisket*) blurred.

udflyttergård outlying farm.

udflåd (*et*) discharge, flux.

udfolde *vb* (*folde ud*) unfold, spread, (*især flag*) unfurl; (*fig: udvise*) display, show; ~ *store anstrengelser for at* make great efforts to; ~ *sig* unfold, expand, unfurl; (*om faldskærm*) open; (*fig*) expand, blossom out.

udfoldelse (*en*) unfolding, unfurling, expansion, (*fig*) display (*fx* of skill), (*udvikling*) development (*fx* bring sth to full development); *bringe til* ~ develop, bring out; *under* ~ *af* displaying, with a display of, with (*fx* with great solemnity).

udfordre *vb* challenge (*til:* to); ~ *skæbnen* court disaster; *det er at* ~ *skæbnen* (*ogs*) that is asking for trouble. **udfordrende** *adj* provocative, (*trodsig*) defiant. **udfordring** (*en* -*er*) challenge.

udforme *vb* work out (*fx* a theory), frame (*fx* a theory, a reply); (~ *nærmere*) elaborate, (*give bedre form*) improve. **udformning** (*en*) working out, drawing up; elaboration, improvement.

udforske *vb* explore. **udforskning** (*en*) exploration.

udfragt outward freight.

udfri *vb* deliver, set free, liberate, rescue. **udfrielse** (*en*) deliverance, liberation, rescue.

udfritte *vb* pump.

udfyld|e ✶ (*hulrum*) fill up, fill in; (*blanket etc*) fill in, complete, (*amr ogs*) fill out; (*plads, embede*) fill; (*tid*) fill (*fx* a pause); (*det manglende*) supplement; *i* -*t stand* (*om blanket*) duly filled in. **udfyldning** (*en*) filling up, filling in; supplementing.

udfælde *vb*: ~ *sig* precipitate. **udfældning** (*en*) precipitation.

udfærdige *vb* (*affatte*) draw up (*fx* a document), make out (*fx* a bill, a cheque), prepare; (*udstede*) issue. **udfærdigelse** (*en*) drawing up, preparation; issue.

udføre ✶ carry out (*fx* an enterprise, a mission, a plan, an experiment), do (*fx* repairs, one's work), perform (*fx* a dance, a symphony, an operation, a trick), execute (*fx* an order, a piece of work), accomplish (*fx* a task); (*eksportere*) export; *statuen er udført i marmor* the statue is executed (*el.* done) in marble; ~ *en bevægelse* make a movement; ~ *en rolle* sustain (*el.* execute) a part.

udførelse (*en* -*r*) carrying out, performance, execution, accomplishment; (*om arbejdes kvalitet*) workmanship (*fx* furniture of very good w.); *va-*

ren fås i flere -*r* several types (*el.* qualities) of the article are available; *bringe til* ~ carry out, carry into effect; *det arbejde som er under* ~ the work in progress (*el.* in hand); *under* -*n af* in the execution of (*fx* one's duty).

udførlig *adj* (*grundig*) detailed, elaborate, full, minute (*fx* description); -(*t*) *adv* in detail, at length, fully (*fx* I shall reply more fully when I get time); *temmelig* ~ at some length, in some detail.

udførlighed (*en*) fullness, length, elaborateness.

udførsel (*en*) exportation, export; (*varerne*) exports (*fx* our exports exceed our imports). **udførsels|forbud** embargo, export prohibition. **-overskud** export surplus. **-tilladelse** export licence.

udgang (*en* -*e*) (*dør etc*) exit, way out; (*udløb om tid*) expiration, end (*fx* at the end of the month); (*resultat*) issue, ending; (*typ*) break; (*af verselinie*) ending; (*i bridge*) game; *få dødelig* ~ end fatally; *end in death; værelse med* ~ *til haven* a room opening out on the garden.

udgangs|billet *tage* ~ T clear out, hop it, slip away. **-dør** exit. **-forbud** curfew. **-punkt** starting point, (*mat.*) point of origin, (*fig ogs*) basis. **-stilling** initial (*el.* starting) position; ✕ (*for angreb*) line of departure. **-tilladelse** leave (of absence). **-øg** (*et*) jade, hack.

udgave (*en* -*r*) edition; (*ikke om bog*) version.

udgift (*en* -*er*) expense, expenditure; *indtægter og* -*er* receipts and expenditure; *diverse* -*er* sundries; *få sine* -*er dækket* get back one's outlay; *faste* -*er* (*på privat budget*) regular outlays, (*merk*) overhead expenses; *sætte sig i* ~ put oneself to expense; -*er til* expenditure on, expenses for (*fx* books); -*er til husholdning* household expenses; *uden* ~ *for Dem* without expense to you, free of charge (to you).

udgifts|bilag credit voucher. **-konto** expense account. **-post** item of expenditure. **-side** debit side.

udgive *vb* (*bog etc*) publish, issue, (*besørge en udgave af, være redaktør af*) edit; ~ *ngt for* pass sth off as (*fx* he passed the stone off as a diamond); ~ *sig for* try to pass oneself off as, give oneself out to be (*fx* he gave himself out to be an officer), (*spille, maskere sig som*) impersonate (*fx* he was caught impersonating a police officer).

udgivelse (*en*) publication.

udgiver (*en* -*e*) publisher; (*redaktør*) editor.

udglatte *vb* smooth out; (*fig*) smooth over (*fx* a blunder), iron out (*fx* a disagreement).

udgløde *vb* anneal; (*ngt usmelteligt*) calcine.

udgranske *se* udforske, udtænke.

udgrave *vb* excavate, dig out, (*bringe frem ved at grave, ogs*) dig up, unearth.

udgravning (*en* -*er*) excavation; (*arkæol ogs*, T) dig; (*hul i jorden*) pit, (*lang, smal*) trench.

udgrunde *vb* fathom (*fx* the mystery).

udgyde *vb* pour out; ~ *tårer* (, *blod*) shed tears (, blood); ~ *sit hjerte* pour one's heart out, unbosom oneself.

udgydelse (*en* -*r*) (*fig*) effusion, outpouring.

udgøre *vb* (*danne*) constitute, make up, form; (*repræsentere*) make out; (*beløbe sig til*) amount to, come to, be, total; ~ *en del af* form part of; ~ *i alt* total, make a total of.

udgå *vb* (*udelades*) be omitted, be left out; (*blive udsendt*) be issued, be published (*fra:* by), issue (*fra:* from); (*udstråle*) radiate (*fra:* from); (*udstrømme*) emanate, issue (*fra:* from); (*om forgreninger*) branch off (*fra:* from); (*hidrøre*) originate, come (*fra:* from); *linie 4* -*t* (*i bogtryk*) delete line 4; *lade* ~ (⊃: *udsende*) publish, issue, (*udelade*) leave out, omit; *han udgik af løbet* he dropped out of the race; *han er* -*et fra en berømt skole* he has been educated at a famous school; (*se ogs udgående, udgået*).

I. **udgående** (*subst*): *for* ~ ⚓ outward bound; (*om person*) about to leave, just leaving. II. **udgående** *adj* outgoing; ⚓ outward-bound.

udgået *adj* (*om plante*) dead; (*om vare*) no longer

in stock; out of stock; *(af spisekort)* off; *være ~ for ngt* have run out of sth.

udhale *vb* (⚓ *udruste*) fit out; *-t (i fint tøj)* dressed up to the nines, *(især om kvinde)* be all dolled up.

udhaler *(en -e)* (⚓ *tov)* buthaul; *(udsvævende person)* rake, libertine, *(laps)* fop, dandy.

udhamre *vb* hammer out; *(hamre jævn)* beat smooth, planish; *som kan -s* malleable.

udholde *vb* bear endure, stand; *ikke til at ~* unendurable, unbearable. **udholdende** *adj* persevering; dogged; *være ~ (i fysisk henseende)* have staying power, be capable of a sustained effort. **udholdenhed** *(en) (fysisk)* staying power; *(moralsk)* perseverance. **udholdenhedsprøve** endurance test.

udhugge *vb* hew (out), cut (out), *(i sten, marmor)* carve; *(med huller, til pynt)* punch out; *(skov)* thin. **udhugning** *(en -er)* hewing, cutting; punching out; thinning.

udhule *vb* hollow (out), scoop out; *(undergrave, ogs fig)* undermine. **udhuling** *(en)* hollowing (out); undermining; *(hulhed)* hollow, cavity; *(rille)* groove.

udhungret *adj* starved, famished.

udhus outhouse; *-ene (ogs)* the offices.

udhvilet *adj* rested, refreshed.

udhæng *(et) (af tag)* eaves *(pl)*.

udhængende *adj* hanging out, overhanging.

udhængs|ark *(typ)* sheet from the machine, specimen sheet, clean sheet. **-skab** showcase.

udhæve *vb* (*m kursivskrift)* italicize; *(med fede typer)* print in bold type; *(fremhæve)* emphasize; *de -de ord* the words in italics (, in bold type); *-t af os* (the) italics (are) ours, our italics.

udhævelse: *-rne er af os* (the) italics (are) ours, our italics.

udiplomatisk *adj* undiplomatic.

udisciplineret *adj* undisciplined.

udjævne *vb (glatte)* smooth; *(planere)* level; *(udligne)* equalize; *(bilægge)* settle, straighten out; *(udglatte)* smooth out *(fx* a crease), *(fig)* smooth over *(fx* a blunder). **udjævning** *(en)* smoothing; levelling; equalization; settlement.

udkant *(en -er)* outskirts, border, fringe; *i -en af byen* on the outskirts of the town; *i -en af skoven (ogs)* on the fringes of the forest.

udkast *(et -)* (rough) draft, sketch *(til:* of); *(i boldspil)* throw-out.

udkaste *vb* throw out; *(kaste overbord)* jettison; *~ bomber* drop bombs; *~ en plan* form *(el.* suggest) a plan; *~ en tanke* throw out a suggestion.

udkig *(et; om person: en)* look out, observation; ⚓ *(person)* look-out (man); *(udsigt)* peep; *holde ~* be on the look-out *(efter:* for), keep a look-out; *være på ~ efter* be on the look-out for.

udkigs|mand look-out (man). **-post** observation post, look-out. **-tønde** ⚓ crow's nest. **-tårn** *(på bygning)* turret; ⚓ conning-tower; *se ogs udsigtstårn.*

udklip *(et -)* cutting, *(ogs amr)* clipping; *~ af aviser* press cuttings, *(amr)* (newspaper) clippings. **udklipsbureau** press-cutting agency, *(amr)* clipping bureau.

udklædt *adj* got up, *(forklædt)* disguised.

udklække *vb* hatch (out); *(fig)* turn out *(fx* new students), *(udspekulere)* hatch *(fx* a plot), concoct. **udklækning** *(en)* hatching. **udklæknings|anstalt** hatchery; *(fig)* nursery *(fx* of young rebels). **-apparat** incubator.

udkoble *vb* declutch, disconnect; *køre med -t motor* coast. **udkobling** *(en)* declutching, disconnexion; *dobbelt ~* double declutching.

udkog *(et)* decoction.

udkommandere *vb* call out *(fx* a force of police was called out); ✕, ⚓ appoint; *blive -t med* be appointed to *(fx* a gunboat).

I. **udkomme** *(et)* livelihood, living, *(mere litterært)* competence; *have sit gode ~* be in easy circumstances; *tjene til -t* earn one's living.

II. **udkomme** *vb (om bog etc)* appear, be published, come out; *lige -t* just out, just published.

udkonkurrere *vb (fortrænge)* oust.

udkrads *(et)* scrapings, *(klump)* dottle. **udkradse** *vb* scrape (out).

udkrystallisere *vb*, *~ sig* crystallize.

udkræve *vb* call for, require.

udkæmpe *vb* fight *(fx* a battle, a boxing match); *(i boldspil)* play *(fx* a match).

udkørsel *(en) (det at køre ngt ud)* carting out; *(afgang)* starting, departure; *(sted)* way out, exit, *(vej)* drive. **udkørselssignal** starting signal.

udkørt *adj (træt)* worn out, exhausted, *(nervøs)* run down; T dead beat, all in, done in.

udkår|e *vb* choose, elect; *hendes -ne* the object of her choice; *hans -ne (ogs)* the bride of his choice.

udlade *(-de -t) (elekt)* discharge; ⚓ unload, discharge.

udladning *(en -er) (elekt)* discharge; ⚓ unloading, discharging; *(fig)* outlet; *han skældte ud fordi han trængte til ~* he scolded just to let off steam.

udlandet foreign countries; *(om Europa minus De britiske Øer, ofte:)* the Continent; *det øvrige udland* other places abroad; *i ~* abroad; *fra ~* from abroad *(fx* return from abroad), foreign *(fx* foreign goods); *handel med ~* foreign trade; *rejse (, sende) til ~* go *(, send)* abroad; *et brev til ~* a letter with a foreign destination. **udlandsdansker** Dane living abroad.

udle *vb* laugh at, laugh to scorn.

udlede ✶ *(ord)* derive *(af, fra:* from); *(slutte)* conclude, infer, deduce *(af:* from); *(om spildevand)* discharge.

udleje *vb* let out, hire out; *(hus, jord)* let; *værelse -s* room to let. **udlejer** hirer out, letter; *(af film)* distributor; *(af både)* boat keeper. **udlejning** *(en)* letting (out), hiring out. **udlejnings|bil** (self-drive) hire car. **-forretning** hire shop. **-kontor** *(ved nybygning)* letting office; *(for lejligheder, svarer til)* estate agency; *(for værelser: kan gengives)* apartments agency.

udlevere *vb (overgive, aflevere)* give up, deliver (up *el.* over), surrender, hand over; *(fordele)* issue, distribute, serve out; *(om apotek)* dispense; *(tilbagegive)* restore, return, hand back, deliver up; *(forbryder til andet land)* extradite; *planer -s på forlangende* plans may be had on demand; *få sit ngt -t* be supplied *(el.* served) with sth; *~ sig (›: røbe sig)* give oneself away, *(kompromittere sig)* compromise oneself.

udlevering *(en)* delivery, surrender; *(uddeling)* issue, distribution, serving out; dispensing; *(tilbagelevering)* restoration, restitution; *(mellemstatlig: af forbrydere)* extradition.

udlevet *adj* decrepit *(fx* a d. old man); *(fig)* effete *(fx* an effete aristocracy, civilization).

udligger *(en -e) (på kran etc)* jib, boom; ⚓ outrigger.

udligne *vb (forskel)* equalize; *(opveje)* set off, counterbalance; *(merk)* settle, balance; *(i boldspil)* equalize.

udligning *(en)* equalization; settlement, payment; *til ~ af en regning* in settlement of an account.

udlodde *vb (udparcellere)* parcel out; *(i bo)* distribute. **udlodning** *(en)* parcelling out; distribution.

udlosse *vb* discharge, unload *(fx* a ship, cargo).

udlove *vb* offer *(fx* a reward).

udlufte *vb* air *(fx* a bed, a room, linen).

udluftning *(en)* airing.

udlyd final sound; *i ~* in a final position.

udlydende *adj (i udlyd)* final.

udlæg *(et -)* outlay, expenses, costs; *(jur: eksekution)* distraint, execution; *kontante ~* out-of-pocket expenses, disbursements; *foretage ~ hos en* distrain upon sby's good; *få sit ~ dækket* recover one's outlay; *gøre ~ i* distrain upon, levy execution on.

udlægge *vb* lay out *(fx* cables, money); *(en bøje; rottegift)* put down; *(en sav)* set; *(fortolke)* interpret, construe, *(forklare)* expound, explain *(fx* a text);

(jord) lay out; *den udlagte barnefader* the putative *(el. alleged)* father; ~ *en som barnefader* father the child on sby; ~ *miner* lay mines, *(landminer)* put out mines; ~ *miner i havnen* mine the harbour; *mine udlagte penge* my outlay; ~ *alting til det bedste* put the best construction on everything.

udlægning *(en)* laying (out); *(af sav)* setting; *(fortolkning)* construction, interpretation, reading, *(af Bibelen)* exegesis; ~ *af miner* mine-laying; *hans* ~ *af rollen* his reading of the part.

udlændighed *(en)* exile.

udlænding *(en -e)* foreigner, *(især jur)* alien.

udlænge *(en -r)* outbuilding.

udlængsel *(en)* longing to go abroad, the urge to travel.

udlært *adj:* *være* ~ have served one's apprenticeship; *en* ~ *grovsmed* a skilled blacksmith.

I. **udløb** *(et -)* *(vands el. anden væskes)* outflow, discharge; *(afløbshul)* plug hole; *(rør)* outlet (tube), *(kloaks etc)* outfall; *(flodmunding)* mouth, outfall; *(af tid, police, patent etc)* expiration, *(af år etc)* end.
II. **udløb** *imperf af udløbe.*

udløbe *vb (om frist, police etc)* expire, terminate, end, run out; *være -t* have expired, be at an end, be up; *-n distance* ♣ distance run.

udløber *(en -e)* ♣ offshoot, runner, *(underjordisk)* sucker; *(af bjerg)* spur; *(af lavtryk)* trough; *(fig)* offshoot; *-e (forgreninger)* ramifications.

udløse ★ *(maskindel etc)* release, disconnect, throw out of gear; *(udfri)* redeem, liberate; *(pant)* redeem; *(følelser, handlinger)* call forth, arouse, provoke, *(sætte i gang igen)* start, trigger off; ~ *en bombe* release a bomb; ~ *sig i* find vent in; ~ *spændingen (fig)* relieve the tension. **udløser** *(en -e)* release. **udløsning** *(en)* release, disconnecting; *(udfrielse)* redemption; *(afløb for følelser etc)* outlet; *få* ~ *i* find vent in; *hans følelser fik* ~ *i et raserianfald* his feelings vented themselves in a burst of rage; *finde (el. få)* ~ *for* find vent for.

udlån *(et -)* loan; *(af bøger fra bibliotek)* issuing, lending; *(udlånsafdeling)* lending department, *(amr)* circulation department; ~ *mod pant (, kaution)* loan against *(el. on)* security.

udlåne ★ lend, advance, *(amr)* loan; ~ *penge mod rente* lend money at *(el. on)* interest; ~ *mod sikkerhed* lend against *(el. on)* security; *bogen er udlånt* the book is out.

udlåns|afdeling *se udlån.* **-dag** *(i bibliotek)* day of issue. **-rente** interest on loans, lending rate.

udmagret *adj* emaciated, gaunt; *(jord)* exhausted.

udmajet *adj* bedizened, dressed up, T dolled up.

udmale *vb (beskrive)* paint, depict, give a vivid description of; *(korn)* grind, mill; ~ *sig* picture to oneself. **udmalingsprocent** extraction rate.

udmarch *(en)* march out, departure.

udmarvet *adj* effete, wasted, enervated.

udmatte *vb* exhaust, fatigue, tire out.

udmattelse *(en)* exhaustion, fatigue.

udmattelseskrig war of attrition.

udmelde ★ *(af skole)* take out, withdraw, remove *(fx* a child from school); *(beskikke)* appoint; ~ *sig* withdraw one's name, resign (membership).

udmeldelse *(en -r)* withdrawal; resignation.

udmunde *vb:* ~ *i (om flod)* fall *(el.* flow, debouch) into, *(om gade)* join, open into, open on to, *(fig)* end in.

udmunding *(en)* mouth *(fx* of a river).

udmærke *vb (hædre)* honour; *(kendetegne)* be characteristic of, characterize; *(forst)* mark; ~ *sig* distinguish oneself, gain distinction, make one's mark; ~ *sig ved* distinguish oneself by, *(være ejendommelig ved)* be characterized by, be distinguished by, be remarkable for. **udmærkelse** *(en -r)* honour, distinction; *(til eksamen) (svarer til)* first class with distinction, *(amr)* summa (cum laude).

udmærket *adj* excellent, capital, T first-rate, fine; *adv* excellently, perfectly; ~ *begavet* highly gifted;

~ *godt* very well indeed; *det er* ~ *!* that's fine1

udmønstre *vb* ♣ sign on.

udmønte *vb* coin. **udmøntning** *(en)* coining, coinage.

udmåle ★ measure (out); *(om rummål)* gauge, measure the capacity of; *(uddele etc)* mete out, *(sparsomt)* dole out. **udmåling** *(en)* measuring; gauging; meting out, doling out.

udnytte *vb* turn to account, utilize, make the most of; exploit *(fx* atomic energy, water power); *(misbruge)* exploit, take advantage of. **udnyttelse** *(en)* utilization, exploitation *(fx* of atomic energy).

udnævne ★ appoint, nominate, *(forfremme)* promote; *(peers)* create; ~ *en til ambassadør* appoint sby ambassador; ~ *en til general* make sby a general; ~ *en til ridder* make sby a knight, knight sby, confer a knighthood on sby. **udnævnelse** *(en -r)* appointment *(som:* as); nomination; *(forfremmelse)* promotion; *(af peers)* creation; *få sin* ~ be appointed.

udover *adv* ♣ offshore, *(søværts)* seaward; *se ogs: ud.*

udpakke *vb* unpack. **udpakning** *(en)* unpacking.

udpante *vb* distrain upon; *den -de* the distrainee; *han blev -t for skat* distress was levied on his goods for non-payment of taxes.

udpantning *(en -er)* distress.

udparcellere *vb* parcel out.

udpege *vb* point out; *(designere)* designate, select; *(udnævne)* appoint, nominate; ~ *vinderen (på forhånd)* spot the winner.

udpensle *vb* elaborate, develop minutely, *(neds)* labour. **udpensling** *(en)* elaboration.

udpine ★ *(jord)* exhaust, impoverish; *(blotte for penge)* bleed white, fleece.

udplacere *vb* manoeuvre out of position.

udplante *vb* transplant, plant out.

udplantning *(en)* transplanting.

udpluk *(et)* extract(s), selections; *(neds)* rehash.

udplyndre *vb* rob, plunder; *(en by)* sack, pillage. **udplyndring** *(en -er)* robbing, plundering; sack, sacking, spoliation.

udposning *(en -er)* bulge; bag; *(under øjnene)* pouch, bag.

udpresse *vb* squeeze (out), press (out); *(folder i tøj)* iron out.

udpræget *adj* marked, distinct *(fx* improvement), pronounced *(fx* accent), typical, thorough; *adv* -ly.

udpumpe *vb* pump (out), discharge; *-t (træt)* knocked up, done in.

udpønse *vb* think out, devise, invent; T think up.

udramatisk *adj* undramatic.

udrangere *vb* scrap *(fx* machinery), discard *(fx* old clothes).

udrede *vb (bringe rede i)* clear up, disentangle, unravel; *(forklare)* elucidate, explain; *(penge)* pay, defray, find. **udredning** *(en)* clearing up, disentanglement, unravelling; elucidation, explanation, *(redegørelse ogs)* account, statement; *(af penge)* paying, payment.

udregne *vb* work out, figure out, calculate.

udregning *(en -er)* calculation.

udrejse *(en -r)* outward journey, ♣ outward passage; *(af land)* departure; *på* ~ ♣ outward bound.

udrejse|tilladelse exit permit. **-visum** exit visa.

udrense *vb* clean (out), cleanse, purify; *(i skov)* weed, clean; *(fig fx politisk parti)* purge; *(fjendtlig stilling)* mop up; *(tekst)* expurgate; *(virke afførende på)* purge; *(fjerne)* clean off, remove, *(person)* purge *(fx* the people who were purged between 1934 and 1938). **udrensning** *(en -er)* cleaning, cleansing, purification; weeding; purge; mopping-up (operations); expurgation; purgation; removal, purging.

udrensningsproces purge trial.

udretning *(en)* straightening (out).

udrette *vb (gøre)* do, effect, perform, accomplish, achieve; *(rette ud)* straighten (out); ~ *et ærinde* perform an errand.

udrigger *(en -e)*, **udrigget** *bdd* outrigger.
udrikkelig *adj* undrinkable, not fit to drink.
udrinde *vb (om tid)* pass, elapse, expire; *være udrundet af (nedstamme fra)* be descended from.
udringe *vb* enlarge *(fx* an arm hole); *(gøre nedringet)* cut low at the neck; *-t (om kjole)* low-necked; *-de sko* low-cut (court) shoes.
udrive *vb* tear out, pull out; *(farver etc)* grind.
udruge *vb* hatch (out); *(kunstigt)* incubate.
udrugning *(en)* hatching; *(kunstig)* incubation.
udruste *vb (udstyre)* equip, fit out; ✗ *(væbne)* arm; ~ *med* equip with, furnish with, ✗ arm with; *(om persons evner)* endow with *(fx* nature had endowed him with great talents); *dårligt -t* badly equipped, *(med evner)* poorly endowed by nature, *(biologisk, om dyr etc)* unfit. **udrustning** *(en -er) (det at udruste)* equipping, fitting out, equipment; ✗ arming; *(tingene)* outfit, equipment, T rig-out.
udrydde *vb* exterminate *(fx* a tribe, rats, an evil), extirpate, wipe out *(fx* the whole race); *(især om et onde ogs)* eradicate *(fx* insect pests, superstitions, a disease); root out. **udryddelse** *(en)* extermination, extirpation, wiping out; eradication. **udryddelseskrig** war of extermination.
udrykke *vb (kobling etc)* disconnect, disengage.
udrykning *(en -er)* turn-out; *foretage en* ~ turn out; *brandvæsenet foretog 5 -er* the fire brigade turned out five times; *hurtig* ~ quick turn-out; *der var stor* ~ a large force of fire fighters (, police *etc)* turned out. **udryknings|horn** hooter. **-signal** hooter signal. **-vogn** *(ambulance)* ambulance; *(politibil)* police car; *(brandbil)* fire engine.
udrøj *adj (lidet nærende)* unsubstantial; *(uden forslag i)* uneconomical.
udrøre *:* ~ *i* mix with *(fx* mix flour with water); stir into.
udråb *(et -)* exclamation; *(råb)* shout, cry.
udråbe * cry, proclaim; ~ *en til konge* proclaim sby king. **udråber** *(en -e)* town crier, *(på marked etc)* barker. **udråbs|ord** interjection. **-tegn** exclamation mark.
udsagn *(et -)* statement, *(påstand)* assertion.
udsagns|led *(et -)* sentence verb. **-ord** verb.
udsalg sale; *(butik)* shop, *(amr)* store.
udsalgs|pris retail price; *(nedsat)* bargain *(el. sale)* price. **-sted** shop, *(amr)* store. **-tid:** *i -en* while the sales are on, during the sales.
udsat *adj (ubeskyttet)* exposed *(for:* to), *(i fare)* in danger *(for:* of); ~ *for (= tilbøjelig til)* liable to, apt to; ~ *for klaver* arranged for piano; *en* ~ *post (fig)* an exposed position; *den -te præmie* the prize (offered); *(se ogs udsætte)*.
udse *vb* pick out, choose; ~ *sig* select, pick out; *-t af skæbnen til at* destined to.
udseende *(et)* appearance, look, *(især om person ogs)* looks; *af et fremmedartet* ~ foreign-looking; *give det* ~ *af* at make it appear that; *give det* ~ *af at man arbejder* make a pretence of working; *give sig* ~ *af at være* pretend to be; *jeg kender ham af* ~ I know him by sight; *dømme efter -t* go *(el.* judge) by appearances.
udsejling *(en -er) (sted)* exit; *under -en ⚓* on her way out, when leaving the port.
udsend|e * *(afsende)* send out; *(som udsending)* delegate; *(lys, røg, varme etc)* emit, send out; *(lugt etc)* give off; *(udgive)* publish, bring out; *(udstede)* issue; *(i radio)* send out *(fx* SOS signals), transmit, *(til publikum)* broadcast; *(i fjernsyn)* televise; ~ *en film* release a film; *fra vor -te medarbejder* from our special correspondent; ~ *regnskab* publish the accounts.
udsendelse *(en -r) (se udsende)* sending out; delegation; emission; publication, issue, issuing; *(radio-)* broadcasting, *(enkelt)* transmission, broadcast, *(fjernsyns-)* television programme, *(fagligt)* telecast.
udsending *(en -e)* emissary, envoy; *(diplomatisk)* envoy, *(delegeret)* delegate.
udsigt *(en -er)* view; *(fig)* prospect, chance; *(meteorologisk)* (weather) forecast; *-er (fig)* prospects, outlook; *-erne for høsten* the harvest prospects; *der er god* ~ *fra tårnet* there is a good view from the tower; *stille én ngt i* ~ hold out a prospect *(el.* prospects) of sth to sby; *det har lange -er* that may not be for a long time yet; *nyde -en* admire *(el.* enjoy) the view *(el.* the scenery); *fra mit vindue er der* ~ *over parken* there is a view over the park from my window, my window commands a (view of) the park; *have* ~ *til at* have a chance of *-ing; en plan der har* ~ *til at lykkes* a plan likely to succeed; *der er* ~ *til nattefrost* ground frost may be expected; *der er al mulig* ~ *til at* there is every chance *(el.* prospect) that, the chances are that; *et hotel med* ~ *til havet* a hotel with a sea view.
udsigtstårn [tower commanding a wide view], *(ofte =)* gazebo.
udskejelse *(en -r)* excess. **udskejende** *adj* dissolute, debauched *(fx* life).
udskibe *vb (losse)* unload, discharge, unship; *(landsætte)* disembark, land. **udskibning** *(en -er)* unloading, discharging; disembarkation, landing. **udskibningssted** place of disembarkation.
udskifte *vb* change *(med:* for), replace *(med:* by), renew. **udskiftelig** *adj* interchangeable, detachable.
udskiftning *(en -er)* change, replacement, renewal; »*udskiftningen*« *(hist.) (svarer til)* the enclosure movement.
udskille * *(frasortere)* separate, sort out; *(fjerne)* remove, eliminate, get rid of; *(isolere)* isolate *(fx* the important factors); segregate *(fx* undesirable elements); *(afsondre)* secrete; *(kem)* liberate, set free, *(bundfælde)* precipitate; *(affaldsprodukter fra organismen)* excrete, eliminate; *(radio)* cut out *(fx* unwanted stations); ~ *sig* separate *(fra:* from), break away *(fra:* from), *(bundfældes)* precipitate out, be precipitated. **udskillelse** *(en) (se ogs udskille)* secretion; separation, sorting out; removal, elimination; isolation; segregation; liberation, precipitation; excretion; cutting out.
udskrabning *(en -er) (med.)* curettage.
udskreget *adj (opreklameret)* much-advertised, *(kun prædikativt)* boosted.
udskrift *(en -er) (afskrift)* copy, transcript; *(pd brev)* address.
udskrive *vb (afskrive)* copy, transcribe; *(skrive, udfærdige)* write out, make out *(fx* a bill); *(skatter etc)* levy, impose; *(soldater etc)* conscript *(fx* labour, troops), levy *(fx* troops), raise *(fx* an army), *(amr om tropper)* draft; *(fra hospitalet)* discharge; ~ *en konkurrence* arrange a competition; ~ *valg* issue writs for an election, appeal *(el.* go) to the country; *den forfatter er udskrevet* that author has written himself out.
udskrivning *(en -er) (se udskrive)* transcription; writing out; levy(ing), imposition; conscription, levy(ing), *(amr af tropper)* draft; *(fra hospital)* discharge; *(udgift)* expense.
udskrivnings|chef director of conscription. **-kontor** conscription office.
udskud *(et) (ragelse)* rubbish, trash; *(person)* outcast, pariah; *(pak)* dregs, scum, riff-raff.
udskudsvarer rejects, *(smudskede)* shop-soiled goods.
udskyde *vb (med skydevåben)* discharge, fire, shoot; *(vrage)* reject, scrap, *(lade udgå)* cut out *(fx* a scene of a play); *(slette)* strike out; *(opsætte)* put off, postpone, defer, *(især jur & amr)* stay.
udskydelse *(en) (afvisning)* rejection; *(sletning)* striking out; *(opsættelse)* putting off, postponement.
udskydning *(en -er) (affyring)* discharge, firing.
udskydnings|rampe *(til missil)* launching pad. **-rør** *(til torpedo)* launching tube.
udskylle *vb* wash out; *(med)* irrigate, *(med sprøjte)* syringe *(fx* an ear). **udskylning** *(en -er)* washing (out); *(i wc)* flushing; *(med.)* irrigation.
udskylningsapparat irrigator.

udskældning *(en)* scolding; *en* ~ a scolding, a dressing-down.
udskænke *vb (om beværter)* serve *(fx* beer) (on the premises). **udskænkning** *(en)* serving.
udskære *vb* cut out; *(kunstnerisk ogs)* carve.
udskæring *(en -er)* cutting out, *(kunstnerisk)* carving; *(med.)* excision; *(rille)* slot, cut; *(hak)* notch; *(hals-)* neck-opening; *kjole med dyb* ~ low -cut dress.
udskåren *adj* carved; *(nedringet)* low-necked.
udslag *(et -)* *(vægts)* turn; *(penduls)* swing, *(af viser)* deflection; *(virkning, resultat)* effect, result, outcome, reflection; *(tegn)* manifestation, symptom, *(eksempel)* instance; *give sig* ~ *i* be reflected in, show *(el.* manifest) itself in; *(resultere i)* result in, issue in; *gøre -et* be the decisive factor, decide the matter, turn the scale.
udslag|en *adj: hele den -ne dag* all day long, the livelong day. **udslaggivende** *adj* decisive.
udslette *vb* efface, obliterate, wipe out; *(tilintetgøre)* annihilate, wipe out *(fx* a town by bombing), destroy; ~ *hvert spor af* obliterate *(el.* remove) every trace of. **udslettelse** *(en)* obliteration, wiping out; annihilation, destruction.
udslidt *adj* worn out, exhausted.
udslukt *adj* extinct *(fx* volcano); *(om øjne)* glazed.
udslutte *vb (typ)* justify.
udslynge *vb* hurl; *(aske, damp etc)* eject; *(fig)* launch *(fx* threats against sby), fling, hurl *(fx* reproaches at sby), fling out *(fx* an assertion). **udslyngning** *(en)* hurling; ejection; launching, flinging.
udslæt *(et -)* rash, skin eruption.
udslået *adj (om huden)* pimply, T spotty; *(om hår)* flowing.
udsmelte *vb (malm)* smelt *(fx* copper); *(fedt)* render.
udsmider *(en -e)* chucker-out, *(især amr)* bouncer.
udsmidning *(en -er)* chucking out; *(af skole)* expulsion; *(af lejlighed)* eviction.
udsmugle *vb* smuggle out.
udsmugling *(en)* smuggling out.
udsmykke *vb* decorate, deck *(fx* with flags, flowers); *(især rigt, kunstnerisk),* ornament, embellish. **udsmykning** *(en)* decoration, ornamentation, adornment; *(pynt)* decoration(s), ornament(s).
udsnit *(et -)* *(udskåret stykke)* cut, slice; *(hul)* cut, notch, groove, hollow; *(uddrag)* extract; *(afsnit)* section *(fx* of the population); *(cirkel-)* sector; *et* ~ *af livet* a slice of life.
udsolgt *adj* sold out; *(om bog)* out of print; *alt* ~ *(i teater)* full house, house full; *have* ~ T be sold out; *have* ~ *af* be out of.
udsondre *vb (fysiologisk)* secrete; *(skille ud)* single out; separate.
udsone *vb* atone for, expiate *(fx* a sin); ~ *sig med én* become reconciled with sby, make it up with sby. **udsoning** *(en)* expiation; *(forsoning)* reconciliation.
udsortere *vb* sort out.
udsovet: *være* ~ have slept enough, have had one's sleep out; *få* ~ have one's sleep out.
udspalte *vb* cleave off; ~ *sig* split (i: into).
udspare *vb* leave open, leave free.
udspark *(i fodbold)* goal kick.
udspejde *vb* spy (up)on.
udspekuleret *adj (om person)* artful, cunning, deep, sly; *en* ~ *rad* a sly fox. **udspekulerthed** *(en)* artfulness, cunning, slyness.
udspil *(et)* *(i kortspil)* lead; *du har -let* it is your lead; *(fig)* T the ball is in your court; *nu er det vestmagterne der har -let (fig)* now the next move is up to the Western Powers.
udspile *vb* distend *(fx* the sail was distended), dilate *(fx* dilated nostrils), *(ved at puste luft i)* inflate, blow up *(fx* a toy balloon); *-de fingre (, kløer)* spread fingers (, claws).

udspiling *(en)* distension; spreading; inflation.
udspille *vb (i boldspil)* outplay; *begivenhederne -des i London* the events took place in London; *have -t sin rolle* have had one's day; *stykket er endnu ikke -t* the play is still drawing well.
udspinde *vb:* ~ *sig* ensue, take place.
udspionere *vb* spy (up)on.
udsprede * spread (out); *(rygter)* circulate, spread, put about, disseminate.
udspredning *(en)* spreading, dissemination.
udspring *(et -)* *(flods)* source, spring, head; *(i vandet)* plunge, dive; *(faldskærms-)* (parachute) jump, (parachute) descent; *(blomsts)* opening, blowing; *(træers)* bursting into leaf; *(oprindelse)* origin, source; *have sit* ~ *i (fig), se udspringe (af).* **udspringe** *vb (om flod)* rise: ~ *af (fig)* stem from, originate in *(el.* from). **udsprungen** *adj (om blomst)* out, full-blown; *(om træ)* in (full) leaf.
udspy *vb* belch forth, disgorge, vomit.
udspænde * stretch, distend. **udspænding** *(en)* stretching, distension.
udspørge *vb* question, pump.
udstaffere *vb* dress up, trick out. **udstaffering** *(en)* trappings *pl*, rig-out.
udstanse *vb* stamp, punch (out). **udstansning** *(en)* stamping, punching.
udstationere *vb* station.
udsted *(et -er)* *(på Grønland)* trading-station.
udstede * issue *(fx* a decree, a passport), *(pengesedler ogs)* emit; ~ *en check (, en regning)* make out a cheque (, a bill) *(til:* to); ~ *en veksel* draw a bill *(på:* on). **udstedelse** *(en)* issue; emission; making out; drawing. **udstedelsesdag** day of issue. **udsteder** *(en -e)* issuer; drawer.
udstene *vb* stone.
udstigning *(en)* alighting.
udstikke *vb (afmærke)* mark out, peg out; *(udskære)* cut out *(fx* dough).
udstille *vb (til skue)* show, exhibit, display; *(vagter)* post, station, *(uden objekt)* exhibit; *være -t* be on view, be on show.
udstiller *(en -e)* exhibitor.
udstilling *(en -er)* exhibition, show, *(købestævne etc)* fair; *(i butik etc)* display; *(af vagt)* posting; *på en* ~ at an exhibition (, a show, a fair).
udstillings|genstand exhibit. **-lokale** showroom. **-montre** showcase, *(i museum)* exhibition case. **-vindue** show window.
udstopning *(en -er)* stuffing. **udstoppe** *vb* stuff. **udstopper** *(en -e)* taxidermist.
udstrakt *adj (strakt ud)* outstretched *(fx* hand; arms); *(stor, ogs fig)* extensive *(fx* fields, knowledge), wide; *i* ~ *grad* extensively, widely, to a great extent; *ligge* ~ *(om landskab)* extend, spread; *(om person)* lie (out)stretched *(fx* on the ground), lie prone.
udstrege *vb* strike out, cross out, delete. **udstregning** *(en -er)* deletion.
udstrække *vb* stretch out; *(fig)* extend.
udstrækning *(en)* stretching out, extension; *(omfang)* extent, size, dimension, area, *(fig)* extent; *i hvilken* ~ to what extent; *i stor (el. vid)* ~ widely, extensively, largely, to a great extent.
udstrømme *vb* flow out, discharge, emanate, *(ved utæthed)* escape. **udstrømmende** *adj* outflowing, *(ved utæthed)* escaping; *(om mennesker)* out -going. **udstrømning** *(en)* outflow(ing), discharge, emanation, *(ved utæthed)* escape; *(i dampmaskine etc)* exhaust.
udstråle *vb* radiate *(fx* heat, happiness); *(lys ogs)* emit. **udstråling** *(en -er)* radiation; emission.
udstykke *vb (jord)* parcel out. **udstykning** *(en)* parcelling out; ~ *til byggegrunde* development.
udstyr *(et)* equipment; *(personligt)* outfit, kit; *(tilbehør)* accessories *(pl)*; *(bogs etc)* get-up; *(scene-)* décor; *(brude-)* trousseau; *(baby-)* layette.
udstyre *vb* equip, fit (out); *(bog etc)* get up; *(forsyne)* furnish, provide *(med:* with); *(med evner etc)*

endow (med: with) (fx nature has endowed him with great talents).

udstyrsstykke (et -r) lavishly mounted (el. got -up) play.

udstøde * (fjerne, bortvise) expel; (om vulkan) belch out; (fremkomme med) utter (fx a cry, an oath, threats), give (fx a sigh); (af samfundet) ostracize; ~ et suk (ogs) heave a sigh; en udstødt an outcast. **udstødelse** (en) expulsion. **udstødning** (en) (af forbrændingsgas) exhaust.

udstå vb (gennemgå) endure, undergo, suffer, go through; (læretid, straf) serve (fx one's apprenticeship, one's sentence); jeg kan ikke ~ I can't bear, I can't stand, I hate, T I can't stick; ~ sin straf (ogs) T do time. **udstående** adj projecting; protruding (fx eyes, ears, teeth); protuberant; prominent (fx cheek bones, teeth).

udsuge vb suck out; (fig) bleed white, grind down, extort money from. **udsugning** (en) sucking out; (fig) extortion.

udsulte vb starve out. **udsultning** (en) starving out. **udsultningskrig** war of starvation.

udsvede * exude, sweat.

udsving (et -) (af pendul) swing, oscillation; (af viser) deflection; (i priser etc) fluctuation, movement.

udsvævelser pl debauchery, excesses, dissipation, licentiousness. **udsvævende** adj debauched, dissolute, dissipated, licentious.

udsyn (et) outlook, view; (fig) vision (fx he lacks vision); (oversigt) survey (over: of).

udsæd (en) (sæd) seed; (såning) sowing.

udsælge vb sell off, sell out, clear off; se ogs udsolgt.

udsætte vb (se ogs I. udsat); (anbringe) set (fx a snare), post (fx a sentry); (sætte i søen) put out (fx a boat); (belønning, præmie) offer; (bestemme, tildele) assign, allot (fx assign a yearly income to sby), settle (til: on); (musik) arrange; (opsætte) postpone, put off, defer, (møde etc) adjourn; (lejer) evict; (nyfødt barn) expose; (uden objekt: forhale) procrastinate; ~ for fare (, for solen etc) expose to danger (, to the sun, etc); ~ sig for lay oneself open to (fx suspicion), expose oneself to (fx danger); ~ sig for at falde run the risk of falling; have noget at ~ på én find fault with sby; har du noget at ~ på det? have you any objections? -nde veto suspensive veto.

udsættelse (en -r) (af vagter) posting; (af præmie etc) offer; (tildeling) assignment; (af musik) arrangement; (opsættelse) postponement, deferment, delay; (forlængelse af en frist) respite; (af møde) adjournment, (af militærtjeneste) deferment; (af lejlighed etc) eviction; (af nyfødt barn) exposure.

udsættelsesforretning eviction.

udsætter (en -e) (ved tænding i motor) misfire.

udsøge *, ~ sig select, pick (out), choose.

udsøgt adj choice (fx food, wines), select (fx company), exquisite (fx dress, food, taste), picked (fx men), studied (fx elegance, insult, insolence).

I. **udså** vb sow, (fig ogs) disseminate; ~ splid sow (the seeds of) discord.

II. **udså** imperf af udse.

udtage vb take out, remove, (af bank) draw, withdraw; (mandskab til særligt hverv) tell off, (især ✗) detail; (udvælge) pick out, single out, choose, (ogs om sportshold) select; (nævninge) empanel; ~ prøver take samples; ~ stævning mod take out a writ (el. a summons) against, summons. **udtagelig** adj (om maskindel etc) detachable. **udtagelse** (en) removal; detailing; (udvælgelse) selection. **udtagelses|kamp** trial (game). -**komité** selection board.

I. **udtale** (en -r) pronunciation.

II. **udtale** * pronounce; (sige) say, declare, state; (udtrykke) express (fx one's thanks, a wish); p'et -s ikke the p is not sounded, the p is silent; ~ forkert mispronounce; ~ sig express oneself (fx in guarded terms), speak; make a statement (fx he would make no statement to the Press); (om vidne) give evidence; ~ sig for speak in favour of, recommend;

~ sig nærmere go into details; ~ sig om give an opinion on, pronounce on, speak about; (se ogs udtalt). **udtalebetegnelse** phonetic transcription, (tegnsystem) (system of) phonetic notation.

udtalelse (en -r) pronouncement, statement, utterance, opinion, remark; fremsætte en ~ make a statement, give an opinion.

udtale|ordbog pronouncing dictionary. -**øvelser** pronunciation exercises.

udtalt (se II. udtale) adj (udpræget) marked, distinct, pronounced; adv -ly.

udtjent adj having served one's (, its) time; (udslidt) worn-out.

I. **udtog** (et -) (af bog) abstract, (sammendrag) epitome, summary, abridged version; (af musik) selections, excerpts (af: from).

II. **udtog** imperf af udtage.

udtryk (et -) expression; (ansigts- ogs) look; (tilkendegivelse, tegn ogs) token (fx as a token of my respect), mark (fx of gratitude); (ord, vending ogs) term; (talemåde ogs) phrase; billedligt ~ figure of speech, metaphor; teknisk ~ technical term; give ~ for give expression to, voice; give sig ~ i show itself in, find expression to, be reflected in; være et ~ for be expressive of, express, reflect; komme til ~ express itself, find expression, (vise sig) manifest itself.

udtrykke * (om person: give udtryk for) express, voice, (m h t ordvalg) put (fx I don't know how to put it), phrase; (bibringe forestilling om, betegne) convey (fx words that convey nothing), express; (udvise, om blik etc) be expressive of, show (fx surprise); ~ sig express oneself, put it; ~ sig tydeligt make oneself clear; (se ogs udtrykt).

udtrykkelig adj express (fx command, intention), definite, explicit (fx promise); adv -ly (fx he had expressly ordered a pudding).

-**udtryks|evne** (en) fluency, command of language. -**fuld** adj expressive, (ofte =) sensitive (fx face). -**løs** adj expressionless, (om ansigt ogs) impassive, (om blik ogs) vacant, blank. -**løshed** (en) want of expression. -**middel** means of expression. -**måde** way of expressing oneself, style, (mundtlig ogs) way of speaking, delivery; (forfatters) diction; (talemåde) phrase.

udtrykt adj: sin faders -e billede the very (el. living) image of his father.

udtræde vb (trække sig tilbage) retire; withdraw, secede (fx from the UN); (med. om blod) extravasate; se ogs udtrådt. **udtræden** (en) (udmeldelse etc) retirement; secession.

udtrædning (en -er) (blod-) extravasation.

udtræk (et -) (på bord) extension, (på trækbasun) slide; (i orgel) stop; (ekstrakt) extract, (i kogende vand) infusion (fx of camomile); (penge- af bank) withdrawal; kikkert med ~ sliding telescope.

udtrække vb pull out, draw out; (tand) pull out, extract, draw; (penge af bank) withdraw; (obligationer; gevinst) draw. **udtrækning** (en -er) drawing; extraction; (af obligationer) drawing.

udtræks|bord extension table. -**seng** extension bed.

udtrådt adj (om sko) down-at-heel; (om blod) extravasated; (fortærsket) hackneyed, trite.

udtur outward journey; ⚓ outward passage.

udtvære se tvære ud. **udtværet** adj (ordrig) prolix, verbose; (uden rene linjer) blurred.

udtyde vb interpret. **udtydning** (en) interpretation.

udtynde vb thin (out), (væske) dilute. **udtynding** (en -er) thinning (out); (af væske & fig) dilution.

udtænke * think out, devise, invent; T think up. **udtæret** adj emaciated, wasted, haggard.

udtømme * empty; (med.) evacuate; (fig) exhaust (fx a subject, one's resources); ~ sine kræfter exhaust oneself; (se ogs -nde). **udtømmelse** (en -r) emptying; evacuation; -r (ekskrementer) evacuations, faeces. **udtømmende** *adj (grundig)* exhaustive, thorough, full; *adv* -ly (NB fully).

udtørre *vb* dry, drain; -s *(blive tør)* dry up, become dry, run dry. **udtørret** *adj,* dried-up, dry.

udtørring *(en)* drying (up), draining.

uduelig *adj* incapable, incompetent; T useless; ~ *til* unfit for. **uduelighed** *(en)* incapability, incompetence, T uselessness.

udvalg *(et -)* selection; *(komité)* committee; *have stort* ~ have a large selection *(fx* of wines); *nedsætte et* ~ set up *(el.* appoint) a committee; *henvise et lovforslag til et* ~ send a Bill into committee, refer a Bill to a committee; *Shelley i* ~ selections from Shelley. **udvalgsmøde** committee meeting.

udvalgt *adj* select, selected, chosen, *(udsøgt)* picked, choice; *(bibl)* chosen, elect; *hans* -e the bride of his choice; *Guds* ~ *folk* the Chosen People.

udvalse *vb* roll out. **udvalsning** *(en)* rolling out.

udvande *vb (afsalte)* steep; *(fortynde, spæde op)* dilute, water (down). **udvanding** *(en)* steeping; dilution, watering (down).

udvandre *vb* emigrate; *(fig)* walk out *(fx* they walked out of the assembly in protest). **udvandrer** *(en -e)* emigrant. **udvandrerskib** emigrant ship. **udvandring** *(en)* emigration; *(opbrud)* exodus; *(fig)* walk-out. **udvandrings-** emigration *(fx* office).

udvaske *vb* wash (out); ~ *guld* wash out gold. **udvaskning** *(en -er)* washing (out).

udvej *(en -e) (middel)* expedient, means; way *(fx* I see no way of helping you); *(ud af ngt)* way out, way of escape; *(udrejse)* outward journey, ⊕ outward passage; *ingen anden* ~ no alternative; *en mand som altid kan finde på -e* a resourceful man; *gøre* ~ *for penge* raise *(el.* find) money; *min sidste (el. eneste)* ~ my last resource; *som sidste* ~ in the last resort.

udveksle *vb* exchange, interchange; *(se ogs udskifte);* ~ *indtryk* compare notes. **udveksling** *(en -er)* exchange, interchange; *(i maskine)* gear.

udvendig *adj* exterior, external, outer, outside; *(overfladisk)* superficial; *adv* externally, (on the) outside; superficially; *det* -e the exterior; ~ *side* outer side, out-side; *til* ~ *brug: se udvortes.* **udvendigfra** *adv* from outside *(fx* seen from outside).

udvide *vb* enlarge *(fx* a house, the pores, the mind), extend *(fx* a house, the boundaries of a park, one's power, one's operations to wider circles, the franchise); expand *(fx* production); widen *(fx* a ditch, one's intellectual horizon); *(organ i legemet)* dilate; *(sko, handske etc)* stretch; *(gøre udførligere)* amplify *(fx* a statement); *i -t betydning in* a wider sense; ~ *sine kundskaber* extend *(el.* improve) one's knowledge; ~ *sig* expand *(fx* water expands with heat), widen; *-t datid* the expanded preterite; *-t nutid* the expanded present; *-t udgave* enlarged edition. **udvidelig** *adj* expansible, extensible; *(elastisk)* elastic.

udvidelse *(en -r) (se udvide)* enlargement, extension; expansion; widening; dilation; stretching; amplification; *(det at noget udvider sig)* expansion. **udvidelsesevne** *(en)* expansive power, expansibility, elasticity.

udvikle *vb (forbedre, styrke)* develop, improve; *(frembringe)* generate *(fx* heat, steam); *(forklare)* explain, set forth; ~ *en teori om* evolve a theory about; ~ *sig* develop *(til:* into), *(blive større)* increase, expand, grow; *begivenhederne -de sig hurtigt* events moved rapidly; ~ *sig af (opstå af)* grow out of, evolve from. **udviklende** *adj (fig)* improving; stimulating. **udviklet** *adj* developed; *fuldt* ~ full -grown, fully developed; *tidlig* ~ precocious.

udvikling *(en -er)* development; *(biol)* evolution; *(af røg, varme etc)* generation; *(fremgang)* advance, progress *(fx* of civilization); *(forklaring)* explanation, exposition; *(tendens, retning)* trend *(fx* I don't like the trend events are taking); *følge -en* watch the trend of affairs; *være i* ~ be developing, *(være i frem-*

gang) be progressing; *åndelig* ~ mental development.

udviklings|land developing country. **-lære** *(en)* evolutionism; *-n (ogs)* Evolution; *tilhænger af -n* evolutionist. **-mulighed** potentiality. **-proces** process of evolution, process of development. **-teori** *se udviklingslære.* **-trin** stage of development.

udvinde *vb* extract *(fx* oil from shale), win.

udvinding *(en)* extraction, winning.

udvirke *vb* obtain *(fx* sby's pardon, sby's appointment), procure *(hos:* from); bring about *(fx* a reconciliation); ~ *at* contrive *(el.* bring about) that.

udvise ✱ *(jage ud)* send out, *(af en skole)* expel; *(af landet)* expel; *(ved sportskamp)* order off; *(vise)* show *(fx* the accounts show a profit of £1000); *(lægge for dagen)* display *(fx* courage), manifest, show.

udvisende *(et): kontoens* ~ the state of the account, the balance; *efter kontoens* ~ according to the account.

udviske *vb* wipe out, obliterate, erase, *(m viskelæder)* rub out; *(gøre utydelig, ogs fig)* blur, blot out. **udvisket** *adj* blurred, indistinct.

udvisning *(en -er)* expulsion. **udvisningsordre** expulsion order.

udvokset *adj* full-grown, *(om menneske ogs)* grown-up, adult.

I. **udvortes** *(et)* appearance, exterior.

II. **udvortes** *adj* exterior, outside, external; *adv* externally, outwardly; *til* ~ *brug* for external use only; not to be taken.

udvækst *(en -er)* excrescence.

udvælge *vb* choose, select, pick out; *(se ogs udvalgt).* **udvælgelse** *(en)* selection, choice.

udygtig *adj* incompetent, inefficient; ~ *til* unfit for. **udygtighed** *(en)* incompetence, incompetency, inefficiency; ~ *til* unfitness for.

udyr *(et -)* brute.

udyrket *adj* uncultivated, waste; ~ *(o: ny) jord* virgin soil.

udækket *adj (uden værn)* uncovered, unprotected; *(om behov)* unsatisfied; *(ikke betalt)* unpaid.

udæske *vb* provoke, *(til kamp)* challenge. **udæskende** *adj* provocative, aggressive.

udødelig *adj* immortal; *(om ry)* undying. **udødelighed** *(en)* immortality.

udørk *(en),* **udørken** *(en -er)* desert, wilderness; *bo i en* ~ *(fig)* live at the back of beyond.

udøse ✱ pour out; ~ *sit hjerte for én* unbosom oneself to sby, pour out one's heart to sby; ~ *sin vrede over én* vent one's anger on sby.

udøve *vb* exercise *(fx* authority); *(begå)* commit, perpetrate *(fx* atrocities); *(pligter)* perform, carry out; *(indflydelse, tryk)* exert; *-nde magt, se magt.* **udøvelse** *(en)* exercise; *(af pligt)* performance, execution; *(af forbrydelse)* perpetration; *under -n af* in *(el.* during) the execution of.

udåd *(en) (forbrydelse)* crime, misdeed, *(skændselsdåd)* outrage, atrocity.

udånde *vb* exhale; *(dø)* breathe one's last, expire. **udånding** *(en -er)* expiration.

ueffen *adj* odd; *ikke* ~ *(fig)* not bad, T not so dusty; *effen* eller ~ odd or even.

uefterrettelig *adj* negligent, remiss, careless. **uefterrettelighed** *(en)* negligence, carelessness.

uegennytte *(en)* unselfishness, disinterestedness. **uegennyttig** *adj* unselfish, disinterested.

uegentlig *adj* figurative *(fx* sense); *adv* -ly.

uegnet *adj* unfit, unqualified *(til:* for, *til at:* to).

uegnethed *(en)* unfitness *(til:* for, *til at:* to).

uelastisk *adj* inelastic; *(om system etc)* rigid.

uelegant *adj* inelegant; *adv* -ly.

uelskværdig *adj* unkind, ungracious, disobliging; *(om éns hele væsen)* unamiable, unpleasant.

uendelig *adj* infinite *(fx* distance, number, time, power, kindness), boundless *(fx* desert, ocean); *(som aldrig får ende)* unending, endless, interminable; *adv* infinitely; *i det -e* indefinitely, for ever, eternally; ~ *lille* infinitesimal; ~ *mange* an infinite number of, countless, any amount of; ~ *stor* infinite, infinitely great. **uendelighed** *(en)* infinity, endlessness, boundlessness; *en ~ af* an infinity of, any number (, amount) of, unending; *i én ~* for ever, perpetually.

uengelsk *adj* un-English.

uenig *adj: blive -e* fall out, quarrel; *være -e* differ in opinion, disagree; *være ~ med én* disagree with sby; *være ~ med sig selv om* be in two minds about. **uenighed** *(en)* disagreement, difference (of opinion); *(tvist)* disagreement, dispute.

uens *adj* unlike, different; *adv* differently. **uensartet** *adj* heterogeneous, dissimilar. **uensartethed** *(en)* heterogeneity, dissimilarity.

uerfaren *adj* inexperienced; *(ung og uskyldig ogs)* unsophisticated; *(»grøn«)* green. **uerfarenhed** *(en)* inexperience; unsophisticatedness; greenness.

uerstattelig *adj* irreplaceable *(fx* treasure), irreparable *(fx* loss).

uf! ugh!

ufaglært *adj* unskilled.

ufarbar *adj* impassable; ♏ unnavigable. **ufarbarhed** *(en)* impassableness.

ufarlig *adj* not dangerous, harmless, safe.

ufarvet *adj* plain, undyed; *(fig)* uncoloured, unbiassed *(fx* account).

ufattelig *adj* inconceivable, incomprehensible. **ufattelighed** *(en)* incomprehensibility.

ufejlbarlig *adj* infallible, *(om middel ogs)* unfailing. **ufejlbarlighed** *(en)* infallibility.

ufestlig *adj* drab.

ufiks *adj (uklædelig)* unbecoming; *(klodset)* clumsy, heavy-handed.

ufin *adj* coarse, tactless; *-e metoder* shady methods. **uforanderlig** *adj (som ikke kan forandres)* unchangeable, unalterable; *(som ikke forandrer sig)* invariable, unchanging.

uforandret *adj* unchanged, unaltered.

uforarbejdet *adj* unmanufactured, raw, rough. **uforbederlig** *adj* incorrigible *(fx* liar; he is i.); inveterate *(fx* optimist), confirmed; T hopeless.

uforbeholden *adj* unreserved; unqualified *(fx* approval, praise), open *(fx* admiration); *(åbenhjertig)* candid *(fx* opinion); outspoken, frank; *en ~ undskyldning* an unreserved apology. **uforbeholdenhed** *(en)* unreservedness, openness, candour, frankness.

uforberedt *adj* unprepared; *adv* without any preparation, extempore, off-hand; *han mødte ~ (i skole)* he had not done his homework.

uforbindende *adj* non-committal *(fx* reply); not binding; *~ drøftelser* informal talks.

uforbrændt *adj* unburned.

ufordelagtig *adj* disadvantageous, unfavourable; *(om handel etc)* unprofitable; *(= nedsættende)* disparaging; *(om udseende)* unprepossessing; *det -e ved det* the disadvantage of it; *gøre sig -t bemærket* attract unfavourable attention.

ufordragelig *adj* intolerant; *(stridbar)* truculent. **ufordragelighed** *(en)* intolerance; truculence.

ufordærvet *adj* uncorrupted, untainted; *(fig)* unspoiled, innocent.

ufordøjelig *adj* indigestible. **ufordøjelighed** *(en)* indigestibility. **ufordøjet** *adj (ogs fig)* undigested.

uforenelig *adj* incompatible, irreconcilable, inconsistent *(med:* with). **uforenelighed** *(en)* incompatibility, inconsistency.

uforet *adj* unlined.

uforfalsket *adj* genuine, unadulterated, pure. **uforfærdet** *adj* intrepid, dauntless, undaunted, fearless; *adv* nothing daunted. **uforfærdethed** *(en)* dauntlessness, fearlessness, intrepidity.

uforglemmelig *adj* never-to-be-forgotten, unforgettable.

uforgribelig *adj: hans -e mening* his dictum. **uforgængelig** *adj* imperishable, everlasting. **uforgængelighed** *(en)* imperishableness.

uforholdsmæssig *adj* disproportionate; *adv* -ly;

~ høj pris exorbitant price; *være ~ stor (, lille) i sammenligning med* be out of all proportion to.

uforklarlig *adj* inexplicable, unaccountable.

uforknyt *adj* undismayed, undaunted; *adv* nothing daunted.

uforkortet *adj* entire, whole; *(om bog etc)* unabridged, complete.

uforkrænkelig *adj* incorruptible.

uforligelig *adj* incompatible.

uforlignelig *adj* matchless, peerless, inimitable, incomparable, unequalled, unrivalled.

uforlovet *adj* unengaged.

uformel *adj* informal.

uformelig *adj* shapeless, formless; *(vanskabt)* misshapen; *(meget fed)* enormously fat.

U-formet *adj* U-shaped.

uformindsket *adj* undiminished, unreduced *(fx* with unreduced speed), unabated *(fx* enthusiasm, fury).

uformodet *adj* unexpected; *adv* -ly.

uformuende *adj* without private means; *(fattig)* impecunious.

ufornuft *(en)* unreasonableness, foolishness.

ufornuftig *adj* unreasonable, unwise.

ufornøden *adj* unnecessary, superfluous.

uforpligtende *adj se uforbindende*.

uforrettet *adj: med ~ sag* without having accomplished one's object, without (any) success.

uforsagt *se uforknyt*.

uforseglet *adj* unsealed.

uforsigtig *adj* incautious, *(ubetænksom)* imprudent *(fx* remark), unguarded *(fx* in an u. moment); *(overilet)* rash *(fx* promise); *(om ytring ogs)* indiscreet. **uforsigtighed** *(en)* incautiousness, imprudence, rashness; indiscretion.

uforskammet *adj* insolent, impudent, impertinent, rude, *(næsvis)* cheeky; *adv* -ly; *en ~ pris* an exorbitant price. **uforskammethed** *(en)* insolence, impudence, impertinence, cheek; *en ~* a piece of impudence *(el.* rudeness), an insult.

uforskyldt *adj* undeserved, unmerited; *(uprovokeret)* unprovoked; *adv* undeservedly, through no fault of one's own.

uforsonlig *adj* implacable, irreconcilable, uncompromising; *(med hensyn til politik)* intransigent. **uforsonlighed** *(en)* implacability; *(i politik)* intransigence.

uforstand *(en)* folly, foolishness; *(ubetænksomhed)* imprudence, rashness. **uforstandig** *adj* foolish; *(ubetænksom)* imprudent, rash, injudicious.

uforstilt *adj* unfeigned, undisguised, sincere, genuine.

uforstyrrelig *adj* imperturbable, unruffled *(fx* calm); *(aldrig svigtende)* unfailing *(fx* good spirits). **uforstyrrelighed** *(en)* imperturbability.

uforstyrret *adj* undisturbed, unruffled; *(uafbrudt)* uninterrupted *(fx* happiness).

uforståelig *adj* unintelligible, incomprehensible. **uforstående** *adj* unsympathetic; *han står ~ over for det* he is unable to understand it, he cannot account for it.

uforsvarlig *adj (forkastelig)* unwarrantable, unjustifiable, inexcusable; *~ kørsel* reckless driving.

uforsætlig *adj* unintentional.

uforsøgt *adj* untried; *ikke lade noget ~* leave no stone unturned.

uforsørget *adj* unprovided for, dependent.

ufortalt *adj;* with all due respect to, without disparagement to, with *(fx* with all his good qualities he is hardly the man for the post).

ufortjent *adj* undeserved, unmerited; *adv* undeservedly.

ufortoldet *adj* uncustomed; *ufortoldede varer (ogs)* goods on which duty has not been paid.

ufortrøden *adj* steady, persevering, indefatigable.

ufortøvet *adv* without delay, immediately, unhesitatingly, promptly, forthwith.

uforudseende adj improvident. **uforudselig** adj unforeseeable. **uforudset** adj unforeseen.

uforvansket adj uncorrupted, unadulterated.

uforvarende adv (uden at lægge mærke til det) unawares (fx I must have dropped it u.); (ikke med vilje) inadvertently, unintentionally.

ufrankeret adj unstamped.

ufravendt adj intent, fixed; adv -ly.

ufravigelig adj invariable (fx rule), unchangeable, fixed (fx principle); (uundgåelig) indispensable (fx condition, duty); adv invariably, absolutely.

ufred (en) (uenighed) dissension, discord, quarrels; (krig) war, strife; (politisk el. social) trouble, unrest; stifte ~ stir up strife, sow discord.

ufredelig adj troubled; (trættekær) quarrelsome.

ufremkommelig adj impracticable, impassable.

ufremkommelighed (en) impracticability.

ufri adj not free, in bondage, in slavery; (forlegen) constrained, (hæmmet) inhibited.

ufrivillig adj involuntary, unintentional; adv involuntarily; unintentionally (fx u. funny); against one's will.

ufrugtbar adj barren; (om kvinde, dyr ogs) sterile, (fig ogs) unprofitable (fx discussion).

ufrugtbarhed (en) barrenness; sterility.

ufuldbyrdet adj unaccomplished, unexecuted.

ufuldbåren adj embryonic.

ufuldendt adj unfinished.

ufuldkommen adj imperfect, defective. **ufuldkommenhed** (en -er) imperfection, defectiveness; (fejl) imperfection, defect, shortcoming.

ufuldstændig adj (mangelfuld) incomplete, defective, imperfect; (ufuldendt) unfinished; (fragmentarisk) fragmentary; -t verbum defective verb. **ufuldstændighed** (en) incompleteness, defectiveness, imperfection.

ufyldestgørende adj unsatisfactory.

ufærdig adj unfinished; (fig) incomplete, crude, rough.

ufødt adj unborn; -e slægter unborn generations.

ufølsom adj insensitive, insensible (over for: to), callous, unfeeling. **ufølsomhed** (en) insensitiveness, insensibility, callousness.

uføre (et) mess; komme ud i -t (fig: moralsk) go astray, get into mischief.

ug (et -'er) (svarer til) full marks (pl).

ugalant adj discourteous, unchivalrous; (uopmærksom) inattentive.

ugarvet adj untanned, raw.

uge (en -r) week; i dag for en ~ siden a week ago today; i denne ~ this week; i næste ~ next week; om en ~ in a week; i dag om en ~ a week from today, today week, (mere højtideligt) this day week; to gange om ~n twice a week, twice weekly.

uge|blad weekly (paper, magazine). -dag day of the week. -journal se -revy. -løn weekly wage (, pay). -lønnet adj paid by the week.

ugenert adj (utvungen) unembarrassed, free-and-easy, unconstrained; (fræk) cool; (fripostig) unceremonious, off-hand; (uforstyrret) undisturbed; adv unconstrainedly; coolly; unceremoniously; undisturbedly. **ugenerthed** (en) free-and-easy manner; coolness; unceremoniousness; undisturbedness.

ugennem se uigennem-.

ugentlig adj & adv weekly.

uge|penge weekly allowance. -regning weekly bill. -revy (film) newsreel; (blad etc) weekly.

ugerne adv unwillingly, reluctantly.

ugerning (en -er) crime, misdeed; (skændselsgerning) outrage, atrocity.

uge|skrift (et -er) weekly. -vis adv by the week; ~ for weeks.

ugidelig adj indolent, lazy. **ugidelighed** (en) indolence, laziness.

ugift adj unmarried, single; ~ kvinde (ogs) spinster; ~ mand (ogs) bachelor.

ugjort adj undone; gøre ~ undo.

I. **ugle** (en -r) zo owl; (kritiserende tilskuer ved kortspil etc) kibitzer; der er -r i mosen there is mischief brewing; fange en ~ (i roning) catch a crab.

II. **ugle** vb: ~ ens hår rumple (el. tousle el. ruffle) sby's hair; ~ ud bedizen, trick out; ~ sig ud dress (el. trick) oneself out.

ugle|gylp cast. -set adj disliked. -skrig hoot.

uglet adj rumpled, tousled, ruffled (fx hair).

uglittet adj not calendered, uncalendered.

ugraciøs adj ungraceful, awkward.

ugrammatisk adj ungrammatical; det er ~ it is bad grammar.

ugrundet adj groundless (fx fear), unfounded (fx report).

ugræs se ukrudt.

ugudelig adj impious, ungodly; en ~ masse an enormous lot. **ugudelighed** (en) impiety, ungodliness.

ugunst (en) disfavour, displeasure; (skade) prejudice, detriment; til ~ for to the prejudice of; ved skæbnens ~ as ill-luck would have it.

ugunstig adj unfavourable, disadvantageous (for: to), adverse (fx balance of payments); ~ skæbne adverse fate, bad luck; under meget -e vilkår under great disadvantages, against heavy odds.

ugyldig adj invalid, void; (om jernbanebillet etc) not available; (om penge) not legal tender, not current; erklære ~ declare invalid, declare null and void.

ugyldighed (en) invalidity, nullity.

ugæret adj unfermented.

ugæstfri adj inhospitable.

ugæstfrihed (en) inhospitality, inhospitableness.

ugørlig adj impossible.

uh! oh! **uha!** (væmmelse) ugh!

uhand(l)elig adj, se uhåndterlig.

uharmonisk adj inharmonious, discordant; (om ægteskab) unhappy, ill-assorted.

uhelbredelig adj incurable.

uheld (et -) bad luck, ill-luck; (enkelt) unfortunate occurrence, stroke of bad luck, mishap; (færdsels- etc) accident; (skade, havari) breakdown; (dårligt udfald) failure, miscarriage (fx of our plans); held i ~ a blessing in disguise; have ~ i kærlighed be crossed in love, be unlucky in love; sidde i ~ have a run of bad luck; til ~ for unfortunately for; til alt ~ as ill -luck would have it, by mischance, unfortunately; ved et ~ by (an) accident, by mischance.

uheldig adj (som ikke har held med sig) unfortunate, unlucky; (ugunstig) unfavourable (fx circumstances, impression, position), disadvantageous, adverse; (ikke vellykket) unsuccessful (fx attempt); (som bringer uheld) unlucky (fx day); (skadelig) bad (fx for the digestion; have a bad influence on sby), injurious (fx to health); (malplaceret) unlucky (fx speech), inopportune (fx moment), untimely (fx remarks); (beklagelig) unfortunate, deplorable (fx scene), (pinlig) untoward; (irriterende, ubehagelig) awkward (fx be in a very awkward position); (irriterende, ærgerlig) annoying; (utiltalende) objectionable (fx fellow), (af ydre) unprepossessing;

~ i kærlighed unlucky in love; ~ i spil unlucky at cards; det traf sig så -t at han unluckily he, as ill-luck would have it he; få det -t udfald fail, meet with an unfavourable result, be unsuccessful; være ~ med fail in, have no luck with.

uheldigvis adv unfortunately, unluckily.

uheld|svanger adj fatal, ominous, sinister. -varslende adj ominous, sinister.

uhensigtsmæssig adj inexpedient. **uhensigtsmæssighed** (en) inexpediency.

uhildet adj impartial, unbias(s)ed, unprejudiced, detached; adv impartially, with an unbias(s)ed mind. **uhildethed** (en) impartiality.

uhindret adj unimpeded, unhindered, unchecked; ~ adgang unimpeded (el. free) access.

uhistorisk adj unhistorical.

uhjælpelig adj hopeless; adv -ly; ~ fortabt irretrievably lost, T past praying for; *blive ~ til grin* make a hopeless fool of oneself.

uhm! num! ah!

uholdbar *adj (som ikke holder længe)* not durable; *(let fordærvelig)* perishable; ✗ untenable, indefensible *(fx* position); *(fig: som ikke holder stik)* untenable *(fx* theory), indefensible; *(prekær)* precarious *(fx* situation). **uholdbarhed** *(en)* want of durability; perishableness; untenableness; precariousness.

uhu *(uglens tuden)* tu-whoo.

uhumsk *adj* filthy, foul, *(sjofel ogs)* smutty. **uhumskhed** *(en -er)* filthiness; *(snavs)* filth.

uhygge *(en) (mangel på hygge)* discomfort, *(urolig stemning)* uneasiness, uneasy feeling; *(skummel stemning)* sinister atmosphere, weirdness, eeriness, uncanniness; *(trist stemning)* dismal atmosphere; *(gru)* horror, ghastliness, grimness; *-n breder sig (omtr =)* the plot thickens.

uhyggelig *adj (uden hygge)* uncomfortable, comfortless, cheerless, dismal *(fx* room); *(foruroligende)* uncomfortable, alarming *(fx* prospect), *(ildevarslende)* sinister, ominous *(fx* silence); *(som får én til at gyse etc)* ghastly, grim, horrifying; *(overnaturlig)* weird, unearthly, eerie, uncanny; *føle sig ~ til mode* feel uneasy, feel uncomfortable.

uhyggestemning *se uhygge.*

uhygiejnisk *adj* unhygienic, insanitary.

I. **uhyre** *(et -r)* monster.

II. **uhyre** *adj* enormous *(fx* quantity), huge *(fx* size), immense *(fx* number), vast *(fx* extent); prodigious; *adv* -ly.

uhyrlig *adj* monstrous, outrageous, shocking.

uhyrlighed *(en)* monstrosity, monstrousness, outrageousness; *(uhyrlig handling)* enormity.

uhæderlig *adj* dishonest. **uhæderlighed** *(en)* dishonesty.

uhæmmet *adj* unhampered, unrestrained; *(hensynsløs)* reckless *(fx* extravagance); *(psyk)* uninhibited.

uhævnet *adj* unavenged, unrevenged.

uhøflig *adj* impolite, discourteous, rude. **uhøflighed** *(en -er)* impoliteness, discourtesy, rudeness; *en ~* an act of rudeness, a rude remark.

uhøjtidelig *adj* unceremonious, unpretentious.

uhørlig *adj* inaudible.

uhørt *adj* unheard *(fx* no one is condemned unheard); *(enestående)* unheard of, unprecedented; *adv* exceptionally, extremely; *en ~ pris* an exorbitant price.

uhøvisk *adj* indecent, improper.

uhøviskhed *(en)* indecency, impropriety.

uhøvlet *adj* undressed, rough.

uhåndgribelig *adj* impalpable, intangible.

uhåndterlig *adj* unwieldy, awkward to handle; *(for stor)* bulky.

uigen|drivelig *adj* irrefutable, unanswerable. **-givelig** *adj (ɔ: for groft)* unrepeatable, *(på tryk)* unprintable.

uigenkaldelig *adj* irrevocable; *adv* irrevocably; *~ sidste opførelse* positively the last performance; *~ tabt* irretrievably lost.

uigennem|førlig *adj* impracticable, unfeasible. **-førlighed** *(en)* impracticability. **-sigtig** *adj* opaque. **-sigtighed** *(en)* opaqueness. **-skuelig** *adj* impenetrable *(fx* darkness). **-trængelig** *adj* impenetrable *(fx* forest, mystery); impervious *(for:* to, *fx* to gas, to the sun's rays, to water). **-trængelighed** *(en)* impenetrability, imperviousness.

uimodsagt *adj* uncontradicted, undisputed, unchallenged; *lade det være ~* allow it to remain *(el.* pass) unchallenged.

uimodsigelig *adj* undeniable, beyond question.

uimodståelig *adj* irresistible.

uimodståelighed *(en)* irresistibility.

uimodtagelig *adj* impervious *(for:* to, *fx* to reason, to foreign influence), insusceptible *(for:* to, *fx* to flattery), proof *(for:* against); *(med.)* immune *(for:* against); *~ for fornuft* inaccessible to reason.

uimodtagelighed *(en)* imperviousness, insusceptibility; *(med.)* immunity.

uimponeret *adj* unimpressed.

uindbudt *adj* uninvited; *~ gæst* T gate-crasher.

uindbunden *adj* unbound.

uinddrivelig *adj* irrecoverable.

uindfattet *adj: uindfattede briller* rimless glasses *(el.* spectacles).

uindfriet *adj* unredeemed *(fx* promise).

uindhegnet *adj* unfenced.

uindløselig *adj (om pengeseddel)* inconvertible.

uindløst *adj* unpaid; *(om pant)* unredeemed; *(om check)* uncashed.

uindpakket *adj* not wrapped up, unpacked.

uindskrænket *adj* unrestricted *(fx* liberty, power), absolute *(fx* master, power, ruler), unlimited, unbounded; *adv* absolutely. **uindskrænkethed** *(en)* absoluteness.

uindtagelig *adj* impregnable.

uindtagelighed *(en)* impregnability.

uindviet *adj* unconsecrated *(fx* ground); *(i en lære, en hemmelighed)* uninitiated.

uinteressant *adj* uninteresting.

uinteresseret *adj* uninterested *(i:* in).

ujævn *adj* uneven *(fx* surface, ground, line, progress, style, temper), rough *(fx* edge, outline, skin, road), rugged *(fx* outline, path), irregular *(fx* surface, breathing, pulse, action of a machine), bumpy *(fx* road, landing ground), variable *(fx* motion).

ujævnhed *(en -er)* unevenness, roughness, ruggedness, irregularity, inequality, bumpiness; *-er (i terræn etc)* inequalities, *(i vejoverflade)* bumps.

ukaldet *adj (uønsket)* uncalled-for; unwarranted *(fx* interference); *komme ~ (trænge sig på)* intrude.

ukammeratlig *adj* unsporting.

ukampdygtig *adj* disabled, out of action, *(om skib ogs)* crippled; *gøre ~* disable, put out of action.

ukendelig *adj* unrecognizable, unidentifiable; *(ikke til at skelne)* undistinguishable *(fx* an u. mass of bruises); *forandret så han er helt ~* altered beyond *(el.* out of all) recognition; *gøre ~* disguise. **ukendeliggjort** *(en)* unrecognizability; *forandret indtil ~* altered beyond *(el.* out of all) recognition.

ukendskab *(et)* ignorance *(til:* of), unacquaintedness *(til:* with).

ukendt *adj* unknown *(fx* country, person, quantity), unfamiliar *(fx* surroundings); *(ikke berømt)* obscure *(fx* writer); *~ af sin samtid* unknown to one's contemporaries; *det -e* the unknown; *den -e soldat* the Unknown Warrior; *hidtil ~* hitherto unknown; *(uovertruffen etc)* unprecedented, unheard of; *~ med* unacquainted with, ignorant of.

uklar *adj (utydelig)* indistinct, blurred *(fx* outlines); *(om lydgengivelse)* muzzy, muddy; *(diset)* hazy; *(om væske)* muddy, cloudy, turbid; *(vag)* vague, dim, *(svær at forstå)* obscure, *(forvirret)* confused *(fx* idea, situation, speech), muddled *(fx* thinking), *(flertydig)* ambiguous; *(usikker)* uncertain; *(på grund af feber)* light-headed, delirious; *(om bokser)* groggy, punch-drunk; ⚓ foul *(fx* anchor); *gøre ~* blur, dim, *(væske)* make cloudy, muddy; *rage ~ af* ⚓ run foul of; *rage ~ med (fig)* fall out with, fall foul of; *han er ~ på dette punkt* he is not very clear about this.

uklarerer *adj* uncleared.

uklarhed *(en -er) (se uklar)* indistinctness; muzziness; haziness; muddiness, cloudiness, turbidity; vagueness, dimness; obscurity; confusion, muddle -headedness; ambiguousness; uncertainty; light -headedness, delirium; grogginess.

uklippet *adj* uncut; *(om får)* unshorn; *(om billet)* unpunched.

uklog *adj* unwise, imprudent, injudicious, ill-advised. **uklogskab** *(en)* imprudence, injudiciousness.

uklædelig *adj* unbecoming.

ukollegial *adj* disloyal.

ukomplet *adj* incomplete, defective.

ukompliceret *adj* simple, uncomplicated; *(med.)* non-complicated.

ukonfirmeret *adj* not (yet) confirmed.

ukorrekt *adj* incorrect *(fx* statement, behaviour); *(ureglementeret)* irregular *(fx* procedure); *adv* -ly.

Ukraine the Ukraine. ukrainsk *adj* Ukrainian.

ukrigerisk *adj* unwarlike.

ukristelig *adj* unchristian; *adv* awfully *(fx* stupid); *være en ~ tid om at gøre ngt* take an unconscionable time doing sth; *på dette -e tidspunkt* at this ungodly hour; *noget så -t* T something awful.

ukritisk *adj* uncritical.

ukronet *adj* uncrowned.

ukrudt *(et) (plante)* weed, *(kollektivt)* weeds; *rense for ~* weed; *~ forgår ikke så let (omtr =)* ill weeds grow apace. ukrudtsplante *(en -r)* weed.

ukrænkelig *adj* inviolable.

ukrænkelighed *(en)* inviolability.

ukuelig *adj* indomitable, unconquerable *(fx* courage); *-t humør* unfailing good spirits.

ukulele *(en -r)* ukulele.

ukultiveret *adj (uopdragen)* ill-bred, rude; *(uden kundskaber)* uneducated.

ukunstlet *adj* artless, unaffected, simple; *(ofte =)* unsophisticated.

ukunstlethed *(en)* artlessness, simplicity.

ukunstnerisk *adj* inartistic.

ukurant *adj (om penge)* not current; *(om vare)* unsaleable, unmarketable.

ukvalificeret *adj* unqualified *(til:* for; *til at gøre ngt:* to do sth).

ukvemsord *(et -)* term of abuse; *pl* abuse, abusive language.

ukvindelig *adj* unwomanly.

ukvindelighed *(en)* unwomanliness.

ukvitteret *adj* unreceipted.

ukyndig *adj* ignorant (*i:* of), unskilled (*i:* in).

ukyndighed *(en)* ignorance (*i:* of), lack of skill.

ukysk *adj* unchaste. ukyskhed *(en)* unchastity.

ukærlig *adj* unkind.

ukønnet *adj* asexual *(fx* reproduction).

uladsiggørlig *adj* T: *det er -t* it can't be done.

ulan *(en -er)* uhlan.

u-land developing country.

ulastelig *adj* faultless, immaculate *(fx* evening dress), blameless *(fx* life), impeccable *(fx* behaviour, dress). ulastelighed *(en)* faultlessness, immaculateness, blamelessness, impeccability.

ulave *(en):* i *~ (uordentlig)* in disorder, *(ude af funktion)* out of order; *bringe i ~* put out of order, upset, disarrange; *komme i ~* be upset, be disarranged.

uld *(en)* wool. uldagtig *adj* woolly.

ulden *adj* woollen; *(fig: uklar)* ambiguous, vague, *(upålidelig)* unreliable, *(lusket)* furtive.

uld|garn woollen yarn, wool, worsted. -håndskrabbe *zo* mitten crab. -hår woolly hair. -marked wool market. -producent wool producer. -spinder wool spinner. -strømpe woollen stocking. -trøje *(undertrøje)* vest. -tæppe (woollen) blanket. -tøj woollens. -varer woollen goods, woollens.

uledende *adj (elekt etc)* non-conductive.

ulegemlig *adj* incorporeal.

ulejlige *vb* trouble *(fx* I won't t. you with all the details; may I t. you for *(el.* to pass) the salt); inconvenience; *~ sig* trouble *(fx* you needn't trouble); *~ sig med* at take the trouble to; *må jeg bede Dem ~ Dem herind* may I trouble you to come in here.

ulejlighed *(en)* trouble, inconvenience; *gøre ~* give trouble; *gøre én ~* give sby trouble, inconvenience sby; *gøre sig ~* trouble; *gør dig ingen ~!* don't trouble *(med at svare:* to answer) *gør dig ingen ~ for min skyld!* don't put yourself out for me! *gøre sig den ~ at* take the trouble to; *han har kun haft ~ af det* he has got nothing for his pains; *komme til ~* come at an inopportune moment; *jeg håber ikke jeg kommer til ~* I hope I am not intruding; *være til ~* give trouble, be inconvenient, *(om person)* be in

the way; *det er spildt ~* it is no use, it is a waste of time (and trouble), it is a waste of energy; *det er -en værd (at forsøge)* it is worth while (trying).

ulempe *(en -r)* drawback, inconvenience, disadvantage.

ulidelig *adj* unbearable, insufferable, insupportable.

ulig *adj* unlike *(fx* his method is not unlike mine).

ulige *adj* unequal; *(om tal)* odd, uneven; *adv* unequally, unevenly; *~ datoer* odd days *(fx* No Waiting *(=* parkering) this Side on Odd Days); *~ fordelt* unevenly distributed; *~ lange* of unequal length; *lige eller ~* odd or even; *~ numre* odd numbers; *med ~ numre* odd-numbered *(fx* houses); *~ store* unequal, of unequal size; *~ større (, bedre etc)* far greater (, better, *etc).*

ulige|sidet *adj* unequal-sided, with unequal sides; *~ trekant* scalene triangle. -vægt lack of balance, *(om sindet)* mental unbalance *(el.* instability). -vægtig *adj* unbalanced.

ulighed *(en -er)* dissimilarity, difference *(fx* difference in age, the d. between the children), *(større)* disparity *(fx* in *(el.* of) age, of income); *(mangel på ligestilling)* inequality *(fx* social inequalities), *(større)* disparity *(fx* between rich and poor).

ulinieret *adj* unruled *(fx* paper).

ulk *(en -e) zo* father-lasher; *(matros)* old salt.

ulme *vb (ogs fig)* smoulder. ulmen *(en)* smouldering.

ulogisk *adj* illogical; *adv* -ly.

ulovlig *adj* unlawful, illegal, illicit; *~ strejke* illegal strike; *~ svangerskabsafbrydelse* criminal abortion. ulovlighed *(en)* unlawfulness, illegality, illicitness.

ulster *(en -e) (overfrakke)* ulster.

ultimatum *(et -er)* ultimatum.

ultimo: *~ april* on April 30th, at the end of April; *~ maj* on May 31st, at the end of May; *veksler pr. ~ maj* bills due end of May.

ultra- ultra- *(fx* ultra-conservative, ultramicroscope, ultrared, ultraviolet rays).

ultramarin *(et),* ultramarinblå *adj* ultramarine.

ulv *(en -e)* wolf *(pl* wolves); *en ~ i fåreklæder* a wolf in sheep's clothing; *man må tude med de -e man er iblandt* when at Rome do as the Romans do.

ulve|agtig *adj* wolfish. -flok pack of wolves; *(spejdere)* pack. -fod *(en -)* ♣ club moss. -hund wolf dog. -jagt wolf-hunt(ing). -saks wolf trap. -spids *(schæferhund)* alsatian. -unge *(zo og om spejder)* wolf cub. ulvinde *(en -r)* she-wolf.

ulydig *adj* disobedient *(mod:* to); *være ~ mod (ogs)* disobey.

ulydighed disobedience, insubordination.

ulykke *(en -r)* misfortune, ill fortune; *(sorg etc)* misery; *(uheld)* bad luck, ill-luck; *(modgang)* adversity, trouble; *(nød)* distress; *(ulykkestilfælde)* accident; *(større ~,* katastrofe) disaster, catastrophe; *-n er* at the trouble is that, the unfortunate thing is that; *det betyder ~ at slå et spejl i stykker* it is bad luck to break a mirror; *gid du må få al landsens -r* confound you! *grim som en ~* ugly as sin; *gøre en ~ på sig selv* do away with oneself; *det blev hans ~* it ruined him *(el.* his life); *det har været hans ~ that has been his misfortune; *hvad ~ er det i det?* where's the harm (in that)? *bringe én i ~* get sby into trouble; *komme i ~* get into trouble; *jeg ser ingen ~ i at han kommer* I see no harm in his coming; *en ~ kommer sjældent alene* misfortunes never come singly; *lave -r do harm, *(om barn)* make mischief; *-n er ikke så stor* there is no great harm done; *til al ~* as ill-luck would have it, unfortunately.

ulykkelig *adj (som har uheld)* unfortunate, unlucky; *(som føler sig ~)* unhappy, *(stærkere)* miserable; *(om begivenhed, forhold)* unfortunate, unhappy, *(stærkere)* disastrous, *(beklagelig)* deplorable, unfortunate; *(forud bestemt til et -t udfald)* ill-fated, ill -starred; *(nødstedt)* distressed, miserable, wretched;

den -*e* the miserable man (, woman), the wretch; ~ *hændelse* accident; *komme -t af dage* come to a sad end, *(ved et ulykkestilfælde)* be killed in an accident; ~ *kærlighed* unrequited love, an unhappy love affair; -*t stillet* unfortunate, *(nødstedt)* distressed.

ulykkeligvis *adv* unfortunately, unhappily.

ulykkes|bil: -*en* the ill-fated car. **-budskab** tragic news, sad news *(sing).* **-forsikret** *adj* insured against accident. **-forsikring** accident insurance; *lovpligtig* ~ compulsory employers' liability assurance. **-fugl** bird of ill omen; *(person der bringer ulykke)* Jonah; *(person der ofte kommer ud for ulykker)* accident-prone (person). **-profet** alarmist. **-sted** scene of an accident (, a disaster). **-tilfælde** accident, *(mere omfattende)* calamity, catastrophe, disaster.

ulyksalig *adj* unhappy, disastrous, *(svagere)* unfortunate *(fx* his u. propensity for getting into debt); *(besværlig etc)* confounded.

ulyst *(en)* dislike *(til:* of), disinclination, distaste *(til:* for); *(stærk)* aversion, repugnance *(til:* to); *med* ~ reluctantly; *føle (el. have)* ~ *til at gøre ngt* be disinclined to do sth, feel reluctant to do sth, dislike doing sth.

ulægelig *adj* incurable. **ulægt** *adj* unhealed.

ulækker *adj* unappetizing, *(stærkere)* repulsive; *(fig)* unsavoury *(fx* affair).

ulærd *adj* unlettered; *jeg er en* ~ *mand* I am not a scholar.

ulæselig *adj (vanskelig at læse)* illegible; *(ikke læseværdig)* unreadable. **ulæselighed** *(en)* illegibility; unreadableness.

ulæsket *adj* unslaked; ~ *kalk* quicklime.

ulæst *adj* unread; *en* ~ *tekst (ved eksamen etc)* an unseen *(pl* unseens).

ulønnet *adj* unpaid *(fx* person, post), unsalaried *(fx* person), honorary *(fx* secretary, duties).

uløselig *adj* insoluble *(fx* problem), inextricable *(fx* knot, difficulty), indissoluble *(fx* friendship); *være -t knyttet til* be inextricably bound up with. **uløselighed** *(en)* insolubleness, inextricability, indissolubility. **uløst** *adj* unsolved.

I. **umage** *(en)* pains, trouble; *gøre sig* ~ make an effort; *gøre sig* ~ *for at* take pains to, take trouble to, go out of one's way to; *(bestræbe sig på)* endeavour to *(fx* e. to look unconcerned); *gøre sig al mulig* ~ spare no pains, work hard, put one's back into·it; *gøre sig* ~ *med noget* take pains over sth; *megen* ~ great pains; *det er -n værd* it is worth while, it is worth the trouble.

II. **umage** *vb*: ~ *sig med at* trouble to, take the trouble to.

III. **umage** *adj* odd *(fx* glove, shoe).

umagelig *adj* uncomfortable.

umagnetisk *adj* non-magnetic.

umalet *adj* unpainted *(fx* table); unground *(fx* coffee). ·

umandig effeminate, unmanly; *(fej)* cowardly. **umandighed** *(en)* effeminacy, unmanliness; cowardliness.

umanerlig *adj (ustyrlig)* unmanageable; *adv* immensely *(fx* rich); terribly *(fx* bad).

umbra *(en) (farve)* umber.

umeddelsom *adj* incommunicative.

umedgørlig *adj* intractable, unaccommodating, difficult to get on with, stubborn. **umedgørlighed** *(en)* intractableness, stubbornness.

umelodisk *adj* unmelodious; *adv* -ly.

umenneske *(et -r)* brute, monster.

umenneskelig *adj* inhuman. **umenneskelighed** *(en)* inhumanity.

umetodisk *adj* unmethodical.

umiddelbar *adj* immediate, direct; *(om naturel)* unsophisticated, spontaneous; *i* ~ *nærhed af* in the immediate vicinity of; -*t efter dette* immediately after this; -*t forståelig* immediately intelligible. **umiddelbarhed** *(en) (om naturel)* spontaneity, unsophisticatedness.

umindelig *adj: i -e tider* from time immemorial; *det er -e tider siden jeg har set ham* it is ages since I saw him last.

umiskendelig *adj* unmistakable, obvious.

umistelig *adj* inalienable *(fx* rights).

umoden *adj* unripe *(fx* fruit); *(fig)* immature *(fx* literary work; he is i.), crude *(fx* theories). **umodenhed** *(en)* unripeness, immaturity, crudeness.

umoderne *adj* out of date, out of fashion, old -fashioned.

umoral *(en)* immorality. **umoralsk** *adj* immoral, unprincipled; *adv* immorally.

umotiveret *adj* unprovoked *(fx* attack, insult), uncalled for *(fx* remark), gratuitous *(fx* lie), wanton *(fx* cruelty, destruction), groundless *(fx* suspicion); *adv* without a motive, without provocation, gratuitously, wantonly, groundlessly, apropos of nothing.

umulig *adj* impossible; *alle mulige og -e steder* here, there and everywhere; in all sorts of places; *det er mig -t at gøre det* it is impossible for me to do it; *intet er -t for ham* nothing is impossible to him; *forsøge det -e* attempt the impossible *(el.* impossibilities); *gøre sig* ~ make oneself impossible; *du kan -t gøre det* you cannot possibly do it; *næsten -t* hardly possible, almost impossible; *han er* ~ *til stavning* his spelling is hopeless.

umuliggøre *vb* render *(el.* make) impossible.

umulighed *(en)* impossibility; *en* ~ *(om person)* an impossible *(el.* inefficient) person, T a dud.

umulius *(en -'er)* impossible person, T dud.

umusikalsk *adj* unmusical; *være* ~ have no ear for music.

umyndig *adj* under age; a minor; -*es midler* funds held in trust for minors, trust funds; *gøre én* ~ *se umyndiggøre; hør de -es røst! (svarer til)* "out of the mouth of babes and sucklings." **umyndiggøre** *vb*: ~ *én* declare sby (, have sby declared) incapable of managing his own affairs; *(fig)* put sby under tutelage.

umælende *adj* dumb *(fx* creatures); *(fig)* inarticulate *(fx* in the hospital he was treated as an i. being).

umærkelig *adj* imperceptible, insensible; *adv* imperceptibly, insensibly.

umættelig *adj* insatiable; *(kem)* unsaturable.

umættelighed *(en)* insatiability.

umættet *adj* unsatisfied; *(kem)* unsaturated.

umøbleret *adj* unfurnished.

umøntet *adj* uncoined; ~ *guld* bullion.

umådeholden *adj* immoderate *(fx* demands), intemperate *(fx* habits), excessive *(fx* drinking);. -*t adv* -ly, to excess *(fx* drink to excess). **umådeholdenhed** *(en)* intemperance, excess, lack of moderation.

umådelig *adj* immense, enormous, tremendous, huge; *adv* -ly; ~ *ked af det* extremely *(el.* awfully) sorry; ~ *mange (el. en ~ masse) bøger etc* an enormous number of *(el.* an awful lot of) books etc; ~ *stor* enormous, huge; ~ *sød (etc)* T too sweet (etc) for words.

umålelig *adj* immeasurable.

unational *adj* unpatriotic *(fx* conduct); antinational.

unatur *se unaturlighed.*

unaturlig *adj* unnatural *(fx* crime, father); *(affekteret ogs)* affected; *(tvungen)* forced *(fx* smile, style), unnatural *(fx* laugh), stiff *(fx* manner); *det er -t for ham* it is foreign to his nature. **unaturlighed** *(en)* unnaturalness; affectation.

unavngiven *adj* anonymous, unnamed.

unddrage *vb*: ~ *én ngt* deprive sby of sth, withdraw sth from sby; ~ *sig* evade, shirk, escape; elude *(fx* it eludes analysis); ~ *sig forfølgelse* baffle pursuit; ~ *sig opmærksomheden* escape notice; ~ *sig en pligt* shirk *(el.* evade) a duty.

unde * *(ønske)* wish; *(forunde)* give *(fx* sby a rest);

grant; *(ikke misunde)* be pleased with *(fx* sby's good fortune); *jeg ~r ham alt muligt godt* I wish him every success; *det ~r jeg ham (ɔ: det har han rigtig godt af)* serves him right! *ikke ~* grudge *(fx* you g. him his food); *han undte sig ingen hvile* he gave himself no rest; *det er Dem vel undt* you are welcome to it.

I. **under** *(et -e)* wonder, marvel, prodigy; *et Guds ~* a miracle; *det er intet ~* that is no wonder.

II. **under** *præp* a) *(dækket af, bevægende sig ~, underkastet)* under *(fx* under a tree; under the water; wear a sweater under one's jacket; hide sth. under a pillow; the river flows under a bridge; England under the Tudors; under control; he has 50 men under him);

b) *(neden ~, lavere nede end)* below *(fx* below the level of the sea; wounded below the knee);

c) *(lavere i værdi, dygtighed etc end)* below *(fx* below me in intelligence; below the average; below par), *(i rang)* under *(fx* nobody under the rank of captain; a colonel is under a general in rank);

d) *(mindre end)* under *(fx* children under six years of age; I won't do it under £5; I can't do it under 2 hours), less than, not exceeding;

e) *(om tid: i løbet af)* during *(fx* during my stay in London; during the war);

f) *(ved datobetegnelse)* bearing the date of *(fx* a decree bearing the date of April 12);

g) *(genstand for behandling etc)* under *(fx* under repair; under construction), in process of;

h) *(omgivet af)* amid(st) *(fx* he sat down amidst a painful silence, amid cheers);

i) *(ved rubrikbetegnelse)* under *(fx* this is dealt with under the head of chemistry);

være ~ arbejde be under (el. in process of) construction, be in (course of) preparation; *~ bæltestedet (ogs fig)* below the belt; *forbudt ~ dødsstraf* forbidden on pain of death; *~ hans fraværelse* in his absence; *~ jorden* underground *(fx* om frihedskæmper: go underground), *(død)* below ground; *~ nulpunktet* below zero; *~ dronning Victorias regering* during (el. in) the reign of Queen Victoria; *~ dronning Victoria* under Queen Victoria; *~ udførelse af min pligt* in the execution of my duty; *arbejde der er ~ udførelse* work in hand, work in progress; *~ min værdighed* beneath me, beneath my dignity.

III. **under** *adv, neden ~* below, underneath; *(se ogs de verber, hvormed under forbindes).*

under|afdeling subdivision, subsection; *(zo og 🜨)* subclass; *(filial)* (sub-)branch. **-afkøle** supercool. **-agent** sub-agent. **-agentur** sub-agency. **-ansigt** lower part of the face. **-arm** forearm. **-art** subspecies. **-balance** deficit. **-befragtning** sub-charter. **-begavet** *adj* subnormal. **-beklædning** underwear. **-belyse *** under-expose. **-belysning** under-exposure. **-bemandet** *adj* 🜨 under-manned, shorthanded.

under|beklæder pants, underpants, *(korte)* trunks; *3 par ~* 3 pairs of pants. **-betale *** underpay. **-bevidst** *adj* subconscious. **-bevidsthed** subconsciousness, subconscious mind. **-bibliotekar** assistant librarian. **-bid** *(et -)* underhung jaw; *have ~* have an underhung jaw. **-binde** *vb (med.)* ligate. **-binding** ligation, ligature. **-bukser** *se -benklæder.* **-byde** *vb* undersell, *(ved licitation)* undercut, *(om arbejdsgiver)* underpay. **-bygge** *vb (fig)* support; *slet -t* ill-founded. **-bygning** substantiation, *(fundament)* substructure.

underdanig *adj* submissive; *(ydmyg)* humble; *(krybende)* servile, cringing, obsequious; *gøre sig ngt ~* subdue sth, subjugate sth. **underdanighed** *(en)* submissiveness; *(ydmyghed)* humility; *(kryberi)* servility, cringing, obsequiousness.

underdejlig *adj* divinely beautiful, divine.

under|del lower part; *(af vogn)* chassis, undercarriage. **-direktør** assistant director, deputy director. **-drejet** *adj* 🜨 hove-to. **-dyne** featherbed. **-dæk** 🜨 lower deck. **-dønning** 🜨 ground swell.

-eksponere *vb* underexpose. **-eksponering** *(en -er)* underexposure.

underekstremiteter *(med.)* lower extremities.

under|entreprenør subcontractor. **-entreprise** subcontract.

under|ernæret *adj* underfed, under-nourished, badly nourished. **-ernæring** under-nourishment.

under|forsikret *adj* under-insured. **-forstå** *vb* understand, imply. **-forsyne** *vb* under-supply. **-fuld** *adj* wonderful, marvellous, miraculous. **-fundig** *adj* crafty, cunning, subtle, artful. **-fundighed** *(en)* craft, cunning, subtlety, artfulness; *(bemærkning)* subtlety. **-føring** *(en -er)* subway, *(amr)* underpass.

undergang *(en) (ødelæggelse)* destruction, ruin; fall *(fx* the fall of the Roman Empire); *(forlis)* loss; *gd sin ~ i møde* be heading for disaster; *verdens ~* the end of the world.

undergive *vb: være -t* be subject to; *~ sig* submit to. **undergiven** *(en, undergivne)* subordinate.

underglasur under-glaze.

undergrave *vb* undermine; *(fig)* undermine *(fx* one's health), sap *(fx* the morale of the troops).

undergravning *(en)* undermining; sapping.

undergrund subsoil, substratum. **undergrunds|-bane** underground railway, T tube; *(amr)* subway. **-bevægelse** underground movement; *-bevægelsen (ogs)* the Resistance.

undergruppe subgroup.

under|gæret *adj: ~ øl* bottom fermentation beer. **-gæring** bottom fermentation.

undergørende *adj* wonder-working, miraculous. **undergå** *vb* undergo *(fx* a change), go through.

under|handle *vb* negotiate. **-handler** *(en -e)* negotiator. **-handling** *(en -er)* negotiation; *indlede -er med* enter into negotiations with; *ligge i -er* be in negotiation, be negotiating, carry on negotiations.

underhold *(et) (forsørgelse)* maintenance, support; *(udkomme)* subsistence, living, livelihood; *tjene til familiens ~* support one's family; *tjene til sit ~* earn one's living, support oneself.

under|holde *vb (forsørge)* maintain, support; *(more)* amuse, entertain; *(samtale med)* talk to, entertain, *(mere formelt)* converse with; *~ sig med én* talk to (el. with) sby, converse with sby. **-holdende** *adj* entertaining, amusing.

underholdning *(en) (optræden etc)* entertainment; *(adspredelse ogs)* amusement. **underholdnings|litteratur** light literature. **-musik** light music. **-roman** light novel.

underholdsbidrag alimony, maintenance.

Underhuset the House of Commons.

underhånden *adv* privately *(fx* sell p.), *(om salg ogs)* by private arrangement *(el.* contract); *(fortroligt)* confidentially, *(hemmeligt)* secretly, clandestinely; *tale med ham ~* have a private talk with him.

underhånds|aftale private agreement. **-forhandling** private negotiation *(el.* talk). **-meddelelse** confidential communication. **-salg** sale by private contract, *(ulovligt)* surreptitious sale.

underjordisk *adj* subterranean, underground; *(fig)* underground *(fx* movement); *den -e (om toilet)* (the) underground public convenience; *~ jernbane* underground railway, tube, *(amr)* subway.

underkant lower edge; *i -en (fig)* not quite good (, large etc) enough.

underkaste *vb* subject to *(fx* subject sby (, sth) to an examination, subject sby to torture), put through *(fx* put sby through an examination); *~ sig (give efter)* submit, give in, *(give efter for)* submit to, subject oneself to, *(undertvinge)* subdue, bring into subjection, conquer; *~ sig en eksamen* present oneself for (, *skriftlig e.:* sit for) an examination; *~ sig en operation* undergo an operation; *være -t svingninger* be subject to fluctuation; *tvivl -t* open to doubt, doubtful, questionable. **underkastelse** *(en)* submission, *(undertvingelse)* subjection.

underkende * *(omstøde)* overrule, set aside; *(mis-*

kende) fail to appreciate; ~ *en dom (i straffesag)* quash a conviction, *(i civilsag)* reverse a judgment.

under|kendelse *(en)* setting aside; failure to appreciate; *(af en dom, i straffesag)* quashing, *(i civilsag)* reversal. **-kjole** slip; *din ~ hænger forneden* your slip is showing. **-klassen** the lower classes. **-kop** saucer. **-korporal** lance-corporal, *(amr)* private first class. **-krop** lower part of the body. **-kue** *vb* subdue, subjugate; *-t* suppressed, down-trodden, *(især åndeligt)* cowed, *(af sin kone)* hen-pecked. **-kuelse** *(en)* subjugation. **-kurs** discount; *til ~* at a d. **-kæbe** lower jaw, mandible. **-købe** ★ suborn. **-køje** lower bunk; *(på passagerskib)* lower berth.

underlag *(et -)* *(støtte, fundament)* support, foundation, bed; *(måtte etc)* mat, pad; *(skrive-)* blotting -pad; *(under gulvtæppe)* underlay; *(telt-)* ground sheet; *(dybere liggende lag)* substratum; *(af maling)* undercoat(ing).

underlagen *(et -er)* bottom sheet.

underlegen *adj* inferior; *være én ~* be inferior to sby, be sby's inferior.

underlegenhed *(en)* inferiority.

underlig *adj* strange, singular, curious, *(besynderlig, sær)* odd, queer, *(oftest misbilligende)* peculiar; T rum, funny; *en ~ én* a queer fish; *tegn og -e gerninger* signs and wonders; *~ i hovedet* queer in the head; *-t nok* strange to say, oddly enough; *føle sig ~ til mode* feel queer; *det er ikke så -t* (it is) no wonder, it is not to be wondered at.

underliggende *adj* underlying.

underliv abdomen; *(klædningsstykke)* camisole, bodice. **underlivs-** abdominal *(fx* disease, muscle, operation). **underlivsbetændelse** *(med.)* inflammation of the internal female sexual organs.

underlæbe *(en -r)* lower lip, underlip.

under|lægge *vb:* ~ *sig* subjugate, subdue; *være én -lagt* be subject to sby, be placed under sby.

underlødig *adj* sub-standard, worthless; *(om litteratur ogs)* sub-literary.

underminere *vb* undermine, *(ogs fig)* sap.

underminering *(en)* undermining, sapping.

undermund lower part of the mouth, *(protese)* lower denture.

undermåler *(en -e)* undersized man, *(fig)* non-entity; *(tåbe)* moron.

underneden *adv* below, beneath; *(på undersiden)* underneath *(fx* the kettle is black underneath); *(på en lavere etage)* downstairs, below.

underofficer *(en -er)* ✕ *(glds)* non-commissioned officer; ⚓ petty officer, *(dæksofficer)* warrant-officer.

underordne *vb* subordinate *(under:* to); ~ *sig* submit; ~ *sig ngt* submit to sth; *-nde bindeord* subordinating conjunction.

underordnet *adj & subst* subordinate, inferior; *(uvigtig; kun adj)* minor, secondary; ~ *sætning (gram)* subordinate clause.

under|ordning subordination. **-pant** mortgage. **-pris** cut price; *sælge til ~* sell at a loss. **-rand** lower edge. **-ret** lower court.

underretning *(en -er)* information; *få ~ om at* be informed that, learn that; *give én ~ om ngt* inform sby of sth; *nærmere ~* particulars; *skaffe sig ~ om* get information about; *til ~ for Dem* for your information.

underretsdommer judge of a lower court.

underrette *vb* inform, notify (om: of); *(merk ogs)* advise; *holde én -t* keep sby informed *(el.* posted); ~ *én om at* inform sby that; *forkert -t* misinformed; *vel -t* well-informed.

under|sejl ⚓ lower sail, course. **-side** under side. **-skole** *(omtr =)* primary school; *privat ~ (svarer til)* preparatory school. **-skov** underwood, under-growth.

under|skrift *(en -e r)* signature; *(det at underskrive* signing; *uden ~* unsigned; *sætte sin ~ under = under-skrive.* **-skrive** *vb* sign, put *(el.* affix) one's signature to; *(bifalde)* endorse, subscribe to; ~ *sig* sign one-

self. **-skriver** *(en -e)* signer, *(af traktat etc)* signatory.

under|skud *(et -)* deficit, deficiency *(fx* a deficiency of £2); *dække -det* make up the deficit; *give ~* result in a deficit, *(om selskab, hotel etc)* lose money, be run at a loss. **-skudsforretning** losing concern.

underskudt *adj* supposititious *(fx* child, writings); *(forfalsket)* forged *(fx* will); ~ *sted i en tekst* interpolation.

under|skøn *adj* divinely beautiful. **-skørt** under-skirt. **-skål** saucer. **-slæb** *(et)* embezzlement, peculation, *(med betroede midler)* fraudulent conversion; *begå ~* embezzle.

underslå *vb* ⚓ bend *(fx* a flag, a sail).

underspille *vb (om rolle)* underact.

underst *adj* lowest, bottom; *(af to)* lower; *adv* at the bottom; *den -e* the bottom one.

under|statssekretær under-secretary (of state). **-stel** underframe, *(flyv)* undercarriage; *(på bil)* chassis. **-stemme** *(en)* lower part. **-stik** *(i bridge)* undertrick. **-strege** *vb* underline; *(fig)* emphasize, stress. **-stregning** *(en)* underlining; stressing. **-stryge** *vb (tegl)* point. **-strøm** *(ogs fig)* under-current. **-styret** *adj* understeered.

understøtning *(en)* support; *(afstivning)* propping up. **understøtte** *vb* support; *(afstive)* prop up; *(fig)* support, assist, back (up); *(~ fattige)* relieve; *(m offentlige midler)* aid, subsidize.

understøttelse *(en -r) (hjælp)* support, assistance, aid; *(offentlig pengehjælp til bestemt formål, institution etc)* subvention, grant (in aid), subsidy; *(periodisk pengehjælp til person)* allowance, *(på finanslov)* civil list pension, *(til fattige)* relief; *(arbejdsløsheds-)* unemployment benefit, T the dole; *(alderdoms-)* old age pension; *få (arbejdsløsheds-)* ~ T be on the dole. **understøttelses|flade** supporting surface. **-fond** relief fund. **-forening** benevolent society.

understå *vb:* ~ *sig i* at dare (to); *hvor tør du ~ dig i at gøre det?* how dare you (do it)? *du kan ~ dig i at røre mig!* don't you dare to touch me!

under|sædig *adj* ⚘ hypogynous. **-sælge** *vb* undersell. **-sænke** *vb* countersink. **-sætsig** *adj* stocky, thickset. **-sætsighed** *(en)* stockiness.

undersøge ★ examine, inspect, go over, *(grundigere)* overhaul, scrutinize; *(kontrollerende)* check up on *(fx* the truth of a statement); *(om toldvæsen)* examine *(fx* luggage); *(sag, teori etc)* examine, inquire into, investigate, look into; *(prøve)* test; *(gennemsøge, visitere)* search, go through; *(videnskabeligt)* investigate, make researches into, study *(med.)* examine.

undersøgelse *(en -r)* examination, inspection, *(grundigere)* overhaul, scrutiny *(af:* of); *(kontrollerende)* check-up *(af:* on); *(told-)* examination, *(af sag, teori)* examination *(af:* of), inquiry *(af:* into), investigation *(af:* of, into); *(prøve)* testing *(af:* of), test; *(gennemsøgning)* search *(af:* of); *(videnskabelig)* investigation *(over:* of, into), research *(over:* on, into), study *(over:* of); examination *(af:* of); *anstille -r* make inquiries, carry on investigations, *(videnskabelige)* carry on researches; *anstille -r angående ngt (ogs)* investigate sth, inquire into sth; *foretage en ~ af: se undersøge; mikroskopisk ~* miscroscopic examination, microscopy; *ved nærmere ~* on closer inspection *(el.* examination); *retslig ~* a judicial *(el.* legal) inquiry.

undersøgelseskommission commission of inquiry. **undersøger** *(en -e)* investigator, examiner, *(i understøttelsessager)* welfare officer.

under|søisk *adj* submarine *(fx* cable), submerged *(fx* reef). **-såt** *(en -ter)* subject. **-såtlig** *adj: mine -e pligter* my duties as a subject. **-tal:** *være i ~* be in the minority. **-tallig** *adj* insufficient; *have ~ besætning* ⚓ be undermanned. **-tand** lower tooth.

undertegne *vb* sign; *-de* the undersigned *(fx* I the undersigned declare that), the writer *(fx* the writer of this letter); *(spøgende = jeg)* yours truly *(fx* no one knows it better than yours truly).

undertegnelse *(en)* signing.
undertekst *(til film)* subtitle.
undertiden *adv* sometimes, now and then.
under|titel subtitle. **-tone** *(en -r) (musik)* sub -harmonic; *(fig)* undertone *(fx* of bitterness). **-tryk** low pressure, partial vacuum.
undertrykke ✱ *(slå ned)* suppress, stifle, crush *(fx* a rebellion); *(underkue, holde nede)* oppress *(fx* a people); *(suk, gråd etc)* suppress, repress, stifle. **undertrykkelse** *(en)* suppression; oppression; repression. **undertrykker** *(en -e)* oppressor.
under|træk *(et -) (i bridge)* undertrick. **-trøje** *(en -r)* vest, *(amr)* undershirt. **-tvinge** *vb* subdue, subjugate, conquer. **-tvingelse** *(en)* subjugation. **-tøj** underwear, underclothing, undergarments, underthings; *(dame- ogs)* lingerie, T undies; *et sæt ~* a set *(el. ofte:* a change) of underwear. **-udvalg** subcommittee. **-udviklet** *adj* underdeveloped.
undervands- submarine; *(rev etc)* submerged.
undervands|båd submarine; *(tysk)* U-boat. **-krig** submarine warfare. **-skær** *(et -)* sunken rock.
undervejs *adv* on the *(el.* its, one's) way, en route; *(om varer)* in transit; *gøre ophold ~ (om rejsende)* stop on the way, break the journey; *(især amr)* stop over; *~ til (om skib)* bound for.
underverden *(ogs forbryder-)* underworld.
undervise ✱ teach, instruct, give lessons; *(i skole, amr)* teach school; *~ i engelsk* teach English; *~ ham i engelsk* teach him English, give him English lessons; *han -r klassen i engelsk* he takes the class in English.
underviser *(en -e)* teacher.
undervisning *(en)* instruction *(fx* i. in biology; the i. provided by the school); tuition *(fx* private t.; t. is free); lessons *(pl) (fx* private lessons); *(mere generelt: uddannelse etc)* education *(fx* compulsory e.; he got no e.), training; *(virksomhed som lærer)* teaching; *elementær ~* elementary instruction, elementary education; *fælles ~ (drenge og piger)* co-education; *give ~* give lessons, give instruction, teach; *give ~ i engelsk* teach English, give lessons in English, give English lessons; *højere ~ (ved gymnasier etc)* secondary education, *(ved universiteter etc)* higher education; *individuel ~* individual tuition; *privat ~* private lessons *(el.* tuition); *tage ~ i engelsk* take lessons in English.
undervisnings|anstalt college, school, educational establishment. **-brug:** *til ~* for use in schools, for educational purposes. **-fag** subject (taught). **-inspektør** inspector of schools. **-lokale** classroom. **-materiel, -midler** *pl* educational material, teaching aids. **-minister** Minister of Education. **-ministerium** Ministry of Education. **-plan** *(en -er)* curriculum, plan of instruction; *(program)* syllabus. **-pligt** *(elevs)* compulsory education; *lektorer har 4 timers ~* lecturers must teach for a minimum of four weekly periods. **-system** educational system. **-tid** class hours; *(mellem ferier)* term(-time). **-time** lesson. **-væsen** education, educational matters, system of education.
undervurdere *vb* underestimate, underrate, undervalue. **undervurdering** underestimation, underestimate, undervaluation.
undervægt *(en)* underweight; *(mht varer)* short weight. **undervægtig** *adj* underweight *(fx* child); *(om vare)* short in weight, *(om mønt)* light.
underværk wonder *(fx* the seven wonders of the world), marvel, miracle; *gøre -er* do wonders, work miracles.
undfange *vb* conceive *(fx* a child, a plan). **undfangelse** *(en)* conception; *ubesmittet ~* immaculate conception.
undfly *vb* escape (from).
undgælde *vb* pay, suffer, smart *(for:* for).
undgå *vb* avoid *(fx* sby, a misunderstanding, doing sth, being seen), shun; *(slippe fra)* escape *(fx* danger, death); *(omgå, komme uden om)* evade *(fx* a blow, a danger), *(afværge)* avert *(fx* a catastrophe); *det kan ikke -s at det vil ærgre ham* it is bound to

annoy him, it is certain to annoy him; *jeg kunne ikke ~ at bemærke* I could not help *(el.* avoid) noticing; *ikke hvis jeg kan ~ det* not if I can help it; *med nød og næppe ~* narrowly escape *(fx* being killed); *~ éns opmærksomhed* escape sby's attention, escape sby.
undkomme *vb* escape.
und|lade *(-lod -ladt)* omit, leave undone; *~ at* omit to, fail to, refrain from -ing; *jeg -r ikke at påpege* I must not omit to point out; *~ at stemme* abstain. **undladelse** *(en -r)* omission, failure *(af at:* to). **undladelsessynd** sin of omission.
undlive *vb* kill, put to death.
undløbe *vb* escape, run away. **undløben** *adj* escaped, runaway.
undre *vb* astonish, surprise; *det -r mig at* I am astonished *(el.* surprised) that, I wonder that *(fx* I w. that he should have done such a stupid thing); *det -r mig at se dig* I am surprised to see you; *det skulle ikke ~ mig* I shouldn't wonder *(el.* be surprised); *-s over, ~ sig over* wonder at, be surprised at, *(stærkt)* marvel at.
undren *(en)* astonishment, surprise, wonder. **undrende** *adj* wondering, astonished; *adv* wonderingly, in wonder.
undse *vb: ~ sig for at* be ashamed to; *han undså sig ikke for at* he did not scruple *(el.* hesitate) to, he had the effrontery to.
undseelse *(en)* bashfulness, modesty. **undselig** *adj* bashful, shy. **undselighed** *(en)* bashfulness, shyness.
undsige *vb (true)* threaten; *(erklære fjendskab)* throw down the gauntlet to; *(opsige troskab)* renounce allegiance to.
undskylde ✱ excuse *(fx* I will excuse you this time; nothing can excuse such conduct); *(bede om undskyldning for)* apologize for;
undskyld! (= om forladelse) (I'm) sorry; *(= tillader De?)* excuse me, thank you, *(amr)* pardon me; *(indledende et spørgsmål)* excuse me, *(amr)* pardon me; *undskyld at jeg beholder handsken på* excuse my glove; *undskyld jeg kommer for sent* excuse my being late; T sorry I'm late; *undskyld hvis jeg* excuse me if I;
bede én ~ apologize; *bede én ~ ngt* apologize to sby for sth, ask sby to excuse sth; *vi beder Dem ~ forsinkelsen* please excuse the delay; *bede sig undskyldt (ved afslag)* excuse oneself; *De må have mig undskyldt (o: jeg kan ikke komme)* I'm so sorry I can't accept your kind invitation, *(jeg må gå)* I'm afraid I must be going now; *De må (meget) ~* I am (very) sorry; *næh, nu må du meget ~!* really now! *~ sig* apologize, make excuses, *(bede sig fri)* excuse oneself *(over for:* to); *~ sig med at* plead that, excuse oneself on the plea that; *være lovlig undskyldt* have a valid excuse.
undskyldelig *adj* excusable. **undskyldende** *adj* apologetic *(fx* smile); *(formildende)* extenuating *(fx* circumstances); *adv* apologetically.
undskyldning *(en -er)* apology *(fx* you owe me an apology); offer and accept an apology); *(mere eller mindre oprigtig ~)* påskud; *formildende omstændighed)* excuse *(fx* he stammered out some excuse; a poor excuse; find an excuse for sth; ignorance of the law is no excuse); *gøre én en ~* apologize to sby; *gøre mange -er* be full of apologies, be very apologetic; *anføre til sin ~* plead; *det må tjene til min ~ at jeg var syg* my excuse must be that I was ill.
undslippe *vb* escape; *~ med nød og næppe* escape by the skin of one's teeth, have a narrow escape; *~ fra* escape (from) *(fx* a danger); *det undslap mig (= det undgik min opmærksomhed)* I missed it.
undslå *vb: ~ sig* decline, refuse *(for at:* to), excuse oneself *(for at:* from, *fx* excuse oneself from coming).
undsætning *(en)* relief *(fx* of a besieged town), rescue; *(tropper etc)* reinforcements, relieving force; *komme til ~* come to the rescue. **undsætte** *vb* relieve *(fx* a besieged town), *(redde)* rescue.

undtage vb except; *når man (lige) -r* except for; *når -s at* except that.

undtagelse *(en -r)* exception *(fx* the exception proves the rule); *danne en* ~ be an exception; *med* ~ *af* with the exception of, except(ing), save; *en* ~ *fra* an exception to *(fx* a rule); *høre til -rne* be exceptional; be an exception; *på nogle få -r nær* with a few exceptions; *uden* ~ without exception.

undtagelses|lov emergency measure. **-løs** *adj* without any exception. **-tilfælde** exceptional case *(fx* in exceptional cases). **-tilstand** state of emergency *(fx* declare a state of emergency); *byen blev erklæret i (militær)* ~ the town was proclaimed under martial law.

undtagelsesvis *adv* exceptionally, as an exception; *ganske* ~ quite exceptionally, as a rare exception, in a few exceptional cases.

undtagen except, excepting, save, *(efter ubestemt pronomen ogs)* but *(fx* everyone but he *(el.* him), no one but I *(el.* me)); ~ *hvis* unless.

undulat *(en -er)* budgerigar.

undvegen *adj* escaped, runaway. **undvige** escape; *(søge at undgå)* avoid, evade. **undvigelse** *(en)* escape; avoidance, evasion. **undvigende** *adj* evasive; *adv* -ly.

undvære vb do without *(fx* I cannot do without tobacco), dispense with, go without *(fx* he had to go w. supper); *(afse)* spare *(fx* can you s. me a cigarette?); *jeg ville ikke have -t det for guld* I would not have missed it for anything. **undværlig** *adj* dispensable.

ung *adj (yngre, yngst)* young; *i mine -e dage* when I was young, in my youth; ~ *mand* young man, *(ganske ung)* youth; ~ *pige* girl, *(ganske ung)* young girl; *-t selskab* party for young people; ~ *af sind* youthful in mind; *som* ~ as a young man (, a young girl), when young; *i hans -e år* in his youth, in his early years.

ungarer *(en -e)* Hungarian. **Ungarn** Hungary. **ungarsk** Hungarian.

ungdom *(en)* youth; *(unge mennesker ogs)* young people; *i hans grønne|* ~ in his salad days; *i -mens vår* in the heyday *(el.* the first flush) of youth; *hun er ude over den første* ~ she is past her first youth, T she is no chicken.

ungdommelig *adj* youthful *(fx* appearance), *(ofte let neds)* juvenile; *(umoden)* immature; *se* ~ *ud* look young; *det giver hende et -t udseende* it makes her look younger.

ungdommelighed *(en)* youthfulness.

ungdoms|arbejde *(udført i éns ungdom)* early *(el.* juvenile) work; *(blandt de unge)* work among young people. **-bande** juvenile gang. **-bevægelse** youth movement. **-billede:** *et* ~ *af ham* a picture of him as a young man. **-dage** *(pl)* youthful days, youth. **-digt** juvenile *(el.* early) poem. **-elskede:** *hans* ~ an old love of his, the love of his youth. **-erindringer:** *mine* ~ the memories of my youth. **-forelskelse** early love. **-fængsel** *(svarer i England til)* detention centre. **-gård** youth centre. **-herberg** youth hostel. **-kraft** youthful vigour. **-kriminalitet** juvenile delinquency. **-organisation** youth organization. **-skole** continuation school. **-sløvsind** dementia praecox. **-tid** *se -år.* **-ven** early friend, friend of one's youth. **-år** youth, youthful years, adolescence.

unge *(en -r)* young one *(pl* young ones, young); *(af bjørn, ræv, ulv ogs)* cub; *(af løve, tiger ogs)* whelp, cub; *(barn)* kid, kiddie, *(neds)* brat; *få -r* bring forth young; *som føder levende -r* viviparous.

-unge young ... *(fx fugleunge* young bird).

ungersvend youth, lad.

ungkarl bachelor.

ungkarle|lejlighed bachelor flat, (bachelor) chambers. **-liv** single life. **-skat** tax on bachelors.

ungkvæg young cattle.

ungpige|agtig *adj* girlish. **-bog** book´ or young girls. **-kulør** schoolgirl complexion.

ung|skov young growth. **-tjener** junior waiter.

uniform *(en -er & adj)* uniform. **uniformere** vb dress *(el.* put) in uniform(s); *(gøre ens)* make uniform, standardize. **uniformeret** *adj* uniformed, in uniform. **uniformitet** *(en)* uniformity.

uniforms|frakke tunic. **-kasket** (peaked) cap. **-skrædder** army and navy tailor.

unikum: *være et* ~ be unique.

union *(en -er)* union. **unionsflag** union flag; *(britisk)* Union Jack.

unison *adj* unisonant, unisonous; *-t adv* in unison.

unitar *(en -er),* **unitarisk** *adj* Unitarian.

univers *(et -er)* universe.

universal *adj* universal.

universal|arving residuary legatee. **-geni** universal genius. **-middel** panacea. **-modtager** *(radio)* all mains receiver. **-nøgle** *(skruenøgle)* universal screw spanner; *(til låse)* master key. **-tang** combination pliers *(pl).*

universel *adj* universal.

universitet *(et -er)* university; *forlade -et* leave the u., go down; *studere ved -et* study at the u.; *(amr oftest)* be at college; *stilling ved -et* university post.

universitets|adjunkt *(svarer i England til)* fellow, *(svarer i USA til)* teaching fellow. **-bibliotek** university library. **-by** university town. **-lektor** university lecturer. **-lærer** university teacher. **-tid** time spent at the university, undergraduate days. **-uddannelse** university training *(el.* education).

unoder *(pl)* bad habits.

unormal *adj* abnormal; *(ikke efter reglerne etc)* anomalous *(fx* procedure).

unoteret *adj (på børs)* unquoted *(fx* u. securities).

unse *(en -r)* ounce.

unuanceret *adj* without shades, unvaried; *(om system etc)* rigid, hard-and-fast.

unytte *(en)* uselessness; *til* ~ to no purpose.

unyttig *adj* useless *(fx* a u. thing), unprofitable *(fx* an u. discussion), ineffective, futile.

unægtelig *adj* undeniable; *adv* undeniably, beyond question.

unænsom *adj* rough, harsh.

unævnelig *adj* unmentionable; *-e (= benklæder)* unmentionables.

unødig, unødvendig *adj* unnecessary, needless; undue *(fx* haste, risk, severity); *(om grusomhed etc)* wanton *(fx* destruction).

unøjagtig *adj* inaccurate *(fx* an i. translation), inexact. **unøjagtighed** inaccuracy, inexactitude.

unåde *(en)* disgrace, disfavour; *falde i* ~ fall into disgrace *(hos:* with); *være i* ~ be in disfavour; *overgivelse på nåde og* ~ unconditional surrender. **unådig** *adj* ungracious; *tage det -t op* take it ill, take it in bad part.

uofficiel *adj* unofficial, informal.

uomgængelig *adj (svær at omgås)* unsociable; *(uundgåelig)* unavoidable; ~ *nødvendig* absolutely necessary. **uomgængelighed** *(en)* unsociableness.

uomstødelig *adj* irrefutable, incontestable.

uomtalt *adj* unmentioned *(fx* leave that u.).

uomtvistelig *adj* incontestable, incontrovertible.

uop|daget *adj* undiscovered *(fx* country), undetected *(fx* crime). **-dragen** *adj* ill-bred, ill-mannered, *(uforskammet)* rude. **-dragenhed** *(en)* bad manners, rudeness. **-dyrket** *adj* uncultivated, *(aldrig (før) dyrket)* unreclaimed. **-findsom** *adj* uninventive, *(uoriginal)* unoriginal *(fx* it was rather u. of you to give him a tie). **-fordret** *adj* uninvited; *adv* without being asked; on one's own initiative.

uop|fyldelig unrealizable, impossible. **-fyldt** *(om ønske etc)* unfulfilled; unrealized. **-holdelig** *adv* without delay, immediately, promptly. **-hørlig** *adj* incessant, unceasing, unintermitting; *adv* incessantly. **-klaret** *adj* unsolved *(fx* crime, mystery). **-klæbet** *adj* unmounted. **-lagt** not in form, *(sløj)* seedy. **-lagthed** indisposition, seediness. **-lyst** *adj (mørk)* unlighted, unlit; *(uopklaret)* not cleared up, unsolved; *(uvidende)* uneducated, ignorant. **-løselig** *adj* insoluble (*fx* salt), indissoluble (*fx* marriage, bond). **-løselighed** (*en*) insolubility, indissolubility. **-løst** *adj* undissolved.

uop|mærksom *adj* inattentive. **-mærksomhed** (*en*) inattention. **-nåelig** *adj* unattainable. **-rettelig** *adj* irreparable (*fx* damage, loss), irremediable, irretrievable (*fx* loss). **-rigtig** *adj* insincere. **-sagt** *adj* not under notice. **-sigelig** *adj* (*om overenskomst*) irrevocable; (*om lån etc*) irredeemable; (*om embedsmand*) irremovable. **-skåren** *adj* (*om bog*) uncut; ~ *mekka* uncut moquette. **-slidelig** *adj* imperishable; (*som stadig vender tilbage*) perennial (*fx* subject, joke); *-t humør* unfailing good spirits. **-sættelig** *adj* admitting of no delay, urgent, pressing. **-sættelighed** (*en*) urgency.

uorden disorder; *i* ~ in disorder, disarranged; T in a mess; (*sammenfiltret*) tangled, (*om hår*) dishevelled, (*om maskine*) out of order; *bringe i* ~, *bringe* ~ *i* throw into disorder, disarrange, disorganize, (*maskine*) put out of order; *i vild* ~ in wild confusion. **uordentlig** *adj* disorderly, disarranged, disorganized; (*om livsførelse*) irregular; (*uryddelig*) untidy; (*sjusket*) slovenly; ~ *flugt*, *-t tilbagetog* rout, disorderly retreat.

uordholdende *adj* undependable, untrustworthy. **uorganiseret** *adj* unorganized, (*om arbejder ogs*) non-union.

uoganisk *adj* inorganic.

uortodoks *adj* unorthodox (*fx* views, methods).

uoverensstemmelse (*en*) discrepancy (*fx* between two statements); inconsistency; (*uenighed*) disagreement; *gemytternes* ~ incompatibility (of temper). **uoverensstemmende** *adj* inconsistent, conflicting; *være* ~ (*ogs*) disagree.

uoverkommelig *adj* impossible (*fx* it is impossible to read all that); overwhelming (*fx* an o. mass of material); (*om pris*) prohibitive.

uoverlagt *adj* rash (*fx* a rash act); (*ikke planlagt*) unpremeditated (*fx* crime).

uoverskuelig *adj* (*umådelig*) enormous (*fx* damage), (*i udstrækning*) boundless, (*i tid*) interminable, (*om antal*) countless; (*ikke til at beregne*) incalculable, beyond computation; (*uklar*) confused (*fx* situation).

uover|stigelig *adj* insurmountable (*fx* barrier), insuperable (*fx* difficulty). **-sættelig** *adj* untranslatable. **-truffen** *adj* unsurpassed. **-træffelig** *adj* unsurpassable. **-vejet** *adj* rash, inconsiderate. **-vindelig** *adj* invincible; (*om hindring etc*) insuperable.

uparlamentarisk *adj* unparliamentary.

uparret *adj* (♀, *zo*) unpaired.

upartisk *adj* impartial, disinterested.

upartiskhed (*en*) impartiality, disinterestedness.

upasselig *adj* indisposed, unwell.

upasselighed (*en*) indisposition.

upassende *adj* unbecoming, improper; (*ilde anbragt*) ill-timed (*fx* remark, jest).

upersonlig *adj* impersonal. **upersonlighed** (*en*) impersonality.

uplejet *adj* uncared for, untended, neglected.

uplettet *adj* (*om dyr*) immaculate, (*fig*) spotless, immaculate, unstained, unblemished; ~ *rygte* unblemished character.

upoetisk *adj* unpoetical, prosaic.

upoleret *adj* (*ogs fig*) unpolished.

upolitisk *adj* unpolitical, non-party.

upopularitet (*en*) unpopularity. **upopulær** *adj* unpopular (*hos, blandt*: with).

upraktisk *adj* unpractical (*fx* person); (*om ting*) awkward (*fx* an awkward tool to handle).

uprivilegeret *adj* unprivileged; (*jur*) general (*fx* debt, creditor).

uproduktiv *adj* unproductive.

upræcis *adj* (*mht tid*) unpunctual; (*unøjagtig*) inexact, inaccurate.

uprøvet *adj* untried, untested; (*fig*) inexperienced; raw (*fx* troops).

upå|agtet *adj* unheeded, unnoticed, disregarded, (*lidet kendt*) obscure; *gå* ~ *hen* pass unnoticed; *lade* (*gå*) ~ (*hen*) disregard, let pass unnoticed. **-klagelig** *adj* irreproachable, unimpeachable, (*completely*) satisfactory. **-klædt** *adj* undressed; (*nøgen*) naked. **-krævet** *adj* uncalled for, gratuitous, unnecessary.

upålidelig *adj* unreliable, untrustworthy, undependable; (*om karakter etc ogs*) shifty; (*om vejr*) unsettled. **upålidelighed** (*en*) unreliability, untrustworthiness; shiftiness; unsettledness.

upå|talt *adj* unchallenged; *lade ngt gå* ~ *hen* allow sth to pass uncontradicted, connive at sth. **-virkelig** *adj* insensible (*for*: to), indifferent (*af*: to); (*sløv*) stolid; (*om dommer etc*) not subject to outside influence. **-virket** *adj* unaffected, uninfluenced (*af*: by). **-viselig** *adj* undemonstrable; *af -e årsager* for unknown reasons.

I. **ur** (*et -e*) clock; (*som man bærer på sig*) watch; *mit* ~ *går ti minutter for stærkt* (, *sagte*) my watch is ten minutes fast (, slow); *har du* ~ *på?* have you got a watch on you? *med -et* (*om omdrejning*) clockwise; *mod -et* counter-clockwise; *hvad er klokken på dit* ~*?* what time do you make it? *den er 5 på* (*el. efter*) *mit* ~ it is five by my watch.

II. **ur** (*en -er*) (*geologisk*) scree.

ur- (*oprindelig*) primeval, primitive, primordial.

uraffineret *adj* unrefined, crude.

urafstemning (*en -er*) ballot (among the members); *foretage* ~ ballot the members.

Uralbjergene the Ural Mountains.

uran (*et*) uranium. **uran|malm** uranium ore. **-mile** uranium pile.

uransagelig *adj* inscrutable, unsearchable; *Herrens veje er -e* (*svarer til*) the ways of the Lord are past understanding.

urban *adj* urbane. **urbanitet** (*en*) urbanity.

urbefolkning, *se urfolk*.

urede: *bringe i* ~ tangle (up) (*fx* threads), mix up (*fx* papers), mess up; *bringe éns hår i* ~ rumple sby's hair, (*især amr*) muss up sby's hair; *være i* ~ be tangled up, be mixed up, be in a mess.

uredelig *adj* dishonest; (*svigagtig*) fraudulent.

uredelighed (*en*) dishonesty; fraudulence.

uredt *adj* (*om hår*) tousled, rumpled, ruffled; (*om seng*) unmade.

ureel *adj* unfair, dishonest; *-t kød* (*svarer til*) gristly meat.

uregelmæssig *adj* irregular; (*mods normal, regelret, ogs*) anomalous; (*om blomst*) asymmetric. **uregelmæssighed** (*en -er*) irregularity; anomaly; *begå -er* commit irregularities.

uregerlig *adj* ungovernable; unruly, intractable, unmanageable. **uregerlighed** unruliness, intractability.

ureglementeret *adj* irregular (*fx* procedure); non-regulation (*fx* uniform); (*i sport*) foul (*fx* stroke). **uren** *adj* unclean, (*snavset ogs*) dirty; (*ikke ublandet, umoralsk*) impure (*fx* blood, thoughts); (*om tone*) out of tune; ~ *teint* muddy complexion. **urenhed** (*en -er*) uncleanness, impurity; *-er* impurities.

urenlig *adj* uncleanly, (*om hund*) not housetrained. **urenlighed** uncleanliness; ~ *forbydes!* commit no nuisance!

urentabel *adj* unremunerative, unprofitable, (*kun prædikativt*) not paying (*fx* the farm is not paying).

I. **uret** (*en*) wrong, injustice; *gøre* ~ do wrong; *gøre* ~ *mod én*, *gøre én* ~ do wrong to sby, do sby wrong, wrong sby; *gøre en* ~ *god igen* right (*el.* redress) a wrong, put right a wrong; *have* ~ be wrong, be in the wrong; *lide* ~ suffer wrongs, be wronged; *med -te* wrongly, unjustly, (*fejlagtigt*) mistakenly; *med rette eller -te* rightly or wrongly.

II. **uret** *adj* wrong; *handle* ~ do wrong; *hans -te mammon* his ill-gotten gains.

uretfærdig *adj* unjust (*imod*: to).

uretfærdighed (*en -er*) injustice.

uretmæssig *adj* unlawful, wrongful.

urettet *adj* uncorrected; (*om opgaver*) unmarked.

ur|fabrikant clock-and-watch maker. **-fjeder** watch (, clock) spring, mainspring of a watch (, a clock).

ur|fjeld Archaean rock. **-folk** autochthonous population; aborigines *(pl)*. **-form** original *(el. primitive)* form, prototype. **-fugl** *zo* black grouse. **-germansk** primitive Germanic.

urglas watch glass, *(amr)* crystal.

ur|hane blackcock. **-høne** grey hen.

Urias Uriah. **uriaspost** dangerous post, exposed position.

uridderlig *adj* unchivalrous.

urigtig *adj* wrong, incorrect, erroneous, false; *(usandfærdig)* untrue; *(unøjagtig)* inaccurate; *(moralsk forkastelig)* wrong; ~ *anvendelse* wrong use, misapplication; *anvende -t* misapply, make wrong use of. **urigtighed** *(en -er)* incorrectness, inaccuracy.

urimelig *adj (meningsløs)* absurd *(fx* an a. conclusion), unreasonable, preposterous, irrational; *(overdreven)* unreasonable, exorbitant, undue; *(vanskelig at omgås)* unreasonable, hard to please. **urimelighed** *(en)* absurdity, preposterousness, unreasonableness; *forlange -er* make unreasonable demands.

urimet *adj* unrhymed.

urin *(en)* urine. **urinal** *(et -s)* urinal.

urinblære urinary bladder.

urinere *vb* urinate, pass urine.

urin|glas urinal. **-prøve** *(en -r)* specimen of urine; *(-undersøgelse)* examination of the urine, uroscopy. **-rør** urethra. **-syre** uric acid. **-vejene** the urinary system.

ur|kapsel watch case. **-kasse** clock case.

urkomisk *adj* uproariously funny.

urkraft primitive force.

ur|kæde watch chain, *(af andet end metal)* watchguard. **-lomme** watch pocket; *(i bukselinning)* fob. **-mager** *(en -e)* watchmaker.

urmenneske primitive man.

urne *(en -r)* urn; *(valg-)* ballot box. **urne|grav** urn grave. **-hal** columbarium.

urnordisk *(et & adj)* Primitive Norse.

urnøgle watch key.

I. **uro** *(en)* *(i sindet)* unrest, agitated state of mind; *(rastløshed)* restlessness; *(ophidselse)* excitement; *(ængstelse)* anxiety, uneasiness, *(stærkere)* alarm; *(bekymring)* worry, concern; *(røre, politisk etc)* unrest, disturbances, trouble(s), *(fx i forsamling)* commotion; *(travlhed)* bustle; *(larm)* noise; *der er ~ i luften* there is a storm brewing, *(fig)* there is trouble brewing; *skabe ~ om skolen* expose the school to criticism.

II. **uro** *(en -er)* *(til pynt)* mobile; *(i ur)* balance.

urocentrum centre of disturbance, storm centre.

urokkelig *adj* unshakable *(fx* conviction, faith, resolution), immovable, unyielding, unwavering, unswerving, firm; *(uforstyrrelig)* imperturbable. **urokkelighed** *(en)* immovability, firmness; imperturbability.

urokket *adj* unshaken, firm.

urokse *zo* aurochs.

urolig *adj* troubled *(fx* sleep, times), disturbed *(fx* period); *(om hav)* rough, agitated; *(om vejr)* rough, stormy, *(ustadigt)* unsettled; *(rastløs etc)* restless, fidgety; *(støjende)* noisy, tumultuous *(fx* meeting); *(ængstelig)* anxious, uneasy, *(stærkere)* alarmed; *-e drømme* troubled dreams; *være ~ for (el. over)* be uneasy about, worry about; *den -e gang (på hospital)* the violent ward; *Europas -e hjørne* the storm centre of Europe; *et -t hoved* a hothead; *en ~ nat* a restless *(el.* disturbed) night; *sove -t* be restless in one's sleep. **uroligheder** disturbances, riots, trouble(s).

uropførelse first *(el.* original) performance.

uro|signal ♣ gale warning signal. **-stifter** mischief-maker, trouble-maker, *(politisk)* agitator, rioter. **-varsel** gale warning. **-vækkende** alarming.

urpremiere first *(el.* original) performance.

urrem watch strap.

urskive dial, face of a watch (, of a clock).

urskov primeval *(el.* virgin) forest; *(vildsom ~)* jungle.

ursprog primitive language.

I. **urt** *(en -er)* ♣ herb; *-er* herbs; *(køkkenurter)* vegetables; *(til suppe)* potherbs.

II. **urt** *(en)* *(ølurt)* wort.

urte|agtig *adj* herbaceous. **-kramvarer** *(pl)* groceries. **-kræmmer** *(en -e)* grocer; *hos -en* at the grocer's. **-potte** flowerpot. **-suppe** vegetable soup. **-te** herb tea.

urtiden the earliest times, prehistoric times; *(geologisk)* the Archaean era.

urtilstand primitive condition *(el.* state).

urviser *(en -e)* hand of a watch (, of a clock).

urværk *(i ur)* works of a clock (, of a watch); *(om lignende mekanisme)* clockwork; *som et ~ (fig)* like clockwork.

uryddelig *adj* untidy, littered.

urygelig *adj* unsmokable.

urørlig *adj (som ikke må berøres)* untouchable; *(fig)* sacrosanct; *(om rettigheder etc)* indefeasible, inviolable; *(ubevægelig)* immovable, motionless; *han er ~ (o: uovervindelig)* he is a sure winner; *~ ejendom* (real) property, real estate.

urørt *adj* untouched, intact.

uråd: *ane ~* suspect mischief, T smell a rat; *ikke ane ~* suspect nothing.

USA the U.S.A., the U.S., the United States of America.

usadlet *adj* unsaddled, bareback.

usaglig *adj (ikke objektiv)* not objective, *(ofte =)* emotional.

usagt *adj* unsaid; *det skal jeg lade være ~* I cannot say.

usalig *adj* unfortunate; ill-starred; *(ærgerlig)* confounded.

usaltet *adj* unsalted.

usammenhængende *adj* incoherent, disconnected, disjointed. **usammensat** *adj* simple.

usance *(en)* trade custom.

usand *adj* untrue, false. **usandfærdig** *adj (om person)* untruthful; *se ogs usand.* **usandhed** *(en -er)* *(løgn)* untruth, falsehood; *(beretninger etc)* falsity.

usandsynlig *adj* improbable, unlikely; ~ *doven* incredibly lazy. **usandsynlighed** *(en)* improbability.

uselskabelig *adj* unsociable. **uselskabelighed** *(en)* unsociableness, unsociability.

uselvisk *adj* unselfish, altruistic, disinterested. **uselviskhed** *(en)* unselfishness, altruism, disinterestedness.

uselvstændig *adj (om person)* dependent on others, *(ofte =)* weak; *(om arbejde)* unoriginal. **uselvstændighed** *(en)* dependency on others; lack of originality.

uset *adj* unseen, without being seen.

usigelig *adj* unspeakable, unutterable, inexpressible, ineffable; *adv* unspeakably, unutterably, inexpressibly.

usigtbar *adj* thick, foggy.

usigtbarhed *(en)* low visibility, fogginess.

usikker *adj (tvivlsom)* doubtful *(fx* the result is d.), uncertain, questionable; *(tvivlrådig)* doubtful, uncertain *(fx* I was u. what to do); *(ikke pålidelig)* uncertain, unreliable *(fx* memory); *(farlig)* not safe, unsafe, insecure *(fx* position), risky *(fx* undertaking); *(som let kan mistes)* precarious *(fx* a p. income), insecure *(fx* hope); *(ikke stabil)* unsteady *(fx* foothold), shaky; *(om væsen)* diffident, uncertain; *(som mangle kundskaber etc)* shaky *(fx* his English is shaky); *(famlende, tøvende)* hesitating, *(ogs om stemme)* faltering;

et -t blik an unsteady look, *(neds)* a shifty look; *de usikre forhold i Europa* the unsettled state of Europe; *røverne gjorde vejene usikre* the roads were infested with highwaymen; *isen er ~* (danger!) the ice is not safe; *~ på benene* unsteady on one's feet.

usikkerhed *(en)* *(se usikker)* uncertainty, doubtfulness; unreliability; insecurity, unsafeness; unsteadiness; diffidence, shakiness, hesitation.

usikkerhedsmoment uncertain factor.

uskadelig adj harmless, inoffensive, innoxious, innocuous. **uskadeliggøre** vb render, harmless, (nedkæmpe) neutralize, (afvæbne) disarm.

uskadelighed (en) harmlessness.

uskadt adj unhurt, unharmed, uninjured, safe.

uskarp adj (om fotografi etc) blurred.

usket adj not having occurred; sket kan ikke gøres ~ what is done cannot be undone.

uskiftet adj undivided; sidde i ~ bo retain undivided possession of the estate.

uskik (en) bad habit; (irriterende) nuisance, objectionable practice.

uskikket adj unfit, unqualified (til: for).

uskolet adj untrained (fx voice); unschooled, untaught.

uskreven adj unwritten (fx code, law).

uskrømtet adj unaffected, sincere, genuine.

uskyld (en) innocence; (kyskhed) chastity, purity.

uskyldig adj innocent; (ren, uberørt) chaste, pure; ~ dømt wrongfully convicted; ~ i innocent of, not guilty of (fx a crime); jeg er ganske ~ i det it is not my fault at all; en ~ fornøjelse an innocent (el. harmless) pleasure.

uskyldighed (en) innocence; i al ~ in all innocence, innocently; en forfulgt ~ an innocent victim; med en mine som en forfulgt ~ with an air of persecuted innocence.

uskyldsren adj pure (and innocent), lily-white.

uskøn adj ungraceful, ungainly, plain, (stærkere) ugly.

usleben adj unground; (om ædelsten) uncut, rough (fx diamond); (fig) rough, rude.

usling (en -e) wretch.

usmagelig adj (fig: ulækker) unsavoury; (plat) tasteless (fx joke), in bad taste.

usmeltelig adj infusible. **usmeltet** adj unmelted.

usmidig adj (klodset) clumsy; (stiv, om person) stiff, (om system etc) rigid.

usminket adj unpainted; den usminkede sandhed the naked (el. unvarnished) truth.

usnerpet adj broad-minded.

usnobbet adj unsnobbish.

usocial adj anti-social, unsocial.

usoigneret adj untidy, slovenly, untrimmed.

usolgt adj unsold.

usolid adj unsafe, shaky, (om møbler ogs) rickety; (upålidelig) unreliable; -t firma unsubstantial firm, firm which is not sound; ~ debitor bad debtor; -e kunder (omtr =) risks.

usorteret adj unsorted.

uspiselig adj uneatable, inedible.

uspiselighed (en) inedibility.

usporlig adj untraceable.

ussel adj poor (fx wine, soil, speaker, health), wretched, miserable (fx surroundings, food, life), paltry; (nedrig, lav) low, mean, base, despicable; ~ karl wretch. **ussel|hed** (en) wretchedness; meanness, lowness. **-ryg** wretch, dastard.

U.S.S.R. the U.S.S.R. (fk. f. Union of Soviet Socialist Republics).

ustabil adj unstable.

ustadig adj unsteady, changeable, inconstant; (om markedet) fluctuating; (om person) fickle; (om vejret) unsettled, changeable; »ustadigt« (på barometer) Change. **ustadighed** (en) unsteadiness, instability, inconstancy, changeableness, fluctuation.

ustandselig adj incessant, unceasing, ceaseless.

ustemplet adj unstamped; (om frimærke) uncancelled, (ubrugt) unused, (ubrugt og fejlfri) mint.

ustemt adj (om sproglyd) voiceless; (om musikinstrument) untuned.

ustraffet adj unpunished; adv with impunity; en hidtil ~ person a first offender.

ustuderet adj: han er ~ he has not had a university education; jeg er en ~ mand men .. T I am not a scholar but ..

ustyrlig adj ungovernable (fx rage, child); unruly, unmanageable (fx child, horse); blive ~ (ogs) get out of hand; ~ komisk screamingly funny.

usund adj unhealthy (fx occupation, climate, district, complexion), unwholesome (fx food, book), sickly (fx complexion, sentimentality). **usundhed** unhealthiness, unwholesomeness, sickliness.

usurpator (en -er) usurper. **usurpere** vb usurp.

usvigelig adj never failing, unfailing (fx loyalty) unerring (fx instinct).

usvækket adj unimpaired (fx health; with all his faculties u.); unabated (fx interest), undiminished (fx energy).

usymmetrisk adj unsymmetrical.

usympatisk adj unpleasant, un^attractive, (stærkere) repellent; (ikke velvillig stemt) unsympathetic; han er mig ~ (ogs) I do not like him.

usynlig adj invisible; gøre sig ~ (= rømme) T make oneself scarce. **usynlighed** (en) invisibility.

usyret adj unleavened.

usædelig adj immoral. **usædelighed** (en) immorality, loose morals (pl).

usædvanlig adj unusual, uncommon, exceptional; (mærkelig) extraordinary.

usælgelig adj unsaleable.

usødet adj unsweetened; give råt for ~ give tit for tat, give as good as one gets.

usødygtig adj unseaworthy; erklære et skib -t detain a ship as unseaworthy.

usømmelig adj improper, unseemly, (grovere) indecent. **usømmelighed** (en) impropriety, unseemliness, (grovere) indecency.

usønlig adj unfilial.

usåret adj unwounded, unhurt. **usårlig** adj invulnerable. **usårlighed** (en) invulnerability.

utak (en) ingratitude; ~ er verdens løn ingratitude is the way of the world, there is no gratitude in the world.

utakket adj (om frimærke) imperforate.

utaknem(me)lig adj ungrateful (mod: to, towards); (om arbejde) thankless, ungrateful, unrewarding (fx task). **utaknem(me)lighed** (en) ingratitude; thanklessness.

utal: et ~ af innumerable, countless.

utallig adj innumerable, countless.

utalt adj (fig) untold (fx wealth).

uterlig adj indecent.

uterlighed (en) indecency.

utid: i -e at the wrong moment, (for tidligt) prematurely; i tide og -e in season and out of season.

utidig adj (ilde anbragt) ill-timed, misplaced; (uoplagt) out of sorts, seedy, (om barn) fretful.

utidighed (en) seediness; fretfulness.

utidssvarende adj out of date, antiquated.

utilbøjelig adj disinclined (til at: to), (stærkere) averse (til at: to -ing).

utilbøjelighed (en) disinclination, (stærkere) aversion.

utilbørlig adj improper, undue; adv improperly, unduly. **utilbørlighed** (en) impropriety.

utilfreds adj dissatisfied, discontented, displeased. **utilfreds|hed** (en) dissatisfaction, discontent, displeasure. **-stillende** adj unsatisfactory. **-stillet** adj unsatisfied, ungratified.

utilgivelig adj unpardonable, unforgivable (fx sin).

utilgængelig adj inaccessible; (utilnærmelig) unapproachable; ~ for (fig) impervious to (fx a person i. to reason), proof against (fx flattery). **utilgængelighed** (en) inaccessibility, imperviousness.

utilhugget adj rough.

utilhyllet adj unveiled.

utilitarisme (en) utilitarianism. **utilitarist** (en -er) utilitarian. **utilitaristisk** adj utilitarian.

utilladelig adj (som ikke kan tillades) inadmissible

(skammelig) outrageous, disgraceful; *(graverende)* gross, flagrant; -*t (seksuelt) forhold* illicit sexual intercourse; ~ *slet* beneath criticism.

utilnærmelig *adj* unapproachable, T stand-offish.

utilnærmelighed *(en)* unapproachableness, T stand -offishness.

utilpas *adj* indisposed, unwell, out of sorts; *(ilde til mode)* uneasy *(ved:* about).

utilpashed *(en)* indisposition.

utilregnelig *adj* insane, not accountable for one's actions, *(jur)* non compos (mentis); T out of one's senses; *(som ikke kan tilskrives én)* not attributable to *(fx* a fault not a. to him); *(som man ikke er herre over)* beyond one's control.

utilregnelighed *(en)* insanity.

utilrådelig *adj* inadvisable.

utilsigtet *adj* unintentional.

utilsløret *adj* unveiled; *(fig ogs)* undisguised, open.

utilstedelig *adj* inadmissible.

utilstrækkelig *adj* insufficient, inadequate; *adv* -ly; ~ *frankeret* insufficiently stamped. **utilstrækkelighed** *(en)* insufficiency, inadequacy.

utiltalende *adj* unattractive, unpleasant; *(frastødende)* repulsive, repellent.

uting: *en* ~ a nuisance.

utjenst|dygtig *adj* unfit for service; *(ved uheld etc)* disabled; *gøre* ~ disable. -**dygtighed** unfitness for service. -**villig** *adj* disobliging. -**villighed** *(en)* disobligingness.

utopi *(en -er)* Utopia; *(fig)* Utopian idea, pipe dream. **utopisk** *adj* Utopian.

utraditionel *adj* untraditional; *(ofte* =) unconventional *(fx* procedure); unorthodox.

utro *adj* unfaithful, false, disloyal *(mod:* to); *være sin mand* (, *kone)* ~ be unfaithful to one's husband (, wife).

utrolig *adj* incredible; *(forbløffende)* astounding, unbelievable; *adv* incredibly; *sd -t det lyder* incredible as it may sound.

utroskab *(en)* unfaithfulness, infidelity, *(ægteskabelig ogs)* adultery, (matrimonial) misconduct.

utroværdig *adj* untrustworthy.

utryg *adj* insecure; *jeg er* ~ *ved det* I am not quite happy about it. **utryghed** *(en)* insecurity.

utrættelig *adj* indefatigable *(fx* he was i.), untiring; tireless, unflagging *(fx* energy). **utrættelighed** *(en)* indefatigableness, perseverance.

utrættet *adj* unwearied.

utrøstelig *adj* inconsolable, disconsolate.

utugt *(en) (erhverv)* prostitution; *drive* ~ be a prostitute. **utugtig** *adj (person)* immoral; *(litteratur)* immoral, obscene. **utugtighed** *(en)* immorality, obscenity.

utvetydig *adj* unambiguous, unequivocal, *(åben, klar)* plain.

utvivlsom *adj* undoubted, unquestionable; -*t adv* undoubtedly, *(sandsynligvis)* no doubt, doubtless.

utvungen *adj (fri)* free, unrestrained; *(frivillig)* voluntary; *(spontan, naturlig)* unforced, spontaneous; *(ugenert, frejdig)* unconstrained, (free and) easy; *(uaffektert)* unaffected, unstudied. **utvungenhed** *(en)* absence of restraint *(el.* of constraint); spontaneity; ease, free and easy manner.

utydelig *adj* indistinct, dim, *(om billede: uskarpt)* blurred. **utydelighed** *(en)* indistinctness, dimness.

utyske *(et -r)* monster; *lille* ~ little mischief.

utæmmelig *adj* untamable, indomitable.

utæmmet *adj* untamed.

utænkelig *adj* unthinkable, unimaginable, inconceivable.

utæt *adj (med hul(ler) i)* leaky; *(som ikke slutter tæt)* not tight. **utæthed** *(en -er)* leakiness, *(hul)* leak, leakage.

utøj *(et)* vermin; *befængt med* ~ infested with vermin, verminous.

utøjlet *adj (ogs fig)* unbridled.

utålelig *adj* intolerable, insufferable, insupportable, unbearable; *adv* intolerably (etc); beyond endurance. **utålelighed** intolerableness.

utålmodig *adj* impatient *(over:* at; *efter at:* to). **utålmodighed** impatience.

uud|forsket *adj* unexplored. -**førlig** *adj* impracticable. -**grundelig** *adj* unfathomable *(fx* secret), inscrutable *(fx* face, mystery). -**holdelig** *adj* intolerable, unbearable, unendurable, beyond endurance. -**nyttet** *adj* unexploited, unutilized. -**ryddelig** *adj* ineradicable, *(indgroet)* inveterate. -**sigelig** *adj* unutterable, unspeakable, inexpressible. -**slettelig** *adj* indelible *(fx* it made an i. impression on me). -**slukkelig** *adj* inextinguishable *(fx* fire); unquenchable *(fx* hatred, thirst). -**sprungen** *adj* unopened. -**tømmelig** *adj* inexhaustible. -**viklet** *adj* undeveloped; *(om organ etc)* rudimentary.

uund|gåelig *adj* inevitable, unavoidable. -**skyldelig** *adj* inexcusable. -**værlig** *adj* indispensable. -**værlighed** *(en)* indispensability.

uvan *adj* mad.

uvane *(en -r)* bad habit.

uvant *adj* unaccustomed, unused *(med:* to); *(om arbejde)* unaccustomed, unusual; ~ *med (ogs)* new to.

uvasket *adj* unwashed.

uvederhæftig *adj* unreliable; *(i argumentation etc)* disingenuous; *(som farer med løs snak etc)* irresponsible. **uvederhæftighed** *(en)* unreliableness.

uvedkommende *adj* irrelevant; *(om person)* unauthorized; *subst pl* intruders; *det er mig* ~ it is no business of mine; *adgang forbydes* ~, *se adgang; det er sagen* ~ that is beside the point, that is irrelevant.

uvejr *(et -)* storm; *det blev.* ~ a storm came on; *det er* ~ it is stormy. **uvejrs|nat** stormy night. -**sky** storm cloud.

uvejsom *adj* trackless, pathless, impassable.

uvelkommen *adj* unwelcome.

uven *(en -ner)* enemy; *blive -ner* quarrel, fall out *(med:* with); *være -ner* be on bad terms *(med:* with).

uvenlig *adj* unfriendly, unkind *(mod:* to); ~ *stemt* unfavourably disposed *(mod:* towards).

uvenlighed *(en)* unfriendliness, unkindness.

uvenskab enmity.

uventet *adj* unexpected, unlooked-for; ~ *angreb* (, *besøg)* surprise attack (, visit).

uvidende *adj* ignorant *(om:* of).

uvidenhed *(en)* ignorance *(om:* of); *holde ham i* ~ keep him in the dark *(om:* as to); *svæve i lykkelig* ~ *om* be blissfully ignorant of.

uvidenskabelig *adj* unscientific; *(inden for åndsvidenskaberne)* unscholarly.

uvigtig *adj* insignificant, unimportant.

uvildig *adj* impartial.

uvilje *(ulyst)* reluctance, aversion; *(mishag, modvilje)* displeasure; resentment *(mod:* against); dislike *(mod:* of); *(stærkere)* aversion *(mod:* to).

uvilkårlig *adj* involuntary; *adv* involuntarily; *man må* ~ *smile* one can't help smiling.

uvillig *adj* unwilling; *(modstræbende)* reluctant; *(utjenstvillig)* disobliging. **uvillighed** *(en)* unwillingness; reluctance; disobligingness.

uvirkelig *adj* unreal. **uvirkelighed** unreality.

uvirksom *adj (ubeskæftiget)* idle; *(virkningsløs)* ineffective. **uvirksomhed** idleness; ineffectiveness.

uvis *adj* uncertain, doubtful; *begive sig ud i det -se* take a leap in the dark; *det står hen i det -se* it is still all in the air, it hangs in the balance, it is as yet undecided; -*t af hvilken grund* for some unknown reason. **uvished** *(en)* uncertainty; *(spænding)* suspense; *holde en i* ~ keep sby in suspense.

uvisnelig *adj* undying, unfading.

uvittig *adj* not witty; *ikke* ~ rather witty.

uvorn *adj* naughty. **uvornhed** *(en)* naughtiness.

uvurderlig *adj* invaluable, inestimable.

uvægerlig *adj* invariable, inevitable; *adv (altid)* invariably; *(uundgåeligt)* inevitably.

uværdig *adj* unworthy, undeserving *(til:* of);

(lav, ussel) abject, disgraceful; *behandle en -t* subject sby to indignities.

uvæsen *(et)* nuisance, odious practice; *sørøverne drev deres ~ langs kysterne* the pirates infested the coasts.

uvæsentlig *adj* immaterial, unessential.

uædel *adj* ignoble, base.

uægte *adj (kunstig)* artificial, sham, imitation; *(om falsum)* false, spurious; *(uoprigtig)* sham, spurious, insincere; *(unaturlig)* artificial, affected; *~ barn* illegitimate *(el.* natural) child; *~ brøk* improper fraction; *~ diamanter* false diamonds; *~ kniplinger* machine-made lace.

uændret *adj* unchanged, unaltered.

uænset *adj* disregarded; *lade ~* disregard.

uærbødig *adj* disrespectful, *(over for det hellige)* irreverent.

uærlig *adj* dishonest; *-t spil* cheating.

uærlighed *(en)* dishonesty.

uæstetisk *adj* unpleasant, *(uappetitlig)* unsavoury.

uøkonomisk *adj (ødsel etc)* uneconomical, wasteful *(fx* housewife); *(som ikke betaler sig)* uneconomic *(fx* method).

uønsket *adj* unwanted *(fx* child); *(ofte =)* undesirable *(fx* effect); *uønskede personer (fx udlændinge)* undesirable persons; *han blev erklæret for ~ (om diplomat)* he was declared persona non grata.

uøvet *adj* unpractised, untrained.

uøvethed *(en)* want of practice *(el.* training).

uåbnet *adj* unopened.

V

V, v *(et -'er)* V, v. **W, w** *(et -'er)* W, w.
V. *(fk f Vest)* W *(fk f* West).

vable *(en -r)* blister.

vaccination *(en -er)* vaccination *(imod:* against).

vaccinationsattest vaccination certificate. **vaccine** *(en)* vaccine. **vaccinere** *vb* vaccinate *(imod:* against).

vade *vb* wade; *~ i penge* be rolling *(el.* wallowing) in money; *~ over en flod* wade across a river, ford a river. **vade|fugl** *zo* wading-bird. **-hav** tidal area. **-sted** ford.

vadmel *(et)* frieze, homespun.

vadsæk carpet bag, valise.

vaffel *(en, vafler) (slags biscuit)* wafer; *(kræmmerhus, til is)* cone; *(bagt i -jern)* waffle. **vaffel|jern** waffle iron. **-syning** honeycomb stitch.

vaflet *adj* honeycomb(-weave).

vag *adj* vague.

vagabond *(en -er)* tramp, vagabond. **vagabondere** *vb* vagabondize, go *(el.* be) on the tramp.

vager *(en -e)* ♠ buoy. **vagervæsen** buoy service; *se ogs fyrvæsen.*

waggon *(en -er)* (railway) carriage, coach, *(amr)* (railroad) car.

vaghed *(en)* vagueness.

vagt *(en -er)* watch, guard; ♠ watch; *(tjeneste)* duty; *(skildvagt)* sentry; *(strejkevagt)* picket; *(vagtmandskab)* guard, ♠ watch; *(lokale)* guardroom, guardhouse; *have ~ (om læge, sygeplejerske, lærer)* be on duty, ♠ have the watch; *holde ~* keep watch *(el.* guard), ✗ mount guard, ♠ watch; *stå på ~* ✗ be on guard, ♠ be on watch; *være på ~ over for* be on one's guard against.

vagtafløsning relief. **-bål** watch fire.

vagtel *(en, vagtler)* quail. **-konge** *zo* corncrake.

vagt|havende on duty *(fx* the doctor, (,the officer) on duty); ♠ on watch. **-hund** watchdog. **-lokale** ✗ guardroom. **-mandskab** guard, ♠ watch crew. **-parade** *(omtr =)* changing of the guard. **-post** guard, *(skildvagt)* sentry. **-selskab** *(omtr =)* security firm. **-skib** guard ship. **-skifte** changing of the guard (, ♠ the watch); *(fig)* change of guard. **-skud** watch gun.

vagtsom *adj* watchful, vigilant.

vagtsomhed *(en)* watchfulness, vigilance.

vagt|stue guardroom. **-tjeneste** guard duty; ♠ watch duty. **-tårn** watch tower.

vajd ♣ woad.

vaje *vb* fly, float, wave.

vajsenhus orphanage.

vakance *(en -r)* vacancy.

vakker *adj* pretty, comely, winsome.

vakle *vb (gå usikkert)* reel, stagger, *(især om gamle)* totter, *(især om beruset)* lurch; *(være ved at falde, ogs*

fig) reel, totter *(fx* the ladder (,the throne) was tottering); *(være tvivlrådig)* falter, waver, vacillate; *~ mellem to muligheder* hesitate *(el.* waver) between two possibilities; *knæene -de under ham* his knees grew weak *(el.* T: wobbly). **vaklen** *(en)* reel(ing), stagger(ing), tottering; lurch(ing); faltering, wavering, vacillation. **vaklende** *adj* tottering; wavering; *(om helbred)* precarious, declining. **vaklevorn** *adj* rickety, T wobbly.

vaks *adj* T wide awake, bright, quick on the uptake.

vakt, vakte *se vække.*

vakuum *(et)* vacuum. **vakuum|bremse** vacuum brake. **-rør** *(radio)* vacuum tube.

val *(en)* (battle)field *(fx* be left on the field); *kæmpe til en af parterne ligger på -en* fight to the death. **valdhorn** French horn.

valen *adj* numb, numbed (with cold); *(fig)* half -hearted, lukewarm.

valens *(en -er)* valency, *(ogs amr)* valence.

Wales Wales; *prinsen af ~* the Prince of Wales.

valfart pilgrimage. **valfarte** *vb* go on a pilgrimage; *~ til et sted (fig)* flock to a place. **valfartssted** place of pilgrimage, *(ofte =)* shrine, *(fig)* Mecca *(fx* a Mecca of tourists).

valg *(et -)* choice, *(ret el. frihed til at vælge ogs)* option *(fx* if I had the option *(el.* choice)); *(udvælgelse, udsøgning)* selection; *(imellem to ting)* alternative; *(af fyrste etc)* election; *(rigsdags-)* election *(fx* a general election), *(valghandling)* poll *(fx* the date fixed for the poll); *afholde ~* hold an election, *(i samtlige kredse)* hold elections, hold a general election (NB general election *bruges ikke om U.S.A.);* *-et faldt på ham* the choice fell on him; *give ham frit ~* allow *(el.* give) him a free choice; *hemmeligt ~* ballot, secret voting; *jeg har intet ~* I have no choice; *træffe sit ~* make one's choice.

valg|agitation electioneering, *(ved husbesøg)* canvassing (for votes). **-avis** *(svarer til)* election pamphlet.

valgbar *adj* eligible. **valgbarhed** *(en)* eligibility.

valg|bestyrelse election committee; *formand for -n* returning officer. **-brev** election return; *prøvelse af -e* scrutiny. **-bureau** election office. **-dag** election day, polling day. **-deltagelse** poll; *ringe (,stor) ~* light (,heavy) poll. **-flæsk** election promises, a sop to the electors. **-fri** *adj* optional *(fx* subjects). **-geometri** *(neds)* gerrymandering. **-handling** poll *(fx* the poll opens at 7 a.m. and closes at 9 p.m.); polling, election. **-kamp, -kampagne** electioneering (campaign). **-kandidat** (election) candidate. **-kort** poll card. **-kreds** constituency, *(amr)* district; *(for kommunevalg)* ward. **-liste** *(en -r)* electoral reg-

ister. **-lokale** polling station. **-lov** electoral law.
valg|måde (en -r) manner of election. **-nederlag**
defeat at the polls. **-periode** election period. **-plakat**
election poster. **-resultat** result of the election; *med-delelse af -et* declaration of the poll. **-ret** franchise,
suffrage; *almindelig ~* universal suffrage. **-retsalder**
electoral age. **-sejr** election victory. **-sprog** motto.
-sted polling station. **-svindel** election fraud; election rigging, ballot rigging.
　valgt, valgte *perf part og imperf af vælge*.
valg|tale (en -r) election address. **-tryk** intimidation of electors; *øve ~ på* intimidate. **-udgifter** *pl*
election expenses. **-urne** ballot box.
Valhal Valhalla.
valk (en -e) hair pad.
valke *vb* full. **valkning** (en) fulling.
valkyrie (en -r) valkyrie.
vallak (en -ker) gelding.
valle (en) whey.
walliser (en -e) Welshman; **-ne** (nationen) the
Welsh. **wallisisk** (et & adj) Welsh.
valm (en -e) (skrådtag på gavl) hip roof.
valmue (en -r) poppy. **valmuefrø** (et -) poppy
seed.
valnød walnut.
valnøddetræ walnut tree; (ved) walnut wood.
valplads (battle)field (*fx* be left on the field).
vals (en -e) waltz; *give ham en ~* give him a
dressing-down; *gå på -en* travel.
I. **valse** (en -r) cylinder, roller, (på skrivemaskine)
platen. II. **valse** *vb* roll.
III. **valse** *vb* (danse vals) waltz.
valse|formet *adj* cylindrical. **-takt** waltz time.
-værk rolling mill. **valsning** (en) rolling.
valte *se skalte*.
valuta (en -er) (værdi) value (*fx* get value for
one's money); (pengesort) currency (*fx* Siam linked
her currency to Sterling; to be paid in British
currency), money; (betalingsmiddel i forhold til ud-landet) (foreign) exchange (*fx* exports provide the
exchange by which imports are paid for); *fremmed ~*
foreign currency (el. money); foreign exchange (*fx*
there is a shortage of foreign exchange); *handle med
~* deal in foreign exchange; *hård ~* hard currency;
~ modtaget value received; *~ i regning* value in account;
stabilisering af -en currency stabilization.
valuta|afdeling foreign exchange department.
-arbitrage exchange arbitrage. **-attest** exchange
certificate. **-central, -kontor** exchange control
office. **-krise** foreign exchange crisis. **-kurs** (rate of)
exchange; **-er** foreign exchange quotations. **-lov**
exchange control act. **-restriktion** exchange (,currency) restriction, (se valuta). **-stærk** *-e lande* hard
-currency countries. **-svag:** *-e lande* soft-currency
countries. **-tildeling** allocation of exchanges.
valør (en -er) value.
vammel *adj* sickly, nauseous, cloying; *blive ~
ved ngt* feel sick at sth. **vammelhed** (en) sickliness,
nauseousness. **vammelsød** sickly sweet.
vamp (en -e el. -s) vamp.
vampyr (en -er) vampire.
vams (en -e) doublet.
vanartet *adj* vicious (*fx* child).
vanartethed (en) viciousness.
vand (et -e) water; *det er det bare ~ imod* it is
nothing to; *blødt* (,hårdt) *~* soft (,hard) water; *~
og brød* bread and water; *dagligt ~* mean sea level;
dansk ~ (plain) soda water; *give blomster ~* water
flowers; *et glas ~* a glass of water; *en storm i et glas
~* a storm in a teacup; *holde ~* hold water; *lade sit ~*
make (el. pass) water; *af reneste ~* (ogs fig) of the
first (el. purest) water; *rindende ~* running water;
fiske i rørt -e fish in troubled waters; *sejle -et tyndt*
plough the seas; *det stille ~ har den dybe grund* still
waters run deep; *sætte ~ over* put the kettle on,
put the water on (to boil); *tage ~ ind* take in water;
træde -e tread water;

[m præp:] *gå i -et* bathe, go bathing, (fig) be
taken in, fall into a trap, T be led up the garden
(path); *hans tænder løber i ~* his mouth waters; *hans
øjne løber i ~* his eyes water; *sætte blomster i ~* put
flowers in water; *~ i hovedet* hydrocephalus, water
on the brain; *~ i knæet* water on the knee; *slå koldt
~ i blodet* take it easy, cool down; *gå igennem ild og
~* go through fire and water; *oven -e* above water,
afloat; *holde sig oven -e* (fig) keep one's head above
water; *hun svævede* over *-ene* she made her presence
felt in the background; *det er som at slå ~ på en gås*
it is like water off a duck's back; *på 10 meter ~* in 10
metres of water; *det er ~ på hans mølle* that suits
him (down to the ground), that is grist to his mill;
til -s by water, by sea (*fx* travel by sea); *ride til -s*
ride to water; *stå under ~* be flooded, be submerged;
sætte under ~ flood; *byen ligger ved -et* the town is
situated by the sea.
vandagtig *adj* watery, aqueous.
vandal (en -er) (hist.) Vandal, (fig) vandal.
vandalisme (en) vandalism.
vand|anker ♣ (til drikkevand) breaker. **-bad**
(kem) water bath. **-balje** water tub. **-ballast** watr.
ballast. **-bassin** *se bassin*. **-beholder** cistern, tank
-bygning hydraulic engineering, (som videnskab)
hydraulics. **-bygningsvæsen** Department of Hydraulic Engineering. **-cykel** water cycle. **-damp**
(water el. (fys) aqueous) vapour, (over kogepunktet)
steam. **-dråbe** drop of water. **-dybde** depth of water.
vande *vb* (give at drikke) water (*fx* cattle); (planter,
jord) water (*fx* a garden), (overrisle) irrigate; (=
urinere) make water.
vandel (en) conduct, course of life; *værdi i handel
og ~* market (el. commercial) value. **vandelsattest**
certificate of good conduct.
vandet *adj* watery; (om vittighed) feeble, thin.
vand|fad wash basin, (amr ogs) washbowl;
-fald waterfall, (især om Nilens og poet.) cataract;
(mindre) cascade. **-farve** watercolour; *male med ~*
paint in watercolour. **-fattig** *adj* dry; *meget ~* arid.
-filter water filter. **-flade** (overflade) surface of the
water; (sø etc) sheet of water. **-flyvemaskine** seaplane. **-forbrug** water consumption. **-forsyning**
water supply. **-fugl** aquatic (el. water) bird. **-fyld-ning** watering. **-førende** water-bearing (*fx* stratum).
-gang ♣ waterline; (bommert) blunder; (skuffelse,
fiasko) sell. **-gas** water gas. **-glas** (glas) tumbler;
(kem) water glass. **-hane** tap; (amr) faucet; (i gaden,
til brandslukning etc) hydrant. **-holdig** *adj* watery,
aqueous, hydrous. **-hul** (et -ler) pool, small pond.
-hund zo water dog; *han er en ~* (fig) he takes to
water like a duck.
vandig *adj* aqueous.
vanding (en) watering; (overrisling) irrigation.
vand|kalv zo water beetle. **-kalvelarve** zo water
tiger. **-kande** (til servante) water jug, ewer, (amr)
pitcher; (have-) watering-can, (amr især) sprinkling
can. **-kanten** the water's edge, the waterline.
-kappe (til kølevand) water jacket. **-karaffel** water
bottle. **-karse** (en) ♣ (bitter karse) large bittercress;
(brøndkarse) watercress. **-klar** *adj* limpid. **-kloset**
water closet, w.c. **-kraft** hydraulic power, water
power. **-kraftanlæg** hydro-electric power station.
-kur water cure. **-kuranstalt** hydropathic (establishment), hydro. **-kæmmet** combed with a wet comb.
-køling water cooling. **-ladning** (en) urination.
-ledning (en -er) conduit, (akvædukt) aqueduct.
-linie ♣ waterline. **-løb** stream, watercourse. **-lås**
(siphon) trap. **-mand** zo jellyfish; **-en** (stjernebillede)
the Water Carrier, Aquarius. **-mangel** shortage of
water. **-masser** *pl* waters, flood.
vand|melon ♣ water melon. **-mærke** (et -r)
(i papir) watermark. **-mølle** water mill. **-måler**
(en -e) water gauge, (i hus) water meter. **-omslag**
wet compress. **-ondulation** water-waving; *en ~*
a water wave. **-onduleret** *adj* water-waved. **-op-løselig** *adj* water-soluble. **-orgel** water organ.

-overflade water level, surface of the water. **-pest** ⚓ water thyme. **-pibe** (en -r) hookah. **-pistol** water pistol. **-plante** (en -r) ⚓ aquatic plant, hydrophyte. **-polo** water polo. **-post** pump; (= -hane) tap, (amr) faucet. **-pyt** puddle. **-pøs** ⚓ water bucket.

vandre vb (uden mål og med) wander, roam, ramble, stroll; (gå) walk; (gå fodtur) walk, hike; (om dyr) migrate; (blive sendt) go, be sent; ~ fra hånd til hånd pass from hand to hand; ~ frem og tilbage walk back and forth; ~ heden depart this life; et -nde leksikon a living (el. walking) dictionary; en -nde sanger a strolling minstrel.

vandre|bibliotek travelling library. **-bølge** (en -r) (elekt) surge. **-falk** zo peregrine falcon. **-fugl** (ung vandrer) hiker. **-hal** lounge, lobby. **-herberg, -hjem** youth hostel. **-klit** migrating dune. **-lav** (et -) Youth Hostel Association, YHA. **-pokal** challenge cup.

vandrer (en -e) wanderer, rambler, walker; (vandrefugl♦) hiker.

vandrer|herberg, -hjem se vandre-. **-kort** YHA membership card. **-lav** se vandre-.

vandreservoir (et -er) reservoir.

vandresko hiking shoe.

vandret adj horizontal, level; (i krydsordsopgave) across.

vandretur walking tour, T hike.

vandreudstilling travelling exhibition.

vandrig adj abounding in water.

vandring (en -er) walking tour, ramble, hike, (kort) walk; (om dyr) migration. **vandrings|mand** wanderer, traveller. **-stav** (pilgrim's) staff.

vand|rotte zo water rat, water vole. **-rutschebane** water chute, (amr) water shoot. **-rør** water pipe; (i kedel) water tube. **-skade** (en -r) damage by water. **-skel** watershed. **-ski** water ski; løbe på ~ water-ski. **-skorpen** the surface of the water; i ~ (ogs) awash (fx a vessel with her deck awash); ligge og lure i ~ (fig) be on the look-out. **-skræk** (sygdom) hydrophobia; have ~ (= være bange for at gå i vandet) be a water funk. **-skyende** adj water-repellent, non -absorbent. **-slange** (til sprøjtning) water (el. garden) hose; (på køkkenhane) rubber nozzle. **-spand** (en -e) water pail. **-spild** waste of water. **-stand** water level; høj ~ high water; lav ~ low water. **-standsglas** water gauge. **-standslinie** water level. **-stråle** (en -r) jet of water. **-støvler** pl waterproof boots, (fiskers) hip boots, waders. **-sugende** adj absorbent.

vandt imperf af vinde.

vand|trug watering trough. **-tæt** adj watertight, (om stof) waterproof; ~ regnfrakke waterproof; ~ rum watertight compartment. **-tårn** water tower. **-varmer** water heater. **-vej** waterway; ad -en by water. **-vogn** (til vanding) water(ing)-cart, (lastvogn) water truck. **-værk** waterworks. **-væsen** water supply (services); -et (svarer til) the Water Board.

vane (en -r) (især ubevidst) habit (fx bad (,good) habits); (især bevidst, skik) practice (fx he went to bed early, as was his usual p.); af gammel ~ habitually, from habit; have for ~ at be in the habit of -ing; komme i ~ med at ryge get into the habit of smoking; blive til en ~ grow into a habit; komme ud af -n get out of the habit; på grund af -ns magt from force of habit.

vane|dranker habitual drunkard. **-forbryder** habitual criminal, recidivist. **-kristen** conventional Christian. **-menneske** person of fixed habits. **-mæssig** adj habitual. **-sag** matter of habit.

vanfør adj crippled, disabled; (subst) cripple, disabled person. **vanførehjem** home for the disabled. **vanførhed** (en) disablement.

vang (en -e) field.

vange (en -r) (på trappe) string, (på stige) sidepiece.

vanheld (et -) misfortune, failure.

vanhellige vb profane, desecrate.

vanhelligelse (en) profanation, desecration.

vanille (en) vanilla. **vanille|is** vanilla ice. **-stang** vanilla pod.

vanke vb: der -r god mad og drikke there will be a treat; der -r ikke noget i dag you won't get anything today; du kan tro der -r (ɔ: klo) you'll catch it (good and proper); ~ om (poet.) wander about.

vankelmodig adj fickle, irresolute.

vankelmodighed (en) fickleness.

vankundig adj ignorant. **vankundighed** (en) ignorance.

vanlig adj usual, customary, habitual.

vanry (et) bad (el. ill) repute, disrepute, discredit; bringe (,komme) i ~ bring (,get) into bad repute. **vanrøgt** (en) neglect. **vanrøgte** vb neglect.

vansire vb disfigure.

vanskabning deformed person (,animal), freak, monstrosity. **vanskabt** adj deformed. **vanskabthed** (en) deformity.

vanskelig adj difficult, hard; (om person) difficult (to get on with), hard to please; particular (fx about one's food); adv with difficulty, not easily; hardly; han har -e fødder his feet are hard to fit; gøre sig ~ be refractory; -e tider hard times; lægge ngt hen til -e tider put sth by for (el. provide against) a rainy day; have -t ved at gøre noget have (some) difficulty in doing sth, find it difficult to do sth. **vanskeliggøre** vb render difficult, complicate, impede. **vanskelighed** (en -er) difficulty; (besvær) trouble; disciplinære -er disciplinary troubles; -en ved the difficulty of; gøre -er make difficulties; komme i -er get into difficulties; have ~ ved at gøre noget have some difficulty in doing sth, find it difficult to do sth.

vanskæbne (en) misfortune.

vanslægte vb degenerate.

vansmægte vb languish (fx in prison), feel faint (fx with thirst); ~ efter pine (el. languish) for.

I. **vant** (et -) ⚓ shroud; (bestående af 2 el. flere tove) shrouds.

II. **vant** adj (sædvanlig) usual, customary; ~ til used to, accustomed to; ~ til at gøre det used to doing it, accustomed to do(ing) it.

vante (en -r) woollen glove, (bælgvante) mitten, mitt; (fig) spineless individual; på med -n! get down to it!

van|treven adj stunted. **-trives** vb: han ~ he doesn't thrive well. **-trivning** (en) stunted person, stunted animal, runt.

I. **vantro** (en) (rel) infidelity, unbelief.

II. **vantro** adj incredulous; (rel) infidel, unbelieving; subst infidel, unbeliever; den ~ Thomas St Thomas the Doubter; en ~ Thomas a doubting Thomas.

vanvare: af ~ inadvertently, by mistake.

vanvid (et) madness, insanity, lunacy; drive en til ~ drive sby mad; elske til ~ love to distraction; på -dets rand (fig) nearly crazy; det glade ~ sheer madness.

vanvittig adj mad, insane, lunatic, crazy; T barmy, daft; (om priser) exorbitant, preposterous; ~ sjovt screamingly funny; være ~ forelsket i be madly in love with; jeg har ~ travlt (må skynde mig) I am in an awful hurry, (har meget at bestille) I am awfully busy; som en ~ like mad, like a madman.

I. **vanære** (en) disgrace, dishonour; (dyb ~, skændsel) infamy; bringe ~ over, se II.vanære.

II. **vanære** vb disgrace, dishonour; ~ én (ogs) bring disgrace (el. dishonour) on sby.

vanærende adj (de flg oversættelser betegner en stigning) discreditable, dishonourable, disgraceful, ignominious, infamous.

I. **var** imperf af være.

II. **var** adj: blive ~ become aware of, perceive, see.

varde (en -r) ⚓ beacon; (af sten) cairn.

I. **vare** (en -r) (handelsvare) article, (især uforarbejdet, fx korn, kul) commodity; -r (ogs) goods, merchandise; tage for gode -r accept (at its face value), swallow; han tog det ikke for gode -r (ogs) it did not go down with him; beskadigede -r damaged goods;

letfordærvelige -r perishable goods; *en sjælden ~ (fig)* a rare thing; *de vdde* -r drink, liquor; *den ægte ~* the real thing.

II. **vare** *(subst) (pdpasselighed): tage sig i ~ for* beware of, be on one's guard against; *tage ~ pd* take care of, attend to, look after; *han har nok at tage ~ pd* he has got his hands full; *tag ~ pd din mund* mind what you say.

III. **vare** *vb: ~ ad* warn; *~ sig* take care; *~ sig for* beware of; *~ sig for at* take care not to.

IV. **vare** *vb (vedvare)* last, endure; *(holde)* last, wear; *(tage, udkræve)* take *(fx* the job will take three months); *(med efterfølgende ‚før')* be *(fx* it will (not) be long before we see him again); *overfarten -r en time* the crossing takes an hour; *gældende sd længe krigen -r* valid for the duration (of the war); *~ ved* continue, go on.

vare|automat automatic delivery machine, slot machine. **-beholdning** stock(-in-trade). **-betegnelse** description of goods; *falsk ~* misleading trade description. **-bil** delivery van. **-elevator** goods lift. **-hus** *(stormagasin)* department store. **-kundskab** *(merk)* knowledge of commodities. **-lager** stock of goods, stock(-in-trade). **-mægler** broker. **-mærke** *(et -r)* trade mark; *indregistreret ~* registered trade mark. **-parti** parcel of goods, lot, consignment. **-prøve** *(en -r)* sample. **-sending** consignment, shipment.

varetage *vb* attend to, look after, take care of.

varetagelse *(en)* attention *(af:* to).

varetægt *(en)* care; *have i sin ~* be in charge of; *tage i sin ~* take charge of.

varetægtsarrest: *sidde i ~* be in custody.

vare|udveksling interchange of goods. **-vogn** delivery van. **-åger** profiteering.

variabel *adj* variable. **variant** *(en -er)* variant. **variation** *(en -er)* variation. **variere** *vb* vary; *~ mellem ti og tyve* range from ten to twenty.

varieté *(en varieteer)* music hall, variety theatre, *(amr)* vaudeville theatre.

varietet *(en -er)* variety *(fx* of a plant).

varig *adj* lasting, permanent.

varighed *(en)* duration *(fx* of short duration); *(maskines)* life; *(forsikrings)* term; *(det at noget varer for stedse)* permanence.

varlig *adj = varsom.*

varm *adj* warm, *(stærkere)* hot; *(fig)* warm *(fx* colour, feeling, friendship, welcome, thanks), hearty, *(stærkere)* ardent, fervent; *-t bad* hot bath; *~ beundrer* ardent admirer; *gå af som -t brød* sell like hot cakes; *løbe ~ (om maskindel)* get hot, run hot; *løbe sig ~* get warm by running; *~ mad* a hot meal, hot meals; *tale sig ~* warm to one's subject; *være ~ pd én* T have a crush on sby; *-t vand* hot water; *det er -t i dag* it is hot today; hot day (isn't it?).

varmblodet *adj* warm-blooded; *(fig ogs)* hot -blooded.

I. **varme** *(en)* warmth, heat *(fx* the heat of the blood); *(fig)* fervour, warmth; *5 graders ~* 5 degrees above freezing-point; *inklusive lys og ~* inclusive of light and heating; *lukke op for -n* turn on the heat.

II. **varme** *vb* warm *(fx* one's hands, oneself), heat *(fx* some water); *ovnen -r godt* the stove gives a good heat; *~ op (mad, motor)* warm up, *(rum)* heat up; *(om sportsmand)* limber up.

varme|anlæg (central) heating installation. **-apparat** radiator. **-behandling** *(med.)* heat treatment, thermotherapy. **-bølge** heat wave. **-dunk** hot -water bottle. **-enhed** heat unit. **-flade** heating surface. **-fylde** *(en) (f ys)* specific heat. **-givende** *adj* heat-producing, calorific. **-grad** degree above freezing-point; temperature *(fx* at high temperatures). **-leder** conductor of heat; *dårlig ~* bad conductor (of heat). **-legeme** heating element.

varme|mester boilerman. **-måler** calorimeter *(til radiator)* radiator meter. **-ovn** heater *(fx* electric heater). **-pude:** *elektrisk ~* (electric) heating pad.

-regning bill for heating expenses. **-rør** heating pipe. **-skab** *(i køkken)* heating cupboard. **-tab** loss of heat. **-udstråling** radiation of heat.

varmfront warm front.

varmhjertet *adj* warm-hearted.

varm|luft hot air. **-lufts-** hot-air.

varmt|følende warm-hearted. **-følt** heartfelt.

varmtvands|anlæg hot-water heating system. **-beholder** hot-water tank. **-hane** hot(-water) tap. **-rør** hot-water pipe.

varp *(et -)* warp. **varpanker** kedge (anchor).

varpe *vb* warp; *(ved hjælp af varpanker)* kedge; T *(kaste)* chuck.

vars|el *(et -ler)* notice, warning; *(forudsigelse, tegn)* omen *(fx* believe in omens), presage, portent; *med et øjebliks ~* at a moment's notice; *uden ~* without notice; without warning *(fx* shoot without w.)

varselsskrig warning cry.

I. **varsko** *(et)* warning; *(praj)* notice *(fx* give me notice when you are getting short of tobacco).

II. **varsko** *vb* warn *(om:* of), give notice; *~ styrmanden* pass the word for the mate; *varsko!* look out!

varsle *vb* notify, give notice of; *(~ om, give forvarsel om)* portend, bode *(fx* well, ill).

varsom *adj* cautious, gingerly *(fx* in a gingerly manner); *-t (adv)* cautiously, gingerly *(fx* to walk gingerly); *fortælle hende det -t* break it gently to her.

varsomhed *(en)* cautiousness.

Warszawa Warsaw.

varte: *~ én op* wait on sby, attend sby; *~ ham op i alle ender og kanter* wait on him hand and foot; *~ op ved bordet* wait at table, *(amr)* wait on table.

vartegn landmark. **varulv** *(en -e)* werewolf.

vasal *(en -ler)* vassal. **vasalstat** vassal state; *(om moderne forhold)* satellite (state).

vase *(en -r)* vase.

vaseline *(en)* vaseline. **vaselinolie** vaseline oil.

I. **vask** *(en) (det at vaske)* washing, *(som erhverv ogs)* laundrywork; *(tøj til vask)* washing, laundry; *gå af i ~* wash off; *som tåler ~* washable; *sende til ~* send to the wash *(el.* to the laundry).

II. **vask** *(en -e) (køkkenvask)* sink; *gå i -en* come to nothing; *hælde det i -en* pour it down the sink.

vaskbar *adj* washable.

vaske *vb* wash *(fx* wash clothes; we are washing today); *(blande kort)* shuffle; *~ for folk* take in washing; *jeg -r mine hænder (fig)* I wash my hands of it; *~ om ham* do his washing; *~ én ren for en beskyldning* clear sby of a charge; *som har -t sig (:)* storartet, stor)* whacking; *det er noget der har -t sig!* that's something like! *som kan (tåle at) -s* washable; *~ op* wash up, *(amr)* do *(el.* wash) the dishes.

vaske|balje wash tub. **-bjørn** zo racoon. **-bræt** washboard. **-dag** wash day. **-fad** *= vandsfad.* **-hus** wash house. **-kedel** wash boiler. **-klud** face flannel, *(især amr)* washcloth.

vaske|kone washerwoman, laundress. **-kumme** wash (-hand) basin, *(amr)* washbowl; *(i fagsprog)* lavatory (basin). **-maskine** washing-machine. **-middel** *(et, -midler)* detergent. **-pulver** washing -powder. **-regning** laundry bill.

vaskeri *(et -er)* laundry.

vaskerimaskiner laundry machinery.

vaske|seddel laundry list. **-silke** washing silk. **-skind** wash leather. **-skindshandsker** wash-leather gloves. **-svamp** sponge. **-tøj** washing, laundry. **-ægte** *(om farve)* fast; *(fig)* out-and-out, thorough -paced.

vat *(et)* cotton wool, cotton, *(amr)* absorbent cotton; *(pladevat)* wadding.

vater: *i ~* level; *stille i ~* level.

vaterpas *(et -ser)* (spirit) level.

Vatikanet the Vatican.

Vatikanstaten the Vatican State.

vatpind swab (stick).

vatret *adj* watered, moiré.

vatskulder padded shoulder.

watt *(en -)* watt; *100* ~ 100 watts.
vattere *vb* wad; *(tæppe etc)* quilt; *-t tæppe* quilt.
vattering *(en)* wadding; *(m stikninger)* quilting.
vattersot *(en)* dropsy. vattersotig *adj* dropsical.
vattæppe quilt.
vaudeville *(en -r)* vaudeville; *(på amr er den alm tyd af* vaudeville: *varieté).*
V-bombe ✕ V-bomb.
wc *(et -'er)* lavatory, water-closet, w. c. wc -kumme lavatory bowl. wc-papir toilet paper; *en rulle* ~ a toilet roll.
I. ve *(en -er): -er (fødsels-)* (labour) pains.
II. ve *(et): hans* ~ *og vel* his welfare.
III. ve! alas! *ak og* ~! alas! ~ *ham!* woe betide him! woe be to him! ~ *mig!* woe is me! ~ *de besejrede!* woe to the vanquished! vae victis!
I. ved *(et)* wood.
II. ved *præp* a) *(om sted)* at, *(ved siden af, henne ved)* by *(fx* he sat at his writing-table by the window; sit by the fire; at the end of the street; at the next station); *(nær ved)* near *(fx* he lives near the castle); b) *(om beliggenhed ved flod, kyst etc)* on *(fx* the towns on the Thames *(,on the Channel));*
c) *(om tid)* at, *(lige efter)* on *(fx* at his death, at midnight, at the outbreak of the war, at the sight of; on *(el.* at) our arrival in London); *(omtrent ved)* about *(fx* about this time tomorrow); ~ *dag* by day; ~ *nærmere eftersyn* on closer inspection; ~ *femtiden* at about five o'clock; ~ *forespørgsel* on inquiry; ~ *enhver lejlighed* on every occasion; ~ *første lejlighed* at the first opportunity; ~ *nat* by night;
d) *(om middel)* by; ~ *at arbejde* by working; *tage* ~ *hånden* take by the hand; ~ *lampelys* by lamplight; e) *(om ansættelse)* on *(fx* a job on the railway); at, in; *læge* ~ *et hospital* physician to *(el.* at) a hospital; *professor* ~ *universitetet* professor in *(el.* at) the University;
f) *(om egenskab)* about *(fx* there is something funny about him; the worst *(,funny)* thing about it); *der er noget godt* ~ *ham* he has his good points; *der er noget farligt* ~ *det* it has its dangers;
g) *(i færd med)* at *(fx* he was at his work); *(i færd med at nyde)* over *(fx* discuss it over a glass of beer; sit over one's coffee);
h) *(andre tilfælde:) der er en fare* ~ *det* it entails *(el.* nvolves) a risk; *han befandt sig godt* ~ *det* it agreed with *(el.* suited) him; *slaget* ~ *Hastings* the battle of Hastings; *sætte kryds* ~ *et navn* put a cross against a name; *røre* ~ touch; ~ *siden af* beside, by the side of; ~ *siden af mig* beside me, at my side; *(se ogs side)*; *sværge* ~ *alt hvad der er mig helligt* swear by all that I hold sacred; *tænke* ~ *sig selv* think to oneself; *være* ~ *(o: tilstå)* admit *(fx* he would not admit that he did not know French); *det er der ikke noget* ~ it is not up to much, it is not much good; *jeg var* ~ *(o: i færd med) at skrive* I was writing; *mens du er* ~ *det* while you are at it; *jeg var lige* ~ *at (o: skulle til at) skrive* I was on the point of writing.
III. ved *adv:* tæt *(el.* lige) ~ *(m styrelse)* close to, near (to), *(uden styrelse)* close by, close at hand; *blive ved, se* vedblive; *komme ved, se* vedkomme; *(se i øvrigt de verber, som forbindes med* ved*).*
IV. ved *præs af* vide.
vedbend *(en)* ✿ ivy.
ved|blive *vb* continue, go on, keep on; ~ *(med) at arbejde* keep *(el.* keep on *el.* go on) working, continue to work; ~ *at være venner* remain friends; ~ *med arbejdet* continue the work. -blivende *adv* still.
vederfares *(imperf vederfaredes; perf part vederfaret)* happen to, befall; *lade én* ~ *retfærdighed* do sby justice; *lade middagen* ~ *retfærdighed* do justice to the dinner.
vederhæftig *adj* reliable, trustworthy. vederhæftighed *(en)* reliability, trustworthiness.
vederkvæge *vb* refresh. vederkvægelse *(en)* refreshment.
vederlag *(et)* compensation, consideration, return; *til* ~ *for* in compensation for, in consideration of,

in return for; *uden* ~ free of charge, gratis, gratuitously. vederlagsfri *adj* free, gratuitous. vederlagsfrit *adv* free of charge, gratuitously.
vederstyggelig *adj* abominable.
vederstyggelighed *(en)* abomination.
vedet *(en -ter)* ✕ picket, *(bereden)* vedette.
vedføje *vb* add, affix, subjoin, append.
vedgå *vb* admit, own, acknowledge, confess; ~ *arv og gæld* accept the inheritance with the assets and liabilities. vedgåelse *(en)* admission.
ved|holdende *adj* persevering, persistent, continued, prolonged. -holdenhed *(en)* perseverance.
vedhæfte *vb* attach.
vedhæng *(et -)* appendage; *(smykke)* pendant; *(til armlænke)* charm. vedhængen *(en)* adherence *(fx* to old customs).
vedkende **:* ~ *sig* own (to), acknowledge; *ikke* ~ *sig* disown, disclaim.
vedkomme *vb* concern; ~ *sagen* be relevant; *ikke* ~ *sagen* be irrelevant; *det -r ikke dig* it's no business of yours, it's none of your business.
I. vedkommende *(et): for mit* ~ for my part, as far as I am concerned, personally; *for Danmarks* ~ in the case of Denmark.
II. vedkommende *adj* concerned *(fx* the firm concerned), in question *(fx* the person in question); *subst* the person *(,persons)* concerned, the interested party, he *(,him)*, she *(,her)*, they *(,them)*; *henvend Dem hos rette* ~ apply in the proper quarter.
III. vedkommende *præp* concerning, relating to; *de sagen* ~ *oplysninger* the information concerning the matter, the relevant information.
vedlige|holde *(bygning etc)* keep in repair, maintain; *(holde i gang)* keep up, maintain; *godt -holdt* in good repair, well preserved. -holdelse *(en)* keeping in repair, maintenance, upkeep. -holdelsesomkostninger *(pl)* costs of maintenance.
vedlægge *(i brev)* enclose; *vedlagte* the enclosed; *vedlagt fremsendes* enclosed I *(,we)* send, *(merk ogs)* enclosed please find.
ved|masse volume of wood. -plante ✿ woody plant. -produktion wood production.
vedrøre * touch, concern, affect. vedrørende concerning, referring to, bearing on; *(hvad angår)* as regards *(fx* as regards this matter I beg to observe . .).
vedstå *vb* abide by *(fx* an agreement, a promise), stand by, stick to, acknowledge; ~ *et tilbud* abide by an offer.
vedtage *vb* agree to; *(lov, beslutning)* carry, pass; ~ *en bøde* agree to be fined summarily; *beslutningen vedtoges enstemmigt* the resolution was carried unanimously; ~ *at gøre ngt* agree to do sth; *de vedtagne former* conventions; *-t med 30 stemmer mod 5* passed *(el.* carried) with *(el.* by) 30 votes against *(el.* to) 5. vedtagelse *(en)* carrying, passing *(fx* the p. of a resolution); *(beslutning)* decision.
vedtegning (marginal) note.
vedtægt *(en -er) (skik og brug)* convention, custom, *(gældende regler)* rules, regulations, *(et aktieselskabs)* articles (of association), *(vedtaget af byråd etc)* by-law, *(amr)* ordinance. vedtægtsmæssig *adj (efter skik og brug)* conventional, customary, established by custom; *(foreskreven)* regular, in accordance with the regulations *(,articles, by-laws).*
vedvare *vb* continue, last. vedvarende *adj* continued, continuous, persistent, constant; *adv* continuously, still.
weekend *(en -er)* week-end. weekend|lukning *(svarer til)* Saturday early closing. -udflugt week -end trip.
I. veg *adj* weak, yielding.
II. veg, veget *imperf og perf part af* vige.
vegetabilsk *adj* vegetable.
vegetar *(en -er)*, vegetarianer *(en -e)* vegetarian. vegetarianisme *(en)* vegetarianism. vegetarisk *adj* vegetarian.
vegetation *(en -er)* vegetation. vegetativ *adj*

vegetative. vegetere *vb* vegetate. **vegeteren** *(en)* vegetating.

veghed *(en)* weakness.

vegne: *alle* ~ everywhere; *alle* ~ *fra* from everywhere; *han kommer ingen* ~ he is not getting anywhere, he is making no progress; *på embeds* ~ ex officio; in one's official capacity; on official business; *på mine (,hans, hendes)* ~ on my (,his, her) behalf; *på min vens* ~ on behalf of my friend.

Weichsel(floden) the (river) Vistula.

weichseltræ ♧ St. Lucie cherry, mahaleb.

Weimarforfatningen the Weimar Constitution.

vej *(en -e) (anlagt vej, landevej)* road; *(strækning, retning, vejlængde)* way; *(afstand)* distance, way; *(rute)* route, way;

se den anden ~! look the other way! *den brede* ~ *(fig)* the primrose path; *finde* ~ find one's way; *gå den juridiske* ~ go in for law; *gå sine egne -e* go one's own way; *gå sin* ~ go, go away; *hele -en* all the way, all along; *der er ingen* ~ *udenom* there is no getting round it; *der er lang* ~ *til X* it is a long way to X, it is far to X; *lægge en* ~ *om* re-site a road; *lægge -en om* *ad* go round by; *en (engelsk) mils* ~ about a mile; *han rejser samme* ~ *(som jeg)* he is travelling my way; *et stykke* ~ some distance; *et godt stykke* ~ a fair distance; *vise* ~ show the way, *(gå foran)* lead the way; *vise én* ~ show sby the way;

[m præp:] **ad** *den* ~ (by) that way; *erfare ad anden* ~ learn through some other channel; *ad fredelig* ~ by peaceful means; *ad officiel* ~ through official channels; **af** *-en* out of the way; *gå af -en* get out of the way; *gå af -en for (fig)* avoid, evade, shun, *(noget godt)* refuse; *gå af -en for én* get out of sby's way; *han går ikke af -en for ngt (ɔ: er uden skrupler)* he sticks at nothing; *det var ikke af -en* it would not be amiss, it would be no bad thing; *rydde af -en* remove, clear away, *(person)* put out of the way; *komme i -en for ham* get in his way; *hvis der kommer ngt i -en* if anything should happen (to prevent it); *stå i -en for én* stand in sby's way; *hjælpe* (el. *sætte)* *ham i* ~ give him a start in life; *være i -en* be in the way; *være i -en for én* be in sby's way; *hvad er der i -en?* what is the matter? T what is up? *der er intet i -en for at jeg kan gøre det* there is nothing to prevent me from doing it; *spørge om* ~ ask one's (el. the) way; *spørge en politibetjent om* ~ ask one's way of a policeman; *spørge ham om* ~ ask him the way; **på** *-en (undervejs)* on the way, as we (,they etc) go (,went) along; *på -en til ⚓* on her passage to; *et skib på* ~ *til Indien* a ship bound for India; *begive sig på* ~ *til* set out for; *komme på gale -e* go wrong; *være godt på* ~ *til at (fig)* be in a fair way to; *tage på -e* take on, make a fuss; *vi har kun til dagen og -en* we can just make both ends meet; we just manage to scrape a living; *skaffe til -e* procure; *en til berømmelse* the road to fame; *er dette -en til London?* are we right for London? **ved** *-en* at (el. by) the roadside; *en kro ved -en* a roadside inn.

vej|anlæg road (system). **-arbejde** *(et -r)* road -making, road mending; *(på advarselsskilt står:)* Road Up el. Road under Repair. **-arbejder** road-mender, navvy. **-ballast** road metal. **-bane** roadway. **-beliggenhed** *(en bils)* road-holding qualities *(pl)*. **-belægning** road surface. **-bred** *(en)* ♧ plantain. **-bygning** road making, road construction.

veje *vb* weigh *(fx* how much do you weigh? the parcel weighs two pounds; he weighed the parcel); *(fig)* carry weight, weigh *(fx* these interests don't weigh in the matter); *-t og fundet for let* weighed and found wanting; ~ *af* weigh out *(fx* rations); ~ *op imod* counterbalance; balance; ~ *de to ting op mod hinanden* weigh the two things against each other; *det kan ikke -s op med guld* it is worth its weight in gold; ~ *sine ord* weigh one's words; *det -r godt til* it is rather heavy; *dette argument -r tungt* this argument carries great weight.

vejer *(en -e)* weigher. **vejerbod** *(en -er)* weigh -house.

vejeseddel weight slip.

vejfarende *adj* wayfaring; *subst* traveller, way-farer; *(trafikant)* road user.

vej|fond road fund. **-gaffel** fork (of a road). **-grøft** roadside ditch. **-kant** roadside. **-kryds** crossroads *(sing, fx* a crossroads).

vejlede *vb* guide, direct; *(undervise)* instruct; *-nde ord* word of instruction, hint; *-nde pris* suggested (el. recommended) price.

vejleder *(en -e)* guide; instructor.

vejledning *(en -er)* guidance; instruction; *(bog)* guide (i: to); *til* ~ *for* for the guidance of.

vej|længde distance. **-mand** roadmender. **-melding** report on road conditions. **-net** network (el. system) of roads, road system.

vejning *(en -er)* weighing.

vejr *(et)* weather, *(svarer ofte til)* day, morning etc *(fx* it was a fine day); *(ånde)* breath; *dårligt* ~ bad weather; *snappe efter -et* gasp for breath; *få -et igen* recover one's breath; *jeg kan næsten ikke få -et* I can hardly breathe; *godt* ~ fine weather, a fine day; *bede om godt* ~ *(fig)* cry (for) mercy; *i -t* up; into the air; *med bunden i -t* upside down, bottom up; *vende bunden i -et på noget* turn sth upside down; *gå i -et (om pris)* rise, go up; *hen i -et (uden mening)* nonsense *(fx* talk nonsense), *(på må og få)* at random; *løbe i -t (ɔ: vokse)* grow, shoot up; *det er varmt i -et* the weather is hot, it is a hot day; *tabe -et* get out of breath, lose one's breath; *det tager -et fra en* it takes your breath away; *til -s* up, into the air, ⚓ aloft; *gå til -s* go up, ascend; *hvis -et tillader det, i tilfælde af gunstigt* ~ weather permitting; *trække -et* breathe; *komme under* ~ *med* get wind of.

vejr|beretning se *-melding*. **-bestandig** weather-proof.

vejrbidt *adj* weather-beaten.

vejre *vb (få færten af)* scent, *(snuse)* sniff; *-s bort* vanish, be dissipated.

vejr|fløj weathercock, vane. **-forandring** change of (el. in the) weather. **-forhold** weather conditions. **-hane** weathercock. **-kort** *(et -)* weather chart.

vejrlig *(et)* weather, climate.

vejr|melding meteorological (el. weather) report; (= *-udsigt)* weather forecast. **-mølle** windmill; *slå -r* turn cart-wheels; *slås med -r* fight (el. tilt at) windmills. **-profet** weather prophet. **-station** weather station. **-tjeneste** weather (el. meteorological) service. **-trækning** breathing, respiration. **-udsigt** weather forecast.

vej|skilt road sign. **-spærring** road block. **-strækning** stretch of road. **-sving** bend. **-tavle** se *vejviser*, *færdselstavle*. **-tromle** road roller. **-træ** roadside tree. **-viser** *(en -e) (bog)* directory; *(fører)* guide; *(pæl)* signpost, road sign; *kikke i -en efter (fig)* whistle for. **-væsenet** the Highway Authority.

veks|el *(en -ler) (merk)* bill (of exchange); *(vildtsti)* track; *acceptere en* ~ accept (el. honour) a bill; *nægte at acceptere en* ~ refuse to accept a bill, dishonour a bill by non-acceptance; *accepteret* ~ acceptance; *beskytte en* ~ protect (el. meet) a bill; *betale en* ~ pay (el. honour) a bill; *dække en* ~ pay a bill; *falsk* ~ forged bill; *indenlandsk (, udenlandsk)* ~ inland (,foreign) bill; *trasseret* ~ draft; *trække en* ~ *på* draw a bill on; *trække (store) -ler på (fig)* draw (heavily) on; *trække -ler på fremtiden (fig)* discount the future; *trække for store -ler på (fig)* make too great demands upon *(fx* sby's hospitality), overtax *(fx* sby's patience).

veksel|accept acceptance of a bill (of exchange). **-arbitrage** arbitrage. **-automat** coin changer. **-beløb** amount of a bill. **-drift** rotation of crops.

vekselerer *(en -e)* stockbroker. **vekselererkontor** stockbroker's office.

veksel|falsk forging of bills. **-kiosk** exchange bureau. **-konto** bill account. **-kontor** se *-kiosk*. **-kurs**

rate of exchange. **-kurtage** bill brokerage. **-mægler** bill broker. **-omløb** circulation of bills (of exchange). **-protest** protest. **-regning** *(over modtagne veksler)* account of bills received. **-rytter** kite-flyer. **-rytteri** kite-flying; *drive ~* fly kites. **-sang** antiphony. **-stempel** bill stamp.

veksel|strøm *(elekt)* alternating current, A.C. **-strømsgenerator** *(elekt)* alternator. **-strømsmotor** alternating-current motor.

veksel|udsteder drawer of a bill. **-virkning** reciprocal action, interaction. **-vis** *adv* alternately, in turns.

veksle *vb* change; *(skiftes)* alternate; *(gensidigt give, udveksle)* exchange *(fx* glances, letters), interchange; *~ sedler til (el.* i) shillingstykker change the note into shillings; *~ sine penge til fransk valuta* change one's money into French currency.

vekslen *(en),* **veksling** *(en)* change; alternation *(fx* the alternation of seasons).

I. **vel** *(et)* welfare, good, interests; *det almene ~* the common good; *dit (,hans etc) ve og ~* your (,his, etc) welfare; *jeg vil dit ~* I wish you well.

II. **vel** *adj & adv* well; *(=* formodentlig) I suppose, presumably; *(forhåbentlig)* I hope; surely; *(ganske vist)* certainly, it is true, indeed; *(lidt for, lovlig)* rather *(fx* he is r. young for a headmaster), almost too; *alt ~ ombord* all well onboard; *alt ~ overvejet* all things considered; *du har ~ fået brevet?* I hope you received the letter; *du holder ikke af ham, ~?* you don't care for him, do you? *du har ikke gjort det, ~?* you haven't done it, have you? *befinde sig ~* be well; *godt og ~ (၁: mindst)* rather more than, quite, *(mere litterært)* fully; *gøre ~ i* at do well to; *~ gjorde jeg så!* of course I did! *jeg kunne ~ ikke få et glas vand?* could I have a glass of water? *du skulle ~ ikke have en cigaret?* you haven't got a cigarette by any chance? *han er ikke rigtig ~ (om helbred)* he doesn't feel very well, *(om åndsevner)* T he is not all there; *lev ~!* good-bye, farewell; *~ at mærke* mind you; *~ mødt!* welcome! *(glds)* hail! *han er ~ nok stor!* isn't he big! *det var ~ nok pænt af Dem!* how kind of you! *nu ~* very well, well (then); *sov ~!* sleep well! *synes du vel?* don't you agree? *~ til mode* at ease; *ville en det ~* wish sby well; *da de var ~ ude af byen* once out of the town; *gid det var så ~!* that would be good news; I wish he *(etc)* would; *han kan (,kunne) ~ være fyrre* he may (,might) be forty.

vel|afbalanceret (well-)balanced. **-an** well! then! **-anbragt** *adj* well placed, *(bemærkning)* apposite. **-anskrevet** se anskreven. **-anstændig** *adj* decent, proper. **-anstændighed** *(en)* decency, propriety, decorum. **-anvendt** *adj (om penge, tid)* well spent. **-assorteret** *adj* well-assorted. **-befindende** *(et)* well-being; *i bedste ~* in perfect health. **-begavet** intelligent, gifted. **-behag** delight, enjoyment, relish, zest, gusto. **-behagelig** *adj* pleasing, agreeable; *adv* luxuriously; *~ gysen* frisson. **-beholden** *adj* safe and sound. **-bekendt** *adj* well-known, familiar. **-bekomme!** *se bekomme.* **-beråd:** *med ~ hu* deliberately, purposely, on purpose. **-besat** well filled. **-beslået** T flush; *være ~ (ogs)* be in funds. **-betænkt** well **-advised.** **-bevandret** *adj* well versed (*i:* in), familiar (*i:* with). **-bårenhed:** *Deres ~* Your Honour. **-drejet** well-turned; *(fig ogs)* shapely *(fx* figure). **-drevet** *(fx om restaurant)* well-run. **-dædig** *adj se velgørende.* **-dækket:** *et ~ bord* a well-provided table. **-egnet** very suitable; *(kvalificeret)* well qualified *(til et hverv:* for a task; *til at gøre ngt:* to do sth). **-formet** shapely, well-formed. **-fornøjet** pleased (as Punch). **-forsynet** well-supplied, *(m stort lager)* well **-stocked,** *(m stort udvalg af varer)* well-assorted. **-fortjent** well-earned, hard-earned *(fx* money, sleep), well-deserved; *få sin -e straf* get one's deserts, receive condign punishment. **-funderet** solid *(fx* firm), sound; well-founded *(fx* accusation); *(belæst)* well **-read,** well-grounded; *~ i emnet* well up in the

subject. **-færd** welfare, well-being. **-færdsstat** Welfare State.

velgerning kindness.

velgjort well done.

velgørende *adj (sund)* beneficial, salutary; *(veldædig)* beneficent, benevolent, charitable; *(behagelig)* pleasant, refreshing, nice; *i ~ øjemed* for charitable *(el.* benevolent) purposes; *bal i ~ øjemed* charity ball.

velgørenhed *(en)* charity, benevolence. **velgørenheds|bal** charity ball. **-selskab** charitable organization. **velgører** *(en -e)* benefactor; *en menneskehedens ~* a public benefactor.

velgående *(et)* welfare; *i bedste ~* in the best of health; *han lever stadig i bedste ~* he is still going strong; *drikke på éns ~* drink sby's health.

velhavende *adj* well-to-do, prosperous, in easy circumstances. **velhaver** *(en -e)* well-to-do man.

velholdt *adj* well-kept, well-preserved.

velin *(et)* vellum paper.

velinformeret well-informed.

velkendt well-known; familiar.

velklang harmony; melodiousness.

velklingende *adj* harmonious, melodious.

velklædt *adj* well-dressed.

velkommen *adj* welcome, acceptable; *byde (el. hilse) én ~* welcome sby, bid sby welcome.

velkomst *(en)* welcome; *en varm ~ (ogs ironisk)* a warm reception. **velkomst|bæger** cup of welcome. **-hilsen** welcome. **-tale** speech of welcome.

vel|konserveret well-preserved. **-kvalificeret** well-qualified (*til:* for, *fx* the post). **-lagret** well **-seasoned,** matured. **-levned** luxurious living, luxury, self-indulgence. **-lidt** *(afholdt)* much-liked, popular. **-lignende** lifelike *(fx* portrait). **-lugt** scent, fragrance. **-lugtende** sweet-scented, fragrant, *(parfumeret)* perfumed. **-lyd** *se -klang.* **-lykket** *adj* successful *(fx* a successful attempt); *det var meget ~* it was a great success.

vellyst *(en) (kødelig lyst)* lust, sensual pleasure. **vellystig** *adj* voluptuous, sensual; *(liderlig)* lascivious. **vellystning** *(en -e)* sensualist, voluptuary.

vellønnet *adj* well-paid.

velmagtsdage *(pl):* i hans *~* in his days of prosperity.

velmenende *adj* well-meaning, well-intentioned. **velment** *adj* well-meant, well-intentioned. **velnæret** *adj* well-fed, well-nourished.

velocipede *(en -r)* velocipede.

velopdragen well-bred, well-mannered, *(artig)* well-behaved. **velopdragenhed** *(en)* good manners.

veloplagt in (good) form, at the top of one's form, fit; *være ~ til* be in good form for.

velordnet *adj* well-ordered, well-regulated.

velour velours.

velovervejet *adj* well-considered, deliberate.

vel|plejet *adj* well-cared-for *(fx* hands, nails), trim *(fx* moustache); *(om person)* well-groomed. **-proportioneret** *adj* well-proportioned. **-renommeret** *adj* well-reputed, of good reputation. **-rettet** *adj* well-directed. **-set** *adj* welcome *(fx* visitor), popular. **-siddende** *adj* well-fitting.

velsigne *vb* bless; *Gud ~ Dem!* God bless you! *i -de omstændigheder* in an interesting condition, in the family way. **velsignelse** *(en -r)* blessing; *(religiøst ogs)* benediction *(fx* the Apostolic benediction); *(billigelse)* sanction, approval, T blessing; *give sin ~ til* give one's blessing to; *en Guds ~ af* an abundance of *(fx* food), God's plenty of; *lyse -n* pronounce the blessing. **velsignelsesrig** *adj* beneficial.

vel|sindet *adj* well-disposed, well-minded. **-situeret** *adj* well-to-do. **-skabt** well-shaped, well-made, shapely. **-skabthed** *(en)* shapeliness. **-smag** tastiness, agreeable taste, savour. **-smagende** *adj* savoury, palatable. **-spækket** *(om tegnebog etc)* well-lined.

velstand *(en)* wealth, prosperity. **velstandssamfundet** the Affluent Society. **velstillet, velstående** *adj* well-to-do, prosperous.

veltalende eloquent. **veltalenhed** *(en)* eloquence, (power of) ora**tory**, *(kunst)* rhetoric.

weltervægt welter-weight.

vel|tilfreds *adj* contented, well-satisfied. **-til-fredshed** contentedness, satisfaction. **-tillavet:** ~ *mad* well-cooked food. **-tilpas** comfortable, *(rask)* fit; *være* ~ be fit, be at ease. **-tjent** deserving; meritorious; *that has seen much service.* **-udrustet** well equipped. **-udviklet** *adj* well-developed *(fx* child); *se ogs velvoksen.* **-underrettet** well-informed *(fx* it is learned from usually well-informed sources). **-valgt** well-chosen, well-selected, appropriate *(fx* name, word); *et* ~ *udtryk* a happy phrase. **-vilje** benevolence, kindness, good-will; *forslaget blev modtaget med* ~ the proposal was favourably received. **-villig** *adj* benevolent, kind. **-voksen** good-sized, big. **-være** *(et)* well-being, comfort. **-ynder** patron. **-ynderinde** patroness.

velærværdig *adj* reverend. **velærværdighed** reverence; *Hans Velærværdighed pastor Smith* the Reverend John Smith.

vemod *(en el. et)* sadness.

vemodig *adj* sad. **vemodighed** *(en)* sadness.

ven *(en -ner)* friend; *en* ~ *af mig* a friend of mine; *en* ~ *af min fader* a friend of my father's; *en* ~ *af Danmark* a friend of Denmark; *en gammel* ~ *af huset* an old family friend; *han er ikke en* ~ *af mange ord* he is sparing of words, he is taciturn; *dele som -ner* share and share alike; *gode -ner* (great) friends; *blive gode -ner med* make friends with; *holde sig gode -ner med* keep on good terms with; *være gode -ner med be* great friends with.

vende * turn; *(blad)* turn over; *vend!* *(nederst på en side)* (please) turn over, P.T.O.; ~ *hjem* return (home); ~ *og dreje en sag* turn over a matter in one's mind; ~ *og dreje hver øre (fig)* turn (*el.* look twice at) every penny; ~ *om* turn back; ~ *op og ned på ngt* turn sth topsyturvy, turn sth upside down; ~ *én ryggen (ogs fig)* turn one's back on sby; ~ **sig** turn, *(om vind)* come round, shift, *(om paraply)* turn *(el.* blow) inside out; *bladet har vendt sig (fig)* the tables are turned; *stemningen har vendt sig* there has been a revulsion of feeling; *jeg ved ikke, hvorhen jeg skal* ~ *mig* I don't know where to turn; *det får det til at* ~ *sig i mig* my stomach turns at it; it makes me (feel) sick; *han ville* ~ *sig i sin grav* he would turn in his grave; ~ *sig om* turn round; ~ *sig (om) imod* turn to, turn towards, *(fjendtligt)* turn upon, turn against; ~ *sig til Gud* turn to God; ~ **tilbage** return, come back; ~ *tilbage til* return to, *(et emne ogs)* recur to, revert to; *få et sæt tøj vendt* have a suit turned; ~ *det hvide ud af øjnene* show the white of one's eyes; ~ *det lådne ud (fig)* cut up rough; ~ *ud og ind på noget* turn sth inside out; *disse vinduer -r ud til gaden* these windows face *(el.* overlook *el.* give upon) the street; *vend ansigtet denne vej!* turn your face this way!

vende|diameter *(bils)* turning diameter. **-frakke** reversible coat. **-kreds** tropic. **-kåbe** turncoat. **-punkt** turning-point.

vender *(en -)* Wend.

vende|tæppe reversible carpet (, rug). **-tå** *zo* versatile toe.

vending *(en -er) (drejning)* turning; *(forandring)* turn; *(udtryksmåde)* phrase, turn of speech; *give samtalen en anden* ~ give a new turn to the conversation; *gå en* ~ *(ɔ: lille tur)* take a turn; *rask i -en* quick; *(åndeligt)* T quick on the uptake; *sen i -en* slow; *(åndeligt)* T slow on the uptake; *i en snæver* ~ at a pinch; *tage en gunstig* ~ take a favourable turn; *en* ~ *til det bedre* a turn for the better.

vendisk *adj* Wendish.

vene *(en -r) (anat)* vein. **veneblod** venous blood.

Venedig Venice.

veneration *(en)* veneration; *have* ~ *for én* venerate sby.

venerisk *adj* venereal; ~ *sygdom* venereal disease.

venetianer *(en -e)*, **venetiansk** *adj* Venetian.

veninde *(en -r)* friend, girl *(el.* lady) friend.

venlig *adj* kind *(fx* smile, words), *(venskabelig)* friendly *(fx* a piece of f. advice); *(om landskab, værelse)* pleasant; *adv* kindly, with kindness; *vær så* ~ *at underrette mig* please inform me; *vil De være så* ~ *at* will you be kind enough to, will you be so kind as to; *det var -t af dig at komme* it was so kind of you to come; *være én -t stemt* be kindly disposed towards sby; *sende ham en* ~ *tanke* think kindly of him, *(ɔ: taknemligt)* remember him gratefully.

venlighed *(en)* kindness, friendliness.

venligsindet *adj* friendly.

venne|kreds circle of friends. **-lag:** *i* ~ among friends. **-løs** friendless. **-råd** friendly advice; *et* ~ a piece of friendly advice. **-sæl** *adj* kind, sociable, popular. **-tjeneste** act of friendship, friendly turn.

venskab *(et -er)* friendship; *(især mellem stater)* amity; *for gammelt -s skyld* for old times' sake; *under -s maske* under a show of friendship; *slutte* ~ *med* form a friendship with, make friends with.

venskabelig *adj* amicable, friendly. **venskabe-lighed** *(en)* amicability, friendliness.

venskabs|bevis proof *(el.* mark) of friendship. **-by** adopted town; *-er (ogs)* twinned towns. **-bånd** tie of friendship. **-forhold** friendly relations; *stå i* ~ *til* be on terms of friendship with.

I. **venstre** *(et) (parti)* [a Danish political party standing for agricultural interests]; *(en) (venstre hånd)* the left; *en lige* ~ *(i boksning)* a straight left.

II. **venstre** *adj* left; *på* ~ *hånd* on the left hand; *hustru til* ~ *hånd* morganatic wife; *til* ~ to the left, *(på* ~ *side)* on the left; *holde til* ~ keep to the left; *til* ~ *for* to the left of.

venstre|håndsslag left-hand blow. **-kørsel** keeping to the left; *England har* ~ in England traffic keeps *(el.* you keep) to the left. **-orienteret** *adj* left-wing *(fx* politician), leftish. **-skåren** *adj* left-handed *(fx* screw). **-styring** left-hand drive. **-sving** left-hand turn.

I. **vente:** *være i* ~ be to be expected *(fx* great events are to be expected), be imminent; *han har skuffelser i* ~ he has disappointments before him, there are disappointments in store for him, disappointments await him.

II. **vente** *vb* wait; *(vente på, afvente)* wait for, await; *(forvente, imødese)* expect; *(være i vente for)* await, be in store for;

~ *ngt af* expect sth of *(el.* from) *(fx* it is just what I expected of him; expect too much from sby); ~ *at han vil gøre det* expect him to do it, expect that he will do it; ~ *at enhver gør sin pligt* expect everyone to do his duty; *den skæbne der -r ham* the fate in store for him; *det kan* ~ that can wait, there is no hurry about that; *vi kan* ~ *godt vejr i dag* we are in for a fine day; *det kan næppe -s* it is hardly to be expected; *lade ham* ~ keep him waiting; *let* him wait; ~ **med** *(ɔ: opsætte)* delay, put off; ~ *med at sende* put off sending; ~ **på** wait for; ~ *på at uret skal slå* wait for the clock to strike; ~ *på ham med middagsmaden* wait dinner for him; *de lader* ~ *på sig* they are long in coming, they keep us (,me etc) waiting; *vent og se* wait and see; ~ **sig** *noget* expect something; *du kan ~ dig!* you'll catch it! *hun -r sig (et barn)* she is expecting; *en forsmag på hvad man kan* ~ *sig* a foretaste of what is to come; ~ *sig ngt af, se ovenfor:* ~ *ngt af; skibet -s i aften* the ship is due (to arrive) this evening.

ventelig *adj:* *som -t var* as might have been expected.

venteliste waiting-list.

venten *(en)* waiting, wait.

vente|penge [compensation to an official during temporary unemployment]. **-sal** waiting-room. **-tid** waiting-time; wait *(fx* how long a wait will there be?). **-værelse** waiting-room.

ventil *(en -er) (ogs på musikinstrument)* valve; *(luft-)* air-hole, vent-hole; *holde en* ~ *åben (fig)*

leave a loophole. **ventilation** *(en)* ventilation.
ventilations|anlæg ventilating plant. **-rude** venti-
lator. **ventilator** *(en -er)* ventilator; *(roterende vifte)*
fan; *(køkken-)* extractor fan. **ventilere** *vb (ogs fig)*
ventilate.
 ventrik|el *(en -ler)* ventricle *(fx* of the heart,
of the brain); *(mavesæk ogs)* stomach.
 Venus Venus.
 venus|hår ♀ maidenhair. **-vogn** ♀ monkshood.
venøs *adj* venous.
 veranda *(en -er)* veranda(h).
 verbal *adj* verbal. **verbal|adjektiv** verbal
adjective. **-bøjning** verbal inflexion. **-injurie**
slander. **-substantiv** verbal noun.
 verbum *(et, verber)* verb.
 verden *(en -er)* world; *af ~ (ved superlativ)* in
the world, on earth *(fx* it is the easiest thing in the
world); *det bedste menneske af ~* the best man alive,
the best of men; *den anden ~* the other *(el.* the next)
world; *en succes af den anden ~* a tremendous success,
(let glds) no end of a success; *han lever i en anden ~*
he moves in a world apart; *-s ende
(stedligt)* the end of the earth, *(tidsmæssigt)* the end
of the world; *den fine ~* the fashionable world,
Society; *forsage ~* forsake the world; *den gamle
(,nye) ~* the Old (,New) World; *det er -s gang* that's
the way of the world; *hele ~* all the world, the
whole world; *ikke for alt i ~* not for (anything
in) the world; *intet i ~* nothing in the world; *hvad i
al ~?* what on earth? what in the (wide) world? *han
elskede hende over alt i ~* he loved her more than
anything in the world; *sætte børn i ~* bring children
into the world; *den litterære ~* the literary world;
til ingen -s nytte (of) no earthly use; *det er den om-
vendte ~* that is putting the cart before the horse;
al -s rigdom all the riches in the world; *så længe ~
har stået* since the beginning of things; *så længe ~ står*
till the end of time; *tage ~ som den er* take the world
as it is; *komme til ~* be born; *ingen -s ting* no earthly
thing, not a thing; *bringe ud af ~ (fig)* dispose of,
do away with, settle; *nu er det ude af ~* now that is
over and done with.
 verdens|alt universe. **-anskuelse** philosophy of
life, world-view. **-barn** worldling. **-begivenhed**
great historic event. **-berømmelse** world-wide
fame. **-berømt** world-famous. **-berømthed** *(en
-er)* world-famous person. **-billede** picture of the
world *(el.* of the universe). **-borger** citizen of the
world; *en lille ny ~ (nyfødt barn)* a little stranger. **-dame**
woman of the world. **-del** continent, part of the
world. **-erfaring** experience *(el.* knowledge) of the
world, worldly wisdom. **-fjern** *adj* secluded; *(uprak-
tisk)* starry-eyed *(fx* idealist), unrealistic *(fx* theory).
-format: *i ~* of world-wide importance; *on a
world-wide scale.* **-fred** world peace. **-handel** world
trade, international trade. **-hav** ocean. **-herre-
dømme** world supremacy, world hegemony.
-historie history of the world, world history.
-historisk world-historical, in the history of the
world; *~ begivenhed* historic event. **-hjørne:** *de fire -r*
the four points of the compass; *fra alle -r* from the
four quarters of the globe.
 verdens|kendt world-famed. **-klog** worldly
wise. **-klogskab** knowledge of the world, worldly
wisdom. **-kongres** world congress. **-kort** map of
the world. **-krig** world war; *-en (1914–18)* the Great
War, the First World War, World War I; *(1939–45)*
the Second World War, World War II. **-krise**
world crisis. **-litteratur** world literature. **-magt**
world power. **-mand** man of the world. **-marked**
world market. **-mester** world champion. **-mester-
skab** world championship. **-omsejler** circumnavi-
gator of the globe. **-omsejling** circumnavigation
of the globe. **-omspændende** world-wide. **-orden**
world order. **-postforeningen** the Postal Union.
-produktion world production. **-rekord** world
record. **-revolution** world revolution. **-rige** empire;

det britiske ~ the British Commonwealth (of Nations).
-rummet space. **-sprog** world language *(fx* English
is a world language); *(til brug for hele verden)* universal
language. **-træt** world-weary. **-udstilling** world
exhibition. **-ur** astronomical clock.
 verdslig *adj* temporal, secular; *(om sind, interesser
etc)* worldly; *den -e magt* the secular power.
 verdslig|gøre secularize. **-gørelse** *(en)* seculari-
zation. **-hed** *(en)* worldliness. **-sindet** *adj* worldly
-minded.
 verfe *vb:* ~ *ud* chuck out.
 verificere *vb* verify. **verificering** *(en)* verification.
 veritabel *adj* veritable; regular *(fx* he is a r. thief).
 vermut *(en)* vermouth.
 veronal *(en)* ® veronal.
 vers *(et -)* *(gruppe af linier)* stanza *(fx* the Spenser-
ian stanza consists of nine lines), verse *(fx* let us
sing the first verse); *(metrisk . linie)* verse *(fx* an
iambic verse); *på ~* in verse; *det synger på sit sidste ~*
it's nearly over; it is on its last legs; *han synger på
sit sidste ~ (∶ er døende)* he won't last long.
 Versaillestraktaten the Treaty of Versailles.
 versal *(en el. et, -er el. -ier)* capital (letter).
 verse|fod (metrical) foot. **-mål** metre.
 versere *vb* go round *(fx* the story that is going
round), circulate, be abroad *(fx* there is a rumour
abroad (to the effect) that . .); *(om retssag)* be pending.
 versificere *vb* versify.
 version *(en -er)* version; *(oversættelse til moders-
målet)* translation; *latinsk ~* translation from Latin.
 vers|kunst (art of) versification. **-linie** line,
verse. **-lære** *(en)* prosody.
 vertikal *adj* vertical.
 verve *(en)* verve, zest, animation.
 vesir *(en -er)* *(tyrkisk minister)* vizier.
 vesper *(en)* vespers *(pl).* **vesperklokke** vesper bell.
 I. **vest** *(en -e)* *(klædningsstykke)* waistcoat, *(i
butikssprog samt amr)* vest; *(dame-)* vest; *stikke et
glas under -en (∶ drikke)* put away a glass or two.
 II. **vest** *(verdenshjørne)* west; *ret (el. stik) ~* due
west; *~ for* west of; *fra ~* from the west, *(om vind
ogs)* westerly; *i ~* (in the) west; *mod ~* west, west-
wards, to(wards) the west, *(vendende mod ~)* facing
west, *(i den vestlige del af landet etc)* in the west; *~ til
nord* west by north.
 Vestafrika West Africa.
 vestalinde *(en -r)* vestal (virgin).
 Vestaustralien Western Australia.
 Vestberlin West Berlin.
 vestblokken the Western Bloc.
 vestelomme waistcoat *(el.* vest) pocket.
 vesten: ~ *for* westward of.
 vestenvind west wind.
 Vester|havet the North Sea. **-land** the Occident.
 vester|landsk occidental, western. **-lænding** *(en -e)*
occidental, westerner.
 Vesteuropa Western Europe. **vesteuropæisk**
Western European, Western.
 Westfalen Westphalia. **westfalsk** Westphalian.
 vest|fra from the west. **-fronten** the Western
Front. **-goterne** the western Goths, the Visigoths.
-grænse *(en -r)* western limit (,frontier, boundary).
-gående *(strøm)* westerly; *(skib, tog)* westbound;
være for ~ be westbound, be going west.
 vestibule *(en -r)* entrance hall, vestibule, *(i hotel)*
lounge.
 Vestindien the West Indies. **vest|indisk** West
-Indian, West India. **-kyst** west coast.
 vestlig *adj* western; *(om vind)* west, westerly;
(i retning mod vest) westerly. **vestligst** westernmost.
 vestmagterne the Western Powers.
 vestorienteret *adj (politisk)* pro-Western.
 vestpå west, westward, towards the west; *(i
vestlige egne)* in the west, *(i vestligere egne)* farther west.
 vestre *adj* western, west.
 vest|romersk Western Roman *(fx* Empire).
-side west side. **-tysk** West German.

Vesttyskland West(ern) Germany.
Vesuv (Mount) Vesuvius.
veteran *(en -er)* veteran. **veteranbil** vintage car, veteran car.
veterinær *(en -er)* veterinary (surgeon); *adj* veterinary. **veterinærskole** veterinary college.
veto *(et -er)* veto *(pl* vetoes); *nedlægge* ~ interpose one's veto; *nedlægge* ~ *imod noget* veto sth. **vetoret** *(en)* (right of) veto.
whiskers *pl* whiskers.
whisky *(en -er)* whisky. **whiskysjus** whisky and soda, *(amr)* highball.
whist *(en)* whist. **whistturnering** whist drive.
I. vi *pron* we; *vi kom selv* we came ourselves; *vi ved alle* we all know, all of us know.
II. vi *vb, se* vie.
via *præp* via, by, through.
viadukt *(en -er)* viaduct.
vibe *(en -r)* lapwing. **vibe|fedt** *(en)* ⚘ butterwort. **-æg** *(et -)* lapwing's egg; *(en -)* ⚘ fritillary.
vibration *(en -er)* vibration. **vibrations|dæmper** vibration damper. **-fri** *adj* vibrationless. **-massage** vibratory massage. **vibrator** *(en -er)* vibrator.
vibrere *vb* vibrate. **vibreren** *(en)* vibration.
vibrerende *adj* vibrating.
vice- vice-, deputy-. **vice|admiral** vice-admiral. **-formand** vice-chairman; vice-president. **-konge** viceroy. **-konsul** vice-consul. **-præsident** vice -president.
vice versa vice versa.
vicevært caretaker, *(amr)* janitor.
I. vid *(et)* wit; *skræmme én fra* ~ *og sans* scare sby out of his wits.
II. vid *adj* wide, *(om tøj ogs)* ample, loose, full; *på* ~ *gab* wide open; *i -e kredse* widely; *en* ~ *udsigt* an extensive view, a wide view; *den -e verden* the wide world; *(se ogs videre, videst, vidt).*
vidde *(en -r)* width; *(strækning)* (wide) expanse, vast space; *de store -r* the wide open spaces.
I. vide *(ved, vidste, vidst)* know; ~ *'af at* be aware that, know that *(fx* are you aware that your friends are here? I do not know that he has any relatives); *jeg vil ikke* ~ *af det* I will have none of it; I won't have it; *ikke det jeg ved af* not that I know (of); *før jeg vidste et ord af det* before I realized what was happening, before I knew where I was; ~ *af erfaring* know from experience; *hvoraf ved du det?* how do you know that? *han vil ikke* ~ *af sin søn* he has disowned his son; *jeg gør det ikke,* **at** *du ved det!* I tell you I won't do it! ~ *besked om* be informed of, know about; *få at* ~ learn, get to know, hear, be told; *jeg gad* ~ I should like to know, I wonder; *ved du hvad?* I'll tell you what; I say! *nej, ved De hvad!* really now! that's a bit thick! *(= vist ikke nej!)* oh dear, no! *og jeg ved ikke hvad (efter en opregning)* and what not *(fx* diamonds and rubies and what not); *hvad ved jeg! (ɔ: det må du ikke spørge mig om)* search me! ask me another! I couldn't tell; how should I know; *hvem ved?* who knows? *det er ikke godt at* ~, *man kan ikke* ~ there is no knowing, one never knows; *jeg ved det ikke* I don't know; *man kan jo aldrig* ~ you never can tell; *lade én* ~ let sby know, inform sby, *(om bebrejdelse)* give sby to understand *(at:* that); *jeg ved med mig selv at* I know that, I am conscious that; *den mand du ved nok som . .* you know, the man who . .; ~ *om* know of *(el.* about); *være -nde om* know of, be aware of; ~ *sig sikker* know that one is safe; *han ved sig aldrig sikker* he never feels safe; *hverken* ~ *ud eller ind* be at one's wits' end, be quite at sea; *så vidt jeg ved, se vidt; man vil* ~ *at (ɔ: det hedder sig)* it is said *(el.* reported) that; *andre ville* ~ *at* others would have it that; *som man vil* ~ as is well known.
II. vide *vb:* ~ *ud* widen, *(handsker, sko)* stretch; ~ *sig ud* widen, expand.
vide|begær *(et), se -begærlighed.* **-begærlig** *adj* curious, eager to learn, inquiring. **-begærlighed**

(en) curiosity, thirst for knowledge, an inquiring mind.
I. viden *(en)* knowledge.
II. viden *adv:* ~ *om* far (and wide).
vidende *(et)* knowledge; *med fuldt* ~ deliberately; *med mit* ~ *og vilje* with my knowledge and consent; *mod bedre* ~ in spite of his (,her, etc) knowledge to the contrary; *handle mod bedre* ~ act in bad faith; *uden mit* ~ without my knowledge.
viden|skab *(en -er) (især naturvidenskab)* science, *(specielt åndsvidenskab)* branch of scholarship; *de humanistiske -er* the humanities; *-ernes selskab (i England)* the Royal Society,' *(i Danmark)* the Royal Danish Society of Sciences and Letters. **-skabelig** *adj (især natur-)* scientific, *(ånds-)* scholarly; *adv* scientifically; in a scholarly way. **-skabelighed** *(en)* scientific (,scholarly) character *(el.* spirit). **-skabsmand** scientist; scholar.
videre *(komparativ af vid, vidt) adj (mere rummelig)* wider, ampler; *(yderligere)* further *(fx* delay, explanation); *adv (længere frem, ind, etc)* farther, further *(fx* I can go no farther); *(ved verber for at udtrykke fortsættelse)* on *(fx* drive on, go on, march on), go on *(el.* keep on, continue) **-ing** *(fx* he went on *(el.* kept on *el.* continued) working); *(meget, synderlig, i nægtende udtryk)* very *(fx* it is not very pleasant), over- *(fx* he was not over-pleased); ~*!* *(= fortsæt!)* go on!
i ~ *betydning* in a wider sense; ~ *frem* on, on-ward; *føre* ~ carry on; *give* ~ pass on; *gå* ~ walk on, proceed (further), *(fortsætte)* go on, proceed; *lade gå* ~ pass on; *lad det ikke gå* ~*! (ɔ: fortæl det ikke til nogen!)* let it go no further! *indtil* ~ until further notice, for the present, so far; *komme* ~ get on, make headway, *(blive fortalt til andre)* go further; *læse* ~ read on, *(studere)* go (on) to a university (etc), study; *med* ~ et cetera, and so on; *noget* ~ *(= meget)* much *(fx* do you see much of one another?); *ikke noget* ~ not much, nothing much *(fx* there is nothing much the matter with him; there is not much to be seen here); *sige det* ~ pass it on; *ministeren sagde* ~ *at* the minister went on to say that; *sælge* ~ resell, sell again; *og så* ~ and so on, et cetera, etc; *og så* ~ *og så* ~ and so on and so forth; *uden* ~ without any further ceremony, as a matter of course, T just like that; *(straks)* at once; *de blev skudt uden* ~ *(ogs)* they were shot out of hand; *var der* ~*?* anything else (I can do for you, sir?)
videre|befordre, *se -sende.* **-forhandler** *(en -e)* reseller. **-forhandling** *(en -er) (= videresalg)* resale. **-forsendelse** reforwarding. **-føre ★** continue, carry on. **-give** pass on. **-gående** *adj* further, more extensive; ~ *studier* more advanced studies. **-kommen** *adj* advanced; *for -komne* for advanced students. **-sende ★** (re-)forward, send on; *(med skib)* transship. **-sælge** resell.
viderværdigheder *(pl)* troubles.
videst *(superlativ af vid)* widest; *(af vidt)* farthest, most widely; *i -e forstand* in the widest sense; ~ *muligt* as far as possible.
vidje *(en -r)* withe, osier. **vidjefletning** wicker-work.
I. vidne *(et -r) (person)* witness; *(edfæstet, mundtligt)* witness, *(skriftligt ogs)* deponent; *afhøre -r* take evidence, examine *(el.* question) witnesses; *bære* ~ *om* bear witness to *(el.* of); *føre -r* call *(el.* produce) witnesses; *føre ham som* ~ put him in the box, *(amr)* put him on the stand; *det har han -r på* he can produce witnesses to that; *indkalde én som* ~ summon(s) sby as a witness, subpoena sby; *kalde til* ~ call to witness *(på at:* that); *møde som* ~ appear as witness, go in the box, *(amr)* take the stand; *være* ~ *til* witness, be a witness of, see, be present at.
II. vidne *vb (i retten)* give evidence, *(under ed)* depose; ~ *om* bear witness to, testify to, show, indicate.
vidne|afhøring examination of witnesses. **-fast** *adj* proved by evidence. **-forklaring** evidence, *(især*

skriftlig) deposition. **-førsel** *(en)* calling (,examination) of witnesses. **-godtgørelse** compensation to witnesses; *(især rejsepenge)* conduct money. **-pligt** duty of giving evidence.»

vidnesbyrd *(et -) (udsagn)* testimony; *(jur)* evidence, *(tegn, bevis ogs)* mark, proof; *(attest)* testimonial, certificate, attestation; *(fra skolen)* report; *aflægge ~ om* bear testimony to, testify to; *bære ~ om, se II vidne (om).*

vidne|skranke witness box, *(amr)* witness stand. **-udsagn** evidence, *(især skriftligt)* deposition.

vidst, vidste *perf part og imperf af vide.*

vidsyn farsightedness.

vidt *adv* far, wide, *(fig)* widely *(fx* differ widely); *~ og bredt* far and wide, *(vidtløftigt)* at great length; *tale ~ og bredt om* expatiate on, enlarge on; *bringe det ~* be successful, go far; *~ forskellig* widely different; *være ~ forskellige* differ widely; *det ville føre for ~* that would carry *(el.* take) us too far; *gå for ~* go too far, overstep the mark; *så er vi lige ~* then we are back again where we started; *for så ~* as far as it goes, in a way; so far; *for så ~ (som)* in so far as, *(o: forudsat)* provided that; *hvor ~* how far, *(= om)* whether; *så ~ jeg husker* as far as I remember; *ikke så ~ jeg husker* not that I remember; *så ~ jeg ved* for all I know, as far as I know; *ikke så ~ jeg ved* not that I know (of).

vidt|berejst widely travelled. **-berømt** far -famed. **-forgrenet** widely ramified, extensive. **-gående** extensive *(fx* preparations); *(alt for ~)* excessive.

vidtløftig *adj (omstændelig)* circumstantial, detailed, diffuse, long-winded, copious; *(udsvævende)* dissipated. **vidtløftighed** *(en)* circumstantiality, diffuseness; *-er (udsvævelser)* escapades; dissipation.

vidt|rækkende *adj* far-reaching. **-skuende** *adj* far-seeing. **-spændende** *adj* far-reaching, comprehensive. **-strakt** *adj* extensive, far-flung.

vidunder *(et -e)* wonder, prodigy. **vidunder|barn** infant prodigy. **-land** wonderland.

vidunderlig *adj* wonderful, marvellous; *adv* -ly.

vie *vb (indvie)* consecrate, dedicate; *(ægtevie)* marry; *~ til (fig)* dedicate to, devote to *(fx* dedicate one's life to God, to work; devote one's life to art; devote one's efforts to sth); *~ en til præst* ordain sby; *~ sig til* devote oneself to, give oneself up to.

vielse *(en -r)* wedding (ceremony), marriage; *borgerlig ~* civil marriage, registry office wedding. **vielses|attest** marriage certificate. **-ring** wedding ring. **-ritual** marriage ritual; *(i kirke)* m. service.

Wien Vienna. **wiener** *(en -e)* Viennese.

wiener|barn Viennese child. **-brød** *(kaldes i Engl:)* Danish pastry. **-inde** *(en -r)* Viennese (lady). **-kongressen** the Congress of Vienna. **-læg** box pleat. **-pølse** *(en -r) (omtr =)* frankfurter. **-schnitzel** *(en -er)* Wiener schnitzel. **-stige** *(en -r)* trestle ladder. **-vals** Viennese waltz. **-vogn** *(omtr =)* landau.

Vietnam Vietnam. **vietnameser** *(en -e)*, **vietnam(esi)sk** *adj* Vietnamese.

vievand holy water. **vievands|kar** aspersorium; holy water stoup. **-kost** aspergillum.

I. **vifte** *(en -r)* fan.

II. **vifte** *vb* wave, flutter; *(om vind)* blow gently; *(m vifte)* fan; *~ én af (fig)* snub sby, *(ryste af)* brush sby off; *~ med hånden* wave one's hand; *~ med et lommetørklæde* wave a handkerchief; *~ sig* fan oneself; *~ en flue væk* whisk a fly away.

vifte|formet *adj* fan-shaped; *brede sig ~ ud* fan out. **-palme** fan palm.

vig *(en -e)* creek, cove.

vige *(veg, veget)* yield, give way *(for:* to); *han veg ikke af stedet* he did not budge; *~ for* give way to, make way for, *(blive erstattet af)* be superseded by; *~ for fjenden* retreat before the enemy; *han veg ikke fra hende(s side)* he did not leave her (side); *vig bort, Satan!* get thee hence, Satan! *~ sit sæde* resign one's seat; *~ tilbage* draw back, recede, retreat,

(m frygt) shrink, *(m afsky)* recoil *(for:* from); *han -r ikke tilbage for noget* he sticks at nothing; he stops at nothing.

vigende *adj (biologisk)* recessive; *~ tendens (merk)* declining tendency. **vige|pligt** [duty to give way to approaching traffic]; *A har ~ for B* B has the right of way over A. **-spor** side-track, siding.

Wight *(øen)* the Isle of Wight.

vignet *(en -ter)* vignette.

vigte: *~ sig* give oneself airs, show off, put on side, throw one's weight about; *~ sig med* show off, sport, parade *(fx* p. one's jewels).

vigtig *adj (betydningsfuld)* important, of importance, momentous; *(indbildsk)* conceited, stuck-up, self-important; *det -ste* the most important thing, what is most important; *gøre sig ~* show off.

vigtighed *(en)* importance, consequence, moment; *(indbildskhed)* conceit, self-importance, *af største ~* of the greatest *(el.* of vital) importance, momentous.

vigtigper *(en)* stuck-up fellow, *(skolesprog)* swankpot.

wigwam *(en, -mer el. -s)* wigwam.

vigør *(en): i fuld ~* in good form; *ikke i ~* out of form, not in form, off colour.

viis *adj (viist, pl vise)* wise, sage; *de vises sten* the philosophers' stone.

vikar *(en -er)* substitute, deputy, *(især for læge el. præst)* locum (tenens); *(lærer)* substitute, supply teacher. **vikariat** *(et -er)* deputyship, locum-tenency; *han fik et ~* he got a job as a substitute. **vikariere** *vb* act as a substitute, substitute, deputize *(for:* for).

viking *(en -er)* viking; *(vinterbader)* winter swimmer. **vikinge|færd** viking-raid, viking expedition. **-skib** viking ship. **-tiden** the viking period. **-tog** = -færd.

vikke *(en -r)* 🝘 vetch

vikkel *(en, vikler)* bunch *(el.* core) of a cigar.

vikle *vb* wrap, twist; *~ ind i papir* wrap up in paper; *~ sig ind i selvmodsigelser* get tied up in contradictions; *~ tråden op om ngt* wind the thread round *(el.* on) sth; *hun kan ~ ham om sin lillefinger* she can twist him round her (little) finger; *~ sammen* roll up, wrap up; *~ sig om noget* twist itself round sth; *~ sig ud* extricate oneself *(af:* from).

viklers *pl* puttees.

vikse *vb* wax.

viktoriansk *adj* Victorian.

viktualie|forretning, -handel delicatessen shop. **-handler** *(en -e)* man who keeps a delicatessen shop; *(omtr =)* pork butcher. **-kælder** larder.

vil *præs af ville.*

vild *adj* wild; *(uciviliseret)* savage *(fx* tribes); *(grum)* fierce, ferocious, savage; *~ af raseri* wild *(el.* mad) with rage; *-e (mennesker)* savages; *-e dyr* wild animals, *(løver, tigre etc)* wild beasts; *fare ~* lose one's way; *ikke i min -este fantasi* not even in my wildest dreams; *~ flugt* 🜉 rout; *i ~ flugt* in a mad scramble, in full flight; *lede ~* lead astray, mislead; *et -t liv* a dissolute life; *være ~ efter (el. med)* be mad about *(el.* after el. for el. on), be crazy about.

vild|and *zo* wild duck, mallard. **-basse** madcap, daredevil. **-dyr** wild beast.

vildelse *(en)* deliriousness, delirium; *han taler i ~* he is delirious, his mind is wandering.

vildfarelse *(en -r)* error, delusion; *svæve i ~* be under a delusion; *bringe ud af -n* undeceive.

vildfarende *adj (om dyr)* stray; *(moralsk)* erring *(fx* his erring daughter).

vild|fremmed quite strange; *en ~* a complete stranger. **-gås** *(grågås)* grey lag goose. **-kat** *zo* wild cat; *(fig)* romp, tomboy. **-lede ✱** mislead, misguide. **-ledende** *adj* misleading. **-mand** savage; *(fig)* a mare's nest. **-mandsskæg** hirsute beard. **-mark** wilderness.

vildnis *(et) (uigennemtrængeligt krat)* tangle *(fx* the garden was a tangle of ugly trees); *(vildmark)* wilderness; *(fig)* jungle-growth *(fx* the jungle -growth of legal procedure), chaos.

vildrede: *i ~ (rådvild)* puzzled, all at sea, at a loss *(fx* I am at a loss what to do); *(i uorden)* in disorder, in a tangle; *bringe ngt i ~* mess sth up; *komme i ~ (o: i uorden)* get tangled up, get messed up, *(blive rådvild)* get confused.

vild|skab *(en)* wildness, savagery. **-skud** ♃ sucker; *(fig)* aberration. **-som** *adj* pathless, trackless *(fx* forest). **-spor:** *på ~* on a false scent, on a wrong track; *bringe på ~* throw off the scent; *være på ~ (ogs)* be barking up the wrong tree. **-svin** *zo* wild boar.

vildt *(et)* game; *(dyrekød)* venison; *20 stykker ~* 20 head of game; *et ædelt ~* a noble quarry.

vildt|handler *(en -e)* game dealer. **-skind** deer skin. **-smag** flavour of game; *som har ~* gamy. **-tyv** poacher. **-tyveri** poaching. **-voksende** (growing) wild.

wildwestfilm western.

vildvin ♃ Virginia creeper.

Vilhelm William; *~ Erobreren* William the Conqueror.

vilje *(en -r)* will; *(i filosofi ogs)* volition; *af egen fri ~* of one's own free will; *få sin ~* have one's own way, have one's will; *det har man for sin gode ~* that's what comes of trying to help people; *Guds ~ ske* God's will be done; *med ~* on purpose, purposely; *ikke med min gode ~* not if I can help it; *han gjorde det ikke af ond ~* he meant no harm; *mod sin ~* against one's will, in spite of oneself, involuntarily; *hans sidste ~* his last will and testament; *sætte sin ~ igennem* carry one's point; *uden min ~* without my consent.

vilje|fast determined, strong-willed, firm. **-kraft** willpower. **-løs** *adj* weak-willed, unresisting; *et -t bytte for* a helpless prey to; *et -t redskab for* a passive tool in the hands of. **-løshed** *(en)* lack of willpower.

viljesag: *det er en ~* it is a question of will.

viljesanspændelse effort of will.

vilje|styrke willpower. **-stærk** *adj* strong-willed. **-svag** *adj* weak-willed.

vilkår *(et -) (betingelse)* condition; *pl* conditions, terms, *(omstændigheder)* circumstances; *på disse ~* on these conditions *(el.* terms); *på lige ~* on equal terms; *ikke på ~!* T certainly not, I should think not! no fear! not likely!

vilkårlig *adj (fremgået af frit valg)* arbitrary *(fx* choice); *(egenmægtig)* high-handed, arbitrary, despotic, overbearing; *(lunefuld)* capricious, whimsical; *(tilfældig)* haphazard; *(hvilken som helst)* any *(fx* point, number); *en linie der går igennem tre -e punkter* a line passing through three arbitrary points. **vilkårlighed** *(en -er) (se vilkårlig)* arbitrariness; high -handedness; capriciousness; haphazardness.

villa *(en -er)* house; *(især større)* villa; *(mindre)* cottage. **villaby** garden city.

ville *(vil, ville, villet) vb*
a) *(hjælpeverbum til at betegne ren fremtid) vil (1. person)* shall, *(2 & 3. person)* will; *ville (imperf) (1. person)* should, *(2. & 3. person)* would; *han vil snart være her* he'll soon be here; *de ville (imperf) komme* they would come;
b) *(vilje, forsæt, hensigt) vil* will; *ville (imperf)* would; *jeg vil gå hen og besøge ham* I'll go and see him; *jeg vil ikke gå* I will not go, I won't go; *farven vil ikke gå af* the colour won't come off; *han vil til England (,hjem)* he intends to go *(el.* he wants to go *el.* he is going) to England *(,home); hvor vil han hen?* where is he going? *(fig)* what is he driving at? *vil du dermed sige at?* do you mean to say that? *jeg tror du vil!* the idea of (such a thing)! *man kan hvad man vil* where there's a will there's a way; *han vil af* he wants to get off; *han vil af med den* he wants to get rid of it; *han ~ ikke af med bogen* he would not part with the book; *jeg vil ikke have det!* I won't have it! *han vil til at gå* he is about to go; *uden at ~ det* unintentionally;

c) *(højtideligt sprog)* will; *som Gud vil* as God wills; *han ville det anderledes* he willed otherwise;
d) *(ønske)* want (to), wish (to); *han har -t hjælpe* he has wanted to help; *hvad vil du?* what do you want? *hvad vil du mig?* what do you want of me? *hvad vil du med det?* what do you want it for? *vil du have at jeg skal gå?* do you want me to go? *han vil mig vel* he wishes me well; *jeg vil(le) gerne* I should like to, I want to; *jeg vil gerne have en blyant* may I please have a pencil? a pencil, please; *jeg vil så gerne rejse* I do want to go; *jeg vil hellere* I would rather; *vil du med?* are you coming too? *jeg ~ ønske at* I wish that; *som du vil* as you please *(el.* like); *gør som I vil (ofte let irriteret)* please yourselves;
e) *(villighed)* be willing (to); *jeg vil gerne komme* I am willing to come; *vil du ikke nok svare?* won't you answer? *vil du være så god at gå* please go; *enten han vil eller ej* whether he wants to or not, whether he likes it or not; *(se ogs (b));*
f) *(mulighed) lad det være, hvad det være vil* let it be as it may; *ske hvad der vil* come what may.

I. **villet** *perf af ville.*

II. **villet** *adj* deliberate, studied *(fx* impertinence).

villig *adj* willing, ready; *lad det gå lidt -t!* be quick! T get a move on! *jeg skal -t indrømme at* I don't mind admitting that. **villighed** *(en)* willingness, readiness; *(tjeneste)* good turn.

vilter *adj* giddy, wild; *viltre lokker* straying *(el.* rebellious) curls, unruly locks.

vimpel *(en, vimpler)* streamer; ⚓ pennant.

vimre *vb:* *hunden -de med halen* the dog waggled its tail.

vims *adj* nimble, quick, active.

vimse *vb* bustle, fuss; *~ om* bustle about; scuttle about.

vin *(en -e)* wine; ♃ vine. **vin|avler** *(en -e)* wine grower. **-bjerg** vineyard. **-bjergsnegl** *zo* edible snail.

I. **vind** *(en -e)* wind; *-e (tarmluft)* wind, flatus; *blæser -en fra den kant? (fig)* so that's the way the wind is blowing? *mærke hvad vej -en blæser (fig)* find out which way the wind blows; *-en bærer mod land* the wind is inshore; *for -en* ⚓ before the wind; *sprede for alle ~* scatter to the four winds; *hun løber altid med en halv ~ (fig)* she always gets hold of the wrong end of the stick; *få ~ i sejlene* catch the wind, *(fig)* prosper, have success; *give bevægelsen ~ i sejlene* give an impetus to the movement; *-en går om i nord* the wind is shifting to the north; *han havde -en i ryggen* the wind was behind him; *være i -en* be highly popular, be the hero of the day; *med -ens hast* swift as the wind; *slippe en ~* break wind; *dreje til -en* ⚓ haul the wind; *det tog -en ud af hans sejl* it took the wind out of his sails.

II. **vind** *adj (skæv)* warped.

vind|blæst *adj* wind-swept. **-byge** squall. **-bøjtel** *(en, -bøjtler)* windbag. **-drejning** shift of the wind.

I. **vinde** *(en -r) (hejseværk)* windlass, winch; *(garnvinde)* reel.

II. **vinde** *(vandt, vundet)* win *(fx* a prize, a battle, a war, a race, friends, sby's heart); *(opnå, især ved anstrengelse)* win, gain; *(sejre)* win, be victorious *(over:* over); *(spare)* gain, save; *~ bifald* win ,*(el.* meet with) approval; *~ frem* advance, make progress; *~ ham for sin sag (el. for sig)* win him over; *~ i kortspil* win at cards; *~ i lotteriet* win a prize in the lottery; *~ i tipning* win (on) the pools; *~ ind på én* gain upon sby; *~ 'med* keep up with the others; *han har vundet sin sag* he has won his case; *han har intet at ~ i denne sag* he has nothing to gain in the matter; *~ sejr* gain the victory, be victorious, *(fig)* triumph *(over:* over); *for at ~ tid* to gain time; *søge at ~ tid* play for time; *mit ur -r* my watch gains; *det er der intet vundet ved* there is nothing to be gained by that, T that does not get us anywhere; *han -r ved nærmere bekendtskab* he improves on acquaintance; *(se ogs vindende).*

III. **vinde** *(vandt, vundet) (sno, vikle)* wind.
vindebro drawbridge.
vindeltrappe winding *(el. spiral)* stairs.
vindende *adj* winning; *(fig ogs)* prepossessing, engaging; *have et ~ væsen* have winning manners.
vinder *(en -e)* winner.
vind|fang *(skærm)* windscreen; *(arkit)* porch, tambour; *(i ærme)* storm cuff. **-fløj** *(weather)* vane. **-fælde** *(en -r)* windfall.
I. **vinding** *(en) (indtægt)* gain, profit; *for ussel -s skyld* for the sake of filthy lucre.
II. **vinding** *(en -er) (snoning)* winding; *(af spiral, tråd etc)* turn; *(hjerne-)* convolution; *(i skrue)* thread.
vind|jakke wind jacket, windcheater. **-motor** windmill, wind wheel. **-mølle** windmill. **-måler** anemometer. **-pose** *(en -r) (vindretningsviser)* wind sock. **-pust** breath of air, puff. **-retning** direction of (the) wind. **-rose** *(kompasrose)* compass card; *(meteorologisk)* wind rose.
vindrue grape. **vindrueklase** bunch of grapes.
vinds|el *(et -ler) (af pap)* card; *(trisse)* reel; *et ~ garn* a card of wool.
vind|side ⊕ windward (side). **-skede** barge board.
vindskibelig *adj* industrious, thrifty. **vindskibelighed** *(en)* industry, thrift.
vind|skærm = *-spejl.* **-skæv** wry, *(om træ)* warped, *(mat.)* skew. **-spejl** windscreen, *(amr)* windshield. **-spejlsvasker** windscreen (*, amr:* windshield) washer. **-spejlsvisker** windscreen (*, amr:* windshield) wiper. **-stille** calm. **-styrke** wind force, force of the wind; *~ 10 (etc)* force 10 (etc). **-stød** gust of wind. **-tæt** wind-tight. **-tør** very dry, parched, shrivelled, wizened. **-tørret** air-dried.
vindue *(et -r)* window; *(sidehængt)* casement (window); *(til at skyde op)* sash (window); *for åbne -r* with the windows open; *ud af -et* out of the window.
vindues|belysning shop-window lighting. **-dekoration** window dressing. **-fordybning** window recess. **-glas** window glass; *(fx til butiksruder)* plate glass. **-karm** window frame; *(den nederste side deraf)* window sill; *i -en* on the window sill. **-kasse** *(m blomster)* windowbox. **-kigger** peeping Tom. **-konvolut, -kuvert** window envelope. **-plads** window seat. **-polerer, -pudser** *(en -e)* window cleaner. **-ramme** *(omkring hele vinduet)* window frame; *(om sidehængt vindue)* casement, *(om skydevindue)* sash. **-rude** window pane. **-skilt** *(merk)* showcard. **-sprosse** crossbar. **-udstilling** window display. **-visker** *(en -e)* windscreen (*,amr:* windshield) wiper
vindæg *(et -)* wind egg. **vindøjet** *adj* squint-eyed.
vin|fad wine cask. **-flaske** wine bottle.
wing *(en -s) (i sport)* wing; *højre (,venstre) ~ right (,*left) wing.
vinge *(en -r)* wing; *(på vindmølle)* arm, whip; *(propel- etc)* blade; *(signal-)* arm; *(pa bil: -afviser)* direction indicator, trafficator; *slå -n ind (på bil)* drop *(el.* lower) the indicator; *fuglen slog med -rne* the bird flapped its wings; *gå på -rne (om flyver)* take off; *slå -n ud (på bil)* put the indicator out; *tage en under sine -r (fig)* take sby under one's wing.
vinge|ben: *tage ham ved -et* take him by the scruff of the neck, collar him. **-fang** wing span. **-skudt** *adj* winged. **-slag** stroke of the wing(s). **-spids** *(en -er)* wing tip. **-sus** the whirr of wings.
vinget *adj* winged.
vin|glas wineglass. **-gud** god of wine. **-gummi** wine gum; fruit gum. **-gård** vineyard. **-handel** wine trade; *(butik)* wine shop. **-handler** *(en -e)* wine merchant. **-høst** vintage.
vink *(et -)* sign, signal; *(antydning)* hint, intimation, suggestion; *følge et ~* take a hint; *lade et ~ falde* drop a hint; *han er parat til at lystre mit mindste ~* he is at my beck and call.
vinke *vb (for at hidkalde)* motion, beckon; *(til hilsen)* wave one's hand; *~ ad én* beckon sby; *jeg -de*

med hånden til dem I waved my hand to them; *der er -t af* T nothing doing.
vink|el *(en -er)* angle; *(redskab)* square; *ret (,spids, stump) ~* right (, acute, obtuse) angle; *den er i ~* T that's O.K.; *i ret ~ med* at right angles to.
vinkel|ben side of an angle. **-formet** *adj* angular; L-shaped. **-hage** *(typ)* composing-stick. **-jern** angle iron. **-måler** protractor. **-ret** *adj: nedfælde (, oprejse) den -te på en linie* drop (,raise) the perpendicular on a line; *~ på* at right angles to. **-skriver** *(glds)* pettifogger; *(amr)* shyster. **-stue** L-shaped room.
vin|kender connoisseur of wine. **-kort** wine list. **-kyper** *(en -e)* cellarman, *(tjener)* wine waiter. **-kælder** wine cellar. **-køler** wine cooler. **-lager** stock of wines. **-land** wine country. **-løv** vine leaves. **-ranke** *(en -r)* vine. **-smag** winy *(el.* vinous) taste. **-sten** tartar; *renset ~* cream of tartar. **-stok** vine. **-stue** *(omtr =)* wine bar. **-syre** tartaric acid. **-tapper** *(en -e)* tapster.
vinter *(en, vintre)* winter; *i ~* this winter; *om -en* in *(el.* during the) winter; *til ~* next winter.
vinter|aften winter evening. **-bolig** winter residence *(etc, se bolig).* **-brug:** *til ~* for use in (the) winter, *(om tøj etc)* for winter wear. **-dag** winter day, winter's day. **-dvale** *(en)* hibernation; *ligge i ~* hibernate. **-forråd** winter supply. **-frakke** winter coat. **-grøn** *(en)* ⊕ wintergreen. **-gæk** ⊕ snowdrop. **-have** winter garden, conservatory. **-havn** winter harbour. **-hi** winter lair; *gå (,ligge) i ~* hibernate. **-kulde** winter cold, cold of winter. **-kvarter** winter quarters. **-landskab** wintry scene.
vinterlig *adj* wintry.
vinter|nat winter night. **-solhverv** winter solstice. **-sport** winter sport(s). **-sæd** ⊕ winter corn, winter crop(s). **-sæson** winter season. **-søvn** winter sleep, hibernation. **-tid** winter time. **-tøj** winter clothing. **-vej:** *vise én -vejen* send sby about his business. **-vejr** wintry weather. **-æble** winter apple.
vinånd spirit of wine.
viol *(en -er)* ⊕ violet; *en bly ~ (fig)* a shrinking violet, a timid snowdrop. **viol|blå** *adj* violet. **-duft** smell of violets.
violet *adj (blålig ~)* violet; *(rødlig ~)* purple.
violin *(en -er)* violin, T fiddle; *første (,anden) ~* first (,second) violin; *spille anden ~ (fig)* play second fiddle.
violin|bue violin bow. **-bygger** *(en -e)* violin maker. **-hals** neck of a violin.
violinist *(en -er)* violinist.
violin|kasse violin case. **-nøgle** violin clef. **-spiller** *(en -e)* violinist. **-stol** bridge of a violin.
-virtuos *(en -er)* virtuoso on the violin.
violoncel *(en -ler)* violoncello, 'cello.
violoncellist *(en -er)* violoncellist, 'cellist.
I. **vippe** *(en -r) (til leg)* seesaw; *(til udspring)* springboard, diving-board; *(aks)* ear; *han står lige på -n* it is touch and go with him, he is trembling in the balance.
II. **vippe** *vb (lege m en vippe)* seesaw; *(~ op og ned)* bob up and down, rock, *(m objekt)* rock; *(om skib)* roll, toss; *(tippe)* tip, tilt *(fx* tilt one's chair back); *fuglen -de med halen* the bird wagged its tail; *~ over til siden* tip, tilt.
vippe|arm rocker arm. **-brønd** well with a sweep. **-lad** *(et -)* dump body; *vogn med ~* dumping waggon, tipper, *(amr)* dump truck. **-vindue** pivot window.
vips! hey presto! pop!
vipstjært *(en -er) zo* wagtail.
virak *(en)* frankincense; *(fig)* incense, homage *(fx* the homage he received on his birthday).
vire, wire *(en -r)* wire.
viril *adj* virile.
I. **virke** *(et)* work, activity, activities, efforts *(pl).*
II. **virke** *vb* act, work, *(ogs om lægemidler)* operate; *(gøre virkning ogs)* have (its) effect, be effective, tell *(fx* the propaganda is beginning to tell); *(synes)*

look, seem (fx small, tired); ~ skadeligt (,gavnligt) have a harmful (,beneficial) effect; bremsen -de ikke the brake failed (to act); ~ pd act on, influence, affect; ~ som læge act (el. work) as a doctor, be a doctor; ~ tilbage på react on; (se ogs virkende).

virke|evne (en) efficacy. -felt (et -er) field of activity, sphere of operation, province. -kraft power of action, active power. -kreds sphere of action.

I. virkelig adj real, actual; (ikke af navn, men af gavn) virtual (fx he is the virtual head of the school); det -e liv real life.

II. virkelig adv really, actually, indeed, in fact; ~? really? han kom ~ he did come; hun havde vist sig som hun ~ var she had shown herself as she really was (el. in her true colours).

virkelig|gøre realize. -gørelse (en) realization.

virkelighed (en) reality; i -en (i det virkelige liv) in real life, (mods tilsyneladende) actually, in reality, in fact; blive til ~ be realized, become a reality, materialize, (gå i opfyldelse) come true; gøre til ~ realize.

virkeligheds|fjern detached from reality, unrealistic, starry-eyed (fx idealists). -flugt escape (from reality); (som begreb) escapism. -præg (stamp of) reality. -sans realism. -tro adj realistic.

virke|lyst (en) energy, enterprise. -lysten adj energetic, enterprising. -middel agent, means; et ~ an agent, a means; kunstneriske -midler artistic effects; poetisk ~ poetic device. -måde mode of operation.

virken (en) activities (pl), working.

virkende adj active; kraftigt ~ very effective, strong; langsomt ~ slow(-acting).

virketrang (en) urge for action.

virkning (en -er) effect; gøre ~ have an effect, tell; have den ønskede ~ have the desired effect. virknings|fuld effective, effectual, efficient, telling. -grad efficiency. -løs of no effect, ineffective, ineffectual.

virksom adj (ogs om vulkan) active; (om læge-middel) efficacious, effectual; tage ~ del i take an active part in.

virksomhed (en -er) activity; (arbejde, virken) activities (pl) (fx un-American activities), work; (bestræbelser) efforts; (funktion) action; (gerning) profession, trade, occupation; (handels-) concern, business; (foretagende) concern, undertaking, establishment; (fabrik) works, factory; i (fuld) ~ in (full) action; træde i ~ commence operations, (ɔ: i kraft) come into force; sætte ud af ~ put out of action, (en bestemmelse etc) suspend; vulkansk ~ volcanic activity.

virre: ~ med hovedet shake one's head.

I. virtuos (en -er) virtuoso.

II. virtuos adj = virtuosmæssig.

virtuositet (en) virtuosity, eminent skill.

virtuosmæssig adj brilliant; adv brilliantly, with virtuosity.

virulens (en) virulence. virulent adj virulent.

virus (et, pl vira el. virus) virus.

virussygdom virus disease.

virvar (et) confusion, mess, chaos.

I. vis (en) (måde) way, manner; på sin ~ in his (,her, etc) own way, (på en måde) in a way.

II. vis adj (klog) se viis.

III. vis adj (sikker) certain, sure; den -se død certain death; en ~ dr. N a (certain) Dr N, one Dr N; -se folk certain (el. some) people; til en ~ grad to some (el. a certain) extent; være ~ i sin sag be quite sure; en ~ interesse some interest; en ~ mand (om fanden) Old Harry, Old Nick; på en ~ måde in some ways (el. respects); være ~ på be certain (el. sure) of; med en ~ ret with some justice; et -t sted the toilet, the w.c.; i -se tilfælde in some (el. certain) cases; det er ganske -t it's perfectly true; det er både -t og sandt it is absolutely certain, how right you are! (se ogs vist).

vis-à-vis vis-à-vis, facing one another.

visdom (en) wisdom. visdoms|ord word of wisdom. -tand wisdom tooth.

I. vise (en -r) song, (mere litterært) ditty, (folke-, gade-) ballad; den gamle ~ (fig) the same old story; han forstår en halvkvædet ~ he can take a hint; den ~ kender jeg I've heard that story before.

II. vise ★ show (fx show me the book (,the way); show sby how to write; show one's ticket; he showed me kindness; show mercy (,joy, anger); this shows how false the tale was); (angive) indicate; (bevise) demonstrate, prove, show; (lægge for dagen) show, give proof of, display, exhibit; (pege) point; ~ én døren show sby the door; ~ flaget show the flag; termometret -r 10° the thermometer indicates (el. registers el. stands at) 10°; tiden vil ~ det time will show; ~ én en tjeneste do sby a service (el. a favour); uret viste 9 the clock stood at (el. pointed to) 9; ~ vand dowse;

[m præg & adv:] ~ af (i trafikken) signal; ~ ham af turn him off; ~ fra sig (tilbud) decline, (tanke) dismiss; ~ frem show, exhibit, (pralende) parade; ~ hen til refer to; ~ én ind show sby in; ~ en rundt (el. om) i huset show (el. take) sby over the house; ~ én til rette show sby his way about, (irettesætte) reprimand sby; ~ et angreb tilbage repel an attack; ~ tilbage til (gram) refer to; ~ én ud (følge til dørs) show sby out, (smide ud) turn sby out, expel sby (fx from the country); ~ træer ud (forst) mark (el. blaze) trees for cutting;

~ sig (komme til syne) appear, show, (om person ogs) make one's appearance, show oneself, (indfinde sig) turn up; (vigte sig) show off; det -r sig at it appears that, it turns out that; ~ sig at være prove (to be), turn out (to be); det vil ~ sig we shall see, it remains to be seen; ~ sig for én appear to sby; han viste sig som en sand ven he proved (himself) a true friend.

visedigter (en) song writer, writer of popular lyrics.

viselig adv wisely.

viser (en -e) (på instrument) pointer, needle, (på ur) hand; den store ~ the minute hand; den lille ~ the hour hand.

visér (et -er) (sigteredskab) back sight; indstille -et set the sight.

visere vb visa (fx a passport). visering (en) visaing.

visesanger singer.

vished (en) certainty; vide med ~ know for certain; få ~ om ascertain; skaffe sig ~ make sure (om: of, om at: that); en til ~ grænsende sandsynlighed a probability amounting almost to certainty, a moral certainty.

visibel adj: jeg er ikke ~ I cannot see anyone, I am not at home; (ikke påklædt) I am not presentable.

vision (en -er) vision. visionær adj visionary.

I. visir (et -er) (på hjelm) visor; med åbent ~ with the visor up.

II. visir (en -er) (minister) vizier.

visit (en -ter) call, visit; aflægge ~ call, pay a call, pay a visit; aflægge ~ hos én call on sby, pay sby a visit; fransk ~ flying visit.

visitation (en -er) search; (told-) examination; ✕ (af belægningsstuer etc) inspection.

visitator (en -er) (med.) [medical officer in charge of the distribution of patients among hospitals]; (apotek-) [inspector of dispensaries].

visitats (en -er) visitation.

visitere vb search; examine; ✕ (inspicere) inspect.

visitering (en) search; examination; ✕ inspection.

visitkort (visiting-)card. visitkort|billede (fot) carte-de-visite. -skål tray for visiting-cards.

visk (en -e) (halm-) wisp of straw.

viske vb wipe; (m viskelæder) rub; ~ en tåre bort brush a tear away; ~ ud wipe out, (m svamp) sponge out, (m viskelæder) rub out, erase; ~ ud på tavlen wipe (el. clean) the blackboard.

viskelæder (india)rubber, eraser.

visker (en -e) wiper.

viske|skjold (ved maskinskrivning etc) erasing

-shield. **-stok** ✂ cleaning-rod. **-stykke** dish towel, tea towel.

viskose *(en)* viscose. **viskositet** *(en)* viscosity.

vismand wise man, sage.

vismut *(en)* bismuth.

visne *vb* wither, *(gå ud)* die; ~ *bort (el. hen)* wither away. **visnen** *(en)* withering, dying. **visnepolitik** policy of obstruction.

I. **visse** *(en -r)* ⌘ *(farvevisse)* dyer's greenweed.

II. **visse** *(en -r) (seng)* cot, cradle; *nu skal du i -n* now you are going to bye-bye.

III. **visse**: ~ *e⋅ barn i søvn* lull a child to sleep. **visselig** *adv* assuredly.

I. **visselulle** *(en -r) se II. visse*

II. **visselulle**! lullaby! hushaby!

vissen *adj* withered *(fx flower, leaf, arm)*, dead *(fx leaf)*; *en lille ~ mand* a small wizened man.

vissengrøn *adj* faded green.

vist *adv (sikkert)* certainly; *(formodentlig)* probably, I dare say, I suppose; *ganske ~ (ofte med efterfølgende »men«)* certainly, indeed *(fx the situation is c. (el.* indeed) serious but there is still hope); *du vidste det ~ ikke* you did not know I suppose; ~ *ikke nej* by no means, certainly not; *jo ~* certainly, *(ironisk)* indeed! *se ~ på en* send sby a meaning look; look hard at sby; ~ *så!* certainly! ~ *har vi så!* of course we have! we certainly have!

vistnok *adv* I dare say, I suppose, no doubt.

visuel *adj* visual.

visum *(et)* visa.

visvas *(et)* nonsense.

vital *adj* vital. **vitalitet** *(en)* vitality.

vitamin *(et -er)* vitamin; *A ~* vitamin A. **vitaminfattig** vitamin-deficient. **-holdig** *adj* vitamin-containing. **vitaminisere** *vb* vitaminize. **vitaminmangel** vitamin deficiency. **-rig** *adj* rich in vitamins. **-tilskud** vitamin supplement.

vitriol *(en -er)* vitriol.

vits *(en -er)* joke, *(neds)* witticism.

vitterlig *adj* notorious; *adv* notoriously, obviously; *gøre ~t* proclaim, make known; *det er -t for alle at* it is notorious that. **vitterlighed**: *underskrive tit ~* witness the signature. **vitterlighedsvidne** *(et -r)* witness to the signature.

vittig *adj* witty. **vittighed** *(en -er) (egenskaben)* wit, wittiness; *(vits)* joke, witty remark, *(søgt)* witticism; *en dårlig ~* a poor *(el.* feeble) joke; *rive -er af sig* crack jokes. **vittighedsblad** humorous paper. **-tegner** cartoonist. **-tegning** cartoon.

viv *(en)* wife, spouse.

vivisekere *vb* vivisect.

vivisektion *(en)* vivisection.

vlies: *den gyldne ~* the Golden Fleece.

Vlissingen Flushing.

vod *(et -) (fiskegarn)* dragnet, seine; *fiske med ~* seine; *de trak ~ i dammen for at finde liget* they dragged the pond for the body. **voddragning** *(en)* seining; *(fx efter lig)* dragging (operations).

vodka *(en)* vodka.

Vogeserne the Vosges.

vogn *(en -e) (heste-)* carriage; *(karet)* coach; *(firhjulet arbejds-)* wagon; *(stor overdækket transport-)* van; *(blok-, lille transport-)* truck; *(tohjulet arbejds-)* cart; *(bryggervogn)* dray; *(diligence, post-)* coach; *(strids-; poet.)* chariot; *(bil)* car, *(amr)* automobile; *(hyre-)* taxi(cab), cab; *(lastbil)* lorry, truck, *(amr)* truck; *(passagervogn på jernbane)* carriage, coach, *(amr)* car; *(godsvogn)* goods wagon, truck, *(amr)* freight car; *(til bagage)* luggage van, *(amr)* baggage car; *(sporvejsvogn)* car; *heste og ~* carriage and horses; *han er ikke tabt bag af en ~* he is no fool; *there are no flies on him; *skubbe til en hældende ~ (omtr =)* hit a man when he is down.

vognbane *(på motorvej etc)* traffic lane. **-borg** corral; *(hist.)* ring of chariots. **-dæk** car deck. **-dør** carriage door. **-fading** body of a carriage. **-fjeder** carriage spring. **-fuld** *(en -e)* carriage load.

-færdsel carriage *(el.* wheeled) traffic. **-hjul** carriage (, cart etc) wheel. **-ladning** cartload. **-lygte** carriage lamp. **-læs** *se -ladning*. **-mager** *(en -e)* coach builder, carriage builder.

vognmand haulage contractor; *(med personbil)* taxicab owner; *(fragtmand)* carrier.

vognmands|forretning business as haulage contractor, business as taxicab owner; *(fragtmands-)* road delivery business. **-hest** cart horse, cab horse. **-kusk** carman, coachman.

vogn|park fleet of cars. **-port** coach house. **-rummel** rumble of carriages. **-skur** cart shed. **-smørelse** cart grease. **-stang** pole of a wagon (,carriage). **-styrer** *(en -e) (på sporvogn)* (tram)driver; *(især amr)* motorman. **-tog** procession *(el.* cortege) of cars (,carriages). **-vask** car wash(ing).

vogte *vb* watch, guard, *(kvæg)* herd; ~ *på (iagttage)* watch, *(beskytte ogs)* guard, take care of, *(gunstig lejlighed etc)* watch for; ~ *sig for* beware of, be on one's guard against; ~ *sig for at* take care not to; *vogt dig!* beware!

vogter *(en -e)* keeper; *(af kvæg)* herdsman, cowherd; *(af får)* shepherd; *(fig)* custodian, guardian. **vogterdreng** shepherd boy. **-hund** shepherd's dog.

voile *(et)* voile.

I. **vokal** *(en -er)* vowel.

II. **vokal** *adj* vocal.

vokalforandring vowel change. **vokalise** *(en -r)* vocalise, vocalizzo. **vokalisere** *vb* vocalize. **vokalisering** *(en -er)* vocalization. **vokalisk** *adj* vowel. **vokallyd** vowel sound. **-musik** vocal music.

vokativ *(en -er)* the vocative.

voks *(et)* wax; *han var som ~ i hendes hænder* he was wax in her hands; *overtrække med ~* wax, coat with wax. **voksafstøbning** wax cast. **-aftryk** wax impression. **-agtig** *adj* waxy. **-bleg** *adj* waxen, pallid. **-bønne** wax bean. **-dug** oilcloth.

I. **vokse** *vb* grow; *(tiltage)* grow, increase; *(om måne)* wax; ~ *stærkere end*, ~ *over hovedet* outgrow; ~ *én over hovedet (om arbejde etc)* get beyond one's control; ~ *fra* outgrow, grow out of *(fx* a habit, one's clothes); ~ *frem (el. op)* grow up, spring up; *lade skæg-get ~* grow a beard, let one's beard grow; *han -de med opgaven (omtr =)* he rose to the occasion; ~ *sammen* grow together, join, *(om øjenbryn)* meet, *(om sår)* heal (over), *(fig)* coalesce; ~ *sig stor* grow big; *hun har -t sig køn* she has grown into a pretty girl; ~ *til* grow, *(blive voksen)* grow up.

II. **vokse** *vb (komme voks på)* wax.

vokse|alder *(en)* growing-age. **-dygtig** *adj* capable of growth. **-kraft** *(en)* growing-power.

voksen *adj* grown up, full-grown, adult; *de voksne* the grown-ups, the adults; *blive ~* grow up; *når jeg bliver ~ (ogs)* when I am a man (,a woman); *være en opgave ~* be equal to a task.

vokse|sted habitat. **-værk** growing-pains *(pl)*. **voks|figur** wax figure. **-kabinet** waxwork show. **-kage** honeycomb. **-lys** wax candle, *(mindre)* wax taper. **-mannequin** wax dummy. **-maske** wax mask. **-papir** waxed paper. **-plade** *(til lydoptagelse)* wax disc. **-tavle** *(skrive-)* wax tablet; *(til biavl)* honeycomb. **-tråd** waxed thread.

voksværk growing-pains *(pl)*.

volant *(en -er el. -s)* flounce.

volapük *(et)* Volapük; *(fig)* gibberish; *det er det rene ~ for mig* it is double Dutch to me.

I. **vold** *(en) (magt)* power; *(voldsomhed)* violence; force; *(jur)* assault and battery; *bruge ~* use violence; *gøre ~ på* do violence to; *gøre ~ på sig selv* do violence to one's feelings; *i éns ~* in sby's power; *give sig Gud i ~* commend oneself to God; *gå pokker i ~!* go to blazes! *det ligger pokker i ~* it's miles from anywhere; *med ~* by force, forcibly; *han vil med ~ og magt have den* he is determined to get it at all costs; he must have it by hook or by crook; *øve ~ mod en* use force against sby, assault sby, *(voldtage)* rape *(el.* violate) sby, *(i avissprog)* commit an offence against sby.

II. **vold** *(en -e) (jordvold)* bank; *(langs flod etc)* embankment, *(fæstnings-)* rampart, earthwork.

volde ★ *(forårsage)* cause *(fx* sby's death, damage, difficulties, do *(fx* harm), give *(fx* trouble, pain).

voldelig *adj* forcible; forcibly, by force.

voldgift arbitration; *afgøre ved* ~ settle by arbitration; *lade afgøre ved* ~ refer *(el.* submit) to arbitration. **voldgifts|dommer** *(en -e)* arbitrator. -**domstol** *se voldgiftsret.* -**kendelse** (arbitration) award. -**mand** arbitrator. -**ret** court of arbitration.

voldgrav moat.

volds|forbrydelse crime of violence; *(voldtægt)* rape. -**forbryder** perpetrator of a crime of violence; violent criminal. -**handling** act of violence, outrage. -**herredømme** tyranny. -**mand** *(i det enkelte tilfælde)* assaulter, assailant; *(se ogs -forbryder).* -**metoder** *pl* violent means *(el.* methods), strong-arm methods.

voldsom *adj* violent *(fx* blow, collision, death, pain, temper, effort), intense *(fx* heat, hatred), vehement *(fx* desire, protest, storm, fire); *(umådelig stor)* immense. **voldsomhed** *(en)* violence, vehemence.

voldtage *vb* rape, violate. **voldtægt** *(en)* rape, violation; *øve* ~ commit rape *(mod:* upon).

wolfram *(et)* tungsten.

Volga the Volga.

voliere *(en -r)* aviary.

volontør *(en -er) (elev)* (unpaid) apprentice; *være* ~ *(om medicinsk student)* walk the wards.

volt *(en -)* *(elekt)* volt; *500* ~ 500 volts.

voltasøjle voltaic pile.

volte *(en -r) (ridning, fægtning)* volt, *(i kortkunster)* pass, volta, *(kovending)* volte-face.

voltigere *vb* vault.

voltmeter *(et, voltmetre)* voltameter.

volum|en *(et -ina)* volume.

volumenkontrol *(radio)* volume control.

voluminøs *adj* voluminous, bulky.

volut *(en -ter) (arkit)* volute.

vom *(en -me)* paunch, belly.

vommet *adj (tykmavet)* paunchy, pot-bellied.

vor *(vort, pl vore)* our, *(stående alene)* ours *(fx* the house is ours); *vi skal gøre -t* we will do our share *(el.* part).

vorde *(blive)* become, be. **vorden** *subst: i sin* ~ in embryo, in the making. **vordende** *adj* to be *(fx* my son-in-law to be), future; ~ *lærere* intending teachers; ~ *mødre* expectant mothers.

vore *pl af vor.*

Vorherre the Lord, God, *(om Jesus)* our Lord; ~ *bevares!* good Lord!

vort *neutrum af vor.*

vorte *(en -r)* wart; *(bryst-)* nipple.

vorte|agtig *adj* warty. -**mælk** ♠ spurge. -**rod** *(en -)* ♠ pilewort. -**svin** *zo* wart hog.

votere *vb* vote; *(om dommere)* consider the judgment, *(om nævninge)* consider their verdict.

votiv- votive *(fx* offering, tablet).

votum *(et, vota)* vote, *(jur)* opinion; *dissentierende* ~ dissenting opinion.

vov! *(hunds gøen)* bow-wow!

I. **vove** *(en -r) (poet. for bølge)* billow, wave.

II. **vove** *(fare): sætte i* ~ hazard, risk, venture.

III. **vove** *vb (turde)* dare, venture; *(sætte på spil)* risk, venture, hazard; *hvo intet -r intet vinder* nothing venture, nothing win; *jeg -r at påstå* I venture to assert; ~ *på at* dare to; *du kan lige* ~ *på at* don't you dare to; *det kan du lige* ~ *på!* just you try! ~ *sig (ind i)* venture (into); ~ *sig for langt ud* venture too far, *(fig ogs)* go too far, get out of one's depth; *(se ogs vovet).*

vovehals daredevil. **vovelig** *adj* bold, daring, hazardous, risky. **vove|mod** daring. -**stykke** (daring) venture.

vovet *adj* risqué, risky *(fx* story); *(påstand etc)* bold, rash.

vovse *en -r)* doggie, bow-wow.

vovvov! bow-wow!

vrag *(et -) (ogs fig)* wreck; *herreløst* ~ derelict (vessel); *kaste* ~ *på* spurn.

vragdele *pl* wreckage.

vrage *vb (forkaste)* reject; *vælge og* ~ pick and choose.

vrag|gods wreckage; *flydende* ~ *(ogs)* flotsam. -**stump** piece of wreckage; -**er** wreckage. -**tømmer** *(et)* (piece of) wreckage. -**tønde** ⚓ wreck buoy.

vralte *vb* waddle. **vralten** *(en)* waddling, waddle.

I. **vrang** *(en) (vrangside)* wrong side; *på -en* on the wrong side; *vende -en ud* turn the wrong side outward, *(fig)* cut up rough; *vende -en ud på ngt* turn sth *(fx* a stocking) inside out.

II. **vrang** *adj (forkert)* wrong; *ret og* ~ *(i strikning)* ribbed knitting, ribbing; *strikke* ~ purl; *strik to ret og to* ~ knit two, purl two.

vrang|forestilling delusion. -**lære** false doctrine(s), heterodoxy. -**maske** purl. -**pind** purl row. -**side** wrong side; *(fig)* seamy side. -**strikning** purl knitting. -**vendt** *adj* turned inside out. -**villig** unwilling, sullen, contrary.

vranten *adj* surly, sulky, morose, *(~ og indesluttet)* sullen, *(~ og klynkende)* peevish. **vrantenhed** *(en)* surliness, sulkiness, moroseness; sullenness; peevishness.

I. **vred** *adj* angry; *(~ og krænket)* resentful; *blive* ~ *over ngt* get angry at sth; *resent* sth; *blive* ~ *på én* get angry with sby.

II. **vred** *imperf af vride.*

vrede *(en)* anger, *(harme)* resentment; *(stærk* ~) rage; *(poet. & bibelsk)* wrath; ~ *over anger at; give sin* ~ *luft* vent one's anger. **vredes** *vb* become angry. **vredesudbrud** burst of anger *(el.* rage).

vredet *perf part af vride.*

vredladen *adj* hot-tempered, irascible, *(barsk)* stern.

vridbor gimlet, *(stort)* auger.

vride *(vred, vredet) vb* twist, *(ogs vådt tøj)* wring, *(voldsomt)* wrench; ~ *sine hænder* wring one's hands; ~ *af led* dislocate, put out of joint; ~ *armen om på en* twist sby's arm; ~ *halsen om på en* wring sby's neck; ~ *karkluden op* wring out the dish cloth; ~ *sig* writhe, *(af forlegenhed)* squirm; ~ *sig af latter* be convulsed (with laughter); ~ *sig som en orm* writhe *(el.* wriggle) like a worm; ~ *sig ved at gøre ngt* boggle *(el.* jib) at doing sth.

vridemaskine wringer

vridning *(en -er)* twisting, torsion, wringing.

vrikke *vb* wriggle; *(med åre)* scull; ~ *om på foden* twist one's ankle. **vrikken** *(en)* wriggling, wriggle; sculling.

vrikke|vorn *adj* shaky, wobbly. -**åre** scull.

vrimle *vb* teem *(af:* with); *(især om ngt der er i bevægelse)* swarm *(af:* with); *det -de af (el. med) fejl i bogen* the book teemed *(el.* bristled) with errors; *-nde fuld af* teeming with *(fx* people, errors), crawling with *(fx* insects). **vrimmel** *(en)* multitude, swarm.

vrinske *vb* neigh. **vrinsken** *(en)* neighing, neigh.

vrippen *adj* testy. **vrippenhed** *(en)* testiness.

vrisse *vb* snap *(ad:* at).

vrist *(en -e(r))* instep.

vriste *vb:* ~ *noget fra én* wring sth from sby; *(m et hurtigt, kraftigt tag)* wrench sth from sby; *(møjsommeligt)* wrest sth from sby.

vræl *(et -)* roar, bawl, yell; *(om barn ogs)* squall. **vræle** *vb* roar, bawl, yell; squall.

vrængbillede caricature. **vrænge** *vb (spotte)* sneer *(ad:* at), *(lave grimasser)* make faces *(ad:* at).

vrøvl *(et) (sludder og* ~) nonsense, stuff, bosh; *(ubehageligheder, besvær)* trouble; *han er et gammelt* ~ he is an old fool; *det er noget* ~ that is all nonsense; *gøre* ~ protest, make a fuss, grumble *(over:* about) complain *(over:* of). **vrøvle** *vb* twaddle, talk nonsense. **vrøvlehoved** twaddler. **vrøvlet** *adj* twad-

dling; (om barn: klynkende) peevish. **vrøvlevorn**
adj twaddling.

vrå (en -er) (krog) nook, corner.

vue (et -r) (udsigt) view (over: of); (langt smalt
perspektiv) vista; tage et ~ over noget survey sth.
I. **vugge** (en -r) cradle.
II. **vugge** vb rock; ~ i søvn rock to sleep; ~ i hof-
terne sway; gå hjem og vug T go and boil your head.
vugge|gave: han havde fået denne evne i ~ he had
been born with this gift. **-sang** lullaby, cradle song.
-stue day nursery, crèche. **-vise** se -sang.

vulgær adj vulgar, plebeian, low.

vulkan (en -er) volcano (pl -es); (udslukt ~ extinct
volcano; virksom ~ active volcano; vi lever på en ~
(fig) we are living on (the edge of) a volcano. **vul-
kanfiber** vulcanized fibre. **vulkanisere** vb vul-
canize; (bildæk) retread. **vulkanisering** (en) vul-
canization. **vulkansk** adj volcanic. **vulkanudbrud**
volcanic eruption. **vulkanø** volcanic island.

vulst (en -er) (på dæk) bead, (på jern) bulb.
vulst|dæk beaded tyre. **-jern** bulb iron.

vundet perf part af vinde.

vupti! hey presto! pop!

vurdere vb estimate, appraise, value (til: at);
(især fig) evaluate, assess (fx the situation); (sætte
pris på) appreciate, value; ~ efter fortjeneste do justice
to. **vurdering** (en) estimate, valuation; (især fig)
evaluation, assessment. **vurderings|mand** valuer;
(mht lån i fast ejendom) surveyor. **-pris, -sum** ap-
praised value, valuation price.

væbne vb arm; ~ sig arm (oneself), take arms;
~ sig med tålmod arm oneself with patience; -t armed
(fx resistance, neutrality, forces).

væbner (en -e) (hist.) esquire.

væbning (en) arming; (milits) militia.

vædde vb bet; ~ £5 med én bet sby £5 (om at:
that); ~ om det (have a) bet on it; jeg vil ~ hvad som
helst på at I'll bet you anything you like that; det kan
De ~ på! you bet! hvad skal vi ~? what will you bet?
vædde|kamp match, competition. **-kørsel**
driving-race. **-løb** race, foot race, (heste-) horse
race; (bil-) motor race. **-løbsbane** racing track,
(heste-) race course. **-løbsbil** racing car, racer.
-løbscykel racer (bike). **-løbshest** race-horse, racer.
-løbskører racing driver. **-mål** bet.

vædder (en -e) (ogs ♈) ram. **vædderhorn** ram's
horn.
I. **væde** (en) wet, moisture.
II. **væde** vb wet, moisten.

vædre vb ram; (køre imod) run into.

væg (en -ge) wall; hvid som en kalket ~ as white as
chalk (el. as a sheet); male fanden på -gen paint the
devil on the wall; sætte én til -s get the better of sby,
floor sby.

væge (en -r) wick.

vægelsindet adj fickle, inconstant.

væg|fast adj fixed to the wall, **-flade** surface of
wall, wall space. **-flise** wall tile.

vægge|lus bedbug. **-tøj** bedbugs.

væg|kort wall map. **-lampe** wall lamp. **-maleri**
mural (painting). **-plads** wall space.

vægre vb: ~ sig refuse, (høfligere) decline (ved
at gøre noget: to do sth). **vægring** (en) refusal,
(modstand) resistance.

væg|skab wall cabinet. **-spejl** wall mirror.

vægt (en -e) (tyngde, hvad ngt vejer; lod etc)
weight; (apparat til at veje på) balance, (pair of)
scales, (personvægt) scales, (vognvægt) weighbridge;
(betydning) weight, importance; Vægten (stjernebillede)
the Scales; sælge efter ~ sell by weight; holde sin ~
nede keep one's weight down; i løs ~ in bulk, (uind-
pakket) loose, by weight, by the pound; tage på i ~
put on weight; lægge ~ på noget attach importance
(el. weight) to sth; lægge -en på place the emphasis on.
vægtafgift [tax on motor vehicles according to
weight].

vægtavle blackboard.

vægtenhed unit of weight.

vægter (en -e) night watchman. **vægter|gang**
(watchman's) gallery. **-vers** watchman's song.

vægtforøgelse increase in weight.

vægtfylde (en) specific gravity.

vægtig adj weighty (fx reasons). **vægtighed** (en)
weightiness.

vægt|klasse class, weight. **-løftning** weight
-lifting. **-løs** weightless. **-løshed** weightlessness.
-skål scale, pan. **-stang** lever, (på vægt) beam.
-tab loss of weight. **-told** specific duty.

væg|tæppe tapestry. **-ur** wall clock.

væk (borte) away, gone; (bort) away, off; åh gå ~! go
on! i ét ~ incessantly; være helt ~ i (fig) be completely
gone on; han er langt ~ he is far away, (fig) his mind
is elsewhere; ~ med dig! get away! ~ med fingrene!
hands off! rask ~ just like that; snak ~ fire away!

vække (-de, -t; el. vakte, vakt) wake (up); (efter af-
tale) call; (fig) excite (fx admiration, anger, affection,
hatred), rouse (fx discontent, evil passions, suspicion,
sby to action), attract (fx attention), awaken (fx
a desire); cause (fx sorrow, anxiety, laughter); ~
forestillinger om suggest; ~ til eftertanke give food for
thought; ~ til live (fig) arouse, make (fx sby, a
memory) come alive; han blev vakt (religiøst) he was
saved, T he got religion.

vækkelse (en) (ogs religiøs) revival. **vækkelses|-
møde** revivalist meeting. **-prædikant** revivalist.

vækkeur alarm clock; han satte -et til at ringe
kl. 7 he set the alarm for 7 o'clock.

vækning (en) calling.

vækst (en -er) growth; (højde, skikkelse) stature;
(plante) herb, plant; i ~ growing. **vækst|betingelser**
conditions of growth. **-hus** greenhouse, hothouse.
-lag ♧ cambium. **-periode** period of growth. **-tid**
growing-season.

væld (et -) (kilde) spring; (stor mængde) flood,
wealth (fx a wealth of details).
I. **vælde** (en) (magt) power; i al sin ~ in all his
(,its etc) might.
II. **vælde** vb: ~ frem, ~ ud gush forth (el. out);
~ ud af gush from, issue from.

vældig adj (stærk) powerful; (meget stor) im-
mense, enormous, huge; ~ god splendid, awfully
good; ~ stolt immensely proud.

vælge (valgte, valgt) choose; (udvælge, udsøge)
select, pick (out); (ved afstemning) elect; (til rigsdags-
mand) elect, return; ~ imellem choose between;
der er ikke meget at ~ imellem there is not much
choice; vælg selv! choose for yourself (, yourselves)!
~ sig ngt choose sth, pick out sth, select sth; ~ én
til konge elect sby king; øjeblikket er uheldigt valgt
the moment is unfortunate.

vælger (en -e) elector, voter, (til parlamentet ogs)
constituent. **vælger|forening** political club. **-møde**
meeting of electors, election meeting.

vælig adj fiery, high-mettled, high-spirited.

vælling (en) gruel.

vælskbind half-binding; i ~ half-bound.

vælte vb upset, overturn (fx a bucket), (fig)
overthrow (fx a government), upset (fx a plan);
(falde omkuld) tumble over, be upset; (komme -nde,
fx om vand) pour, rush, stream; (= rulle) roll (fx
roll the stone away); han -de med vognen his carriage
(,car) was overturned; han -de med cyklen he had a
fall with his bicycle; ~ ansvaret over på en anden shift
(el. shove) the responsibility on to sby else; ~ sig
roll, toss, wallow.

vælten: være i ~ be in fashion, be highly popular;
han er rigtig i ~ he is the man of the moment.

væltepeter (en -e) (= velocipede) penny-farthing;
(skærveknuser) boneshaker.

væmmelig adj nasty, disgusting, loathsome.

væmmelse (en) disgust, loathing, nausea.

væmmes vb be disgusted; ~ ved loathe, be
disgusted at.

vænge (et -r) enclosed field.

vænne *vb* accustom; ~ *ham af med det* break him of that habit; ~ *sig af med noget* break off a habit; ~ *et barn fra (brystet)* wean a child; ~ *én til ngt* accustom sby to sth *(til at gøre ngt:* to do sth); ~ *sig til ngt* get accustomed to sth; ~ *sig til at gøre ngt* get into the habit of doing sth, accustom oneself to doing sth, get used to doing sth.

I. **værd** *(et)* value, worth; *hans sande* ~ his true worth; *det vil vi lade stå ved sit* ~ we will take that for what it is worth.

II. **værd** *adj* worth; *(værdig)* worthy of; *det er ikke* ~ *at du går derhen* you had better not go there; *det er ikke bedre* ~ it does not deserve better; *det er* ~ *at gøre* it is worth doing; *arbejderen er sin løn* ~ *(bibl)* the labourer is worthy of his hire; *han er sin løn* ~ he is worth his pay; *ikke prisen* ~ not worth the price; *det er umagen* ~ it is worth while, it is worth the trouble; *mere* ~ *end* worth more than; *ti gange så meget* ~ *som han* worth ten of him; *al ære* ~ highly creditable.

værdi *(en -er)* value; *(åndelig, moralsk)* worth; *-er* valuable property, sums (of money), *(papirer)* securities; *(fig)* values; *til en* ~ *af* to the value of; *tabe i* ~ depreciate; *prøve uden* ~ sample of no value.

værdi|angivelse indication of value. **-brev** *(svarer til)* insured letter. **-fast** *adj* stable; *(som følger med pristallet)* index-tied. **-forringelse** decrease in value, depreciation. **-forøgelse** increase in value, appreciation. **-fuld** *adj* valuable.

værdig *adj* worthy; *(om væsen)* dignified; *som var en bedre sag* ~ worthy of a better cause; ~ *til* worthy of; *de -e trængende* *(glds el. ironisk)* the deserving poor; *-t adv* with dignity.

værdige *vb* deign; *han -de mig ikke et svar* he did not deign *(el.* condescend) to answer me; *han -de mig ikke et blik* he did not deign to look at me.

værdigenstand article of value; *-e (ogs)* valuables.

værdiges *vb:* ~ *at gøre ngt* deign to do sth.

værdighed *(en)* dignity; *(det at være værdig til noget)* worthiness; *holde på -en* stand on one's dignity; *under min* ~ beneath me.

værdiløs *adj* valueless, worthless, of no value. **værdiløshed** worthlessness.

værdi|måler standard of value. **-pakke** insured parcel. **-papirer** *pl* securities. **-sager** *pl* valuables. **-sikret** *adj se -fast.* **-stigning** increment, increase in value. **-told** ad valorem duty.

værdsætte appreciate; *han blev ikke værdsat efter fortjeneste* he did not meet with the appreciation he deserved. **værdsættelse** *(en)* appreciation.

være *(er, var, været)* be; *(som hjælpeverbum ved bevægelsesverber etc)* have *(fx* has he come? he has been killed); *at* ~ *eller ikke* ~ to be or not to be; *af en dreng at* ~ for a boy; *hvad er der at gøre?* what is to be done? *han er blevet dræbt* he has been killed; *han er og bliver dum* he is and remains stupid; *to og to er fire* two and two are four; *han er gået* he has gone; *det er ham, hende, dem* it is he, she, they *(el.* T him, her, them); *det er mig* it is me, *(højtideligt)* it is I; *det er det pudsige ved det* that is the funny *(el.* amusing) part of it, that's where the fun comes in; *hvis han ikke havde -t (el. hvis det ikke havde -t for ham),* ville jeg ~ blevet dræbt but for him I should have been killed; *det kan (godt)* ~ *at han ikke kommer* he may not come; *det kan nok* ~ *at du er blevet stor!* I say, how you have grown! *hvor kan det* ~ *at ..?* how can it be *(el.* how is it el. how comes it) that *..? vær så artig, vær så god, værs'go', se god;* ingen, *det* ~ *sig gammel eller ung* nobody, whether old or young;

im præp & adv:] hvad er den af? what's the big idea? *bordet er af træ* the table is made of wood; *stykket er af Shaw* the play is by Shaw; *det er klogt af ham* it is wise of him; ~ *af med* be rid af; *de er altid efter ham (>: plager ham)* they are always down on him; *der er noget i det du siger* there is something in

what you say; *der kan* ~ *300 mennesker i salen* the hall will hold 300 people; *alle de ting kan ikke* ~ *i kufferten* these things won't all go into the trunk; ~ *med, se III. med;* bogen er på 300 sider the book has 300 pages; the book is 300 pages long; *han er på den* T he is in the soup; ~ *'til* exist, be; *hvad er den dims til?* what is that gadget for? ~ *ved, se II. ved* .

værelse *(et -r)* room, *(især i annoncer om udlejning)* apartment; *en tre -s lejlighed* a three-room(ed) flat, *(amr)* a four-room(ed) apartment, *(NB i U.S.A. tælles køkkenet i reglen med).*

væremåde manner, way, ways.

værft *(et -er)* shipbuilding yard, shipyard, dockyard. **værftsarbejder** shipbuilder, shipyard worker.

I. **værge** *(en -r) (for mindreårig)* guardian; *(for sindssyg)* committee.

II. **værge** *(et -r) (våben)* (defensive) weapon; sword; *(forvaring)* custody *(fx* have sth in (one's) c.).

III. **værge** *vb (forsvare)* defend; ~ *sig* defend oneself.

værgeløs *adj* defenceless. **-løshed** *(en)* defencelessness. **-mål** guardianship. **-råd** *(et -) (glds)* child -welfare committee.

I. **værk** *(et) (tovværk)* oakum.

II. **værk** *(et -er) (arbejde)* work; *(gas-, etc; ur-)* works; *Shakespeares -er* Shakespeare's works, the works of Shakespeare; *det er dit* ~ *(neds)* it is your doing; *sætte i* ~ start, organize; *lægge sidste hånd på -et* apply the finishing touches; *skride til -et* set to work; *gå forsigtigt til -s* proceed with caution.

III. **værk** *(en el. et) (smerte)* pain, ache.

værkbruden *adj* palsied.

værke *vb (smerte)* ache; *det -r i mit hoved* my head is aching; *det -r i hele kroppen på mig* I'm aching all over.

værk|fører *(en -e)* foreman. **-sted** workshop; *på et* ~ in a workshop. **-stedsskib** repair ship. **-stedsteater** theatre workshop.

værktøj tool, implement; *(fig)* tool *(fx* he was a willing tool in the hand of the tyrant); *meget* ~ many tools.

værktøjs|kasse tool box, tool chest. **-mager** *(en -e)* tool maker. **-maskine** machine tool. **-skab** tool locker. **-taske** tool bag.

værling *(en -er)* zo bunting.

værn *(et -) (forsvar)* defence; *(beskyttelse)* protection, safeguard; ⚔ *(forsvarsgren)* service; *til* ~ *mod* as a safeguard *(el.* protection) against.

værne *vb* defend, protect *(imod:* from, against); ~ *om* protect, *(følelse, minde)* cherish.

værne|mager *(en -e)* collaborationist. **-magten** the Wehrmacht. **-pligt** compulsory (military) service; *almindelig* ~ conscription, national service; *aftjene sin* ~ do one's military service, *(i England)* do one's national service. **-pligtig** liable for military service; *en* ~ a conscript, *(i England)* a national serviceman, *(amr)* a draftee. **-skat** national defence contribution. **-ting** *(et -) (jur)* venue.

værnschef ⚔ service chief.

værre *(komparativ)* worse; *den var* ~! how annoying! that's too bad! *det bliver* ~ *og* ~ it is getting worse and worse; *it goes* from bad to worse; *han er et* ~ *fjols* he is a damned fool.

værsgo *se god.*

værst *(superlativ)* worst; *i -e fald* at worst, if the worst comes to the worst; *det er ikke* ~ T it is not at all bad, it is not amiss; *det bliver* ~ *for ham selv* it will be worst for 'him *han er* ~ *mod sig selv* he is his own worst enemy; *han er over det -e* he has turned the corner; he is over the worst; *gå med på den -e* stick at nothing; *det -e ved det er at* the worst thing about it is that.

vært *(en -er) (i kro)* landlord, innkeeper; *(hotel-)* hotel keeper; *(husejer)* landlord; *(i selskab)* host; *gøre regning uden* ~ reckon without one's host.

værtinde *(en -r) (ejerinde, kro-)* landlady; *(i selskab)* hostess.

værts|folk *(pl)* landlord and landlady; host and

hostess. **-hus** public house, inn, T pub. **-husholder** *(en -e)* publican, innkeeper.

værtskab *(et)*: *overtage -et* act as host.

væs|el *(en -ler) zo* weasel; *(hermelin)* stoat.

væsen *(et -er) (skabning)* being, creature, thing; *(tings virkelige natur)* essence, substance; *(persons)* nature, *(ydre optræden)* ways, manners *(fx* charming, pleasant, stiff m.), bearing *(fx* modest b.), *(især ved bestemt lejlighed)* manner; *(etat, system)* department, service, system; *gøre stort ~ af* make a fuss about.

væsensforskel *(en)* essential *(el.* basic) difference.

væsensforskellig *adj* essentially different.

I. **væsentlig** *adj* essential, *(betydelig)* considerable *(fx* part), substantial *(fx* improvement); *af ~ betydning* essential; *i alt -t* in all essentials; *i det -e* essentially; *i ~ grad* materially, essentially; *skelne mellem -t og uvæsentligt* distinguish between essentials and unessentials.

II. **væsentlig** *adv* essentially, materially; *(for største delen)* chiefly, mostly; *(så godt som)* practically *(fx* it is p. the same); *(meget)* much *(fx* it is much better).

I. **væske** *(en -r)* liquid; *(i planter)* juice; *(i sår)* pus, matter.

II. **væske** *vb (om sår)* suppurate, run.

væske|ansamling *(med.)* oedema. **-form** liquid state. **-formig** *adj* liquid.

vættelys *(et -)* belemnite, thunderstone.

I. **væv** *(en -e)* loom.

II. **væv** *(et -)* web, texture, tissue; *(anat og fig)* tissue; *(løs snak)* twaddle; *et ~ af løgne* a tissue *(el.* tangle) of lies.

væve *vb* weave; *(fig)* maunder, ramble, wander in one's speech.

vævbom beam (of a loom).

I. **væver** *(en -e)* weaver.

II. **væver** *adj* nimble, agile, active.

væverfugl *zo* weaver bird.

væveri *(et -er) (håndværk)* weaving (trade); *(fabrik)* textile factory, weaving-mill.

væverske *(en -r)* weaver.

væve(r)|skyttel weaver's shuttle. **-stol** loom.

vævestue weaving workshop *(el.* shed), weave shed.

vævning *(en)* weaving.

vævs|dannelse *(biol)* tissue formation. **-kultur** tissue culture.

våben *(et -)* weapon *(fx* swords and other weapons, a political weapon); *(pl: om krigsvåben og især håndvåben)* arms; *(våbenart)* arm *(fx* the air arm); *(heraldisk)* arms, coat of arms, *(skjold)* escutcheon, *(amr)* shield; *(anvendt ved dødsfald)* hatchment; *bekæmpe ham med hans egne ~* use his own weapons against him, beat him at his own game; *gribe til ~* take up arms; *kalde til ~* call to arms; *nedlægge våbnene* lay down (one's) arms; *under ~* under arms.

våben|art arm. **-broder** brother in arms. **-broderskab** brotherhood in arms. **-brug** *(en)* the use of arms. **-drager** *(en -e)* armour-bearer; *(fig)* supporter, *(neds)* henchman. **-fabrik** armament *(el.* arms) factory. **-fabrikant** armament manufacturer. **-frakke** tunic. **-før** *adj* capable of bearing arms, physically fit. **-gny** din of battle. **-hus** *(ved kirkeindgang)* porch. **-hvile** *(oftest midlertidig)* cease-fire; *se ogs* -stilstand. **-kammer** armoury. **-lykke** fortune of war. **-løs** unarmed. **-magt** military power *(el.* force); *med ~* by force of arms. **-mærke** *(et -r)* device. **-samling** collection of arms. **-skjold** coat of arms, escutcheon. **-stilstand** armistice, truce; *(oftest midlertidig)* cease-fire; *slutte ~* conclude an armistice; *agree on a cease-fire.* **-stilstandsdagen** Armistice Day.

våd *adj* wet *(fx* with perspiration); *blive ~ om fødderne* get wet feet; *gøre sig ~* wet one's pants *(,the bed); de -e varer* drink, liquor; *han havde hverken fået -t eller tørt* he had had nothing to eat or drink.

vådeskud accidental shot.

I. **våge** *(en -r)* opening *(el.* hole) in the ice.

II. **våge** *vb (være vågen)* wake, be awake; *(holde vagt)* watch; *~ hos* sit up with, watch by; *~ over* watch over, *(rettigheder etc)* be jealous of.

våge|blus pilot light. **-hval** *zo* lesser rorqual. **-kone** night nurse; *(= vågeblus)* pilot light.

I. **vågen** *(en)* watching, vigil.

II. **vågen** *adj* awake, waking; *(søvnløs)* wakeful *(fx* nights); *(årvågen)* alert, watchful, vigilant, wide-awake; *(opvakt)* bright; *holde et -t øje med* keep a watchful eye on.

vågne *vb (ogs fig)* wake (up), *(mere litterært)* awake *(af:* from); *~ op* wake up; *hans samvittighed -de* his conscience began to stir.

I. **vånde** *(en)* distress, *(kval)* pain, agony.

II. **vånde**: *~ sig* groan, *(svagere)* moan.

I. **vår** *(et -) (til dyne, pude)* case.

II. **vår** *(en) (forår)* spring.

vårsæd spring-sown cereals, spring corn.

vås *(et)* drivel, nonsense, rubbish, tommyrot. **våse** *vb* drivel, talk nonsense. **våsehoved** driveller gas bag. **våset** *adj* drivelling, twaddling, silly.

X

X, x *(et -'er)* X, x.

xanthippe *(en -r)* Xanthippe, shrew, vixen.

xylofon *(en -er)* xylophone. **xylofonist** *(en -er)* xylophonist.

xylo|graf *(en -er)* wood-engraver, xylographer. **-grafere** *vb* engrave on wood. **-grafi** *(en)* wood-engraving, xylography; *(et)* wood-engraving, xylograph. **-grafisk** *adj* xylographic.

Y

Y, y *(et -'er)* Y, y.

yacht *(en -er)* yacht. **yacht|klub** yacht club. **-sejlads** yachting. **-sportsmand** yachtsman.

yakokse *zo* yak.

yale|lås Yale lock. **-nøgle** Yale key.

yams *pl* ♧ yams. **yamsrod** yam (tuber).

yankee *(en)* Yankee.

yard *(en)* yard *(= ca. 91 cm).*

yde *vb* afford *(fx* a pleasant shade); yield *(fx* the land yields good crops); render *(fx* help, assistance); give *(fx* security for a loan); grant *(fx* a credit, a loan, a respite); *(udrede)* pay; *(præstere)* do *(fx* do good work; do one's best); *~ ham al mulig anerkendelse* give him every credit; *~ beskyttelse* give protection; *~ bidrag til noget* contribute to sth; *~ erstatning* pay compensation; *~ én hjælp* help sby, assist sby, render sby assistance; ~ *modstand* offer resistance.

yde|dygtig productive; *(m h t arbejde)* efficient *(fx* machine). **-evne** *(en)* yielding capacity *(fx* the yielding c. of the soil), ability, efficiency.

ydelse *(en -r)* *(produkter, udbytte)* yield, output; *(kraft-)* performance *(fx* of an engine); *(bidrag)* contribution; *(betaling)* payment, disbursement; *(renter og afdrag på gæld)* repayment(s) and interest; *(det at give)* granting *(fx* the granting of a loan).

yder|distrikt outlying district. **-dør** outer door; *(hoveddør)* front door. **-grænse** (extreme) limit. **-havn** outer harbour. **-kant** (extreme) edge, verge; *det ligger i -en* it is a borderline case. **-klædning** ✛ outside planking; *(af plader)* outside plating. **-kreds** outer circle, periphery.

yderlig *adj* extreme, near the edge; *-t adv* near the edge *(fx* stand near the edge); *(i høj grad)* extremely, excessively. **yderligere** *adj* further, additional; *adv* further, additionally; *(desuden)* furthermore, in addition; *(nærmere kanten)* nearer the edge.

yderliggående *adj* extreme, radical; *være ~ i sine synspunkter* be an extremist.

yderlighed *(en -er)* extreme *(fx* from one extreme to the other; go to extremes), extremity; *lade det komme til -er* carry matters to extremes; *gå til den anden ~* go to the other extreme.

yder|lomme outside pocket. **-mere** *adv* furthermore; *(tilmed)* into the bargain. **-mur** outer wall. **-parti** *(politisk)* extremist party. **-plads** *(i teater etc)* end seat. **-punkt** extremity. **-red** ✛ outer roads, outer roadstead. **-side** *(en -r)* exterior *(fx* of a house), outside.

I. **yderst** *adj* *(udvendig)* outer; *(længst ude)* outermost, extreme; *(fig)* utmost, extreme; *den -e dag* the Last Day, the Day of Judgment; *til det -e* to the utmost, to the limit; *drive en til det -e* drive sby to extremities; *kæmpe til det -e* fight to the bitter end; *den -e fattigdom* extreme poverty; *den -e grænse* the absolute limit; *gøre sit -e* do one's utmost; *ligge på sit -e* be dying; *i -e nødsfald* as a last resort; *det -e venstre (om politisk parti)* the extreme Left; *af -e vigtighed* of the utmost importance; *i -e øjeblik* at the last moment, in the nick of time.

II. **yderst** *adv* farthest out, at the outside, at the extreme end, at the very edge; *(i højeste grad)* extremely, exceedingly, most *(fx* dangerous); highly *(fx* irritated, surprised), utterly *(fx* ridiculous, different); *en ~ rimelig pris* a most reasonable price; *~ vanskelig* exceedingly *(el.* extremely) difficult; *~ til højre* at *(el.* on) the extreme right.

yder|sål outsole. **-verdenen** the outer *(el.* outside) world. **-wing** outside wing; *højre ~* outside right. **-væg** outside wall.

ydmyg *adj* humble; *(krybende)* servile. **ydmyge** *vb* humble, humiliate; *~ sig for* humble oneself before. **ydmygelse** *(en -r)* humiliation. **ydmygende** *adj* humiliating. **ydmyghed** *(en)* humility; *(underdanighed)* obsequiousness.

I. **ydre** *(et)* outside, *(ogs om persons)* appearance, exterior; *et fordelagtigt ~* a prepossessing appearance; *han har sit ~ imod sig* his appearance is against him.

II. **ydre** *adj* outer, outward, outside, exterior, external; *(udenrigsk)* external *(fx* enemies); *dømme efter det ~* judge by appearances; *den ~ havn* the outer harbour; *~ mission* the Foreign Missions *(pl)*; *den ~ verden* the outer *(el.* outside) world.

yen *(en -)* yen.

ymer *(en)* *(en slags tykmælk: omtr =)* junket.

ymte *vb* hint *(om:* at; *om at:* that); *der -s om at han er spion* it is rumoured that he is a spy, he is rumoured to be a spy.

I. **ynde** *(en -r)* charm, grace; *hendes -r* her charms.

II. **ynde** *vb* like, favour, be fond of, be partial to, fancy; *(neds)* affect *(fx* he affects long words); *han -r at holde taler* he is fond of making speeches.

yndefuld *adj* graceful.

ynder *(en -e)* admirer, lover; *jeg er ingen ~ af* I am no admirer of, I do not care for.

yndest *(en)* favour; *i stor ~ hos en* in high favour with sby, in sby's good books *(el.* graces).

yndet *adj* popular, in favour; *det er en ~ sport for dem* they make a pastime of it; they think it great fun.

yndig *adj* lovely, delightful.

yndighed *(en -er)* charm, grace; *hendes -er* her charms.

yndling *(en -e(r))* favourite; *(især dyr og børn)* pet. **yndlings-** favourite *(fx* my f. occupation), pet *(fx* animal).

yngel *(en)* brood; *(fiske-)* fry.

yngelpleje *(en)* parental care.

yngle *vb* breed, *(ogs om penge)* multiply. **yngle|-plads** breeding-ground. **-tid** breeding-season.

yngling *(en -e)* youth, young man.

ynglingealder adolescence, youth.

yngre *(komparativ af ung)* younger; *(temmelig ung)* youngish, young; *(om tidsalder)* later *(fx* the later iron age); *den ~ Jones* the younger Jones, *(om skoleelev som er broder til en ældre)* Jones minor; *i mine ~ år* when I was younger; in my younger years; *han er ti år ~ end B.* he is ten years younger than B., *(mere litterært)* he is B.'s junior by ten years.

yngst *(superlativ af ung)* youngest; *den -e Jones (om skoleelev)* Jones minimus.

ynk *(en): det er en ~ at se* it is pitiful to see; it is a pitiful sight; *hun græd så det var en ~* she cried pitifully.

ynke *vb:* ~ *én* commiserate with sby; *-s over én* pity sby, feel pity for sby.

ynkelig *adj* pitiful, pitiable, *(dårlig)* sorry, miserable, wretched, *(moralsk ~)* abject *(fx* conduct); *gøre en ~ figur* cut a sorry figure; *i en ~ forfatning* in a pitiable state. **ynkelighed** *(en)* pitifulness, miserableness; abjectness; *(elendighed)* misery.

ynkværdig *adj* pitiable, pitiful.

yoga *(en)* yoga.

yoghurt yoghurt.

yo-yo *(en -er)* yo-yo.

yppe *vb:* ~ *kiv,* ~ *strid* pick a quarrel *(med:* with).

ypperlig *adj* excellent, superb, capital.

ypperst *adj* best, first, most outstanding.

yppestepræst high-priest.

yppig *adj* *(frodig)* luxuriant, exuberant; *(om legemsformer)* opulent, voluptuous, buxom; *(overdådig)* luxurious; *hendes -e former* her opulent charms, her ample curves.

yppighed *(en)* luxuriance, exuberance; luxury.

ytre *vb (vise)* show *(fx* satisfaction, an interest in sth); *(udtale)* utter, express; ~ *sig (vise sig)* manifest itself, appear, *(udtale sig)* express oneself, speak.

ytring *(en -er)* *(udtalelse)* expression, remark, observation, utterance; *(af kraft etc)* manifestation.

ytringsfrihed freedom of speech.

yver *(et -e)* udder.

Z

Z, z *(et -'er)* Z, z.
zambo *(en -er el. -s)* zambo.
zar *(en -er)* tsar *(fx* the Tsar of all the Russias).
zardømmet the Tsar regime. zarevitsch *(en)*
tsarevitch. zarevna *(en)* tsarevna. zarisme *(en)*
Tsardom. zaristisk *adj* Tsarist. zaritsa *(en)* tsarina.
zebra *(en -er)* zebra.
zebrastribet *adj* striped like a zebra.
zebu *(en -er)* zebu.
zefyr *(en -er)* zephyr, Zephyr; *(et -er) (stof)*
zephyr. zefyrgarn zephyr wool.
zelot *(en -er)* zealot. zelotisk *adj* zealotic, (ar-
dently) zealous. zelotisme *(en)* zealotry.
zenit *(et)* zenith.
zeppeliner *(en -e) (luftskib)* Zeppelin.
Zeus Zeus.
zigeuner *etc se sigøjner.*
zigzag *se siksak.*

zink *(en el. et)* zinc. zink|balje zinc tub. -holdig
zinciferous. -hvidt *(et)* zinc white. -kiste zinc
coffin. -salve *(en -r)* zinc ointment. -sulfid zinc
sulphide. -tryk(ning) zincography. -ætsning zinc
etching.
zinnia *(en zinnier)* ♣ zinnia.
zobel *(en, zobler),* zobelskind sable.
zodiakallys zodiacal light.
zone *(en -r)* zone.
zone|grænse zonal boundary, *(i Tyskland efter
verdenskrig II)* zonal frontier. -tid zone time.
zoolog *(en -er)* zoologist. zoologi *(en)* zoology.
zoologisk *adj* zoological; ~ *have* zoological
garden(s), Zoo; *gd i* ~ *have* go to the Zoo.
zuav *(en -er)* zouave.
Zuidersøen the Zuider Zee.
zulu *(en -er)* Zulu. zulukaffer Zulu-Kaffir.
Zürich Zurich.

Æ

Æ, æ *(et -'er)* Ae, ae.
æble *(et -r)* apple; *-t falder ikke langt fra stammen
(omtr =)* like father, like son; he (, she) is a chip of
the old block; *et stridens* ~ a bone of contention, an
apple of discord; *bide i det sure* ~ swallow the bitter
pill; pocket one's pride.
æble|blomst apple blossom. -gelé apple jelly.
-grød stewed apples. -kage *(omtr =)* apple char-
lotte. -kerne apple pip. -mos mashed apples, apple
sauce. -most *(ugæret)* apple juice. -rose ♣ sweet-
briar. -skive [small cake of batter cooked over the
fire in a special kind of pan]. -skrog apple core.
-skræl apple rind. -træ apple tree; *vildt* ~ crab apple.
-vin cider.
I. æde *(en)* food; (T: *mad)* grub, chow.
II. æde *(åd, ædt) (spise)* eat; *(neds om mennesker)*
guzzle, stuff oneself (with); *(om syre, rust)* corrode;
give dyrene ngt at ~ feed the animals; ~ *sine ord i sig
(igen)* eat (el. swallow) one's words; ~ *sig igennem*
eat one's way through; *æd mig ikke! (spøgende svar
på voldsom protest)* well, don't eat me; ~ *op* eat up.
æde|dolk *(en -e)* glutton, gormandizer. -gilde
enormous feast, spread.
ædel *adj* noble; *de ædlere dele* the vital parts; *en*
~ *kappestrid* a generous competition; *ædle metaller*
precious metals; ~ *vin* noble wine.
ædelgran *(en -er)* ♣ (silver) fir.
ædelhed *(en)* nobility, nobleness.
ædelmodig *adj* generous, noble-minded, mag-
nanimous. ædelmodighed *(en)* generosity, noble
-mindedness, magnanimity.
ædelse *(en)* T grub, chow.
ædelsten precious stone, *(især slebet)* gem.
ædelttænkende *adj* noble-minded.
æder *(en -e)* eater, feeder.
æderi *(et)* gluttony, gormandizing.
ædetrug feeding trough.
ædru *adj* sober. ædruelig *adj* sober. ædrue-
lighed *(en)* sobriety; *(mht spiritus)* temperance.
ædruelighedslovgivning temperance legislation.
ædt *perf part af æde.*
I. æg *(en -ge) (på skærende instrument)* edge; *(på
stof)* selvedge, selvage.
II. æg *(et -)* egg; *(frøanlæg)* ovule; *nå, så -get vil
lære hønen* you can't teach your grandmother to
suck eggs.

æg|celle egg cell. -eksport export of eggs, egg
export. -formet *adj* egg-sh aped, oviform.
ægge *vb* incite, instigate. urge ¹on; ~ *en til ngt*
incite *(el.* urge el. instigate *el.* goad on el. egg on)
sby to sth; *-nde* stirring, inciting; *(erotisk)* pro-
vocative.
ægge|blomme yolk of egg, egg yolk. -bæger
egg cup. -dans egg dance. -deler *(en -e)* egg slicer.
-hvide white of egg, egg white, albumen. -hvide-
holdig *adj* albuminous. -hvidestof albumen, protein.
-kage *(omtr =)* omelet. -leder *(en -e)* Fallopian tube;
(zo) oviduct. -pisker *(en -e)* egg whisk, egg beater.
-punch eggnog, egg flip. -skal egg shell. -stok ovary.
-varmer *(en -e)* egg cosy. -vende* = *ægvende.*
ægide *(en -r)* aegis.
æg|lægsende *adj (som formerer sig ved æglægning)*
oviparous. -lægning laying of eggs, *(hos insekter)*
oviposition. -producent egg producer. -præser-
vering *(en)* egg preservation.
I. ægte *sb: tage til* ~ marry.
II. ægte *vb* marry.
III. ægte *adj* genuine, real, true; *(ægtefødt)* legi-
timate, born in wedlock; *(om farve)* fast; *en* ~ *eng-
lænder* a real *(el.* true) Englishman; ~ *brøk* proper
fraction; ~ *fødsel* legitimacy.
ægte|folk husband and wife, a married couple;
(kollektivt) married people. -fælle *(en -r)* spouse,
partner. -født *adj* legitimate, born in wedlock.
-halvdel: *min (, din etc)* ~ my (, your etc) better
half. -hustru wedded wife. -mage *(en -r)* spouse,
partner. -mand husband. -pagt *(svarer til)* marriage
settlement. -par married couple. -seng conjugal bed.
ægteskab *(et -er)* marriage, *(mere litterært)* ma-
trimony, *(glds & poet.)* wedlock; *(ægteskabeligt liv)*
married life; *andet* ~ a second marriage; *hans børn
af andet* ~ his children of his second marriage; *bor-
gerligt* ~ civil marriage; *deres* ~ *var lykkeligt* their
married life was a happy one; *indgå* ~ *med* marry;
indgå nyt ~ marry again; *der er én søn i -et* there is
one son of the marriage; *lyse til* ~ publish the banns;
lysning til ~ publication of the banns; *uden for* ~ out
of wedlock.
ægteskabelig *adj* matrimonial, conjugal.
ægteskabs|brud *(et -)* adultery, matrimonial
misconduct. -bryder *(en -e)* adulterer. -bureau
marriage bureau. -løfte *(et -r)* promise of marriage ;

brudt ~ breach of promise. -**mægler** *(en -e)* matrimonial agent. -**tilbud** proposal *(el.* offer*)* of marriage.

ægte|stand matrimony, marriage, wedlock, married state; *den hellige* ~ holy matrimony, holy wedlock. -**vie** *vb* marry. -**viv** wedded wife; *(spøgende)* spouse.

ægthed *(en)* genuineness.

æg|vende *: ~ *et lagen* mend a sheet sides to middle.

Ægypten Egypt. **ægypter** *(en -e)* Egyptian.

ægyptisk *adj* Egyptian; ~ *mørke* Egyptian darkness.

ægyptolog *(en -er)* Egyptologist.

ægæisk: *Det -e Hav* the Aegean Sea.

æh: ~ *bæh (bollemælk)!* sucks to you!

ækel *adj* nasty, loathsome; *(damesprog)* horrid.

ækelhed *(en)* loathsomeness; *(væmmelse)* disgust, loathing. **ækles** *vb:* ~ *ved ngt* loathe sth, be disgusted with *(el.* at*)* sth.

ækvator the equator. **ækvatorial** *adj* equatorial.

ækvilibrist *(en -er)* equilibrist. **ækvilibristisk** *adj* equilibristic *(fx* feats*)*.

ækvinoktial *adj* equinoctial.

ækvivalens *(en)* equivalence. **ækvivalent** *(en -er & , adj)* equivalent. **ækvivalere** *vb* be equivalent *(med:* to*)*, equate.

ælde *(-n)* age; antiquity *(fx* a vase of great antiquity*)*; *do af* ~ die of old age. **ældes** *vb* grow old, age. **ældet** *adj* aged, advanced in life.

ældgammel *adj* exceedingly old; *(ikke om person)* immemorial *(fx* oaks*)*; age-old *(fx* problem*)*; *(tilhørende en gammel tid)* ancient *(fx* en ~ *(ogs)* it is as old as the hills; *fra* ~ *tid* from time immemorial.

ældre *(komparativ af gammel)* older, *(om familieforhold, dog aldrig foran* than*)* elder *(fx* my elder brother*)*; *(temmelig gammel)* elderly, old; *en* ~ *dame* an elderly lady; *ti år* ~ *end han* ten years older than he; *(mere litterært)* ten years his senior, his senior by ten years; *af* ~ *dato* of an earlier date; *den* ~ *Pitt* the elder Pitt; *i* ~ *tid* in former *(el.* earlier*)* times.

ældst *(superlativ af gammel)* oldest, *(om familieforhold)* eldest; *fra de -e tider* from the earliest times. **ældste** *(en) (i religionssamfund)* elder.

ælling *(en -er)* duckling; *den grimme* ~ The Ugly Duckling.

I. **ælte** *(et)* mud, slush.

II. **ælte** *vb* knead, *(smør)* work.

æltemaskine kneading machine.

æltning *(en)* kneading; *(af smør)* working.

ænder *pl af and.*

ændre *vb* alter *(til:* into*)*, modify *(til:* to*)*; *(om større ændring)* change *(til:* into*)*; *(lovforslag)* amend; *det kan ikke -s* it can't be helped; ~ *sig* change; *gjort gerning står ikke til at* ~ what is done cannot be undone.

ændring *(en -er)* alteration, modification; *(større)* change; *(af lovforslag)* amendment; *foretage en* ~ make an alteration; *ret til -er i programmet forbeholdes* the programme is subject to alteration.

ændringsforslag proposed amendment; *stille et* ~ move an amendment.

ængste *vb:* ~ *en* make sby anxious *(el.* uneasy*)*, alarm sby, worry sby; ~ *sig, -s* be alarmed; *-s for* be anxious *(el.* uneasy*)* about; *(se ogs -nde)*.

ængstelig *adj* anxious, uneasy, *(stærkere)* apprehensive; *(af natur)* timid; *(nervøs)* nervous; ~ *for* anxious *(el.* uneasy*)* about *(fx* the future*)*; *være* ~ *(ɔ: bekymret) for* be anxious for sby; *være* ~ *for at det skal ske* be afraid that it will happen, be anxious lest it should happen. **ængstelighed** *(en)* anxiety, uneasiness; timidity; nervousness.

ængstelse *(en -r)* anxiety, uneasiness.

ængstende *adj* alarming.

ænse *vb: ikke* ~ pay no heed *(el.* regard *el.* attention*)* to, disregard; *uden at* ~ regardless of.

æolsharpe Æolian harp.

æra *(en)* era.

ærbar *adj* modest. **ærbarhed** *(en)* modesty.

ærbødig *adj* respectful, *(meget* ~*)* deferential *(over for:* to*)*; *Deres -e (el. ærbødigst) (i brev)* Yours truly, *(særlig i forretningsbreve)* Yours faithfully. **ærbødighed** *(en)* respect *(for:* for*)*, deference.

I. **ære** *(en)* honour; *(hæder)* glory; *en mand af* ~ a man of honour, an honourable man; ~ *den som æres bør* credit where credit is due; honour where honour is due; *få -n for det* get the credit for it; *gøre én* ~ do sby credit; *gør mig den* ~ *at modtage det* do me the honour of accepting it; *jeg har den* ~ *at meddele Dem at* I have the honour to inform you that; I have the honour of informing you that; *han har* ~ *af det* it does him credit; *han har ikke* ~ *i livet* he is lost to all sense of shame; *holde i* ~ hold in honour *(el.* respect, reverence*)*; *-ns mark* the field of glory; *falde på -ns mark (kan gengives:)* be killed in action; *med* ~ honourably, gloriously; *det gik hans* ~ *for nær* he could not reconcile it with his sense of honour; *på* ~*!* honest Injun! honour bright! cross my heart! *på* ~ *og samvittighed* on my word of honour; *erklæring på* ~ *og samvittighed* solemn declaration; *-n var reddet* honour was satisfied; *vise en den sidste* ~ pay the last honours to sby; *hvad skylder jeg -n?* to what do I owe this honour? *han sætter en* ~ *i at gøre det* he makes it a point of honour to do it; *tage -n for* take the credit for; *til hans* ~ to his honour; *til* ~ *for* in honour of; *udbede sig -n af* request the pleasure of; *al* ~ *værd (nedladende)* commendable; ~ *være Gud!* glory to God! ~ *være hans minde!* all honour to his memory!

II. **ære** *vb* honour; *ær din fader og din moder* honour thy father and thy mother; *den -de læser* the (gentle) reader; *det -de medlem* the Honourable Member; *Deres -de (skrivelse) (glds)* your favour.

ære|frygt awe, veneration *(for:* of*)*. -**frygtindgydende** *adj* awe-inspiring. -**fuld** *adj* honourable, glorious. -**krænkelse** *(en -r)* defamation. -**krænkende** *adj* defamatory. -**kær** *adj* jealous of one's honour. -**løs** *adj* dishonourable, *(på grund af forbrydelse etc)* infamous. -**løshed** *(en)* dishonourableness; infamy.

ærenpris *(en -)* ♧ speedwell.

ærerørig *adj* defamatory.

æres|begreber code of honour. -**bevisning** mark of respect, honour; *militære -er* military honours. -**bolig** honorary residence. -**borger** honorary citizen; *gøre en til* ~ *i byen* give sby the freedom of the city. -**doktor** doctor honoris causa. -**følelse** sense of honour. -**gave** presentation; *give ham en* ~ make him a presentation. -**gæld** debt of honour. -**gæst** guest of honour. -**hverv** honorary task; *se ogs -post.* -**kompagni** ✕ guard of honour.

æreskænder *(en -e)* defamer, calumniator.

æres|legion legion of honour. -**medlem** honorary member. -**oprejsning** rehabilitation; *(ved duel)* satisfaction. -**ord** word of honour *(fx* I give you my word of honour*)*; *på* ~ ✕ on parole, *(= på ære)* honour bright. -**port** triumphal arch. -**post** *(en -er)* post of honour. -**præmie** *(i væddeløb)* cup. -**præsident** honorary chairman. -**sabel** sword of honour. -**sag** point *(el.* matter*)* of honour. -**tab** loss of honour, disgrace. -**vagt** guard of honour.

ærgerlig *adj* annoying, irritating, vexatious; *(som ærgrer sig)* annoyed, irritated, vexed *(over:* at, *på:* with*)*.

ærgerrig *adj* ambitious. **ærgerrighed** *(en)* ambition.

ærgre *vb* annoy, *(stærkere)* vex, provoke, fret; ~ *sig* be annoyed, *(stærkere)* be vexed, fret *(over:* at, *over at:* that*)*; ~ *sig ihjel* eat one's heart out, vex oneself to death.

ærgrelse *(en -r)* annoyance, *(stærkere)* vexation; *(skuffelse)* disappointment; *(besvær)* worry; *til min* ~ to my vexation; *volde én* ~ annoy sby; vex sby.

ærinde *(et -r)* errand; *(for en anden)* commission; *orrette et (lille)* ~ *(= forrette sin nødtørft)* relieve nature, *(om barn)* do one's duty; *gd* -r go (on) errands; *(by-)* go shopping; *gd éns* ~ *(fig)* play into sby's hands, play sby's game; *hun gjorde sig et* ~ *derhen* she found some pretext for going there; *hvad er Deres* ~? what do you want? *i et* ~ on an errand; *han var der i et lovligt* ~ he was there on lawful business.

ærke|biskop, -bisp archbishop. **-bispedømme** archbishopric. **-dum** *adj* boneheaded, bovine, oafish. **-engel** archangel. **-fjols** prize idiot, oaf. **-hertug** archduke; ~ *X* the Archduke X. **-slyngel** arch-scoundrel.

ærlig *adj* honest, upright; *(åbenhjertig)* frank, *(oprigtig)* sincere, *(retfærdig)* fair; T square; *adv* honestly; frankly; sincerely; fairly; *i* ~ *kamp* in a fair fight; *jeg har ikke fået et* -t *måltid mad hele dagen* I have not had a decent meal all day; *hans* -e *navn* his good name, his reputation; *det er en* ~ *sag* it is no crime; -t *spil* fair play; ~ *talt* honestly; *det går ikke* -t *til* it is not fair (play); *han har* -t *fortjent det (ogs ironisk)* he has richly deserved it.

ærlighed *(en)* honesty, fairness; ~ *varer længst* honesty is the best policy.

ærme *(et -r)* sleeve; *binde én ngt på* -t make sby believe sth, pull sby's leg; *smøge* -rne *op (ogs fig)* roll up one's sleeves.

ærme|blad dress preserver, dress shield. **-bræt** *(strygebræt)* sleeve board. **-gab** armhole. **-holder** *(en -e)* sleeve holder. **-løs** *adj* sleeveless. **-opslag** cuff.

ært *(en -er)* pea; *gule* -er split peas, *(suppe)* pea soup; *klare* -erne *(fig)* manage, save the situation.

ærte|blomst ♣ pea flower; *(Lathyrus odoratus)* sweet pea. **-blomstrede:** *de* ~ the pea family, *(amr)* the pulse family. **-bælg** pea pod; *(uden ærter)* pea shell. **-halm** pea straw; *de hænger sammen som* ~ they are as thick as thieves. **-ris** *(pl)* pea sticks. **-suppe** pea soup.

ærværdig *adj* venerable, *(især om gejstlige)* reverend *(fx* r. father!), *(ophøjet, majestætisk)* august.

ærværdighed *(en)* venerableness.
I. **æsel** *(et, æsler)* donkey, ass.
II. **æsel** *(en, æsler) (skældsord)* jackass, ass.
æsel|driver *(en -e)* donkey driver. **-føl** ass's foal *(el.* colt). **-hingst** he-ass, jackass. **-hoppe** *(en -r)* she-ass. **-hoved** ass's head; ♣ cap. **-spark:** *give én et* ~ hit a man when he is down. **-øre** *(i bog)* dog-ear, dog's-ear; *med* -r dog('s)-eared.
I. **æske** *(en -r)* box *(fx* of matches, of chocolates); *en* ~ *cigaretter* a packet *(el., især større:* a box) of cigarettes.
II. **æske** *vb* ask; ~ *éns mening* ask sby's opinion.
æske|post box of writing paper. **-system** nest of Chinese boxes.

æskulapstav staff of Aesculapius.

æstet *(en -er)* aesthete. **æstetik** *(en)* aesthetics. **æstetiker** *(en -e)* aesthete. **æstetisk** *adj* aesthetic(al).

æstime *(en)*, **æstimere** *vb* esteem.

æt *(en -ter) (herkomst)* lineage, birth, descent; *(familie)* family.

æter *(en)* ether; *gennem* -en *(pr radio)* over the air. **æter|bedøvelse** etherization. **-bølge** ether wave. **æterisk** *adj* ethereal.

Ætiopien Ethiopia. **ætiopier** *(en -e)* Ethiopian. **ætiopisk** *adj* Ethiopian; *(sproget)* Ethiopic.

ætling *(en -e)* descendant.

Ætna (Mount) Etna.

ætse *vb* corrode; *(med.)* cauterize; *(gravere med syre)* etch. **ætsemiddel** *(med.)* cauterant; *(til metalætsning)* acid.

ætsende *adj* corrosive, caustic; *(fig)* mordant *(fx* scorn), caustic *(fx* wit); ~ *stof* corrosive, caustic.

ætsenål etching needle.

ætsning *(en)* corrosion; *(med.)* cauterization; *(gravering med syre)* etching.

ætyl *(et)* ethyl. **ætylen** *(et)* ethylene.

ævl *(udtryk for ubehag)* ugh! *(drillende)* bah!

ævl *(et)*, **ævle** *vb* twaddle.

ævred: *opgive* ~ throw up the sponge, give up.

Ø

Ø, ø *(et -'er)* Ø, ø; Ø *(fk f.* øst) E. *(fk f.* east).

ø *(en -er)* island; *(poet. og i enkelte egennavne)* Isle *(fx* the Isle of Man); *på en ø* on an island; *De britiske Øer* the British Isles.

øboer *(en -e)* islander.

I. **øde** *(et)* waste, wilderness, *(ørken)* desert.
II. **øde** *adj* desolate, waste; *(mennesketom)* deserted, empty *(fx* street); *(trist)* lonely *(fx* moor); ~ **ø** desert island; *lægge* ~ lay waste, devastate.
III. **øde** * *vb* waste, squander, dissipate *(fx* one's money).

ødegård derelict farm.

ødeland *(en)* prodigal, spendthrift, waster.

øde|lægge *vb (tilintetgøre)* destroy *(fx* a bridge by blowing it up; an enemy ship; his happiness); *(beskadige uafhjælpeligt)* ruin *(fx* the storm ruined the crops; you'll r. the car by driving like that; r. one's career, health); *(gøre til vrag, knuse etc)* wreck *(fx* a ship; a car in an accident; his career, happiness, life); *(spolere)* spoil *(fx* the soup, her looks, his appetite, the fun); *(slå i stykker)* smash, break *(fx* the child broke its new toy); ruin; ~ *fornøjelsen for én* spoil *(el.* ruin) sby's pleasure; ~ *éns smag* corrupt sby's taste; *-lagt destroyed (etc)*, *(udmattet)* knocked up; *-lagt i bund og grund* completely ruined, *(moralsk) -lagte nerver* shattered nerves.

ødelæggelse *(en -r)* destruction *(fx* the d. of the bridge; the d. caused by the fire); ruin *(fx* that will be the ruin of him); devastation *(fx* of occupied territory); *(resultatet af* ~) wreckage *(fx* after the fight he came to look at the wreckage), *(skade)* damage, havoc.

ødelæggelses|krig war of destruction. **-lyst** destructiveness, destructive urge. **-værk** work of destruction.

ødelæggende *adj* destructive, ruinous *(for:* to).

ødem *(et -er) (med.)* oedema.

ødemark waste, wilderness.

ødipuskompleks Oedipus complex.

ødsel *adj* extravagant, wasteful, prodigal, *(gavmild etc)* lavish, profuse *(med:* of). **ødselhed** *(en)* extravagance, wastefulness, prodigality; *(gavmildhed)* lavishness, profuseness.

ødsle *vb* be extravagant, be wasteful; ~ *bort* waste, squander; ~ *med* waste *(fx* we cannot afford to waste coal); *(fig)* be prodigal of; ~ *ngt på en* lavish sth on sby. **ødslen** *(en)* wastefulness, extravagance, squandering; ~ *med* waste of.

øf *(et -)*, **øffe** *vb* grunt. **øfgris** piggy(-wiggy). **øf-øf** oink.

øg *(et -) (udslidt hest)* jade; *(person)* oaf.

øge *vb (forøge)* add to, increase; *(i skrædderi)* lengthen, add to *(i denne tyd bøjes det: øgte, øgt)*; ~ *ngt 'til* add sth, piece sth on; *-s (forøges)* increase.

øgenavn nickname.

øget *adj* added *(fx* it gave added weight to his argument).

øgle *(en -r)* lizard; *(forhistorisk)* saurian.

øgning *(en -er) (i syning)* piecing.

øgruppe group of islands.

øhav archipelago; *Det græske Øhav* the Archipelago.

øje *(et, øjne; om ndle- og lign: øjer) (ogs ndle-; øje i kartoffel)* eye; *(på plante ogs)* bud; *(på terning, dominobrik, spillekort)* pip; *et blåt ~* a black eye; *de gør det ikke for vore blå øjnes skyld* they do not do it for the sake of our bright eyes; *gøre store øjne* stare, open one's eyes wide; *lave øjne til en* make eyes at sby, T give sby the glad eye; *lukke øjnene* close *(el. shut)* one's eyes; *lukke øjnene for (fig)* close *(el. shut)* one's eyes to, *(tolerere)* turn a blind eye to, wink at; *jeg har ikke lukket et ~ hele natten* I did not sleep a wink last night, I did not close my eyes all night; *mine øjne løber i vand* my eyes are watering; *åbne ens øjne for noget* open sby's eyes to sth;

[*n. præp & adv:*] *~ for ~* an eye for an eye; *for alles øjne* in plain sight of everybody; *binde en for øjnene* blindfold sby; *med bind for øjnene* blindfolded; *få øjnene op for* awake to, become aware of; *have for ~* keep in view; *have ~ for* have an eye for; *lige for øjnene af ham* before his very eyes; *med dette mål for ~* with this end in view; *jeg vil aldrig se hende for mine øjne igen* I never want to set eyes on her again; *se det for sit indre ~* see it in one's mind's eye; *i mine øjne* to my mind, in my eyes, in my opinion; *se en lige i øjnene* look sby (straight) in the face; *jeg fik tårer i øjnene* (the) tears came to my eyes; *se døden i øjnene* look death in the face, face death; *se kendsgerningerne i øjnene* face facts; *sige ham det lige op i hans åbne øjne* tell him to his face; *følge ham med øjnene* follow him with one's eyes, *(:: til han er forsvundet)* watch him out of sight; *man kan se det med et halvt ~* you can see that with half an eye; *holde ~ med* keep an eye on, watch; *han har øjnene med sig* he keeps (all) his eyes about him; *være blind på det ene ~* be blind in *(el. poetisk:* of) one eye; *få ~ på* see, catch sight of, discover; *have et godt ~ til (:: ønske sig)* have an eye on, covet, *(:: være forelsket i)* be gone on, *(:: være på nakken af)* be down on; **under fire øjne** in private, privately, confidentially; *en samtale under fire øjne* a private interview; *gå en under øjne* pay lip service to sby.

øjeblik *(et -ke)* moment, instant; *jeg har aldrig et ~* tænkt *at* I never for a moment thought that; *et (lille) ~!* just a moment! T half a moment! *(i telefonen)* hold the line! *for -ket (:: nu)* at the moment, *(:: for tiden)* for the time being; *hvert ~: se hver; i det ~ da* the moment *(el. instant)* (that) *(fx* I left the moment he came); *i dette ~* at this moment; *(lige) i -ket* just now, at the moment; *i hans lyse -ke* in his bright moments, *(om sindssyg)* in his lucid intervals; *i næste ~* the next moment; *-kets mand* the man of the moment; *om et ~* in a moment; *på et ~* in (less than) no time, in the twinkling of an eye; *straks på -ket* this moment, this instant, at once; *i sidste ~* at the last moment, in the nick of time; *det var hans livs store ~* it was the moment of his life.

øjeblikkelig *adj* immediate *(fx* help; there is no i. danger); instantaneous *(fx* death was i.; i. effect); *(forbigdende)* momentary; temporary *(fx* improvement); *(nuværende)* present *(fx* situation); *adv* instantly, this instant, at once.

øjebliksfotografi *(et)* snapshot, T snap.

øjeglas *(til at bade øjne)* eye bath; *(i gasmaske etc)* eyepiece. **-kast** glance; *ved første ~* at first sight *(fx* love at first sight); *sende én et ~* glance at sby, give sby a look.

øjemed *(et)* object, purpose, end; *i dette ~ for* this purpose.

øjemål: *efter ~, på ~* by eye.

øjenbetændelse inflammation of the eyes. **-bryn** eyebrow. **-dråber** *(pl)* eyewash, eye drops.

øjenerve optic nerve.

øjenforblindelse optical illusion. **-glas** *(til at bade øjne)* eye bath. **-hinde** membrane of the eye; *(bindehinde)* conjunctiva. **-hindebetændelse** con-

junctivitis. **-hule** orbit, hollow of the eye, *(i kraniet)* eye socket. **-højde:** *i ~ at* eye level. **-hår** *pl* eyelashes. **-klinik** *(ved hospital)* eye clinic. **-krog** corner of the eye. **-læge** eye specialist, ophthalmologist, oculist. **-låg** eyelid. **-skærm** eyeshade.

øjenslyst: *en ~* a treat to the eyes, a sight for sore eyes.

øjenspejl ophthalmoscope. **-sygdom** eye disease.

øjensynlig *adj* evident, obvious; *adv (tydeligvis)* evidently, obviously *(fx* he is obviously pleased); *(tilsyneladende)* apparently; *han er ~ utilfreds* he seems *(el.* appears) to be dissatisfied.

øjentjener time-server. **-trøst** *(en)* ♃ eyebright. **-tørsot** xerophthalmia. **-vand** eyewash. **-vidne** *(t(-r)* eye witness. **-vipper** *pl* eyelashes.

øjesten: *han er hendes ~* he is the apple of her eye. **-syn:** *tage i ~* inspect, take a view of. **-æble** eyeball.

I. **øjne** *plur af øje.*

II. **øjne** *vb* see; *s å langt man kan ~* as far as the eye can see.

Ø. K. the East Asiatic Company.

øklima insular climate.

økologi *(en)* ecology.

økonom *(en -er)* economist; *han er en god ~* he is a good manager.

økonoma *(en -er) (på kostskole etc)* matron; *(på hospital, omtr)* catering officer.

økonomi *(en) (pengeforhold)* financial circumstances *(fx* my financial c. do not permit it), financial position; finances *(fx* his f. are in a poor way); economy *(fx* the e. of the country); *(sparsommelighed)* economy; *(videnskaben)* economics. **økonomiminister** Minister of Economic Affairs.

økonomisere *vb* economize; *~ med noget* economize on sth; *~ med kræfterne* husband one's strength.

økonomisk *adj (som angår økonomi)* economic; *(sparsommelig)* economical, careful; *(billig i drift)* economical; *(finansiel)* financial *(fx* problems); *mine -e forhold* my financial circumstances; *-e vanskeligheder* financial difficulties.

økse *(en -r)* axe, *(mindre, strids-)* hatchet. **økseblad** blade of an axe. **-hug** stroke with the *(,* an) axe. **-skaft** handle of an axe, helve.

øksne *(gammeldags pl af okse)* oxen.

økumenisk *adj* oecumenical.

øl *(et)* beer, ale; *lyst ~* light ale; *mørkt ~* dark beer, brown ale; *tyndt ~* thin *(el.* weak) beer; *~ fra fad* draught beer; *det er lige til -let* there is only just enough to go round; *en ~ (pl eller)* a bottle of beer, **a** beer *(pl* beers, *fx* two beers, please!).

ølanker beer barrel, *(mindre)* beer keg. **-bas** beery bass voice. **-brygger** brewer. **-bryggeri** brewery. **-brygning** brewing of beer. **-flaske** beer bottle. **-glas** beer glass, tumbler. **-handler** *(en -e)* beer retailer. **-kapsel** beer-bottle cap. **-kasse** *(til øl)* beer crate. **-krus** tankard. **-kusk** drayman. **-kælder** *(en -e)* beer cellar.

øllebrød *(en)* [dish made of bread, sugar, and non -alcoholic beer].

øllebrødsbarmhjertighed humanitarian nonsense, flabby humanitarianism.

øllet *adj* beery.

øloplukker bottle opener. **-skat** beer duty. **-tønde** beer barrel. **-vogn** (brewer's) dray.

øm *adj (som gør ondt)* tender, sore, aching, painful; *(kærlig)* affectionate, loving, tender *(fx* feelings, words); *jeg er ~ i armene* my arms ache; *være ~ over* use economically, take particular care of; *-t punkt (fig)* sore point; *ramme ham på hans -me punkt* touch him on the raw.

ømfindtlig *adj* sensitive; *(fig)* touchy.

ømfindtlighed *(en)* sensitiveness; touchiness.

ømhed *(en)* tenderness, soreness; ache, pain; *(kærlighed)* tenderness, affection, fondness, love.

ømme *vb:* *~ sig* wince, *(klage sig)* moan; *~ sig ved at gøre noget* shrink from doing sth, be reluctant to do sth.

øm|skindet adj sensitive. **-skindethed** (en) sensitiveness.

ømtålelig adj sensitive, touchy; et -t spørgsmål a delicate question.

I. **ønske** (et -r) wish, desire; de bedste -r best wishes! efter ~ (efter behag) at pleasure, as desired, (tilfredsstillende) to your (, his etc) liking, satisfactory; være efter ~ (ogs) answer one's wishes; et ~ om ngt a wish for sth; et ~ om at gøre noget a wish to do sth; nære (, ytre) ~ om at have (, express) a wish to.
II. **ønske** vb wish, desire; (ville gerne, ville have) want; De -r? (til kunde) what can I show you madam (, sir)? what can I do for you? hvad -r De? what do you want? jeg -r at tale med hr. X I want to see Mr X; jeg ville ~ vi var hjemme I wish we were at home; det lader intet (, meget) tilbage at ~ it leaves nothing (, a lot) to be desired; ~ sig noget wish for sth (fx I have everything one can wish for), want something (fx what do you want for your birthday?); ~ sig død wish oneself dead; ~ sig langt bort wish oneself far away; som De -r as you like (el. please); det ikke -de bedes overstreget delete as required; strike out the words which do not apply; ~ til lykke congratulate.

ønske|drøm(me) wishful thinking. **-hus** dream house, ideal house. **-koncert** (i radio) request programme. **-kvist** divining-rod.

ønskelig adj desirable; mindre ~ undesirable.

ønske|måde the optative mood. **-seddel** [list of birthday (, Christmas) wishes]; (ved forhandling etc) want list. **-tænkning** wishful thinking.

ønskværdig adj desirable.

ør adj confused, giddy; jeg blev ~ i hovedet af det it made my head swim.

I. **øre** (et -r) (ogs på gryde) ear; det går ind ad det ene ~ og ud ad det andet it goes in at one ear and out at the other; snakke fanden et ~ af talk the hind leg off a donkey; skrive sig ngt bag -t make a mental note of sth; døve -(r), se døv; have ~ for have an ear for; komme én for ~ reach sby's ear(s), come to sby's ears; have éns ~ have sby's ear; have lange -r be long -eared; (fig) be listening; have ondt i -rne have earache; holde ham i -rne (så ham til at lystre) keep him in order; (så ham til at yde sit bedste) keep him up to scratch; hviske ham det i -t whisper it into his ear; være lutter ~ be all ears; låne ~ til listen to, lend an ear to; hænge med -rne be down in the mouth; have meget om -rne have much to do, be up to one's ears in work; hed om -rne (fig) uneasy; være i gæld (, forelsket) til op over -rne be head over heels in debt (, in love); døv på det ene ~ deaf in (el. of) one ear; spidse -r prick up one's ears; holde -rne stive have all one's wits about one; han ville ikke tro sine egne ~ he could not believe his own ears; varme hans -r box his ears.
II. **øre** (en -) [Danish coin worth about half a farthing; 100 ~ = 1 krone]; ikke en rød ~ (svarer til) not a brass farthing, not a penny (el. cent); regnskabet stemmer på ~ the accounts are correct to the last penny.

øre|betændelse inflammation of the ear, otitis. **-clip** ear clip. **-døvende** adj deafening. **-figen** box on the ear; give ham -figner box his ears. **-flip** ear lobe, lobe of the ear. **-gang** auditory meatus. **-klap** (en -per) (på hue) ear flap; (ørevarmer) ear muff; (på lænestol) ear (flap). **-klapstol** winged armchair. **-lap** se -flip. **-læge** (en -r) ear specialist, otologist.

øren|lyd: få ~ get a hearing; jeg kan ikke høre ~ I can hardly hear myself speak; skaffe sig ~ make oneself heard, get a hearing. **-ring** ear ring. **-tvist** (en -e) earwig.

øre|pine (en) earache. **-ske** ear pick, aural scoop. **-smerter** (pl) earache. **-specialist** otologist, ear specialist. **-spejl** otoscope. **-sprøjte** (en -r) ear syringe.

Øresund the Sound.

øre|sygdom disease of the ear. **-sæl** (en -er) zo eared seal. **-sønderrivende** adj ear-splitting. **-tæve**

(en -r) box on the ear. **-tæveindbydende** adj: han er ~ he is a nasty piece of work. **-voks** ear wax.

ørige (et -r) island kingdom, island realm.

ørken (en -er) desert, wilderness, waste.

ørken|rotte desert rat. **-ræv** fennec. **-sand** desert sand. **-stamme** desert tribe. **-vandring** (fig) weary task.

ørkesløs adj idle, (frugtesløs ogs) futile. **ørkesløshed** (en) (lediggang) idleness; (frugtesløshed) futility.

ørn (en -e) zo eagle; han er ingen ~ (fig) he is no genius.

ørne|agtig adj aquiline. **-blik** eagle eye, keen glance. **-bregne** ♣ bracken. **-flugt** eagle's flight; (fig) soaring flight. **-klo** eagle's talon. **-næb** eagle's beak. **-næse** aquiline nose. **-rede** (en -r) eagle's nest, aerie. **-unge** eaglet. **-vinge** eagle's wing.

ørred (en -er) zo trout (pl -).

ørred|dam trout pond. **-fangst, -fiskeri** trout -fishing. **-flue** trout-fly.

I. **øse** (en -r) ♣ baler, scoop; (øseske) ladle, dipper.
II. **øse** ✱ scoop, ♣ bale; (af brønd og fig) draw (fx he drew water from the well; he drew on his extensive experience); ~ læns bale out; regnen -r ned the rain is pouring down, it is raining cats and dogs; ~ op ladle out; dish up; ~ penge ud squander money; spend money like water; -nde regn pouring rain.

øse|kar ♣ baler, scoop. **-ske** (en -er) ladle.

øsken (en -er) eye; (med skrue) screw eye.

øsregn heavy rain, downpour, torrents of rain.

øsregne vb: det -r it's raining cats and dogs, it's pouring down.

øst east; ~ for (to the) east of; fra ~ from the east; i ~ (in the) east; når jeg spørger i ~ svarer hun i vest she and I are talking at cross-purposes; mod ~ (ved den østlige grænse etc) on the east, (vendende mod ~) facing (the) east, (= østpå) east, eastward, towards the east; ~ om Hven east of Hven; ret (el. stik) ~ due east; ~ til nord east by north; ~ vest, hjemme bedst east or west, home is best.

Østafrika East Africa.

østasiatisk adj East Asiatic; Østasiatisk Kompagni (Ø. K.) the East Asiatic Company.

Øst|asien the Far East. **-berlin** East Berlin. **-blokken** the Eastern bloc.

østefter east, towards the east.

I. **østen** the East; det mellemste ~ the Middle East.
II. **østen** adv: ~ for eastward of; ~ om east of.

Østengland the East of England, eastern England.

østen|storm easterly gale. **-strøm** easterly current. **-vind** east wind.

østerland (orienten) the East, the Orient.

østerlandsk adj Eastern, oriental.

østerlænding (en -e) Oriental.

østers (en -) oyster; han er dum som en ~ he is a stupid ass. **østers|banke** (en -r) oyster bank, oyster bed. **-fangst** oyster fishing. **-kniv** oyster knife. **-skal** oyster shell. **-skraber** (redskab) oyster dredge.

østersø- Baltic.

Østersøen the Baltic.

østersølandene the Baltic States.

Østeuropa Eastern Europe.

øst|europæisk adj Eastern (el. East) European. **-fra** adv from the east. **-fronten** the Eastern Front. **-goterne** the Ostrogoths. **-gotisk** adj Ostrogothic. **-grænse** eastern limit (, frontier, boundary). **-gående** adj, for ~ eastbound. **-himmel** eastern sky. **-kyst** east coast.

østlig adj eastern; (om vind ogs) easterly; (i retning mod øst) easterly, eastward; det -e England the East of England, eastern England. **østligst** adj easternmost.

Østprøjsen East Prussia. **østprøjsisk** adj East Prussian.

østpå adv east, eastward(s), towards the east; (i den østlige del) on the east (fx bounded on the

east by a river); (*i østen*) in the east; (*i østligere egne*) farther east; *langt ~* far to the east.
østre *adj* eastern, east.•
Østrig Austria. **østriger** (*en -e*) Austrian.
østrigsk *adj* Austrian.
Østrig-Ungarn Austria-Hungary.
øst|romersk *adj: Det -e Rige* the Eastern (*el,* Byzantine) Empire. **-side** east side. **-tysk** *adj* East German.

Østtyskland East Germany.
øv! bah! boo! (*uf*) ugh!
øve *vb* practise; (*udøve*) exercise; (*begå*) commit; (*uddanne*) exercise, train; *~ barmhjertighed mod* be merciful to; *~ indflydelse på* exert an influence on; *~ sig i dans* practise dancing; *~ sig på klaver* practise on the piano; *~ sig på én* try one's hand on sby for practice; *~ sig på en rolle* rehearse a part; *~ tryk på* (*fig*) bring pressure to bear on; *~ uret* do wrong; *~ vold* use violence.
øve|bog, -hæfte exercise book.
øvelse (*en -r*) (*det at øve sig*) practice; (*om den enkelte ~*) exercise; (*universitets-, omtr =*) seminar; ✕ (*manøvre*) exercise, (*eksercits*) drill; *~ gør mester* practice makes perfect; *have ~ i noget* have experience in sth (*fx* he had no e. in teaching), be experienced in sth; *be practised in sth; holde sig i ~* keep in practice; keep one's hand in; *jeg er ude af -n* I am out of practice.

øvelses|eskadre ✢ training-squadron. **-flyvning** practice flight. **-maskine** (*flyv*) training-plane. **-patron** ✕ dummy cartridge. **-plads** training-ground. **-skib** training-ship. **-skole** (*til seminarium, svarer til*) demonstration school. **-togt** training-cruise.
øverst *adj* top, topmost, uppermost; (*fig*) supreme, highest; *adv* at the top, on top; *-e dæk* the upper deck; *-e etage* the top floor, (*spøgende: hovedet*) the upper storey; *-e klasse* the top form; *det -e råd* the Supreme Council; *stå ~ på listen* head (*el.* top) the list; *fra ~ til nederst* from top to bottom; *from head to foot; det -e hjørne til venstre* the top left -hand corner; *~ ved bordet* at the head of the table.
øverst|befalende, -kommanderende *subst* commander-in-chief.
øvet *adj* skilled, experienced, practised (*i:* in); *øvede hænder* practised (*el.* skilled) hands.
øvre *adj* upper; *flodens ~ løb* the upper reaches of the river.

Øvre-Schlesien Upper Silesia.
øvrig *adj* remaining; *det -e* the rest, the remainder; *de -e* the rest, the others; *det -e Europa* the rest of Europe; *for -t* (*i andre henseender*) in other respects, otherwise; (*i parentes bemærket*) incidentally; (*imidlertid*) however; (*apropos*) by the way; *i -t* (*desuden*) besides, moreover; (*i parentes bemærket*) incidentally.
øvrighed (*en*) (*public*) authorities; *-en* the authorities. **øvrighedsperson** public officer.

Å

I. **A, å** (*et -'er*) (*bogstav og sproglyd; bogstavet findes ikke på eng*).
II. **å** (*en -er*) stream, (small) river, brook; (*amr*) creek; *gå over den efter vand* take unnecessary trouble; *mange bække små gør en stor å* many a little makes a mickle, every little helps.
III. **å!** oh! o! (*i forundring, beundring*) oh! I say! my word! (*overraskelse*) oh! ah! well! (*skuffelse, sorg*) oh (dear)! (*ringeagt*) pooh! bah! (*nølende = tja*) well; *å jeg be'r, se* III. *bede; å, giv mig bogen!* please, give me the book! give me the book, will you? *å hvad!* please! do! (*= pyt*) pooh! oh, well! *å hør!* look here! I say! *å ja* (*nølende*) yes, in a way; well yes, yes and no; *å! lad være!* (= hold op med det) oh, stop it! (*= sig ikke det*) oh, go on!
åben *adj* open (*fx* door, boat, town, wound, syllable, face, character, question; with open arms; the shops are open); (*oprigtig ogs*) frank, candid, (*utilsløret*) open, undisguised; (*ikke udfyldt*) (in) blank;
som en ~ bog like a book (*fx* I can read him like a book); *~ flanke* ✕ open (*el.* exposed) flank; *~ for open to* (*fx* the public, traffic); *på ~ gade* in the street; *under ~ himmel* in the open (air); *holde -t hus* keep open house; *med ~ mund* open-mouthed, gaping; *med ~ pande* (*fig*) openly; *et -t sind* an open mind; *stå ~* be (left) open; *lade stå ~* leave open; *for -t tæppe* with the curtain up, (*fig*) in public; *sove for -t vindue* sleep with the window open; *~ og ærlig* frank and honest, honest and straightforward, (*om handling*) open and above-board; *med åbne øjne* with one's eyes open; *sige ham lige op i hans åbne øjne* tell him to his face; (*se ogs åbent*).
åbenbar *adj* evident, obvious, manifest.
åbenbare *vb* reveal, disclose, make known; (*røbe*) betray, reveal; *-t religion* revealed religion; *~ sig* (*komme til syne*) manifest oneself, appear (*for:* to); *~ sig som* (∶ *vise sig at være*) reveal oneself as; show oneself to be. **åbenbarelse** (*en -r*) revelation.
åbenbaring (*en -r*) the Apocalypse, the Revelation (of St. John the Divine), Revelations.

åbenbart *adv* (*tydeligvis*) evidently, obviously (*fx* he was obviously drunk), clearly; (*tilsyneladende*) apparently, on the face of it; *han er ~ utilfreds* (*ogs*) he appears (*el.* seems) to be dissatisfied.
åbenhed (*en*) (*oprigtighed*) openness, frankness.
åbenhjertig *adj* open, frank, candid.
åbenhjertighed (*en*) openness, frankness.
åbenlys *adj* open (*fx* hostility, scandal); patent (*fx* lie); palpable (*fx* make p. efforts to ...); plain; undisguised (*fx* contempt, hatred). **åbenlyst** *adv* openly.
åbenmundet *adj* indiscreet.
åbenmundethed (*en*) indiscretion.
åbent *adv* openly (*fx* confess openly), frankly; (*se åben*). **åben(t)stående** *adj* open.
åbne *vb* open (*fx* a door, a letter, a new shop, a meeting, an exhibition, a campaign, an account at a bank, one's heart to sby, sby's eyes to sth); (*låse op*) unlock; *atter ~, ~ igen* reopen; *erklære udstillingen for -t* declare the exhibition open; *~ et fad* (∶ *stikke det an*) broach a cask; *~ for* open to, (*gas, vand etc*) turn on; *~ for slusen* open the lock; (*fig*) open the floodgates; *~ sit hus for dem* throw one's house open to them; *~ ilden* ✕ open fire; *indgangen -s kl.* 7 doors open at seven; *~ ngt med magt* force sth open; *~ nye muligheder for* open up new opportunities for; *~ sig* open.
åbning (*en -er*) (*det at åbne; begyndelse*) opening; (*indvielse*) opening, (*højtidelig*) inauguration; (*et hul etc*) opening, gap, hole, aperture; (*afføring*) motion; *have ~* move the bowels.
åbnings|fest opening ceremony, inauguration (ceremony). **-kurs** opening price. **-møde** first meeting. **-tid** (*når der åbnes*) opening time; (*når der holdes åbent*) hours.
åd *imperf af* æde.
ådre *vb* grain. **ådring** (*en*) graining.
** åds|el** (*et -ler*) carcass; (*råddent kød; ogs neds*) carrion; *æde -ler* feed on carrion.
ådsel|bille *zo* carrion beetle. **-graver** *zo* sexton

beetle. -grib zo Egyptian vulture. -ædende adj necrophagous. -æder zo scavenger.

åg (et -) yoke; afkaste -et throw off the yoke; bringe under -et (fig) subjugate; gå under -et pass under the yoke; lade en gå under -et send sby under the yoke.

åger (en) usury; (vare-) profiteering; drive ~ practise usury, be a money-lender.

åger|forretning usury; (firma) money-lending business. -karl usurer, money-lender (fx he is in the clutches of money-lenders). -lov Money-lenders' Act. -pris exorbitant price. -rente usury, extortionate interest.

ågre vb practise usury; ~ med sit pund make the most of one's talents.

åh! se III. dl

åkande (en -r) ♧ water lily; gul ~ yellow water lily; hvid ~ white water lily.

I. ål (en -) (fisk) eel; glat som en ~ (as) slippery as an eel; hans strømper hang i ~ his stockings were all wrinkled, his stockings concertinaed; vride sig som en ~ (fig) twist and turn; stange ~ spear eels.

II. ål (en) (sætterværktøj) bodkin.

åle vb chaff; ~ ham for det chaff him with it.

åle|blus eel flare. -dam eel pond. -fangst eel fishing, eeling. -glat adj as slippery as an eel. -græs ♧ grasswrack. -jern eel spear, eel fork. -kiste eel trap. -krage zo cormorant. -kvabbe (en -r) zo viviparous blenny. -ruse eel trap, (større) eel buck, (mindre) eel pot. -skind eelskin. -stangning eel spearing. -vandring migration of the eel. -vod eel seine.

ålob (et -) stream, brook, (small) river.

ånd (en -er) (sind, mods legeme; ogs stor personlighed) spirit, mind; (åndelig kraft, indre princip) genius, spirit; (overnaturligt væsen) spirit, genie (fx the Genie of the Lamp); (spøgelse) ghost, spirit; (tænkemåde) spirit (fx the spirit of the 18th century); (i hær etc) morale, spirit; (tone, retning) spirit, tenor, drift (fx the drift of what he said);

beslægtede -er kindred souls, congenial spirits; de dødes -er the spirits of the dead; hans gode (, onde) ~ his good (, evil) genius; Hamlets faders ~ Hamlet's father's ghost; den hellige ~ the Holy Ghost; i -en in spirit; forstå ngt i den ~ det er skrevet understand sth in the spirit in which it was written; ganske i X.s ~ quite in the spirit of X.; i ~ og sandhed in spirit and in truth; jeg ser ham i -en I see him in my mind's eye; når -en kommer over ham when the spirit moves him; lampens (, ringens) ~ the Spirit (el. Genie) of the Lamp (, of the Ring); opgive -en give up the ghost; den store ~ (indianernes gud) the Great Spirit; tjenende ~ (tyende) servant, menial; (magisk) familiar; -ens verden the spiritual world.

I. ånde (en) breath; dårlig ~ foul breath, (med.) halitosis; holde en i ~ keep sby up to scratch; holde sine tilhørere i ~ hold the attention of one's audience; være i ~ (i virksomhed) be on the move, (i stemning) be in the mood.

II. ånde vb breathe, respire; ~ dybt draw a deep breath, breathe deeply; han levede og -de kun for det that was his whole life; alt -de fred everything breathed peace; ~ ind inhale; ~ (lettet) op, ~ frit igen breathe again, breathe a sigh of relief; ~ på breathe on; ~ ud exhale.

ånde|agtig adj ghostly, ghostlike, spectral. -besværgelse necromancy; (uddrivende) exorcism. -besværger (en -e) necromancer; exorcist.

åndedrag (et -) breath; til mit sidste ~ till my last breath.

åndedræt (et -) breathing, respiration; give ham kunstigt ~ administer artificial respiration to him; i samme ~ in the same breath.

åndedræts|besvær difficulty in breathing. -organ respiratory organ. -øvelse breathing exercise.

åndehul breathing-hole, blowhole; (insekters) spiracle, stigma.

åndelig (ulegemlig) spiritual; (religiøs) religious; spiritual; (intellektuel) intellectual, mental; ~ anstrengelse mental effort; -e evner intellectual (el. mental) faculties; ~ fader spiritual father; ~ føde mental pabulum, food for the mind; i ~ henseende spiritually, intellectually, mentally; -e interesser intellectual interests; ~ kraft moral (el. spiritual) force; -t liv spiritual life; -e sange sacred songs; -e værdier spiritual values.

åndeløs adj breathless; ~ forventning (, tavshed) breathless anticipation (, silence).

ånde|maner (en -e) necromancer, (som uddriver) ånder) exorcist. -maning (en) necromancy, exorcism.

ånden (en) breathing.

ånde|nød difficulty in breathing. -pust breath. -syn phantom, vision.

åndet adj (fx) stream.

åndeverden invisible world, ghost-world.

åndfuld adj brilliant, witty. åndfuldhed (en -er) brilliancy, wit; (bemærkning) witty remark, bon mot.

ånding (en) breathing respiration.

ånd|løs adj dull, insipid, fatuous, inane (fx remark). -løshed (en) dullness, insipidity, fatuity, inanity.

åndrig adj witty, brilliant. åndrighed (en -er) brilliancy; (bemærkning) witty remark, bon mot, stroke of wit.

ånds|arbejder (en -e) intellectual worker. -aristokrat (en -er) intellectual aristocrat. -aristokrati (et -er) intellectual aristocracy. -aristokratisk adj highbrow. -beslægtet adj congenial. -dannelse culture. -dannende adj educative, improving. -evner (pl) mental faculties. -forladt adj dull, insipid, fatuous, inane. -form mentality. -formørkelse benighted state, obscurantism. -fortærende adj overwhelmingly dull, too dull for words, soul-destroying. -fraværelse (en) absence of mind, absent-mindedness, preoccupation. -fraværende adj absent-minded, preoccupied, absent; en ~ mine a preoccupied air. -frembringelse (intellectual) production. -frihed intellectual liberty. -frisk adj of unimpaired mental faculties, of sound mind. -friskhed unimpaired mental faculties, sound mind. -fælle (en -r) congenial spirit, kindred soul (el. spirit).

ånds|historie history of thought. -hovmod intellectual arrogance. -kraft mental power, strength of mind. -liv (tankevirksomhed) intellectual life, thought; (kultur etc) intellectual life (fx 18th century intellectual life), culture (fx German culture). -livlig adj active-minded, lively, vivacious. -nærværelse presence of mind, resourcefulness. -overlegenhed (en) intellectual superiority. -produkt (intellectual) production. -retning (tænkemåde) mentality, outlook; (bevægelse og dens tilhængere) school of thought. -slægtskab (spiritual) affinity. -sløv adj imbecile; (af alderdom) senile. -sløvende stupefying. -sløvhed idiocy, imbecility; (alderdommens) senility.

ånds|smidig adj versatile. -svag adj mentally deficient, feeble-minded, half-witted; (tåbelig) idiotic, half-witted. -svageanstalt home for the mentally deficient. -svaghed mental deficiency, idiocy. -svækkelse weakening of the intellect, softening of the brain. -type type of mind. -udvikling mental development. -videnskaberne the humanities. -virksomhed mental activity.

år (et -) year; i sine bedste ~ in the prime of life, in one's prime; blive 20 ~ complete one's twentieth year, reach twenty, be twenty; ~ og dag (jur) a year and 6 weeks, (lang tid) (for) ages; det gamle (, nye) ~ the old (, new) year; et halvt (, halvandet) ~ 6 (, 18) months; dette Herrens ~ this year of grace; i det Herrens ~ in the year of Our Lord (el. of grace); i mange Herrens ~ for ages; hvert andet ~ every second (el. other) year; så lang som et ondt ~ as long as a month of Sundays; han er 10 ~ (gammel) he is 10 (years old);

[m *præp & adv:*] **ad -e** *(engang)* some day, some time; *-et efter* the year after, the following year; ~ *for* ~ year by year, annually, yearly; *for 3* ~ *siden* 3 years ago; *gennem -ene* in the course of time; *i* ~ this year; *i -et 1815* in (the year) 1815; *han går i sit 50.* ~ he is in his fiftieth year; *når man kommer op i -ene* when you are getting on in years; *være oppe i -ene* be advanced *(el.* well on) in years; *hele -et igennem* throughout the year; ~ *ind og* ~ *ud* year in (and) year out; *med -ene* with the years; *mellem* ~ *og dag* in the course of time; *om -et* a year, per annum, annually; *om et* ~ in a year; *i dag om et* ~ this day next year; twelve months today; *et barn på 7* ~, *et 7-års barn* a child of 7, a seven-year-old child; *til -s* advanced *(el.* well on) in years; *-et ud* the rest of the year.

år|bog yearbook, annual (publication); *(historisk)* annals, chronicle.

I. åre *(en -r) (anat, ♧, zo, digterisk etc)* vein; *(puls-)* artery.

II. åre *(en -r)* ⚓ oar, *(mindre)* scull; *(kano-, pagaj)* paddle; *hvile på -rne* rest on one's oars; *trække på -rne* pull at the oars.

III. åre *vb* grain *(fx* wood).

åre|betændelse phlebitis. **-blad** oar blade, blade of an oar. **-fod** *zo* web foot. **-forkalket** *adj* suffering from arteriosclerosis. **-forkalkning** arteriosclerosis, hardening of the arteries. **-gaffel** rowlock. **-greb** *(et -)* oarhandle, handle of an oar. **-knude** varicose vein. **-lade** *vb* bleed; *(fig)* bleed (white). **-ladning** blood-letting, *(ogs fig)* bleeding.

årelang *adj (som varer flere år)* agelong, lasting *(el.* of) several years; *(som varer ét år)* year-long, lasting a whole year.

åre|mål term of years; *forpagtning på langt* ~ long lease. **-slag** *(ved roning)* stroke. **-system** *(blod-dreme)* venous system; *(pulsåreme)* arterial system.

året *adj* veined, *(om træ ogs)* grained.

åre|tag *(et -)* stroke; *holde* ~ keep stroke. **-told** ⚓ tholepin. **-vinget** *adj zo* membrane-winged; *de -vingede* hymenoptera.

årevis: *i* ~ for years (and years).

årgammel of several years' standing; *(et år)* year-old, of one year; *et -t føl* a yearling.

årgang *(af aviser etc)* volume; *(aldersklasse)* (those of a particular) year, ⚥ class; *(af vin)* vintage, year; *min* ~ (the men of) my year; *de store årgange (om vin)* the great vintage years; *(befolkningstilvæksten i fyrreme)* "the bulge" (in the birthrate).

århundrede *(et -r)* century; *det 19. og 20.* ~ the 19th and 20th centuries.

århundred|gammel *adj* centuries old. **-skifte** *(et -r)* turn of a century; *ved -t* at the turn of the century.

-årig *(om alder)* ... **-year-old**, of ... (years) *(fx* a child of ten (years)); *(om varighed)* of ... years, ... **-year** *(fx* a ten-year lease).

åringer *pl (år)* years.

årle *adj* early.

årlig *adj* yearly, annual; *adv* per annum, annually; *tre gange* ~ three times a year; ~ *tilbagevendende* annual.

år|penge annuity, yearly allowance; *(apanage)* apanage. **-ring** *(i træ)* annual ring. **-række** series *(el.* number) of years; *i en* ~ for a number of years, for many years.

års- annual.

årsafslutning *(i skole)* Speech Day, *(amr)* Commencement.

årsag *(en -er)* cause *(fx* malnutrition is the cause of many diseases); *(subjektiv grund, fornuftgrund)* reason *(fx* the reason why I dislike him; there is no reason to suspect him); *(anledning)* occasion *(fx* give occasion for gossip); *(basis for påstand etc)* ground; *(bevæggrund)* motive; *af den* ~ for that reason; *ingen* ~! don't mention it! not at all! it is quite all right! ~ *til* cause of; reason for; *give* ~ *til* give occasion *(el.* cause) for; *-en til at jeg gjorde det* the reason why I did it; ~ *og virkning* cause and effect; *lille* ~ *stor virkning* great events and small occasions.

årsags|begreb causation, conception of causal relation. **-bindeord** causal conjunction. **-forhold, -sammenhæng** causality, causal relation. **-sætning** law of causation; *(gram)* causal clause.

års|angivelse date, year. **-balance** *(merk)* annual balance-sheet. **-beretning** annual report. **-dag** anniversary *(for:* of). **-fest** annual festival, anniversary; *(i skole)* Prize-Day, Speech Day; *(universitets)* Commemoration Day. **-forbrug** annual consumption. **-indtægt** annual income (, revenue, *etc).* **-karakterer** marks for the year's work. **-kontingent** annual subscription. **-kort** season ticket (for one year). **-møde** annual meeting. **-omsætning** annual turnover. **-produktion** annual production. **-prøve** annual examination. **-regnskab** annual accounts. **-skifte** (commencement of a) new year; *-t* the turn of the year. **-skrift** *(et -er)* annual, yearbook. **-tal** year, date. **-tid** season, time of the year. **-udbytte** annual yield *(el.* output); *(dividende)* annual dividend. **-unge** *(en -r)* yearling; *hun er ingen* ~ she is no chicken.

år|ti *(et -er)* decade, decennium. **-tusinde** *(et -r)* millennium.

årvågen *adj* alert; watchful, *(stærkere)* vigilant; *(ved bestemt lejlighed)* on the alert. **årvågenhed** *(en)* alertness; watchfulness, vigilance.

ås *(en -e) (bakke)* ridge; *(tagbjælke)* purlin, *(plovås)* beam.

åsted scene of the crime, place in question; *på -et* on the spot. **åstedsforretning** inspection of the ground, local inquiry.

åsyn *(et)* countenance; *for Guds* ~ in the sight of God; *bort fra mit* ~ out of my sight.

TILLÆG

abstinenssymptomer *pl (med.)* withdrawal symptoms.

absurd *(tilføj:) det -e teater* the theatre of the absurd.

a contobeløb instalment; *betale et ~* pay sth on account.

adfærds|forsker ethologist. **-forskning** behavioural research, ethology.

adgangstærskel *(fig): hæve -en til* raise the standards of entry to *(fx* a College of Education).

adjunkt *(tilføj:) (ved universitet, svarer til)* lecturer, *(amr)* assistant professor.

administrationsudgifter *pl* administrative expenses.

adrenalin suprarenine *udgår; (tilføj:)* epinephrine.

adresse *(tilføj:) (skriftlig henvendelse ogs)* petition *(fx* a protest petition).

adresse|kartotek, -liste *(for reklamer etc.)* mailing list.

adventskrans advent wreath.

aerosol|dåse aerosol can. **-pakning** *(ret til:)* aerosol pack.

afbilde *(tilføj:) (illustrere)* illustrate.

afbryde *(tilføj:) (om sportskamp: aflyse)* abandon *(fx* the match was abandoned because of rain); ~ *rejsen (gøre ophold ogs)* stop over.

afbuds|billet returned ticket. **-rejse** *(flyverejse)* stand-by flight.

afdramatisere *(tilføj:)* defuse *(fx* the situation).

afdæmpe *(tilføj:)* mitigate, cushion *(fx* the rise of prices); moderate *(fx* wage increases). **afdæmpning** *(tilføj:) (fig)* mitigation, cushioning, moderation.

afgang *(tilføj:) (fratræden ogs)* wastage *(fx* natural wastage).

afgangshal *(jernb, flyv)* departure hall.

afgrund *(tilføj:) falde i en ~* fall into an abyss, fall over a precipice.

afgørende *(tilføj:)* crucial *(fx* experiment; their crucial mistake).

afhængighed *(tilføj:) ~ af narkotika* drug dependence.

afhærde *(om vand)* soften. **afhærdningsmiddel** water softener.

afideologisere deideologize.

afkalke *(om vand)* soften. **afkalkningsanlæg** water softener.

afkolonisere decolonize.

afkriminalisere decriminalize.

aflyse *(tilføj efter* scratch:) *(om igangværende kamp)* abandon *(fx* the football match was abandoned because of rain).

aflytning *(tilføj:) (ved hjælp af skjult mikrofon)* bugging. **aflytte** *(tilføj:) (ved hjælp af skjult mikrofon)* bug.

afmatning *(en)* fall-off, decrease, lessening; lull *(fx* in business); *(økon)* recession.

afmystificere demystify.

afpolitisere depoliticize.

afrive *(tilføj:) (om papir, ved perforering)* detach *(fx* a counterfoil).

afrofrisure Afro-hairdo.

afskaffe *(tilføj:) gradvis ~* phase out.

afskedigelsesløn severance pay.

afskedsbegæring *(tilføj:) se ogs demissionsbegæring (i tillægget).*

afskrive *(tilføj:) (fig)* write off, give up.

afskrækkelsesvåben deterrent.

afslukke *(ved brand)* damp down.

afsmitning *(typ)* set-off, smudging; *(fig)* rubbing-off. **afsmittende** *adj: have ~ virkning på* rub off on.

afsnit *(tilføj:) (af fortsat roman)* part, *(af TV-serie ogs)* episode.

afspore *(tilføj:) ~ diskussionen* start a hare.

afspærre *(tilføj:) (med politi)* cordon off *(fx* the police cordoned off whole quarters of the town); throw a cordon round *(fx* a house).

afstand *(tilføj:) holde ~ (ved bilkørsel)* keep one's distance.

afstandsbriller *pl* lor g-distance spectacles.

afstribe *(tilføj:) (om vej)* mark with (white) lines. **afstribning** traffic marking.

afstumpet *adj* blunted, obtuse.

aftenkonsultation *(om læge)* evening surgery *(fx* there is no evening surgery on Thursdays).

afvigelse *(tilføj:) (i sociologi)* deviance. **afvigende** *(tilføj:) (i sociologi)* deviant *(fx* behaviour).

afvikle *(tilføj:)* wind up *(fx* all foreign military bases).

afvænne *(fra stimulanser) (tilføj:) ~ fra* get off *(fx* we tried to get him off heroin and keep him off).

afvænningsklinik *(for stofmisbrugere)* drug addiction clinic.

agent|film spy film. **-roman** spy story.

aktie|andel, -certifikat share unit.

aktindsigt right of access to documents.

aktionere *(gå i aktion)* go into action, take action. **aktions|gruppe** action group. **-radius** *(ret til:)* radius of action.

akupunktur *(en -er)* acupuncture.

akupunktør *(en -er)* acupuncture practitioner.

alarmberedskab *(tilføj:) sætte i ~* alert *(fx* the police were alerted).

alfaderlig *(tilføj:)* avuncular.

alkotest breathalyzer test.

allerhelligst: *det -e (tilføj:)* the (inner) sanctum.

alrum family room.

altangang access balcony; *(amr)* gallery.

a-menneske A-person.

amts|borgmester *(svarer til)* chairman of the county council. **-direktør** *(svarer til)* clerk to the county council.

andelsbevis *(i investeringsforening)* unit.

II. anden *(tilføj:) I andre* the rest of you; *det er noget andet med John* John is a different case.

andespil *(tilføj:) (svarer til)* bingo.

angrebspunkt *(tilføj:) (fig)* vulnerable point; *de har ikke kunnet finde nogen -er mod ham* they have got nothing on him.

ankermand *(ved tovtrækning og fig)* anchorman.

anklage|t *(den -de) (tilføj:) (i mindre alvorlige sager)* the defendant.

ansvarsområde field of responsibility, *(persons ogs)* purview; *have noget som ~* be responsible for sth.

ansættelsestryghed job security; *(i embede)* security of tenure.

apolitisk apolitical.

apoteker *(tilføj:)* dispensing chemist, pharmacist.

I. arbejde *(tilføj:) gå i ~* set to work; *gå i ~ igen* resume work; *(efter strejke)* go back.

arbejds|formidler employment officer. **-for-midling** employment service; *(kontor)* employment exchange, *(i England nu)* job centre. **-frokost** working lunch. **-gruppe** working party, working group. **-ret** *(svarer til)* industrial (relations) court. **-udvalg** working party.

arkitektlampe *(tilføj:)* anglepoise lamp.

I. **arm** *(tilføj:)* hans forlængede ~ (ɔ: hjælper) his right-hand man; *domstolene var blot diktatorens forlængede* ~ the courts were merely an extension of the dictator's power, the courts were merely the dictator's stooges; *give den hele -en* S go all out, throw oneself into it, not pull one's punches; *lægge* ~ do Indian wrestling; *med en frakke over -en* with a coat on one's arm.

arnested *(tilføj:)* brandens ~ the seat of the fire.

asfaltboble T bubble car.

atomaffald nuclear garbage *(el.* waste). **-kraftværk** *(tilføj:)* nuclear power station. **-våbenspredning** nuclear proliferation.

ATP *(fk f arbejdsmarkedzts tillægspension) se tillægspension (i tillægget).*

autoforhandler, automobil(for)handler car dealer.

autoophugger car breaker.

bade|kåbe *(tilføj:)* *(nu oftest)* bathrobe. **-ring** swim(ming) ring.

bagage|boks luggage locker. **-rumsklap** *(i bil)* tail gate.

baggrunds|musik background music. **-støj** background noise.

bag|kant rear edge; *(af bæreplan)* trailing edge. **-klogskab** wisdom after the event, hindsight. **-lokale** *(tilføj:)* back premises.

baklygte *(tilføj:)* reversing light, *(amr)* back-up light.

balaclavahue balaclava (helmet).

balancere *(tilføj:) bringe regnskabet til at* ~ balance the accounts; *(fig)* break even.

balletskørt ballet skirt, tutu.

banan *(tilføj:) en hård* ~ a tough guy.

bankbus mobile branch.

banko *(udråb i bankospil)* full house.

bankospil bingo.

barak|by [collection of temporary huts]. **-bygning** hut.

barmsvær *(tilføj:)* T bosomy.

barne|centreret *adj* child-centred. **-rov** *(tilføj:) (om en der gifter sig med en meget yngre)* baby-snatching.

barre *(tilføj:) forskudt* ~ *(i gymnastik)* uneven bars.

barsle *(tilføj:)* ~ *med (fig)* produce, bring forth; *(N.B.* the mountain laboured and brought forth a mouse).

basar *(tilføj:) (velgørende)* sale of work.

basis|semester *(omtr)* foundation term. **-uddannelse** *(omtr)* foundation course.

bedriftslæge industrial medical officer.

befolkning *(tilføj:) -en (offentligheden)* the public.

befolkningseksplosion population explosion.

begrave *(tilføj:) han har -t alle sine penge i forretningen* he has sunk all his money in the business.

begreb *(tilføj:) det er blevet et* ~ *(fig)* it has become quite an institution; it has become a household word.

begrebsordbog thesaurus.

beløbsramme margin of expenditure.

bemyndigelseslov *(ret til:)* enabling act; *(om indførelse af ekstraordinære foranstaltninger)* emergency powers act.

ben *(tilføj:) have begge* ~ *på jorden (fig)* have both feet on the ground.

benzinbombe *(til gadekamp)* petrol bomb.

beredskab *(tilføj:) være i* ~ be in readiness; stand by *(fx* an ambulance stands by at all race meetings).

beregning: *uden* ~ *(tilføj:)* without charge, *fk* w.c.

beruse *(tilføj:)* ~ *sig i (fig)* lose oneself in.

beskedenhed *(tilføj:) han lider ikke af falsk* ~ he is not over-modest.

beskrevet *(tilføj:) tæt -t* closely written *(fx* a closely written sheet of paper).

beskyttet *adj* protected; ~ *værksted (for handicappede)* sheltered workshop.

beskæftigelseshjælper occupational therapist's aide.

beslutning *(tilføj:) en* ~ *om at* a decision to.

beslutnings|proces decision-making process. **-tager** decision-maker.

beslutte *(tilføj:) -nde organer* decision-making bodies.

besvarelse *(tilføj:) (ved konkurrence)* entry.

betalingsordning payments arrangement.

bevidstgøre *vb:* ~ *en over for noget* make sby aware *(el.* conscious) of sth, awaken sby to sth. **bevidstgørelse** *(en)* making aware, awakening.

bevidstheds|udvidelse expansion of consciousness. **-udvidende** consciousness expanding, psychedelic.

biblioteksafgift library book royalties *pl.*

bid *(tilføj:) få en* ~ *af kagen (fig)* get one's slice.

bil|bio drive-in cinema. **-dræbt** *adj* killed in a car accident; *sb (omtr)* road fatality. **-færge** car ferry. **-kirkegård** *(tilføj:)* old car dump.

billed|båndoptager video tape recorder. **-tekst** *se -underskrift.*

billede *(tilføj:) tage et* ~ *af ham* take his picture. **billed|ordbog** pictorial dictionary. **-side** *(film, TV)* visuals *pl.* **-underskrift** *(tilføj:)* text, legend.

billettang ticket punch.

billigudgave *(af bog)* cheap edition; paperback edition.

bil|tog, -transporttog motorail. **-varmer** engine heater.

binde: ~ *op (tilføj:) (løse)* untie *(fx* a knot).

I. **bisse** *(tilføj:) skrue -n på* S cut up rough.

bivirkning *(tilføj:)* side effect; *(af medicin: uønsket* ~) adverse effect.

bladhus newspaper office.

blande *(tilføj:) bland dig udenom!* T mind your own business! don't go poking your nose into that!

blandingsøkonomi mixed economy.

bleabonnement nappy-washing service; *(amr)* diaper service.

blinklys *(tilføj:)* roterende ~ rotating beacon *(el.* light).

blod|billede *(med.)* blood picture. **-kræft** leukaemia.

blokade *(tilføj:) etablere* ~ *over for (fig)* boycott; black.

blæksprutte *(tilføj:) (bagageholder)* spider *(fx* a six-clamp spider); luggage elastics.

blæresten *(tilføj:)* bladder stone.

II. **blød** *(tilføj:)* ~ *landing (i rumfart)* soft landing. **b-menneske** B-person.

BNP *(fk f bruttonationalprodukt)* GNP *(fk f* gross national product).

boble|hal air house. **-paraply** bubbletop (umbrella).

boks *(tilføj:) (i sproglaboratorium)* booth, cubicle.

boksestævne boxing meeting.

bolig|anvisningskontor accommodation bureau *(el.* agency). **-haj** *(tilføj:) (amr)* slum lord. **-indretning** interior design; furnishing. **-lov** housing act. **-sikring, -støtte** *(svarer til)* rent rebate. **-tekstiler** *pl* furnishing fabrics. **-udstyrsforretning** furnisher's.

bombardere *(tilføj:)* ~ *en med rådne æg* pelt sby with rotten eggs.

bombe|stop bombing halt *(el.* pause). **-tomt** bomb site.

bondefange *vb* con *(fx* he was conned into doing it).

bord: *tage af -et (tilføj:) forslaget er ikke taget af -et (fig)* the proposal remains on the table.

bord|bombe indoor firework. -skåner dish mat.
bort|fjerne se fjerne. -føre (tilføj:) ~ et fly hijack (el. skyjack) a plane. -vælge drop (fx a subject).
brandfarlig (tilføj:) (fig) explosive (fx issue); gøre situationen mindre ~ defuse the situation.
brev|bombe letter bomb. -stemme postal vote.
brugtbil, brugtvogn used (el. second-hand) car.
bruseniche cabinet shower.
bryde (tilføj:) ~ sig om at care to (fx I don't care to be seen here).
brænde: ~ inde (tilføj:) die in a (, the) fire; ~ sammen (om slagger etc) cake, clinker; (om motor etc) seize up; (fig) break down.
brødebetynget (tilføj:) conscience-stricken, guilt-ridden.
bråvallaslag pitched battle.
bug (tilføj:) (om dyr) belly.
buksedragt trouser suit; (især amr) pant suit.
burretavle (type of) flannelgraph.
bydreng (tilføj:) delivery boy.
bygge|entreprenør property developer. -entreprenørfirma property development company. -forskningsinstitut building research station. -legeplads adventure playground. -legetøj constructional toys. -selskab firm of building contractors. -sjusk (omtr) jerry-building; (enkelt tilfælde) shoddy workmanship. -spekulant (tilføj:) property speculator (el. shark). -stop construction ban. -tilladelse (tilføj:) (svarer til:) planning permission.
bygningskonduktør (tilføj:) (arkitekt) resident architect; (ingeniør) resident engineer.
by|grænse city boundary. -guerilla urban guerilla. -orkester city (el. civic) orchestra.
bærepose (ret til:) carrier bag, (amr) shopping bag.
bølgeskær (på kniv) wavy edge.
bønne (tilføj:) brun ~ kidney bean.
bøtte|kant se -rand. -rand (tilføj:) papir med ~ deckle-edged paper.
bånd|afspiller tape player. -kassette tape cassette, cartridge.

campingvogn (tilføj:) (amr) house trailer.
centralpersonregister [central national register].
centre (tilføj:) (i fodbold ogs) pass.
chance (tilføj:) han har ikke mange (el. store) -er for at he has not much chance of -ing.
chance|bilist (ɔ: uden pladsreservation) (driver without reservation). -billet stand-by ticket. -rytter gambler, S chancer.
checkblanket cheque form.
choker (en -e) choke.
chokolademælk drinking chocolate.
cirkapris approximate price.
civil (tilføj:) i det -e liv in civil(ian) life.
cleare vb (mærk) clear; (gensidigt aftale at udeblive fra afstemning i parlament) pair. clearing (en -er) clearing; pairing.
clementin (en -er) (frugt) clementine.
cowboy|bukser jeans. -stof denim.
CPR-nummer se personnummer.
cykelstativ (tilføj:) (til flere cykler) bicycle rack.

dag|center day (treatment) centre. -hold (om arbejdshold) day shift; (på kursus etc) day class. -institution (for børn) day-care centre.
dagligstue (tilføj:) (møblement) living-room suite.
dagpleje (for børn: hos private) child-minding.
dagplejemor child-minder.
dame|cykel lady's bicycle. -double ladies' doubles. -single ladies' singles.
data|bank, -base data bank, data base. -central data processing centre. -logi, -lære computer science. -mat (en -er) computer. -matik automatic data processing; (teori) computer science. -matiseret adj computerized. -skærm (visual) display unit. -styret adj computerized.
datomærkning (af varer) date-marking, date-stamping, date labeling.

dedikationseksemplar (af bog etc) presentation copy.
deeskalation (en -er) de-escalation. deeskalere vb de-escalate.
delfinarium (et -er) dolphinarium.
delmængde (mat.) subset.
demissionsbegæring (ret til:) resignation; indgive sin ~ tender one's resignation (fx the Prime Minister went to the Queen and tendered his r.).
demokrati (tilføj:) ~ på arbejdspladsen staff participation; (på fabrik etc) worker participation; democracy on the shop floor; økonomisk ~ economic democracy.
demonstrativ (tilføj:) ostentatious; -t adv demonstratively; ostentatiously (fx they ostentatiously stayed away from his funeral).
depot (tilføj:) (opbevaring i bank) safe custody (fx place sth in safe c.); (ved motorløb) pit.
detailprojektere plan in detail.
dia (et -s) (fot) diapositive, slide.
dignitar (tilføj:) notable.
diktermaskine dictating machine.
direkte adv (tilføj:) (ligefrem) positively (fx it is not only misleading, it is positively wrong); downright (fx he was d. rude).
disciplin (tilføj:) (inden for atletik: øvelse) event.
disciplinarmiddel means of maintaining discipline, disciplinary measure.
diske vb (i sport) disqualify.
disponere (tilføj:) (ordne) arrangere, organize.
dispositionsplan (i byplanlægning) master plan.
II. disse (en): ikke en ~ T not a scrap.
distance (tilføj:) stå -n (fig) stay the course.
distancere (tilføj:) ~ sig fra (tage afstand fra) dissociate oneself from; distance oneself from.
distriktsblad (omtr) local paper.
dobbelt|dækker (tilføj:) T (om fejl) howler, (amr) boner. -moral double standard (of morality). -stik (elekt) twin outlet; (snydeprop) adaptor.
dokumentarroman nonfiction novel.
dokumentskab filing cabinet.
dommertårn (ved hestevæddeløb) the judges' box (el. stand).
dreje|stige (brandstige) turntable ladder. -tud (til vandhane) swivel nozzle, (amr) swing spout.
dress|man (en -men), -mand (en -mænd) male model.
II. drive: ~ sin tid væk (tilføj:) idle away one's time.
drukneulykke: der sker mange -r hvert år many people are drowned each year.
drømmeseng lounge bed, sun bed, sun (el. leisure) lounger.
due (tilføj:) (fig: polit) dove.
duelighedstegn (til spejder) proficiency badge.
dumpe (tilføj:) (om affald etc) dump.
dumpekarakter failing mark.
dumpning (en -er) (om affald) dumping.
dusinkjole commonplace dress.
dybfrostvarer frozen foods.
dybfryser (tilføj:) deep freeze.
dyk (et ~) (flyv) dive; (fig, om priser etc) dive, plunge, sharp decline; (mindre) dip.
dyne (tilføj:) duvet; sleeping quilt; det er som at slå i en ~ it is like hitting a cushion.
dyne|løfter snooper. -løftning snooping, prying into people's private lives.
II. dække (tilføj:) ~ ind recoup (fx recoup losses; raise prices to recoup higher costs); ~ op (i fodbold etc) mark; -nde adequate (fx definition).
dækkeserviet dinner mat.
dækorganisation front organization.
døds|hjælp euthanasia (fx active (, passive) euthanasia). -kriterium criterion of death, death definition. -ulykke fatal accident.
dør (tilføj:) -en til mit værelse the door of my room;

sætte en uden for -*en* (*i skole*) send sby out of the room (*el.* into the corridor).

dør|kikkert peephole (with concave glass). **-knald** pulling firework. **-pumpe** door closer. **-salg** door-to-door selling. **-spion**, *se* -*kikkert ovf.*

dåse (*tilføj:*) *på* ~ tinned, canned, (*amr kun*) canned; (*fig*) canned (*fx* music). **dåseøl** tinned (, canned) beer.

EDB, edb (*fk f elektronisk databehandling*) EDP, edp (*fk f* electronic data processing).

EDB|-anlæg, -maskine electronic data processing machine, (electronic) computer. **-styret** *adj* computerized.

edsbrødre *pl* sworn brothers.

EF (*fk f de Europæiske Fællesskaber*) EC (*fk f* the European Communities). **EF-modstander** antimarketeer.

eftergivende (*tilføj:*) permissive.

efterslæb *et* (*det at være bagefter*) lagging behind; (*fx om ugjort arbejde*) backlog (*fx* of unfinished work); (*mht løn*) loss of comparability.

EF-tilhænger marketeer.

egotrip (*et*) ego trip.

ejerlejlighed owner-occupied flat; freehold flat; (*amr*) condominium apartment.

eksamensfri *adj:* -*t fag* subject without examination; ~ *skole* school (system) without examinations. **ekskursion** (*tilføj:*) field excursion.

elefanthue balaclava (helmet).

element|hus (*tilføj:*) prefab. **-køkken** fitted kitchen.

elev|centreret *adj* learner-centred, student-centred. **-demokrati** pupil participation. **-styret** *adj* directed by the pupils.

elkomfur electric cooker, (*amr*) electric cooking stove, electric range.

ellers: *nej* ~ *tak!* (*tilføj:*) not likely! I'm not having any!

emhætte (*ret til:*) cooker hood, (*amr*) range hood.

emne|centreret (*om undervisning*) subject-centred. **-område** field (of study), sphere.

endnu (*tilføj:*) (*yderligere*) more (*fx* he had two more questions to ask), additional, another (*fx* another two questions).

eneboernatur: *være en* ~ be solitary by nature, T be a loner.

enegang: *gå* ~ *til* make a solitary approach to. **enegænger** (*en* -*e*) individualist, solitary figure, T loner.

energi|bundt T (*om person*) live wire. **-krise** energy crisis.

engagement (*ret til:*) (*ansættelse*) engagement; (*militært, følelsesmæssigt*) involvement (*fx* a sense of personal i.; the American i. in Indochina); (*finansielt*) engagement, commitment.

engangs- (ɔ: *til at kassere efter brugen*) disposable, throwaway (*fx* bottle, napkin, plate). **engangsservice** disposable (*el.* throwaway) plates *pl.*

engelsksproget (-*talende*) English-speaking; (*skrevet på engelsk*) English-language (*fx* an E.-l. newspaper).

enig (*tilføj:*) *være* ~ *i* concur in; *være* ~ *i at* agree that; *vi er* -*e i* we are agreed on.

enlig (*tilføj:*) ~ *mor* (, *far*) mother (, father) bringing up a child (, family) alone; ~ *mor* (*ogs*) unsupported mother; (*ugift*) unmarried mother.

ensfarvet (*tilføj:*) self-coloured.

enspændernatur (*tilføj:*) T loner.

enstrenget *adj* (*fig*) unified.

entré (*adgangspris*) (*tilføj:*) admission (*fx* admission 30 p.).

envejs|kommunikation one-way communication. **-rude** one-way screen.

erfaringsbestemt based on experience.

ergo|nom (*en* -*er*) ergonomist. **-terapi** (*en*) occupational therapy, ergotherapy. **-terapeut** (*en* -*er*) occupational therapist.

erhvervs|aktiv *adj* engaged in active employment; *i ens* -*e år* during one's working life. **-betonet** vocationally oriented; ~ *undervisning* (*ogs*) education with a vocational slant. **-kompetence** qualification; *give* ~ *til* qualify for. **-rettet**, *se* -*betonet ovf.*

eskalere *vb* escalate. **eskalering** (*en* -*er*) escalation.

etapevis *adv* by stages; *afvikle* ~ phase out.

etnologi (*tilføj:*) (*svarer oftest til*) social anthropology, cultural anthropology.

etologi *en* ethology.

etpartisystem one-party (*el.* monoparty) system.

eufoman (*en* -*er*) drug addict. **eufomani** (*en*) drug addiction.

euro- (*forstavelse*) Euro- (*fx* Eurodollar, Eurobond, Eurocurrency).

evighedstavle tracing slate.

EØF (*fk f det Europæiske Økonomiske Fællesskab*) EEC (*fk f* the European Economic Community).

fabrikationsfejl manufacturing fault, fault in the manufacture.

fabriks|fremstillet factory-made. **-kylling** factory chicken, battery chicken, battery broiler.

faggrænser *pl* (*på arbejdsplads*) demarcations.

falde: ~ *fra* (*tilføj:*) (*fra studium etc*) drop out; *en elev* (, *studerende*) *der* -*r fra* a dropout; ~ *om* (*ret til:*) fall down (*fx* the tree fell down with a crash); (*om person iser*) drop (*fx* drop dead; ready to drop with fatigue; he dropped into a chair); collapse (*fx* with fatigue); ~ *på* (*tilføj:*) (*om lys*) fall on; *lyset faldt på hans ansigt* (*ogs*) the light caught his face; ~ *til* (*tilføj:*) (*finde sig til rette*) settle down; ~ *godt til blandt* mix well with.

falleret (*tilføj:*) (*fig*) failed (*fx* a failed law student).

familie|billet family (discount) ticket. **-forsikring** (*svarer til*) home and personal protection insurance (*med ansvarsforsikring* with family public liability extension). **-pleje** family care; (*amr*) foster care. **-rabat** family discount. **-vejleder** (*svarer til*) (family) counsellor.

II. **fare** (*tilføj:*) (*køre hurtigt*) speed, dash, whizz (*fx* a car sped (*el.* dashed *el.* whizzed) past us).

fart|fælde (*for biler*) speed trap. **-måler** speedometer; (*flyv*) (air) speed indicator. **-skriver** tachograph.

farve|filme *vb* film in colour. **-stof** (*tilføj:*) (*til madvarer*) colouring.

fast|ansætte employ on a permanent basis, (*om tjenestemand*) give an established post, (*i embede*) give tenure. **-tømret** *adj* (*fig*) close-knit (*fx* a c.-k. whole); stable; *et* ~ *venskab* a firmly cemented friendship.

fedtet (*tilføj:*) (*klæbrig*) sticky (*fx* with sticky fingers).

fedtstift lithographic crayon.

feje (*tilføj:*) *forslaget blev* -*t af bordet* the proposal was rejected out of hand.

III. **fejl** (*tilføj:*) *tag ikke* ~ *af det!* make no mistake (*fx* it is a very difficult job, make no mistake).

fejl|relæ (*elekt*) fault-detecting relay. **-strømsafbryder** (*elekt*) ground fault circuit interrupter.

ferie (*tilføj:*) *han er på* ~ he is (away) on holiday. **ferie|afløser** holiday relief. **-afløsning** holiday relief work. **-hus** holiday cottage, weekend cottage; (*firmas*) holiday house. **-lukning** holiday closing, holiday closure. **-sted** holiday resort.

ferrit (*en*) ferrite. **ferritantenne** ferrite-rod antenna, loopstick antenna.

fest|artikler *pl* carnival novelties. **-blanket** greetings telegram form.

fiks: ~ *og færdig* (*tilføj:*) *en* ~ *og færdig løsning* a cut-and-dried solution.

fikse (*tilføj:*) T (*ordne*) fix.

fikstid (*i forbindelse med flekstid*) core time.

film|arkiv (*tilføj:*) film library. **-kamera** film

camera; *(smalfilms-)* cine camera.

filmsapparat *(tilføj:)* *(fremviser)* projector.

filtpen felt (-tipped) pen, marker pen.

finger *(tilføj:)* *blive væk (, forsvinde) mellem fingrene på en* slip between *(el.* through) sby's fingers.

finger|brød -finger roll. **-spidsfornemmelse:** *have ~ (fig)* have flair, have a sure instinct; *(ɔ: takt)* be tactful.

fireblok *(om frimærker)* block of four.

fiskeaffald fish waste.

fjederlås *(på armbånd)* snap.

fjernseer *(tilføj:)* (television) viewer.

fjernsyns|fotograf television cameraman. **-licens** television licence; *(beløb)* television licence fee.

flad *(tilføj:)* T *(uden penge)* broke.

fladebrand conflagration, firestorm.

flekse *vb: ~ arbejdstiden (om ansat)* work flexible hours; *(om arbejdsgiver)* introduce flexible working hours *(el.* flextime).

fleksibel *adj* flexible *(fx* attitude); *~ gengældelse* flexible response. **fleksibilitet** *en* flexibility.

flekstid flexible working hours, flextime.

fletsko braided leather shoes.

II. **flip** *(et)* S *(fiasko)* flop.

flippe *vb* S: *~ ud* flip (out); *(have fiasko)* flop; *(løbe ud i sandet)* fizzle out.

flokinstinkt herd instinct.

flugt|sikker *adj: et -t fængsel* a high- *(el.* top-) security prison. **-skydning** *(efter lerduer)* trapshooting. **-vej** escape route.

fluor *(et)* fluorine; *tilsætte (vand) ~* fluorinate (water), fluoridate (water).

fluorescere *vb* fluoresce.

flute *(en -s)* French loaf.

fly|bortførelse hijacking, skyjacking, air piracy. **-bortfører** hijacker, skyjacker, air pirate.

flyde *(tilføj:)* *(om valuta)* float; *lade pundet ~* float the pound.

fly|kaprer, -kapring, *se ovenfor:* -bortfører, bortførelse. **-pirat,** *se ovenfor:* -bortfører. **-sammenstød** mid-air collision. **-styrt** air crash.

flytteanmeldelse removal notice, notice of change of address; *(amr)* change of address order.

flyve|båd *(tilføj:)* *(bæreplansbåd)* hydrofoil boat. **-ild** spreading fire. **-katastrofe** air disaster. **-kuffert** flight case; *(mindre)* flight bag. **-maskinemotor** *(tilføj:)* aero engine. **-maskinist** flight engineer.

flyvende *(tilføj:)* *en ~ start (ogs fig)* a flying start.

flyve|sikkerhed flight *(el.* air) safety. **-tanke** stray thought.

flyvsk *adj* flighty.

flødebolle *(= slikket fyr)* sleek chap.

fod: *få -en indenfor (tilføj:)* get a foot in the door; *få ~ på (fig)* T get a firm grasp of.

fod|formet: *~ sko* [shoe fashioned to the natural shape of the foot]. **-gængerbro** footbridge. **-knap** *(elekt)* foot switch. **-spark** *(på køkkenskab etc)* toe recess. **-terapeut** state-registered chiropodist.

fokus *(tilføj:)* *være i ~ (ogs fig)* be in focus; *sætte ~ på (fig)* bring into focus. **fokusere** *vb* focus; *(fig)* centre *(fx* one's interest on sth); focus *(el.* concentrate) one's attention on.

folkesanger folk singer.

fondsaktie bonus share.

fondue *(en -s)* fondue. **fondue|gaffel** fondue fork. **-gryde** fondue pot.

fonotek *(et -er)* sound library.

I. **for** *(tilføj:)* *få op i -et* T *(fig om penge)* get in one's pocket.

forbruger|ombudsmand consumers' ombudsman. **-oplysning, -vejledning** consumer guidance.

forbrugs|goder: *varige ~* durable consumer goods, consumer durables. **-varer** consumer goods.

fordør front door.

foreningsmængde *(mat.)* union.

forhandle *(tilføj:)* *~ narkotika* peddle drugs, S push drugs.

forhandlings|bord *(tilføj:)* negotiating table; *sætte sig til -et med* sit down with. **-runde** round of negotiations *(el.* talks).

forhjulstræk front (wheel) drive.

forhold *(tilføj:)* ratio *(fx* in the ratio of 2 to 3; they share the profits in an agreed ratio); *(anklagepunkt)* count *(fx* he was found guilty on all counts).

forholdsregel *(tilføj:)* precaution; *tage sine forholdsregler* take precautions *(el.* measures) *(imod* against).

forkalke: *-t (tilføj først:)* *(med.)* sclerotic.

forkert *(tilføj:)* *~ sø* freak wave.

forkontor receptionist's (, secretary's) office.

forkulning *(tilføj:)* charring.

forkølelsesvaccine anti-cold vaccine.

forlagsredaktør (sub-)editor (in a publishing firm).

forlange *(tilføj:)* *du kan ikke ~ at jeg skal gøre det* you can't expect me to do it.

forligelig *(tilføj:)* *(mht blodtype)* compatible. **forligelighed** *(en)* *(mht blod)* compatibility.

forløb *(tilføj:)* *(i perlekæde)* graduation; *med ~* graduated.

formeringsreaktor breeder reactor.

formiddagshjælp morning help.

formulere *(tilføj:)* *~ sig* express oneself; *~ sig klart (ogs)* make oneself clear; *som kan ~ sig (ogs)* articulate.

fornavn *(tilføj:)* *være på ~ med* be on Christian name terms with.

fornøjelse *(tilføj:)* *få meget ~ af,* se I. *glæde; til stor ~ for (ɔ: moro)* to the vast amusement of; *vi har -n at sende Dem (merk)* we are pleased to send you; we have pleasure in sending you.

forrentning *(tilføj:)* *(af investering)* return on investment; *(fortjeneste)* profit.

forretnings|orden *(tilføj:)* *tage ordet til -en* rise on a point of order. **-sans** business sense.

forsatsvindue *(tilføj:)* removable window.

forskelsbehandle discriminate against.

forskerflugt brain drain.

forskningscenter research centre.

forskolealder preschool age.

forskud *(tilføj:)* *du skal ikke tage sorgerne på ~,* se *sorg.*

forskydelig *adj* sliding, movable; *~ helligdag* movable feast.

forskærerbræt carving board.

forsnævre *vb* contract, constrict. **forsnævring** *(en -er)* contraction, constriction; *(med.)* stricture.

forsorgs|center reception centre. **-sekretær** welfare officer.

forspring *(tilføj)* head start *(fx* give sby a head start).

forstyrrelse *(tilføj:)* *psykiske -r* psychological disturbances.

forstærke *(tilføj:)* *(fig)* intensify *(fx* the effect, a feeling), *(psyk)* reinforce *(fx* an impression).

forståelse *(tilføj:)* *komme til ~ med* come to an understanding with, come to terms with.

forståelseskløft comprehensibility gap.

forstående *(tilføj:)* *stille sig ~ til* take a sympathetic view of.

forsvar *(tilføj:)* *tage ham i ~* come to his defence.

forsyne *(tilføj:)* *~ med* supply with, provide with; *(udstyre med)* equip with, furnish with.

fortvivlende *(tilføj:)* *~ lidt* desperately little.

forudsigelig *adj* predictable.

forulykke *(tilføj:)* *(om bil)* be wrecked, crash.

forundersøgelsesforhør *(jur)* *(omtr)* preliminary examination.

forurenings|bekæmpelse environmental protection; pollution control. **-kilde** pollutant.

forvask prewash.

forvasket *adj* which has been washed many times; the worse for wash.

forvejen *(tilføj:)* *det er svært (, slemt etc) nok i ~* it is difficult (, bad *etc*) enough as it is.

fotografik *(en)* line-image printing; *(billede)* line-image print.

fotokopiere *vb* photocopy, make a photocopy of.

fotokopimaskine photocopying machine, photocopier.

fradragsberettiget *adj* tax-deductible.

fraktionere *vb (kem)* fractionate. **fraktionering** *(en)* fractionation.

frakørsels|bane *(på motorvej)* deceleration lane. **-vej** exit turn, slip road.

frankostempel franking stamp.

fransk: *-e kartofler (tilføj:) (amr)* (potato) chips.

fratrædelsesløn *(omtr)* severance pay.

freds|forskning peace research. **-styrke** *(under FN)* peace-keeping force.

fremfærd *(tilføj:) deres ~ over for* their behaviour towards, the measures they adopt(ed) towards.

fremkalde *(tilføj:)* provoke *(fx* laughter); *(om følelse, stemning, erindring)* evoke *(fx* admiration, applause; an atmosphere; the memory of past pleasures).

fremmed|element *(fig)* alien substance; *(N.B.* the Italians were an alien community in the country). **-gøre** alienate. **-gørelse** *(en)* alienation. **-politiet** the Aliens Police.

fremstamme *(tilføj:) (sige tøvende)* falter (out) *(fx* an excuse, a few words).

fremtidsforskning futorology, future(s) research *(el.* study).

fremviser, fremvisningsapparat projector.

frigive *(tilføj:) (gøre lovlig)* legalize *(fx* hashish). **frigjort** *(tilføj:) (mods hæmmet)* uninhibited. **frigjorthed** *(en)* lack of inhibition.

frigørelse *(tilføj:) kvindernes ~* women's liberation, T women's lib.

frikort *(fribillet)* free pass; *(skatte-)* [card specifying amount of income allowed without tax].

fristille *vb (om fastansat)* disestablish.

fritids|grund [site for a weekend cottage]. **-hus** *(svarer til)* weekend cottage. **-pædagog** leisure-time teacher; *(svarer til)* youth worker.

friturestege deep-(fat-)fry.

frokostformat tabloid size *(el.* format); *avis i ~* tabloid.

frontrude = *forrude*.

fryse|film plastic freezer wrap. **-folie** aluminium freezer wrap.

fræse *(tilføj:) ~ afsted* T tear along.

fugleperspektiv *(tilføj:) vise noget i ~* give a bird's eye view of sth.

fugtighedscreme moisturizer.

fugtisolering damp proofing.

fuldautomatisere *vb* automate fully.

fuldtids- *(forstavelse)* full-time *(fx* employment). **fuldtidsansat** *adj* employed full time; *sb* full-timer. **fuldværdiforsikring** full new value insurance.

furore *(ret til:) vække ~* create *(el.* make) a sensation.

fyldstof *(tilføj:) (i artikel etc)* padding.

fællesantenne community aerial (, *amr* antenna).

fællesmarkeds|modstander anti-Marketeer. **-tilhænger** (Common) Marketeer.

fællesmængde *(mat.)* intersection.

fællesskab *(tilføj:) de Europæiske Fællesskaber (fk EF)* the European Communities *(fk* EC); *det Europæiske Økonomiske Fællesskab (fk EØF)* the European Economic Community *(fk* EEC).

fællestillidsmand senior shop steward.

fængselsophold term of imprisonment; jail term.

færdig|billedkamera instant picture camera. **-gøre** *vb* finish, complete, finalize. **-gørelse** *en* finishing, completion, finalization. **-pakket** *adj* prepacked; *~ rejse* package tour. **-ret** ready-prepared dish.

færdselsdrab road fatality.

færdselslov Road Traffic Act; *(reglerne for trafi-*

kanter) the Highway Code.

følelsesladet *adj* emotional *(fx* atmosphere); emotionally charged *(fx* atmosphere; the emotionally charged subject of race); emotive *(fx* word).

III. følge *(tilføj:) ~ ham ud* see him out, see him to the door.

føljeton *(tilføj:) bringe som ~* serialize *(fx* the novel was serialized in a Sunday paper).

II. føre *(tilføj:) ~ en klasse op til eksamen* take a class through to an official examination.

føregreb armlock; *tage ~ på ham* put the armlock on him.

førskolealder preschool age.

førstedame first lady *(fx* the wife of the President is the first lady in the USA); *(i forretning)* head sales lady.

førstegangsvælger elector voting for the first time; *-ne* those voting for the first time.

førstehjælp first aid.

førtidspensionering early retirement.

II. få: *få fat i (tilføj:) (kontakte)* contact *(fx* I tried to contact him, but he was out); *kunne fås (om vare)* be obtainable *(fx* the book is o. from all booksellers); be available *(fx* the dresses are a. in two lengths); come *(fx* this wallpaper comes in white, green and blue).

gade|betjent *(tilføj:) (patruljerende)* T beatman. **-handler, -sælger** *(tilføj:)* street trader, street vendor. **-teater** street theatre.

galge *(tilføj:) (over hospitalsseng)* balkan beam.

galsindet *adj* bad-tempered; *(hidsig)* hot-tempered; *(ondskabsfuld)* vicious.

garanti *(tilføj:) ~ for* guarantee for *(fx* quality); *(fig)* guarantee of *(fx* that is no g. of his honesty).

gas *(tilføj:) tage ~ på ham* T have him on.

gasflaske gas cylinder.

III. gasse *vb*: *~ op* step on the gas; *(under udkobling)* rev up the engine.

genanvende reuse; *(om affaldsprodukter)* recycle. **genanvendelse** *(en)* reuse; recycling.

genbrug, *se ovenfor: genanvendelse*.

gengivelse *(tilføj:) langsom ~ (på film, i TV)* slow-motion replay.

genhuse *vb* rehouse. **genhusning** *(en)* rehousing.

genne *(tilføj:) (sende etc)* bundle *(fx* they bundled the children off to bed), hustle.

gennem|brud *(tilføj:)* breakthrough *(fx* this play was a b. for the actor). **-se** *(tilføj:) (om film)* view. **-syn** *(tilføj:) (om film)* viewing. **-træk** *(tilføj:) (fig: udskiftning af arbejdskraft)* (job) turnover; *et firma med ~* a firm with a quick turnover.

genoptræne retrain *(fx* a muscle); rehabilitate *(fx* a patient).

gensyn *(tilføj:) mit ~ med Oxford* my revisit to Oxford.

genudsende *(i radio, TV)* repeat.

gevind *(tilføj:) det er gået over ~ (fig)* it has gone too far; it is getting out of control.

geværskytte ⚔ rifleman.

glemme *(tilføj:) (efterlade)* leave *(fx* I left my hat in the train).

glemselskurve *(psykol)* retention curve.

glide *(tilføj:) nu -r jeg* T I'm off; *glid bare* T buzz off.

glædelig: *~ jul (ret til:) ~ jul!* merry Christmas! *ønske dem ~ jul* wish them a merry Christmas.

gnideri *(et) (fig)* friction.

gnægge *vb (vrinske)* whinny; *en -nde stemme (omtr)* a grating voice.

god *(tilføj:) er det 'så -t? (ɔ: er du tilfreds?)* are you satisfied? *så er det -t! (ɔ: hold op)* so there! stop that! T give it a rest! S cut it out!

godkende *(tilføj:) (på generalforsamling)* adopt *(fx* the accounts were (, the report was) adopted).

grad *(tilføj:) i mindre ~* in *(el.* to) a less degree; less so *(fx* this is the case in Britain and less so in Denmark).

gradvis *adj (tilføj:)* phased *(fx* withdrawal).
gratist *(ret til:) (i bus etc)* fare-dodger; *(amr)* deadhead.
groft *adv (tilføj:) fornærme en ~* insult sby grossly.
grosserer|kvarter *(svarer til)* stockbroker belt. **-tid:** *møde til ~* come up with the stockbrokers.
grov *(tilføj:) (primitiv)* crude *(fx* a crude wooden hut; crude effects); *~ i munden* foul-mouthed.
grov|køkken scullery. **-sortere** *vt* make a preliminary sorting (, grading, classification) of.
grund *(tilføj:) der er ingen ~ til ængstelse* there is no cause for alarm.
grundlovssikret, *se grundlovsmæssig.*
grundstensnedlæggelse laying of the foundation stone, foundation-stone laying.
gruppe|dynamik group dynamics. **-livsforsikring** group life insurance. **-praksis** *(med.)* group practice. **-sex** group sex.
gryde|klar *(svarer til)* oven-ready. **-ret** casserole. **-svamp** pot scourer.
grænsehandel border trade; *(ved indkøbsture)* cross-frontier shopping.
grævlingegrav badger's burrow, set.
grøft *(tilføj:) grave -er mellem (fig)* create a gap between; *grave -erne dybere* widen the gap.
grøn *(tilføj:) ~ bølge (trafiklys)* linked traffic light system, linked lights.
gulv *(tilføj:) -et (i fabrik)* the shop floor *(fx* the man on the shop floor).
gulv|gear floor-mounted gear lever; T stick shift. **-opvarmning** under-floor heating.
gummieget loader tractor.
gunst *(tilføj:) bejle til ens ~* court sby's favour; *bejle til vælgernes ~* woo the electors.
I. gynge *(tilføj:) vi tjener ind på -rne hvad vi taber på karrusellen* what we lose on the roundabout we make up on the swings.
gæst *(tilføj:) have -er* have visitors; have company.
gæste|arbejder guest worker; migrant worker. **-toilet** extra toilet; *(i annoncer)* cloakroom, *(i fletetages villa)* downstairs cloakroom.
gøre: *have at ~ med (ret til:)* have to do with *(fx* I don't want to have anything to do with him (, that)); deal with *(fx* you must remember we are dealing with a desperate man); be concerned with *(fx* we are here concerned with a very difficult problem); *~ ved (tilføj:) han gjorde noget ved det (ɔ: arbejdede energisk)* he put his back into it.
gå *(tilføj:) hun går lige i folk* people fall for her straightaway; *den slags historier går lige i folk* people lap up that kind of story; *gå med aviser* do a newspaper round; *gå med (morgen)brød for en bager* deliver bread for a baker; *hvis verden går under* if the world comes to an end.
gåben: *på ~* T on foot.
gåpånatur: *han er en ~* he has got a lot of drive in him.
gåsehud *(tilføj:) det er til at få ~ af* it makes one's flesh creep; it gives one the creeps.
gå|felt, *se fodgængerfelt.* **-gade** pedestrian street.

hak *(tilføj:) falde i ~* T fall into place; click; *(passe sammen)* slot together.
halv|konserves perishables *pl.* **-pension** partial board, demi-pension.
hammerslag *(tilføj:) han har ikke bestilt et ~* T he has not done a stroke of work.
handels|minister *(i Engl.) (ret til:)* Secretary of State for Trade and Industry. **-ministerium** *(i Engl.) (ret til:)* Department of Trade and Industry. **-partner** trading partner.
handlingsprogram action programme.
handskekasse *(til beskyttelse mod radioaktivitet)* glove box.
harmonikasammenstød *(tilføj:)* multiple *(car)* crash.
helaftens|film double-length film. **-stykke** *(ret*

til:) (teaterstykke) full-length play; *se ogs ovenfor: -film.*
held *(tilføj:) have ~ med* be lucky with *(fx* she was lucky with her roses), do well with; make a success of, be successful with *(fx* a business enterprise).
helkonserves non-perishables *pl.*
helse|hus health centre. **-kost** health food.
hemmelig: *-t nummer (tlf) (ret til:)* ex-directory number, *(amr)* unlisted number.
henførelsessystem frame of reference.
herremode male fashion, men's fashion.
hidse *(tilføj:) hids dig nu ikke op!* T *hids dig ned!* don't get excited; don't lose your temper; T keep cool; keep your hair on.
hilsen *(tilføj:) jeg sendte ham en ~ gennem min broder* I asked my brother to remember me to him.
historie *(tilføj:) skabe ~* make history.
hitliste chart(s).
hiv *(et ~) (af cigaret etc)* drag.
hjemme|arbejdende, -gående *adj: ~ husmoder* housewife not working from home; *~ husmødre (ogs)* housewives at home. **-kundskab** housecraft, domestic science, home economics. **-sejr** *(i fodbold)* home win.
hjerne|død *(en)* brain death. **-forkalkning** sclerosis of the brain. **-skade** *(en -r)* brain injury.
hjerte|musling cockle. **-stop** heart failure; *(med.)* cardiac arrest.
hjul *(tilføj:) kun et ~ i et stort maskineri (fig)* only a cog in a vast machine.
hjørne *(tilføj:) han er ikke sådan at løbe om -r med* he is nobody's fool.
hjørnearrangement *(af møbler)* corner group.
hoftesele lap belt.
hold *(tilføj:) (arbejds- ogs)* crew *(fx* a TV camera manned by a crew of two men); *(ved spisning: servering)* sitting; *spise i ~* eat in relays; *skylle noget i tre ~ vand* rinse sth in three changes of water.
holde *(tilføj:) hold dig nu fast! (som indledning til noget overraskende)* wait for it! *han kunne ikke ~ maden i sig* he could not keep the food down.
hospitalslaborant medical laboratory technician.
hoste *(tilføj:) ~ op med* S cough up *(fx £ 5).*
hotelskib floating hotel, *(amr)* floatel.
hoved *(tilføj:) presse ngt ned over -et på én (fig: påtvinge)* push sth down sby's throat.
hovskisnovski *adj* T high and mighty, high-hatted, stuck-up.
hugge: *~ maden i sig (tilføj:)* gobble up one's food.
hu-hej! whoosh! *(amr)* lickety-split!
hulkortoperatør *(tilføj:)* punch card operator.
hulledame *(til hulkort)* (key) punch operator.
hulstrimmel *(i edb)* punched paper tape.
human *(tilføj:) (vedrørende mennesker)* human *(fx* human geography).
humpel *(tilføj:) (af brød ogs)* T doorstep.
hunde|bæ dog mess. **-fører** dog handler. **-pension** boarding kennel. **-svømning** dog paddle. **-hundredtallet:** *i atten- (, nitten- etc)* hundredtallet in the eighteen- (, nineteen- *etc)* hundreds.
husholdningsmaskiner *pl* domestic electric appliances.
huskeregel mnemonic rule.
husleje|boykot rent strike. **-tilskud** *se ovenfor: boligsikring.*
husstandsindsamling door-to-door collection.
hvalpefedt *(fig)* puppyfat.
hvalrosskæg walrus moustache.
hvermandseje: *TV er blevet ~* everybody has a TV set nowadays.
hvid *(tilføj:) det koster det -e ud af øjnene* T it costs the earth.
hvidevarer *(tilføj:) hårde ~ (kan gengives)* kitchen hardware.
II. hvile *(tilføj:) alles øjne -r på ham (fig)* he is continually in the public eye.

hygge|pianist piano entertainer; *(ofte =)* bar pianist. -spreder: *være en ~* create a genial atmosphere.

hyle *(tilføj:) ~ ham ud af det* T make him lose his nerve, fluster him, rattle him.

hynde *(tilføj:) (ryghynde)* bolster.

hældekant non-drip edge.

hæle *(ret til:)* handle stolen goods, fence. hæler *(ret til:)* handler of stolen goods; S fence. hæleri *ret til:)* handling of stolen goods.

hænge *(tilføj:) ~ en ud (fig)* denounce sby; expose sby to public contempt; *blive hængt ud (ogs)* get the blame, S carry the can.

hængehoved *(tilføj:)* stick-in-the-mud.

hævemiddel *(til bagning)* raising agent.

høg *(tilføj:) (fig: polit)* hawk.

højhus *(tilføj:)* high-rise block; *lejlighed i ~* high-rise flat.

højre|drejet *(fig)* right-wing. -drejning right (-hand) turn; *(ogs fig)* swing to the right. -orienteret, -vendt *(fig)* right-wing.

højt *(tilføj:) sneen lå tre fod ~ på vejen* the snow was lying three feet deep in the road.

højttaler: *høre det i -en (tilføj:) (om højttaleranlæg)* hear it on the public-address system. højttaleranlæg public-address system.

høre|hæmmet hearing-impaired. -værn earplug.

hørm *(en)* T fug.

hånd *(tilføj:) stå på hænder* do a handstand.

hånd|kantslag *(tilføj:)* karate blow. -købspræparat over-the-counter drug, non-prescription drug. -madder *pl (svarer til)* sandwiches. -mixer *(en -e)* hand-held mixer. -plukket *(fig)* hand-picked. -slukker portable fire-extinguisher. -ører *pl* T small change; *nogle ~* a few pence; *det er kun nogle ~ (ogs)* it is mere chickenfeed.

hård *(tilføj:) -e stoffer (om narkotika)* hard drugs; *det er lige -t nok* T it's a bit stiff.

hårdtpumpet blown up hard; *(fig)* laboured *(fx* style).

hårpleje care of the hair; *specialist i ~* trichologist.

idemand ideas man.

ideologikritik ideological criticism.

ideologisere *vb* ideologize.

ID-kort ID card; *(til bank)* bank guarantee card.

ikke-spredningsaftale *(om atomvåben)* non-proliferation agreement.

ikke-tidsbestemt *adj: ~ straf* indeterminate sentence.

ikke-voldelig *adj* non-violent.

ildebefindende: *få et ~ (tilføj:)* have a turn.

importafgift import duty; *(særtold)* surcharge.

impuls|køb impulse buying. -varer *pl* impulse goods.

indbetalings|bilag *(i bank)* paying-in voucher; *(amr)* deposit slip. -kort *(til giro)* inpayment form.

indbrud *(tilføj:)* break-in; forced entry *(fx* there were no signs of forced entry); *(N.B. jur bruges* burglary *nu ogs om indbrud i dagtimerne).*

inddata *pl* input.

inddrage *(tilføj:) ~ ens pas* call in sby's passport; *(beslaglægge)* confiscate *(el.* impound) sby's passport. inde|brænde *(tilføj:)* die in a (, the) fire. -fryse *vb (fig)* freeze.

indenrigsgård *(flyv)* domestic terminal.

inderbane *(tilføj:) (på vej)* inside lane.

indfaldsvinkel *(tilføj:) (fig)* approach.

indforstået *(tilføj:)* congenial *(fx* translation), informed *(fx* criticism), perceptive; *skrive ~ om noget* write about sth with sympathetic understanding.

indgive *(tilføj:) se ogs demissionsbegæring (i tillægget).*

indgreb *(tilføj:) foretage effektive ~ mod* take energetic action *(el.* strong measures) against, clamp down on.

indkapsle *(tilføj:) -t (ogs fig)* encapsulated; *(ind-*

støbt) embedded *(fx* embedded in concrete); enclosed.

indkode *(tilføj:) (i edb)* encode.

indkomstudjævning reduction of pay differentials.

indkvartere *(tilføj:)* accommodate *(fx* participants will be accommodated in two-bed chalets). indkvartering *(tilføj:)* accommodation.

indkøb *(tilføj:) (det købte)* purchases, shopping.

indkøbsvogn shopper trolley, wheeled shopping bag.

indkøre run in *(fx* a new machine). indkøring *(en)* running-in.

indlade *(tilføj:) hun ville ikke ~ sig med ham* she refused his advances. indladende *(tilføj:) et ~ smil* an inviting smile.

indledende *(tilføj:) et ~ heat* a preliminary heat. indlæringsstudie language laboratory.

indlæse *vb (indtale)* record; *(i edb)* input.

indmundingslinie *(tilføj:) -r (ogs)* give-way markings.

indrette *(tilføj:) (om værelse, lejlighed: udstyre)* furnish.

indrykning *(typ) (tilføj:)* indention; *fortsat ~* hanging indention.

indsat *sb (i fængsel)* inmate.

indsluse *vt (fig)* absorb gradually. indslusning *(en) (fig)* gradual absorption. indslusningscenter absorption centre.

indstillingsprøve screening examination.

indtægtsbestemt *adj* earnings-related.

industrialisme *(en)* industrialism.

in duplo in duplicate.

indvie *(tage i brug) (tilføj:)* dedicate *(fx* a new college, a bridge); *~ et nyt sæt tøj* wear a new suit for the first time; *~ sin lejlighed* have a house-warming (party).

inflationssikret *adj* inflation-proofed.

initiativgruppe ginger group.

inkassobureau debt-collecting agency.

institut *(tilføj:) (ved universitet, svarer ofte til)* department *(fx* the d. of English).

instruktor *(en -er)* student assistant.

intensivafdeling *(med.)* intensive care unit.

intensivere *vb* intensify.

interessere *(tilføj:) det -de mig at læse at..* I was interested to read that ...

interventionspris intervention price.

intetsigende *(tilføj:)* empty *(fx* excuse); *en ~ bemærkning* a commonplace remark; *et ~ svar* a noncommittal answer.

in triplo in triplicate.

investeringsforening unit trust; *(amr)* mutual fund.

irreal *adj* unreal.

isoleringsrude *se nedenfor: termorude.*

isterning ice cube.

jalousimord crime passion(n)el.

jamen *(ret til:) (protesterende)* but *(fx* but I tell you I didn't do it!); *(overrasket)* why *(fx* why, it's James!); *(ofte uoversat, fx ~ så er det afgjort* that's settled, then).

jamsk *adj (ved begyndende sygdom)* all-overish.

janfri *(i kortspil)* all square.

jeg-roman first-person novel, I-novel.

jernbryllup [seventieth wedding anniversary].

jobvurdering job evaluation.

jorde *(tilføj:)* S *(slå ned)* knock down, floor; *(nedgøre)* floor; *~ ham (ogs)* wipe the floor with him.

jord|forbindelse *(tilføj:) have ~ (fig)* be down to earth; *mangle ~ (fig)* walk with one's head in the clouds; *miste -n (fig)* lose contact with reality. -nær *adj* down-to-earth. -skælvscentrum *(på jordoverfladen)* epicentre; *(i jorden)* focus.

juhu! whoopee! yippee!

jul *(tilføj:) se ovenfor: glædelig.* jule|krybbe crèche, nativity scene. -pynt Christmas decorations.

jumbo *(en -er)* T toy elephant. jumbo- jumbo *(fx* jumbo jet).

kabale *(tilføj:)* *lægge en* ~ *op* set out a patience.
kabelfjernsyn cable television.
kaffe|automat coffee vending machine. **-grums** *(tilføj:)* *spå i* ~ read coffee grounds. **-kværn** coffee grinder, coffee mill. **-maskine** *(moderne)* automatic coffee maker.
kakaomælk drinking chocolate.
kaldenummer *(tlf)* dialling code.
kamerahold camera crew.
kamme *(tilføj:)* ~ *over* (*om bølge*) break, curl over.
kammertjener *(tilføj:)* *(habitstativ)* valet stand.
kamp *(tilføj:)* *overgive sig uden* ~ surrender without offering resistance.
kamp|beredskab ✕ combat readiness. **-tropper** *pl* combat troops.
kanalvælger *(TV)* channel selector.
kant *(tilføj:)* *komme på* ~ *med loven* offend against the law; run foul of the law.
kaos *(tilføj:)* *skabe* ~ *i noget* throw sth into chaos, disrupt sth.
kapre *(tilføj:)* ~ *et fly* hijack *(el.* skyjack) a plane.
karakterkomedie comedy of character.
kartotek *(tilføj:)* *hemmeligt* ~ secret file.
kasse *(tilføj:)* *(i selvbetjeningsbutik)* check-out counter.
kassebon sales ticket.
kassette *(tilføj:)* *(til båndoptager)* cassette.
kassette|båndoptager cassette tape-recorder. **-fjernsyn** video-cassette television.
katastrofeplan contingency plan.
katedertime teaching hour.
kerne|familie nuclear family. **-videnskab** nuclear science.
kildeskat *(ret til:)* tax deducted at the source, P.A.Y.E. tax; *(amr)* withholding tax; *(systemet) se kildebeskatning.*
kineserflip mandarin collar.
kirke|blad *(svarer til:)* church bulletin, church newsletter. **-fremmed** *sb* non-churchgoer. **-spil** church play.
kittelkjole coatdress.
klager *(tilføj:)* *(en der indgiver en klage)* complainant.
klanmønster tartan.
II. **klap** *(tilføj:)* *et* ~ *på skulderen* a pat on the shoulder; *(fig:* opmuntring, ros) a pat on the back.
klapcykel folding bicycle.
klappe *(tilføj:)* *klap i!* T shut up!; ~ *en på skulderen* pat sby on the shoulder; *(opmuntrende, rosende)* pat sby on the back.
klare: ~ *sig selv (ret til:)* *(især økonomisk)* shift *(el.* fend) for oneself *(fx* after his father's death he had to shift for himself); *(passe på sig selv)* look after oneself *(fx* let her go alone, she is old enough to look after herself); ~ *sig med (tilføj:)* make do with.
klarskrift *(i edb)* hard copy.
klasse|samfund class society. **-trin** age group.
klementin *(en -er)* clementine.
I. **klemme:** *få fingeren i* ~ *i en dør (tilføj:)* trap one's finger in a door.
I. **klinge:** *gå en på -n (tilføj:)* question sby closely.
klinikdame *(tilføj:)* dental surgery assistant, dental nurse.
klippe|skred rockslide. **-skrænt** cliff.
II. **klokke** *vb:* ~ *i det* T make a mess of things, bungle.
klokke|signal signal with a bell. **-spil** *(tilføj:)* *(i orkester)* glockenspiel; *(tørklokker)* tubular bells.
klump *(tilføj:)* *(omkring plantes rod)* soil around the roots (of a plant).
klyngehuse *pl* cluster houses.
kløe *(tilføj:)* *efter den søde* ~ *kommer den sure svie* [one has to pay for one's pleasures].
kløverblad (⊕ *og om vejanlæg)* cloverleaf; *(heraldisk)* trefoil.
knald|effekt sensational effect. **-film** third-rate film.

I. **knap** *(tilføj:)* *(på radio etc)* knob; *dreje på -pen* turn the knob.
knaphulsmærke lapel badge.
knirke *(tilføj:)* *-nde (ogs fig)* creaking.
knytning *(en)* *(håndarbejde)* macramé. **knytte** *(tilføj:)* *(om håndarbejde)* make macramé.
knyttebatik tie-and-dye.
knæ|bøjning knee bend; *gøre -er* do knee bends. **-kort** *adj* knee-length *(fx* dress).
kodebånds|læser tape reader. **-styret** tape-controlled, tape-driven.
koksgrå charcoal grey.
kolbøtte *(fig)* *(tilføj:)* somersault.
kollage *(en -r) (ogs fig)* collage.
kollega *(tilføj:)* *(person i tilsvarende stilling)* opposite number *(fx* the British foreign secretary discussed the matter with his Spanish opposite number).
kollektiv *(tilføj:)* *(om fællesbolig ogs)* commune; *(gruppe)* team; *-e trafikmidler* public transport.
kollektivbrug *(tilføj:)* collective farm.
kollektivist *(en -er)* communalist.
kollektivlejlighed service flat.
kommandokapsel *(i rumskib)* command module.
komme *(tilføj:)* ~ *ind (i sport)* get in, finish *(fx* he finished third); *han kom ikke med nogen forklaring* he offered no explanation; ~ *på holdet* be included in *(el.* selected for *el.* put on) the team; ~ *sammen med (omgås)* associate with; *han -r sammen med Vera* he is going out with Vera; ~ *tilbage* come (, get) back, return; ~ *hinanden ved* care about each other, matter to each other.
kommende: *i den* ~ *tid (ret til:) (fra nu af)* from now on; *(i et stykke tid)* for some time to come; *(for fremtiden)* in future.
kommunikere *vb* communicate *(med* with).
kommunistforskrækkelse Communist scare, Red scare.
koncertgænger concertgoer.
kondi *(en)* condition, physical fitness; *holde -en i orden* keep fit.
kondi|cykel exercise bike. **-prøve** *(en -r)* fitness test. **-rum** exercise room, *(ofte =)* gym.
konflikt|forskning conflict research. **-ramt** *adj* affected by industrial conflict.
konkret *(tilføj:)* *-e drøftelser* specific discussions *(el.* negotiations).
konkurrence|fordrejning, -forvridning practices that distort competition.
konkursramt *adj* bankrupt(ed).
konstruere *(tilføj:)* 3 *(gram: forbinde)* construe *(fx* "aware" is construed with "of" or "that"). **konstrueret** *adj* hypothetical, fictitious *(fx* case *tilfælde)*; synthetic *(fx* example); *(neds)* contrived, artificial.
konsultation *(tilføj:)* surgery *(fx* the doctor has surgery in the morning); *(besøg hos lægen)* visit; *lægen har* ~ *10–12* the doctor's surgery hours are 10–12. **konsultations|stue,** *se -værelse.* **-værelse** *(tilføj:)* consulting room.
konsumfisk edible fish.
kontakt|evne *(psyk)* capacity for emotional contact; *manglende* ~ incapacity for emotional contact. **-søgende** *adj (om barn)* with contact problems. **-vanskeligheder** *pl (psyk)* contact difficulties, contact problems.
kontant *(tilføj:)* *(fig: regulær)* regular, *(håndgribelig)* tangible; concrete *(fx* proof, proposal); *(ligefrem)* straightforward *(fx* question); *(om person ogs: nøgtern)* matter-of-fact.
konto|kort credit card; *(plade)* charge plate. **-kunde** credit customer. **-plade** charge plate.
kontor|bygning office block. **-landskab** office landscape; open-plan office. **-vikar** temporary typist, T temp.
kontraktforskning sponsored research.
kontrol: *gå til* ~ *(tilføj:) (hos læge)* go for a check-up; *(regelmæssigt)* go for regular check-ups.
kopiautomat coin-operated (photo)copier.

korkgulv cork-tiled floor.

korrespondere *(tilføj:) (om trafikmidler)* connect *(med* with).

korrodere *vb* corrode. **korrosion** *(en -er)* corrosion.

korrunding *(arkit)* apse.

korset *(tilføj:) (kortere, moderne)* girdle.

korslagt *(tilføj:) se til med -e arme (fig)* remain a passive spectator; *sidde med -e arme (ogs fig)* sit with folded arms.

korthuller *(en -e) (i edb)* card punch.

kortlivet *adj (kortvarig)* short-lived; *(kort i livet)* short-waisted.

kortlægning *(en -er)* mapping; ⚓ charting; *(fig)* survey.

kortord acronym.

korværk *(tilføj:)* choral work.

kradse *(tilføj:) (om tøj)* be scratchy *(fx* my wool sweater is scratchy).

krage *(tilføj:) bo der hvor -rne vender* live at the back of beyond.

kragemål dog Latin.

krampetrækning *(tilføj:) sidste -er* dying twitch.

kranarm jib arm.

kransenedlæggelse wreath-laying ceremony.

kravledragt rompers *pl.*

kravniveau *(psyk)* level of aspiration.

kredit|bevis *(merk)* credit certificate. **-kort** credit card. **-loft** credit ceiling. **-oplysningsbureau** credit-rating agency. **-værdig** credit-worthy.

krigs|gal war-crazy. **-handling** act of war. **-legetøj** war toys.

kriminalitet *(tilføj:)* crime rate *(fx* a high crime rate); crime *(fx* there has been an increase in crime and violence).

kronisk *(tilføj:) ~ syg* chronically ill (, sick); *de ~ syge* the chronic sick.

kronprins *(tilføj:) (fig)* crown prince, heir apparent.

krumme *(tilføj:) ~ tæer (fig: af forlegenhed)* cringe with embarrassment.

krybe|kælder crawl space. **-spor** *(på bakke: til lastbiler etc)* crawler lane, creeper lane.

kryds *(tilføj:) »~ og bolle« (et spil)* noughts and crosses, *(amr)* ticktacktoe; *sætte ~ på stemmesedlen* mark one's ballot paper.

krydsklip *(i film, TV)* crosscut.

kryptisk *adj* cryptic.

krystalklar *(ret til:) (ogs fig)* crystal-clear.

kræsen *(tilføj:) ~ smag* discerning *(el.* discriminating) taste.

kuldebro thermal bridge.

kulegravning *(tilføj:) (fig)* thorough investigation.

kultur|fattig culturally deprived. **-kløft** cultural gap. **-kritiker** cultural critic. **-pave** mandarin. **-revolution** cultural revolution.

kulørt *(tilføj:) -e lamper* fairy lights.

kummefryser chest freezer.

kundevestibule customers' rest room.

kunst|fibre *pl* manmade fibres. **-håndværker-skole** school of arts and crafts.

kup|forsøg attempted coup. **-mager** maker of a coup; **-ne** *(ogs)* the conspirators.

kvaje *vb* T: *~ sig* make an ass of oneself.

kvalifikationskamp qualifying match.

kvalitetsbevidst quality-conscious.

kvalmegas nausea gas.

kælderkold *adj* cellar cool.

II. kæmpe *(tilføj:) ~ med* fight against, struggle with; *~ med gråden* fight back one's tears; *~ med søvnen* fight against sleep.

køn *(tilføj:) gå i -et på (fig)* T go for, pitch into.

køkken|adgang *(tilføj:) med ~* with access to kitchen. **-bord** *(tilføj:)* worktop, *(amr)* kitchen counter. **-element** kitchen unit. **-maskiner** *pl* kitchen aids *(el.* appliances). **-rulle** roll of paper towels. **-udstyr** kitchen equipment. **-ventilator** extractor fan.

køle *(tilføj:) ~ ned* cool off, cool down; *(fig ogs)* defuse *(fx* the situation).

køle|disk *(tilføj:)* refrigerated counter. **-skib** *(tilføj:)* refrigerated ship. **-taske** insulated bag.

køns|rolle sex role, sexual role. **-rollemønster** pattern of sex roles. **-test** sex test.

køre *(tilføj:) ~ galt (forulykke)* have an accident, crash; *(køre vild)* take the wrong road, lose one's way; *~ dem hårdt (ɔ: lade dem slide i det)* drive them hard; *bilen -r 10 km på literen* the car will do 10 km per litre.

køre|dygtig *adj: i ~ stand* roadworthy. **-lejlighed:** *få ~* get a lift. **-skole** *(tilføj:)* driving school.

laborant *(tilføj først:)* laboratory technician, laboratory technologist.

lagerføre *(merk)* stock.

lakere *(tilføj:) (negle)* varnish.

lande *(tilføj:) (om rumskib)* touch down, *(i havet)* splash down.

landevejsløb road race.

landhandel *(tilføj:) mit arbejde er noget af en blandet ~ (ɔ: er mangeartet)* my job is a bit of a mixed bag.

landing *(tilføj:) (om rumskib)* touchdown; *(på havet)* splashdown.

landings|forbud *(flyv)* landing prohibition. **-tilladelse** landing clearance.

lands|dækkende *adj* national *(fx* newspapers), nation-wide *(fx* campaign). **-kendt** *(tilføj:)* national *(fx* figure, politician). **-organisation** nation-wide organisation; *Den faglige ~* the Federation of Danish Trade Unions. **-plan:** *på ~* on a national *(el.* country-wide) basis.

langdistanceraket *(ret til:)* long-range missile; *(interkontinental)* intercontinental ballistic missile *(fk* ICBM).

lange: *~ ud efter (tilføj:) (fig)* hit out at, get at.

langs *(tilføj:) ~ ad vejen (fig)* as we *(etc)* go (, went) along.

langskægget *adj* long-bearded; T *(ubarberet)* rough, stubbly.

langtids- long-term *(fx* contract, planning, treatment), long-range *(fx* forecast). **langtidsvirkende** *adj* long-acting.

langtursbåd *(tilføj:) (robåd)* touring boat.

latrinær *adj: ~ vittighed* lavatory joke.

lavkultur lowbrow culture.

lavprisvarehus discount store *(el.* house).

lavtlønnet *adj* low(er)-paid.

lavtlønstillæg supplement for low(er)-paid workers.

lede *(tilføj:) ~ ud (om spildevand)* discharge *(i* into).

leder|egenskaber, -evner qualities of leadership, gifts as a leader, ability to lead. **-kursus** *(merk)* management course.

ledsage|fænomen attendant *(el.* concomitant) phenomenon, concomitant. **-tekst** *(til film)* commentary.

lege|gade play street. **-hus** playhouse. **-plads** *(tilføj:) på -en* in the playground. **-pladsleder** playground supervisor.

II. leje *(tilføj:) finde sit naturlige ~* find its own level.

lejemorder hired assassin; S contract killer.

lejerforening tenants' association.

leje|svend *(neds)* hireling, tool, henchman. **-værdi** *(tilføj:) (af eget hus, mht skat)* net annual value.

lejlighed: *ved enhver ~ (tilføj:)* every time an opportunity offered (, offers); in and out of season *(fx* he protested in and out of season).

lektor *(ret til:) (ved universitet)* senior lecturer, *(amr omtr)* associate professor; *(ved gymnasium, kan gengives)* senior master.

let *(tilføj:) hvad der kommer ~ går ~* easy come easy go; *~ kompagni* ✗ rifle company.

letmælk [low-fat milk].

II. leve *(tilføj:)* ~ *med* (ɔ: *finde sig i*) live with; *det må man* ~ *med* *(ogs)* one must accept it as a fact of life; *den fest kan vi* ~ *på længe* we'll remember that party for a long time.

leve|alder *(tilføj:)* *(psykol: mods intelligensalder)* chronological age, calendar age, life age. **-brød** *(udkomne)* *(tilføj:)* bread-and-butter *(fx* he cannot earn his b. by writing). **-tid** *(tilføj:)* *(om ting)* life *(fx* a roof of better quality and with a longer life), life span *(fx* this type of caravan has a life span of thirty years).

levnedsmiddel|tekniker food technologist. **-videnskabelig** *adj:* ~ *kandidat* *(svarer til)* B.Sc. in Food Science.

ligeløb: *i* ~ *(om perlekæde)* uniform.

ligge *(tilføj:)* *det -r i tiden* (ɔ: *nutiden*) it is characteristic of our time.

lighedstegn *(tilføj:)* equals sign, equality sign; *sætte* ~ *mellem* *(fig)* equate with *(fx* you cannot equate wealth with happiness).

ligkistesøm *(ogs* S = *cigaret)* coffin nail.

ligtog *(tilføj:)* cortege.

lilleskole [little school].

linie *(tilføj:)* *varm* ~ *(tlf)* hot line.

linning *(tilføj:)* *bukser med lav* ~ hipster trousers.

litteratursøgning information retrieval.

livs|indstilling attitude to life. **-kvalitet** quality of life. **-løn** total income during working life. **-truende** potentially lethal. **-vilkår** conditions of life, living conditions.

lod *(tilføj:)* *trække* ~ *med ham om hvem der skal begynde* draw lots with him to decide who is to begin.

loft *(over priser) rettes til:* *(fig: maksimum)* ceiling *(fx* price ceiling); *lægge* ~ *over* *(fig)* fix a ceiling for, put a ceiling on.

lokalradio local radio.

lomme|filosof homespun philosopher. **-filosofi** homespun philosophy. **-regner** pocket calculator.

loppetjans T cushy job.

losseplads *(tilføj:)* *(fig ogs)* scrapheap.

lov|bunden *(tilføj:)* *(lovbefalet)* fixed by law. **-ændring** *(tilføj:)* *(ny lov)* law reform.

lp-plade, LP-plade LP record.

ludo *(et]* ludo, *(amr)* parcheesi.

I. lue *(tilføj:)* *slå ud i lys* ~ *(ogs fig)* blaze up.

luft *(tilføj:)* *der var kold* ~ *mellem dem* they kept a frigid distance.

luft|fartselskab *(tilføj:)* airline. **-fartsmedarbejder** air correspondent. **-forurening** air *(el.* atmospheric) pollution. **-meldecentral** visual observer centre.

luplampe illuminated magnifier.

lure *(tilføj:)* *(om fare etc)* lurk.

ly *(tilføj:)* *i* ~ *af mørket* under cover of darkness; *krybe i* ~ take shelter, get under cover, take cover.

lyd|metode *(ved læseundervisning)* phonic method. **-mursbrag** sonic boom; supersonic bang.

lykkes *(ret til:)* succeed *(fx* the plan succeeded); be successful *(fx* his attempt was successful); come off *(fx* the plan *(*, the experiment) did not come off).

lyn|kursus crash course. **-tempo:** *i* ~ at lightning speed.

lyrik *(ret til:)* lyric poetry. **lyrisk** *(ret til:)* *(om digtning)* lyric *(fx* poem); *(sentimental etc)* lyrical *(fx* mood).

I. lys *(tilføj:)* *han er ikke noget* ~ he is not very bright *(el.* clever), he is not on the bright side.

lys|pen *(i edb)* light pen. **-show** light show.

læge|hus health centre. **-sekretær** *(tilføj:)* medical secretary.

læhytte shelter.

I. lænke *(tilføj:)* *(til armbåndsur)* bracelet.

lærer|centreret *adj* teacher-centred. **-styret** *adj* teacher-controlled. **-uddannelse** teacher training.

læsbarhed *(en)* readability.

læsealder *(tilføj:)* *(mht læsefærdighed)* reading age.

læsehæmme|t *adj:* *være* ~ be a slow reader; *-de pl* slow readers.

læsejl *(tilføj:)* *(læskærm)* (canvas) windshield.

læse|klasse remedial class. **-pædagog** reading teacher.

læst *(tilføj:)* *(skostiver)* shoe tree.

I. løb *(tilføj:)* *lade tårerne få frit* ~ allow one's tears to flow unchecked; *køre sit eget* ~ go one's own way, paddle one's own canoe.

II. løbe *(tilføj:)* ~ *ind i* *(om havn etc)* run into, enter *(fx* the harbour); *(fig: møde)* run into, come up against *(fx* difficulties); *munden løb over på ham* he blurted the secret *(etc)* out.

løbeild *(tilføj:)* running fire.

løg|formet *adj* bulb-shaped; *(om kuppel)* onion-shaped. **-kuppel** onion-shaped cupola. **-plante** bulbous plant.

løjpe *(ret til:)* ski run.

løn|forhandlinger *pl* wage negotiations, wage-bargaining; pay talks. **-forlig** wage settlement; pay deal. **-modtagerfradrag** *(svarer til)* earned income relief.

lønningskontor wages office; pay office.

lørdagsfri: *have* ~ have Saturday off.

løse *(tilføj:)* ~ *en af hans lænker* release sby from his fetters; ~ *hunden af lænken* unchain the dog, let the dog off its chain.

løslade *(tilføj:)* ~ *på prøve* release on parole, parole *(fx* the prisoner was paroled).

løsladelse: ~ *på prøve* *(ret til:)* release on parole *(resten udgår).*

løsning *(tilføj:)* *(ved præmiekonkurrence)* entry.

løve *(tilføj:)* *kaste en for -rne* *(fig)* throw sby to the wolves.

løvfældende *adj* deciduous.

madsted T eatery.

magasinformat tabloid size, tabloid format.

magnethoved *(i båndoptager)* magnetic head.

magt|apparat machinery of power. **-overtagelse** *(tilføj:)* takeover *(fx* the Communist takeover in China). **-position** position of power. **-spil** power game.

malebog colouring book, crayon book, painting book.

malerkasse *(tilføj:)* colour box.

mand *(tilføj:)* *den lille* ~ the "little" *(el.* small) man *(fx* reduce income tax for the "little" man).

mandschauvinist male chauvinist.

mandskab *(tilføj:)* *(hold)* team, side.

manko *(en)* deficiency; *(beløb)* deficit; *(vægt)* short weight; *(mål)* short measure.

manuskriptforfatter *(til film)* scriptwriter.

maoflip Mao collar, mandarin collar.

marcipanbrød *(kan gengives)* piece of chocolate marzipan.

marihuana *(tilføj:)* T pot.

marina *(en – er)* *(lystbådehavn)* marina.

marked *(tilføj:)* *bringe* *(*, *komme) på -et* put *(*,come) on the market.

markeds|andel *(merk)* share of the market. **-føre** *vb* *(merk)* market. **-minister** Minister for Market Affairs.

markere *(tilføj:)* ~ *sig* *(skabe sig et image)* create one's image; *(blive kendt)* make one's mark; make a name for oneself.

mart *(et -er)* *(merk)* mart.

maskefast *adj* run-resistant.

maskepi *(tilføj:)* *der er altid så meget* ~ *mellem dem* they have always got their heads together.

I. maskinel *(tilføj:)* *(edb etc)* hardware.

II. maskinel *(tilføj:)* machine *(fx* machine sorting).

maskin|læselig *adj* *(i edb)* machine sensible. **-sats** *(typ)* machine composition.

I. materiel *(tilføj:)* *(edb etc)* hardware.

maxi *sb* *(om kjole)* maxi(skirt).

III. med *(tilføj:)* *han var* ~ *til festen* he was (present) at the party.

medarbejderdemokrati staff participation.

medbestemmelse participation (in decision-making); codetermination.

meddelelsesbog *(i skole)* report book.

mediacenter, mediatek *(et -er)* media centre.

medicinal|fabrik medical factory, drugs factory. **-varer** *(tilføj:)* pharmaceuticals.

medieforskning media research.

medrivende *adj* gripping, enthralling.

melde *(tilføj:)* ~ *sig ud af samfundet* opt out.

mellem|tekniker middle-ranking technician. **-time** *(tilføj:)* free period. **-uddannelse** middle-range training; *folk med -r* people with middle-range training *(el. skills).* **-østlig** *adj* Middle Eastern.

menings|dannelse opinion formation. **-dannende** *adj* opinion-forming. **-løs** *adj (uden mening) (tilføj:)* pointless *(fx* his death seems so pointless). **-måling** opinion poll.

menneske|hænder *pl* human hands *(fx* untouched by human hands); *komme i ~ (fig)* T be put through it. **-liggøre** *vb* humanize. **-smugler** people smuggler. **-venlig** *(tilføj:)* human; *gøre ~* humanize.

metersystemet *(tilføj:) gå over til ~* go metric.

middagspause lunch break, lunch hour.

midterparti central part; *(i politik)* centre party, middle-of-the-road party.

midtvejsvalg *(amr)* mid-term election.

mikromakro- micro-macro *(fx* a micro-macro diet).

militærnægter *(tilføj:) (amr ogs)* draft resistor, draft dodger.

miljø- environmental *(fx* considerations, crisis, pollution, problems, protection). **miljø|forsker** environmentalist. **-ministerium** *(i Engl)* Department of the Environment. **-tekniker** environmental engineer.

millimeterretfærdighed over-scrupulous justice.

minesøger mine detector.

mini|bukser *pl* hotpants. **-cykel** folding bicycle. **-shorts** = *-bukser.* **-taxi** minicab.

mis *(tilføj:) han var der som en ~* he came like a shot.

modebevidst *adj* fashion-conscious.

model *(tilføj:) det vil jeg ikke stå ~ til* T *(fig)* I won't stand for that.

moderigtig *adj* fashion-right.

moder|instinkt maternal instinct. **-mærke** *(tilføj:)* mole, *(rødligt)* strawberry mark.

modersmål *(tilføj:)* vernacular *(fx* written in the vernacular).

modeskaber couturier.

modlys *(fot)* backlight.

modtageforhold *pl (for radio,* TV*)* reception conditions.

modtagerland *(økon)* recipient (country).

modul *(tilføj:) (om rumskib)* module.

moral *(tilføj:) høj ~* high morale *(fx* the morale in the army was high); high moral standard *(fx* he has a high moral standard).

morfinbase pure morphine.

mosefund *(tilføj:) (fig)* museum piece.

motions|cykel exercise bike. **-ribbe** wall bars *pl.*

motorgade urban motorway, (urban) expressway.

motorik *(en) (i fysiologi)* motor function.

mudderklire *zo* common sandpiper.

multi|kunst mass-produced art. **-national** *adj* multinational.

musikbibliotek *(ret til:)* record library *(se også nodebibliotek nedenfor).*

muskelmand S strong-arm man, muscleman, goon.

myggebalsam mosquito repellant, insect repellant.

mængde *(tilføj:) (mat.)* set; *tom ~* empty *(el.* null) set. **mængdelære** *(mat.)* set theory.

I. mærke *(tilføj:) være oppe på -rne* T be on one's toes, be on the ball.

mærkesag *(polit, omtr)* major issue.

møbellandskab interior landscape.

II. møde *(tilføj:) (i sport)* meet; compete against *(fx* Britain will c. against France at fencing); play *(fx* the Russian team is to play Arsenal next week).

mødeleder chairman.

mødrehjem mother-and-baby home.

mølpose moth bag; *i ~ (fig)* in moth balls.

mønt|boks coin box. **-vaskeri** coin-operated launderette *(el.* washerette), *(amr)* (coin-operated) laundromat.

mørklægge: ~ *sagen (tilføj:) (forsøge at skjule)* cover the matter up.

mørklægning *(tilføj:) (fig: forsøg på at skjule)* cover-up.

måde *(tilføj:) hver på sin ~* each in his own way.

måle|bæger measuring cup. **-ske** measuring spoon.

II. mål|løs *adj (i sport)* goalless. **-rettet** *adj* goal-directed *(fx* behaviour).

måne|bil lunar rover, moonrover. **-landing** *(tilføj:)* lunar landing, moonstrike. **-landingsfartøj** lunar landing vehicle, *(i Apolloprogrammet)* lunar excursion module, *fk* LEM. **-skælv** moonquake. **-vandring** moonwalk.

nakkestøtte *(i bil)* headrest.

napalmbombe napalm bomb.

narkoforhandler drug *(el.* dope) peddler, pusher.

narkose *(tilføj:) give ~* anaesthetize.

narkotika|forhandler drug *(el.* dope) peddler, pusher. **-vrag** *(tilføj:)* junkie.

narresut *(tilføj:) (fig)* baby soother; sop.

nasset *(tilføj:) (klistret)* gooey.

nationalbank *(tilføj:)* central bank.

natron *(tilføj:) (mad)* baking soda, bicarbonate of soda.

nattesjov *(tilføj:) være ude på ~ (ɔ: svire)* have a night on the tiles.

natur|faglig *adj* science *(fx* the science side). **-læge** *(tilføj:)* naturopath.

nedbrydelig *adj (kem)* degradable *(fx* packaging); *biologisk ~* biodegradable.

nedfaldsskakt, *se* nedstyrtningsskakt.

nedfotografere *vb* reduce.

nedkøle *(tilføj:) (fig: indefryse)* freeze; *(afspænde)* cool; defuse *(fx* the situation).

nedslidt *adj* worn-down *(fx* old man), worn-out *(fx* words).

nedsparing *(en) (økon)* dissaving.

nedspille *vb (i sport)* outplay.

nedtrapning *(en -er) (cf nedtrappe)* stepping down; scaling down; de-escalation; *(gradvis afvikling)* phasing out; *(mht narkotika)* slow withdrawal, S drying out.

nedtrappe *vb* step down *(fx* import duties), scale down; de-escalate *(fx* bombing, the war); *(gradvis afvikle)* phase out; *(om narkoman)* withdraw slowly from drugs, S dry out.

nedtur down-trip; *(tilbagegang)* decline.

nejsiger *(en -e)* no-man.

nerve *(tilføj:) der var -r på* T nerves were on edge.

nervepille sedative, tranquillizer.

niveaudeling *(i undervisning, svarer til)* setting.

nodebibliotek music library.

noget *(tilføj:) det er ~ af det bedste man kan få* that is about the best you can get.

notere: ~ *en (om politiet) (tilføj:)* book sby.

novellefilm short feature.

nulstille *vb (i edb)* zerofill.

nummer *(tilføj:) det er hans store ~* it is a favourite trick of his; *du kan træffe ham på det ~ (tlf)* you can get him at that number.

nutidsorientering *(svarer til)* social studies.

nybyggeri *(et -er)* new building; *(ny bebyggelse)* development.

nyre|sten kidney stone. **-svigt** *(med.)* renal failure.

-transplantation kidney transplant.
nyttegenstand useful object.
nytænkning new thinking (*fx* new t. on education policy).
nyværdi (*ass*) replacement value. **nyværdiforsikring** replacement value insurance.
II. nær (*tilføj:*) *det var ~ på* T it was a near thing; *stå en ~* (*tilføj:*) be close to sby (*fx* sources close to the Minister have said that . . .).
nær|demokrati participant (*el.* participatory) democracy. **-læsning** close reading.
næse: *spille en på -n* (*tilføj:*) (*være fræk*) be pert to sby.
næseblod (*tilføj:*) nosebleed; *have ~* have a nosebleed.
nødraket distress rocket.
nøgenbadning nude bathing; T skinny-dipping.
nøgen|løb streaking. **-løber** streaker.
nøglefærdig *adj* ready to move into; *leveret -t* delivered on a turn-key basis (*el.* as a turn-key job).
nå (*tilføj:*) *han -ede lige at vaske sig* he had (only) just time to wash; *han -ede det lige* he just made it.

obligatorisk (*tilføj:*) obligatory (*fx* subject); (*ved eksamen ogs*) prescribed; *~ læsning* prescribed texts.
observation: *indlægge en til ~* (*ret til:*) send sby to a hospital for observation; (*for mentalobservation*) remand sby for a medical report.
observationsfly ✗ reconnaissance aircraft.
offer: *blive ~ for* (*tilføj:*) (*fig*) be a casualty of (*fx* he was an early casualty of the new wave of reform)
okse vb T slog; *~ af sted* slog along.
oldnordisk (*fig*) (*tilføj:*) ancient (*fx* hat); hoary.
oldtid (*tilføj:*) *Danmarks ~* prehistoric Denmark.
olie|blokade, -boykot oil embargo.
olie|forekomst oil deposit. **-fund** oil strike. **-kamin** oil stove. **-plet** oil stain; (*på havet*) oil slick.
olympiadevinder Olympic champion.
ombordværende (*tilføj:*) *de ~* (*fx* i *fly*, ogs) the occupants.
omdirigere vb redirect; (*trafik, flyv*) divert (*fx* a plane to another airport); (*tlf*) switch.
omdiskuteret much discussed (*fx* the most discussed film in London); (*kontroversiel*) controversial; *et ~ spørgsmål* (*ogs*) a vexed (*el.* moot) question.
omfordeling (*en -er*) redistribution (*fx* redistribution of income by taxation).
omkalfatre (*tilføj:*) shake up; upend. **omkalfatring** (*tilføj:*) shake-up; upending.
omkring (*tilføj:*) (*ved årstal*) about, cirka, (*fk*) c. (*fx* born c. 1340).
område (*tilføj:*) (*som hører til institution etc*) grounds (*fx* the hospital grounds; the school grounds; the *~* of the Vatican); (*universitets, amr*) campus.
områdenummer (*tlf*) STD code; (*amr*) area code.
omsorgsarbejde work with (mentally) handicapped persons; (*ofte* =) welfare work.
omstrukturere vb restructure. **omstrukturering** (*en -er*) restructuring.
omsving (*tilføj:*) sudden change, reversal, turn round.
omvurdere (*tilføj:*) (*ogs fig*) reassess, reappraise. **omvurdering** (*tilføj:*) reassessment, reappraisal.
oparbejde (*tilføj:*) *han -de et sandt raseri* he worked himself up into a rage.
opbakning (*en -er*) backing, support; *bred ~* wide support; *få ~ fra* be backed (up) by, get support from, be supported by.
opdække vb (*i fodbold etc*) mark. **opdækning** (*en*) marking.
opinionsdannelse opinion formation.
opkaste: *~ sig til* (*tilføj:*) constitute oneself (*fx* he constituted himself the leader of the opposition; he has no right to c. himself a judge of the conduct of others).
opklaringsprocent (*mht forbrydelser*) detection rate.

opmarchfelt (*ved vejkryds*) lane.
opmærksom (*tilføj:*) *for den -me iagttager* to the watchful observer.
oppustelig *adj* inflatable (*fx* life raft).
opretholde (*tilføj:*) *sigtelsen kunne ikke -s* the charge had to be dropped.
oprør (*tilføj:*) *sindene er i stærkt ~* feeling runs high.
opsamlingslejr reception camp.
opsat (*tilføj:*) *hun gik med ~ hår* (*el. frisure*) she had her hair taken up; *stort ~* (*om avisartikel*) splashed.
opsigelse (*tilføj:*) *på seks måneders ~* (*om bankkonto*) at six months' notice.
opskrift (*tilføj:*) (*strikke-*) pattern.
opskrive (*tilføj:*) (*om valuta*) revalue.
opslagsbog reference book; (*leksikon*) encyclopedia.
opsparingskonto savings account.
opspind (*tilføj:*) *det pure ~* a pack of lies; (a) pure fabrication, pure invention (*fx* Government sources dismissed the report as pure invention).
opsplitning (*en -er*) division, split-up. **opsplitte** *vb* divide, split up.
opstille (*til valg*) (*tilføj:*) run; *ti partier -r ved valget* candidates from ten parties are standing (for election); ten parties are putting forward candidates (for election).
opstrenge vb restring (*fx* a tennis racket).
opsving (*tilføj:*) (*i økonomi ogs*) upturn (*fx* there are no indications of an upturn in the economy).
opsøge (*tilføj:*) *-nde hjælp* (*i socialt arbejde*) reaching-out casework; *-nde teater* (*omtr*) itinerant theatre.
optagettone (*tlf*) engaged tone (*el.* signal).
optrapning (*en -er*) escalation (*fx* of the war), stepping up. **optrappe** vb escalate, step up.
optræde (*tilføj:*) *~ med et nummer* do an act (, a turn).
optræk (*tilføj:*) *langsom* (, *hurtig*) i *-ket* slow (, quick) on the uptake.
opvarmet: *-t mad* (*tilføj:*) warmed-over food.
opvurdere vt (*opskrive*) write up, (*om valuta*) revalue; (*fig*) upgrade.
orden (*tilføj:*) *for god -s skyld* (*ved møde etc*) to keep the record straight.
ordenshåndhæver (*tilføj:*) law enforcement official.
ordfører (*tilføj:*) *han var forsvarspolitisk ~* he was the spokesman on defence.
ordre (*tilføj:*) *give ~ til tilbagetog* give the order for a retreat, order a retreat; *vi har to skibe i ~* (*etc*) *udgår;* (*tilføj:*) *have noget i ~* (*både om bestiller og leverandør*) have sth on order.
ordre|beholdning volume of orders. **-tilgang** influx of orders, order intake.
ord|skifte (*tilføj:*) exchange (of words) (*fx* there were loud exchanges in the House of Commons). **-veksling,** *se -skifte.*
orienteringsløb (*om sporten*) orienteering.
oven: *~ i* (*tilføj:*) (*fig*) in addition to, on top of; *de fik tre børn lige ~ i hinanden* they had three children in rapid succession.
ovenlys (*tilføj:*) (*i tag*) roof light.
overadministration excessive administration.
overbeskytte vb overprotect (*fx* a child). **overbeskyttelse** (*en*) overprotection.
overblænde vb (*i film*) dissolve (*til* to). **overblænding** (*en -er*) dissolve.
overdosis (*med.*) overdose.
overdødelighed (*en*) excess mortality, excessively high death rate.
overflodssamfund affluent society.
overflyvning (*en -er*) flight over; (*det at*) overflying. **overflyvningsrettigheder** *pl* overflying rights.
overgreb (*tilføj:*) *de ~ tropperne gjorde sig skyldige i* the outrages (*el.* excesses) committed by the troops.
overindlæring (*psykol*) over-learning.

overligger *(tilføj:) (i telt)* ridgepole.

overophedet *(tilføj:) (fig)* overheated *(fx* economy).

overraskelsesmoment element of surprise.

overskab top cupboard; *(vægskab)* wall cupboard.

overskydende *(tilføj:)* ~ *skat* overpaid tax.

overstyrmand ⚓ first *(el.* chief) officer, first mate.

oversvømme *(fig) (tilføj:)* swamp *(fx* the labour market was swamped by foreign workers).

overvældende *(ret til:)* overwhelming *(fx* impression, joy, majority); *(stærkere:)* staggering *(fx* impression, problem).

overvåge *(tilføj:) (fx mht forurening)* monitor.

pakke: ~ *ind (tilføj:) (fig)* wrap up *(fx* wrap the refusal up in polite phrases); ~ *ud (tilføj:)* unwrap.

palæstinenser *(en -e)* Palestinian.

paletspade (fish) slice.

palmin *(en) (ret til:)* vegetable fat.

panik *(tilføj:) de blev grebet af* ~, *der gik* ~ *i dem* they panicked, they got panicky.

panoramavindue landscape window.

panserglas armoured glass.

pap *(tilføj:) skære det ud i* ~ cut it out in cardboard; *(fig)* spell it out.

pap|bæger paper cup. **-fløde** cream in cartons (, a carton).

papir *(tilføj:) på -et (fig: teoretisk)* on paper.

papir|guld *(økon)* paper gold, special drawing rights, *fk* SDR. **-krig** = *-nusseri.* **-løs** *adj: -t ægteskab* cohabitation; common-law marriage; *leve i -t ægteskab* cohabit; live together without marrying. **-nusseri** paper-pushing, red-tape.

pap|kylling T battery broiler, rubber chicken. **-maske** *(til dias)* cardboard mount. **-mælk** milk in cartons (, a carton). **-tallerken** paper plate.

paradeforestilling *(fig) (tilføj:)* charade.

parafere *(tilføj:) (underskrive foreløbigt)* initial.

paragrafrytter stickler for the letter of the law.

parcelhusejer home-owner; owner-occupier (of a house).

parentes *(tilføj:) sætte* ~ *om noget* put sth in brackets, put brackets round sth; *(fig)* leave sth out of account.

parkerings|kontrollør *(svarer til:)* traffic warden. **-kredsløb** *(i rumfart)* parking orbit.

parløb *(cykelløb)* partner race; *(skøjteløb)* pair skating.

partisansøm caltrop, crowfoot.

passionsfrugt passion fruit.

passivisere *vb* passivate.

pauseklovn fill-in; *(fig)* comic figure; butt.

pavillonbygning (temporary) hut.

peber|bøsse *(ret til:)* pepper pot. **-kværn** *(tilføj:)* pepper mill.

pedel *(tilføj:)* caretaker.

pejlevogn detector van.

penge|automat *(ved bank)* cash dispenser. **-løs** *(tilføj:) -t samfund* cashless society. **-pung** *(tilføj:) ramme en på -en* hit sby's pocket.

pensakrav *(til eksamen)* examination requirements.

pensionist *(tilføj:) (folkepensionist)* (retirement) pensioner.

peppe *vb:* ~ *op* pep up; jazz up.

periode *(tilføj:) (præsidents- etc embedstid)* term (of office) *(fx* he wants to serve another term).

perledør bead curtain.

persillekværn parsley mincer.

personaleloft [personnel ceiling].

personnummer personal code number.

personsøgeanlæg paging equipment.

personsøger *(en -e)* pager.

perspektiv|løs *adj* lacking perspective; unimaginative. **-plan** long-term plan. **-planlægning** long-term *(el.* forward) planning.

petit|journalistik, -stof small news items; *(ofte =)* causeries; *(societynyt)* chat, gossip.

piffe T, *se ovenfor: peppe (op).*

pifte *(tilføj:)* ~ *en cykel* T let down the tyres of a bike.

pigdæk *pl* studded tyres.

pigegarde *(især amr)* drum majorettes.

II. pil *.(tilføj:) grøn* ~ *(ved trafiklys)* green arrow, filter light.

pinlig: ~ *ædru (tilføj:)* cold sober.

pist *(en) (i fægtning)* piste.

pistolrøver hold-up man *(el.* bandit), T stick-up man.

pjække *(tilføj:)* ~ *fra arbejde* shirk one's work, S skive.

pjævset *adj* T weedy, weakly.

placere *(tilføj:) (om ting ogs)* locate *(fx* the school is badly located); *jeg ved ikke hvor ansvaret skal -s* I do not know where to place the responsibility *(el.* whom to hold responsible).

pladderhumanisme flabby humanitarianism.

pladevender *(i radio)* T disc jockey.

plakatkunst poster design.

plastfolie plastic film, plastic wrap.

plastic|laminat laminated plastic. **-maling** plastic paint.

plateausål platform sole; *sko med -er* platform shoes.

plejepatient *(ældre)* long-stay geriatric patient.

pligttro *(tilføj:) (ofte =)* dedicated. *(fx* service).

pludre *(tilføj:) (om spædbarn)* babble. **pludren** *(tilføj:)* babble.

poliovaccinere *vb* immunize against polio.

politiinspektorat *(svarer til)* police department.

politisere *(tilføj:) (gøre politisk)* politicize.

politologi *(en)* political science.

popkunst pop art.

porno- *(forstavelse)* pornographic *(fx* magazine), T porn.

pornofilm porno-film, blue movie.

posetæppe convertible sleeping bag.

position *(tilføj:) parkere i anden* ~ double-park; *overhale i tredje* ~ overtake three abreast.

postnummer *(tilføj:)* postcode.

premiere *(tilføj:) have* ~ *(om stykke)* be given its first performance, receive its premiere; *have* ~ *på et stykke* give a play its first performance.

premierenervøsitet first-night nerves *pl.*

presseomtale *(tilføj:)* (newspaper) publicity *(fx* the show got quite a lot of publicity).

principbeslutning decision in principle; *træffe* ~ *om at* decide in principle to.

principiel *(tilføj:)* ~ *løsning* solution in principle.

prioritere *(tilføj:) (give fortrinsret)* give priority to; *(bestemme rækkefølge)* fix an order of priority; ~ *opgaverne* put the tasks in order of priority; ~ *noget højt* give sth a high priority, give a high priority to sth; *højt -t* with a high priority, high in the list of priorities.

pris|bevidst *adj* price-conscious. **-forlangende** *(et)* asking price. **-idé** suggested price. **-loft** price ceiling. **-skred** *(pludseligt fald)* slump, dive. **-talsreguleret** *adj (tilføj:)* index-linked. **-talsregulering** automatic adjustment to the cost-of-living index; index-linkage, indexing.

problem|fri *adj* unproblematic. **-fyldt** *adj* problematic. **-løs** = *-fri.*

produktudvikling *(merk)* product development.

professorvælde professorial power.

programerklæring *(tilføj:)* policy statement.

programmel *(et) (i edb)* software.

program|sætte *vb (i radio, TV)* time. **-vært** *(i TV)* compere.

proportionsforvrængning [getting sth out of all proportion].

protestadresse protest petition. **-sang** protest song.

provo *(en -er)* provo.

prægetang label marker.

præsentere *(tilføj:)* ~ *en for noget* present sby with sth, introduce sby to sth.
præstationssamfund meritocracy.
prøve|bog *(attrap)* dummy. **-nummerplade** *(til bil)* trade plate. **-tid** *(ret til:)* trial period; *(for ansat og jur)* (period of) probation; *(teat)* rehearsal time. **-år** *(ret til:)* trial year; *(for ansat og jur)* year of probation.
psykedelisk *adj* psychedelic.·
psyko|farmaka *sb pl* psychoactive drugs. **-lingvistik** psycholinguistics.
pudderpung vanity (bag), vanity case.
pukkel *(tilføj:) slide sig en* ~ *til* work like a slave, slave one's guts out.
pulverslukker dry powder extinguisher.
punkt|skriver *(i edb)* stylus *(el.* dot) printer. **-strejke** selective strike.
puslebord *(tilføj:) (omtr)* (baby) dressing table.
pyramide|salg, -system *(merk)* pyramid selling.
påskebryg *(ret til:)* [extra strong beer brewed at Easter]; *(omtr)* special brew.
påstået *adj* alleged *(fx* the alleged crime).

quadrofoni *en* quadrophony, quadraphony.

racist *(en -er)*, **racistisk** *adj* racist. ·
radarfyr radar beacon.
radialdæk radial-ply tyre.
rafle *(tilføj:) der er ikke noget at* ~ *om (fig)* there are no two ways about it.
raket|silo silo (for a missile). **-værn** antimissile system.
rakkerarbejde *(hårdt)* backbreaking work *(,* job); *(beskidt, fig)* dirty work *(fx* he made others do the dirty work).
IV. ramme *(tilføj:) (om lys)* fall on; *lyset ramte hans ansigt (ogs)* the light caught his face.
realitetsforhandling *(tilføj:) -er (ogs)* discussions of substance, substantial negotiations.
recept|blanket prescription form. **-pligtig** *adj (om medicin)* ethical *(fx* drug); ~ *medicin (ogs)* prescription drugs.
redaktionschef chief sub-editor.
redningssejl *(ved brand)* rescue chute.
redskabsfag tool subject.
reetablere *vb* re-establish.
referat *(tilføj:) uden for* ~ off the record.
referensramme frame of reference.
reflatorisk *adj* reflationary *(fx* measures).
refleksbånd phosphorescent *(el.* luminous) strip.
regerelysten *adj (fig)* domineering.
regeringschef *(ret til:)* head of government.
regie *(tilføj:) (fig)* framework *(fx* within the f. of the EEC); *i deres* ~ under their aegis; *forhandlingerne finder sted i FN's* ~ the talks are taking place under the auspices of the UN.
regnskabsanalyse accounts analysis.
reguleringspristal [wage regulation index].
reificere *vt* reify.
III. rejse *(tilføj:)* ~ *noget (, en) op (efter fald)* stand sth *(,* sby) upright.
reklamepris bargain price.
rekordforsøg attempt to set up *(,* break) a record; record attempt.
rendyrket *(tilføj:) han er en* ~ *egoist* he is an egoist through and through.
rengørings|maskine cleaning machine. **-selskab** cleaning service, cleaning contractors.
renseserviet cleansing tissue.
rense *(tilføj:) (om spildevand også)* treat. **rensning** *(tilføj:)* treatment *(fx* wastewater treatment).
rent *(tilføj:) gøre* ~ clean house; *gøre* ~ *i huset* clean the house.
rente *(tilføj:)* direkte ~ *(af obligation: rente i procent af kursværdi)* true yield, current yield; *effektiv* ~ *(af obligation: inklusive udtrækningsgevinst)* yield to redemption; *(af lån)* true rate (of interest).
renteafkast yield.

rentryk *(tilføj først:)* perfect impression.
repremiere first night of a revival.
repriseteater repertory cinema.
repræsentativ *(tilføj:) han har mange -e pligter* his job entails a considerable amount of entertaining.
reservefondsaktie bonus share.
reservere *(tilføj:)* ~ *ham det* reserve it for him.
rest *(tilføj efter (kem)* residue:) *(fx* pesticide residues in food).
rest|koncentration *(mht forurening)* residue. **-skat** underpayment of tax.
retablere *(tilføj:) (efter byggeri etc)* make good.
retningslinje: *-r (tilføj:)* guidelines; *udstikke -r for* lay down guidelines for.
retshjælpsforsikring legal expenses insurance.
returkamp *(i sport)* return match.
revalideringscenter local rehabilitation agency.
ribbort *(tilføj:)* ribbed edge.
ribstrikket *adj* ribbed.
ridebanespringning show jumping.
II. rigelig(t) *(tilføj:) have -t af (el. med)* have plenty of, be amply supplied with.
rigmandssøn: *han er* ~ he comes from a rich family.
ringetone *(tlf)* ringing tone.
risikobetonet *adj* risky.
Roma Rome; *tale* ~ *midt imod (omtr)* oppose established authority; *have the courage of one's convictions; stand up for what one thinks is right.*
Romtraktaten the Treaty of Rome.
rotationsstilling *(for læge)* rotating hospital post.
rotteræs *(et)* S ratrace.
ru *(om stemme) (tilføj:)* gravelly *(fx* the ~ voice of Louis Armstrong).
rulamspels sheepskin coat.
I. rulle *(tilføj:) (til hår)* roller, curler.
rulle|bord *(til servering)* dinner wagon; tea trolley. **-bræt** *(legetøj)* skateboard. **-sele** automatic belt, inertia reel belt.
rum|forskning space research. **-termostat** wall thermostat. **-vandring** space walk. **-vægt** *(fys)* density.
rundbordssamtale *(tilføj:)* round table discussion .
rundvisning *(en -er)* showing round; *(på museum etc)* conducted tour.
rustbehandle *vb* treat against rust.
rutefart *(tilføj:) gå i fast* ~ *mellem (om skib)* ply between; *(fig)* shuttle between.
ryg *(tilføj:) han har ministeren i -gen (ɔ: som støtte)* he has the minister at his back; *bind med løs* ~ loose *(el.* hollow *el.* open)-back binding; *løs i -gen (om bog)* with a broken back.
ryghynde bolster
rystetur *(antal (anfald af rystelser)* shiver, *(med.)* rigor; *(køretur)* shake-up, rough ride.
ræs *(et)* T race, rush; *stå af -et* opt out.
rødstrømpe Redstocking.
rødt *(tilføj:) gå over for* ~ cross against the red light.
rødtunge *zo* smear dab; *(som ret)* lemon sole.
røreskål mixing bowl.
rørklokker *pl (mus.)* tubular bells.
røvrende *vb (vulgært):* ~ *en (snigløbe)* stab sby in the back; *(fuppe)* do sby in the eye.
råber *(tilføj:) (moderne, elektrisk)* loudhailer; T bullhorn.
rådgivning *(en)* advising; counselling; *(psyk etc: vejledning)* guidance.
rådgivningslærer (school) counsellor.
rådhusbryllup *(svarer til)* registry-office wedding.
råstyrke *(en)* brawn; stamina.
råstærk *adj* brawny.

safir *(en -er)* sapphire.
sag *(tilføj:) (papirerne i en sag)* file *(fx* the file has been forwarded to the Director of Public Prosecutions); *det er lige -en* T that's the thing; *få sin* ~ *for (fig) (tilføj:)* be put through it; *gå til -en* T put one's

back into it.

saglig *(tilføj:)* factual *(fx* discussion).

sagsområde field of responsibility.

sakse *vb (klippe ud, fx fra avis)* clip.

salatslynge salad washer.

salgsfremmende *adj* promotional; ~ *foranstaltninger* sales promotion.

I. salt *(tilføj:)* *strø ~ i såret (fig)* rub salt into the sore.

saltbøsse *(tilføj:)* salt pot.

samarbejdsudvalg liaison committee; *(på arbejdsplads)* works committee, works council.

samfunds|bevidst *adj* social-minded. **-orienteret** *adj* socially orient(at)ed. **-orientering** *(svarer til)* social studies. **-relevant** *adj* socially relevant. **-taber** social loser.

samkøre *vt (koordinere)* co-ordinate.

samle *(tilføj:)* *ikke noget at ~ på* (T *iron)* nothing to make a song and dance about.

samlet *(tilføj:)* ~ *løsning* package solution, overall solution.

sammen|koge: *-kogt ret* (mixed) stew; casserole. **-trækssyning** pulled-thread work.

samspilsramt *(psykol) (omtr)* maladjusted.

samtalepartner interlocutor.

samtids|historie contemporary history. **-historiker** contemporary historian.

samvittighedskrise crisis of conscience.

sandhed *(tilføj:)* *-ens øjeblik* the moment of truth.

sandkasseleg: *det er ~ (fig)* it is a charade.

sanering *(tilføj:) (om beboelseskvarter ogs)* redevelopment. **saneringsselskab** redevelopment company.

sanitør *(en -er)* (house) cleaner.

satsbillede *(typ)* arrangement, lay-out.

seksdageskrigen *(hist.)* the Six Day War.

selskabstaske evening bag.

selv|betjeningsvaskeri (self-service) launderette *(el.* washerette), *(amr)* laundromat. **-brænding** self immolation. **-klar** *adj* self-evident. **-klæbende** *adj (om konvolut)* self-sealing. **-kørende** *adj* self-propelled *(fx* gun); *(som kører i egen bil)* who drives his (, her) own car; *(ofte =)* coming by car. **-smagende** *adj* unctuous, complacent. **-stændig** *(tilføj:)* *en ~ kunstart* an art form in its own right; ~ *landmand* farmer owning and working his own farm; ~ *lejlighed* self-contained flat. **-tilstrækkelig** *adj* self-sufficient. **-valgt** *(tilføj:) (tlf)* dialled *(fx* dialled trunk calls).

seminarie|adjunkt *(svarer til)* lecturer (at a college of education). **-lektor** *(svarer til)* senior lecturer (at a college of education).

senge|lampe bedside lamp. **-løber** rug.

seniorspejder ranger.

sensation *(tilføj:)* *skabe ~ om noget* make a sensation of sth.

sensations|blad sensational paper; *(smudsblad)* yellow paper, gutter paper. **-journalistik** sensation mongering; yellow journalism.

sensitivitets|kursus *(psyk)* sensitivity training course. **-træning** *(psyk)* sensitivity course.

serveringsgryde *(ovnfast)* oven-to-table pot, *(ofte =)* casserole.

service|erhverv, -fag service trade; *-ene (ogs)* the services. **-modul** *(i rumfart)* service module.

side *(tilføj:)* *hun så ikke til den ~ hvor han var* she ignored him completely.

side|spejl *(på bil)* external rear-view mirror, side-view mirror; *(på skærm)* wing mirror. **-stille** *(tilføj:)* *kunne -s med* be comparable with.

signere *(tilføj:)* *-t eksemplar (af bogen)* inscribed copy.

sikkerheds|net *(tilføj:)* *spænde et ~ ud under* stretch out a safety net under. **-sele** *(tilføj:)* seat belt.

silkekjole *(tilføj:)* silk frock.

simultan|tolk simultaneous interpreter. **-tolkning** simultaneous interpreting.

sindsudvidende *adj* mind-expanding.

situations|fornemmelse, -sans sense of occasion *(fx* he has no sense of occasion).

sjusse *vb* T: ~ *sig frem til* guesstimate.

sjæle *(tilføj:) (om skuespiller)* emote.

sjælesorg *(tilføj:)* pastoral care.

skabsfryser upright freezer.

skakbrik *(tilføj:)* chess piece.

skarn *(tilføj:) dit lille ~ !* you little mischief!

skatte|byrde, -tryk *(tilføj:)* burden of taxes *(fx* shift the burden of taxes on to the poor), tax burden. **-fordel** tax benefit. **-loft** tax ceiling. **-træk** tax deduction.

skema|lægning *(i skole)* timetabling. **-mæssig** *adj* schematic; *af -e grunde* on account of the timetable.

skidragt ski suit.

II. skifte *(tilføj:)* ~ *(ble) på et barn* change a baby, change a baby's nappie.

skifteholds|arbejde working on shifts. **-arbejder** shift worker. **-tillæg** shift bonus.

skiltepræger, *se ovenfor: prægetang.*

skiltning *(en) (ved vej)* signposting.

skindryg *(tilføj:) med ~* quarter-bound.

skinproces *(skueproces)* show trial.

skippe *vb* T *(opgive)* throw up, drop; *(forlade)* quit, skip *(fx* one's job).

skisportsted ski resort.

skitseplan sketch plan; outline plan.

skjold *(tilføj:) (krabbes)* carapace.

skjorte|blusekjole shirtdress. **-pullover** knit shirt.

skole|betjent *(tilføj:)* caretaker, school keeper. **-central** local teaching-aids centre. **-fly** trainer aircraft. **-fobi** *(psykol)* school phobia. **-løb** *(omtr)* school career. **-nævn** *(omtr)* parents' committee. **-radio** *(tilføj:)* schools broadcasting.

skostiver shoe tree.

skovmyre *zo* wood ant.

skrankepave *(omtr)* petty official.

skriver *(en -e) (kontorist)* clerk; *(hist.)* scribe.

skrup|forvirret *adj* T scatterbrained; in a flutter. **-tude** *vb* T howl one's head off.

skrædder|saks trimmers *pl.* **-sy** *(ogs fig)* tailor. **-syet** *(tilføj:) (fig)* tailored, tailor-made.

skrælle *(tilføj:) -t for (fig)* stripped of.

skræmmepistol dummy pistol.

skrå|bånd *(i håndarbejde)* bias binding. **-rem** ✕ crossbelt.

skudsikker *(tilføj:) et -t alibi* a water-tight *(el.* cast-iron) alibi; ~ *vest* bullet-proof waistcoat.

skue|proces show trial. **-spil** *(tilføj:) (fig: tomt ~)* charade.

skulderklap *(tilføj:) (fig ogs)* pat on the back.

skvattet *adj* weak-kneed.

skyde *(stjæle) (tilføj:)* scrump *(fx* apples); ~ *fra hoften* shoot from the hip; ~ *sammen til en gave* club together to buy a present.

skydegal *adj* trigger-happy.

skyderi *(ildkamp) (tilføj:)* shooting incident.

skydespænde hair slide, *(amr)* barrette.

skyhøj *(tilføj:) -e priser* soaring prices.

skærpe *(gøre strengere) (tilføj:)* tighten *(fx* the control); stiffen *(fx* one's demands).

skønhedssalon *(tilføj:)* beauty salon.

slagbor hammer drill.

III. slette *(tilføj:) (på båndoptager)* erase.

slide *(tilføj:)* ~ *ned* wear down.

slingrebremse trailer brake.

slippe *(tilføj:)* T *(betale)* fork out.

slukningsmiddel extinguishing agent.

slump(e)skud random shot, potshot.

slumstormer *(en -e)* squatter.

sluse *(tilføj:) vb:* ~ *ind* let in (gradually); *(optage)* absorb *(fx* absorb immigrants into the country).

slutspurt *(tilføj:) (fig)* run-up *(fx* the run-up to the election).

sløjfefilm cineloop.
slå-om: ~ *frakke* (, *kjole*, *nederdel*) wraparound; ~ *nederdel* (*ogs*) wrap skirt.
II. smitte: ~ *af på* (*tilføj:*) (*ogs fig*) rub off on.
smækbevidstløs *adj: han var* ~ T he had passed out cold.
småfryse *vb.* feel chilly, feel shivery.
sne|glat *adj* slippery with snow. **-kæde** (*tilføj:*) snow chain. **-skuffe** (*en -r*) snow pusher. **-slynge** (*en -r*) snow thrower.
snobrød twistbread.
snuppe (*tilføj:*) *jeg kan ikke* ~ *ham* (T: *holde ud*) I can't stick him.
II. snøre (*tilføj:*) T (*narre*), *se narre.*
socialbedrager scrounger, welfare chiseller.
sodavandsis ice lolly.
sofagruppe (*sofa og to lænestole*) three-piece suite.
soigneringsanstalt (*tilføj:*) linen supply service.
solgård (*ved hus*) patio.
solidarisere *vb:* ~ *sig med en* make common cause with sby.
solpanel (*på rumskib*) solar panel.
solskins|barn: *hun er et* ~ she has a cheerful disposition. **-humør** sunny mood.
sommerland holiday cottage area.
sorternål (*til hulkort*) sorting needle.
sort|liste (*en -r*) black list; *vb* blacklist. **-seer** (*tilføj:*) (*TV*) licence dodger.
spadseresti footpath.
sparekniv axe (*fx* the Government intends to use the axe).
speake *vb* (*i radio*, *TV*) be the (, an) announcer; (*på film*) speak the commentary.
spendere *to a ta han -de en taxa* he treated himself (, them *etc*) (*tilføj:*)xi.
I. spids (*tilføj:*) *gå op i en* ~ T (*om person: blive hysterisk*) go off the deep end; (*blive rasende*) blow one's top; hit the ceiling; (*om sag: tilspidse sig*) come to a head; (*gå i hårdknude*) come to a deadlock.
spild|procent wastage rate. **-tid** wasted time.
spille|automat (*tilføj:*) fruit machine. **-kasino** gambling casino.
II. spiritusprøve *vb* subject to a sobriety test; (*med spritballon*) breath-test.
spisebillet meals (, lunch, dinner) voucher.
splintfri: *-t glas* (*tilføj:*) splinterless glass.
splittelsespolitik divisive policy.
I. spole (*tilføj:*) (*til båndoptager*) reel.
II. spole (*tilføj:*) ~ *tilbage* rewind.
spor (*tilføj:*) (*i skole*, *kan gengives*) form; *skole med tre* ~ three-form entry school.
III. spore (*tilføj:*) ~ *ind på* (*fig*) direct to, turn on to.
sports|dykker non-professional diver. **-magasin** sports goods shop.
spredning (*tilføj:*) ~ *af atomvåben* nuclear proliferation.
springbræt (*fig*) (*tilføj:*) springboard.
sprinkler (*tilføj:*) (*i bil*) windscreen washer.
sprinkleranlæg (*til brandslukning*) sprinkler installation.
sprinte (*tilføj:*) (*fig*) rush.
spritballon breathalyzer.
spritter (*tilføj:*) meths drinker.
-sproget (*endelse*) (*-talende*) -speaking (*fx* a German-speaking minority); (*skrevet på . .*) -language (*fx* the English-language Press in South Africa).
sprogsamfund speech community.
spræng|farlig *adj* (*ogs fig*) explosive (*fx* issue). **-skitse** exploded view. **-stof** (*tilføj:*) (*fig*) dynamite (*fx* an issue full of political d.).
I. sprøjte (*tilføj:*) *være på -n* (*fig*) S be on the needle.
sprøjtenarkoman, *se nedenfor: stiknarkoman.*
spytslikkeri (*tilføj:*) boot-licking.
II. spænde (*tilføj:*) ~ *fra* (*fig: slappe af*) relax.
spærretid (*tilføj:*) *indføre* ~ impose a curfew;

ophæve -en lift the curfew.
I. spøge (*tilføj:*) ~ *med sit helbred* trifle with one's health.
spørgende (*tilføj:*) *han så* ~ *på mig* he looked at me inquiringly; *se* ~ *ud* look puzzled.
spånplade chipboard.
stam|aktionær ordinary shareholder; (*amr*) common stockholder. **-kunde** regular customer, T regular.
start|hul starting hole; *komme ud af -lerne* (*fig*) T get cracking. **-motor** (*i bil*) starter motor.
statsbesøg state visit.
stege|flæsk pork loin. **-pose** plastic bag for oven cooking. **-so** square roaster. **-termometer** roast-meat thermometer.
stemme|samler votecatcher. **-skred** landslide.
stensikker *adj* T dead certain; *det er -t* (*ogs*) it is a dead cert.
stereoanlæg stereo (set), stereo equipment.
stigningstakt rate of increase.
stikflamme (*tilføj:*) flash.
stik-i-rend-dreng (*ogs fig*) messenger boy (*fx* he acted as a messenger boy to the Prime Minister).
stiknark0man addict who takes drugs by injection; S (*som indsprøjter stof intravenøst*) mainliner; *være* ~ be on the needle.
IV. stille: ~ *op* (*tilføj:*) (*til valg*) stand, (*især amr*) run; (*med objekt*) put up, put forward (*fx* a candidate for election) ~ *sig bag en* (*fig : støtte*) back sby up.
stilleleg (*svarer til*) dead donkey.
stof (*tilføj:*) (*narkotika*) drugs, S junk; *hårde -fer* hard drugs.
stof|bruger drug taker, drug user. **-fri** *adj* drugfree (*fx* a drug-free environment; he stayed drug-free for many months); off drugs (*fx* keep him off drugs). **-misbrug** (*tilføj:*) abuse of drugs; misuse of drugs; drug taking. **-misbruger** (*tilføj:*) drug taker, drug abuser; S junkie.
stokkemetode strong-arm method.
stor|familie (*etnografi*) extended family; (*kollektiv*) commune, group family. **-kapitalen** (*svarer til*) Big Business. **-køb** (*det at*) bulk buying; (*butik*) cash-and-carry store.
stormskadeforsikring (*ret til:*) storm and tempest insurance.
storskrald (*et*) bulky refuse.
straffeboks (*i sport*) penalty box.
strejkeunderstøttelse strike pay (*el.* benefit).
stresset *adj* stressful (*fx* situation); (*om person*) suffering from stress.
strikkegarn (*tilføj:*) (*uld-*) knitting wool.
II. strippe *vb* strip.
stryge|let *adj* easy-care (*fx* shirt). **-orkester** (*tilføj:*) string orchestra. **-rulle** (*en -r*) rotary ironer. **-tør** *adj* ironing dry.
stræknylon stretch nylon.
strømafbrydelse (*elekt*) power cut.
strømer (*en -e*) T (*landstryger*) bum; (*politibetjent*) cop.
strømsvigt (*et*) power failure.
strømpebukser (*tilføj:*) (*merk*) panty hose.
studenter|løn (*tilføj:*) (*takst hvorefter studerende betales*) student rate. **-oprør** student rebellion (*el.* revolt), student protest. **-oprører** student rebel. **-rabat** student discount.
studie|kammerat fellow student. **-løn** student wage. **-nævn** staff-student committee. **-teknik** study technique. **-vejleder** (guidance) counsellor.
-vært (*TV*) compere; *med X som* ~ compered by X.
styrelseslov statute.
styreraket (*ret til:*) control rocket.
styrkemål ✕ force level.
stærkt (*tilføj:*) ~ *specialiseret* highly specialized.
stødsikker *adj* shock-proof, shock-resistant.
støj|forurening noise pollution. **-gener** *pl* noise nuisance. **-instrument** noisemaker. **-måler** noise

meter. **-niveau** noise level. **-ramt** adj noise-affected.

størrelsesorden (tilføj:) det vil koste et beløb i -en 25 millioner it will cost in the region of 25 million.

støtte|parti support(ing) party. **-punkt** ✗ (tilføj:) strongpoint. **-strømper** pl support (el. elastic) stockings. **-undervisning** remedial instruction.

II. **sur** (tilføj:) være ~ over noget be cross about sth, be annoyed at (el. about) sth; være ~ på en be cross (el. annoyed) with sby, (amr ogs) be sore at sby.

sutteklud [rag used by small children when sucking]; (fig) sop; baby soother.

svagthørende adj hearing-impaired.

svaj (et): bukser med ~ flared (el. bell-bottomed) trousers, bell-bottoms.

svinglampe bracket lamp.

svovlprædikant (tilføj:) hellfire preacher.

sværvægter (en -e) heavyweight.

svævestøv dust suspended in the air.

svøb (tilføj:) (lille tæppe) shawl.

svømmedykker scuba diver.

syge|gymnastik (tilføj:) remedial gymnastics. **-hjælper** (tilføj:) nursing auxiliary. **-løn** sick pay. **-sikring** (omtr) health insurance.

sympatistrejke (tilføj:) vb strike in sympathy.

synd: det er ~ og skam (tilføj:) it is a crying shame.

system (tilføj:) »-et» the system.

system|analyse (i edb) systems analysis. **-analytiker** systems analyst. **-chef** systems manager. **-tipning** (svarer til) permutation.

sæbekassebil soapbox car, go-cart.

sækkekjole sack dress.

sær|beskatning separate taxation. **-beskatte** tax separately. **-præget** (tilføj:) (ejendommelig) curious, remarkable, singular. **-told** surcharge (fx a s. of 15 per cent on the value of imported goods).

sæsonledighed seasonal unemployment.

sætte (tilføj:) ~ ham af holdet leave him out of the team; ~ penge ind på en konto pay money into an account; ~ komma om noget put commas round sth; ~ ham på holdet put him on the team.

sætternisse: -n the misprint gremlin; -n har været på spil (the) gremlins have been at work.

søgerblade pl (værktøj) feeler gauges.

sølvmærke (et -r) silver hallmark.

I. **søm** (tilføj:) hænge på et ~ hang on (el. from) a nail; han var der som et ~ T he came like a shot.

sømandsskole sea training school.

sømpistol nail gun.

sørgerand (tilføj:) black border (fx the newspapers appeared with black borders).

taber (tilføj:) social ~ social loser.

tabubelagt adj tabooed; ~ ord taboo word.

taiwaner (en -e), **taiwansk** adj Taiwanese.

talblindhed (en) (psyk) acalculia.

II. **tale** (tilføj:) ~ forbi hinanden talk at cross-purposes.

tale|lidende adj speech-handicapped. **-plade** record of the spoken word.

talerkursus course in speech-making.

tanga (en -er) string bikini.

tarifløn wage according to agreed (el. trade union) rates; agreed rate(s).

tastaturapparat (tlf) pushbutton telephone.

tavs (tilføj:) det -e flertal the silent majority.

te (tilføj:) en tynd kop ~ (fig) a feeble affair.

teaterskole theatre school, theatrical school.

tebrev tea bag.

tegnings|berettiget adj (merk) authorized to sign for the firm (, company). **-garant** (merk: for aktier) underwriter. **-retsbevis** (merk) rights certificate; (amr) subscription warrant.

tekstsideannonce advertisement in the editorial section; (sat op så den ligner almindelig tekst) reading notice.

telefon|annonce advertisement booked by telephone. **-bombe** (en -r) (ret til:) bomb threat (over

the telephone), bomb hoax. **-sjov** (omtr) hoax telephone calls pl. **-program** phone-in. **-svarer** (tilføj:) automatic answering set. **-vækning** alarm call; bestille ~ book an alarm call.

teleslynge wire loop (for pick-up coil).

telex sb telex. **telexe(re)** vb telex. **telextjeneste** telex service.

temperament (tilføj:) han har ~ he has quite a temper; he is temperamental.

terminal (en -er) (flyv) air terminal; (i edb) data terminal.

termo|kande vacuum jug. **-rude** insulated glass unit, sealed unit.

termostatstrygejern iron with thermostatic control.

tids|plan timetable, (time) schedule. **-stemple** vb stamp with date and hour. **-ubestemt** adj: ~ straf indeterminate sentence.

tilbage|holde (tilføj:) hans navn -s (ved ulykke) his name has not yet been released. **-holdenhed** (tilføj:) (mht lønkrav) restraint.

tilføre (tilføj:) (om kapital) inject (fx inject new capital into the firm).

tilførsel (tilføj:) (af kapital) injection (fx the firm needs an injection of new capital).

tilgode|se vb (tage hensyn til) consider (fx c. their interests). **-seddel** credit note.

tilkaldevagt: have ~ be on call.

tilkørsels|bane (på motorvej) acceleration lane. **-vej** approach; (til motorvej) entrance road, slip road.

tillidskløft credibility gap.

tillægspension supplementary pension; (ATP) wage earners' supplementary pension; (svarer omtr til) graduated pension scheme.

tilsløre (fig) (tilføj:) (gøre uklar) obscure.

tilvalg additional choice. **tilvalgsfag** optional subject, (især amr) elective subject.

tilvælge vb choose (as an optional subject).

timelønnet adj hourly-paid (fx workers); være ~ be paid by the hour.

ting(s)liggøre vt reify.

tjene (tilføj:) det -r ham til ære it redounds to his credit; det -r ham ikke til ære it reflects no credit on him.

tjenestemandsansætte establish.

togrevisor (jernb) inspector.

toleranceværdi (mht forurening) limit of tolerance.

tolver (en -e) twelve; (i tipning) [twelve correct results on the football pools]; det var en ~! (fig) top marks for that one!

tomle vb T hitchhike, thumb it (fx he thumbed it to Paris).

I. **top** (tilføj:) (overdel) top; (lille paryk) toupee, hairpiece.

top|hastighed top speed. **-løs** adj topless. **-skefuld** heaped spoonful

to|somhed (en) being two alone together. **-sporet** adj (om kørebane) two-lane (fx carriageway); (om båndoptager) two-track; (om skole) two-form entry.

totalitarisme (en) totalitarianism.

tov (tilføj:) være ude i -ene (om bokser og fig) be on the ropes.

trafik|forbindelser pl communications. **-knudepunkt** (hvor jernbaner, veje etc mødes) junction. **-tæthed** traffic density, volume of traffic; traffic concentration.

transithal (i lufthavn) lounge for transit passengers.

trappeartist T door-to-door salesman.

trekant(s)drama play about the eternal triangle; (fig) domestic triangle.

tremme|kalv (tilføj:) battery calf. **-kylling** battery chick.

trepunktssele lap-diagonal belt.

triviallitteratur [popular literature].

trivsel (tilføj:) (velbefindende) well-being; (på arbejdsplads omtr) job satisfaction.

tromle (tilføj:) ~ en ned (fig) bulldoze sby.

troppeadskillelse ✗ separation of forces; disengagement.
tryk|dragt *(flyv)* pressure suit. **-imprægneret** *adj* pressure-creosoted.
trykke|sted *(ret til:)* place of printing. **-år** *(ret til:)* date of printing.
trykt *(tilføj:)* ~ *med småt* in small print; *læse det der er ~ med småt* read the small print.
træde: ~ *på (tilføj:)* *(fig)* trample on.
trækprocent income tax rate.
I. trænge *(tilføj:)* ~ *ind (fig)* sink in *(fx* it took time for the warning to sink in).
tur *(tilføj:)* *en ~ rundt i Jylland* a tour of Jutland.
tvangsfodre *(tilføj:)* force-feed.
tveægget: *det er et ~ sværd (fig) (tilføj:)* it is a two-edged sword.
tværfaglig *adj* interdisciplinary.
tyk *(tilføj:)* *den er for ~* that's a bit tall.
tys-tys *sb, adj* hush-hush.
I. tæppe *(tilføj:)* *feje ind under -t (fig)* sweep under the carpet.
tæppeflise carpet square.
tærskelpris *(merk)* threshold price.
tæt *(tilføj:)* *det var ~ på (fig: nær ved at gå galt)* it was a near thing; *gå ~ på en (fig)* question sby closely.
tørretumbler *(en-)* tumbler drier.
tåge *(tilføj:)* *et skud i -n (fig: gætning)* a shot in the dark; *(forsøg i blinde)* a leap in the dark.
tåløs *adj (om sko)* peep-toe, open-toe.

ubehandlet *(tilføj:)* *(om træ)* in the white.
udbetalingskort *(til giro)* (Giro) payment order.
udblæsning *(tilføj:)* *for fuld ~ (fig)* full blast *(fx* a radio going full blast).
udbryder *(tilføj:)* *(i politik)* politician who has broken away from his party; *(i cykelløb)* breakaway; *-e (fra parti etc)* breakaway group *(el.* faction).
udbytteskat [withholding tax on dividends].
uddannelses|center education centre. **-forløb** educational course; *(uddannelse)* education. **-løn** student wage. **-støtte** [educational aid from public funds]. **-søgende** *sb* student following a course of (further) education.
uddata *pl (i edb)* output.
uddybe *(tilføj:)* *det har -t kløften mellem dem (fig)* it has widened the gap between them.
udearbejdende *adj:* ~ *husmor* working wife; *(med børn)* working mother.
udesejr *(i fodbold)* away win.
udflippet *adj* T flipped-out.
udflugtsområde recreational area.
udfoldelsesmuligheder *pl* opportunities for development (, self-expression).
udformning *(tilføj:)* *(udgave)* version *(fx* the first v. of the portrait; a modern v. of an antique lamp).
udfrielse *(tilføj:)* release *(fx* from slavery).
udglatte *(tilføj:)* *en -nde bemærkning* a soothing remark.
udhule *(tilføj:)* *(fig ogs)* erode *(fx* purchasing power). **udhuling** *(tilføj:)* *(fig)* erosion *(fx* of purchasing power).
udlevere *(tilføj:)* *(fig: prisgive)* expose to ridicule.
udskiftningsspiller substitute.
udslip *(et)* leakage.
udskrive *(tilføj:)* ~ *valg på spørgsmålet* call an election on the issue, take the issue to the country.
udslynge *(fig) (tilføj:)* rap out *(fx* a command).
udspil *(tilføj:)* proposal; *komme med et ~ (fig: ved forhandling)* present one's case.
udsuge *(tilføj:)* *(luft, damp, støv)* exhaust. **udsugning** *(tilføj:)* *(af luft etc)* exhaustion; exhaust.
udviklet *(tilføj:)* *han var sent ~* he was a late developer.
udviklings|hæmmet *adj:* *psykisk ~* mentally deficient, mentally handicapped. **-område** develop-

ment area. **-psykologi** developmental psychology.
udvise *(ved sportskamp) (tilføj:)* send off.
udvisning *(tilføj:)* *(ved sportskamp)* sending-off.
udøve *(tilføj:)* *-nde musiker* practising musician.
uenig *(tilføj:)* *være ~ i* disagree with *(fx* the scheme).
uforudsigelig *adj* unpredictable.
uklassificeret *adj (ogs om dokument)* unclassified.
ukrudtsmiddel herbicide.
u-landshjælp aid to developing countries.
ulovlighed *(tilføj:)* *-er* unlawful acts.
ultimativ *adj* having the character of an ultimatum.
uløst *(tilføj:)* unresolved *(fx* conflict).
umenneskeliggøre *vb* dehumanize.
IV. under *(en -e) (af krydder etc)* bottom (part).
underbenklæder *(tilføj:)* *(trusser)* briefs; *lange ~* long pants; T long johns.
underforsyne *(tilføj:)* .*egnen er -t med teatre* the area is short of theatres.
underkvalificeret *adj (om person)* underqualified; ~ *arbejde* work one is overqualified for.
ungdoms|center youth centre. **-forbryder** young offender; juvenile delinquent. **-klub** youth club. **-oprør** youth revolution *(el.* rebellion), adolescent revolt.
ungpigekjole teenage dress.
unisex unisex
universitets|center university centre. **-direktør** *(svarer til)* registrar. **-pædagogik** university teaching methods.
uregelmæssighed: *begå -er (tilføj:)* be guilty of malpractices.
urenset *(tilføj:)* *(om spildevand)* untreated.
uropatrulje *(omtr)* trouble spotters.
urtete *(ret til:)* herbal tea.
utilitarisme *(en) (i filosofi)* utilitarianism.

vakuum|pakket *adj* vacuum-packed. **-pakning** vacuum pack.
valg *(tilføj:)* *gå til ~ på spørgsmålet* take the issue to the country, call an election on the issue.
valg|ekspert psephologist. **-flæsk** *(tilføj:)* electoral bribes; pie-in-the-sky.
valuta|krise *(tilføj:)* monetary crisis. **-union** monetary union.
vand|forurening water pollution. **-kanon** *(til brandslukning)* monitor; *(ved bekæmpelse af demonstrationer)* water cannon. **-pleje** water conservation. **-rensning** water treatment.
vanskelig *(tilføj:)* *den -e alder* the awkward age; *gøre sig ~* be refractory, cut up rough.
varedeklaration informative label.
varieret *adj* varied; diversified *(fx* programme).
varmeskjold *(på rumskib)* heat shield.
vaske|børste *(til bil)* brush; *(med gennemløb)* hose brush. **-program** washing programme. **-rum** *(til tøjvask, i etagehus)* laundry; *(til at vaske sig i, fx* ✗.) ablutions *pl.*
vattet *adj* T *(holdningsløs)* spineless, weak-kneed; *(tåget, uklar)* woolly; *(om lyd)* muffled.
I. ved *(tilføj:)* *bære ~ til bålet (fig)* add fuel to the fire.
vejmelding report on road conditions.
vel|artikuleret *adj* well (-) articulated *(fx* sounds); *(om person: som kan udtrykke sig)* articulate. **-formuleret** *adj* well (-) formulated; well-turned *(fx* phrase); *(om person: som kan udtrykke sig)* articulate.
velstandsudligning redistribution of wealth.
vende *(tilføj:)* ~ *imod* direct to *(fx* direct one's attention (, glance) to sth); *(se ogs: ~ ud til).*
venstre|drejet *adj (fig)* left-wing. **-drejning,** *se nedenfor: -sving.* **-håndsarbejde** inferior work; *(lavet for at tjene penge)* pot-boiler. **-intellektuel** *sb* left-wing intellectual. **-sving** left (-hand) turn; *(ogs fig, polit)* swing to the left; ~ *forbudt* no left turn.
II. vente *(tilføj:)* *(om gravid)* be expecting *(fx* she is expecting a baby); be pregnant with *(fx* she was

pregnant with our first child at that time).

veranda *(tilføj:)* *(amr)* porch.

verden *(tilføj:)* *den tredje* ~ the Third World; *han elskede dette sted over alt i* ~ he loved this spot more than anything in the world.

verificerbar *adj* verifiable.

veteran|bane *(jernb)* preserved (railway) line. **-lokomotiv** preserved locomotive.

video|båndoptager video tape recorder. **-kassette** video cassette.

videregive *vb* pass on.

vidt: *for så* ~ *(tilføj:)* *(for den sags skyld)* for that matter.

vikarbureau temp agency.

vikariat *(tilføj:)* *(lærer-)* supply job.

viktualierum larder.

vild *(tilføj:)* ~ *strejke* wildcat strike.

vildtreservat game preserve.

viljesvaghed weakness of will.

villa|kvarter residential neighbourhood. **-telt** cottage tent.

vinkelhus L-shaped house.

vippebræt teeterboard.

II. virke *(tilføj:)* *det -r mod hensigten* it is counter-productive.

virksomheds|demokrati industrial democracy. **-ledelse** management. **-nævn** works committee.

vismand *(tilføj:)* *en gammel* ~ a wise old man.

voksbatik batik.

vrideklemme twist tie.

vrissen *adj* grumpy.

vulkanisering *(tilføj:)* *(af dæk)* tyre retreading.

væg|avis wall newspaper. **-planche** wallsheet.

vægtklasse *(tilføj:)* *(om æg)* grade *(fx grade 1 eggs)*.

vælte *(tilføj:)* ~ *et skab ned over en* push a wardrobe (over) on sby; ~ *sig i penge* be rolling in money.

værdi|dom value judgment. **-fri** *adj* value-free. **-kupon** *(merk: som tilgift til vare)* trading stamp.

-ladet *adj (om ord, udtryk)* loaded; value-laden.

værre *(tilføj:)* *jeg ved ikke noget* ~ *end lange taler* long speeches are my pet aversion.

værtsland host country.

vågen *(tilføj:)* *være* ~ *over for* be alert to *(fx new trends)*.

weekendkuffert overnight case.

yderbane outside track; *(på vej)* outside lane. **yndlingsaversion** pet aversion.

zebrastriber *pl* black and white stripes; *(fodgængerovergang)* zebra crossing.

æbleskud T scrumping.

ældreklub club for senior citizens.

æresborger: *gøre en til* ~ *i byen (tilføj:)* confer the freedom of the city on sby.

ærinde *(tilføj:)* *han er ude i et bestemt* ~ *(fig: har et særligt formål)* he has an axe to grind.

ærlig *(tilføj:)* *jeg skal -t indrømme at* I don't mind admitting that.

I. æske *(tilføj:)* *kinesiske -r* Chinese boxes.

øje *(tilføj:)* *den sidder lige i -t* T *(fig: rammer plet)* it's bang on.

øre|gas S bolony, piffle. **-hænger** *(en -e)* *(for hørehæmmet)* behind-the-ear-aid. **-mærke** *vb (ogs fig)* earmark.

ørenslyst delight (to the ear).

ørkenstøvle desert boot.

øst|land, -magt East European country. **-politik** Eastern European policy; *(om tyske forhold ogs)* Ostpolitik.

øvelokale *(til musik)* practice room.

øvelse *(tilføj:)* *(inden for atletik: disciplin)* event.

åben *(tilføj:)* *-t universitet* open university.

UREGELMÆSSIGE VERBER

arise *(opstå)* arose, arisen
awake *(vågne)* awoke, awaked
be *(være)* was/ *pl* were, been
bear *(bære)* bore, borne
bear *(føde)* bore, born/borne
beat *(slå)* beat, beaten
become *(blive)* became, become
beget *(avle)* begot, begotten
begin *(begynde)* began, begun
bend *(bøje)* bent, bent
bereave *(berøve)* bereaved/bereft,bereaved/bereft
beseech *(bønfalde)* besought, besought
bet *(vædde)* bet, bet
bid *(byde, befale)* bade, bidden
bid *(byde på auktion)* bid, bid
bind *(binde)* bound, bound
bite *(bide)* bit, bitten
bleed *(bløde)* bled, bled
blow *(blæse)* blew, blown
break *(brække)* broke, broken
breed *(avle, opfostre)* bred, bred
bring *(bringe)* brought, brought
build *(bygge)* built, built
burn *(brænde)* burnt/burned, burnt/burned
burst *(briste)* burst, burst
buy *(købe)* bought, bought
can *(kan)* could, (been able to)
cast *(kaste, støbe)* cast, cast
catch *(fange)* caught, caught
choose *(vælge)* chose, chosen
cleave *(klæbe)* cleaved/clave, cleaved
cleave *(kløve)* clove/cleft, cloven/cleft
cling *(klynge sig)* clung, clung
come *(komme)* came, come
cost *(koste)* cost, cost
creep *(krybe)* crept, crept
cut *(hugge, skære)* cut, cut
deal *(handle)* dealt, dealt
dig *(grave)* dug, dug
do *(gøre)* did, done
draw *(trække, tegne)* drew, drawn
dream *(drømme)* dreamt/dreamed, dreamt/dreamed
drink *(drikke)* drank, drunk
drive *(drive, køre)* drove, driven
dwell *(dvæle, bo)* dwelt, dwelt
eat *(spise)* ate, eaten
fall *(falde)* fell, fallen
feed *(fodre)* fed, fed
feel *(føle)* felt, felt
fight *(kæmpe)* fought, fought
find *(finde)* found, found

flee *(fly)* fled, fled
fling *(slænge)* flung, flung
fly *(flyve)* flew, flown
forget *(glemme)* forgot, forgotten
forsake *(svigte)* forsook, forsaken
freeze *(fryse)* froze, frozen
get *(få, blive, komme)* got, got
give *(give)* gave, given
go *(gå, rejse)* went, gone
grind *(male, knuse)* ground, ground
grow *(vokse, dyrke)* grew, grown
hang *(hænge)* hung, hung
hang *(hænge i galge)* hanged, hanged
have *(have)* had, had
hear *(høre)* heard, heard
hide *(skjule)* hid, hidden/hid
hit *(ramme)* hit, hit
hold *(holde, rumme)* held, held
hurt *(gøre ondt, skade)* hurt, hurt
keep *(beholde)* kept, kept
kneel *(knæle)* knelt, knelt
knit *(strikke)* knitted/knit, knitted/knit
know *(vide, kende)* knew, known
lay *(lægge)* laid, laid
lead *(føre)* led, led
lean *(læne)* leaned/leant, leaned/leant
leap *(hoppe)* leaped/leapt, leaped/leapt
learn *(lære)* learnt/learned, learnt/learned
leave *(forlade, tage af sted)* left, left
lend *(låne)* lent, lent
let *(lade, udleje)* let, let
lie *(ligge)* lay, lain
light *(tænde)* lit/lighted, lit/lighted
lose *(tabe, miste)* lost, lost
make *(gøre, fremstille)* made, made
may *(kan, må gerne)* might, (been allowed to)
mean *(mene, have i sinde)* meant, meant
meet *(møde)* met, met
mow *(meje, slå)* mowed, mown/mowed
must *(må)* must, (had to)
ought *(bør)* ought
pay *(betale)* paid, paid
put *(lægge, sætte)* put, put
read *(læse)* read, read
rend *(sønderrive)* rent, rent
rid *(befri)* rid/ridded, rid
ride *(ride, køre)* rode, ridden
ring *(ringe)* rang, rung
rise *(rejse sig)* rose, risen
run *(løbe)* ran, run
saw *(save)* sawed, sawn/sawed
say *(sige)* said, said

see *(se)* saw, seen
seek *(søge)* sought, sought
sell *(sælge)* sold, sold
send *(sende)* sent, sent
set *(sætte, gå ned)* set, set
sew *(sy)* sewed, sewed/sewn
shake *(ryste)* shook, shaken
shall *(skal)* should, (been obliged to)
shed *(udgyde)* shed, shed
shine *(skinne)* shone, shone
shoe *(sko)* shod, shod
shoot *(skyde)* shot, shot
show *(vise)* showed, shown
shrink *(krympe, vige tilbage)* shrank, shrunk
shut *(lukke)* shut, shut
sing *(synge)* sang, sung
sink *(synke)* sank, sunk
sit *(sidde)* sat, sat
slay *(ihjelslå)* slew, slain
sleep *(sove)* slept, slept
slide *(glide)* slid, slid
sling *(slynge)* slung, slung
slink *(luske)* slunk, slunk
slit *(flække)* slit, slit
smell *(lugte)* smelt, smelt
smite *(slå)* smote, smitten
sow *(så)* sowed, sowed/sown
speak *(tale)* spoke, spoken
speed *(ile)* sped, sped
speed up *(sætte farten op)* speeded up, speeded up
spell *(stave)* spelt/spelled, spelt/spelled
spend *(give ud, tilbringe)* spent, spent
spill *(spilde)* spilt/spilled, spilt/spilled
spin *(spinde)* spun, spun
spit *(spytte)* spat, spat
split *(splitte, flække)* split, split
spoil *(ødelægge)* spoilt/spoiled, spoilt/spoiled

spread *(sprede, brede sig)* spread, spread
spring *(springe)* sprang, sprung
stand *(stå, stille)* stood, stood
steal *(stjæle)* stole, stolen
stick *(klæbe, fæste)* stuck, stuck
sting *(stikke m. brod)* stung, stung
stink *(stinke)* stank, stunk
strew *(strø)* strewed, strewed/strewn
stride *(skride, gå)* strode, stridden
strike *(slå)* struck, struck
string *(trække på snor)* strung, strung
strive *(stræbe)* strove, striven
swear *(sværge)* swore, sworn
sweep *(feje)* swept, swept
swell *(svulme)* swelled, swollen
swim *(svømme)* swam, swum
swing *(svinge)* swung, swung
take *(tage)* took, taken
teach *(lære, undervise)* taught, taught
tear *(rive itu)* tore, torn
tell *(fortælle)* told, told
think *(tænke)* thought, thought
thrive *(trives)* throve, thriven
throw *(kaste)* threw, thrown
thrust *(støde)* thrust, thrust
tread *(træde)* trod, trodden
wake *(vågne, vække)* woke/waked, waked/ woke(n)
wear *(bære, have på)* wore, worn
weave *(væve)* wove, woven
weep *(græde)* wept, wept
will *(vil)* would, (wanted to)
win *(vinde, opnå)* won, won
wind *(vinde, sno)* wound, wound
wring *(vride)* wrung, wrung
write *(skrive)* wrote, written